D1410066

DIZIONARIO DI TEOLOGIA FONDAMENTALE

diretto da
René Latourelle
Rino Fisichella

DIZIONARIO
DI TEOLOGIA
FONDAMENTALE

CITTADELLA
EDITRICE

edizione italiana a cura di
RINO FISICHELLA

Assisi - novembre 1990

Imprimatur
✠ Sergius Goretti
Episcopus

Assisii,
die 24 octobris 1990

Revisione redazionale:
GIUSEPPINA POMPEI
ANTONIO DAL BIANCO

© CITTADELLA EDITRICE
06081 ASSISI (PG)

bozzetto di
copertina e cofanetto:
CLAUDIO RONCHETTI

ISBN 88-308-0459-2

INTRODUZIONE

Se è difficile concepire un qualsiasi Dizionario, diventa quasi temerario però progettare un *Dizionario di Teologia Fondamentale*. Cambiando nome, infatti, l'apologetica di ieri ha cambiato anche statuto. Per la sua peculiare condizione di disciplina di frontiera rispetto alle scienze sacre e umane, essa è costantemente esposta a cambiamenti che possono facilmente essere considerati rivoluzionari.

Anche se il *Dictionnaire apologétique de la foi catholique* del D'Alès, iniziato ormai circa un secolo fa, ha reso servizi immensi in un periodo di relativa stabilità teologica, i cambiamenti a cui è stata sottoposta la teologia da alcuni decenni, a livello di metodi, di analisi esegetiche, storiche e letterarie, di rapporti chiesa-scienza-mondo contemporaneo e soprattutto di mentalità, hanno obbligato a ripensare da capo il progetto dell'apologetica classica.

La sostanza e i contenuti rimangono, ma gli approcci, le presentazioni e le trattazioni sono radicalmente cambiate. Molte problematiche, inoltre, hanno conosciuto una tale ampiezza di riflessione che nell'apologetica precedente era appena riconoscibile. In una parola, professori, esperti della materia e studenti si trovano di fronte ad un vuoto da colmare e ad un futuro da costruire. In questo orizzonte, la presente opera è stata concepita con uno spirito di servizio ecclesiale.

Al lettore potrà essere utile conoscere le diverse tappe propedeutiche alla composizione del *Dizionario*.

*

Nella prima fase del lavoro editoriale è stato necessario, anzitutto, definire le grandi linee del *Dizionario*; poi determinare le voci da trattare avendo presente una serie di criteri che si possono così sintetizzare:

1. I cambiamenti operati in teologia a partire dal periodo del dopoguerra avendo presente in modo particolare il momento conciliare e quello successivo.

2. La nozione stessa di teologia fondamentale, che mostra attenzione agli elementi che costituiscono consenso generale ma anche alle divergenze, dovute alle varie tradizioni culturali.

3. Il destinatario del *Dizionario*, la cui presenza condiziona più direttamente la teologia fondamentale, poiché il suo discorso e stile si rivolgono a lettori di confessioni religiose e di culture molto diverse.

4. La necessità di costruire un'équipe che fosse veramente internazionale.

5. La dimensione di ogni voce, tenuto conto della sua peculiarità per la nostra disciplina.

6. L'importanza di un approccio che fosse al tempo stesso diacronico e sincronico.

7. La scelta intenzionale di dare completezza ad ogni singola voce. In questa prospettiva, una eventuale ripetizione di dati rappresenta più una qualità che un limite; favorisce infatti una visione globale della tematica affrontata e permette di situare meglio il contenuto di ogni voce.

*

La struttura del *Dizionario* è stata pensata in modo tale da proporre, a chi lo desideri, uno studio sistematico di tutti i temi della teologia fondamentale: i principi di base con le loro implicanze.

Questa struttura si articola nel modo seguente:

I. *La rivelazione cristiana e la sua singolarità*: 1. Preparazione storica - 2. Compimento e pienezza in Gesù Cristo - 3. Trasmissione: Scrittura, Tradizione, Ispirazione, Deposito della fede, Magistero - 4. Missione, evangelizzazione, inculturazione.

II. *La credibilità della rivelazione*: 1. Natura e oggetto - 2. Prospettiva dogmatica e apologetica: integrazione dei due approcci - 3. Studio dei segni - 4. Destinatari.

III. *La fede: risposta dell'uomo alla rivelazione*: 1. Natura - 2. Contenuto - 3. Soggetto - 4. Espressione - 5. Ostacoli.

IV. *Le implicanze della singolarità della rivelazione cristiana*: 1. Problema del sapere della fede: la teologia - 2. Rapporto con la storia - 3. Rapporto con le filosofie che rifiutano l'incarnazione: illuminismo, teologia bultmanniana - 4. Rapporto con le altre chiese: ecumenismo - 5. Rapporto con le altre religioni - 6. Relazione con la cultura, il linguaggio, le scienze.

V. *La prospettiva storica*: 1. La triplice demonstratio: *religiosa, christiana, catholica* - 2. La ricostruzione storico-tematica - 3. Gli autori maggiormente significativi.

Tra le 220 voci studiate, 35 le riteniamo più importanti perché costituiscono la struttura portante del *Dizionario*; per questo motivo trovano maggior spazio nella trattazione e hanno un particolare rilievo grafico nell'«Elenco delle voci» alle pp. XIX-XXIV. Sono le seguenti: antropologia, apologetica, ateismo, chiesa, credibilità, cristologia, Dei Verbum, deposito della fede, Dio, ermeneutica, evangelizzazione, fede, giustizia, inculturazione, ispirazione, linguaggio, magistero, martirio, messianismo, metodo, miracolo, mistero pasquale, profezia, religione, rivelazione, segni dei tempi, semeiologia, senso, storia, teologia, teologia fondamentale, teologie, testimonianza, tradizione, vangelo.

Un buon numero di temi trattati nel *Dizionario* è di forte attualità; spesso infatti queste voci non appaiono in nessun altro Dizionario o sono rapidamente accennate; ad esempio: comunicazione, femminismo, cristologia filosofica, immaginazione, letteratura e teologia, problemi di linguaggio, apologisti laici, realismo, silenzio, solitudine, sette cristiane, teologia in contesto...

Non potevamo naturalmente far passare sotto silenzio i «grandi» dell'apologetica classica e della fondamentale contemporanea. Ma come sceglierli e con quali criteri? Abbiamo optato per quegli autori che, ancora oggi, hanno un impatto incisivo sul contemporaneo. Tra gli altri ricordiamo: gli apologeti dei primi secoli, Origene, gli apologisti laici dei secc. XVIII-XIX, Agostino, Anselmo, von Balthasar, Barth, Blondel, Drey, Guardini, Ireneo, Newman, Pascal, Rahner, Rosmini, Teilhard de Chardin, Zubiri...

*

Alle pp. XV-XVII di quest'opera, il lettore troverà l'elenco di tutti i collaboratori con l'indicazione della loro funzione e del loro centro universitario abituale. Sono un centinaio e provengono da più di venti centri accademici sparsi per tutto il mondo; costituiscono un'autentica équipe internazionale. In concreto, sono rappresentati 15 Paesi: Australia, Austria, Belgio, Brasile, Canada, Francia, Germania, Gran Bretagna, India, Italia, Iugoslavia, Malta, Olanda, Spagna, Stati Uniti.

Due indici ci sono sembrati opportuni: il primo, *sistematico*, per favorire una lettura d'insieme che visualizzi la struttura organica del nostro modo di concepire la teologia fondamentale; il secondo, *analitico*, per permettere di rievocare non solo le problematiche che costituiscono l'oggetto degli articoli fondamentali, ma anche i temi sparsi in varie parti del Dizionario.

*

Nel momento in cui la teologia fondamentale si presenta come una disciplina con una identità meglio definita e con metodologie e tecniche di ricerca rinnovate, noi speriamo che questo *Dizionario* possa corrispondere, con rinnovato impegno, al senso di responsabilità della fede cristiana che provoca, secondo le parole di 1 Pt 3,15, ad essere «sempre pronti a rispondere a chiunque vi domandi ragione della speranza che è in voi».

A conclusione, esprimiamo la nostra profonda gratitudine alle istituzioni che hanno reso possibile la realizzazione di questa opera: la Pontificia Università Gregoriana, il Pontificio Istituto Biblico e la Pro Civitate Christiana di Assisi.

I CURATORI

Roma, 17 settembre 1990

INDICE SISTEMATICO

I titoli in corsivo di questo Indice sistematico indicano parti o aspetti importanti di una tematica che non ha una trattazione propria. Nell'indice analitico, posto alla fine del Dizionario, c'è l'indicazione delle pagine in cui sono trattate queste voci in corsivo.

1. LA RIVELAZIONE

1.1. Natura e oggetto

Abba
Amore
Certezza
Chiesa
Cristologia
Dialogo
Dio
Gesù della storia
Mistero
Mistero pasquale
Parola di Dio
Regno di Dio
Salvezza
Senso
Specificità della rivelazione
Spirito Santo
Testimonianza
Trinità
Verità

1.2. Preparazione

Alleanza
Elezione
Esperienza
Giovanni Battista
Giudaismo
Legge
Messianismo
Patriarchi
Profeti
Promessa
Scritture sacre
Storia della salvezza
Testamento: promessa

1.3. Compimento

Abba
Apparizioni
Chiesa: Gesù-Chiesa
Cristologia
Escatologia
Gesù della storia
Messianismo
Miracolo
Mistero pasquale
Parola di Dio
Profezia
Spirito Santo
Testamento antico e nuovo
Testimonianza
Unicità e universalità
Universale concretum

1.4. Trasmissione

Apocrifi
Apostolo
Chiesa: Gesù-chiesa interprete della Scrittura
Comunità primitiva
Deposito della fede
Dogma
Escatologia
Evangelizzazione
Ispirazione
Magistero
Ortodossia
Ortoprassi
Profezia
Regno di Dio
Sensus fidei
Simbolo della fede
Spirito Santo

2. CREDIBILITÀ

3. FEDE

Chiesa
Conoscenza di Gesù
Credibilità
Cristologia
Deposito della fede
Dio
Dogma
Gesù della storia, Cristo della fede
Kêrygma
Messianismo
Mistero
Mistero pasquale
Rivelazione
Simbolo della fede
Spirito Santo
Testamento antico e nuovo
Tradizione
Trinità
Vangelo
Verità

3.3. Soggetto

Antropologia
Chiesa
Destinatario
Immanenza
Linguaggio
Male
Morte
Potentia oboedientialis
Senso: ricerca e dono
Silenzio
Sofferenza
Solitudine
Soprannaturale
Storia
Teologia: ecclesialità

3.4. Espressioni

Analogia
Apologia

Carisma
Catechesi
Deposito della fede
Esperienza
Giustizia
Kêrygma
Letteratura
Linguaggio
Magistero
Martirio
Miracolo
Ortodossia
Ortoprassi
Parenesi
Profezia
Prove dell'esistenza di Dio
Ragione-fede
Regula fidei
Segni dei tempi
Senso
Sensus fidei
Silenzio
Simbolo della fede
Teologia
Testimonianza

3.5. Impedimenti

Agnosticismo
Ateismo
Critica della religione
Fideismo
Gnôsis
Ideologia
Indifferenza
Marxismo
Positivismo
Razionalismo
Relativismo
Scetticismo
Tradizionalismo
Umanesimo ateo

4. EPISTEMOLOGIA

Analisi strutturalistica
Analogia
Certezza
Credibilità
Cristocentrismo

Dogma
Ermeneutica
Esegesi integrale
Esperienza
Fede

Filosofia cristiana
Gerarchia delle verità
Immanenza
Luoghi teologici
Magistero
Metodo
Ortodossia
Ortoprassi
Pluralismo
Religione
Rivelazione

Semeiologia
Sensus fidei
Simbolismo
Storia
Tempo-temporalità
Teologia: epistemologia
· Teologo
Testamento antico e nuovo
Tradizione
Verità

5. STORIA

5.1. Demonstratio Religiosa

Agnosticismo
Antropologia
Ateismo
Critica della religione
Esperienza
Indifferenza
Marxismo
Mistero
Positivismo storico
Razionalismo
Relativismo
Religione
Scetticismo
Scritture sacre
Umanesimo ateo

5.2. Demonstratio Christiana

Buddhismo
Conoscenza di Gesù
Credibilità
Cristocentrismo
Cristologia
Deismo
Escatologia
Gesù
Giudaismo
Illuminismo
Induismo
Islam
Kêrygma
Messianismo
Miracolo
Mistero pasquale
Profezia
Religioni tradizionali

Testamento antico e nuovo
Vangelo

5.3. Demonstratio Catholica

Anglicanesimo
Apostolo
Calvinismo
Carisma
Chiesa: notae
Chiesa ortodossa
Chiese orientali
Comunità primitiva
Consiglio Mondiale Chiese
Depositum fidei
Dialogo interreligioso
Ecumenismo
Luteranesimo
Ortodossia
Profezia
Regno di Dio
Spirito Santo

5.4. Ricostruzione storico-tematica

Apologetica: storia
Dei Filius
Dei Verbum
Ecclesiam Suam
Fondamentale: storia
Luoghi teologici
Pastor Aeternus
Qui Pluribus
Redemptor Hominis
Trento
Vaticano I
Vaticano II

5.5. Autori

Apologeti
Agostino
Anselmo
Apologisti laici
Balthasar
Barth
Blondel
Bultmann
De Lubac
Drey
Gardeil
Gregorio di Nissa

Guardini
Hegel
Ireneo
Newman
Origene
Pascal
Rahner
Rosmini
Scheeben
Teilhard
Teologo
Tillich
Zubiri

COLLABORATORI

1. Pontificia Università Gregoriana

ADNÈS Pierre, docente di teologia dogmatica
AZEVEDO Marcello de C., docente invitato di antropologia
BOSETTI Elena, docente incaricata di esegesi NT
CABA José, docente di esegesi NT
CARRIER Hervé, docente di sociologia
CHAPPIN Marcel, docente di storia della chiesa
CONROY Charles, docente di esegesi AT
CROUZEL Henri, docente invitato di patristica
DE FINANCE Joseph, docente di etica generale
DHAVAMONY Mariasusai, docente di fenomenologia e teologia delle religioni
DUPUIS Jacques, docente di teologia dogmatica
FISICHELLA Rino, docente di teologia fondamentale
FUČEK Ivan, docente di teologia morale
FUELLENBACH John, docente incaricato di teologia dogmatica
FUSS Michael, docente incaricato di buddhismo
GALOT Jean, docente di teologia dogmatica
GILBERT Paul, docente di metafisica
GROTH Bernd, docente di teologia fondamentale
HAMEL Édouard, docente di teologia morale
HENN William, docente di teologia dogmatica
LADARIA Luis F., docente di teologia dogmatica
LAFONT Ghislain, docente invitato di metodologia
LAMBIASI Francesco, docente invitato di teologia dogmatica
LATOURELLE René, docente di teologia fondamentale
MCDERMOTT John M., docente di teologia dogmatica
O'COLLINS Gerald, docente di teologia fondamentale
O'DONNELL John, docente di teologia dogmatica
ORBE Antonio, docente di patristica
PASTOR Félix-Alejandro, docente di teologia dogmatica
PELLAND Gilles, docente di teologia dogmatica
ROEST CROLLIUS Arij A., docente di spiritualità missionaria e Islam
ROSATO Philip J., docente di teologia dogmatica
SCARVAGLIERI Giuseppe, docente di sociologia religiosa
SULLIVAN Francis A., docente di teologia dogmatica
TILLIETTE Xavier, docente invitato di storia della filosofia

VERCRUYSSE Jos E., docente di storia ecclesiastica e teologia ecumenica
WICKS Jared, docente di teologia fondamentale ed ecumenica

2. Altri Centri Universitari

AMATO Angelo, docente di teologia dogmatica nell'Università Pontificia Salesiana in Roma
BEAUDE Pierre-Marie, docente di teologia cattolica nell'Università di Metz
BERGERON Richard, del Centre d'information sur les nouvelles religions in Montréal
BLOESCH Donald G., docente di teologia sistematica nell'Università di Dubuque, USA
BUCKLEY Michael J., distaccato presso il National Council of Catholic Bishops in Washington
CANÉVET Mariette, docente di patristica nell'Università di Strasbourg
CARNICELLA M. Cristina, docente di teologia fondamentale nell'Istituto di Scienze Religiose di Pescara
CARR Anne E., docente di teologia sistematica nella Divinity School dell'Università di Chicago
CHARRON André, docente di teologia fondamentale nell'Università di Montréal
CIPRIANI Nello, docente di patristica nell'Istituto Patristico «Augustinianum» in Roma
COFFELE Gianfranco, docente di teologia fondamentale nell'Università Pontificia Salesiana in Roma
CUCINOTTA Filippo Santi, docente di teologia fondamentale nella Facoltà di teologia della Sicilia in Palermo
DE LA POTTERIE Ignace, docente di esegesi NT nel Pontificio Istituto Biblico in Roma
DES PLACES Édouard, docente di storia della religione e filosofia greca nel Pontificio Istituto Biblico in Roma
DULLES Avery, docente di teologia fondamentale nell'Università di Fordham in New York
FARRUGIA Mario, docente di teologia nella Facoltà teologica «San Luigi» in Napoli
GENEST Olivette, docente di Sacra Scrittura nell'Università di Montréal
GILBERT Maurice, docente di esegesi AT nel Pontificio Istituto Biblico in Roma
GODIN André, docente di psicologia delle religioni nel Centro «Lumen Vitae» in Bruxelles
GRACIA Diego, docente di storia della medicina nell'Università Complutense in Madrid
GRECH Prosper, docente di ermeneutica nel Pontificio Istituto Biblico in Roma
JOSEPH Howard, rabbino e docente nel Dipartimento di Religione dell'Università Concordia in Montréal
KAJEDAN Ian J., direttore dell'Ufficio del Governo del Canada per le relazioni con la Comunità ebraica
KERN Walter, docente di teologia fondamentale nell'Università di Innsbruck
KUSTERMANN Abraham Peter, direttore dell'Accademia della diocesi di Rottenburg-Stuttgart
LANGEVIN Gilles, docente di teologia dogmatica nell'Università Laval in Québec
LANGEVIN Paul-Émile, docente di esegesi NT nell'Università Laval in Québec
LANE Gilles, docente di filosofia nell'Università di Montréal
LEFEBVRE Solange, docente di teologia pastorale nell'Università di Montréal

LINDBECK Georg, docente di teologia ecumenica nella Divinity School di Yale University

LÖSER Werner, docente di teologia dogmatica nella Hochschule «Sankt Georgen» in Frankfurt

MAESSCHALCK Marc, docente di filosofia nell'Università statale di Haiti

MANSINI Guy F., docente di teologia dogmatica nel St. Meinrad Archabbey in St.Meinrad, USA

MCMORROW Kevin, Direttore del Centro Ecumenico «Atonement» in Roma

MURPHY Anne, docente di teologia storica nel Heythrop College dell'Università di London

NAUD Julien, docente di filosofia nell'Università del Québec in Trois-Rivières

NEUFELD Karl H., docente di teologia fondamentale nell'Università di Innsbruck

PERKINS Pheme, docente di teologia nel Department of Theology del Boston College in Boston

PIÉ-NINOT Salvador, docente di teologia fondamentale nella Facoltà teologica di Catalunya in Barcelona

POTTMEYER Hermann J., docente di teologia fondamentale nell'Università di Bochum

POZZO Guido, docente di teologia dogmatica nell'Istituto «Caymari» in Roma

PROVENCHER Normand, docente di teologia fondamentale nell'Università «Saint Paul» in Ottawa

ROCCHETTA Carlo, docente di teologia dogmatica nell'Istituto Teologico Fiorentino in Firenze

ROCHAIS Gérard, docente al dipartimento di scienze religiose nell'Università di Québec in Montréal

ROOT Howard E., direttore del Centro Anglicano in Roma

SABOURIN Léopold, pubblicista in Sacra Scrittura

SCHLITT Dale M., docente di filosofia della religione e teologia nell'Università St. Paul in Ottawa

SECKLER Max, docente di teologia fondamentale nell'Università di Tübingen

SHANNON FARRELL Elizabeth, docente di letteratura profetica e sapienziale della Bibbia nell'Università Laval in Québec

SKA Jean Louis, docente di esegesi AT nel Pontificio Istituto Biblico in Roma

SPERA Salvatore, docente di filosofia della religione nell'Università «La Sapienza» in Roma

STAGLIANÒ Antonio, docente di teologia fondamentale nel Pontificio Seminario «Pio X» in Catanzaro

SULLIVAN Francis P., docente di teologia fondamentale nel Department of Theology del Boston College in Boston

VANHOYE Albert, docente di esegesi NT nel Pontificio Istituto Biblico in Roma

VERWEYEN Hansjürgen, docente di teologia fondamentale nell'Università di Freiburg i.B.

VISCA Danila, docente di storia delle religioni nell'Università «La Sapienza» in Roma

WEGER Karl Heinz, docente di filosofia nel Berchmanskolleg in München

ELENCO DELLE VOCI

* In carattere neretto sono le voci portanti del Dizionario.

CITTADELLA EDITRICE ringrazia tutti i traduttori delle voci in lingua straniera: Valeria Bajo - Daniela Bazzoffia - Benedettine di Rosano - Andrea Bonifazi - Giuseppe Bonino - Mirella Comba Corsani - Antonio Dal Bianco - Enzo Demarchi - Emilio Filippi - Germano e Valeria Garatto - Edi Liutti - Pietro Maranesi - Luigi Muratori - Valerio Pertoldi - Gianni Pulit - Pier Luigi Ricciarelli - Vasco Ristori - Donatella Scaiola - Saverio Simonelli

ABBREVIAZIONI

Libri della Sacra Scrittura

Ab	Abacuc
Abd	Abdia
Ag	Aggeo
Am	Amos
Ap	Apocalisse di Giovanni
At	Atti degli Apostoli
Bar	Baruch
Col	Lettera ai Colossesi
1 Cor	1ª lettera ai Corinzi
2 Cor	2ª lettera ai Corinzi
1 Cr	1° libro delle Cronache
2 Cr	2° libro delle Cronache
Ct	Cantico dei Cantici
Dn	Daniele
Dt	Deuteronomio
Eb	Lettera agli Ebrei
Ef	Lettera agli Efesini
Es	Esodo
Esd	Esdra
Est	Ester
Ez	Ezechiele
Fil	Lettera ai Filippesi
Fm	Lettera a Filemone
Gal	Lettera ai Galati
Gb	Giobbe
Gc	Lettera di Giacomo
Gd	Lettera di Giuda
Gdc	Giudici
Gdt	Giuditta
Ger	Geremia
Gio	Giona
Gl	Gioele
Gn	Genesi
Gs	Giosué
Gv	Giovanni
1 Gv	1ª lettera di Giovanni
2 Gv	2ª lettera di Giovanni
3 Gv	3ª lettera di Giovanni

Is	Isaia
Lam	Lamentazioni di Geremia
Lc	Luca
Lv	Levitico
1 Mac	1° libro dei Maccabei
2 Mac	2° libro dei Maccabei
Mc	Marco
Mic	Michea
Ml	Malachia
Mt	Matteo
Na	Nahum
Ne	Neemia
Nm	Numeri
Os	Osea
Prv	Proverbi
1 Pt	1ª lettera di Pietro
2 Pt	2ª lettera di Pietro
Qo	Qoélet
1 Re	1° libro dei Re
2 Re	2° libro dei Re
Rm	Lettera ai Romani
Rt	Rut
Sal	Salmi
1 Sam	1° libro di Samuele
2 Sam	2° libro di Samuele
Sap	Sapienza
Sir	Siracide
Sof	Sofonia
Tb	Tobia
1 Tm	1ª lettera a Timoteo
2 Tm	2ª lettera a Timoteo
1 Ts	1ª lettera ai Tessalonicesi
2 Ts	2ª lettera ai Tessalonicesi
Tt	Lettera a Tito
Zc	Zaccaria

Documenti del Vaticano II

AG	Ad Gentes

AA	Apostolicam Actuositatem	PO	Presbyterorum Ordinis
CD	Christus Dominus	SC	Sacrosanctum Concilium
DV	Dei Verbum	UR	Unitatis Redintegratio
DH	Dignitatis Humanae		
GS	Gaudium et Spes		
GE	Gravissimum Educationis	**Documenti del Magistero**	
IM	Inter Mirifica		
LG	Lumen Gentium	CT	Catechesi Tradendae
NA	Nostra Aetate	DM	Dives in Misericordia
OT	Optatam Totius	ES	Ecclesiam Suam
OE	Orientalium Ecclesiarum	RH	Redemptor Hominis
PC	Perfectae Caritatis	RM	Redemptoris Mater

Opere

BThW   *Bibeltheologisches Wörterbuch*, J. Bauer (ed.), Graz 1976.
Cath   *Catholicisme*, G. Jacquemet (ed.), Paris 1948 ss.
CChrCM   *Corpus Christianorum. Continuatio Mediaevalis*, Brepols, Turnholt 1966.
CChrSG   *Corpus Christianorum. Series Greca*, Brepols, Turnhout-Louvain 1977.
CChrSL   *Corpus Christianorum. Series Latina*, Brepols, Turnholt 1953.
CG   Tommaso D'Aquino, *Summa Contra Gentiles.*
CSCO   *Corpus Scriptorum Christianorum Orientalium*, Roma 1903.
CSEL   *Corpus Scriptorum Ecclesiasticorum Latinorum*, Accademia di Vienna
           (ed.), Wien 1866.
DAFC   *Dictionnaire apologétique de la foi catholique*, ed. D'Alès. Paris
           1909-1931.
DBS   *Supplément au Dictionnaire de la Bible*, Paris 1928.
DSp   *Dictionnaire de Spiritualité*, M. Viller (ed.), Paris 1937.
DThC   *Dictionnaire de théologie catholique*, E. Vacant (ed.), Paris 1937.
DTI   *Dizionario Teologico Interdisciplinare*, Torino 1977-1978.
EB   *Enchiridion Biblicum. Documenta Ecclesiastica Sacram Scripturam Spec-
           tantia*, Napoli-Roma 1961.
EC   *Enciclopedia Cattolica*, Città del Vaticano 1945-1954.
EF   *Enciclopedia filosofica*, Novara 1979.
EKL   *Evangelisches Kirchenlexikon*, H. Brunotte - O. Weber (edd.), Göttin-
           gen 1956-1961.
EO   *Enchiridion Oecumenicum*, S. J. Voicu - G. Ceretti (edd.), Bologna
           1986-1988.
ER   *Encyclopedia of Religions (The)*, M. Eliade (ed.), New York-London
           1987.
ETF   *Enciclopedia di Teologia Fondamentale. Storia. Progetto. Autori. Ca-
           tegorie*, G. Ruggieri (ed.), Torino 1987.
EV   *Enchiridion Vaticanum*, Bologna 1966.
GDR   *Grande Dizionario delle Religioni*, P. Poupard (ed.), Assisi 1988.
GLNT   *Grande Lessico del Nuovo Testamento*, trad. it. di TWNT, a cura di
           F. Montagnini, Brescia 1965-1990.
HDG   *Handbuch der Dogmengeschichte*, Freiburg 1956.
HFTh   *Handbuch der Fundamentaltheologie*, W. Kern - H. J. Pottmeyer - M.
           Seckler (edd.), Freiburg 1985-1988.
HKG   *Handbuch der Kirchengeschichte*, H. Jedin (ed.), Freiburg 1962.
HWP   *Historisches Wörterbuch der Philosophie*, R. Eisler (ed.), Basel 1971.
LThK   *Lexikon für Theologie und Kirche*, J. Hofer - K. Rahner (edd.), Frei-
           burg/Br 1956-1965.
MystSal   *Mysterium Salutis*, J. Feiner-M. Löhrer (edd.), Brescia 1967-1978.

NCE   *New Catholic Encyclopedia*, New York 1967-1974.
NDL   *Nuovo Dizionario di Liturgia*, D. Sartore-A. M. Triacca (edd.), Roma 1984.
NDM   *Nuovo Dizionario di Mariologia*, S. De Fiores-S. Meo (edd.), Roma 1985.
NDS   *Nuovo Dizionario di Spiritualità*, S. De Fiores-T. Goffi (edd.), Roma 1985.
NDT   *Nuovo Dizionario di Teologia*, G. Barbaglio-S. Dianich (edd.), Roma 1977.
NDTB *Nuovo Dizionario di Teologia Biblica*, P. Rossano-G. Ravasi-A. Girlanda (edd.), Roma 1989.
NHThG *Neues Handbuch theologischer Grundbegriffe*, P. Eicher (ed.), München 1984 s.
PG   *Patrologiae Cursus Completus. Series Graeca*, J. P. Migne (ed.), Paris 1857-1945.
PhW   *Philosophisches Wörterbuch*, W. Brugger (ed.), Freiburg 1953.
PL   *Patrologiae Cursus Completus. Series Latina*, J. P. Migne (ed.), Paris 1844-1974.
PO   *Patrologia Orientalis*, R. Graffin (ed.), Paris-Turnhout 1907.
RGG 1-3 *Die Religion in Geschichte und Gegenwart*. Handwörterbuch für Theologie und Religionswissenschaft, K. Galling (ed.), Tübingen 1957-1965.
SChr *Sources Chrétiennes*, Paris 1941.
SM   *Sacramentum Mundi*, K. Rahner (ed.), Brescia 1974-1977.
STh   Tommaso d'Aquino, *Summa Theologica*.
TRE   *Theologische Realenzyklopädie*, G. Krause-G. Müller (edd.), Berlin-New York 1977.
TWAT *Theologisches Wörterbuch zum Alten Testament*, G. Botterweck-H. Ringgren (edd.), Stuttgart 1973.
TWNT *Theologisches Wörterbuch zum Neuen Testament*, G. Kittel-G. Friedrich (edd.), Stuttgart 1933-1973.
WA   Weimarer Ausgabe. M. Luther, *Werke. Kritische Gesamtausgabe*.
WKL   *Weltkirchenlexikon. Handbuch der Ökumene*, F. H. Littell-H. H. Walz (edd.), Stuttgart 1960.

Riviste

AAS   Acta Apostolicae Sedis
AHC   Annuarium Historiae Conciliorum
ArchFil Archivio di Filosofia
ARG   Archiv für Reformationsgeschichte
ArPh   Archives de Philosophie
ASSR   Archives de Sciences Sociales des Religions
ATh   Année Théologique
Aug   Augustinianum
Bibl   Biblica
BJRL   Bulletin of the John Rylands Library
BThBull Biblical Theological Bulletin
BZ   Biblische Zeitschrift
CBQ   Catholic Biblical Quarterly
CivCatt La Civiltà Cattolica
Comm   Communio
Conc   Concilium
EstBibl Estudios Bíblicos
EsVie   Esprit et Vie
Et   Études

EThL	Ephemerides Theologicae Lovanienses
ETR	Études Théologiques et Religieuses
EvQ	Evangelical Quarterly
EvTh	Evangelische Theologie
FrSA	Franciscan Studies Annual
FZPhTh	Freiburger Zeitschrift für Philosophie und Theologie
Greg	Gregorianum
HeJ	Heythrop Journal
IBS	Irish Biblical Studies
IKZ	Internationale kirchliche Zeitschrift
IPhQ	International Philosophical Quarterly
Ir	Irénikon
IThQ	Irish Theological Quarterly
JAAR	Journal of the American Academy of Religion
JThS	Journal of Theological Studies
KuD	Kerygma und Dogma
Lat	Lateranum
LKD	Literatur des katholischen Deutschlands
MSR	Mélanges de Science Religieuse
MThZ	Münchener theologische Zeitschrift
NRTh	Nouvelle Revue Théologique
NT	Novum Testamentum
NZSTh	Neue Zeitschrift für Systematische Theologie
PhJ	Philosophisches Jahrbuch der Görres-Gesellschaft
RAMy	Revue d'Ascétique et de Mystique
RB	Revue Biblique
RBén	Revue Bénédictine
RCT	Revista Catalana de Teologia
RdT	Rassegna di Teologia
REB	Revista Eclesiástica Brasileira
RET	Revista Española de Teología
RFNS	Rivista di Filosofia Neo-Scolastica
RGG	Religion in Geschichte und Gegenwart
RHPhR	Revue d'Histoire et de Philosophie Religeuses
RSLR	Rivista di Storia e Letteratura Religiosa
RSPhTh	Revue des Sciences Philosophiques et Théologiques
RSR	Recherches de Science Religieuse
RThom	Revue Thomiste
RThPh	Revue de Théologie et de Philosophie
RTL	Revue Théologique de Louvain
RUnOtt	Revue de l'Université de Ottawa
Sal	Salesianum
ScCatt	La Scuola Cattolica
ScE	Science et Esprit
SNT	Schriften des Neuen Testaments
StCatt	Studi Cattolici
StTh	Studia Theologica
StZ	Stimmen der Zeit
Teol	Teologia
Theol	Theology
ThD	Theology Digest
ThG	Theologie und Glaube
Thom	The Thomist
ThPh	Theologie und Philosophie
ThPQ	Theologisch-praktische Quartalschrift

ThQ   Theologische Quartalschrift
ThR   Theologische Rundschau
ThS   Theological Studies
VD   Verbum Domini
ZAW   Zeitschrift für die alttestamentliche Wissenschaft
ZKTh   Zeitschrift für die katholische Theologie
ZNW   Zeitschrift für die neutestamentliche Wissenschaft
ZThK   Zeitschrift für Theologie und Kirche

INDICAZIONI PRATICHE

1. Traslitterazioni e segni diacritici

Per il *greco* abbiamo seguito il principio grafico-fonetico. In particolare: *a.*
le vocali lunghe (e/o) sono traslitterate come ē/ō; se esse sono anche accenta-
te diventano ê/ô; *b.* l'accento «normale» è espresso da quello acuto (es. é/á),
eccetto quando si tratta di e/o lunghe come nel caso a. (vedi sopra); *c.* i
dittonghi vengono pronunciati come sono scritti, secondo la logica dell'alfabeto italiano, ad eccezione dell'ou, che viene pronunciato come u.

Per l'*ebraico* valgono in linea di massima i principi dei valori consonantici
e fonetici. In particolare: *a.* l'accento circonflesso (ˆ) segnala una vocale lunga; *b.* l'accento lungo (-) una vocale media; *c.* l'assenza di accento indica
una vocale breve; *d.* l'accento breve (˘) una semivocale.

Per quanto riguarda i *segni diacritici di altre lingue* (per es. arabo o sanscrito)
abbiamo seguito il sistema usato dagli autori degli articoli relativi.

2. Varie

Sia nell'indice sistematico sia in quello analitico sono riportate in *corsivo*
le voci che, pur avendo una certa importanza, non hanno una trattazione
propria (per es. *Antropomorfismo*), ma fanno parte di altre voci maggiori.
Nell'indice analitico, alla fine del volume, queste voci sono seguite dall'indicazione delle pagine in cui compaiono.

La freccia (→) nel corpo degli articoli rimanda il lettore alle voci indicate
per una visione più completa dell'argomento.

A

ABBA/PADRE

I vangeli ci presentano la figura di Gesù con la chiara qualifica di figlio di Dio. Stabiliscono una cristologia esplicita in maniera programmatica. Così il vangelo di Marco, già nel suo primo versetto, abbozza il tema che verrà sviluppato nel corso della sua opera: «Gesù Cristo, Figlio di Dio» (1,1). Giovanni formula la stessa tesi, nella sua conclusione, presentandola come la finalità che ha perseguito nello scrivere il suo vangelo: «affinché crediate che Gesù è il Cristo, il Figlio di Dio» (20,31). Per arrivare a questa formulazione aperta, gli evangelisti partono da una cristologia implicita, racchiusa nella condotta di Gesù, nelle sue parole e nella sua predicazione, nella realizzazione della sua opera. Un punto base che permette di arrivare a questa fede in Gesù come figlio di Dio, ha la sua radice nell'uso che Gesù stesso fece del termine *'abbā'*, padre, per esprimere il suo rapporto con Dio. Per cogliere la dimensione che questo termine acquista sulle labbra di Gesù è necessario confrontarlo con gli usi precedenti del mondo giudaico nel quale era inserita la vita di Gesù.

1. Nella storia delle religioni chiamare padre la divinità è un patrimonio comune. Anche nell'*Antico Testamento*, fra tante altre qualifiche, Dio viene presentato con il termine (*'ab*) padre. La religiosità ebraica però lo riveste di caratteristiche speciali. Dio è padre, non per il fatto di essere progenitore, ma perché creatore (Dt 32,6; Ml 2,10). Il popolo d'Israele ha fatto l'esperienza di Dio padre e si è sentito primogenito di Dio attraverso una storia di salvezza che ebbe il suo inizio significativo nell'uscita e nella liberazione dall'Egitto (Es 4,22; Is 63,16; Ger 31,9). A partire da quel momento nasce il popolo creato da Dio. Lungo questa storia Dio ha mostrato al popolo un amore di padre (Os 11,1-4.8). La paternità di Dio viene circoscritta, in questo modo eccezionale, a Israele. Comunque c'è una grande riserva nell'uso del nome di «padre» nei confronti di Dio, forse per il pericolo che venisse frainteso in senso mitologico. Solo quindici volte Dio viene nominato così nell'AT (Dt 32,6; 2 Sam 7,14; 1 Cr 17,13; 22,10; 28,6; Sal 68,6; 89,27; Is 63,16 [bis]; 64,7; Ger 3,4.19; 31,9; Ml 1,6; 2,10).

All'interno del popolo è il re quello che conserva un rapporto speciale di filiazione con Dio e Dio mantiene nei suoi confronti un atteggiamento particolare di padre (2 Sam 7,14). Per esprimere un'adozione di predilezione si dice del re che Dio lo genera nel giorno della sua intronizzazione proclamando: «Tu sei mio figlio» (Sal 2,7); in questo modo il re del salmo arriva a rivestire un carattere messianico preannunciando così una figura escatologica.

Solo in pochi testi, e poi nella letteratura più recente dell'AT, si affronta il tema di Dio padre in rapporto personale con l'individuo (Sir 23, 1.4; Sap 14,3). In questi testi del giudaismo ellenistico, testi sgorgati nell'ambiente greco, non solo si trova la qualifica di Dio come padre ma anche l'invocazione di Dio come «Signore, padre e signore della mia vita» (Sir 23,1), «Signore padre e Dio della mia vita» (Sir 23,4); anche se resta sempre il dubbio se in partenza il significato non sia tanto l'invocazione personale di Dio come padre, quanto di Dio «Signore di *mio* padre» in armonia con il canto dei figli d'Israele (Es 15,2) e con l'espressione dello stesso Siracide (51,10). È il libro della Sapienza quello che nell'AT offre la prima e unica invocazione di Dio come padre, πάτερ (*páter*), quando, parlando di ciò che la sapienza costruisce, si rivolge a Dio e dice: «La tua provvidenza, Padre, è quella che lo dirige» (Sap 14,3). Si tratta di una eccellente preparazione della nuova strada che verrà aperta da Gesù.

2. Passando dall'Antico al *Nuovo Testamento* incontriamo un panorama diverso anche se si continua su una linea già iniziata. Prima di tutto nell'uso del termine «padre»; applicato a Dio è usato quasi 250 volte. Il cambiamento è radicale anche nella proiezione della paternità di Dio, visto che non è circoscritta al solo Israele, ma riguarda tutti gli uomini. La novità fondamentale ha la sua radice soprattutto nel significato eccezionale e unico che emerge quando si costata il rapporto esistente tra Gesù come Figlio e Dio come Padre;

questa novità di significato trova la sua applicazione negli uomini quando si insiste che essi, al pari di Gesù, non solo devono chiamare Dio Padre, ma anche invocarlo con lo stesso nome.

a. La *frequenza* dell'uso del termine «padre» nel NT può avere il suo fondamento nell'uso che ne fece Gesù stesso per riferirsi a Dio. In realtà i vangeli collocano con sorprendente frequenza sulle labbra di Gesù l'espressione «padre» alludendo a Dio, non meno di 170 volte; Marco la usa 4 volte, Luca circa 15, Matteo 42 e Giovanni 109. Si può osservare un uso crescente coll'avanzare della tradizione, come lo mette in evidenza il salto abissale tra l'uso di Marco e quello di Giovanni. Questo lascia intravedere il fatto che molti testi nei quali Gesù chiama Dio padre sono frutto redazionale dell'evangelista.

b. La *qualifica di Dio come padre* risale, senza dubbio, a Gesù stesso. Si intravede l'uso che Gesù fa del termine «padre» per qualificare Dio, dato che si incontra negli strati più primitivi della tradizione, quali Marco e la fonte comune a Matteo e Luca; e questo non solo quando chiama Dio «padre» in modo assoluto (Mc 13,32; Lc 11,13), o con l'aggiunta del possessivo «vostro» (Mc 11,25; Mt 5,48; [par. Lc 6,36]; 6,32 [par. Lc 12,30]), ma anche, e soprattutto, con il possessivo «mio», come nei testi comuni a Matteo (11,27) e a Luca (10,22), compreso forse il vangelo di Marco (8,38). Questa espressione di Gesù per qualificare Dio «Padre mio» a stento possiede dei paralleli nei precedenti dell'AT e nella letteratura rabbinica; questo fatto dà maggiore garanzia che tale denominazione di Dio, per ciò che contiene di originalità e di innovazione, proviene da Gesù stesso.

c. L'*invocazione di Dio come padre* da parte di Gesù è maggiormente garantita. C'è uniformità tra tutti gli strati della tradizione dei vangeli nel presentare l'invocazione personale che Gesù rivolge a Dio come padre; una invocazione di questo genere viene trasmessa da Marco (14,36 [par. Mt 26,39; Lc 22,42]), Matteo in un suo testo esclusivo (26,42), Luca in due occasioni (23,34.46) e Giovanni nove volte (11,41; 12,27.28; 17,1.5.11.21.24.25). La somma di tutti questi testi fa concludere che tutte le preghiere di Gesù cominciano con l'invocazione di Dio come padre, a eccezione della preghiera sulla croce (Mc 15,34 [par. Mt 27,46]) nella quale si citano le parole del salmo: «Dio mio, Dio mio, perché mi hai abbandonato?» (Sal 22,2). Inoltre però possiamo sapere quale era la forma concreta con cui Gesù invocava Dio; la trasmette solo Marco che conserva nella preghiera del Getsemani la parola aramaica nella sua traslitterazione greca ἀββᾶ (*abbá*) seguita dal corrispondente termine greco ὁ πατήρ (*ho patêr*) [Mc 14,36]. L'accostamento dell'invocazione in aramaico e in greco può far intravedere che nelle altre preghiere di Gesù la forma di invocazione sta sostituendo la parola abituale con cui ci si rivolge a Dio: '*abbā*'. Il radicamento di questa invocazione di Gesù è confermato da S. Paolo che parla del grido che si levava tra i fedeli della sua comunità, la quale, mossa dallo Spirito, invocava anch'essa Dio come '*abbā*' (Gal 4,6); la stessa cosa avveniva in un'altra comunità non fondata da lui (Rm 8,15).

d. La *maggiore garanzia dell'invocazione* di Dio come padre da parte di Gesù viene offerta dallo stesso termine '*abbā*'; siamo in grado di sapere che fu veramente usato da lui. La parola '*abbā*' originariamente riflette il linguaggio infantile usato dal bambino per rivolgersi al padre, anche se successivamente venne anche usata da persone adulte per parlare con persone anziane. Se in qualche momento, nell'ambito del giudaismo ellenistico, si invocò Dio con il termine πάτερ (*páter*) [cfr. Sap 14,3], il termine '*abbā*' in qualsiasi ambiente giudaico era assolutamente impensabile, perché irrispettoso, se usato come mezzo di comunicazione con Dio. Questo senso di discontinuità nei confronti dell'uso all'epoca del vangelo, offre un criterio sicuro di storicità dell'impiego che ne fece Gesù (→ Vangelo: storicità).

e. La *relazione di intimità filiale* che si stabilisce tra Gesù e il Padre può essere intravista nel termine '*abbā*'. Il contenuto di questa relazione è stato plasmato nell'inno di giubilo che Gesù pronuncia invocando Dio «padre», evocazione dell'aramaico '*abbā*'; con una doppia invocazione al Padre, Gesù lo ringrazia per la sua azione rivelatrice nei confronti dei semplici (Mt 11,25-26 [par. Lc 10,21]). Poi viene stabilita la relazione che unisce Gesù, Figlio, con Dio, suo Padre. Afferma Gesù: «Tutto mi è stato dato dal Padre mio» (Mt 11,27a; Lc 10,22a). Tenendo presente il precedente ringraziamento di Gesù, anche la rivelazione piena e totale fa parte di ciò che il Padre ha dato al Figlio; mentre per gli scribi e i farisei la fonte d'informazione erano le tradizioni degli anziani (cfr. Mc 7,3.9), per Gesù, invece, la fonte della sua conoscenza è ciò che ha ricevuto da Dio, suo Padre. La conoscenza tra Gesù e il Padre è reciproca, visto che «nessuno conosce il Figlio se non il Padre e nessuno conosce il Padre se non il Figlio» (Mt 11,27 b.c. [par. Lc 10,22 b.c.]). In questa mutua conoscenza, che non esclude l'aspetto noetico, è incluso tutto ciò che contiene il concetto biblico di conoscenza: ne è interessata anche la volontà in una comunione di vita. Si suppone l'amore di predilezione che il Padre ha per il Figlio, il Figlio amato (Mt 3,17; Mc 1,11) e l'amore del Figlio che lo porta all'atteggiamento di sottomissione e di obbedienza al Padre (Lc 2,49; Mt 26, 39; Mc 14,6). Dato che Gesù è colui che conosce il Padre, è anche colui che lo può rivelare; il Padre nella sua compiacenza si rivela ai semplici (Mt 11,25-26 par.); il Figlio rivela il Padre a chi vuole (Mt 11,27 d. par.). Questa cristologia, iniziata già dai sinottici, raggiungerà il suo pieno e totale sviluppo nella cristologia del quarto vangelo: «Dio Unigenito che sta nel seno del Padre, egli lo ha fatto conoscere» (Gv 1,18). Sia Giovanni sia i sinottici, partendo dalla qualifica e dall'invocazione di Dio come Padre da parte di Gesù e dalla sottomissione e obbedienza che Gesù manifesta, arriveranno alla formulazione chiara ed esplicita di Gesù come figlio di Dio (Mc 1,1; Gv 20,31).

f. Il *nostro qualificare e invocare* Dio come padre deriva dall'esortazione di Gesù (Mt 6,9; Lc 11,2); per l'azione dello Spirito noi ci rivolgiamo a lui anche come *'abbā'* (Rm 8,15; Gal 4,6). Comunque resterà sempre la differenza abissale che Gesù stesso stabilisce non includendo se stesso nella nostra invocazione «Padre nostro», o separando «suo Padre» da «nostro Padre»; «salgo al Padre mio e Padre vostro» (Gv 20,17). Senza dubbio tanto Gesù quanto noi siamo avvolti nello stesso amore del Padre secondo la domanda che Gesù gli rivolge per i suoi discepoli: «perché l'amore con il quale tu mi hai amato sia in essi» (Gv 17,26).

Bibl. - G. Dalman, *Die Worte Jesu. Mit Berücksichtigung des nachkanonischen jüdischen Schrifttums und der aramäischen Sprache*, I, Darmstadt 1930², 1965, 150-159; G. Kittel, ἀββᾶ, in GLNT I, 15-18; G. Schrenk, πατήρ, in GLNT IX, 111-1306; J. Jeremias, «Kennzeichen der ipsissima vox Jesu», in *Synoptische Studien*, Münster 1958, 86-93; Id., *Abba*. Studien zur neutestamentlichen Theologie und Zeitgeschichte, Göttingen 1966, 15-80; Id., *Neutestamentliche Theologie* I: Die Verkündigung Jesu, Gütersloh 1971, 45.67-73; W. Marchel, *Abba, Père! La prière du Christ et des chrétiens*. Étude exégétique sur les origines et la signification de l'invocation à la divinité comme Père, avant et dans le Nouveau Testament, Roma 1963 (tr. it., Roma 1971⁴); J. Caba, *El Jesús de los evangelios*, Madrid 1977, 281-284.300-313; O. Michel, *Patêr*, in H. Balz e altri (edd.), *Exegetisches Wörterbuch zum NT*, III, Stuttgart 1982, 125-135; S. Sabugal, *Abba! ... La oración del Señor*, Madrid 1985, 366-424.

JOSÉ CABA

AGNOSTICISMO

1. SPIEGAZIONE TERMINOLOGICA - Con il termine *agnosticismo* (dal greco: *ágnōstos*, inconoscibile) viene comunemente intesa la concezione (filosofica) dell'inconoscibilità di ogni entità transempirica, ovverosia trascendente. In linea con questa concezione le affermazioni che fanno riferimento al trascendente vengono considerate scientificamente indeterminabili; di conseguenza la metafisica (scienza del transempirico, dell'immutabile, dello spirituale) viene privata dello status di scientificità.

Il concetto venne coniato da Th. H. Huxley (1825-1895), biologo e filosofo inglese, come antonimo di certezza conoscitiva *gnostica*, ed introdotto nella filosofia a partire dal 1896. Huxley, con questo concetto, vuole indicare un atteggiamento che, prendendo le mosse dall'inconoscibilità di Dio ed ugualmente dalla finitezza e limitatezza del sapere umano, rinuncia ad affermazioni personali e definitive in materia di fede e ne giudica altre con scetticismo (cfr. Huxley, 237-240).

Per questo l'agnosticismo si pone in contrasto critico anche con l'ateismo, che sostiene, com'è noto, una definitiva conoscenza della non-esistenza di Dio. Al contrario, l'agnosticismo confina le proposizioni circa l'esistenza o la non esistenza di Dio nel campo delle affermazioni cognitivamente non determinabili. Una contestazione dell'esistenza di Dio deve perciò essere trattata alla stessa maniera di un'affermazione della sua esistenza.

Correnti e atteggiamenti di pensiero agnostico sono da tempo presenti nel pensiero occidentale anche se non sempre diventano oggetto di riflessione filosofica o teologica. Nella cosiddetta «teologia negativa», che muove dal concetto secondo il quale, per quanto attiene a Dio, si può conoscere solo ciò che egli non è e non ciò che egli è, si riscontra una forma di agnosticismo orientato in senso religioso.

2. L'AGNOSTICISMO MODERNO - Il criticismo (Hume, Kant) e il neopositivismo (Circolo di Vienna, filosofia analitica) hanno avuto la funzione di precursori dell'agnosticismo moderno. Esiste un rapporto di stretta parentela con lo scetticismo moderno.

Secondo l'assunto di Kant (1724-1804) relativo alla dialettica trascendentale, contenuto nella «critica della ragion pura», le affermazioni scientifiche sono possibili esclusivamente all'interno di un contesto limitato al contesto spazio-temporale. Quelle concernenti il mondo come totalità generano, secondo la sua opinione, solo contraddizioni. Le conoscenze della scienza, che devono essere affidabili, sono conseguibili solo nel campo della fenomenologia finita e contestuale. Affermazioni al di là di questo dominio oltrepassano il confine dell'affidabilità e sono perciò da rifiutare.

Secondo il punto di vista del positivismo moderno le ricerche logiche della filosofia analitica dimostrano la contraddittorietà delle affermazioni religiose. Ad esempio, come può Dio essere contemporaneamente infinito e persona?

Attualmente l'agnosticismo è debitore di importanti impulsi a pensatori quali B. Russell, E. Topisch ed altri. Lo spagnolo T. Galván (1918-1986), filosofo del diritto, ha tentato di fornire un fondamento all'agnosticismo (cfr. bibliografia). Secondo la sua concezione l'agnosticismo si trova in contrasto sia con l'ateismo che con la fede religiosa. Alla stessa maniera di Huxley, Galván rifiuta la certezza gnostica del sapere riguardo l'esistenza o la non esistenza di Dio. Il suo pensiero ruota attorno al concetto di «finitezza». L'agnostico è l'uomo che si pone consapevolmente e rettamente di fronte alla finitezza del suo essere e cerca di vivere positivamente in questo stato. Al contrario la vita del credente è lacerata da una doppia finalità: da un lato, il fine intramondano, dall'altro, quello relativo all'aldilà. T. Galván individua una fondamentale contraddizione fra i due obiettivi vitali e parla perciò anche di una «tragedia teologica» della vita del credente. Per questo motivo vuole restituire all'uomo il senso di finitezza e quindi l'unitarietà della sua esistenza che ha perduto a causa della religione. L'agnosticismo è anche un umanesimo: vuole superare la solitudine e l'isolamento dell'uomo e vuole fondare una comunità senza violentare o annullare il singolo. La salvezza non rappresenta alcun valore trascendente, significa piuttosto l'identificarsi col senso di questo mondo che consiste nella finitezza. Ma come possa essere vissuta questa finitezza in un mondo come il nostro rimane in ultima analisi un interrogativo aperto e senza risposta. L'appello morale a vivere la finitezza in maniera umana risulta di per sé insufficiente.

3. VALUTAZIONE TEOLOGICA - Lo spirito del nostro tempo è più vicino all'agnosticismo che all'ateismo, cosicché la teologia contemporanea considera l'agnosticismo (*indifferenza*) come il suo reale antagonista (cfr. K. Rahner, H.R. Schlette).

In passato la chiesa cattolica ha più volte condannato l'agnosticismo moderno.

Il → Vaticano I (1870) afferma nella costituzione dogmatica *Dei Filius* (DS 3000-3045) la sicura conoscibilità di Dio con l'aiuto della ragione umana (cfr. DS 3004) e dichiara l'anatema nei confronti di tutti coloro che lo negano (cfr. DS 3026), tra i quali deve essere compreso anche l'agnosticismo.

Pio X si pone esplicitamente in contrasto con l'agnosticismo nella sua enciclica *Pascendi dominici gregis* dell'8 sett. 1907 (cfr. DS 3475-3500). Secondo il punto di vista del papa, l'agnosticismo è l'errore fondamentale del modernismo.

Contro una condanna frettolosa dell'agnosticismo si esprimono comunque due convinzioni teologiche proprie del cristianesimo stesso: 1. ogni sapere umano è «un'opera imperfetta» (cfr. 1 Cor 13,9), limitata e fallibile; similmente 2. l'insegnamento tradizionale a proposito dell'«inconoscibilità di Dio» (cfr. Gv 1,18a; Eb 11,27; Rm 1,20; Col 1,15; 1 Tm, 1,17 ecc.), che si basa sull'insegnamento biblico del «Dio nascosto» (cfr. Is 45,15), sostenuto teologicamente soprattutto dai padri cappadoci (Basilio, Gregorio di Nissa, in polemica con l'ariano Eunomio). Naturalmente non si tratta di due cose completamente diverse, poiché ambedue i problemi sono intimamente interconnessi. La conoscenza ed il sapere umano sono riferiti per natura a ciò che è terreno, poiché sono essi stessi parte integrante della realtà terrena. Per questo motivo sono sottomessi alla contingenza tipica di tutto ciò che è terreno. Il sapere riguardante Dio non può rappresentare alcuna eccezione. Infatti Dio a causa della sua stessa natura non può essere oggetto della conoscenza umana; fondamentalmente egli rimane inconoscibile.

La contingenza di principio, la limitatezza e fallibilità della conoscenza umana non sono certo una scoperta moderna, per la quale la teologia debba essere eventualmente debitrice al *fallibilismo* moderno (K. Popper, H. Albert ed altri). A prescindere dalla summenzionata e diffusa convinzione basilare concernente il carattere di incompletezza della conoscenza umana nel campo della filosofia e della teologia cristiana, N. Cusano (1401-1464)

ha tematizzato per primo, alla fine del medio-evo, il carattere *congetturale* della conoscenza umana («in coniecturis ambulantes in omnibus nos errare comperimus», *Docta Ignorantia*, II, 11).

L'apparente contraddizione fra l'inconoscibilità di Dio tradizionalmente insegnata e la sua conoscibilità affermata dal concilio Vaticano I risulta da una lettura superficiale del testo. Infatti viene comunemente trascurata la clausola condizionale «e creatis» (dalle cose create). Il concilio afferma una conoscenza di Dio condizionata «a partire dalle cose create». Non è Dio in persona ad essere oggetto di conoscenza, ma il mondo come creazione di Dio. Ciò che quindi viene affermato è la conoscibilità del carattere di creaturalità del mondo ed il suo essere riferimento a qualcosa e/o qualcuno che da essa è radicalmente diverso. La creaturalità del mondo esprime anzitutto solo il fatto che esso non può sussistere senza quel qualcosa che la religione, nella sua lingua, chiama «Dio». «Dio» appare come colui senza il quale nulla esiste. Questa riflessione teologica corrisponde integralmente al dato biblico, include la concezione di base propria della teologia negativa e dovrebbe anche poter fornire una base per un dialogo con l'agnosticismo moderno.

Bibl. - L. Stephen, *An Agnostic's Apology*, 1876; H. Huxley «Agnosticism», in *Collected Essays*, vol. V, London 1902; M. F. Sciacca «Agnosticismo», in *Enciclopedia filosofica*, vol. I, Venezia, Roma 1957, 74-78; I. Kant, «Dialettica Trascendentale», in *Critica della ragion pura*, Brescia 1964³; Ch. Seidel, «Agnostizismus», in HWPh, vol. I, Basel-Stuttgart 1971, 110-112; W. Hepburn, «Agnosticism», in *The Encyclopedia of Philosophy*, vol. I, New York-London 1972, 56-59; A.V. Ström - H. Günther - B. Gustafsson, «Agnostizismus» I-III, in TRE, vol. II, Berlin-New York 1978, 91-100; H.R. Schlette (ed.), *Der moderne Agnostizismus*, Düsseldorf 1979; K. Rahner, «Glaubensbegründung in einer agnostischen Welt», in *Schriften zur Theologie* XV, Zürich-Einsiedeln-Köln 1983, 133-138; E. Tierno Galván, *Que es ser agnóstico?*, Madrid 1986⁴.

BERND GROTH

AGOSTINO

Il tema della rivelazione, sebbene
mai trattato in modo unitario e sistematico, è stato sempre al centro del-
l'attenzione di Agostino, dall'inizio
della sua conversione alla fine, pur
sotto diversi aspetti e con diverse
preoccupazioni. Senza fare nette divisioni cronologiche, possiamo dire
che al principio è chiaramente prevalente l'interesse apologetico, nel senso che di fronte al razionalismo manicheo, più ostentato che vero, e di
fronte alle critiche pagane al reclamato carattere divino della religione
cristiana, nel neoconvertito prevale
l'assillo di difendere la razionalità della fede e la credibilità della rivelazione cristiana. Più tardi l'attenzione si
sposta sugli aspetti più propriamente
teologici e antropologici della rivelazione (come salvaguardare la semplicità e la immutabilità di Dio, la dimensione trinitaria, la natura e l'e-
conomia della rivelazione). Infine
l'interesse per gli aspetti ermeneutici
ed esegetici delle fonti della rivelazione, già vivo nella polemica antimanichea, cresce e si sviluppa insieme alla maturazione della speculazione teologica e all'impegno antidonatista e
antipelagiano. Sarà questo, dunque,
lo schema che seguiremo in questa
esposizione del pensiero agostiniano
sul tema della rivelazione.

1. ASPETTO APOLOGETICO - La conversione di Agostino, come è noto,
coincise con il superamento del razionalismo scettico e delle obiezioni
manichee alla fede cattolica. Egli si
era gettato nelle braccia dei manichei,
perché denunciavano la *terribilis auctoritas* della fede, richiesta dalla chiesa prima di ogni dimostrazione della
verità, mentre essi, i manichei, pro-
mettevano di condurre a Dio e alla
verità «con la pura e semplice ragione» (*Ut. cred.* I,2). Solo dopo nove
anni si accorse che il manicheismo
«con la temeraria promessa della

scienza irrideva la fede e poi imponeva di credere a un'infinità di favole assolutamente assurde e indimostrabili» (*Conf.* VI,5,7). L'esperienza manichea lo costrinse a trovare sul
piano razionale una giustificazione al-
l'atto di fede in genere e alla sottomissione della mente all'autorità cristiana (Cristo, Scrittura, Chiesa) in
particolare.

L'eco di questa preoccupazione sul
duplice fronte del paganesimo e del
manicheismo è avvertibile tanto negli scritti immediatamente successivi
alla conversione quanto in quelli della piena maturità.

a. *Razionalità della fede* - Per far
breccia nelle critiche manichee alla fede cattolica furono sufficienti ad Ag.
le considerazioni degli innumerevoli
fatti in cui credeva, senza averli visti
e senza aver assistito al loro svolgimento, come i tanti avvenimenti storici del passato, le notizie su località
e città mai visitate, le tante cose, assolutamente necessarie per agire, che
si credono sulla testimonianza degli
amici, dei medici e di tanti altri uomini; persino l'identità dei genitori
non risulterebbe accertabile, se non
si prestasse fede a quello che si è sentito dire (*Conf.* VI,5,7).

Considerazioni dello stesso genere
sono sviluppate nei primi due capitoli del *De fide rerum quae non videntur* e ancor prima nel *De utilitate
credendi*, dove a modo di conclusione si afferma che in realtà nella vita
concreta non è quasi possibile immaginare un uomo che non creda a qualcosa (*Conf.* XI,25) e che «se deci-
dessimo di non credere a nulla che
non possiamo comprendere con evidenza, nella società umana niente resterebbe di incrollabile» (XII,26). La
forza di simili argomentazioni sta nel
riconoscimento del valore conoscitivo della fede. Essa certamente non
dà una comprensione razionale, ma
neppure può essere equiparata a una
semplice credenza o peggio alla credulità. Se comprendere (*intelligere*) è

«possedere qualcosa in modo certo con la ragione» e l'opinione è una convinzione avventata di sapere ciò che si ignora, la fede è la conoscenza di verità che ancora non si comprendono, ma garantite dall'autorità del testimone (*Ut. cred.* XI,25). Insomma per Ag., la fede è sempre un gradino della conoscenza (*Disc.* 126,1,1). Insieme alla ragione è una fonte della conoscenza e anzi il carattere proprio dell'apprendimento umano è di incominciare proprio dalla fede nell'autorità per arrivare poi alla conoscenza razionale (*Ord.* II,9,26). L'autorità esige la fede, ma la fede prepara alla ragione e la ragione conduce alla conoscenza intellettuale (*De vera rel.* XXIV,45). Credere, dunque, non è di per sé un atto contrario alla ragione: può esserlo se il contenuto della fede è assolutamente assurdo o se si crede con facilità, senza la dovuta ponderazione dell'autorità. Simili considerazioni, conclude Ag., hanno lo scopo di dimostrare soltanto che la fede «nelle realtà che ancora non si comprendono» non può essere assimilata alla temerarietà di chi fa congetture. C'è una grande differenza tra il pensare di conoscere e il credere, dietro la testimonianza degna di fede, quello che ancora si ignora (*Ut. cred.* XI,25). Se quanto detto fin qui è vero per la fede sul piano delle verità umane, lo è altrettanto per la fede nelle verità divine? La risposta di Ag. si pone a due livelli. Dell'esistenza e della Provvidenza di Dio non si può avere una conoscenza certa come per gli oggetti sensibili o per gli atti interiori visti dalla mente (*Ep.*147,3), ma neppure si crede in Dio per la testimonianza di qualcuno. La fede in Dio nasce nel cuore di chi sa ascoltare il grido che sale da tutte le cose create: «non siamo noi il tuo Dio; cerca sopra di noi» (*Conf.*X,6,9; *Vera rel.* XXIX,52; XLII,79). A chi già crede in Dio la risposta alla domanda sulla razionalità della fede nelle verità divine è più complessa. Se

negli affari ordinari della vita (commercio, matrimonio, educazione dei figli) nessuno dubita che è meglio evitare errori che commetterli, questo principio dev'«essere considerato tanto più valido in materia religiosa; le cose umane infatti è più facile conoscerle di quelle divine e l'errore di queste ultime sarebbe molto più grave e pericoloso» (*Ut. cred.* XII,27). Le difficoltà che l'uomo incontra nella conoscenza delle verità divine non dipendono soltanto dall'assoluta trascendenza di Dio, ma anche dalla sua condizione di peccato (*Mor.Eccl.Cat.* I,7,11-12): «poiché gli uomini sono troppo deboli per trovare la verità con la sola ragione, hanno bisogno di un'autorità divina» (*Conf.* VI,5,8); «poiché siamo alla ricerca della vera religione, a questa immane difficoltà solo Dio può porre rimedio» (*Ut. cred.* XIII,29). Naturalmente non c'è alcuna necessità in Dio.

Già nel *Contra Academicos* (III, 19,42) si parlava di una *populari quadam clementia*; nel *De vera religione* (XXIV,45) si parla esplicitamente di una «ineffabile beneficenza della divina Provvidenza... Poiché eravamo caduti nelle cose temporali e il loro amore ci teneva lontani dalle cose eterne, una certa medicina temporale ci chiama alla salvezza non per mezzo della conoscenza razionale, ma per mezzo della fede».

Oggetto di questa rivelazione sono «quelle verità che non è utile ignorare e che non siamo in grado di conoscere da soli» (*Civ. Dei* XI,3); «sono verità che appartengono alla dottrina della salvezza e che non possiamo ancora comprendere con la ragione, ma che potremo conoscere un giorno» (*Ep.* 120,1,3). Tra ragione e fede, quindi, non c'è incompatibilità né esclusione, bensì complementarità e reciproco aiuto. Un tale ottimismo riposa sulla convinzione che «Dio non può aver in odio quella facoltà (la ragione), in virtù della quale ci ha creati superiori agli altri animali». È impensabile pertanto «che la fede ci impedisca di trovare o di cercare la spiegazione razionale di quanto crediamo, dal momento che non potremmo neanche credere, se non avessimo anime ragionevoli» (ivi). La comprensione razionale della fede è sempre auspicabile; chi non la desidera, accontentandosi della semplice fede, non ha capito neppure a che giova la fede (*Ep.* 120,2,8). In conclusione, nessuna rinuncia da parte della ragione, ma solo riconoscimento dei propri limiti. Soprattutto «quando si tratta di verità supreme che non si possono comprendere, è assai ragionevole che la fede preceda la ragione: essa infatti purifica il cuore e lo rende capace di accogliere e sostenere la luce della ragione» (*Ep.* 120,1,3). Oltre questa funzione purificatrice, come già si è accennato, la fede ha una funzione conoscitiva: «la certezza della fede è in qualche modo l'inizio della conoscenza» (*De Trin.* IX,1,1); essa dona «i semi della verità» (*Ut. cred.* XIV,31).

b. *La credibilità della auctoritas cristiana* - Se è ragionevole che la fede preceda la ragione almeno in ordine di tempo, è altrettanto vero che la ragione deve precedere la fede nella considerazione dei motivi di credibilità, per cui si deve credere a certe persone o libri (*De vera rel.* XXIV,45). Solo dopo aver soppesato scrupolosamente l'attendibilità dei testimoni è lecito dare l'assenso della fede (*Ep.* 147,16,39).

In questa indagine Ag. di solito ha dinanzi agli occhi l'unica *saluberrima auctoritas*, costituita da Dio per la salvezza di tutti gli uomini (*Ut. cred.* XVI,34), che comprende Cristo, la Scrittura e la Chiesa. Tuttavia nella polemica antipagana non è difficile osservare una maggiore attenzione apologetica per l'autorità di Cristo, mentre nella polemica antimanichea prevale l'interesse per l'autorità della chiesa.

La cultura pagana già da Aristotele aveva considerato gli oracoli come una prova valida nelle dimostrazioni retoriche (Aristotele, *Retorica*,I,15,35) (1376 a). *Cicerone tra i testimonia divina* oltre agli oracoli aveva coniato le diverse forme di divinazione (*Topica*, XX,77), seguendo anche in questo gli stoici, che avevano fatto ricorso alle predizioni divinatorie, per provare la provvidenza divina (Cicerone, *Nat. deorum* II,65,166-167). Con i neoplatonici, come Porfirio, gli oracoli diventano fonte della stessa filosofia, mentre le pratiche teurgiche sono la via di purificazione per le masse. Contro una tale cultura, Ag. si impegnò dai primi scritti al *De civitate Dei*, con l'intento di smascherare la falsità dei *testimonia divina* dei pagani ed esaltare la divina *auctoritas* di Cristo. Egli è lo stesso Intelletto divino, che ha preso un corpo umano per richiamare gli uomini al divino (*C. Acad.* III,19,42). La vera autorità divina è quella che non solo trascende nei segni sensibili ogni facoltà dell'uomo (cosa possibile anche ai dèmoni), ma ha assunto lo stesso uomo e con i fatti da lui compiuti rende manifesto il suo potere, con l'insegnamento la sua natura, con l'umiltà la misericordia (*Ord.* II,9,27). Nel *De utilitate credendi* l'autorità divina di Cristo è vista confermata dai miracoli e dalla moltitudine dei seguaci: «Con i miracoli si acquistò l'autorità, con l'autorità meritò la fede, con la fede raccolse una moltitudine, con la moltitudine ottenne l'antichità, con l'antichità rafforzò la religione» (*Ut. cred.* XV,33). Una particolare attenzione viene rivolta al miracolo, per distinguere i veri dai falsi. Ag. non nega che anche nella religione pagana siano avvenuti e avvengano tuttora fatti straordinari (*mira*) e predizioni del futuro, che superano ogni capacità umana, ma sostiene che essi sono opera non della divinità, ma dei dèmoni, che vogliono ingannare gli uomini e prendersi gioco di essi, per renderseli schiavi (*Ord.* II,9,27; *Civ. Dei* X,16,1-2).

I miracoli compiuti da Cristo sono prova della sua autorità divina, perché oltre all'ammirazione, suscitano la gratitudine e l'amore: «alcuni erano un chiaro beneficio per il corpo dei malati, altri erano segni diretti alla mente, tutti offrivano una testimonianza della maestà divina». Erano quindi miracoli opportuni per riunire e propagare la moltitudine dei credenti e perché l'autorità di Cristo risultasse utile al rinnovamento dei costumi (*Ut. cred.* XVI,34).

Un ulteriore sviluppo dell'apologetica agostiniana si coglie nel *De fide rerum quae non videntur*. La fede in Cristo è giustificata da alcuni segni (*indicia*) della sua divinità: «Si sbagliano di grosso quelli che pensano che noi crediamo a Cristo senza alcuna prova» (*De fide rerum*, IV). Una prova è il carattere prodigioso della nascita e crescita della chiesa nel mondo. Il fatto che tutti gli uomini invocano un solo Dio e l'idolatria sia finita «non è un prodigio tanto grande da indurre a credere che improvvisamente ha brillato per il genere umano la luce divina?». Soprattutto quando si pensa che tutto è avvenuto per opera di un uomo crocifisso e di discepoli poveri e ignoranti. Straordinario è anche il rinnovamento morale del mondo, la conversione di uomini di ogni condizione, disposti a sopportare le persecuzioni e a dare la vita per la verità, la diffusione universale della chiesa, che cresce nonostante tutte le contrarietà esterne e interne (*De fide rerum*,VII,10).

Un altro segno della divinità di Cristo è dato dal pieno compimento delle profezie dell'AT. Con molto anticipo gli antichi profeti di Israele avevano annunciato non solo la sua venuta, ma anche la nascita verginale, la passione, risurrezione e ascensione (*De fide rerum*,IV,7). All'annuncio di Cristo gli antichi profeti avevano associato la diffusione univer-

sale della chiesa: cosa che si è puntualmente realizzata (*De fide rerum*, III,5-6).

Connessa all'autorità divina di Cristo è l'autorità delle Scritture. Esse occupano il vertice più alto e celeste dell'autorità al punto che devono essere lette con l'assoluta certezza della loro veridicità e inerranza (*Ep.* 82,2,5).

La ragione di questa divina autorità delle Scritture sta nel fatto che esse contengono la parola di Cristo stesso, il quale ha parlato prima per mezzo dei profeti, poi personalmente e infine per mezzo degli apostoli. Gli autori dei libri sacri sono testimoni degni di fede perché appresero le verità rivelate per ispirazione dello Spirito Santo (*Civ. Dei* XI,3-4,1). Le prove di questa autorità divina sono molteplici. Ricorrendo alle categorie della retorica, Ag. tra le prove estrinseche indica la diffusione e il consenso con cui le Scritture sono state accolte in tutto il mondo già da tanti secoli: se non fossero degne di fede le Scritture cristiane che godono di titoli simili, si dovrebbe negare la credibilità a ogni altra storia (*Mor.Eccl. Cat.* I,60-61). In confronto a quelle cristiane le Scritture manichee sono destituite di autorità proprio perché sono recenti, sconosciute, accolte da poche persone, prive per giunta di credibilità (*Ut.cred.* XIV,31). L'autorità delle Scritture cristiane poi è riconosciuta in tutto il mondo e presso tutti i popoli, perché contengono tante profezie del futuro, perfettamente compiute, tra le quali quella concernente la futura fede delle genti (*Civ. Dei* XII,9,2). Infine Dio non avrebbe concesso un'autorità così eminente alle Scritture, se non avesse voluto che l'uomo per mezzo loro credesse in lui e lo cercasse (*Conf.* VI,5,7-8).

Anche l'autorità della chiesa è strettamente connessa a quella di Cristo dal momento che «il suo insegnamento scaturisce dallo stesso Cristo e attraverso gli apostoli è giunto fino a noi e da noi passerà ai posteri»

(*Ut. cred.* VIII, 20). La chiesa ha raggiunto il più alto grado dell'autorità «dalla sede apostolica attraverso la successione dei vescovi fino alla confessione di tutto il genere umano» (*Ut. cred.* XVII,35). La testimonianza della fede della chiesa è oggi indispensabile per credere a Cristo: «non vedo di aver creduto ad altri se non alla solida opinione e alla fama ovunque diffusa tra i popoli, che in ogni parte hanno abbracciato i misteri della chiesa cattolica... ho creduto, ripeto, alla fama che trae la sua forza dalla diffusione, dal consenso e dall'antichità» (*Ut. cred.* XIV,31; *C. ep. fund.* IV-V). Anche qui, come si può costatare, le categorie e i vocaboli usati sono quelli tipici della retorica *(opinio, fama, celebritas, consensus, vetustas)*, anche se è nuova l'idea di tradizione apostolica, che sta alla base di tutta l'argomentazione.

Nel *De fide rerum quae non videntur* e nel *De civitate Dei*, come già accennato, viene dato grande rilievo al valore apologetico delle profezie veterotestamentarie: insieme all'annuncio di Cristo i profeti avevano preannunciato anche la chiesa e il suo sviluppo tra i popoli pagani (*De fide rerum* III, 5-6). Questa prova non può essere infirmata dal sospetto che le profezie siano opera dei cristiani: esse si leggono anche nei codici posseduti dagli ebrei, nemici dei cristiani, che con la loro incredulità, anch'essa prevista e annunciata, costituiscono una prova ulteriore dell'autorità cristiana (*De fide rerum* VI,9). Per finire, l'autorità della chiesa oltre a custodire l'autentico insegnamento di Cristo, garantisce la vera interpretazione delle Scritture (*Ut. cred.* VI,13) e ne stabilisce il canone (*C. ep. fund.*, V).

2. ASPETTO TEOLOGICO - a. *Soggetto e contenuto della rivelazione* - Il principio, che sta a fondamento della riflessione agostiniana sull'azione rivelante di Dio, è quello enunciato nella lettera a Nebridio: «Questa Trinità dalla fede cattolica viene presentata e creduta così inseparabile... che qualsiasi cosa venga da essa compiuta si deve ritenere compiuta insieme dal Padre, dal Figlio e dallo Spirito Santo. E niente fa il Padre che non facciano anche il Figlio e lo Spirito Santo» (*Ep.* 11,2). Pertanto «quando Dio parla e insegna, tutta la Trinità parla e insegna» (*Io. Ev.* 77,2). Come l'incarnazione è opera di tutta la Trinità, sebbene sia soltanto il Figlio a unirsi alla natura umana (*De Trin.* II,10,18), così l'intera rivelazione va ascritta a tutta la Trinità, sebbene possa essere attribuita con proprietà e sotto diversi aspetti alle singole persone divine. In accordo a questi principi Ag. attribuisce la rivelazione ora semplicemente a Dio, ora al Padre, ora al Figlio, ora allo Spirito Santo. Istruito dal vangelo, egli sa che «niente ha detto Dio che non l'abbia detto nel Figlio» (*Io. Ev.* 21,4) e che «tutto quello che il Padre dice agli uomini lo dice per mezzo del Verbo» (ivi,22,14); è «per mezzo del suo Verbo e della sua Sapienza che Dio rivela agli angeli il passato e il futuro» (*De Trin.* IV,17,22). D'altra parte, quando parla Dio, è lo Spirito Santo che parla (*Io. Ep.* 2,9) e quando nel salmo parla Cristo è ancora lo Spirito Santo a parlare (10,8). È all'azione dello Spirito che si ascrive l'ispirazione e l'illuminazione dei profeti (*Quaest. ad Simpl.*, II,2). È lui propriamente lo Spirito profetico (disc. 243,1), che ha illuminato gli autori sacri (*Io. Ev.* I,6-7) e li ha assistiti (122, 8).

Ma, come giustamente osserva R. Latourelle, «il centro di cristallizzazione» del pensiero agostiniano sulla divina rivelazione «è il Cristo, via e mediatore» (*Teologia della Rivelazione*, 147). Egli infatti è la «Sapienza generata dal Padre», che manifesta «i segreti del Padre» (*De fide et symb.* 3,3). È sempre Cristo che parla nell'AT come nel vangelo, perché è il Verbo di Dio (*C. Adim.* XIII, 3). Fu lui a ispirare i profeti e fu egli stesso profeta (*Io. Ev.* 24,7); «egli è il vero maestro celeste tanto degli uomini quanto degli angeli» (12,6); è il maestro interiore che insegna a chiunque chiede (20, 3). In quanto Verbo di Dio «Cristo dirige e guida ogni creatura spirituale e corporale nel modo più confacente ai tempi e ai luoghi» (*Ep.* 102,11). Proprio perché Cristo è il Verbo di Dio, «ogni sua azione è per noi una parola: i suoi miracoli a chi li intende hanno un loro linguaggio (*Io. Ev.* 24,2); tutte le sue opere sono un segno, carico di un messaggio (49, 2)».

Quanto al contenuto della rivelazione divina, esso non può essere altro che lo stesso Verbo di Dio. Essendo Cristo il Verbo del Padre, egli è venuto a dirci non una parola sua, ma la Parola del Padre (*Io. Ev.* 14,7). Più precisamente: è «per mezzo del suo stesso Figlio che Dio rivela il Figlio e rivela se stesso per mezzo del Figlio» (23,4). Anzi è tutta la Trinità che è stata rivelata (97,1). Dio è assolutamente ineffabile (*Doct. Ch.* I,6,6) e incomprensibile all'uomo (*Ep.* 147,8,21). Tuttavia «la potenza di Dio è tale che non può rimanere del tutto nascosta alla creatura ragionevole che usa la ragione. Fatta eccezione di pochi, nei quali la natura umana si è troppo depravata, tutto il genere umano riconosce in Dio il creatore del mondo. Ma come Padre di Cristo, per mezzo del quale toglie i peccati del mondo, questo suo nome, prima sconosciuto a tutti, lo stesso Cristo lo ha manifestato a coloro che il Padre gli ha dato (*Io. Ev.* 106,4). Dio ha mandato il suo Verbo, che è il suo unico Figlio, perché gli uomini conoscessero dalla sua passione e morte quanto Dio li stimi, perché fossero purificati dal suo sacrificio e, arricchiti dall'amore diffuso dallo Spirito Santo, giungessero alla vita eterna» (*Civ. Dei* VII,31). Questo ineffabile disegno divino di aprire una via universale di salvezza era assolutamente impenetrabile alla mente dell'uomo, se da Dio stesso non fosse stato rivelato prima, nei tempi antichi, a poche persone, appartenenti soprattutto al popolo ebraico, e poi dallo stesso mediatore, presente nella carne (*Civ. Dei* X,32,2).

b. *L'economia della rivelazione* - Un punto fermo nell'insegnamento agostiniano è che Dio non ha mai mancato di rivelarsi in qualche modo agli uomini in maniera che potessero salvarsi. E questo «fin dall'inizio del genere umano», «non solo tra il popolo di Israele, ma anche tra gli altri popoli prima dell'incarnazione». Variarono invece le modalità di questa rivelazione, «ora in un modo più occulto, ora più evidente, a seconda che la divina Provvidenza ritenne opportuno alle varie epoche» (*Ep.* 102,15). Ai pagani che con Porfirio obiettano: «perché così tardi e quale fu la sorte degli uomini prima di Cristo?», Ag. risponde: «poiché riconoscono che i tempi non scorrono a caso ma secondo un ordine determinato dalla divina Provvidenza, quel che può essere conveniente e opportuno a ciascuna epoca è cosa che oltrepassa l'intelligenza umana» (ivi, 13). Di questa economia della salvezza Ag. distingue cinque epoche, «che contengono la profezia destinata a tutte le genti», da Adamo a Giovanni il Battista; la sesta è l'età di Cristo, che vede la realizzazione delle profezie (*Io. Ev.* 9,6; *Trin.* IV,4,7). Così tutta la storia umana si divide in due grandi periodi, quello prima di Cristo, il tempo della profezia o del segno, e il tempo di Cristo, il tempo della realtà e della piena rivelazione. «La profezia infatti fin dai tempi antichi, fin dai primordi del genere umano, parlò sempre di Cristo: egli era presente, ma occulto» (*Io. Ev.* 9,4). Proprio per questa sua presenza gli uomini di ogni tempo potevano credere in lui, conoscerlo in qualche modo e condurre una vita pia e giusta, conforme ai suoi precetti e salvarsi. «Come noi crediamo in lui non solo vivente con il Padre, ma anche già incarnato, così gli antichi credevano in lui vivente con il Padre e futuro nella carne» (*Ep.* 120,12). La sua venuta nella carne era prefigurata con segni (*sacramenta*) appropriati (*Ep.* 11), mediante i quali gli antichi potevano ottenere la salvezza, anche se rimaneva loro nascosto quello che si sarebbe rivelato in Cristo: «Nell'AT c'è un velo che sarà tolto quando ciascuno passerà a Cristo» (*Ep.* 140,10,26). Contro il totale rifiuto manicheo dell'AT, Ag. si impegnò sempre a mettere in risalto l'unità e la concordia dei due Testamenti, difendendone la santità e l'autorità divina.

Nella polemica contro i pelagiani invece, per esaltare la novità della grazia di Cristo, eccessivamente sottovalutata, tende a marcare le differenze. L'alleanza antica è segnata dalla carnalità: le promesse sono quelle di un regno terreno; la nuova alleanza invece è segnata dalla spiritualità: il regno promesso è quello dei cieli (*Vera rel.* XXVII, 50). La differente promessa rispondeva a un criterio pedagogico di Dio, il quale «volendo mostrare come anche la felicità terrena e temporale è un suo dono, stimò bene ordinare nelle prime età del mondo l'antica alleanza che fosse adatta all'uomo antico, da cui questa vita necessariamente incomincia...».

Questi beni terreni promessi e concessi preannunciavano allegoricamente quelli della nuova alleanza, come potevano comprendere i pochi che ricevevano la grazia del dono profetico. Quando finalmente Dio inviò il proprio Figlio nel mondo, allora «fu rivelata nel Nuovo Testamento la grazia che era nascosta sotto i veli dell'Antico, ossia il potere di diventare figli di Dio, concesso a quelli che credono in Cristo» (*Ep.* 140, 2, 5-3, 9).

c. *Natura e modalità della rivelazione* - Nonostante i rari accenni espliciti, sembra innegabile che per Ag. si debba parlare di una rivelazione privata, destinata ai singoli uomini, e una pubblica, destinata a tutti (*De vera rel.* XXV, 46; *Civ. Dei* XVII,3, 2). Le distinzioni più frequenti però sono quelle fatte per salvaguardare la semplicità e immutabilità di Dio, oppure quelle fatte in rapporto all'uomo e alle sue facoltà conoscitive. Contro le interpretazioni materialistiche delle teofanie vetero-testamentarie, date dai manichei, Ag. distingue un'azione immediata di Dio (*per seipsum* o *per suam substantiam*) e un'altra mediata (*per creaturam*) (*Trin.* III, 11,22; *Gen. litt.* X,25,43). Dalla parte dell'uomo, considerata la sua duplice dimensione interiore ed esteriore, la rivelazione sarà anch'essa interiore (gli effetti nell'anima umana) ed esteriore (le modalità storiche, oggettive, con cui Dio rivela) (W.Wieland, *Offenbarung bei Augustinus*, 27). Un'altra distinzione si basa sulla concezione stoico-porfiriana delle facoltà conoscitive: *sensus, spiritus, intellectus*, alle quali corrisponde una triplice visione cognitiva: corporale, spirituale e intellettuale (*Ep.* 120,11). Si può avere così una rivelazione *per speciem corporalem* attraverso i sensi del corpo; una rivelazione *per speciem spiritualem*, attraverso lo *spiritus*, «la parte o la facoltà dell'anima, dove si formano le immagini» (*Gen. litt.* XII,9,20) e una rivelazione *per illuminationem* direttamente nella mente (*Gen. litt.* VIII,27,49). Le prime due forme di rivelazione sono prodotte da Dio tramite l'opera degli angeli nelle visioni, nei sogni e nell'estasi, ma potrebbero essere prodotte anche dai dèmoni durante la veglia o il sonno (*De Trin.* IV,11,14). Perché si abbia una vera e propria rivelazione deve intervenire la illuminazione della mente, che giudica e interpreta le altre forme di visioni (*C.Adim.* XXVIII,2). Questa idea di rivelazione è speculare a quella di ispirazione profetica. Anche la vera profezia, il carisma di cui parlava Paolo (1 Cor 13,2) e di cui godevano gli antichi profeti come Isaia, Geremia e simili, avveniva *per informationem spiritus*, cioè per via immaginativa e per opera degli angeli, accompagnata dalla *intelligentia* delle immagini percepite (*Quaest. ad Simpl.* II,1). A questo punto sorge un difficile problema. Per usare le parole del Wieland: «In che relazione stanno secondo Agostino rivelazione e ispirazione? Spiega la prima secondo il modello della ispirazione profetica o mediante l'idea di una generale illuminazione carismatica? Si devono distinguere i libri profetici da quelli storici riguardo all'ispirazione biblica? Come risponde Agostino alla difficile domanda sulla collaborazione di Dio e dell'uomo nell'elaborazione degli scritti biblici?» (Wieland, 119).

L'autore ora citato non ha dubbi: per gli autori biblici è valido lo stesso concetto di ispirazione profetica, e poiché questa avviene sempre per via immaginativa ad opera degli angeli, è attraverso la stessa via che gli agiografi ricevono la rivelazione divina (cfr. pp. 123-124, 133-134). Tra le prove addotte a sostegno di tale conclusione c'è un testo, in cui Ag. afferma sulla base degli Atti degli Apostoli 7,53 che la legge fu data da Dio mediante gli angeli (*Civ. Dei* X,15) e questo varrebbe non solo per la legge di Mosè, ma per tutta la Scrittura (*Civ. Dei* X,7). A un'opposta conclusione era pervenuto R.A. Markus, partendo dal concetto di profezia quale si ricava in *De Civ. Dei* XVII,38: «Un evangelista o un autore di uno dei libri storici dell'AT può essere considerato un profeta in senso lato, non nel senso che abbia ricevuto da Dio una speciale rivelazione con visioni, ma nel senso che la sua mente è stata illuminata da uno speciale dono per interpretare un episodio della storia nazionale degli Ebrei o della biografia di Gesù» (R.A. Markus, «Saint Augustine on history, prophecy and

inspiration», in *Augustinus* XII [1967] 278). A me pare che tale concezione sia confermata da altri testi. Nel *De Trinitate*, trattando della conoscenza degli eventi futuri, accanto alla rivelazione angelica, avuta dai profeti, è posta un'altra rivelazione «non per mezzo degli angeli, ma avuta direttamente (*per seipsos*) da altri uomini, in quanto le loro menti furono elevate dallo Spirito Santo in modo da apprendere le cause degli eventi futuri, come già presenti nel supremo principio delle cose» (*De Trin.* I,17,22). Altrove Ag. distingue una rivelazione *per fidem rei creditae* da una rivelazione *per visionem rei cospectae*, quale quelle avute da Paolo quando fu rapito al terzo cielo o da Mosè (*Ep.* 147,12,30). È con la rivelazione *per fidem* che il salmista, trascendendo tutte le creature *acie mentis forti et valida et praefidenti* e ancora *acie fidei* pervenne a vedere quello che vide l'evangelista ispirato da Dio, quando disse: «In principio erat Verbum...» (*En. ps.* 61,18). Allo stesso modo l'autore della Genesi poté dire che Dio al principio creò il cielo e la terra (*Civ. Dei* XI, 4). Le affermazioni circa il lavoro degli evangelisti sembrano confermare questa interpretazione. Il vangelo è parola di Dio, dispensata per mezzo degli uomini (*Cons. Ev.* II,12,28): essi scrivono quanto viene loro ispirato, tuttavia non aggiungono una collaborazione superflua (*Cons. Ev.* I,35,54). Scrivono ricordando quello che hanno udito o visto, non allo stesso modo o con le medesime parole. Sempre nel rispetto della verità «possono mutare l'ordine delle parole o anche scambiarle con altre dello stesso valore; possono dimenticare qualcosa o non riuscire, nonostante gli sforzi, a riferire perfettamente a memoria quello che avevano udito» (II,12,28-29).

Non è facile intendere espressioni simili nel senso di una ispirazione fatta per mezzo degli angeli. Anche se, bisogna riconoscerlo, le cose dette intorno agli *Evangelisti* sembrano in contraddizione con quanto Ag. dice sull'ispirazione verbale dei Settanta (*Civ. Dei* XVIII,42). In conclusione, per Ag. la rivelazione è sempre una illuminazione della mente che Dio fa o direttamente o con la mediazione degli angeli, che agiscono sullo *spiritus*, perché l'uomo conosca le realtà divine. Occorre aggiungere che questa rivelazione interiore è sempre accompagnata dall'ispirazione dell'amore, per cui la rivelazione è anche attrazione (*Io. Ev.* 26,5).

d. *Fonti della rivelazione e canone biblico* - Da quanto è stato detto sull'autorità della chiesa risulta già chiaro che per Ag. è proprio la chiesa la depositaria dell'insegnamento di Cristo (*Ut. cred.* XIV,31). Certamente gli evangelisti hanno scritto quello che Cristo mostrò e disse loro (*Cons. Ev.* I,35,54). È anche vero che gli apostoli videro lo stesso Signore e annunziarono a noi quello che udirono dalla sua bocca (*Io. Ep.* 1,3). Tuttavia «ci sono molte altre cose, conservate da tutta la chiesa, che non si trovano scritte, perché crediamo che siano state ordinate dagli apostoli» (*De bapt.* V,23,31). Anche altrove si parla di prescrizioni non scritte, ma custodite e conservate da tutte le chiese per tradizione, perché si giudicano stabilite e raccomandate dall'autorità degli apostoli o dai concili plenari (*Ep.* 54,1,1). L'autorità della chiesa offre la regola per l'interpretazione della Scrittura (*Doct. Ch.* III, 2,2) e per la determinazione del canone scritturistico. In tempi in cui in Oriente e in Occidente si agitavano ancora dubbi e incertezze, Ag. ha lasciato l'elenco dei libri canonici, quale sarà accolto nel concilio di → Trento (*Doct. Ch.* II,8,13), con la indicazione dei criteri da lui seguiti. Il più generale: sono da considerarsi canoniche le Scritture riconosciute tali dalla maggior parte delle chiese cattoliche, se tra esse si contano le chiese

che meritarono di avere sedi o ricevere lettere degli apostoli.

Più in particolare: le Scritture accolte da tutte le chiese sono da preferirsi a quelle accolte da alcune; tra quelle non accolte da tutte sono da preferirsi quelle accolte dalla maggior parte e di maggiore autorità; quando un libro ha a suo favore il criterio del numero e un altro quello dell'autorità, si devono ritenere di pari autorità (*Doct. Ch.* II,8,12).

Quanto ai libri apocrifi, essi possono contenere anche qualche verità, avere il marchio dell'antichità o anche essere attribuiti a scrittori autorevoli, considerati profeti dalle scritture canoniche, come Enoch, eppure restare esclusi dal canone sia ebraico che cristiano. Probabilmente, osserva Ag., ciò fu dovuto alla difficoltà di avere prove sicure circa la loro autenticità (*Civ. Dei* XVIII,38).

3. ASPETTO ERMENEUTICO - Il problema dell'interpretazione della Scrittura fu sempre al centro dell'attenzione di Agostino. Se all'inizio abbracciò con entusiasmo l'interpretazione spirituale di Ambrogio, perché gli permetteva di superare le obiezioni manichee all'AT, ben presto cercò di affrontare il problema in maniera più critica, chiedendo informazioni ai migliori esegeti cattolici. Un riscontro dei primi risultati di quelle ricerche l'abbiamo nel *De genesi ad litteram liber imperfectus*, dove spiega i quattro modi di spiegare le Scritture (II,5).

Il de Lubac nega che Ag. sia il fondatore della teoria dei quattro sensi della Scrittura, quale si affermerà nel medioevo; egli avrebbe parlato dei quattro modi interpretativi per testi diversi, non per lo stesso testo (H. de Lubac, *L'Exégèse médiévale. Les quatre sens de l'Écriture*, I, 1, Paris 1959, 180-182).

Comunque stiano le cose al riguardo, gli sforzi di Agostino per giungere a una teoria ermeneutica più soddisfacente culminarono nel *De doc-*

trina Christiana, definita da qualcuno «il manifesto dell'ermeneutica teologica di Agostino» (G. Ripanti, *Agostino teorico dell'interpretazione*, 13). L'opera affronta il problema della *Tractatio Scripturarum* nel duplice momento della *inventio* e della *elocutio*, sulla base di una precisa teoria del linguaggio, in cui è fondamentale la distinzione tra *signum* e *res*. *Signum* è ciò che viene usato per indicare qualcos'altro; *res* è ciò che ha valore di per sé e non è usato per indicare altro (*Doct. Ch.* I,2,2). Alla luce di tale distinzione le sacre Scritture sono «*signa divinitus data*», segni dati da Dio, per rivelare agli uomini le *res* necessarie alla salvezza (II,22,3), che sono: Dio uno e trino, l'incarnazione di Cristo, la chiesa, la risurrezione dei corpi, la carità di Dio e del prossimo. La Scrittura non vuol insegnare altro che questa fede cattolica (III,10,15). L'interprete perciò deve attenersi alla *regula fidei* nella sua interpretazione (III,2,2), senza oltrepassare i limiti della fede (*Gen. litt. l. imp.* I,1,1).
Risulta chiaro il circolo ermeneutico: «le verità di fede e di morale, che si cercano nel testo, sono decifrate dalla confessione della chiesa come interpretazione autoritativa, per cui si comprende il contenuto della Scrittura solo se già lo si crede» (Ripanti, 82). La precomprensione teologica apre l'orizzonte entro il quale cercare il senso, tuttavia non annulla il lavoro dell'interpretazione. Per fondare i principi esegetici veri e propri, Ag. si richiama ancora alla teoria del linguaggio. Dopo la distinzione tra *signum* e *res*, ne avanza un'altra di non minore importanza tra i *signa propria* e i *signa translata*. I segni propri sono «quelli che vengono usati per significare le cose per le quali sono stati istituiti»; i segni traslati sono «le cose stesse che, indicate con le parole proprie, passano a significare qualcos'altro» (*Doct. Ch.* III,15,23). Su questa duplice definizione è fondata

la distinzione tra senso letterale e senso figurato o allegorico. Poiché la Scrittura è stata data da Dio mediante gli uomini, se per un verso la mediazione umana corrisponde a profonde esigenze antropologiche e teologiche, come è messo bene in rilievo nel prologo (4-9), per un altro verso essa stende come un velo sul messaggio rivelato. L'immagine della nube esprime bene questo nascondimento, prodotto dalla parola umana: «Le Scritture dei profeti e degli apostoli... è giusto chiamarle nubi, perché le parole che risuonano e passano attraverso l'aria, caricandosi anche dell'oscurità delle allegorie, come se sopraggiungesse la caligine, diventano per così dire nubi» (*Doct. Ch.* II,4,5). Le conseguenze di questo oscuramento non sono sempre e del tutto negative: la divina Provvidenza infatti dispone sempre di queste oscurità, per domare la superbia e risvegliare l'interesse della ricerca, che la facilità potrebbe rendere noiosa (II,2,7). I pericoli di errate interpretazioni, connessi all'oscurità delle allegorie, sono tuttavia notevoli e giustificano ogni sforzo per stabilire chiari principi esegetici. Per Ag. la legittimità dell'interpretazione allegorica è fuori discussione, essendo stata praticata dall'apostolo stesso. La domanda che si pone invece è un'altra: «rispetto alla narrazione dei fatti dev'essere tutto inteso in senso figurato oppure si deve affermare e sostenere anche la verità storica (*fides*) dei fatti?» (*Gen. litt. l. imp.* I,1,1). La risposta è data nel libro III del *De doctrina christiana*: «tutti o quasi tutti i fatti raccontati nell'AT possono essere intesi non solo nel senso proprio (letterale), ma anche in quello figurato» (III,22,32; *Civ. Dei* XVII,3,2). Il compito più urgente dell'interprete quindi è quello di stabilire se la locuzione, che cerca di comprendere, abbia un senso proprio o figurato (*Civ. Dei* III,24,34). A questo scopo bisogna anzitutto evitare di prendere alla lettera ciò che è detto in senso figurato, per non cadere in interpretazioni prosaiche: «sarebbe una miserabile schiavitù scambiare i segni per la realtà significata» (III,5,9).

In secondo luogo, non bisogna prendere in senso figurato ciò che è detto in senso proprio, perché con il pretesto di interpretazioni allegoriche, si possono giustificare ogni sorta di comportamento morale e opinioni eretiche (III,10,14-15). Seguono poi altri principi di non minore importanza: tutto ciò che nella parola di Dio, intesa in senso proprio, non si può riportare all'onestà dei costumi né alla verità della fede, bisogna intenderlo in senso figurato (III,10,14); nelle locuzioni allegoriche, poi, è necessario considerare con grande attenzione ciò che si legge fino a che non si giunga al regno della carità. Se poi la carità è già presente nel senso proprio, non c'è bisogno di pensare a una locuzione figurata (III,15,23).

A questo punto si pone il problema della pluralità dei sensi della stessa locuzione figurata. Certamente il senso da ricercare resta sempre quello inteso dall'autore sacro: «Chi scruta la Parola divina deve sforzarsi di giungere alla *voluntas* (intenzione) dell'autore per mezzo del quale lo Spirito Santo ci ha dato quella Scrittura. Soltanto nel caso che dalle stesse parole della Scrittura si giungesse non a uno ma a due o più sensi, e a condizione che si possa dimostrare da altri passi scritturistici che questi sensi si accordano perfettamente con la verità, si può ammettere una pluralità di sensi, anche se si ignora il senso inteso dall'autore sacro» (III,27,38). Ag. non vuole dare nessuna licenza all'arbitrio: la pluralità dei sensi allegorici è ammessa solo a condizioni ben precise e fortemente limitative. Egli avanza l'ipotesi di una interpretazione basata sulla ragione, ma avverte: «questo è un metodo pericoloso; si cammina con molta più sicurezza attraverso le stesse Scritture divine» (III,28,39). La possibilità di trovare più sensi nelle allegorie è considerata un fatto provvidenziale, previsto e voluto dallo Spirito Santo per il bene del lettore o dell'ascoltatore (*Conf.* XII,18,27).

Un esame critico particolare è riservato alle regole di Ticonio: esse possono essere di grande utilità per la comprensione delle Scritture, ma come dimostra l'esegesi dello stesso Ticonio, non sono sufficienti a risolvere tutte le oscurità (III,30,42).

L'insistenza sui principi ermeneutici non deve far pensare che Ag. abbia trascurato gli aspetti più propriamente filologici. Alla comprensione dei *signa propria* e dei *signa translata ignota* ha dedicato l'intero libro II e una parte del III del *De doctrina christiana*. All'interprete della Scrittura è richiesta una profonda conoscenza del mondo concettuale e linguistico della Scrittura (II,9,14), una padronanza delle lingue, prime fra tutte l'ebraico e il greco, per poter verificare la fedeltà delle versioni latine (II,11,16;15,22). L'interprete deve fare la *collatio* dei diversi codici e delle diverse versioni (II,12,17-15,22), la *emendatio* del testo (III,2,2-3,7) e conoscere tutte le scienze, da quelle naturali fino alla storia e alla filosofia (II,16,24-40,60). È un bagaglio di conoscenze vastissimo, che lo stesso Agostino avrebbe desiderato avere.

Bibl. - R. Latourelle, *Teologia della Rivelazione*, Assisi 1967, 147-153; R.P. Hardy, *Actualité de la Révélation divine. Une étude des «Tractatus in Iohannis Evangelium» de S. Augustin*, Paris 1974; W. Wieland, *Offenbarung bei Augustinus*, Mainz 1978; G. Ripanti, *Agostino teorico dell'interpretazione*, Brescia 1980.

NELLO CIPRIANI

AMORE

Compito specifico della teologia fondamentale è capire e interpretare la credibilità dell'autorivelazione di

Dio avvenuta definitivamente in Gesù Cristo. Questa autocomunicazione divina nella storia dell'uomo ha raggiunto il suo apice nel mistero pasquale e nell'invio dello Spirito Santo che è spirito di amore.

Senza dubbio i teologi fondamentali devono anche dedicarsi ad altri problemi. Ciononostante i due maggiori problemi centrali che conferiscono alla loro dottrina il suo carattere fondamentale sono la rivelazione e la risurrezione, ambedue intese non solo dogmaticamente, ma anche dal punto di vista apologetico. In modo particolare la natura e la credibilità dell'autorivelazione di Dio e la risurrezione di Cristo dai morti sono illuminate dal tema dell'amore.

1. RIVELAZIONE - Dio si è manifestato nell'universo creato e per mezzo di esso. L'atto della creazione può essere giustamente visto come il primo segno rivelatore della divina benevolenza. L'amore è accettazione che significa volere e lavorare per il bene degli altri. Il Dio rivelato nell'atto della creazione è un Dio che riconosce buoni gli esseri umani e il loro mondo e con efficace potenza divina dice: «Io voglio che voi esistiate».

L'Antico Testamento mentre riconosce la rivelazione di Dio mediata attraverso le opere e i segni della natura (cfr. Gn 9,12-17; Gb 38-39; Sal 19,1-6; Sap 13,1-9), dà nondimeno la precedenza all'autorivelazione divina nella storia umana. Dio, intervenuto in modo speciale per scegliere un popolo, lo conduce fuori dalla schiavitù e guida la sua storia in modo da rivelare sempre più chiaramente l'amore divino verso di esso. Una delle professioni di fede più antiche che proclama i potenti gesti del Signore presentati nell'esperienza dell'Esodo e nella conquista di Canaan (Dt 26,5-10), non parla esplicitamente dell'amore di Dio, ma presenta in modo chiaro un Dio che con fedele sollecitudine ha ripetutamente benedetto il popolo.

La vita di Osea rende in modo drammatico l'amore misericordioso e redentore di Dio verso Israele. Il profeta è testimone di un amore intensamente personale del Signore, come un marito che non vuole abbandonare il suo popolo-prostituta (Os 1,2-3,5). Nel deutero-Isaia Dio è descritto come «una donna che grida per le doglie» (Is 42,14) o come una donna che ha dato alla luce e sorregge Israele (Is 46,3-4; 49,15). I profeti, e con loro altri, si sentono costretti a descrivere Dio come madre, padre o sposo (cfr. Dt 32,6). Ed essi non possono fare altro dal momento che hanno fatto esperienza di Dio che li ama, li salva ed è teneramente affezionato a loro.

Il Vaticano II attinge sia all'AT che al NT nel descrivere la rivelazione di Dio che «nel suo grande amore» parla a noi come ad amici e ci ammette alla comunione con lui (DV 2). Questa autocomunicazione di Dio (DV 6) non è attività ripiegata su di sé, ma tende alla nostra salvezza attraverso una struttura sacramentale di parole e di avvenimenti (DV 2). Le parole illuminano e comunicano il valore rivelante e salvifico degli eventi che altrimenti rimarrebbero solo episodi anonimi e senza significato.

Il culmine dell'autocomunicazione divina è giunto con Gesù Cristo e con gli eventi della sua vita, morte e risurrezione. Nell'enciclica *Redemptor Hominis* del 1979, che come quella del 1980 (*Dives in Misericordia*) ha molto da insegnare sulla rivelazione, Giovanni Paolo II scrive che la «rivelazione dell'amore» di Dio è anche «descritta come misericordia». Egli aggiunge: «Nella storia umana questa rivelazione dell'amore e della misericordia ha preso una forma e un nome, quello di Gesù Cristo» (RH 9). Il cuore di questa comunicazione divina rivelata in Cristo è stato formulato in modo classico nell'espressione «Dio è amore» (1 Gv 4,8.16). Ciò non significa che la rivelazione dell'amore di Dio fosse assente nell'AT. Si è visto precedentemente come i profeti, tra gli altri, danno testimonianza dell'amore fortemente personale di Dio verso Israele. Una simile evidenza dimostra quanto sia falso il detto: «Dio ha rivelato la sua giustizia nell'AT e il suo amore nel NT».

Ciò che Cristo porta, tuttavia, è anzitutto la presenza visibile, tangibile e credibile dell'«Emanuele, Dio con noi» (Mt 1,23). Dio, inoltre, è ora svelato come tripersonale. Il Padre è conosciuto come la fonte ultima della vita e dell'amore divini; il Figlio è la percettibile presenza di questo amore; lo Spirito Santo è sperimentato come dono di amore (Rm 5,5) che conduce verso la piena realizzazione escatologica.

I sinottici parlano poco di «amore» quando presentano il ministero di Gesù. Luca, per esempio, non usa il linguaggio dell'amore, neppure in quella descrizione tanto forte dell'amore misericordioso di Dio verso il perduto e il peccatore: la parabola del figlio prodigo. Ciò che i sinottici descrivono è un'autorivelazione dell'amore molto implicita, ma estremamente reale nelle parole e nei fatti. Gesù ha obbedito al Padre, ha servito gli altri e sofferto per essi, li ha guariti, ha dato se stesso con illimitata generosità e alla fine è morto in croce tra due empi ai quali ha donato la compassione e la misericordia divine. Gesù è stato l'amore personificato. La sua crocifissione ha però lasciato aperta la domanda: tale amore obbediente è in conclusione autodistruttivo e condannato a un misero fallimento? (Fil 2,8).

2. RISURREZIONE - La risurrezione di Gesù crocifisso ha rivelato che «l'amore del Padre è più forte della morte» (DM 8). Il dialogo d'amore tra Gesù e il Padre, interrotto (almeno nei limiti dell'umanità di Gesù) dal silenzio della morte, è ora ripreso in modo pieno e definitivo. Per usare la ricorrente immagine del NT, Gesù è assunto in cielo e siede alla destra del Padre (per es. At 2,33; Rm 8,34; Col 3,1).

Il → mistero pasquale può essere studiato e interpretato in vari modi; per esempio, come l'apice della redenzione umana, come il fondamento della fede cristiana e come la base di tutte le nostre speranze. Nessun tipo di approccio, comunque, potrà mai esprimere adeguatamente il mistero. Probabilmente, tuttavia, la chiave più appropriata per interpretare la risurrezione di Gesù crocifisso sarà la reale e definitiva rivelazione dell'amore di Dio.

Non è un caso che a partire dal capitolo 11 del vangelo di Giovanni, mentre si avvicina sempre più il mistero pasquale, il linguaggio dell'amore si fa sempre più prevalente. L'ultima cena e i discorsi di addio di Gesù cominciano (Gv 13,1) e si concludono (Gv 17,26) con questo linguaggio. Di fatto la preghiera finale di Gesù, che interpreta il centro e lo scopo della sua morte e risurrezione imminenti, si conclude con la domanda al Padre in favore dei discepoli: «perché l'amore con il quale mi hai amato sia in essi e io in loro» (Gv 17,26).

Risorgendo dai morti, Gesù fonda finalmente la sua comunità di amore, la chiesa che sarà descritta con l'immagine della sposa (Ef 5,21-33; Ap 21,2-9). Durante la sua esistenza terrena Gesù è stato il segno visibile e l'immagine vivente del Padre, un tema espresso in modo classico dalle parole di Gesù a Filippo: «Chi ha visto me, ha visto il Padre» (Gv 14,9). Dopo la sua morte e risurrezione lo stesso Gesù non è più visibile direttamente e immediatamente. La sua comunità tende progressivamente ad essere segno visibile e vivo del suo desiderio di salvare e portare nella casa del Padre tutti gli uomini e donne di tutti i tempi e luoghi. Nonostante le loro colpevoli mancanze i cristiani vengono fortificati dallo Spirito Santo per essere il segno speciale, per il mondo intero, della presenza e della potenza del Signore risorto.

Per concludere: l'amorosa automanifestazione di Dio ha raggiunto l'apice con la risurrezione di Gesù crocifisso. La risurrezione, si può anche dire, ha rivelato la chiesa, la nuova comunità dell'amore di Dio, che vive nell'attesa della finale apparizione del nostro salvatore (Tt 2,13) quando la sua gloria divina sarà pienamente rivelata (1 Pt 4,13).

Bibl. - H.U. von Balthasar, *Solo l'amore è credibile*, Torino 1965; R. Fisichella, *H.U. von Balthasar. Amore e credibilità cristiana*, Roma 1981.

GERALD O'COLLINS

ANALISI STRUTTURALISTICA ED ESEGESI BIBLICA

A partire dagli anni '70 l'orizzonte degli studi biblici si è arricchito di un metodo nuovo chiamato esegesi strutturalistica e/o semiotica. Una rapida recensione dei dizionari specializzati pertinenti, delle introduzioni alla bibbia, delle iniziazioni alle scienze teologiche, delle riviste scientifiche o di volgarizzazione attesta il riconoscimento di questo dato acquisito: tutte queste pubblicazioni recenti comportano articoli, capitoli, numeri tematici sull'argomento. Sottolineano così l'integrazione dell'esegesi nell'evoluzione prodigiosa delle scienze del linguaggio e del testo. Introducono, tuttavia, anche un vocabolario che diventa necessario chiarire brevemente prima di tentare una presentazione di questi sviluppi dell'esegesi.

Un tacito consenso distingue *analisi strutturale* e *analisi strutturalistica*. La prima, basata soprattutto sul fenomeno letterario del parallelismo, indica un insieme di procedimenti analitici connessi con l'osservazione delle ricorrenze di certi elementi del testo, dei loro abbinamenti e opposizioni, e con l'esame delle proposizioni e dei loro legami grammaticali e stilistici. In una lettura sincronica, vale a dire senza occuparsi della genesi redazionale diacronica del suo oggetto, mira a chiarire la composizione letteraria e a far emergere, attraverso la coerenza da essa instaurata, la sua parte di manifestazione del senso (cfr. in proposito i lavori di A. Vanhoye, P. Aufret e M. Girard). Anche la pratica della critica retorica si colloca a questo livello delle strutture stilistiche (cfr. la sua definizione e la sua situazione in rapporto alla retorica classica in J. Muilenburg e i suoi discepoli negli Stati Uniti).

La seconda manifesta l'approccio strutturalistico. Affronta il testo come struttura e sistema di strutture, a ogni suo livello di superficie e di profondità. Postula la primarietà della struttura rispetto ai singoli elementi semantici, poiché questi ultimi ricevono un significato particolare dal loro inserimento in un particolare reticolo di senso. Cerca di far emergere l'organizzazione del discorso, che soggiace all'organizzazione letteraria e regolatrice ultima. Fondandosi poco a poco come un vero metodo, ha preso, nell'accezione che ci interessa, il nome di *analisi semiotica* (si vedano, per un confronto, le analisi strutturalistiche delle tradizioni indoeuropee di Dumézil e dei miti greci di Vernant e Détienne). Possiamo schematizzare la sua evoluzione nei periodi formalista, strutturalistico, post-strutturalistico, decostruzionista, ricostruzionista, post-modernista. A dispetto di qualsiasi chiarezza, questa terminologia non esprime purtroppo le medesime realtà in Europa e in America.

L'uso dei termini semiologia, semiotica, semiotiche, «semiotics», analisi semiotica comporta qualche confusio-

ne e dissenso tra autori e lettori. Molto in generale, *semiologia*, parola che
risale a De Saussure, indica lo studio
dei sistemi di segni linguistici e non
linguistici e connota per molti una visione inglobante di ordine ideologico. *Semiotica*, termine che dobbiamo
a Hjelmslev, è spesso attribuito al-
l'applicazione della semiologia a un
sistema di segni particolari (semiotica dello spazio, della musica, dei riti, della letteratura, ecc.) o all'analisi
delle comunicazioni linguistiche. Questo termine porta a pensare a un progetto scientifico determinato. Viene
impiegato nella tradizione anglosassone e nella corrente post-Hjelmslev
in Francia. Greimas e la sua scuola
lo intendono nel senso stretto di teoria della significazione, abbinata a un
linguaggio formale critico e operativo. Dal momento che l'esegesi ha ripreso soprattutto dalla scuola di Greimas, quest'articolo si riferirà per convenzione al suo significato di semiotica e tratterà i seguenti punti: I. La
semiotica strutturalistica; II. L'esegesi
biblica e la semiotica strutturalistica;
III. L'esegesi semiotica strutturalistica nel campo degli studi biblici.

1. SEMIOTICA STRUTTURALISTICA - a.
Storia - Scegliamo come punto di partenza della semiologia la sua riscо-
perta in Francia, a cui è giunta l'epistemologia strutturalista verso il 1960.
Ciò che sarebbe diventata la semiotica attuale nasce dalla messa in comune di lavori svolti nell'ambito di
differenti discipline. All'origine della metodologia semiotica si trova lo
studio dei miti di Dumézil (1945) e
di Lévi-Strauss (1964-1971). L'antropologia e la fenomenologia, insieme
all'attenzione prestata ai racconti popolari dal formalista-folclorista Propp,
hanno fornito il quadro concettuale
e le ipotesi di base. In campo linguistico l'insegnamento di Saussure
(1857-1913), continuato da Hjelmslev
(1959, 1966 e 1968), Bröndal (1943)
Jakobson (1963 e 1973), Benveniste

(1966 e 1974) e da un insieme numeroso di scuole (Praga, Francoforte,
Varsavia, Costanza, ecc.) ha permesso, d'altra parte, di trasformare queste fasi separate in progetto coerente. A partire dagli anni '60-'70 emergono i capifila (Barthes, Eco, Greimas, Mounin) che concretizzano infine la possibilità dell'analisi del discorso, dell'ingresso negli ambiti in-
ter- e transfrastici. Bisognerebbe anche nominare coloro (Genette, Kri-
steva, Todorov, ecc.) che operano alla periferia di posizioni divenute classiche; la loro lista non sarebbe esaustiva e peccherebbe di gravi dimenti-
canze.
  Nello stesso periodo si sviluppava
negli Stati Uniti un nuovo interesse
per le teorie linguistiche dei filosofi
americani Ch. Sanders Peirce (1839-
1914) e Ch. Morris (1901-), e un autonomo sviluppo dell'antropologia,
che aveva superato quello europeo.
Da questa effervescenza era nato uno
strutturalismo americano, che aveva saputo ispirarsi per l'occasione a
grandi europei esiliati in seguito alla
seconda guerra mondiale, come Roman Jakobson e Claude Lévi-Strauss.
Le due linee parallele, irriducibili e
non omologabili l'una all'altra, si
andavano cristallizzando in ciò che
ora viene chiamato «le due semiotiche»: quella di Peirce e quella di
Saussure-Hjelmslev. Ci concentrere-
mo su quest'ultima, realizzata soprattutto in Francia nel solco dello strutturalismo, e più direttamente di A.J.
Greimas.
  b. *Caratteristiche* - Dire «scuola di
Greimas» o «scuola francese di semiotica» o «scuola di Parigi» rimanda a un gruppo di ricercatori nato
a seguito della teoria di Greimas già
titolare della cattedra di semantica
strutturale alla Scuola Superiore di
Scienze Sociali di Parigi. Funziona
sotto il nome di «Gruppo di ricerche
semio-linguistiche», pubblica dal 1979
la rivista *Actes sémiotiques* che comprende due serie di numeri: Bulletins

e Documents, e conosce una vasta diffusione internazionale. Se il modello di Greimas collega i membri del gruppo, questi divergono, comunque, sia nella loro epistemologia semiotica sia nell'applicazione della teoria comune. Convergenze e divergenze imprimono una crescita vigorosa al giovane metodo, che ha compiuto indagini importanti in etnosemiotica, sociosemiotica, psicosemiotica, semiotica visuale, musicale, spaziale, in semiotica del discorso letterario, poetico, religioso, scientifico, didattico, conseguendo dal suo confronto con ambiti diversificati, un affinamento della sua apparecchiatura concettuale.

Nel 1966 debutta l'elaborazione della «teoria standard» che durante gli anni '70 si considera acquisita. La ritroviamo nelle pubblicazioni di Greimas del 1966, 1970, 1979 e 1983. Courtès (1976) e Hénault (1979) ne forniscono una agile visione d'insieme. Se il *Dictionnaire* (1979), ad opera di Greimas e di Courtès, espone con dovizia la sostanza della teoria della scuola di Greimas, il suo secondo tomo (1986) raccoglie articoli, siglati d'altra parte da una quarantina di collaboratori, negli argomenti «novità», «complementi», «dibattito», «proposta»; conclude dunque l'insieme non su una chiusura dogmatica, ma con un invito a proseguire esplorazione e discussione.

La menzionata «teoria standard», introdotta in esegesi, vi ha portato una maniera nuova di vedere e trattare il testo biblico; bisogna perciò considerare più da vicino alcune delle sue scelte fondamentali, le stesse che vedremo all'opera negli esegeti che seguono un metodo semiotico. Uscito dalla linea di Saussure, Greimas se ne distingue in quanto considera il linguaggio come un sistema di significazione, non come un sistema di segni. Per lui e per la sua scuola la semiotica non è una teoria generale dei segni; piuttosto una teoria generale dei sistemi di significazione.

Questa distinzione porta a uno spostamento considerevole dell'oggetto d'indagine della semiotica, dal sistema di segni al senso concepito come rete di relazioni che è alla base del sistema di segni. Hjelmslev aveva già aggiunto alla nozione statica di significazione propria di Saussure quella, dinamica, di relazione come produzione di senso, assegnando allo studioso di semiotica la teorizzazione dell'emergere del senso. Greimas elabora, a partire da questa «visione incoativa», una metateoria coerente a partire dalla sua concezione traspositiva del senso; in lui allora la semiotica diventa la disciplina che elabora le tecniche di trasposizione, considerando la trasposizione del senso come la condizione del senso stesso (cfr. Parret, 1989).

La trasposizione effettuata dall'attività semiotica di Greimas è descrizione – essa stessa produzione semiotica – mai terminata, aperta e in quanto tale ricostruttiva, poiché procede alla formazione di un oggetto. Come interpretazione si oppone alla traduzione e alla spiegazione.

Greimas si distingue anche dagli studiosi di semiotica che fanno riferimento alle scienze della comunicazione. Questi ultimi si collegano in un punto o nell'altro, o nell'insieme, al celebre schema di R. Jakobson (1963): mittente, messaggio – che per essere compreso deve essere chiarificato dal contesto – destinatario, codice e contatto. In codice e comunicazione si riscontrano delle parole-chiave della semiologia di Umberto Eco, il quale tende d'altronde a presentare una teoria eclettica di diverse correnti semiologiche. Per Greimas la comunicazione non regola la significazione e la produzione di senso, ma, al contrario, l'enunciato prodotto è comunicabile in quanto è anzitutto significante (cfr. Delorme, 1982). Significa che il voler-dire del testo, la sua intenzionalità, procede dal suo poter-dire governato dalle strutture immanenti della significazione. Questo poter-dire condiziona il poter-leggere del lettore e non l'inverso. La priorità di enunciato o enunciazione, il posto e il valore del referente nel segno e nei sistemi di significazione va oltre i semplici dibattiti delle diverse Scuole. Si deve notare che, da una parte, il «partito preso» per l'enunciato ha messo a punto tecniche di identificazione dell'istanza di enunciazione nel testo mai avute prima nella storia della critica letteraria; dall'altra, se gli anni '60 sono stati segnati dall'attenzione all'enunciato, gli anni '70 hanno visto apparire, sempre all'interno dell'orientamento di Greimas, una semiotica dell'enunciazione in confronto con la pragmatica od operatività del testo. Questa si è arricchita di una quantità di risultati interamente originali: grammatica narrativa e concetto di narratività; semiotiche modale, deontica, volitiva, epistemica; teoria dell'azione, delle passioni, della ricerca dei valori e dell'*ésthēsis*. Senza dimenticare la conquista progressiva dello statuto di metodo approvato, che l'ha portata a generare la sua costante autocritica e la produzione di una quantità di strumenti di analisi estremamente ricca e adattabile ai settori più diversi.

c. *Prospettive* - Alle frontiere del modello di base una intensa ricerca mira costantemente ad allargare l'orizzonte di Greimas. Vi si lavora per consolidare una semantica fondamentale con l'aiuto dell'omologazione alla psicanalisi, alle matematiche e alla filosofia trascendentale ispirata a Husserl e a Kant. Si cerca di riaprire soprattutto le parentesi tracciate attorno al soggetto con l'avvio strutturalista dell'avventura semiotica. La teorizzazione della natura, dello statuto e della funzione della soggettività si avvale della teoria del timico; quella dell'intersoggettività della categoria della tensività. Poiché il soggetto costituisce l'intersezione delle

posizioni spazio-temporali che occupa, si tenta la riformulazione del tempo e dello spazio, non più in termini di grammatica narrativa o discorsiva, ma in termini di semantica fondamentale (cfr. Parret, 1989).

La grammatica discorsiva trae giovamento anche da uno sforzo di chiarificazione rigorosa sul versante della concezione enunciativa del senso, della percezione della retorica come manifestazione della razionalità profonda, della teoria dell'argomentazione e della logica informale. Infine, si manifesta fortemente la necessità di formulare regole di corrispondenza tra differenti sotto-sistemi di questa grammatica discorsiva.

2. ESEGESI BIBLICA E SEMIOTICA STRUTTURALISTICA - a. *Storia* - Non esistono letterature fatte oggetto d'interesse da una quantità di specialisti come avviene per la bibbia, o che abbiano generato una tale massa di commentari, monografie e studi, o che abbiano eretto tante biblioteche attorno a sé. Allorché appariva da parte di alcuni pionieri una esegesi che non si osa ancora qualificare come strutturalistica, ancor meno come semiotica, aveva bisogno il campo degli studi biblici di questa novità?

Alla fine degli anni '60 è l'approccio storico a dominare sull'esegesi scientifica, solidamente puntellata da una base scientifica impressionante, prodotto della parte migliore della cultura umanistica, della filologia e delle discipline ausiliarie della storia: archeologia, numismatica, epigrafia, paleografia, ecc. A partire dall'inizio del secolo questa ha attraversato con profitto e successo uno stadio critico radicale. Nel 1906 A. Schweitzer faceva il bilancio delle scuole che, a partire da Reimarus (1694-1768) esprimevano la loro attività sotto la forma di *Leben Jesu Forschung*. Si conoscono le sue frasi celebri, spesso citate, ma sempre capaci di impressionare: «La ricerca sulla vita di Gesù ha avuto un destino singolare; si mise in cammino per trovare il Gesù storico e pensò che poteva farlo entrare così com'è, maestro e salvatore, nel nostro tempo. Tagliò i legami che lo collegavano da secoli alla roccia dell'insegnamento della chiesa e si rallegrò quando la forma prese movimento e vita e quando vide venirle incontro l'uomo Gesù storico. Ma egli non rimase, passò a lato del nostro tempo e ritornò nel suo» (*Geschichte der Leben-Jesu-Forschung*).

Precedute dalla *Religionsgeschichtliche Schule*, attraversate dall'ipotesi delle Due Fonti, interrotte dalle due guerre mondiali si succedevano le scuole della *Form-, Redaktions- Überlieferungs-* o *Tradiktionsgeschichte* (→ Vangelo). Passando da una all'altra tuttavia, l'approccio storico che caratterizzava questi metodi scivolava sull'approccio letterario, senza portarvi strumenti pertinenti, salvo tecniche che mancavano di legami efficaci e della verifica critica delle teorie elaborate come scienze della letteratura e della linguistica.

Se la storia illustra un testo, non ne risolve il problema del senso. Si capisce come alcuni esegeti francesi, immersi nello sconvolgimento della critica letteraria in Francia e nell'evoluzione folgorante delle scienze del linguaggio, abbiano cercato un dialogo con i colleghi che si occupavano come loro di lettura e di interpretazione. Essi fornirono agli studiosi di semiotica un corpus eccezionale e una serie di questioni comuni; vi trovarono una messa a fuoco delle loro molteplici risorse in una teoria e una problematica letteraria generale. Ponevano, inoltre, in maniera nuova all'interno delle discipline teologiche la questione del senso e della prospettiva ermeneutica (Delorme 1982, *Sémiotique. L'École de Paris*). Con loro l'esegesi si avviava verso la linea sincronica, passaggio che stavano effettuando via via tutte le scienze umane.

Il 1967 vide la formazione di gruppi di lavoro misti di esegeti e studiosi di semiotica. L'incontro con Greimas ebbe luogo l'anno seguente al suo seminario di Versailles e Roland Barthes partecipava al congresso biblico di Chantilly nel 1969. Le prime pubblicazioni indicative vennero da parte degli studiosi di semiotica con *Sémiotique de la Passion. Topiques et figures* (Paris 1971) di Louis Marin e *Le récit évangélique* (Paris 1974) di C. Chabrol, L. Marin e collaboratori. Nel frattempo gli esegeti acquisivano poco a poco una formazione sugli aspetti teorici e pratici della semiotica al seminario di Studi Superiori e al centro di Eco a Urbino. Nascevano gruppi di ricerca, tra cui ASTRUC [A(nalyse) struc(turale)]; ma bisogna ricordare anche il medico di Luigi XV (che fu all'origine della critica delle fonti del Pentateuco) a Parigi e il gruppo di Entrevernes a Lione nel 1971 che sarebbe poi divenuto il CADIR (Centre pour l'analyse du discours religieux) nel 1976. Ne trassero origine sessioni innumerevoli di formazione in Francia e nei paesi vicini, prolungate dalla creazione di gruppi di lettura biblica che diffusero un'alta volgarizzazione della semiotica. Lo attesta abbondantemente la rivista *Sémiotique et Bible* apparsa nel 1976. Anche il CADIR diffondeva la sua influenza all'estero, fino in Madagascar e in Corea; avrebbe suscitato filiazioni con numerosi discepoli in Danimarca, il gruppo SEMANET in Olanda e ASTER (Ateliers de sémiotique du texte religieux) in Quebec-Ontario. D. Patte svolgerà funzioni di collegamento tra gli Stati Uniti, dove anima la ricerca di semiotica religiosa alla Vanderbilt University a Nashville ed edita il bollettino *Structuralist Research Information*. La ricchezza di lavori sul testo biblico risulta anche dalle riviste *Linguistica biblica*, tedesca, *Semeia*, americana, *Sémiotique et Bible, Cahiers bibliques, Foi et vie*, francesi, *Theolinguistica*, belga.

b. *Caratteristiche - 1. Orientamento secondo le teorie di Greimas.* La maggior parte delle opere di esegesi semiotica si ispirano alle teorie di Greimas e si iscrivono in una teoria dei sistemi di significazione piuttosto che in una teoria dei sistemi di segni. Si interessano alla specificità dei testi, di *questo* testo da analizzare, cercando sotto le frasi l'organizzazione del discorso. Procedono dalle condizioni esterne della significazione verso le sue condizioni interne fino a quelle del linguaggio. Il fatto di non essere linguisti protegge, forse, o rende meno vulnerabili, la maggior parte degli esegeti che praticano l'analisi semiotica dalla tentazione di spiegare il testo attraverso le strutture della lingua.

Seguendo Greimas, queste opere privilegiano l'enunciato rispetto al suo ambiente di comunicazione, l'esplorazione del suo potere significante rispetto a quello della sua trasmissione. Le conseguenze di questo postulato sul trattamento del testo biblico sono enormi e distinguono radicalmente l'esegesi semiotica da quella storico-critica classica. Il presupposto metodologico conduce la prima a mettere tra parentesi le fonti esterne dello scritto, il.suo autore e le sue coordinate storiche, le tradizioni ecclesiali alla sua origine, le comunità e società di produzione e di recezione primitive, tutto ciò che essa chiama trascendenza al o del testo. Non nega la loro esistenza, né il loro interesse, ma ne tiene conto solo nella misura delle loro tracce iscritte nella materia testuale, tracce ancora una volta sorprendentemente numerose e ricche di informazione alla luce di raffinate tecniche di analisi. Non considera la storia interna del testo nella sua genesi letteraria, ma si fissa all'ultimo livello della redazione, come ce lo restituiscono le edizioni critiche ufficiali della bibbia, laddove le fonti rimaneggiate si fondono in una coerenza propria e diversa.

La lettura sincronica sta in rapporto alla diacronica come l'immanenza in rapporto alla trascendenza (da non confondere con quella di una divinità superiore); la lettura diacronica spazia da monte a valle, dal pre al post del testo con metodi ispirati alla storia. Lo studioso di semiotica, al contrario, considera i testi come discorsi omogenei ai quali applica strumenti corrispondenti alla loro natura di discorsi, cioè di tipo linguistico. Non si dovrebbe confondere, in maniera riduttiva o semplicistica, con un paragone tra chiuso e aperto, la chiusura in rapporto all'apertura interdisciplinare. Lo studioso di semiotica, piuttosto, delimita in questa maniera il suo percorso epistemico. Nella pratica costruisce il suo oggetto secondo criteri sperimentali. All'origine non c'è un a-priori sulla delimitazione del testo, ma l'ipotesi di partenza della identificazione di campi di coerenza, sempre da verificare attraverso l'analisi, e in seguito della possibilità di delimitare efficacemente un ambito di studio. Su campioni abbastanza vasti, i sistemi di rappresentazione dell'umanità e del mondo, messi in luce dall'analisi della componente discorsiva, riveleranno presto legami con quelli di comunità, gruppi associati sul piano linguistico, e intere aree culturali raggiunte attraverso le loro testimonianze scritte. Procurando di non far sconfinare le metodologie, l'approccio storico si inserirà facilmente su queste frontiere aperte, e viceversa, poiché nella costruzione del referente storico, lo storico del vicino Oriente antico si è ampiamente basato sui testi biblici prima di fissarlo come cosiddetto «reale» storico.

La questione del senso del testo induceva anche a non sospettare dei notevoli lavori diacronici degli ultimi secoli. Ma il significato di uno scritto si costituisce nella sincronia di tutte le sue componenti linguistiche e letterarie. La semiotica di Greimas fornisce gli strumenti adatti per esplorare e portare alla luce questo significato nelle sue condizioni di produzione, e non più fissandolo sotto il microscopio dell'analista in sezioni, brani, singole unità isolate dal sistema che li contiene e li anima. L'osservazione della composizione letteraria e del collegamento dei temi, praticata nella spiegazione classica del testo, non basta più a spiegare l'unità di un libro da quando le scienze del testo hanno scoperto l'esistenza delle reti di relazioni, sintattiche e semantiche, dei livelli diversi, ciascuno con le loro particolari strutture, di una matrice strutturale profonda che li articola e li integra.

La semiotica biblica cerca di descrivere questo insieme di strutture di significato. Si occupa di organizzazione dei contenuti, qualificati dal loro inserimento in una gerarchia di strutture anch'esse articolate in un sistema globale. Vi segue passo passo il senso/i sensi, e riproduce nella sua descrizione-trasposizione la/le loro condizione/i di produzione.

2. *Acquisizioni.* Il piccolo gruppo di esegeti che hanno adottato l'analisi semiotica affinò le sue armi su brevi racconti tratti dai vangeli, poi passò alle unità intermedie, e dalla micro alla macro-organizzazione poté, quindi, allineare alcune conclusioni sull'organizzazione narrativa degli stessi vangeli (Panier, 1979). In parallelo allo sviluppo del metodo sul versante del figurativo, essi fecero appello alla loro dimensione cognitiva e videro apparire un gioco complesso sul sapere, sul credere e sull'operazione di veridizione che include il lettore e l'omologazione apparente, ma frammentata da un discorso pluri-isotopo, che arriva a una ri-categorizzazione dei valori semantici culturali e linguistici. Partiti da unità che l'analisi storico-critica e gli usi liturgici li avevano abituati a considerare come indipendenti e collegate in un secondo tempo da un lavoro redazio-

nale o ermeneutico, essi scoprirono che «il significato si collega a relazioni soggiacenti alle forme discorsive di espressione e di comunicazione sociale» (Delorme, *Sémiotique. L'école de Paris*, 1982). Un fatto che, per gli esegeti di formazione classica, rimette profondamente in questione i criteri anteriori di identificazione delle forme letterarie e la problematica stessa dei generi e delle forme letterarie nella bibbia. Un insieme considerevole di studi ha dunque seguito il procedimento dalle unità più piccole alle più grandi, ma non si è ancora avviato il movimento inverso, cioè dall'insieme di un intero vangelo verso le sue unità minime. Non si è neppure affrontata la questione del corpus evangelico come testo con più varianti.

Quasi tutti, se non tutti, i libri biblici hanno beneficiato di incursioni semiotiche di differente levatura. Si può già tirare qualche conclusione sulle caratteristiche dei discorsi profetico e apocalittico, delle letterature epistolare e salmica; i testi poetici rimangono parente povero. Nell'ambito del discorso religioso extra-biblico, si sono fatti dei sondaggi per i discorsi teologico, mistico e liturgico. In generale la giovane, anzi giovanissima, esegesi semiotica ha prodotto pubblicazioni su testi singoli straordinariamente numerose, che coprono una vasta area, ma pochi studi su un vasto corpus. Il rilievo vale d'altra parte per gli altri spazi della semiotica e della semiologia, dove i lavori di lungo respiro riguardano quasi esclusivamente lo sviluppo teorico.

Frattanto si allunga una lista di acquisizioni sicure che certo matureranno presto in sintesi preziose, nella misura in cui si allontanerà il periodo di impianto che ha assorbito tante energie. Segnaliamo tra gli altri, modelli di integrazione elaborati a partire dall'analisi dei testi, modelli dei racconti di miracoli, del linguaggio parabolico e della letteratura del commentario biblico. Fin dai primi incontri tra semiotica ed esegesi l'attenzione ai racconti della passione ha suscitato una quantità di risultati, che chiedono solo di essere formalizzati. Infine, si conosce il funzionamento semantico dei vangeli per concludere che questi si distinguono, nella tipologia del discorso, dal discorso mitico, dai racconti e leggende e vengono considerati tra i discorsi innovatori il cui proprio consiste nell'articolare categorie incompatibili «non per dissolvere la loro antinomia, ma per disporre il passaggio che permetta di fondare una nuova deixis assiologica» (Greimas, *Signes et paraboles*, Paris 1977).

c. *Prospettive* - Mettendo a punto le acquisizioni emergono alcune prospettive avviate, su cui ritardare o sollecitare la ricerca, a seconda dell'angolo visuale di ciascuno. Si profilano, attraverso analisi di singoli testi, delle problematiche tra le ricerche in corso. Ricordiamo quelle della paratestualità, della intertestualità e della citazione, di cui la bibbia fornisce tanti indizi impliciti ed espliciti nel suo insieme, come incastri di midrashîm, di un testamento nell'altro, di un vangelo nell'altro, nell'integrazione di forme discorsive tra loro e nei loro rapporti con relazioni soggiacenti che conferiscono loro il vero significato; sulla medesima linea quelle del commentario propriamente biblico fino al funzionamento del «Kommentar» moderno; a valle del testo, quelle che manifestano l'apertura al fenomeno della lettura, all'esistenza del lettore, alla «Scriptura» nel senso letterale latino di scritture sempre da scrivere e da pronunciare; a monte, quelle che procedono dalle particolarità dell'enunciazione biblica, la cui costituzione in canone, che blocca un corpus in una identità conferita da un'istanza esterna, che crea così un mondo significante, lo pone nell'a-temporalità (nel senso di contemporaneità a tutte

le generazioni) con i suoi valori propri da far emergere, non secondo le lingue impiegate, ma attraverso i contesti che li modalizzano e ricategorizzano, che lo riveste di autorità e di normatività; quelle che hanno per oggetto la comunità di lettori-utenti e i suoi presupposti di interpretazione, la messa in opera di un sistema enunciativo per il sistema significante delimitato, la valutazione delle differenze tra questo sistema e le strutture letterarie del corpus, tra l'interpretazione del sistema e quella di una lettura esterna; infine, le allusioni a una ripresa *ab origine* della questione dei sensi della Scrittura (letterale, spirituale, storico, plenario) ereditata dai Padri, della teoria dei generi letterari che aveva lanciato l'esegesi critica quando era stata adottata, ma che oggi è necessario ri-calibrare, come pure la definizione poco precisa di «genere letterario vangelo».

Insomma, il promettente «già e non ancora» dell'esegesi semiotica mostra le migliori garanzie per sbocciare in sicure sintesi parziali e nella loro teorizzazione. Niente dovrebbe più trattenerla sulla via della indagine portata a corpus più ampi. In Europa e in Canada il decennio '70 è soprattutto servito a familiarizzarsi con le proposizioni di Greimas e a manifestare il loro valore. Gli anni '80 denunciano un ritorno alla priorità del testo sulla metodologia intesa come strumento al suo servizio. Negli Stati Uniti, dove domina all'avanguardia la «reader-oriented critique» o «post-structural reader-response», gli esegeti che praticano l'analisi semiotico-strutturalista secondo Peirce, Greimas o Lévi-Strauss si dispongono diversamente sulla mappa metodologica della loro disciplina. Alcuni conservano una pratica filologico-storica per solidarietà con il gruppo che li ha formati e che costituisce il loro ambiente e supporto accademico; costoro qualificano il loro orientamento come «formalism-structuralism» o «formalist criticism». Altri, passati al post-strutturalismo americano, dunque a una prospettiva di decostruzione dell'oggetto di studio, professano di non rinunciare per questo all'utilità di un'analisi di tipo positivistico, empirico e logico. Altri abbandonano il procedimento euristico e adottano un punto di vista ermeneutico senza preamboli positivisti, «obiettivi», postulati dallo studio degli scritti antichi.

L'esitazione nell'attraversare le diverse soglie di passaggio traduce bene la scomoda precarietà dei nuovi inizi. Ma nei due continenti il periodo dei pionieri e dell'acquisizione del diritto di cittadinanza è compiuto e consolidato.

3. ESEGESI SEMIOTICA STRUTTURALISTICA E STUDI BIBLICI - L'ingresso della semiotica nell'esegesi ha segnato una rottura di isotopia. *Traditions-, Form-* e *Redaktionsgeschichte* derivavano logicamente l'una dall'altra all'interno del medesimo paradigma. Il metodo semiotico appartiene a un orizzonte epistemologico completamente estraneo e introduce nel campo degli studi biblici un atteggiamento diverso riguardo al testo e una strumentazione senza legami con quella storico-critica. Vi si è visto talvolta un taglio sbrigativo, l'archiviazione dei risultati di una monumentale attività scientifica, conquistata a dura forza sul territorio di ideologie religiose assunte in modo acritico. Per fortuna, dopo i primi choc, si comincia a far tesoro delle ricadute positive, più che considerare i costi e i colpi dolorosi da tamponare.

Queste ricadute positive appaiono anzitutto in salutari aggiustamenti metodologici. Si è costretti a porre di nuovo in ambito esegetico le questioni fondamentali della concezione della storia, del senso, del testo e della lingua; l'esegesi non può più isolarsi dai dibattiti che la pongono al centro dell'attenzione, al di fuori della specializzazione biblica. Come potranno metodi fondati sull'approccio storico, per esempio, attuare il riconoscimento, come scienze storiche, dell'indole letteraria del discorso storico, e d'altra parte del discorso scientifico in generale, del suo valore connotativo più che denotativo? Di certo, non si è aspettata l'onda strutturalista per preoccuparsi del linguaggio in esegesi e in teologia; ne sono prova tutti i trattati *De divinis nominibus* (→ Cristologia: titoli), redatti nel corso dei secoli. È nella precisa direzione di questa tradizione che la semiotica introduce uno strumento inestimabile.

Altra ricaduta positiva, il rinnovamento della riflessione sul senso e sui sensi della bibbia, sul senso e sui sensi dei discorsi prodotti a partire dalla bibbia e su una migliore conoscenza del loro funzionamento, che si è abilitati, ora e da poco tempo nella storia della critica letteraria, a descrivere scientificamente. In quanto metodo formale, la semiotica permette agli enunciatori di tali discorsi il vantaggio della distanza dai loro enunciati, dello spazio necessario a valutare la loro relazione con i testi ispiratori. Il rilievo ha valore per tutti i discorsi che hanno nella bibbia il punto di partenza: commentari, parafrasi, letteratura patristica, teologia, catechesi, omelia, liturgie della parola scritta o orale, letture espresse dal magistero, dalle comunità, dagli individui, orientamenti dottrinali e pastorali. Spetta come missione propria all'esegesi costruire il discorso del testo tale quale è dato nel suo livello di manifestazione nelle edizioni critiche, tale quale arriva attraverso l'organizzazione dei suoi contenuti semantici. Disciplina rude che chiede l'inquadramento di un'attrezzatura sperimentata e sufficientemente evoluta; nel suo rigore deve essa stessa far posto alle sorprese del testo e sintonizzare la sua metodologia ai testi in azione nella loro produzione di senso.

L'esegesi ha superato lo stadio in cui si credeva di possedere *il* metodo, cioè quello storico-critico. Perdura ancora in certi insegnamenti la tentazione di recupero davanti alla proliferazione di opere collettive che studiano una medesima pericope secondo diversi approcci o griglie di lettura. Una falsa nozione di complementarità riconduce presto le letture divergenti allo schema classico, oppure alla pratica di una gerarchizzazione con subordinazione. Pertanto l'esegesi semiotica, come gli altri approcci, se questi giungono allo statuto di metodo, non viene a colmare un vuoto negli stadi di applicazione del metodo storico-critico e a ricevere da questo il suo quadro concettuale. Non può portare a soluzione problemi di ordine storico o far luce sull'avvenimento che è dietro il racconto, come la storia o il referente storico non può rendere conto del discorso del testo, della sua maniera di significare e dei sensi prodotti. La complementarità si esercita altrimenti, cioè in una reale sollecitazione reciproca. Diacronia e sincronia, fase storica e sistemica si compongono anche in un sistema. Si spiega meglio la loro simbiosi se non vengono confuse sul piano metodologico.

Aggiustamenti, rinnovamento, occasione anche di rilancio sono la sana conseguenza di un confronto con apporti diversi. Malgrado la quantità di pubblicazioni in esegesi, il numero sempre crescente di studiosi, l'aumento di interesse per la sua produzione ad ogni livello, gli studi biblici conoscono una fase di latenza. Si continua a rispondere, e in maniera spesso brillante, a domande ormai datate. Da dove nasceranno le nuove questioni che permetteranno di progredire? Dal prossimo ingresso dell'esegesi semiotica nel dibattito su fondamentali argomenti biblici? Si ha ben ragione di sperarlo. Ci si può attendere soprattutto nuove partenze all'interno di ciascuno dei

metodi, riattivati dalle loro interrelazioni.

Al di là e al di qua della sua utilità in punti particolari, del suo valore originale laddove le teorie letterarie raggiungono la storia, l'esegesi semiotica, in se stessa, apre una via privilegiata di accesso a una migliore conoscenza della bibbia come testo. Introduce il meglio del progresso spettacolare avutosi nelle scienze del linguaggio e dell'oggetto letterario nel ventesimo secolo. Non avremo mai in eccesso strumenti concettuali adatti alla ricerca del senso; tutti, infatti, sono insostituibili nel loro ruolo specifico e al massimo del loro rendimento quando vengono riconosciuti e rispettati nella loro particolare identità e fecondità. Essa è, soprattutto, alla radice del progetto semiotico e lungo tutto il suo sviluppo, è sempre una scuola di lettura, e tutto, alla fine, si risolve qui, davanti alle Scritture.

Bibl. - A.J. Greimas, *Sémantique structurale,* Paris 1966; Id., *Du sens* I e II, Paris 1970 e 1983; J. Courtès, *Introduction à la sémiotique narrative et discursive,* Paris 1976; L. Panier, *Récits et commentaires. Tentation de Jésus au désert.* Approches sémiotiques du discours interprétatif, Lyon 1976; Id., «Sémiotique du discours religieux et sémiotique générale», in *Actes sémiotiques.* Bulletin 8 (1979) 5-17; D. Patte, *What is structural exegesis?,* Philadelphia 1976; Groupe d'Entrevernes, *Signes et paraboles,* Paris 1977; Id., *Analyse sémiotique des textes. Introduction. Théorie. Pratique,* Lyon 1979; Y. Almeida, *L'opérativité sémantique des récits-paraboles,* Louvain-Paris 1978; A.J. Greimas - J. Courtès, *Sémiotique. Dictionnaire raisonné de la théorie du langage,* voll. I-II, Paris 1979 e 1986; A. Hénault, *Les enjeux de la sémiotique,* Paris 1979; J. Calloud - F. Genuyt, *La première épître de Pierre,* Paris 1982; J.-CL. Coquet e altri, *Sémiotique. L'École de Paris,* Paris 1982; J. Delorme, «Incidence des sciences du langage sur l'exégèse et la théologie», in B. Lauret - F. Refoulé (edd.), *Initiation à la pratique de la théologie,* Paris 1982, I, 299-311; Id. (ed.), *Parole. Figure. Parabole,* Lyon 1987; H. Parret, «La sémiotique: tendances actuelles et perspectives», in A.Jacob (ed.), *Encyclopédie philosophique universelle,* Paris 1989, I, 1361-1368.

OLIVETTE GENEST

ANALOGIA

Si può dire, senza timore di esagerare, che la parola *analogia* è un termine essenziale nella teologia fondamentale cattolica. Essa indica un modo d'impiego di certi termini, così che questi, in determinate condizioni, possono esprimere effettivamente, anche se in maniera molto lontana, la realtà di Dio. In altre parole, l'analogia apre una via media tra due estremi: uno negativo («apofatico»), secondo il quale nessun nome attribuito a Dio può significarlo in maniera *propria*: i nomi divini sono metafore, immagini, termini indicativi, la cui portata è pratica, in particolare liturgica: suggeriscono più un comportamento per l'uomo, se crede in Dio, che il modo di essere di Dio; oppure forniscono strumenti per celebrare Dio, ma in nessun caso offrono su Dio un *sapere* propriamente detto, per quanto limitato questo possa essere.

L'altro estremo è quello della univocità; con le necessarie precauzioni d'uso per evitare l'antropomorfismo, si ammette che le parole possono esprimere Dio come esprimono l'uomo, la sua essenza e la sua storia.

Dietro queste due posizioni ci sono due idee di Dio: il Dio al di là di tutto, che non si può mescolare a niente di umano, sia perché umano, sia perché colpevole, per cui non si può avere di Dio né concetto né nome; oppure, al contrario, il Dio che è talmente con noi da non poterlo concepire ed esprimere se non in questa comunicazione con l'uomo, al livello della essenza e della storia dell'uomo stesso.

Notiamo infine che, proprio perché sono estreme, queste due posizioni in un certo senso si toccano: se di Dio si può parlare solo in quanto *Dio con noi*, usando per questo le nostre parole (prese univocamente), allora ciò che fosse eventualmente in lui stesso e al di fuori di noi non sarebbe accessibile alle nostre parole. Se si accetta di prendere in considerazione questa prospettiva, si ricade allora nell'apofatismo puro. Al contrario, se di Dio non si può dire niente di proprio, mentre si deve parlare di lui (anche la Bibbia lo fa!), si rischia di ipostatizzare di fatto i termini «indicativi» di cui ci si serve, in maniera che si ricade furtivamente nella univocità acritica. Da Plotino a Heidegger da una parte, e da Eunomio a Hegel dall'altra, sono state largamente percorse le due strade sulle quali hanno camminato anche molti pensatori cristiani.

La via regale dell'analogia è difficile da tracciare con esattezza, come tutto ciò che è «medio», «moderato», e non è semplice perseverare su questa via. Il suo fondamento filosofico-teologico è il tema della *creazione*: se Dio è creatore dell'uomo, questi allora è per natura portato a cercare la conoscenza del suo Principio e ha una intelligenza adattata a questa ricerca; pertanto, alcune parole umane che egli usa devono poter esprimere in qualche modo la realtà di Dio; nessun turbamento nella vita umana, per quanto grande sia, può cancellare totalmente il potere delle parole, perché non si può annullare l'opera creatrice di Dio e pervertire del tutto l'intelligenza. Ma, dall'altro lato, se Dio è creatore, non è uomo e non potrebbe quindi essere designato così come l'uomo designa se stesso e gli oggetti del suo mondo; i nomi che si riferiscono a Dio sono i nomi del Principio.

Precisiamo un po' questo punto, che è importante: dire che i nomi di Dio sono i nomi del Principio non vuol dire che essi significano Dio solo in quanto *nostro* Principio, perché allora noi non nomineremmo Dio in se stesso, ma Dio nel suo rapporto con noi, designazione funzionale e non propria. Neppure si può dire che esprimono Dio totalmente al di fuori della sua realtà di Principio, perché noi non abbiamo altro accesso a lui che il riconoscimento di questa qualità creatrice essenziale. Diremo allora che tra il Principio e noi c'è qualche *partecipazione*: il Principio ci rende partecipi, anche se in minima parte, di quello che Egli è in se stesso: un'analisi sottile di ciò che, nell'uomo o nel mondo, non porta necessariamente il segno della finitudine e può quindi essere attribuito a Dio, è preliminare a ogni attribuzione analogica. Entra in gioco allora il processo, estremamente delicato da stabilire, che consiste nell'usare la parola e il concetto spogliandoli simultaneamente della loro finitudine. Si arriva così a una attribuzione che significa propriamente Dio, ma, secondo l'analogia, legata alla prossimità e alla distanza tra il creatore e la creatura. È a proposito della parola *essere* che l'analogia svolge il suo massimo ruolo, perché qui si tratta della categoria nello stesso tempo più pregnante e meno specifica del vocabolario umano. Dire che Dio è «Colui che è» non significa soltanto: «Dio è la causa (interamente sconosciuta e innominabile) del nostro essere», né, al contrario, «Dio è Dio come noi siamo uomini». Significa invece: l'essere di Dio si colloca all'altezza in cui può essere Colui che produce, nella creatura, non solo questo o quell'aspetto, ma puramente e semplicemente l'essere. È evidente che questa «maniera di essere» di Dio può effettivamente essere detta, ma questo dire non è una manipolazione di Dio da parte della nostra intelligenza su Dio, «poiché tra il Creatore e la creatura non è possibile rilevare una somiglianza tale che la dissomiglianza tra essi non sia più grande ancora» (Concilio Lateranense IV, DS 806).

La parola *essere*, pronunciata secondo l'analogia nella coscienza di questa misteriosa prossimità / distanza, fornisce allora una chiave per l'interpretazione degli altri nomi divini, sia che questi si riferiscano alla creazione o all'alleanza, sia che provengano dalla rivelazione o dall'attività della ragione umana. Tutte le ricchezze dell'intelligenza, della sensibilità e dell'esperienza umane, quando si tratta per esempio del Nome del Padre, possono essere messe in opera per conoscere la paternità divina, in rapporto a Cristo e in rapporto a noi, ma rispettando la straordinaria trascendenza del livello d'essere secondo il quale Dio è Padre, e quindi Figlio e Spirito.

Le immagini della divinità, senza le quali la nostra religione rischierebbe di essere povera e arida, sono canalizzate e in un certo modo elevate tramite la coscienza viva dell'essere unico della stessa divinità. E se si passa dai nomi certamente propri di Dio, relativi alla sua essenza invisibile o alla sua storia con gli uomini, come Padre o Signore, a parole impregnate di sensibilità cosmica o umana, queste devono essere considerate metafore che ricevono un accento di profondità unica, confrontate come sono al mistero dell'essere.

Tutta la teologia potrebbe essere concepita, in verità, come una valutazione concertata e organica dei nomi divini, il significato e la portata dei quali dovrebbero essere in ogni caso, per quanto possibile, precisati. Al di là di ogni antropomorfismo più o meno idolatrico e di ogni superbo apofatismo, l'analogia diventa allora strumento privilegiato di contemplazione.

Bibl. - Autori vari, *Analogie et Dialectique*, Genève 1983; Autori vari, *Metafore dell'invisibile. Ricerche sull'analogia*, Brescia 1984; Autori vari, *Origini e sviluppi dell'analogia. Da Parmenide a San Tommaso*, Vallombrosa 1987.

GHISLAIN LAFONT

ANGLICANESIMO

La *comunione anglicana* ha le sue radici nella chiesa di Inghilterra, che nel XVI sec. si staccò dalla chiesa cattolica di Roma. Si può considerare una comunione di chiese unite da un referente comune, l'arcivescovo di Canterbury in Inghilterra, come vescovo «anziano» e capo titolare e inoltre per una generale accettazione delle dottrine e della prassi liturgica così come è contenuta nel *Book of Common Prayer*, testo che vide la prima pubblicazione nel 1549 (e fu poi radicalmente modificato nel 1552 con successive modifiche nel 1559, 1604, 1662).

A partire dal tempo della Riforma, l'attività missionaria, commerciale e coloniale degli inglesi portò questa loro fede e prassi nei paesi di nuova scoperta e nelle ricche regioni delle Americhe. Questo fatto contribuì alla creazione e fondazione di nuove chiese che assunsero progressivamente una identità locale differente dalla originaria chiesa di Inghilterra.

Bisogna arrivare fino al 1867, con la prima *Lambeth Conference*, proposta dalla chiesa del Canada, per verificare l'idea di una originaria *comunione anglicana*.

Fin dall'inizio, la *Lambeth Conference* emerse e si qualificò come uno dei fattori coagulanti principali per la comunione anglicana. In questa sede vengono espresse le diverse opinioni delle chiese che toccano varie problematiche, da quelle più direttamente teologiche e sociali, a quelle politiche. Non avendo comunque l'*Anglican Communion* una struttura con un governo centrale, le decisioni che vengono prese dalla Conferenza non hanno di per sé forza legale nei confronti delle singole chiese, ma devono successivamente essere approvate e adattate a seconda delle costituzioni proprie ad ogni chiesa. Normalmente, la *Lambeth Conference* si raduna ogni dieci anni presieduta dall'arcivescovo di Canterbury, *primus inter pares*.

Il dialogo della comunione anglicana con le altre chiese cristiane, viene realizzato sulla base dei principi che costituiscono il cosidetto *Lambeth Quadrilateral*. Questo è formato dalle quattro colonne portanti che costituiscono la base della fede anglicana: 1. l'accettazione della Sacra Scrittura come regola della fede; 2. il simbolo degli apostoli e la professione di fede di Nicea-Costantinopoli; 3. i sacramenti del battesimo e della cena del Signore; 4. l'episcopato. Questi quattro principi furono emanati in un primo tempo a Chicago, nel 1886, dalla General Convention of the Protestant Episcopal Church e quindi emendati e adottati dalla *Lambeth Conference* nel 1888 per l'intera comunione anglicana.

La liturgia anglicana si riconosce generalmente nel *Book of Common Prayer*, che costituisce la testimonianza di come la lex credendi e la lex orandi si coniugano insieme ed esprimono la fede, la teologia e la testimonianza della vita cristiana. La riscoperta dei Padri della chiesa, che molto spesso costituiscono il cuore del richiamo alla tradizione antica, e il dedicarsi fin dal secolo XVI all'applicazione degli scritti in lingua volgare, sono ulteriori esplicitazioni della tradizione anglicana.

Particolarmente in questo secolo, la *Anglican Communion* è stata all'avanguardia nel movimento e dialogo ecumenico. Una pietra miliare nelle relazioni con la chiesa cattolica è costituita dall'incontro che il papa Giovanni Paolo II e l'arcivescovo di Canterbury R. Runcie ebbero nel 1982 quando vennero affrontate le prospettive più concrete per la riconciliazione. Questo incontro fu lo svolgimento naturale che era stato preparato da altri due precedenti che videro incontrarsi Paolo VI nel 1966 con M. Ramsey e nel 1977 con D. Coggan.

RINO FISICHELLA

*

«Teologia fondamentale è il termine oggi usato per indicare quella che una volta si chiamava apologetica» (H. Fries, «Teologia Fondamentale» in SM VIII, 254-266). Questa è una definizione appropriata e concisa, atta a servire da spunto per un approccio anglicano alla teologia fondamentale. Non ci sarebbe alcun problema se il discorso vertesse *soltanto* sul termine apologetica.

Comunque, teologia fondamentale non è un termine molto usato dai teologi anglicani. E ciò è dovuto in gran parte a una diversità di terminologia. Siccome pare che il termine sia comparso nell'uso cattolico-romano agli inizi del diciannovesimo secolo, esso non fa parte di quella comune eredità occidentale condivisa da anglicani e cattolici. Il termine apologetica era invece condiviso in questo senso. Può esservi, tuttavia, una sottile differenza di approccio mascherata dalla diversità di terminologia.

Sono stati adoperati molti termini, spesso intercambiabili: apologetica, teologia naturale, filosofia della religione, teologia filosofica.

1. APOLOGETICA - È stato detto che la materia di cui tratta si divide in tre parti: *a.* dimostrare che è più ragionevole avere una religione che non averla; *b.* dimostrare che il cristianesimo offre dei fondamenti di ragionevolezza superiori a ogni altra religione; *c.* dimostrare che è più ragionevole professare il cristianesimo ortodosso che qualunque altra forma («Apologetics», in *Oxford Dictionary of the Christian Church*). Di solito non è mai stato sostenuto che l'apologetica cristiana possa dimostrare in modo inconfutabile la verità del cristianesimo con i metodi della scienza. È stato affermato che il cristianesimo è conforme alla ragione in un modo e a un grado tale che nessun'altra religione o credenza può vantare per sé. L'apologetica cristiana è stata anche considerata in un senso più ampio per indicare la diffusione

e la difesa di particolari dottrine cristiane. La riflessione del ventesimo secolo porta in sé anche degli aspetti che concordano con il detto di → K. Barth, che l'«apologetica» *di per sé* è il «grande nemico» dell'autentica teologia cristiana (sono su questa linea E. Hoskyns e D.M. Mackinnon). Ciò significa, che un'apologetica aggressiva e difensiva può mettersi contro il pensiero e l'espressione propria della teologia cristiana. È importante rendersi conto della crescente distinzione che viene fatta tra apologetica, teologia e filosofia della religione cristiana. Più o meno negli ultimi venticinque anni si è sentito il desiderio di studiare più a fondo «la filosofia della teologia» come ricerca da mettere in rapporto con le questioni di teologia fondamentale, ma da non confondersi affatto con esse. D.M. Mackinnon ne è un esempio autorevole.

2. TEOLOGIA NATURALE - Secondo l'*Oxford Dictionary of the Christian Church* essa è «l'insieme delle conoscenze riguardo a Dio che possono essere raggiunte con la sola ragione umana senza l'aiuto della rivelazione e quindi in antitesi alla "teologia rivelata". Le origini di questa descrizione e distinzione sono chiaramente di tipo medievale e scolastico. L'idea della possibilità e dell'opportunità di una simile teologia naturale si diffuse alla fine del diciassettesimo e durante il diciottesimo secolo, in un contesto − ironia della storia − lontano da quello medievale. Per molti anni gli apologisti anglicani si trovarono impegnati nella controversia con i deisti: soprattutto lord Herbert of Cherbury (*De Veritate* 1624); J. Locke (*The Reasonableness of Christianity* 1695); J. Toland (*Christianity not Mysterious* 1696); J. Clarke (*Demonstration of the Being and Attributes of God* 1704-6). L'influsso del deismo (già di per sé un termine di variabile intensità) fu probabilmente mi-

nore − e quindi minore per gli anglicani − che non, ad es. in Francia e quindi per i cattolici romani. Il più prestigioso e originale pensatore anglicano dell'epoca fu il vescovo J. Butler (1692-1752). La sua opera *Analogy of Religion* (1736) fu estremamente importante, non soltanto nella lotta contro il deismo, ma anche nella promozione di un tipico approccio e stile anglicano nei confronti di quella che oggi molti chiamano teologia fondamentale. Di fatto, tuttavia, la tematica della teologia naturale finì per essere considerata più naturalmente come parte della filosofia che della teologia.

3. FILOSOFIA DELLA RELIGIONE - Negli ultimi anni il termine teologia naturale ha ceduto il posto a quello di filosofia della religione. È però importante tener presente che questo termine non deve essere inteso nel senso della *Religionsphilosophie* tedesca, che spesso ha avuto un suo particolare contesto ideologico. Tanto in Inghilterra, che nei paesi a forte influenza anglicana, nelle università e nelle scuole superiori, i contenuti della filosofia della religione includevano tradizionalmente temi di apologetica. In questo secolo, tuttavia, essa è stata rivolta, in misura crescente, allo studio critico dei concetti religiosi e del linguaggio, più in senso analitico che apologetico, sebbene non sempre i due aspetti siano stati separati. Questa accentuazione è senza dubbio dovuta al forte influsso dell'analisi linguistica e dell'empirismo logico nel mondo anglosassone. Ad es. negli anni dal 1930 al 1970 e anche oltre, a Oxford e a Cambridge era predominante l'opera di filosofi differenti, da Russel a Wittgenstein. A Oxford la speciale materia di studio della «Final Honours School» della facoltà teologica veniva chiamata filosofia della religione e la sua finalità rifletteva questi movimenti di pensiero.

4. TEOLOGIA FILOSOFICA - È interessante che, in tempi moderni, il termine teologia filosofica a Cambridge sia stato preferito a quello di filosofia della religione. È possibile che questo uso rifletta qualche esitazione circa le implicazioni evocate dal termine *Religionsphilosophie*. Esso riflette sicuramente l'incidenza dell'opera di F.R. Tennant (*Philosophical Theology*, 2 voll., 1928), che può ben essere considerato il più prestigioso scrittore anglicano in questo campo dopo il vescovo J. Butler. A Cambridge il titolo formale della II e III parte del «Theological Tripos» è teologia filosofica, invece che filosofia della religione. Oxford e Cambridge non si devono considerare come normative per la teologia anglicana. Storicamente, però, esse hanno costituito i centri più rinomati del pensiero e dell'insegnamento teologico anglicano. Ora esistono altre facoltà teologiche anglicane di prestigio, ma questo non toglie che, fino a tempi recenti, Oxford e Cambridge siano state di fatto dei vivai dell'anglicanesimo.

Per comprendere gli aspetti tipici del pensiero anglicano sull'apologetica, la teologia filosofica, la teologia fondamentale, o come dir si voglia, è necessario tener conto della storia anglicana. Fino alla separazione delle sedi di Roma e di Canterbury, quando la cristianità europea era unita, non sarebbe stato facile distinguere alcun particolare stile teologico che caratterizzasse, diciamo, le antiche università dell'Inghilterra nei confronti di quelle del continente europeo. In seguito, però, si manifesteranno due differenze importanti.

In primo luogo, l'Inghilterra non conobbe mai la cosiddetta Controriforma. L'importanza di questo fatto è spesso sottovalutata. In secondo luogo, le risorse dei teologi anglicani furono in gran parte sprecate nell'introduzione di una identità ecclesiastica nella serie di controversie tese ad

affermare la «via media» anglicana
tra Roma e Ginevra. Per tutto il periodo «classico» dell'anglicanesimo
nel XVII secolo (il periodo dei *Caro-
line Divines*) gli argomenti teologici
e filosofici di cui stiamo parlando ri-
scuotevano poco interesse. Costituisce una eccezione notevole a questo
riguardo l'arcivescovo J. Bramhall
(1594-1663). Egli fu un eminente avversario contemporaneo di T. Hobbes e quindi del materialismo filosofico. (Nella sua *Replication* del 1656
egli esprimeva anche la fervida speranza di poter vedere la ricostituzione dell'unità cristiana).

Il XVIII secolo vide un particolare
sviluppo dell'anglicanesimo. Come
abbiamo già accennato vi era la controversia con i deisti (di svariati tipi), come pure con certi filosofi come Hobbes. Del tutto particolare fu
il caso di D. Hume. La sua prima
opera, *Essays Moral and Political*
(1741-2) era stata accolta con entusiasmo dal vescovo J. Butler. Sebbene esprimesse un tipo di empirismo
tipicamente britannico, quella tradizione presentava aspetti diversi e sarebbe semplicistico parlare di Locke,
Berkeley e Hume come se fossero
uguali. Lo scetticismo di Hume, accentuato in modo particolare nel suo
Essay on Miracles, non ha mai cessato di porre seri problemi. Una delle più interessanti risposte che provocò da parte anglicana fu quella di
A.E. Taylor, *David Hume and the
Miraculous*, 1927. Al suo tempo Taylor fu uno scrittore che esercitò una
larga influenza, rilevata in modo particolare, ad es., da T.S. Eliot. D.M.
Mackinnon era stato assistente di
Taylor a Edimburgo.

In tempi più recenti W. Temple, divenuto in seguito arcivescovo di Canterbury (cfr. *Nature, Man and God*,
1934) e W.R. Mattheus, divenuto in
seguito decano alla St. Paul Cathe-
dral (cfr. *God in Christian Thought
and Experience*, 1930) hanno continuato la tradizione di un'apologetica

scientifica. Molti sono i nomi da ricordare per quanto riguarda questi
ultimi quarant'anni circa. Forse il
teologo anglicano più originale o brillante di questo secolo è stato A.M.
Farrer, la cui opera *Finite and Infinite* (1943) è diventata un classico
moderno in teologia filosofica. E.L.
Mascall è stato uno scrittore prolifico e acuto sulla linea tomista. C.C.J.
Webbe è stato uno scrittore convincente su temi filosofici e teologici.
Laico, era «Nolloth Professor» di filosofia della religione cristiana all'O-
riel College, Oxford. Il suo successore in quella cattedra fu L.W. Gren-
sted, che dette un notevole contributo alla psicologia della religione e della fede. Il suo successore fu I.T.
Ramsey (divenuto in seguito vescovo
di Durham), che a Oxford fu un va-
lente pensatore all'epoca in cui pre-
dominava la filosofia linguistica (anni '50). J. Macquarrie introdusse a
Oxford viva attenzione verso la filosofia esistenzialista e scrisse una
quantità di opere molto lette. Autori
come questi hanno mantenuto uno
stile piuttosto anglicano nel trattare
questioni particolari.

Bibl. - Oltre ai testi già citati: F.R. Tennant,
Philosophical Theology, voll. I-II, Cambridge
1928-30; A.M. Farrer, *Finite and Infinite*, Westminster 1959; J. Macquarrie, *Principles of
Christian Theology*, New York 1977.

HOWARD E. ROOT

ANSELMO DI CANTERBURY

Dopo un breve cenno alla biografia di Anselmo (n.1) e dopo aver richiamato la tesi di K. Barth sulla sua
teologia (n.2), ne commenteremo i testi metodologici (n.3).

1. BIOGRAFIA - Anselmo, nato ad
Aosta nel 1033, lascia il suo paese verso il 1050; cerca in Francia un maestro intellettuale; nel 1058 si mette alla scuola di Lanfranco, priore della

recente (1040) abbazia del Bec; entra in comunità e ne diventa il priore nel 1062; tale incarico comporta l'insegnamento e quindi compone un testo scolastico, il *Monologion* (1076), i cui temi vengono poi ripresi nel *Proslogion* (1077-1078). Nel 1078 viene eletto abate. Dal 1080 al 1085 redige un testo di dialettica pura, il *De grammatico*, seguito da tre «studi sulla sacra Scrittura», il *De veritate*, il *De libertate arbitrii* e il *De casu diaboli*. Verso il 1092, per difendersi da Roscellino, scrive l'*Epistola de incarnatione Verbi*, che riprenderà in forma più ampia nel 1094. Nel 1093 viene chiamato alla sede episcopale di Canterbury, dov'era appena deceduto Lanfranco. Nel 1098 pubblica il *Cur Deus homo*. Seguono poi dei trattati che rispondono a questioni teologiche precise: *De conceptu virginali* (1100), *De processione Spiritus sancti* (1102, circa il *filioque* e il concilio di Bari), *Epistola de azimo et fermento* ed *Epistola de sacramentis Ecclesiae* (1106-1107); questi vari testi furono composti in concomitanza con i due esili imposti dal trono di Inghilterra ad Anselmo che rifiutava la tesi reale sulle «investiture». Nel 1108 Anselmo scrive il *De concordia praescientiae et praedestinationis et gratiae Dei cum libero arbitrio*; muore nel 1109, dopo aver composto molte preghiere e una vasta corrispondenza estremamente vivace.

2. La posta in gioco - Allo scopo di mantenere il dono della grazia in tutta la sua purezza alcuni teologi rifiutano di comprenderlo secondo le condizioni dell'intelligenza umana; Pier Damiani (1007-1072), contemporaneo di Anselmo, segue infatti questa ispirazione; la teologia allora non fa concessione alcuna alla riflessione semplicemente umana. Ma anche l'atteggiamento opposto è tradizionale; Anselmo lo abbraccia; ciò non significa comunque che il dono venga ridotto ai limiti dell'uomo.

a. *L'interpretazione di K. Barth* - Secondo Karl Barth, la formula anselmiana *id quod maius cogitari nequit* è «teologica»; la negazione che vi è insita (*nequit*) esprime infatti la proibizione del decalogo: «Non avrai altri dei di fronte a me» (Es 20,3). Tale divieto è emanato semplicemente dalla parola di Dio. L'uomo non può parlare di Dio se questi non gli concede liberamente il proprio Verbo; infatti l'intelligenza umana, che si rapporta con il mondo, se non viene illuminata in altro modo, coglie Dio come una «cosa»; d'altronde è per questo che il *Proslogion* si sviluppa all'interno di una preghiera. «La vera conoscenza è determinata dalla grazia preveniente e agente di Dio. Tale verità di ordine generale, unitamente al fatto che noi dobbiamo ogni volta pregare per ottenere questa grazia, basta già a indicare che il potere di raggiungere la "conoscenza della fede" (*intellectus fidei*), non coincide in ultima istanza con la spontaneità della ragione umana» (pp. 36-37).

Per questo «la teologia è una meditazione sulla fede della Chiesa, quale si esprime e si impone a noi nella Sacra Scrittura, nei Simboli, nelle definizioni conciliari, negli scritti dei Padri» (H. Bouillard, t.I, 145). Questa dottrina di Barth è tradizionale; tuttavia, secondo lui la teologia «non cerca di fondare il proprio oggetto, ma di comprenderlo proprio nella sua incomprensibilità» (*Ibid.*); secondo il *Monologion* infatti, alla riflessione può bastare il fatto di comprendere con una considerazione razionale che il mistero divino è incomprensibile (cfr. 75,11 - citiamo l'edizione di Schmitt, pagina e riga).

Tuttavia l'inaccessibilità di Dio non rende inutile il lavoro dell'intelligenza; la fede infatti cerca di comprendere, «fides quaerens intellectum». Il compito dell'intelligenza non deriva dal desiderio di sapere, ma dal desiderio della fede. L'intelligenza teologica non riduce quindi il contenuto della fede all'oggetto di un giudizio «scientifico»; il suo è un cammino interno alla fede. Ma perché ciò sia possibile, il contenuto della fede deve essere intelligibile o almeno avere un significato; ad esempio, dire che Dio non esiste è sensato se la parola «Dio» ha una significato per colui che la pronuncia.

Di questo significato preliminare il teologo cerca la verità, cioè il fondamento della coerenza. La verità a cui aspira la fede che cerca l'intelligenza non è ontologica, ma logica; l'intelligenza perfeziona l'adesione della fede, dimostrando che le sue proposizioni sono logicamente vere. La teologia mette in luce l'unità sistematica del dogma, nella quale risplende la semplicità di Dio. Tale perfezionamento della fede aggiunge alla fede «nuda» qualcosa di nuovo, che consiste nel passaggio da un significato accettato spontaneamente alla conoscenza della verità o della reciproca necessità degli articoli del Credo. «Gli elementi conosciuti *a, b, c, d...* sono tali che, partendo da essi, si dimostra che l'incognita *x* ... è "razionale" e "necessaria"», dice Barth (p. 55) a proposito del *Cur Deus homo*. Non si dimostra l'intelligibilità di un articolo del Credo fingendo che non abbia significato e cercandogli quindi una qualche validità ragionevole; è nella fede che si va dall'adesione al significato del Credo fino alla conoscenza della sua verità logica, fondata a priori nella sua totalità sistematica.

Prima di verificare sui testi di Anselmo questa tesi di Barth, diamo uno sguardo alla situazione culturale del secolo XI.

b. *Il contesto culturale* - Il termine «filosofia» ricorre solo due volte nell'opera di Anselmo. Per il *De grammatico* «i filosofi che hanno trattato il problema (del paronimo) confessano che "grammatico" è una qualità»

(146,1-2); secondo il *Cur Deus homo*, «dato che non esistono uomini che non muoiono, la nozione di mortalità è stata inclusa dai filosofi nella definizione dell'uomo» (109,17). Il filosofo è quindi uno specialista del linguaggio.

Nel medioevo la filosofia è pratica o esistenziale; Pier Damiani, creatore dell'espressione «filosofia ancella della teologia», chiama «filosofo di Cristo» il destinatario del suo trattato su *Il disgusto per il mondo*. Tuttavia, accanto a questa filosofia monastica si sviluppa una filosofia dialettica. Lo sforzo teologico del secolo XII nasce dalle «teorie dei grammatici» (Chenu, p.92), i «filosofi» di Anselmo. La formazione scolastica dell'epoca non era più rigorosamente quella del *trivium* (grammatica, dialettica e retorica); la grammatica comprendeva infatti la lettura e la scrittura, la poesia, la metodologia e la storia; la retorica non era molto distinta dalla grammatica; il testo di base era la grammatica di Prisciano e in misura minore quella di Donato. Per di più, Anselmo si interessa alla futura questione della *suppositio*.

Al tempo di Anselmo è essenziale il problema del «significato»; la disputa sull'eucarestia ne è un esempio evidente. Quando Anselmo giunge nell'abbazia del Bec nel 1058, Berengario e Lanfranco (allora abate del Bec) «disputano» sull'eucaristia. Berengario parla di eucaristia in termini di «segno sacro»; il discorso romano è realista o addirittura carnalista: «verum corpus et sanguinem Domini Jesu Christi esse, et sensualiter, non solum sacramento; sed in veritate manibus sacerdotum tractari, frangi et fidelium dentibus atteri» (citato da J. de Montclos, 171-172), così si fa recitare a Berengario in una professione di fede impostagli nel 1059. Ma subito dopo aver pronunciato questo Credo, Berengario si solleva contro la concezione imposta. Il suo è un argomento dialettico. La formula romana oppone sacramento e verità, segno e realtà. Ma se la «verità» è la realtà empirica, allora la formulazione imposta è incoerente; infatti, o il pane è pane e non corpo, o è corpo e non pane; quindi, se si dice che il pane è «corpo», lo si dice in quanto segno. Non vi è identità ontologica tra quanto è creduto come segno e ciò che viene detto letteralmente. Si aggiunga che per Berengario non è possibile raggiungere la verità senza ricorrere alle autorità umane e cioè, secondo una comprensione letterale di Agostino (cfr. *De vera religione*, XXV 47), senza i Padri.

Ora Anselmo, discepolo di Lanfraco, scrive il suo *Monologion* sullo stile di Berengario, senza «cercare di persuadere attraverso l'autorità della Sacra Scrittura» (7,7-8). Egli invia una prima versione del suo testo a Lanfranco, in quel momento vescovo di Canterbury; Lanfranco chiede senz'altro al suo ex discepolo di introdurre dei fondamenti tradizionali; ma Anselmo non ritiene necessario questo cambiamento: «rileggendomi più volte, non vi ho trovato nulla che non fosse in accordo con gli scritti dei Padri cattolici, e soprattutto del beato Agostino» (8,8-9), e ciò significa che gli argomenti necessari e «la necessità della ragione» (7,10) possono essere ritenuti in grado di ricreare le affermazioni tradizionali.

Questa sicurezza di Anselmo è ancor più evidente se compariamo il «Prologo» con il primo paragrafo del *Monologion*; questi testi metodologici sono costruiti con identica struttura. Il primo paragrafo fungeva da prologo nel testo inviato a Lanfranco, mentre il «Prologo» attuale è stato aggiunto dopo la reazione di Lanfranco (cfr. F.S. Schmitt, *Les corrections*, 203-204). L'ultima frase del primo paragrafo afferma: «nel caso in cui quanto affermato non fosse coperto da una autorità più grande, vo-

glio che sia così recepito: anche se le ragioni che mi si prospetteranno fossero quasi necessariamente concludenti, non dico per questo che debbano essere assolutamente necessarie, ma che possono apparire tali solo a titolo provvisorio» (14,1-4); il termine «provvisorio» scompare dal «Prologo» definitivo. Anselmo affermava così la sua convinzione; la riflessione su Dio e sulla creazione può davvero sostituire la tradizione.

Tale accento «razionalista» deriva certamente dal fatto che Anselmo tiene conto della presenza di chi obbietta. Anche quando la forma letteraria è meditativa, egli accoglie «le obbiezioni, anche se semplicistiche e alquanto insensate, che mi vengano in mente» (7,11-12). Chi obbietta segue processi razionali estranei al linguaggio spirituale. Anselmo lo sa.

La meditazione anselmiana verte sul contenuto della fede. Il *Monologion* viene definito come «esempio di meditazione» (7,4-5 e 94,6-7) sull'«essenza divina e su alcuni altri punti legati a questa meditazione» (7,3-4). Quanto al *Proslogion*, egli medita sulla «ragione della fede» (94,7) e sui suoi contenuti: «Dio è veramente, ... è il bene sovrano ... e tutto quello che noi crediamo della sostanza divina» (93,7-10). L'espressione «ragione della fede» non riguarda le ragioni oggettive, i principi della fede riuniti nel Credo, poiché Anselmo ne parla senza prenderli come base della riflessione; il *Proslogion* parte infatti dall'ignoranza dello stolto; anche il *Monologion* parte da un'ignoranza del credente, benché simulata, che vuole purificare la propria comprensione dei misteri (cfr. 93,3-4). La riflessione si sostituisce alle «ragioni» oggettive della fede; ne consegue che l'argomentazione per via di autorità viene esclusa e la ragione non si lascia immediatamente nutrire dalla rivelazione.

Il significato e la verità degli articoli del Credo vengono illuminati dalla meditazione che raggiunge i principi della fede «ragionando» (*ratiocinando* 93,4). Affievolendo il ruolo dei Padri a beneficio del ragionamento, la verità della fede a priori viene ritrovata attraverso la riflessione. La percezione del senso razionale delle proposizioni di fede conduce ad affermare la loro verità necessaria «in sé», a priori, costruita «per noi» attraverso la ricerca intellettuale. La struttura globale dell'argomentazione è dunque quella dell'argomento ontologico che passa dall'idea alla realtà, dal significato alla verità, seguendo così un cammino che per principio può essere seguito da chi pone obiezioni.

3. I TESTI METODOLOGICI - a. *Monologion*, § 1 (13,5-14,1): il significato delle parole della fede.

Il *Monologion* definisce così il proprio oggetto: ciò «che crediamo necessariamente» (13,9); a cosa si riferisce quel «necessariamente»? La fede è ciò che è a motivo del suo «oggetto» (fede oggettiva) e del credente (fede soggettiva); quanto viene creduto deve avere un significato intelligibile; *necessario* indica il significato immanente agli enunciati del Credo, che non è accessibile all'intelligenza di colui che crede.

L'investigazione viene affidata alla «sola ragione» (13,11) che accompagna colui che «ignora» (13,10) l'esistenza delle proposizioni di fede o il loro significato. Infatti si può ignorare ciò di cui parla la fede «sia perché non se ne è mai sentito parlare, sia perché non vi si crede» (13,9: *aut non audiendo, aut non credendo*). Per questo appare inadeguato affermare che si accetta all'inizio della riflessione che le proposizioni siano conosciute (*audiendo*) o che il loro significato sia accettato (*credendo*).

Il *Monologion* parte dall'esperienza umana universale del desiderio (13,2-14,1). «Tutti desiderano ardentemente godere solo di ciò che ritengono buono» (13,13). Si dimostra che tale desiderio ha una direzione, un senso e che questo senso è razionale; la dirittura del desiderio viene illuminata fondando razionalmente il suo orientamento. Tale fondamento è il frutto di una ricerca riflessiva: «l'occhio dello spirito» si volge alla «traccia di ciò per cui sono buone quelle cose che desidera ardentemente solo se le giudica buone» (13,14-15). Il *Monologion* chiarisce ciò in grazia del quale il desiderio è sensato, cioè originato e finalizzato.

La riflessione segue le categorie della causalità formale. È efficace se presenta la struttura della creazione nella sua spiegazione. La secolarizzazione della fede, o la comprensione della creazione in termini di desiderio, fa sì che si cammini *ratione ducente et illo proseguente* (13,15-16), dove quell'*illo* è «colui dal quale traggono bontà tutte queste cose» (13,14-15): la ragione segue quindi la testimonianza dell'esperienza interiore, tesa verso il bene originario che le dà il movimento e l'essere; essa si percepisce allora interna alla bontà del creato, come un'espressione privilegiata del desiderio, come il Verbo nello Spirito.

b. *Il «Prologo» del Monologion* (7,2-12) - Là dove nel paragrafo 1 del *Monologion* si leggeva *sola ratione,* ora nello stesso passo parallelo si legge: «*quatenus auctoritate scripturae penitus nihil in ea persuaderetur*» (7,7-8). Questo cambiamento da un testo all'altro dimostra che nel primo opuscolo Anselmo sostituisce con la ragione l'autorità della Scrittura. Le modalità dell'argomento sono logiche, «attraverso l'argomento corrente e la semplice discussione» (7,9-10). Circa la conclusione, vi si aderisce «costretti dalla necessità della ragione e dall'evidente chiarezza della verità» (7,10-11). La ragione «necessaria» non è quella «oggettiva», cioè l'enunciato del Credo; essa trae la sua forza dall'argomentazione che arriva alla conclusione tramite le premesse e ciò che le unisce e non in forza della coerenza a priori del Credo; ciò nonostante, nella conclusione il credente scorge lo splendore del Credo. Quanto poi alla «chiarezza della verità», questa mette da parte la meditazione scritturistica, sostituendola con la riflessione sulle strutture universali del desiderio; alcuni autori vedono in questa verità l'eco di Gv 14,6; se così fosse, Anselmo avrebbe razionalizzato fino all'estremo la Scrittura.

c. *Il Proslogion (93,2-94,7): La verità delle parole della fede* - Nel *Proslogion* la fede cerca di comprender(si) *sub persona conantis erigere mentem suam ad contemplandum deum et quaerentis intelligere quod credit* (93,21-94,2). L'oggetto della fede è quindi recepito all'inizio della riflessione; il sapere non avanza più sul filo dell'investigazione, ma al ritmo dell'«elevazione» dello spirito. Tuttavia il *Proslogion* riserva un posto all'*insipiens*, per il quale il punto di partenza della fede non è vero, benché abbia un significato; lo stolto costringe quindi ad andare oltre il significato per giungere alla verità delle proposizioni di fede. Il cap. 2 introduce nello studio degli enunciati della fede ciò che la contesta; si tratta di una contestazione interna alla Scrittura stessa (Sal 14,1); vi è una oscurità che sta dentro alla fede stessa. La fede del *Proslogion*, dal momento iniziale a quello finale, non possiede l'intuizione del suo «oggetto»; è anche una non-fede. Allora, affermando che l'opuscolo ha come orizzonte la verità della fede, si vuol dire che la fede, inizialmente incompleta, cerca un supplemento, cioè l'intelligenza della sua oscurità e di ciò che nonostante tutto la illumina, e non l'evidenza della realtà «oggettiva» di quanto è dal Credo proclamato.

Dicendo che non è vero che Dio esiste (negazione), lo stolto pone un'affermazione (posizione) sensata. Il *Proslogion* prende avvio da questa inadeguatezza tra una verità negativa e un significato positivo. Il *Proslogion*, contrariamente al *Monologion*, parte dalla conoscenza del significato dei termini della fede; lo stolto ha sentito parlare di Dio che egli precomprende in linea di principio secondo il *maius* che il *Monologion* ha preparato. In questa tensione tra la negazione della verità e la conoscenza positiva del suo significato si discerne una modalità della struttura razionale della creazione, sviluppata dalla riflessione a partire dall'esperienza di sé. Infatti, quando descrive l'oggetto del suo opuscolo, Anselmo sceglie termini vicini al *Monologion* dove viene indicato il rapporto di creazione:

Monologion § 1	*Proslogion*
unam naturam,	*Deus vere est...*
summam	*summum*
omnium...	*bonum...*
solam sibi	*nullo alio*
sufficientem	*indigens...*
Omnibus rebus...	*omnia indigent*
sunt...	*ut sint*
bene sunt.	*et ut bene sint.*

Ma la riflessione avviata nel *Monologion* è sviluppata in modo nuovo nel *Proslogion*; quest'ultimo mostra la verità delle proposizioni della fede che hanno significato per il primo; il *Proslogion* legge a un secondo livello, quello della verità necessaria per lo spirito, il dinamismo di cui il *Monologion* ha mostrato il significato; la riflessione sulla vita dello spirito ritma l'argomentazione che cerca di rendere il pensiero adeguato all'ampiezza della sua apertura. Le categorie trinitarie agostiniane, che nel *Monologion* hanno articolato il rapporto di creazione, sono sostituite da *unum argumentum* (93,6) che segna le tappe del pensiero verso ciò che lo supera e che esso non stringe mai, *l'id quo maius cogitari nequit* dei capitoli da 2 a 4, diventato *quiddam maius quam cogitari possit* nel capitolo 15. Il *Proslogion* comprende la potenza del desiderio, integrandovi un momento negativo, l'oscurità della fede, mentre il *Monologion* la interpreta con le strutture positive dell'uomo immagine di Dio.

d. *Il Cur Deus homo* (42,6-43,3) - Il primo libro del *Cur Deus homo* vuole provare, senza ricorrere alla figura di Cristo e con ragioni necessarie, come sia impossibile essere salvi senza di Lui (cfr. 42,12-13); il secondo libro procede nello stesso modo «con ragione manifesta e in verità» (42,14-15). Per Barth il termine «ragione» significa qui ragione oggettiva, coerenza sistematica degli articoli del Credo a partire dai quali si conclude che il Figlio di Dio deve incarnarsi. Il sistema assiomatico di partenza comporterebbe quindi queste proposizioni: 1. Dio esiste, 2. ha creato l'uomo, 3. l'ha creato perché sia felice, 4. l'uomo è destinato alla felicità eterna, 5. l'uomo è peccatore. Ma di fatto tutti questi articoli, l'ultimo escluso, sono stati progressivamente posti negli opuscoli precedenti a partire da una riflessione sulla contingenza e sull'atto dello spirito. Tuttavia nella *Commendatio* che introduce il testo e in cui se ne spiega l'intento, Anselmo usa molte volte il termine *ratio* (39,5; 40,2,7,14) con il significato di principio di argomentazione. Ciò significa che i risultati dei precedenti opuscoli sono recepiti come beni della fede.

Al termine dell'indagine otteniamo un'intelligenza più profonda del mistero *inter fidem et speciem* (40,10). Secondo Barth l'intelligenza tra la fede e la visione non sorge dalla fede; infatti l'intelligenza della fede non è capace di slancio se non riceve ciò di cui pensare; se l'oggetto è grazioso, il suo atto deve essere interno all'atto della grazia. Tuttavia l'interiorità dell'intelligenza rispetto alla fede, se questa almeno è semplicemente affermativa, non può considerare

stringente la negazione degli infedeli (50,16). Bisogna dunque approfondire la relazione tra la fatica dell'intelletto e l'atto della fede. Schematizziamo così il progresso dell'intelligenza della fede:

fede (enunciazione degli articoli del Credo)
- ragione della fede (capacità di cogliere la sua coerenza a priori)
- intelletto (ricostruzione di questa coerenza in funzione di una negazione)

species.

La *species* è una visione diretta, evidente, non di Dio che è sempre «più grande», ma della coerenza della fede in lui; l'intelletto partecipa a questa coerenza (cfr. 40,11-12). Infatti se la contemplazione della *species* fa vedere il principio formale della coerenza della fede e se la fede tende all'*intellectus*, avvicinandosi al suo principio intelligibile, il lavoro dell'intelletto consiste nel semplificare e unificare gli enunciati della fede guidati da ciò che li unifica a priori, la *species*. La riflessione teologica esercita così nell'oggi la contemplazione promessa per la fine dei giorni.

e. La lettera *De incarnatione Verbi: il senso, il significato e la verità* - Dobbiamo ora parlare di un ultimo testo di Anselmo in cui le disposizioni metodologiche sembrano piuttosto diverse da quanto abbiamo visto fin qui. La composizione del *Cur Deus homo* è stata preparata da due edizioni successive di una lettera in cui Anselmo prendeva posizione contro Roscellino (1050-1120), la cui dottrina trinitaria segue le stesse esigenze di quella di Berengario. L'occasione di questa lettera è un'allusione di Roscellino ad Anselmo. Roscellino avrebbe dichiarato che, anche per Anselmo, si può pensare che se il Figlio si è incarnato, tutta la Trinità si è incarnata; infatti la Trinità che è una non è che un'unica sostanza; ma la persona trinitaria è anche «so-

stanza»; per questo l'incarnazione di una sostanza impone l'incarnazione di tutte le «persone».
Di fatto nel *Monologion* essenza, sostanza e natura si identificano reciprocamente (cfr. 16,27; 44-10; 45,14; 86,12); connotano una «cosa» individuale; tra persona e sostanza vi è una sola sfumatura: «persona si dice solo della natura razionale individuale e sostanza principalmente degli individui che si mantengono per lo più in una pluralità» (86,7-8); la sostanza, così concepita come soggetto di pluralità accidentale, non conviene a Dio; la «sostanza» è dunque fondamentalmente la «persona». Nella *Lettera* Anselmo ritorna al vocabolario latino; poiché sostanza, essenza e natura sono sempre identiche (cfr. 23,3), il Padre e il Figlio, cioè persone diverse, sono esplicitamente una sola sostanza e non due (23,14,15).
Questa nuova disposizione segue a una decisione circa i comuni termini della fede. Nell'*Epistola* 136 Anselmo si ricollega a una posizione di Roscellino: «è con la ragione che si difende la fede contro gli empi» (34-35). Se è possibile una discussione con il non credente, con l'infedele o con l'empio, non è possibile con l'eretico. Il *Proslogion* accoglie il non credente e il *Cur Deus homo* l'infedele; ma l'eretico non accetta che i termini della fede possano avere un senso; perciò nell'*Epistola* 136 Anselmo rifiuta di discutere con lui. L'eretico rompe il legame tra la fede e l'intelligenza; Roscellino non mantiene la professione che gli viene imposta, perché per lui queste parole sono prive di senso; se il senso dei termini non è normato da un'apertura spirituale ulteriormente esercitata dall'atto di fede nella sua proclamazione, allora né la fede incontra le parole dette, né le parole pronunciate incontrano la fede; in ogni modo la fede non può mai cercare l'intelligenza; un abisso le separa; questo rende per Anselmo intollerabile la posizione dell'eretico.

Tuttavia si deve rispondere all'eresiarca. Se egli investiga dialetticamente i misteri, sarà con la dialettica che gli si dovrà rispondere. Ma quale dialettica? Roscellino è figlio della dialettica *in voce*. Per passare dal senso alla verità e pensare veramente il Credo, ci vuole, al contrario, una logica della referenza, dell'intenzionalità, una dialettica *in re*. Anselmo cerca di articolare proprio questi due tipi di dialettica già nel *Proslogion* dove disserta sull'essere *in intellectu et in re*; il *maius* precede e conduce l'intelligenza a ciò che la supera, passando così dall'*intellectu* all'*in re*. Il *De grammatico* e il *De veritate* appaiono allora come opere essenziali. Di fronte a Roscellino argomentare sul significato dei termini non basta; nel capitolo 2 della *Lettera*, Anselmo richiama la priorità della fede rispetto alla sua comprensione; la fede di cui parla qui è etica; essa accoglie a priori il senso e la verità delle proposizioni facendo esperienza di Dio, purificando il cuore per aprirlo al creatore; unito al creatore, l'uomo spirituale può giudicare di tutto, finanche dei misteri di Dio, poiché vive una vita nuova (cfr. 2 Cor 2,14-15). In questo senso «colui che non crede non sperimenta; colui che non ha sperimentato non può conoscere» (9,5-6); la fede etica supporta la negazione aprendosi a un aldilà che accoglie e si prepara ad adorare.
Secondo la dialettica *in voce* non c'è «niente» da comprendere. La riflessione è solo formale. La norma del significato si riduce alla coerenza formale del sistema della lingua in cui il significato si esaurisce. La dialettica determina il campo del conoscibile in ragione della possibilità da parte dei significati di produrre da sé il significato, senza riferimento al reale presente in modo normativo. Anselmo parla a questo punto degli «eretici della dialettica» (9,21-22).
Prima di esercitare la dialettica bisogna che l'anima sia disposta, se pu-

re confusamente e attraverso la negazione, verso Dio; senza umile contemplazione, senza adesione o almeno senza una possibile apertura al senso di Dio, essa non potrà mai accedere al significato dei termini del Credo e ancor meno alla loro verità.

Bibl. - S. Anselmi Cantuariensis Archiepiscopi, *Opera omnia*, F.S. Schmitt (ed.), Edimbourg 1946-1961; traduzione dell'opera integrale in corso in Italia sotto la direzione di I. Biffi e C. Marabelli, Milano.

OPERE COLLETTIVE: *Analecta Anselmiana*, voll. I-VI, Frankfurt/Main, 1969ss; *Sola ratione*. Anselm-Studien für Pater Dr. h.c. Franciscus Salesius Schmitt OSB zum 75. Geburtstag am 29. Dezember 1969, Stuttgart 1970; *Spicilegium Beccense,* I, Congrès international du IX centenaire de l'arrivée d'Anselme au Bec, Paris 1959; *Spicilegium Beccense*, II, Les mutations socioculturelles au tournant des XI-XII siècles. Actes du colloque international du CNRS. Etudes anselmiennes. IV session, Le Bec, 11-16 juillet 1982, Paris 1984; *Anselm Studies*, I, London 1983.

STUDI CITATI O OPERE RECENTI IMPORTANTI (una bibliografia fino al 1984 si trova nel libro sotto citato di S. Vanni Rovighi): K. Barth, *Fides quaerens intellectum. Anselms Beweis der Existenz Gottes,* München, 1931 (ed. cit. Zürich 1981); F.S. Schmitt, «Les corrections de saint Anselme à son *Monologion*», in RBen 48 (1938) 194-205; H. Bouillard, *Karl Barth,* I, Genèse et évolution de la théologie dialectique; III, Parole de Dieu et existence humaine, 2me partie, Paris 1957; M.D. Chenu, *La théologie au douzième siècle*, Paris 1957; H.U. von Balthasar, «La Concordantia libertatis chez saint Anselme» in Autori vari, *L'homme devant Dieu*, II, Paris 1964, 29-45; R.W. Southern, *Saint Anselm and his Biographer. A Study of Monastic Life and Thought*, 1059-c.1130, Cambridge 1966; D.P. Henry, *The Logic of Saint Anselm*, Oxford 1967; J. de Montclos, *Lanfranc et Bérenger. La controverse eucharistique du XI s.*, Louvain 1971; H. Kohlenberger, *Similitudo und ratio. Überlegungen zur Methode bei Anselm von Canterbury*, Bonn 1972; H. De Lubac, «"Seigneur, je cherche ton visage". Sur le chapitre XIV du Proslogion de saint Anselme», in ArPh 39 (1976) 201-225, 407-425; G.R. Evans, *Anselm and Talking about God*, Oxford 1978; M. Corbin, «L'événement de vérité», in *L'inouï de Dieu*, Paris 1981, 59-107; J. Jolivet, «Eléments pour une étude du rapport entre la grammaire et l'ontologie au moyen âge», in J.P. Beckmann - L. Honnenfelder (edd.), *Sprache und Erkenntnis in Mittelalter*, Berlin 1981, 135-164; Kl. Kienzler, *Glauben und Denken bei Anselm von Canterbury*, Freiburg 1981; P. Gilbert, *Dire l'ineffable*. Lecture du Monologion de saint Anselme, Paris e Namur 1984; Id., *Le Proslogion de S. Anselme*. Silence de Dieu et joie de l'homme, Roma 1990; J. Gollnick, *Flesh as Transformation Symbol in the Theology of Anselm of Canterbury*, Lewiston Queenston 1985; Y. Cattin, *La preuve de Dieu*. Introduction à la lecture du Proslogion d'Anselme de Canterbury, Paris 1986; S. Vanni Rovighi, *Introduzione ad Anselmo d'Aosta*, Bari 1987; S. Tonnini, «La Scrittura nelle opere sistematiche di S. Anselmo. Concetto, posizione, significato» in *Analecta Anselmiana*, II, 57-116.

PAUL GILBERT

─────── ANTROPOLOGIA ───────

I. BIBLICA: *Il dialogo tra scienze bibliche e scienze umane - L'uso di immagini nella bibbia - Antropologia e antropomorfismo - Evoluzione dell'antropologia biblica - Un'antropologia di trasformazione - Antropologia e teologia - L'antropologia biblica come soluzione* (E.S. Farrell) - II. CRISTIANA: *Il concetto - L'uomo creato a immagine di Dio - L'uomo chiamato a essere figlio di Dio - L'unità dell'uomo nella dualità di corpo - L'uomo essere personale aperto alla trascendenza* (L.F. Ladaria).

I. Biblica

Parecchi autori hanno già presentato la storia delle ricerche svolte nel campo dell'antropologia biblica. A questo proposito il lettore può far riferimento alla bibliografia (cfr. soprattutto Hahn, Osiek e Rogerson).

Piuttosto che passare di nuovo in rassegna l'insieme delle ricerche fatte nei nostri giorni in antropologia biblica, rifletteremo su certi interrogativi posti da questa scienza.

1. IL DIALOGO TRA SCIENZE BIBLICHE E SCIENZE UMANE - Se, in Cristo, Dio

si è veramente fatto uomo, lo ha fatto sicuramente rispettando la natura umana. Non si deve dunque aver timore di sottoporre i dati della fede cristiana all'esame delle scienze antropologiche quali la filologia, la sociologia o la psicologia. → H. U. von Balthasar, uno dei più grandi teologi del nostro secolo, sviluppa questa visione delle cose in una conferenza, tenuta nel 1958 e intitolata «Dieu a parlé un language d'homme». Si è anche lontani dal tempo in cui molti autori cattolici temevano la ricerca scientifica: essa correva il rischio, pensavano, di mettere in pericolo certi aspetti della fede cristiana.

Ma il dialogo tra scienze bibliche e scienze umane, per quanto avanti sia andato, lascia ancora molto a desiderare. Una grande distanza continua a separare la visione biblica dell'essere umano e quelle proposte dalle scienze moderne. A leggere molti studi sull'argomento, sembra che lo studioso debba ancora fare una scelta fondamentale: o sottomette la bibbia all'uno o all'altro dei sistemi di pensiero proposti dalla scienza moderna (si potrebbe pensare a N.K. Gottwald, *The Tribes of Yahveh*, 1979, che si serve di un'ipotesi marxista), oppure sottomette il suo pensiero alle esigenze di una visione di fede; allora costruisce una «antropologia teologica» (molte *Introduzioni alla bibbia* procedono in questo modo). Non si dovrebbe piuttosto cercare di conciliare le giuste esigenze delle scienze bibliche e quelle delle scienze umane?

2. PARTI DELLA BIBBIA O TUTTA LA BIBBIA? - Le ricerche ispirate dal metodo antropologico sollevano un'altra difficoltà di cui raramente parlano quelli che fanno il punto della questione in antropologia biblica: sembra che l'approccio antropologico alla bibbia limiti lo studioso all'esame di certi «passi scelti», quelli che trattano in modo diretto dell'uno o dell'altro aspetto della vita umana. Che si tratti dei «miti» della creazione, delle «saghe» delle famiglie patriarcali o delle «leggi» che regolano la vita sociale, si rimane limitati nelle scelte dei testi da studiare sotto l'angolo antropologico. Si giudica allora che una grande parte della bibbia non sia interessante per una ricerca di questo tipo.

Ma se è vero che la bibbia è la parola di Dio trasmessa da persone umane e se culmina nel Verbo incarnato − nel quale la divinità e l'umanità si uniscono in modo perfetto − sembra allora che il libro intero, e non solo una parte dei suoi testi, dovrebbe sviluppare una certa visione antropologica.

Un modo di portare avanti una ricerca sull'insieme della bibbia è quello di studiare il vocabolario biblico, come ha fatto H.W. Wolff (*Antropologia dell'Antico Testamento*, Brescia 1975) e, più recentemente, S. Fernandez-Ardanaz (RCatT 12, 1987, 263-311). Inoltre, certi grandi metodi esegetici usati per studiare l'insieme della Scrittura (come il metodo storico-critico e il metodo strutturale) non ignorano completamente l'aspetto antropologico dei testi. Dopo tutto, il primo metodo ripercorre le tappe storiche (e quindi umane) conosciute dal testo, mentre l'altro cerca di scoprire nel testo biblico strutture universali del pensiero umano.

3. L'USO DI IMMAGINI NELLA BIBBIA - Il libro di Wolff mostra come le Scritture ebraiche, parlando della vita umana esteriore e visibile, facciano conoscere la vita interiore o nascosta dell'essere umano. A questo proposito si può osservare l'uso fatto dalla bibbia della parola «cuore»: la parola non indica solo un organo del corpo umano, ma soprattutto movimenti interiori e personali come il sentimento, il desiderio, la ragione e la decisione (*Gefühl, Wunsch, Vernunft, Willenentschluss*). La bibbia si serve

dunque della parola «cuore», cosa concreta e sensibile, per evocare alcune realtà intime della vita umana. Il rapporto stabilito dalle Scritture tra l'organo del cuore e i fenomeni menzionati non è arbitrario. Il cuore è posto all'interno del corpo, proprio come il sentimento, il desiderio e la ragione sono situati all'interno della persona. Il cuore è il centro dell'energia corporea, così come la «decisione» è la fonte d'energia del comportamento. Talvolta l'organo del cuore e i movimenti dell'«anima» sono strettamente uniti anche a livello dell'esperienza, per esempio in uno stato di eccitazione, quando il cuore comincia a battere più velocemente; quindi rappresentando «con immagini» alcuni aspetti personali e soggettivi della vita umana, la Scrittura li rende oggettivi e condivisibili.

Ma attenzione! Quello che è importante per l'antropologia biblica non è il fatto di «offrire immagini»; quello che importa è il *modo* di «offrire immagini»: per rendere visibili e concreti certi aspetti invisibili della vita umana, la Scrittura si serve prima e soprattutto di uno strumento molto particolare. Questo è anche ciò che è meglio conosciuto da tutti gli esseri umani. Infatti, per esprimere l'invisibile, la Scrittura fa ricorso soprattutto alla realtà concreta, visibile e tangibile costituita dal *corpo umano*. E cosa c'è di più chiaramente antropologico del corpo umano?

4. ANTROPOLOGIA E ANTROPOMORFISMO - Descrivendo realtà umane piuttosto spirituali con l'aiuto di termini corporali, ci si avvicina all'antropomorfismo biblico, cioè al modo in cui le Scritture si servono delle immagini antropologiche per parlare di Dio. Dire che Dio *parla* è già esprimersi in modo antropologico. Il Dio della bibbia parla con Mosè «bocca a bocca» (Nm 12,8). Questo stesso Dio è cantato come un guerriero la cui «destra» schiaccia il nemico (Es 15,6). Se tradizioni diverse da quella jahvista esitano a servirsi di un linguaggio tanto visivo per descrivere Dio, esse continuano però ad applicare a Dio dei termini antropopatici, presi cioè da esperienze che ogni essere umano può conoscere. Il Deuteronomio parla del Dio «geloso» (Dt 4,24); i Salmi lodano la fedeltà e la bontà di Dio (Sal 106,1). Nei profeti, Dio stesso descrive le sue emozioni: «Il mio cuore si commuove dentro di me, il mio intimo freme di compassione» (Os 11,8).

Gli ebrei non erano il solo popolo dell'antico Medio Oriente che descrivevano il loro Dio in termini antropomorfici. Ci sono anzi pochissimi antropomorfismi biblici che non hanno alcun parallelo nella letteratura non biblica dell'antico Medio Oriente. Ma qui sarebbe bene fare qualche distinzione. Secondo Michaeli, che ha pubblicato uno studio classico sull'argomento (*Dieu à l'image de l'homme*, 1950), bisognerebbe distinguere tra un antropomorfismo morale e un antropomorfismo piuttosto grossolano, quando si confrontano la religione di Jhwh e certe religioni non bibliche. Mentre certe religioni attribuiscono ai loro dèi comportamenti che ispirano poco rispetto, la bibbia presenta un Dio che possiede un carattere morale e che è sorgente di obblighi morali.

Si dovrebbe dunque dire che nella bibbia c'è un rapporto stretto fra l'antropomorfismo *della bibbia* e l'antropologia. Michaeli lo suggerisce quando pone queste domande: «La funzione dell'antropomorfismo è forse solo quella di portarci una conoscenza *teologica*, o non ha forse anche una conoscenza *morale* da dare agli esseri umani? Se Dio crea, parla, agisce, non è forse anche colui che chiama l'uomo a essere, a parlare e ad agire?» (*op. cit.*, 161).

5. EVOLUZIONE DELL'ANTROPOLOGIA BIBLICA - Non vorremmo far crede-

re che l'antropologia sveli il senso ultimo della bibbia! Si tratta piuttosto di vedere come e perché l'essere umano rimanga importante da un capo all'altro della Scrittura. L'antropologia biblica ha certamente conosciuto uno sviluppo a partire dalle origini del popolo ebraico fino al tempo della prima comunità cristiana. Ma ciò che occorre notare prima di tutto è l'antichità della prospettiva antropologica.

Prima della visione della storia umana presentata all'inizio della Genesi, prima dell'universalismo della salvezza di cui parla Isaia, la tradizione biblica usava un linguaggio che rinviava all'esperienza di ogni essere umano. Questo linguaggio, di cui gli antropomorfismi sono solo un elemento, si sviluppò grazie alle diverse esperienze storiche conosciute dal popolo ebraico. Questo linguaggio progredì anche grazie all'incontro e all'integrazione di certi miti e di certe filosofie.

Si dovrebbe perciò parlare di un'evoluzione del linguaggio biblico, che si arricchì attingendo non solo all'esperienza umana fisica, emozionale e morale, ma anche, a un certo punto, all'esperienza umana metafisica, quella che il pensiero greco conobbe scoprendo l'essere. Si può dunque ripercorrere lo sviluppo dell'antropologia biblica non solo nei libri ebraici della bibbia, ma anche nei suoi libri greci. Una simile crescita continuò per un periodo che comprende più di dieci secoli di storia e di rapporti interculturali.

6. UN'ANTROPOLOGIA DI TRASFORMAZIONE - Se si dovesse descrivere con una sola parola l'antropologia della bibbia, bisognerebbe parlare di *trasformazione*. Infatti l'antropologia sviluppata dalla Scrittura arriverà a trasformare tutto l'essere umano. La ricerca di questo fine è già evidente nel modo in cui la bibbia si serve di ciò che prende dalle altre letterature.

Che si parli dell'antropomorfismo, della creazione degli esseri umani o dell'immortalità dell'anima, non basta trovare nelle tradizioni non bibliche certi paralleli dei testi biblici. Occorre soprattutto vedere come la bibbia si serve di questi elementi: nella maggior parte dei casi li modifica progressivamente. Fa la stessa cosa quando attinge al pensiero «primitivo» del quale certi antropologi amano identificare nel testo biblico qualche elemento.

Qual è la forza motrice che determina questo adattamento? A questo punto della discussione bisogna riconoscere un elemento proprio dell'antropologia biblica. Si tratta di una presenza di Dio che il pensiero biblico discerne prima nella storia di un popolo e, più tardi, nella vita di ogni essere umano.

7. ANTROPOLOGIA E TEOLOGIA - L'antropologia della bibbia è dunque necessariamente legata alla sua teologia. *Dio*, e non l'uomo, è al centro dell'antropologia biblica. Una simile visione delle cose non ci è molto naturale. Essa esige una purificazione simile a quella vissuta da Giobbe che, dopo aver incontrato Dio, fa questa confessione: «Comprendo che puoi tutto e che nessuna cosa è impossibile per te... Ho esposto dunque senza discernimento cose troppo superiori a me, che io non comprendo... Io ti conoscevo per sentito dire, ma ora i miei occhi ti vedono. Perciò mi ricredo e ne provo pentimento su polvere e cenere» (Gb 42,2.3b.5-6).

Questo testo di Giobbe, come altri dello stesso genere, può illuminarci su un aspetto importantissimo e molto difficile dell'antropologia biblica. Si tratta del doloroso problema del peccato. Sembra infatti che solo incontrando Dio, Giobbe prenda coscienza del suo peccato; fino al capitolo 42 del libro egli insiste piuttosto sulla sua innocenza. Incontrando Dio, Giobbe si rende conto che l'essere umano non è il centro del tempo e dello spazio. Il suo peccato è quello di non averlo capito prima. Per Alonso-Diaz, il libro di Giobbe porta alla bibbia una «disantropomorfizzazione» dell'idea biblica di Dio (EstBib 27 [1968] 333-346). Mentre in molte parti della bibbia Dio è presentato in modo antropomorfico, il Dio di Giobbe è un Dio che un abisso incolmabile separa dall'essere umano. Soprattutto nel libro di Giobbe ci si rende conto che tra Dio e l'umanità esiste una differenza di *natura*. Il Dio della Scrittura vive per l'eternità; l'essere umano vive appena settant'anni. Qohèlet lo dirà in modo eloquente: «Nessun uomo è padrone del suo soffio vitale tanto da trattenerlo, né alcuno ha potere sul giorno della sua morte, né c'è scampo da questa lotta» (Qo 8,8).

8. LA LIMITATEZZA UMANA - Ecco la condizione umana. Ogni cultura, religione, popolo, individuo che giunge all'esistenza deve prima o poi affrontare la limitatezza della vita umana. Il libro di S.G.F. Brandon, *Man and His Destiny in the Great Religions* (1962) esamina il modo in cui ognuna delle grandi religioni ha affrontato questa realtà antropologica.

Studiando i testi biblici, rimessi nei limiti del possibile nel loro ordine cronologico di redazione, si vede lentamente emergere una risposta al problema della limitatezza umana. Paradossalmente si trova una prima scintilla di questa risposta in Giobbe. Per quanto disperato, egli fa questa professione di speranza: «Comprendo che puoi tutto e che nessuna cosa è impossibile per te». Si leggono queste parole che Giobbe rivolge a Dio, in un libro biblico che la maggior parte degli esegeti pone a metà del V secolo a.C. Sebbene si presenti come la riflessione di un individuo sulla propria sorte, il libro di Giobbe è il frutto di sofferenze nazionali, quelle dell'esilio e dei tempi post-esilici.

Trecento anni più tardi e come frutto di altre sofferenze nazionali legate a una persecuzione religiosa, appare il racconto di una donna che dà ai suoi figli il coraggio del martirio parlando in questo modo: «Non so come siate apparsi nel mio seno; non io vi ho dato lo spirito e la vita, né io ho dato forma alle membra di ciascuno di voi. Senza dubbio il creatore del mondo, che ha plasmato all'origine l'uomo e ha provveduto alla generazione di tutti, per la sua misericordia vi restituirà di nuovo lo spirito e la vita, come voi ora per le sue leggi non vi curate di voi stessi» (2 Mac 7,22-23).

Queste dichiarazioni di Giobbe e della donna del libro dei Maccabei sono professioni di fede: queste persone sono vittime di situazioni che le superano; si trovano indifese; sono portate come contro la loro volontà ad abbandonarsi alla Provvidenza in un atto di fede. Le loro dichiarazioni costituiscono la sfida più seria lanciata agli antropologi che si interessano alla Scrittura.

Infatti che posto può trovare nella scienza umana un «al di là della ragione»? In Jung e compagni questo «al di là» potrebbe forse identificarsi con l'inconscio. Questa è una soluzione accessibile allo studioso che non conosce l'esistenza di un Altro: rimane al livello «dell'uomo in sé» o forse «dell'uomo in rapporto con altre persone umane». Non può mettere l'essere umano (limitato) in rapporto con un Essere illimitato.

9. L'ANTROPOLOGIA BIBLICA COME SOLUZIONE - L'antropologia biblica è un'antropologia di *sorpasso*. Essa propone una trasformazione dell'essere umano che lo porta al di là di se stesso. A noi che viviamo per settant'anni, offre la vita eterna. È una trasformazione inimmaginabile, che va oltre questo mondo che passa. Inimmaginabile, ma non impossibile. Il «supremo antropomorfismo»

dei vangeli, che indica un modo di essere e non solo un modo di esprimersi, è là per provarlo: «E il Verbo si fece carne e venne ad abitare in mezzo a noi» (Gv 1,14). Questa trasformazione annunziata dall'antropologia biblica rispetta la natura umana. Così il Verbo incarnato (Uomo-Dio) conobbe persino l'esperienza della sofferenza e della morte. Ma, questa volta, la storia umana non finisce lì. L'uomo-Dio che era morto risusciterà e dirà: «Guardate le mie mani e i miei piedi: sono proprio io! Toccatemi e guardate; un fantasma non ha carne e ossa come vedete che io ho» (Lc 24, 38-39). Sebbene il Gesù risuscitato venga riconosciuto con l'aiuto delle ferite della crocifissione, nel corso delle sue apparizioni si indovina che la sua umanità è entrata in una vita nuova, in una vita eterna.

Da quel momento si parlerà di una trasformazione dell'essere umano operata dal dono dello «Spirito di Gesù» o dello «Spirito Santo». E, lungi dal violare la libertà dell'individuo, una simile antropologia accresce la libertà umana: «Poiché la legge dello Spirito che dà vita in Cristo ti ha liberato dalla legge del peccato e della morte» (Rm 8,2).

10. CONCLUSIONE - Come il lettore avrà già costatato, rimane difficile, o meglio impossibile, scoprire tutte le ricchezze dell'antropologia biblica se si fa ricorso unicamente a teorie elaborate dalle scienze umane. Ma si dovrebbe ugualmente considerare il beneficio che gli studi biblici hanno tratto dal dialogo portato avanti con queste scienze. Il nostro articolo ha ricordato un buon numero di contributi che le scienze umane hanno portato allo studio dell'antropologia biblica.

Un dialogo implica uno scambio reciproco tra due parti. Di fatto, le *Introduzioni* alla scienza umana costituita dall'antropologia osservano

spesso come la bibbia abbia avuto una funzione importante nella nascita e nella crescita di questa scienza moderna. Si può sperare che gli studi biblici continueranno ad avere una simile funzione fondamentale nello sviluppo dell'antropologia. Per esempio, l'antropologia biblica invita a cercare se tradizioni culturali diverse da quella biblica propongano anch'esse una trasformazione dell'essere umano. L'antropologia della Scrittura invita anche a chiedersi in che misura l'ideale umano proposto da queste altre tradizioni potrebbe essere compreso e anche vissuto da chiunque. Infine, l'antropologia biblica ricorda agli studiosi moderni che molte tradizioni culturali sono forse centrate su realtà diverse dalla semplice persona umana.

Bibl. - J. Pedersen, *Israel, Its Life and Culture*, voll. I-IV, London 1926; F. Michaeli, *Dieu à l'image de l'homme*, Neuchâtel 1950; S.G.F. Brandon, *Man and his Destiny in the Great Religions*, Manchester 1962; H.F. Hahn, *The Old Testament in Modern Research*, Philadelphia 1966; J. Alonso-Diaz, «Proceso antropomorfizante y desantropomorfizante en la formación del concepto bíblico de Dios», in EstBib 27 (1968) 333-346; M. Jousse, *L'anthropologie du geste*, Paris 1969; H.U. von Balthasar, «Dio parla come uomo», in *Verbum Caro*, Brescia 1970, 80-104 (or. 1958); H.W. Wolff, *Anthropologie des Alten Testaments*, München 1973 (tr. it., Brescia 1975); C. Westermann, *Genesis (Kapitel I-II)*, Neukirchen-Vluyn 1974; G. Cusson, *Notes d'anthropologie biblique*, Roma 1977; N.K. Gottwald, *The Tribes of Yahweh*, New York 1979; C.G. Jung, *Psicologia e Religione*, Milano 1979[5]; G. De Gennaro, *L'antropologia biblica*, Napoli 1981; W.G. Rollins, *Jung and the Bible*, Atlanta 1983; R. Lang (ed.), *Anthropological Approaches to the Old Testament*, London 1985; S. Fernandez-Ardanaz, «Evolución en el pensamiento hebreo sobre el hombre: estudio diacrónico de los principales conceptos antropológicos», in RCT 12 (1987) 263-311; J. Barr, «La foi biblique et la théologie naturelle», in ETR 64 (1989) 355-368; C. Osiek, «The New Handmaid: The Bible and the Social Sciences», ThS 50 (1989) 260-278.

ELIZABETH SHANNON FARRELL

II. Cristiana

1. IL CONCETTO - Nella concezione cristiana più genuina del termine, la rivelazione non ha altro oggetto se non Dio stesso, che si fa conoscere mediante Cristo, Verbo incarnato, perché gli uomini, nello Spirito Santo, mediante Cristo stesso, abbiano accesso al Padre (cfr. DV 2). L'uomo, a una prima approssimazione, è il destinatario della rivelazione e della salvezza che questa annuncia e realizza, ma non ne è il suo oggetto diretto. D'altro lato, però, la conoscenza di Dio e della salvezza che viene offerta in Cristo, scopre la definitiva vocazione dell'essere umano, il disegno di Dio su di lui, con una profondità che diversamente non sarebbe stata mai accessibile. In questo senso l'uomo, proprio in quanto destinatario della rivelazione divina, si trasforma anche in oggetto della stessa. Solo alla luce della salvezza portata da Cristo scopriamo a cosa siamo chiamati e, di conseguenza, chi siamo: «Cristo, che è il nuovo Adamo, proprio rivelando il mistero del Padre e del suo amore, svela anche pienamente l'uomo all'uomo e gli fa nota la sua altissima vocazione» (GS 22). La rivelazione cristiana presuppone l'uomo e perciò una certa idea che costui avrà di sé; d'altra parte, però, la novità dell'incarnazione del Figlio non può fare a meno di arricchire e illuminare questa visione. Pertanto a partire dalla rivelazione il cristianesimo può e anzi deve rivendicare una sua propria nozione dell'uomo, che in molti aspetti coinciderà con quella che offrono la filosofia e le scienze umane (→ Teologia e filosofia) e che dovrà arricchirsi dei loro contributi, ma che possiederà una sua irrinunciabile originalità. In questo senso parliamo di «antropologia cristiana».

2. L'UOMO CREATO A IMMAGINE DI DIO - Di fatto, anche se è chiaro che la sacra Scrittura non vuole offrire un'antropologia sistematica, è ugualmente evidente che parla dell'uomo in moltissime pagine, cominciando dalle prime. Il racconto jahvista della creazione e della caduta (Gn 2-3), presenta già l'uomo come centro dell'opera creatrice di Dio: è formato dalle sue mani e riceve la vita dallo stesso alito divino (Gn 2,7). Per lui Dio pianta il giardino dell'Eden e gli affida l'incarico di dare il nome agli animali (Gn 2,9.19-20); e alla fine gli dà un aiuto adeguato perché non è bene che l'uomo sia solo (Gn 2,9.20-24). Abbiamo qui il nucleo di una profonda antropologia: l'uomo è chiamato a servirsi della creazione ed è un essere eminentemente sociale, fatto per stare in comunione con gli altri. Però vivrà solo se conserva la relazione con Dio che lo ha creato e gli ha comunicato la sua stessa vita e se è fedele ai suoi comandamenti (Gn 2,16). Questo vuol dire che la relazione con Dio è essenziale all'uomo ed è quella dimensione totalizzante a partire dalla quale si articolano tutte le altre.

Il racconto sacerdotale di Gn 1,1 - 2, 4a segnala anch'esso il primato dell'uomo sul resto della creazione. Viene introdotta qui per la prima volta l'idea della creazione dell'uomo a immagine e somiglianza di Dio (Gn 1, 26-27); questa è la caratteristica dell'essere umano che il concilio Vaticano II (GS 12) colloca al primo posto quando cerca di spiegare la risposta della chiesa all'interrogativo sull'uomo, sul conto del quale lungo la storia sono state espresse e ancora si esprimono opinioni tanto diverse e perfino contraddittorie. Pertanto vale la pena di vedere brevemente il senso di queste espressioni e il modo in cui sono state interpretate nella Bibbia e nella tradizione della chiesa fino al momento attuale.

Il primato dell'uomo sulle creature è un elemento che incontriamo anche nel documento sacerdotale e deriva certamente dal fatto della sua creazione a immagine e somiglianza di Dio (Gn 1, 26-27); anche il carattere sociale dell'uomo viene posto in rilievo in questi versetti; l'uomo fatto a immagine di Dio, pure con la differenza radicale tra creatore e creatura, è ciò che appare determinante. Il semplice dato che Dio crea «a sua immagine e somiglianza» qualifica in primo posto l'operato divino e questo a sua volta determina il fatto che l'uomo sia distinto dal resto delle creature. L'essere umano è stato creato per esistere in relazione con Dio, per vivere in comunione con lui. Questi stessi elementi si trovano in Gn 5,1-3, dove tra l'altro si stabilisce una certa analogia tra la creazione dell'uomo da parte di Dio che lo plasma a sua immagine e la generazione di Set secondo la somiglianza e l'immagine di suo padre Adamo. La condizione di immagine di Dio fa sì che la vita umana sia sacra (cfr. Gn 9,6). Il primato sul resto delle creature e la chiamata da parte di Dio a partecipare alla sua vita immortale sono i punti posti in evidenza in rapporto alla creazione dell'uomo a immagine e somiglianza divine negli altri testi dell'AT nei quali ricompare questo motivo (cfr. Sir 17,3; Sap 2,23; cfr. anche Sal 8,5-9).

Nel NT si afferma che l'immagine di Dio è Cristo (cfr. 2 Cor 4,4; Col 1,15; anche Eb 1,2; Fil 2,6). Questo non significa che si dimentica la condizione dell'uomo creato a immagine e somiglianza di Dio; anzi si afferma che l'uomo è stato chiamato a convertirsi in immagine di Gesù se accetta nella fede la rivelazione di Cristo e la salvezza che lui gli offre (2 Cor 3,18); il Padre ci ha predestinati a conformarci secondo l'immagine del suo Figlio perché costui sia primogenito tra molti fratelli (Rm 8,29); e come abbiamo portato impressa l'immagine del primo Adamo, quello terrestre, fatto anima vivente, così porteremo impressa pure l'imma-

gine dell'Adamo celeste, Cristo risuscitato, nella partecipazione del suo corpo spirituale (1 Cor 15,45-49). Conseguentemente il destino dell'uomo è di passare dall'essere immagine del primo Adamo ad essere quella del secondo; tutto questo non è qualcosa di marginale o accessorio alla sua «essenza»; anzi questa vocazione alla conformazione con Cristo e a rivestire la sua immagine costituisce l'aspetto più profondo del suo essere. Accanto a questa reinterpretazione cristologica del tema dell'immagine notiamo nel NT un forte orientamento escatologico di questo motivo (cfr. anche 1 Gv 3,2). Con tutto ciò non è avventurato affermare che se l'uomo è orientato a Cristo come a meta finale della sua esistenza, questo «essere orientato a» deve esistere in un modo o nell'altro fin da principio. È convinzione generale del NT che l'ordine della creazione e quello della salvezza stiano uno all'altro in un rapporto profondo: tutto è stato fatto mediante Cristo e tutto cammina verso di lui (1 Cor 8,6; Col 1,15-20; Ef 1,3.10; Gv 1,3.10; Eb 1,3); Gesù è l'Alfa e l'Omega, principio e fine di tutto (Ap 1,8; 21,6; 22,13).

La reinterpretazione cristologica del motivo dell'immagine è proseguita nella teologia patristica. Già in rapporto con il momento della creazione e non solo con quello della consumazione finale, si pone in risalto la esemplarità del Verbo. In effetti solo il Figlio è l'immagine di Dio. L'uomo non è in senso stretto «immagine», bensì egli è stato fatto «secondo l'immagine». Anche se questo, però, è riconosciuto in generale da tutti, le scuole dell'antica chiesa differiscono quando si tratta di precisare il significato dell'immagine di Dio che è il Figlio; questo fatto avrà immediatamente delle conseguenze antropologiche. Da un lato gli alessandrini (Clemente, Origene; li seguirà sostanzialmente Agostino) considerano il Verbo preesistente l'immagine di Dio; l'uomo è stato creato secondo questa immagine. Per costoro l'immagine di Dio nell'essere umano fa riferimento solo al suo elemento spirituale, l'anima. Altri Padri invece (Ireneo, Tertulliano) considerano immagine di Dio Padre il Figlio incarnato, che in questo modo fa conoscere il Dio invisibile. L'uomo è stato creato dal primo istante secondo l'immagine del Figlio che si sarebbe incarnato e sarebbe risuscitato gloriosamente nella sua umanità. Quando Dio modellava il primo Adamo dal fango già pensava a suo Figlio che si sarebbe fatto uomo per essere così l'Adamo definitivo. Secondo questa linea di pensiero l'uomo è stato creato a immagine di Dio in tutto ciò che è, nella sua anima e nel suo corpo, insistendo specialmente su quest'ultimo. Nessun aspetto dell'essere umano resta escluso da questa condizione di immagine, dato che tutto in lui è stato chiamato a partecipare alla risurrezione di Cristo. Nonostante queste notevoli differenze troviamo nuovamente unita la teologia dei primi secoli nella distinzione tra l'immagine e la somiglianza divine: mentre la prima viene già data con la creazione, la seconda si riferisce alla perfezione escatologica, alla consumazione finale. Anche se questa distinzione non trova un appoggio letterale nella Scrittura, essa non le è completamente estranea (cfr. 1 Gv 3,2), e d'altra parte mette ben in risalto un aspetto presente in modo marcato nel NT, e cioè il carattere di cammino dell'esistenza umana, la costante necessità di progresso nell'unione e nella sequela di Gesù.

In generale questa distinzione non è stata mantenuta nei tempi successivi, come, d'altra parte, è diventato meno esplicito nella teologia e nella coscienza cristiana il significato cristologico della creazione dell'uomo a immagine e somiglianza divina. Per questo è tanto più encomiabile il contributo del concilio Vaticano II nella

GS, quando, come abbiamo già fatto notare, ha collocato il fatto della creazione dell'uomo a immagine e somiglianza di Dio all'inizio e alla base della risposta cristiana all'interrogativo riguardante il mistero dell'essere umano. Secondo il n. 12 della costituzione pastorale, questa condizione significa prima di tutto che l'uomo è capace di conoscere e amare il suo creatore, cioè è capace di entrare in un rapporto personale con Dio. A ciò si aggiunge sia la sua posizione di primato sulle creature terrene, delle quali si deve servire per la gloria di Dio, sia la condizione sociale dell'essere umano, chiamato a esistere in una comunione interpersonale. Come si vede, si ritrova qui gran parte delle intuizioni presenti nel nostro rapido excursus scritturistico, soprattutto dell'AT. Questo n. 12 però, deve essere letto assieme al n. 22 che abbiamo citato all'inizio di questo articolo: «In realtà solamente nel mistero del Verbo incarnato trova vera luce il mistero dell'uomo. Adamo infatti, il primo uomo, era figura di quello futuro (Rm 5,14), e cioè di Cristo Signore. Cristo che è il nuovo Adamo... Nessuna meraviglia, quindi, che tutte le verità su esposte, in Lui trovino la loro sorgente e tocchino il loro vertice. Egli è l'"immagine dell'invisibile Iddio" (Col 1,15), Egli è l'uomo perfetto, che ha restituito ai figli di Adamo la somiglianza con Dio, resa deforme già subito agli inizi a causa del peccato...». Quindi l'orientamento cristologico dell'antropologia cristiana è stato fortemente sottolineato dal concilio (come anche nel magistero di Giovanni Paolo II; cfr. per es. RH 8,2; 13,1-3; 28,1).

Naturalmente il magistero della chiesa non ha spiegato in dettaglio le relazioni tra cristologia e antropologia. Esse non sono intese in modo completamente identico dalla teologia contemporanea. Oltrepasserebbe i limiti di questo articolo l'esposizione, anche sommaria, delle diverse posizioni e modelli di spiegazione. A tutti è chiaro, però, che, accogliendo la rivelazione di Cristo, l'uomo trova risposta ai suoi più profondi interrogativi. Di conseguenza, seguire Cristo non è qualcosa che gli provenga solo dall'esterno e che non abbia nessun rapporto con il suo essere. Tutto al contrario. Solo in Gesù l'essenza dell'uomo raggiunge la sua determinazione definitiva, perché dal primo istante della creazione Dio gli ha impresso questo orientamento. Per questo il Vaticano II, in GS 41, può affermare che chi segue Cristo, l'uomo perfetto, diventa egli pure più uomo. Due dei punti (solo apparentemente contraddittori) che la teologia cristiana, e specialmente l'antropologia, dovranno tenere sempre presenti sono: la novità indeducibile dell'incarnazione del Figlio di Dio, frutto solo del liberissimo disegno di salvezza del Padre, e l'orientamento del mondo e dell'uomo verso Cristo, in modo tale che costui costituisca la perfezione alla quale essi tendono in questo concreto ordine della creazione.

La fede cristiana ci dice che l'uomo non è stato fedele a questo disegno divino e che fin dall'inizio il peccato è stato una realtà che ha ostacolato il rapporto con Dio. Nella sua fedeltà, però, Dio ha sempre mantenuto il suo amore e in Cristo la somiglianza divina deformata è stata restaurata (GS 22). Per il resto la natura umana, toccata, senza dubbio, profondamente dal peccato, non è stata corrotta completamente dalle radici.

3. L'UOMO CHIAMATO A ESSERE FIGLIO DI DIO IN CRISTO - L'antropologia cristiana afferma che non c'è che una perfezione dell'uomo: la piena conformazione con Gesù, che è l'uomo perfetto. Questo significa la partecipazione alla sua filiazione divina nel rapporto irripetibile che Cristo, Figlio unigenito di Dio, ha con il Padre. Già nei vangeli leggiamo che Ge-

sù, che si rivolge sempre a Dio con l'appellativo di «Abba, Padre», insegna ai suoi discepoli a fare lo stesso, senza però mettersi sul loro stesso piano (cfr. Mc 11,25; Mt 5,48; 6,9; 6,32; Lc 6,36; 11,2 ecc.). Paolo dirà che ciò è possibile solamente con il dono dello Spirito Santo, inviato nei nostri cuori e che esclama in noi «Abba, Padre» (Gal 4,6; cfr. Rm 8,15), in virtù del quale possiamo condurre una vita autenticamente filiale rispetto a Dio e fraterna rispetto agli uomini. Così il Figlio unigenito di Dio si fa il primogenito tra molti fratelli (Rm 8,29; Eb 2,11-12.17; forse Gv 20,17). L'antropologia cristiana, pertanto, considera l'uomo chiamato a partecipare alla stessa vita del Dio trino: in uno stesso Spirito abbiamo tutti accesso al Padre attraverso Cristo (Ef 2,18); la stessa unione tra i discepoli di Cristo, alla quale tutti gli uomini sono chiamati, è un riflesso dell'unione delle persone divine (Gv 17,21-23).

Il nostro breve ricorso ad alcuni punti dell'antropologia cristiana non può fare a meno di ricordare la categoria della «grazia», essenziale alla visione cristiana dell'uomo. Abbiamo fatto riferimento alla indeducibile novità dell'incarnazione di Gesù. Dio si autocomunica liberamente nel suo Figlio e nel suo Spirito e l'incorporazione personale nella salvezza (= giustificazione mediante la fede) è anch'essa dono di Dio e mai merito dell'uomo. La visione cristiana dell'uomo non può dimenticare questo elemento: la pienezza dell'uomo viene ricevuta come dono gratuito e non è riducibile al dono della creazione, così come l'incarnazione di Gesù non è deducibile dalla creazione. Di conseguenza costituisce un nuovo elemento irrinunciabile della visione cristiana dell'uomo il fatto che costui riceve la sua pienezza come un dono immeritato che però, a sua volta, non esclude che egli lo debba accettare liberamente e cooperare con Dio che

glielo elargisce nella sua infinita
bontà.

4. L'UNITÀ DELL'UOMO NELLA DUA-
LITÀ DI CORPO E ANIMA - La dottrina
biblica della creazione dell'uomo a
immagine e somiglianza di Dio rivela l'intima relazione degli ordini della creazione e della salvezza. Attraverso i secoli la fede cristiana si è
preoccupata non solo di esporre il significato della salvezza, ma anche di
insistere sulla configurazione creaturale dell'uomo, sulla sua «natura»,
atta a ricevere, come sua perfezione
intrinseca, questa salvezza gratuita di
Cristo. Punto essenziale di questa
preoccupazione è stata, senza dubbio,
l'unità dell'essere umano nella pluralità delle sue dimensioni. Già il NT,
seguendo le orme dell'AT, mentre insiste sull'unità originale dell'essere umano, conosce diversi aspetti del medesimo: l'uomo è «corpo» a causa della sua dimensione materiale, che lo
fa un essere cosmico, inserito in questo mondo, solidale con gli altri, con
una identità definita nei diversi stadi
della sua esistenza (1 Cor 15,44-49);
questa condizione corporea dell'uomo è associata, a volte, a quella «carnale», che frequentemente acquista
un significato negativo dato che indica la debolezza dell'uomo (Mc 14,
38; Mt 26,41), o anche, specialmente
in Paolo, la sua esistenza sotto il dominio del peccato (Rm 6,19; 8 3-9;
Gal 5,13.16-17). L'uomo è anche
«*psychê*», vita, anima; è soggetto di
sentimenti (Mc 3,4; 8,35; Mt 20,28;
26,38; Col 3,23). Infine l'uomo possiede anche la «capacità del divino»,
sta in relazione con Dio; tutto questo è espresso con il termine «spirito» che indica tanto la vita di Dio
comunicata all'uomo e principio di
vita per lui, quanto l'uomo stesso in
quanto mosso dallo Spirito Santo;
viene frequentemente opposto alla
«carne» in quanto debole o sottomessa al peccato (Mc 14,38; Gv 3,6; Rm
8,2-4.6.10.15-16; Gal 5,16-18.22-25).

Anche se non si è preteso fare una
riflessione sistematica sulla questione, non c'è dubbio che il NT nel suo
complesso mostra l'uomo come essere allo stesso tempo mondano e trascendente questo mondo, capace di
rapporto con Dio.
È quanto è stato espresso, attraverso la storia, partendo già dai primi
secoli cristiani, con l'idea dell'uomo
formato di anima e corpo. Il cristianesimo ha assimilato queste nozioni
dall'antropologia greca, dopo averle
trasformate. Gli schemi cristologici e
soteriologici (incarnazione, risurrezione) hanno fatto sì che alcuni Padri
imperniassero la loro antropologia
proprio sul corpo. E anche se ben
presto, a causa del predominio degli
schemi platonici, si passa all'idea che
l'anima abbia un primato sul corpo
(e si giunge ad affermare a volte che,
a rigore, essa è l'uomo), mai, nella
teologia cristiana, il corpo in se stesso è stato considerato cattivo; anche
il corpo è stato creato da Dio ed è
chiamato alla trasformazione finale
nella risurrezione. S. Tommaso ha
sottolineato l'unità delle due componenti dell'uomo nella sua famosa formula «anima forma corporis». Esiste una unità sostanziale originaria
dell'uomo che abbraccia questi due
aspetti, in modo tale che nessuno dei
due, separato dall'altro, sarebbe uomo o persona. Di conseguenza, non
c'è anima senza corpo e nemmeno
corpo senza anima (prescindendo dalla sopravvivenza dell'anima dopo la
morte). L'unità sostanziale di anima
e corpo venne sottolineata anche dal
concilio di Vienne nell'anno 1312 (DS
900.902); il concilio Laterano V del-
l'anno 1513 definisce che l'anima non
è comune a tutti gli uomini, ma che
è individuale e immortale (DS 1440).
Del corpo e dell'anima nella loro unità parla anche GS 14.
L'antropologia moderna preferisce
parlare non tanto del fatto che l'uomo *ha* un'anima e un corpo, bensì
che invece *è* anima e corpo. E alle

volte si sottolinea che tanto l'anima come il corpo sono *dell'*uomo; il linguaggio esprime bene l'unità che siamo e sperimentiamo. Il nostro psichismo e la nostra corporeità si condizionano vicendevolmente. Dato che siamo corpo, noi siamo sottomessi allo spazio-temporalità, siamo uniti agli altri uomini, siamo finiti e mortali; dato che siamo anima, trascendiamo il mondo e siamo chiamati all'immortalità. Un'immortalità che dal punto di vista cristiano non ha significato se non è nella comunione con Dio e che, d'altro lato, garantisce la continuità del soggetto nella nostra vita attuale e nella pienezza della risurrezione nella configurazione piena con Cristo risuscitato.

5. L'UOMO, ESSERE PERSONALE APERTO ALLA TRASCENDENZA - La costituzione psicosomatica dell'uomo, in virtù della quale, essendo un essere cosmico, trascende questo mondo, sta in intimo rapporto con il suo essere «personale». L'essere umano non è un oggetto in più nel mondo; è un soggetto irripetibile. Il pensiero cristiano ha sviluppato la nozione di «persona» per esprimere questo carattere dell'uomo, che lo fa radicalmente distinto da tutti gli esseri che lo circondano e che gli conferisce una dignità e un valore in se stesso, non in funzione di ciò che fa o dell'utilità che arreca agli altri. Il concilio Vaticano II, in GS 24, segnala che l'uomo è l'unica creatura terrestre che Dio ha amato per se stessa. Non è meno significativo osservare che lo sviluppo antropologico di questa nozione è stato posteriore nel tempo all'uso della stessa nella teologia trinitaria e nella cristologia. Il senso del valore e la dignità della persona, largamente riconosciuti ai nostri giorni (nonostante le numerose contraddizioni che non si possono misconoscere) anche fuori dell'ambito cristiano, acquista, a partire dalla visione cristiana dell'uomo, la sua ultima fondazione: l'uomo ha un valore assoluto per l'uomo perché lo ha per Dio, che lo ama in suo Figlio Gesù e lo chiama alla comunione con lui. Alla condizione dell'uomo persona e soggetto irripetibile va unita necessariamente la sua libertà. Ciò non significa solo, anche se include necessariamente questo aspetto, la possibilità di scegliere tra diversi beni o possibilità concrete, ma è anzitutto la capacità di auto-configurarsi in accordo con le proprie opzioni. Per questo si è potuto dire che l'uomo non ha libertà, ma *è* libertà perché, nonostante gli evidenti condizionamenti ai quali è sottoposto, possiede un'autentica capacità di auto-determinarsi. Nell'esercizio della sua libertà l'uomo opta primariamente nei confronti di se stesso. Pertanto non si deve parlare solo di libertà *dagli* impedimenti, interni o esterni, ma della libertà *per* il progetto umano che deve essere messo in atto. La libertà non ha nulla a che vedere con il capriccio. Da ciò deriva il fatto che essa raggiunge la sua pienezza solo nell'opzione per il bene; cristianamente parlando significa lasciarsi liberare dallo Spirito, rompere i legami del peccato e dell'egoismo per vivere nella libertà dei figli di Dio, che è quella di Gesù, che si consegna fino alla morte per amore. È importante notare che la libertà dell'uomo esiste anche nei confronti di Dio e della sua Parola. Nella sua rivelazione Dio vuole stabilire un dialogo con noi e chiama alla comunione di vita con lui. Tutto questo sarebbe impossibile nell'ipotesi che Dio forzasse ad accettarlo. Quando insistiamo sulla libertà umana, affermiamo allo stesso tempo che anche davanti a Dio e per Dio siamo e rimaniamo sempre un autentico soggetto, un vero tu.

L'uomo, come essere personale e libero, si trova necessariamente aperto al mondo e agli altri. Di fronte ad essi esercita la sua libertà e in questo stesso esercizio può esprimere la

sua trascendenza. L'uomo ha bisogno del mondo che lo circonda per
la sua stessa sussistenza. Questa è una
esperienza fondamentale e fuori d'o-
gni dubbio. In questo stesso rapporto di dipendenza di fronte al mondo,
si apre il senso della sua trascendenza di fronte ad esso: effettivamente,
con l'uomo, e con la sua capacità di
trasformare la realtà che lo circonda, si produce in essa una novità; a
causa dello sforzo umano esistono
nella natura possibilità nuove che altrimenti non si sarebbero ottenute.
Dunque il lavoro dell'uomo è un fenomeno nuovo nell'ambito cosmico;
per questo egli può essere qualificato
come «creatore». Queste possibilità
della natura, a loro volta, si trasformano in possibilità nuove per l'uomo stesso, per la sua libertà. Inserito
nel mondo, con la sua stessa azione
nei confronti di esso, l'essere umano
mostra che lo trascende, che non è
un semplice pezzo di un meccanismo.
Inoltre sperimenta la perpetua insoddisfazione di fronte ai successi raggiunti, tra ciò che ha e ciò a cui aspira. Pertanto è difficile che il mondo
possa dare all'uomo il senso ultimo
della sua vita.

La comunione tra le persone è un
fenomeno nuovo rispetto alla relazione uomo-mondo. Solo nell'altro essere umano l'uomo incontra l'«aiuto
adeguato», secondo la vecchia saggezza biblica. Solo l'uomo è degno
dell'uomo. Solamente nell'esercizio
delle sue dimensioni sociali, e in particolare con la comunione e la donazione interpersonale, l'uomo può essere se stesso. La nozione di persona, già nelle sue profonde radici teologiche alle quali abbiamo alluso,
porta con sé questa dimensione. Nel-
l'incontro con l'altro, in quanto persona, ci troviamo di fronte a un valore assoluto che non abbiamo creato noi. Ma neppure l'altro, o la società in sé, sono il fondamento di
questo valore assoluto che ci troviamo di fronte, perché anche il nostro

stesso essere personale è valore assoluto di fronte agli altri. Pertanto il
rapporto interpersonale apre anche al
mistero della trascendenza dell'uomo
nei confronti di ciò che lo circonda.

La limitazione e l'indigenza umane,
che si manifestano soprattutto nella
morte, la sensazione di tagli netti, che
in modo quasi inevitabile si prova
quando si riflette su di essa, pongono anche di fronte alla questione del
significato dell'esistenza umana e della difficoltà di trovarlo, se vogliamo
restare entro i limiti di ciò che vediamo (→ Senso). La speranza cristiana, soprattutto se si manifesta nella
vita dei credenti, è capace di offrire
una risposta plausibile a questi interrogativi umani.

La rivelazione cristiana ci offre, come abbiamo visto, una immagine del-
l'uomo centrata soprattutto in Gesù,
l'uomo perfetto, nel quale siamo figli di Dio. Se questa è la nostra ultima vocazione, la teologia cristiana
non può disinteressarsi di quegli
aspetti della costituzione e dell'essere creaturale dell'uomo che lo rendono atto a questa chiamata divina.
In essi scopre già le orme del disegno di Dio che ci vuole per sé. In
tal modo l'essere umano appare aperto alla comunicazione di Dio stesso
nella rivelazione cristiana. Questa ci
apre alcune prospettive che noi mai
avremmo potuto immaginare; è pura
grazia e dono della benevolenza divina, e allo stesso tempo risponde alle
nostre intime aspirazioni e desideri:
l'intima comunione con Dio alla quale Cristo ci dà accesso e la piena comunione con i fratelli con i quali viviamo nella chiesa, «strumento del-
l'intima unione con Dio e dell'unità
di tutto il genere umano» (LG 1), riunita dall'unità del Padre, del Figlio
e dello Spirito Santo (LG 4).

Bibl. - H. Crouzel, *Théologie de l'image de Dieu chez Origène*, Paris 1954; A. Orbe, *Antropología de san Ireneo*, Madrid 1969; L. Scheffczyk (ed.), *Der Mensch als Bild Gottes*, Darmstadt 1969; M. Flick - Z. Alszeghy, *Fon-*

damenti di una antropologia teologica, Firenze 1970; W. Pannenberg, «Il fondamento cristologico della antropologia cristiana», in Conc 9,9 (1973) 113-135; Id., Anthropologie in theologischer Perspektive, Göttingen 1983; A. Ganokzy, Der schöpferische Mensch und die Schöpfung Gottes, Mainz 1976; K. Rahner, Grundkurs des Glaubens. Einführung in den Begriff des Christentums, Freiburg-Basel-Wien 1976 (tr. it. Alba 1977); H.U. von Balthasar, Teodrammatica, vol. II: L'uomo in Dio, Milano 1982 (or. 1978); R. Latourelle, L'uomo e i suoi problemi alla luce di Cristo, Assisi 1982; W. Kasper, «Christologie und Anthropologie», in ThQ 162 (1982), 202-221; L.F. Ladaria, Antropología teológica, Madrid-Roma 1983; G. Gozzellino, Vocazione e destino dell'uomo in Cristo, Torino 1985; J.I. González Faus, Proyecto de hermano. Visión cristiana del hombre, Santander 1987; J. Alfaro, De la cuestión del hombre a la cuestión de Dios, Salamanca 1988; J.L. Ruiz de la Peña, Imagen de Dios. Antropología teológica fundamental, Santander 1988; G. Colzani, Antropologia teologica. L'uomo: paradosso e mistero, Bologna 1988.

LUIS F. LADARIA

APOCRIFI

La chiesa e la sua fede nel Signore vive e professa la forte convinzione che attraverso i → vangeli si raggiunge Gesù di Nazareth, la sua vita e il suo messaggio.

Questa convinzione è tale da permettere alla chiesa di prendere posizione nei confronti degli apocrifi. Parliamo soprattutto dei vangeli apocrifi, cioè: a. i vangeli giudeo-cristiani conosciuti sotto quattro nomi: vangelo degli Ebrei, vangelo dei Nazareni, vangelo degli Ebioniti, vangelo dei Dodici apostoli; b. il vangelo di Pietro; c. il protovangelo di Giacomo; d. Il vangelo di Tommaso.

Questi vangeli contengono alcuni tratti positivi ricavati in massima parte dai vangeli canonici. L'insieme è di una mediocrità desolante. Cedendo al gusto popolare per il meraviglioso e il leggendario, gli apocrifi cadono nella tentazione di «completare» i vangeli canonici, sia per colma-re le lacune di una informazione che giudicano insufficiente su alcuni periodi della vita di Gesù (in particolare quello che precede il ministero pubblico), sia per arricchire il racconto della risurrezione di dettagli adatti a stabilirne la realtà in maniera irrefutabile, di fronte all'incredulità. Questo tentativo è già il desiderio di scrivere una vita di Gesù che sia una ricostituzione completa del passato, per rispondere alle richieste della curiosità popolare o alle esigenze di certa apologetica che cerca di spiegare la discordanza o il silenzio dei racconti evangelici, o di fondare maggiormente la realtà degli avvenimenti principali della vita di Gesù.

Questo tentativo degli apocrifi tradisce doppiamente i vangeli. Da una parte sacrifica alla curiosità popolare, cercando innanzitutto nei vangeli una fonte di informazioni; dall'altra, tende a separare l'evento dal suo significato, per dargli un «plusvalore», trattandolo per se stesso, come un «in-sé».

Fin dalla metà del II secolo, i nostri quattro vangeli sono considerati un insieme compatto, come un numerus clausus: sono quattro, né di più né di meno. Tutti gli altri testi che rivendicano il titolo di vangeli, sono respinti come apocrifi. Questi quattro vangeli sono considerati le quattro forme dell'unica buona notizia della salvezza. Questa convinzione è iscritta nelle espressioni di Ireneo, che parla «di vangelo quadriforme»; di Tertulliano, che parla «di argomento evangelico» (come un unico argomento che si può invocare contro gli eretici); di Eusebio, che parla della «quadriga sacra» dei vangeli. Queste formule, che prendono in considerazione i vangeli come un blocco a quattro facce, sono l'espressione di un possesso pacifico e da molto tempo acquisito.

RENÉ LATOURELLE

APOLOGETI

Con questo nome vengono indicati gli autori del II e del III secolo che si sono prefissi di rispondere ai principali problemi sollevati contro la fede cristiana nel loro ambiente culturale. Il documento greco più antico che noi conosciamo è un frammento dell'*Apologia* indirizzata da Quadrato all'imperatore Adriano (117-138). Si sa anche che un filosofo ateniese, Aristide, presentò un'altra *Apologia* ad Adriano o ad Antonino Pio (138-161). Anche in questo caso ci rimane solo un piccolo frammento. L'autore più importante è Giustino, nato in Palestina, ma che si stabilì a Roma dove insegnò e morì martire tra il 163 e il 167. Di lui abbiamo il *Dialogo con Trifone* e due *Apologie* (che, all'origine, verso il 153, dovevano costituirne una sola). Va ricordato anche Taziano (*Discorso ai Greci*), Atenagora (*Supplica per i cristiani*) e Teofilo d'Antiochia (*Ad Antolico*). Nel mondo latino Tertulliano occupa, sotto questo aspetto come per tanti altri, un posto rilevante (*Alle Nazioni*, l'*Apologetico*, *La testimonianza dell'anima*, *A Scapula*, ecc.). Segnaliamo anche Minucio Felice, Cipriano, Arnobio e Lattanzio (questi ultimi due appartengono comunque alla fine del III o all'inizio del IV secolo). Sarà proficuo consultare le *Patrologie* o i più importanti dizionari per quanto riguarda la vita e le opere di ognuno di questi autori. Ci si limita qui ai due punti più importanti che interessano la *teologia fondamentale*.

1. LA POLEMICA PAGANA. CRISTIANESIMO E FILOSOFIA NEL II SECOLO - I cristiani devono innanzitutto difendersi dalla credulità popolare e dalle voci infamanti che si facevano circolare sul loro conto. Se ne trovano echi in autori come Luciano di Samosata (*La Vita di Pellegrino*), ma anche in Tacito («quos per flagitia invisos vulgus Christianos appellabat... exitia-bilis superstitio... odio humani generis convicti sunt... sontes et novissima exempla meritos...» [*Ann.*, 15, 44]), Svetonio («genus hominum superstitionis novae ac maleficae...» [*Vita Neronis* 16,2]) e Plinio il Giovane (... similis amentiae... superstitionem pravam immodicam...» [*Epist.* 10,96]). In un simile contesto l'*Epistola a Diogneto* ha quasi il tono di una provocazione. Chi sono i cristiani, si chiede l'autore? «Amano tutti gli uomini e tutti li perseguitano... Vengono uccisi e in questo modo raggiungono la vita. Sono poveri e rendono ricche molte persone. Sono privi di tutto eppure sono nell'abbondanza. Vengono disprezzati e in questo trovano la loro gloria... Quello che l'anima è per il corpo, i cristiani sono per il mondo... L'anima è rinchiusa nel corpo, ma è essa che mantiene il corpo. I cristiani sono detenuti nella prigione del mondo: e tuttavia sono loro che mantengono il mondo...» (*A Diogn.* 5,11 - 6,7; S. *Chr.* 33, 65-67. Per l'analisi di questo testo consultare l'analisi di H.I. Marrou in S. *Chr.* 33,119-176, con quello che, malgrado tutto, si può ricavare dalla critica dura di R. Joly in *Christianisme et philosophie. Études sur Justin et les Apologistes grecs du 2e s.*, Bruxelles 1973, 210-220).

I cristiani sono anche fatti segno ad attacchi sistematici, come quello di Celso, e più tardi di Porfirio. Nel suo processo al cristianesimo, questo secondo tipo di oppositori si basa spesso sui valori tradizionali dell'ellenismo (vedere le preziose analisi di M. Borret in S. *Chr.* 227). Alcuni apologeti, come Taziano e Tertulliano, hanno rifiutato in blocco la cultura pagana: «che potrebbe esserci in comune tra Atene e Gerusalemme, l'Accademia e la Chiesa?» (Tert., *De Praescr.* 7). Ma non è stata questa la tendenza più comune, rappresentata invece bene da Giustino, per il quale tutto quello che il paganesimo comportava di buono appartiene anche ai cristiani, perché ogni verità, in qualche modo, è in rapporto con il Verbo. Quello che infatti i pagani hanno posseduto solo in parte o in maniera «seminale», noi l'abbiamo ricevuto ampiamente dalla rivelazione (cfr. *II Apol.* 10,1-8; 13,2-6). I cristiani possiedono così perfettamente in Cristo la verità di ogni filosofia, poiché questa non è altro che una partecipazione del *Lógos*. Queste formule, ispirate dal Portico, corrispondevano a un tema della tradizione platonica, nei confronti della quale, d'altra parte, Giustino non nascondeva la sua simpatia (*Dial.* 2). Esse hanno dato luogo a diverse interpretazioni. Vi si è potuto vedere un segno della «ellenizzazione» sempre più marcata del pensiero cristiano nel II sec., del quale la gnosi rappresenterebbe la forma estrema, ma di cui Origene sarebbe anche stato uno dei grandi responsabili (cfr. le tesi «classiche» di Harnack, Miura-Stange, E. de Faye, H. Koch, H. Jonas, ecc.). H. Crouzel ha validamente mostrato ciò che questa presentazione aveva di caricaturale a proposito di Origene (*Origène et la philosophie*, Paris 1962). Essa pone anche la questione molto più ampia del «platonismo dei Padri» (→ Platonismo cristiano). In realtà i rapporti complessi tra il cristianesimo e l'ellenismo si prestano tanto più facilmente alle semplificazioni, quanto meno si è attenti a criticare una erudizione filologica, troppo pronta a isolare e addizionare elementi che essa considera come assunzioni o fonti. I lavori, tra gli altri, di J.H. Waszink, H. Dörrie, E.P. Meijering, A.M. Ritter, C. de Vogel e G. Madec (per parlare solo dei più recenti) hanno apportato a questo argomento importanti sfumature che non si dovrebbe più poter trascurare. Pagani e cristiani non potevano non condividere, indipendentemente da ciò che li separava anche in maniera radicale, una *koinê culturale* in cui la tradizione platonica (più che

il platonismo in senso stretto) aveva di fatto un posto preponderante. La teologia ha incontrato molti temi che le sono sembrati vicini o «consonanti con i suoi», per esempio l'immortalità dell'anima. Se ne è servita molto volentieri in quanto era persuasa che il cristianesimo fosse la verità integrale, proprio perché il Verbo era il principio ultimo e unico di ogni conoscenza, e i greci avevano di fatto rubato alla Saggezza delle Scritture quello che avevano di meglio! L'assimilazione del platonismo da parte del cristianesimo è rimasto un fenomeno più limitato di quanto non si sia detto. In molti casi essa si riduce soprattutto all'uso di metafore o di formule adatte a fini apologetici. Come scrive G. Madec, «la giustificazione della teoria e della pratica filosofica dei pensatori cristiani deve essere ricercata nella coerenza propria delle loro dottrine» («La christianisation de l'hellénisme. Thème de l'histoire de la philosophie patristique», in *Humanisme et foi chrétienne*, Paris 1976, 402). Essi hanno cercato di «formulare in termini per lo più "greci" l'irriducibile distinzione tra il Dio increato e la creatura (mentre la distinzione pagana era tra l'intelligibile e il sensibile), e l'insolubile paradosso di un Dio al tempo stesso *absconditus* e *revelatus*, di un Dio trascendente e immanente (mentre trascendenza platonica e immanenza stoica erano esclusive l'una dell'altra). Ma c'è di più... Se i Padri hanno elaborato in maniera a volte molto approfondita il contenuto di ognuno di questi due termini, hanno sempre pensato che il loro stare insieme apparteneva all'ordine del mistero e dipendeva dalla conoscenza di fede» (M.-J. Rondeau, «Transcendence "grecque" et transcendence chrétienne», in *Les Quatre fleuves* 1 [1974], 55-56).

2. LA POLEMICA EBRAICA - Nella loro difesa della fede cristiana, gli Apo-

logeti hanno dovuto affrontare non soltanto le difficoltà provenienti dal mondo pagano, ma anche i problemi sollevati dagli ebrei. La questione centrale era quella dell'ermeneutica delle Scritture, o più esattamente della loro portata profetica. Israele è già teso «in avanti» verso un *télos*; aspetta. Ogni tappa della sua storia corrisponde in definitiva all'assunzione della promessa deposta nelle figure del passato. È essenziale alla *Tōrâh* rimandare, al di là *delle* leggi, a ciò che conferisce a queste il loro inestimabile valore. Allo stesso modo, la realtà non soltanto succederà alle figure, in tutte le forme di «sedimentazione» che queste hanno potuto assumere al ritmo degli «adesso» successivi della fede di Israele; essa verrà a compierle. «Ci accade di trovare Abramo carnale nelle sue aspirazioni a una terra fertile! Significa dimenticare che ciò che egli sosteneva era da una parte la Parola, con vigore (= la Promessa), e dall'altra la mancanza di terra, con pazienza. La debolezza carnale della rappresentazione è allora passata dalla parte del lettore che spesso trattiene molto forte la terra, e meno forte la Parola. Ciò a cui Abramo aspirava era una terra che fosse l'intera verità di questa Parola» (P. Beauchamp, *Le récit, la lettre et le corps*, Paris 1982, 49. È opportuno consultare anche altri due studi dello stesso autore: «L'interprétation figurative et ses présupposés», RSR 63 [1975], 299-312; *L'un et l'autre Testament*, Paris 1976). Questa è la teologia che il Nuovo Testamento presenta a sua volta in ogni pagina, trasfigurandola. Il kêrygma non si è limitato ad annunciare *dei fatti*; attribuiva a questi anche *un senso*. «Dio però ha adempiuto così ciò che aveva annunziato per bocca di tutti i profeti» (At 3,18). In un celebre studio, C.H. Dodd ha mostrato bene il metodo degli apostoli. Questo consisteva nel selezionare alcuni passi delle Scritture (specialmente dei profeti) considerandoli in un contesto ampliato. «Questo corpus − i passi dell'Antico Testamento e la loro applicazione agli avvenimenti del vangelo − è comune all'insieme del NT; in particolare ha costituito il punto di partenza delle costruzioni teologiche di Paolo, dell'epistola agli Ebrei e del quarto vangelo. Rappresenta l'infrastruttura di tutta la teologia cristiana e ne contiene già i principali temi regolatori». Si trattava di ben altro che di stabilire una corrispondenza del tutto materiale tra la predicazione e l'evento. Gli autori del NT interpretano e applicano le profezie dell'AT basandosi su una certa comprensione della storia che è, in sostanza, quella degli stessi profeti (C.H. Dodd, *Conformément aux Écritures*, Paris 1968, 126-128). La storia si svolge secondo l'«economia» dei disegni di Dio, di cui l'AT tracciava già le grandi linee, ma la cui piena comprensione poteva essere data solo «nella pienezza dei tempi». Così Cristo non è solo l'esegeta delle Scritture, ma ne è, propriamente parlando, l'esegesi (Gv 5,39; Lc 24,27).

Gli Apologeti quindi non portano alcuna innovazione spiegando sistematicamente l'AT con il Nuovo e viceversa. A questo proposito il *Dialogo con Trifone* offre anche una valida idea del tipo di polemica che opponeva ebrei e cristiani nel II secolo. Riflette molto bene l'esegesi delle scuole rabbiniche e alcuni argomenti che esse ne traevano; innanzitutto la natura sacra e immutabile della Legge, ma anche il carattere umano del messia, per quanto grande e glorioso egli dovesse essere. Si capisce che la conclusione di Trifone poteva sembrare loro decisiva: «Se abbandoni Dio per riporre la tua speranza nell'uomo, quale salvezza ti resterà?» (n. 8).

Ricordavamo che Giustino non condanna in blocco la cultura pagana: è stato anche ben attento a non opporre il Dio dell'AT al Dio del Nuovo, come stava per fare Marcione. Evita, allo stesso modo, un atteggiamento negativo nei confronti del giudaismo, come quello della *Lettera di Barnaba*. Altri dopo di lui, nello stesso spirito, parleranno della «sinfonia dei due Testamenti» (cfr. Ireneo e Origene). Resterà, senza dubbio, molto lavoro da fare dopo gli Apologeti, per affinare i metodi di analisi e definire meglio la novità trascendente del cristianesimo. Origene, in particolare, segnerà una tappa determinante dell'esegesi, mettendo in risalto i rapporti tra la storia e lo Spirito, nell'ambito dei molteplici sensi della Scrittura (cfr. H. de Lubac, *Histoire et Esprit*, Paris 1950). Ma influenzerà anche la teologia in maniera decisiva situando in un mirabile rapporto Parola e Mistero (cfr. H.U. von Balthasar, *Parole et Mystère chez Origène*, Paris 1957). Non si è ancora alla metà del II secolo, ma alcune vie sono già tracciate.

Bibl. - Per i TESTI consultare: C. Otto, *Corpus Apologetarum*, voll. I-IX, Jena 1847; J. Geffcken, *Zwei griechische Apologeten*, Ber-

lin 1907; E.J. Goodspeed, *Die ältesten Apologeten*, Göttingen 1914; G. Krüger, *Die Apologeten*, Freiburg i.Br., rist. 1968.
STUDI PRINCIPALI (oltre alle Patrologie e ai Dizionari): C. Andresen, «Justin und der mittlere Platonismus», in ZNTW 44 (1952-1953) 157-195; J.H. Waszink, «Der Platonismus und die altchristliche Gedankenwelt», in *Entretiens sur l'antiquité classique* 3 (1955) 137-174; J. Daniélou, *Message évangélique et culture hellénistique*, Tournai 1961; J.H. Waszink, «Bemerkungen zu Justins Lehre vom Logos spermatikos», in *Mullus. Festschrift Theodor Klauser*, Münster 1964, 380-390; P. Prigent, *Justin et l'Ancien Testament*, Paris 1964; C.H. Dodd, *Conformément aux Écritures*, Paris 1968; J.C.M. Van Winden, «Le Christianisme et la philosophie. Le commencement du dialogue entre la foi et la raison», in *Kyriakon. Festschrift Johannes Quasten*, Münster 1970, I, 205-213; M.-J. Rondeau, «Transcendance grecque et transcendance chrétienne», in *Les Quatre fleuves* 1 (1974) 41-56; G. Madec, «La christianisation de l'hellénisme. Thème de l'histoire de la philosophie patristique», in *Humanisme et foi chrétienne. Mélanges scientifiques du Centenaire de l'Institut Catholique de Paris*, Paris 1976, 399-406; art. «Platonisme des Pères», in *Catholicisme*: coll. 491-507; D. Bourgeois, *La sagesse des anciens dans le mystère du Verbe*. Évangile et philosophie chez saint Justin, philosophe et martyr, Paris 1981; H. Dörrie, «Die andere Theologie», in ThPh 56 (1981) 1-46.

GILLES PELLAND

APOLOGETICA

I. STORIA: 1. *Nuovo Testamento* - 2. *Età patristica* - 3. *Medioevo* - 4. *Dal XVI al XVIII secolo* - 5. *XIX secolo* - 6. *XX secolo* (A. Dulles) - II. NATURA E SCOPO: 1. *Definizione per via di negazione* - 2. *Natura dell'apologetica* - 3. *Il metodo dell'apologetica* (R. Latourelle).

I. Storia

1. NUOVO TESTAMENTO - I libri biblici, compreso il Nuovo Testamento, sono degli scritti a carattere pastorale diretti a comunità di fede. Nessuno di essi, così come si presentano, è primariamente apologetico. Anche se indirettamente il NT offre abbondanti spunti di come i primi cristiani, in dialogo con giudei e pagani, facevano una «difesa» (il significato originario di → *apologia*) ragio-

nata della speranza che era in loro (1 Pt 3,15). La prima predicazione cristiana, come risulta dagli Atti, cerca di dimostrare ai potenziali fedeli che Gesù, in quanto messia promesso, è morto ed è risuscitato secondo le Scritture. Gli apostoli, così come sono presentati nel NT, sottolineano il valore probatorio delle apparizioni del Cristo risorto e indicano nei doni della profezia e dei miracoli la prova che Cristo risorto, per adempiere alle profezie bibliche, ha inviato il suo

Spirito alla comunità dei cristiani (At 2,16-21; 1 Cor 14,25). In situazioni di persecuzione Stefano, Paolo e altri espongono i solidi fondamenti della fede ai loro persecutori dando così un esempio che dovranno poi seguire altri confessori e martiri.

Luca inizia il suo vangelo manifestando l'intenzione di rassicurare Teofilo sulla certezza degli insegnamenti che ha ricevuto (Lc 1,4). Tutti e quattro i vangeli raccontano la storia di Gesù in modo da ottenere la fede in lui in quanto messia. La discendenza davidica, il concepimento miracoloso, la stessa città natale, la fuga in Egitto, la predicazione e i miracoli, come pure i dettagli della passione e della risurrezione, sono tutti legati a testi dell'Antico Testamento interpretati profeticamente. L'autorità con cui Gesù aveva parlato e le opere meravigliose che aveva compiuto sono presentate come ragioni per riporre fede in lui.

Fra le lettere del NT quella scritta agli Ebrei è degna di nota per l'elaborata argomentazione secondo cui Cristo ha compiuto molto più di quanto abbiano operato − e per questo vengono venerati − Mosè, Aronne, altri sacerdoti e profeti e perfino gli angeli. La lettera è apologetica nella misura in cui si prefigge di impedire ai convertiti cristiani di ricadere nel giudaismo. Una simile intenzione è sottintesa nella seconda lettera di Pietro che contrappone la buona notizia alle «favole abilmente concepite» (2 Pt 1,16).

Si può quindi dire che il NT contiene numerosi echi dei primi scritti apologetici cristiani. Esso fornisce ai cristiani del materiale che li mette in grado di giustificare la loro fede e di difenderla contro gli avversari. In un certo senso il NT è concepito in modo da dare ai cristiani l'assicurazione che la loro fede ha fondamenti solidi.

2. ETÀ PATRISTICA - Nel secondo se-

colo, con i cosiddetti → apologeti, gli scritti apologetici divennero la forma principale di letteratura cristiana. Parte di questa letteratura era destinata a imperatori e autorità civili allo scopo di ottenerne la tolleranza verso i cristiani. Un'altra parte era diretta ai giudei o ai pagani nella speranza che abbandonassero i loro errori e un'altra ancora era destinata ai cristiani perché non vacillassero di fronte alle obiezioni e professassero coraggiosamente la loro fede. Le due apologie di Giustino, la *Legatio pro christianis* di Atenagora e l'anonima *Lettera a Diogneto*, sono tutti scritti in cui si sostiene che i cristiani non sono sleali nei confronti dello stato e che non hanno fatto nulla che meriti la morte. Nel suo *Dialogo con il giudeo Trifone*, Giustino offre un modello di franco dibattito su come la profezia biblica si adempia nel cristianesimo. Alla fine del secolo erano già state fissate molte delle forme standard dell'apologetica cristiana.

Nel terzo secolo, Tertulliano assolveva al compito di apologeta con brillante retorica. Nella *Apologia* e in *A Scapula* perora eloquentemente la causa della libertà religiosa e protesta contro le accuse false e assurde che vengono fatte ai cristiani. Scrisse anche apologie *Contro i giudei* e *Ai pagani*. Ad Alessandria Clemente compose una splendida esortazione alla conversione, il *Protrepticus*, in cui il cristianesimo viene presentato come la vera filosofia. Origene, che sostituì Clemente come capo della scuola catechetica di Alessandria, con il suo *Contra Celsum* fornì all'eclettico platonico Celso, che aveva sollevato un caso contro i cristiani, una risposta erudita, ben argomentata e assolutamente completa. Con Clemente e Origene gli scritti apologetici raggiunsero il livello della raffinatezza filosofica.

Nel quarto secolo Arnobio e Lattanzio, continuando la tradizione inaugurata da Minucio Felice nel terzo secolo, composero apologie per la fede indirizzate ai romani colti che potevano pensare alla conversione. All'est Eusebio di Cesarea nella *Preparazione al vangelo* risponde in modo civile ed erudito al neoplatonico Porfirio. Nella sua *Prova del vangelo* promuove una lettura cristologica delle scritture ebraiche. Sia lui che Atanasio, anche se differiscono nella loro posizione verso gli ariani, condividono l'esultanza comune per la sconfitta del paganesimo nell'impero.

Nel quinto secolo l'antiocheno Teodoreto di Cirro mise insieme una rispettabile *summa* degli argomenti standard contro il paganesimo, nella sua opera: *Graecorum affectionum curatio*, in cui vengono poste in rilievo le concordanze tra la filosofia platonica e la rivelazione biblica. In Occidente gli scritti apologetici raggiunsero un ulteriore livello di chiarezza con → Agostino di Ippona (354-430). Nei suoi primi dialoghi Agostino confuta lo scetticismo su un terreno puramente filosofico. Produsse poi diversi brevi scritti contro i manichei, comprese le pagine *De vera religione* e *De utilitate credendi*. Più tardi compose la sua opera monumentale, *De civitate Dei*, rispondendo alle accuse per cui il cristianesimo sarebbe stato responsabile della caduta dell'Impero Romano. Oltre a denunciare la fragilità della religione pagana, come avevano fatto anche altri, Agostino con questo lavoro getta le fondamenta di una teologia globale della storia. Per il suo acume filosofico, la sua forza letteraria e la sua eccezionale conoscenza del dinamismo dello spirito umano, Agostino è tra i più grandi apologeti di tutti i tempi. Il suo lavoro fu in un certo senso continuato dai discepoli Orosio e Salviano e, nel secolo sesto, dai papi Leone I e Gregorio I.

3. MEDIOEVO - A partire dal settimo secolo all'apologetica fu affidato anche il compito di rispondere ai mu-sulmani. Giovanni Damasceno e il suo discepolo Abu Qurrach scrissero dialoghi contenenti dibattiti religiosi tra cristiani e musulmani. Nell'Occidente latino vennero composti dialoghi fittizi tra cristiani ed ebrei (in taluni casi rifacentisi a reali dibattiti) da Isidoro di Siviglia (sec. VII), Pier Damiani (sec. XI), Gilberto Crispino (sec. XI), Ruperto di Deutz (sec. XII) e molti altri. Pietro il Venerabile (sec. XII) scrisse un trattato polemico, *Contro l'inveterata ostinazione dei giudei*, e un altro *Contro la setta o l'eresia dei saraceni*. In contrasto con questi scritti piuttosto violenti, Abelardo scrisse un *Dialogo tra un filosofo, un giudeo e un cristiano* che è veramente aperto e privo di polemica.

Nel secolo tredicesimo Tommaso d'Aquino dette un importante contributo allo sviluppo dell'apologetica con la sua *Summa contra gentiles*, conosciuta anche come *Sulla verità della fede cristiana contro gli errori dei non credenti*, lavoro forse concepito, almeno in parte, ad uso dei missionari cristiani in Spagna. Tommaso segna una chiara linea di demarcazione fra le verità religiose accessibili alla ragione sulla base dell'ordinaria esperienza, come l'esistenza di Dio e l'immortalità dell'anima, e altre verità, come la Trinità e l'incarnazione, che non si possono conoscere senza la rivelazione. Egli sostiene che la fede in queste verità non dimostrabili è garantita razionalmente dalla testimonianza di autorevoli maestri, la cui credibilità è autenticata dalle profezie e dai miracoli.

Dopo l'Aquinate nel tredicesimo secolo si occupano di scritti apologetici contro i saraceni e i giudei il domenicano Raimondo Martini e, al volgere del secolo, Raimondo Lullo e Ricoldo di Monte Croce. Lullo compose diversi interessanti dialoghi fra cristiani, ebrei e saraceni. Continuano la tradizione nel quindicesimo secolo Georgios di Trapezon, Juan de

Torquemada e Denis il Certosino, che scrissero tutti contro i musulmani. Il cardinale Nicolò Cusano, subito dopo la caduta di Costantinopoli, scrisse un dialogo singolarmente irenico *De pace seu concordantia fidei*, (1454), in cui è minimo l'elemento apologetico.

Fin dagli inizi del secolo XIV i seguaci di Scoto e di Occam sostennero che era possibile giungere a un saldo e pienamente garantito assenso di fede (*fides acquisita*) su base razionale soltanto. Enrico Totting di Oyta ed Enrico di Langenstein, seguendo Scoto, enumerarono con cura i segni estrinseci che secondo loro accreditano il cristianesimo.

Nel periodo rinascimentale Marsilio Ficino (1433-1499), fondatore dell'Accademia Platonica di Firenze, elaborò un'attraente sintesi della filosofia platonica e della fede cristiana. Nell'opera *Sulla religione cristiana* esalta questa religione che dice essere la più perfetta e difende l'immortalità dell'anima e la divinità di Cristo. Girolamo Savonarola, contemporaneo del Ficino, nel suo trattato apologetico *Il trionfo della croce* tratteggia in modo splendido la bellezza della passione di Cristo e descrive quella pace interiore che viene da un'incrollabile fedeltà alla confessione di Cristo.

4. DAL XVI AL XVIII SECOLO - I riformatori protestanti avevano atteggiamenti diversi nei confronti degli scritti apologetici. Lutero parla spesso come se la ragione fosse una guida priva di competenza in questioni spirituali e generasse solo dubbi se non si sottomette alla guida della rivelazione. Credeva che questa dovesse essere accettata solo sulla base della fede. Nonostante ciò Filippo Melantone, suo stretto compagno, almeno negli ultimi scritti, fa uso della ragione come preparazione alla fede. A partire dalla edizione del 1536 dei *Loci communes*, espone gli argomenti

tradizionali ricavandoli dall'antichità della rivelazione biblica, dall'eccellenza della dottrina cristiana, dalla perennità della chiesa e dalla testimonianza dei miracoli. Giovanni Calvino, nel suo *Istituzione della religione cristiana* (edizione finale, 1559), difende il carattere rivelato della sacra Scrittura sulla base di argomenti simili a quelli usati da Scoto e dai nominalisti del secolo XIV.

I cattolici del secolo XVI, pur impegnati in dispute polemiche con i protestanti, continuano a produrre scritti apologetici come *Sulla verità della fede cristiana* dell'umanista spagnolo Juan Luis Vives (opera postuma, 1543). Questo lavoro, che deve molto ad Agostino, all'Aquinate e alla successiva tradizione, pone in evidenza il bisogno della religione e le ragioni per cui si deve accettare la religione cristiana come il cammino indicato da Dio per raggiungere la salvezza. In una sezione conclusiva Vives tratta, in forma di dialogo, dei rapporti che interessano gli ebrei e i musulmani.

L'ugonotto Philippe du Plessis-Mornay nel suo trattato *Sulla verità della religione calvinista* (1581) fissa lo schema di fondo dell'apologetica calvinista. Questo lavoro, nella sua struttura generale, assomiglia molto a trattati cattolici come quello del Vives. Hugo Grotius, eminente apologeta calvinista olandese, elaborò un manuale chiaro e sistematico, *La verità della religione cristiana* (1621, revisione del 1627). Mosè Amyraut, che scrive in Francia qualche anno dopo Grotius, tratta in particolare il problema della indifferenza religiosa. Un altro pastore ugonotto, Jacques Abbadie, nel suo *Difesa della verità della religione cristiana* (1684; traduzione inglese 1694), si cimenta con i nuovi problemi sollevati dalla critica biblica di Spinoza e con le nuove teorie paleontologiche di La Peyrère.

I cattolici del secolo XVII tendevano ad accusare i protestanti di dare troppa importanza alla ragione e al giudizio personale. Pierre Charron, in risposta a un'opera polemica del du Plessis-Mornay, suggerisce un triplice modo di affrontare il problema, difendendo una dopo l'altra la validità della religione, quella del cristianesimo in particolare e infine quella del cattolicesimo in quanto autentica forma di cristianesimo (*Les trois verités...*, 1596). Pierre Charron cercava in tal modo di smascherare l'eccessiva sicurezza di sé manifestata dagli atei, dai non cristiani e dai protestanti che accusa di affermare di sapere più di quanto in realtà non sappiano su Dio e la religione. Blaise Pascal (1623-1662) nei suoi *Pensieri* mette in ridicolo le prove metafisiche dell'esistenza di Dio e preferisce attenersi a ciò che lui chiama le ragioni del cuore. Parlava della fede come di una scommessa in cui si corre il rischio calcolato che il messaggio sia vero. È ragionevole, così argomentava, obbedire all'inclinazione di credere se il nostro cuore è inclinato in questo senso.

Alcuni apologeti cattolici del secolo XVII, influenzati dal clima di razionalismo, dimostrarono audacia nelle loro apologie. Il gesuita spagnolo Miguel de Elizalde (1616-1678) e il suo discepolo Thyrsus Gonzáles si sforzarono di dare una dimostrazione quasi matematica al «fatto della rivelazione». L'autorevole predicatore di corte Jacques Benigne Bossuet (1627-1704) anche senza essere razionalista pareva essere singolarmente esente da dubbi. Nel suo *Discorso sulla storia universale* (1681) spiega ampiamente come la vera chiesa, sempre attaccata e mai vinta, sia «un perenne miracolo e una splendida testimonianza dell'immutabilità dei piani divini».

Come antidoto allo scetticismo il diplomatico inglese Edward Herbert di Cherbury (1583-1648) ideò il sistema conosciuto come deismo. In esso la ragione è ritenuta competente a pro-

vare ogni verità religiosa e tutto ciò che si asserisce essere rivelato deve essere convalidato dalla sua conformità con la ragione. John Locke nell'opera *La ragionevolezza del cristianesimo come viene presentato nelle Scritture* (1695), sostiene che il cristianesimo può esser qualificato come religione rivelata in quanto è confermato dai miracoli e dalle profezie e non contiene nulla che sia contrario alla ragione. Due dei suoi discepoli, John Toland e Matthew Tindal, andando oltre il maestro, negarono che la religione rivelata potesse essere qualcosa di più di una riedizione della religione naturale.

Un buon numero di apologeti anglicani presero le difese della religione rivelata. Samuel Clarke (1675-1729), difendendo strenuamente i diritti della teologia naturale, sostenne che il NT è in pieno accordo con la ragione. Joseph Butler, di mentalità più empirica, preferì evitare temi tratti dalla metafisica e dall'argomento *ex auctoritate*. Nell'opera *L'analogia della religione, naturale e rivelata* (1736) egli sostiene che la missione di Cristo e quella dello Spirito Santo, oltrepassando le verità della religione naturale, sono essenziali al cristianesimo e sono pienamente credibili. Butler ammetteva che gli argomenti in favore del cristianesimo fossero solo probabili se presi singolarmente, ma «prove probabili, quando si aggiungono l'una all'altra, non solo accrescono, ma moltiplicano l'evidenza». Affermava ancora che in quasi tutte le decisioni pratiche della vita ci lasciamo guidare da presupposti e probabilità. E perché non nella religione allora?

Verso la fine del secolo XVIII William Paley riassume in forma chiara e sistematica i principali argomenti della scuola probativa. La sua famosa opera *Un panorama delle evidenze del cristianesimo* (1794) raccoglie gli argomenti tipici contro lo scetticismo filosofico che mette in discussione la conoscibilità di Dio, contro il deismo che nega la rivelazione e contro lo scetticismo storico che non presta fede alle affermazioni della rivelazione biblica. Paley è oggi ricordato principalmente per il suo argomento tratto dalla tecnica in cui, come del resto altri prima di lui, paragonava Dio a un orologiaio.

Sul continente europeo l'ateismo divenne ancora più virulento con Pierre Bayle (1647-1706). In un discorso che fa da prefazione alla sua *Teodicea* (1710) Gottfried Wilhelm Leibniz (1646-1716) obietta a Bayle sostenendo che la fede concorda con la ragione e che il fenomeno del male non può essere un'obiezione contro l'esistenza di Dio il quale ha creato il migliore dei mondi possibili. In vena maggiormente scolastica il gesuita Vitus Pichler sostiene nella *Theologia polemica* (1713) che si può provare con la ragione la possibilità e la necessità della rivelazione. Altri apologeti tedeschi, sia protestanti che cattolici, presero parte al dibattito avviato dal deista Hermann Samuel Reimarus (1694-1768) il quale attaccava la storicità dei vangeli (→ Vangelo: storicità).

In Francia l'oratoriano Alexandre Houtteville cercò di dimostrare con il suo *La religione cristiana provata dai fatti* (1722) che i racconti evangelici dei miracoli sono degni di fede stando alle norme generali dell'evidenza storica. L'abate Nicolas Bergier in numerose risposte a Rousseau e ad altri deisti difese la storicità dei racconti dei miracoli contenuti nel NT sulla stessa linea di Houtteville. Voltaire ebbe contro di sé numerosi critici cattolici tra cui Claude Nonnotte e Antoine Guénée.

Luke Joseph Hooke, professore alla Sorbona, unisce il modo piuttosto razionalista di affrontare il problema, proprio di Clarke e di Pichler, a quello più storico di Houtteville. Il suo *Religionis naturalis et revelatae principia* (1752-1754) usa il metodo del-

l'approccio graduale, difendendo prima le verità della teologia naturale, poi la possibilità e la necessità della rivelazione e infine il fatto della rivelazione. Questo modo generale di affrontare il problema che viene sviluppato in molte opere standard di questo periodo (per es. quelle di Benedikt Stattler, Ignaz Neubauer ed Engelbert Klüpfel) fu adottato in maniera estremamente elaborata dal domenicano italiano Pietro Maria Gazzaniga nella sua opera in nove volumi *Praelectiones theologicae* (1788-1793). Per mostrare la necessità della rivelazione, Gazzaniga sottolinea la debolezza della ragione umana, che tuttavia giudica competente a stabilire criteri di discernimento dell'autentica rivelazione. Per Gazzaniga il miracolo supremo è la risurrezione di Cristo.

5. XIX SECOLO - Alla fine del secolo diciottesimo si verificò una reazione contro l'arido razionalismo dell'Illuminismo. In Germania Friedrich Schleiermacher (1768-1834) introdusse uno stile apologetico nuovo che cercava non di difendere i dogmi dell'ortodossia tradizionale, ma di trovare uno sbocco all'istinto religioso che dà origine alla fede. Nelle sue lezioni *Sulla religione* (1799) Schleiermacher attaccò la passione per il calcolo e la deduzione che tendevano a indebolire il senso e il gusto dell'infinito. Nella sua sintesi dogmatica, *La fede cristiana* (1821-1822), difese il cristianesimo come la forma più alta di monoteismo e il monoteismo come la forma più alta di religione. Sosteneva che il potere di Dio di redimere in Cristo è in se stesso probante per quanti ne fanno esperienza.

Nel cattolicesimo francese il revival romantico è caratterizzato, tra l'altro, dall'apologetica di François René de Chateaubriand (1768-1848). *Il genio del cristianesimo, ossia le bellezze della religione cristiana* (Paris, 1802) conquistò d'un colpo il mondo letterario. Agli inizi del secolo XIX tradizionalisti francesi come Joseph de Maistre e Louis de Bonald difesero la chiesa cattolica come il canale per cui viene meglio trasmessa la tradizione divina. Credettero che il papato fosse essenziale per difendersi dall'anarchia religiosa, come la monarchia lo era per impedire la disintegrazione civile. Felicité de Lamennais scrisse un'opera in quattro volumi, *Trattato dell'indifferenza in questioni religiose* (1817-1823) in cui sostiene che è vera religione quella che riposa sulla più alta autorità religiosa, vale a dire l'autorità infallibile del papa. L'abate Louis Bautain, che aveva legami con i tradizionalisti, sosteneva che la sola via efficace alla fede passa per una fase in cui, sulla parola di testimoni umani, uno accetta ipoteticamente la verità della rivelazione. Solo con questo atteggiamento di accettazione uno riesce ad avere la luce necessaria per discernere, con la fede, la verità del messaggio cristiano (*La filosofia del cristianesimo*, 1835).

Verso la metà del secolo XIX la Spagna produsse due distinti apologeti cattolici. Jaime Balmes sostenne che la sottomissione all'autorità religiosa è condizione necessaria per la libertà e il progresso sociale. Juan Donoso Cortes da parte sua asserì che deificando il principio dell'autorità la chiesa cattolica ha condannato le forze della superbia e della ribellione.

La restaurazione cattolica in Germania ebbe in Bruno Liebermann (1759-1844) un abile campione; la sua opera in cinque volumi *Institutiones Theologicae* (1819-1827) continuava l'apologetica antideistica dei suoi maestri scolastici. Più realistico fu il modo con cui Georg Hermes (1775-1831) affrontò il problema. Influenzato da Kant sostenne che con la ragione pratica si può stabilire l'essenzialità dell'accettazione della fede cristiana per l'osservanza dell'ovvio imperativo morale di rispettare la dignità di ogni persona umana. Dopo la sua morte alcuni dei libri di Hermes furono messi all'indice perché non erano conformi alla dottrina romana sulla fede. Johann Sebastian → Drey (1777-1853), fondatore della scuola cattolica di Tübingen, scrisse un'opera in tre volumi, *L'apologetica come dimostrazione scientifica della divinità del cristianesimo* (1847). Influenzato da Schleiermacher e da Schelling, Drey pose l'accento sul carattere storico e sociale della rivelazione.

La scuola romana, sotto la guida di Giovanni Perrone (1794-1876), tramandò quello stile generale di apologetica che si trova in Liebermann. Nel suo *Praelectiones dogmaticae* Perrone, tralasciando il trattato tipo sull'importanza della religione in generale, mise a fuoco in particolare la religione rivelata. Perrone si muove in modo logico dalla possibilità della rivelazione, alla sua necessità, ai criteri e infine alla realtà della rivelazione. In altri lavori risponde a critici razionalisti dei vangeli come H.E.G. Paulus, D.F. Strauss ed E. Renan.

In Inghilterra il principale apologeta cattolico fu il convertito → John Henry Newman (1801-1890). Fondandosi sul lavoro di Joseph Butler indagò a fondo sulle probabilità e sulle supposizioni che precedono e accompagnano il viaggio personale verso la fede. Nella sua *Grammatica dell'assenso* concludeva che il cristianesimo è l'unica religione del mondo che riesce a rispondere «alle aspirazioni, ai bisogni, ai primi bagliori della fede e della devozione naturali». Nel capitolo conclusivo di questo lavoro e nella *Apologia pro vita sua*, Newman produce un impressionante argomento storico in favore della verità del cristianesimo che si fonda su una vasta convergenza di probabilità.

Negli Stati Uniti due eminenti convertiti dal protestantesimo, Orestes Brownson (1803-1876) e Isaac Hecker (1819-1888), dettero nuova vita all'apologetica. Brownson spiegò come fosse stato condotto alla chiesa dagli scritti dei socialisti utopici francesi. Hecker, più consapevolmente americano, lodò il cristianesimo cattolico in quanto religione che si armonizza meglio con il rispetto nazionale della ragione, della libertà, della dignità umana, dell'uguaglianza e del progresso. Poco tempo dopo il cardinale James Gibbons scrisse il popolarissimo libro *La fede dei nostri padri* che all'abile risposta alle comuni obiezioni protestanti univa il sostegno entusiastico all'idea di separazione tra chiesa e stato. Gli scritti dell'arcivescovo John Ireland (1838-1918) mostrano progressismo ottimistico e fiducia nel destino dell'America.

In reazione al tipo di apologetica contenuta nei manuali per gli studi seminaristici, il belga Victor Dechamps (1810-1883), che più tardi diverrà cardinale, sostenne il cosiddetto «metodo della Provvidenza» che faceva assegnamento sulla correlazione di due fatti: il fatto interiore del bisogno della luce divina e il fatto esteriore della chiesa in quanto «miracolo vivente». Dechamps sosteneva che la corrispondenza fra i due fatti permette di riconoscere nella cristianità cattolica uno strumento provvidenziale di grazia e di salvezza.

Il concilio → Vaticano I nella costituzione dogmatica sulla fede cattolica (1870) insegna che l'assenso alla rivelazione cristiana ha una garanzia razionale che si fonda su argomenti estrinseci. Il concilio dà l'impressione di sostenere due diversi stili di apologetica: uno biblico e storico, sulla linea di Perrone, e l'altro empirico ed ecclesiale, sulla linea di Dechamps. Nell'ultima parte del secolo XIX teologi come Franz Hettinger (1813-1890) continuano con l'apologetica manualistica mettendo un forte accento sui segni estrinseci di credibilità e sull'autorità. In Francia Paul de Broglie (1834-1895) sostenne la trascendenza

del cristianesimo in rapporto alle altre religioni. In Germania Albert Maria Weiss (1844-1925) difese il cattolicesimo in quanto religione di progresso sociale.

L'apologetica protestante dopo Schleiermacher si sviluppò con elementi diversi. Pietisti come August Tholuck (1799-1877) si basarono sull'esperienza gioiosa della rigenerazione in Cristo e sulla chiarezza della nuova vita conferita dallo Spirito Santo. Georg F.W.Hegel (1770-1831) e i suoi seguaci ortodossi cercarono di mostrare la conformità del dogma cristiano con la dialettica storica dell'evoluzione del mondo. In Danimarca Søren Kierkegaard (1813-1855) attaccò l'hegelismo in quanto distorsione del cristianesimo. Negando che il cristianesimo possa essere reso razionalmente plausibile, sosteneva che il paradosso dell'incarnazione, che esige un assoluto atto di fede, appaga la sublime passione della ragione di sottomettersi a un oggetto totalmente trascendente. Neokantiani come Albrecht Ritschl (1822-1899), Wilhelm Herrmann (1846-1922) e Julius Kaftan (1848-1926) si sforzarono di mostrare i benefìci pratici della fede cristiana. Adolf von Harnack (1851-1930) ricorse a uno studio critico dei vangeli per dimostrare che la predicazione originaria di Gesù era centrata sulla «più alta virtù» dell'amore, una dottrina che si raccomanda da se stessa per la sua semplicità e la sua elevatezza.

In Inghilterra Samuel Taylor Coleridge (1772-1834) e il suo amico Frederick Denison Maurice (1805-1872), respingendo il metodo di Paley e degli evidenzialisti, proponevano un tipo di apologetica più personale e più emotiva. Quando poi la critica biblica e l'evoluzionismo biologico furono più ampiamente riconosciuti, gli apologeti protestanti di lingua inglese si divisero in due scuole principali. I conservatori come Benjamin B. Warfield (1851-1921) del seminario teologico di Princeton respinsero le nuove tendenze mentre i liberali, come il vescovo anglicano Charles Gore (1853-1932), sostennero che la chiesa avrebbe dovuto accogliere favorevolmente i progressi della scienza.

6. XX SECOLO - Alla fine del secolo diciannovesimo il laico cattolico → Maurice Blondel (1861-1949) cercò di ricostruire la metafisica a partire da uno studio del dinamismo della volontà umana (*Action*, 1893). Blondel sosteneva che questo dinamismo può essere soddisfatto solo da un dono soprannaturale di comunione con Dio. L'apologetica perciò deve dimostrare che il cristianesimo soddisfa il desiderio del soprannaturale che è inerente alla natura così come esiste concretamente. In vari articoli Blondel propose un «metodo di immanenza» (→ Immanenza) che in qualche modo era formulato sull'analisi del «fatto interiore» di Deschamps. L'enciclica *Pascendi* (1907), diretta contro il modernismo cattolico, sembrò condannare il metodo dell'immanenza e rese difficile per Blondel e i suoi discepoli continuare a propugnare le loro idee.

La teoria dell'apologetica venne dibattuta nei circoli scolastici da teologi francesi come i domenicani Ambroise Gardeil (1859-1931) e Reginald Garrigou-Lagrange e i gesuiti J.V. Bainvel e H.Pinard de la Boullaye. Il gesuita Léonce de Grandmaison compose un lavoro in tre volumi, *Gesù Cristo: la sua persona, il suo messaggio e le sue credenziali* (1928), che servì per diversi decenni come tipica risposta alla critica biblica radicale. In Germania Karl Adam scrisse a favore del cristianesimo cattolico opere apologetiche che alla fenomenologia moderna uniscono un forte senso di solidarietà comunitaria. Adam sviluppò deliberatamente la sua apologetica da una posizione interna all'impegno di fede.

Gli Anni Trenta e Quaranta videro un gran numero di storie di conversioni di orientamento apologetico, di cui *La montagna dalle sette balze* (1948) di Thomas Merton è probabilmente la più conosciuta. I filosofi tomisti francesi Jacques Maritain ed Etienne Gilson divulgarono il concetto di una → filosofia cristiana che opera in un contesto di fede. Il gesuita paleontologo → Teilhard de Chardin (1881-1955), facendo propria una visione evoluzionista del mondo, cercò di arrivare a una sintesi tra scienza e fede. La fede, per lui, promuove il progresso umano. Maritain e Gilson, tra gli altri, denunciarono il pensiero di Teilhard come nuovo agnosticismo.

Nella più recente teologia calvinista del secolo XX si può vedere una tendenza conservatrice in continuità con Benjamin Warfield e la scuola di Princeton che è molto sospettosa della moderna critica biblica. Carl. F.H. Henry, Gordon H. Clark, Bernard Ramm e altri, appartenenti a questa scuola, insistono fortemente sui preamboli razionali della fede. Nei circoli neoortodossi → Karl Barth (1886-1968) e → Rudolf Bultmann (1884-1976) ripudiarono l'apologetica in quanto capitolazione della fede di fronte alla ragione umana, mentre Emil Brunner (1889-1966) la difese con la motivazione che essa è in grado di smascherare la comprensione che la ragione ha di sé. → Paul Tillich (1886-1965), in risposta a Barth, sostenne che l'apologetica è una caratteristica onnipresente della teologia sistematica, che ha il compito di presentare il messaggio cristiano come risposta soddisfacente alle domande esistenziali degli uomini.

L'anglicanesimo produsse un gruppo di abili apologeti laici, come C.S.Lewis (1898-1963), che misero i loro talenti letterari al servizio della fede cristiana. Altri anglicani, come Alan Richardson, svilupparono un metodo storico di lettura della bibbia sensibile alle moderne scoperte critiche e alla complessità del metodo storico.

Nel periodo che segue la seconda guerra mondiale ci fu un movimento, specie nei circoli protestanti, verso una teologia della secolarizzazione. Dietrich Bonhoeffer (1906-1945) in alcuni scritti postumi, Friedrich Gogarten (1887-1967) e altri sostennero che il monoteismo biblico, desacralizzando il mondo, aveva promosso il processo di secolarizzazione ed era così in armonia con la civiltà moderna. Altri protestanti di lingua tedesca, come Gerhard Ebeling e i cosiddetti postbultmanniani, rinnovarono in forma leggermente diversa lo sforzo dei liberali protestanti di trovare nel Gesù della storia la norma della fede cristiana. Wolfhart Pannenberg e il suo circolo insistono, come avevano fatto alcuni hegeliani del secolo XIX, che la verità del cristianesimo deve essere in accordo con le esigenze della ragione umana universale. Vi sono tuttavia fideisti protestanti e cattolici che considerano la fede come una decisione del tutto privata dipendente da sentimenti interiori attribuiti allo Spirito Santo. Così lo stato dell'apologetica è strettamente legato al modo con cui in un dato sistema vengono intesi i rapporti tra fede e ragione.

Nella teologia cattolica dopo il 1940 ci fu una rinascita dell'apologetica interiore, caratteristica di Blondel, dell'opera di Henri Bouillard e di quella di → Karl Rahner (1904-1984). L'appello di Rahner all'«esistenziale soprannaturale» e la sua ipotesi di «cristianesimo anonimo» (→ Cristiani anonimi) hanno una certa affinità con il metodo dell'immanenza adottato da Blondel, anche se Rahner non condivide il volontarismo di Blondel. Hans Urs von Balthasar (1905-1988) si oppone alla teologia trascendentale di Rahner in quanto eccessivamente antropocentrica. In dialogo con Barth si sforzò di costruire una «teologia estetica» che conservasse l'obiettività e la trascendenza del dato rivelato. Edward Schillebeeckx (1914-) e Johann Baptist Metz (1928-) hanno sviluppato una controparte cattolica della teologia protestante della secolarizzazione.

Sebbene l'apologetica sia stata praticata sin dalle origini del cristianesimo e anche prima nel giudaismo, continua ad avere in certi ambienti una dubbia reputazione. Il giudizio negativo dipende non solo dagli eccessi del fideismo ma, in buona parte, dai limiti dell'apologetica dominante dal secolo XIV fino alla metà del secolo XX. Anche se pensatori eminenti come Pascal, Kierkegaard, Newman e Blondel hanno opposto resistenza al razionalismo apologetico, molti apologeti hanno sopravvalutato la capacità della semplice ragione nel dimostrare il fatto della rivelazione cristiana. Nella teologia contemporanea l'apologetica è sempre più considerata come un'articolazione dell'intelligibilità che è inerente alla fede e per questo inseparabile da una buona teologia. L'intelligibilità in questione non è quella della pura ragione deduttiva, ma quella di uomini e donne reali, portati a peccare, ma spinti dalla grazia e attratti verso quel Dio che è vagamente avvertito nel desiderio che egli imprime nel cuore umano.

Bibl. - K. Werner, *Geschichte der apologetischen und polemischen Literatur der christlichen Theologie*, voll. I-V, Schaffhausen 1861-1867; O. Zöckler, *Geschichte der Apologie des Christentums*, Gütersloh 1907; R. Aigrin, «Histoire de l'apologétique», in M. Brillant e M. Nedoncelle (edd.), *Apologétique* (prima ed., Paris 1937) 950-1029; A. Dulles, *A History of Apologetics*, London, Philadelphia, New York 1971; F.I. Niemann, *Jesus als Glaubensgrund in der Fundamentaltheologie der Neuzeit*, Innsbruck 1983; G. Heinz, *Divinam christianae religionis originem probare*, Mainz 1984; G. Ruggieri (ed.), *Enciclopedia di Teologia Fondamentale*, I, Genova 1987.

AVERY DULLES

II. Natura e scopo

L'apologetica classica, tradizionale, che è invalsa nell'arco degli ultimi tre secoli, non risponde che a una parte della teologia fondamentale attuale, che assume, anche se ampliandolo, il progetto dell'apologetica classica. Essa rappresenta quella parte della teologia fondamentale (TF) che studia il fatto della rivelazione e l'insieme dei segni che permettono di affermarne l'esistenza.

L'apologetica classica non studiava la rivelazione come mistero, ritenendo che questa riflessione fosse di competenza della dogmatica. Essa mutuava da questa le proprie nozioni di base (rivelazione, tradizione, mistero, miracolo, ecc.) e si atteneva all'evento, al fatto. Questo aspetto apologetico non ha perduto niente della sua validità, ma ormai viene integrato in una visione più ampia, quella cioè della rivelazione nella sua totalità di mistero, di evento, di categoria teologica.

Nel presente articolo studieremo l'apologetica così come è stata intesa e praticata, fino al 1950, dai suoi migliori rappresentanti, prima di diventare la TF sanzionata dal documento *Sapientia christiana* del 29 aprile 1979.

1. DEFINIZIONE PER VIA DI NEGAZIONE - Prima di spiegare il progetto e la natura dell'apologetica, non sarà inutile caratterizzarla per via di negazione.

a. L'apologetica *non è un'arte della conversione* - Gran parte delle ambiguità che incombono sull'apologetica derivano dalla persuasione, più o meno confessata, che lo scopo dell'apologetica è quello di «convertire». Ora, siccome migliaia di lettori hanno letto e richiuso opere di apologetica senza essersi convertiti, si ha buon gioco per tacciare questa scienza di infedeltà al suo compito.

È importante, perciò, distinguere l'apologetica come *arte* e l'apologetica come *scienza*. Esiste una *pastorale* della conversione. Questa pastorale, che viene praticata dai missionari e dai centri che si dedicano ai problemi della conversione, consiste nel presentare, a un individuo o a un gruppo, il complesso della dottrina cristiana e nell'invitarli alla fede. Questa pastorale assume delle forme estremamente diversificate, tanto diverse, per la verità, quanto diversi sono gli stessi individui. Nella chiesa è necessaria una pastorale della conversione; essa è anche suscettibile di una certa organizzazione in forma scientifica, ma non è affatto ciò che noi chiamiamo teologia apologetica. Questa è una scienza in senso proprio, dotata di un suo oggetto, di una sua finalità, di un suo metodo. La dimostrazione apologetica sviluppa un procedimento razionale e giunge a una certezza di ordine razionale. Come tale essa non tende alla fede. Mentre l'apologetica è una scienza, la fede è un atto religioso e salvifico, una adesione personale e totale a Dio e alla sua parola. Mentre il giudizio apologetico è di ordine speculativo e scientifico, l'assenso di fede è nell'ordine esistenziale e il frutto congiunto della libertà e della grazia. Sul sentiero della conversione, è possibile che la manifestazione del cristianesimo come *valore* − come può rivelarsi nell'incontro con una santità autentica − eserciti più attrazione che non la dimostrazione esauriente ed erudita dell'apologetica più rigorosa.

b. L'apologetica *non è un sistema di difesa contro gli avversari*, benché le sue origini possano far supporre il contrario (lotta contro i giudei e gli gnostici). Per secoli l'apologetica ha speso le sue forze migliori nell'organizzazione delle crociate. Per somma fortuna essa ha perduto questo tono polemico e tagliente che l'ha discreditata. L'apologetica è prima di tutto una *scienza positiva*, che dovrebbe esistere, anche se non ci fosse alcun avversario da combattere. D'altronde, gli studenti attuali, che vivono in un clima di ecumenismo, non possono più sopportare un tipo di apologetica irta di punte e bardata di ferro. È indubbiamente significativo del cambiamento che si è operato negli spiriti, il fatto che studenti ortodossi, protestanti e musulmani, possano assistere ai corsi di apologetica tenuti nelle università cattoliche senza risentirne alcun fastidio.

c. L'apologetica non è *un semplice trattato filosofico-storico*, come alcuni – per esempio Dieckmann – hanno creduto. Per il fatto che l'apologetica si serve della storia e della filosofia, non ne segue che essa esuli dalla teologia. L'apologetica è un'autentica teologia che resta nell'ambito della fede; essa, per il credente, rappresenta ancora la ricerca di comprensione del dato rivelato da parte dell'intelligenza dell'uomo. Che in questo studio – a motivo dell'obiettivo che si propone – ci si debba servire dei dati della storia, della filologia e della filosofia, nulla toglie al suo *intento essenziale*, che è quello di comprendere il dato rivelato: come fatto storico, nell'apologetica; come mistero invece, in dogmatica. Per un'errata concezione del lavoro teologico si è accentuata in modo eccessivo la distinzione tra apologetica e dogmatica, che sono fatte, invece, per completarsi e vivificarsi, poiché la realtà che studiano è contemporaneamente evento e mistero.

d. L'apologetica *non è filosofia della religione* - L'intento essenziale della filosofia della religione (→ Religione: filosofia) è quello del filosofo, non del credente. Essa non s'interessa del mistero come oggetto di fede (dogmatica), né come degno di fede (apologetica), ma studia la religione in quanto attività dell'uomo e in quanto attività consapevole. Essa studia i fenomeni che scatenano il fatto religioso, le categorie che la religione mette in gioco. Per la filosofia della

religione, la rivelazione è soltanto un criterio negativo. L'apologetica, al contrario, opera sempre sotto la direzione della chiesa e sotto lo stimolo della fede che cerca di comprendere se stessa. Come dice Y. Congar, la filosofia della religione studia l'atto religioso, la fede cristiana, ma *dal basso*: «Il suo ambito operativo e il suo metodo le impediscono di dare una valutazione definitiva sul complesso sia delle condizioni esistenziali della fede, che del suo oggetto. Questa valutazione appartiene alla teologia» (Y. Congar, *La foi et la théologie*, Bruges-Paris 1962, 190).

2. NATURA DELL'APOLOGETICA - Dopo questa puntualizzazione d'ordine negativo, diciamo ciò che positivamente s'intende per apologetica.

a. I teologi riconoscono, generalmente, che l'apologetica è una *vera teologia*. Dell'*habitus* teologico, essa ritiene la tensione alla intelligenza del dato rivelato. Si impegna alla comprensione di questo dato in quanto *rivelato* e quindi, di conseguenza, in quanto *degno di fede*. Ossia, in altre parole, cerca di dimostrare la correttezza umana dell'opzione di fede che sta alla base di tutta la teologia cristiana. Infatti, se la fede è un atto libero e ragionevole, la ragione deve poter mostrare che non ci si impegna senza motivo. Si tratta di uno studio di tipo introduttivo, che in teologia è analogo a quello che in filosofia sono l'ontologia e la critica.

b. Per indicare lo scopo primario dell'apologetica gli autori si servono di formule diverse, ma sostanzialmente identiche. Se si considera l'apologetica dal punto di vista della *rivelazione*, si dirà che essa è la scienza della credibilità della rivelazione. Essa cerca di stabilire: in modo *metodico* (in conformità alle esigenze della scienza), con un discorso valido *speculativamente* (che risponde non soltanto alle esigenze della vita pratica, ma anche a quelle del senso critico), valido *universalmente* (a motivo del valore oggettivo degli argomenti, e non soltanto per via dell'autorità di colui che parla, o della docilità di chi ascolta), che la religione cristiana merita di essere creduta, essendo di origine divina. In altri termini, essa è l'esposizione scientifica dei segni che attestano il fatto della rivelazione e quindi che confermano la credibilità della religione cristiana. Se si considera l'apologetica dal punto di vista della *fede*, si dirà che essa si applica a «esporre, con un discorso valido agli occhi del non credente, quelli che il credente ritiene siano i fondamenti razionali della decisione di fede» (H. Bouillard).

c. L'apologetica si deve preoccupare non soltanto dell'*oggetto* da studiare (testimonianza di Cristo, segni della sua missione, progetto ecclesiale), ma anche del *soggetto umano* al quale la rivelazione e i segni della rivelazione sono destinati (→ Teologia fondamentale, II). Per *soggetto umano* intendiamo l'uomo con le sue aspirazioni, inclinazioni e profonde indigenze, così come le hanno descritte, per esempio, → Pascal e → Blondel. Se l'apologetica trascurasse il soggetto umano, essa cadrebbe, ben presto, in un estrinsecismo piuttosto arido. Se, d'altronde, essa ignorasse l'intervento divino e pretendesse limitarsi al soggetto, non farebbe altro che dissolversi in un linguaggio privo di senso. Dunque, l'apologetica oggettiva e soggettiva, non sono due espedienti diversi tesi a provocare la conversione, né due metodi che si succedono nel tempo, ma due aspetti di un'apologetica integrale. In questa prospettiva, l'attenzione data alla soggettività non è semplicemente parallela alla dimostrazione, quanto piuttosto coestensiva alla dimostrazione globale, intervenendo nella struttura di ciascuno degli argomenti. Essa è particolarmente importante in due momenti privilegiati: all'inizio e nel corso della trattazione. Al-

l'inizio, per dimostrare che l'uomo – se pone attenzione alle esigenze del suo mondo interiore – non può rifiutare di aprirsi almeno all'ipotesi di un compimento che può venirgli da Dio come dono, e studiare le condizioni per l'accoglienza di una eventuale Parola di Dio che gli indicasse il senso di questo dono e di questo compimento. Nel corso della trattazione dei segni della rivelazione, la considerazione del soggetto interviene ancora per dimostrare che la decifrazione concreta dei segni (→ Semeiologia: segno) non potrebbe farsi senza un certo numero di disposizioni, mancando le quali, i segni resterebbero degli enigmi, dei fenomeni non soltanto aberranti, ma persino irritanti. In tal modo, l'apologetica vera sta a mezza strada tra una pura apologetica dell'oggetto e una apologetica pastorale, la cui preoccupazione immediata è la conversione.

d. La riflessione apologetica sul *fatto* della rivelazione è una funzione *ecclesiale*: si tratta della funzione per cui la chiesa prende coscienza, per se stessa e per quanti la interrogano, della correttezza umana dell'impegno di fede. Se la chiesa smettesse di riflettere sull'intervento di Dio nella storia e sui segni di questo intervento, alla fine si troverebbe esposta al pericolo del fideismo: presa nell'avventura della fede, essa non saprebbe più perché, né in che modo vi si è impegnata. Questa riflessione serve prima di tutto per i propri figli, che essa intende confermare nella fede, come fece Luca quando scrisse a Teofilo per rassicurarlo sulla solidità degli insegnamenti ricevuti (Lc 1,1-4). Soprattutto ai nostri tempi la chiesa deve aiutare il cristiano a prendere posizione nei confronti dell'ateismo, delle religioni non cristiane e delle sètte che costantemente si moltiplicano. Questa riflessione appartiene anche alla funzione *missionaria* della chiesa, perché a quanti si accostano alla fede, essa deve, normalmente, poter

presentare, non soltanto l'insegnamento di Cristo, ma anche i segni che
lo fanno riconoscere come messia e
figlio del Padre. Essa deve poter affrontare il non credente e fargli un
discorso che sia valido anche ai suoi
occhi. Cosa tanto più urgente, perché spesso l'ignoranza degli stessi cristiani è abissale.

e. La dimostrazione apologetica arriva a un grado di certezza assai elevato, alla stessa stregua delle certezze raggiunte dalle scienze umane;
questa certezza, tuttavia, rimane nel-
l'orizzonte di una certezza *morale*. La
dimostrazione apologetica, infatti, si
basa su dei *segni*, vale a dire delle
realtà singolari e contingenti, che essa apprende solo per mezzo di una
testimonianza umana, attraverso documenti, la cui valutazione critica resta difficile. A questo carattere *mediato* di una dimostrazione fatta per
mezzo di segni e di documenti storici, si aggiunge quello di una conclusione ottenuta per via di *convergenza*: la convergenza degli indizi dell'intervento di Dio nella storia umana.
Esiste una certezza propria della matematica, della metafisica, della psicologia, della percezione sensibile nelle sfere loro proprie. Allorché si tratta
di segni e di testimonianze storiche,
ci si muove sul piano della storia, della psicologia, del sensibile concreto.
Le certezze che si ottengono sono
quindi morali.

f. La scienza apologetica, nella sua
globalità, è qualcosa che la chiesa
possiede in modo collettivo, in quanto corpo sociale. Proprio come un
medico non è in grado di possedere
da solo la scienza medica nella sua
totalità, così, nessun cristiano, nessun teologo, potrebbe da solo esaurire l'intelligibilità di tutti e singoli
i segni della rivelazione cristiana. In
effetti, la scienza apologetica suppone, tra le altre cose, la conoscenza
approfondita della Scrittura, della
Tradizione, della storia d'Israele, del-

la storia delle religioni, delle scienze
del linguaggio, ecc. Come avviene per
le scienze umane, il possesso della
scienza apologetica è un fatto *ecclesiale*. E i fedeli, in gradi diversi, secondo l'intelligenza, la cultura e la
grazia di ognuno, partecipano alla
scienza della chiesa. Questa partecipazione alla scienza e alla certezza
collettiva è importante, soprattutto
quando si tratta di segni ricchi di contenuto (per esempio, i segni tratti dal-
l'adempimento delle promesse messianiche), ma molto complessi e, quindi, di difficile interpretazione. Molti sono, tuttavia, i cristiani che possono conseguire una conoscenza dei
titoli del cristianesimo alla credibilità che costituisce un discorso coerente e valido anche per il non credente.

3. IL METODO DELL'APOLOGETICA -
La riflessione apologetica ha per oggetto i fatti primari e fondamentali
del cristianesimo, vale a dire il fatto
della rivelazione e quello del progetto ecclesiale di Gesù. Essa non potrebbe quindi far forza, nella sua dimostrazione, né sul carattere ispirato della Scrittura, né sul carattere divino della chiesa, dato che sono
proprio queste qualifiche ad essere in
causa. Essa rinuncia a far uso di qualunque affermazione di fede nella trama della sua argomentazione e fa di
tutto per impostare un discorso che
abbia senso e valore anche agli occhi
del non credente. I testi della chiesa
sono da essa considerati come documenti storici, il cui valore va stabilito sulla base delle esigenze della critica storica e dei criteri da essa riconosciuti. Così, anche gli argomenti
che essa desume dalla filosofia devono imporsi alla luce della ragione critica, sulla base del loro valore intrinseco, non a motivo dell'autorità della chiesa. Il suo discorso di carattere
storico o filosofico deve avere in se
stesso la propria giustificazione razionale. Non si tratta, per il teologo, di

sospendere la propria fede, ma di adattare il suo procedimento al fine che si prefigge, quello cioè di stabilire criticamente che Dio, in Gesù Cristo, è intervenuto nella storia, e mostrare che esistono dei segni storicamente validi di questa irruzione. Poiché questa riflessione critica è quella di un teologo credente, essa nasce dalla provocazione della fede che tenta di comprendere questa novità sconvolgente.

Bibl. - L'elenco delle pubblicazioni, volutamente breve, si limita strettamente alla disciplina teologica che era designata, fino al 1950, con il termine «apologetica». In seguito la teologia fondamentale ha preso il posto dell'antica apologetica, con una concezione più vasta. Riserviamo agli articoli che trattano specificamente di teologia fondamentale la bibliografia concernente l'apologetica «in via di rinnovamento».
J.H. Crehan, «Apologetics», in *A Catholic Dictionary of Theology*, I, 113-122; A. Lais, «Apologetik», in LThK, 723-731; X.-M. Le Bachelet, «Apologétique», in DAFC I, 189-251; L. Maisonneuve, «Apologétique», in DThC, I, 2 (1923) 1511-1580; H. de Lubac, «Apologétique et théologie», in NRTh 57 (1930) 361-378; J.-B. Metz, «Apologetik», in SM, 266-276; H. Straubinger, «Die Apologetik als theologische Disziplin», in ThQ 121 (1940) 14-25; D.J. Saunders, «A definition of Scientific Apologetics» in ThS 5 (1944) 159-183; A. de Bovis, *Bulletin d'Apologétique*, 43 (1955) 599-624; A. Gardeil, «Crédibilité», in DThC III, 2: 2201-2310; N. Dunas, «Les problèmes et le statut de l'apologétique», in RSPhTh 43 (1959) 643-680; H. Bouillard, «Le sens de l'apologétique», in *Bulletin du Comité des études*, n. 35, Paris (1961) 311-327; P.J. Cahill, «Apologetics», in NCE 669-674; A. Dulles, *Apologetics and the Biblical Christ*, Woodstock 1964; R. Latourelle, «Apologétique et Fondamentale. Problèmes de nature et de méthode», in *Salesianum*, 28 (1965) 256-273; K. Gössmann, *Was ist Theologie*, München 1966, 25-52.

RENÉ LATOURELLE

APOLOGIA

1. SEMANTICA GENERALE - Il termine (per lo più traslitterato nelle moderne lingue europee) è attestato già nella grecità presocratica. Come le altre voci che si collegano al lessema *apolog-*, esso indica un rapporto fondamentale con il dire (*legō*) e con la causa (*apó*) per cui la parola è proferita. Generalmente si tratta di un parlare davanti a qualcuno con l'intento di giustificare la propria o altrui condotta, oppure in difesa di convinzioni filosofiche e religiose. Due infatti sono i contesti in cui la voce ricorre con prevalenza: quello filosofico (cfr. Platone, *Pol.* 286a) e quello forense. In quest'ultimo *apologia* ha valore di termine tecnico («accusa/difesa»). Tuttavia si riscontra anche un senso più ampio, indicante semplicemente una risposta di spiegazione.

2. ESAME DELLE OCCORRENZE BIBLICHE - Del lessema *apolog-* la Scrittura presenta tre derivazioni: *apologhéomai* (3 volte nell'AT e 10 nel NT), *apologhía* (1 volta nell'AT e 8 nel NT) e *apológhēma* (una sola volta, in Ger 20,12). Le cifre indicano un notevole incremento del lessico nel NT; infatti la somma complessiva delle frequenze è in proporzione di 5 a 18.
Si osserva d'altro canto – e non senza sorpresa – che la voce *apologia* è assente nei più noti dizionari biblici e teologici del nostro secolo (BL, BThW, GLNT, TBLNT...). Vi è forse, in questa omissione, un qualche rapporto con la crisi di una teologia apologetica troppo preoccupata di difendere la fede dagli attacchi degli avversari? (→ *Apologetica*). In ogni caso tale silenzio rende ancora più necessario ricercare il significato biblico della terminologia in esame.
Per sapere cosa intenda la Scrittura con le voci *apologhéomai* e *apologhía* è necessario esaminare anzitutto i contesti, perché altro è il senso in ambito forense, altro in diatribe e altro ancora in contesto di persecuzione.
Nell'AT il verbo è presente la prima volta in Ger 12,1, dove traduce l'ebraico *rîb*, termine classico della *contesa*, giudiziaria e non. Ma qui il profeta lo impiega per descrivere il suo

rapporto con Dio, il suo venire «a disputa» (*'arîb/apologhêsomai*) con lui, la sua interrogazione circa il modo di agire di Dio. Traduce l'ebraico *rîb* anche il sostantivo *apológhēma* presente in Ger 20,12. Il profeta, perseguitato dai suoi nemici, sostiene di aver affidato la propria difesa al Signore. Così l'uso forense è chiaramente trasportato sul piano religioso dove accorda piena fiducia alla giustizia divina. Il verbo ha invece significato politico in 2 Mac 13,26 dove riferisce l'autodifesa di Lisia davanti ai cittadini di Tolemaide.

È significativo che l'unica occorrenza veterotestamentaria di *apologhía* sia presente in un contesto sapienziale (Sap 6,10). Si tratta di un ammonimento rivolto ai potenti della terra affinché imparino la sapienza e si comportino rettamente (Sap 6,1-11). Un giudizio severo attende infatti coloro che stanno in alto. Ma chi si lascerà ammaestrare dalla sapienza e custodirà «le cose sante» troverà in esse la propria *difesa*. Alla sapienza è dunque attribuito un ruolo apologetico, nel senso che la si riconosce capace di difendere i suoi devoti.

Nel NT il lessico è presente quasi esclusivamente in Paolo e in Luca (unica eccezione 1 Pt 3,15) per cui si è parlato di influsso ellenistico. Quanto all'uso si lascia raccogliere in due ambiti fondamentali: la situazione di conflitto (sociale e religioso) e il contesto missionario. Nel primo caso il linguaggio esprime il confronto/scontro del giovane cristianesimo con l'ambiente pagano da una parte e la sinagoga dall'altra (cfr. Lc 12,11; 21,14; 19,33; riferito a Paolo: Atti 22,1; 24,10; 25,8; 26,1.2.24; 2 Tm 4,16). Nel secondo caso, il lessico apologetico è funzionale al movimento missionario e risente dell'influsso della propaganda giudeo-ellenistica (1 Cor 9,3; 2 Cor 7,11; 12,19; Fil 1,7.16).

3. RILEVANZA IN 1 PT 3,15 - Di particolare interesse per la teologia fonda-mentale è il significato di *apologhía* in 1 Pt 3,15. Lo scritto è rivolto ai cristiani che vivono in situazione di diaspora nelle province romane dell'Asia Minore. L'intera lettera – e in particolare il brano a cui il passo appartiene (3,13-17) – lascia intuire un clima teso, se non proprio di persecuzione certamente di ostilità e di violenza. In tale contesto l'autore interviene con un'argomentazione estremamente positiva. Egli ha fiducia nella logica della reciprocità che regola il vivere civile. Generalmente il bene è riconosciuto e apprezzato. Ritiene perciò che l'opposizione dell'ambiente possa risolversi se, da parte loro, i cristiani saranno decisi operatori del bene: «chi vi farà del male se diventerete zelanti del bene?» (1 Pt 3,13). La domanda, chiaramente retorica, prevede per sé una risposta consolante (nessuno!). Ma non esclude che le cose si svolgano diversamente. In effetti, Pietro sa per esperienza – quale testimone delle sofferenze di Cristo (5,1) – che il bene può talora essere ricambiato con il rifiuto e l'inimicizia.

La possibilità della sofferenza ingiusta, già prevista nell'esortazione ai domestici (cfr. 2,19-20), sta realisticamente di fronte a ogni cristiano e rimanda alla beatitudine evangelica: «se poi dovrete soffrire a causa della giustizia, beati (*makárioi*)» (3,14; cfr. Mt 5,10). L'autore però non prospetta una tale evenienza come ordinaria, e da parte sua intende rafforzare l'idea che la forza del bene è vincente; i cristiani devono darne prova. Questo convincimento ritorna nella conclusione del brano: è sempre meglio soffrire – se Dio lo vorrà – per avere fatto il bene (*agathopoiéō*) piuttosto che il male (v. 17), come attesta l'esempio di Cristo che Dio ha esaltato (3,18-22; cfr. 2,21-25).

Il senso di «apologia» va colto nella prospettiva di questo tipico argomentare. I credenti sono esortati a non lasciarsi paralizzare dal timore che incutono gli avversari, a non es-

sere succubi delle loro critiche e ostilità, ma a sostenere piuttosto il confronto con positività e discrezione.
Con un'espressione ardita, sono invitati a «santificare» nei loro cuori
il Cristo, riconoscendolo Kýrios, Signore escatologico. Sarà questo cor-
diale rapporto con il Cristo a renderli disponibili (*etóimoi*) in ogni tempo
(*aéi*), a dare «spiegazione» (*apologhía*) a quanti chiedono il motivo della loro speranza (v. 15). Non certo
con arroganza, ma con mitezza, rispetto e «buona coscienza» (v. 16a).
   Per Pietro lo scopo di tale apologia
è quello di sconfessare le calunnie con
i fatti. Chi parla male dei cristiani
deve potersi ricredere osservando il
loro onesto comportamento (3,16b;
cfr. 2,12).
   Quale dunque il senso di *apologhía*
in questo contesto? Sembra da escludere una difesa di carattere pubblico
e legale, come di prassi nei tribunali.
Infatti, benché la locuzione *aitéin tí-
na lógon perí tinós* (chiedere ragione
a qualcuno di qualche cosa) e la voce *apologhía* possano avere senso giuridico, non sembra essere questo il
loro valore nel nostro brano. L'autore, che ha già parlato di sottomissione all'autorità civile (cfr. 2,13-17),
non menziona in questo caso alcuna
categoria specifica. La richiesta di
spiegazione può venire da chiunque
(*pantí*), perciò si lascia intendere un
interrogatorio informale, legato alla
vita di ogni giorno. È nel quotidiano, esposto all'osservazione curiosa
e tendenziosa, che i cristiani devono
sempre essere pronti all'apologia.
   In un tale contesto sembra inadeguato anche il senso di apologia come *difesa razionale della fede*. Non
a caso l'oggetto su cui verte la domanda non è primariamente la fede
ma la speranza (*elpís*), un tema centrale nello scritto di Pietro (1,3.21;
3,15). Con questo termine, più che
l'adesione a una dottrina, si intende
esplicitare la nuova impostazione di
vita, la rigenerazione ottenuta me-

diante la risurrezione di Gesù Cristo
dai morti (1,3).
   La domanda stessa muove dalla
prassi, poiché i cristiani a causa della speranza dimorante in loro (*en hy-
mín*: in ciascuno e nella comunità) vivono ormai diversamente. Il comportamento atipico rispetto a quello di
un tempo fa nascere l'interrogazione
sul senso complessivo del nuovo
orientamento di vita, sulla *speranza*
a cui i cristiani sono così radicalmente
orientati.
   Ora, a una interrogazione relativa
al senso di vita generalmente non si
risponde con la «difesa» o con «l'autogiustificazione», ma cercando di
spiegare le ragioni profonde che hanno cambiato il corso del proprio modo di vivere.
   D'altro canto, non si tratta neppure di rassicurare che i cristiani sono
ossequienti all'ordine costituito, sottomessi all'autorità e alle leggi della
convivenza sociale. L'ipotesi è stata
avanzata da Balch sulla base dei discorsi apologetici di Filone (*Hypoth.*,
7.14) e di Giuseppe Flavio (*Contra
Apionem*, II.147, 178, 181). Ma la
prospettiva di 1 Pietro è diversa da
quella di Filone e di Flavio. In essa
il termine *apologhía* è utilizzato in
senso ampio; supera l'orizzonte puramente difensivo e si dispiega verso
la dimensione missionaria. La disponibilità a lasciarsi interrogare, e soprattutto lo «stare di fronte» agli avversari con dignità e mitezza, ha il
valore di un'apologetica positiva e
missionaria.
   In conclusione, l'uso petrino di *apologhía* porta i lettori oltre la strettez-
za dei detti di persecuzione, sul terreno sociale della quotidiana convivenza dove ha spazio la provocazione della speranza sulla quale si basa
ancora oggi il credente.

Bibl. - L. Goppelt, *Der 1 Petrusbrief*, Göttingen 1978; R. Fabris, «L'Apologia nel Nuovo Testamento», in ETF I, 3-14; M. Seckler,
«Fundamentaltheologie: Aufgaben und Aufbau, Begriff und Namen», in HFTh IV,

77

455-467; D. Balch, *Let Wives be Submissive.* The Domestic Code in I Peter, Chico 1981, soprattutto pp. 90-93.

ELENA BOSETTI

APOLOGISTI LAICI

L'assunzione critica dell'apologetica elaborata da laici, per una sua riflessione critica, postula una duplicità di istanze che interessano tanto gli statuti di soggetto (il laico teologo) e di oggetto (l'apologetica) quanto il vissuto storico quale frammento di memoria ecclesiale.

1. LE COORDINATE - *a.* La questione relativa alla presenza di apologisti laici può essere affrontata da due differenti prospettive. Se per laico s'intende il *non-chierico,* allora da Aristide in poi la schiera è numerosa, ricca e varia. Ma se ci riferiamo all'emergenza di una nuova consapevolezza d'identità, prima culturale e poi ecclesiale, che affonda le sue matrici nell'umanesimo e trova nell'epoca moderna il suo complesso e travagliato sviluppo, allora tale schiera si assottiglia fino quasi, in certi momenti, a scomparire. Ritenendo più ricca di elementi critici e di questioni metodologiche questa seconda prospettiva l'assumiamo per il nostro approccio, nella consapevolezza, però, che un'indagine sui laici che si sono impegnati nella riflessione cristiana può essere condotta soltanto attraverso il superamento di alcuni recenti modelli di statuto epistemologico del *far teologia* al fine di comprendervi la visione di una riflessione sul vissuto cristiano elaborata, per ineliminabile diritto, da ogni credente che rifletta seriamente sulla propria fede.

b. L'impossibilità di produrre ipotesi interpretative, quale tentativo di collocazione storico-ecclesiale della vicenda apologetica − segnata com'è da profonde fratture culturali e teologiche − porta a preferire metodologicamente una riconduzione di sintesi fenomenologica relativa alle figure ritenute più significative al fine di cogliere le strutture essenziali della dimensione laicale dell'apologetica moderna. L'orizzonte analizzato copre geograficamente l'Europa, confessionalmente quella cattolica, storicamente i secoli XVIII e XIX. Periodo nel quale il continente cattolico e teocratico si è trovato di fronte al nuovo spirito filosofico e scientifico che ne ha modificato i fondamenti culturali e spostato i centri di gravità della civiltà verso il nord protestante. Per la prima volta il cristianesimo in generale e il cattolicesimo in particolare si comprendono quali elementi, tra gli altri, in un nuovo contesto storico socio-culturale per essi caratterizzato dal crollo della fede e dalla tentazione di realizzazione di una repubblica di atei. La reazione cattolica vedrà quali protagonisti quasi unicamente figure di laici impegnati nel combattere la *negazione filosofica* e nel dare un fondamento alla stessa religiosità. Il loro limite principale si anniderà però nell'assumere lo stesso equivoco presente nel concetto di *ragione* illuministica incentrato soltanto sulla dimensione razionale dell'uomo piuttosto che nell'affermazione di sufficienza del senso comune quale costitutiva norma di verità. Anche sul piano sociale la prospettiva apparirà fortemente riduttiva difendendo una società organizzata gerarchicamente, fondata sul privilegio, anche se religiosamente unita nella fede cattolica considerata quale unico fondamento dello stato e dei diritti politici e civili in ogni caso ad essa subordinati.

2. LE FIGURE - *a.* Mentre l'apologetica è in piena fioritura nel nord Europa, in *Italia* appare deludente perdendosi in sterili polemiche contro il protestantesimo, il giansenismo, il febronianesimo, giustificando così il severo giudizio di Lamennais: «Se

mi fosse permesso giudicare i romani dai libri che ci arrivano dal loro paese, sarei alquanto portato a credere che sono un po' in ritardo sulla società. Si direbbe, a leggerli, che nulla è cambiato nel mondo da mezzo secolo» (Lettera del 2 gennaio 1821).

Tra le figure di laici apologisti ricordiamo *Monaldo Leopardi* (1776-1847) che difende una società cattolica organizzata in modo fortemente gerarchico quale baluardo contro i danni che avrebbero procurato altre forme di modelli socio-politici, giudicati approssimativi e insufficienti.

b. In *Prussia* troviamo *Johann Joseph von Görres* (1776-1848) e *Franz Xavier Benedict von Baader* (1765-1841). Il pensiero di Görres, per le sue esigenze enciclopediche, procede dall'analisi delle elaborazioni filosofiche della storia giungendo alla riscoperta di un fondamento religioso dell'individualità da difendere contro ogni forma di *giacobinismo* sia esso rivoluzionario o reazionario. Ciò che caratterizza il suo itinerario filosofico e struttura il suo pensiero apologetico è l'aver cercato nel cattolicesimo quel fondamento che aveva trovato nei principi della rivoluzione e che la restaurazione politica successiva di fatto aveva negato, soprattutto riguardo alle sue speranze patriottiche. I suoi interessi religiosi principali furono rivolti allo studio del *primitivo* e del *mito* come anche alla rivalutazione del medioevo e in esso della chiesa. La stessa coerenza concettuale e intellettuale fu presente nella sua intensa attività politica nel partito cattolico di cui fu un forte e tenace organizzatore.

Il progetto d'istituire un'Accademia per le scienze religiose a Pietroburgo pone sotto una luce estremamente interessante la figura del von Baader. L'Accademia, con il sostegno di altri laici russi, avrebbe avuto quale fine primario la promozione e diffusione del vero senso della religione e questo in posizione alternativa sia a quello diffuso dai gesuiti, sia a quello dell'enciclopedismo. Per il von Baader la religione doveva essere come una filosofia per cui la fede cattolica diveniva partecipazione alla conoscenza divina, cioè una *con-scientia* nella quale la consapevolezza delle cose coincideva col riconoscimento della loro appartenenza a un sapere superiore. Infatti è nell'atto credente che l'uomo giunge non solo al retto uso della ragione ma soprattutto al suo pieno sviluppo. Procedendo dal piano filosofico a quello socio-politico e dall'individuale al collettivo, se ne deduce come la stessa società debba fondarsi sulla consapevolezza che la comunione in Dio è alla base di quella tra gli individui. Come per gli altri apologisti laici, anche in von Baader la rigorosa coerenza del suo pensiero e della sua vita con esso, lo fecero oggetto di grande rispetto e matrice di profondo influsso intellettuale particolarmente per i filosofi russi V. S. Soloviev e N. Berdiev per i quali rimase sempre una eminente figura del pensiero cristiano.

c. Spostando lo sguardo alla *Spagna* troviamo *Juan Donoso Cortés* (1809-1853) che pone alla base del suo pensiero una riflessione sul male, causa di distruzione dell'umanità impedita solo dal sacrificio della croce. Il suo pensiero procede dalla consapevole insufficienza dell'intelligenza che, pur possedendo la capacità di individuare e distinguere il male dal bene, non ha la forza per opporvisi validamente. Di conseguenza vi è la condanna della filosofia che darebbe una falsa fiducia all'uomo circa le sue possibilità di comprendere la verità rimettendosi al suo libero giudizio. Sarà invece solo il cristianesimo a poter trasformare, dal profondo, l'uomo. Interessante notare come il Donoso Cortés non volle mai essere definito *apologista* a causa della sua sensibilità e carità che lo allontanavano naturalmente da un atteggiamento spesso ottusamente offensivo dei vari *nemici*.

d. Sarà la *Francia* ad offrire la più ricca e significativa schiera di pensatori laici che hanno veramente lasciato una indelebile impronta nell'apologetica moderna e che, nel bene e nel male, hanno contribuito alla nascita di quella a noi contemporanea. Uomini che non avrebbero mai potuto concepire un regime diverso da quello monarchico o che comunque non fosse suffragato dal grande libro della storia, cioè da quel passato che proiettarono nel futuro e del quale furono intransigenti profeti per una sua restaurazione nel presente. Restaurare l'uno, il vero, il buono e il bello: questa è stata in fondo la loro vocazione e il loro proposito al fine di riallacciare la storia degli uomini con quella di Dio, dopo la frattura illuministico-rivoluzionaria, in una chiesa visibile retta dal grande codice di perfezione politica, etica ed estetica.

Joseph de Maistre (1753-1821) procede dal dato ecclesiologico. Dio ha realizzato una sola chiesa e tocca agli uomini difenderla contro quanti, nel corso del divenire storico, ne vogliono minare unità, compattezza, fermezza. Per questo il protestantesimo sarà visto come il principio stesso del male dal quale discende ogni disordine e ribellione: dalle diversificazioni confessionali alla stessa rivoluzione francese. Per lui l'eretico stava al rivoluzionario come la chiesa allo stato. Il disordine dottrinale sarebbe divenuto prima o poi socio-politico e viceversa; per questo l'Inquisizione doveva colpire con la stessa forza tanto l'eretico come anche il rivoluzionario. La sua dura certezza di essere nel *vero* non gli fu però fonte di personale compiacimento o di pubblico riconoscimento neppure da parte dei suoi primi e naturali beneficiari: papa e re ne temevano la caparbia ostinazione quali possibili matrici di ec

cessive reazioni e incidenti diplomatici. La sua opera più famosa, *Il Papa* (1819), fu scritta durante il soggiorno diplomatico a Pietroburgo con l'intento di tranquillizzare lo zar sull'opera di proselitismo dei gesuiti; si articola in quattro libri procedendo da un'affermazione di principio per poi svilupparsi lungo tutta una serie di dimostrazioni derivate dal significato stesso della storia: la priorità della *Parola* sulla *Scrittura*. Infatti, mentre la Parola è luce incontaminata, la Scrittura è testo correggibile, suscettibile di infinite e pericolose correzioni, aggiunte, interpretazioni. La Parola è l'immagine di Dio, la Scrittura ne è il testo e l'espressione umani di una verità condizionabile da ragioni terrene e pratiche.

François-René de Chateaubriand (1768-1848) aveva compreso che per rimarginare le ferite della rivoluzione era necessaria la religione. Nella sua opera, che lo rese famoso, *Il Genio del cristianesimo* (1802), espose le bellezze della religione alla quale aveva drammaticamente fatto ritorno: un cristianesimo sublime per l'antichità dei suoi ricordi, ineffabile per i suoi misteri, adorabile per i suoi sacramenti, interessante per la sua storia, celestiale per la sua morale, affascinante per le sue cerimonie, ricco e suggestivo per le profonde tracce che aveva lasciato nel cuore dell'uomo. Se da un lato l'opera venne considerata un documento fondamentale per la riscoperta del cristianesimo nelle sue bellezze e valori sociali, capace anche di stimolare altre opere e ricerche culturali − e ciò nei più vari e disparati settori non solo teologici − dall'altro, non le mancarono critiche da parte di coloro che la videro piuttosto come un trattato storico-letterario a volte anche disordinato, facile bersaglio per l'ironia soprattutto in alcune descrizioni giudicate pompose e teatrali, ma sopratutto perché retta da una metafisica semplicistica. Da un punto di vista strettamente apologetico, fu definita piuttosto una propedeutica soggettivo-affettiva che una dimostrazione apologetica strettamente intesa. I caratteri essenziali della sua metodologia apologetica appaiono essere il predominio del cuore sulla ragione con la glorificazione di tutte le facoltà affettive e l'esaltazione del mondo moderno su quello antico, cioè del cristianesimo sul paganesimo. Confessò di essere divenuto cristiano non perché si fosse arreso a grandi lumi intellettuali, ma in seguito ad una vocazione scaturita dal cuore: aveva pianto e quindi creduto. Rivelò il suo sentire apologetico affermando come le apologie contro gli eretici non fossero più di attualità avendo esaurito il loro compito e rivelandosi inutili per il presente. Non si trattava più di difendere un particolare dogma, quanto piuttosto del fatto che si rigettavano completamente le basi stesse della fede. Occorreva ormai passare dall'effetto alla causa, provando come il cristianesimo venisse da Dio proprio perché sublime e non che fosse sublime perché veniva da Dio. Per questo bisognava presentare la religione sotto una luce puramente umana e rispondere ai nuovi errori della grande Babele scientista e razionalistica (l'Enciclopedia) provando che fra tutte le religioni quella cristiana era la più poetica, umana, favorevole alla libertà, all'arte e alle lettere che il mondo avesse mai conosciuto e verso di essa di tutto era debitore.

A differenza del de Maistre, che poneva nell'autorità e tradizione il criterio di verità e la garanzia di salvezza, *Louis Gabriel Ambroise de Bonald* (1754-1840) si rivolge alla tradizione di cui il potere politico è l'espressione e Dio il fondamento. Nel far ciò tende a trascrivere la stessa intuizione in una intonazione più storicistica (da questo punto di vista lo si può avvicinare a Lamennais). L'atteggiamento tradizionalistico in lui coincide con la mutua difesa della religione cattolica e dell'istituto monarchico. Rivendicando a Dio l'origine della società e della religione, procede dall'idea dell'antico uomo muto, innestando così una sua teoria del linguaggio come divinamente rivelato e ispirato. Sarà poi la tradizione a garantire la scienza e i principi delle conoscenze umane e la stessa ragione, la sola a costituirsi quale criterio discernente tra verità ed errore. Il grave limite di tale concezione filosofico-teologica sta nell'aver destituito la ragione individuale della sua funzione conoscitiva riducendola a puro strumento d'interpretazione della ragione universale e cioè dell'autorità della comunità, togliendo così di fatto alla fede la sua primaria e fondamentale condizione di razionalità. Come inevitabile corollario si avrà la confusione, sul piano teologico, tra naturale e soprannaturale, riproponendo così le ancor non sopite problematiche giansenistiche.

3. L'ERMENEUTICA - È innegabile il fatto che non esista un'apologetica laica quanto piuttosto dei laici che hanno fatto apologetica, ma con tutto lo spessore e l'originalità del loro mondo intellettuale ed esperienziale. E se è vero che la qualità delle loro produzioni, tranne che per frammentarie intuizioni propositive, rientra nella stessa valutazione che caratterizza il vasto e complesso periodo preso in esame, altri sono invece gli originali contributi riscontrabili in tale letteratura. Infatti, se da un lato è altrettanto, e forse anche più, aggressiva, dall'altro però è capace di assumere al suo interno ambiti e approcci quasi totalmente sconosciuti a quella del clero — la filosofia della storia, del fatto politico o estetico — e a muovere i primi passi nella linguistica e nel mondo del mito. Sono tutti tentativi di progettualità apologetica che profeticamente anticipano tanto gli approcci interdisciplinari, da un

punto di vista metodologico, quanto, e soprattutto, quelli di una globalità antropologica propria agli attuali orientamenti sistematici. Ma ciò che forse dona un peculiare carattere a tali produzioni è l'intima coerenza testimoniale tra pensiero ed esistenza. Sono laici che hanno saputo esprimere una testimonianza personale, della quale i chierici furono spesso incapaci, fondata su una fede alla quale pervennero generalmente in seguito ad autentiche conversioni. Per questo ricomprendendo tutta la vicenda apologetica, dalla prospettiva e produzione laicali, possiamo rileggerla alla luce di un nuovo parametro critico che da metodologico diviene antropologico: non sono le apologie a convertire, ma i convertiti a scriverle quali estreme espressioni di una fondamentale esperita intuizione: *unum, bonum, verum et pulchrum quaerunt intellectum.*

Bibl. - L.G.A. de Bonald, *Théorie du pouvoir politique et religieux dans la société civile, démontrée par le raisonnement et l'histoire*, Costanza 1796; Id., *Essai analytique sur les lois naturelles de l'ordre social*, Paris 1860; J. de Maistre, *Les soirées de Saint-Pétersbourg*, Paris 1806; Id., *Du Pape*, Lion 1819; F.X.B. von Baader, *Beiträge zur dynamischen Philosophie*, Berlin 1809; M. Leopardi, *Le illusioni della pubblica carità*, Lugano 1838; J. Donoso Cortés, *Ensayo sobre el catolicismo, el liberalismo y el socialismo*, Barcelona 1851.

FILIPPO SANTI CUCINOTTA

APOSTOLO

Secondo il sostrato semitico il termine significa delegato, ambasciatore, che esercita una missione di plenipotenziario in nome di qualcuno che ha autorità e che si rende in qualche modo presente attraverso il delegato. L'apostolo rappresenta colui che gli ha dato il mandato: «In verità, in verità vi dico: un servo non è più grande del suo padrone, né un inviato è più grande di colui che l'ha

mandato» (Gv 13,16). Sebbene il termine non abbia un senso assolutamente univoco, si ritrova in tutti gli scritti del NT a eccezione della II lettera ai Tessalonicesi, della lettera di Giacomo e delle lettere di Giovanni. Usato solo o abbinato ad altri, il termine è caratteristico dell'età apostolica (dal 50 all'80).

1. *Apóstolos* è un termine privilegiato nelle lettere di Paolo. A questo proposito è importante la testimonianza della I lettera ai Tessalonicesi, non solo per via dell'antichità del documento (nell'anno 51), ma anche perché il termine qui è ancora esente da ogni intento polemico. Paolo si presenta come apostolo di Cristo (1 Ts 2,7), incaricato di annunciare il vangelo (1 Ts 4,4;2,9). Attraverso di lui è Dio stesso che si rivolge ai Corinzi: «Siamo ambasciatori in nome di Cristo e, di fatto, è Dio stesso che per mezzo nostro vi rivolge un appello» (2 Cor 5,20). L'apostolo è un ambasciatore di Cristo a cui questi ha dato il mandato. Paolo ha ricevuto la sua missione di apostolo da Cristo risorto e non dagli uomini (Gal 1,1). Questa missione è prima di tutto una missione di evangelizzazione. La tradizionale trilogia «apostoli, dottori e profeti» che ritroviamo nella lettera ai Corinzi e nella lettera agli Efesini (Ef 4,11-12) riguarda ancora il carattere missionario che Paolo sembra aver ricevuto da Antiochia.

2. In Luca il concetto di apostolo è intimamente legato a quello di *testimone*. Gli apostoli sono uomini scelti da Gesù durante la sua vita pubblica, e sono stati incaricati prima dell'ascensione di una missione decisiva: sono quindi diventati i testimoni del suo insegnamento, delle sue opere, della sua passione e della sua risurrezione. In Luca, delega di potere e funzione di testimone sono un'unica cosa, così come appare nel racconto della vocazione di Matteo. Per Luca, gli apostoli non sono solo

gli ambasciatori di Cristo, ma sono soprattutto uomini che assumono funzioni riservate ai Dodici, in particolare quella di testimoni qualificati della vita e della risurrezione di Gesù.

Possiamo a questo punto chiederci se Gesù abbia dato durante la sua vita pubblica il titolo di apostolo ai suoi discepoli (Lc 6,13). La questione è dibattuta. È indubbio che Gesù abbia chiamato un certo numero di uomini a seguirlo e a divenire suoi discepoli. È altrettanto indubbio che durante la sua vita pubblica Gesù abbia scelto un certo numero di discepoli «per essere con lui» nella missione di proclamare il Regno, di scacciare i demoni e di guarire i malati. La costituzione di un gruppo di «Dodici» appartiene alla più antica tradizione (Mc 3,14; Lc 9,1). Non possiamo tuttavia affermare altrettanto del termine «apostolo» e dell'espressione «i dodici apostoli». L'attuale critica ritiene che *apóstolos* sia termine originario di Antiochia e che designi missionari itineranti: a questo titolo, viene applicato a Pietro e a Paolo. L'espressione «i dodici apostoli» sembra risultare dalla fusione di due espressioni in uso nella chiesa primitiva: i «Dodici» e gli «apostoli».

L'essenziale è conoscere il senso che la chiesa primitiva ha dato a questo termine, come pure l'atteggiamento nei confronti di Gesù che esso rivela. Ora l'apostolo, che sia considerato come ambasciatore e rappresentante di Cristo (concezione di Paolo) o che sia considerato come testimone della vita di Gesù (concezione di Luca), nel linguaggio e nella mentalità della chiesa primitiva intrattiene un rapporto di fedeltà nei confronti di colui che lo delega per rappresentarlo e di cui è testimone.

Bibl. - K.H. Rengstorf, «Apostolos», in GLNT I, 1105-1190; A. Médebielle, «Apôtre», DBSuppl 1, 533-588; X. Léon-Dufour, «Apôtres», in *Vocabulaire de théologie biblique*, Paris 1970[2], 71-76; M.L. Held, «Apostle», in NCE, 678-680; A. Lemaire, *Les ministères aux*
origines de l'Église, Paris 1971,179-180; A. Descamps, «Aux origines du ministère. La pensée de Jésus», in RTL 2 (1971) 19-24; R. Latourelle, *A Gesù attraverso i vangeli*, Assisi 1979, 213-215; J. Guillet, *Entre Jésus et l'Église*, Paris 1985.

RENÉ LATOURELLE

APPARIZIONI

Il tema delle apparizioni è frequente nella teologia fondamentale. Si articola in svariati termini usati senza troppo rigore. I racconti biblici, tuttavia, descrivono realtà diverse e appartengono a generi letterari dai tratti sufficientemente costanti per autorizzare una classificazione. Possiamo distinguere:

1. Le *teofanie*, presenti soprattutto nell'AT e caratterizzate come manifestazione di Dio a un individuo, che fa da mediatore e attraverso il quale Egli comunica con il suo popolo; così sul Sinai Mosè riceve le parole del Signore per trasmetterle al popolo (Dt 19). Nella letteratura profetica le teofanie si riallacciano alle visioni inaugurali in cui il profeta riceve la missione di andare incontro a Israele in nome di Dio (Is 1; Ger 1; Ez 1). Lo scenario è spesso quello della montagna, della nube, della tempesta, del fuoco. Nel NT le teofanie sono rare, poiché Gesù stesso è Presenza di Dio tra noi (Gv 1,18; Eb 1,1-3). Ci sono tuttavia alcuni tempi forti di questa teofania: ad esempio al battesimo (Mc 1,9-11; Mt 3,13-17; Lc 3,21-22) e al momento della trasfigurazione (Lc 9,28-36; Mt 17,1-8; Mc 9,2-8). Troviamo in quest'ultimo racconto i temi della montagna, della presenza di Dio nella nube. Pietro, Giacomo e Giovanni sono i testimoni privilegiati della gloria di Gesù che dovranno annunciare dopo la passione, la morte e la risurrezione.

2. Le *cristofanie* o apparizioni di

Gesù dopo la risurrezione in cui si trovano tali costanti: autopresentazione di Gesù per vincere la resistenza dei suoi interlocutori, compito affidato con autorità dal Risorto e che ha valore di fondamento per l'avvenire (Lc 24,18-19; Mc 16,15-16; Mt 28,18-20); a tale compito è abbinata l'assistenza di Dio per adempiere la missione loro affidata. Cristo glorificato e manifestato è esattamente lo stesso Crocifisso di ieri, ma con un modo di esistenza totalmente inedito: egli è in contatto con il mondo terreno eppure non gli appartiene più.

3. Le *epifanie* si riferiscono al Gesù terreno prepasquale, con il corpo umano. L'epifania è la manifestazione di un attributo divino della persona di Gesù, soprattutto della sua potenza. Due casi tipici di queste epifanie sono il camminare di Gesù sulle acque e la tempesta sedata. L'epifania fa sorgere il problema dell'autorità e dell'identità di Gesù: «Chi è quest'uomo»?

RENÉ LATOURELLE

ATEISMO

I. ORIGINI: 1. *Un punto di partenza* - 2. *Questione filosofica ed epochê religiosa* - 3. *Sistemi cartesiano e newtoniano* - 4. *L'illuminismo: sintesi e correttivi* - 5. *Una lezione di teologia fondamentale* (M.J. Buckley) - II. CONTEMPORANEO: 1. *Spiegazione concettuale* - 2. *L'ateismo moderno* - 3. *La disputa teologica con l'ateismo* - 4. *L'ateismo moderno e il problema della teodicea* (B. Groth).

I. Origini

1. UN PUNTO DI PARTENZA - Il moderno apparire dell'ateismo nel mondo occidentale si presenta alla teologia fondamentale con delle ambiguità quasi insuperabili. Il significato di «ateismo» è inevitabilmente dialettico, la sua comprensione si basa sul termine «teismo» del quale è la negazione. Questa dipendenza semantica aumenta quando si riconosce che «ateismo» è stato applicato a forme molto differenti di convinzioni nascoste o di pensiero sistematico. «Ateismo» ha avuto la funzione sia di insulto scagliato contro i propri avversari che di firma personale per identificare una posizione presa e discussa in pubblico.

Le analisi e le storie dell'ateismo si sono spesso concentrate sulle implicazioni conosciute o nascoste di pensiero, che portarono a distinguere tra ateismo, → agnosticismo e antiteismo, indifferenza (→ Indifferenza religiosa) e postulato, ateismi pratici e teorici. Queste analisi tendono a raggruppare sotto ciascuna categoria una particolare gamma di figure, ritenendo che una certa linea di pensiero includa necessariamente tale negazione, senza tenere conto della dichiarazione del contrario. Questa lettura del pensiero altrui attraverso l'imposizione dei propri concetti e strutture può giungere agli indici più insoddisfacenti. Socrate e i primi cristiani, Epicuro e Hobbes, Cartesio e Spinoza, LaPlace, Hegel e Heidegger sono finiti tutti preda di questo modo di fare la storia del pensiero.

Solo un breve passo separa uno studio impostato in questo modo dall'invettiva e dal terrore sospettoso che troviamo agli inizi dell'era moderna. Walter, conte di Essex, morto nel 1577, costatando null'altro che rovina religiosa per tutta l'Inghilterra, così scriveva: «Non c'è altro che infedeltà, infedeltà, infedeltà, ateismo, ateismo, ateismo, nessuna religione, nessuna religione», mentre Th. Nashe, circa venti anni dopo, ammoniva che «nessuna setta era in Inghilterra così diffusa quanto l'ateismo». Ancora pochi decenni più tardi, padre Mersenne troverà cinquantamila atei nella sola Parigi (Buckley, *Origins*, 10-58). L'attribuzione di ateismo ai propri avversari, sia come critica disciplinata che come accusa sembra, a dir poco, una procedura molto dubbia.

Un punto di partenza più incoraggiante, benché non senza ambiguità, sarebbe considerare non ciò che fu detto dai più grandi pensatori ma ciò che essi postularono e dissero di se stessi. Questo sarebbe prendere sul serio il significato che essi davano ai termini da loro usati, agli argomenti da loro preparati e alle conclusioni che ne trassero. In questo modo gli elenchi si assottigliano considerevolmente ma la storia diventa più paradossale.

Di fatto l'ateismo moderno è stato generato non semplicemente da forze socio-economiche, logiche conseguenze delle libertà politiche e dell'autonomia moderna né tanto meno dallo sviluppo della scienza. Tutte queste realtà furono certamente presenti e a volte operanti come fattori critici nel sorgere di quel fenomeno senza precedenti che è il moderno ateismo. Le idee non sorgono e non continuano a esistere senza una matrice organica e sociale che fornisca loro contesto e sostegno. La presenza e l'influenza di tale matrice è stata ripetutamente registrata nelle vicende dell'era moderna in occidente. I limiti di un semplice articolo non permettono che un sommario di questi avvenimenti.

Ma l'ateismo è anche un'idea, un argomento, una convinzione che possiede una sua propria integrità intellettuale. Come tale esso richiede un'attenzione speciale della teologia fondamentale. Che cosa ha da imparare la teologia da un'argomentazione secolare che ha originato e sostenuto la negazione di ciò che è più fonda-

mentale alla religione? Le origini ideali del moderno ateismo vengono comprese più chiaramente se si considera che l'ateismo è stato generato proprio dalle forze ordinate per controbatterlo, se sono considerati dialettici non soltanto il significato dei suoi termini ma la sua forma ed esistenza.

L'ateismo come soggetto firmatario è apparso nel mondo occidentale all'epoca dell'illuminismo; sorse nella cerchia che circondava il barone Paul d'Holbach e Denis Diderot alla metà del XVIII secolo. Che essi siano stati preceduti da figure nascoste ma significative quali l'abbé J. Meslier non annulla il loro orgoglio di collocarsi tra gli iniziatori e i difensori di un esplicito e pubblico discorso ateo. Essi introdussero la negazione della realtà di «dio» nella tradizione intellettuale dell'800 con tale energia che ne assicurò per sempre la presenza.

Inizialmente il loro numero era limitato. In una celebre conversazione D. Hume disse al barone d'Holbach che egli non credeva che esistessero veri atei. D'Holbach ricordò che il circolo che essi frequentavano ne contava quindici (*Origins*, 256). L'ateismo avrebbe progressivamente rivendicato il suo diritto di presenza nei movimenti intellettuali e sociali che si sarebbero formati, per la maggior parte, nel secolo seguente. Ma l'ombra incombente che Nietzsche e Newman avrebbero visto più tardi scendere sulla fede dell'Europa, trasse la sua origine e i suoi lineamenti durante quegli ultimi anni dell'illuminismo francese. Fu lo stesso Hegel che scrisse: «Noi non dovremmo prendere l'accusa di ateismo con leggerezza, infatti è molto comune che una qualunque persona, le cui idee su Dio differiscano da quelle degli altri, sia accusata di mancanza di religione o perfino di ateismo. Ma è proprio questo il caso nel quale tale filosofia è sfociata nell'ateismo e ha definito la sostanza, la natura, ecc., come ciò

che deve essere preso come l'ultimo,
l'attivo e l'efficiente» (*Lectures on
History of Philosophy*, III, 387).
Ma né D. Diderot né P. d'Holbach
hanno dato origine a ciò che essi fecero nascere. Essi furono solo la fine
dell'inizio. Qui c'è una lezione critica per la teologia fondamentale. Infatti, proprio come il significato di
«ateismo» è dialetticamente parassi-
tico a «teismo», così lo sono le sue
origini.
Diderot e d'Holbach non contano
né J. Toland (*Christianity not Mysterious* e le *Letters to Serena*) né A.
Collins tra i loro predecessori. Nemmeno si basarono su Th. Hobbes e
B. Spinoza, anche se questi ultimi furono considerati da Clarke e Bayle
come istigatori di un crescente ateismo. Diderot e d'Holbach conside-
rarono parte della loro eredità i maggiori difensori della fede cristiana.
D'Holbach prende la struttura di un
intèro capitolo da S. Clarke e dimostra che esso può essere riempito con
l'idea di una materia dinamica. La
fisica di I. Newton occupa un posto
centrale sia per Diderot che per
d'Holbach, un posto che nessun'altra impresa scientifica avrebbe raggiunto, ma questi ammiratori francesi erano decisi a salvare la sua fisica sostituendo la *dominatio* del Dio
di Newton con una materia dinamica che tutto abbraccia. Di fatto il
problema di Dio al culmine dell'illuminismo era diventato un problema
di filosofia e di fisica.

2. QUESTIONE FILOSOFICA ED EPOCHÉ
RELIGIOSA - Come detto prima, nei
sec. XVI e XVII − come nel caso
delle streghe − si vedevano atei dovunque. Nel 1572, per esempio, niente meno che lord Burleigh diceva che
tutta l'Inghilterra era «divisa in tre
partiti, i papisti, gli atei e i protestanti. E tutti e tre erano ugualmente
favoriti. I primi due perché essendo
numerosi, noi non possiamo contra-
riarli, gli altri perché essendo noi re-

ligiosi temiamo di offendere Dio in
loro» (*Origins*, 9). Contro costoro
vennero scritti libelli e sermoni da
parte di Checke, Rastell, Hutchinson
e Latimer. Tra i più sistematici e sin-
tomatici, in questa grande quantità
di libri, c'era quello di un teologo
fiammingo, L. Lessius, *De providentia numinis et animi immortalitate*,
1613, tradotto in inglese nel 1631 come *Rawleigh: His Ghost*.
Nel violento attacco di Lessius ci sono significativi passi «contro gli atei
e i politici dei nostri tempi». Lessius
poteva indicare i politici per nome.
C'era Machiavelli e quanti avevano
preso il *Principe* come guida della loro vita. Ma chi erano gli atei? Lessius non poteva nominare i contemporanei. Egli doveva rifarsi agli elenchi della antichità classica fatti da Cicerone, Sesto Empirico e Claudio
Eliano. Da questi elenchi Lessius scelse coloro che pensava i più indiscutibili: Diagora di Melos e Protagora,
Teodoro di Cirene, Bione di Boriste-
ne e Luciano. A questo gruppo Lessius aggiunse gli atomisti che nega-
vano ogni effettiva provvidenza di
Dio: Democrito, Epicuro e Lucrezio.
I contemporanei − ancora una volta
come nel caso delle streghe − «non
erano molto conosciuti al mondo perché la paura delle leggi impone il silenzio a questo genere di uomini che
soltanto segretamente, tra i loro co-
noscenti, vomitano il loro ateismo»
(*Origins*, 46).
Il secondo fattore è il trattamento
riservato all'ateismo. Gli atei classici
sono antichi filosofi − atomisti, sofisti e scettici − . Per questo il problema dell'ateismo sarà trattato come se fosse una questione filosofica
piuttosto che religiosa e teologica.
Lessius scrive come se stesse facendo, nel XVII sec., un recupero del
De natura deorum di Cicerone e come se sedici secoli di cristianesimo
fossero stati irrilevanti. Perfino i miracoli e la tradizione profetica sono
accettati, non come segni religiosi, ma

entro le classiche categorie stoiche e trasformati in una ulteriore istanza del disegno della natura attraverso un intervento così spettacolare da portare testimonianza dell'esistenza di Dio.

Un ulteriore motivo, probabilmente, aiuta questo spostamento del problema nel puro campo filosofico. Le chiese che si combattevano erano viste da alcuni come se fornissero il terreno all'ateismo. Francesco Bacone scrisse: «Le cause dell'ateismo sono le divisioni delle religioni, se sono molte» (Saggi *On Atheism*). E ce n'erano molte e anche sanguinarie. La filosofia apriva un campo comune a tutti – permettendo perfino che fosse tradotto in cinese il *De providentia numinis* per le preoccupazioni sulle posizioni atee nel Regno di Mezzo.

Si ebbe un ulteriore influsso, quello di una particolare lettura della *Summa Theologiae* dell'Aquinate. Lessius aveva introdotto a Lovanio la pratica di commentare la *Summa* al posto delle *Sentenze* di Pietro Lombardo. Il problema dell'esistenza di Dio, con il quale comincia la *Summa*, veniva letto in modo da risolvere questo problema con un'argomentazione che, benché collocata in un ambito teologico, era essenzialmente filosofica nell'evidenza e nel metodo. Lessius non fu né il primo né l'ultimo tomista a sostenere che questo è il modo secondo il quale deve essere affrontato tale problema. E. Gilson, per esempio, trattando questa sezione della *Summa*, recentemente, cioè nel 1959, scrisse: «È naturale che il suo (dell'Aquinate) primo problema fosse l'esistenza di Dio. Su questo problema comunque un teologo non può fare molto di più che rivolgersi ai filosofi per un'informazione filosofica. L'esistenza di Dio è un problema filosofico (*Elements of Christian philosophy*, 43, 209). Lessius aveva sostenuto con molta forza la stessa cosa secoli prima. Ma egli era andato oltre. Aveva rimosso l'in-

tero problema dalla sua collocazione teologica, ordinato una serie di argomentazioni filosofiche ed eliminato, come non pertinente, qualunque cosa essenzialmente coinvolta nel rapporto personale e religioso fra Dio e gli uomini. Il passo decisivo a questo punto non era l'introduzione della filosofia o della filosofia naturale o della teologia naturale; il passo cruciale era l'*epochê* religiosa, cioè raggruppare tutti i fenomeni o le «informazioni» essenzialmente religiose, perché senza logica persuasiva, al di fuori di una fede confessionale. Le esperienze e gli usi della religione non avevano nulla da dire sulla sua asserzione fondazionale.

Il terzo fattore che si dovrebbe rilevare è l'unione tra scienza e religione. Il sapere convenzionale parla di antichi e irrisolvibili conflitti tra scienza e religione. Come dato di fatto la realtà era quasi opposta. Con l'eccezione della tragedia di Galileo e delle sue conseguenze, la scienza definita «filosofia naturale», fino al tempo di Newton, non soltanto non era opposta alla religione; spesso si credeva che potesse fornire le basi per la fede religiosa meglio della religione.

Il grande teologo ed erudito M. Mersenne, dei frati minori, avrebbe seguito una simile linea. Nel suo voluminoso commentario alla Genesi, del 1623, qualcosa come 1900 colonne «in folio», e nel suo più diretto volume dell'anno seguente, *L'impiété des Déistes, Athées, et Libertins de ce temps*, Mersenne lanciò i suoi attacchi contro il supposto ateismo del suo tempo. Quasi tutti coloro che per il suo pensiero erano pericolosi, furono collocati in questa categoria, ma tre nomi spiccano sugli altri: P. Charron, G. Cardano e Giordano Bruno – un fideista scettico che volle farsi certosino, un neo-averroista che portò la scuola di Padova a Parigi e un deciso razionalista – ognuno dei quali avrebbe rifiutato questa de-

finizione con orrore. Per mettere a
tacere questi e innumerevoli altri atei
con i quali Mersenne aveva riempito
Parigi, egli elabora argomenti che
uniscono le scoperte della fisica epicurea con l'ontologia platonica. Ogni
spazio lasciato da Lessius ai miracoli
e alle profezie fu eliminato. Qualunque cosa specificamente religiosa –
sia nell'esperienza che nella testimonianza, nella tradizione o nella pratica – è messa da parte allo scopo di
fornirle un fondamento.

Questa *epochê* religiosa occupò in
Europa gran parte della strategia apologetica. L'esistenza di Dio divenne
primariamente un problema filosofico. I più grandi metafisici e filosofi
naturali di quel periodo non soltanto
accettarono questa accusa, ma la ab-
bracciarono.

3. SISTEMI CARTESIANO E NEWTONIA-
NO - Ai teologi della facoltà di teologia di Parigi, Cartesio dedicò la sua
maggior opera, *Meditationes de Prima Philosophia*, ma nella dedica egli
distinse il suo compito dal loro: «Io
ho sempre considerato che le due questioni riguardo Dio e l'anima fossero
le principali tra quelle che devono essere dimostrate da argomentazioni filosofiche piuttosto che teologiche».

Newton scrisse a R. Bentley riguardo ai *Principia*: «Quando io ho scritto il mio trattato sul nostro sistema
(del mondo) tenevo un occhio su tali
Princìpi che, con uomini di pensiero,
potrebbero funzionare per la fede in
una divinità, e nulla può farmi felice
più che trovarlo utile a tale scopo»
(*Origins*, 102). Alla fine della seconda e terza edizione dei *Principia* e nei
Quesiti, alla fine del suo *Opticks*,
Newton costruì una lunga difesa del-
l'esistenza di Dio: «Per ciò che concerne Dio, parlare di colui che, da come si presentano le cose, appartiene
certamente alla filosofia naturale»
(*Principia* III, «General Scholium»).

Ma Newton va oltre: «Il compito
principale della filosofia naturale è

arguire dai fenomeni senza simulare
ipotesi e dedurre cause da effetti finché giungiamo alla vera Causa prima che certamente non è meccanica!»
(*Opticks*, Questione 28). Questo, a
sua volta, fornirà le basi per ciò che
nella 31ª Questione, dell'*Opticks*, egli
definì filosofia morale e ciò che il manoscritto inedito di Newton «Short
Scheme of the True Religion» avrebbe identificato con la religione fondamentale: «il nostro dovere verso
Dio e il nostro dovere verso l'uomo,
pietà e giustizia che io qui definirò
Religiosità e Umanità».

In questi movimenti contro un supposto ateismo confluirono due importanti fattori, uno da parte di Cartesio e l'altro di Newton. Cartesio aveva distinto diversi generi di filosofia:
Dio avrebbe dovuto essere trattato
nella prima filosofia, mentre la meccanica sarebbe stata spiegata unicamente grazie a principi meccanici, agli
argomenti e alle leggi di moto inizialmente date da Dio. Newton, in forte
contrasto, eliminò la metafisica e fece della meccanica una scienza universale. La Meccanica Universale offriva le fondamenta non soltanto alla geometria ma anche alla teologia
dal momento che postulava un principio che in ultima analisi non era
meccanico. I teologi non avevano soltanto preparato la strada a queste rivoluzioni nello stato delle affermazioni sulla realtà di Dio, essi le avevano abbracciate e, ognuno a modo
suo, le avevano seguite. Cartesio ge-
'nerò il suo Malebranche e Newton il
suo Samuel Clarke. Ambedue costruirono sistemi completi di pensiero fondazionale in teologia sulle strutture
concettuali preparate dai loro maestri; in questo campo ognuno di essi
era probabilmente il pensatore più influente nel suo rispettivo paese.

Il newtonismo alla fine finì per dominare anche nel continente nel XVIII
secolo; fiorirono le fisico-teologie e
l'esistenza di Dio trovò le sue più salde basi nella *physique expérimentale*.

4. L'ILLUMINISMO: SINTESI E CORRET-
TIVI - Si può scoprire il capovolgimento di questo sistema attraverso la
sua disintegrazione nelle opere di D.
Diderot. Nel suo primo *Pensées phi-
losophiques* (1746), Diderot costruì
un'apologetica che spostò l'argomento dal piano di Newton ad un linguaggio aforistico. Nel suo seguente
Lettre sur les aveugles (1749), il problema del male, personificato nella
cecità del Dr. Saunderson, giunse a
distruggere la prova dell'argomento
basata su un piano [divino] e Diderot introdusse una teoria della materia dinamica che avrebbe potuto spiegare sia il bene che il male. Dio era
al più un *deus otiosus*. Dall'agnosticismo della *Lettre* derivò l'aperto
ateismo dell'*Entretien entre d'Alembert et Diderot, Le rêve de d'Alembert* e la *Suite de l'Entretien* (1769).
Un anno più tardi apparve, sotto
pseudonimo, il *Système de la Nature*
del prolifico barone P. d'Holbach che
dava a Diderot metodo e sostegno e
portava a completamento le sue precedenti opere, *Christianisme dévoilé*
e *Contagion sacrée*. Gli scritti di entrambi esponevano un ateismo che
avrebbe raccolto aderenti e forza. Il
secolo XIX raccolse i loro argomenti, trasferendo l'area dell'evidenza da
un piano esistente nella natura alle
implicazioni della natura umana come fondazionali per ogni affermazione o negazione della realtà divina.

Ciò che avvenne nell'illuminismo e
ciò che si trova alle origini del primitivo ateismo, discusso e articolato nei
tempi moderni, era fondamentalmente molto semplice. Diderot e d'Holbach misero insieme due idee. Da
Newton accettarono l'universalità della meccanica, cioè il metodo meccanico poteva affrontare tutta la realtà; ciò che essi rifiutarono da Newton fu la sua pretesa, che era già stata di Aristotele prima di lui e sarebbe
stata di Whitehead dopo – che lo
studio dei fenomeni naturali conduca necessariamente ad un principio

che è sopra la natura. Da Cartesio
essi accettarono l'autonomia della
meccanica – che cioè ogni realtà fisica o naturale deve essere spiegata
nei termini dei principi meccanici,
cioè nei termini di materia e di leggi
del moto; ciò che essi rifiutarono da
Cartesio fu ogni aprioristica filosofia prima che avesse potuto dimostrare l'esistenza di Dio. In molti modi
Diderot e d'Holbach furono gli iniziatori del moderno ateismo sintetiz-
zando linee di pensiero delle due maggiori menti del secolo XVII, due filosofi esaltati dai teologi come custo-
di delle fondamenta della religione.
La sintesi era una meccanica universale basata unicamente su principi
meccanici.

Questa sintesi fu realizzata grazie a
un cambiamento decisivo. Tanto Cartesio che Newton avevano considerato la materia inerte, senza moto né
movimento intrinseci. Cartesio aveva identificato la materia con l'elaborazione che rende possibile la geometria. Newton aveva identificato la
materia con la massa e trovato che
la materia differiva soltanto concettualmente dalla resistenza inerte al
cambiamento. Ora Diderot e d'Holbach rivoluzionarono la filosofia naturale ed eliminarono ciò che era stato preso come fondamento della religione – facendo la materia non più
inerte ma dinamica. Essi resero il moto parte dell'esistenza propria della
materia, un attributo intrinseco della
materia. A questo punto non c'era
più bisogno di Dio per dare il primo
moto alla materia e qualunque piano
la materia avesse realizzato sarebbe
stato l'effetto necessario del moto e
della materia. La materia con il suo
intrinseco moto diviene la sorgente in
evoluzione creativa e dinamica di ogni
realtà fisica. Non deve destare grande meraviglia che Diderot sia stato
lo scrittore preferito di K. Marx.

All'origine dell'ateismo, come in
ogni grande rivoluzione sociale e
ideologica, furono attivi anche molti

altri fattori che sono stati elencati nelle analisi dei moti sociali, culturali ed economici. Ma ciò che è stato trascurato in queste storie delle origini è stata l'evoluzione dell'argomento che diede a questi sviluppi comprensione e giustificazioni. Le origini dell'ateismo derivarono direttamente da un cambiamento decisivo nella fisica. Ma la fisica non diceva affatto che non c'era Dio, non più di quanto fece La Place nella sua celebre conversazione con Napoleone nel 1802. La Place sosteneva semplicemente che la catena delle cause naturali avrebbe spiegato la costruzione e la conservazione dei cieli siderei. La fisica della materia dinamica sosteneva unicamente che non era necessario un Dio per ordinare ed equilibrare il sistema. Soltanto coloro che consideravano la fisica e la filosofia naturale come fondamenti per dimostrare l'esistenza di Dio, furono lasciati con una argomentazione senza fondamento.

Perciò la domanda è: chi aveva assicurato che l'esistenza di Dio si basa in primo luogo sulla filosofia o sulla filosofia naturale? Chi aveva messo tra parentesi la religione al fine di dimostrare l'affermazione religiosa centrale che Dio esiste? Sono stati i teologi, i quali secoli prima avevano accettato l'*epochê* religiosa come una strategia essenziale, riducendo il problema, l'evidenza e l'argomentazione a temi essenzialmente filosofici, prescindendo dalla natura profondamente religiosa del problema, astraendo dagli aspetti tipicamente religiosi della vita umana che devono funzionare come garanti e prescindendo dalle procedure dalle quali si potrebbero comprendere i problemi religiosi ed evidenziare e verificare le loro implicazioni. Più si insisteva che l'esistenza di Dio era essenzialmente ed unicamente un problema filosofico, tanto più si accettava implicitamente l'interno vuoto conoscitivo della religione per sostenere con ogni forza la propria affermazione fondazionale. Più si giungeva a insistere sulla filosofia naturale più l'inevitabile sviluppo dell'autonomia della filosofia naturale diveniva non soltanto un evento positivo anche in fisica ma un'indicazione negativa nel pensiero religioso. Le origini dell'ateismo moderno, quindi, sono profondamente dialettiche: l'ateismo era in parte generato proprio dagli sforzi per combatterlo.

Inoltre, come il professor A. Kors ha recentemente dimostrato, anche quei filosofi che costruirono una argomentazione metafisica, piuttosto che sulla base della crescente filosofia naturale, diedero un contributo analogo. Ciò che i cartesiani avevano costruito, gli aristotelici abbatterono. Ciò che gli aristotelici indicavano come evidente per l'esistenza di Dio, i cartesiani trovavano insufficiente, incerto e non dimostrativo. Quando alla fine eruppe un ateismo strutturato, poche decadi prima dei celebrati e noti Diderot e d'Holbach, esso era emerso da J. Meslier, un sorprendente parroco francese che lasciò, alla sua attonita parrocchia, dei volumi postumi nei quali dimostrava che ogni religione era una beffa. E da dove uscivano i suoi argomenti e quelli del piccolo gruppo di atei che circondavano o seguivano le orme di d'Holbach? Dalle polemiche dei credenti. Non è necessario supporre una storia segreta del libero pensiero che alla fine uscì allo scoperto. Non soltanto il dinamismo che si trova alle origini dell'ateismo, ma anche i suoi argomenti derivarono dalle polemiche e dall'apologetica degli ortodossi.

5. UNA LEZIONE PER LA TEOLOGIA FONDAMENTALE - Implica forse simile lettura della storia di questa idea che la speculazione metafisica o le implicazioni della filosofia naturale sono antireligiose, quando giungono a trattare o a suggerire la realtà di Dio, o che tale pensiero è occultamente

ateo? Niente affatto. Questo non è stato vero per la grande tradizione di saggezza da Platone e Aristotele fino a Pierce e Whitehead. Sartre ha sottolineato con disappunto che tutti i grandi filosofi fino al suo tempo, in una forma o nell'altra, erano stati credenti, che una realmente grande filosofia atea era qualcosa che mancava alla filosofia e ad essa egli avrebbe indirizzato i suoi sforzi (Simone de Beauvoir, *Adieux*, 436). La filosofia non tradisce il genio della religione; la religione può tradire soltanto se stessa.

Infatti, un evento simile, nell'evoluzione di una idea, indica che l'*epochê* religiosa in fondo è autodistruttiva; che la riflessione fondazionale non può escludere i dati e l'esperienza del senso religioso al fine di avvalorare l'esistenza di Dio. La religione, come la riflessione su di essa, deve possedere in se stessa i principi e le esperienze atti a svelare l'esistenza del divino. Se non c'è alcuna forza persuasiva nella fenomenologia dell'esperienza religiosa, o niente è dato di scoprire nella testimonianza di storie personali di santità, preghiera, profondo rispetto e dedizione religiosa; se non ha alcuna forza quell'esigenza impellente di assoluto già presente nel bisogno di verità, di fedeltà, di bontà e di bellezza; se nulla dice il senso intuitivo dell'«esserci» di Dio, o la coscienza di un orizzonte infinito che si svela davanti alla ricerca e al desiderio; in quel risveglio in cui uno si trova sbalzato in una consapevolezza più acuta in seguito a esperienze limite quali la morte e la gioia, la solitudine e la brama profonda; se nessuna forza persuasiva si riscontra nella lunga storia e saggezza delle istituzioni e delle pratiche religiose, né in tutte quelle dimensioni della vita che vengono giustamente chiamate «religiose»; ma soprattutto – per chiunque prenda seriamente il problema religioso – se non dice nulla l'appello della vita e del significa-

to di Gesù di Nazareth: allora è, in definitiva, controproducente volgersi fuori della sfera religiosa a un'altra disciplina, scienza o arte per fondare la pretesa fondazionale della religione, o per dimostrare che «c'è un amico dietro il fenomeno».

Il termine «dio» attraverso le multiformi esperienze delle implicazioni religiose, ha acquistato troppa profondità o densità per essere determinato o semplicemente e fondazionalmente esaurito per deduzione. Pochi crederanno a lungo in un dio personale con il quale non c'è comunicazione individuale. Il valore di una deduzione metafisica o anche di un argomento teologico non sta nello stabilire l'esistenza di Dio del quale non abbiamo esperienza ma nell'indicare che, ciò che è già nella profondità dell'esperienza umana, è la misteriosa presenza di Dio che si sperimenta già nel desiderio, nella gioia, nella ricerca e in tutte le tendenze dello spirito umano verso il compimento. E concomitanti con tale apertura deduttiva di ciò che è già presente devono essere le incarnazioni concrete e personali di questo sacro assoluto nelle vite dei santi e dei profeti, nell'oscuro tendere degli esseri umani verso una verità cui è attribuito un riconoscimento assoluto e in comunità nelle quali sono perdonati inescusabili peccati e il sacro è diventato sacramentale.

Nel vocabolario rahneriano la lezione da imparare da questo momento sulle origini dell'ateismo è che la teologia cattolica deve esplorare insieme sia la rivelazione trascendentale di Dio che quella categorica. Tra gli elementi che il barone von Hügel intese come parte dell'essenza di una sana religione, una riflessione fondazionale deve includere i tre fattori basilari: il razionale e lo speculativo; l'affettivo, il mistico e l'attivo; l'istituzionale e il tradizionale. Tra essi esiste un'unità necessaria e organica. Eliminatene uno solo e la teologia fondazionale scriverà una storia non dissimile da quella che apparve al sorgere dell'Occidente moderno. Infatti limitare il religioso nella sua pienezza e tentare qualcos'altro o astrarre un singolo fattore come fondazionale o come sostitutivo, come i teologi cattolici fecero a quel tempo, è incamminarsi verso un processo di contraddizioni interne la cui soluzione finale non può essere che l'ateismo.

Bibl. - A.B. Drachmann, *Atheism in Pagan Antiquity*, London 1922; E. Cassir, *Die Philosophie der Aufklärung*, Tübingen 1932; Id. *The Philosophy of the Enlightenment*, Princeton 1951; R.R. Palmer, *Catholics and Unbelievers in Eighteenth Century France*, Princeton 1939; P. Hazard, *La pensée européenne au XVII siècle de Montesquieu à Lessing*, Paris 1946; A. Vartanian, *Diderot and Descartes:* A Study of Scientific Naturalism in the Enlightenment, Princeton 1953; J. Collins, *God in Modern Philosophy,* Chicago 1959; L. Febvre, *Le Problème de l'incroyance au XVIe siècle: La religion de Rabelais*, Paris 1962; G.T. Buckley, *Atheism in the English Renaissance*, New York 1965; P. Gay, *The Enlightenment: an Interpretation*, vol. I, The Rise of Modern Paganism, New York 1966; H. Blumenberg, *Die Legitimität der Neuzeit*, Frankfurt a.M. 1966; C. Fabro, *Introduzione all'ateismo moderno*, Brescia 1964; Id., *God in Exile*, trad. di A. Gibson, Westminster Md., 1968; A. Kors, *d'Holbach's Coterie: an Enlightenment in Paris*, Princeton 1976; Id., «The first Being of Whom we Have no Proof: The Preamble of Atheism in Early-Modern France»; in Kors - Korshin (edd.), *Anticipations of the Enlightenment in England, France, and Germany*, Philadelphia 1986; M.J. Buckley, *At the Origins of Modern Atheism*, Yale 1987; Id., «The Newtonian Settlement and the Rise of Atheism», in Russell - Stoeger - Coyne (edd.), *Physics, Philosophy and Theology*, Vatican Observatory 1988.

MICHAEL J. BUCKLEY

II. Contemporaneo

1. SPIEGAZIONE CONCETTUALE - Come concetto opposto a «teismo» il termine ateismo (dal greco *theós* = Dio; *átheos* = senza Dio, senza conoscenza di Dio; cfr. Ef 2,12) intende la concezione (filosofica) o l'orientamento che nega l'esistenza di uno o più dèi o di esseri comunque trascendenti.

L'agnosticismo si distingue dall'ateismo a causa della negazione della possibilità di una conoscenza certa riguardo all'esistenza di Dio (→ Agnosticismo).

2. L'ATEISMO MODERNO - L'ateismo moderno sorge all'interno del processo di secolarizzazione che interessa le società dell'occidente industrializzato. Parte originariamente dal *Principio dell'ateismo metodico* che dovrebbe esprimere il fondamento di un diritto naturale indipendente da ogni problematica religiosa, universalmente valido e quindi in grado di vincolare anche Dio (H. Grotius: «Etsi Deus non daretur»). L'ateismo come *teoria* rappresenta la consapevole *legittimazione* della secolarizzazione della società e di ogni sua branca.

Comunemente si distingue fra un ateismo *teoretico, pratico* e *postulatorio*. Questa divisione può essere soddisfacente come primo abbozzo. I sistemi ateistici moderni comunque vengono meglio ripartiti alla luce della loro funzione. Conseguentemente si può parlare di ateismo: *a.* come nuovo approccio secolare alla realtà; *b.* come ermeneutica secolare della religione; *c.* come nuova forma secolarizzata di vita corrispondente alla modernità e, infine, *d.* si può parlare di trasformazioni dell'ateismo.

a. L'ateismo moderno si presenta anzitutto come un nuovo approccio, cioè un *approccio secolare alla realtà* rispetto a tutte le forme religiose. Questo aspetto risulta essenzialmente dalle opere di Holbach e Comte. Secondo Holbach l'ateismo è la riscoperta della natura e di un'etica conforme alla natura umana. Nelle prime opere di Comte l'ateismo (nella forma del suo positivismo) è semplicemente il gradino più maturo dello sviluppo umano.

b. Come *ermeneutica secolare della religione*, l'ateismo moderno entra nella sua fase di sviluppo probabilmente più interessante. In questo campo un'influenza persistente è quella esercitata dal lavoro filosofico di L. Feuerbach (1804-1872). Secondo lui il contenuto della fede religiosa è una proiezione dei desideri e dei bisogni umani. Dio gli appare come l'essenza dell'uomo (l'infinità della sua stessa coscienza), che l'uomo pone come pietra di paragone in un aldilà fantastico. Per quanto Feuerbach non voglia essere un materialista (nel senso dato a questa parola nel XVIII secolo), ha contribuito in modo permanente, attraverso la sua attiva critica alla religione, all'articolazione e al consolidamento del materialismo. Sarebbe difficile sopravvalutare la sua influenza sulle successive generazioni di critici della religione. – K. Marx si riallaccia alla filosofia della religione di Feuerbach, dandole tuttavia una svolta sociale: la religione è allo stesso tempo espressione e protesta nei confronti della miseria, nella quale gli uomini sono costretti a vivere in un «mondo stravolto». La tesi feuerbachiana della proiezione acquista in tal modo una spiegazione sociale. – F. Engels, amico e collaboratore di K. Marx, formula la definizione marxista della religione. Secondo questa definizione «ogni religione non è altro che il fantastico riflesso nella mente umana di quelle potenze esterne che dominano la sua esistenza quotidiana, riflesso nel quale le potenze terrene assumono la forma di potenze sovraterrene» (MEOC 25, 304). Nelle opere della maturità, Engels tenta di applicare la sua concezione della religione alle origini del cristianesimo. In tre scritti (*Bruno Bauer und das Urchristentum*, 1882; *Das Buch der Offenbarung*, 1883; *Zur Geschichte des Urchristentums*, 1895), si occupa di problemi di datazione degli scritti neotestamentari e delle questioni relative alla nascita del cristianesimo primitivo. Proprio in queste opere si

dimostra seguace di B. Bauer, rappresentante radicale della «scuola mitologica». – S. Freud, fondatore della psicoanalisi, sviluppa in un'altra maniera l'impulso feuerbachiano. Egli si occupa continuamente dei problemi della ricerca religiosa, ma non arriva a formularne una teoria unitaria. Esistono, in definitiva, numerosi spunti. Freud scorge nella religione una nevrosi ossessiva universale; ritiene di individuare l'origine della religione in un parricidio preistorico; infine considera la coscienza religiosa come un mantenimento della coscienza infantile, cioè come un rifiuto a divenire adulti.

c. L'ateismo come nuova *forma secolarizzata di vita*, che corrisponde alle condizioni ed alle esigenze della modernità, si afferma ovunque. Di particolare rilevanza risulterebbero in quest'ambito Lenin ed il sistema di educazione ateistica nei paesi del socialismo reale. Lenin dipende da Engels per quanto riguarda la concezione della religione. La sua importanza risiede nella formulazione del rapporto fra lotta rivoluzionaria e lotta contro la religione. La lotta contro la religione deve essere subordinata alla lotta rivoluzionaria complessiva; essa non ha quindi un valore autonomo. Nella lotta contro la religione non dovrebbero essere feriti i sentimenti dei credenti. Va ricondotta a Lenin l'instaurazione di un sistema di educazione all'ateismo. Tale educazione significa l'acquisizione di una visione scientifico-materialista del mondo.

d. Attualmente l'ateismo esplicito si va trasformando in altre forme di atteggiamento spirituale di principio. Di conseguenza si può parlare sensatamente ed a ragion veduta di *trasformazioni* dell'ateismo. Queste trasformazioni possono essere lo scientismo, l'umanesimo (ateistico), il nichilismo, il razionalismo e soprattutto l'agnosticismo.

3. LA DISPUTA TEOLOGICA CON L'A-
TEISMO - Fin dagli esordi dell'ateismo
moderno anche la teologia si confronta criticamente con esso. In questo
dibattito una nuova impostazione è
rappresentata dalle ultime opere teologiche di D. Bonhoeffer. Soprattutto le sue lettere dal carcere, in cui
egli invita a riconoscere la secolarità
del mondo e la sua crescita. Soltanto
in quest'ottica sarebbe possibile annunciare il vangelo in conformità alle condizioni dei tempi nuovi. I cristiani dovrebbero vivere nel mondo
«etsi Deus non daretur». Per di più
l'autore affronta un'interpretazione
«non religiosa» di concetti biblici senza svilupparla affatto nei singoli
aspetti e senza spiegare in quale maniera potrebbe essere attuabile.

Sulla scia di Bonhoeffer possono essere individuati dei tentativi molto diversificati di affrontare la disputa con
l'ateismo moderno. Il tentativo più
radicale è certamente rappresentato
dalla cosiddetta «teologia della morte di Dio», che si annulla di per se
stessa in quanto teologia. I rappresentanti della teologia della «secolarizzazione» tentano di considerare
con rigore teologico la secolarità del
mondo e di tracciarne le relative conseguenze.

Alcune concezioni teologiche vere e
proprie sono fondamentalmente comprensibili come contestazione dell'a-
teismo moderno, senza che ci sia una
disputa con un concreto autore atei-
sta. Da un certo punto di vista sono
da valutare come autonomi tentativi
di condurre una disputa anche concezioni così differenti come la demitologizzazione di → Bultmann o
come la teologia radicale della parola di Dio di → Barth. Sul lato cattolico questa differenza si ripete per certi versi nella lettura antropologica della teologia di → K. Rahner e nella
estetica teologica di → H.U. von Balthasar.

Il *problema centrale* che divide l'a-
teismo moderno e la fede cristiana

tradizionale è la questione relativa alla *realtà di Dio*. Tutte le forme del-
l'ateismo moderno sono concordi nel
considerare Dio come un'illusione
dell'uomo religioso. Per affrontare
questa obiezione di illusorietà la teologia deve nuovamente riflettere sui
presupposti *ontologici* della questione di → Dio. A riguardo non si tratta di dedurre Dio a partire dal mondo, ma del fatto che senza assumere
un Dio il mondo stesso non può essere descritto in maniera priva di contraddizioni (il che è necessario per poter agire in esso). Infatti nella descrizione di fondamentali aspetti del mondo (come per esempio mutamenti o
evoluzioni), scaturisce un *problema
di contraddizione* di tal natura che
gli aspetti problematici non possono
proprio essere descritti senza contraddizioni. Così, ad esempio, il mutamento deve essere descritto come una
compresenza contemporanea di identità e non-identità. Per distinguere le
contraddizioni *apparenti* da quelle *di
fatto* occorrono ulteriori riflessioni
sul principio della non-contraddizione
e fondamentalmente della sua valenza *ontologica* (e non meramente logica). Solamente considerando che
l'effettivo contenuto di una problematica delle contraddizioni, nella sua
interezza, rimanda costantemente a
qualcosa d'altro da cui è nello stesso
tempo completamente diverso, può
risolversi il problema e nello stesso
tempo essere messa in luce la «creaturalità» del mondo: proprio con un
costante riferimento a qualcosa d'altro, da cui è completamente diversa.
Questo Altro, in termini religiosi, è
chiamato «Dio». Il mondo non è pensabile senza questo altro, perché esso è stato creato, mentre questo altro, Dio, è ciò senza il quale nulla
può esistere.

L'obiezione, stando alla quale la cosmologia moderna renderebbe impossibile parlare di Dio in senso tradizionale (cfr. H. Albert, *Per un razionalismo critico*, Bologna 1973, cap.

V: Fede e Sapere), ha la sua giustificazione nel fatto che non è possibile parlare di Dio neutralmente rispetto a una visione del mondo. Ma l'affermazione secondo la quale l'idea di Dio sarebbe esclusivamente connessa alla visione sociomorfa del mondo dell'antichità e del medioevo, è confutabile alla luce delle riflessioni espresse precedentemente.

4. L'ATEISMO MODERNO E IL PROBLEMA DELLA TEODICEA - La disputa teologica con l'ateismo non può trascurare il problema della teodicea, che può essere considerato generalmente l'argomento *ostico* dell'ateismo moderno. Nel quadro delle riflessioni finora condotte anche questo problema può essere impostato in maniera nuova.

La formulazione classica della questione, come si può conciliare l'esistenza di un Dio onnipotente ed infinitamente buono con il male presente nel mondo, non permette alcuna soluzione soddisfacente. L'unica alternativa ammessa è che il male esiste o perché Dio è onnipotente, ma non infinitamente buono, o perché è davvero infinitamente buono, ma non onnipotente. Tentativi di distinguere fra un male fisico ed uno morale sono in grado di chiarire alcuni aspetti senza rappresentare però una vera soluzione; lo stesso vale anche per la spiegazione del male come «privatio boni». Ulteriori riflessioni sono presenti nelle opere di P. Knauer (1986) e P. Henrici (1988).

Secondo Knauer il problema relativo alla teodicea prende le mosse da una premessa erronea, come se esistesse un concetto comprendente Dio e mondo, all'interno del quale partendo da Dio si potrebbe dedurre il mondo. Dio (come creatore) viene compreso come colui senza il quale nulla esiste. Un concetto di Dio acquisito in questa maniera non può successivamente essere utilizzato contro la realtà del mondo. Il problema

è prima di tutto pratico: come è possibile per l'uomo vivere nel mondo senza divinizzarlo nella felicità e senza disperarsi nella cattiva sorte. La parola «Dio» non dà alcuna risposta a questa domanda. In conformità all'esperienza del mondo ha valore piuttosto solamente il fatto che Dio «fa sorgere il suo sole sopra i malvagi e sopra i buoni, e fa piovere sopra i giusti e sopra gli ingiusti» (Mt 5,45). Questa esperienza del mondo diviene buona notizia solo attraverso la rivelazione cristiana, che è l'evento d'amore di Dio per gli uomini. All'interno della fede cristiana l'uomo vive dell'esperienza della comunione con un Dio (misericordioso), che è potente in ogni cosa e per questa ragione vince il dolore e la morte.

Secondo Henrici il problema relativo alla teodicea scaturisce da una commistione di due complesse problematiche originariamente diversificate: *a*. dalla ricerca, della cultura greca, di un ordinamento razionale del mondo; *b*. dal problema cristiano relativo al Creatore onnipotente. Dalla commistione della visione greca del mondo con il concetto cristiano di Dio, scaturisce l'«insensata» problematica della teodicea (cioè la questione di una «giustificazione di Dio» alla luce del male presente nel mondo). La razionalità del mondo viene messa in questione dall'onnipotenza di Dio, che, a sua volta, viene commisurata alla razionalità del mondo. A partire da queste premesse ogni tentativo è tuttavia condannato al fallimento. Non esiste alcuna soluzione intellettuale. La domanda umana rimane irrisolta di fronte all'evidenza del dolore. Il problema si pone sul piano della realtà concreta, domandandosi perché il dolore è un fatto che non può essere liquidato a parole. Sul piano razionale il dolore rimane qualcosa di irrazionale, che non può essere integrato in un sistema razionale. Per questo motivo non può esistere, per principio, alcuna solu-

.zione riguardo al problema della teodicea: l'uomo deve confrontarsi con il male (con il dolore), senza potersi rifugiare in speculazioni raziocinanti di fronte a questa realtà. Il problema dell'onnipotenza di Dio ottiene una risposta pratica attraverso l'autorivelazione di Dio nella storia: *a.* nel libro di Giobbe il dolore viene spiegato come momento di prova permesso da Dio e alla luce di ciò acquista senso; *b.* la letteratura biblica dell'esilio (Geremia e il Deutero-Isaia) fa appello al carattere redentivo del dolore: nella sopportazione esso viene superato; il Nuovo Testamento dimostra che Dio stesso ha patito il dolore in Gesù Cristo. La risposta del NT non è che il dolore deve avere un senso se Dio lo soffre, ma il fatto che Dio soffra dà ad ogni dolore il suo senso. E ciò significa non la giustificazione di Dio di fronte al dolore, né una semplice giustificazione del dolore attraverso Dio, ma una giustificazione in base al dolore che Dio stesso liberamente ha assunto su di sé (come dato di fatto storico). «Per questo motivo una vera teodicea non può prescindere dall'Incarnazione né dalla Passione» (Henrici).

In senso biblico perciò, il dolore può assurgere a luogo dell'incontro con Dio nella misura in cui l'uomo si confronta con esso e non lo rimuove usando le sue facoltà di ragionamento e raziocinio.

Bibl. - F. Billicsich, *Das Problem des Übels in der Philosophie des Abendlandes*, voll. I-III, Wien 1955-1959; W. Dantine, *Die Gerechtmachung des Gottlosen*, München 1959; Facoltà filosofica della Pontificia Università Salesiana, *L'Ateismo contemporaneo*, voll. I-IV, Torino 1970; R. Caporale - A. Grumelli, *Religione e ateismo nelle società secolarizzate*, Bologna 1972; H.-M. Barth, *Atheismus*. Geschichte und Begriff, München 1973; A. Grumelli (ed.), *Ateismo, secolarizzazione e dialogo*, Roma 1974; K.-H. Weger (ed.), *Religionskritik. Beiträge zur atheistischen Religionskritik der Gegenwart*, München 1976; J. Figl, *Atheismus als theologisches Problem*, Mainz 1977; M. Neusch, *Aux sources de l'athéisme contemporain*, Paris 1977; J.L. Mackie, *The Miracle of Theism*. Arguments for and against the Existence of God, London 1982; H. Zirker, *Religionskritik*, Düsseldorf 1982; B. Groth, *Sowjetischer Atheismus und Theologie im Gespräch*, Frankfurt a.M. 1986; P. Knauer, *Unseren Glauben verstehen*, Würzburg 1986, 150-159; M.J. Buckley, *At the Origins of Modern Atheism*, New Haven/London 1987; Convegno Biblico Italiano Francescano, *Ateismo e Bibbia,* Assisi 1988; P. Henrici, «Von der Ungereimtheit, Gott zu rechtfertigen», in *ArchFil* 56 (1988) 675-681.

BERND GROTH

B

BALTHASAR, Hans Urs von

Con la realizzazione della trilogia: estetica, drammatica e logica teologica, von Balthasar ha saputo ricostruire quell'anello mancante della tradizione teologica che poteva leggere l'evento della rivelazione alla luce dei tre trascendentali. Balthasar (12.8.1905 - 26.6.1988) non ha scritto ex professo una teologia fondamentale. Nella sua grande produzione teologica ci si incontra, tuttavia, con diverse tematiche che sono peculiare oggetto della fondamentale e che, a più riprese ed esplicitamente, l'autore stesso ha voluto trattare come argomento teologico fondamentale.

La ricostruzione di un «progetto» di teologia fondamentale presso questo autore, potrebbe essere schematizzata come segue:

1. PRINCIPI EPISTEMOLOGICI - Primo carattere che emerge dall'impostazione teologica di von Balthasar, a riguardo della fondamentale, è la sua connotazione prettamente teologica.

Lasciati alle spalle i contenuti e la metodologia della manualistica (→ Teologie, II), che verteva principalmente sulle *demonstrationes* condotte con stretto rigore filosofico-scolastico, e che faceva dei *preambula fidei* il proprio cavallo di battaglia, la teologia fondamentale viene qui incontro nella sua particolare e peculiare riflessione di fede che già determina il contenuto e il metodo in chiave teologica.

Una semplice espressione che si trova, fin dalle prime pagine di *Herrlichkeit*, quale: «teologia fondamentale e teologia dogmatica sono inseparabili», ha già di per sé una conseguenza metodologica e crea un presupposto epistemologico di vasta portata. La riflessione tipica della fondamentale infatti è già posta sotto il denominatore comune di «teologia», che in von Balthasar non lascia mai dubbi sulla sua costituzione di una riflessione compiuta alla luce della fede. La ricerca teologico-fondamentale pertanto non è da considerare né come un'introduzione, né come dei prolegomena alla dogmatica, né tanto meno come una semplice «funzione» per l'intera teologia. Fare fondamentale equivale, per il nostro autore, a compiere quella riflessione e quell'indagine che sono già inserite nella dinamica della *fides quaerens intellectum*: «l'apologetica è già caricata di tutta la dogmatica quando intraprende il tentativo di rendere plausibile e di avvicinare a colui che ancora non crede, l'immagine della rivelazione divina» (G. I,111).

Non siamo quindi né in un rapporto ancillare della filosofia nei confronti della teologia, né in una dipendenza di questa dai vari sistemi filosofici. La teologia invece avrà come sua base epistemologica quel sapere che le proviene dalla fede e, in forza e sulla base di questa, potrà recuperare il sapere filosofico.

A questa prima osservazione può far seguito una seconda caratteristica che permette di valutare l'originalità del «progetto» apologetico di von Balthasar. Si è davanti alla precomprensione di un recupero dell'unità dei trascendentali come una prima trasposizione, nell'ambito teologico, di una lettura della rivelazione.

Sarà da notare e sottolineare, che si è sempre in presenza di un progetto globale che non può essere ridotto alla sola lettura dell'estetica. La rivelazione, per Balthasar, viene teologicamente spiegata nella reciproca relazione dinamica dei tre trascendentali con le rispettive letture di «estetica» «drammatica» e «logica». Ogni lettura che volesse limitarsi, anche solo per la parte di teologia fondamentale, alla semplice estetica, sarebbe in qualche modo compromessa e, in ogni caso, riduttiva. L'estetica rimane la prima parte, il punto di partenza e l'intuizione originale, che si sviluppa poi in una «drammatica» e in una «logica», perché solo così la Gestalt viene percepita nella sua pienezza.

L'utilizzo del *pulchrum* come punto iniziale per la comprensione della rivelazione, pone in atto alcuni principi che si possono così sintetizzare:

a. A livello epistemologico, il *pulchrum* richiede, come sua corrispondente forma di conoscenza, quella della *percezione* (Wahrnehmung). Ciò che «appare» (Erscheinung) è, nello stesso tempo, ciò che costituisce la verità di sé. L'autopresentazione dell'essere come *pulchrum* è ciò che permette di vedere attuata l'identità del fenomeno e la realtà in sé. In altre parole, ciò che «appare» è la realtà stessa in sé, così come si presenta al soggetto storico. Non esiste quindi distinzione tra l'essere e ciò che è costituito dall'apparizione del *pulchrum*. Ciò che appare «fenomenologicamente» è ciò che «ontologicamente» è.

C'è, insomma, una «indissolubilità» tra la figura dell'apparizione e ciò che essa è in sé. Questo permette di concludere che la verità della figura non è riconducibile alle varie interpretazioni del soggetto che percepisce; essa la porta invece con sé, senza riserve, nel suo stesso autopresentarsi. *Sic et simpliciter* si è rimandati all'essere nella sua trasparenza.

b. La forma di conoscenza data dalla percezione del *pulchrum*, crea conseguentemente relazione tra soggetto e oggetto. Fedele all'ontologia tomista, nella sua interpretazione più originale, von Balthasar vede realizzata qui una particolare modalità che è la recezione che si attua nel soggetto.

Non è il soggetto che pone in atto l'essere; egli, al contrario, si trova sempre e costantemente in una condizione di pura passività davanti ad esso. In nulla il soggetto può giudicare la bellezza della Gestalt; in ogni caso, infatti, essa gli si pone innanzi come pura alterità e come ciò che sfugge ad ogni possibile operazione tendente ad una completa razionalizzazione o ad una esaustiva definizione.

c. Nessuna possibilità, quindi, di un'oggettivazione della Gestalt da parte del soggetto, pena la perdita di conoscenza reale e coerente della realtà stessa. Essa rimane come un «tutto», che come tale va accolto, senza poter essere spezzettato nella frammentarietà, in quanto, come «tutto», porta in sé le condizioni di possibilità di esistenza e di credibilità.

È solo a questo momento che prende avvio il «rapimento» (Entrückung), la contemplazione estetica della Gestalt. Ciò che si viene a creare infatti è un rimando, un «rinvio» non ad una realtà esterna, ma al fondamento stesso dell'essere che è dato dalla Gestalt e che in essa si esprime: «l'apparizione, come rivelazione della profondità, è indissolubilmente e allo stesso tempo, presenza reale della profondità, del tutto, e rimando reale al di là di se stessa, a questa profondità... noi scorgiamo la Gestalt, ma quando la scorgiamo realmente, come profondità che si manifesta in essa, allora la vediamo come splendore e gloria dell'essere. Guardando a questa profondità siamo "incantati" da essa e in essa "rapiti"» (G. I, 104).

Il concetto-chiave che da questa comprensione estetica bisogna ricavare, oltre a quelli di «Erscheinung» e «Wahrnehmung», è quello di *Gestalt* che fonda e condiziona tutta la comprensione teologico-fondamentale successiva.

Gestalt è ciò che esprime l'assoluto, che lo rivela partendo da sé, ma rimanendo in sé e rimandando alla profondità che esprime. Gestalt «intende una totalità di parti e di elementi che riposa in se stessa e che tuttavia, per la sua consistenza, ha bisogno non solo di un ambiente (Umwelt), ma dell'essere nella sua totalità, e in questa sua necessità è, come dice il Cusano, "una contratta rappresentazione" dell'assoluto, in quanto anch'essa, nel suo proprio campo, trascende, dominando, le parti in cui si articola» (G. IV,34).

Con questa categoria si è posti di fronte ad un rapporto che è determinante per la comprensione teologica della rivelazione. Gestalt infatti è contemporaneamente immanenza, ma come garanzia per l'espressività della trascendenza, e trascendenza che si apre nella differenza ontologica permettendo così l'individuazione della unicità e singolarità della Gestalt stessa.

Erscheinung, Wahrnehmung, Gestalt, si condensano nella *Erblickungslehre* che costituisce e presenta la teologia fondamentale come disciplina che ha per oggetto la percezione: «la dottrina della percezione o teologia fondamentale. Estetica (nel senso kantiano), come dottrina della percezione della Gestalt di Dio che si rivela» (G. I,110).

2. INDIVIDUAZIONE DELLE TEMATICHE - La percezione impegna il soggetto a entrare in sintonia con ciò che viene percepito perché si possa avere la forma più alta di conoscenza. Alla capacità di poter cogliere il vero (*Wahrnehmung*), deve quindi corrispondere la «semplicità dello sguardo».

Perché il carattere *teologico* di questa comprensione emerga nella sua originalità e specificità, è necessario che al *pulchrum* e alla *Gestalt* si dia il loro nome proprio. Ciò che *pulchrum* richiama alla mente del filosofo, viene superato teologicamente e biblicamente con le immagini di *kābôd*, *dóxa*, cioè autopresentazione della gloria di Dio, della sua bellezza teologica. Gestalt è Gesù di Nazareth nello svolgimento dei suoi 33 anni, espressione ultima e definitiva dell'amore del Padre.

Lui è rivelatore e rivelazione del mistero trinitario; ciò che è decisivo è che nella sua Gestalt-splendore non viene separato e distinto ciò che lui è come uomo e ciò che è come Dio. In lui, una volta per tutte (*ephápax*), si realizza nella storia quell'unicum irripetibile che permette di costatare l'irradiazione della gloria di Dio nella natura di un uomo, e questo solo e perché essenzialmente e trinitariamente uguale a Dio.

La dialettica, precedentemente descritta, acquista tuttavia il suo pieno valore significativo quando il rimando dalla Gestalt al suo fondamento evidenzia e permette la percezione della natura divina: totale e completo rimando all'altro, completa alterità per una perfetta identità. Pura gratuità come forma del puro disinteresse; in una parola, unicità e singolarità di Gesù Cristo determinata dal suo relazionarsi come Figlio all'interno della vita trinitaria.

Ma anche questa prospettiva condiziona le riflessioni teologiche successive. Gesù Cristo, come centro della Gestalt della rivelazione, non è misurato nella sua forma da niente e nessun altro se non da se stesso. Egli si dà e deve essere accolto così, senza condizione alcuna e senza presupposto alcuno dal punto di vista soggettivo. Accogliere questa evidenza oggettiva implica, pertanto, accogliere quell'evidenza che è emanata e che si impone a partire dal fenomeno stesso.

Ciò che maggiormente importa alla visione teologica di von Balthasar in questa prospettiva, è l'assoluta libertà e gratuità di Dio, perché in tutto venga salvata la trascendenza e il significato trinitario del suo amore come assoluta e totale donazione in forza della più grande libertà. La precomprensione del soggetto in nessun caso può determinare, condizionare o, al limite, aggiungere qualcosa all'evidenza oggettiva. Questa si autopresenta e si impone nella Gestalt storica di Gesù di Nazareth che già col «fatto stesso della sua presenza e con la manifestazione di sé, con le parole e con le opere, con i segni e con i miracoli, e specialmente con la sua morte e la sua risurrezione di tra i morti, e infine con l'invio dello Spirito di verità, compie e completa la rivelazione e la corrobora con la testimonianza divina» (DV 4).

È il fatto che Dio sceglie di farsi uomo che permette, conseguentemente, di ritrovare un «accordo» (Stimmung) perfetto tra il suo esprimersi come Dio e le forme universali della sua comunicazione umana. Il linguaggio di Gesù di Nazareth, infatti, può porsi come «normativo» di ogni linguaggio tendente a comunicare e rivelare Dio, perché Dio stesso sceglie di esprimersi nella struttura della comunicazione interpersonale.

Tutto, nella creatura e nel creato, è in funzione di questa comunicazione della vita trinitaria che si rende visibile nella storicità del Figlio; a tal punto che si può affermare che «come in Gesù non vi è nulla di umano che non sia linguaggio ed espressione del divino, così non vi è in lui neppure nulla di divino che non ci debba essere comunicato e rivelato attraverso il linguaggio della sua umanità» (VC 80-104). Nella sua libertà di comunicazione pertanto Dio sceglie il Figlio, Gesù di Nazareth, come suo alfabeto e linguaggio personale; ma questo significa porre la storicità di questo linguaggio come archetipo e condizione di possibilità di ogni forma culturale o linguistica che voglia esprimere Dio.

L'unicità di Cristo, oltre a fare di lui la chiave interpretativa di se stesso, è anche ciò che lo costituisce prototipo universale e normativo per ogni uomo e per ogni tempo (→ *universale concretum*). L'unico criterio di interpretazione che viene dato alla teologia pertanto è solo ed esclusivamente Gesù di Nazareth nella testimonianza del suo rinviare al fondamento della sua missione che costituisce tutta la sua esistenza: la rivelazione della vita trinitaria di Dio.

È a partire da Gesù Cristo, rimanendo in lui e ritornando a lui, che è possibile vedere realizzato il dispiegarsi della Gestalt nella sua missione rivelativa. Benché possa sembrare paradossale e creare sospetto che questa centralità costituisca un'immobilità, è proprio qui invece che si compendia la *dinamica* dell'amore trinitario, vero centro della teologia balthasariana.

In Gesù di Nazareth, la rivelazione di Dio si compie *sub contrario*; ciò significa che una volta percepita la Gestalt, essa rimane ancora più nascosta e così il paradosso umano tocca il culmine della duplice esperienza: che Dio è sempre *id quo maius cogitare nequit* e che il credente si pone davanti a lui nell'atto del *rationabiliter comprehendit incomprehensibile esse*. La via da seguire, per il riflettere teologico, sarà quella tracciata da → Anselmo che viene percorsa da Balthasar stesso: la *delectatio* e la *adoratio*.

A questo momento, prende avvio un'altra tematica essenziale della teologia fondamentale: la credibilità della Gestalt della rivelazione.

Gesù di Nazareth, che non ha altra misura e forma di misurazione che se stesso in quanto luce e profondità della rivelazione, è anche l'unico segno di credibilità della sua persona e del suo messaggio. Essere segno, per lui, equivale a rinviare a nessun altro se non al mistero della sua stessa esistenza. L'unicità del suo essere impedisce di trovare forme alternative a lui in grado di poter spiegare la sua identità. E mentre questo potrebbe apparire come un impedimento alla libertà creata, si rivela invece come l'indice reale di un'assoluta libertà che non «fa violenza», ma che si presenta in quella forma ultima ed espressiva di amore in grado di «convincere», di dare cioè una testimonianza che vada al di là, che superi ogni possibile obiezione, coinvolgendo il soggetto nella stessa, unica, dinamica di amore.

L'amore diventa ermeneutica di tutta la trilogia perché, alla fine, ultima parola espressa dal Dio trino nel mistero della sua rivelazione. Un amore, tuttavia, che è definitivamente reso visibile nel mistero pasquale, là dove l'unico irripetibile si dà alla morte divenendo espressione concreta di come ama un Dio la cui natura consiste nella donazione totale di sé fino all'estremo (cfr. TD III-IV).

A partire dall'incarnazione, passando per tutto lo sviluppo della vita terrena di Gesù, per giungere fino al mistero del «sabato santo», il credente è posto davanti alla rivelazione di un amore come pura reciprocità nella pura e totale donazione. Solo in Gesù di Nazareth si può affermare che si rende visibile la «teoria e la prassi dell'amore di Dio». Il mistero pasquale come mistero di obbedienza che giunge fino alla morte e alla morte in croce, anzi, fino al silenzio dell'esperienza sepolcrale del sabato santo per poter poi risorgere nella gloria del Padre, è ciò che dà visibilità e concretezza alla Gestalt rivelativa come una rinuncia al disporre di sé per lasciare che l'Altro, il Padre, disponga di lui. Gioco d'amore, che se da una parte rivela la trascendenza di questo amore su ogni possibile concretizzazione umana, a tal punto da non poter essere rivelato se non dal solo Figlio, dall'altra parte si impone «evidentemente» come normativo per ogni amore che voglia autenticamente essere tale, quindi amore definitivo ed eterno.

La morte dell'innocente, come l'ultima parola che in linguaggio umano Dio vuole pronunciare per la conoscenza del suo essere-essenza, rimane nella storia dell'umanità come l'ultima provocazione alla decisione e alla scelta della sequela.

Alla percezione della Gestalt della rivelazione nella sua evidenza oggettiva, deve corrispondere l'*evidenza soggettiva* che si esprime nella fede del credente.

Ad una totalità di donazione si deve rispondere con un comportamento globale mediante il quale l'uomo si trova in corrispondenza, in forza della grazia, all'interpellazione della rivelazione divina. Eppure, anche qui, dove la risposta umana pretenderebbe mediare da sé la forma e la misura di corrispondenza, von Balthasar presenta la Gestalt Jesu come archetipo e norma di ogni risposta di fede: «è a partire dalla testimonianza trinitaria che deve essere mostrata e giustificata la fede umana» (G. I,127; 280).

È all'interno dell'evidenza oggettiva, che si lascia percepire dal soggetto con la prima reazione dello «stupore» e della «meraviglia», che si trova già la forza che spinge l'uomo a riconoscerla come bella e quindi buona e vera e per ciò stesso piena di senso per poter essere amata e seguita. È la *fides Christi* che si pone davanti ad ognuno come la risposta esemplare più fedele che viene data al Padre. Ma in quella fede, in forza dell'essere pronunciata e realizzata in una relazione intrapersonale-trinitaria, e perciò «transpersonale» (G. I,176), ognuno si sente inserito e illuminato. In una parola, la semplicità dell'atto di fede è la stessa semplicità dell'amore, perché è il frutto della «seduzione» operata dall'apparire della Gestalt. Non un amore umano comunque, ma l'amore di Cristo, quello che, unico, può mantenere in perfetta armonia ciò che è umanamente inconcepibile: l'amore ad un ente con l'amore all'essere.

La fede, risposta completa e totale a Dio che si rivela (cfr. DV 5), è pertanto l'atto più semplice che l'uomo possa compiere, perché consiste nel lasciarsi amare per riconoscere e rispondere all'amore in quell'atteggiamento riconosciuto, dalla tradizione mistico-spirituale, come totale «Gelassenheit».

3. PROSPETTIVE - L'opera di von Balthasar non permette mai, per sua stessa costituzione, un'unica conclusione o un semplice giudizio di merito. Si rimarrebbe sempre con il dubbio della contingenza del nostro sapere e con il limite di ogni sistematizzazione. Ci sembra però che questo «progetto» di teologia fondamentale sia segnato da tre caratteristiche che aprono ad un inevitabile nuovo orizzonte di ricerca per questa disciplina.

a. Il primo dato che emerge è quello di una netta presa di posizione contro ogni forma di *soggettivismo* nella presentazione della rivelazione. Né la «riduzione cosmologica», che ha segnato il periodo antico, né quella «antropologica», che ha determinato

il periodo moderno-contemporaneo, hanno saputo evitare questo scoglio. La prima perché partendo dal contingente lo ha innalzato a divenire espressione dell'universale; la seconda perché, ponendo al centro l'uomo, lo ha reso unità di misura di ogni sapere.

La fondamentale di von Balthasar, come tutta la sua teologia, è invece caratterizzata dall'*oggettività* della Gestalt che è la persona di Gesù di Nazareth. Non le diverse formulazioni teologiche potranno essere in grado di esplicitare questo mistero, ma solo una teologia che saprà porsi come semplice «ermeneutica» di ciò che è l'autoespressione e l'autospiegazione che provengono dalla Gestalt Christi.

È il «tutto» della Gestalt Christi che costituisce il criterio interpretativo della rivelazione. Un «tutto» che trova le motivazioni di credibilità solo all'interno di sé, perché nel suo stesso fondamento, e solo là, l'essere si rivela nella sua libertà, trascendenza e amore.

b. Un secondo dato è la caratterizzazione trinitaria della rivelazione. È tutta la Trinità che nella Gestalt Christi viene incontro. L'evidenza con la quale si percepisce è la tipica evidenza del mistero che dialetticamente rivela e nasconde, fino a raggiungere il culmine nella morte in croce, là dove l'amore trinitario di Dio esprime la sua ultima ed estrema forma di libertà proprio quando questa sembra venir meno. La cristologia si apre quindi alla *Teo*-logia come ultima forma e contenuto di ogni sapere cristiano.

Il tema dell'→ *analogia*, che taglia trasversalmente tutta l'opera di von Balthasar, costituisce l'unica forma possibile per poter parlare di Dio attraverso quel linguaggio che non abbia a privare sia il mistero della sua natura, sia il credente della sua possibilità di definire il reale. Nella teologia del nostro autore, l'analogia resterà il criterio e il metodo teologico più appropriato da cui non ci si potrà allontanare se non tradendo il compito teologico stesso.

c. La teologia fondamentale di von Balthasar costituisce una delle forme più espressive del sapere teologico che si presenta al contemporaneo, quando questi si pone autenticamente il problema del senso dell'esistenza. L'originalità di questo progetto consiste proprio nell'equilibrio che le varie parti posseggono.

Dio non viene sacrificato per il gusto di far emergere l'uomo e il suo mondo; e questi non vengono superesaltati per il desiderio di dare loro una salvezza solo immanente e quindi una pura illusione. Alla libertà di Dio, corrisponde la piena consapevolezza del creato che sa di non potersi dare una completezza autonoma. È in questo rispetto dei ruoli che ad ognuno viene rivelato il vero senso di sé, e quindi viene aperta la strada per il gesto antropologicamente più significativo: la libertà di decisione del voler accogliere una libertà più grande come pienezza di senso.

Rendere credibile e accettabile il messaggio cristiano al mondo è il compito che l'apologeta vede come suo specifico in forza del comando petrino di «saper dare sempre ragione della speranza che abita in noi» (1 Pt 3,15). È questa speranza che spinge a credere che il mistero dell'Incarnazione è un fatto dell'oggi, e che l'amore di Dio è significativo per l'attuale condizione umana. Questa speranza von Balthasar l'ha infusa nei suoi scritti dando ai credenti il coraggio per progredire instancabilmente nel cammino di intelligenza della fede, e all'«altro» dalla nostra fede, la forza per poter individuare la luce che proviene dalla persona di Gesù di Nazareth, vero Dio e vero Uomo.

A von Balthasar va il merito di aver progettato un modello di fondamentale che, anche se isolato nel contesto teologico contemporaneo, è tut-

tavia denso di risorse. Solo una teologia «bella» infatti sarà in grado di incidere nella storia degli uomini perché avrà in sé la carica necessaria per poter trasformare e aprire al nuovo.

Bibl. - H.U. von Balthasar, *Verbum Caro.* Saggi teologici, vol. I, Brescia 1970; *Gloria. Un'estetica teologica*, voll. I-VII, Milano 1975-1980 (or. 1961-1969); *Teodrammatica*, voll. I-V, Milano 1980-1986 (or. 1973-1983); *Theologik*, vol. I: «Wahrheit der Welt», Einsiedeln 1985; vol. II: «Wahrheit Gottes», Einsiedeln 1985; vol. III: «Der Geist der Wahrheit», Einsiedeln 1986; R. Fisichella, *Hans Urs von Balthasar. Amore e credibilità cristiana*, Roma 1981; Id., «Fundamentaltheologisches bei Hans Urs von Balthasar», in K. Lehmann - W. Kasper (edd.), *Hans Urs von Balthasar. Gestalt und Werk,* Köln 1989, 298-311; Id., «Rileggendo H.U. von Balthasar» in *Greg* 71 (1990) 511-546; B. Körner, «Fundamentaltheologie bei Hans Urs von Balthasar», in ZKTh 109 (1987) 129-152; E. Brito, «La beauté de Dieu», in RTL 20 (1989) 141-161.

RINO FISICHELLA

BARTH Karl

K. Barth (1886-1968), il famoso teologo svizzero della chiesa riformata, è universalmente riconosciuto come un energico e prolifico difensore dell'interpetazione cristocentrica della rivelazione e della fede. Ma per un'adeguata comprensione delle opere che Barth scrisse al culmine della sua carriera accademica, è necessario conoscere più da vicino gli stadi della sua evoluzione intellettuale. Solo gradualmente Barth giunse ad asserire che: 1. Dio non può essere conosciuto in alcun modo se non attraverso l'unico e libero gesto di auto-rivelazione in Israele e in Gesù Cristo, come attesta la bibbia; 2. questa visuale cristocentrica fu seriamente distorta dalla scolastica cattolica; 3. fu riscoperta in modo autentico al tempo della riforma protestante; 4. fu di nuovo fraintesa dal protestantesimo liberale. In un primo tempo Barth fu un ardente sostenitore della teologia centrata antropologicamente, da lui appresa dai suoi professori tedeschi A. von Harnack e W. Hermann; divenne in seguito strenuo difensore sia dell'esistenzialismo cristiano di S. Kierkegaard, che del socialismo escatologico di Ch. Blumhardt; finì poi per rivelarsi come instancabile portavoce dei capisaldi dogmatici ed etici, fondati sulla bibbia, di M. Lutero e G. Calvino. Queste fasi dell'evoluzione di Barth come teologo forniscono lo sfondo sul quale possiamo comprendere il suo insegnamento maturo circa la rivelazione e la fede.

Quando era giovane pastore, la predicazione di Barth rifletteva le idee di F. Schleiermacher − il fondatore del protestantesimo liberale − che considerava Gesù Cristo come la concretizzazione storica e il simbolo insuperato delle universali aspirazioni religiose dell'umanità. Così pure, l'attività pastorale di Barth, basata sul vangelo e su principi socialisti, cercava di migliorare le condizioni di vita del ceto operaio dei suoi parrocchiani che affettuosamente lo chiamavano «compagno pastore»; la sua opposizione contro la condotta ingiusta degli imprenditori cristiani si radicava nella convinzione cristianosocialista secondo la quale il vangelo viene meglio afferrato se inteso come espressione particolarmente persuasiva dell'affermazione, evidente per sé, che Dio si trova dalla parte della giustizia economica e della promozione umana. Per cui, in questo primo periodo, Barth riteneva che la rivelazione cristiana fosse una formulazione autentica, chiaramente espressa da Gesù di Nazareth, della conoscenza innata della relazione liberatrice e piena di amore che Dio stabilisce con l'umanità, e non è quindi diversa, in termini assoluti, dagli svariati, analoghi insegnamenti presenti nelle tradizioni di altre religioni; la fede cristiana, come tutte le forme di credenza nell'essere trascendente, è il senso di assoluta dipendenza dalla provvidenza di Dio, pur accogliendo le visuali religiose e i valori morali di Gesù Cristo; la chiesa cristiana è l'organismo dei credenti il cui spirito corporativo assume e offre agli altri la profonda comprensione e l'etica liberatrice del fondatore.

Quando i professori liberali tedeschi di Barth dettero il loro appoggio alle istanze militaristiche della loro nazione allo scoppio della prima guerra mondiale, egli si sentì disilluso sia della propria formazione teologica eccessivamente razionalistica, che della propria adesione ai predominanti principi politici del socialismo cristiano. Si mise allora a studiare con grande impegno gli scritti di S.Paolo, per poter riscoprire l'originalità della rivelazione cristiana, della fede e della morale. In seguito pubblicò due edizioni consecutive de *La Lettera ai Romani*, che annunciavano pubblicamente il suo rifiuto totale dei fondamenti antropologici del protestantesimo liberale e del socialismo cristiano. Nell'edizione del 1919 l'interpretazione paolina di Barth rappresentò una reazione evangelica ed esistenziale contro il razionalismo dei suoi professori e quindi presentava la rivelazione cristiana alle persone umane come l'offerta incomprensibile di senso e di redenzione, da parte di Dio attraverso Gesù Cristo; esse a loro volta possono accogliere questa offerta soltanto mettendo da parte i principi della ragione e affidandosi alla sapienza dello Spirito Santo. Nel 1922, tuttavia, Barth ripudiò l'esistenzialismo cristiano con il suo insostenibile accento sulla ricerca umana di Dio per adottare invece l'originaria posizione protestante, secondo la quale è Dio che va incontro all'umanità e l'aspetta in un solo luogo di appuntamento: la persona di Gesù Cristo. È per questa ragione che l'umanità può conoscere e amare Dio soltanto in quel punto preciso in cui la tangente divina sfiora il cerchio dell'umanità: l'incarnazione del Verbo eterno.

La costernazione e l'interesse creatisi in seguito all'apparizione delle prime maggiori pubblicazioni di Barth, gli procurarono l'invito a insegnare teologia sistematica in Germania. Ma durante la preparazione delle sue lezioni, Barth si trovò a modificare ancora una volta le proprie idee circa la rivelazione e la fede, non considerando più l'incarnazione come un evento enigmatico che nasconde Dio più di quanto non lo riveli. Anzi, il Verbo incarnato è l'immediata automanifestazione di Dio in forma e in parole umane, cosicché, quanti credono in Gesù crocifisso e risorto possono possedere come vero e proprio dono la verità rivelata su Dio e possono, in virtù dello Spirito Santo, praticare gratuitamente l'amore soprannaturale verso Dio e il prossimo. Barth sosteneva, inoltre, che, nella sua forma oggettiva, la rivelazione può essere incontrata soltanto nelle modalità scritte e orali con le quali la chiesa confessa la divinità della persona di Gesù Cristo e il carattere definitivo di quanto in lui si è compiuto; analogamente, nella sua forma soggettiva, la rivelazione può essere attuata soltanto nella comunità evangelica della chiesa, che è riempita e guidata dalla forza dello Spirito Santo. Barth fu indotto a queste distinzioni all'epoca in cui componeva *Fides quaerens intellectum*, che è un'analisi del pensiero di → Anselmo di Canterbury. Il Verbo di Dio incarnato, Gesù Cristo, rappresenta l'espressione ontica della divina rivelazione, per cui costituisce l'unica comunicazione della conoscenza che Dio ha di sé, la quale mette in crisi la ragione umana; l'amore di Dio effuso, lo Spirito Santo, costituisce l'espressione noetica della divina rivelazione e quindi è la singolare, personale appropriazione dell'autoannientamento di Dio che getta scompiglio nei criteri umani di moralità.

Con il sorgere del nazionalsocialismo in Germania, il discusso ritorno di Barth all'ortodossia protestante fu messo a prova e irrobustito in diversi modi. Egli considerava il nazismo come una sfacciata idolatria e un suicidio collettivo, per cui accusava i suoi sostenitori cristiani di porre l'autorivelazione divina sullo stesso piano di un sistema politico iniquo. Barth cominciò a catalogare come «teologia naturale» non soltanto i compromessi fatti dai cristiani tedeschi con il Terzo Reich, ma anche ogni altra tendenza culturalmente motivata per attenuare le verità religiose e le istanze etiche della Scrittura. Per cui, nel caustico opuscolo intitolato semplicemente *No!*, Barth criticò aspramente il suo collega protestante E. Brunner per aver difeso la inerente capacità della persona umana ad avere una certa pre-percezione della verità e dell'amore di Dio che facilita l'azione con cui lo Spirito Santo la conduce alla fede in Gesù Cristo. Per Barth questo era l'errore che stava alla radice del travisamento della rivelazione divina sistematicamente perpetrato dal cattolicesimo medievale e tutt'ora sbandierato mediante il concetto dell'*analogia entis* da parte dei suoi contemporanei portavoce, come E. Przywara. Barth riteneva assolutamente necessario per dei fedeli seguaci di Lutero e Calvino che fosse negata l'esistenza di una qualunque analogia dell'essere tra l'umanità e Dio; se una somiglianza c'è tra queste due realtà totalmente diverse, questa si trova soltanto nella manifestazione storica del Verbo e viene successivamente riflessa soltanto nei credenti investiti dallo Spirito Santo, per cui si realizza in continuazione una *analogia fidei* tra la Parola e gli uditori della Parola.

Sebbene il cristocentrismo di Barth fosse discutibile, perché affermava, sbrigativamente, che ogni altra pretesa di conoscere e amare Dio prescindendo dal giudaismo e dal cristianesimo era falsa, in quanto disobbediva al comando divino di ascoltare e accogliere la Parola fatta carne, questa posizione fu però determinante nella sua coraggiosa difesa degli ebrei durante il Terzo Reich. Quando qualcuno dei suoi colleghi protestanti tentò di mitigare il senso letterale della frase «la salvezza viene dai giudei» (Gv 4,22), Barth rispose che, siccome Gesù stesso era giudeo e morì per i gentili e per i giudei, nessun cristiano che avesse idee antisemitiche o praticasse l'antisemitismo, avrebbe potuto considerarsi suo discepolo. Basandosi sull'insegnamento paolino secondo il quale la salvezza dei credenti in Gesù va di pari passo con quella dei giudei, Barth da una parte consolidò il suo rifiuto globale della validità di tutte le religioni non bibliche e dall'altra divenne uno dei pochi teologi cristiani che si opposero alla mentalità che aveva provocato l'Olocausto in atto. Secondo Barth, F. Gogarten e gli altri simpatizzanti del movimento cristiano germanico rendevano inascoltabile la Parola di Dio con il loro farsi eco della voce di un estraneo, quella del nazionalsocialismo. Per questo, durante la seconda guerra mondiale Barth inserì ripetutamente, nel testo della sua opera maggiore, *Dogmatica ecclesiale*, la convinzione che la genuina riflessione sulla fede cristiana è un responsabile atto ecclesiale e non una libera indagine filosofica. Il vero teologo cristiano è obbligato a spiegare umilmente le tre diverse ma tra loro collegate forme della divina rivelazione: la Parola incarnata, la Parola scritta e la Parola predicata.

Fino al termine della sua vita Barth ripeté questa istanza evidentemente cristomonistica, che i suoi critici cattolici, ortodossi e protestanti giudicavano troppo poco sfumata ed eccessivamente intollerante. Ma egli continuava a ripetere che non si può dire che rivelazione e fede possano esistere in grado più o meno accentuato al di fuori del giudaismo e del cristianesimo, a meno che non si voglia negare la decisione sovrana di Dio di rivelare se stesso in Gesù Cristo e assicurarsi la risposta dell'umanità attraverso l'azione dello Spirito Santo nella chiesa. Per cui, in opere successive, quali *Teologia protestante*, Barth ammoniva i protestanti che, se essi sostituivano alla riflessione sulla Parola di Dio la descrizione dell'esperienza della persona umana in genere, o del cristiano in particolare, essi non sarebbero stati fedeli all'obiezione fondamentale dei riformatori, che denunciavano quello stesso difetto nel cattolicesimo. In *Ad Limina Apostolorum* – resoconto del suo viaggio a Roma e dell'udienza avuta con Paolo VI nel 1968 – Barth si felicitò per il prevalere della teologia biblica nei documenti del Vaticano II; ma nella lista delle domande che egli aveva posto ai suoi interlocutori cattolici, mostrò di non capire bene se il cattolicesimo – con l'accentuazione della mediazione della vergine Maria, dell'infallibilità del papa e dei vescovi e dell'efficacia dei riti sacramentali della chiesa – non stesse ancora sostituendo, alla riflessione sulla sovrana parola di Dio, la formulazione dell'esperienza ecclesiale dei credenti.

La concezione di K. Barth relativa alla rivelazione, alla fede e alla teologia cristiana ha esercitato un grandissimo influsso nella promozione del dialogo ecumenico tra cattolici e protestanti nel corso del ventesimo secolo, per il fatto di aver posto in rilievo, in modo acuto, sia i punti di accordo che le differenze esistenti tra loro. Barth ha sollecitato i protestanti a imitare la serietà con la quale la teologia cattolica sta assegnando il posto centrale alla Scrittura e alla Tradizione nel suo attuale tentativo di rinnovamento; egli ha anche stimolato i cattolici ad affermare in modo sempre più chiaro la priorità della parola di Dio al di là di ogni altra mediazione secondaria di cui gratuitamente si servono nella e per la vita della chiesa. È stato tuttavia dimostrato che il noto cristocentrismo di Barth è contraddetto dai suoi stessi sforzi scrupolosi di equilibrarlo continuamente con riferimenti pneumatocentrici. Come una volta Barth ebbe a notare, la rivelazione e la fede cristiana sono in realtà ellittiche: il punto focale teocentrico è Gesù Cristo e il punto focale antropocentrico è il credente, ambedue tenuti in rapporto di armonia dinamica attraverso l'azione dello Spirito di Gesù Cristo nella chiesa. Dal momento che alcuni cattolici, come → K. Rahner, hanno riconosciuto gli sforzi dei protestanti nel valutare il suggerimento nascosto dello Spirito Santo nell'intimo della persona umana prima che sia emesso l'atto di fede in Gesù Cristo, e dal momento che protestanti come J. Moltmann elogiano alcuni cattolici per i loro sforzi tesi a ridar vita alla pneumatologia come elemento primario dell'ecclesiologia, ambedue i punti focali della teologia della rivelazione e della fede barthiana servono ancora da provocazione all'autenticità delle chiese e al loro interscambio che egli al di sopra di tutto aveva desiderato.

Bibl. - P. Monsma, *Karl Barth's Idea of Revelation*, Sommerville 1937; H. Bouillard, *Karl Barth*, voll. I-III, Paris 1957; H.M. Rumscheidt, *Revelation and Theology: An Analysis of the Barth-Harnack Correspondence of 1923*, Cambridge 1972; P. Rosato, *The Spirit as Lord: The Pneumatology of Karl Barth*, Edinburgh 1981; A. Dulles, *Models of Revelation*, Garden City 1983; H.U. von Balthasar, *La teologia di Karl Barth*, Milano 1985 (or. 1951).

PHILIP J. ROSATO

BELLEZZA

La bellezza è il punto di partenza per la contemplazione dell'essere. Essa costituisce l'ultima parola che l'intelletto riesce a pronunciare prima di cedere il passo, razionalmente, al sapere dell'incomprensibile.

Ognuno sa cosa sia bellezza, perché si dà da sé, semplicemente, in quell'evidenza che lascia intuire, in un tutt'uno, la presenza della bontà e della verità dell'essere stesso.

Il contemporaneo da lungo tempo ormai ha perso il suo rapporto con il Bello. Incapace di poterlo afferrare razionalmente e di farlo divenire «numero» calcolabile, ha preferito banalizzarlo. Mai, forse, come ai nostri giorni che hanno visto un accrescersi del senso estetico, si è ridotto l'impatto con l'opera estetica. Lo stupore e la meraviglia, uniti all'esperienza della gioia, che si provavano davanti al *pulchrum*, hanno ceduto il posto al disinteresse e al rumore. La Bellezza sembra scomparsa dalla nostra vita. I musei, per parafrasare la famosa espressione di Nietzsche, sono divenuti i sepolcri del *pulchrum*. L'esperienza e la produzione estetica se non trascurata o perfino negata, è stata però relegata a privilegio di pochi.

Eppure, una perdita di relazione con la Bellezza fa perdere, conseguentemente, il senso della bontà e della verità del vivere. Il soggetto diventa sempre più incapace di relazionarsi ai valori essenziali universali, e l'esistenza sfocia sempre più in forme meno umane.

Anche la storia della teologia può far assistere ad un movimento parabolico nel relazionarsi al *pulchrum*.

Per la Scrittura, in quanto parola di rivelazione, la Bellezza si estende da Dio a tutto il creato. Bellezza e bontà sono sinonimi perché entrambe lasciano percepire sia l'azione creativa di Jhwh sia il suo farsi conoscere come il vero Dio. Jhwh che libera dalla schiavitù e dalla morte (Es 3,8; 18,9), manifesta la bellezza e bontà del suo amore; Jhwh che introduce nel «bel» paese dove scorre latte e miele (Dt 8,7-10), è colui che rivela la sua fedeltà alla parola data.

Ma questo Dio era lo stesso che, creando il cielo e la terra e tutto ciò che in essi era stato posto, contemplava l'opera delle sue mani come «bella»: «e Dio vide che era cosa bella-buona» (Gn 1,3). La terminologia ebraica, nell'indeterminatezza del vocabolo *tôb,* tradotto indifferentemente con *kalós* e *agathós,* specifica però ulteriormente il senso e il contenuto della bellezza di Dio facendo ricorso a *kābôd.*

Kābôd è la gloria dell'irradiazione del rivelarsi di Dio all'umanità. È ciò che permette di percepire lo splendore della sua bellezza. Bellezza impossibile a poter essere descritta e vista direttamente (Es 33,18-23), ma data solo per poter essere contemplata e, per di più, nella sua manifestazione riflessa (Es 34,30-35).

Questa stessa gloria è oggi la bellezza che i credenti vedono riflessa sul volto del Crocifisso, «il più bello tra i figli dell'uomo» (Sal 44,2).

Per tutto il periodo patristico e medievale, la teologia non vide né l'esigenza, né la necessità di produrre una particolare teoria estetica. Il rapporto con la bellezza del creato, e dell'uomo e della donna in esso, era talmente connaturale al loro modo di concepire la realtà che, intuitivamente, erano portati a vedere in esso un'epifania dell'irruzione del divino.

Ireneo, con la sua felice intuizione del «gloria Dei vivens homo», apre la strada ad una teologia che riesce a far percepire la bellezza anche senza doverla pronunciare. Dopo di lui, Agostino, Dionigi, Anselmo, Francesco di Assisi, Tommaso e Bonaventura... continuano a descrivere, anche se con stili differenti, la rivelazione di Dio in Gesù Cristo alla luce della gloria biblica e della bellezza.

Una tale teologia fu così ricca e provocatoria che incise sulla poesia e sull'arte: Dante e il gotico delle cattedrali medievali sono l'espressione culminante e tangibile di questa relazione.

Dopo Tommaso però, quasi ininterrottamente fino ai nostri giorni, la teologia volendo percorrere altri sentieri che sembravano condurre a certezze più solide, si allontanò sempre più dalla sua relazione originaria con il *pulchrum* diventando, di volta in volta, *Sententia* o *Commentarium.*

Fu solo l'opera solitaria di alcuni non teologi di professione che permise di mantenere inalterato il legame con le sorgenti: Petrarca, Niccolò Cusano, Erasmo, Giovanni della Croce, Teresa d'Avila, Pascal, Hamann, Dostoèvskij, Tolstoj, Hopkins, Peguy... sono solo alcuni nomi che richiamano alla mente la grande produzione estetica che ha sorretto la teologia di questi secoli.

Ai nostri giorni l'unico teologo che ha riaperto i grandi tesori dell'estetica alla luce della tradizione teologica, patristica e medievale, unitamente alla produzione letteraria sopraccennata, è stato → Hans Urs von Balthasar.

RINO FISICHELLA

BLONDEL Maurice

Nell'ordine di filiazione, Blondel si ricollega a → Pascal. Nella «scommessa» già si trova, in germe, la teoria de *L'Action.* In ogni ipotesi, bisogna scommettere, perché ci troviamo «imbarcati». Che l'uomo lo voglia o no, la questione del significato gli si pone. Per Blondel la vita è una prassi. L'uomo agisce e non può non agire: ma perché? Che cosa si nasconde nella sua azione, chi la stimola malgrado essa stessa e malgrado lui? L'analisi delle esigenze interne dell'azione pone ineluttabilmente il problema d'un compimento necessario che l'uomo è incapace di darsi da solo. Nei nostri atti è presente una incompiutezza non solo di fatto, ma di diritto, vale a dire una incompiutezza naturale e insanabile. La dialettica messa in opera da Blondel evidenzia, in noi, una «spaccatura aperta» che non può essere colmata se non da Qualcuno diverso da noi. Per poter dare un senso alla propria vita, l'uomo deve mantenersi aperto alla possibilità di un dono divino che, per il credente, è ovviamente la rivelazione cristiana: è essa la risposta attesa.

Se, nel presente articolo, ci concentriamo su *L'Action*, è, soprattutto, perché quest'opera, che rimane il capolavoro di Blondel, pone in modo diretto il problema della teologia fondamentale, vale a dire il problema del → senso della vita, dell'agire umano, in ordine alle istanze dell'uomo e alle promesse del cristianesimo. In rapporto a questo *L'Action* non è invecchiata.

1. LA DIALETTICA DE L'ACTION - Fin dalle prime righe della sua opera, Blondel pone il problema dell'azione in termini che ricordano Pascal: «La vita umana ha un senso, sì o no? e l'uomo ha un destino? Io agisco, ma senza sapere neppure che cosa sia l'azione, senza aver desiderato di vivere, senza conoscere esattamente chi sono e persino se esisto» (A 7. La sigla indica l'edizione fotostatica de *L'Action* del 1893). E, d'altra parte, sento dire che i miei atti portano in se stessi una responsabilità che impegna o la vita, o la morte. E non posso neppure rifugiarmi nel nulla. Se vi è qualche cosa da capire, lo voglio capire. Voglio sapere se questo mistero che io sono per me stesso, ha una qualche consistenza. «Io scoprirò, di sicuro, ciò che si nasconde nei miei atti, in questo estremo fondo dove, senza di me e mio malgrado, io subisco l'essere e mi vi attacco» (A VII).

Per comprendere il senso della condizione umana è, dunque, necessario affrontare il problema dell'azione umana, vale a dire studiare la dialettica della vita reale, percepire ciò che è inevitabile e necessario nello svolgersi dell'azione umana presa nella

sua totalità. «Io – dice Blondel – mi sono posto, per così dire, all'interno dell'azione umana, per scoprirne le esigenze e misurarne tutta l'irresistibile espansione» (A 20). Perché l'itinerario sia rigoroso, è necessario non presupporre niente, né scartare niente. Gli uomini hanno escogitato un mucchio di atteggiamenti per sfuggire alle esigenze dell'azione. Noi dobbiamo esaminarli tutti, per vedere se questi portano in sé la propria giustificazione o la propria condanna. «Alla radice delle negazioni più impertinenti o delle stravaganze più folli della volontà, occorre quindi cercare se non vi sia un movimento iniziale sempre presente, che si ama e che si vuole, anche quando si nega o se ne abusa. È in ciascuno che è necessario trovare il principio del giudizio da portare su ciascuno» (A XX). Il problema dell'azione non è «*una* questione particolare, una questione come un'altra che si offre a noi. Si tratta *della* questione, senza la quale non ce ne sono altre» (A XXI-XXII).

In tutti gli atteggiamenti con i quali l'uomo tenta di sfuggire alle esigenze dell'azione, Blondel mostra che esiste sempre una «sproporzione» (A XXIII), una «discordanza» (A XXIV) tra ciò che si crede di volere e ciò che si vuole profondamente, tra l'oggetto voluto e il movimento «spontaneo» del volere, tra la volontà *volente* e la volontà *voluta*. Per volontà «volente» si deve intendere il dinamismo spirituale che anima l'uomo tutto intero, compresa la sua intelligenza: si tratta del dinamismo dell'essere. Dopo aver percorso tutta la serie degli itinerari umani, e dopo aver osservato dovunque questa sproporzione, questa discordanza sempre emergente tra il voluto concreto e il dinamismo spontaneo dell'uomo, riusciamo a misurare l'ampiezza di questo dinamismo e ci troviamo indotti a capire che l'uomo non può giungere al proprio compimento se non aprendosi a un'*azione diversa* dalla sua. Appare, così, che in fondo, alla radice, il volere umano – sempre «inquieto», sempre insoddisfatto – è attesa e desiderio di un «di più». Il cristianesimo sembra essere la risposta appropriata a questo richiamo e a questa esigenza. Questo è il modo di procedere de *L'Action*. La molla del metodo di Blondel è la dialettica della volontà *voluta* e della volontà *volente*, del movimento riflesso e del movimento spontaneo del volere. Essa rappresenta una tematizzazione riflessa del vissuto dell'azione.

L'Action si compone di cinque parti. Le prime tre si possono intitolare: *L'uomo nel mondo* e portano alla conclusione dell'insufficienza dell'ordine naturale. La quarta parte, intitolata *L'essere necessario dell'azione*, giunge alla conclusione della necessità di aprirsi all'azione divina. La quinta parte, intitolata il *Compimento dell'azione*, conclude con la necessità di prendere sul serio l'idea della rivelazione e dell'ordine soprannaturale, così come viene inteso dal cristianesimo. Le due ultime parti ci interessano in modo particolare.

Prima parte: esiste un problema dell'azione? - Per essere fedele al suo metodo, che consiste nel non dare per supposto e nel non escludere niente, Blondel comincia col chiedersi se tale questione ha un senso, se vi è motivo di porla. E prima di tutto si trova di fronte l'atteggiamento del dilettante e dell'esteta. Il dilettante elimina il problema facendo coesistere in sé, se si può dire, diverse vite contrarie tra loro: si tratta del «dilettantismo nell'azione» (A 8). Egli pretende di gustare il piacere relativo di tutto, ma senza mai impegnarsi a fondo. Ma di fatto il suo atteggiamento rivela una contraddizione, perché pretendere di godere di tutto, senza volere alcuna cosa, senza mai impegnarsi, significa volere se stessi.

L'analisi dell'atteggiamento del dilettante manifesta due cose: 1. Nello stesso sforzo che egli fa per impe-

gnarsi in nulla, si cela la decisione sottile e positiva di non volere per oggetto altro che *se stesso* (A 19-20). 2. Se egli pretende di continuare a non volere niente, dovrebbe, per essere logico, annientare se stesso. Ma in realtà – osserva Blondel – «egli non ha sputato sulla vita se non per ubriacarsi di essa e di sé. Egli si ama abbastanza per sacrificare tutto al proprio egoismo; egli si ama abbastanza male, per disperdersi, sacrificarsi e perdersi in tutto il resto» (A 20).

Seconda parte: la soluzione del problema dell'azione è forse negativa? - Di fronte al problema, ineludibile, del destino umano, vi è una soluzione: quella che pretende di fare del nulla la conclusione dell'esperienza umana, il termine della scienza e lo scopo dell'ambizione umana. I difensori di questa soluzione preferiscono una soluzione radicale ai giochi del dilettante. Una negazione schietta e brutale è preferibile a tutte le ipocrisie del pensiero.

Per di più, tutti quelli che hanno fatto l'esperienza della vita nelle sue forme più diverse (fortuna, ambizione, successo) lo sanno: non se ne trae che disgusto e nulla. Non bisogna aspettarsi niente dalla vita, perché essa niente può dare. La scienza arriva alla stessa conclusione: conoscere è inutile, perché la conoscenza mette in evidenza la vanità dell'essere umano. Essa non fa che ampliare la zona del mistero.

A questa soluzione negativa del problema dell'azione da parte del pessimismo e del nichilismo, Blondel risponde: non si può concepire, né volere il nulla assoluto. Non possiamo averne idea che mediante l'affermazione di un'altra cosa. Se si afferma il nulla, ciò deriva dal fatto che si ha bisogno di una realtà più solida di quella che si tenta di sfuggire. In effetti, la volontà del niente proviene da un amore assoluto dell'essere, indotto in errore dall'incompletezza del fenomeno, dell'apparente (A 38-39). In realtà, ciò che si vuole è che *vi sia qualche cosa*, ma che questo qualcosa *basti* veramente *a se stesso*. Si vuole che esista qualcosa di *consistente*. «Queste parole – *c'è qualcosa* – traducono il moto istintivo della vita che si innamora di se stessa e di tutto ciò che la sostiene senza sapere ciò che essa è. Nei miei atti, nel mondo, in me, fuori di me, io non so dove, né che cosa, qualcosa vi è» (A 40-41). «La maggior parte della gente vive in questa convinzione: è la via larga e lunga su cui cammina la maggior parte dell'umanità» (A 41). «Da questo dato ammesso, scaturirà – continua Blondel – per via di un impulso nascosto, tutto l'ordine scientifico, morale e sociale... E seguendo fino in fondo l'impulso del volere, si saprà se l'azione dell'uomo può essere definita e limitata in questo campo naturale» (A 41). Si tratta di sapere se la volontà dichiarata (la volontà di superficie, voluta) di limitare l'uomo al campo dell'azione naturale, è in accordo con la sua volontà più profonda (la volontà volente) dalla quale procede ogni attività spirituale. Così Blondel giunge alla terza parte della sua opera.

Terza parte: il fenomeno dell'azione - Questa parte, assai sviluppata (A 43-323), corrisponde a quella che potremmo chiamare la prima tappa nella genesi del soprannaturale secondo Blondel. Essa è analoga a quella che in Pascal è l'analisi della condizione umana e in → Teilhard de Chardin l'analisi del fenomeno umano. Blondel vi espone, in modo successivo, le diverse sfere dell'attività umana, prestando attenzione, nello stesso tempo, alle teorie o agli atteggiamenti che vorrebbero limitare, ridurre il destino dell'uomo a questo o a quell'altro settore dell'attività umana. Per esempio, l'attività scientifica, ispirata dal positivismo; l'attività personale e individuale; l'attività sociale, che

genera la famiglia, la patria, la società umana nel suo complesso; l'attività morale, in continua ricerca di un assoluto; la tendenza a creare degli idoli (scienza, nazione) e ad attribuire loro un valore assoluto che non hanno, ma di cui si cerca d'impadronirsi per potersene servire.

Dopo aver studiato tutte le sfere dell'attività umana, Blondel conclude che nessuna di esse, né la loro totalità, sono in grado di esaurire il volere profondo dell'uomo. La conclusione s'impone: «È impossibile non riconoscere l'inadeguatezza di tutto l'ordine naturale e non percepire alcun bisogno ulteriore; è impossibile trovare in se stessi il modo di soddisfare a questo bisogno religioso. *È necessario e non è possibile*: ecco, nuda e cruda, la conclusione del determinismo dell'azione umana» (A 319). Blondel fa ancora uso di un linguaggio indeterminato. Egli conclude semplicemente che la condizione *necessaria* del compimento dell'azione umana è *inaccessibile* a essa. «L'uomo, con la sua azione volontaria, supera i fenomeni; non riesce a far pari con le proprie esigenze; vi è in lui più di quanto possa impiegare da solo; egli non riesce, con le proprie forze, a mettere nella sua azione voluta tutto quello che è contenuto nel principio della sua azione volontaria» (A 321). In quale inestricabile difficoltà, la volontà umana si è da sola immersa e costretta?

Quarta parte: l'essere necessario dell'azione - Questa parte corrisponde alla seconda tappa nella genesi del soprannaturale in Blondel. All'inizio Blondel sintetizza tutto quello che è stato esposto nella parte precedente, poi ripropone il problema dell'azione, a partire, però, dall'uomo che s'interroga su se stesso.

Il fatto, ormai scontato, che l'uomo pretende di trovare la propria sufficienza nell'ordine naturale, senza riuscirci, costituisce per lui una crisi. Questa crisi non si manifesta soltan-

to al centro dei suoi progetti particolari: essa è immanente alla sua stessa
condizione umana. Di fatto noi vorremmo bastare a noi stessi, ma non
lo possiamo. E, d'altra parte, in tutto ciò che vuole, l'uomo incontra
ovunque la insufficienza e la sofferenza; in ciò che fa s'infiltrano delle
debolezze e degli errori di cui non riesce a rimediare le conseguenze; alla
fine, la morte viene a coronare tutti
i suoi fallimenti (A 324-332).

Eppure, sottolinea Blondel, questo
apparente fallimento dell'azione voluta
(A 325) evidenzia l'indistruttibilità del
dinamismo dell'attività volente, giacché io non avrei coscienza di tale fallimento, se in me non operasse una
volontà superiore a tutte le contraddizioni della vita. La presenza, in noi,
di ciò che non è voluto (errore, insuccesso) mette in evidenza, in tutta
la sua chiarezza, la volontà *volente*.
Questa è la condizione dell'uomo.
«Diviso tra ciò che faccio senza volerlo e ciò che voglio senza farlo, mi
trovo sempre come avulso da me stesso. Come uguagliare il soggetto al soggetto stesso? Per volermi io stesso pienamente devo volere più di quanto
non abbia saputo trovare ancora...
Tra me e me vi è un abisso che io
non posso colmare» (A 337-338). Se
considero il cammino percorso sotto
la stretta di un determinismo inflessibile, sono obbligato a concludere: io
non posso né fermarmi, né tornare indietro, né, da solo, andare avanti (A
339). «Nella mia azione vi è qualcosa
che io ancora non ho potuto capire
né uguagliare; qualcosa che impedisce di ricadere nel nulla e che è qualcosa solo perché è nulla di ciò che
ho voluto finora. È questo conflitto
– continua Blondel – che spiega la
presenza obbligata, nella coscienza, di
un postulato nuovo; ed è la realtà di
questa presenza necessaria che rende
possibile in noi la consapevolezza di
questo stesso conflitto. Vi è un *unico
necessario*» (A 339). E niente di tutto
il resto è necessario.

Ma la dialettica procede ancora. Pur
non avendo altro oggetto finito da
volere, la volontà non può, tuttavia,
cessare di volere. Una volta esaurito
l'inventario di tutto ciò che può essere voluto, rimane sempre uno iato,
una inadeguatezza tra il volontario e
il voluto. Ne risulta che l'azione volontaria, che è passata di fallimento
in fallimento, si trova costretta a ri-
piegare su se stessa: si trova, così,
riportata al centro del soggetto, là dove il moto della volontà ha avuto il
suo inizio e, questo, «in vista di un
supplemento d'inventario».

È a questo punto che Blondel introduce le prove dell'esistenza di Dio:
prove che egli riprende in forma nuova e non isolatamente, ma radunan-
do per convergenza gli argomenti
classici indicati come: cosmologico,
teleologico, ontologico. Non si tratta di tre vie diverse, alla maniera delle
cinque vie di S.Tommaso, quanto
piuttosto di tre forme differenti di un
solo e identico processo. Si tratta di
una *sola strada* che *cambia tre volte
nome*. Inoltre, insiste Blondel, non
si tratta «di una sterile soddisfazione
dello spirito», di «un argomento puramente logico» (A 340-341). Si tratta invece di riconoscere una «presenza» in noi (A 340), che emerge a poco a poco. Lo spirito avanza verso
un *incontro*.

È soltanto al termine di questa dialettica che Blondel introduce il nome
di Dio. «Al termine, rapidamente
raggiunto, di ciò che è finito – egli
dice – ... eccoci dunque in presenza
di ciò che il fenomeno e il nulla nascondono e parimenti manifestano, di
fronte a colui di cui non si può mai
parlare come di un estraneo o di un
assente: Dio» (A 350).

Ma l'originalità di Blondel consiste
nel riuscire a capire che la prova invita ad andare molto più lontano.
Non si può continuare a trovarsi in
presenza di quest'Assoluto personale, Dio, senza essere contemporaneamente indotti a prendere posizione,

a optare per la vita o per la morte dell'azione.

Il *conflitto* che abbiamo rilevato nell'uomo − vale a dire, io non posso procurarmi l'essere necessario e tuttavia non posso rinunciare alla necessità di volerlo − non si risolve che in un'alternativa inevitabile (A 353). «Vorrà, sì o no, l'uomo vivere fino a morirne − se così si può dire − acconsentendo a essere soppiantato da Dio? Oppure egli pretenderà di bastare a se stesso senza di lui, giovarsi della sua presenza necessaria, senza renderla volontaria, trarre da lui la forza di fare a meno di lui e volere all'infinito senza volere l'infinito? Volere e non potere, potere e non volere: è la precisa scelta che si presenta alla libertà... Se l'idea che la vita serve a qualcosa si presenta a tutti, ce n'è abbastanza perché anche le persone più grezze siano chiamate a risolvere la faccenda più importante, l'unica necessaria» (A 354-355).

A questo punto Blondel esamina i termini dell'alternativa, in vista di far luce sulle conseguenze inevitabili di ciascuna delle due opzioni possibili.

Per prima cosa egli analizza l'atteggiamento del *rifiuto*, ossia l'opzione negativa. Se l'uomo pretende di procurarsi da solo ciò di cui ha bisogno, egli si priva del principio stesso della sua vita e si condanna. Riponendo il senso della propria vita là dove non c'è nulla che possa colmarla, l'uomo si condanna alla morte eterna. Se l'uomo sceglie la seconda opzione, in che modo si può *liberamente* collocare Dio nel cuore dell'azione umana? Come aprirsi all'azione di Dio? Come disporsi a una rivelazione − se ce n'è una − più chiara del destino umano (A 375)? A questa domanda Blondel risponde in tre punti che definiscono le disposizioni di una volontà sincera che vuole essere coerente con se stessa. A queste disposizioni interiori egli, come Pascal, attribuisce un'importanza estrema: 1. - Che l'uomo faccia tutto ciò che ritiene buono, tutto ciò che ritiene conforme alla sua coscienza. 2. - Se il distacco sta alla base dell'azione buona, non sorprende che la vita morale sia accompagnata dal sacrificio e dalla rinuncia. La misura del cuore dell'uomo è data dalla capacità di accogliere la sofferenza. 3. - Agire con abnegazione, accettare la sofferenza, non basta. «Dopo aver fatto tutto senza nulla aspettarsi da Dio, è ancora necessario aspettarsi tutto da Dio, come se, da noi, non avessimo fatto niente» (A 385).

La conclusione di questa quarta parte si può formulare così: quello che Blondel vede scaturire dal determinismo dell'azione umana è l'idea generica di un Assoluto, che ogni uomo, anche senza conoscere il cristianesimo, oscuramente vuole, ma che non si acquista *come una cosa*. In altri termini, si tratta dell'idea dell'unico necessario che non si ottiene se non abbandonandosi ad esso; si tratta dell'idea dell'azione divina cui ci si deve aprire, qualunque sia la forma sotto la quale essa si presenta.

Quinta parte: il compimento dell'azione - Questa parte corrisponde alla terza tappa nella genesi del concetto di soprannaturale secondo Blondel. Il soprannaturale che Blondel prende in considerazione è, ormai, quello che *dall'esterno* viene proposto dai dogmi. Blondel si chiede se il cristianesimo storico, con i suoi dogmi e le sue pratiche, non rappresenti la determinazione e l'identificazione cercata del rapporto dell'uomo con l'Assoluto.

A quanti vorrebbero scartare, senza esaminarlo, il soprannaturale cristiano, Blondel risponde che si tratta di un atteggiamento non conforme al vero spirito filosofico. Difatti, il processo di riflessione sull'agire umano ha portato «alla consapevolezza di una irrimediabile sproporzione tra lo slancio della volontà e il termine umano dell'azione» (A 390). Si è visto che l'uomo non può realizzarsi se non aprendosi a un'azione diversa dalla sua (A 401). Sarebbe quindi irragionevole sottrarsi alla nozione cristiana di soprannaturale *rivelato*. Consapevole a un tempo della sua impotenza e delle sue esigenze, la ragione si deve domandare se il rivelato cristiano non sia conforme al dinamismo profondo, originario della volontà umana.

Non si tratta di ricostruire razionalmente il dato cristiano; altrimenti, il cristianesimo non sarebbe *rivelazione*. La rivelazione, infatti, nel suo contenuto essenziale, altro non è che la vita intima del Dio-Trinità, comunicata all'uomo per grazia (A 407). Ma se non è consentito scoprire misteri e dogmi cristiani per altra via che non sia la rivelazione, è anche legittimo considerare questi dogmi, non prima di tutto come rivelati, ma come *rivelatori*, vale a dire confrontarli con le esigenze profonde della volontà e scoprirvi, se ci è dato di trovarla, l'immagine dei nostri bisogni reali e la risposta attesa. Accettarli a titolo d'ipotesi è legittimo, come fanno i geometri che suppongono risolto un problema e ne verificano la risposta fittizia mediante l'analisi (A 391 e 401).

Si tratta dunque di considerare la rivelazione cristiana come una ipotesi che consenta di veder chiaro nelle esigenze del volere. Se il tentativo riesce, non avremo per ciò stesso affermato la realtà storica della rivelazione cristiana; né avremo stabilito la sua possibilità intrinseca (A 406), perché il suo contenuto, come pure la sua esistenza, sfuggono alla ragione lasciata a se stessa. Avremo però fatto intravedere che «qualcosa di analogo a quello che propongono i dogmi» sembra necessario per spiegare la discordanza tra volontà volente e volontà voluta; avremo pure stabilito l'obbligo pratico di *accogliere* il soprannaturale annunciato dalla predicazione cristiana, posto che la rivelazione cristiana si manifesti come una realtà storicamente ed effettivamente avvenuta.

Blondel vuole dunque dimostrare che l'attesa del volere umano è rivolta verso qualcosa di analogo all'ordine soprannaturale cristiano. In tal modo, il soprannaturale rimane a un tempo *inaccessibile* (gratuito come l'iniziativa divina) e tuttavia *necessario* (di una necessità pratica: bisogna accettarlo, se di fatto ha avuto luogo).

La religione «ipotetica» dovrà avere dei dogmi e imporre una pratica. Che questa religione sia il cristianesimo e che esso consenta alla volontà di volersi pienamente, e all'azione di trovare il suo compimento, soltanto l'esperienza religiosa integralmente vissuta può darne testimonianza. Ma al termine della sua opera, Blondel ha voluto offrire una testimonianza *personale*, sottolineando ancora una volta che egli va al di là della filosofia. «Spetta alla filosofia mostrare la necessità di porre l'alternativa: *È così, o non è così?* Spetta ancora ad essa esaminare le conseguenze dell'una o dell'altra soluzione e misurarne l'enorme differenza: essa oltre non può andare, né può dire, soltanto a nome di se stessa, che sia così o non sia così. Tuttavia, se è permesso aggiungere una parola, una parola soltanto, che supera il campo della scienza umana e la competenza della filosofia, l'unica parola capace, di fronte al cristianesimo, di esprimere questa parte, la migliore, della certezza che non può essere comunicata ad altri perché essa non viene che dall'intimità dell'azione personalissima, una parola che sia essa stessa una azione, questa parola bisogna dirla: *È così*» (A 492).

2. TAPPE NELLA GENESI DEL SOPRANNATURALE - Riprendiamo in esame, in sintesi, le tre tappe della genesi del concetto di soprannaturale ne *L'Action*, sottolineando il loro reciproco rapporto.

Blondel stabilisce, prima di tutto, l'insufficienza dell'attività umana. Egli dimostra che la condizione *indispensabile* al compimento dell'azione umana, è *inaccessibile* a questa azione. Questa dialettica dell'indispensabile-inaccessibile, ovvero del necessario-impossibile, comanda e ritma tutto il procedimento ulteriore. Si tratta sempre di dimostrare che l'*esigenza* della volontà supera il suo *potere*. È da qui che scaturisce il concetto di soprannaturale, in due tempi. In un primo tempo la necessità è *assoluta*, ma il soprannaturale resta *indeterminato*. In un secondo tempo, la necessità è quella di una *ipotesi*, ma questa ipotesi è l'ordine soprannaturale cristiano. Ciò che in un primo tempo appare è la necessità assoluta di aprirsi all'azione di Dio, qualunque essa sia. Ciò che appare, invece, in un secondo tempo, è la necessità di accogliere la rivelazione positiva, se risulta che questa rivelazione ha avuto luogo di fatto.

La tappa decisiva non è l'ultima, ma quella dove l'idea di Dio (nella quarta parte) scaturita dal *conflitto interiore* della volontà, mette la coscienza davanti a un'alternativa e le impone di optare *pro* o *contro* l'apertura all'azione divina ancora indeterminata. Tanto è vero che, nel manoscritto deposto presso la Sorbona per il permesso di stampa della sua tesi, Blondel aveva scritto: «Quarta parte: parte decisiva». A conclusione dell'opera, Blondel scrive: «*L'intera questione* sta tutta in questo conflitto necessario che sorge nel cuore della volontà umana e le impone di optare praticamente tra i termini di una alternativa inevitabile, di una alternativa per cui l'uomo, o cerca di restare padrone di se stesso e di conservarsi integro, o si abbandona alla volontà divina più o meno oscuramente rivelata alla sua coscienza» (A 487). Blondel, ovviamente, non limita il suo interesse a questo soprannaturale indeterminato: egli mira oltre, ma sa che

come filosofo può accostare la rivelazione cristiana solo con questo tipo di approccio.

La fenomenologia de *L'Action* è una *logica* dell'azione. Ciò che costituisce la forza della dialettica di Blondel, è che essa non costruisce un ideale che possa fare da termine dell'azione umana: essa esprime semplicemente il contenuto ineluttabile dell'attività umana. La tensione all'infinito del volere non è il punto di partenza della sua ricerca, ma il suo punto di arrivo. Blondel non confronta le diverse tappe dell'azione con l'ampiezza, data per supposta, del volere; al contrario, è l'evolversi inesorabile dell'azione umana che rivela in modo progressivo *l'ampiezza del dinamismo spirituale* da cui il volere è segretamente animato dall'origine. Ogni volta si rivela una inadeguatezza, una discordanza tra la volontà volente e la volontà voluta.

Nel processo del pensiero che accompagna l'uomo dall'analisi del dinamismo volontario fino al conflitto interiore che costringe l'uomo all'*opzione decisiva* per cui, o si ripiega su se stesso, o si apre a Dio e all'ordine divino oscuramente percepito, vi è un discorso valido ancora oggi. In effetti, oggi, come ieri, noi non abbiamo fatto niente se non arriviamo a dimostrare che l'uomo deve, per lo meno, *aprirsi* a una eventuale Parola di Dio rivolta all'uomo nella storia. Quello che → Rahner ha tentato di fare partendo dal dinamismo della conoscenza umana (*Hörer des Wortes*), Blondel l'ha tentato partendo dalla realtà dell'uomo radicalmente proteso all'azione.

La filosofia di Blondel non è una semplice apologia del cristianesimo, né una semplice filosofia della religione: essa è in verità una «apologetica filosofica». Ma proprio perché è filosofica, questa apologetica può essere compresa da tutti gli uomini di buona volontà. Essa preserva i credenti dal fideismo. D'altra parte, essa mostra, alle persone sincere, che il salto nel soprannaturale non è meno ragionevole, né meno necessario delle verità della vita ordinaria.

Bibl. - H. Dumery, *La philosophie de L'Action. Essai sur l'intellectualisme blondélien*, Paris 1948; J. Palliard, *Maurice Blondel ou le dépassement chrétien*, Paris 1950; A. Cartier, *Existence et vérité: philosophie blondélienne de l'action et problématique existentielle*, Paris 1955; H. Bouillard, *Blondel et le christianisme*, Paris 1961; J. Lacroix, *Maurice Blondel*, Paris 1963; R. Saint-Jean, *Genèse de l'Action 1882-1893*, Bruges-Bruxelles-Paris 1965; Id. *L'apologétique philosophique. Blondel, 1893-1913*, Paris 1966; F. Lefèvre, *L'itinéraire philosophique de Maurice Blondel*, Paris 1966²; R. Latourelle, *L'uomo e i suoi problemi alla luce di Cristo*, Assisi 1982, 202-242.

RENÉ LATOURELLE

BUDDHISMO

1. Il buddhismo è la più antica delle grandi religioni mondiali. Nato dall'esperienza sconvolgente dell'illuminazione di Siddhartha Gautama nel VI secolo a.C., nell'India del Nord, la sua dinamica missionaria, dopo l'espansione in tutta l'Asia, sta oggi penetrando perfino l'Occidente. A partire dal II secolo a.C., dopo un periodo di scolasticismo, si sviluppano due distinte correnti: il *Theravāda* («Scuola degli Anziani»), chiamato in senso dispregiativo anche *Hīnayāna* («Piccolo Veicolo»), diffuso principalmente nell'Asia del Sud con il centro nello Sri Lanka; il *Mahāyāna* («Grande Veicolo»), inculturato in varie forme in Tibet, Cina, Corea, Giappone. Mentre la prima corrente viene considerata come la forma originale e ortodossa, orientata all'ascetismo della vita monastica, il Mahāyāna sottolinea per i laici piuttosto i principi altruistici in vista di una redenzione universale.

Mantenendo un silenzio apofatico su Dio, la via di salvezza nel buddhismo punta sulla profonda esperienza mistica e guida l'uomo dalla consa-pevolezza della vanità del mondo verso una serenità trascendente. Lontano dal puro interesse speculativo, il Buddha proclama la sua dottrina come «zattera utile per attraversare il fiume, ma non per essere mantenuta». Offrendo, con la «retta visione» (*Sn* 231) del mondo fenomenico, una chiave ermeneutica più che un sistema dogmatico, il buddhismo si presenta complementare alle culture e religioni per la sapienza intuitiva, e dispensa la redenzione non per grazia, ma in modo passivo, quale frutto dell'indispensabile fatica di un risveglio spirituale. Il mistero fondamentale è l'illuminazione come apertura del piccolo ego, prigioniero nel doloroso ciclo di nascita e morte, a un'esistenza radicata nel nirvana. Avendo percorso per primo tale cammino di liberazione, il Buddha diventa modello e amico spirituale (*kalyanamitra*) dell'umanità.

Tutto ciò che è stato enunciato dal Buddha − dalla notte dell'illuminazione fino alla notte della sua estinzione − viene considerato parola sacra. Le fonti canoniche si dividono in tre ceste (*Tripitaka*), raccolte dalla comunità monastica dopo la morte del Buddha, secondo la qualità dei testi: il *Vinaya-pitaka* contiene le regole monastiche, il *Sūtra-pitaka* i discorsi dottrinali e l'*Abhidharma-pitaka* i testi scolastici della incipiente riflessione filosofica. Delle varie raccolte canoniche è stato conservato integralmente solo il *Tripitaka* dei Theravādin dello Sri Lanka (codificato ca. nell'80 a.C.) in lingua pāli, un idioma antico dell'India del Nord. Nonostante l'abitudine del Buddha di usare la lingua corrente, molti altri testi sono composti in sanscrito. Il problema di un canone originale va oggi affrontato con l'applicazione del metodo storico-critico. Con l'inizio del Mahāyāna vengono aggiunte al canone altre opere composte ovviamente a partire dal I secolo a.C., ritenute però rivelazioni posteriori di dottrine segrete del Buddha. Tra esse, i testi della *Prajñāpāramitā* (Suprema Saggezza), dell'*Avatamsaka Sūtra* e del *Sūtra del Loto*, i quali sviluppano nuove dottrine e formano in sé un canone autonomo (*vaipulya*). Le grandi collezioni si trovano in cinese e tibetano e comprendono ben 2184 opere nell'ultima e più autorevole edizione del *Taishō Tripitaka*, stampata in Giappone in 55 volumi (1924-29). I tibetani distinguono nel loro canone, codificato da Bu-ston (1290-1364), tra «parola del Buddha» (*bKa'gyur*; 1055 testi) e opere scolastiche (*bsTan'gyur*; 3962 testi).

Dalla semplice formula «io prendo rifugio nel Buddha, io prendo rifugio nel Dharma, io prendo rifugio nel Sangha», che fin dai tempi antichi costituisce l'espressione più chiara e il simbolo di fede, scaturiscono i valori principali (*triratna*, tre gioielli) della salvezza, cioè la persona della «guida degli uomini e degli dèi» (il Buddha), il corpo delle dottrine (*Dharma*) e la comunità (*Sangha*), divisa in monaci e laici.

2. La biografia del Buddha costituisce, nell'insieme di elementi leggendari e dati storici, un racconto salvifico. Secondo la mitologia, Sākyamuni si inserisce in una gigantesca economia di salvatori, di cui si manifesta uno per ogni età del mondo (*kalpa*, ciclo di generazione, esistenza e distruzione del cosmo). Preceduto da innumerevoli altri Buddha e seguito dal suo successore Maitreya nel prossimo ciclo cosmico, Sākyamuni si è preparato come bodhisattva (essere destinato alla buddhità) in tante esistenze precedenti con l'accumulo di immensi meriti per salvare la presente umanità, e ha predestinato tutte le condizioni della sua vita storica. In tale assoluta sovranità diventa uomo per compiere la sua ferma decisione di guidare gli uomini al di fuori della schiavitù della morte e delle rinascite.

Sākyamuni Gautama (il saggio della tribù dei Sākya, della famiglia Gautama) nasce intorno al 566 a.C. a Lumbini, vicino a Kapilavastu, nell'odierno Nepal, dalla famiglia del principe Suddhodana e da Māyā. Riceve il nome Siddhārta. Secondo una profezia, sarebbe stato destinato a diventare un imperatore del mondo o un importante personaggio religioso. Cresciuto nella vita serena di corte, a 16 anni sposa Yasodharā, dalla quale ha un figlio, Rahula (il vincolo). Non potendo trovare soddisfazione nella spensierata vita del lusso, Sākyamuni è turbato dai problemi esistenziali, quali la vecchiaia, la malattia e la morte, e cerca l'immortalità oltre il ciclo doloroso della nascita e della decomposizione del mondo (*samsāra*). A 29 anni (537 a.C.) lascia di nascosto il palazzo per iniziare la vita di asceta itinerante (*sramana*) e frequenta per 6 anni, come tanti coetanei, vari maestri dello yoga. Finalmente comprende che gli sforzi sovrumani non portano a un progresso spirituale e decide di seguire la «via media» evitando gli estremi del lassismo e dell'ascetismo esagerato. Meditando da solo sotto un albero a Bodh-Gaya, riceve l'illuminazione e diventa il Buddha (lo Svegliato). Questo titolo onorifico indica il suo nirvāna, cioè l'estinzione degli aspetti soggioganti nell'assoluta tranquillità spirituale. Nel corso di quella notte sacra (531 a.C.) Sākyamuni giunge alla conoscenza delle sue esistenze precedenti, alla certezza sull'eterno ciclo di nascita e morte degli esseri e all'eliminazione dell'ignoranza e della brama. Conquista finalmente l'intuizione della legge fondamentale dell'origine condizionata di tutti i fenomeni della vita (*pratitya-samutpada*). Secondo una catena di dodici cause, analizza l'interdipendenza degli elementi psicofisici nel ciclo della formazione e decomposizione di ogni oggetto realizzando per se stesso la rottura di tale concatenazione, cioè la liberazione nel nirvāna. L'ineffabile gioia di tale esperienza lo spinge, per compassione verso gli uomini ignoranti, alla predicazione. Iniziando nel parco dei Daini a Benares davanti a cinque asceti, compagni di un tempo, con il «Sutra sulla messa in moto della Legge» (*Dharmacakrapravartanasūtra*), il Buddha gira per ben quarantacinque anni per le zone dell'India del Nord predicando e ricevendo discepoli nel suo ordine (*Sangha*), simile a tanti altri maestri. All'età di 80 anni (486 a.C.), muore a Kusinagara, raggiungendo con la dissoluzione degli elementi psico-fisici (*skandha*) il nirvāna completo «come una fiamma che si spegne senza residuo». Avendo compiuto la sua mediazione salvifica con l'indicazione del «cammino medio», rimanda i discepoli alla suprema autorità del *dharma* come guida futura.

3. Nucleo della dottrina (*dharma*) è una minuziosa analisi della condizione del mondo, che viene enunciata, nel primo discorso del Maestro a Benares, nelle Quattro Nobili Verità: I. Nel mondo tutto è *duhkha*; II. *duhkha* è causato dalla brama (*trishnā*); III. questa causa può essere eliminata nel nirvāna; IV. Il rimedio si trova nell'Ottuplice Sentiero. Il significato di *duhkha* viene di solito reso con «sofferenza» nelle sue varie forme psico-fisiche; in realtà esso esprime, più generalmente, la dimensione esistenziale dell'uomo nel senso di «passività» (cfr. latino: *pati*). *Duhkha* viene sperimentato come privazione dell'incondizionata attività dell'uomo ed esprime la sua contingenza. Il termine opposto sarebbe *sukha*, assoluta felicità, che non si realizza mai nella condizione umana, tranne che nell'illuminazione. Ogni essere è composto da cinque aggregati (*skandha*): corporeità, sensazione, percezione, volizione, conoscenza; questi formano dei fenomeni effimeri, in continuo cambiamento

(*samsāra*), impermanenti (*anitya*) e privi di un nucleo d'individualità (*anattā*, «non-sé»). In contrasto al brahmanesimo, Buddha basa la sua dottrina su tale teoria della non-sostanzialità, paragonando il concetto convenzionale della personalità umana all'etichetta imposta in modo puramente funzionale sulle varie parti che insieme formano un carro. Nel momento della morte non resta un'anima personale che potrebbe trasmigrare, ma solamente una serie di aggregati che rinascono continuamente in nuove costellazioni. «Il mondo è vuoto (*sunya*) di un sé e di tutto quello che appartiene a un sé» (*S* IV,54).

Comunque, l'origine dei fenomeni è dovuta al desiderio, alla sete di vita causata dall'azione passionale. La catena di esistenze segue l'eterna legge della produzione condizionata (*pratitya-samutpāda*), secondo la quale un insieme di fattori dà origine a un fenomeno, spesso illustrato con l'analogia della simultaneità di fuoco e fumo. Dalla passione, composta da ignoranza, brama ed egoismo, segue in modo ciclico l'azione (*karman*) che porta alla produzione di aggregati costitutivi di futura generazione. Poiché l'uomo eredita il frutto delle sue azioni senza essere mai padrone delle sue attività, tutto l'interesse del Buddha mira a un alto comportamento etico e, finalmente, per porre fine al ciclo del *samsāra*, all'eliminazione di ogni azione. In quanto *duhkha* costituisce l'orizzonte esistenziale della realtà, la sua abolizione (*nirvāna* = estinzione di ogni produzione) induce uno stato di ineffabile tranquillità oltre le categorie di questo mondo. L'interpretazione negativa del nirvāna è limitata al livello epistemologico, mentre da alcuni testi (*It* 37) risulta invece una concezione positiva del carattere dell'Ultima Realtà incausata. Più che un luogo, il nirvāna è uno stato spirituale che emerge con la cessazione della brama e del dolore e induce un superamento dell'illusorio e del contingente. La quarta Nobile Verità presenta l'Ottuplice Sentiero spirituale per la soppressione di *duhkha* nella pratica della retta moralità, concentrazione e sapienza. Mentre la moralità mira all'educazione della condotta sociale, la concentrazione meditativa induce la serenità della mente e mette l'uomo in grado di effondere benevolenza, compassione, gioia simpatetica ed equanimità su tutti gli esseri. La sapienza è la profonda penetrazione intuitiva dell'essenza dei fenomeni, cioè la consapevolezza della loro non-sostanzialità e della legge della produzione condizionata. Quest'ultima attuazione evoca l'illuminazione liberante.

A cerchi concentrici formati da monaci, monache e laici, il *Sangha* unisce la comunità mediante l'atteggiamento della reciproca donazione dei beni materiali e spirituali. Poiché il buddhismo non è organizzato in modo gerarchico, la tradizione dottrinale e sociale viene assicurata dal *Sangha*. L'ordine monastico conserva, fin dalla sua fondazione, una struttura democratica, la regolare confessione pubblica e il ritiro annuale. Con l'aiuto di cinque precetti i laici sono tenuti a liberarsi spiritualmente dal mondo e ad accumulare meriti salvifici. La loro particolare etica e forma di culto hanno preparato l'emergenza del Mahāyāna.

4. L'innovazione del Mahāyāna è più una ri-elaborazione di idee germinali del Theravāda che uno sviluppo indipendente. Il bisogno popolare di un oggetto di culto viene colmato con una progressiva divinizzazione del Buddha, perfino dei nuovi sūtra. Sākyamuni è considerato manifestazione storica dei Buddha trascendenti, come Amitābha (Amida), i quali, fulgenti e misericordiosi, guidano gli uomini con l'energia divina verso il paradiso. La dottrina dei «tre corpi» (*Trikāya*) spiega l'assoluta tra-

scendenza dell'Ultima Realtà come buddhità ingenerata e impersonale (*Dharmakāya*), percettibile soltanto da un Buddha, dalla quale si irradia il «corpo della ricompensa» (*Sambhogakāya*), manifestata ai bodhisattva mediante la visione mistica. L'ultimo aspetto dell'unico Buddha è lo storico Sākyamuni, apparso nel «corpo della trasformazione» (*Nirmanakāya*) per salvare tutti gli esseri. L'ideale della dinamica redentiva viene figurata nei santi bodhisattva come Mañjusrī e Avalokitesvara (il Signore con lo sguardo benigno; giapp.: Kwannon), la cui assunzione nel nirvāna è rinviata per esercitare meglio la loro «grande compassione simpatetica» (*mahākaruṇā*). Nella venerazione e imitazione di tali figure altruiste, s'esprime in Giappone il «Buddhismo della fede» (*Jōdo Shin-shū*) a partire dal XII secolo.

Simile alla luna, la cui immagine si riflette nel vasto oceano come in una goccia d'acqua, il *Dharmakāya* è presente in forma germinale nel «grembo di buddhità» (*Tathāgatagarbha*) degli individui come anche nel principio del cosmo. La sua natura è *sūnyatā* (vacuità): tutto esiste soltanto in quanto comunica con tutto. L'interdipendenza esistenziale di ogni fenomeno presuppone la vacuità d'esistenza inerente, e segue dalla «legge della produzione condizionata». L'assoluta identità di vacuità e forma, intuita nella meditazione, cambia radicalmente la coscienza dell'uomo e lo spinge alla solidarietà universale nell'attuazione della compassione (*karunā*). Non-sostanzialità ontica e altruismo etico si complementano nell'unità dinamica dell'Ultima Vacuità; il bodhisattva nella sua pro-esistenza ne è il simbolo più alto.

5. Il concilio Vaticano II apre nuove prospettive di dialogo con il riconoscimento di una presenza di valori salvifici nel buddhismo (NA 2). Questa valutazione circa le varie correnti

buddhiste non è che il culmine di una lunga storia di diversi incontri, iniziati fin dai tempi di Clemente d'Alessandria (*Strom.* I.15) e sporadicamente intensificati ai tempi dei nestoriani (cfr. la stele di Xi'an Fu del 781), dei missionari francescani in Cina (secc. XIII-XIV) e di Francesco Saverio. Mentre questi primi incontri trovano una ricca testimonianza letteraria nei parallelismi dei vangeli apocrifi e nel fatto curioso della leggenda del Buddha, cristianizzata nei santi Barlaam e Gioasaf (PG 96,857; nel martirologio Romano il 27 novembre), gli incontri attuali puntano sull'impegno per la pace e giustizia nel mondo (WCRP = Conferenza Mondiale delle Religioni per la Pace, fondata nel 1970, con decisa partecipazione di buddhisti e cristiani), sull'esperienza mistica e la pratica della meditazione, e sugli scambi di vita monastica. Il dialogo dottrinale apprezza, nel buddhismo, la profondità esistenziale del cammino salvifico. Buddha e Cristo sono stati paragonati perché entrambi fondatori di movimenti rivoluzionari nel contesto della loro tradizione religiosa. Mentre Cristo annuncia la salvezza come grazia del Padre nel regno universale di Dio, il Buddha sembra rimandare l'uomo alla conquista della liberazione facendo leva sui propri sforzi. Considerando però la dottrina del non-sé (*anattā*), anche nel buddhismo la salvezza si attua con la radicale rinuncia di sé.

Meditazione e pratica della compassione accompagnano l'uomo, con estremi sforzi di nobilitazione personale, alla soglia della spontanea concessione della liberazione. L'estrema *kenosi* dell'abbandono, sia nella fede cristiana (Lc 1,38) che nella santità buddhista (*arhant; bodhisattva*), costituisce un fondamentale punto di contatto. L'apice dell'esperienza mistica, nascosta nel silenzio buddhista, oppure proclamata nella teo-logia cristiana, diventa sfida reciproca per un dialogo. L'attenzione si sposta, oggi, all'analogia fra Maria e Buddha, tenendo conto della loro comune natura umana a differenza dell'unicità della natura divina-umana di Cristo. Vicinanza e diversità delle due religioni si esprimono in queste figure, in quanto ambedue, nella loro più umile disponibilità, concepiscono il Verbum; mentre il Logos s'incarna definitivamente in Maria, nella sacra parola del Buddha rimane *Dharma*. La divina venerazione del Buddha si riferisce alla sua mediazione salvifica, mai alla sua natura in contrasto con quella di Cristo. Ogni dialogo comunque deve partire dalla fondamentale qualificazione delle sacre Scritture e non può prescindere dalla dimensione mistica e mistagogica.

Bibl. - FONTI: *Canone buddhista*, voll. I-II, Torino 1967-68; E. Conze (ed.), *Scritture buddhiste*, Roma 1973; E. Frola (tr.), *L'orma della disciplina (Dhammapada)*, Torino 1979; A. Passi (tr.), *Asvaghosa, Le Gesta del Buddha*, Milano 1987.
STUDI: H. Oldenberg, *Buddha. La vita, la dottrina, la comunità*, Milano 1952; E. Lamotte, *Histoire du Bouddhisme indien*, Louvain 1958; B.L. Suzuki, *Il Buddismo Mahayana*, Firenze 1960; Nyanaponika Thera, *Il cuore della meditazione buddhista*, Roma 1978; A. Pezzali, *Storia del Buddhismo*, Bologna 1983; H.C. Puech (ed.), *Storia del Buddismo*, Bari 1984; W. Rahula, *L'insegnamento del Buddha*, Roma 1984; E. Conze, *Breve storia del Buddhismo*, Milano 1985; H. Schumann, *Il Buddha storico*, Roma 1986; M. Zago, *La spiritualità buddhista*, Roma 1986.
DIALOGO: W.L. King, *Buddhism and Christianity*, London 1963; H. Waldenfels, *Absolutes Nichts*, Freiburg 1976; C. Geffré - M. Dhavamony (edd.), «Buddhismo e Cristianesimo», in *Conc* 6/1978; H. De Lubac, *Aspetti del Buddhismo*, Milano 1980; H. Dumoulin, *Buddhismo*, Brescia 1981; M. Zago, *Buddhismo e Cristianesimo in dialogo*, Roma 1985; M. Fuss, *Buddhavacana and Dei Verbum*, Leiden 1989.

MICHAEL FUSS

BULTMANN Rudolf

L'articolo dedicato ai metodi di → analisi dei vangeli descrive l'apporto positivo e incontestabile di Bultmann a livello letterario. I lavori della Storia delle Forme (FG) (→ Vangelo) di cui Bultmann è un importante protagonista, hanno dato un potente impulso all'esegesi, dotandola di uno strumento di analisi estremamente preciso per conoscere meglio i vangeli e i contesti di vita (*Sitz im Leben*) in cui sono nati. Ma questa conquista metodologica è abbinata anche a una carenza dottrinale che non può essere taciuta.

R. Bultmann (1884-1976) è il principale responsabile di questa mancanza. Professore di NT a Marburgo (1921), ha pubblicato lavori di esegesi, di storia delle religioni, di dogmatica. La sua interpretazione del NT, in particolare dei vangeli, di Gesù, della sua identità, del suo messaggio, della sua missione, della risurrezione e della salvezza, solleva molti interrogativi. Se la teologia fondamentale se ne interessa è a motivo dell'influenza che ha esercitato e, soprattutto, per illustrare come opzioni filosofiche e teologiche possano influenzare una ricerca originariamente eccellente nella sua finalità.

In Bultmann non si possono separare storiografia, ermeneutica e teologia. Riguardo ai vangeli egli è l'erede di Strauss, di Kähler e di Wrede di cui ha radicalizzato le posizioni. La sua ermeneutica e il suo progetto di «demitizzazione» del NT derivano dall'analisi esistenziale di Heidegger. La sua teologia dipende dal paradosso luterano e kierkegaardiano della fede concepita come rinuncia a ogni sicurezza e come «salto» irrazionale verso Dio che salva.

1. IMPRESA UTOPICA DELLA STORIA CHE CONCERNE GESÙ - Per Bultmann il cristianesimo è cominciato con il *Cristo predicato*, cioè con il kêrygma della chiesa primitiva. Tale kêrygma suppone indubbiamente l'esistenza storica di Gesù, ma non dimostra molto interesse per la crona-ca della sua vita. Ciò che importa è il *fatto stesso* (il *Dass*, la *thatness*) dell'esistenza di Gesù come luogo della risposta efficace di Dio alla domanda dell'uomo sul senso della propria esistenza. Che Gesù sia nato, che sia vissuto, che sia stato crocifisso e che sia morto: non c'è bisogno d'altro per la fede cristiana; la «fattualità» è l'unico sostrato storico necessario all'evento della fede e della salvezza. Il *was*, cioè la personalità morale di Gesù e il *wie*, cioè il suo insegnamento, il suo messaggio e la sua azione, non presentano un interesse teologico. «Ciò che è successo nel cuore di Gesù, dice Bultmann, non lo so e non lo voglio sapere» (*Glauben und Verstehen*, I, Tübingen 1933, 101; 251).

Certamente Bultmann non nega una continuità materiale e cronologica tra Gesù di Nazareth e il Cristo del kêrygma, ma denuncia una rottura, una discontinuità teologica essenziale tra Gesù e il Cristo della fede. Egli vede i segni di questa rottura nei seguenti fatti: *a.* al posto di Gesù il kêrygma propone la figura mitica del Figlio di Dio; *b.* mentre Gesù proclama la venuta imminente del regno, la chiesa primitiva predica Cristo morto per i nostri peccati, e risorto; il predicatore è ora colui che viene predicato; *c.* mentre Gesù parla dell'obbedienza incondizionata al Padre, il kêrygma ora parla dell'obbedienza alla chiesa.

Per Bultmann, Gesù appartiene ancora al giudaismo. Quale legame esiste allora tra Gesù e la chiesa? Bultmann ritiene che il kêrygma non sia nato dalla vita di Gesù e che nemmeno cerchi un fondamento in tale vita. I sinottici non cercano di legittimare il kêrygma mediante la storia, ma, al contrario, di legittimare la storia attraverso il kêrygma: è quest'ultimo che chiarisce e dà senso a tutto. La fede cristiana inizia con il kêrygma che astrae dal Gesù della storia. Essa inizia quando colui che predicava è annunciato come l'azione escatologica di Dio. S. Paolo non ha forse edificato la propria teologia senza riferirsi concretamente alla storia di Gesù? Nel fallimento del profeta di Nazareth il kêrygma vede la risposta di Dio all'interrogativo dell'uomo: nel crocifisso Dio pronuncia un giudizio di condanna sull'autosufficienza dell'uomo e proclama la propria volontà di perdono e di vita autentica per chiunque accetti di morire a se stesso.

Schematizzando, possiamo dire che il discorso su Gesù di Bultmann si articola in due tempi: dapprima in una critica radicale che dichiara come una ricerca storiografica su Gesù sia un'impresa molto difficile se non impossibile; quindi, un momento che si vuole positivo e creatore, in cui cerca di sostituire la storiografia con una teologia e un'ermeneutica del kêrygma.

Per Bultmann è utopico voler scrivere una vita di Gesù: non solo perché Gesù non ha scritto niente, ma soprattutto perché i vangeli sono prima di tutto confessioni di fede. Ancor più, l'immagine di Gesù che essi propongono è in buona parte «mitizzata» dalla comunità primitiva. Bultmann ha espresso questo suo scetticismo nel 1926 in *Jesus* (tr.fr. Paris 1968). Che Gesù sia esistito è indubbio: egli ha esercitato il ministero di rabbino ed è morto sotto Ponzio Pilato. Ma i vangeli mescolano in modo così inestricabile elementi storici ed elementi mitici che risulta impossibile ritrovare un nocciolo consistente di verità storica e una fedele successione degli avvenimenti. I sinottici presentano Cristo come figlio di Dio attraverso l'immagine della divinità greca. «Io penso», dice Bultmann, «che non possiamo sapere praticamente niente della vita e della personalità di Gesù, poiché le fonti cristiane in nostro possesso, molto frammentarie e contaminate dalla leggenda, non hanno dimostrato alcun interesse su questo punto» (tr.fr.p. 35).

E più avanti: «Se sappiamo solo poche cose sulla vita e sulla personalità di Gesù, siamo invece sufficientemente informati sulla sua predicazione per farcene un'immagine coerente. Tuttavia, anche qui il carattere delle nostre fonti ci costringe alla massima prudenza. Le fonti ci offrono prima di tutto la predicazione della comunità; quest'ultima attribuisce con sicurezza la maggior parte di tale predicazione a Gesù. Naturalmente ciò non significa che tutte le parole che pone in bocca a Gesù siano veramente state pronunciate da lui. In molti casi possiamo addirittura provare che esse risalgono solo alla comunità; in altri, che quest'ultima le ha rielaborate» (p. 37). La possibilità di conoscere la predicazione di Gesù è dunque maggiore, ma «con un coefficiente di sicurezza abbastanza relativo» (p. 38). I vangeli sono nati dalla fede e hanno un senso per essa. Sono un kêrygma e non una cronaca.

2. UNA TEOLOGIA DEL KÊRYGMA E DELLA FEDE - Per Bultmann la fede non ha altra giustificazione che la fede stessa. Ciò che è importante è il senso dell'esistenza di Gesù reso noto dal kêrygma, e cioè che l'uomo è salvato grazie al suo totale abbandono a Dio mediante la fede. Importa poco ciò che sta dietro o prima del kêrygma. Quindi Bultmann si dichiara personalmente convinto che Gesù non aveva coscienza di essere il messia. Ma aggiunge subito che, per il suo intento, il problema è senza importanza, poiché il riconoscimento di Gesù come colui in cui la parola di Dio si realizza in modo decisivo è un puro atto di fede indipendente dalla risposta all'interrogativo storico circa la consapevolezza di Gesù di essere il messia. Solo lo storico può rispondere a questo interrogativo nella misura in cui sia possibile una risposta; la fede, in quanto decisione personale, non può dipendere dal lavoro dello storico. La fede deve affrancarsi, come coinvol

gimento di tutta la persona, dalla precarietà della ricerca storica.

Lo storico e il teologo sembrano dunque, in Bultmann, coesistere e ignorarsi. Da una parte, infatti, Bultmann in *Jesus* e in *Geschichte der synoptischen Tradition* studia la predicazione di Gesù e si sforza di ricostruirla; dall'altra, il teologo sembra astrarre dalle sue ricerche storiche. Come spiegare questo spazio di dualismo metodologico? La critica storica non avrebbe dunque altro scopo che dimostrare l'impossibilità di fondare storicamente il kêrygma e di liberare così la fede da ogni appoggio umano?

La posizione di Bultmann nei confronti della storia di Gesù è attribuibile, sembrerebbe, più ancora alla sua teologia della fede che al suo scetticismo storico. Infatti, l'interesse storico per il Gesù prepasquale non è condannabile in sé. Prova ne è il fatto che Bultmann stesso ha obbedito a questo motivo. Ma tale interesse deve restare strettamente nel suo ambito, cioè in quello *storico*. Dal momento in cui si mescola a un interesse teologico, cioè al desiderio di legittimare il kêrygma e la fede attraverso procedimenti storiografici, l'inchiesta diventa immediatamente sospetta. Una simile preoccupazione di legittimare la fede la annulla. Ogni ricerca storica al di là del kêrygma, ogni inchiesta sul Gesù del passato, nel momento in cui sia ispirata da una preoccupazione apologetica, non può che essere sterile e attirarsi il biasimo del credente, poiché ci induce nella tentazione di appoggiarci ad essa. La fede autentica non sa che fare delle nostre conoscenze storiche, certe o probabili che siano. Il kêrygma porta in se stesso la sua credibilità: è sufficiente che ci sia rivolto perché sia assicurata la possibilità della fede. È dunque principalmente in nome del kêrygma e della fede che Bultmann nega l'interesse per il Gesù storico. La salvezza non viene dal sapere oggettivante, scientifico, come se fosse possibile appropriarsi di Dio, ma dalla *sola fede*. La teologia di Bultmann si definisce quindi come una teologia del kêrygma e della fede. Ogni evento della rivelazione si concentra nel kêrygma e nella decisione di fede verso Dio che ci interpella.

3. «DEMITIZZAZIONE» NECESSARIA - Il kêrygma prima di tutto. Ma dobbiamo subito aggiungere: a condizione che sia esso stesso sottomesso a un rigoroso processo di interpretazione, poiché il mondo del NT e il suo linguaggio, anche se potevano essere validi per l'uomo del primo secolo, sono incapaci di contenere la decisione di fede dell'uomo contemporaneo. Bisogna allora operare la *demitizzazione* del NT, cioè trasporre il messaggio di Cristo in un sistema filosofico intelligibile all'uomo contemporaneo. La *demitizzazione* pone il problema del linguaggio del NT in rapporto al kêrygma che si esprime attraverso questi dati; mentre il problema del Gesù storico è il problema dei dati storici concernenti Gesù in rapporto con il Cristo confessato nella fede come evento escatologico della salvezza.

Il *mito*, così come è inteso da Bultmann, parla del mondo sovrannaturale, divino e trascendente, nei termini del nostro mondo spaziale e temporale; esso descrive l'azione di Dio in termini di causalità storica, cosmologica e psicologica. Bultmann precisa che egli intende il mito nel senso che esso ha nella storia delle religioni: è mito ogni rappresentazione nella quale il non cosmico appare cosmico, il divino appare umano e Dio stesso appare come una realtà spaziale lontana. Questa nozione di mito non deve evidentemente essere confusa con il moderno senso di pura ideologia.

Per Bultmann è evidente che il NT è un universo mitico, popolato da personaggi divini o demoniaci, percorso da forze misteriose, diviso in settori spaziali e temporali. Esso descrive Cristo come un essere preesistente, come figlio di Dio incarnato nel seno della vergine Maria. Quando il NT parla dei miracoli di Gesù ricorre al linguaggio «mitico». Un tal modo di parlare, spiega Bultmann, trae origine da un'influenza ellenistica, dallo gnosticismo, dalla tradizione apocalittica ebraica. Dobbiamo eliminare questo modo di parlare, così come hanno fatto i razionalisti; ma soprattutto dobbiamo reinterpretare i racconti evangelici nei termini adatti all'uomo moderno, per es. in chiave esistenzialista, sul modello della filosofia di Heidegger. Da questo punto di vista ciò che è importante nel kêrygma sono gli elementi che hanno un rapporto con la nostra esistenza e con la nostra relazione interpersonale con Dio.

Gesù costituisce soprattutto un valore *indicativo* della salvezza che ci viene dalla fede. Egli è un grande profeta, ma non è il Salvatore: è piuttosto il luogo scelto da Dio per renderci nota la salvezza. Dunque, il racconto della risurrezione non ci rinvia all'avvenimento storico di una vera risurrezione del corpo, ma dichiara il *senso* dell'evento storico della croce. La croce di Gesù deve essere letta come evento storico (*historisch*) e significativo (*geschichtlich*), poiché solo in esso l'uomo sente il peso del suo peccato e il giudizio salvifico di Dio. La risurrezione, al contrario, è puro mito. La croce esprime il giudizio, la condanna del mondo; mentre la risurrezione significa la possibilità di una vita autentica accordata all'uomo per mezzo dell'obbedienza della fede. La risurrezione fa dunque parte del kêrygma non a titolo di avvenimento storico realmente accaduto come la croce, ma come annuncio della nostra salvezza escatologica. «Parlare della risurrezione di Cristo», osserva Bultmann, «può forse indi-

care qualcosa che non sia il significato della croce? Essa non dice altro che questo: non bisogna avere davanti agli occhi la morte in croce di Gesù come semplice morte umana; essa è giudizio di Dio sul mondo... La croce e la risurrezione sono una cosa sola, infatti sono insieme un unico evento cosmico attraverso il quale il mondo è stato giudicato e a noi è stata data la possibilità di una vita autentica... La risurrezione di Gesù non può essere un miracolo che serva da garanzia e a partire dal quale coloro che cercano potrebbero credere in tutta sicurezza in Cristo» («Nouveau Testament et mythologie» in O. Laffoucrière, ed., *R. Bultmann, L'interprétation du NT*, Paris 1955, 177-178).

L'atto salvifico non passa dunque attraverso la libertà di Gesù. Dio si serve della triste avventura di Gesù di Nazareth e della sua morte in croce per farne il simbolo efficace della salvezza: l'intenzione di Gesù non entra in causa. La salvezza si compie solo grazie a un evento verticale che si china sulle nostre vite. Tale evento assoluto ci è stato reso noto una volta per tutte nell'evento storico di Gesù di Nazareth, cominciando dalla predicazione di Gesù, per poi prendere la sua forma definitiva solo nel kêrygma apostolico. Tale kêrygma resta attuale grazie alla predicazione della chiesa. Il kêrygma annuncia il mistero di Dio che, nella croce, apre gli occhi sulla nostra condizione di peccato, ma, nello stesso tempo rivela la sua grazia che perdona e offre la possibilità di vivere di lui e in lui. Dunque Gesù è lo strumento di Dio, anche se forse suo malgrado. Al di fuori del senso che il kêrygma gli conferisce, la vita e l'esistenza terrena di Gesù non presentano alcun interesse.

Insomma, il credo di Bultmann si riconduce ai seguenti articoli: Gesù è solo un uomo, l'ultimo dei profeti dell'AT. Vi è un così grande stacco tra kêrygma e storia che non sappiamo praticamente niente della vita e della personalità di Gesù. Se la chiesa primitiva gli attribuisce i titoli di figlio di Dio, Salvatore, Signore, è per ragioni di «marketing», cioè per permettergli di entrare in competizione con le divinità greche. Quando il NT parla dei miracoli e della risurrezione di Gesù, utilizza un linguaggio mitico sotto l'influenza dell'ellenismo, dello gnosticismo, dell'apocalittica ebraica; la mentalità moderna, infatti, non potrebbe ammettere l'idea di miracolo né di risurrezione dai morti. Gesù infine non è affatto Salvatore dell'umanità, Redentore degli uomini, nel senso inteso dall'attuale chiesa cattolica, ma è semplicemente il luogo storico scelto da Dio, per rendere nota agli uomini la salvezza mediante la fede.

Bibl. - OPERE di: R. Bultmann, *La théologie du Nouveau Testament*, Paris 1953 (tr. it., Brescia 1985); *Das Verhältnis der urchristlichen Christusbotschaft zum historischen Jesus*, Heidelberg 1960; *Il cristianesimo primitivo nel quadro delle religioni antiche*, Milano 1964; *Jésus, mythologie et démythologisation*, Paris 1968; *Il dibattito sulla demitizzazione*, Bologna 1969; *Cristianesimo primitivo nel quadro delle religioni antiche*, Cosenza s.d.; *Credere e comprendere*, Brescia 1977; *Gesù*, Brescia s.d. STUDI: L. Malevez, *Le message chrétien et le mythe*, Bruxelles-Bruges-Paris 1954; R. Marlé, *Bultmann et l'interprétation du Nouveau Testament*, Paris 1956; A. Malet, *Mythos et Logos. La pensée de Rudolf Bultmann*, Genève 1962; R. Palmer, *Hermeneutics*, Evanston 1969; R. Randellini, «L'ermeneutica esistenziale di R. Bultmann», in *Esegesi di A.B.*, Atti di A.B., Brescia 1972, 35-69; R. Latourelle, *A Gesù attraverso i Vangeli*, Assisi 1979; P. Grech, «Ermeneutica», in NDTB, Milano 1988, 464-489.

RENÉ LATOURELLE

C

CALVINISMO

Il calvinismo può essere descritto come un complesso di riflessioni teologiche sistematiche sulla parola di Dio (sacra Scrittura) così come sono state interpretate e proposte da Giovanni Calvino. Bisognerebbe studiare tutte le opere teologiche di Calvino per afferrare la precisione e le sfumature del suo pensiero, tuttavia la fonte classica in cui si trova esposta la sua teologia è il testo *Istituzione della religione cristiana*, un'opera costantemente revisionata da Calvino tra la prima edizione del 1536 e l'edizione finale del 1551.

Giovanni Calvino nacque presso Noyon in Francia il 10 luglio 1509. Suo padre, Gerard Cauvin, era notaio e fu consulente legale del capitolo della cattedrale di Noyon. Di sua madre, Jeanne Le Franc, si sa ben poco; morì quando Giovanni aveva circa tre anni. Il padre di Calvino desiderava che suo figlio ricevesse una educazione universitaria e così Giovanni, all'età di quattordici anni, fu iscritto all'università di Parigi, nel Collège de la Marche. Qui fu seguito da Mathurin Cordier, un sacerdote noto per il suo interesse per il latino e per le ricerche umanistiche. Ben presto il giovane Calvino si trasferì al Collège de Montaigu per dare inizio agli studi teologici che seguì sotto la guida di un certo John Major, noto come avvocato di formazione nominalistica. In questo periodo ricevette l'influsso del pensiero riformista del cugino Pierre-Robert Olivetan. Calvino sempre in questo Collège cominciò a studiare le opere di S. Agostino e di altri antichi Padri della chiesa.

Nel 1528 ricevette il grado di «Magister Artium» e fu indirizzato dal padre allo studio del diritto presso l'università di Orléans. In questa città entrò in contatto con il professore luterano Melchior Wolmar e stabilì con lui una durevole amicizia. Dopo la morte del padre, nel 1531, Calvino ritornò a Parigi; qui continuò gli studi di greco, latino ed ebraico. Verso la fine del 1533 o ai primi del 1534 sperimentò quella che egli stesso chiamò un'improvvisa conversione che lo condusse al distacco dalla chiesa cattolica. Sfortunatamente per i posteri, Calvino non ha lasciato alcuna descrizione dettagliata dei fattori interni ed esterni che lo portarono ad abbracciare i principi fondamentali della teologia evangelica. Con molta probabilità la sua familiarità con la dottrina di Lutero, i crudeli trattamenti inflitti (prigione e morte) a contemporanei che aspiravano alla riforma della chiesa cattolica, le pratiche superstiziose che abbondavano nella chiesa e la vita mondana del papa e dei vescovi: tutto questo lo spinse a cercare altrove una espressione più pura del vangelo.

INSEGNAMENTO CALVINISTA - *Dottrina su Dio* - Nel libro I, cap. 13 del suo *Istituzione*, Calvino espone la dottrina tradizionale su Dio uno e trino, spiegando in modo ortodosso la distinzione delle divine persone nella Trinità. Il Dio biblico è eterno, misericordioso e giusto, onnipotente, ecc., ma l'attributo divino sul quale egli insiste in modo particolare è la Volontà di Dio. Questa è assolutamente sovrana e fonda tutto ciò che esiste: «Perché la sua volontà è e dovrebbe giustamente essere la causa di tutto quanto esiste... Per cui, quando ci si chiede perché Dio ha fatto così, dobbiamo rispondere: perché così ha voluto» (*Istit*. 3. 23.2).

Per quanto la creazione e la sacra Scrittura dicano che Dio è il creatore, soltanto la sacra Scrittura, tuttavia, attesta con certezza che egli è redentore (cfr. *Istit*. 1. 10. 1; 2. 9. 1). Per quanto Dio sia indubbiamente trascendente ed eccelso (un Dio nascosto), egli è anche colui che all'eletto si rivela come misericordioso e lo riveste con la giustizia e i doni salvifici di Cristo (cfr. *Istit*. 1. 17. 2; 3. 24. 5).

Cristologia - Calvino insegna che Gesù Cristo è vero Dio e vero uomo, incarnato per il fine unico della nostra redenzione. Egli accentua in modo particolare il ruolo di Cristo come mediatore. Con ciò insegna che Cristo, in quanto mediatore, deve essere perfetto Dio e perfetto uomo: «In breve, siccome se fosse solo divino non avrebbe potuto subire la morte, mentre se fosse solo uomo non avrebbe potuto vincerla, egli unì la natura umana con quella divina di modo che per espiare il peccato egli potesse sottoporre la debolezza dell'una alla morte; mentre, lottando

contro la morte con il potere dell'altra, conseguisse la vittoria per noi» (*Istit*. 2. 12. 3). La riconciliazione dell'uomo con Dio si compie attraverso la morte e la risurrezione di Cristo: «Nella sua morte abbiamo il compimento perfetto della salvezza, perché attraverso di essa veniamo riconciliati con Dio, viene soddisfatto il suo giusto giudizio, rimossa la maledizione e la pena viene completamente espiata. Tuttavia, di noi si dice che "siamo stati rigenerati... per una viva speranza" non mediante la sua morte, ma "mediante la sua risurrezione" (1 Pt 1,3). Infatti, come lui, risorgendo, uscì vittorioso dalla morte, così la vittoria della nostra fede sulla morte sta soltanto nella sua risurrezione» (*Istit*. 2.16. 13).

Pneumatologia - Calvino cita molti passi del NT che affermano la divinità dello Spirito Santo. Difende pure la divinità dello Spirito sulla base del suo ruolo nella creazione: «È infatti lo Spirito che, ovunque diffuso, sostiene tutte le cose, le fa crescere e le vivifica in cielo e sulla terra. Non essendo circoscritto da alcun limite, egli non rientra nella categoria delle creature; invece, con il trasfondere la propria energia in tutte le cose e con il partecipare ad esse l'essere, la vita e il movimento dimostra chiaramente la sua natura divina» (*Istit*. 1. 13. 14).

Lo Spirito Santo oltre all'azione che svolge nella creazione e nella provvidenza, garantisce pure l'ispirazione della parola di Dio, la fa fruttificare nel cuore del credente e attua per lui i benefici dell'azione salvifica di Cristo.

Sacra Scrittura - Secondo Calvino tanto l'Antico che il Nuovo Testamento sono ispirati dallo Spirito Santo e hanno la persona di Cristo come centro focale: «Le Scritture dovrebbero essere lette con l'idea di scoprire Cristo in esse» (Commento su S. Giovanni, 5, 38, 39). In quanto parola di Dio, quindi, le Scritture comunicano al credente Gesù stesso e il suo dono di salvezza. Di questo ci si appropria attraverso il dono della fede conferito dallo Spirito Santo, dono che apre il cuore del credente alla verità salvifica della Scrittura: «Perché, allo stesso modo con cui soltanto Dio dà idonea testimonianza a se stesso con la sua Parola, così anche la Parola non può venire accolta nel cuore dell'uomo senza il sigillo della testimonianza interiore dello Spirito» (*Istit.* 1. 7. 4). Per Calvino la parola di Dio, la fede del credente e l'azione dello Spirito Santo vanno mantenute indissolubilmente unite.

Chiesa e Sacramenti - Per Calvino la vera chiesa universale è costituita da tutti i credenti di ogni tempo e luogo e questa chiesa è invisibile. Suoi membri sono gli eletti che soltanto Dio conosce. Quest'unica chiesa ha pure un aspetto visibile e «designa la moltitudine degli uomini sparsi su tutta la terra che professano di adorare l'unico Dio e l'unico Cristo» (*Istit.* 4. 1. 7). In questa comunità vi sono santi e peccatori. In armonia con Lutero, Calvino afferma che questa chiesa di Dio può essere riconosciuta o si rende presente (1) là dove la parola di Dio è predicata e ascoltata con purezza, e (2) là dove i sacramenti sono amministrati secondo l'istituzione di Cristo (cfr. *Istit.* 4. 1. 9).

I sacramenti cui si riferisce Calvino sono il battesimo e l'eucaristia, istituiti da Cristo secondo quanto afferma il NT. Essi sono strumenti dello Spirito Santo e servono a rendere più attuale e visibile l'autentica parola di Dio: «Per cui bisogna ritenere, come sicuro principio, che i sacramenti hanno la stessa funzione della parola di Dio: offrirci ed esprimerci Cristo e in lui i tesori della grazia celeste. Ma essi non portano alcun giovamento e profitto se non sono ricevuti nella fede» (*Istit.* 4. 14. 17). Quindi, attraverso il battesimo la persona di fede ha la certezza che i suoi peccati sono rimessi, nel senso che la sua condizione di peccato non gli sarà imputata; inoltre riceve conferma del fatto che vive come uno rinato in Cristo (cfr. *Istit.* 4. 15. 6). Nella Cena del Signore, il Cristo viene comunicato al credente nei segni del pane e del vino che, pur restando ciò che sono, producono efficacemente in chi li riceve degnamente «... redenzione, giustizia, santificazione e vita eterna, insieme a tutti gli altri benefici che Cristo ci dona» (*Istit.* 4. 17. 11).

Dottrina sull'uomo - Prima di ricevere il dono della fede la persona umana appartiene alla *massa damnata* e, sotto il peso del peccato originale, si trova davanti a Dio condannata e giudicata (cfr. *Istit.* 2. 1. 8). Il peccato originale corrompe ogni parte dell'uomo e produce ulteriori frutti di peccato che Calvino, seguendo S. Paolo, chiama «opere della carne» (Gal 5,19). In questa condizione l'uomo è incapace di intraprendere qualunque iniziativa atta a ristabilirlo nell'amicizia con Dio. Mentre la persona non ancora rigenerata si trova infinitamente distante da Dio, Calvino ammette che essa, mediante l'uso della ragione, possa esercitare un certo potere sulle «cose terrene» e contribuire quindi al buon governo, al progresso della scienza e delle arti liberali (cfr. *Istit.* 2. 2. 13).

La fede in Cristo - L'uomo è liberato dalla sua condizione di peccato mediante il dono della fede. Solo la fede giustifica e ha come oggetto proprio l'amplesso di Cristo «racchiuso nelle sue promesse» (*Istit.* 2. 9. 3). Così spiega Calvino: «Diciamo che la fede giustifica, non perché ci ottiene per suo merito la giustizia, ma perché è uno strumento con cui conseguiamo gratuitamente la giustizia di Cristo» (*Istit.* 3. 18. 8). Questa fede giustificante non fa sì che l'uomo sia senza peccato, ma stabilisce un nuovo rapporto tra Dio e il credente. In questo nuovo rapporto Dio, in quanto giudice, non imputa all'uomo il suo peccato, ma piuttosto gli attribuisce o mette a suo conto la giustizia di Cristo.

Alla giustificazione si accompagna la santificazione, della quale Calvino parla molto chiaramente nei termini seguenti: «Perché, dunque, veniamo giustificati dalla fede? Perché attraverso la fede ci appropriamo della giustizia di Cristo, per la quale soltanto siamo riconciliati con Dio. Ma non potremmo far nostra la giustizia senza appropriarci anche della santificazione. Perché egli ci è stato dato "come sapienza, giustizia, santificazione, e redenzione" (1 Cor 1,30). Per cui Cristo non giustifica alcuno senza santificarlo nello stesso tempo» (*Istit.* 3. 16. 1). Questa santificazione si deve esprimere tanto nella vita personale del credente, che nella società più vasta, in modo tale che tutta la vita dell'uomo diventi un incessante inno alla gloria di Dio.

Predestinazione - Siccome la volontà di Dio è causa di tutte le cose, è pure causa di salvezza e di riprovazione. «Chiamiamo predestinazione l'eterno decreto di Dio, con il quale egli ha convenuto con se stesso ciò che ogni uomo doveva diventare. Infatti, non tutti sono creati in uguale condizione; mentre per alcuni è stata preordinata la vita eterna, per altri è stata preordinata la dannazione eterna» (*Istit.* 3. 21. 5). Con la sua dottrina della duplice predestinazione, Calvino intende salvare la sovranità di Dio e la totale incapacità dell'uomo a procurarsi la propria salvezza. Questa poggia soltanto sulla decisione (volontà) di Dio e non consegue né dalle opere buone, né dal cosiddetto merito acquistato mediante le opere buone. In fondo, la predestinazione rimane un mistero. Con la fede, dice Calvino, noi dobbiamo considerare il decreto di riprovazione come giusto e come manifestazione della sua gloria (cfr. *Istit.* 3. 21. 7).

Le posizioni dottrinali di Calvino in-dicate sopra a grandi linee erano destinate a subire variazioni e modifiche allorché si trovarono di fronte a successivi fattori di ordine intellettuale, culturale e storico. Questo o quell'insegnamento del maestro ginevrino − fosse l'ispirazione della bibbia o la predestinazione, ecc. − si sarebbe modificato nell'impatto con movimenti quali l'ortodossia protestante, il pietismo, il razionalismo illuministico, l'insorgere della teologia del protestantesimo liberale, ecc. Negli ultimi decenni l'influsso di K. Barth e il dialogo ecumenico sono riusciti a ravvivare l'interesse per le posizione teologiche di Calvino in ordine alla sovranità e alla gloria di Dio e alla centralità della parola di Dio nell'impostazione della teologia e della vita cristiana.

Bibl. - Giovanni Calvino, *Institutes of the Christian Religion*, J. T. McNeill (ed.), voll. I-II, Philadelphia 1960 (ed. it., O. Bert - M. Mursacchio - G. Tourn [edd.], *Istituzione della religione cristiana*, Torino 1971); J. K. S. Reid (ed.), *Calvin: Theological Treatises*, Philadelphia 1954: J. T. McNeill, *The History and Character of Calvinism*, Michigan 1973; T. H. L. Parker, *John Calvin: A Biography*, London 1975; B. A. Gerrish, *The Old Protestantism and the New,* Essays on the Reformation Heritage, Chicago 1982; W. J. Bouwsma, *John Calvin: A Sixteenth Century Portrait,* New York 1988.

Kevin McMorrow

CANONE BIBLICO

In Gal 6,14-16 Paolo scrisse a lettere cubitali circa il canone, la norma (*kanôn* in greco) che governa quanti vivono nella pace e misericordia di Dio: la croce, la libertà dalla legge della circoncisione, ed essere una nuova creazione in Cristo. Quindi «canone» comprende ciò che è normativo e di criteriologica importanza per il discorso e per l'agire cristiano. Tuttavia nell'evoluzione ulteriore del vocabolario cristiano nel periodo patristico, il termine «canone»

servì per indicare la lista ufficiale dei
libri della Scrittura che davano testimonianza autorevole della rivelazione di Dio.

1. CHIARIFICAZIONE DELLA NOZIONE -
Nel suo significato originale il termine greco *kanôn* sta ad indicare un bastoncino rigido o un regolo, usato dal
falegname o da uno scalpellino, per
assicurarsi di aver sistemato certi materiali da costruzione sullo stesso livello o in maniera retta. In senso traslato un canone è un criterio o una
norma con cui uno giudica corretto
e giusto un pensiero o una dottrina.
Per quanto riguarda l'arte e la letteratura, alcuni studiosi dell'età ellenistica compilarono dei cataloghi di
quelle opere antiche che possedevano forma e stile linguistico esemplare, alle quali si riconosceva lo status
canonico di modelli.
Nel vocabolario patristico il nucleo
centrale della dottrina apostolica trasmessa era il «canone della verità»
(→ Regula fidei); esso rappresentò un
contesto normativo per la speculazione
teologica (Clemente di Alessandria, Origene) e servì come norma critica in base alla quale si dimostrava
che gli insegnamenti di Marcione e
degli gnostici erano devianti e dunque da escludere (Tertulliano, Ireneo). A partire dal 300 d.C., i provvedimenti presi a livello dottrinale e
disciplinare dai sinodi dei vescovi costituivano i «canoni» che regolavano
l'insegnamento e la vita della chiesa.
L'applicazione del termine «canone» alle Scritture della chiesa è in
realtà un uso linguistico in cui un termine trasmette due significati sovrapposti. S. Atanasio scrive nel 351 che
Il Pastore di Erma «non è nel canone» (PG 25,448). *La Lettera festale*
dello stesso autore, del 367, fa un catalogo dei libri dell'Antico e del Nuovo Testamento inclusi nel canone allora appena completato e chiuso (*ta
kanonizoména*), in opposizione ai libri apocrifi non inclusi in esso (CSCO

151, 34-37). Perciò il canone è l'elenco completo o l'indice dei libri sacri che costituiscono la bibbia della
chiesa.
Compare tuttavia una sfumatura diversa del suo significato quando i cristiani si riferiscono alle «Scritture canoniche». S.Tommaso afferma che la
teologia si serve delle Scritture canoniche come sicura e genuina fonte di
dati e di evidenza probativa. Il motivo è dovuto al fatto che «la nostra
fede si fonda sulla rivelazione fatta
agli apostoli e ai profeti, i quali hanno composto le Scritture canoniche»
(STh I,1,8). Quindi i libri compresi
nel canone sono normativi e autorevoli in modo unico. S. Agostino venerava questi libri ora designati «canonici» fino al punto di credere fermamente che nessuno dei loro autori
avesse mai minimamente deviato dalla verità (*Ep.* 82,3; CSEL 34/2, 354).
Nel libro secondo del *De Doctrina
christiana* (428), Agostino enumerò le
Scritture canoniche delle chiese, aggiungendo che esse fornivano guida
e nutrimento sufficiente a tutta la vita cristiana di fede, speranza e carità
(«In his enim quae aperte in scripturis posita sunt, inveniuntur illa omnia
quae continent fidem moresque vivendi, spem scilicet atque caritatem»
CSEL 80, 42).
Il canone cristiano della Scrittura è
prima l'enumerazione completa di
quei libri che la chiesa ufficialmente
accoglie come facente parte della sua
fondazione a comunità di fede. Ma
in quanto canonici, tali libri servono
poi come norma profetica e apostolica di ciò che è proprio e legittimo
nella trasmissione della verità rivelata e nella strutturazione della vita cristiana.
Canonicità tuttavia non è puramente identica a → *ispirazione*. La fede
riconosce i libri canonici come ispirati, ma di per sé il canone non esclude che altri scritti, ora non riconosciuti canonici, possano essere stati
composti con l'assistenza e la guida

carismatica dello Spirito. Inoltre l'inclusione nel canone non determina *l'autenticità* letteraria che riguarda la reale redazione di un'opera da parte di un determinato autore. La canonicità di un testo biblico è del tutto compatibile con il fatto di essere un'opera *pseudonima*. Per esempio, le lettere a Timoteo e Tito, in quanto opere comprese nel canone del NT, sono per questo stesso fatto riconosciute atte a trasmettere normativamente tradizioni apostoliche circa la dottrina e la disciplina della chiesa. Ma il fatto di essere canoniche non esclude che tali lettere siano state scritte non dall'apostolo Paolo, ma da un altro autore che ha riformulato la tradizione paolina per la situazione delle chiese un quarto di secolo dopo la morte di Paolo.

2. Il canone cristiano dell'Antico Testamento - Nel giudaismo, fino a circa l'anno 100 a.C., c'era un solido nucleo di libri autorevoli e normativi divisi in Tôrāh, profezie e «altri scritti» (Prologo del Siracide). Le prime due parti erano raccolte già chiuse al tempo di Gesù, mentre il numero dei libri della terza parte delle Scritture ebraiche sembra essere stato valutato in modo differente a seconda dei diversi gruppi (sadducei, farisei, esseni, samaritani, diaspora giudaica).

Ma dopo i drammatici avvenimenti del 70 d.C., con la distruzione del tempio, nel ricostituito giudaismo ebbe il sopravvento la concezione dei farisei circa l'ispirazione e il canone. Si riteneva ormai finito, nel quinto secolo a.C., il carisma profetico dell'ispirazione, e una autorità assoluta per il culto e la dottrina della sinagoga era attribuita a un canone chiuso di ventidue libri. Questi comprendevano i primi fondamentali cinque libri di Mosè, dodici libri di profezie (sia la storia profetica che va da Giosuè a Giobbe e Esdra-Neemia, sia i libri profetici di Isaia, Geremia e La-

mentazioni, Ezechiele, Daniele e il libro che racchiude i dodici profeti minori), e altri cinque scritti (Ester, Salmi, Proverbi, Qoélet, Cantico dei Cantici).

La complessa storia della recezione cristiana delle Scritture d'Israele è stata studiata da vari punti di vista da A.C. Sundberg, H. von Campenhausen, R.A. Greer, R. Beckwith e da numerosi altri. Nella nostra esposizione tralasciamo la visione di Gesù intorno alle Scritture d'Israele e la straordinariamente feconda rilettura di esse da parte delle chiese apostoliche alla luce dell'evento-Cristo e della sua universale missione.

La chiusura definitiva del canone giudaico non ebbe un influsso immediato sui cristiani del secondo e del terzo secolo. Tuttavia la vasta reazione nella chiesa alla contestazione di Marcione, secondo il quale le Scritture di Israele non avevano alcuna importanza per i cristiani, ebbe conseguenze di ampia rilevanza. Il martire Giustino, Ireneo, Origene e altri fecero una grande campagna didattica in difesa dell'AT ritenuto necessario per i cristiani a causa della sua ricchezza di insegnamento sull'economia della salvezza, concepita e portata a compimento nella storia dall'unico Dio, che è nel contempo Signore d'Israele e Padre di Gesù Cristo.

Infine, la discussione sull'estensione materiale dell'AT cristiano emerse specificamente nella forma di discussione sulla condizione di certi libri non compresi nel canone giudaico: Tobia, Giuditta, 1-2 Maccabei, Sapienza, Siracide, Baruc e parti di Daniele (3,25-90; capp. 13-14). Questi libri nell'uso cattolico sono chiamati *deuterocanonici*, invece dalla maggior parte dei protestanti sono elencati tra gli *apocrifi* o libri non-canonici.

Alcuni scrittori ecclesiastici orientali sostennero che l'AT cristiano doveva essere ristretto soltanto a quei libri usati dai loro contemporanei ebrei. Origene sapeva che alcune chiese cristiane facevano uso di Tobia per la catechesi e S. Atanasio riteneva i libri deuterocanonici istruttivi per la vita spirituale; ma per questi padri e per S.Cirillo di Gerusalemme il canone cristiano non racchiude questi libri. S.Girolamo, dopo essersi trasferito in Palestina, divenne un sostenitore convinto del canone ristretto dei libri scritti originariamente in ebraico; tradusse Tobia per la Vulgata latina soltanto su ordine dei vescovi. In occidente invece S. Agostino fu un efficace difensore del canone più ampio appellandosi all'uso nella liturgia dei libri deuterocanonici da parte di numerose chiese e argomentando in modo particolareggiato a favore del loro prezioso contributo sia alla dottrina che alla vita di fede. I canoni della Scrittura emanati dai concili di Ippona (393 d.C.) e di Cartagine (397), sancirono ufficialmente il canone allargato, confermato da papa Innocenzo I nel 405 (DS 213).

L'autorità di S.Agostino, insieme a quella della chiesa di Roma, assicurò l'inclusione dei libri deuterocanonici nell'AT cristiano della tarda antichità e del medioevo. Ma la riforma protestante mutò tale situazione di pacifico possesso. Nella Disputa di Lipsia del 1519 contro Giovanni Eck, Lutero sollevò dubbi circa l'uso teologico di 1-2 Maccabei per giustificare la preghiera, le offerte e le indulgenze a favore delle anime del purgatorio. L'autorità di Girolamo assunse una posizione eminente, in una più ampia argomentazione protestante contro i sette libri deuterocanonici, e acquistò una forma più sistematica ad opera del collega di Lutero Andreas Karlstadt nel suo *De canonicis scripturis libellus* (1521).

Nelle loro bibbie in lingua vernacola, sia Lutero che Zwingli stamparono i suddetti libri contestati in appendice, mentre le edizioni calviniste eliminarono completamente questi libri dalla bibbia.

Scrittori cattolici polemisti, come J. Cochlaeus e J. Dietenberger, reagirono a favore della canonicità dei libri in questione sulla base del numero e dell'autorità dei loro antichi difensori e della tradizione del loro uso nella chiesa. Quando il concilio di → Trento iniziò i suoi lavori nel dicembre 1545, le prime discussioni evidenziarono che la maggioranza dei vescovi voleva semplicemente accogliere e promulgare solennemente il canone già presentato un secolo prima dal concilio di Firenze nei suoi tentativi di riunione con i cristiani giacobiti o copti di Etiopia (DS 1334-35). Girolamo Seripando, superiore generale agostiniano, parlò in favore della tesi che ammetteva all'interno dell'AT una certa differenziazione, ad es. tra i libri canonici fondamentali per il contenuto di fede ed altri appartenenti a un *canon morum*; una stragrande maggioranza si oppose persino alla discussione del contenuto del canone. Perciò nella sua quarta sessione (8 aprile 1546), il concilio di Trento promulgò il *Decretum de libris sacris et traditionibus recipiendis*, che accoglie in modo chiaro e solenne i libri deuterocanonici come libri ispirati e normativi dell'AT (DS 1502).

3. IL CANONE DEL NUOVO TESTAMENTO - Il canone degli scritti cristiani dell'età apostolica venne formulato nel tempo attraverso un graduale setacciamento e distacco di alcuni libri presi da un più vasto corpus della primitiva letteratura cristiana. Numerosi processi di questa selezione delle opere normative rimangono storicamente oscuri, come anche molte norme e ragioni adottate nelle decisioni riguardanti libri particolari. Intorno all'anno 200 d.C., comunque, il processo era ben avanzato, ma dovette passare ancora un secolo e mezzo prima che il canone del NT avesse la forma reale che noi conosciamo oggi.

Le comunità cristiane di fondazione apostolica possedevano fin dall'inizio un complesso di libri canonici assunti dal giudaismo, anche se i confini esterni di tale raccolta non furono materia di iniziale consenso. Inoltre tali comunità possedevano le parole e i fatti autorevoli di Gesù, tramandati oralmente, considerati una tradizione superiore alle scritture d'Israele e normativi per la loro interpretazione. Prima che tali tradizioni derivanti da Gesù fossero messe per iscritto, certe comunità tenevano in gran conto anche alcune lettere apostoliche di contenuto pastorale, che servivano sia per richiamare alla mente l'originale vangelo predicato che per esplicitare le sue implicanze per il culto e per la vita di ogni giorno.

La seconda lettera di Pietro, scritta circa l'anno 100 d.C., testimonia che esisteva, in una parte della chiesa, un *corpus Paulinum* che occupava lo stesso rango «delle altre scritture» (3, 15-16). Sebbene la letteratura del 100-150 d.C. sia piena di echi degli scritti inclusi alla fine nel canone del NT, la maggior parte degli scrittori di questo periodo sembra ricorrere di più alla trasmissione orale dei detti di Gesù e delle istruzioni degli apostoli. A metà secolo Taziano usò i quattro vangeli come fonte da cui attingere materiale per la sua armonia scritta, il *Diatessaron*, che venne usato largamente per due secoli nelle chiese di Siria. Taziano mostra che i quattro vangeli godevano di grande stima verso il 150 d.C., ma indica anche che la loro forma compositiva non godeva ancora nelle chiese di uno status canonico.

Nel secondo secolo due fattori contribuirono alla formulazione di un canone del NT. Marcione, essendo sostenitore di un paolinismo radicale a riguardo della gratuità della salvezza in Cristo, compose un piccolo canone di autentica dottrina cristiana, che era formato da dieci lettere di Paolo e da una versione del vangelo di Luca depurata da tutti gli accenni al Dio di Mosè.

Lo gnosticismo del secondo secolo invece si mosse in direzione opposta a quella di Marcione. I suoi maestri, che spesso rivendicavano il possesso di istruzioni loro trasmesse da incontri segreti col Cristo risorto, erano prolifici nel produrre nuovi vangeli e lettere che asserivano aver origine dal Signore e dagli apostoli. Un gruppo di rappresentanti delle grandi chiese, tra cui spicca S. Ireneo di Lione, sottopose a dura critica le dottrine di Marcione e degli gnostici, stabilendo pertanto le condizioni secondo cui un canone cristiano doveva esser articolato. Questo doveva comprendere una serie di libri apostolici più completa di quella ammessa da Marcione, mentre doveva rifiutare e bollare come spuri i libri di provenienza gnostica.

Un notevole documento della formazione del canone cristiano nel secondo secolo è fornito dal Frammento Muratoriano, il cui testo latino si trova nell'*Enchiridion Biblicum* (Roma 1961), 1-3, con una buona traduzione italiana in *Apocrifi del NT*, a cura di L. Moraldi, (Torino 1971) I, 15-17. Considerato generalmente come riflesso di convinzioni sostenute a Roma intorno al 200 d.C., il Frammento sostiene il carattere normativo di soli quattro vangeli, degli Atti degli apostoli, di tredici lettere paoline e di altre tre lettere apostoliche. L'apocalisse di Giovanni è canonica, ma accanto ad essa c'è pure un'apocalisse di Pietro che tuttavia alcuni ritennero non adatta per la lettura in chiesa. Stranamente il libro della sapienza di Salomone è accettato come cristiano, mentre non si fa cenno alla lettera agli Ebrei, a 1-2 Pietro, alla lettera di Giacomo e alla terza di Giovanni. Il Frammento esprime forti convinzioni favorevoli all'esclusione dall'uso cristiano sia di due lettere contagiate dalle idee marcionite, sia di alcune opere non nominate di maestri gnostici. L'autore del Frammento raccomanda una lettura privata del *Pastore* di Erma, negandogli però un posto nelle letture liturgiche. Dunque intorno all'anno 200 d.C. la forte coscienza di possedere un patrimonio apostolico normativo esisteva almeno in una chiesa, dove criteri ben determinati venivano usati allo scopo di dimostrare la canonicità di libri ritenuti fondamentali per la vita dell'intera chiesa.

Dai centri, come quello che produsse il «canone» Muratoriano, si irradiò in numerose altre chiese nuova chiarezza circa la serie dei libri apostolici che erano assolutamente essenziali per la cristianità. Un secolo più tardi, comunque, Eusebio riferisce che esistevano ancora delle discrepanze tra le liste ufficiali dei libri del NT usati nelle varie chiese. Alcune negano la canonicità di Giacomo, di 2 Pietro, di Giuda, e di 2-3 Giovanni, mentre anche l'apocalisse di Giovanni è oggetto di discussione (*Storia Ecclesiastica* III, 25; CGS, IX, 1, 250-253). Il buio avvolge la via attraverso cui la canonicità delle lettere cattoliche e dell'apocalisse arrivò ad essere ampiamente riconosciuta. Il più antico canone esistente del NT, conforme all'uso generale posteriore, si trova nella *Lettera festale* di S. Atanasio del 367; esso cercò di imporre una salda uniformità ai lezionari delle chiese d'Egitto e di eliminare l'uso di vangeli e di apocalissi gnostiche. I canoni occidentali di Ippona (393), di Cartagine (397) e di papa Innocenzo (405), convenivano con Atanasio sull'elenco di ventisette libri che, insieme ed esclusivamente, costituiscono il NT delle chiese cristiane.

4. SENSO TEOLOGICO DEL CANONE - Il canone delle Scritture serve ai credenti per identificare e delimitare un insieme di opere ritenute e lette come «parola di Dio», vale a dire come la trasmissione, in forma scritta, di un'attendibile somma delle esperienze, fatte da mediatori scelti, dell'auto-rivelazione di Dio nella storia e negli insegnamenti personali. La Scrittura si svi-luppò a partire da quanto Mosè scrisse sul Sinai (Es 34,28), da ciò che i profeti di Jhwh proclamarono (Am 7,15; Is 6,8f) e da quanto i discepoli di Gesù udirono, videro, ricordarono e riferirono circa la Parola di vita (1 Gv 1,1-3). La riflessione teologica su un canone concluso e normativo si svolge in due aree generali: 1. nel fondamentale rapporto tra canone e chiesa e, 2. nella pertinenza ermeneutica del canone.

a. Sociologicamente la formazione del canone rappresenta un passo in avanti verso la standardizzazione della dottrina e la stabilizzazione di norme comunitarie. Il canone delimita una linea precisa intorno a un insieme di libri che esprimono in modo singolare l'identità di una data comunità, derivante dalla sua fondazione. Tale effetto restrittivo però mostra solo un aspetto della formazione del canone. Infatti il canone serve anche per identificare quei libri che si pensa siano pienamente veritieri e istruttivi, dotati del potere di istillare vitalità e stile di vita conformi all'autentica visione che la comunità ha di se stessa (cfr. 2 Tm 3,16s). Le Scritture canoniche perciò sono un mezzo indispensabile con cui «la chiesa nella sua dottrina, vita e culto perpetua e trasmette a tutte le generazioni ciò che essa è, tutto ciò che essa crede» (DV 8,1).

Un argomento illuminista, alquanto sofistico, pretende di ravvisare un circolo vizioso nell'affermazione della chiesa secondo cui da una parte essa ha origine dai profeti e dagli apostoli, così come sono conosciuti tramite i loro scritti, e dall'altra si arroga la legittimazione delle Scritture mediante la sua promulgazione del loro canone. Questo però significa fraintendere la natura del canone cristiano. All'inizio, i cristiani dell'età apostolica si trovarono semplicemente in possesso delle Scritture d'Israele, la cui rilettura dimostrò di poter dire molto su

Gesù (cfr. Lc 24,44). Nel secondo secolo la raccolta dei quattro vangeli si impose rapidamente di per sé, nonostante le sovrapposizioni e le discrepanze esistenti fra i diversi vangeli. Nello stesso periodo la raccolta delle lettere di S.Paolo fu semplicemente riconosciuta autoritativa senza obiezione e discussione, come lo fu anche quella centrale lettera di istruzione apostolica, che è la 1 Gv. Insomma, la chiesa non conferì lo status canonico alle sue Scritture.

Le successive tappe che portarono al canone definitivo richiesero poi l'intervento di numerosi uomini di chiesa: di pastori cioè che scelsero letture liturgiche, di teologi che criticarono opere prive di genuinità e di vescovi che, individualmente o per mezzo di sinodi, promulgarono canoni. Tuttavia tutto ciò non *costituisce* l'autorità dei libri dichiarati canonici in questo modo.

Una comprensione teologica del canone può essere messa meglio in risalto se si sottolinea la sua affinità col «deposito» (→ Deposito della fede), come risultato, nelle prime chiese, del poliedrico ministero apostolico di predicazione, istruzione e organizzazione, che faceva largo uso di Mosè, Profeti e Salmi. Le ultime lettere del NT testimoniano il fatto che i risultati di questo ministero formano un tutto ben identificabile, ed allora già completo. Il canone del NT riconosce che lo stesso è vero per quelle opere scritte che fedelmente esprimono «la fede che fu consegnata ai santi una volta per tutte» (Gd 3). Gli ecclesiastici articolarono con crescente precisione i confini di questa trasmissione apostolica, quando segnarono il momento storico in cui ebbe termine la comunicazione, privilegiata e realmente fondante degli apostoli con le chiese. Il canone cristiano dell'AT si formò con un processo analogo di identificazione di quelle opere che si inserivano armoniosamente nella vita, nell'insegnamento e nel

culto, derivanti da Gesù Cristo e dai suoi apostoli.

È ormai luogo comune elencare tre fattori che costituiscono i criteri centrali nella formazione del canone biblico cristiano da parte della chiesa. Essi sono: l'ortodossa «regola della fede» (→ Regula fidei), l'apostolicità e l'uso continuato nel culto. C'è molto di più che un minimo di evidenza per un calcolo del genere, ma l'evidenza è tuttavia sparsa qua e là e incompleta.

Ireneo e il Frammento Muratoriano argomentano a partire dalla tradizione, cioè dalla fede trasmessa dalla chiesa, nel loro rifiuto a riconoscere un valore cristiano alla letteratura marcionita e gnostica. Le opere da loro attaccate scalzano la fede «in Dio Padre onnipotente, creatore del cielo e della terra» e diffondono dubbi sulla presenza incarnata del Figlio di Dio in una vita e morte pienamente umane.

Ma, d'altra parte, gli stessi scritti fondamentali del NT hanno contribuito non poco al consolidamento di questi principi del «canone di verità» della chiesa. Sarebbe fuorviante pensare che la norma di fede venne applicata ai libri canonici dal di fuori. Tradizione e Scrittura infatti furono fin dall'inizio co-inerenti l'un l'altro.

La provenienza apostolica fu determinante per la definitiva inclusione nel canone delle Lettere cattoliche che conosciamo oggi. Ma poi siamo spesso costretti dalla prova esegetica a riconoscere che esse contengono una tradizione di origine apostolica piuttosto che dirette espressioni degli apostoli. Il criterio dell'apostolicità sembra in verità custodire gelosamente il riconoscimento da parte della chiesa dello straordinario e ristretto arco di tempo in cui la sua fondazione fu portata a termine dal ministero d'insegnamento degli apostoli e dei loro stretti collaboratori.

L'uso nella liturgia fornì ad Agostino argomentazioni persuasive a favore dei libri deuterocanonici dell'AT. Ma è anche vero che alcuni libri oggi non inclusi nel canone ebbero un limitato impiego nell'uso liturgico, come ad esempio la *prima lettera di Clemente,* il *Diatesseron* e il *Pastore* di Erma, che il Frammento Muratoriano e Atanasio fecero di tutto per mettere fuori causa.

L'uso liturgico era una condizione previa necessaria per l'inclusione, ma di per sé non bastò a risolvere casi controversi. In ogni progresso critico verso il canone completo, i problemi vennero risolti da un singolare complesso di considerazioni e di norme, di cui possiamo solo parzialmente e con approssimazione riscoprire il modo col quale vennero raccolte e messe insieme.

Ciò che risalta è il fatto che la comunità ecclesiale della prima età patristica seppe bene da dove provenivano la sua fede e la sua vita. Di conseguenza essa cercò con tutte le forze di rimanere in contatto, per mezzo dei documenti che erano stati trasmessi, con gli eventi, gli insegnamenti e i personaggi che avevano fondato il cristianesimo. Tali documenti permangono normativi per tutta la chiesa di tutti i tempi, poiché essi servono a rendere «apostolica» la chiesa, come il Credo dichiara che essa è e rimarrà. Oggi, dalla canonicità di quei documenti deriva che «tutta la predicazione ecclesiastica come la stessa religione cristiana devono essere nutrite e regolate dalla sacra Scrittura» (DV 21).

b. Il canone dà ai cristiani l'elenco preciso di quei libri che essi devono sempre leggere e interpretare per crescere nella loro autenticità evangelica e per applicare la parola di Dio alle mutevoli circostanze della loro vita. Ma sorgono problemi circa il contributo proprio del canone allo sviluppo, sempre progressivo, dell'interpretazione biblica, sia essa omiletica, scientifica o dottrinale.

1. Il canone cristiano ha una configurazione peculiare nel connettere i libri della prima alleanza di Dio con Israele, con quelli direttamente collegati con Gesù. Tale struttura canonica sembra profondamente normativa per tutto il pensiero cristiano, come è ben precisato nel suggestivo titolo di D.L. Baker, *Two Testaments, One Bible* e nei recenti scritti di L. Sabourin, P. Grelot, P.M. Beaude, H. Simian Yofre.

La croce e la risurrezione del Cristo d'Israele, insieme con la universale missione abbracciata dai suoi seguaci, contribuiscono a collocare le esperienze rivelatrici d'Israele in un nuovo contesto di compimento e di ampliamento. Ma il nuovo schema di comprensione e la nuova inclusività non separano tuttavia la fede e la vita dei cristiani dalle loro radici poste in Israele.

Un'integrale riflessione cristiana, e in particolare una teologia biblica degna di questo nome, devono necessariamente attingere al prezioso patrimonio ricevuto da Israele. La predicazione e l'insegnamento cristiano hanno una peculiare dinamica di movimento che va dalla promessa al compimento (→ Testamento antico e nuovo, I); essi sono stati ripetutamente fecondati dalla riscoperta di temi della prima alleanza, che erano stati accantonati, come ad esempio il piano amorevole di Dio verso tutte le creature (Gn 9,8-17) e l'identità della chiesa, preformata nell'antico popolo eletto, sempre in cammino, nella libertà donata da Dio, tra le vicissitudini della vita in questo mondo (LG 9).

È molto importante per l'interpretazione la bi-partizione del canone cristiano; qualsiasi forma di rinascente marcionismo, invece, minaccia mortalmente la teologia e la predicazione cristiana.

2. Una recente ondata di opere, edite nel nord America, in particolare da B. Childs e J.A. Sanders, chiede

che alcuni princìpi della «critica canonica» diventino normativi nell'interpretazione biblica.

I critici canonici asseriscono anzitutto che l'interpretazione deve focalizzarsi sulla forma finale e canonica della bibbia e di ciascun libro biblico. L'esegesi storico-critica ha troppo spesso presentato ipotetiche ricostruzioni di tutti gli strati di tradizione e di influssi redazionali sulla genesi del testo biblico precedenti al testo canonico. Alcuni esegeti spesso si dilettano nell'isolare aggiunte, riformulazioni e riordinamenti che cambiano o perfino fraintendono il blocco originale del racconto o dell'insegnamento. Il pericolo qui consiste nell'assumere come normativo un elemento precanonico, mentre successive aggiunte, facenti ora parte del testo canonico, sono svalutate come aggiunte secondarie. La critica canonica insiste che l'esegesi cerchi soprattutto di capire e di spiegare la forma definitiva dei testi biblici. Spetta all'interpretazione poi cercare di ricuperare che cosa venne comunicato alla comunità di fede dal redattore ultimo dei testi, quali li possediamo noi ora.

Quando gli strati più antichi del testo biblico definitivo sono poi stati identificati, la critica canonica preme perché siano intesi e illustrati non solo da un punto di vista storico, ma proprio come un discorso canonico. Questo significa vedere le tradizioni particolari in relazione alle situazioni di cui esse parlano in maniera normativa.

Le tradizioni che sopravvissero per essere incluse nel testo definitivo, hanno già dato prova di sé nella loro canonicità, vale a dire nella loro sperimentata normatività religiosa verso coloro che le avevano espresse e accolte. È compito dell'interpretazione chiarire in qual modo quei brani offrirono guida e ispirazione nella situazione in cui furono formulati.

Sul piano dei nostri due Testamenti, presi nella rispettiva globalità, l'in-terpretazione canonicamente orientata si occupa dei rapporti all'interno della bibbia tra opere, spesso completamente diverse, ma ora comprese nel canone. Si pensi ad esempio alle opposte tendenze di libri come Isaia e Qohèlet, o Galati e 1 Timoteo. Il canone ha riunito tali opere nella stessa bibbia, in una chiara apertura sia alla diversità che manifesta la ricchezza della rivelazione, sia alla dinamica della mutua rettifica, in opposizione al predominio di una linea unica d'insegnamento.

Numerosi fautori di altri metodi di esegesi hanno recensito negativamente i libri in cui i critici canonici esprimono il loro programma. Eppure il loro lavoro non è privo di importanza teologica, per la loro enfasi al testo definitivo, il quale è senza dubbio il testo ispirato, ma anche per l'enfasi al valore che tutte le parti della Scrittura hanno dimostrato di avere, per la pratica religiosa, lungo l'itinerario che li ha portati a essere inclusi nel canone. La mentalità contemporanea vuole molto giustamente impegnarsi nel chiarimento in termini di sviluppo genetico; con la Bibbia però è giusto chiedere costante attenzione all'attualità religiosa dei testi dimostratisi normativi o canonici in contesti speciali.

c. Un gruppo di teologi europei, che si muove in direzione contraria a quella dei critici canonici, sostiene la necessità di stabilire un «canone dentro il canone», utile sotto l'aspetto religioso e dottrinalmente necessario.

In tale proposta, avanzata dagli scrittori W. Marxen, E. Käsemann, I. Lønning, si sente un certo influsso dell'ermeneutica luterana, ma la sua motivazione principale deriva dalla moderna percezione della notevole diversità di vedute dottrinali ed ecclesiologiche dei differenti autori del NT. Tale pluralismo, in cui i suddetti autori costatano alcuni elementi contrari incompatibili, costringe l'esegeta a scoprire l'insegnamento normativo, per mezzo del quale poter poi distinguere nel NT ciò che è normativo e obbligante da ciò che non lo è a causa della sua difformità con l'autentico nucleo canonico della nostra raccolta di scritti cristiani del primo secolo. L'escatologia di Paolo discorda da quella degli Atti di Luca, e le parole di Gesù sul necessario compimento di ogni «iota» della legge (Mt 5,18) si scontrano con l'affermazione programmatica di Paolo che Cristo è «la fine della legge» (Rm 10,4). Una lettura attenta del NT impone che si sappia ritrovare in esso un nucleo centrale di dottrina, marginalizzando quindi le parti della raccolta che non sono in armonia con il centro veramente canonico.

Una forte opposizione al «canone dentro il canone» è stata fatta non solamente da cattolici, che intendono lo sviluppo ecclesiale neotestamentario nella direzione della forma da esso assunta nei più antichi documenti «cattolici», come Luca e gli Atti e le lettere pastorali. Anche studiosi protestanti quali K. Stendahl, E. Best e B. Metzger, insistono sulla ricca fecondità rinvenuta nella diversità stessa dell'insegnamento neotestamentario. La raccolta dei testi canonici è pluralista nel contenuto, ma di conseguenza le chiese hanno ricevuto un'abbondanza di testi e di dottrine che si dimostra importante per le necessità e le problematiche delle varie culture, enormemente diverse tra loro.

Gli oppositori di «un canone dentro il canone» ritengono che le tensioni presenti nel NT siano state causate dalle diverse situazioni in cui Gesù e i suoi apostoli diffusero il messaggio di salvezza, che doveva influenzare la vita dei credenti, i quali nel primo secolo dopo Cristo vivevano in situazioni molto diverse. La scelta di un centro normativo non è necessariamente arbitraria e soggettiva, ma a forza di concentrare l'attenzione su un peculiare messaggio

oggi di grande attualità, si corre il rischio che esso un giorno diventi antiquato. Il canone salvaguarda i credenti dagli estremi nella ricerca della pertinenza, mentre determina il limite di ciò che è accettabile. Esso è indispensabile sul piano ecumenico, poiché impedisce alle chiese di mettere in questione con troppa facilità la legittimità cristiana delle altre comunità. Infine il canone del NT rappresenta il primo esempio dell'ideale ecumenico di unità in una diversità riconciliata.

Tuttavia un complesso di priorità personali e confessionali, all'interno della raccolta canonica, pare inevitabile. Infatti anche Gesù riassunse tutta la Tôrāh in due soli comandamenti, e Paolo affermò che la promessa fatta ad Abramo in Gn 12,3 è superiore alla Legge data sul Sinai (Gal 3,7-22). Si può anche ammettere che individui e comunità abbiano qualcosa come una «hierarchia librorum», simile alla «hierarchia veritatum» di UR 11; ma la chiave per un modo di pensare e di vivere in pieno accordo con le Scritture è e rimarrà sempre l'ascolto pronto e attento della parola di Dio, anche quando essa risuona, con la sua forza d'urto misteriosa, dai passi della Scrittura che per un certo tempo qualcuno può aver considerato la periferia della raccolta canonica.

Bibl. - P.G. Dunker, «The Canon of the Old Testament at the Council of Trent», in CBQ 15 (1953) 277-299; A.C. Sundberg, *The Old Testament of the Early Church*, Cambridge, Mass. 1964; H. von Campenhausen, *Die Entstehung der christlichen Bibel*, Tübingen 1968; E. Käsemann, *Das Neues Testament als Kanon*, Göttingen 1970; Id., *Saggi esegetici*, Casale Monferrato 1985; W. Marxsen, *Il Nuovo Testamento come libro della chiesa*, Roma-Brescia 1971; I. Lønning, *Kanon im Kanon*, Oslo 1972; D.L. Baker, *Two Testaments, One Bible,* Leicester 1976; E. Best, «Scripture, Tradition, and the Canon of the New Testament», in BJRL 61 (1979) 258-289; T. Citrini, «Il problema del canone biblico: un capitolo di teologia fondamentale», in *Sc Catt* 10 (1979) 549-590; B. Childs, *Introduction to the Old Testament as Scripture*, Philadelphia-London

1979; Id., *The New Testament as Canon, an Introduction*, Philadelphia-London 1985; Id., *Teologia dell'Antico Testamento in un contesto canonico*, Cinisello Balsamo 1989; L. Sabourin, *The Bible and Christ. The Unity of the Two Testaments*, Paris 1980; P.-E. Beaude, *L'accomplissement des Écritures*, Paris 1980; P. Grelot, «Rapporto fra Antico e Nuovo Testamento in Gesù Cristo», in R. Latourelle - G. O'Collins (edd.), *Problemi e prospettive di Teologia fondamentale*, Brescia 1980, 235-257; J.-D. Kaestli - O. Wermelinger (edd.), *Le canon de l'Ancien Testament, sa formation et son histoire*, Genève 1984; J.A. Sanders, *Canon and Community: a Guide to Canonical Criticism*, Philadelphia 1984; K. Stendahl, «One Canon is Enough», in *Meanings: The Bible as Document and Guide*, Philadelphia 1984, 55-68; R. Beckwith, *The Old Testament Canon of the New Testament Church*, London 1985; H. Gamble, *The New Testament Canon: Its Making and Meaning*, Philadelphia 1985; R.A. Greer, «The Christian Transformation of the Hebrew Scriptures», in J.L. Kugel (ed.), *Early Biblical Interpretation*, Philadelphia 1986; H. Simian Yofre, «Antico e Nuovo Testamento: partecipazione e analogia», in R. Latourelle (ed.), *Vaticano II, Bilancio e Prospettive*, Assisi 1987, I, 243-269; B. Metzger, *The Canon of the New Testament. Its Origin, Development, and Significance*, Oxford 1987.

JARED WICKS

CARISMA

Poiché il termine «carisma» proviene dal vocabolario del Nuovo Testamento, è necessario iniziare lo studio con l'esame dei testi neotestamentari che lo contengono per poter esporre poi la problematica teologica dei carismi.

1. *Chárisma* è un sostantivo greco derivato dal verbo *charízesthai*, il cui senso è «mostrarsi gradevole», «fare un favore». Il suffisso -*ma* indica l'effetto dell'azione (ad es. *ktísma*, «creatura», effetto del *ktízein*, «creare»). Il senso di *chárisma* è quindi «dono generoso», «regalo». Il termine non si riscontra nel greco classico, ha poche ricorrenze nei papiri greci; si trova in due varianti del Siracide (7,33 Sinaiticus; 38,30 Vaticanus) e in due passi di Filone, con il senso di «dono». Lo si trova, invece, più

spesso nel NT: 16 volte nelle lettere paoline (Rm 6 volte; 1 Cor 7 volte; una volta in 2 Cor, 1 Tm e 2 Tm) e una volta in 1 Pt 4,10.

2. Un primo problema riguarda un possibile senso tecnico di *chárisma* in questi testi. Si osserva una certa specializzazione: il termine si trova sempre in contesto teologico; non designa mai un dono fatto da un uomo a un altro, ma sempre un dono divino. Più volte *chárisma* viene messo in rapporto con la grazia (*cháris*) di Dio: Rm 5,15-16; 12,6; 1 Cor 1,4-7; 1 Pt 4,10. In questo ambito, però, *chárisma* conserva in parecchi testi il suo senso generale e non può essere tradotto con «carisma» – parola italiana il cui senso è tecnico – ma deve essere tradotto «dono generoso». Così in Rm 5,15-16 dove qualifica la redenzione; in Rm 6,23, dove viene applicato alla vita eterna, «dono generoso di Dio». In 2 Cor 1,11 *chárisma* si riferisce a un favore occasionale di Dio, la liberazione da un pericolo di morte, ottenuto grazie alle preghiere della comunità. Il senso quindi non corrisponde a ciò che intendiamo con «carisma».

In altri testi, tuttavia, il vocabolo viene applicato a una realtà più specifica, cioè a certi doni di grazia, che non fanno parte delle grazie fondamentali, necessarie a tutti, ma che vengono distribuiti secondo il beneplacito di Dio. «Siamo in possesso di doni (*charísmata*) differenti» (Rm 12,6). «Ciascuno ha il proprio *dono* (*chárisma*) da Dio, chi in un modo, chi in un altro» (1 Cor 7,7). Pietro parla in proposito di una «*multiforme* grazia di Dio» (1 Pt 4,10). Alcuni testi presentano un elenco di tali «doni», senza mai pretendere di darne completezza. Nella lista di 1 Cor 12,8-10 Paolo mette all'inizio alcuni doni piuttosto modesti («una parola di sapienza», «una parola di conoscenza»), poi passa a doni più impressionanti («doni di guarigioni», «attuazioni potenti»), e finisce con i doni sensazionali della «profezia» e con «ogni sorta di lingue», che mettevano confusione nei raduni della comunità (cfr. 14,26). La distribuzione di tutti questi doni viene attribuita a «l'unico e medesimo Spirito» (12,11). In un paragrafo successivo (12,28), Paolo non parla più dello Spirito, ma attribuisce tutto a Dio e presenta una lista diversa, che inizia con una gerarchia di posizioni («gli uni, Dio li ha posti nella Chiesa in primo luogo come apostoli, in secondo luogo come profeti, in terzo luogo come insegnanti») e continua con diversi doni («poi miracoli, poi doni di guarigioni, assistenze, pilotaggi, sorte di lingue»). In un'altra lista ancora (Rm 12,6-8), Paolo omette ogni accenno al parlare in lingue, alle guarigioni e altri miracoli; mette all'inizio la profezia e poi nomina soltanto attività ordinarie, utili alla vita ecclesiale: servizio o ministero, insegnamento, esortazione, attività di carità, di presidenza, di misericordia. Più schematico, Pietro indica solo due grandi categorie, quella del servizio e quella della parola (1 Pt 4,10). Due testi delle lettere pastorali parlano di *chárisma* a proposito del ministero pastorale e precisano che si tratta di un dono ricevuto per mezzo di imposizione delle mani (1 Tm 4,14; 2 Tm 1,6).

Le divergenze che si osservano tra questi testi mostrano che il termine *chárisma* non aveva ancora, nel NT, il senso tecnico che viene dato a «carisma» nella teologia posteriore. Anzi, il *Patristic Greek Lexicon* di G.W.H. Lampe ci mostra che nemmeno nella Patrologia greca il termine si era specializzato; infatti le sue applicazioni sono le più svariate: lo Spirito Santo viene chiamato *chárisma*, nonché il battesimo, l'eucaristia, il sacerdozio, la remissione dei peccati, la castità e, naturalmente, la profezia, i miracoli ecc.

3. Nondimeno, rimane possibile cer-

care in alcuni testi del NT il fondamento del concetto teologico di «carisma». A dire il vero, nella teologia latina, il concetto è stato elaborato partendo da certi testi e non dalla parola *chárisma* per la semplice ragione che la Bibbia latina non conteneva questa parola, eccetto in un passo, non molto significativo (1 Cor 12,31: «Aemulamini charismata meliora»). Negli altri passi, la Volgata non rende *chárisma* in modo uniforme, ma con tre termini diversi: «gratia» (11 volte), «donum» (3 volte), «donatio» (2 volte). Quindi la teologia latina medievale non usava il termine «carisma», ma, ispirandosi soprattutto a 1 Cor 12,4-11, parlava di «grazie» particolari. Una distinzione veniva fatta tra la «gratia gratum faciens», che santificando l'anima la rende gradita a Dio, e le «gratiae gratis datae», doni soprannaturali che non hanno di per sé questo effetto interiore (STh I, II, 3, 1). Tommaso d'Aquino vede in 1 Cor 12,8-10, non senza forzatura, un elenco completo e sistematico di queste grazie *gratis date* (I, II, 3, 4). Ne tratta ampiamente nella II, IIae 171-178, dove distingue i doni che riguardano il sapere (profezia, fede, sapienza, discernimento degli spiriti, scienza), il parlare (dono delle lingue e «gratia sermonis») e l'agire (dono dei miracoli).

Per definire lo scopo delle grazie *gratis date*, S. Tommaso si rifà all'affermazione di 1 Cor 12,7: «A ciascuno è data la manifestazione dello Spirito *per l'utilità*», completandola però nel senso dell'utilità *altrui*: «ad utilitatem, scil. aliorum». La grazia *gratis data* è una grazia «mediante la quale un uomo aiuta l'altro a tornare a Dio» (I, II, 3, 1, «Respondeo»; art. 4, «Respondeo»). Questa opinione è divenuta tradizionale e i traduttori la introducono nel testo di 1 Cor 12,7 dove parlano di utilità «comune». Paolo però non ha scritto «comune» e il modo in cui egli si esprime poi a proposito della glossolalia dimostra che l'utilità di certi doni può benissimo non essere comune ma solo personale: «Chi parla in lingue edifica se stesso... se io vengo da voi parlando in lingue, in che cosa vi sarò utile?» (1 Cor 14,4-6). Paolo manifesta grande stima per il dono della glossolalia (14,5.18), ma non la ritiene di utilità comune; perciò non ne ammette la manifestazione nelle assemblee cristiane, eccettuato il caso in cui ci sia un interprete che ne possa rivelare il senso (14,27-28). Per essere fedeli all'insegnamento paolino, occorre quindi rinunciare alla precisazione restrittiva che limita all'utilità altrui la portata delle grazie *gratis date* o dei carismi. Sono frequenti, infatti, i carismi utili, per esempio, alla preghiera personale o al progresso personale nelle virtù.

Detto ciò, bisogna riconoscere che il maggior numero dei doni elencati da Paolo hanno una utilità comune e che Pietro invita ciascuno dei fedeli a mettere a servizio degli altri il dono di grazia che avrà ricevuto (1 Pt 4,10). D'altra parte, è possibile che una grazia *gratis data* non sia per niente utile a chi l'abbia ricevuta, ma unicamente ad altre persone. Questo però non corrisponde all'intenzione divina; accade per colpa dell'individuo. Parole severissime di Gesù nel vangelo di Matteo vengono rivolte a certi grandi «carismatici», che avranno compiuto molti prodigi e perfino cacciato demoni nel suo nome, ma non saranno stati personalmente docili a Dio; essi saranno respinti dal Signore, quali «operatori di iniquità» (Mt 7,21-23). Paolo si inserisce in una prospettiva analoga quando osserva che senza la carità i carismi più impressionanti non hanno la minima utilità per chi li esercita (1 Cor 13,1-3). Da sé sola un'attività carismatica non garantisce minimamente un rapporto autentico con Cristo e con Dio.

4. Nei tempi moderni, il termine *chárisma* è entrato nel vocabolario teologico della chiesa latina. Il concilio Vaticano II l'ha adoperato 14 volte nei suoi testi ufficiali. D'altra parte, la questione dei doni carismatici ha acquistato una nuova attualità con l'apparizione dei movimenti pentecostali e carismatici. Il movimento pentecostale, caratterizzato anzitutto da fenomeni di glossolalia, ebbe inizio in una chiesa metodista del Kansas il 1° gennaio 1901 e si estese poi negli Stati Uniti e in Europa (Paesi Scandinavi, Gran Bretagna, Germania). I suoi eccessi provocarono una forte opposizione (cfr. *Die Berliner Erklärung* del 1909) che, però, non riuscì a fermarlo. Il movimento si estese alla chiesa cattolica dopo il concilio, a partire dal 1967; la prima manifestazione carismatica cattolica ebbe luogo negli Stati Uniti a Pittsburgh. La propagazione fu molto rapida. Nel 1975 un congresso internazionale radunava a Roma 10.000 partecipanti venuti da più di 60 paesi.

5. Durante il concilio un dibattito molto vivace aveva opposto due concetti di carisma: il carisma come dono straordinario, miracoloso, concesso da Dio in modo eccezionale, e il carisma come dono di grazia anche ordinario concesso da Dio per l'edificazione della comunità ecclesiale. Il card. Ruffini difendeva il primo concetto, considerato «tradizionale», mentre il card. Suenens sosteneva il secondo (cfr. *Acta Synodalia Vaticani II*, Città del Vaticano 1972, II-III, 175-178). Alla fine, la posizione del card. Suenens prevalse e un testo sui carismi fu adottato dal concilio nel paragrafo che tratta dell'ufficio «profetico» del popolo di Dio (LG 12). I carismi vi vengono definiti «grazie speciali» che lo Spirito Santo «dispensa tra i cristiani di ogni ordine», e «con le quali li rende adatti e pronti ad assumersi varie opere e uffici, utili al rinnovamento e alla più ampia edificazione della chiesa». Il concilio precisa che i carismi possono essere molto vistosi, oppure più semplici e molto dif-

fusi («Quae charismata, sive clarissima, sive etiam simpliciora et latius diffusa»). Con questa precisazione, il concilio rifiuta di restringere il concetto di carisma ai doni straordinari e miracolosi, ma lo applica anche a doni più modesti e meno rari, come quelli elencati in Rm 12,6-8. Nel suo discorso, il card. Suenens aveva parlato di persone «dotate dallo Spirito Santo con vari carismi nel campo della catechesi, dell'evangelizzazione, dell'azione apostolica in diversi modi, nelle opere sociali e nell'attività caritatevole». Potrebbero essere aggiunti altri esempi ancora.

6. Ispirandosi alla distinzione teologica tra «gratia gratum faciens» e «gratiae gratis datae», il concilio presenta i carismi come doni funzionali, che rendono i fedeli di ogni ordine «adatti e pronti ad assumersi varie opere e uffici» per il bene della chiesa (LG 12). Queste espressioni accennano al rapporto tra carismi e ministeri, che rimane una questione controversa. Alla fine del XIX secolo, A. Harnack proponeva la distinzione tra due specie di ministeri nella chiesa primitiva, quelli carismatici e quelli amministrativi (*Die Lehre der zwölf Aposteln*, Leipzig 1884, 96ss; *Das Wesen des Christentums*, Leipzig 1900, 129). Egli dava la preferenza ai ministeri carismatici. Altri, più radicali, affermarono che la chiesa, all'inizio, era soltanto carismatica e ha perso poi la sua natura autentica, diventando una istituzione giuridica. La discussione continua. Nel suo articolo «Amt und Gemeinde», E. Käsemann afferma che Paolo «ha opposto la sua dottrina dei carismi all'idea di ufficio istituzionalmente garantito» (in *Exegetische Versuche und Besinnungen*, Göttingen 1960, I, 126). Ispirandosi a questo articolo, H. Küng descrive la comunità di Corinto come un chiaro esempio di «organizzazione carismatica», espressione della «costituzione paolina della Chiesa». A questo esempio

egli si riferisce per fondare la sua tesi della «struttura carismatica della Chiesa» (*Conc* 4 [1965] 43-59) ed. francese; *L'Église*, Paris 1968, 248-264, 556-558).

In realtà, questa tesi è inconsistente. Lo dimostra l'atteggiamento stesso di Paolo, quando si rivolge ai carismatici di Corinto. Infatti, l'apostolo non ammette la libera espansione dei carismi individuali, ma impone agli ispirati di Corinto regole precise e strette (1 Cor 14,27-29). Lungi dall'esprimere un contrasto tra ispirazione e istituzione, Paolo dichiara nella stessa frase che Dio ha stabilito nella chiesa una gerarchia di posizioni e una molteplicità di doni (1 Cor 12,28). Perciò l'articolo *chárisma* nel GLNT conclude a ragione che «la famosa distinzione tra i carismatici e le autorità della Chiesa non regge» (vol. IX, 396) e nel Suppl. al DB E. Cothenet osserva che «opporre carisma e gerarchia significa uscire dalle categorie paoline» (VIII, 1302).

È certamente possibile distinguere nelle realtà ecclesiali aspetti istituzionali e aspetti carismatici, ma non è possibile separare completamente questi diversi aspetti, ancor meno pretendere che siano incompatibili. La chiesa è corpo di Cristo e, in quanto tale, tempio dello Spirito Santo. L'aspetto istituzionale del corpo, «ben compaginato e connesso, mediante la collaborazione di ogni giuntura» (Ef 4,16; cfr. 2,20-21), è condizione concreta dell'autentica comunione «nello Spirito» (Ef 2,22). La chiesa ha, quindi, una struttura carismatico-istituzionale, formata per mezzo dei sacramenti, nei quali istituzione e grazia sono strettamente unite in virtù del mistero dell'incarnazione.

I carismi dei fedeli laici hanno la loro sorgente nel battesimo e nella confermazione, anche se non sono effetti necessari di questi sacramenti, ma dipendono dalla libera iniziativa dello Spirito ricevuto per mezzo di essi. I carismi pastorali hanno la loro sorgente nell'ordinazione presbiterale o episcopale, come l'attestano due passi delle lettere pastorali (1 Tm 4,14; 2 Tm 1,6). Quando il concilio dichiara che «lo Spirito istruisce e dirige la Chiesa con diversi doni gerarchici e carismatici» (LG 4), conviene evitare l'errore di una interpretazione che separi le due categorie; infatti, i doni gerarchici sono normalmente accompagnati da diversi doni carismatici, che rendono i pastori «adatti e pronti ad assumere», in modo spiritualmente personalizzato, le loro responsabilità ecclesiali. I fedeli laici ricevono altri carismi, che li rendono adatti e pronti ad altri servizi nella chiesa e nel mondo.

Il concilio si è naturalmente guardato dal dire che un determinato carisma dà diritto a un corrispondente ministero. L'adozione di una tale tesi, basilare per il concetto di «struttura carismatica», genererebbe la più completa confusione nel corpo della chiesa, lasciando il campo aperto a tutti gli ambiziosi e illuminati, a scapito degli autentici fedeli. Orbene, come dice Paolo, «Dio non è un Dio di confusione, ma di pace» (1 Cor 14,33). Detto ciò, la prassi della chiesa, incoraggiata dal concilio, consiste nell'accogliere «con gratitudine e consolazione» i diversi carismi (LG 12) e nel tenerne gran conto per l'ammissione all'ordinazione e per l'attribuzione dei ministeri.

7. L'insegnamento e la prassi di S. Paolo dimostrano che il fatto di aver ricevuto qualche carisma non dispensa affatto dal dovere di sottomissione ai pastori della chiesa. L'autentico carismatico non si rinchiude ostinatamente nella convinzione soggettiva della propria ispirazione, ma si mantiene aperto alle altre manifestazioni del disegno di Dio a suo riguardo. In particolare, egli accoglie come grazia l'espressione della volontà del Signore che gli viene per mez-

zo dell'autorità della chiesa (cfr. 1 Cor 14,37). A proposito dei carismi «straordinari», il concilio dichiara che «il giudizio sulla loro genuinità e sul loro ordinato uso appartiene alle autorità della chiesa, che hanno la speciale responsabilità di non estinguere lo Spirito, ma di esaminare tutto e ritenere ciò che è buono (cfr. 1 Ts 5,12 e 19-21)» (LG 12).

Un'applicazione relativamente frequente di questa norma concerne il carisma dei visionari che si dicono favoriti di rivelazioni speciali (→ Rivelazioni private). Un'altra concerne il carisma dei fondatori e fondatrici di nuovi istituti di vita consacrata.

Un tratto particolare di questo ultimo genere di carisma, ovviamente non attestato nel NT, è la sua influenza estesa a numerose persone attraverso lunghi periodi di tempo. Infatti, l'orientamento spirituale e apostolico acquisito dal fondatore si comunica ai membri dell'istituto fondato. Per il rinnovamento della vita religiosa, il concilio ha dato come norma «il continuo ritorno... all'ispirazione primitiva degli istituti» e la fedeltà di ciascuna famiglia religiosa allo «spirito dei fondatori» (PC 2). A queste diverse spiritualità, il concilio applica le espressioni paoline che contengono il termine *chárisma* e servono da fondamento alla teologia dei carismi (Rm 12,5-8 e 1 Cor 12,4 citati in PC 8). Il concetto di carisma passa così da un senso individuale (cfr. 1 Cor 12, 7-10: «a uno... a un altro invece... a un altro... ecc.») a un senso comunitario e acquista la possibilità di una durata indefinita, legata a una istituzione. Fedele all'insegnamento del concilio, il nuovo diritto canonico, promulgato nel 1983, applica similmente agli istituti di vita consacrata l'espressione di Rm 12,6 sulla diversità dei carismi ed esige dai membri di ogni singolo istituto la fedeltà allo spirito del fondatore (CIC, cann. 577-578). Viene così raggiunto un accordo fondamentale tra norme giuridiche e ispirazione carismatica, il che corrisponde alla struttura carismatico-istituzionale della chiesa.

Un accordo fondamentale non significa, tuttavia, assenza di problemi concreti, talvolta molto acuti. È inevitabile che si manifesti spesso nella chiesa una tensione tra gli aspetti istituzionali, più o meno irrigiditi, e le spinte carismatiche, più o meno autentiche. Si tratta però di una tensione necessaria alla vita della chiesa. La soluzione dei problemi richiede attento discernimento e sincero sforzo di mutua accoglienza, nella docilità alla rivelazione di Cristo e al dinamismo dello Spirito.

Bibl. - E. Käsemann, «Amt und Gemeinde im Neuen Testament», in *Exegetische Versuche und Besinnungen*, I, Göttingen 1960, 109-134; H. Küng, «La struttura carismatica della Chiesa», in *Conc* 2 (1965) 15-37; Id., *Die Kirche*, Oekumenische Forschungen, Freiburg 1967; M.-A. Chevallier, *Esprit de Dieu, paroles d'hommes*. Le rôle de l'Esprit dans les ministères de la parole selon l'apôtre Paul, Neuchâtel-Paris 1966; U. Brockhaus, *Charisma und Amt*. Die paulinische Charismenlehre auf dem Hintergrund frühchristlichen Gemeindefunktionen, Wuppertal 1972; G. Hasenhüttl, *Carisma, principio fondamentale della Chiesa*, Bologna 1973 (or. 1969); H. Conzelmann, «Charisma», in GLNT XV (1988) 606-616; D. Grasso, *Il carisma della profezia*, Roma 1978; Id., *I carismi nella Chiesa*, Brescia 1982; S. Lyonnet, «Agapè e charismes selon 1 Cor 12,31», in L. De Lorenzi (ed.), *Paul de Tarse*, Roma 1979, 509-527; J. Sánchez Bosch, «Le Corps du Christ et les charismes dans l'épître aux Romains», in L. de Lorenzi (ed.), *Dimensions de la vie chrétienne (Rm 12-13)*, Roma 1979, 51-72; Id., «La primera lista de carismas (1 Cor 12,8-10)» in *El misterio de la Palabra*, in on. di Alonso Schökel, Madrid 1983, 327-350; V. Scippa, *La glossolalia nel Nuovo Testamento*, Napoli 1982; F.A. Sullivan, *Carismi e rinnovamento carismatico*, Milano 1983 (or. 1982); Autori vari, *Carisma e Istituzione*. Lo Spirito interroga i religiosi, Roma 1983; L. De Lorenzi (ed.), *Charisma und Agape (1 Ko 12-14)*, Roma 1983; O. Knoch, «Charisma und Amt: Ordnungs-elemente der Kirche Christi» in SNTU 8 (1983) 124-161; N. Baumert, «Charisma und Amt bei Paulus», in A. Vanhoye (ed.), *L'apôtre Paul*, Louvain 1986, 203-228; Id., «Zur Semantik von *charisma* bei den frühen Vätern», in ThPh 63 (1988) 60-78; A. Vanhoye, «Il problema biblico dei carismi dopo il Vaticano II» in R. Latourelle (ed.), *Vaticano II. Bilancio e prospettive*, Assisi 1987, 389-413; W.E. Mills (ed.), *Speaking in Tongues*. A Guide to Research on Glossolalia, Grand Rapids 1986.

ALBERT VANHOYE

CERTEZZA

Una riflessione sulle nostre esperienze di conoscenza e di certezza può suggerire le seguenti distinzioni.

La certezza è una *convinzione* concernente la «verità» di questa o quella conoscenza, cioè il fatto che il contenuto delle nostre percezioni, delle nostre rappresentazioni o comprensioni delle cose, sia conforme alle cose stesse. Possiamo notare che a partire dai tempi moderni la principale posta in gioco della conoscenza non è tanto il raggiungimento delle cose stesse, quanto piuttosto l'assenza di qualunque errore o illusione all'interno delle nostre *certezze*. Ammettiamo che dubbi più o meno inquietanti possano accompagnare le nostre convinzioni, ma nello stesso tempo riconosciamo che non potrà esservi certezza se non nell'assenza di ogni dubbio «serio», troppo monopolizzante o inquietante.

La certezza si oppone quindi alla semplice *opinione*. Questa è ancora un modo di percepire, di rappresentare e di comprendere le cose, ma è solo probabile o plausibile più che vera; qualora dovesse esserci una certezza, questa potrebbe ben contenere un errore o un'illusione. In altri termini, l'opinione può sempre essere accompagnata da dubbi, o dovrebbe esserlo. Essa è tutt'al più una congettura che sa di essere tale, in opposizione alla certezza cosciente.

Per molti contemporanei *solo* una conoscenza accompagnata da certezza cosciente, e perfino da una certezza fondata su ragioni del tutto indiscutibili (una certezza «oggettiva»), può essere considerata a buon diritto una conoscenza (o un sapere) autentico.

Là dove esistesse una certezza irresistibile o fortissima – con conseguente assenza fattuale di qualunque dubbio – ma per nulla fondata su ragioni coscienti e costringenti (una certezza puramente «soggettiva»), non vi sarebbe *conoscenza*, ma semplice *credenza* «irrazionale», cioè un'opinione della cui natura illusoria non si sarebbe coscienti, per cui la convinzione a essa unita sarebbe illusoria e, quindi, questa credenza-opinione non sarebbe una *conoscenza*.

Pur esigendo che la conoscenza «autentica» sia unita a una certezza fondata su delle ragioni, molti contemporanei si accontentano, in mancanza di ragioni del tutto costringenti, di ragioni almeno «sufficienti», cioè capaci di «giustificare» il fatto che una convinzione dimostrata sia esente da errori o da illusioni. Tuttavia non ci si dovrebbe chiedere se la certezza, che riguarda la sufficienza stessa delle ragioni percepite alla fine come «sufficientemente» convincenti, non sia a sua volta una semplice *credenza* ingiustificata, «irrazionale», e che, secondo l'esigenza in questione, non conterrebbe nessuna conoscenza autentica?

Si potrebbe pensare che questa esigenza di una certezza generata da *ragioni* costringenti, o veramente sufficienti, sia di fatto irrealizzabile e che venga a imporre limiti troppo stretti sia alle possibilità della conoscenza, che all'ambito del conoscibile. È possibile, infatti, distinguere la conoscenza attuale e immediata (per «intuizione» o «sentimento») e la conoscenza per «rappresentazione» (raggiungimento cognitivo della realtà stessa, ma attraverso mediazione). Ma, secondo questa esigenza, vi sarebbe *conoscenza* per rappresentazione solo *se si sapesse* che la rappresentazione attuale è effettivamente conforme, o almeno equivalente, alle cose o ai fatti di cui essa sarebbe una rappresentazione. Ora questo è impossibile. In questa conformità o in questo o quel grado «sufficiente» di conformità, si potrebbe vedere tutt'al più solo una *credenza*, anche qualora ciò fosse ignorato – come può capitare quando si prova una certezza senza nemmeno immaginare di metterla in dubbio.

Si dovrebbe inoltre notare che la maggior parte delle volte, in ogni ambito, si finisce per *credere*, anche inconsciamente ma con certezza, all'«equivalenza cognitiva» di numerose rappresentazioni sensibili o concettuali, persino da parte di scienziati o di pensatori molto preoccupati di certezze fondate sulle ragioni più solide. Può capitare che tale credenza sia rafforzata da una volontà molto consapevole, soprattutto se si tratta di una credenza che, per ragioni particolari, viene preferita a un'altra. Si può anche notare che sono di fatto enormemente più numerose le conoscenze per rappresentazione, e quindi le credenze – anche nelle scienze – di quante siano le conoscenze immediate e senza credenze, cioè imposte da evidenti intuizioni o da «sentimenti» assolutamente costringenti.

La certezza di qualunque conoscenza per rappresentazione e per credenza potrebbe essere solo del tutto illusoria, di fatto, se questo genere di conoscenza non fosse mai nello stesso tempo la conoscenza *immediata* di realtà non percepite. Ma capita spesso che sia così. Infatti, quando si cerca di rappresentare a se stessi qualcosa, non si ha nessun apprendimento attuale di ciò che è esattamente quella realtà, né delle sue concrete componenti. Si sa tuttavia che c'è qui qualcosa che ci si deve rappresentare o almeno rappresentare meglio. Si ha già conoscenza del fatto che una certa realtà esiste ed è questa realtà che si vorrebbe raggiungere e conoscere meglio. Ma se si sa anche che la costituzione e le concrete modalità di

questa realtà non saranno mai conosciute *immediatamente* e che non si
potrà quindi mai acquisire la certezza (fondata) che le rappresentazioni
che se ne hanno siano sufficientemente conformi per non essere illusorie,
bisognerà allora rivedere la concezione che abbiamo circa il ruolo delle
nostre «rappresentazioni». È evidente, infatti, che in molti casi non ci
aspettiamo proprio che le nostre
«rappresentazioni» abbiano funzione
di *descrizione* di ciò che noi *potremmo conoscere* della costituzione interna di questa realtà.

Possiamo d'altronde notare che le
nostre «rappresentazioni» − le nostre immagini, i nostri concetti − pur
senza essere una descrizione di cose
attualmente percepite, costituiscono
spesso un *aiuto* per l'acquisizione di
una conoscenza immediata più cosciente e viva delle realtà già appre-
se, come anche per l'instaurazione o
il mantenimento di rapporti più stretti
tra chi conosce e certi tipi di realtà
in questo modo conosciute. La certezza di conoscere veramente e di raggiungere la realtà viene quindi ad esserne contemporaneamente meglio
fondata e rafforzata. Se vi è ancora
credenza, non è perché non vi sia conoscenza (immediata) della realtà
stessa, ma perché si è coscienti del
fatto che la natura concreta delle realtà così conosciute sfugge in qualche
modo al chiaro e totale apprendimento. E quando la consapevolezza di
queste imperfezioni fa sorgere l'inquietudine e il dubbio sulla natura
concreta o sull'esistenza stessa della
realtà in questione, capita spesso che
un soprassalto di credenza sia sufficiente a ristabilire la certezza e quindi a provocare la ripresa e un miglioramento del raggiungimento cognitivo.

Un primo esempio potrà illustrare
ciò che abbiamo detto. Secondo i teorici della fisica − quelli che non cercano altro che una migliore *conoscenza* del mondo − la teoria delle parti-
celle subatomiche non è (e non può
essere) una rappresentazione *conforme* alla realtà non percepita. Ma questa «rappresentazione» permette loro comunque di mantenere e di riaffermare il raggiungimento *cognitivo*
di un ambito della realtà che non vedono, ma di cui hanno imparato a
conoscere meglio certe manifestazioni sensibili. Se il ricercatore talvolta
ammette di non poter far altro che
credere all'esistenza di questo ambito della realtà che egli non vede, non
significa con ciò che egli pensi di non
conoscerne l'esistenza (e di non conoscere nulla della sua realtà stessa);
piuttosto sa perfettamente che le sue
«rappresentazioni» non sono descrizioni piú o meno vicine al reale in
questione, di cui in effetti egli non
comprende né la costituzione particolare e individuale né le modalità concrete di esistenza (o di attività). In altri termini questa «credenza» non nega il fatto che vi sia un
raggiungimento *cognitivo* del reale
stesso.

Facciamo un secondo esempio tratto, questa volta, da esperienze più comuni. Capita talvolta che qualcuno
sia del tutto cosciente del fatto che
un'altra persona gli sta manifestando in quel momento un atteggiamento che egli definirebbe «benevolo» e
che, malgrado tutti gli evidenti determinismi, non si tratta per questo
di un semplice robot. Poiché egli non
vede nell'altro questo atteggiamento
né l'elemento concreto, che sarebbe
ciò che dirige tale atteggiamento verso di lui, potrebbe dire che egli semplicemente *crede* all'esistenza attuale
di quell'atteggiamento o al fatto che
vi sia qualcos'altro e non un semplice robot. È vero che certe «rappresentazioni», più o meno immaginifi-
che e coerenti, accompagnano la certezza che egli ha di non sbagliarsi;
ma potrebbe rendersi conto che anche se non sono descrizioni delle realtà colte con la sua conoscenza, costituiscono comunque aiuti più o meno

indispensabili – ma talvolta anche distrazioni dannose! – per un miglior raggiungimento *cognitivo* di questo reale concreto.

Possiamo infine notare che in certi ambiti – quello delle relazioni umane, per esempio, o quello della fede religiosa – capita che la conoscenza, unita a «rappresentazioni» e a credenze, imponga scelte personali e libere. Succede infatti che si debba scegliere tra due credenze: una di cui si pensa che aiuterebbe a mantenere o a migliorare il raggiungimento cognitivo di una realtà conosciuta imperfettamente; l'altra invece favorirebbe l'interruzione di questo stesso raggiungimento. Quando questo concerne la persona stessa dell'altro o l'esistenza di Dio, si comprende come la scelta comporti un significato più

particolare. Ci si vuole o no interessare *personalmente* agli altri? Si vuole *personalmente* credere – con la speranza di conoscere e raggiungere meglio l'altro – o si preferisce fermare questa credenza, al fine di rompere ogni contatto personale con *questo* tipo di realtà?

Il problema della certezza e delle diverse conoscenze e credenze a cui è unita può sorgere tanto nell'ambito delle convinzioni profane – correnti o scientifiche – quanto in quello della fede religiosa. Infatti in *entrambi* i casi vi sono realtà colte e conosciute, ma imperfettamente. Come diceva S.Paolo (1 Cor 13,12), noi conosciamo queste realtà, ma le vediamo «come in uno specchio, in maniera confusa».

GILLES LANE

CHIESA

I. Ecclesiologia fondamentale

1. LA NASCITA DEL TRATTATO «DE ECCLESIA» - Fin dall'inizio, col primo apparire degli scismi, si pose il problema della dimostrazione scientifica della verità della chiesa cattolica, della verifica quindi che il cristianesimo cattolico romano si presentava in totale continuità con le intenzioni e l'opera di Gesù Cristo fondatore della chiesa. È invece una creazione moderna il capitolo dell'ecclesiologia apologetica classica che va sotto il nome di *demonstratio catholica*. Né le eresie dell'antichità, infatti, né la separazione avvenuta nel medioevo tra Oriente e Occidente cristiano, avevano provocato la crisi religiosa che apparve nel secolo XVI,

opponendo diverse comunioni rivali che pretendevano di essere le vere eredi di Cristo: cattolicesimo, anglicanesimo e protestantesimo di vario tipo. Nonostante certe anticipazioni, come quella iniziale di Giacomo da Viterbo (1301-1302), il trattato *De vera Ecclesia* sarà elaborato solo nel secolo XVI, per poi consolidarsi, svilupparsi e trasformarsi senza interruzione per vari secoli, fino al suo grande rilancio nel concilio → Vaticano I (1870).

Sono tre le forme tradizionali di questa ecclesiologia, configurata in tre tipiche vie. La *via historica* tenta di far vedere, attraverso l'esame dei documenti antichi, come la chiesa cattolica romana sia la chiesa cristiana di sempre, che si presenta nella storia come società una, visibile, permanente e organizzata in modo gerarchico. Questa via si riduce in pratica alla cosiddetta *via primatus*, che è una semplificazione della *via historica*, limitandosi a mostrare la verità della chiesa romana a partire dalla prova che il suo capo, il vescovo di Roma, è il legittimo successore di Pietro, a prescindere da tutti gli altri aspetti di continuità storica.

La seconda è la *via notarum*, che si sviluppa sulla base di questo sillogismo: Gesù Cristo ha dotato la sua chiesa di quattro note distintive: unità, santità, cattolicità e apostolicità; ora la chiesa cattolica romana è l'unica che possiede queste quattro note; essa è quindi la vera chiesa di Cristo. In questo modo rimangono escluse le restanti confessioni cristiane quali luteranesimo, calvinismo, anglicanesimo e ortodossia, che ne sono prive. La terza infine è la *via empirica*, adottata dal concilio Vaticano I grazie al suo promotore, il cardinale Deschamps, che segue un metodo più semplice: abbandonato ogni confronto tra la chiesa cattolica romana attuale e l'antichità − in modo da evitare le difficoltà suscitate dall'interpretazione dei documenti storici − e così pure la verifica concreta delle *notae* (→ Chiesa: notae), egli valuta la chiesa in se stessa come miracolo morale; essa è come il segno divino che ne conferma la trascendenza.

Dopo i suoi primi tentativi nel secolo XIV con Giacomo da Viterbo, nel secolo XV con Giovanni da Ragusa e Juan de Torquemada, il trattato sulla chiesa prevale ormai comunemente nel secolo XVI in due forme: dopo il trattato *De vera Religione* si compone il *De Ecclesia*. Quest'ultimo assume una chiara prospettiva introduttiva e apologetica, dato il suo sorgere nel momento in cui si svolgono le prime lotte contro luteranesimo e calvinismo; in tal modo verso il 1550 il trattato già circola per tutta l'Europa, sia pure ben differenziato.

A partire da questa formulazione iniziale il trattato sulla chiesa, specialmente attraverso la sua «via» più divulgata, la *via notarum*, subisce vari cambiamenti secondo le diverse sensibilità del momento. Così nei secoli XVI e XVII le note si presentano piuttosto come desunte dalla Scrittura e dai Padri. Nei secoli XVIII e XIX si preferisce invece sottolineare che le quattro note si impongono per se stesse alla società ecclesiastica. Verso la fine del secolo XIX e nella prima metà del secolo XX − cioè tra il Vaticano I e il Vaticano II − tali note sono descritte in una forma prevalentemente romantica e vengono sottolineate l'espansione mondiale del cattolicesimo, la coesione e la fecondità della chiesa.

Delle tre, la *via notarum* è stata quella più utilizzata nei trattati ecclesiologici. Benché distinta dalle altre due, non sempre la distinzione è stata chiara; questa via è infatti obbligata a prendere il suo spirito dalla *via historica* a motivo dei riferimenti costanti alla verifica storica delle note, mentre la sua materia si presenta molto legata alla *via empirica*, dato che le note sono percepite come un miracolo di ordine morale.

In questo processo appare in netto rilievo l'eredità ecclesiologica del concilio Vaticano I per il suo duplice apporto: quello riferito alla *via primatus*, incentrato sull'infallibilità pontificia (DS 3053-3074), e quello proprio della *via empirica*, orientato alla chiesa come segno e quindi anche motivo di credibilità (DS 3012-3014). Il testo conciliare cita di passaggio la *via notarum* − «Ecclesiam "notis" instruxit» (DS 3012) − senza tuttavia elaborarne il contenuto.

2. PROSPETTIVE ECCLESIOLOGICO-FONDAMENTALI DEL VATICANO II - La categoria chiesa-sacramento di comunione, propria del Vaticano II, è feconda per un orientamento teologico-fondamentale. Si tratta infatti di

un'espressione che opera un decentramento della chiesa da se stessa, rimanendo totalmente incentrata in Cristo. Questo concetto mostra un duplice valore: *interno*, dato che la chiesa in quanto sacramento originario è radice di tutti i sacramenti; ed *esterno*, dal momento che visualizza la missione e mediazione significativa della chiesa per il mondo, uniti entrambi in una «complexa realitas» (LG 8). Tale affermazione dà già un'impostazione nuova ai sillogismi classici delle tre vie per la dimostrazione apologetica della vera chiesa, posto che evidenzia la «difficoltà» di captare la «globalità» esterna-interna della chiesa a motivo del suo stesso carattere sacramentale, per il fatto cioè di essere «segno» non già «dimostrativo» ma indicativo e manifestativo e, al massimo, rivelatore del mistero, che solo gli occhi della fede possono percepire.

A sua volta il Vaticano II fa esplicitamente riferimento alle note della chiesa in questi termini: «Questa è l'unica Chiesa di Cristo, che nel Simbolo professiamo una, santa, cattolica e apostolica» (LG 8), precisando inoltre che «questa Chiesa, in questo mondo stabilita e strutturata come società, sussiste nella (*subsistit in*) Chiesa cattolica» (*ibid.*). Come si può osservare, sia il linguaggio che l'intenzione stessa del testo respingono ogni esclusività e identità della vera chiesa concepite in modo chiuso, mentre danno spazio alla positività e al riconoscimento. Infatti il *subsistit*, che sostituisce l'*est* usato dal testo primitivo, sottolinea non tanto l'esclusività – propria piuttosto del verbo *est* – quanto il carattere aperto e positivo. In tal modo il *subsistit* ha l'intenzione e svolge la funzione di evitare un'identificazione troppo rigida della chiesa di Cristo con la chiesa cattolico/romana, per mantenersi invece aperto alla realtà ecclesiale presente nelle altre confessioni cristiane.

La categoria «sacramento» usata dal Vaticano II richiama inoltre l'espressione del Vaticano I: *Ecclesia, signum levatum in nationes* (DS 3013); difatti questa formula è citata in SC 2, LG 50, AG 36, UR 2, ed è sempre orientata verso il segno dell'unità nella carità. La chiesa è dunque segno della venuta della salvezza tra gli uomini nella misura in cui rispecchia nel nostro mondo l'unità e l'amore della vita trinitaria. Mediante un processo di personalizzazione, che si estende a tutta l'economia della rivelazione e della sua trasmissione, il Vaticano II parla di testimonianza personale e comunitaria laddove il Vaticano I parlava di attributi miracolosi della chiesa, focalizzando così in modo nuovo tutta l'ecclesiologia fondamentale.

Conclusione: *la testimonianza è segno ecclesiale di credibilità e paradigma per l'ecclesiologia fondamentale.* La categoria testimonianza è apparsa in maniera progressiva nel linguaggio teologico ed ecclesiale, soprattutto a partire dal Vaticano II dove è onnipresente (133 volte). Il tema si manifesta con forza nei Sinodi dei Vescovi sulla Evangelizzazione (1974) e sul Laicato (1987), come pure nelle Esortazioni apostoliche correlative: *Evangelii Nuntiandi* e *Christifideles Laici*. In questa prospettiva essa si trasforma in segno ecclesiale di credibilità e in paradigma per l'ecclesiologia fondamentale.

In effetti la categoria testimonianza, oltre a indicare il tipo di vita cristiana ed ecclesiale per eccellenza, è adottata dalla filosofia teoretica attuale (J. Nabert, E. Levinas, P. Ricoeur) nella sua triplice dimensione empirica, giuridica ed etica, come luogo ermeneutico che «rivela» la duplice confluenza presente nella testimonianza: il versante della costatazione storica e il versante dell'espressione autotestimoniale. Con ragione si può dunque parlare di una vera «metafisica della testimonianza», capace di mostrare la possibilità razionale di una testimonianza dell'assoluto che sia al tempo stesso pienamente storica.

La riflessione teologica ricorda a sua volta che la testimonianza, per essere segno ecclesiale di credibilità, dovrà sempre riferirsi alla chiesa apostolica come versante storico-oggettivo, trasmettitrice del → «deposito della fede» (DV 10, GS 62, UR 6). È in questo quadro e da questa prospettiva che possiamo parlare della *Ecclesia mater congregans*, che veicola in tal modo la *testimonianza fondante* costituita dalla chiesa apostolica, come presenza del Signore risorto sino alla fine dei tempi (cfr. Mt 28,26-30). D'altra parte, questa testimonianza fondante renderà possibile la realizzazione del suo correlativo nella *Ecclesia fraternitas congregata*, formulazione del versante auto-testimoniale e soggettivo costituito dalla *testimonianza vivente* dei cristiani attraverso la loro vita e la loro storia (cfr. 1 Cor 1,2; Rm 1,7; Ef 5,27; 1 Ts 4,7; 2 Ts 2,13ss). Come mediazione tra queste due testimonianze c'è la *testimonianza dello Spirito*, che anima la chiesa come *Spiritus in Ecclesia* (cfr. LG 4).

Emerge così la funzione decisiva della testimonianza come via di credibilità ecclesiale; sintesi anche di quanto offrono di meglio le tre vie classiche di accesso alla vera chiesa. Tale via non si riduce né a una credibilità meramente esterna ed estrinseca − rischio dell'apologetica ecclesiologica classica − né a una credibilità meramente interna e soggettiva − rischio fideista in cui si incorre di frequente per evitare quello precedente −; concentra invece la propria attenzione su una comprensione della credibilità come invito alla fede esterna e interna nello stesso tempo, a motivo del carattere integratore. Così in questa *credibilità della testimonianza ecclesiale* si intrecciano la dimensione esterna, frutto della connessione storica con la *testimonianza apostolica fondante* della chiesa; la dimensione interiorizzata, sorta dall'e-

sperienza ecclesiale della *testimonianza vissuta*; e la dimensione interiore e interiorizzatrice grazie alla *testimonianza dello Spirito* che è colui che anima e santifica la chiesa.

Bibl. - Y. Congar, *L'ecclésiologie de S. Augustin à l'époque moderne*, Paris 1970; R. Latourelle, *La testimonianza cristiana*, Assisi 1970; Id., *Cristo e la Chiesa segni di salvezza*, Assisi 1971; Id., «Évangélisation et témoignage», in M. Dhavamony (ed.), *Evangelization*, Roma 1975, 77-110; S. Pié-Ninot, *Hacia una eclesiología fundamental basada en el testimonio*, in RCT 9 (1984) 401-461; Id., «La chiesa come tema teologico fondamentale», in R. Fisichella (ed.), *Gesù Rivelatore*, Casale Monferrato 1988, 140-163; Id., «Ecclesiologia fundamental: status quaestionis», in RET 49 (1989) 361-403.

SALVADOR PIÉ-NINOT

II. Gesù e la chiesa

1. ACCENNI STORICI SUL TEMA - Il tema «Gesù e la Chiesa», in particolare per ciò che riguarda la formazione di quest'ultima, è fondamentale per la fede cristiana. Tale formazione infatti appare già negli scritti del Nuovo Testamento, delineata in maniera germinale e multiforme a partire da una descrizione, già fatta alla luce della fede, della comprensione che la chiesa ha di se stessa. Tale sviluppo ha luogo in modo preminente nell'avvenimento di Pentecoste e nel protagonismo degli apostoli, in particolare di Pietro, come pioniere della prima comunità cristiana: lui e Paolo, missionario dei gentili, diventano i grandi portatori dello sviluppo e della formazione della chiesa. Per essere parte di questa prima comunità cristiana si devono soddisfare le esigenze seguenti: conversione alla fede in Cristo, battesimo, dono dello Spirito di Pentecoste, celebrazione eucaristica, amore operativo e comunitario (cfr. At 2,38.42-47). Negli stessi vangeli, intrecciati alla narrazione su Gesù, si riscontrano molti elementi della formazione della chiesa, come continuità della pre-

dicazione e missione dello stesso Gesù, specialmente attraverso gli apostoli. In maniera ancor più rilevante compaiono già elementi teologici e organizzativi di questa chiesa nascente nella letteratura paolina e negli altri scritti del NT.

Comunque, solo a partire dal periodo dei Padri quali Ignazio, Ireneo, Origene, Giovanni Crisostomo, e soprattutto Ambrogio e Agostino, il tema della formazione della chiesa si trasformerà in una impostazione teologica sui fondamenti della chiesa; impostazione che si manterrà praticamente fino all'illuminismo e alla disputa del modernismo all'inizio del secolo XX. A partire infatti dalla grande epoca patristica, la formazione della chiesa viene espressa nell'immagine misteriosa della nascita della chiesa dal costato del Crocifisso, come Eva dal costato di Adamo (Ambrogio, *In Psalm.* 36.37: PL 14,986; *Epist.* 76,3s: PL 16,1260; Agostino, *In Ioh. Tract.* IX 2,10; XV 4,8; CXX 19,2: PL 35,1463.1513.1953). L'importanza di questo simbolismo è tale da essere ripreso nel medioevo e citato in maniera particolare dal concilio ecumenico di Vienne del 1312 (DS 901).

Nel periodo seguente, caratterizzato dalle lotte ecclesiastiche per il potere, si unisce a questa, un'altra riflessione sui fondamenti teologici della chiesa. Si tratta della scelta e della missione degli apostoli, specialmente di Pietro, come iniziatori della gerarchia ecclesiastica. Sotto l'influenza del pensiero giuridico si introduce il concetto di «ius divinum», come principio garante della fedeltà storica e della fondazione della chiesa e delle sue istituzioni: unitamente alla disputa sulla Scrittura come «norma non normata», esso diventa pietra di paragone del → luteranesimo con la sua formula «sola Scriptura». Il concilio di → Trento tratterà con cura questi due concetti, assegnando loro il posto che meritano. Successivamen-

te la controriforma accentuerà con forza il ministero di Pietro e il papato come garanzia di continuità tra Gesù e la chiesa.

È però solo con l'illuminismo e con la controversia modernista propriamente detta che viene posta la questione critica della «singolare fondazione della chiesa da parte di Gesù di Nazareth». Il concilio → Vaticano I (1870) aveva già dichiarato che Cristo «decise di edificare la santa Chiesa» (*sanctam aedificare ecclesiam decrevit*: DS 3050), ma furono i documenti magisteriali sul modernismo ad affrontare maggiormente questo tema, in concreto il decreto *Lamentabili* (DS 3452) e l'enciclica *Pascendi* (DS 3492), entrambi del 1907, riassunti nel giuramento antimodernista del 1910 con le parole: «La Chiesa è stata istituita immediatamente e direttamente dallo stesso vero e storico Cristo, mentre viveva in mezzo a noi» (DS 3540).

A partire da questi testi del magistero i manuali di teologia e di ecclesiologia fondamentale introducevano un'importante sezione su questo tema, che faceva da propedeutica apologetica all'intera teologia. Si inizia a diffondere così le espressioni «istituire», «fondare» ed «edificare» per significare la relazione esistente tra Gesù di Nazareth e la chiesa, e se ne enumerano gli atti principali: vocazione e missione dei dodici, istituzione del primato di Pietro e sua successione, trasmissione della triplice potestà di Cristo («potestas docendi, sanctificandi et regendi») agli apostoli e istituzione dell'eucaristia come nuova alleanza (J.B. Franzelin, H. Dieckmann, A. Tanquerey, J. Salaverri, T. Zapelena, M. Schmaus, F.A. Sullivan...).

Bisognerà attendere fino al Vaticano II perché questa tematica riceva un'impostazione più completa e articolata. Infatti nei quattro numeri della LG 2-5 viene delineata una visione dell'istituzione della chiesa nella prospettiva di un processo, fino a usare, nell'ultimo numero, per la prima e unica volta le parole «fondazione» e «fondatore». Nella fase postconciliare è da segnalare un importante documento della Commissione Teologica Internazionale (CTI) del 7.X.1985, in occasione del XX anniversario della chiusura del Vaticano II, che tratta di «Temi scelti di ecclesiologia», a cominciare precisamente da quello della «fondazione della Chiesa da parte di Gesù Cristo» (EV 9,1673-1680), che costituisce una risposta ad alcune impostazioni forse un po' troppo scettiche o critiche (H. Küng, L. Boff), oltre che una appropriata e aggiornata sintesi cattolica su tale questione.

Passiamo ora in rassegna i punti teologici più rilevanti di questa panoramica storica, dal momento che, per articolare un'impostazione tipica della teologia ed ecclesiologia fondamentale sulla relazione originaria e fondante di Gesù nei confronti della chiesa, converrà tenere presenti varie questioni teologiche che sono implicite nel tema.

2. DUE BINOMI CLASSICI DELLA RELAZIONE GESÙ-CHIESA - Di fatto la domanda che ponevano l'illuminismo e la controversia modernista sulla fondazione della chiesa, nonostante la novità che la rende parallela alla nascita della teologia fondamentale come materia di insegnamento, affonda le sue radici in due questioni teologiche di vasta portata, dibattute nella storia della teologia e segnalate già prima. Si tratta della relazione tra Scrittura e chiesa, e tra «ius divinum» e «ius ecclesiasticum», come binomi classici del nostro tema: Gesù e la chiesa. Sarà bene dunque indicare gli elementi di maggior risalto di questi binomi che ci offriranno punti basilari per il nostro tema in vista di una corretta impostazione teologica.

a. *Scrittura e chiesa* - La Scrittura è stata considerata fin dagli inizi della vita della chiesa uno strumento normativo di ogni attività comunitaria e privata; da qui la famosa espressione «norma normans - norma non normata», dato che la sacra Scrittura è l'oggettivazione letteraria della fede della chiesa apostolica, norma e fondamento delle chiese di tutti i tempi. Per questo motivo, la Scrittura ha assunto una funzione di eccezionale importanza per la definizione e la conservazione del → deposito della fede, in virtù del significato fondamentale attribuito a tale deposito della fede come componente fondamentale e caratteristica della vera chiesa di Cristo. Ora, sia nei Padri che nella teologia medievale, esisteva una connessione intima tra Scrittura e Tradizione. È a partire dalla crisi protestante che tale connessione verrà messa in discussione, suscitando il famoso assioma di Lutero: «sola Scriptura».

La questione fu dibattuta nel concilio di Trento e ripresa di nuovo nel Vaticano II. Sul decreto tridentino (DS 1501) e sulla sua interpretazione esiste attualmente tra gli studiosi cattolici un accordo notevole nell'affermare che, per quanto concerne la fede, la sacra Scrittura è materialmente sufficiente e che la tradizione esercita in questo caso la funzione di *traditio interpretativa*. Riguardo ai *mores et consuetudines* della chiesa la Scrittura è insufficiente e ha bisogno di essere completata materialmente (nel suo contenuto) dalla tradizione, che in questo caso è *traditio constitutiva* (J.R. Geiselmann, G. Tavard, Y. Congar, J. Ratzinger, J. Beumer, U. Betti, J.M. Rovira Belloso).

Questa interpretazione del testo di Trento — interpretazione non comune prima dello studio della questione da parte di un pioniere come Geiselmann — aiutò il Vaticano II a formulare una dottrina intesa a superare i dualismi esistenti tra Scrittura e Tradizione. Così DV 9 evita gli estremi sottolineandone la reciproca integrazione, dal momento che non si parla di due fonti ma di «una stessa sorgente» (*ex eadem scaturigine promanantes*) dalla quale scaturisce la Scrittura come unica parola di Dio trasmessa dalla tradizione ecclesiale. Quest'ultima svolge fondamentalmente una funzione criteriologica decisiva, che il concilio addita esplicitamente sotto tre aspetti; la tradizione infatti: 1. dice qual è il canone dei libri sacri (DV 8c); 2. precisa la certezza di tutte le verità rivelate (DV 9 è stato il punto che ha suscitato maggior dibattito in concilio); 3. attualizza e approfondisce la Scrittura (DV 8c,12,21,24s). Risulta dunque ormai anacronistico il senso attribuito nel secolo XVI alle formule polemiche come la teoria delle «due fonti» tra i cattolici e quella della «sola Scriptura» tra i protestanti (cfr. i commenti conciliari di U. Betti, P. Lengsfeld, B.D. Dupuy, A. Franzini).

b. «*Ius divinum*» e «*ius ecclesiasticum*» - Il tema dello «ius divinum» era già stato affrontato dal concilio di Trento ed era diventato causa di controversia col luteranesimo, specialmente nelle questioni riguardanti direttamente i sacramenti per giustificare o meno la loro «istituzione» da parte di Gesù. Più che offrire infatti una prospettiva ecclesiologica e una definizione del quadro teologico dei ministeri della chiesa, Trento stabilisce il potere sacerdotale in ordine ai sacramenti. È in tale contesto che la questione dello «ius divinum» appare come argomento di rilievo in favore del carattere rivelato della questione correlativa, che si presenterà di nuovo nel Vaticano I col tema del Primato. Il Vaticano II riprende le affermazioni dei due concilî precedenti inquadrandole in una chiara prospettiva ecclesiologica ed ecumenica. Vediamo ora i punti più importanti della questione, relegata in genere ai trattati di diritto probabilmente per la sua stessa forma espressiva («ius»), pur avendo in realtà un'importanza

teologica ed ecclesiologica fondamentale.

In linea generale si può dire che l'espressione «ius divinum» indica spesso una realtà di istituzione divina positiva, per la quale si può rimandare alla Scrittura. S.Agostino lo aveva già definito come l'equivalente di quello testimoniato dalla Scrittura: «Divinum ius in Scripturis habemus» (*In Ioh. Tract.* VI, 25: PL 35,1436); si può dire anzi che esiste uno «ius divinum» perché esiste la Scrittura (PL 33,665). Tommaso d'Aquino si collocherà in questa linea – «ius divinum est quod pertinet ad legem novam» (STh I, II, 107, 4) – e preciserà che esso non sopprime lo «ius humanum» o «ius ecclesiasticum», dato che lo «ius divinum quod est ex gratia non tollit ius humanum quod est ex naturali ratione» (STh II, II, 10, 10).

La riforma luterana e Lutero stesso usarono spesso la nozione di «ius divinum»: si tratta di quello che è legittimato dalla Scrittura. Così Lutero scriveva: «Sacra Scriptura, quae est proprie ius divinum» (WA 2279,23s). Difatti l'equivalenza tra «ius divinum» e Scrittura risulta assai chiara nell'articolo di Smalcalda – redatto da Lutero – che così recita: «Quod Papa non sit iure divino seu secundum verbum Dei...» e nel commento di Melantone il quale introduceva il concetto di «ius humanum» parlando della superiorità del Papa sui Vescovi. L'espressione «ius humanum» presenta grande somiglianza con la prospettiva indicata nel concilio di Trento dal parere del francescano G.A. Delfino, che lo situa al terzo grado dello «ius divinum»: il primo grado designa tutte le cose che si trovano nella Scrittura, il secondo grado si riferisce a tutto ciò che si trova implicitamente o simultaneamente nella Scrittura, il terzo grado è dato dagli statuti della chiesa e dei concili e si può qualificare come «ius humanum».

Come dato significativo si può costatare l'assenza dell'espressione «ius divinum» riferita direttamente all'episcopato nei concili di Trento (DS 1776) e del Vaticano II (LG 28a); d'altro lato però tutto il contesto e le formule che sostituiscono tale espressione, specialmente *divina ordinatio / institutio*, rimandano a una comprensione più ampia. L'espressione esplicita è invece usata dal Vaticano I quando parla della perpetuità della successione di Pietro, qualificata come *de iure divino* (DS 3058). In questo caso la formula conclude il capitolo II dove non si invoca alcun testo evangelico esplicito, anche se vengono parafrasati i passi di Mt 16,18 e di Mt 28,20, e trascritta una lunga citazione di Filippo, legato pontificio del concilio di Efeso, insieme a testi di Leone Magno, Ireneo e Ambrogio. È chiaro dunque qui che la lettura della Scrittura interpretata dalla chiesa (cfr. DS 3054: «questa dottrina così chiara delle Scritture, così come l'ha sempre intesa la Chiesa cattolica») è una via legittima per arrivare a riconoscere che un'istituzione è di «ius divinum». Di fatto sembra dunque ovvio che non si debba identificare né l'«istituzione-ordinazione divina» di Trento e del Vaticano II, né lo «ius divinum» del Vaticano I con un'esclusiva fondazione esplicita del Signore, dato che le diverse strutture possono essere istituite dalla chiesa apostolica guidata dallo Spirito Santo, come testimoniano le Scritture, o dalla provvidenza divina che dirige la chiesa post-apostolica.

Nella linea di questa comprensione dello «ius divinum» in senso lato si ritrovano diversi teologi cattolici, che sottolineano come una serie di strutture ecclesiastiche (per esempio, una costituzione monarchico-episcopale e un ministero permanente di Pietro) possano intendersi come derivanti da Gesù e «iuris divini», pur non essendo riconducibili a una parola precisa di Gesù, verificabile senza equivoci sul piano storico. Si presuppone uni-

camente che possa essere comprensibile che tali decisioni (atti della chiesa creatori di una costituzione) rientrino nelle autentiche possibilità contemplate da Gesù e dalla fede in lui. Tali atti possono anche essere irreversibilmente obbligatori, e in questo senso «iuris divini», per le generazioni successive quando si verifichino i presupposti già menzionati (K. Rahner, Y. Congar, C.J. Peter, A. Dulles, A. Antón, M. Miller).

Impostando così il problema, si sottolinea dunque che lo «ius divinum» viene determinato in una forma umana e storica, poiché il diritto divino esiste solo in un enunciato o in una realizzazione storica, detta sovente «ius ecclesiasticum». È quanto afferma la «Relazione luterana-cattolico romana» nel documento di Malta del 1972: «Lo "ius divinum" non si distingue mai totalmente dallo "ius humanum". Possediamo lo "ius divinum" unicamente attraverso la mediazione di forme che portano sempre impresso il sigillo della storia. Pur dovendosi considerare un semplice prodotto del processo sociologico di sviluppo, queste forme di mediazione possono essere sentite come frutto dello Spirito a motivo della natura pneumatica della Chiesa» (n° 31). Più avanti prosegue: «La Chiesa nelle sue istituzioni rimane costantemente legata al Vangelo, che ha su di essa una priorità indiscutibile. In considerazione di questo, la tradizione cattolica parla di "ius divinum". Tuttavia, per le istituzioni della Chiesa, il Vangelo può essere un criterio solo in rapporto vivo con la realtà sociale delle singole epoche. Come il Vangelo può avere una legittima esplicazione nei dogmi e nelle confessioni di fede, così subentra pure una realizzazione storica del diritto nella Chiesa» (n.33).

Complementare a questo testo è la dichiarazione del 1981 sulla «Autorità nella Chiesa, II» (Windsor) da parte della Commissione mista anglicanacattolico romana, che si riferisce al significato del «diritto divino» proprio del «servizio petrino» come uno dei «quattro problemi importanti in questo tema che richiedono uno studio ulteriore» (n. 1). Ci si limita qui a scegliere i punti più rilevanti della sua riflessione: «Benché non esista un'interpretazione universalmente accettata di questa espressione (ius divinum), tutto viene a confermare che... esso esprime il disegno di Dio nei riguardi della sua Chiesa. Non c'è bisogno di ritenere che lo "ius divinum" in tale contesto implichi che... (la Chiesa) sia stata fondata direttamente da Gesù durante la sua vita terrena» (n. 11). E più avanti la dichiarazione continua: «Considerata l'interpretazione della frase sul diritto divino nel Concilio Vaticano I come abbiamo fatto prima, è ragionevole domandarsi se esista realmente una differenza tra l'affermazione di un primato per diritto divino (iure divino) e il riconoscimento del suo emergere per provvidenza divina (divina providentia)» (n.13).

A conclusione di questo punto notiamo che è importante distinguere tra il «fatto» dell'istituzione da parte del Signore e l'uso di un argomento della Scrittura. Tale distinzione – non sempre presente nei trattatisti del tema – può quindi essere utile per poter superare la frequente ambiguità dell'espressione «ius divinum», specialmente quando non si tiene conto della tradizione teologica e del contesto confessionale nei quali viene usata.

3. STORIA TEOLOGICA RECENTE - La prima opera che adottò una concezione storico-critica sulla vita di Gesù – autore il luterano H.S. Reimarus (1694-1768) –, afferma che obiettivo di Gesù, condiviso dai suoi apostoli, non era quello di stabilire una chiesa o comunità religiosa separata, ma ristabilire il regno davidico in terra palestinese. Dopo il fallimento e

l'esecuzione capitale di Gesù, come risultato della delusione patita dai discepoli, si diffuse la nozione di chiesa. Questa visione è stata nel nostro tempo tanto spesso ripetuta quanto giustamente confutata, e come già suggeriscono i suoi inizi si presenta legata all'interpretazione escatologica della predicazione di Gesù. La trattazione contemporanea sulla relazione tra Gesù e la chiesa ha infatti come sfondo la controversia sorta all'inizio del secolo, associata al modernismo e alla scoperta del significato escatologico del Regno di Dio. Ecco qui brevemente delineate le tappe più significative della questione odierna, suddivisa in vari momenti:

a. *Il primo «consenso» creatosi intorno alla ricerca storico-liberale: 1932* (inizialmente con A. Harnack, i modernisti, A. Sabatier, G. Tyrrell, A. Loisy, e in seguito con R. Bultmann e seguaci). Questi autori negano una qualsiasi forma di chiesa organizzata nel pensiero e nella predicazione di Gesù. Così O. Linton nel 1932 sintetizzava il «consenso» ottenuto in questa fase: la chiesa globale è sorta come una confederazione successiva di comunità locali. Nella sua forma cattolica di comunità sacramentale, la chiesa si è anzi forgiata sotto l'influsso dell'ellenismo e dell'impero romano, di fronte al tardare della parusia. Ricordiamo qui l'espressione famosa di A. Loisy: «Jésus annonçait le royaume, et c'est l'église qui est venue»; espressione che a causa della polemica con Harnack non aveva originariamente un senso negativo, limitandosi a sottolineare che l'esistenza della chiesa è una condizione necessaria perché la predicazione del Regno possa continuare. In seguito questa affermazione è diventata uno «slogan» emblematico del modernismo nella maniera negativa di considerare la chiesa (cfr. F.M. Braun, O. Cullmann, H. Conzelmann, H. Fries, L. Boff; hanno invece rivendicato il suo senso originario non negativo gli studi monografici di E. Poulat e G. Heinz).

b. *Il «nuovo consenso» della ricerca escatologico-neotestamentaria*: *1942* (F. Kattenbusch, K.L. Schmidt, A. Nygren, T.W. Manson, V. Taylor, F.J. Leenhardt, W.A. Visser't Hooft, L. Goppelt, E. Stauffer, e più recentemente J. Jeremias). Qualificata come «nuovo consenso» dal cattolico F.M. Braun nel 1942, questa fase definisce la chiesa come il popolo di Dio della fine dei tempi, riunita dal messia-figlio dell'Uomo, costituita a partire dalla morte e risurrezione di Gesù e confermata dal dono escatologico dello Spirito nella Pentecoste. In tale contesto la cerchia dei dodici annuncia già prima della Pasqua l'instaurazione del popolo escatologico di Dio, nel quale sarebbero chiamati a confluire anche i gentili, secondo l'aspettativa di Gesù.

c. *La «sintesi» di E. Käsemann: il → protocattolicesimo (Frühkatholizismus)*. Si tratta di un'impostazione già presente in R. Bultmann, ma a partire dal 1963 divulgata e ampiamente presentata da E. Käsemann, che sottolinea il contrasto tra ecclesiologia paolina unicamente orientata ai carismi, e quella più tardiva – testimoniata in particolare dalle lettere deuteropaoline e dall'opera lucana – incentrata sull'autorità dei ministri ordinati e identificata dall'autore come ecclesiologia di tipo cattolico, non più attribuibile alla volontà del Gesù storico. Sono affermazioni che comportano una revisione del concetto tradizionale di → «canone», dal momento che impongono quello che Käsemann qualifica come «canone dentro il canone» in un tentativo radicale di applicare l'assioma luterano: «Urgemus Christum contra Scripturam», e che tocca l'epicentro della relazione tra Gesù e la chiesa. La questione così impostata del protocattolicesimo ha avuto grande influenza su diversi esegeti protestanti (F. Hahn,

L. Goppelt, S. Schulz, U. Luz..., e inizialmente su H. Schlier, che proprio nel valutare positivamente questa evoluzione passò dal protestantesimo al cattolicesimo) ed è presente in maniera rilevante negli studi ecclesiologici più polemici di H. Küng.

d. *La «nuova impostazione» della ricerca e le posizioni dei teologi cattolici*. A partire dalle fasi precedenti, fondamentalmente protestanti, compaiono nella teologia cattolica gli inizi di una «nuova impostazione» della questione, mediante l'assunzione degli elementi più validi dei metodi storico-critici. Così due grandi esegeti cattolici, R. Schnackenburg e A. Vögtle, poco prima del Vaticano II affermavano già che a rigor di termini si può parlare di chiesa solo dopo la glorificazione e la Pentecoste. A loro volta facevano però notare con uguale forza che la manifestazione della chiesa dopo la Pasqua è in continuità con Gesù e con le sue opere e parole, arrivando così anche a parlare di «kirchenstiftenden Akte Jesu». Già intuita da → R. Guardini nel 1937, tale posizione è stata diffusa in modo generalizzato dal noto esegeta J. Schmid nelle sue collaborazioni al «Commento di Ratisbona al Nuovo Testamento», e ha ricevuto una nuova, più recente, formulazione nell'affermazione dei «kirchenrelevante Akte» di Gesù di Nazareth, da parte del teologo fondamentale H. Fries.

Alcune opinioni forse più critiche all'interno della teologia cattolica sono quelle prospettate da H. Küng (1967) e da L. Boff (1980). Seguendo la «nuova impostazione» della questione, i due autori tendono ad accentuare alcune conclusioni più radicali nel senso di non parlare di atti propriamente «ecclesiali» di Gesù, pur coincidendo entrambi nell'affermare che la sua predicazione e la sua azione hanno posto «i fondamenti» perché sorgesse la chiesa postpasquale (cfr. le osservazioni critiche su H. Küng nella Dichiarazione della Congregazione per la dottrina della fede del 15.XII.1979: EV 6, 1942-1951, e la lettera di Giovanni Paolo II del 15.V.1980: EV 7, 374-399; su L. Boff nella notificazione della Congregazione per la dottrina della fede dell'11.III.1985: EV 9, 1421-1432).

e. *La «nuova sintesi» esegetico-teologica: l'ecclesiologia «implicita» di Gesù di Nazareth*. A partire dalle varie fasi e difficoltà sperimentate in tale questione, la somiglianza con la tematica sulla cristologia «implicita» di Gesù di Nazareth ha suggerito quella che possiamo chiamare una «nuova sintesi» esegetico-teologica della categoria «ecclesiologia implicita». L'espressione è stata consacrata dal documento del 1986 della CTI sulla coscienza di Gesù (n° 3.2). Questa nuova focalizzazione del tema unisce in sé i risultati di diversi studi cattolici di questi ultimi anni (A. Descamps, H. Schlier, seguito da A. Antón, che parlano di una «Präformation der Kirche» in Mt, W. Trilling, H. Frankemölle, M.M. Garijo-Guembe). Particolare menzione merita G. Lohfink, critico nei confronti di alcuni tipi di spiegazione, ma sostenitore della identità tra popolo di Dio escatologico e chiesa; Gesù infatti non è stato tanto il fondatore di una nuova istituzione quanto il Salvatore di Israele, colui che ha riunito il vero Israele degli ultimi tempi, la chiesa. Notiamo qui ancora le suggestive riflessioni di F.S. Fiorenza, che non restringe il concetto «fondare» all'intenzione esplicita del soggetto, ma lo colloca in una interpretazione a posteriori della storia a partire dall'ermeneutica della recezione. Dentro questo quadro sono particolarmente importanti gli studi sociologici sugli inizi dei seguaci di Gesù, specialmente quelli di G. Theisen e R. Aguirre, che considerano il cristianesimo nascente come un movimento intragiudaico di rinnovamento che ha progressivamente consumato la sua rottura col giudaismo farisaico «ufficiale».

4. PROSPETTIVE TEOLOGICHE - Il Vaticano II è stato il primo concilio che ha offerto un'ampia impostazione teologica della relazione originaria e fondante di Gesù nei riguardi della chiesa. Presentiamo qui un'analisi dettagliata del tenore di questi testi, compresi nei nn. 2-5 di *Lumen Gentium*. La chiesa infatti, secondo questo documento, è legata alle tre persone divine come «un popolo adunato dall'unità del Padre (n. 2) e del Figlio (n. 3) e dello Spirito Santo (n. 4)» (testo di Cipriano; cfr. pure Agostino, Giovanni Damasceno, Fulgenzio, Cirillo: LG 4 ultimo capoverso); essa è inoltre collegata al Regno di Dio (n. 5). Più avanti, in LG 18, trattando dell'istituzione della gerarchia, la Costituzione fa riferimento al paragrafo già citato del Vaticano I («edificò la Chiesa santa»: DS 3050), riprendendone testi e prove in favore della vocazione e missione degli apostoli nel loro insieme (LG 18-29).

In LG 2 si parla del disegno salvifico di Dio Padre, che convoca la santa chiesa, «prefigurata sino dal principio del mondo, preparata nella storia del popolo d'Israele, istituita negli "ultimi tempi", manifestata dall'effusione dello Spirito e che avrà glorioso compimento alla fine dei secoli». È in tale contesto che LG si riferisce alla famosa espressione patristica «ecclesia ab Abel» (Gregorio Magno, Ireneo, Origene, Agostino, Leone Magno, Giovanni Damasceno; cfr. la sintesi di S. Tommaso: «patres antiqui pertinebant ad idem corpus Ecclesiae»: III, III, 8, 3, 3).

In LG 3 si parla della missione e opera del Figlio, che «ha inaugurato in terra il Regno dei cieli e ne ha rivelato il mistero, e con la sua obbedienza ha operato la redenzione». È qui che lo si collega alla chiesa con espressione significativa quando si afferma: «La Chiesa, ossia il regno di Cristo già presente in mistero, per la potenza di Dio cresce visibilmente nel mondo», e a sua volta «questo inizio e questa crescita sono simboleggiati dal sangue e dall'acqua che uscirono dal costato aperto di Gesù crocifisso», immagine misterica ricordata dai grandi Padri (Ambrogio, Agostino), ripresa dal concilio di Vienne del 1312 (DS 901) e dalla costituzione conciliare del Vaticano II sulla Liturgia (SC 5).

In LG 4 si parla dello Spirito che santifica la chiesa in una linea analoga a quella di LG 2: tutto è imperniato sulla dinamica manifestata dalla frase: «e i credenti avessero così per Cristo accesso al Padre in un solo Spirito», che rivela tutta l'economia della salvezza e fa comprendere come «lo Spirito dimora nella Chiesa» (Spiritus in Ecclesia). Questa osservazione richiama a sua volta la distinzione tra verità che riguardano i mezzi e verità che riguardano il fine, distinzione introdotta da Tommaso d'Aquino nel commentare il Credo apostolico, quando osserva che la chiesa figura tra le prime (verità che riguardano i mezzi) e che all'espressione «credere *nella* Chiesa» si deve preferire l'altra «credere nello Spirito Santo che santifica la Chiesa» (STh II-II, 1, 9). Il testo conciliare segnala infine il carattere escatologico di questa presenza dello Spirito e della chiesa che «dicono al Signore Gesù: Vieni!», e conclude con la già riferita citazione-sintesi di S. Cipriano sulla «Ecclesia de Trinitate».

In LG 5 il testo conciliare è incentrato sulla relazione tra chiesa e Regno di Dio, ed è questa l'unica volta in cui viene usata la parola «fondazione» e «fondatore». Dice infatti il testo che «il mistero della santa Chiesa si manifesta nella sua stessa *fondazione*» ed enumera quindi i seguenti «atti fondanti»: «Gesù diede inizio alla chiesa predicando il Regno promesso»; «questo Regno si manifesta nelle parole, nelle opere e nella presenza di Cristo»; «i miracoli sono la prova che il Regno è arrivato sulla terra»; «innanzi tutto il Regno si manifesta

nella stessa persona di Cristo»; «Gesù risorse ed effuse sui suoi discepoli lo Spirito». «La Chiesa perciò, fornita dei doni del suo *fondatore*... riceve la missione di annunciare il Regno di Cristo e di Dio... e di questo Regno costituisce in terra il germe e l'inizio (*germen et initium*)».

Vediamo dunque come il Vaticano II si collochi nella linea della riflessione attuale sui dati del Nuovo Testamento, mettendo in rilievo che ciò che meglio si armonizza con esso è l'idea di una fondazione della chiesa durante tutta l'attività di Gesù, sia del Gesù terreno che di quello glorificato. Nel movimento di convocazione del Gesù terreno, nella cerchia dei suoi discepoli, nei suoi pranzi, in particolare nella sua ultima cena prima di morire, ecc., si riscontrano «vestigia ecclesiae» prepasquali (cfr. W. Kasper), forse esplicite o più probabilmente implicite. Tutti questi elementi e prospettive furono utilizzati come materiali di costruzione nella nuova situazione dopo la Pasqua.

Nel quadro di una simile comprensione delle «vestigia ecclesiae» prepasquali e come ulteriore precisazione si colloca il documento più recente della CTI del 7.X.1985, su alcune questioni di ecclesiologia. Il documento enumera in dettaglio le dieci fasi di sviluppo in cui viene sintetizzato il processo di fondazione della chiesa:

1. «le promesse veterotestamentarie sul popolo di Dio, promesse che la predicazione di Gesù presuppone e che conservano tutta la loro forza salvifica»;

2. «la chiamata di Gesù alla conversione e alla fede, chiamata rivolta a tutti gli uomini»;

3. «la vocazione e l'istituzione dei Dodici come segno del futuro ristabilimento dell'intero Israele»;

4. «l'imposizione del nome a Simon Pietro, il posto preminente a lui riservato nella cerchia dei discepoli e la sua missione»;

5. «il rifiuto di Gesù da parte di

Israele e la rottura tra popolo giudaico e discepoli di Gesù»;

6. «il fatto che Gesù, nell'istituire
la Cena e nell'affrontare la sua passione e morte, persiste nel predicare
il regno universale di Dio consistente
nel dono della vita a tutti gli uomini»;

7. «la restaurazione, grazie alla re-
surrezione del Signore, della comunità infranta tra Gesù e i suoi discepoli e l'introduzione dopo la Pasqua
della vita propriamente ecclesiale
(proprie ecclesialem)»;

8. «l'invio dello Spirito Santo che
fa della Chiesa una vera "creatura di
Dio" (cfr. la narrazione della Pentecoste negli scritti di S.Luca)»;

9. «la missione verso i pagani e il
costituirsi della Chiesa dei pagani»;

10. «la rottura definitiva tra il "vero Israele" e il giudaismo».

Il testo a sua volta conclude in maniera ben chiara: «nessuna fase, separatamente presa, è totalmente significativa; ma tutte unite mostrano
all'evidenza che la fondazione della
Chiesa va intesa come un processo
storico, come il divenire della Chiesa
all'interno della storia della Rivelazione. Il Padre "ha voluto convocare i credenti in Cristo nella santa
Chiesa la quale, già prefigurata sino
dal principio del mondo, mirabilmente preparata nella storia del popolo
d'Israele e nell'antica alleanza, e stabilita 'negli ultimi tempi', è stata manifestata dall'effusione dello Spirito
e avrà glorioso compimento alla fine
dei secoli" (LG 2). In questo stesso
processo si costituisce la struttura
fondamentale permanente e definitiva della Chiesa» (EV 9,1677-1679).

A complemento di tutto questo esiste un ulteriore documento della stessa CTI, riguardante la «coscienza di
Gesù». Il documento è del 31.V.1986,
e nella sua terza proposizione dedicata a questo tema afferma: «Per
compiere la sua missione salvifica,
Gesù ha voluto adunare gli uomini
in ordine al Regno e riunirli intorno
a sé. Per realizzare tale proposito,

Gesù ha compiuto atti concreti che,
presi nel loro insieme, possono essere interpretati unicamente come preparazione della Chiesa, costituitasi
definitivamente con gli avvenimenti
della Pasqua e della Pentecoste. È
dunque necessario affermare che Gesù ha voluto fondare la Chiesa (Ie-
sum voluisse Ecclesiam fundare)».
Nel commento a tale proposizione si
parla della categoria di «ecclesiologia
implicita» come espressione dell'intenzione di Gesù, dato che «non si
tratta di affermare che questa intenzione di Gesù implica una volontà
espressa di fondare e stabilire tutti gli
aspetti istituzionali della Chiesa, tali
e quali si sono sviluppati nel corso
dei secoli». Più avanti si precisa che
«Cristo aveva coscienza della sua missione salvifica. Questa comportava la
fondazione della sua "Chiesa", cioè
la convocazione di tutti gli uomini
nella "famiglia di Dio". La storia del
cristianesimo si regge in ultima istanza
sull'intenzione e sulla volontà di Gesù
di fondare la sua Chiesa» (n. 3.2) (cfr.
Greg 67 [1986], 413-428.422-424).

5. CONCLUSIONE - Per concludere e
sintetizzare la relazione tra Gesù e la
chiesa, possiamo gettare luce sull'i-
nizio della chiesa sacramentale ser-
vendoci di una visione teologica tripartita, a immagine della struttura essenziale dei sacramenti stabilita mediante tre determinazioni: l'«istituzione da parte di Cristo» (1), il «segno
esterno» (2) e l'«effetto interno della
grazia» (3).

Questa visione teologica tripartita è
quanto emerge dai testi conciliari,
specialmente da LG 2-5; più che concentrarsi unicamente nella questione
sollevata dal modernismo sulla «fondazione» storica della chiesa da parte di Gesù di Nazareth, questi paragrafi presentano un'impostazione teologica globale della relazione fondatrice, originaria e fondante di Gesù
nei confronti della chiesa. In questo
senso dobbiamo affermare che le tre

determinazioni fornite dalla sacramentaria vanno tenute unitamente presenti se si vuol dare una corretta soluzione teologico-fondamentale alla relazione tra Gesù e la chiesa:

a. «*L'istituzione da parte di Cristo*»: *Gesù Cristo «fondatore» della chiesa*. Questa prima determinazione, come abbiamo già osservato, è profondamente legata alle questioni relative alla persona e alla coscienza personale di Gesù. In questo senso, a partire dallo sviluppo e dalle fasi della vita e del ministero di Gesù di Nazareth, appare con forza la genesi di una «ecclesiologia implicita e processuale» che manifesta il modo concreto in cui Gesù Cristo è «fondatore» della chiesa (cfr. LG 5 e i documenti della CTI del 1985 e del 1986).

b. «*Il segno esterno*»: *Gesù Cristo «origine» della chiesa*. Questa seconda determinazione viene illuminata dall'origine della chiesa come formazione nella storia. In effetti l'azione salvatrice di Gesù si sviluppa in questo mondo solo attraverso gli uomini e la loro storia. In questa trasmissione storica occupano una missione rilevante gli apostoli e i loro successori, a cui è affidato il ministero di conservare integro il «deposito della fede» (DV 10). «Così la Chiesa, nella sua dottrina, nella sua vita e nel suo culto, perpetua e trasmette a tutte le generazioni tutto ciò che essa è, tutto ciò che essa crede» (DV 8). Per questo motivo può essere descritta come «universale sacramentum salutis» (LG 1,9,48,59; GS 42,45), formata da un elemento divino e da uno umano in analogia col mistero del Verbo incarnato, «sancta simul et semper purificanda» (LG 8). In questa linea va sottolineato che la chiesa è «mistero» e a sua volta «soggetto storico» con la conseguente «pienezza e relatività» che ciò comporta nella sua «esistenza storica». Quest'ultima deve essere analizzata anche con l'aiuto della metodologia storica e socio-

logica, come «popolo di Dio "in via", in una situazione mai completa su questa terra» (CTI 1985, n. 3), cosciente però a sua volta che è «il regno di Cristo già presente in mistero» (LG 3) e in qualche modo «sacramento del Regno» (cfr. su questa formula le precisazioni della CTI 1985, n. 10.3).

c. «*L'effetto interno della grazia*»: *Gesù Cristo «fondamento vivo» della chiesa*. Questa terza determinazione trova la sua realizzazione nei misteri salvifici di Cristo come fondamento vivo della chiesa, misteri preparati fin dalle origini (cfr. «Ecclesia ab Abel»: LG 2), articolati nella sua incarnazione, nel suo mistero pasquale e nell'invio dello Spirito. Infatti la «incarnazione» del Verbo lo fa diventare padre della nuova umanità (cfr. Rm 5,12.25), rendendo possibile «la ricapitolazione della storia universale in Cristo» (cfr. Ef 1,10) per la mediazione della chiesa «creatura Verbi» (cfr. DV 1).

Il secondo avvenimento che costituisce il fondamento vivo della chiesa è il mistero pasquale di Cristo, come massima espressione del suo servizio per tutti gli uomini (cfr. Mc 10,45; 14,24), dato che «per questo Cristo è morto ed è ritornato alla vita: per essere il Signore dei morti e dei vivi» (Rm 14,9), che crea una nuova economia sacramentale (cfr. SC 61), donde l'immagine della nascita della chiesa dal costato di Cristo (cfr. LG 3; SC 5). Il terzo avvenimento della vita di Cristo è «l'invio dello Spirito» (cfr. At 2), vero protagonista che fa da fondamento attuale a tutta la storia e la vita della chiesa, di cui è «anima» (cfr. LG 7) manifestandone pienamente l'essere come «Ecclesia de Trinitate» (cfr. LG 4).

Viene così determinata e meglio precisata la relazione fondatrice (1), originaria (2) e fondante (3) di Gesù Cristo nei riguardi della chiesa, intesa in base alla sua struttura sacramentale, vero cardine della ecclesiologia del Vaticano II. In tal modo il suo mistero, insieme storico e trascendente, forma «una sola complessa realtà» (LG 8) ed è totalmente riferito a Cristo e illuminato da lui, unico «Lumen Gentium» di cui la chiesa, che ha il suo fondamento attuale in lui, è «come sacramento, cioè segno e strumento dell'intima unione con Dio e dell'unità di tutto il genere umano» (LG 1).

Bibl. - H. Schlier, «Ecclesiologia del NT», in *MystSal* VII, 115-265: G. Heinz, *Das Problem der Kirchenentstehung*, Mainz 1974; A. Antón, *La Iglesia de Cristo*, Madrid 1977; G. Theissen, *Soziologie der Jesusbewegung*, München 1977; B. Forte, *La chiesa icona della Trinità*, Brescia 1984; H. Frankemölle-H. Häring, *Kirche/Ekklesiologie*: in NHThG II, 294-323; F.S. Fiorenza, *Fundational Theology: Jesus and the Church*, New York 1985; H. Fries, *Fundamentaltheologie*, Graz-Wien-Köln 1985; G. Lohfink, «Jesus und die Kirche» in HFTh III, 49-96; A. Descamps, *Jésus et l'Église*, Louvain 1987; R. Aguirre, *Del movimiento de Jesús a la Iglesia cristiana*, Bilbao 1987; M.M. Garijo-Guembe, *Gemeinschaft der Heiligen*, Düsseldorf 1988; J. Auer, *La Chiesa*, Assisi 1988; S. Pié-Ninot, *Tratado de Teología Fundamental*, Salamanca 1989.

SALVADOR PIÉ-NINOT

III. Motivo di credibilità

1. DAL VATICANO I AL VATICANO II - In senso generale possiamo dire che la chiesa è segno della salvezza poiché rappresenta e comunica la grazia invisibile della salvezza. È segno, e segno efficace, di una realtà spirituale, cioè dell'unione degli uomini con Dio e, attraverso questa, dell'unione degli uomini tra loro.

Nella misura in cui questo mistero di salvezza o di comunione si *irradia* tra gli uomini con intensità, diventa, anche per i non credenti, segno percettibile dell'evento della salvezza del mondo. Parliamo allora della chiesa come motivo di credibilità. Infatti, quando il popolo di Dio, radunato nell'unità, è fedele alla sua vocazione alla santità e vive in pienezza la

vita di unione con Dio e di unione tra gli uomini, *attesta* con la sua stessa presenza che la salvezza annunciata e predicata dalla chiesa ha veramente visitato l'umanità per trasformarla e santificarla. In altri termini quando la vita di unità e di carità dei membri di Cristo è in accordo con il vangelo, tale vita diventa un segno non solo allusivo ma *espressivo* della realtà significata: manifesta visibilmente che la chiesa è veramente il luogo della salvezza in Gesù Cristo e che lo Spirito di Cristo abita davvero tra gli uomini. La chiesa diventa allora il segno visibile e storico dello Spirito di Cristo, principio invisibile dell'unità della chiesa.

L'idea che la presenza della chiesa nel mondo costituisca, nel corso dei secoli e con tutti i beni che rappresenta, un segno della sua origine divina, non è una scoperta del concilio Vaticano I. A dire il vero l'argomento è tradizionale nella chiesa. Ha le sue radici negli Atti in cui viene descritta la vita della comunità primitiva (At 2,44-45) e sembra trovare una sua prefigurazione nell'AT nella presenza del popolo di Dio, segno innalzato agli occhi delle nazioni. Fin dai primi secoli i Padri, soprattutto Ireneo, Tertulliano, Origene e Agostino, adducono a favore del cristianesimo la sua diffusione miracolosa, la costanza dei martiri, il fulgore della sua santità. L'argomento viene in seguito sviluppato dal Savonarola nel secolo XV, da Bossuet e da Pascal nel secolo XVII, da Fénelon nel secolo XVIII, da Balmes, Lacordaire, Bautain e Dechamps nel secolo XIX e, immediatamente prima del Vaticano I, da J. Kleutgen e J.B. Franzelin. Il → Vaticano I ha sancito con la sua autorità il valore di questo segno, dandogli la più importante, anche se non definitiva, formulazione. «La Chiesa – dice il concilio – a causa della sua mirabile propagazione, della sua eminente santità, della sua inesauribile fecondità in tutti i beni, a causa della sua unità cattolica e della sua invitta solidità, è *in se stessa* un grande e perpetuo motivo di credibilità e una testimonianza inconfutabile della sua missione divina» (DS 3013-3014).

Il procedimento suggerito dal concilio è dunque diverso da quello *storico* che poggia sulla fondazione della chiesa a opera di Cristo e sulla continuità di tale chiesa nell'attuale chiesa cattolica. In altri termini, non si tratta della cosiddetta via delle note della chiesa (vedi più avanti), che consiste nel riconoscere alla chiesa attuale le proprietà essenziali ed esclusive conferite da Cristo all'istituzione che ha fondato. Si tratta piuttosto di un procedimento *empirico* che ha come punto di partenza la chiesa come fenomeno spazio-temporale osservabile e insolito. Secondo la via delle *notae* si tratta dell'essenza della chiesa di Cristo. Nella via proposta dal Vaticano I, si tratta direttamente dell'immagine della chiesa, degli aspetti del suo essere quali si manifestano anche all'osservatore non credente, senza far richiamo alla fondazione storica della chiesa ad opera di Cristo.

Enumerandoli, il concilio propone cinque aspetti osservabili appartenenti al fenomeno chiesa, cioè la sua *mirabile* diffusione, l'*eminente* santità, la fecondità *inesauribile*, l'unità *cattolica,* l'*invitta* stabilità. I cinque attributi che accompagnano i sostantivi insistono sul carattere non comune di queste manifestazioni. La chiesa appare nel mondo come fenomeno insolito, eccezionale, miracoloso. Tali aspetti non vanno considerati isolatamente ma insieme e qualitativamente. Come nel caso di Cristo, si tratta di una convergenza *multiforme.*

La formulazione del Vaticano I non pretende di essere definitiva o al riparo da ogni critica. Anzi, possiamo chiederci se tale formulazione abbia una sufficiente coscienza della complessità reale del segno chiesa. Tale

segno infatti è più ambiguo e infinitamente più difficile da presentare di quanto non lo sia il segno Cristo. L'unità della chiesa è reale ma è un'unità ferita, che deve essere restaurata, protetta e sempre perfezionata; la sua stabilità è sempre minacciata; la sua cattolicità è sottomessa a eterne tensioni; la sua santità sorge in terra di peccato. La formulazione del Vaticano I va indubbiamente compresa nel contesto sociale del secolo XIX in cui la chiesa era concepita come società perfetta, autonoma, trascendente, sfuggente alle vicissitudini delle società umane. Certamente tale formulazione si lascia appena sfiorare dal sospetto che il segno chiesa assomigli a un *tessuto di paradossi* che fanno della chiesa un enigma di cui bisogna trovare la chiave. La chiesa del Vaticano I sembra una chiesa astratta, ideale, dagli attributi assoluti, invece che una comunità di fedeli itinerante, fragile, peccatrice. Gli aggettivi uniti alle caratteristiche della chiesa (mirabile, eminente, inesauribile, invitta) sono nell'ordine dell'intensità più che del paradosso. Quindi la descrizione del Vaticano I è poco efficace in teologia fondamentale, soprattutto nel contesto del secolo XX.

Per questo il Vaticano II, sensibile a questa diversità di contesto, ha modificato le prospettive e la formulazione, pur mantenendo la realtà del segno. Effettivamente il Vaticano II fa spesso allusione al testo del Vaticano I, ma senza mai citarlo interamente. Va anche notato che nei passaggi in questione il segno chiesa si trova ricondotto in pratica al segno dell'unità nella carità. La chiesa è segno dell'evento della salvezza tra gli uomini nella misura in cui riflette nel nostro mondo l'unità d'amore della vita trinitaria. Inoltre il Vaticano II, con un processo di personalizzazione che si estende a tutta l'economia della rivelazione e della sua trasmissione, parla di → *testimonianza* personale e comunitaria, là dove il Vaticano I parla degli attributi miracolosi della chiesa. Chi fa capire agli uomini che la chiesa è il luogo della salvezza sono le persone stesse con la loro vita santa; sono le comunità cristiane con la loro vita di unità e carità; è tutto il popolo di Dio con la sua vita in accordo al vangelo.

2. ALLA RICERCA DI UNA VIA DI APPROCCIO - Indubbiamente il segno chiesa è stato valorizzato dagli ultimi due concili, sebbene le prospettive e la formulazione siano diverse dall'uno all'altro: formulazione più teorica nel Vaticano I, personalista e di tono più discreto nel Vaticano II.

Resta il fatto, dobbiamo ammetterlo, che proviamo un certo imbarazzo nel proporre il segno chiesa agli uomini del nostro tempo. Grazie infatti a una pubblicità che fa del minimo avvenimento locale un avvenimento mondiale, conosciamo meglio le debolezze delle istituzioni e degli uomini della chiesa. Sappiamo dalle riviste, dai giornali, dalla radio e dalla televisione le critiche di cui la chiesa è quotidianamente oggetto. Siamo anche più sensibili agli errori storici della chiesa e ai suoi atteggiamenti talvolta di dubbia sincerità.

Nello studiare la chiesa come motivo di credibilità scartiamo due approcci che ci sembrano inadeguati per motivi tuttavia diversi. Scartiamo l'approccio *comparativo* (almeno come approccio diretto) consistente nell'accostare la chiesa ad altre comunità religiose (comunità cristiane separate o grandi religioni storiche: → buddhismo, → induismo, → islam) e nel dichiarare che la chiesa manifesta, rispetto a queste comunità, una superiorità senza pari soprattutto a livello dell'unità, dell'universalità, della durata e della santità. Questo approccio suppone evidentemente il riconoscimento di elementi di salvezza e di chiesa al di fuori della comunità cattolica. La chiesa vi rappresenterebbe

tuttavia un'eccellenza, una pienezza di santificazione e di salvezza che non sembra realizzarsi in tale grado nelle altre comunità di salvezza. Questa via ci sembra complicata, poco soddisfacente ed esposta a rischi molto gravi. In particolare, essa difficilmente sfugge all'accusa di ignoranza, di inesattezza, di partito preso e anche di ingiustizia, poiché si è sempre tentati di minimizzare i fatti riscontrati per far brillare comunque la superiorità cattolica. Riteniamo che questo approccio abbia soprattutto valore confermativo.

Scartiamo anche l'approccio della *trascendenza*, almeno così com'è formulata dal Vaticano I, che vede nella chiesa un fenomeno di superamento analogo, nell'ordine morale, a quello del miracolo fisico e che attesta direttamente l'origine divina della chiesa e della sua missione. Descrivere all'uomo contemporaneo la *mirabile* diffusione, l'*eminente* santità, l'*inesauribile* fecondità, l'unità *cattolica*, la stabilità *invitta* della chiesa significa provocare inutilmente un'allergia incontrollabile. Sarebbe impossibile allontanare da sé il fantasma di una chiesa trionfante.

Proponiamo allora un approccio per via di *intelligibilità interna,* di *ricerca di* → *senso.* Questo metodo ha come punto di partenza non gli attributi assoluti e gloriosi della chiesa, ma i *paradossi* e le *tensioni* che la costituiscono nella sua realtà concreta. Esso cerca di comprendere questi paradossi e tensioni in se stessi e nei loro reciproci rapporti, collegandoli anche alla spiegazione che la chiesa propone di se stessa. La coerenza della spiegazione proposta, rispetto ai fatti osservati (natura e dimensione), induce a pensare che la testimonianza della chiesa sia veritiera: essa è veramente tra gli uomini segno della salvezza in Gesù Cristo. L'intelligibilità del *fenomeno* è nel *mistero attestato.* Non partiamo dunque dagli attributi miracolosi della chiesa: la sua trascendenza appare piuttosto come la chiave di intelligibilità per comprendere il fenomeno nella sua totalità e complessità.

Possiamo quindi distinguere nella chiesa almeno tre grandi paradossi: dell'*unità*, della *perennità,* della *santità.* Tali paradossi non sono semplici. Ognuno di loro infatti è costituito da un insieme di *tensioni*, tra cui alcune abbastanza forti, da far esplodere qualunque società che dovesse subirle e affrontare nello stesso tempo la prova della durata. Questo insieme di *paradossi* e di *tensioni* fa della chiesa un segno enigmatico di cui bisogna trovare la cifra o la chiave di comprensione.

Con l'esistenza simultanea di tratti apparentemente tra loro incompatibili agli occhi dell'esperienza e della storia umane, e in essa tuttavia armonizzati, la chiesa evoca qualcosa dei grandi paradossi della presenza di Cristo nel mondo: semplicità e autorità, umiltà e inaudita pretesa da parte di colui che si dichiara Figlio del Padre, giudice escatologico senza peccato e tuttavia avente più di chiunque altro il senso del peccato e della sua universalità. La chiesa, come Cristo, è un enigma da decifrare.

3. Paradosso e tensioni dell'unità - Il primo dei grandi paradossi della chiesa è quello dell'*unità.* A uno sguardo superficiale l'unità della chiesa si riduce a quella del battesimo, del credo e dell'autorità. In realtà tale unità ricopre molteplici e prodigiose tensioni. Vi furono epoche nella storia della chiesa in cui la teologia sottolineò l'unità cattolica, ma senza troppo percepirne la complessità. La nostra è più sensibile alla diversità e alla complessità di cui tale unità è costituita.

a. *Una unità complessa* - Un primo fatto osservabile nella chiesa è che la sua unità non è un'unità qualsiasi, superficiale, ma un'unità di complessità. La fede cattolica infatti non è

solo un vago atteggiamento religioso, sentimentale e poco esigente, né è semplicemente l'adesione a un certo numero di pratiche esteriori, ma è una fede in misteri sconvolgenti per la ragione umana: Trinità, incarnazione, divinizzazione dell'uomo, risurrezione corporale, ecc. Questa unità di complessità è anche un'unità di *esigenza* che invita l'uomo a sottomettere alla parola di Cristo non solo gli atti esteriori ma anche i pensieri più segreti, i desideri più intimi. È l'esigenza di una preferenza che può giungere fino all'eventualità del → martirio.

Ora, malgrado questa unità di *complessità e di esigenza*, la chiesa ha accolto e incorporato moltitudini di generazioni nel corso dei secoli. Questa appartenenza alla chiesa, che generalmente si accompagna a una profonda integrazione delle personalità, fonda una «comunione» tra tutti i suoi membri, per quanto sconosciuti o isolati nello spazio e nel tempo. Secondo la testimonianza dei fedeli stessi, il principio di questa coesione, di questa comunione della chiesa è l'unione di tutti i membri a Cristo e al suo Spirito.

b. *Fedeltà e attualizzazione* - Parola rivolta a un determinato ambiente, in un momento preciso del tempo, la rivelazione deve tuttavia incontrare gli uomini di tutti i tempi nella loro situazione storica, ogni volta unica, e rispondere ai loro problemi, alle loro inquietudini per indirizzarli a Dio (→ Teologia fondamentale, II). La chiesa deve essere attenta alla parola di Dio e alla voce dei tempi.

La chiesa può essere infatti vittima del ristagno, dell'immobilismo o delle forme passeggere della moda e del tempo. Certamente è inevitabile la tensione tra il dato pacificamente posseduto e il necessario adattamento al presente e all'imminente futuro. La chiesa è condannata a vivere nella precarietà; infatti una chiesa che vive nella speranza inventa costantemente l'avvenire nel presente e inventa oggi la sua fedeltà di domani.

Di fatto, la chiesa manifesta nella sua predicazione la volontà di non perdere nulla del messaggio ricevuto, di non alterarlo, ma, nello stesso tempo, riconosce l'obbligo di comprendere il vangelo con una freschezza tutta nuova per attingervi risposte inedite a problemi inediti. Essa deve, dichiara l'*Ecclesiam Suam*, «inserire il messaggio cristiano nella circolazione di pensiero, di cultura, di usanze, di tendenze dell'umanità, così come oggi vive e si agita sulla faccia della terra».

Non è uno degli aspetti minori del paradosso dell'unità della chiesa il fatto che essa sia fedele al passato senza esserne schiava; che manifesti una uguale e tenace volontà di fedeltà all'unico messaggio della fede e nello stesso tempo voglia attualizzare questo messaggio per rispondere alle questioni di ogni epoca.

c. *Unità di fede e pluralismo teologico* - Al problema dell'attualizzazione della parola è intimamente legato quello dell'interpretazione della fede e della pluralità delle espressioni che traducono la sua intelligenza. In che misura la fede cattolica è in grado di far posto a un certo pluralismo teologico?

Il → pluralismo è una questione reale ed è sempre esistito. Vi è già, a livello della rivelazione, se non proprio pluralismo almeno pluralità e complementarità di prospettive nella presentazione dello stesso mistero. Così esiste un approccio sinottico, giovanneo e paolino al mistero di Cristo. Quando inizia la riflessione teologica e non più la rivelazione, il «pluralismo» è ancor più evidente. All'epoca della patristica i problemi dell'inculturazione del vangelo hanno suscitato presentazioni molto diverse per linguaggio e orizzonti filosofici. Nel medioevo si formano le scuole, proliferano e si oppongono tra loro: tomisti, scotisti, suareziani.

Il pluralismo teologico deriva da molteplici fattori: a) *Mentalità e ambiente culturale* diversi. Così l'Oriente ha sviluppato una ecclesiologia della comunione mentre l'Occidente ha elaborato un'ecclesiologia dell'istituzione. b) *Opzioni filosofiche di base*: platonismo, aristotelismo, personalismo, esistenzialismo. c) *Intuizioni e preoccupazioni iniziali* che generano di conseguenza sistematizzazioni diverse: domenicani, gesuiti, carmelitani, francescani, benedettini. d) Oggi a motivo di *linguaggi e procedimenti* propri alle diverse discipline (esegesi, storia, semiotica, ecc.), la teologia contemporanea presenta una forma sempre più complessa e diversificata. e) Oggi più che mai la teologia vuole essere *in contesto* (→ Teologie, VII) *situata* in una determinata area culturale, più attenta alla → gerarchia delle verità.

Una volta ortodossi ed eterodossi potevano affrontarsi e contraddirsi, ma nello stesso tempo, identificarsi e identificare i motivi del loro disaccordo. Oggi non è più così. Ci troviamo di fronte a teologie che si dicono cristiane ma che costituiscono un universo diverso. Come situare → Bultmann rispetto alla teologia cattolica o alla fede cristiana? Vi ritroviamo un vocabolario cristiano di non facile comprensione a causa del suo stile radicale.

Il pluralismo teologico è inevitabile; è anche un fatto positivo e il Vaticano II ne risconosce la legittimità e fecondità (UR 17; GS 62; LG 23; AG 22). Tuttavia è incontestabile che esso provochi una tensione continua che può giungere a un punto critico. In un pluralismo multiforme e multidirezionale c'è il rischio di dissolvere la visione fondamentale della fede, cioè la persona di Cristo Figlio di Dio in mezzo a noi. A questo punto l'unità rischia di esplodere. Possiamo allora legittimamente chiederci come può resistere senza dislocarsi e sparire una società sottoposta per secoli a simili tensioni.

d. *Unità ferita e volontà ecumenica* - È un fatto storico e non una semplice ipotesi che le tensioni interne all'unità possano giungere a un punto critico e compromettere l'equilibrio della chiesa.

L'unità della chiesa venne mantenuta per un lungo millennio. Poi conobbe due rotture storiche particolarmente gravi: lo scisma con l'Oriente nel 1054 e la riforma protestante di Lutero nel secolo XVI. Vi sono responsabilità comuni di queste rotture. Il decreto sull'ecumenismo lo riconosce apertamente: «comunità non piccole si sono distaccate dalla piena comunione della chiesa cattolica, talora non senza colpa di uomini d'entrambe le parti» (UR 3).

Sebbene la chiesa sia riuscita a conservare la sua unità interna, ciò non significa che non sia stata colpita da queste grandi fratture storiche. Se la tempesta non ha abbattuto la chiesa l'ha comunque indebolita e impoverita come l'albero al quale il vento strappa molti rami principali; essa ha talvolta compromesso il suo equilibrio. D'altra parte, le comunità separate non sono rami senza vita. Continuano a vivere dello Spirito di Cristo e del vangelo. Spesso esse hanno anche valorizzato più di noi i tesori che hanno conservato: senso della Scrittura e della parola di Dio, senso della trascendenza di Dio e della gratuità della salvezza nei protestanti; senso del mistero e della preghiera liturgica negli orientali.

La chiesa non si è rassegnata a questa ferita della sua unità. La fondazione di un Segretariato per l'unità nel 1960 e il decreto sull'ecumenismo del Vaticano II manifestano da parte della chiesa una ferma e sincera volontà di ristabilire il dialogo e la comunione con le chiese separate. I gesti di amicizia di Paolo VI nei confronti del patriarca Atenagora e dell'arcivescovo Ramsey – continuati

poi con frequenza dal suo successore Giovanni Paolo II – concretizzano questo atteggiamento espresso dai testi. Nel decreto sull'ecumenismo la chiesa cattolica assume la sua parte di responsabilità nelle grandi fratture storiche; riconosce le ricchezze della salvezza e della vita delle varie comunità; evita gli appellativi offensivi di scismatici ed eretici; parla di comunità ecclesiali o di chiese; invita tutti i fedeli alla conversione dei cuori e alla testimonianza di una vita santa.

La chiesa ha dunque coscienza che l'unità è stata ferita in parte per sua colpa e che tale divisione è scandalosa. Non si tratta quindi di un'unità trionfante e definitiva, ma di un'unità interna, reale e tuttavia attiva e supplicante non solo nell'incorporare nuovi membri, ma anche per ritrovare quelli che l'hanno lasciata: è un'unità spezzata che va restaurata e perfezionata. Se la chiesa non manifestasse questo dinamismo ecumenico, mancherebbe alla sua unità la consapevolezza della gravità delle fratture sopravvenute, così come la coscienza del precetto di Cristo «perché tutti siano uno» (Gv 17,21). Questa assenza di volontà ecumenica sarebbe la condanna della chiesa. Che invece la chiesa abbia coscienza delle proprie ferite e sia nello stesso tempo preoccupata di ritrovare la pienezza della sua unità è segno di una salutare tensione presente in essa.

e. *Unità e cattolicità* - Questi due sostantivi sembrano contraddittori. Unità infatti significa eliminazione degli elementi di diversità. In particolare, se un'unità vuole essere forte, consistente, diventa facilmente autoritaria, intransigente, centralizzatrice e sacrifica gli elementi di legittima diversità, oppure, per proteggersi, si trasforma in setta chiusa. La cattolicità al contrario significa accoglienza, comunione e ammette volentieri le divergenze sacrificando, se necessario, l'unità interna. La cattolicità è pronta a semplificare purché vi sia un denominatore comune, anche inferiore, che permetta di avvicinare la maggioranza.

Il paradosso è che la chiesa persegue a un tempo l'unità e la cattolicità. Non solo essa viene convocata e radunata (unità interna), ma, come testimonia la storia delle missioni, convoca anche tutti gli uomini della terra. Cerca di costruire, al di là della geografia terrestre, una nuova geografia che riunisca tutti gli uomini senza distinzione di lingua, colore, razza, istituzione. Edifica il corpo di Cristo, raduna i figli del Padre «battezzati in un solo Spirito» (1 Cor 12,13). La chiesa non si edifica contro gli uomini, ma in unione d'amore con tutti.

Ciò che è importante notare in questa universalità non è tanto il fenomeno (spazio conquistato e numero di adesioni), quanto la sua qualità. Si tratta di un'espansione che si unisce a una profonda trasformazione dello spirito e del cuore, partendo da un'opzione libera, ottenuta non con la forza delle armi, ma con una seduzione d'amore: l'amore di Dio in Gesù Cristo.

f. *Chiesa universale e chiese locali* - Unità e cattolicità sono causa di molteplici e multiformi tensioni anche all'interno della chiesa. Prima di tutto tensione tra *chiese locali*. Già il NT manifesta la coesistenza nella chiesa dell'unità e della pluralità. Vi sono chiese locali strutturate e relativamente autonome: la chiesa di Gerusalemme, di Corinto, di Antiochia, ecc.; e chiese *regionali*: Asia, Palestina, Grecia. Ancor più, certe chiese hanno un loro proprio vangelo: Marco per i romani, Matteo per i giudeo-cristiani; Luca per i greci; Giovanni per l'Asia minore. Vi è anche pluralità di lingue, costumi, mentalità. Unità non è uniformità. Esistono anche tensioni tra Gerusalemme e la diaspora, tra giudeo-cristiani e cristiani della paganità. Malgrado tale regionalismo le chiese conservano la comunione di fede e dei sacramenti, la comunione dei vescovi e la comunione fraterna. Ci sono chiese locali e tuttavia vi è anche comunione delle chiese.

Una simile tensione si manifesta tra le chiese *locali* e la chiesa *universale*, costituita dalla comunione di tutte le chiese ma non riducibile alla sola somma matematica di esse. Queste due linee di forza hanno conosciuto ravvicinamenti e sintesi nel corso dei secoli, ma anche concorrenze e opposizioni. Nella misura in cui la chiesa si è organizzata e strutturata come società, con un'amministrazione centrale e tutti i suoi organismi, con il suo diritto e i suoi giuristi, vi è stata tendenza a concepire le chiese locali come succursali della grande chiesa universale che è composta dall'insieme dei fedeli riuniti sotto l'autorità del papa. L'Occidente ha privilegiato nella chiesa l'aspetto di unità e di universalità, ma non prestando sufficiente attenzione alla diversità delle chiese locali. Al contrario, per l'Oriente l'unità di base è la chiesa locale che realizza pienamente l'essenza della chiesa riunita dalla parola, dall'eucaristia, dallo Spirito Santo e dal vescovo, fondamento di unità. La collegialità sta nel dialogo delle chiese locali. A questo sinergismo presiede il successore di Pietro.

È inevitabile la tensione tra un'ecclesiologia della chiesa universale e un'ecclesiologia delle chiese locali, tra primato del papa e collegialità dei vescovi. È vero che la chiesa è dotata di tutti gli organismi capaci di assicurare nello stesso tempo l'unità e la diversità. Così la funzione del primato è mantenere l'unità, mentre la collegialità garantisce l'universalità nella pluriformità delle chiese locali e salvaguarda con ciò la comunione dei vescovi tra loro e con il papa.

Rimane tuttavia inevitabile una tensione dialettica, impossibile da risolvere totalmente, tra unità e diversità. Una preoccupazione esagerata di unità conduce all'autocratismo e al livellamento; un eccesso di diversità porta alla disintegrazione dell'unità e all'anarchia. Bisogna che ci sia unità senza uniformità, pluriformità senza divisione. Questo movimento pendolare tra chiesa universale e chiese locali, tra primato e collegialità, appartiene alla realtà stessa della chiesa. Le prescrizioni più preveggenti del diritto canonico non giungeranno mai a impedire inevitabili conflitti. Il paradosso è piuttosto il fatto che la chiesa sopravvive a tensioni così numerose.

g. *Unità interna e unità missionaria* - L'unità spetta alla chiesa come dono di Cristo alla sua sposa. Tuttavia tale unità richiede di dilatarsi alle dimensioni della terra e di abbracciare tutti i secoli. Questa unità dinamica, missionaria, della chiesa non è semplice proselitismo, desiderio di crescita numerica, ma è un'esigenza di natura. La chiesa non sarebbe se stessa, cioè «sacramento universale di salvezza» (LG 9.13.48; AG 1), se si manifestasse a un solo continente, a una sola nazione. Non manifesterebbe visibilmente la sua vera natura. Se la chiesa non fosse una, non sarebbe il nuovo popolo di Dio che Cristo è venuto a riunire; e, d'altra parte, se non fosse missionaria, non sarebbe più sacramento di salvezza per tutti gli uomini.

La storia dimostra che, di fatto, l'attività missionaria è uno degli aspetti dominanti della chiesa, sebbene si possano distinguere nella storia tempi forti e tempi deboli che assomigliano alla morte.

Il primo secolo, grazie al prodigioso slancio dato dagli apostoli, in particolare da S.Paolo, è contemporaneamente la primavera della chiesa e della missione. Il secolo III e l'inizio del IV segnano l'evangelizzazione dell'Africa. A partire dal secolo VII, si verifica un rallentamento a causa della barriera dell'islam e anche a causa dell'ignoranza in cui ci si trovava rispetto al Nuovo Mondo. Alla fine del

secolo XVI si verifica l'esplosione missionaria in seguito alle grandi scoperte e alla riforma di Trento: nelle Indie, in Cina, in Giappone, nelle Filippine e nelle due Americhe. Il secolo XVIII è un tempo morto a causa delle persecuzioni e della soppressione della Compagnia di Gesù. Nel secolo XIX l'attività missionaria conosce slancio con la fondazione di più di venti comunità missionarie. Nel secolo XX si assiste a una flessione dovuta alla crisi delle vocazioni così come all'atteggiamento poco illuminato di certi teologi che, con il pretesto di valorizzare la grazia salvifica universale, sono giunti a mettere tra parentesi la necessità di una chiesa «in missione». Il decreto del Vaticano II sull'attività missionaria della chiesa e una riflessione più approfondita sulla missione, sull'→ inculturazione, sulle diverse forme e fasi del processo di → evangelizzazione ridanno vita all'unità dinamica della chiesa.

h. *Unità cercata ma sempre fuggevole* - L'unità della chiesa deve sempre essere ripresa; è infatti sempre minacciata: dal di dentro per scandalo dei cattolici; dal di fuori a causa della persecuzione. Il compito di radunare gli uomini nell'unità della carità sembra sempre messo in scacco. L'azione dei cristiani sembra scontrarsi con la morte: non giunge mai a imporsi. La sua unità è *bisognosa*. Ma anche infaticabile. Infatti la chiesa non si stanca mai, non dispera mai, non cede mai allo scetticismo, nonostante il continuo ricominciare imposto dalla guerra, dalla persecuzione, dalla pigrizia o dal tradimento degli uomini. La chiesa non rinuncia mai. Essa si situa a mezza strada tra l'utopia e la disperazione. Tende a «ricapitolare» tutti i popoli, riprendendo il suo compito in ogni secolo. Cento volte avrebbe avuto ragione di disperare e abbandonare tutto. Si pensi agli sforzi della chiesa per impiantarsi in Cina per poi vedersene subito scacciata. Contraddetta, respinta, rifiutata, schernita, scacciata, la chiesa ricomincia e si dedica, attraverso le stesse vie dell'amore, con paziente accanimento, all'edificazione del corpo di Cristo.

i. *Un paradosso che interroga* - Questa unità di complessità e di esigenza, fondata sulla libertà e sull'amore; questa unità che è al tempo stesso fedeltà al messaggio di Cristo e attualizzazione costante per restare in ascolto del mondo e dei suoi appelli; questa unità di credo nella pluralità delle prospettive, delle formulazioni, delle sistematizzazioni; questa unità ferita ma seguita da pentimento, da riforma e da tentativi di ristabilire la comunione con le chiese separate; questa unità nella cattolicità, malgrado tutti i particolarismi; questa unità della chiesa universale nella pluriformità delle chiese locali; questa unità interna, ma nello stesso tempo missionaria; questa unità precaria, sempre minacciata e tuttavia mai scoraggiata che continua da due millenni: tutto ciò costituisce un *paradosso*, un *enigma*. Tutte le tensioni elencate appartengono al fenomeno chiesa: tutte sono osservabili e sottoposte allo sguardo del testimone. Una sola tra loro sarebbe sufficiente a provocare l'esplodere della chiesa. E tuttavia la chiesa resta. Di Cristo si diceva: «Chi è costui?». Della chiesa si può dire: «Che realtà è questa?»

4. PARADOSSO E TENSIONI DELLA TEMPORALITÀ - Nell'incontro con il tempo e con la storia la chiesa è costantemente minacciata da due pericoli di cui c'è da chiedersi quale sia il più grave: un inserimento troppo profondo nella storia o una mancanza totale di inserimento. Da una parte, infatti, la chiesa si deve inserire nella vita degli uomini: deve incontrarli a livello dei loro problemi, coglierli nel loro ambiente di vita e di lavoro, nelle strutture che li uniscono. Ora, questo inserimento è insieme una forza e una minaccia per la chiesa. Infatti

più la chiesa si inserisce nella storia di un'epoca, ne adotta il ritmo, le strutture, i modi di pensiero e di azione, e più rischia di perdere la propria identità e di sprofondare con essi. D'altra parte, se per sfuggire ai rischi della temporalità, la chiesa si isola dal mondo per vivere in un ghetto, rischia di non comprendere più gli uomini ai quali si rivolge, di parlare un linguaggio per loro indecifrabile e dunque di perderli. Rischio di una chiesa assorbita dalla temporalità e da questa diretta, o rischio di una chiesa tagliata fuori dal mondo e alla fine ridotta al silenzio: la storia attesta che questa duplice minaccia ha sempre gravato sulla chiesa. Vediamo brevemente qualcuno dei momenti della storia della chiesa in cui la tensione tra un eccesso di inserimento e un'assenza di inserimento ha raggiunto un punto critico.

a. *La minaccia del giudaismo* - Il primo pericolo che la chiesa ha dovuto affrontare per divenire religione universale venne dalla stessa nazione in cui si trovano le sue radici. Fin dall'origine ha dovuto sormontare un duplice scoglio: la defezione dei giudeo-cristiani che sotto la pressione del nazionalismo giudaico rischiavano di ritornare al giudaismo; e d'altra parte la pressione dei pagano-cristiani che rischiavano di abbandonare la nuova fede, pur di non restare confinati nel quadro del giudaismo antico. Se la chiesa primitiva avesse dato ascolto ai giudaicizzanti, sarebbe rimasta una setta ebraica e sarebbe divenuta una curiosità storica come la setta degli esseni. Desolidarizzandosi dalla sinagoga e dal giudaismo rigorista, la chiesa ha superato il primo grande pericolo.

b. *Il peso dell'impero romano* - Dopo essere sfuggita al pericolo di un inserimento eccessivo nel suo ambiente d'origine, la chiesa deve affrontare le persecuzioni, soprattutto da parte del paganesimo dell'impero. Per quasi tre secoli, nell'alternarsi di periodi di relativa calma, la chiesa vive in un clima di ironia o di sospetto e di odio. Questa costante minaccia spiega la semi-cancellazione volontaria della chiesa dalla vita ufficiale dell'epoca. L'opinione e la legge l'obbligano a vivere ai margini della società. Tuttavia, sebbene la vita cristiana non possa manifestarsi apertamente nella vita pubblica, non è per questo meno fortemente attiva. Si conquista le persone a una a una. Pervade la società a tutti i livelli. Ne trasforma l'anima. Verrà un giorno in cui l'impero si riconoscerà cristiano.

Storicamente questo mutamento di situazione coincide con l'editto di Milano del 313 che pone fine alle persecuzioni e che riconosce ufficialmente la chiesa. Ormai libera, la chiesa si inserisce nella vita dell'impero. Cresce con esso, ne accetta la protezione e lo sostiene. Condivide la credenza universale sull'eternità della civiltà romana e dell'impero. Situazione compromettente. Associandosi alla politica centralizzatrice e totalitaria dell'impero, la chiesa viene spinta verso il pericolo dello statismo cristiano. Essa rischia di essere la prima vittima della protezione dell'imperatore: catene dorate, ma sempre catene. Nella sua struttura la chiesa adotta le strutture della società civile. Sede civile e sede ecclesiastica sono intimamente legate e godono di uguale prestigio. Così quando la sede dell'Impero si sposta da Roma a Costantinopoli, quella ecclesiastica d'Oriente diventerà rivale della sede pontificia romana. Questo legame tra la sede ecclesiastica e quella civile condurrà infine allo scisma dell'Oriente. Aggiungiamo che il cristianesimo, divenuto onnipotente grazie a Costantino e ai suoi successori, sarà a sua volta intollerante e persecutore: perseguita i pagani, assimilando lo scisma e l'eresia al crimine e facendoli quindi punire dallo stato. Appena liberata dall'oppressione la chiesa attraversa una prova ancora più temibile, quella della protezione dello stato, e diventa a sua volta oppressiva.

c. *Asservimento della chiesa ad opera del feudalesimo* - Identificata con l'impero, la chiesa sembrava dover morire con esso. Ora, nello stesso tempo in cui l'impero si inabissa, la chiesa incomincia, per un misterioso soprassalto, a evangelizzare i conquistatori e ad aprire ai popoli nuovi il cammino della salvezza. In meno di tre secoli coloro che erano chiamati barbari vengono conquistati al cristianesimo. A questo proposito ha valore di simbolo il battesimo di Clodoveo: in Occidente la chiesa desolidarizza dall'impero nel momento in cui questo si spegne. Nuovamente la chiesa si inserisce nella vita dei popoli, ma non senza correre un altro pericolo, forse il più grave della sua storia. La chiesa ha condotto i barbari al vangelo di Cristo. In cambio monasteri, chiese locali e santuari beneficiano della generosità dei grandi. I re condividono la loro autorità con i prelati che diventano prìncipi temporali. Tante ricchezze e onori, ben lungi dall'essere una forza per la chiesa, diventano il supremo pericolo. Dopo aver arricchito la chiesa il feudalesimo cercherà di assorbirla e di asservirla. In cambio del conferimento della dignità di prìncipi temporali, il re esercita un'autorità crescente sulla nomina dei vescovi e degli abati che sceglie tra i suoi amici più fedeli. Ancor più, per un secolo (a partire dal 962), i re di Germania si attribuiscono la nomina dei sovrani pontefici. La chiesa diventa una realtà annessa allo stato ed è vittima dell'ingranaggio feudale. La chiesa del feudalesimo scivola verso l'abisso. Avendo perso il potere di scegliere essa stessa i propri ministri e la gerarchia, dal papa al semplice sacerdote, essa non è più padrona del suo destino. Poiché il beneficio era divenuto più importante dell'ufficio, genera la simonia e l'immoralità. Signori più che vescovi, questi ultimi non hanno nessuna cura pastorale e lasciano marcire il popolo nell'ignoranza. La pratica sacramentaria esiste appena. I tempi sono maturi per l'eresia. Di fatto nel secolo XI esplode l'eresia albigese, unita a un pullulare di sette e di superstizioni. Forse mai come in questo momento la situazione della chiesa parve disperata; l'inserimento nelle strutture sociali e politiche dell'epoca è divenuto assorbimento da parte delle strutture stesse, perdita della libertà e rovina della sua dinamica spirituale.

d. *Grandezza e ambiguità della cristianità medievale* - La situazione era disperata. E tuttavia la chiesa si riprendeva e ricominciava a vivere. Il movimento partito da Cluny, abbazia benedettina del secolo X, grazie ai suoi abati, di cui molti furono autentici santi, si estende progressivamente ai monasteri di Francia, Italia, Spagna, Inghilterra e Portogallo. Fondata nel 910, Cluny conta nel 1100 più di 10.000 monaci, suddivisi in 1450 case disseminate in tutto l'Occidente. A poco a poco la riforma si irradia e si estende a tutta la cristianità, sostenuta e propagata da santi come Romualdo, Giovanni Gualberto, Pier Damiani, Bernardo e da papi come Leone IX, Gregorio VII, Urbano II. Gregorio VII fu il principale artefice di questa riforma. Uomo di energia ferrea, di zelo incandescente, egli comprese subito che per salvare la chiesa bisognava renderla *libera*. Dopo cinquant'anni di lotta la chiesa ottiene la libertà delle elezioni canoniche da quella del papa a quella dei dignitari inferiori.

Ormai libera nei confronti dei principi temporali, l'autorità del papa cresce di giorno in giorno. La chiesa tende a organizzarsi come monarchia fortemente centralizzata con la curia e i nunzi. Capo della cristianità, rivestito dello splendore imperiale, il papa decide sovranamente in mate-

ria di fede e di disciplina. Può giudicare l'imperatore, deporlo, scomunicarlo, svincolare i suoi sudditi da ogni legame di fedeltà nei suoi confronti. Non solo è sovrano dello Stato pontificio ma è anche signore di numerosi stati. La crociata è una guerra santa suscitata dal papa e da lui diretta. Essa fa di lui l'uomo più importante del suo tempo, il capo della cristianità e di tutto l'Occidente.

Così, per quasi tre secoli dal 1050 al 1350, la chiesa sembra essere riuscita a costruire sulla terra una dimora di Dio: la cristianità. Si costruiscono cattedrali, si parte per la liberazione del santo Sepolcro, si lotta contro l'Islam, ci si lancia alla conquista del nuovo mondo. La crescita degli ordini monastici è qualcosa di stupefacente: cistercensi, premostratensi, francescani, domenicani. È l'epoca delle grandi sintesi teologiche di Bonaventura e di Tommaso, l'epoca di Dante e di R. Bacone. Ma in questa società il non credente non aveva più spazio di quanto ne avesse il cristiano nel sistema pagano. L'eretico era trattato come un traditore. Dopo essere stata dominata dallo stato, la chiesa diviene essa stessa dominatrice. L'eredità del medioevo fu pesante. Sprofondò la chiesa in una grande ambiguità. Poiché le attività umane e profane si svilupparono all'insegna della chiesa, questa si trovò solidale con tutto ciò che si faceva in suo nome. La chiesa ha impiegato secoli a dissipare le ambiguità create da una simile situazione sul piano della guerra, della scienza, della politica, della filosofia, della teologia. Le crociate, l'inquisizione, Copernico, Galileo, Cartesio, Pascal, Leibniz, sono altrettanti fatti e nomi che esprimono questa situazione ambigua, talvolta dolorosa e tragica.

e. *Le nazioni moderne e il neocesarismo* - A partire dal secolo XIV il potere dello stato, in parte eclissato dalla potenza universale e dominatrice del papato medievale, ritrova, a livello delle nazioni, un'autonomia e poi un'autorità che diventano presto assolute e infine aggressive e ostili. Tanto più per il fatto che lo slancio della chiesa subisce una flessione in tutti gli ambiti. La crociata appartiene al passato. Lo zelo dei costruttori di cattedrali diminuisce. La teologia si ripete e perde creatività. Il gusto del lusso corrompe il clero e anche gli ordini religiosi. E soprattutto l'unità della cristianità comincia a disgregarsi. La grandiosa immagine di una società intellettualmente e religiosamente unita, che si serviva del latino per la liturgia e per le sue scuole, è in pieno declino. Parigi non è più l'unico grande centro universitario. Oxford, Praga, Salamanca, Coimbra gli fanno concorrenza. La vita intellettuale ha cessato di essere monopolio dei chierici. Le lingue nazionali fanno concorrenza al latino e si impongono sempre più nell'insegnamento come nella produzione letteraria.

L'era dei *nazionalismi* è aperta e la chiesa deve tenerne conto. È nel quadro delle nazioni che la chiesa deve perseguire il proprio compito e inserirsi. Nuovo inserimento che comporta nuovi pericoli. Soprattutto in Francia e in Spagna, all'interno del regime centralizzatore e autoritario del re, vice-Dio, la chiesa è un ingranaggio dello stato. Dal 1516 i vescovi sono nominati dal re, dotati di benefici, sono signori, duchi, pari, consiglieri del re. Una volta di più, dopo essersi inserita nella vita delle nazioni, la chiesa ne viene sottomessa. Questa tutela del clero in pratica separa quest'ultimo da Roma. Il movimento pendolare gioca in favore dello stato.

f. *Rinascimento, umanesimo e inserimento culturale* - Più di un semplice ritorno allo studio delle lettere e delle arti antiche, il Rinascimento designa una rivoluzione che raggiunge la società occidentale a tutti i livelli: sociale, morale, estetico, filosofico. Esso caratterizza un'epoca (dal secolo XIV al secolo XVI) e si definisce come un nuovo slancio dello spirito in opposizione all'epoca e alla società medievale. Il Rinascimento non è ancora un totale affrancamento dell'uomo nei confronti di Dio e del messaggio cristiano, ma è una veemente affermazione dell'uomo e dei valori che gli sono propri.

L'*umanesimo* è la componente letteraria e culturale di questa rivoluzione. Si propone di formare l'uomo (il grammatico, l'oratore, il poeta, il pedagogo, il filosofo) con la letteratura classica latina e greca. L'umanista si caratterizza per il culto delle lettere, l'amore della saggezza, la fiducia nell'uomo, la preoccupazione di unire cultura e pietà. Non rifiuta il peccato o la grazia, ma sottolinea tutto ciò che vi è di bello e buono nell'uomo. Preso nell'insieme, il movimento umanista non è pagano e non lo si può rendere direttamente responsabile dell'immoralità del Rinascimento, che esisteva ben prima e proliferava in ambienti del tutto estranei alla cultura umanista. Bisogna tuttavia riconoscere che gli umanisti, lasciando coesistere in sé l'ideale cristiano e l'ideale pagano, si trovavano in una permanente ambiguità.

Da parte sua, la chiesa ha avuto ragione di associarsi al movimento culturale del suo tempo e di mantenere i contatti con l'élite. Sfortunatamente non ha saputo resistere agli elementi dissolutori che questa cultura veicolava. Con l'arte e il culto dell'antichità, essa ha assorbito anche lo spirito dell'antichità e si è lasciata conquistare da uno stile di vita in cui i valori dominanti sono quelli del denaro, del lusso, del fasto e del piacere. I disastrosi effetti di questo cambiamento si manifestano negli stessi papi. Per cinquant'anni, con Sisto IV, Innocenzo VIII, Alessandro VI, la corte pontificia dà esempio dei maggiori scandali e del fasto provocatorio. La chiesa tocca il fondo dell'immoralità e del crimine. È l'epoca in cui i veleni e i pugnali agiscono con sorprendente efficacia. In questo periodo, a Firenze, Savonarola reclama la riforma e annuncia il castigo di Dio sulla chiesa adultera. I pellegrini che passano da Roma tornano nei loro paesi profondamente nauseati dalla venalità, dallo spirito del lusso, dalla cupidigia e dalla dissolutezza degli uomini di chiesa e degli stessi papi. Lo scandalo della Roma pontificia getta su tutta la chiesa un immenso discredito.

La riforma verrà ma in ritardo, dopo iniziative che sfuggiranno al controllo della chiesa e si concluderanno con il dramma di Lutero e la perdita di mezza Europa. La chiesa si è inserita nella cultura e nello stile di vita del Rinascimento, ma al punto di sprofondarvi.

g. *Il secolo XIX e la mancanza di inserimento* - Dopo un periodo di eccessivo inserimento nella cultura e nella vita politica delle nazioni, la chiesa, nel secolo XIX e all'inizio del XX, conosce un nuovo e più sottile pericolo: quello di una mancanza di inserimento. Per un secolo e mezzo infatti la chiesa è come estranea al mondo e di conseguenza perde in velocità. Nei confronti della filosofia e della scienza moderna essa sviluppa uno strano e doloroso complesso di inferiorità. Si trova di fronte a una civiltà che la sconcerta, anzi la inquieta. Diffida delle nuove idee. Si appoggia alla borghesia che rappresenta la nuova forma di potere, ma nello stesso tempo perde le classi operaie.

D'altra parte, nel corso del secolo XIX, l'irreligiosità guadagna in estensione e profondità. Diventa settaria, aggressiva, determinata a eliminare non solo Cristo e la chiesa ma Dio stesso. Tutto l'umanesimo del secolo XIX è ateo. Frutto di un'evoluzione iniziata con il Rinascimento questo atteggiamento si è sviluppato nel secolo XVIII e venne formulato nel secolo XIX dalla filosofia e dagli scritti di Hegel, Feuerbach, Karl Marx, Comte, Taine e Littré.

Di fronte a questa montante marea del razionalismo la chiesa disponeva solo di un' → apologetica che ha più buona volontà che solidità. Polemica e mal equipaggiata a livello scientifico, essa corre al rimedio più urgente: tappa i buchi. Per rispondere alla critica storica dell'epoca ci sarebbero volute un'esegesi, una filosofia e una teologia vigorose. La scienza cattolica del secolo XIX è invece decadente e debole. La chiesa è in ritardo e incapace di fare la sintesi tra vecchio e nuovo. Può solo opporre un rifiuto categorico alle tesi del razionalismo. È incontestabile che nelle idee laiche del secolo XIX (libertà, uguaglianza, democrazia, separazione della politica dalla religione, critica storica e letteraria) vi fossero, insieme a ingredienti dubbi, elementi validi e assimilabili. Ma di fronte agli attacchi la chiesa ha rifiutato tutto in blocco. Per quasi un secolo ha moltiplicato le condanne.

Si possono certamente trovare spiegazioni all'atteggiamento della chiesa. Ma il fatto resta: davanti al mondo in costruzione, la chiesa del secolo XIX attua un movimento di ripiegamento. Si isola progressivamente. Dopo essere stata troppo coinvolta nelle strutture sociali, politiche e culturali del passato, ora corre il rischio di non impegnarvisi più abbastanza, di non farsi più capire dal mondo che deve portare al vangelo e di interrompere ogni dialogo con esso. Concentra la propria vita in se stessa e su di sé ed è sempre più *assente* rispetto al mondo, sempre più isolata e di conseguenza senza vero impatto sul mondo. La mancanza di inserimento è un rischio altrettanto grave, per la chiesa, dell'eccesso di inserimento.

h. *Il secolo XX: alla ricerca di nuove forme di impegno* - Dopo un lungo periodo di protesta contro il mondo moderno, seguito dall'isolamento, la chiesa del secolo XX ha operato, soprattutto dal Vaticano II in poi, una vera e propria conversione del proprio atteggiamento nei confronti del mondo. Conversione multiforme nelle sue manifestazioni. Da diffidente qual era, la chiesa è divenuta accessibile e accogliente: pensiamo ai gesti di Giovanni XXIII e di Paolo VI (all'ONU). È passata da una politica di prestigio a una politica di discrezione e perfino di oblio di sé. Precedentemente pretendeva di dare senza ricevere; di sapere tutto senza dover imparare nulla. Oggi essa riconosce di ricevere e imparare molto dal mondo. Riconosce il mondo come partner libero di un dialogo aperto. Riconosce le altre culture, le altre mentalità e ha fiducia in esse. Si ristabilisce il dialogo a lungo interrotto con i filosofi. La chiesa instaura anche il dialogo con le comunità cristiane separate, con le grandi religioni del mondo e persino con → l'umanesimo ateo contemporaneo.

Più cosciente della sua vera natura e del suo rapporto con il mondo, la chiesa del secolo XX è alla ricerca di nuove forme di impegno. Ricerca difficile, poiché il mondo in cui deve impegnarsi è esso stesso in ricerca: di un linguaggio, di nuove strutture sociali e politiche, di una nuova rappresentazione del cosmo. La chiesa deve impegnarsi in questo mondo in cui l'indefinito, l'imprevedibile è l'unico elemento definito. Inoltre la chiesa vive in un contesto culturale, civile, politico, scientifico, economico e artistico che non è più opera dei soli cristiani. I cristiani vivono in diaspora in un mondo secolarizzato. Quindi la vita di fede non è più questione di retaggio e di ambiente, ma di decisione personale, di incessante conquista. In questo nuovo mondo la chiesa deve essere chiesa di membri vivi, attivi, che portino in sé il vangelo e il suo spirito al centro delle loro occupazioni familiari, professionali e sociali. Una simile azione

appartiene a quel tipo di influenza che si definisce testimonianza, impegno di vita, e che si esercita infondendo e irradiando senso con la propria persona. Tale azione deve penetrare e vivificare tutti gli ambienti e tutti i livelli della società.

Anche questo impegno in un mondo secolarizzato comporta pericoli che possiamo discernere. Per esempio: riduzione del cristianesimo a una forma di umanesimo, con il pretesto dell'apertura al mondo; tendenza a fare dell'uomo la misura e il criterio delle iniziative di Dio; pericolo di ridurre Cristo ai rapporti degli uomini tra loro; di ridurre la religione all'etica; di mettere la gerarchia tra parentesi a vantaggio della base; di un relativismo generalizzato e di un'indifferenza pratica. L'impegno della chiesa nel mondo in formazione è ancora troppo poco definito per parlare con sicurezza della profondità di questi pericoli o del loro carattere transitorio.

i. *Un paradosso che ci interroga* - Così distinta dal mondo ma impegnata in esso e nella storia degli uomini, la chiesa non può sfuggire ai rischi della temporalità. Il problema dell'equilibrio tra un eccesso e una mancanza di inserimento nella storia è indubbiamente uno dei problemi più ardui che la chiesa deve risolvere; e se non è mai stata trovata una soluzione soddisfacente, è sicuramente perché non ne esistono affatto.

Detto questo, come spiegare la perennità della chiesa, nonostante che tutti questi rischi della temporalità la circondino come fattori di decadenza e di morte? Anche se ogni momento della storia può o poteva trovare una spiegazione coerente e plausibile nel contesto dell'epoca, come spiegare che le circostanze favoriscano sempre la chiesa permettendole di sopravvivere? Se si vuole ricorrere al caso, come spiegare che il caso giochi sempre in suo favore? Considerata in ogni sua tappa, la chiesa appare come una realtà improbabile, mancante, vulnerabile, superata, ammasso di rovine e di germi, occupata a venir meno e a rinascere. La chiesa resta un *enigma*. Avrebbe dovuto già essere morta da molto tempo. E tuttavia essa perdura. In ogni epoca non teme di impegnarsi in un mondo inedito, temibile, che fa pendere su di essa la minaccia dell'assimilazione e che rischia di trascinarla nella sua rovina.

Inserita e insabbiata nelle strutture della vita politica dell'impero romano, del feudalesimo, della cristianità medievale e delle nazioni moderne, la chiesa avrebbe dovuto andare a rotoli e morire insieme ad essi. Al contrario, negli ultimi secoli la chiesa, sempre più libera nei confronti del potere temporale, ma sempre più assente dal mondo come una gran dama di altissima nobiltà ma di un'altra epoca, avrebbe dovuto spegnersi in un isolamento peggiore della morte. Ora la cosa sorprendente e paradossale è che essa sussiste sempre e che trova sempre la forza di rinnovarsi e ringiovanirsi. Venti secoli non hanno avuto il meglio sulla sua vitalità. Nella storia umana così come la conosciamo, una simile perenne durata nel tempo costituisce un *autentico enigma*. Indubbiamente sappiamo, attraverso la fede, che la chiesa non morirà, poiché il principio della sua eternità non è l'uomo ma Dio e il suo Spirito. Tuttavia l'affiorare storico di questa azione è stupefacente. Infatti chiunque sia cosciente di tutto ciò che vi è di fragile e caduco nella storia umana, si meraviglia di come un'istituzione così *inserita*, così *impegnata* nella storia umana e sottomessa a così grandi *tensioni* per venti secoli, sia riuscita a conservare la propria identità e il suo dinamismo. Il *fenomeno* sembra proprio aprirsi sul *mistero*.

5. IL PARADOSSO PECCATO-SANTITÀ NELLA CHIESA - Il terzo e maggior paradosso della chiesa è quello della coesistenza in essa del peccato e della santità. È anche il paradosso che suscita più problemi, anche tra i credenti, poiché per molti è pietra d'inciampo, scandalo, puro non senso. Tuttavia i testi del magistero affermano con pari sicurezza la santità e il peccato della chiesa.

Santa è il primo attributo che si è unito al termine chiesa. Verso il 348, nel simbolo battesimale di Gerusalemme, il fedele dichiara la propria fede nella santa chiesa (DS 41). Nel 374 il simbolo di Epifanio dichiara anch'esso la chiesa santa (DS 42). Il simbolo di Nicea-Costantinopoli riprende a sua volta nel 381: «Crediamo nella santa chiesa» (DS 50). Più vicino a noi, il Vaticano II ripete che la chiesa è santa (LG 2.5.8.10.48). D'altra parte, con la stessa certezza il magistero dichiara che la chiesa è una chiesa pellegrina di peccatori, vulnerabile, assalita da tentazioni, costantemente bisognosa di penitenza e di riforma (LG 8.9.15.65; GS 43).

Le lettere di Paolo attestano che vi è già nelle comunità primitive mancanza di fede e di carità, c'è invidia, menzogna, cupidigia e impudicizia. Non vi si può sfuggire; a meno di non concepire la chiesa come un'ipostasi idealizzata, separata dai credenti stessi, bisogna dire che i peccati dei membri della chiesa sono i peccati del popolo di Dio e che i peccati dei cristiani colpiscono la chiesa stessa. Offuscano e infangano il corpo misterioso e santo di Cristo.

Quindi la chiesa è una comunione di peccatori e una comunione di santi. Nonostante il suo peccato, è chiamata santa e, sebbene santa, è segnata dal peccato. Secondo la suggestiva espressione dei Padri della chiesa, la chiesa è una *casta meretrix*: «una prostituta casta». Questo è il *paradosso*. Sorge da qui un problema: come può una chiesa offuscata dal peccato essere ancora *segno espressivo* della salvezza che annuncia? Non è piuttosto un antisegno, una contro testimonianza? Alcune considerazioni tratte dalla Scrittura e dalla riflessione teologica possono aiutare a «ridimensionare» il problema e a precisare il rapporto tra peccato e santità nella chiesa.

a. *Chiarimento della Scrittura* - Possiamo distinguere nella santità in senso biblico un duplice versante: 1. Solo Dio è santo e ogni santità viene da Dio. Il popolo di Dio è santo, la chiesa è santa, in quanto scelta, chiamata da Dio, consacrata a Dio e a Cristo con il battesimo. 2. Questa santità di iniziativa e di grazia divine richiede una santità di risposta da parte dell'uomo, cioè una santità etica. Queste precisazioni chiariscono già il paradosso peccato-santità della chiesa. Ci situano in un contesto personalista di gratuità e di amore da parte di Dio, di risposta libera e amante da parte dell'uomo.

Le *immagini* usate dalla Scrittura (popolo, sposa, corpo...) per descrivere il mistero della chiesa chiariscono ancor di più il suo paradosso peccato-santità.

Così il Vaticano II ha adottato l'immagine del *popolo di Dio* come immagine fondamentale per presentare la chiesa. L'immagine sottolinea l'iniziativa di Dio. Israele esiste solo in virtù dell'iniziativa graziosa e decisiva di Dio. È nato dal nulla ed è formato da coloro a cui Dio ha concesso la grazia. Elezione, salvezza, alleanza e legge sono puri doni. L'immagine sottolinea anche come la chiesa sia un popolo pellegrino, una carovana in marcia verso il regno escatologico. La chiesa è in *transito*. Poiché è in cammino, il popolo è sottomesso alle vicissitudini del tempo: è mancante e peccatore; ha costantemente bisogno di riforma e di perdono. Dall'esodo in poi il popolo di Dio mormora, è infedele. Ma questa immagine sottolinea anche che la chiesa si avvia verso una fine che sarà riposo e gioia.

Anche l'immagine dello *sposo e della sposa* insiste sull'iniziativa di Dio: è lui che per primo ha amato e scelto la Sposa. Le è rimasto fedele nonostante le sue infedeltà. L'immagine insiste anche sul carattere interpersonale delle relazioni tra Dio e la sua chiesa. Sottolinea il carattere di libertà nell'amore e di reciprocità nel dono. All'amore di iniziativa da parte di Dio deve corrispondere l'amore della chiesa; cosa sarebbe infatti un amore senza ritorno, senza reciprocità? Infine l'immagine insiste sui doni permanenti dello sposo alla sposa: vangelo, sacramenti, soprattutto lo Spirito. Nell'AT lo Spirito era un dono episodico; nel NT è un dono costante: è per questo che la chiesa non tradirà mai completamente il suo sposo.

Sebbene molto suggestiva, l'immagine del popolo di Dio non può esaurire tutta la ricchezza del mistero della chiesa. Possiamo dire che tale immagine costituisce l'elemento generico che serve a esprimere la continuità delle due alleanze. Ma lo statuto della chiesa nella nuova alleanza si esprime anche con l'immagine del *Corpo di Cristo*. Dal momento dell'unione della natura divina con la natura umana attraverso l'incarnazione e dalla risurrezione di Cristo, la chiesa è il corpo di Cristo. La chiesa è indissolubilmente unita a Cristo, poiché egli la ama come sua sposa e suo corpo. I membri possono liberamente sottrarsi all'influenza vivificante e santificante di Cristo e dello Spirito, così come la malattia può colpire un qualunque membro del corpo umano, ma niente può separare lo sposo dalla sposa. Niente può tarare o contaminare la fonte di vita che non cessa di vivificare il corpo di Cristo, poiché questa fonte è Dio stesso.

Notiamo in ogni immagine un aspetto di iniziativa, di vocazione, di chiamata e di santificazione attiva che viene da Dio. E, d'altra parte, un aspetto di libera risposta a questa iniziativa e a questa chiamata. L'unione e la comunione con il Dio santo richiedono uno stile di vita conforme a una vocazione così alta.

b. *Riflessione dei teologi* - Nelle ricerche della teologia contemporanea (vedi: C.Journet, A. de Bovis, H.U. von Balthasar, Y.Congar, K.Rahner, G.Martelet, H.Küng, ecc.) troviamo, pur con divergenze di prospettive, un certo numero di punti su cui l'accordo è sempre più saldo: 1. A meno di non concepire la chiesa come un'ipostasi irreale dobbiamo parlare di chiesa come popolo di Dio e dunque come assemblea di santi e di peccatori. 2. La caratteristica decisiva della chiesa tuttavia non è il peccato ma la santità, e questo in virtù dell'elezione della vocazione e dell'azione di Dio che, per mezzo di Cristo e dello Spirito, suscita la chiesa e non cessa di vivificarla. 3. La chiesa è soggettivamente santa nella sua totalità a motivo della fedeltà indefettibile che Cristo le ha meritato unendola a sé per sempre come sua sposa e suo corpo. 4. La chiesa partecipa al mistero generale della sacramentalità dell'economia cristiana; nonostante le sue miserie, essa resta sempre, alla fonte, strumento di salvezza per il mondo. 5. Nei suoi membri la santità etica dipende dalla risposta più o meno generosa che sanno dare. 6. La chiesa interamente pura e santa si realizzerà solo nell'escatologia.

c. *Un paradosso che interroga* - Non si può negare che la chiesa sia una comunità visibile, la cui testimonianza assume una forma non solo personale ma anche comunitaria. La qualità dei membri di tale comunità influenza la qualità della comunità stessa e la qualità dell'*immagine* che presenta al mondo. Se questa comunità vive del vangelo, contemporaneamente afferma l'azione su di sé del vangelo riconosciuto come valore supremo. Ne risulta un'*immagine* fedele a Cristo e al suo Spirito. Al contra-

rio, il peccato stabilisce tra i membri di una comunità rapporti interpersonali peccaminosi. Una comunità i cui membri sono divisi, egoisti, odiosi, crudeli, immorali, mentitori e ladri è giustamente detta peccatrice. Presenta il corpo e il volto del peccato. Costituisce un antisegno della salvezza poiché contraddice il vangelo che annuncia.

Non si può tacere o ridurre l'importanza di questo aspetto della chiesa. Infatti, in definitiva è l'immagine di sé che la chiesa offre al mondo a farne un segno espressivo e contagioso o un segno negativo della salvezza che predica. Sul piano della teologia fondamentale è dunque legittimo parlare di chiesa peccatrice precisando che si tratta dell'*immagine della chiesa* risultante dalla testimonianza comunitaria.

Ciò detto, quali sono allora questi *fatti* osservabili anche dagli uomini che sono fuori, e tali da suscitare lo stupore e far nascere il problema: se la salvezza è nel mondo non dovrebbe trovarsi in questa comunità che si dice fondata da Cristo per salvare gli uomini? In altri termini, quali sono le manifestazioni visibili di santità della chiesa che, malgrado il peccato dei suoi membri, possono attirare l'attenzione anche del non credente? Ecco alcuni di questi fatti: 1. La chiesa non cessa di predicare il vangelo e i mezzi della salvezza. 2. La chiesa non cessa di lavorare per elevare il livello morale della persona e dell'umanità. 3. La chiesa accoglie i peccatori. 4. La chiesa non cessa di proporre l'ideale della perfezione evangelica. 5. La chiesa non cessa di generare santi in tutte le epoche: Pietro e Paolo, Ignazio di Antiochia, Basilio, Gregorio, Atanasio, Agostino, Ambrogio, Bernardo, Benedetto, Chiara, Francesco, Domenico, Tommaso d'Aquino, Bonaventura, Ignazio di Loyola, Francesco Saverio, Vincenzo de' Paoli, Jean-Marie Vianney, Giovanni Bosco, Giovanni della Croce, Francesco di Sales, Teresa d'Avila, Teresa di Lisieux, Jean de Brébeuf, Isaac Jogues, M. Kolbe, ecc. Questi santi e sante appartengono alla chiesa universale. 6. La riforma periodica della chiesa. La chiesa infatti comprende, insieme ai santi eroici, una pesante massa di peccatori. Nei suoi membri così come nel suo intero corpo ha costantemente bisogno di riformarsi. Necessità che il Vaticano II ha espresso con forza. La chiesa ha sempre bisogno di conversione e ne è consapevole. Per essere fedele al vangelo che richiede una conversione costante, la chiesa periodicamente provvede al proprio ringiovanimento con successive riforme. Ad esempio: riforma di Cluny nel secolo XI, estesa e prolungata fino al secolo XIII; riforma tridentina del secolo XVI, prolungata da S. Ignazio, S. Carlo Borromeo, S. Francesco di Sales e S. Vincenzo de' Paoli; attuale riforma del Vaticano II: vera e propria rivoluzione a livello dei testi e degli atteggiamenti, ancora imprevedibile nelle sue ripercussioni.

Insomma, anche nelle sue miserie, la chiesa resta un *paradosso*. Essa si autocostituisce giudice e riformatrice delle proprie debolezze. Trova la forza di riprendersi dall'abisso. Il paradosso è che gli uomini così deboli e miserabili trovano la forza di guardare in avanti e più in alto. Il paradosso è che la chiesa, nonostante le sue infermità, non cessa di produrre regolarmente santi abbastanza grandi e fedeli da essere proposti all'imitazione da parte di tutti.

6. ALLA RICERCA DEL SENSO: DAL FENOMENO AL MISTERO - Nella sua globalità con tutti i suoi aspetti paradossali il *fenomeno* chiesa appare come un *enigma* da decifrare. Essa non rivela immediatamente il suo segreto ma agisce sullo spirito come una provocazione, come un richiamo a una ricerca di intelligibilità, a una ricerca di senso. Essa è vicina a un altro pa-

radosso a cui d'altronde si richiama: quello di Cristo.

La chiesa, come abbiamo visto, presenta anche agli occhi dell'osservatore non credente un insieme di aspetti paradossali, essi stessi costituiti da molteplici tensioni e da un tale potenziale esplosivo che una sola di queste tensioni basterebbe a provocare l'esplodere della chiesa. Non si tratta di minacce teoriche che si possono commentare come innocenti elementi algebrici, ma di realtà storiche che hanno rischiato di inghiottire la chiesa. Il fenomeno chiesa fa problema nella sua totalità: richiede una spiegazione sufficiente e proporzionata. Rinvia ad altro. Infatti bisogna trovare il principio di intelligibilità delle grandi antinomie della chiesa: unità-cattolicità, eternità-temporalità, peccato-santità. Qual è dunque la chiave dell'enigma?

Da parte sua la chiesa propone come spiegazione di se stessa il fatto che tutto il suo agire e il suo essere derivano da un intervento speciale di Dio in Gesù Cristo. Attesta che in se stessa non è niente, ma che tutta la sua forza di espansione e di coesione, di santificazione e di salvezza le viene da Dio in Gesù Cristo, epifania del Padre. Il senso reale del fenomeno chiesa è la presenza attiva in essa di Cristo e del suo Spirito, fonte di unità e di carità. Senza di loro neppure esisterebbe.

Non si deve rifiutare questa spiegazione senza esaminarla; essa sembra infatti proprio l'unica adeguata ai fatti osservati. Se la si ammette, tutto si chiarisce, tutto diventa coerente e intelligibile. Altrimenti si ha un bell'accanirsi nella ricerca di spiegazioni «naturali»: la chiesa, con tutti i suoi paradossi, tutte le tensioni e i suoi venti secoli di storia resta un enigma indecifrabile. Di fronte al carattere e all'importanza dei fatti osservati, è prudente riconoscere come veritiera la testimonianza della chiesa su se stessa: essa è la comunità della salvezza in Gesù Cristo voluta da Dio tra gli uomini.

Questa conclusione è tanto più ragionevole in quanto esiste una meravigliosa armonia tra i fatti osservati e il messaggio di Cristo a cui la chiesa si richiama. La chiesa infatti proclama che Cristo è il figlio di Dio venuto tra gli uomini per inaugurare sulla terra il regno di Dio, cioè per trasformare il cuore dell'uomo in cuore filiale e per radunare tutti gli uomini in un solo popolo di Dio, facendone un solo corpo, il corpo di Cristo, animato dallo Spirito d'amore che unisce il Padre al Figlio. Ora la chiesa appare sulla terra come la presenza visibile e almeno incoativa di questa trasformazione annunciata. Soprattutto nel *santo* appare un nuovo tipo di umanità, cioè un figlio di Dio che vive e agisce per opera dello Spirito. D'altra parte, nella chiesa compare un nuovo tipo di società che lascia trasparire, insieme a indizi della sua condizione umana e terrena, tratti più luminosi che sono come l'abbozzo di un'umanità radunata finalmente nell'unità e nella carità, a immagine della comunione trinitaria. Questa coerenza tra il vangelo di Cristo e gli aspetti paradossali della chiesa induce a concludere che la chiesa è veramente, come dichiara, il segno tra gli uomini della venuta di Dio, il luogo della presenza della salvezza in Gesù Cristo. Il *paradosso* nasconde un *mistero*.

Vi dobbiamo insistere: il metodo impiegato procede per via di intelligibilità interna. Prende come punto di partenza non gli attributi assoluti e gloriosi della chiesa, ma i paradossi che essa presenta. Si cerca di comprendere questi paradossi in se stessi e collegandoli con la spiegazione che la chiesa propone di sé e del suo rapporto con Cristo. La coerenza della spiegazione proposta e la sua attitudine a rendere conto dei fenomeni osservati inducono a pensare che la testimonianza della chiesa è veritiera: essa è davvero tra gli uomini «sacra-

mento universale della salvezza» in Gesù Cristo. La spiegazione del *fenomeno* risiede nel *mistero attestato*. Come qualunque altra, questa via di approccio non porta all'evidenza, ma a una certezza morale che può motivare una decisione prudente. Per aprirsi alla presenza che si nasconde nella carne del fenomeno e nella fragilità dell'istituzione chiesa, bisogna accettare di perdersi: bisogna lasciarsi portare dallo Spirito che mormora in noi nell'intimità del nostro essere.

In definitiva la chiesa è segno nella misura in cui tende ad avvicinarsi alla *realtà* che rappresenta, cioè a Cristo nella carità universale. Più essa riflette fedelmente Cristo come un semplice specchio, più la santità della sposa tende a riprodurre quella dello sposo, e più anch'essa *significa* e *attrae*. Così come Cristo è stato l'epifania di Dio per le generazioni del suo tempo, la chiesa deve essere l'epifania di Cristo per gli uomini di oggi. In questa prospettiva il Vaticano II ha sottolineato, con un'insistenza vicina all'accanimento, la necessità della testimonianza di una vita santa. La chiesa deve essere, in ognuno dei suoi membri e nelle comunità che la compongono, la testimone viva di Cristo attraverso i secoli. Più la comunione degli uomini tra loro e degli uomini con Dio sarà visibile e luminosa più il segno avrà potere di attrazione.

Bibl. - OPERE GENERALI: Documenti del Vaticano II, precisamente LG, GS, AG, AA; H. Jedin, *Handbuch der Kirchengeschichte* Freiburg 1966; A. Fliche e V. Martin, *Storia della Chiesa*; L. Pastor, *Storia dei papi*.

MONOGRAFIE: K. Adam, *Le vrai visage du catholicisme*, Paris 1934; J. Guitton, *L'Évangile et l'Église*, Paris 1950; H.U. von Balthasar, *Sponsa Verbi*, Einsiedeln 1960; M. Grand-Maison, *L'Église par elle-même motif de crédibilité*, Roma 1961; Y. Congar, *Sainte Église*, Paris 1961; H. Holstein, «L'Église, Signe parmi les Nations», in *Études*, ott. 1962; J. Hamer, *L'Église est une communion*, Paris 1962; R. Schutz, *Dynamique du provisoire*, Taizé 1965; R. Latourelle, «La testimonianza della vita, segno di salvezza», in *Laici sulle vie del Concilio*, Assisi 1966, 377-395; Id., *Cri-*

sto e la Chiesa segni di salvezza, Assisi 1971; K. Rahner, *Credi tu in Dio?* Torino s.d.; G. Martelet, *Santità della chiesa e vita consacrata*, Roma 1967; H. Mühlen, *Una Mystica Persona*, Roma 1968; H. Küng, *La Chiesa*, Brescia 1969 (or. 1967); A. Manaranche, *Io credo in Gesù Cristo, oggi*, Brescia 1970; H. de Lubac, *Paradosso e mistero della Chiesa*, Milano 1979 (or. 1967); R. Fisichella, *H.U. von Balthasar. Amore e credibilità cristiana*, Roma 1981; E. Schillebeeckx, *Cristo sacramento dell'incontro con Dio*, Torino 1981⁸; N. Cotugno, «La testimonianza del Popolo di Dio, segno di Rivelazione alla luce del Concilio Vaticano II», in R. Fisichella (ed.), *Gesù Rivelatore*, Casale Monferrato 1988, 227-240.

RENÉ LATOURELLE

IV. La via empirica

La *via empirica*, qualificata come via ascendente, metodo regressivo o analitico, si presenta come propria della ecclesiologia fondamentale (→ Chiesa, I) poiché parte dalla considerazione della chiesa cattolica così com'essa esiste e vive oggi, per mostrarne la credibilità. In tal modo, mentre le altre due vie – quella *storica* e quella *notarum* – hanno un processo comune, che va da Cristo alla chiesa, la *via empirica* presenta un processo inverso: dalla chiesa si risale (si «ascende») a Gesù Cristo.

Questa forma di riflessione si intravede già in S.Agostino quando così si esprime: «Il potere divino non ci si manifesta più nella vita di Cristo, che ormai non vediamo più, ma nella Chiesa vivente, presente sotto i nostri occhi. Noi che vediamo il Corpo, crediamo nel Capo» (PL 38: 659-660). Tommaso d'Aquino fa vedere a sua volta che la conversione al cristianesimo costituisce un «miracolo dei più grandi e un'opera manifesta e un indizio sicuro di ispirazione divina» (CG 1,1,6).

Nel secolo XV Savonarola, o.p., inaugurò il metodo apologetico nel quale mostrava la verità della chiesa a partire dalla vita della medesima. Nel secolo XVII i principali autori di

tale metodo furono J.B. Bossuet e B. Pascal. Nel secolo XIX furono J. Balmes, H. Lacordaire, e specialmente il card. Dechamps, che vide in questa via il centro della sua opera apologetica a partire dal metodo della «Provvidenza», ed esercitò un influsso determinante sul → Vaticano I.

Questo concilio è decisivo per il potenziamento della *via empirica* dal momento che dichiarò che la chiesa cattolica è «per se stessa» (*per se ipsa*) un motivo di credibilità che la trasforma in «vessillo innalzato tra le nazioni» (*signum levatum in nationes*, cfr. Is 11,2), pur non trattandosi di una prova dimostrativa ma solo indicativa (DS 3013s). Sarà a partire dal *De Ecclesia* I (1925) di H. Dieckmann che tale via verrà qualificata come «empirica». Essa avrà il suo fondamento nella propria natura di «miracolo morale», che dà valore tipico al fatto straordinario della chiesa permettendo così di inferirne la trascendenza e la divinità.

A partire dal Vaticano II, certi tratti del segno chiesa propri del Vaticano I restano sfumati e si coglie una nuova impostazione a partire dalla «sacramentalità» della chiesa che, visibile e spirituale, forma «una complexa realitas» (LG 8). Infatti la costatazione del segno della chiesa si incentra progressivamente nella categoria della testimonianza. Si tratta di tutto un processo di personalizzazione, dato che quello che il Vaticano I intendeva per segno della chiesa con i suoi attributi *miracolosi*, il Vaticano II lo riferisce alla → *testimonianza* personale e comunitaria. Tale testimonianza diventa segno ecclesiale di credibilità e paradigma per l'ecclesiologia fondamentale, delineandosi attualmente con questi quattro accenti:

1. VIA AGIOFANICA - Presenta la chiesa come testimonianza di agiofania. Il miracolo non è più considerato come effetto del potere di Dio, ma co-

me segno della presenza e della chiamata divina che invita alla conversione. La chiesa è dunque una agiofania più ostensiva che probativa (Y.
Congar, G.C. Berkouwer).

2. VIA SOCIOLOGICO-ISTITUZIONALE -
Si parte dalla costatazione che l'istituzione è l'unico modo di salvare la
«libertà concreta» (cfr. G.W.F. Hegel) e dal suo valore empirico-sociolo-
gico (P. Berger, Th. Luckmann, J.
Habermas). Così l'istituzione ecclesiale si manifesta come segno identi-
ficatore, integratore e liberatore della forza dello Spirito (M. Kehl, L.
Dullaart) e della sua visibilità profetica (P.A. Liégé).

3. VIA AUTOESPLICATIVA - Procede
per via di intelligibilità interna, di ricerca di senso (K. Rahner). Come
punto di partenza si basa non già sugli attributi gloriosi della chiesa, bensí
sui paradossi che essa presenta: la
spiegazione di questa testimonianza
paradossale sta nel mistero di cui si
dà testimonianza (H. de Lubac, A.
Dulles). Non si parte dalla chiesa come miracolo morale: questo è precisamente il punto d'arrivo. Nemmeno questo esame, come gli altri, conduce all'evidenza, ma a una certezza
morale, sufficiente a motivare una
decisione prudente (R. Latourelle).

4. VIA SIGNIFICATIVA - Fa vedere che
le autentiche «notae ecclesiae» sono
le «notae christianorum» (H. Küng),
nella linea fondamentale della chiesa-
sacramento-segno (O. Semmelroth, L.
Boff, W. Kasper). La significatività
di tale testimonianza si manifesta nella
coerenza dottrinale (G. Baum, J. Ratzinger), nella cattolicità (W. Beinert,
J. Meyendorff, A. Dulles), nella vi-
sualizzazione dell'amore (G. Thils, H.
von Balthasar, R. Fisichella), nella
percezione della comunione (J. Hamer, H. de Lubac, S. Dianich, J.M.R.
Tillard, M.M. Guarijo-Guembe), nella dimensione eucaristica (J. Zizio-
las, B. Forte), nell'incidenza politica
(J.B. Metz, J. Moltmann), nell'impe-

gno di liberazione (teologi della liberazione), nell'apertura al dialogo ecumenico (Y. Congar, H. Fries, K. Rahner, H. Döring), infine nel suo essere
segno del regno di Dio (H.J. Pottmeyer, G. Ruggieri, C. Duquoc) che
rende la chiesa pellegrina nel mondo
(W. Pannenberg, F.A. Sullivan). Una
menzione particolare meritano i sinodi dei vescovi sulla giustizia nel mondo (1971), sull'evangelizzazione (1974),
sul postconcilio (1985) e sui laici
(1987), come pure le esortazioni apostoliche «Evangelii nuntiandi» di Paolo VI e la «Christifideles laici» di Giovanni Paolo II.

Una buona sintesi della comprensione postconciliare della *via empirica* è la conclusione del sinodo del
1985: «L'evangelizzazione dei non
credenti presuppone l'autoevangeliz-
zazione dei battezzati, compresi diaconi, presbiteri e vescovi. L'evangelizzazione si fa mediante testimoni;
ma il testimone non dà solo testimonianza con le parole, ma con la vita.
Non dobbiamo dimenticare che in
greco testimonianza si dice "martirio"» (II: B-2 = EV 9, 1795).

Bibl. - G. Gianfrocca, *La via empirica dal
concilio Vaticano I a noi*, Roma 1963; R. Latourelle, *Cristo e la Chiesa segni di salvezza*,
Assisi 1971; L. Boff, *Die Kirche als Sakrament im Horizont der Welterfahrung*, Paderborn 1972; B. Hidber, *Glaube-Natur-Übernatur.
Studien der «Methode der Vorsehung» von
Kardinal Dechamps*, Frankfurt 1978; S. Pié-
Ninot, *Tratado de Teología Fundamental*, Salamanca 1989, 340-354; 363-366.

SALVADOR PIÉ-NINOT

V. Notae della chiesa

Tutti i cristiani sono praticamente
uniti nel professare la loro fede nella
chiesa «una, santa, cattolica e apostolica». Questa quadruplice descrizione della chiesa fa parte del credo
battesimale che dal primo concilio di
Costantinopoli fu adottato come sua
professione di fede, che fu confermato dal concilio di Calcedonia e diven-

ne in seguito il credo liturgico della chiesa sia d'occidente che d'oriente. Questi quattro attributi sono, al pari della chiesa stessa, professati nel credo come oggetti di fede e della natura della chiesa e ne condividono il carattere misterioso. Per cui sono, come la chiesa, realtà complesse, sperimentalmente verificabili per un verso, mentre per l'altro si possono conoscere solo per fede. Gli ecclesiologi studiano queste proprietà in tutti i loro aspetti, cercando di capire sempre meglio ciò che si crede della chiesa. Gli apologisti cattolici, specialmente dal XVII secolo in poi, hanno concentrato la loro attenzione su quegli aspetti, dei quattro attributi del credo, che meglio sono capaci di condurre una persona, che sinceramente è in ricerca della vera chiesa di Cristo, a identificarla soltanto nella chiesa cattolica.

A questo scopo gli apologisti hanno scelto quegli aspetti delle quattro proprietà della chiesa che possono servire come «note» o «caratteri» distintivi dell'unica vera chiesa. Tali «note» dovrebbero essere: 1. più facilmente identificabili della chiesa stessa; 2. tipiche della vera chiesa; 3. inseparabili da essa; 4. riconoscibili da chiunque voglia sinceramente informarsi, anche se non erudito.

L'argomento apologetico, conosciuto come la *via notarum*, comprendeva due momenti fondamentali: 1. la dimostrazione che la chiesa, per volontà di Cristo suo divino fondatore, deve essere una, santa, cattolica e apostolica in modo visibile e riconoscibile, dotata di un tipo particolare di unità, di santità, di cattolicità e di apostolicità che sia esclusivo della vera chiesa; 2. la dimostrazione che è esattamente *tale* unità, santità, cattolicità e apostolicità che caratterizza la chiesa cattolica romana ed essa sola.

Nel corso dei secoli XVIII e XIX, la *via notarum* divenne un tratto distintivo standard dell'apologetica cat-

tolica, sottoposto a svariati sviluppi e adattamenti man mano che venivano meglio conosciuti i problemi che comportava e si prendevano misure per farvi fronte. Uno di questi problemi consisteva nel fatto che appariva chiaramente impossibile sostenere che nelle chiese non cattoliche semplicemente non si potesse riscontrare alcuna unità, santità, cattolicità o apostolicità. Ciò era particolarmente evidente nei confronti delle chiese separate d'Oriente i cui sacramenti erano sicuramente in grado di produrre santità in coloro che li ricevevano devotamente e il cui ordine episcopale era di origine apostolica. Simili problemi resero necessario specificare ulteriormente le nozioni di unità, santità, cattolicità e apostolicità − tipiche della vera chiesa − in modo tale da poter concludere che esse si trovano unicamente nella chiesa cattolica romana. In altre parole, l'uso cattolico della *via notarum* era legato a una interpretazione tipicamente cattolica delle quattro proprietà della chiesa contenute nel credo. Naturalmente, altri cristiani potevano vantare, per le loro chiese, queste stesse proprietà, interpretandole in un modo che fosse conforme al modo in cui venivano realizzate in quelle chiese.

La debolezza di questo procedimento sta nel fatto che la descrizione dell'unità, della santità, cattolicità e apostolicità che deve avere la chiesa, inevitabilmente tendeva a essere determinata dal tipo di unità, ecc., che la propria chiesa di fatto possedeva. Coscientemente o no, si partiva dalla presunzione che la propria chiesa era dotata del giusto tipo di unità, santità, ecc., per poi accostarsi al Nuovo Testamento e ai documenti della chiesa antica al fine di dimostrare che proprio questo era il tipo di unità, santità, ecc., che Cristo aveva inteso per la sua chiesa. Per cui la *via notarum* portò con sé tutti i problemi dell'uso strettamente confessionale delle fonti. Questo voleva dire ricorrere alle fonti al fine di dimostrare una tesi preconcetta, invece che al fine di effettuare una ricerca che consentisse alle stesse fonti di determinare il tipo di proprietà che una chiesa deve avere per potersi dire fedele alle sue origini neotestamentarie.

Una soluzione a questo problema fu proposta da V.A. Dechamps, arcivescovo di Malines, e fu adottata dal concilio Vaticano I. Essa evitava la necessità di ricorrere alle fonti, mediante l'affermazione che l'unità, la santità e la universalità che sono esclusive della chiesa cattolica costituiscono un miracolo morale e quindi sono per se stesse una prova sufficiente che essa è la vera chiesa di Cristo (DS 3013). Ovviamente questa soluzione non è immune da difficoltà, comportando la necessità di mostrare non soltanto che queste proprietà sono esclusive della chiesa cattolica, ma anche che il loro possesso è un'innegabile dimostrazione della sua origine divina.

Nonostante l'accoglienza di questa *via empirica* da parte del Vaticano I, gli apologisti cattolici continuarono a proporre la *via notarum*, sia includendovi il primato romano, allorché trattavano dell'unità e dell'apostolicità, sia proponendo due distinti approcci: la *via notarum* e la *via primatus*.

Tuttavia, sviluppi avvenuti nel corso del XX secolo hanno portato, se non al totale abbandono della *via notarum*, almeno a un modo del tutto diverso di affrontare la questione dell'identificazione della «vera chiesa di Cristo». In primo luogo, i grandi progressi fatti dagli studi biblici, patristici e storici hanno prodotto una crescente insoddisfazione per l'uso caratteristico delle fonti da parte del metodo apologetico. Man mano che veniva fatta maggiore luce sulla chiesa antica, appariva sempre più evidente che gli apologisti cattolici con troppa facilità avevano trovato nelle fonti ciò che essi volevano ci fosse,

invece che quello che oggettivamente vi era. L'inconsistenza dell'uso delle fonti come «testo probante» divenne sempre più evidente.

Il fatto che in modo più radicale ha interessato e fatto evolvere l'apologetica cattolica in questo secolo è l'apertura della chiesa cattolica al movimento ecumenico fatto proprio dal Vaticano II. Ciò ha portato a una profonda revisione di alcune premesse di base del vecchio argomento apologetico. Una di queste premesse era sostenuta, in modo molto enfatico, nello *Schema de Ecclesia* che era stato delineato dalla Commissione teologica preparatoria del Vaticano II. Esso non soltanto dichiarava che la chiesa cattolica romana è l'unica vera chiesa, ma che addirittura non esiste alcun'altra chiesa che abbia il diritto di chiamarsi tale (AS I,4,15). Questo schema però incontrò una critica così dura nella prima fase del concilio che fu ritirato senza essere stato sottoposto a votazione. Il nuovo schema, discusso dal concilio nel 1963, mentre continuava a identificare la chiesa di Cristo con la chiesa cattolica romana, riconosceva la presenza, al di fuori di essa, di «elementi di santificazione» che per loro natura appartengono alla chiesa. In seguito il concilio approvò un emendamento per cui l'affermazione che la chiesa di Cristo *è* la chiesa cattolica, fu cambiata nell'espressione: *sussiste nella* chiesa cattolica. La ragione del cambiamento fu data in questi termini: «Perché l'espressione concorda meglio con l'affermazione relativa agli elementi ecclesiali presenti in altre chiese» (AS III,1,177).

Tutti i commentatori hanno praticamente visto, in questo mutamento di parole, una significativa apertura verso il riconoscimento, da parte della chiesa cattolica, della realtà ecclesiale presente nel mondo non cattolico. Ciò fu confermato in LG 15, dove il concilio riconobbe il ruolo che le chiese non cattoliche e le comunità ecclesiali svolgono nel conferimento del battesimo e degli altri sacramenti ai loro membri. Ciò fu ulteriormente sviluppato nel decreto sull'ecumenismo, che dichiarava che queste chiese e comunità non cattoliche venivano impiegate dallo Spirito Santo come mezzi di grazia e di salvezza (UR 3).

Quali sono le conseguenze, per l'apologetica cattolica, di questo importante cambiamento di atteggiamento verso la condizione ecclesiale delle chiese e comunità ecclesiali separate da Roma? Primo: non esiste più il problema di dimostrare che la chiesa cattolica romana è «l'unica vera chiesa» con l'esclusione per ogni altra del diritto di chiamarsi chiesa. Il Vaticano II, con il riconoscimento dello stato ecclesiale di queste altre chiese e comunità, chiaramente ha riconosciuto che l'unica chiesa di Cristo è presente e salvificamente operante anche in esse. In altre parole, non si tratta più, per l'apologetica cattolica, di dimostrare che la chiesa di Cristo è, in senso esclusivo, la chiesa cattolica romana, ma piuttosto di giustificare l'affermazione secondo la quale la chiesa di Cristo *sussiste nella* chiesa cattolica. Ciò che questo compito comporta dipende da come viene intesa l'espressione *sussiste nella.*

Una indicazione importante dell'intenzione del concilio a questo proposito è fornita dall'affermazione che si legge nel decreto sull'ecumenismo: «... si riuniscano in quella unità dell'una e unica chiesa, che Cristo fin dall'inizio donò alla sua chiesa, e che crediamo sussistere, senza possibilità di essere perduta, nella chiesa cattolica, e speriamo che crescerà ogni giorno, fino alla fine dei secoli» (UR 4). D'altronde il medesimo decreto aveva dichiarato che le chiese e comunioni separate «non godono... di quella unità che le sacre Scritture e la veneranda tradizione della chiesa apertamente dichiarano» (UR 3). Sembra che concordi appieno, con

quanto il concilio ha detto riguardo all'unità che Cristo ha donato alla sua chiesa e che «sussiste» nella chiesa cattolica, la conclusione che anche le altre tre proprietà della chiesa, contenute nel credo, debbano «sussistere» nella chiesa cattolica.

Da ciò segue che dal Vaticano II in poi la *via notarum* può essere usata dall'apologetica cattolica per dimostrare che la chiesa di Cristo sussiste nella chiesa cattolica precisamente perché è qui che le quattro proprietà della chiesa di Cristo, contenute nel credo, continuano a essere presenti.

Sorge allora la questione: in che senso la *via notarum* cattolica letta alla luce del Vaticano II dovrebbe essere diversa dall'apologetica preconciliare? Dovrebbero esserci diverse importanti differenze. La prima deriva dal fatto che l'espressione *sussiste nella* non ha il significato esclusivo del verbo *è,* che da quella è stato rimpiazzato nel testo conciliare. Dire che la chiesa di Cristo sussiste nella chiesa cattolica non significa che essa non si trovi altrove; in effetti il concilio ha riconosciuto che essa è presente e operante in altre chiese e comunità anche a motivo dei mezzi ecclesiali di grazia che esse forniscono ai loro membri. Similmente, dire che l'unità, la santità, la cattolicità e l'apostolicità delle quali Cristo ha dotato la sua chiesa sussistono nella chiesa cattolica, non significa che si trovino soltanto in essa. Uno dei punti chiave dell'apertura ecumenica del concilio sta nell'aver riconosciuto che certe realtà, come la comunione ecclesiale, ammettono gradi di pienezza nel loro modo di attualizzarsi, per cui, affermare che la chiesa cattolica gode di una certa pienezza di ecclesialità, unità ecc., non significa negare che siano presenti altrove. Ciò che l'apologista cattolico deve oggi giustificare è la pretesa della sua chiesa di avere una certa pienezza del significato di chiesa e una pienezza delle proprietà essenziali della chiesa, co-

sicché possa affermare a buon diritto che la chiesa di Cristo si rende ivi
presente in una misura che non è dato trovare in altre chiese.
Altre due differenze devono pure essere sottolineate. La prima è questa:
alla luce del Vaticano II una tale affermazione di «pienezza» non è la
stessa cosa che la pretesa di realizzare
la natura di chiesa o le sue proprietà
in un grado di assoluta perfezione.
Il concilio ha dichiarato, per esempio, che mentre la chiesa è «indefettibilmente santa» (LG 39), pure, qui
sulla terra, è adornata di una santità, che è imperfetta anche se è genuina (LG 48). Similmente esso ha riconosciuto che lo stato di divisione
della chiesa le impedisce di realizzare
quella pienezza di cattolicità che le
è propria (UR 4). La sua unità è
qualcosa che «deve crescere fino alla
fine dei tempi» (UR 4). Dopo il Vaticano II gli apologisti cattolici non
hanno motivo di lasciarsi andare a
quel trionfalismo che caratterizzava
una certa apologetica preconciliare.
Infine, come abbiamo osservato
precedentemente, uno dei problemi
dell'antico uso della *via notarum* era
costituito dal suo legame con una interpretazione strettamente cattolica
delle quattro «note» della chiesa. Dal
Vaticano II in poi importanti studi
ecumenici sono stati consacrati al
chiarimento delle quattro proprietà
della chiesa contenute nel credo. Per
cui abbiamo ragione di sperare che
in futuro un apologista cattolico sarà in grado di basare la sua *via nota-*
rum su una interpretazione di queste
proprietà capace di rappresentare almeno una convergenza, se non un
pieno consenso, con quanto è stato
acquisito attraverso la riflessione ecumenica e il dialogo.

Bibl. - G. Thils, *Les Notes de l'Église dans*
l'apologétique catholique depuis la réforme,
Gembloux 1947; J.L. Witte, «One, Holy, Catholic and Apostolic», in H. Vorgrimler (ed.),
One, Holy, Catholic and Apostolic, London
1968, 3-43; Y. Congar, *L'Église Une Sainte*
Catholique et Apostolique, Paris 1970; H.J.
Pottmeyer, «Die Frage nach der wahren Kirche», in HFTh, III, 212-241; F.A. Sullivan,
The Church We Believe In. One, Holy, Ca-
tholic and Apostolic, Mahwah/Dublin 1989.

FRANCIS A. SULLIVAN

VI. Interprete della Scrittura

In quanto comunità di credenti, la
chiesa vive della parola di Dio. Nella
preghiera, nella liturgia e nello studio,
i cristiani cercano quotidianamente
guida e nutrimento dalla espressione
privilegiata della Parola nella Scrittura (DV 21-26). Ne segue che l'interpretazione biblica è di vitale importanza, ed il concilio Vaticano II
ha dichiarato con grande cura i principi di → «esegesi integrale» della
bibbia. La principale dichiarazione
ermeneutica del concilio, DV 12, incoraggia il ricupero storico-critico del
significato originale o letterale dei testi, ma continua poi per insistere su
una interpretazione teologica più ampia del significato della bibbia nella
prospettiva della fede. DV 12 conclude con l'affermare che l'interpretazione della Scrittura «è sottoposta in
ultima istanza al giudizio della Chiesa, la quale adempie il divino mandato e ministero di conservare e interpretare la parola di Dio».
Tale ruolo della chiesa nell'interpretazione biblica, specialmente attraverso l'insegnamento autentico del magistero ecclesiale, può essere frainteso. Un approccio semplicistico, ad
esempio, potrebbe porre in antitesi i
principi protestanti del «libero esame» e dell'interpretazione personale
con l'obbligo da parte dei cattolici di
accettare l'insegnamento autorevole
della chiesa sul significato della bibbia. In realtà, comunque, la maggior
parte dei protestanti interpreta la
Scrittura sotto la guida della catechesi
e della predicazione che trasmettono
la tradizione teologica della loro particolare denominazione.

La fede cattolica contiene un esplicito impegno verso la tradizione della chiesa, specialmente quando questa è formulata in dottrina solenne. Ma il → dogma essenzialmente svolge un'azione protettiva nei confronti della rivelazione di Dio in Cristo così come questa è stata originariamente mediata dagli apostoli e dagli evangelisti ed in seguito spiegata nella chiesa. La tradizione, comunque, è qualcosa di più del dogma, poiché è anche il processo per il quale l'ampio deposito della fede (→ Deposito della fede) diventa operante in ogni epoca (DV 8,1). Ne segue che la tradizione è anche l'ambiente comunitario costituito da liturgia e spiritualità ed i cattolici credono che tale ambiente abbia una naturale affinità con la Scrittura e sia realmente il contesto dove il testo scritto è letto, compreso e vissuto in modo fecondo, come testimonianza ispirata alla parola di Dio, rivolta alla fede (DV 9).

In ultima istanza, la relazione che i cattolici instaurano tra l'interpretazione biblica e il magistero della chiesa, riposa sulla convinzione che Cristo stabilì un modo istituzionale di assicurare l'integrale trasmissione, protezione e spiegazione di ciò che era stato rivelato per la nostra salvezza (DV 10; → Magistero). Tale convinzione comunque ha una storia che mostra sia continuità nel tempo, sia notevole molteplicità nel modo di articolare e di attuare un ruolo giudiziale per la chiesa nell'interpretazione della Scrittura.

I Padri del secondo e terzo secolo erano certi che le chiese, in particolare quelle di fondazione apostolica, avessero nella loro → «regula fidei» un corpo dottrinale esprimente il significato globale della Scrittura in forma sommaria. Origene poteva affermare che la verità della parola di Dio, una realtà più profonda della lettera del testo, è nota alla chiesa ora convertita al suo Signore. Infatti lo Spirito Santo ha trasmesso il senso ispirato (*spiritalem sensum*) alla chiesa (*In Leviticus* 1,1, 5,5). Di conseguenza gli antichi concili valutavano ripetutamente le dottrine, comprese quelle esposte con il sostegno dei testi biblici, nei termini della loro conformità alla fede trasmessa ed alla sua confessione nelle chiese (→ Simbolo della fede).

La cristologia adozionista fu respinta perché i suoi esponenti, pur citando i vangeli, non li intendevano in conformità con la sana dottrina, cioè nel modo in cui i Padri cattolici avevano professato la loro fede e spiegato i testi. Le Scritture, in verità, erano la *fonte* dell'insegnamento e del sostentamento quotidiano, ma il credo si univa alla dottrina dei Padri per costituire la *norma* in base alla quale venivano valutate le interpretazioni della Scrittura.

Intorno al 1500 si venne a creare una nuova situazione dovuta sia alla crescente diffusione della bibbia stampata per la lettura personale, sia a sporadiche manifestazioni di fervore e di attesa apocalittiche. Un decreto del concilio Lateranense V (sessione XI, 19 dic. 1516) censurò coloro che distorcevano il significato della Scrittura in sermoni intessuti di interpretazioni inconsiderate ed idiosincratiche. L'individualismo nella predicazione biblica fu dichiarato inammissibile e ai predicatori fu imposto l'annuncio e la spiegazione della verità del vangelo in conformità all'insegnamento dei dottori riconosciuti.

Quando il concilio di → Trento intraprese la sua opera di risposta alla Riforma, la sua prima azione solenne fu l'accoglimento formale del Credo tradizionale come il principio ed il fondamento dell'insegnamento e della riforma, prima ancora della Scrittura e delle tradizioni apostoliche (sessione III, 4 feb. 1546). La dichiarazione di Trento per ciò che concerne l'interpretazione biblica (sessione IV, DS 1507) è parte di un decreto di riforma contro gli abusi nella

predicazione e nell'istruzione clericale, ma ciò ha implicazioni dottrinali
a lungo termine. Trento sostiene che
il significato della Scrittura annunciato dalla chiesa, ad esempio, nella sua
tradizione conciliare, è la norma negativa di interpretazione. La bibbia
non dovrebbe essere spiegata in modo contrario alla centrale eredità dottrinale o al consenso dei Padri. Trento modificò uno schema di dichiarazione secondo il quale la chiesa è l'*u-
nico* interprete legittimo della bibbia,
ma poi continuò ad affermare che la
chiesa ha veramente facoltà di valutare e giudicare ciò che gli interpreti
della bibbia diffondono come insegnamento della bibbia in relazione alla fede e alle forme concrete di culto
e di vita cristiana.

La costituzione dogmatica *Dei Filius* del concilio → Vaticano I ricon-
fermò Trento ma con una trasformazione dalla dichiarazione negativa,
che escludeva interpretazioni contrarie al *sensus* della chiesa, ad una positiva affermazione che il senso ecclesiale è fedele alla Scrittura in materia di fede e di vita cristiana
(DS 3007). La principale preoccupazione del Vaticano I in *Dei Filius* fu
di esprimere sia le differenze che le
connessioni tra ragione naturale, rivelazione soprannaturale e fede. In
particolare per gli interventi del vescovo Meignan de Châlons, il concilio si rese conto del pericolo di un
approccio alla Scrittura troppo restrittivo che avrebbe ostacolato gli studiosi cattolici nella loro difesa della
rivelazione e della bibbia da attacchi
radicali. Di conseguenza mentre il
Vaticano I è più forte di Trento nella sua affermazione circa il carattere
normativo della tradizione dottrinale, non sostenne che la dottrina della
chiesa esaurisca il significato della
Scrittura. Il Vaticano I non chiude
la porta all'eventuale promozione cattolica di quell'opera della ragione che
è l'applicazione di metodi critici nel
ricupero dell'intenzione comunicati-

va originale di particolari autori
biblici.

Si è già parlato altrove (Beumer,
Grelot, Brown-Collins) dello sviluppo della dottrina cattolica sull'ispirazione e l'interpretazione della Scrittura tra i due concili vaticani con l'i-
nibizione della ricerca dopo la condanna del modernismo. Le encicliche
papali del 1893, 1920 e 1943 insieme
ai decreti della Pontificia Commissione Biblica (in particolare 1905-15) sono oggi di interesse storico come preparazione alla → *Dei Verbum*. Abbiamo citato prima la concisa riaffermazione del Vaticano II in DV 12
della tradizionale rivendicazione del
ruolo della chiesa di istanza giudiziale nella interpretazione. Ciò che lo
stesso testo dice a proposito del ricupero esegetico del significato originale
e dell'interpretazione teologica alla luce della fede, rivela che il magistero
è certamente una istanza finale nel-
l'interpretazione. Anche la tradizionale affermazione con la quale DV 12
conclude, è preceduta da una asserzione elogiativa dell'opera di studiosi della bibbia nel dare un contributo
alla maturazione del giudizio della
chiesa quando adempie la sua missione di conservare e interpretare la
parola di Dio.

Certamente non è stata detta l'ultima parola sul ruolo della chiesa come interprete della Scrittura; in conclusione però si possono fissare due
punti.

1. Nei testi dottrinali del magistero
si deve distinguere tra l'impiego dei
testi biblici per spiegare la dottrina
insegnata ed una dichiarazione autentica su un passo biblico. Il primo caso non dà una interpretazione dei
passi citati o a cui si è fatto riferimento. Ma altre asserzioni magisteriali fanno riferimento al significato
originale di passi biblici particolari.
Casi del secondo tipo sarebbero le dichiarazioni di Trento sulle parole della
istituzione eucaristica (DS 1637) e sul

fondamento in Gc 5,14 del sacramento dell'unzione degli infermi (DS 1695, 1716). Questi casi sono esempi della funzione giudiziale del magistero nel comporre le controversie in materia di interpretazioni della Scrittura. Tali dichiarazioni comunque non sembrano identificare formalmente il contenuto del dogma successivo con il senso letterale del passo originale. Ciò che è in questione è invece l'omogeneità tra il significato originario e quello che si è sviluppato nella chiesa. I due significati sono collegati da una traiettoria di sviluppo organico e legittimo, come appare chiaro dalle dichiarazioni nel Vaticano I sui testi petrini e sul primato papale (DS 3053-55).

Il Vaticano II fonda la suddetta spiegazione quando sottolinea la distanza tra gli autori biblici con la loro antica cultura medio-orientale, il loro modo di pensare e ciò che derivò successivamente come frutto di sviluppo dottrinale. Il ricupero del senso letterale dei testi richiede l'applicazione di uno studio attento e di metodi critici (DV 12,2). Ciò sembra escludere una retroproiezione del significato del dogma successivo nell'intenzione comunicativa degli autori biblici.

2. DV 12,3 insiste su una lettura «nello Spirito» che unisce testi biblici particolari all'intero ambito della rivelazione e alla loro attualizzazione interpretativa nella tradizione ecclesiale. La storia fino a Trento rivela che l'espressione primaria di questa tradizione interpretativa è il complesso oggettivo di credo, dogma e liturgia. Ad esempio, i principali cicli di osservanza liturgica, focalizzati su Natale e Pasqua, esprimono in modo puntuale ciò che la fede considera come centrale nella Bibbia. Il movimento ascendente della preghiera eucaristica mostra la fede in una sua espressione autentica nel rendere tutto l'onore e la gloria al Padre, attraverso il Figlio, nello Spirito. Il *sensus Scripturae* della chiesa ha un contenuto identificabile e questo non dovrebbe essere oscurato interpretandolo esclusivamente nei termini dell'autorità formale che interviene con un autentico giudizio.

Bibl. - J. Beumer, *Die katholische Inspirationslehre zwischen Vaticanum I und II*, Stuttgart 1965; H. Kümmeringer, «Es ist Sache der Kirche, "iudicare de vero sensu et interpretatione scripturarum sanctarum"». Zum Verständnis dieses Satzes auf dem Tridentinum und Vaticanum I», in ThQ 149 (1969) 282-296; H.J. Pottmeyer, «Die historisch-kritische Methode und die Erklärung zur Schriftauslegung in der dogmatischen Konstitution *Dei Filius* des 1. Vatikanums», in AHC 2 (1970) 87-111; M. Midali, *Rivelazione, chiesa, scrittura e tradizione alla IV sessione del Concilio di Trento*, Roma 1973; R.E. Brown, *Biblical Exegesis and Church Doctrine*, New York/Mahwah 1985; W. Brandmüller, «Die Lehre der Konzilien über die rechte Schriftinterpretation bis zum 1. Vatikanum», in AHC 19 (1987) 13-61; P. Grelot, *Vangeli e storia*, Roma 1988, 19-63; R.E. Brown - S. Schneiders, «Hermeneutics» e R.E. Brown - T.A. Collins, «Church Pronouncements», in R.E. Brown, e altri (edd.), *The New Jerome Biblical Commentary*, II, 1163-74, Englewood Cliffs 1990.

JARED WICKS

VII. Chiese evangeliche

L'evangelismo come movimento religioso trae origine sia dalla Riforma protestante del secolo XVI che dal risveglio evangelico verificatosi tra il XVII e il XIX secolo. Comprende perciò le varie realtà ecclesiali emerse da queste importantissime trasformazioni spirituali.

Le chiese che emersero direttamente dalla Riforma protestante costituiscono quattro distinte tradizioni: luterana, riformata, anglicana e anabattista. La riforma luterana produsse queste importanti confessioni di fede: la Confessione augustana, gli Articoli di Smalcalda, il Piccolo Catechismo di Lutero e la Formula della concordia. Dal movimento riformato abbiamo il Catechismo di Ginevra, il Catechismo di Heidelberg, la prima e la seconda Confessione elvetica, la Confessione belga, la Confessione scozzese, i Canoni di Dort e la Confessione di Westminster. La Chiesa anglicana adottò i Trentanove Articoli che riflettono, in una certa misura, la teologia della riforma calvinista.

Il protestantesimo evangelico può essere capito pienamente solo sullo sfondo dei movimenti di purificazione spirituale che si verificarono dopo la Riforma: il pietismo, il puritanesimo e l'evangelismo associato a Wesley e Whitefield. Questi movimenti cercarono di completare la Riforma sostenendo una riforma sia della vita che della dottrina. Una tendenza iconoclasta era evidente tra i puritani che facevano pressione per la massima semplicità nel culto. Fu in questo spirito di rinnovamento che il protestantesimo sperimentò una notevole crescita di interesse e di attività nelle missioni estere.

Anche se l'intento era quello di riformare le chiese dall'interno, i movimenti del rinnovamento contribuirono involontariamente alla nascita di nuove denominazioni. Le realtà ecclesiali che fanno risalire al puritanesimo le loro origini comprendono i battisti, i congregazionalisti e i Plymouth Brethren. Il pietismo dette origine alla Chiesa morava, la Chiesa dei Fratelli, i Fratelli evangelici uniti (ora parte della Chiesa metodista), le Chiese di Dio del Nordamerica, la Chiesa dell'Alleanza evangelica e la Libera Chiesa evangelica (queste due ultime chiese ebbero origine in Svezia). Dai revivals di Wesley e Whitefield nell'Inghilterra del XVIII secolo vengono le chiese metodiste e, più tardi, il movimento della Holiness che sosteneva il ritorno alle radici wesleyane. Le chiese che portano i segni dell'impatto della teologia della Holiness comprendono: l'Alleanza cristiana e missionaria, l'Esercito della salvezza, la Chiesa del Nazareno, la Libera Chiesa metodista, la Chiesa di Wesley, la Chiesa Holiness pel-

legrina, la Chiesa unita missionaria, la Chiesa di Dio (Anderson, Indiana) e la Chiesa evangelica congregazionalista. Le chiese provenienti dal movimento di restaurazione del XIX secolo, che sostenero il modello neotestamentario della chiesa, comprendono i Discepoli di Cristo e le Chiese di Cristo.

Il movimento più significativo di rinnovamento spirituale degli anni recenti è il pentecostalismo che trae origine dai revivals della fine del XIX e degli inizi del XX secolo. Nato principalmente nel gruppo delle chiese della Holiness, il pentecostalismo si distingue per l'enfasi che pone sui doni carismatici, in particolare la profezia, le guarigioni e il parlare in lingue. Con la maggioranza delle altre confessioni condivide un senso dell'urgenza di rinnovamento evangelico.

Le chiese appartenenti a quest'ultimo filone di coscienza religiosa comprendono le Assemblee di Dio, la Chiesa di Dio (Cleveland, Tenn.), la Chiesa di Dio in Cristo, la Open Bible Standard Church e la Chiesa internazionale del Foursquare Gospel, che hanno tutte la loro base in America; le assemblee pentecostali e le chiese evangeliche del Canada, la Chiesa apostolica e la Chiesa Elim in Inghilterra, la Società delle assemblee cristiane e l'associazione Mulheim delle società cristiane in Germania, la Chiesa cristiana pentecostale di Yugoslavia, la Chiesa apostolica di Nigeria, la Apostolic Faith Mission e la Full Gospel Church of God in Sudafrica, la Chiesa pentecostale evangelica, la Congregazione di Cristo e le Assemblee di Dio in Brasile, la Chiesa pentecostale metodista in Cile, la Chiesa pentecostale, la Full Gospel Bethel Church e la Chiesa di Gesù Cristo in Indonesia. Per la loro straordinaria espansione nei paesi del Terzo Mondo i pentecostali costituiscono oggi la più grande famiglia di chiese in seno al protestantesimo.

A causa del coinvolgimento di un

numero così rilevante di chiese differenti, la teologia evangelica mostra una notevole varietà; vi sono tuttavia punti in comune che riflettono l'impatto esercitato dalla corrente principale della Riforma protestante. Temi cui viene attribuita speciale importanza nella teologia evangelica sono: la sovranità di Dio, l'autorità e il primato della sacra Scrittura, la radicale infiltrazione del peccato, l'espiazione vicaria, la salvezza per mezzo della grazia (*sola gratia*), la giustificazione per mezzo della fede (*sola fide*), l'esperienza della conversione, la chiamata alla santità personale, il sacerdozio comune dei credenti, l'urgenza della missione e la prossimità della fine del mondo.

Oltre le note classiche della chiesa – unità, santità, cattolicità, apostolicità – gli evangelici della tradizione riformata tengono in grande considerazione queste due pratiche caratteristiche: la predicazione della Parola e il corretto conferimento dei sacramenti. Sotto la spinta del pietismo e del puritanesimo molti evangelici sostengono anche la disciplina ecclesiastica, l'attività missionaria e la comunione d'amore (la *koinōnía*) come segni autentici della pienezza ecclesiale.

Fra i teologi che hanno dato un importante contributo alla vita e al pensiero evangelico ci sono Lutero, Calvino, Zwingli, Melantone, Chemnitz, Wesley, Edwards, Kuyper, Hodge e nel XX secolo P.T. Forsyth, K. Barth, E. Brunner, A. Nygren, G.C. Berkouwer, D. Bonhoeffer e C.S. Lewis. Senza dubbio i tre pensatori che hanno esercitato la maggiore influenza sono stati Calvino, Lutero e Wesley. L'opera *Institutio religionis Christianae* di Calvino ha avuto un'ampia diffusione non solo nei circoli riformati e presbiteriani ma anche tra i congregazionalisti, gli anglicani della chiesa bassa, i battisti, i Plymouth Brethren, le chiese libere evangeliche e le chiese indipendenti della bibbia. Le accentuazioni teologiche di Wesley sono state fondamentali non solo per il metodismo ma anche per i rami Holiness e pentecostale della cristianità.

Occasionalmente i teologi evangelici hanno attinto al patrimonio teologico della chiesa cattolica romana, anche se in maniera selettiva. Fra i pensatori cattolici altamente stimati dagli evangelici ci sono Atanasio, → Ireneo, → Agostino, Bernardo di Chiaravalle e → Pascal. Anche → Tommaso d'Aquino è stato lodato per l'enfasi che ha posto sulla priorità della grazia e per il suo forte impegno nei confronti dell'autorità della Scrittura, anche se la sua teologia naturale è stata criticata dagli evangelici della corrente neo-ortodossa. È stato dimostrato che i mistici renani, ivi compreso Giovanni Taulero e l'anonimo autore della *Theologica Germanica*, hanno avuto una forte influenza sul pensiero e sulla spiritualità di Lutero.

Il protestantesimo moderno è oggi diviso in due campi: quello liberale e quello evangelico. Il liberalismo protestante trae le proprie origini dall'illuminismo del XVIII secolo, quando una più dura critica cominciò a minare l'autorità biblica. Luminari di teologia della tradizione liberale comprendono F. Schleiermacher, A. Ritschl, W. Herrmann, A. von Harnack, E. Troeltsch, H. Bushnell, P. Tillich, R. Bultmann, N. Wieman, J. Moltmann e W. Pannenberg. H. Reinhold Niebuhr e il fratello H. Richard Niebuhr (ambedue americani) hanno criticato energicamente la teologia liberale all'interno di questa tradizione, ma il loro pensiero ha anche una forte spinta biblica che ha fruttato loro l'apprezzamento di molti evangelici.

Tra i caratteri distintivi della teologia liberale vi sono la priorità dell'esperienza religiosa rispetto alla rivelazione biblica; un'idea naturalistica o idealistica del mondo a fronte del soprannaturalismo; un forte senso della relatività storica della dottrina; un'etica situazionale o contestuale più che un'etica rivelata; una fede nel progresso; e una riformulazione della rivelazione in quanto discernimento razionale o annuncio della trascendenza piuttosto che definitiva rivelazione divina del significato nella particolare storia registrata nella bibbia.

Le divisioni nel protestantesimo oggi non sono tanto tra le denominazioni quanto tra le posizioni teologiche che interessano le denominazioni in modo trasversale. La polarizzazione fra teologia liberale o modernista da una parte, e teologia evangelica dall'altra si acuisce anziché attenuarsi. Mentre il conflitto si intensifica, gli evangelici in modo crescente cercano contatti con i carismatici e con i conservatori cattolici romani e ortodossi orientali per stabilire un fronte comune contro il secolarismo e il modernismo.

Buona parte della forza di cui gode oggi il movimento evangelico è da attribuirsi alle organizzazioni evangeliche paraecclesiastiche che fanno uno sforzo particolare per lavorare tra i giovani nelle scuole superiori e nelle sedi universitarie. Tra questi vi sono la InterVarsity Christian Fellowship, la Young Life, i Navigators, Youth for Christ, Scripture Union e la Campus Crusade for Christ.

Nel movimento evangelico vi è chi sostiene un evangelismo cattolico in cui l'impegno per il vangelo si unisce a un rispetto verso la tradizione e l'autorità della chiesa. Questa spinta ecumenica è evidente tra numerosi teologi dell'epoca moderna: W. Löhe, Ph. Schaff, J. Nevin, P.T. Forsyth, N. Söderblom, G. Aulén, F. Heiler, Th. F. Torrance e K. Barth. Teologi americani contemporanei che hanno una posizione evangelica cattolica comprendono J. Pelikan, R. Webber, R. Neuhaus, C. Braaten, R. Lovelace e D. Bloesch. Alcuni di questi studiosi sentono la necessità di un ripristino della vita religiosa comuni-

taria su basi evangeliche come pure di nuove dichiarazioni sui sacramenti, la chiesa, i santi e il ruolo di Maria in quanto madre di tutti i cristiani.

Bibl. - Ph. Schaff (ed.), *The Creeds of Christendom*, III, «Evangelical Protestant Creeds», New York 1919[4]; B. Ramm, *The Evangelical Heritage*, Waco, TX 1973; F.S. Mead, *Handbook of Denominations in the United States*, Nashville 1975[6]; A.C. Piepkorn, *Profiles in Belief: The Religious Bodies of the United States and Canada*, III: «Holiness and Pentecostal»; IV: «Evangelical, Fundamentalist, and Other Christian Bodies», San Francisco 1979; D.G. Bloesch, *The Future of Evangelical Christianity: A Call for Unity Amid Diversity*, New York 1983; J. Pelikan, *The Christian Tradition*, IV: Reformation of Church and Dogma (1300-1700), Chicago 1984; R. Latourelle (ed.), *Vaticano II. Bilancio e prospettive*, vol. 2°: sez. V: «Chiesa e Chiese», 811-919; M. Ellingsen, *The Evangelical Movement*, Minneapolis 1988.

DONALD G. BLOESCH

VIII. Chiese orientali

1. UNO SGUARDO STORICO - Le «chiese orientali» sono così chiamate perché nate in Oriente (più precisamente nella parte orientale dell'impero romano) dalle scissioni per la contestazione delle formule dogmatiche dei concili di Efeso nel 431 e di Calcedonia nel 451 (cfr. UR 13). Si tratta cioè di comunità ecclesiali che si separarono perché non accettarono né l'orientamento cirilliano di Efeso, né la nuova formula cristologica di Calcedonia. Verso la fine del secolo V, la chiesa siro-orientale di Persia rifiutò la dottrina di Cirillo della «mía phýsis toú theoú lógou sesarkoméni» («unica natura incarnata del Verbo di Dio»), dando luogo ai cosiddetti cristiani «nestoriani», che esercitarono una grande attività missionaria soprattutto in India. La formula calcedonese dell'«unica persona o ipostasi di Gesù Cristo in due nature» fu, invece, rifiutata da Alessandria (e dalla chiesa etiopica dipendente), da metà del patriarcato di Antiochia e dalla chiesa armena. Sono le chiese «non

calcedonesi», impropriamente chiamate «monofisite», perché mantengono la dizione della formula cirilliana, che dopo la purificazione del linguaggio avvenuta a Calcedonia (distinzione, cioè, tra «natura» e «persona») risulta fortemente ambigua. Sembra, tuttavia, ingiusto ascrivere questo parziale insuccesso alla formula conciliare. Ci furono altri fattori, non sempre teologici, a determinare scissioni, opposizioni e rifiuti. Un'attenta revisione della cosiddetta cristologia non calcedonese non riesce, infatti, a determinare divergenze contenutistiche sostanziali dalla formula del 451. La cristologia del «monofisismo siriano», ad esempio, più che teologicamente impropria, può essere considerata solo come «estranea a Calcedonia», come «precalcedoniana» e «antinestoriana».

2. IL DIALOGO - Nonostante le loro innegabili differenze teologiche, rituali, giuridiche ed esperienziali, queste chiese accettano i dogmi della Trinità e dell'incarnazione, il mistero della chiesa, la vita liturgica e sacramentale, l'esperienza monastica. Per questo, anche nei confronti di queste chiese orientali, a partire dal Vaticano II è prevalso un atteggiamento di dialogo. Alcuni esponenti di queste comunità furono presenti al concilio. Incontri tra il papa e alcuni dei patriarchi orientali sono avvenuti sia a Roma che all'estero durante i viaggi di Paolo VI e di Giovanni Paolo II. Citiamo alcuni esempi concreti del dialogo «bilaterale» tra la chiesa cattolica e alcune di queste chiese orientali. Nel 1973, Paolo VI e Shenuda III, patriarca copto di Alessandria, sottoscrissero a Roma una dichiarazione comune, la cui parte cristologica è assolutamente corretta, pur evitando la dizione calcedonese «una persona in due nature». In essa, fra l'altro, si afferma: «In linea con le nostre tradizioni apostoliche trasmesse alle nostre Chiese e in esse conser-

vate, e in conformità con i primi tre Concili ecumenici, confessiamo un'unica fede in un solo Dio Uno e Trino e nella divinità dell'Unico Figlio Incarnato di Dio, la Seconda Persona della Santissima Trinità, la Parola di Dio, il fulgore della sua gloria e l'immagine manifesta della sua sostanza, che per noi si incarnò, assumendo per se stesso un corpo reale con un'anima razionale, e che condivise con noi la nostra umanità, ma senza peccato. Confessiamo che il nostro Signore e Dio e Salvatore e Re di tutti noi, Gesù Cristo, è Dio perfetto riguardo alla sua divinità, e perfetto uomo riguardo alla sua umanità» (EV 4,2500).

Il dialogo tra chiesa cattolica e chiesa copta continuò mediante una commissione mista, la cui prima sessione plenaria (Il Cairo, 26-30 marzo 1974) elaborò una relazione congiunta relativa alla cristologia. In essa si precisano le rispettive formule cristologiche. Così viene illustrato il mantenimento, anche dopo Calcedonia, della formula cirilliana dell'«unica natura incarnata del Verbo di Dio»: «Quando gli ortodossi [= in questo caso, i copti] professano che la divinità e l'umanità di nostro Signore sono unite in una natura, essi prendono la parola «natura» non come una pura e semplice natura, ma piuttosto come una natura composta nella quale le divinità e umanità sono unite inseparabilmente e senza confusione» (EO 1,2225). La stessa commissione mista raccomandò di studiare ulteriormente i concili cristologici, i sacramenti nella loro relazione con la chiesa e con l'economia della salvezza, il riconoscimento dei santi e altre questioni pratiche riguardanti la cooperazione tra le due chiese (EO 1,2230-2242). Il rapporto della seconda sessione plenaria (Il Cairo, 27-31 ottobre 1975) dopo aver riaffermato la propria tensione all'unità effettiva nella fede nella vita sacramentale e nell'armonia delle relazioni reciproche, fa rilevare alcune divergenze ecclesiologiche tra chiesa copta (*chiesa locale* come realtà costitutiva dell'universalità della chiesa; *concilio ecumenico* come suprema istanza della chiesa universale) e chiesa cattolica (*chiesa locale*, comunità dei fedeli riunita attorno al vescovo; *chiesa particolare*, riunione di una serie di chiese locali; *chiesa universale*, costituita dalle chiese locali e nelle chiese locali; *ministero di unità universale*, a servizio della comunione tra le chiese locali, esercitato dal *Vescovo di Roma*). Il rapporto elenca poi un insieme di tematiche da approfondire ulteriormente, tra cui la struttura dell'unità della chiesa prima del 451, il ruolo specifico di Pietro e dei suoi successori, i dogmi mariani, i sacramenti (EO 1,2243-2260). Le riunioni di questa commissione mista continuano con una certa regolarità (l'ultima, la sesta, era in programma per il dicembre del 1989). Nel 1984 ci fu una dichiarazione comune tra il papa Giovanni Paolo II e il patriarca d'Antiochia Mar Zakka I Iwas. Questi dialoghi ufficiali sono accompagnati anche da dialoghi locali e da incontri non ufficiali tra teologi. Negli Stati Uniti d'America, ad esempio, ci sono state alcune dichiarazioni congiunte della Consulta Ortodossa Orientale e Cattolica Romana sulla finalità, sul metodo e sui temi del dialogo interecclesiale (1982: cfr. EO 2,3080-3097), e sull'eucaristia (1983: cfr. EO 2,3098-3099). Dal 18 al 25 settembre del 1988 si è tenuto a Vienna il V Colloquio non ufficiale tra teologi orientali e cattolici, che hanno riaffermato, fra l'altro, la possibilità di un certo pluralismo nelle formule cristologiche; l'accettazione di una piattaforma di fede comune data dai primi tre concili ecumenici; uno studio ulteriore sulla recezione degli altri concili e sul primato del papa.

Bibl. - W. De Vries, *Der christliche Osten in Geschichte und Gegenwart*, Würzburg 1951; T. Uqbit, *Current Christological Positions of Ethiopian Orthodox Theologians*, Roma 1973;

R. Kottje (ed.), *Storia ecumenica della chiesa*, voll. I-II, Brescia 1980-81; P. Gregorios - W.H. Lazareth - N.A. Nissiotis, *Does Chalcedon Divide or Unite?* Towards Convergence in Orthodox Christology, Genève 1981.
Nel testo: EO = *Enchiridion oecumenicum*. Documenti del dialogo teologico interconfessionale, 1: Dialoghi internazionali 1931-1984; 2: Dialoghi locali 1965-1987, S.J. Voicu - G. Cereti (edd.), Bologna 1986-1988.

ANGELO AMATO

IX. Chiesa ortodossa

1. UNO SGUARDO STORICO - Si suole fissare al 1054 la data del primo grande scisma tra chiesa orientale e chiesa occidentale, che segna ufficialmente la divisione tra chiesa *ortodossa* (che letteralmente significa «chiesa che mantiene la retta fede») e chiesa *cattolica romana* (che letteralmente significa «chiesa universale», che ha la sua guida suprema nel papa, vescovo di Roma). Fanno parte dell'*ortodossia* quelle chiese orientali che riconoscono i primi sette concili ecumenici (da Nicea I a Nicea II), che hanno inoltre in comune il rito bizantino e il diritto canonico, e che non sono in comunione con Roma. Pur mantenendo una loro intrinseca indipendenza, le chiese ortodosse considerano come loro centro spirituale e loro guida il patriarca di Costantinopoli, il quale, ad esempio, sovraintende alla preparazione del grande sinodo panortodosso di imminente celebrazione. Le chiese ortodosse si distinguono in nove *patriarcati*, sorti lungo i secoli – dai più antichi a quelli più recenti, come quello di Romania, sorto appena nel 1925 –, e in più chiese *autocefale* («autonome»). Fino al 1989 la chiesa ortodossa più grande esistente nel mondo libero era quella di Grecia, con oltre otto milioni di fedeli. Con le aperture e le liberalizzazioni gorbacioviane in Unione Sovietica, e con il crollo dei regimi comunisti nei paesi satelliti dell'Urss alla fine del 1989, anche le altre chiese ortodosse – soprattut-

to il patriarcato di Mosca, sorto nel 1589 – sembrano essere state restituite alla libertà di culto, insieme ai loro fedeli (più di centoventi milioni).

A partire dallo scisma del 1054 – che dagli occidentali viene chiamato «scisma d'Oriente», e dagli orientali invece «scisma della chiesa occidentale» – la storia dei rapporti tra Roma e Costantinopoli ha registrato non pochi eventi traumatici, spesso non avvertiti come tali in Occidente. Oltre allo scisma, avvenimenti dolorosissimi per l'ortodossia furono le crociate (con la conquista di Gerusalemme nel 1099 e di Costantinopoli nel 1204), i tentativi di unione dei concili di Lione (1274) e di Firenze (1439), la conquista di Costantinopoli da parte dei turchi (1453) e il successivo funesto periodo della turcocrazia. Quest'ultimo avvenimento, conclusosi con la liberazione di Atene nel 1821 e di Salonicco nel 1912, comportò la pratica impossibilità di una libera espressione teologica e culturale dell'ortodossia soprattutto greca. Ciò contribuì ad approfondire ulteriormente il solco della diffidenza e della difesa nei confronti della chiesa cattolica e, a partire dalla fine del secolo XVI, anche nei confronti del protestantesimo.

A ciò si devono aggiungere le differenze già emerse nel primo millennio tra Oriente e Occidente: diversità nei riti liturgici; nella struttura gerarchica, con la formazione dei patriarcati; nella concezione della chiesa e della comunione interecclesiale. Dopo lo scisma si affermarono altre divergenze: il contrasto tra teologia scolastica e palamismo; l'enfasi quasi assoluta dell'antica tradizione patristica e conciliare (la «parádosis»); il rifiuto dell'infallibilità papale e del suo primato di giurisdizione universale; l'opposizione ai dogmi mariani più recenti (l'Immacolata e l'Assunta); il significato da dare all'epiclesi nella liturgia eucaristica; la perplessità circa la formula dell'assoluzione sacramentale usata in occidente. Un altro motivo di contrasto e di incomprensione tra chiesa ortodossa e chiesa cattolica è dato da quelle chiese che da secoli unite a Roma furono condannate all'estinzione legale dai regimi comunisti dell'est europeo (ad esempio, la chiesa ucraina nel 1946, quella romena nel 1948) e forzatamente assorbite dalle chiese ortodosse. Con il recente crollo di questi regimi, i cattolici stanno rivendicando i loro diritti sugli edifici sacri e sui beni confiscati, ma soprattutto sulla libertà di culto e di appartenenza alla chiesa cattolica.

Nonostante questo insieme di divergenze e di dissapori, c'è tra le due chiese un patrimonio comune vastissimo, dato dall'essenziale riferimento alla Scrittura e ai Padri, dall'accettazione dei dogmi fondamentali della fede (Trinità e Incarnazione), dalla vita liturgica e spirituale, dall'ammissione dei sette sacramenti, dall'esperienza monastica, dalla devozione mariana, dalla vita di apostolato, di missione e di santità. Il fatto che questi elementi di base siano vissuti e interpretati in modo proprio e originale in Oriente e in Occidente, mediante una disciplina, una tradizione giuridica e una teologia legittimamente differenti tra di loro (cfr. UR 15-17), deve essere visto come un motivo di complementarità e di armonia, e non di opposizione e di contrasto.

2. IL DIALOGO DELLA CARITÀ - A rompere il secolare silenzio ufficiale tra la chiesa cattolica e quella ortodossa, motivato anche da contingenti motivi di sopravvivenza politica (contrasti con il governo turco, chiusura della scuola teologica di Chalkis, chiusura di alcune riviste del patriarcato, riduzione degli ortodossi di Istanbul al loro minimo storico), fu il patriarca Atenagora di Costantinopoli nell'ottobre del 1958. In due comunicati stampa (del 7 e del 10 otto-

bre) egli manifestò la sua profonda tristezza per la malattia di Pio XII, e prendeva poi parte «al grande dolore della venerabile chiesa di Roma» per la morte del papa. Lo stesso patriarca si felicitava per l'elezione di Giovanni XXIII e rispondeva affermativamente all'appello all'unità lanciato dal papa. Giovanni XXIII, dal canto suo, il 5 giugno 1960 istituiva il «Segretariato per l'unità dei cristiani» (dal 1989 chiamato: «Pontificio Consiglio per la promozione dell'unità dei cristiani»). Ha così inizio il dialogo della carità fatto di gesti concreti di rispetto, di stima e di apertura. Elenchiamo alcuni di questi fatti: l'incontro a Gerusalemme tra Atenagora e Paolo VI (5-6 gennaio 1964); il decreto conciliare *Unitatis Redintegratio*, sull'ecumenismo (21 novembre 1964); la contemporanea abrogazione a Roma e a Costantinopoli delle scomuniche del 1054 (7 dicembre 1965); la visita coraggiosa di Paolo VI a Costantinopoli (25-26 luglio 1967) e la consegna al patriarca della bolla *Anno ineunte* (25 luglio 1967), in cui viene sviluppata una originale «teologia delle chiese sorelle», con l'auspicio dell'apertura di un fraterno dialogo teologico; la visita a Roma del patriarca Atenagora (26-28 ottobre 1967); la pubblicazione nel 1971 del *Libro della carità* (= *Tómos agápis*) con le testimonianze di questa fitta rete di rapporti cordiali fra Roma e Costantinopoli (nel 1987 aggiornato e tradotto in inglese col titolo: *Towards the Healing of Schism*); lo straordinario gesto di riconciliazione e di perdono di Paolo VI il quale, nella cerimonia di commemorazione del decennale dell'abrogazione delle scomuniche (1975), improvvisamente si inginocchiò e baciò il piede del metropolita Melitone, rappresentante del patriarca di Costantinopoli Dimitrios I, succeduto nel 1972 ad Atenagora; l'invio di delegazioni, a partire dal 1978, per le feste dei patroni delle due chiese, rispettivamente il 29 giugno

(festa dei santi apostoli Pietro e Paolo) e il 30 novembre (festa dell'apostolo sant'Andrea); la visita di papa Giovanni Paolo II a Costantinopoli (30 novembre 1979) e la sua grande attenzione al problema dell'unità della chiesa; le celebrazioni centenarie di alcuni concili (Costantinopoli I, 381; Efeso, 431; Nicea II, 787) e dell'XI centenario della morte di S. Metodio (6 aprile 1985) che hanno dato luogo a molteplici contatti tra cattolici e ortodossi in convegni di studio e incontri di preghiera; la partecipazione di osservatori ortodossi al sinodo straordinario dei vescovi per il XX anniversario della chiusura del Vaticano II (1985); la visita del patriarca Dimitrios I a Roma (3-7 dicembre 1987); la celebrazione del millennio della conversione e del battesimo della Rus' (6-16 giugno 1988), con la partecipazione di una delegazione cattolica invitata dal patriarca moscovita Pimen.

3. IL DIALOGO DELLA VERITÀ - Questo dialogo della carità, che continua fruttuosamente ancora oggi con tutte le chiese ortodosse, è accompagnato anche dalla ricerca teologica comune, per la comprensione e la composizione di problemi che tempo e pregiudizi hanno indurito oltre misura. Il 30 novembre 1979, al Fanar, Dimitrios I e Giovanni Paolo II firmarono una dichiarazione comune con la quale annunciavano l'inizio del dialogo della verità tra le due chiese sorelle. Fu nominata anche una commissione mista cattolico-ortodossa incaricata di realizzarlo. Questo dialogo, tuttora in corso, rappresenta la più solida garanzia di uno sbocco concreto verso l'unità tra le chiese. La prima tappa di impostazione ebbe luogo a Patmos e a Rodi dal 29 maggio al 4 giugno del 1980. Fu definita la procedura dei lavori: si scelsero alcuni temi di studio e si crearono delle sotto-commissioni incaricate di preparare i rapporti di studio

per le riunioni plenarie. Nella seconda riunione plenaria a Monaco di Baviera, dal 30 giugno al 6 luglio 1982, la commissione mista approvò all'unanimità il testo sul «Mistero della chiesa e dell'eucaristia alla luce del mistero della SS. Trinità». Il documento, non riconducibile a nessuna scuola teologica particolare, presenta un vero e proprio linguaggio di unità, soprattutto con l'accentuazione dell'ecclesiologia eucaristica. La terza riunione plenaria a Creta, dal 30 maggio all'8 giugno 1984, ebbe come tema: «Fede e comunione nei sacramenti. I sacramenti d'iniziazione e la loro relazione con l'unità della chiesa». Non si approvò nessun testo comune. Dal 29 maggio al 7 giugno 1986 si tenne a Bari il quarto incontro sul tema: «Il sacramento dell'ordine nella struttura sacramentale della chiesa. In particolare, l'importanza della successione apostolica per la santificazione e l'unità del popolo di Dio». Anche qui non si approvò nessun testo finale, anche per il ritiro di alcuni rappresentanti. Tuttavia, un anno dopo (16 giugno 1987), sempre a Bari, fu approvato all'unanimità il secondo documento della commissione mista internazionale sul tema: «Fede, sacramenti e unità della chiesa». Nella parte finale di questo documento, relativa ai sacramenti dell'iniziazione cristiana, si afferma l'unità teologica e liturgica del battesimo, della confermazione e dell'eucaristia. Si rilevano anche le differenti modalità di celebrazione di questi sacramenti: il battesimo per immersione in Oriente, per infusione in Occidente; il conferimento contemporaneo dei tre sacramenti in Oriente (anche ai bambini), la (prima) comunione data ai bambini prima della confermazione in Occidente. Dal 19 al 27 giugno 1988 la commissione mista internazionale tenne la sua quinta riunione plenaria a Valamo in Finlandia, sul tema: «Il sacramento dell'ordine nella struttura sacramentale della chiesa». Il documento approvato all'unanimità, dopo aver sottolineato la relazione tra Cristo e lo Spirito Santo, rileva la funzione del sacerdozio nell'economia divina di salvezza, espone il ministero del vescovo, del sacerdote e del diacono e infine sottolinea la successione apostolica come presenza incessante nella storia dello stesso e unico ministero di Cristo e degli apostoli. Il documento rileva anche che nel corso dei secoli, la chiesa in Oriente e in Occidente ha conosciuto forme diverse di vivere la comunione tra i vescovi, dando vita a speciali ordini di preminenza tra le chiese, fra le quali emergono le cinque sedi maggiori di Roma, Costantinopoli, Alessandria, Antiochia e Gerusalemme. Il documento conclude sottolineando la funzione dei concili ecumenici, come espressione della comunione tra le chiese locali, all'interno della quale urge affrontare il problema del primato del vescovo di Roma, «che costituisce una divergenza grave tra noi e che sarà discussa ulteriormente» (n. 55). Il tema della sesta riunione a Monaco di Baviera nel 1990 è: «Le conseguenze ecclesiologiche e canoniche della struttura sacramentale della chiesa. La conciliarità e l'autorità nella chiesa».

4. LE DIFFICOLTÀ DEL DIALOGO - La rapidità di questo processo di riavvicinamento reciproco non poteva non provocare incomprensioni e qualche volta rigetto, soprattutto in comunità abituate a un certo secolare immobilismo. Non bisogna dimenticare che mentre la chiesa cattolica ha vissuto con sostanziale ottimismo l'accelerazione storica impressale dal Vaticano II, le altre chiese cristiane − se si eccettua il Patriarcato di Costantinopoli − non hanno avuto lo stesso passo. Si deve, però, riconoscere che in questi ultimi trent'anni le due chiese sorelle hanno ricuperato secoli di allontanamento spiritua-

le. È un dato di fatto acquisito che oggi esse si incontrano, si comprendono, si accettano, dialogano con sincerità e verità. Per queste caratteristiche di fraterna libertà il dialogo teologico non è risultato per niente facile. Anzi, si presenta concretamente difficile ed esigente. Si sono già registrati rallentamenti, interruzioni e momenti di grande tensione. Nonostante l'importanza e la novità dell'evento − erano secoli che non si avevano testi teologici ufficiali approvati dalle due chiese − l'impatto nel mondo ecclesiale non è stato molto appariscente. Non poca delusione, poi, provocò la mancata messa a punto di un documento finale nelle sessioni plenarie di Creta e Bari rispettivamente nel 1984 e nel 1986.

Come esempio, delle difficoltà presenti nel contenzioso teologico del dialogo, ci riferiremo a quelle emerse a Creta e fortunatamente oggi superate. Si ammetteva che le due chiese, quella ortodossa e quella cattolica, pur professando la stessa fede, potessero avere simboli battesimali diversi. Si concordava anche sul fatto che la chiesa orientale usava nel suo rituale battesimale il simbolo niceno-costantinopolitano, mentre quella occidentale l'antico testo del simbolo detto «degli Apostoli». Tuttavia da parte degli ortodossi rimaneva una domanda non esplicitamente formulata: la chiesa latina aggiungendo il «Filioque» al simbolo niceno-costantinopolitano (agli inizi del secolo XI) aveva compiuto un atto unilaterale. Non sarebbe allora opportuno togliere questa aggiunta dal Credo? Inoltre, mentre in Oriente i tre sacramenti dell'iniziazione cristiana sono liturgicamente uniti secondo la successione battesimo-confermazione-eucaristia, in occidente essi vengono conferiti separatamente e, per motivi pastorali, al battesimo fa seguito la (prima) comunione e poi la confermazione. C'è subito da rispondere che, nonostante le obiezioni ortodosse sull'uso di da-

re la comunione ai battezzati prima della loro confermazione, si può storicamente dimostrare che la prassi liturgica cattolica è antichissima (risale addirittura alla formazione dei grandi sacramentari) e del tutto giustificabile. Anche in questo caso il «non detto» da parte degli ortodossi era soprattutto l'uso greco secondo il quale tutti i sacerdoti (e non solo i vescovi) possono conferire la confermazione (il sacro «myron») subito dopo il battesimo. Da parte cattolica, comunque, il decreto conciliare sulle chiese orientali cattoliche (1964) aveva già ufficialmente ammesso la legittimità di tale potere da parte dei sacerdoti (OE 13-14). Queste e altre difficoltà sono state ora felicemente superate riconoscendo la presenza di usi liturgici e pastorali diversi in Oriente e in Occidente e accettando il fatto che la stessa fede, fondata sulla Scrittura e sui Padri, possa avere delle formulazioni e delle prassi diverse.

Con lo stesso spirito di comprensione e accettazione vengono affrontate le altre tematiche del contenzioso teologico tra le due chiese, come, ad esempio, il problema dei cattolici orientali in comunione con Roma, i modelli dell'unità della chiesa nella futura piena comunione, l'interpretazione del primato del papa e della sua infallibilità. A proposito delle relazioni tra gli ortodossi e i cattolici di rito orientale in Ucraina occidentale, un esempio è dato dall'incontro tenutosi a Mosca dal 12 al 17 gennaio 1990, tra i rappresentanti del patriarcato di Mosca, la sede che assorbì forzatamente gli ucraini cattolici nel 1946, e una delegazione della Santa Sede guidata dal card. J. Willebrands, presidente emerito del Pontificio Consiglio per la promozione dell'unità dei cristiani, e da mons. E.I. Cassidy, presidente dello stesso consiglio; in esso si è giunti alle seguenti raccomandazioni come primo passo per regolare l'intera questione: la normalizzazione deve garantire ai cattolici di rito orientale il diritto all'attività religiosa riconosciuta dalla costituzione e dalla legislazione dell'Unione Sovietica e di conseguenza deve fornire loro gli immobili destinati al culto.

Le difficoltà che pone il dialogo della verità non possono essere risolte che all'interno del dialogo della carità, con la promozione, da parte di entrambe le chiese, di gesti di assoluta gratuità, come quello dell'incontro a Gerusalemme tra Atenagora e Paolo VI, i due grandi profeti dell'ecumenismo. Richiamiamo l'icona bizantina di un monaco pittore del Monte Athos, donata da Atenagora a Paolo VI a ricordo di questo storico incontro avvenuto il 5 gennaio 1964. Rappresenta l'abbraccio fraterno tra S. Pietro e Sant'Andrea. Sotto lo sguardo del Cristo Pantocrator, che allarga le braccia benedicenti per attirare tutti a sé (Gv 12,32), c'è la dicitura: «I santi fratelli apostoli». A sinistra di Pietro c'è il simbolo della croce capovolta, sulla quale fu martirizzato l'apostolo Pietro «il corifeo». A destra c'è la croce detta di Sant'Andrea, con la scritta «Andrea il primo chiamato» («protóklitos»: cfr. Gv 1,31). L'intenzione teologica dell'icona è evidente: le chiese sorelle si abbracciano nei loro vescovi. Lo sguardo dei due apostoli verso i fedeli è un invito a fare altrettanto.

Bibl. - Y. Congar, *Diversité et communion*, Paris 1982, 126-141 (tr.it. Assisi 1984); W. De Vries, *Ortodossia e cattolicesimo*, Brescia 1983; A. Amato, «Der ökumenische Dialog zwischen Katholiken und Orthodoxen. Situation und entstandene Probleme», in *Forum Katholische Theologie* 2 (1986) 184-200; J.-E. Desseaux, *Lessico ecumenico*, Brescia 1986; E.J. Stormon (ed.), *Towards the Healing of Schism. The Sees of Rome and Constantinople: Public Statements and Correspondence Between the Holy See and the Ecumenical Patriarchate, 1958-1984*, Mahwah 1987. Particolarmente utili sono le cronache del bollettino del Pontificio Consiglio per la promozione dell'unità dei cristiani intitolato *Service d'information*, e gli studi e i documenti pubblicati dalle riviste di indole ecumenica (segnaliamo, tra le altre, *Irénikon*).

ANGELO AMATO

COMUNICAZIONE

1. SCIENZA IN RAPPORTO ALLA TEOLOGIA FONDAMENTALE - Parlare della comunicazione significa focalizzare immediatamente l'attenzione sull'uomo, in quanto è universalmente riconosciuto il fatto che il comunicare è una realtà intrinseca e determinante nella natura umana. L'uomo non può fare a meno di comunicare così come non può fare a meno della sua relazionalità. Per realizzarsi in quanto uomo, per crescere in ogni senso, egli ha bisogno di oggettivare in qualche modo i propri pensieri e le proprie decisioni, di mettere in comune e di verificare con gli altri la validità delle proprie intuizioni. Se non fosse possibile la comunicazione, non sarebbe possibile il progresso stesso e ogni uomo resterebbe bloccato in se stesso e nella propria staticità. Possiamo senz'altro definire la comunicazione una specie di istinto connesso con quello di socializzazione: istinto che porta l'uomo alla ricerca di una vita comunitaria come dimensione esistenziale. Ma nello stesso tempo, dobbiamo dire che si tratta anche di una esigenza di tipo psicologico che lo porta alla manifestazione dei propri sentimenti in modo tale da provocare una risposta alla espressione del suo profondo bisogno di essere amato e che lo porta a chiedere aiuto ai propri simili nel momento in cui si rende conto di essere in difficoltà. È inoltre grazie alla comunicazione che è possibile l'acquisizione di quella esperienza non vissuta in prima persona ed è perciò possibile la connessione con il passato in vista della creazione per il futuro.

La comunicazione perciò è sempre stata presente nella storia dal momento stesso in cui appare l'uomo, come condizione di possibilità di realizzazione della storia stessa e possibilità quindi di miglioramento e sviluppo. Ma fino verso il 1500 d.C., nonostante la varietà dei mezzi e delle forme di comunicazione, questa era estremamente limitata nelle sue possibilità a causa della lentezza della diffusione. Una svolta determinante si è avuta con l'invenzione della stampa che ha reso più precisa e più veloce la trasmissione dei messaggi e ne ha moltiplicato la possibilità di diffusione. Ma soprattutto negli ultimi anni, il ritmo di sviluppo dei mezzi di comunicazione è diventato addirittura vertiginoso e le distanze hanno ormai smesso di costituire un problema per l'uomo. Il mondo di oggi è un mondo profondamente permeato dalla coscienza della comunicazione e gli sviluppi sempre più rapidi nell'ambito comunicativo non sono più solo in, funzione del progresso scientifico tecnologico, ma sono dettati da sempre maggiori esigenze di evoluzione che hanno origine nell'ordine sociale, culturale, psicologico e spirituale in quanto si abbraccia non solo il campo specifico della parola o dell'immagine, ma tutto l'ambito dell'agire umano e delle realtà relazionali che lo determinano.

Ed è proprio per questo che la → teologia non può ignorare il fenomeno comunicazione. Teologia, infatti, nella sua definizione classica indica «lo studio su Dio», ma non su Dio considerato in se stesso e separato da ciò che è il destino del mondo e dell'uomo, ma in stretta relazione all'essere vivente e al suo esistere nel mondo. Essa si interessa perciò dell'uomo in quanto essere sociale che si pone in cammino verso un progresso e una promozione che siano immagini manifeste dell'avvento del Regno, nel quale la fede e la carità non siano dimensioni vaghe, ma realtà concrete e visibili. In questo senso la teologia non può fare a meno di occuparsi anche di discipline quali la sociologia, le scienze politiche, le scienze economiche e la → storia stessa. In quanto, poi, si interessa all'uomo come essere spirituale dotato di una propria dimensione interiore che cresce e si realizza nella prassi evangelica e nella preghiera, si appoggia nella sua ricerca a scienze quali la psicologia, l'antropologia, la filosofia...

Essa è una scienza che si indirizza all'uomo e che perciò deve porsi e strutturarsi a sua misura e riflettere sulle problematiche che maggiormente lo turbano, offrirgli delle proposte e delle alternative valide, e soprattutto strutturare il suo pensiero in quelle categorie che l'uomo moderno è solito usare. In caso contrario, il suo discorso risulterebbe vuoto. Ma la teologia non è solo mero interesse intellettuale nel quale lo studioso esercita la sua riflessione; essa è nello stesso tempo, tensione alla pratica e intima connessione con il discorso salvifico di cui si avverte l'urgenza evangelica di trasmissione e di diffusione all'umanità. Ed è in questo senso che la teologia presume e implica un discorso sulla comunicazione e fa riferimento a quella scienza che si definisce come «scienza della comunicazione». E ciò è emerso in modo più chiaro e definito dopo quel grande momento di riflessione sulle problematiche dell'uomo di oggi sviluppatosi nel contesto del concilio Vaticano II.

Oggi, il → teologo non può ignorare la connessione con tale scienza poiché è sempre più cosciente dell'importanza del fatto che nel discorso cristiano c'è una struttura di base comunicativa. Se infatti per comunicazione definiamo in linea generale il processo per mezzo del quale un'informazione è mandata da un emittente, con una certa intenzione (più o meno conscia), a un ricevente che l'accoglie e recepisce, avremo fin da un primo sguardo dei punti di contatto strutturali ben precisi tra le due discipline. Infatti sia nella scienza della comunicazione che nella teologia possiamo parlare di emittenti (Dio, apostoli, fedeli...) che producono dei messaggi codificati, per mezzo dei quali trasmettono delle informazioni che hanno lo scopo di convincere, di mutare qualcosa nella realtà personale di chi li riceve. Sia nell'una che nell'altra disciplina sono presenti dei riceventi che una volta eseguita l'operazione di decodificazione e di comprensione hanno una reazione di *feed-back*. Sia nell'una che nell'altra disciplina si determina un atteggiamento che definisce e qualifica la relazione tra emittente e ricevente nella creazione, anche se a livelli minimi, di legami. Ed è inoltre innegabile il fatto che la teologia, in quanto scienza, impegna se stessa in un processo di comunicazione nella trasmissione della possibilità dell'esperienza di Dio agli altri uomini in modo da aprirli alla dimensione comunitaria, nella strutturazione dei contenuti di fede in ordine alla diffusione del messaggio salvifico nel tempo e nella presentazione dei risultati della propria riflessione.

E se la teologia in generale non può ignorare il rapporto con la scienza della comunicazione, a maggior ragione non può farlo la → teologia fondamentale in quanto si caratterizza come disciplina di frontiera e quindi come apertura a quegli aspetti culturali che pur non avendo una matrice teologica specifica, di fatto poi hanno una notevole influenza in campo teologico. Inoltre, essa ha per suo oggetto di studio la → rivelazione non solo come parlare di Dio all'uomo e quindi conoscenza della comunicazione delle volontà divine, ma anche come bisogno umano di trasmettere e condividere con gli altri uomini il proprio essere in quanto in dialogo col divino, e le conseguenze che questa esperienza produce nella propria vita. E la rivelazione non è fine a se stessa, ma vuole una sua trasmissione a tutti gli uomini di tutti i tempi e se si vuole che tale «comunicazione» effettivamente avvenga non si può prescindere dal tener conto delle esigenze dell'uomo in quanto essere comunicativo, special-

mente oggi che tali esigenze sono alquanto numerose e complesse. E siamo ancora in un contesto comunicativo nel momento in cui andiamo a parlare di risposta di → fede e → testimonianza. La fede infatti è adesione silenziosa e personale nell'ambito delle scelte della propria coscienza, ma la fede ha anche bisogno di nutrirsi di una dimensione esterna espressiva di apertura, testimonianza, condivisione col prossimo.

Diventa perciò importante in questa prospettiva l'analisi, per esempio, del linguaggio religioso in generale e di quello cristiano in particolare alla luce dei progressi svolti dalla scienza delle comunicazioni, o quella delle varie possibilità di trasmissione del messaggio evangelico tramite i mass-media, delle categorie logico-linguistico-visive che i mass-media usano e del grado di incidenza che queste hanno sul nostro modo di pensare e di parlare, delle modificazioni che un loro uso sempre più diffuso introduce nella cultura moderna a livello di formazione e a quello di espressione. Si deve infatti tener conto del fatto che il vangelo è nato in un ambiente a noi culturalmente estraneo e che quindi si deve tentare, per quanto è possibile, una costante ri-definizione del suo rapporto con la realtà e il trasferimento dei contenuti evangelici in quelle forme linguistiche ed espressioni artistiche più consone alla comprensione da parte dell'uomo del ventesimo secolo. Nello stesso tempo bisogna vagliare attentamente la possibilità di una utilizzazione dei mass-media per la trasmissione del messaggio cristiano e di quella di un uso nuovo dei tradizionali mezzi di comunicazione, in maniera tale da rendere il messaggio pienamente recepibile nell'ambito del nostro tempo, tenendo conto del fatto che le nuove tecniche di comunicazione generano in continuazione la nascita di nuovi simboli, creano nuovi modi di fruizione delle immagini e dei suoni e nello stesso tempo danno vita a nuove forme di strutture politiche ed economiche, e in esse a nuove forme di manipolazione, potere e sfruttamento dell'uomo. Forme contro le quali, nell'ambito della sequela evangelica, il cristiano è chiamato a lottare.

La teologia fondamentale non può restare passiva di fronte a tutto questo fermento e non può fare a meno di confrontarsi con la problematica del come esprimere oggi, e in tale contesto, la verità divina e con quella della modalità di trasmissione della rivelazione di cui la chiesa è erede e custode. Anzi ha il compito ben preciso di affrontare il problema della comunicazione e quello dell'influenza che i cambiamenti in tale settore generano nell'uomo; di chiedersi fino a che punto i vari sistemi di informazione possano incidere sulle credenze individuali; in che modo si possa proporre all'uomo di oggi l'analogia della comunicazione trinitaria come modello ideale di comunicazione al quale possono fare riferimento le comunicazioni e Cristo «perfetto comunicatore», come modello per ogni uomo nel processo mediante il quale si stabiliscono relazioni con il prossimo.

In questo senso diciamo che oggi è necessario che la teologia fondamentale si apra al dialogo e alla collaborazione con la scienza della comunicazione. Si sono già fatti numerosi passi in questa direzione, ma siamo solo agli inizi di un cammino che si presenta alquanto lungo e difficoltoso, anche se nello stesso tempo ricco di provocazioni e possibilità per la ricerca teologica.

2. COMUNICAZIONE COME RAPPORTO DI RIVELAZIONE TRA DIO E L'UOMO - Rivelazione è comunicazione tra Dio che esce dal suo mistero e l'uomo che nel dialogo d'amore viene salvato e trasformato. Ma si tratta di un processo comunicativo talmente complesso e talmente articolato che non a ca-

so il concilio Vaticano II per definirlo ha usato il termine «economia».

Nel momento in cui si parla di comunicazione, si dovrebbe dire che dal punto di vista tecnico non sarebbe possibile una comunicazione tra Dio e l'uomo, in quanto si tratta di due livelli non solo completamente distinti, ma anche infinitamente lontani. Nonostante ciò Dio supera questa difficoltà a priori e non solo si rivolge all'uomo, ma lo fa usando tutte le possibili vie offerte dalle umane strategie comunicative, e già dal periodo veterotestamentario emerge chiaramente come la rivelazione si attui in determinate strutture comunicative che non sorgono per volontà umana, ma che rispondono a una precisa intenzione divina. È Dio, infatti, che si rende presente nella storia con una infinità di mezzi, e si offre contemporaneamente come oggetto di pensiero, linguaggio ed esperienza. Gli ebrei hanno incisivamente espresso questo ruolo di emittente di Dio nella formula di autopresentazione e si sono perfettamente resi conto che non si trattava di una comunicazione che avveniva a livelli impersonali e astratti, ma di un Dio che «parlava» con gli uomini mettendoli a conoscenza dei suoi piani, definendo con loro le sue modalità operative, facendo promesse, minacce, annunciando gioia o castigo.

Si tratta di un Dio che usava un unico codice che poteva assumere la multiformità espressiva di una infinità di risonanze. Infatti parliamo di «parola di Dio», ma in senso analogico. Essa è diversa da tutte le parole umane. Si presenta come parola plurisensoriale che si dirige ai sensi fisici dell'uomo ma anche a quelli interiori; di una parola che riesce anche a manifestarsi sotto forma di elementi fisici: tuono, fulmine, vento, fuoco..., di una parola che rivela, ma che nello stesso tempo nasconde e non può essere assolutamente ricondotta a semplici significati di comunicazione verbale in quanto parola «generatrice» non solo di significati, ma anche di cose e di eventi e che è nello stesso tempo immagine, visione, sentimento, incontro... azione, che prorompe nella storia e ne forgia in modo irrevocabile il corso, definendo così la volontà dell'emittente e le coordinate che il ricevente deve adottare per poter entrare in sintonia con lui. E ciò appare chiaramente nel momento in cui parole e azioni si fondono reciprocamente nel manifestarsi di tutto quel complesso semiotico che determina il dinamismo di evoluzione del piano salvifico divino e in particolare di quei segni che ne scandiscono le tappe fondamentali e illuminano poi, rivestendoli di significato nuovo, i momenti della vita quotidiana.

Ma perché questa comunicazione possa effettivamente stabilirsi, il codice deve essere interpretato correttamente e tocca all'uomo svolgere questo lavoro di decodificazione. E non si tratta di un lavoro semplice in quanto il messaggio divino è unico nel suo genere e il codice in cui è espresso non ha parametri di confronto.

E inoltre il vero scopo della comunicazione non è soltanto quello di trasmettere informazioni, ma di chiedere all'uomo un'adesione totale alla volontà divina, per cui, inserito nel processo comunicativo, diventa capace non solo di comprendere le intenzioni secondo cui si muove il piano divino, ma anche di ribaltare la direzione vettoriale del processo e diventare a sua volta l'emittente nel dialogo con lui in un rapporto di fedeltà che va oltre le situazioni umane, ed essere così protagonista effettivo della propria storia personale e di quella del mondo.

Quello che nell'Antico Testamento era il Dio che comunicava nella imperscrutabilità del suo mistero, nel Nuovo Testamento diventa il Dio che, incarnato, incontra l'uomo «faccia a faccia» superando così il dislivello della differente natura in una comunicazione che non vuole lasciare spazio a incertezze: infatti emittente e ricevente ora sono nelle stesse coordinate spazio-temporali. Per questo possiamo dire che Cristo è il Perfetto Comunicatore, in quanto in lui troviamo concentrata e realizzata l'immagine della possibilità di attuazione della comunicazione ideale, quell'ideale a cui si ispira ogni comunicazione umana: il dono all'altro non solo nell'espressione delle proprie idee e sentimenti, ma della propria totalità in una compenetrazione d'amore tale da non lasciare equivoci. In questa dinamica, Cristo non è solo colui che porta il messaggio di Dio, come nel caso dei profeti; è il messaggio stesso che si rende concretamente visibile rivestendosi di carne e assumendo le fattezze umane. Per questo diciamo che siamo di fronte a una comunicazione unica e irripetibile, in quanto gli elementi costituenti il processo comunicativo invece di disperdersi nella diversità delle funzioni aumentando così i rischi delle possibilità di disturbo nel processo, come avviene nel caso di comunicazioni tra uomini, convergono e si condensano in un unico atto, nel quale è perfettamente scandito il ritmo triadico della volontà trinitaria, ma nella perfetta sincronia di volontà e intenti.

La parola umana, ontologicamente, si pone come dinamismo. Si tratta di un dinamismo che si esplica a vari livelli: in primo luogo in quanto presa di coscienza del proprio essere e del proprio porsi con una funzionalità e direzionalità determinate; in secondo luogo in quanto dinamismo di produzione, poiché essa è un prodotto umano, ma nello stesso tempo tende a sua volta alla produzione di qualcos'altro; e in terzo luogo in quanto dinamismo di trasformazione, poiché porgendosi a una realtà vuole modificarne degli aspetti, se non l'intera realtà. Cristo, immagine e parola del Dio invisibile, raccoglie in sé il dinamismo dell'immagine e quello della parola e li rafforza nella sua auto-affermazione di Dio e di uomo che incidendo nella realtà umana, la altera nella sua struttura portante trasformandola da una umanità caduta in una umanità salvata. Come la parola umana non si limita semplicemente a mettere gli uomini in relazione tra loro, ma anche a consolidare e ad approfondire tali relazioni in rapporti di alleanza e di unione, così la parola di Dio unisce in sé tutta l'umanità e la ricapitola al Padre nel vincolo di figliolanza.

I mezzi attraverso cui la comunicazione si realizza sono gli stessi che gli uomini adoperano nelle loro comunicazioni quotidiane. Gesù si serve dei gesti, delle espressioni, dei modi di fare, del linguaggio umano... ma usandoli in maniera differente da tutti gli altri uomini, usandoli con autorità, con efficacia e potenza, come veicoli di verità. Una verità che, pur essendo storicamente condizionata, non può non rimandare incessantemente alla Verità eterna da cui essa trae la sua origine e di cui si sostanzia. In questo senso si può dire che, attraverso questa varietà di mezzi, sono trasmessi dei segni altamente polivalenti, tanto che, superata la barriera della realtà esteriore, possono divenire le chiavi di accesso al trascendente e creare la possibilità della transcodificazione del linguaggio divino in categorie umane, in particolar modo quelle delle parole e delle azioni.

Cristo, con e nella sua vita terrena non ha fatto altro che parlare dell'amore del Padre verso gli uomini. Egli non ha presentato però alcuna dottrina filosofica, né alcuna speculazione sul tema, ma il suo messaggio in lui diventa incessante realizzazione pratica, manifestazione concreta e visibile di misericordia e di compassione verso l'uomo, non solo tramite i miracoli, ma nell'accettazione consapevole e sofferta della morte, nel suo voler restare presente tra gli uomini anche dopo la sua ascensione con l'istituzione dell'eucaristia, nel non abbandonare i suoi discepoli inviando loro lo Spirito consolatore e soprattutto nella fondazione della chiesa (→ Chiesa: Gesù e la chiesa) per mezzo della quale sarà possibile la diffusione del suo vangelo a tutto il mondo.

Si tratta di parole e azioni che trovano una loro coesione interna nella persona stessa del Cristo, essendo lui Verbo e Verbo che agisce; ma nello stesso tempo esse non perdono mai la loro specificità né si confondono tra di loro. Parole e azioni mantengono in Cristo una propria configurazione autonoma fino al momento della morte in croce nella quale tale tensione di relazionalità raggiunge il suo apice e arriva al punto di «non ritorno», cioè al superamento di ogni possibilità, al punto di implosione di tutte le parole e di tutte le azioni nel sacrificio supremo. L'amore totale di Cristo-Dio che non aveva assolutamente bisogno né della sofferenza né della morte, diventa il punto in cui si annulla ogni relazionalità e ogni rapporto viene riassorbito, nella totalità della donazione, nella morte del Dio immortale.

Si tratta di un processo che giunge ad un altro momento culminante nella risurrezione. Come Cristo, con il suo entrare nella storia afferma la sua divinità e il suo essere figlio del Padre, e pone la possibilità della relazione comunicativa tra due livelli differenti scendendo al livello umano, così con la risurrezione, sancisce la verità di tali affermazioni e ricapitola questa esperienza storica del divino nell'assorbimento a sé di tutta l'umanità trasponendo la possibilità comunicativa dal livello umano al livello divino. In essa, l'essere uomo di Cristo diventa il veicolo attraverso cui si ha la piena espressione e manifestazione del suo essere Dio, in quanto alla natura corporea viene conferito il suo autentico destino di gloria e tutta l'umanità viene associata in un processo di solidarietà. Con l'avvenimento «risurrezione», Cristo si sancisce definitivamente come codice e nello stesso tempo come chiave interpretativa del codice che permette di penetrare il messaggio divino, così che non esistono possibilità di equivoci: Dio ha parlato con l'uomo e all'uomo tocca il compito di rispondere.

Il confronto con Cristo mette a nudo la vera realtà umana e mette ogni uomo, in quanto ricevente, di fronte a quella che è la propria realtà. Cristo dice: «Io sono la verità», ma con tale affermazione egli si pone come criterio di verità. Ma chi si confronta con la verità e la ricerca in se stesso si ritrova nella propria dimensione di egoismo e di meschinità. La reazione a ciò può essere o il rifiuto netto della verità o l'accettazione della propria limitatezza come punto di partenza per un cambiamento interiore. Accettare la verità significa inserirsi in un contesto di liberazione. Tuttavia, pur essendo Cristo il «perfetto comunicatore», la comunicazione con l'uomo non è ancora perfetta. Esiste ciò che in termini tecnici è chiamato «rumore» (disturbo alla comunicazione). Il rumore proviene dall'uomo, ed è la paura del rischio, l'egoismo, l'incapacità di rimettere tutto in discussione, la ricerca del piacere, del denaro, del successo... il bisogno di volere sempre segni per credere e il non voler credere nemmeno di fronte ad essi.

La comunicazione perfetta tra Dio e uomo si potrà realizzare solo in un contesto escatologico. L'economia di rivelazione nella storia non avrebbe senso se Dio non si proponesse di comunicare con l'uomo, nella pienezza escatologica. Compete infatti alla sua natura il senso della perfezione, per cui non è possibile pensare a un pro-

cesso parziale e frammentario. Una volta iniziata la comunicazione con l'uomo, Dio la porta avanti fino alla realizzazione finale. In tale contesto la parola di Dio si farà presenza e ci sarà il riconoscimento definitivo nella visione «in totum». Ciò non significa conoscenza totale di Dio, ma incontro e riconoscimento del mistero in quanto tale e nello stesso tempo in quanto fonte continua di novità. E sarà questa possibilità di una sempre nuova scoperta, nel dialogo divino, la condizione di possibilità della comunicazione perfetta. Se infatti si esaurissero i contenuti della comunicazione, questa non avrebbe più senso. Sarebbe pura e meccanica ripetizione di un qualcosa di già assimilato. Cesserebbe ogni possibilità di produttività e di progresso nel rapporto reciproco. La comunicazione escatologica invece sarà fonte di progresso inesauribile verso la scoperta incessante di Dio, della sua immensità e del suo amore.

In tale contesto, la comunicazione con Dio coinciderà pienamente con la visione di Dio, e ogni distanza tra Dio e l'uomo verrà annullata nella globalità dell'atto, secondo una incessante struttura dialogica che condurrà sempre più in profondità nella gloria divina e nella conoscenza sempre più chiara del mistero di Dio, del mondo e dell'uomo. Il rapporto uomo-Dio sarà forgiato secondo le stesse modalità per cui sono in dialogo le persone della Trinità: un dialogo che genera dinamismo e comunione d'amore e al quale l'uomo è chiamato a partecipare. Quella potenzialità di relazione, quel bisogno lacerante che guidava ogni uomo alla ricerca dell'altro nella comunicazione, in contesto escatologico sarà pieno e totale e troverà la sua realizzazione nel rapporto con Dio, col mondo e con gli altri uomini.

La capacità intellettiva umana, in perfetta sincronia con la sfera emozionale-sensitiva, potrà attingere direttamente la verità nella visione e rinnovare eternamente la sua adesione di fede a Dio. E questo momento non sarà solo il momento del realizzarsi della comunicazione perfetta con Dio, ma anche quello del realizzarsi della comunicazione perfetta tra tutti gli uomini. Ogni uomo potrà avere innanzi a sé l'essenza dell'altro uomo e riuscirà a leggere in essa, riconoscendo così il riflesso del mistero divino che anima l'altro, comprendendo che si tratta dello stesso moto di ricerca di completezza che aveva animato la sua vita terrena, ma senza che niente possa essere ora di impedimento all'incontro. Nella comunicazione escatologica, così, ogni uomo realizzerà pienamente se stesso: non può volere altro, non può desiderare altro e non ha bisogno d'altro se non di nutrirsi di questa comunicazione d'amore infinito e senza limiti.

Bibl. - E. Baragli, *Comunicazione, comunione e Chiesa*, Roma 1967; Id., *Inter Mirifica*, Roma 1969; J.L.L. Aranguren, *La comunicación humana*, Madrid 1967; F. Cacucci, *Teologia dell'immagine*, Roma 1971; A.M. Thibault-Laulan, *Le langage de l'image*, Paris 1971; M. Flick - Z. Alszeghy, «L'evangelizzazione come comunicazione» in M. Dhavamony (ed.), *Evangelization*, Roma 1975; W. Bartholomaus, «La comunicazione nella Chiesa. Aspetti di un tema teologico», in *Conc* 14 (1978) 165-185; G. Gaird, *The Language and Imagery of the Bible*, London 1980; A. Dulles, «The Symbolic Structure of Revelation», in *ThS* 41 (1980) 51-73; E. Robinson, «Loneliness and Communication», in *Theol* 83 (1980) 196-203; J.O. Millis, *Mac Bride and the Kingdom*, Roma 1981; N. Copray, *Kommunikation und Offenbarung*. Philosophische und theologische Auseinandersetzungen auf dem Weg zu einer Fundamentaltheorie der menschlichen Kommunikation, Düsseldorf 1983.

M. Cristina Carnicella

CONSIGLIO ECUMENICO DELLE CHIESE

1. «Il Consiglio ecumenico delle chiese è una fraternità di chiese che confessano il Signore Gesù Cristo come Dio e Salvatore secondo le Scritture e perciò cercano d'adempiere insieme la loro comune vocazione alla gloria dell'unico Dio, Padre, Figlio e Spirito Santo» (*Costituzione del CEC, I*). Questa base, accettata dall'Assemblea Generale di Nuova Delhi nel 1961 in sostituzione di quella più breve del 1948, non è intesa come un credo, né come espressione perfetta della fede cristiana. Quello che si vuole esprimere è questo: cosa tiene uniti i membri del CEC, qual è il punto di partenza del loro dialogo e quale il fondamento per la loro collaborazione. La funzione e lo scopo principale del Consiglio è: «di chiamare le chiese al traguardo di una unità visibile in una fede e in una fraternità eucaristica espressa nel culto e nella vita comune in Cristo e di andare verso l'unità in modo che il mondo possa credere». Seguono altri scopi quali l'aiuto per la comune testimonianza, l'appoggio alle chiese nei loro universali compiti missionari ed evangelici, la comune preoccupazione per il servizio ai bisogni umani e alla promozione d'unità, giustizia e pace fra i popoli, la promozione del rinnovamento delle chiese e il mantenere le relazioni fra i vari organismi ecumenici (*Costituzione del CEC, III*). Nell'assemblea generale di Vancouver (1983) il CEC si descrive come «una espressione preliminare di questa unità che è la volontà e il dono di Dio, per cui i cristiani pregano e agiscono. Il CEC offre una tribuna in cui i cristiani possono incontrarsi e scambiare intensamente le loro esperienze, le loro convinzioni teologiche e le loro scoperte spirituali. Esso costituisce inoltre un contesto ecumenico nel quale le chiese membri possono collaborare sempre più ampiamente nella testimonianza e nel comune servizio verso il mondo» (Promuovere l'unità con atti concreti, par. 29, in *Il Regno. Documenti* 28, 1983, 554). Il CEC non è quindi meramen-

te uno strumento per poter raggiungere l'unità. Esso realizza già in modo provvisorio l'unità e la solidarietà crescente fra le chiese. L'importanza ecclesiologica del CEC è stata definita nel 1950 dalla cosiddetta dichiarazione di Toronto, «La Chiesa, le Chiese e il Consiglio Ecumenico delle Chiese» (C. Boyer - D. Bellucci, *Unità cristiana...*, vol. I, 218-225). Ufficialmente questa dichiarazione rimane ancora oggi l'ultima parola sull'argomento.

2. La decisione di costituire il CEC fu presa nel 1938 da due movimenti principali, che avevano lavorato per quasi due decenni per riunire varie chiese e tradizioni di chiese: il Movimento di Fede e Costituzione (Faith and Order Movement) e il Movimento per il Cristianesimo pratico (Life and Work) (→ Ecumenismo). L'idea sopravvisse alla seconda guerra mondiale (1939-1945). La fondazione ebbe luogo alla prima assemblea generale di Amsterdam nel 1948. Gli eventi più rilevanti furono le assemblee generali tenutesi in seguito a Evanston (USA, 1954), Nuova Delhi (1961), Uppsala (1968), Nairobi (1975) e Vancouver (1983). La settima assemblea è stata programmata per il 1991 a Canberra (Australia). Un evento significativo fu l'integrazione del Consiglio missionario internazionale (*International Missionary Council*) nel CEC all'assemblea di Nuova Delhi (1961). L'IMC ebbe le sue origini dalla Conferenza missionaria internazionale, tenutasi nel 1910 a Edimburgo. Mediante questa integrazione è diventato chiaro di nuovo come l'unità e la missione sono strettamente collegate. Con l'ingresso della chiesa russa e delle chiese ortodosse degli altri paesi socialisti, praticamente tutte le chiese ortodosse hanno aderito al Consiglio. Il CEC, con base a Ginevra, conta attualmente 314 chiese-membri, rappresentanti di tutte le confessioni cristiane. Le tre unità, cioè Fede e testimonianza, Giustizia e servizio, Educazione e rinnovamento, di cui è costituito il CEC, dimostrano l'ampiezza degli impegni del Consiglio.

Fra le chiese assenti c'è la chiesa cattolica. Dopo un periodo in cui si è tenuta completamente in disparte, la chiesa cattolica ha stabilito contatti regolari con il CEC a partire dal Concilio Vaticano II. Questi contatti si sono formalizzati dal 1965 nel Gruppo misto di lavoro. Questo gruppo consultivo si propone di rendere la chiesa cattolica e il CEC capaci di valutare insieme lo sviluppo del movimento ecumenico e di diventare così un incitamento per gli organismi che lo promuovono proponendo nuovi passi e programmi e di favorire collaborazione fra di loro. La questione della partecipazione è stata già decisa, in modo negativo, nel 1969 come non ancora matura; l'attuale relazione è vista in termini di «solidarietà fraterna» (Paolo VI nella sua lettera alla 5° Assemblea del CEC del 1975, *Breaking Barriers*, Genève, 1975, 154). Uno dei punti più significativi di collaborazione sta nella partecipazione ufficiale di 12 teologi cattolici ai lavori della Commissione di fede e costituzione. SODEPAX invece è stata un'esperienza piuttosto frustrante. Dopo un inizio brillante nel 1968, questo organismo, comune al CEC e alla chiesa cattolica per lo sviluppo di una maggiore consapevolezza nei riguardi delle questioni della società, dello sviluppo e della pace, veniva limitato sempre di più, nelle sue possibilità, dal gruppo dei sostenitori, durante i successivi mandati, fino alla sua soppressione nel 1980.

3. In riferimento alla voce «Ecumenismo», qui citiamo alcune conferenze, programmi, e dichiarazioni del CEC, che hanno una rilevanza speciale per lo studio della teologia fondamentale in una prospettiva ecumenica.

L'esistenza stessa del CEC pone

problemi teologici fondamentali. Il nesso intimo fra l'unità e la missione che presiede all'intera organizzazione del Consiglio e che rimane istituzionalmente presente nella Commissione per la missione e l'evangelizzazione, favorì una riflessione teologica sulla missione, sulla testimonianza e sul senso della salvezza, sull'assolutezza della fede cristiana e sul dialogo con persone d'altre fedi e da ultimo, ma non da meno, sul ruolo delle chiese nella società e sulla loro responsabilità per la giustizia, la pace e l'integrità della creazione. Negli anni '70 si era stabilito un programma per studiare l'interazione fra *L'Unità dell'umanità e l'Unità della chiesa*, che come tale era stato abbandonato e successivamente ripreso con il titolo *L'Unità della chiesa e il rinnovamento della comunità umana*.

Le questioni principali sono legate ai modelli dell'unità cristiana. Anche se il CEC, secondo la dichiarazione di Toronto, non vuole presentare un'ecclesiologia propria, l'esperienza di vita comune portò il Consiglio a chiarire alcuni punti teologici ed ecclesiologici. Fu a Nuova Delhi (1961) che il Consiglio presentò per la prima volta una formula d'unità, nella quale era indicato lo scopo dell'unità sottolineando in particolare la sua dimensione locale. A Uppsala (1968) venne sottolineata l'universalità della chiesa. L'Assemblea di Nairobi (1975) descrisse l'unità come Comunità conciliare (→ Ecumenismo) modello che era stato definito a Vancouver (1982) in termini fortemente eucaristici, come una *visione eucaristica* che «comprende nella loro globalità la vita e la testimonianza cristiane e tende, se noi ne diventiamo davvero coscienti, a farci vedere sotto una luce nuova che l'unità cristiana riguarda l'insieme del popolo cristiano nella sua ricchezza e grande diversità» (Promuovere l'unità con atti concreti, par. 4, in *Il Regno*. Documenti 28, 1983, 552).

Dopo questo problema generale altri problemi più particolari della teologia fondamentale sono stati affrontati nel CEC. «Scrittura e tradizione» è stato discusso esplicitamente nella Conferenza mondiale di Fede e costituzione a Montreal (1963) e portò a vari altri documenti riguardanti problemi ermeneutici, il significato dei concili e l'autorità nella chiesa. L'apostolicità venne concepita in un contesto più ampio che mette insieme l'apostolicità di dottrina e del lavoro pastorale con la successione apostolica nel ministero. Importante a questo riguardo è stato lo studio sulla «Cattolicità e apostolicità» (1968) (*Enchiridion oecumenicum*, I, 395-432). L'unità presuppone un'unità di fede e qualche forma di comune confessione della fede. Come possono i cristiani confessare la stessa fede apostolica espressa nelle Sacre Scritture e riassunta emblematicamente nei vari «credi» della chiesa primitiva? Questa questione è stata affrontata dal CEC in una ricerca che va sotto il titolo «Verso una espressione comune della fede apostolica oggi». Molti di questi problemi fondamentali sono stati sollevati con nuova urgenza alla luce delle risposte ufficiali al documento di Lima su battesimo, eucaristia e sacerdozio.

Bibl. - R. Rouse - S. Ch. Neill, *Storia del movimento ecumenico*, I: dalla Riforma agli inizi dell'Ottocento, Bologna 1973 - II: Dagli inizi dell'Ottocento alla Conferenza di Edimburgo (1910), Bologna 1973 - III: Dalla Conferenza di Edimburgo all'Assemblea ecumenica di Amsterdam (1948), Bologna 1982 - IV: H.E. Fey (ed.), L'avanzata ecumenica (1948-1968), Bologna 1982; C. Boyer - D. Bellucci, *Unità cristiana e movimento ecumenico*, vol. I, Roma 1963; C. Boyer - S. Virgulin, vol. II, Roma 1975 (Testi e documenti 2, 10); S.J. Voicu - G. Cereti (edd.), *Enchiridion oecumenicum*. Documenti del dialogo teologico interconfessionale I. Dialoghi internazionali 1931-1984, Bologna 1986.
What in the world is the World Council of Churches, Genève 1978; M. Cassese (ed.), *Il Consiglio Ecumenico delle Chiese. Perché?*, Como 1983; A.J. van der Bent (ed.), *Handbook Member Churches World Council of Churches*, Genève 1985; Id., *Vital Ecumeni-*

cal Concerns, Genève 1986; Riviste del CEC: *Ecumenical Review, International Review of Mission* e *One World*.

Jos E. Vercruysse

CONVERSIONE

Nell'uso teologico «conversione», di solito, significa un movimento spirituale verso Dio il quale si comunica in Cristo e nello → Spirito Santo.

1. DATI BIBLICI - Il concetto neotestamentario non è radicato principalmente nella nozione filosofica greca di conversione, che è prevalentemente intellettuale, ma piuttosto nel concetto di *shûb* (rivolgersi verso, allontanarsi da, tornare) che è proprio dell'Antico Testamento. I profeti guardano a Israele che ha voltato le spalle a Jhwh e che ha bisogno di convertirsi a lui per sfuggire alla punizione collettiva (Os 7,10-12; Am 4,6 e 11). Secondo Is 6,10, nell'interpretazione dei LXX e del Nuovo Testamento, gli israeliti guarirebbero se solo fossero capaci di vedere, udire e convertirsi: la loro cecità e sordità sono una punizione per il loro peccato. Geremia ed Ezechiele sottolineano la dimensione interiore e personale della conversione in quanto accettazione del patto di Dio impresso nel cuore (Ger 31,33; 32,37-41; Ez 11,19; 18, 19-32).

Giovanni Battista e Gesù fanno della conversione individuale (*metánoia*) il tema fondamentale della loro predicazione. Giovanni chiama alla penitenza e alle opere buone in vista dell'imminente giudizio di Dio (Mt 3, 1-2; Mc 1,1-8; Lc 3,1-20). Gesù aggiunge al messaggio di Giovanni la buona notizia che Dio sta già realizzando il suo regno attraverso l'amore e il perdono. Per Gesù la conversione è condizione per la fede, per il discepolato e la salvezza.

I termini *epistrophê* e *metánoia* sono frequenti in Luca e negli Atti che legano la conversione al perdono (Lc 10,47; 24,47; At 3,19), alla fede (At 2,38; 10,43), al battesimo (At 2,38; 10,47), alla pace e alla gioia interiore (Lc 7,50; 15,32; 17,6), al dono dello Spirito Santo (At 2,38; 10,45; 11,15-18), alla vita (At 11,18) e alla salvezza (Lc 8,12; 19,9). Paolo e Barnaba esortano i pagani a volgersi dagli idoli al Dio vivente (At 14,15). La conversione di Paolo, descritta tre volte negli Atti, comporta sia la luce personale che la vocazione all'apostolato (At 9,1-19; 22,3-16; 26,9-18).

Paolo usa sporadicamente termini come *metánoia* (Rm 2,4; 2 Cor 7,9-10; cfr. 12,21) e *epistrophê* (1 Ts 1,9; cfr. 2 Cor 3,16), più spesso trasmette l'idea di conversione mediante metafore come quella del morire e del nascere di nuovo e del conseguimento di una nuova vita (Rm 6,4; 1 Cor 6, 11); parla di trasformazione progressiva in nuovi gradi di gloria (2 Cor 3,18). Per Giovanni, proprio come per Paolo, l'accesso alla fede comprende l'idea di conversione: è un passaggio dalla morte alla vita, dall'oscurità alla luce. Nell'Apocalisse la conversione è considerata come una condizione per ottenere il perdono (Ap 2,16.22; 3,3). È questione di aprire il proprio cuore a Gesù che bussa e desidera entrare (3,19). La centralità della conversione nella prima catechesi è indicata in Eb 6,1, in un contesto che mette in rilievo la necessità della perseveranza (Eb 6,4-6).

2. STORIA DELLA CHIESA - La rapida espansione del cristianesimo durante i primi secoli fu possibile principalmente grazie alle conversioni. Il successo che ebbe il cristianesimo nell'attrarre i convertiti si deve alla sua espressività sacramentale che entrava in competizione con il richiamo delle religioni misteriche; alla sua rispettabilità come filosofia che superava le scuole greche; ai legami comuni di amore e di fratellanza e alla integrità morale dei suoi aderenti. La storia delle conversioni di Giustino,

Clemente di Alessandria e Agostino mostrano come erano compenetrate le motivazioni filosofiche, religiose e morali.

Le concezioni moderne di conversione sono fortemente influenzate dagli scritti di revivalisti americani (J.Edwards), metodisti inglesi (J.Wesley), santi cattolici (Ignazio di Loyola) e leaders spirituali che sono giunti alla chiesa in età adulta (J.H. Newman, T. Merton, D. Day).

3. INSEGNAMENTO E LITURGIA UFFICIALI DELLA CHIESA - Vari concili in Occidente hanno dato forma decisiva all'insegnamento cattolico sulla conversione. Il secondo concilio di Orange (529), facendo proprie alcune delle posizioni di Agostino contro Pelagio, insegna l'assoluta necessità della grazia e della luce dello Spirito Santo per rendere possibile l'assenso alla predicazione del vangelo, ma anche il desiderio della fede e del battesimo (DS 373-377).

Il concilio di → Trento nel suo decreto sulla giustificazione (1574) asserisce sia la libertà della conversione sia il primato della grazia divina (con citazioni da Zc 1,3 e Lam 5,21; cfr. DS 1525). Nella descrizione degli atti con cui uno si dispone alla giustificazione il concilio di Trento accenna alla fede, al timore della giustizia divina, alla speranza nella misericordia di Dio, all'amore iniziale, all'orrore per il peccato e alla penitenza, cose tutte che conducono al desiderio del battesimo e alla decisione di obbedire ai comandamenti di Dio (DS 1526). Il concilio di Trento chiarisce anche che la conversione continua per tutta la vita mentre uno progredisce nella fede, nella speranza e nella carità compiendo opere buone (DS 1535).

Il concilio → Vaticano I (1869-1870) asserisce che, mentre la chiesa «come vessillo innalzato tra le nazioni» invita a sé quanti ancora non credono, il Signore scuote e aiuta con la sua grazia coloro che cercano la luce

della verità conducendoli alla fede cattolica (DS 3014). La fede cristiana e cattolica, mentre è sempre un dono di Dio, è nondimeno un assenso ragionevole e non una cieca adesione (DS 3009-3110).

Per il concilio → Vaticano II la conversione comincia quando ognuno «staccato dal peccato, viene introdotto nel mistero dell'amore di Dio, che lo chiama a stringere nel Cristo una personale relazione con lui» (AG 13). La conversione deve essere libera sia moralmente che fisicamente, tattiche indegne di proselitismo devono essere evitate. Bisogna che le motivazioni dei convertiti siano ben esaminate e, se necessario, rettificate (AG 13; cfr. DH 11). Il concilio usa il termine «conversione» quando parla dell'attività missionaria diretta ai non cristiani; per i cristiani che vengono alla chiesa cattolica parla piuttosto di «opera di preparazione e di riconciliazione di quelle singole persone che desiderano la piena comunione cattolica» (UR 4).

Allo scopo di facilitare la piena conversione di chi entra nella chiesa, il Vaticano II decreta che venga ripristinato il catecumenato degli adulti (SC 64-66; AG). Il nuovo rito postconciliare della iniziazione cristiana degli adulti, con la sua successione di gradi, è ideato per assicurare una rinuncia sincera del male e una partecipazione impegnata alla morte e alla risurrezione di Cristo, come pure un'effettiva socializzazione nella chiesa in quanto comunità di fede e di culto.

4. TEOLOGIA - Nella teologia classica (Agostino, Tommaso d'Aquino) la conversione è il processo con cui un individuo si volge a Dio e si unisce più intimamente a lui. Questo processo è una libera risposta a Dio che fa dono di sé in Cristo e nello Spirito Santo. La conversione si verifica normalmente in modo graduale, talvolta si manifesta attraverso intense esperienze limite e con un cam-

biamento radicale dei propri orizzonti mentali ed emotivi.

In rapporto agli obiettivi che uno si prefigge si possono distinguere vari tipi di conversione: *teistica*, conversione a Dio in quanto realtà trascendente; *cristiana*, conversione a Gesù, suprema manifestazione di Dio; *ecclesiale*, conversione alla chiesa come comunità di fede; *personale*, conversione a un tipo di vita in cui l'impegno personale è pienamente vissuto. Questi tipi di conversione talvolta si sovrappongono o addirittura coincidono, come per esempio quando uno trova Dio e Cristo nell'accettazione di un nuovo modo di vivere dentro la chiesa.

Per B. Lonergan la conversione religiosa è uno stato dinamico di amore spirituale in risposta all'amore che Dio riversa nei nostri cuori mediante lo Spirito Santo (cfr. Rm 5,5). La conversione religiosa determina nuovi gradi di autotrascendenza percettiva, morale ed affettiva. Alcuni teologi della scuola di Lonergan, servendosi della psicologia evolutiva, distinguono le fasi della conversione in corrispondenza ai gradi dell'appropriazione personale della fede e della liberazione dall'egocentrismo.

Nell'uso corrente il termine «conversione» si riferisce in modo particolare ai progressi improvvisi e inattesi che coinvolgono spesso una transizione dall'alienazione alla riconciliazione. Movimenti verso Dio che siano deboli, graduali e continui vengono chiamati con termini diversi. L'adozione esplicita della fede cristiana si può chiamare propriamente conversione dal momento che consente di mettersi in rapporto con Dio in un modo radicalmente nuovo, ringraziandolo e facendo assegnamento su di lui per quanto ha fatto per noi in Cristo. Per questo il processo della conversione non dovrebbe essere separato dalla trasmissione del vangelo.

5. TEOLOGIA FONDAMENTALE - Da un certo punto di vista, la teologia fondamentale può essere intesa come una riflessione sistematica sulle strutture della conversione e più in particolare sulla conversione alla fede cristiana. La genesi della fede non si può capire adeguatamente se non si tiene conto dell'opera della grazia così come è conosciuta attraverso la rivelazione. La teologia fondamentale dovrebbe anche spiegare il giudizio razionale per cui il vangelo si differenzia da sistemi che sono incoerenti, superstiziosi o fraudolenti. Le rivendicazioni del cristianesimo reggono a seconda della sua capacità di far luce su questioni di fondamentale significato e di offrire ricchezza, scopo e orientamento alla vita umana. Le parole, le azioni e la vita nuova dei credenti impegnati sono fattori cruciali per la → credibilità del vangelo. La teologia della conversione dovrebbe tener conto della connessione organica tra la decisione di credere e la tendenza ad aderire a una specifica comunità di fede.

Bibl. - B. Lonergan, *Method in Theology*, New York-London 1972; W.E. Conn (ed.), *Conversion: Perspectives on Personal and Social Transformation*, Staten Island, NY, 1978; Id., *Christian Conversion:* A Developmental Interpretation of Autonomy and Surrender, New York 1986; A. Dulles, «Fundamental Theology and the Dynamics of Conversion», in *Thom* 45 (1981) 175-193; R. Duggan (ed.), *Conversion and the Catechumenate*, New York 1984.

AVERY DULLES

CREDIBILITÀ

1. *Come una premessa* - 2. *Linee emergenti (Agostino, Tommaso, Vaticano I, Analysis fidei, Vaticano II)* - 3. *Ambroise Gardeil (1859-1931)* - 4. *Pierre Rousselot (1878-1915)* - 5. *Proposta sistematica (explicatio terminorum; concentrazione cristologica e soteriologica)* (R. Fisichella).

1. COME UNA PREMESSA - «Questo è stato scritto perché crediate che Gesù è il Cristo, il figlio di Dio, e credendo abbiate la vita nel suo nome» (Gv 20,31).

Questo testo, che segna la conclusione del vangelo di Giovanni, costituisce pure l'inizio della nostra storia di credenti. L'evangelista, pensando a coloro che avrebbero creduto nel maestro «pur senza averlo visto» (1 Pt 1,8), presenta Gesù di Nazareth nella inscindibile unità del suo esprimersi mediante segni e parole, come il significato supremo e insuperabile dell'esistenza umana.

A coloro che già credono, egli manifesta in questo modo la sua professione di fede nel Signore; lui è il compimento delle promesse antiche e la rivelazione stessa di Dio perché suo figlio. Su questo fondamento la fede di ognuno può ora più consapevolmente crescere e giustificarsi e così raggiungere la vita.

Ma anche coloro che ancora non credono sono presenti all'evangelista; a costoro presenta Gesù di Nazareth e il suo messaggio salvifico come il momento favorevole per compiere il passaggio dalle «tenebre» alla luce della vita (Gv 1,9; 3,17-19).

Questo testo può ugualmente essere scelto come lo scenario più significativo su cui porre le riflessioni circa il tema della credibilità della rivelazione cristiana che andiamo a svolgere.

Due principi, che ci sembrano emergere da questa pericope, sono in grado di orientare verso una rinnovata comprensione teologica del tema della credibilità.

a. Anzitutto la *concentrazione cri-*

stologica. Gesù di Nazareth rivelatore del Padre è il vero centro formale della fede cristiana. «Ciò che è stato scritto» altro non è che la rilettura nella fede pasquale, di un evento storico che ha trasformato la vita di Giovanni e dei discepoli. Credere che Gesù è il compimento della promessa antica, equivale a professare la fede nella sua figliolanza divina; senza tuttavia poter prescindere dal suo parlare e agire storico.

La storicità di Gesù è il fondamento del riflettere teologico di Giovanni; come un leitmotiv, questo è riscontrabile in tutto il suo vangelo. Il Gesù che viene incontro infatti, è essenzialmente un uomo con la consapevolezza piena di aver ricevuto una missione che vuole fermamente perseguire fino alla fine. Egli è il rivelatore di un messaggio definitivo e, sorprendentemente, dice di essere lui l'unico in grado di immettere nella conoscenza del mistero della vita trinitaria di Dio. Lui è l'«inviato» e lo «sposo», dopo di lui nessun altro può essere atteso; la «via» che conduce al Padre si identifica con la sua persona, nessuno quindi potrà giungere a Dio senza di lui (Gv 14,4-11).

Una prima conseguenza che ne deriva, per la trattazione del tema della credibilità, sarà il necessario riferimento al cristocentrismo della fede.

b. Un secondo principio che emerge dal testo, è la *finalizzazione* cui è orientata la professione di fede: la «vita nel suo nome». La cristologia giovannea pertanto, e con essa tutta la teologia neotestamentaria, rimane incomprensibile senza il suo referente soteriologico.

L'atto del credere e del professare

la fede «nel suo nome», cioè in tutta la sua persona, non è fine a se stesso; non si crede quindi per credere, ma perché credendo si possa ottenere la salvezza.

Riconoscere l'amore del Padre nella vita del Figlio, e particolarmente nella sua morte di croce (Gv 3,16; 12,31), equivale per i credenti a spezzare le catene della schiavitù e a liberare il mondo dal peccato. Gesù è il «salvatore del mondo» (Gv 4,42), e la sua morte diventa «vita per il mondo» (Gv 3,17).

Ciò che tuttavia colpisce maggiormente in Giovanni, è il valore *universale* che viene attribuito alla salvezza. A differenza di Paolo, Giovanni non si attarda nelle considerazioni circa la salvezza dei giudei prima e poi dei pagani (Rm 1,16); per lui invece tutta l'umanità, indifferentemente, è posta davanti al figlio dell'uomo. In lui il giudizio di salvezza si è definitivamente compiuto (Gv 3,17; 19,30) e niente e nessuno potranno mai distruggerlo.

Per il tema della credibilità, ne consegue che si dovrà recuperare l'orizzonte soteriologico come elemento costitutivo in quanto finalizza l'atto del credere.

2. LINEE EMERGENTI DA UNA STORIA DEL PROBLEMA - Ripercorrere storicamente le tappe del tema della credibilità, equivarrebbe a inoltrarsi in uno studio che comprende circa 2000 anni di storia del cristianesimo e di teologia.

In effetti, in una categoria come questa, è facile far rientrare tutti i testi che sono stati scritti, in materia di fede, dai padri → apologeti, per tutto il medioevo, fino ai nostri giorni. Il comando di 1 Pt 3,15 (→ apologia) cui costantemente si fa riferimento, è il filo rosso che tiene unite le più disparate idee e teorie in proposito. È la responsabilità a dare ragione della fede che ha portato a indirizzarsi (→ Teologia fondamenta-

le, II) agli uomini, propri contemporanei, nelle diverse epoche storiche, procurando e creando categorie di pensiero atte alla comunicazione.

Le soluzioni, nel corso dei secoli, sono da riferire a nomi tra i più significativi e ad altri meno conosciuti. Tutti però hanno portato un contributo determinante per la comprensione dell'atto di fede.

Tra i primi, è da ricordare la *tradizione agostiniana* che, con un testo fortemente espressivo, quasi riprendendo alla lettera la terminologia giovannea, riconduce l'atto di fede ad una triplice condizione: *credere Deo, credere Deum, credere in Deum*. Con la prima, si sottolinea l'accettazione del fatto stesso che sia Dio a rivelarsi; con la seconda, si accoglie il contenuto della sua rivelazione; con la terza (facendo leva sulla costruzione latina *in + acc.*), si delinea un movimento interpersonale che è dinamica costante fino al pieno raggiungimento escatologico. L'anonimo autore del *Sermo de Symbolo*, attribuito ad Agostino, così si esprime: «Aliud enim est credere *illi*, aliud credere *illum*, aliud credere *in illum*. Credere illi est credere vera esse quae loquitur; credere illum, credere quia ipse est Deus; credere in illum, diligere illum» (PL 40,1190-1191; cfr. pure 35, 1631.1778; 38,788; 40,235; 36,988; 37,1704).

Un ulteriore esempio è fornito da *Tommaso*. La Summa Theologiae dedica al tema della fede le prime 16 *quaestiones* della II, II: si espone il contenuto della fede (q.I), l'atto (q.II), e la fede come virtù (q.IV). Per Tommaso, la dimensione primaria dell'atto è da ricercare nella realtà personale: «actus specificatur ab objecto»; poiché è Dio a rivelarsi e ad essere creduto, l'atto di fede dovrà essere essenzialmente un atto personale. Come tale è teso verso un rapporto comunionale: «actus autem credendi non terminatur ad enuntiabile, sed ad rem» (STh II,II,1,2 ad 2).

La fede quindi altro non è che una riflessione sull'uomo; creato da Dio, il credente è in un incessante e sempre nuovo cammino di ritorno verso il creatore attraverso l'esercizio delle virtù teologali.

Dopo costoro, il *concilio di* → *Trento*, dovendo bilanciare la posizione di Lutero che evidenziava il carattere fiduciale della fede relegando in secondo ordine i dati oggettivi di essa, afferma espressamente la necessità dei contenuti oggettivi della rivelazione come primo momento per la giustificazione: «Disponuntur autem ad ipsam iustitiam, dum excitati divina gratia et adiuti, fidem "ex auditu" concipientes, libere moventur in Deum, credentes, vera esse, quae divinitus revelata et promissa sunt» (DS 1526).

I nomi di *Suarez* e *De Lugo* sono tra i più significativi per la comprensione della teologia della fede a partire da questo momento.

Sarà tuttavia il → *Vaticano I* che, facendo sintesi di tutto il tesoro patristico-medievale e citando testualmente il tridentino, arriverà a canonizzare definitivamente la fede come libera risposta dell'uomo alla rivelazione di Dio, a seguito dell'intervento della grazia che illumina l'intelligenza e la dispone all'accettazione del contenuto rivelato. Al capitolo terzo del *De Fide* così si esprime: «Ecclesia catholica profitetur, virtutem esse supernaturalem, qua, Dei aspirante et adiuvante gratia, ab eo revelata vera esse credimus, non propter intrinsecam rerum veritatem naturali rationis lumine perspectam, sed propter auctoritatem ipsius Dei revelantis qui nec falli nec fallere potest» (DS 3008).

Condannando i due estremi, del → razionalismo e del → fideismo-pietismo (DS 3009-3010; 3031-3036), il concilio inserisce la tematica dei segni della rivelazione come quella forma che permette all'atto di fede di essere corrispondente alle esigenze della ragione. Miracoli e profezie sono considerati «signa certissima et omnium intelligentiae accomodata» (DS 3009). Ad opera particolarmente del card. Deschamps, la chiesa sarà descritta come *signum levatum in nationes*, capace quindi di rappresentare per ognuno la forma più consona di credibilità di sé e del messaggio che trasmette (DS 3013-3014) (→ Chiesa: motivo di credibilità).

Lontano dal voler costringere all'atto del credere o dal voler dimostrare il *fatto* della rivelazione, questi segni sono presentati dal concilio come elementi che possono garantire la *credibilità* di ciò che viene esposto; sono quindi dati come dei contenuti che, poiché vengono conosciuti dalla ragione secondo le sue proprie leggi, ugualmente sono idonei ad essere creduti e accolti mediante un atto di volontà.

La teologia che fece eco a questa impostazione, particolarmente dopo la pubblicazione della *Aeterni Patris* di Leone XIII nel 1879, cercò di sviluppare, con il metodo neo-scolastico, un'apologetica dell'atto di fede che comprendeva essenzialmente il *motivum fidei* e il *motivum credibilitatis*. Ad una teologia che aveva sottolineato il contenuto oggettivo della rivelazione, si sostituiva ora una teologia che prendeva maggiormente a cuore le condizioni che erano necessarie al soggetto perché potesse aderire alla fede. La riflessione quindi inizia a prendere in considerazione due elementi caratterizzanti l'atto: il momento soprarazionale e l'apporto della ragione umana.

La manualistica cercava pertanto di produrre uno schema di teologia dell'atto di fede che è possibile schematizzare con alcune parole-chiave:

a. *Preambula fidei* - Si tratta di quelle verità religiose e morali che possono essere conosciute alla luce della ragione umana. Con i preambula, la decisione del credere esce dalla sfera dell'arbitrarietà perché si giustifica come un atto libero davanti alle esigenze della ragione.

b. *Motivum fidei* - È il motivo per cui si crede; essenzialmente esso è dato dall'autorità di Dio nel suo rivelarsi in modo vero e infallibile (DS 3008).

c. *Motivum credibilitatis* - Costituisce il momento dell'analisi dei motivi per cui è *possibile* credere. Peculiare di questo momento sono i «segni» della rivelazione, in particolare la chiesa, i miracoli e le profezie; sono argomenti che attestano alla ragione l'origine divina della rivelazione. Poiché l'analisi dei segni permette di raggiungere la certezza del fatto rivelato, ne deriva conseguentemente che il contenuto della rivelazione è credibile.

d. *Motivum credenditatis* - È il motivo per cui si *deve* credere e quindi prestare l'assenso alla rivelazione. Poiché Dio mostra evidente la via della salvezza, spetta al soggetto vedere il nesso tra l'atto della fede e la salvezza che gli viene data.

Al di là delle diverse terminologie, anche la manualistica tentava in questo modo di rispondere alla problematica di sempre: come coniugare insieme la presenza della grazia e la libertà dell'uomo?

Sotto il nome di *analysis fidei* si possono raccogliere tutti quei tentativi che hanno cercato di prospettare la dottrina teologica circa l'intelligenza dell'atto del credere come un atto tipicamente umano, e la grazia che viene data al soggetto per compiere un atto che di per sé richiede un intervento divino che lo innalza alla conoscenza del mistero trascendente di Dio.

In altri termini, è il problema classico: come può l'autorità di Dio, che si fa garante della verità del contenuto di fede (DS 3008), essere l'ultimo motivo cui la ragione umana giunge per essere certa della verità del proprio atto come atto tipicamente umano? Come si relazionano quin-

di, in una parola, rivelazione divina e conoscenza umana?

Come si comprende, il problema non era, e non è, di facile soluzione e chiede di essere mantenuto in un forte equilibrio. Se si dovesse accentuare il ruolo della presenza divina, l'atto di fede riceverebbe l'assenso del credente, perché l'evidenza sarebbe tale da non consentire altrimenti; questo atto però non sarebbe più pienamente umano perché non libero in quanto obbligato dall'evidenza della rivelazione. La conseguenza sarebbe la caduta nel fideismo.

Se si dovesse, al contrario, accentuare la componente intellettiva del credente, che nel suo speculare raggiunge la chiarezza per la decisione, l'atto sarebbe certamente libero, ma senza la certezza perché non più riferito all'evidenza. Questa seconda via avrebbe come conseguenza la caduta nel razionalismo.

L'atto di fede sembra quindi destinato a rimanere in una dialettica che inesorabilmente è tesa tra: comprensione del fatto e nascondimento di esso in un mistero più grande, dove la grazia gioca un ruolo determinante.

Da una parte quindi, abbiamo la nota della *soprannaturalità*; ciò significa che per l'atto di fede è richiesta assolutamente la presenza della grazia che permette al soggetto di affidarsi a Dio che si fa conoscere; dall'altra, la *volontà* del credente che deve essere pienamente libera nel suo movimento verso Dio tanto da garantire che la salvezza offerta è veramente scelta e non obbligatoriamente data. Infine, l'*intelletto* umano che deve garantire di essere in presenza di un atto certo, sicuro, perché giunto come conclusione di un procedimento logico.

La storia del problema ha visto soluzioni che ruotavano intorno ai tre poli che costituiscono l'atto di fede (grazia, intelletto e volontà), a volte privilegiandone uno e sacrificando gli altri; è tuttavia nell'insieme di questa storia degli effetti che si potrà trovare nel futuro una soluzione più conforme alla sensibilità contemporanea.

La storia è testimone, a riguardo, di un grande campo di battaglia; non a caso il tema è divenuto la *crux theologorum*. Tra lo stretto di Scilla e Cariddi rappresentato dal fideismo e dal razionalismo, il teologo deve potersi e sapersi muovere con circospezione, senza cadere in un ingiustificato pelagianesimo o in un esasperato soprannaturalismo.

A che punto fosse la teologia della fede tra i due ultimi concili è facile ritrovarlo in un espressivo testo del Mouroux: «Una teologia della fede si può costruire su due diversi punti di vista. Il primo è analitico e astratto: si tratta della genesi o della struttura della fede, di solito si studiano soprattutto gli elementi quali: fattori soggettivi (intelligenza, volontà, grazia), o dati oggettivi (credibilità, oggetto naturale, motivo formale). Questo è il punto di vista abituale dei teologi. Il secondo è sintetico e concreto: si studia la fede soprattutto come una *totalità concreta* e si tenta di spiegare la natura esistenziale. È il punto di vista abituale della Scrittura e dei Padri. Su questo piano a noi sembra che la fede si spieghi come un *insieme organico di relazioni personali*. Riteniamo sia utile per la teologia mettere in evidenza questo punto di vista» (J. Mouroux, *Je crois en toi*, Paris 1949, 8).

Il *Vaticano II*, nella sua peculiare prospettiva pastorale, segna anzitutto, riguardo a questa tematica, il recupero delle precompresioni *bibliche*, che determinano un rinnovato concetto di πίστις (*pístis*) come di un atto che è insieme, fiducia, conoscenza e azione. La problematica inoltre si orienta all'assunzione di soluzioni che trovano i loro referenti filosofici nel personalismo ispirato a E. Mounier, G. Marcel e J. Mouroux, ma che erano stati già anticipati dagli studi di → J.H. Newman e → M. Blondel e

particolarmente, anche se con le dovute eccezioni e distinguo, dalla prospettiva teologica di P. Rousselot.

Come un dato che emerge dalla teologia del Vaticano II, è da notare il ritorno al contenuto della fede. Volendo dimenticare l'estrinsecismo della manualistica, il concilio ha riportato al centro della riflessione teologica l'evento della → rivelazione. L'asse prospettico si è quindi di nuovo modificato: la rivelazione, con il suo contenuto oggettivo, viene recuperata nell'orizzonte storico-salvifico come dato primario; la fede, conseguentemente, viene vista come «obbedienza» dell'«uomo che si abbandona a Dio» completamente con tutto se stesso (DV 5), quindi come referente dipendente dall'evento rivelativo.

A caratterizzare il presente teologico riguardo alla comprensione della credibilità dell'atto di fede, alcuni autori meritano una particolare menzione. J. Alfaro, E. Biser, W. Kasper, J. Ratzinger, M. Seckler, da parte cattolica, hanno avuto il pregio di riproporre alla riflessione teologica il concetto più biblico e patristico della fede; tentando poi di comprendere l'atto del credere alla luce di nuovi referenti filosofici, hanno meglio accreditato il valore della libertà del credente nel suo atto di rispondere con la fede alla rivelazione di Dio.

Senza togliere nulla al valore oggettivo che questi studi rivestono, sono tuttavia due gli autori che principalmente hanno costituito i poli di attrazione delle ricerche contemporanee in ambito cattolico, → *Rahner* e →*von Balthasar*. Al primo si deve l'accentuazione circa la struttura trascendentale del soggetto e l'inserimento del filone esistenzialista nella problematica dell'atto di fede; al secondo invece la marcata sottolineatura circa l'evidenza oggettiva della rivelazione e la sua alterità nei confronti del soggetto credente.

La magistrale opera di R. Aubert, *Le problème de l'acte de foi*, ha ri-

sposto in modo completo alle esigenze di una ricostruzione storica di questa problematica. L'opera, che si ferma al 1945, quindi prima del rinnovamento operato dal Vaticano II, può
ugualmente essere considerata di piena attualità. La teologia della fede
infatti, se nell'immediato post-concilio ha saputo aggiornare il proprio
contenuto, ha registrato successivamente un momento di stasi. Mentre
le prospettive bibliche sono ormai divenute patrimonio comune, la dimensione più a carattere soggettivo, quindi di colui che risponde alla chiamata fatta dalla rivelazione, non ha ancora prodotto risultati significativi
che permettano di vedere superato lo
schematismo operato dalla manualistica.

Per l'economia del presente articolo, in quanto direttamente riferito alla
tematica apologetica, restano da presentare più direttamente, anche se
schematicamente, i due tentativi che
hanno segnato e determinato la scena teologica fino al Vaticano II: →
A. Gardeil e P. Rousselot.

3. AMBROISE GARDEIL (1859-1931) -
L'autore di *La credibilité et l'apologétique* (la prima edizione datata 1908
risulta come un insieme di articoli
pubblicati precedentemente in *Revue
Thomiste*, fu poi rielaborata accogliendo le critiche di alcuni autori tra
cui M. Bainvel e Sertillanges, e pubblicata in una seconda edizione nel
1912 a cui facciamo riferimento), ha
avuto un notevole influsso nella trattazione accademica del tema della
credibilità. I manuali classici di Garrigou-Lagrange, Tromp, Calcagno,
Parente e Nicolau, lo dimostrano in
modo evidente. La sua interpretazione segna, forse, il tentativo maggiormente riuscito di produrre uno studio sulla credibilità che tenesse in
considerazione sia le forti pressioni
per un rinnovamento, che si andava
imponendo con la pubblicazione de
L'Action di Blondel, sia il manteni-

mento dei contenuti classici dell'insegnamento tradizionale. In qualsiasi modo la si voglia giudicare, quest'opera rappresenta, in quel momento, il tentativo più riuscito di rinnovamento e adattamento della dottrina scolastica al nostro tema.

Per essere in grado di comprendere
la logica del procedere del nostro autore, è da valutare anzitutto la sua
precomprensione apologetica. L'apologetica è, per Gardeil, la scienza della credibilità del dogma. Una prima
forma di apologetica è quella «scientifica» che ha come oggetto peculiare la dimostrazione *razionale* della
credibilità (p. 230). Una dimostrazione che è possibile se vengono mantenute e rispettate le regole del sapere
scientifico, quelle che producono una
sottomissione intellettuale assoluta. È
questa concezione che viene perseguita in tutta l'opera del Gardeil, ed è
ciò che caratterizza le premesse e le
dimostrazioni circa la credibilità del-
l'atto di fede.

Data quindi la definizione di credibilità come «l'attitudine di un'asserzione ad essere creduta» (p. 1), Gardeil inizia la sua dimostrazione attraverso l'analisi psicologica dell'atto di
fede, con lo scopo di indicare il ruolo preciso che essa gioca all'interno
della credibilità.

Prendendo come punto di partenza
l'analisi dell'atto umano, così come
è descritto da Tommaso (cfr. STh I,
II, 8-21), egli crea un parallelismo tra
questo e il processo psicologico del-
l'atto di fede mostrando che, poiché
l'atto di fede è un atto umano, dovrà seguire nel suo sviluppo le fasi
psicologiche degli atti umani ordinari. Il parallelismo creato, che a prima vista potrebbe deludere, esprime
in effetti tratti di autentica originalità. Esiste anzitutto, nell'agire concreto, una *intentio finis* mediante la quale ognuno pensa di progettare se stesso, di darsi una finalità cui tendere.
Ebbene, nell'atto di fede questo corrisponde all'*intentio fidei* mediante la

quale l'uomo è disponibile a credere a Dio che si rivela.

Questa corrispondenza, tuttavia, non è sufficiente per il nostro autore; è necessario infatti che intervenga l'intelligenza per stabilire, in forza a dei fatti o segni, che si è realmente in presenza di una rivelazione divina con i suoi enunciati. Il problema di un *giudizio di credibilità* dipende quindi dalla dimostrazione della veridicità e divinità del messaggio che si dice accreditato da Dio. La credibilità quindi deve essere *razionalmente* provata perché «né l'intenzione della fede, né il tenore dell'asserto forniscono l'evidenza di questo elemento di fatto» (p.35). Quindi non ci si può fermare alle «ragioni del cuore», che al massimo possono far «desiderare» l'oggetto come vero. L'apologetica deve giungere ad un giudizio di credibilità che «dimostri che è vero» (p.36).

Il passaggio pertanto da un sentimento di fede ad una effettiva attestazione di fede divina, è dato dall'analisi dei motivi di credibilità che, come nel metodo tradizionale, vengono ricondotti ai miracoli e alle profezie.

Questa credibilità «razionale» è classificata dal Gardeil come «credibilità semplice», perché è appunto conosciuta attraverso l'analisi razionale dei motivi di credibilità. Da questa, che può raggiungere solo il giudizio di credibilità *possibile*, si distingue la «credibilità necessitante» che costituisce la modalità per l'emissione di un giudizio di credendità, vale a dire che l'oggetto di fede non è più solo possibile, ma «esigibile»; la conclusione cui si giunge è che «si deve credere». Infine, la «credibilità imperativa», che comporta l'obbligo morale a credere, dopo che ha raggiunto il giudizio di credendità; a questo livello esiste solo l'imperativo: «credi»! (cfr. «Credibilité», in DThC 2206-2210).

Come per tutte le opere che si richiamano alla Scolastica, anche la di-

mostrazione del Gardeil è chiara, precisa, logica; tuttavia, anche se prendeva le mosse da un onesto tentativo di rinnovamento (si pensi solo alla «certitude probable» oppure alle «suppléances subjectives»), essa rimaneva legata ad uno schema metafisico che impediva di vedere coinvolto nell'atto di fede il «real man».

La struttura che Gardeil presenta, si pone ancora a livello di contrapposizione tra intelletto e volontà; ciò spiega perché quest'ultima, nella psicologia della fede, appare come l'atto che viene in aiuto all'impotenza dell'intelletto nel suo non poter andare oltre. La volontà pertanto riequilibra il *sacrificium intellectus* imposto alla ragione fallibile davanti al mistero di Dio.

Un simile progetto, pur con tutti i pregi che manifestava, era votato al fallimento. Negli stessi anni, prendeva avvio una presentazione più fresca e genuina, corrispondente alle esigenze dell'epoca, che vedeva un'unità intrinseca al soggetto; essa trovava in P. Rousselot il suo più autorevole rappresentante.

4. PIERRE ROUSSELOT (1878-1915) - Attento lettore di Newman, ammiratore di Blondel, dotato di una grande formazione teologica e filosofica, Rousselot era forse la personalità più adatta per creare un impatto nuovo allo studio dell'atto di fede. La sua ansia sembrava prendere le mosse da un'attenzione diretta alla fede dei semplici che, contemporaneamente, sapesse tenere in considerazione lo «specifico» della fede cristiana. È per questo che fin dalle prime pagine del suo progetto, egli si stacca dallo stesso Gardeil e delinea il suo punto essenziale di soluzione, vale a dire il modo in cui l'atto di fede opera nel singolo credente: «L'atto di fede non è affatto apologetico, ma puramente teologico» (p. 32).

Sintomatico è il suo modo di porre il problema: «Come trovare nel piccolo contadino che studia il catechismo la fede scientifica, la dimostrazione razionale, o perlomeno, la perfetta certezza della credibilità fondata su ragioni assolutamente valide? Come trovarla nell'uomo di colore che crede sulla parola del missionario? Non basta affatto una spiegazione *psicologica* che chiarisca il meccanismo dell'atto di fede o della disponibilità a credere. Tale spiegazione si applicherebbe tanto alla fede del musulmano quanto a quella del cristiano. Se il bambino cattolico ha ragione di credere a sua madre e al suo parroco, il bambino protestante ha forse torto nel credere al suo pastore e a sua madre?» (*Gli occhi della fede*, Milano 1974, 41).

Punto cruciale per Rousselot, è quello di non dimenticare che esiste nell'individuo una «attività sintetica dell'intelletto», che giunge al reale superando tutte le espressioni meramente concettuali. Mediando la sua terminologia di «occhi della fede» da Agostino («Habet namque fides oculos suos» posto in calce all'introduzione della prima parte dell'opera), ma avendo alle spalle soprattutto Tommaso per quanto riguarda la forma di conoscenza, e Blondel per la concezione dell'apertura dinamica del soggetto verso la pienezza dell'essere, Rousselot recupera il concetto biblico di fede e pensa che ci sia qualcosa da «vedere» mediante la fede; anzi, la fede costitutivamente altro non è che capacità di vedere ciò che Dio vuole mostrare e che non può essere visto senza la fede.

Più direttamente, Dio non si è rivelato mediante un'esperienza interna ai singoli, ma attraverso una testimonianza storica che è stata trasmessa fino ai nostri giorni. Per dare ragione di questa testimonianza e garantirne la sua legittimità, Dio ha dato dei segni esterni che sono oggettivamente validi, indirizzati indistintamente a tutti. Ci sono quindi per il nostro autore, dei fatti «esterni», ma questi necessitano di «occhi di fede» per essere compresi come segni divini. Lo spirito umano infatti, non ha, in quanto tale, la capacità per vedere questi segni; perciò bisogna ricevere la «capacità per vedere», sia per vedere i segni, sia per comprenderli come fatti di rivelazione.

La grazia allora, altro non è che la possibilità offerta per permettere agli occhi di vedere giustamente, proporzionalmente, il loro oggetto. Non si danno pertanto nuovi oggetti di conoscenza per la credibilità dell'atto, ma si dà la capacità per intenderli in modo tale che indizi, motivi esterni e il *lumen gratiae*, concorrano a dare la certezza dell'atto che si compie (cfr. p. 47).

Dal punto di vista apologetico, ne consegue che il giudizio di credibilità e l'atto di fede costituiscono un unico e identico atto mediante il quale si attesta sia l'affermazione della verità da credere, sia la percezione dei motivi di credibilità: «La percezione della credibilità e la confessione della verità sono lo stesso atto» (p. 50). La grazia, quindi, permette la percezione della credibilità, ma questa, a sua volta, le dà una ragione e un senso. La tesi di Rousselot si sviluppa poi nella trattazione dell'amore come atto che suscita la facoltà di conoscere e rende l'atto del credere un atto libero. Con un'espressione sintetica si può quindi affermare che «l'atto di fede è ragionevole perché l'indizio percepito apporta alla nuova verità la testimonianza dell'ordine naturale. L'atto è libero perché l'uomo può rifiutare, se vuole, l'amore del bene soprannaturale» (pp. 83-84).

Come si può notare, si è davanti ad una proposta estremamente suggestiva in quanto recupera l'unità essenziale del soggetto al di là di ogni dualismo; riprende inoltre una forma di unità tra il sapere e la fede, perché reclama la razionalità proprio nell'atto stesso del credere.

L'influsso di questa prospettiva sulla teologia del Vaticano II è ormai un dato di fatto ampiamente dimostrato.

5. Proposta sistematica - Queste due esemplificazioni sono dettate da due differenti sensibilità filosofiche e teologiche. In modo diverso hanno segnato un'epoca; la prima infatti è stata alla base di una manualistica che ha formato generazioni di studenti candidati al sacerdozio, la seconda ha determinato il rinnovamento che si andava imponendo nella chiesa a seguito di quel movimento che portò al Vaticano II.

Pensiamo che, più corrispondentemente al nostro tempo, segnato certo da movimenti contraddittori (GS 4-10), ma anche da una profonda e sincera ricerca di → senso, che appare tanto più evidente quanto più si assiste al fallimento delle ideologie e degli umanesimi che hanno segnato il periodo post-bellico, il tema della credibilità possa essere affrontato alla luce di una nuova categoria: la *significatività*.

a. Explicatio terminorum - Alcune premesse sono necessarie per una comprensione di quanto seguirà.

1. Parlando di credibilità, si deve osservare che si è di fronte ad una terminologia che necessita di alcune precisazioni. La storia del tema, lo si è visto, evidenzia che si possono dare diversi contenuti alla credibilità. Si è parlato, nei tempi passati, di una credibilità del *cristianesimo*, mostrando che come religione esso è superiore a tutte le altre religioni per il suo carattere rivelatorio e per il suo senso di compiutezza; di credibilità dell'*atto di → fede* che evidenziava particolarmente la possibilità per ognuno di esprimere correttamente la sua umanità pur affidandosi al trascendente; di credibilità della *chiesa* che si fondava più direttamente sulla dimostrazione delle sue «notae» e sul mistero del suo sviluppo storico (→ Chiesa, III). Nel presente articolo l'o-

biettivo centrale è la descrizione della credibilità della *rivelazione* che viene vista alla luce della «significatività».

Parlare di credibilità della rivelazione significa anzitutto voler focalizzare meglio l'evento centrale e qualificante della teologia fondamentale, la rivelazione nella sua espressione definitiva in Gesù di Nazareth.

Questo permette infatti di avere una lettura più globale del tema della credibilità e altresì fornisce lo scenario più appropriato perché si parli della fede non in modo a sé stante, come fosse un assoluto, ma come risposta all'evento rivelativo (DV 5). Avendo come oggetto di credibilità la rivelazione, pensiamo che meglio sia favorita la lettura di una priorità dell'intervento di Dio nella storia umana. La rivelazione, infatti, si dà alla teologia come libero e gratuito atto di Dio che solo per amore esce dal suo mistero per comunicare se stesso all'umanità e così salvarla.

La credibilità pertanto, si pone già come un atto che non proviene dalla semplice soggettività umana; piuttosto dall'oggettività dell'evento rivelativo. Credibilità in questo caso, non equivale quindi alla conclusione di un procedimento gnoseologico condotto sulla metodologia della logica o della psicologia, ma è fonte, inizio, di una provocazione che giunge al soggetto per poter compiere un atto antropologicamente qualificante, quello dell'affidarsi libero all'altro, da sé.

Credibilità, in questo orizzonte, significa anzitutto che si presenta al soggetto epistemico una coerenza profonda, unica, tra ciò che è e ciò che si lascia vedere e comprendere; questo appare come degno di considerazione, come ciò che non può essere tralasciato pena la non completezza del proprio conoscere. Questo fatto si impone all'uomo in quanto *storicamente* esiste come un'evidenza di cui ognuno ha conoscenza.

2. Parliamo di significatività come

di un processo che tende a relazionare l'evento della rivelazione e il singolo soggetto. La rivelazione è certamente data, ma la logica del suo essere e la sua stessa natura, sono l'entrare in comunicazione con gli uomini di ogni tempo e di ogni luogo, perché comprendano di essere chiamati ad una comunione di vita con Dio mediante l'adesione a Cristo che, storicamente, è professata nella chiesa. La rivelazione si pone pertanto come luogo in cui le domande epocali del soggetto, ma anche quelle più storicamente e culturalmente limitate, trovano una possibilità di risposta.

C'è tuttavia una tensione anche da parte del contemporaneo, per provocare la rivelazione a prendere in considerazione la sua storica condizione e quindi a spiegare il suo presente. Solo in questo modo infatti, si crea una relazione permanente che potrà condurre ognuno a considerare l'atto del credere come una risposta di senso alla domanda posta.

Credibilità, in questo orizzonte, significa essere in grado di vedere realizzata anche per l'oggi quella pienezza di senso che la rivelazione ha rappresentato per i primi credenti che furono capaci, in forza della fede in essa, di lasciare ogni cosa per seguire il maestro (Mc 10,28). Ciò significa, che credibilità equivale a dare quelle ragioni per cui la vita cristiana non è solo intellettivamente compresa come risposta alla domanda di senso, ma contemporaneamente è introduzione in una prassi e testimonianza di vita che permette di vedere già realizzato il senso che viene promesso. Significatività, quindi, è relazione tra rivelazione e soggetto nel suo atto di comprendersi come persona in vista di una finalizzazione di sé.

Il termine stesso di significatività necessita comunque e anzitutto di una ulteriore esplicitazione previa.

3. Si intende con significatività una categoria teologica che comprende tre elementi: senso, significato, significativo. Mediante il *senso* si è inseriti nell'orizzonte della fondazione epistemologica, con il *significato* in quello contenutistico, con *significativo* si entra nell'orizzonte tipicamente antropologico.

La categoria di significatività si dà solo nell'unità delle tre componenti e nel loro reciproco relazionarsi. Si propone così una lettura della credibilità che possa contenersi in un solo atto in cui l'oggettività del senso che fonda e sostiene il contenuto possa relazionarsi anche all'atto del soggetto che vede quel senso e quel contenuto come la realtà in grado di finalizzare la sua vita perché capace di fornire senso globale a tutta la sua esistenza.

Cerchiamo ora di procedere maggiormente nell'individuazione contenutistica delle tre formulazioni della significatività.

Senso - Non è semplice rispondere alla domanda su cosa sia il senso. Discipline diverse fanno riferimento ad esso come peculiare oggetto di studio; ne deriva quindi una complessità di relazioni linguistiche che non permette di avere sempre chiara significazione del concetto stesso.

Dal punto di vista dell'analisi linguistica, il senso, ad esempio, è legato alla legge della verifica; in una lettura filosofica più ampia, che si richiama ai principi teoretici del riflettere, si porrà maggiormente il problema della sensatezza della domanda sul senso; in una lettura etica infine, senso sarà identificato con il significato e il fine della vita.

Dal punto di vista teologico, → senso della rivelazione indica piuttosto l'accordo, la coerenza che si viene a creare all'interno della forma della rivelazione.

La persona di Gesù di Nazareth è il senso della rivelazione perché in essa, una volta per tutte, si trova rivelato il mistero trinitario di Dio. Tra questa figura storica, nella globalità della sua esistenza, e ciò che vuole essere rivelato, c'è piena coerenza e consonanza. Il suo *essere* è espresso e reso manifesto come un rinviare verso un mistero più grande che tuttavia è dato a conoscere solo a partire da lui e da quelle espressioni che lui solo pone in atto.

Proprio questo *rinviare* ad un altro, senza poter prescindere né staccarsi mai dalla sua persona, è ciò che conferisce senso; anzi ciò che *costituisce* senso. Si dà infatti solo qui la risposta ultima alla domanda sul senso, e su cosa sia senso. Ultima risposta alla domanda, perché si è rinviati al mistero di Dio oltre il quale non si può andare; offerta ultima di senso, perché in questa figura viene data la conoscenza definitiva del mistero oltre il quale non si può procedere. Il senso quindi, come coerenza tra ciò che si vuole comunicare e ciò che viene raggiunto, è qui pienamente e definitivamente dato. Gesù di Nazareth è l'unica via per la conoscenza della rivelazione di Dio, ma contemporaneamente è il definitivo che viene offerto da parte di Dio per la chiamata alla salvezza.

Si concentrano qui, pertanto, le due attese di fondo: quella di Dio che invia il Figlio per la salvezza dell'umanità, e quella degli uomini che aderendo a Cristo giungono alla conoscenza ultima di Dio. Ogni grado intermedio di conoscenza e di azione salvifica, potrà essere considerato come propedeutico, ma mai come completezza definitiva che è data nella storia mediante rivelazione.

Significato - Nel linguaggio comune significato è ciò che viene espresso, visibilizzato, da un significante, ma che per definizione non può mai essere pienamente definito. Per sua natura, il significato sfugge ad ogni possibile espressione categoriale che si voglia dare. Per l'uomo, esso costituisce ciò che viene intuito, percepito, ma mai pienamente espresso. Il significato, in quanto tale, ha un valore universale; ognuno può coglierlo anche se il suo esprimersi mediante un significante è arbitrario e può variare a seconda delle diverse espressioni linguistiche.

Una volta realizzato il rapporto, il significante potrà modificarsi, farà acquisire al significato sfumature espressive che prima non venivano manifestate, ma in forza di una «inerzia collettiva» (De Saussure) il significato non potrà mai perdere il suo senso originario.

Nell'economia del nostro discorso, il significato è espresso dalla globalità del mistero dell'incarnazione. Intendiamo quindi esprimere la globalità della storia della salvezza che vede in questo evento il culmine delle possibilità concesse all'umanità circa la finalizzazione e il senso dell'esistenza umana e della storia.

L'incarnazione di Dio costituisce infatti la forma definitiva attraverso la quale, nella storia dell'umanità, ma a partire dalla stessa natura umana, viene posto un significato che orienta e finalizza. La storia del popolo ebraico è orientata verso «colui che deve venire» (Mt 11,3: «ὁ ἐρχόμενος = *ho erchómenos*»); la storia dei credenti è illuminata da colui che è venuto. Nella storia si è data, una volta per tutte (Eb 9,12), un'unione tra il divino e l'umano che non è realizzata a livello dialettico, ma a livello di unità nell'inconfondibilità, dell'unità nel rispetto di due nature senza che nessuna delle due abbia a venir meno nella sua libertà; unità che viene conferita ad un solo soggetto non in forma di rappresentanza, ma perché permanga per sempre nella storia come l'*unicum irrepetibile* (→ universale concretum).

Nell'adesione a questo mistero, che coinvolge e compromette Maria, perché Cristo è figlio della sua carne e sangue del suo sangue, viene concesso il dono dello Spirito che permette, a Maria e a tutti i credenti, di esprimere il loro «sì» di affidamento a Dio. Nell'incarnazione come mistero globale, la chiesa quindi è inserita come primo elemento di mediazione della permanenza del significato della rivelazione nella storia degli uomini.

Eppure, la rivelazione rimane un significato mai completamente esaurito. Definitivamente dato, ma non esaustivamente compiuto. Il dono dello Spirito è ciò che abilita a far sì che il significato della rivelazione, che è la permanente chiamata di Dio alla salvezza, permanga nelle diverse epoche e culture. Non è solo un problema di interpretazione della rivelazione o di intelligenza di essa; nel corso dei secoli infatti, il significato deve trovare espressioni significanti, frutto di una costante applicazione del → *sensus fidei*, perché possa emergere in tutto quella dinamica di verità che gli è stata conferita nell'evento storico fontale (DV 7-8; cfr. LG 12).

L'azione testificante dei credenti nulla toglie al senso originario, ma la fede e l'azione dello Spirito impongono l'attenzione perché si crei un referente che sia sempre in grado di recepirlo nella sua genuinità.

Significativo - È direttamente il momento in cui il soggetto vede relazionato il senso e il significato alla sua vita personale. Posto davanti all'evidenza di un senso, il soggetto ha tuttavia bisogno di vederlo in riferimento alla sua sfera personale perché la scelta di accettazione possa essere pienamente libera. L'universalità del senso e del significato non impedisce, al contrario favorisce il rapporto personale mediante il quale ognuno scopre che quella realtà è per lui. Certo, è valida per tutti e deve rimanere tale, ma egli la vede indirizzata a sé *personalmente* e, proprio per questo, la percepisce come *significativa*, in quanto nel progetto di finalizzazione della propria esistenza, questa realtà esprime la forma globale che può garantirgli il raggiungimento della propria finalità.

Significativo, pertanto, qualifica la libertà personale, perché pone ognu-

no nella condizione di dover scegliere. Qui infatti, la realtà universale viene percepita come qualificante l'esistenza personale. Spetta quindi al soggetto compiere la scelta che rivela la piena coerenza tra il senso universale e la comprensione della sua validità per lui. Nel significativo il soggetto esprime tutta la sua forza critica e volontà decisionale, perché compie l'atto che antropologicamente lo qualifica, quello della libertà finita che sceglie di affidarsi ad una libertà più grande percepita e creduta come forma garante del conseguimento del proprio essere. Solo finalizzando liberamente l'esistenza, il soggetto potrà garantire a se stesso di scegliere liberamente nei differenti momenti e atti storici che seguiranno, ma la finalizzazione richiede che la conoscenza del fine assunto rinvii oltre la contraddittorietà e limitatezza che ognuno, come persona, sperimenta.

Teologicamente, il significativo rimane come quell'espressione che qualifica il credente nel suo atto di affidarsi alla forma della rivelazione come istanza suprema del suo autofinalizzarsi. Il credente quindi, in quanto sostenuto dalla grazia che lascia comprendere l'«insondabile ricchezza» del mistero che si trova di fronte, vede nella figura di Gesù di Nazareth, così come oggi la chiesa la trasmette in un'interrotta e viva tradizione (DV 10), l'archetipo di una umanità pienamente libera e finalizzata.

Prototipo di ogni forma di fede, perché anche lui si affida totalmente al Padre e a lui costantemente rinvia per la piena identità del suo essere, Gesù di Nazareth diviene significativo per la vita personale perché, da una parte incarna il senso universale, dall'altra mostra come sia possibile un'autentica esistenza personale che sia contemporaneamente libera e affidata all'altro per la sua pienezza.

Lo scegliere e vivere la *sequela Christi*, è ciò che dà al significativo il suo valore ultimo. La sequela infatti non è successiva all'atto con il quale si vede il senso e il significato della rivelazione, ma è ad esso contemporanea. È un unico atto quello che il credente compie nel momento in cui vede la rivelazione come pienezza di senso e *significativa* per sé; è l'atto che ingloba in un tutt'uno inseparabile, l'intelligibilità dell'evento, l'affidarsi ad esso perché credibile e il seguirlo perché la vita sia finalmente completa.

Quanto detto può trovare una prima conferma nei seguenti punti che cercano di dare corpo alla proposta e che, come precedentemente accennato, fanno perno su ciò che si è chiamato concentrazione cristologica e dimensione soteriologica.

b. Concentrazione cristologica e soteriologica - 1. La persona di Gesù di Nazareth, vale a dire il mistero dell'incarnazione di Dio, appare come la forma universale che si impone, in forza di questa caratteristica, come la più alta espressione di senso e di significato per la storia.

Da sempre il pensiero critico dell'uomo è andato alla ricerca dell'universale per esprimere con esso la norma ultima che, prescindendo dal singolo, diventasse valida per ognuno. I grandi sistemi filosofici, che permangono fino al presente, sono contrassegnati da questa ansia di individuazione e identificazione. Eppure, il sapere critico rimane costantemente dentro la contraddizione o di un intervento estrinseco o di un'ingiustificata elevazione del singolo sugli altri.

Da questa condanna alla contraddittorietà può salvarsi solo il sapere critico della fede che confessa l'unione ontologica di Dio con l'uomo in un singolo soggetto storico che diviene per questo singolare, unico e irripetibile.

Questa unità nell'unicità non avviene per una semplice trasposizione o assunzione di un singolo soggetto storico ad un più elevato grado (fosse anche l'ultimo) ontologico. Essa si pone come primaria decisione di Dio che nella sua libertà rinuncia a mantenere «gelosamente per sé» la divinità per partecipare dell'umanità (Fil 2,6-8; cfr. Gb 42,2). Teologicamente quindi, si può dare questo *unicum irripetibile* solo per *kénōsis*, in modo tale che sia sempre considerato come un atto della libertà e gratuità di Dio e non una pretesa dell'umanità.

Dio che si incarna nella natura umana, non cessa di essere Dio; nello stesso tempo però, non si *innalza* orgogliosamente sopra la natura umana, perché «in *tutto* diventa simile ai suoi fratelli» (Eb 2,17), perfino nella tentazione, nella sofferenza e nella morte (Eb 2,18-4,15), che costituiscono il dramma e la contraddizione ultima per un'umanità che vuole andare sempre oltre ogni forma che esprime il limite, la conclusione e la barriera di ogni personale volontà.

In questo evento invece, si verifica l'innalzamento dell'uomo, perché in questa unione tutta l'umanità viene salvata, in quanto partecipe di quella singola umanità assunta dal Verbo (Eb 2,10).

Questa unicità irripetibile per cui «uno tra di noi», come amavano dire i Padri, ma rimanendo come noi, rivela il mistero di Dio, diventa norma universale per ognuno. Questo è determinato dal fatto che con Gesù di Nazareth non si è più in presenza di una teoria, ma di un concreto soggetto *storico*. Il suo parlare e agire (DV 2) pur essendo umano, non è «confondibile» con il normale comportamento degli uomini anche se da tutti può essere conosciuto. Ciò che lui comunica è il suo *essere*, cioè la sua persona, che viene incontro come espressione di rivelazione, vale a dire una autoconsapevolezza che sa di essere Dio e sa di rivelarlo in forma umana.

Questo comportamento carico di senso, perché dato da Dio, permette alla storia di ricevere un colpo orientativo dal suo interno nell'individuazione del suo fine e nella possibilità di raggiungerlo. L'uomo e la sua storia non sono più, quindi, vaganti verso un «infinito nulla», incapaci di trovare una meta all'orizzonte. L'unicità irripetibile dell'uomo-Gesù di Nazareth garantisce ad ognuno, e alla storia universale, di trovare una risposta risolutiva, perché il suo essere storico è assunto dal divino e ormai coniugato con esso. Il rinviare alla volontà del Padre, al suo piano di salvezza, al suo tempo e alla sua «ora», come alle sue decisioni, sono «risposta» data all'uomo nel momento in cui chiede il senso per la sua personale esistenza.

Questo affidarsi è salvezza, perché solo Dio può garantire che la contraddittorietà umana venga superata e vinta dal suo interno mediante un atto di libertà che abilita all'ingresso nel regno e quindi, alla più alta forma di comunione.

2. Una conoscenza che sia storica deve rispettare le leggi impresse in essa; neppure Dio va contro la sua creazione. Il soggetto storico vuole e necessita forme di conoscenza che abbiano a dare conferma che in Gesù di Nazareth, Dio veramente esprime se stesso; solo così potrà superare l'ultimo scoglio che impedisce di vedere l'unicità e l'evidenza della presenza di Dio in Gesù.

Qui si deve tener ferma, ancora una volta, la logica di questo procedere teologico che vuole rispettare il primario agire di Dio. La teologia precedente, infatti, per troppo tempo aveva disperso le sue forze nella dimostrazione dei segni esterni che non riuscivano, tuttavia, a focalizzare il vero centro di gravitazione. La teologia contemporanea circa i segni della credibilità dovrebbe invece essere in grado di evidenziare anzitutto la centralità dell'unico segno posto nella storia, all'interno del quale emergono o convergono gli altri segni (cfr. Gv 5,36-37). Ci sono quindi i «segni del Padre» che devono essere anzitutto oggetto dell'indagine teologica (Gv 14,10).

Il segno posto da Dio altri non è che il figlio inchiodato sulla croce, morto e risorto. Il segno primario della credibilità della rivelazione cristiana è pertanto il → *mistero pasquale del crocifisso*.

Davanti alla morte di Gesù, si compie in linguaggio umano, ciò che Dio aveva da rivelare al mondo riguardo a se stesso, la sua natura e la sua vita. Dio che comunica la sua vita, la esprime come forma di amore che arriva «fino alla fine». Il donare tutto di sé (Gv 3,16 ἔδωκεν = *édōken*) è ciò che caratterizza la dinamica intratrinitaria dell'essere Dio.

Il Padre è tale nel momento in cui *tutto* dona al Figlio, e questi è Figlio nell'atto stesso in cui sceglie di essere *totale accoglienza* del *tutto* del Padre. Il non trattenere nulla per se stesso, ma il consegnare tutto all'altro e all'altro rinviare è ciò che caratterizza la vita del Padre e del Figlio; lo Spirito è terza persona che testimonia la totalità del dare e del ricevere.

Nell'incarnazione del Verbo, tutto viene dato all'umanità, ma l'espressione visibile di questo «tutto dare» è riscontrabile solo nella morte di croce, dove Dio stesso accoglie la morte come estremo segno per l'uomo a credere nella totalità del suo amore.

La morte del Figlio che il Padre accoglie in sé non è il punto estremo di allontanamento dal suo essere. È invece, contemporaneamente, inizio e fine del suo donarsi. Se l'amore è «dare tutto», questo diviene visibile per l'uomo nel momento in cui Dio dà tutto se stesso, amando cioè fino all'«estremo» (Gv 13,1) e quindi divenendo per amore ciò che mai potrebbe essere: morte.

Davanti a questa morte dell'innocente, più nessuno può avere l'alibi del non credere, opponendo a Dio la sua impossibilità a non poter comprendere il dolore e la sofferenza umana fino alla contraddittorietà e al dramma della morte, perfino dell'innocente. Gesù di Nazareth inchiodato sulla croce che grida al Padre il suo dolore per essere stato da questi abbandonato nelle mani della morte (Mc 15,34), è lo stesso Dio che condivide in tutto il dolore degli uomini e, ancora di più, il dolore per la sofferenza e la morte dell'innocente.

A giusto titolo, Marco pone la professione di fede del centurione, quindi del non credente, davanti al grido di abbandono e alla morte di Gesù: «Allora il centurione avendolo visto morire in *quel modo* (cioè gridando a Dio il suo abbandono), disse: "Davvero questo uomo era figlio di Dio"» (Mc 15,39). La verità su Dio e di Dio è impressa nel segno del crocifisso perché qui emerga che la stoltezza della croce è il punto di partenza della logica divina e quindi l'espressione culmine della vera sapienza (1 Cor 1,23-28).

Ma la centralità del crocifisso nulla toglie alla pienezza del mistero. Se il credente pone come segno di credibilità l'amore che si evidenzia nella morte, questo è solo perché la sua professione di fede è nata dalla novità dell'annuncio pasquale. La risurrezione è già presente nella morte in croce, perché è l'atto dell'abbandono fiducioso nelle mani di un Padre che non permette che chi in lui confida abbia a vedere la corruzione del sepolcro (Sal 16,10).

La completezza del segno, che permette di radicalizzare il Golgota, è data dalla dialettica del «segno di Giona» (Mt 12,39-41), per cui solo per tre giorni è dato di dover restare nel ventre della terra. Non potrebbe esserci nessun interesse autentico nella fede pasquale se non ci fosse quella piena identificazione tra colui che ha sofferto ed è morto e il risorto. Nel-

la morte si vede l'amore che in linguaggio umano esprime tutto il donarsi, nella risurrezione esso diventa evidente. La risurrezione non diventa alibi per sfuggire il dramma del Golgota, questo invece è assunto in tutta la sua verità, ma superato, senza essere distrutto, in una speranza che solo la fede sa esprimere.

3. Il mistero del crocifisso-risorto permane nel mondo, tramite l'annuncio della chiesa, come il segno autentico e definitivo dell'amore trinitario di Dio, in grado di essere percepito come autentico amore anche dal soggetto che chiede di finalizzare la sua vita in modo sensato.

La domanda sull'amore che da sempre si pone al soggetto rischia, almeno oggi, di essere banalizzata. Il tema della credibilità della rivelazione come significatività dovrebbe essere nella condizione di prospettare un'intelligenza teologica dell'amore capace di provocare il soggetto nella sua ricerca di senso.

Cos'è l'amore? Nel momento stesso in cui l'intelligenza critica avesse trovato una definizione in grado di rispondere a questa domanda, l'amore sarebbe per sempre distrutto e debellato dal nostro mondo. Esso ha senso e significato fino a quando resta mistero. Eppure è necessario che teologicamente si dia una *caritas quaerens intellectum*, perché l'atto della fede possa essere autenticamente umano.

Davanti al radicalmente nuovo della rivelazione di Gesù di Nazareth, la prima espressione che emerge, per un'intelligenza dell'amore, è che questo può essere dato solo per rivelazione. L'amore che qui viene incontro infatti, non è primariamente mediato da un'esperienza umana, che come tale parteciperebbe della finitezza e della contraddittorietà, ma è amore unico e assoluto che media dalla stessa natura divina la forma che umanamente viene posta in atto. Teologicamente ciò significa che la credibilità dell'amore non può essere fornita da elementi esterni, ma anzitutto dall'interno di esso e dalle forme che questo progressivamente assume in linguaggio umano.

Il soggetto deve, tuttavia, essere in grado di comprendere questa forma come quella definitiva espressione di amore che lo porta al di là delle contraddizioni che *naturalmente* sperimenta. Questo è possibile perché nell'incontro con questa forma egli comprende di essere amato per ciò che è, senza altra condizione che quella di un amore disinteressato e gratuito. L'amore viene infatti percepito dal soggetto non come una realtà generica, ma come dimensione personale che si realizza solo nella misura in cui due soggetti si relazionano a tal punto da donarsi uno all'altro totalmente. Ogni volta che ognuno ama, infatti, diventa per l'altro un soggetto personale che non può più autocomprendersi al di fuori della relazione personale con il soggetto amato. È da questi che si vuole essere amati; eppure, per arrivare a questo momento, ognuno deve essere in grado di cessare di essere se stesso per divenire l'altro, per fare a lui spazio e a lui donarsi totalmente.

Senza misconoscere gli altri testi neotestamentari, la teologia giovannea sembra ancora quella maggiormente espressiva in proposito e capace di illuminare questi dati di una fenomenologia umana dell'amore.

Si è visto, precedentemente, che la forma ultima dell'amore che Dio rivela è quella che giunge fino all'assunzione della morte del Figlio. Gv 3,16, in questo contesto, sembra rappresentare quasi un testo-sintesi: «Dio infatti ha *così* (οὕτως = *houtōs*) amato il mondo da dare (ἔδωκεν = *édōken*) il suo figlio unigenito, perché chiunque crede in lui non muoia, ma abbia la vita eterna». L'amore pertanto è il dare tutto, anche se l'altro, come ricorda la teologia paolina, è colpevole e non degno di amore (Rm 5,6-8).

A partire da qui si sviluppa la concezione giovannea dell'amore che troverà il suo culmine in 11,50-13,35. La prima lettera di Giovanni prosegue questa riflessione aggiungendo dati di straordinaria ricchezza: «Dio è amore» (1 Gv 4,8) diventa l'espressione culminante di questa teologia. Il riconoscimento di questo amore, che consiste nel fatto che Gesù «ha dato la sua vita per noi» (1 Gv 3,16), non solo è vita e salvezza (1 Gv 1,1-4), ma costituisce anche la *novità* cristiana; dall'amore reciproco tra fratelli si potrà infatti mantenere vivo questo segno per tutta la storia a venire (1 Gv 2,3-11).

L'affermazione «Dio è amore» indica però il riconoscimento che *Dio ama*. Egli è realtà personale che nella relazionalità della tripersonalità esprime la sua natura. Dio ama, e come ama Dio può farlo solo Dio; tuttavia questo amore, dato una volta per tutte nella storia dell'umanità, rimane come il segno culminante di ogni amore che volesse essere veramente tale.

Ogni persona può comprenderlo e ad esso affidarsi, perché ognuno comprende la propria realtà personale di amore come abnegazione totale e disinteressata, e solo in questo orizzonte può essere «sicuro» che sia vero amore.

Il segno dell'amore che la rivelazione pone nulla toglie alla forza della libertà personale. Il Gesù che ama fino a dare tutto di sé, è colui che in questo atto esprime anche la sua autoconsapevolezza di essere una persona pienamente libera: «Io do la mia vita per *così* riprenderla di nuovo. Nessuno me la toglie, ma la offro da me stesso» (Gv 10,17-18). In questa luce, anche il credente vede la piena libertà del proprio atto, perché è la scelta che sperimenta come pienamente conforme al suo essere e al suo finalizzarsi, cioè concepirsi solo nell'orizzonte di un amore che è autenticamente *eterno*.

4. Davanti a questo segno, da cui scaturisce il significato per tutti gli altri, la chiesa, i miracoli, le profezie, l'annuncio del regno..., ognuno è posto nella condizione di scelta. Per parafrasare una scena del vangelo di Giovanni, si direbbe che si vuole credere non perché qualcuno ha parlato di Gesù, ma perché ci si è incontrati direttamente con la sua persona (Gv 4,42; Gb 42,5).

Se da una parte, quindi, l'offerta di salvezza è data universalmente, per cui la figura di Cristo, a questo livello, si pone come archetipo e centro della storia; dall'altra, viene contemporaneamente data l'ultima espressione di giudizio su ogni forma religiosa e sul senso definitivo da dare all'esistenza personale (cfr. Gv 3,17-18; 5,27-30; 8,15-16; 12,47-48).

La credibilità, come significatività, raggiunge allora il suo stadio di completezza quando il soggetto posto davanti all'evidenza della rivelazione, la vede come significativa per sé. Questo procedimento può essere verificabile se si tengono presenti i seguenti elementi.

– C'è una condizione trascendentale del soggetto che lo abilita alla finalizzazione della propria esistenza mediante la comprensione di oggetti che lo orientano verso un infinito spazio di conoscenza. Esiste, insomma, per ognuno la capacità di una percezione del senso che avviene in una dinamica costante del vivere umano.

L'uomo si concepisce come un soggetto teso tra il finito della sua condizione storica e l'infinito della sua riflessione speculativa. Proprio nel momento in cui, come persona, cioè come soggetto che si autorealizza mediante scelte libere, progetta tutta la sua esistenza, egli individua un ideale di vita che fermamente *crede* essere l'ultimo elemento capace di dare senso a tutta la sua esistenza. Questo ideale rimane tale, ma per il soggetto acquista comunque valore storico e concreto nel momento in cui verifica che dinamicamente lo sta raggiungendo.

Non lo raggiunge, infatti è un ideale, eppure *crede* cioè confida, che solo quello potrà realizzarlo nelle sue aspettative. Già questa condizione permette di dire che ognuno, in sé, in quanto essere umano, ha una propria capacità sia di percepire il senso sia di poterlo raggiungere.

– Quando tuttavia, il soggetto si pone davanti ad un altro soggetto, allora la condizione precedentemente descritta, assume dimensioni peculiari. Non è lui che può «usare» a suo piacimento il fine, questo non è più un valore o un oggetto nelle sue mani; è piuttosto, come lui, una persona, un soggetto libero.

Entrano qui, quasi in conflitto, due libertà che possono essere concordate solo nella misura in cui uno si sente a tal punto amato da non percepire nessuna forma di violenza nel momento stesso in cui rinuncia a qualcosa di sé per poter accettare l'altro.

Questo atto, che è risvegliato nel soggetto da un'esperienza originaria che permette la percezione di un amore gratuito, disinteressato, è il primo che permette una «focalizzazione» reale dell'altro. In altre parole, la capacità di credere, in quanto possibilità di affidare se stesso ad un ideale, è già posta nella struttura ontologica del soggetto in quanto percepisce il senso e lo assume come finalità; ma perché possa vedere la rivelazione significativa per sé è necessario che dalla rivelazione parta il primo atto (→ Potentia oboedientialis) che risvegli nel soggetto la capacità di saper cogliere tutta l'evidenza di quell'evento.

Questo atto, prima di essere un atto meramente intellettivo che coglie la *verità* del fatto, è un atto *personale* proprio quindi dell'unità del soggetto che in un tutt'uno, atematicamente intuisce, quindi *sa* di essere amato e vede in quella forma la suprema espressione che gli garantisce la pienezza di sé.

Per conoscere quindi il «vero Dio», è necessario avere quell'intelligenza (διάνοια = *diánoia* che viene tradotta dalla Vulgata con *sensum*), che solo il Figlio può comunicare e che storicamente ha comunicato con il mistero pasquale della sua morte. Ma «intelligenza» qui, deve essere necessariamente presa nel senso biblico; essa non è primariamente attività intellettiva; è piuttosto adesione totale di sé al mistero e questo comporta, contemporaneamente, intelletto, volontà, cuore e anima.

– Nella persona storica di Gesù di Nazareth pertanto, viene data all'uomo la testimonianza suprema che nello stesso tempo mostra il mistero di Dio, e suscita nell'uomo la forza per vederlo come significativo. Ciò che ognuno desidera, alla fine, è la vita; benché paradossale possa sembrare, anche il suicida è colui che sogna una vita diversa e forse migliore. Il credere alla «sua parola» (Gv 17,6) equivale a voler continuare a vivere. La teologia di Giovanni, più di ogni altra, favorisce questa prospettiva soteriologica.

Chi crede non può permettersi di ripetere come nel *Macbeth*: «The life is just a shadow». La vita non è un'ombra né una teoria, perché davanti ad essa ognuno percepisce che *res mea agitur*; tutto di me entra in gioco. Ebbene, proprio davanti all'evento della rivelazione, «la vita si è fatta visibile» (1 Gv 1,1), si scopre che non si è proiettati verso una teorica vita eterna oltre la morte; piuttosto si è impegnati a dare significato a questa personale esistenza storica.

Gesù di Nazareth con la sua esistenza storica (DV 2), diventa «luce della vita» (Gv 8,12) e «luce degli uomini» (Gv 1,14), perché inserisce in quel processo che è la stessa vita trinitaria di Dio (1 Gv 5,11-12; Gv 1,3; 2,23; 3,16; 5,26; 6,57). Alla condizione umana, che vorrebbe accontentarsi di soluzioni parziali, quali «l'acqua»

(Gv 4,5-20), o il «pane» (Gv 6,27), si prospetta invece qualcosa di duraturo e permanente fin dal presente: «Questa è la vita eterna: che conoscano te, l'unico vero Dio, e colui che tu hai mandato, Gesù Cristo» (Gv 17,3). Questa è l'offerta che viene rivelata ad ognuno perché comprenda se stesso e la sua esistenza. Vita è salvezza e salvezza è conoscenza di Dio, ma conoscenza è chiamata alla comunione con lui e condivisione con i fratelli (1 Gv 3,11; 4,12; Gc 2,14-19).

L'individuazione di questa promessa di salvezza non può lasciare nella neutralità. Ognuno è chiamato in prima persona a scegliere se rimanere nell'assurdo o se vivere nella *sequela Christi* come figlio della luce.

CONCLUSIONE - «Credibili sono i tuoi insegnamenti» (Sal 93,5). Con molta probabilità è a questo salmo che dobbiamo l'ingresso della terminologia circa la credibilità. Degno di fede, capace cioè di far compiere l'atto antropologicamente più importante, quello del sapersi fidare e del volersi affidare all'altro.

Credibilità come significatività può tenere unite alcune esigenze dell'oggi teologico. Anzitutto la dimensione personalista con la quale il Vaticano II ha riproposto il tema della rivelazione. Chi si incontra, non è un oggetto né una teoria, ma una persona. Gesù di Nazareth è in grado di incontrarsi con il contemporaneo perché in sé, in quanto figlio dell'uomo e figlio di Dio, può comunicare il mistero del suo essere.

È nella fedeltà alla sua persona che la chiesa può essere credibile, nonostante le sue umane ed evidenti contraddizioni, nel suo annuncio permanente agli uomini di ogni terra.

In Gesù di Nazareth ognuno può scoprire quel senso e significato ultimo che la vita può avere oltre la propria contraddizione. Questo è possibile perché la rivelazione viene qui incontro nella luce dell'amore. Non è un amore qualsiasi quello che viene rivelato, ma l'amore che per primo raggiunge ognuno nel mistero più profondo e personale, per questo amore che unico merita questo nome (1 Gv 4,10-19).

In questa prospettiva, anche le difficoltà più serie circa una teoria e prassi della fede possono essere superate perché recuperate in quell'unità fondante che è l'atto personale con il quale si incontra Dio e si è decisi a seguirlo per sempre. Nell'amore non esiste più né paura né timore (1 Gv 4,18), ognuno sa di essere profondamente libero, perché inserito in una relazione più grande che, oltre le categorie personali, immette nella chiamata alla vita trinitaria.

Solo l'amore, pertanto, rimane come l'ultima parola che sa rendere credibile la rivelazione, perché solo qui il soggetto ritrova, in modo del tutto evidente, l'equilibrio del suo mistero. Solo nell'amore infatti egli riconosce di essere amato e solo amando è in grado di *sapere* e *comprendere* chi sta amando. Solo nell'amore egli può avere certezza della sua libertà nel volersi donare e nell'offrire se stesso, perché solo qui ogni scelta diventa cristallina in quanto, nello stesso tempo, compresa e vissuta come una realtà che gli appartiene e che tuttavia lo supera.

Bibl. - A. Gardeil, *La crédibilité et l'apologétique*, Paris 1912; Id., «Crédibilité», in DThC 2001-2310, Paris 1938; S. Harent, «Foi», in DThC VI/1, 55-514, Paris 1924; R. Aubert, *Le problème de l'acte de foi*, Louvain 1945; Id., «Questioni attuali intorno all'atto di fede», in Autori vari, *Problemi e orientamenti di Teologia Dogmatica*, vol. II, 655-708, Milano 1957; E. Hocedez, *Histoire de la théologie au XIX siècle*, voll. I-III, Paris 1947; J. Mouroux, *Je crois en toi*, Paris 1949; G. Ebeling, *Was heisst glauben?*, Tübingen 1959; R. Guardini, *Wunder und Zeichen*, Würzburg 1959; J. Alfaro, «Fides in terminologia biblica», in Greg 42 (1961) 463-505; Id., *Fides Spes Caritas*, Roma 1968; Id., *Cristologia e antropologia*, Assisi 1973; Id., *Rivelazione cristiana fede e teologia*, Brescia 1986;

M. Seckler, *Instinkt und Glaubenswille nach Thomas von Aquin*, Mainz 1961; J. Pieper, *Sulla fede*, Brescia 1963 (or. 1962); N. Dunas, *Connaissance de la foi*, Paris 1963; H. Bouillard, *Logique de la foi*, Paris 1964; G. De Broglie, *Les signes de crédibilité de la révélation chrétienne*, Paris 1964; H.U. von Balthasar, *Solo l'amore è credibile*, Torino 1965 (or. 1963); Id., *Gloria. Un'estetica teologica*, vol. I: La percezione della forma, Milano 1975 (or. 1967); Id., *Gloria. Un'estetica teologica*, vol. VII: Nuovo Patto, Milano 1977 (or. 1969); Id., «Fides Christi», in *Sponsa Verbi*. Saggi teologici II, 41-72, Brescia 1972 (or. 1961); Id., «Mysterium pascale», in MystSal VI, 172-404, Brescia 1971; Id., *Teodrammatica*, vol. III: Le persone del dramma, Milano 1983 (or.1978); Id., *Teodrammatica*, vol IV: L'azione, Milano 1986 (or.1980); R. Latourelle, *Teologia della Rivelazione*, Assisi 1967; Id., *Cristo e la chiesa segni di salvezza*, Assisi 1971; Id., *L'uomo e i suoi problemi alla luce di Cristo*, Assisi 1982; K. Rahner, *Uditori della Parola*, Torino 1967 (or. 1963); Id., *Corso fondamentale sulla fede*, Roma 1980; Id., «Il problema umano del senso di fronte al mistero assoluto di Dio», in *Dio e Rivelazione*. Nuovi Saggi VII, 133-154, Roma 1981; Id., «Che significa oggi credere in Gesù Cristo?», in *Ibid*, 211-230; J. Trutsch, «La fede: linee dello sviluppo del dogma e della teologia», in MystSal II, 405-504, Brescia 1968; J. Ratzinger, *Introduzione al cristianesimo*, Brescia 1969 (or.1968); Id., *Theologische Prinzipienlehre*, München 1982; W. Kern - P. Knauer, «Zur Frage der Glaubwürdigkeit der christlichen Offenbarung», in ZKTh 93 (1971) 418-442; H. Verweyen, *Ontologische Voraussetzungen des Glaubensaktes*, Düsseldorf 1969; W. Kasper, *Introduzione alla fede*, Brescia 1973; P. Rousselot, *Gli occhi della fede*, Milano 1974 (or. 1910); E. Biser, *Glaubensverständnis*, Freiburg 1975; Id., *Glaubenswende*, Freiburg 1987 (ed. it. 1989); E. Schillebeeckx, *Intelligenza della fede*, Roma 1975; J.B. Metz, *La fede, nella storia e nella società*, Brescia 1978; G. Ruggeri, *La compagnia della fede*, Milano 1980; R. Fisichella, *Hans Urs von Balthasar. Amore e credibilità cristiana*, Roma 1981; Id., *La rivelazione: evento e credibilità*, Bologna 1985; Id. (ed.), *Gesù Rivelatore*, Casale Monferrato 1988; R. Sanchez-Chamoso, *I fondamenti della nostra fede*, Assisi 1983; H. Fries, *Fundamentaltheologie*, Köln 1985; P. Neuer, «Der Glaube als subjektives Prinzip der theologischen Erkenntnis», in HFTh IV, 51-67, Freiburg 1988; E. Kunz, «Glaubwürdigkeitserkenntnis und Glaube», in HFTh IV, 414-449; U. Casale, *L'avventura della fede*, Torino 1988; Autori vari, *La carità*, Bologna 1988; S. Pié-Ninot, *Tratado de teología fundamental*, Salamanca 1989.

RINO FISICHELLA

CRISTIANI ANONIMI

È questo il termine usato da → K. Rahner per indicare coloro che vivono nella grazia di Cristo anche se (non per loro colpa) non lo conoscono come salvatore, non sono battezzati e non appartengono alla comunità cristiana (cfr. LG 16; GS 22). L'antropologia teologica di Rahner sottolinea l'orizzonte illimitato dello spirito umano con la sua dinamica apertura a Dio, la cui universale volontà salvifica (1 Tm 2,3-4) indica che la grazia necessaria per salvarsi è offerta a ogni uomo e ogni donna. Ma occorre chiarire diverse cose.

Prima di tutto la grazia viene interamente attraverso Cristo (At 4,12; 2 Cor 5,15; 1 Gv 5,11-12) e orienta necessariamente gli esseri umani verso di lui e la sua chiesa visibile. In secondo luogo, la grazia è universale e al tempo stesso → soprannaturale e gratuita. È liberamente e amorosamente offerta a tutti gli esseri umani con l'obiettivo della visione finale di Dio che oltrepassa ogni potere e diritto «naturale». In terzo luogo, nel presente ordine la grazia non rimane una semplice offerta «esterna» ma è fin dall'inizio una comunicazione che Dio fa di sé plasmando tangibilmente la comune condizione umana. E qui Rahner parla del soprannaturale esistenziale conferitoci con la nostra natura.

L'universalità della grazia comporta un libero dono di sé da parte di Dio (il *soprannaturale* esistenziale) che intrinsecamente incide sulla struttura profonda dell'esistenza umana (il soprannaturale *esistenziale*) e ci chiama tutti al nostro fine ultimo.

È ovvio che non tutti gli esseri umani sono stati o sono in grado di rispondere a questa presenza e a questa chiamata di Dio con un atto esplicito di fede in Cristo e nella sua chiesa. Vi sono milioni di uomini per cui l'occasione di conoscere Dio ed entrare in rapporto con lui è stata mediata dal → buddismo, dal confucianesimo, dall'→ induismo, dall'→ islam, dalle religioni tradizionali e da altre fedi. Ogni qualvolta e dovunque degli esseri umani si aprono a Dio con un atto di fede, Rahner riconosce in loro dei cristiani anonimi, vale a dire degli uomini che almeno implicitamente accettano una vocazione soprannaturale e, anche senza saperlo, sono resi capaci per la grazia di Cristo di aprirsi al mistero di Dio. È la → fede che unisce questi cristiani anonimi a Cristo e implicitamente li orienta verso la sua chiesa visibile.

Nel → dialogo interreligioso questo discorso di Rahner sui «cristiani anonimi» non sempre è stato accolto bene. Sembra infatti che non si preoccupi a sufficienza della peculiarità delle fedi, delle pratiche e delle esperienze delle religioni non cristiane. Ha spinto seguaci di altre fedi a parlare dei cristiani come «hindu anonimi» o «musulmani anonimi».

Nondimeno Rahner propone un modo valido di affrontare un problema di cui si sono occupati pensatori cristiani fin dai tempi dei primi padri della chiesa come Ireneo, Giustino e Clemente di Alessandria. Una volta affermato il principio della volontà divina di salvare tutti in Cristo, come si può capire e spiegare la situazione di quelli che, almeno implicitamente, credono in Dio e accettano la loro vocazione soprannaturale? Alcuni critici sostengono che Rahner così facendo elimina le motivazioni del lavoro missionario. La verità però è che la sua tesi sui «cristiani anonimi» indica come il vangelo, chiamandola a una piena realizzazione, si rivolga a una realtà di grazia nascosta che è presente, anche se imperfettamente, in ogni vita umana (cfr. AG 19; LG 17).

Bibl. - K. Rahner, «I cristiani anonimi», in *Nuovi Saggi* I,759-772; Id., «Anonymous Christianity and the Missionary Task of the Church», in *Theological Investigations* 12 (1974) 161-78; K.-H. Weger, *Karl Rahner. An Introduction to his theology*, New York 1980, 112-41.   GERALD O'COLLINS

CRISTOLOGIA

I. FONDAMENTALE (R. Fisichella) - II. FILOSOFICA (X. Tilliette) - III. TITOLI CRISTOLO-
GICI: *Gesù Profeta, Figlio di David, Figlio dell'uomo, Figlio di Dio* (R. Fisichella) -
IV. CRISTOLOGIE: *biblica, patristica, speculativa, ontologica e funzionale, dal «basso e
dall'alto», dogmatica ed esistenziale, kenotica e della risurrezione, pneumatologica, escatologica e cosmica* (J. Galot) - V. IN PROSPETTIVA (A. Amato)

I. Fondamentale

Fondamento e cuore di ogni teologia è la professione di fede «Gesù è
il Signore» (Rm 10,9; Fil 2,11). È a
partire da questo cristocentrismo come principio epistemologico del sapere credente che ha preso avvio la
riflessione della comunità cristiana
trasmessa ininterrottamente alla coscienza critica del credente contemporaneo.

In quanto riflessione, spiegazione e
comunicazione del cuore della fede,
la cristologia è da considerarsi come
il perno intorno a cui ruota tutta la
ricerca teologica. È stato così fin dagli inizi, quando attraverso le formule
omologiche, nominali e verbali, la comunità esprimeva, nel kêrygma e nella liturgia, il mistero di Gesù di Nazareth sia nella sua relazione al Padre e alle promesse antiche (Mt 16,16:
«Tu sei il Cristo, il figlio di Dio»),
sia nell'esplicitazione degli eventi significativi della sua vita (Rm 5,9:
«mentre eravamo ancora peccatori,
Cristo è morto per noi»; Rm 10,9:
«Dio lo ha risuscitato dai morti»).

La teologia dei Padri, sotto l'influsso delle differenti istanze con cui la
fede veniva a incontrarsi, dalla dimensione filosofica a quella più direttamente politica, era giunta alle
grandi sintesi cristologiche che trovavano nelle formulazioni dogmatiche
dei vari concili la loro espressione più
alta e normativa.

I grandi maestri del medioevo, inoltre, lasciano già intravedere le relazioni che si vengono a creare tra la
cristologia e il mistero della vita cristiana: il peccato dell'uomo (→ Anselmo), i sacramenti (Abelardo), l'e-

conomia salvifica (→ Tommaso). La
teologia successiva si lascerà andare
ai diversi giochi di interpretazione
dettati dalle «scuole» dei Molina e
Suarez, fino a condensarsi nella teologia manualistica (→ Teologie, II)
che ha mantenuto il prodotto della
riflessione cristologica sostanzialmente inalterato fino al Vaticano II.

Il concilio, invitando la teologia a
trovare nella Scrittura il fondamento
e l'anima del suo ricercare (DV 24),
individua anche un ulteriore principio ermeneutico che si deve adottare, quello della centralità dei vangeli
in quanto «costituiscono la privilegiata testimonianza relativa alla vita e
alla dottrina» del Signore (DV 18).

In effetti, è proprio il Vaticano II,
particolarmente con → *Dei Verbum*,
ad essere il punto di partenza per il
rinnovamento della cristologia. La
presentazione della rivelazione nella
storicità di Gesù di Nazareth, ha permesso di riscoprire dati che l'accentuazione metafisica della manualistica aveva fatto dimenticare.

Più direttamente, la riproposta della *persona* Gesù di Nazareth nello
svolgimento *storico* della sua esistenza permette alla teologia non solo di
riportare al centro della sua ricerca
la cristologia (particolarmente dopo
i decenni di un esasperato ecclesiocentrismo), ma anche di riscoprire
quei dati biblici, patristici e della genuina impostazione tomista che hanno caratterizzato la vita di fede di almeno dodici secoli. In una parola, la
riproposta centralità della cristologia
ha permesso di valorizzare a pieno
quelle tematiche che permettono alla
fede di presentare il suo contenuto
come un evento globale, significati-

vo per l'oggi; tra le tante prospettive, quella della storicità di Gesù unitamente alla sua singolarità, il suo significato universale e la sua azione
salvifica.

Un simile capovolgimento, tanto visibile quanto più si mettono a confronto i testi di cristologia odierni con
i manuali di cristologia del periodo
preconciliare, ha proposto però, teologicamente, il problema di una cristologia che per la varietà dei suoi
strumenti metodologici e la complessità delle tematiche che si raggiungono, richiede un impatto interdisciplinare in vista di una lettura sistematica del contenuto.

Si può certamente accreditare come
uno dei punti più positivi raggiunto
dalla teologia del Vaticano II, quello
di una coscienza circa la sistematicità e interdisciplinarità per lo studio
della cristologia.

Una sistematica è capace di organizzare intorno alla centralità della
persona di Gesù di Nazareth proclamato il Cristo, tutto il sapere critico,
partendo sempre dall'apriori della fede circa la pienezza del mistero che
in lui si realizza.

Gesù di Nazareth costituisce quindi
quell'indissolubile centro unitario che,
da una parte, fa conoscere alla fede
come presente nella sua persona la
definitività della parola di Dio rivolta agli uomini; dall'altra, fa comprendere alla teologia quanto sia impensabile una separazione tra la ricerca
circa la storicità del fatto Gesù e la
peculiare speculazione teologica che
afferma in lui la presenza della salvezza, cioè del senso ultimo dell'esistenza (→ Credibilità).

Mentre il sapere sistematico permette l'organizzazione dei dati in vista
dell'unità del contenuto, l'interdisciplinarità invece, facilita i singoli momenti in cui, con metodologie e orizzonti di studio differenti, lo stesso
contenuto viene analizzato e ricercato attraverso prospettive più specifiche.

Pur dovendo tutte le discipline far
riferimento in modo normativo alla
Scrittura (e per il nostro caso, privilegiatamente ai vangeli), perché la ricerca possa essere ordinata ad una
maggiore intelligenza del dato rivelato, ognuna di esse scoprirà ugualmente metodi e finalità peculiari che permetteranno di far dire a quell'unico
testo la verità che già in sé possiede.
In questo caso si è davanti al rispetto di una duplice componente: del testo che deve essere normativo per poter esprimersi nella sua verità, e del
teologo-esegeta che, attualizzando il
dato, sviluppa il suo ruolo creativo
nei confronti del testo stesso.

La *teologia biblica* avrà davanti a
sé una prospettiva legata maggiormente alle esigenze del suo scopo esegetico ed ermeneutico. Attraverso l'a-
nalisi dei differenti strati della *Tra-
ditionsgeschichte,* cercherà di stabilire il livello basilare del testo scritto,
fino a raggiungere il Gesù di Nazareth. Si cercherà così di produrre risultati che mostrino il genuino senso
della Scrittura, ma che nella globalità della rilevanza sincronica e diacronica dei linguaggi, possano essere già
visti come un'esegesi compiuta alla
luce del *sensus plenior* (DV 12), che
solo, può dare a quell'esegesi la forza propulsiva che permetta di riconoscere il carattere specifico del testo-
Scrittura.

La *teologia dogmatica* allargherà il
suo orizzonte di ricerca prendendo,
come suo specifico, il contenuto e il
ruolo della Tradizione. La figura di
Gesù di Nazareth, raggiunta tramite
l'esegesi, sarà studiata nella interpretazione normativa che la fede della
chiesa ha maturato nel corso dei secoli. I sette concili «cristologici», con
al centro l'affermazione di Calcedonia, che permettono di vedere l'unità
della fede ecclesiale intatta, prima dei
diversi scismi, saranno nell'ermeneutica della dogmatica, un contenuto insostituibile per la presentazione al contemporaneo della fede cristologica.

La *teologia morale*, partendo dalla persona di Cristo che fin dalla sua esistenza storica chiama alla sequela di sé, vedrà la cristologia come fondamento della morale stessa. Questa sarà espressione di una chiamata vocazionale che insieme, dono di grazia e di libertà di scelta, permette la piena realizzazione dell'esistenza personale.

La persona di Cristo sarà studiata quindi alla luce della salvezza come l'archetipo offerto ad ognuno e come immagine cui tendere per una coerente realizzazione di sé nella coerenza della prassi quotidiana.

In questo orizzonte di interdisciplinarità si inserisce anche la peculiarità della ricerca teologico-fondamentale. La individuiamo, schematicamente, nel raggiungimento di queste cinque finalità:

1. LA STORICITÀ - La storia della teologia fondamentale permette di verificare cosa significhi la dimenticanza della dimensione storica. L'impatto cristologico che è possibile verificare nella manualistica, mostra in modo evidente le gravi lacune che si sono venute a formare nei decenni scorsi. La cristologia, limitata quasi esclusivamente al trattato *De Legato divino*, evidenziava il *de testimonio Jesu circa seipsum* attraverso una metodologia in cui le prove della storicità erano fornite da elementi esterni e facevano pertanto cadere in forme pericolose di estrinsecismo. Una lettura improntata ad un positivismo storico era ciò che facilmente emergeva dall'analisi apologetica.

Il recupero della storicità implica almeno un passaggio tripartito che comporta:

a. L'accesso alle fonti. Superata la duplice critica alle fonti neotestamentarie (quella di → Bultmann, che vedendo nei vangeli dei documenti di fede, ne concludeva l'impossibilità a fornire consistenti testimonianze storiche; e quella di Kierkegaard che si appellava alla sola radicalità della fede che suscita obbedienza e che quindi non ha bisogno di storia), la teologia fondamentale oggi è in grado di mostrare che l'unica via percorribile è quella che sa tenere insieme fedeltà alla storia ed ermeneutica della fede.

Percorrendo con l'esegesi i vari stadi della *Traditiongeschichte*, e integrando ad essi i dati che provengono dalle fonti extrabibliche, la fondamentale arriva a presentare dei risultati che costituiscono, in modo inoppugnabile, il nucleo storico basilare di Gesù e che la fede ha volutamente rispettato e mantenuto tale. In questo contesto vengono analizzate quelle espressioni che, insieme «gestis verbisque» (DV 2) costituiscono la figura storica di Gesù. Annuncio del → regno di Dio, utilizzo delle parabole, radicalità della chiamata, miracoli e annunci profetici, costituiscono i tratti salienti di questa ricostruzione.

b. La storicità richiama pure alla consapevolezza che Gesù ha manifestato circa la sua persona e la sua propria visione del mondo. È un dato questo che spesso viene sottovalutato in forza di una sopravalutazione dell'ermeneutica della fede. Come ogni singola persona, che riflessivamente si pone dinanzi a sé per comprendersi e per progettarsi, così anche Gesù di Nazareth ha pensato e progettato la sua esistenza storica. È questa autoconsapevolezza che deve emergere dalle fonti evangeliche perché prima forma che dà testimonianza della «personalità» di Gesù stesso e della sua prospettiva (cfr. Commissione Teologica Internazionale, «*De Jesu autoconscientia quam scilicet ipse de se ipso et de sua missione habuit*», 1986). In questo contesto si scopre che egli ha pensato la sua esistenza nell'orizzonte della *missione*, come un compito ricevuto da un altro e che lui sente di dovere e di voler compiere per essere autenticamente se stesso (Gv 5,19; 10,25; 12,49; 14,31).

Tutta la sua esistenza storica è consapevolezza di un costante «rinvio» a Dio che egli chiama familiarmente → «abba» (Mc 14,36). A lui dedica completamente la sua vita caratterizzandola come una perenne obbedienza che giunge fino all'accettazione della morte.

Davanti a questo evento, l'autocomprensione di Gesù assume la connotazione più alta perché qui le fonti mostrano, senza ombra di dubbio, la sua lucidità del *sapere* di una morte violenta e nel *volere* dare a questa un contenuto tale che la finalizzasse significativamente. Nello scontro con la realtà della morte, viene incontro una personalità lucida, chiara e coerente con la sua predicazione, e si presenta una fiducia nel Padre di cui è sicuro che lo richiamerà vivo dai morti dopo tre giorni, dandogli così il premio e la vittoria per la sua obbedienza (Gv 2,19; At 2,14-32).

Questi elementi appartengono alla storicità di Gesù di Nazareth; una cristologia che ne prescindesse, diventerebbe inevitabilmente gnosi o docetismo, perché priva di quella lettura normativa che ogni persona storica può e deve dare di sé come persona.

c. Nella fede di persone che con il maestro hanno «mangiato e bevuto» (At 10,41), e hanno lasciato tutto per seguirlo (Mt 19,27), questa autoconsapevolezza e la forza della sua parola sono state trasmesse fino alle generazioni di oggi. Una caratteristica della storicità si rivela, infine, nella sua apertura all'oggi. L'evento Gesù di Nazareth e la fede dei discepoli nella sua persona hanno dato vita ad una tradizione che permette di costatare l'unità tra quel passato fondativo e la fede dell'oggi. Il fatto che solo una piccola parte di quell'evento fu messa per iscritto (Gv 20,30; 21,25), è ciò che garantisce al credente di oggi di far rivivere nella sua storia la parola e il gesto significativi del maestro. Questa tradizione che viene mantenuta viva, permette di ve-

der crescere quotidianamente la comprensione dell'evento e il suo significato per l'oggi (DV 8).

È infatti l'apertura al → *senso* dell'esistenza che viene incontro ad ognuno e che permette di pensarsi come contemporaneo con Gesù stesso.

2. CENTRALITÀ DELL'EVENTO PASQUALE COME CULMINE DELL'ATTO RIVELATIVO - Anzitutto è da rilevare l'unità dell'evento: passione, morte, risurrezione e glorificazione costituiscono l'unico atto mediante il quale l'amore trinitario di Dio viene incontro all'umanità.

La fondamentale avrà qui il compito di presentare quegli elementi che permettono di vedere l'evento pasquale sia storicamente fondato, sia come propulsore per il tema della credibilità della rivelazione stessa. Più specificamente, come si è già rilevato, si dovranno far confluire quei dati che favoriscono la comprensione di Gesù davanti alla sua morte e alla sua fiducia nella risposta del Padre.

Si dovrà tuttavia qualificare la ricerca su due orizzonti:

a. Da una parte, mostrare che la morte di Gesù è il punto culminante intorno a cui ruota tutto il dato cristologico. *Apologeticamente* si dovrà presentare la morte di Gesù come il fatto che, come tale, in linguaggio umano, esprime la totalità e la insuperabilità della rivelazione dell'amore trinitario di Dio. Immagine significativa in proposito è data dal brano di Mc 15,39: «il centurione che gli stava di fronte vistolo *morire in quel modo* disse: "Veramente quest'uomo era figlio di Dio"». Il centurione rappresenta il non credente, l'«altro», (→ Teologia fondamentale, II) che tuttavia davanti alla morte dell'innocente, e a quella morte in particolare, raggiunge una conoscenza di Gesù capace di suscitare in lui la prima professione di fede.

b. Dall'altra parte, la fondamentale potrà esprimere la radicalità della morte perché credente nella risurrezione. È infatti a partire da questa che, retrospettivamente, la morte acquista tutta la pienezza di significato in quanto rivela che l'essenza dell'amore trinitario non si ferma alla morte, ma *nella* morte diventa vita. In questo orizzonte, oltre a mostrare i dati tradizionali che permettono di accostarsi alla risurrezione con quel bagaglio di «certezze» storiche, si dovrà maggiormente insistere sulla pienezza di senso che proviene dall'aprirsi alla fede nella promessa del Padre.

La risurrezione quindi, in questa presentazione, dovrà rivestire quei caratteri di *unicità*, che richiama ad una corrispondente risposta di fede, e di *evento escatologico*, che lascia già intravedere l'anticipazione della creazione nuova spinta verso il compito futuro definitivo. In questa parte della ricerca, l'immagine cui ispirarsi è quella di Giovanni, l'apostolo che ama, che una volta arrivato al sepolcro non entra, ma attende Pietro, poi lui pure entra e «vide e credette» (Gv 20,8).

3. GESÙ DI NAZARETH E LA CHIESA - Uno studio della cristologia in chiave fondamentale sarà poi dedicato all'esplicitazione di quei dati che riferiscono del rapporto *Gesù-chiesa* (→ Chiesa: Gesù e la chiesa). Certamente, non sarà qui il caso di voler forzare i testi per giungere a conclusioni che solo nella dinamica della fede ecclesiale hanno acquisito pieno significato. La fondamentale, tuttavia, teologicamente consapevole che la chiesa appartiene alla rivelazione come un suo momento determinante e come una sua conseguenza, ricercherà quella connessione che fonda l'origine della chiesa, la sua vita e la sua missione, nella parola storica di Gesù di Nazareth; più specificamente, in quel progetto di Gesù che vedeva nella sua persona l'instaurazione definitiva del regno di Dio.

Lontana da una mentalità giuridico-canonista che aveva determinato la concezione di «fondazione» nell'apologetica classica, la fondamentale vede oggi la fondazione della chiesa da parte di Gesù come un atto globale del suo agire messianico.

4. VALORE UNIVERSALE DELLA PERSONA DI GESÙ - Da questi elementi introdotti, scaturisce un ulteriore compito per la fondamentale: evidenziare il carattere *universale* che la persona di Gesù possiede. Entrano qui, teologicamente, le tematiche che provengono dalla pretesa della fede cristiana di possedere in sé, nella singolarità di una persona, la parola definitiva data alla storia e all'umanità di tutti i tempi.

L'impatto cristologico è condotto dalla fondamentale su un duplice piano: anzitutto nella prospettiva della universalità della salvezza; inoltre, nella relazione con le altre → religioni. Mentre per la prima emerge il carattere di una portata soteriologica che entra nella storia degli uomini e quindi impone la valutazione del rapporto → storia della salvezza-storia universale, per la seconda ci si incontra con la *specificità* della rivelazione cristiana e la sua originalità nei confronti di altre religioni che rivendicano, esse pure, un carattere salvifico e relativo.

5. CRISTOLOGIA ED EPISTEMOLOGIA - In quanto epistemologia teologica, spetterà alla fondamentale un ultimo compito: la *giustificazione del senso* della domanda cristologica e le ragioni per cui si compie il passaggio dalla *cristo*-logia alla *Teo*-logia.

Porre le ragioni riguardo il senso della cristologia equivale a fissare le premesse perché si giustifichi il lavoro teologico, ma significa ugualmente considerare la sensatezza della domanda stessa, particolarmente quando il suo contenuto si pone come normativo e universale. Se quindi nel dare la risposta non si vuole cadere nel duplice pericolo di un eccesso di metafisica o di uno storicismo, è necessario che il senso che scaturisce dalla fede abbia un rilievo per il contesto storico su cui si pone.

Nella sua prospettiva apologetica, la fondamentale dovrà quindi essere in grado di porre le basi che favoriscano la precomprensione del contenuto cristologico nel contesto culturale contemporaneo credente e non. Nello stesso senso, essa dovrà successivamente sostenere e determinare l'annuncio kerygmatico perché il senso originario e il senso culturale abbiano a trovarsi in reciproca situazione di comunicabilità.

Il secondo compito si è detto essere quello che ` orienta al superamento della cristologia in vista della teologia. Il principio del «cristocentrismo» è basilare per il sorgere e l'argomentare teologico, ma il fine ultimo dell'intelligenza critica della fede deve rimanere la pienezza del mistero rivelato, e questo è costituito dal mistero dell'amore trinitario di Dio.

Proprio per la fedeltà ai dati ritrovati nella cristologia fondamentale, questa dovrà essere coerente nel presentare le ragioni del suo stesso superamento. Già in Gesù di Nazareth è rinvenibile il comportamento di un «rinviare» alla volontà del Padre e quindi alla pienezza della rivelazione (Gv 14,31).

La cristologia viene superata dalla teologia perché possa, in definitiva, avere pieno significato sia come realtà storica che come rivelazione del mistero: «È bene per voi che io me ne vada, perché altrimenti non verrà a voi lo Spirito che spiegherà ogni cosa» (Gv 16,7).

Per comprendere quindi cosa sia la cristologia si deve arrivare alla Teologia perché il mistero rimarrà sempre quello delle tre ipostasi di cui una sola, mediante incarnazione, diventa pronunciabile nella realtà intramondana. Si realizza pertanto, già teologicamente, quella lettura paolina che

vede il donare totale del Figlio al Padre: «Allora anche il Figlio si sottometterà al Padre che gli ha sottomesso ogni cosa, perché Dio sia tutto in tutti» (1 Cor 15,28).

Come si specifica allora nella interdisciplinarità il contributo della fondamentale alla cristologia? Riteniamo che consista nel dare una riflessione che non sia semplicemente esegetica né esclusivamente dogmatica. La fondamentale infatti presenta dei dati che sono storici ed esegetici, ma anche teologicamente riflettuti come elementi che partono e arrivano alla globalità dell'agire e dell'esprimersi di Gesù in quanto rivelatore del Padre. È questa identità tra rivelatore e rivelazione che la fondamentale fa emergere come peculiare del realismo dell'incarnazione. Per cui, se apologeticamente presenta la persona di Gesù rispettandone il dato della storicità e quindi della sua autoconsapevolezza, dogmaticamente, tuttavia, fa leva proprio su tale consapevolezza per esprimere la pienezza della rivelazione e la sua unicità e universalità.

In una parola, è l'*unità* del dato storico e della riflessione di fede che viene fatta ritrovare dalla fondamentale perché conforme alla sua identità e al suo metodo: apologeticamente obbligata dalla storia, ma dogmaticamente coerente alla fede.

Bibl. - K. Rahner, «Problemi della cristologia oggi», in *Saggi di cristologia e mariologia*, Roma 1967, 3-91; Id., «La cristologia tra l'esegesi e la dogmatica», in *Nuovi Saggi* IV, 253-291; R. Latourelle, *Teologia della Rivelazione*, Assisi 1967; Id., *A Gesù attraverso i Vangeli*, Assisi 1979; Autori vari, *Il problema cristologico oggi*, Assisi 1973; K. Lehmann, «Über das Verhältnis der Exegese als historisch-kritischer Wissenschaft zum dogmatischen Verstehen», in *Jesus und der Menschensohn*, Freiburg i.B. 1975, 421-434; R. Latourelle - G. O'Collins, *Problemi e prospettive di Teologia Fondamentale*, parte III: «Approcci cristologici», Brescia 1980; M. Bordoni, *Gesù di Nazareth Signore e Cristo*, vol. I: Introduzione alla cristologia, Roma 1985; H.J. Verweyen, *Christologische Brennpunkte*, Essen 1985; K.H. Ohlig, *Fundamentalchristologie. Im Spannungsfeld von Christentum und Kultur*, München

1986; HFTh IV, capp. VI-XI, 122-265; A.
Amato, *Gesù Il Signore*, Bologna 1988.

RINO FISICHELLA

II. Filosofica

Il termine cristologia filosofica, sul
modello della teologia filosofica, da
qualche decennio è stato introdotto
per designare in modo globale «il Cristo dei filosofi». Trova gli stessi consensi, ma anche le stesse reticenze,
della → filosofia cristiana senza la
quale, del resto, non è concepibile.
Tuttavia, mentre la filosofia cristiana deve soprattutto giustificare la sua
qualità di filosofia, la cristologia filosofica, rovesciando il sintagma, deve dimostrare la sua autenticità cristologica. Per molti il Cristo visto dai
filosofi può essere solo un'immagine
inutile, un «fantasma», come diceva
Baader. Il dissenso, latente o eclatante, tra il cristianesimo e le filosofie
si aggrava quando si fa intervenire
Cristo in persona: il Cristo della fede è sfigurato in Cristo della filosofia. D'altronde su questo punto la linea di demarcazione non si traccia
tra credenti e non credenti: come per
la filosofia cristiana, troviamo da entrambe le parti sostenitori e avversari. Se per cristologia filosofica si in-
tendesse una dottrina speculativa autonoma avente Cristo per autore, bisognerebbe allora dare ragione alla
tendenza avversa. Cristo non è uno
scrittore filosofico, come ricordano,
tra gli altri, Blondel e Nédoncelle; o
se al contrario si pretendesse di coglierla come un oggetto metafisico
nella singolarità del suo essere, allora ci si sbaglia del tutto. La filosofia
non ha contatto diretto con la persona e con la vita di Gesù, non potrebbe sostituirsi alla preghiera e alla fede. Ma non si tratta di questo. Interpretare la cristologia filosofica, dal
lato della dottrina come dal lato del-
l'esistenza, come un dominio della filosofia su Cristo, significherebbe far
violenza alle parole.

1. ACCESSO FILOSOFICO A CRISTO - E
tuttavia deve esserci un accesso filosofico a Gesù Cristo. La filosofia e
i filosofi non possono essere esclusi
né dispensati dalla domanda da cui
dipende ogni vita: e tu, che cosa pensi
di Cristo? È quanto afferma in modo commovente R. Schneider in un
opuscolo apparso subito dopo l'ultima guerra, ancora raggelato dall'inverno della catastrofe. Nessuno sfugge alla domanda di Cesarea: chi dite
che io sia? Ora, contrariamente a
quanto in genere si immagina, i filosofi non sono stati avari di risposte.
Nessun grande filosofo dell'epoca
moderna ha scartato la questione di
Cristo, ha eluso la presenza di Cristo. Dovremmo piuttosto stupirci del
fatto che gli storici e i critici, tranne
negli ultimi decenni, se ne siano ac-
corti così poco o non abbiano ritenuto opportuno prestarvi attenzione.
Nel caso clamoroso di Kant, ad esempio, e anche in quello di Hegel, la
loro segnalazione resta superficiale
come se si trattasse di un qualcosa
di accessorio. Da questo punto di vista il prezioso libretto di H. Gouhier,
Bergson et le Christ des Évangiles è
una pietra miliare. Ma considerando
il posto che Cristo occupa nel pensiero dei filosofi (a partire da alcuni
campioni scelti, Bergson, Spinoza,
Rousseau), Gouhier non credeva che
si potessero superare le cristologie filosofiche empiriche; ogni volta il filosofo forgia la sua immagine di Cristo e la cristologia filosofica equivale a questa galleria di ritratti.

Tuttavia si deve poter andare oltre
una successione di monografie, per
quanto utili siano, e uno studio comparativo. La stessa diversità delle cristologie – più o meno sviluppate –
inerenti ai sistemi genera il problema
dell'unità che deriva dal Modello, come anche dalla tradizione. Allo stesso modo l'unità soggiacente alla filosofia in generale, e a ogni disciplina filosofica in particolare, deriva
dalla natura delle cose e dalla rela-

zione vitale della filosofia con la sua
storia. Così gli abbozzi di cristologia
filosofica offerti dall'epoca moderna
sono legati tra loro semplicemente da
affinità filosofiche. Per questo si rileva una maggiore o minore insistenza sul → Gesù della storia o sul Cristo della fede a seconda dell'incidenza più critica o più sistematica delle
filosofie in questione. Un punto di
partenza critico o storico − come in
Kant, Fichte, Bergson − mette l'accento su Gesù maestro di morale, rivelatore, mistico... anche se non si
perdono di vista gli sviluppi dogmatici, ma questi suppongono il punto
fermo della comparsa storica. Al contrario le grandi filosofie speculative
della religione hanno tendenza a minimizzare − senza eliminarla − la
contingenza storica e a integrare soprattutto lo sviluppo dogmatico. Al
limite avremmo da una parte un Cristo senza cristologia e dall'altra una
cristologia senza Cristo. Poiché il
problema riemergente da ogni cristologia che voglia presentarsi come filosofica non è molto diverso da quello della teologia che oscilla tra il docetismo e l'arianesimo; è anche la dicotomia che si è voluta erigere tra il
Gesù della storia e il Cristo della fede. Ma poiché per il filosofo − e a
ragione, del resto − il Gesù della storia è il Cristo della fede, il contrasto
si stabilisce piuttosto tra il Cristo della storia e il Cristo dell'idea o della
speculazione; da qui il duplice punto
di partenza di cui abbiamo parlato.
  Si tratta ora da una parte e dall'altra di superare il «grande terribile fossato» di Lessing, che la fede attraversa con un solo balzo, tra la testimonianza contingente della storia e
la verità universale della ragione speculativa. I filosofi non trattano, propriamente parlando, il «problema di
Gesù», ma hanno anch'essi le loro
preferenze per una cristologia ascendente o per una cristologia discendente: Spinoza parte da Gesù «filosofo
per eccellenza», il cui spirito comu-

nicava direttamente con Dio; Fichte
si sofferma sul genio religioso, sul
prodigioso precursore della *Dottrina
della Scienza*; Bergson sul Supermi-
stico e sull'oratore del Discorso della
montagna; ma Malebranche ascolta
il verbo interiore, ragione universale; il giovane Schelling confessa ingenuamente che è importante solo la
persona «simbolica» e non quell'uomo qualunque, piuttosto comune,
trasparente, il predicatore esseno (più
tardi cambierà parere); Hegel erige
una maestosa staurologia (cioè la negatività come leva universale) in cui
l'*hic et nunc* incontrovertibile di Gesù di Nazareth si risolve in un indice
e in un momento storico... In un senso come nell'altro la difficoltà concerne il raccordo o la transizione, a
meno di lasciare intatta la separazione, come fanno per esempio Feuerbach e D.F. Strauss. Kant lascia aperta la questione dell'origine divina del
Modello, ma non esclude che il Maestro del vangelo, come apparizione
fenomenica, sia perfettamente configurato all'archetipo noumenico; dire
di più significherebbe oltrepassare i
limiti. Fichte mostra un Gesù troppo
invaso e posseduto dall'idea di essere unico così da identificare il metafisico con lo storico: non è sufficiente per l'ortodossia, ma è più di quanto ne dica la *Dottrina della Scienza*.
Al contrario Schelling, in età avanzata, attribuisce al suo Cristo ricco
di metamorfosi una storia tutta dogmatica. Hegel rifiuta di dissociare la
più alta speculazione e lo spirito della comunità dall'apparizione sensibile una volta per tutte (è il «punto debole» di ogni cristologia speculativa).
  Contrariamente a quanto si potrebbe pensare, la maggior parte delle filosofie, che fanno spazio a Cristo e
alla cristologia nei loro edifici di pensiero, sono tentativi meritori quando
si tratta di giustificare l'incarnazione
e la *kenosi*. Il risalto dell'*Idea Cristo*
che governa i sistemi di stampo idealista non impedisce il confronto con

la storia e la contingenza; se ne potrebbero offrire molti esempi, da Hegel a Schelling ai loro numerosi epigoni. Ma è vero che Cristo, in quanto ospite di questi «palazzi di idee», ne subisce l'influenza ed è chiamato non solo a occuparvi il suo posto ma anche a svolgervi un ruolo; la cristologia filosofica che ne deriva aiuta solo marginalmente la comprensione di Cristo ed esercita la sua funzione soprattutto ai fini della filosofia. Il suo destino è patente nella colossale opera di Hegel in cui Cristo è «ricrocifisso»; lo è in modo più sottile nella filosofia positiva di Schelling in cui assume le fatiche erculee della potenza mediana per ricadere momentaneamente in una misteriosa latenza, durante il tempo della chiesa e nelle fatiche dell'estirpazione del Male delegate paradossalmente a Satana. Ma filosofie meno apertamente cristologiche confermano anche che Cristo − estrapolando da un termine di Novalis − è «la chiave del mondo»: così Spinoza che assegna a Cristo e al suo Spirito la conoscenza perfetta, insuperabile, di cui egli stesso non ha la totale fruizione; così Fichte per il quale Cristo, sfavillante di vita giovannea, realizza in modo insuperabile la *Dottrina della Scienza*: in lui come in essa sono la vita e la luce degli uomini. Perfino Bergson, così discreto, attribuisce al Cristo dei vangeli l'inaudita capacità di orientare lo slancio vitale e, insomma, di lanciare una nuova creazione, etica e spirituale.

2. TRIPLICE TIPOLOGIA - Pur lodandone l'intento, non si può proprio evitare di rivolgere alle cristologie filosofiche nel loro insieme il rimprovero di *policristia*, riservato da J.A. Moelher agli eretici. Tuttavia, se consideriamo tutte queste cristologie secondo il loro scopo, come approssimazioni e vie di approccio, esse delineano procedimenti costanti e omogenei e obbediscono a una tipologia

che possiamo sommariamente ricondurre a tre tipi.

a. Il primo è l'apertura della filosofia alla cristologia, la «preparazione evangelica», la filosofia «che porta a Cristo», *l'intellectus quaerens fidem*. Questo tipo di filosofia cristiana per anticipazione e per vocazione è realizzata, per esempio, in J. Lequier, nell'ultimo Maine de Biran, in molti fenomenologhi, in M. Scheler, nel Bergson delle *Due Fonti*, nel Blondel del secondo periodo («la filosofia aperta» è il titolo del suo omaggio a Bergson)...

b. Inversamente nella linea della *fides quaerens intellectum* e di conseguenza chiudendo il cerchio con la tendenza precedente, si profila la cristologia impegnata nella filosofia, come un muro di sostegno. Essa indica il cammino sempre arduo e pericoloso che va dalla teologia alla filosofia. Inseparabile dalla finalità cristologica della filosofia, la finalità filosofica della cristologia crea la vera cristologia filosofica, quella che va incontro alla filosofia per rinforzarla e rigenerarla, con il rischio della secolarizzazione. Essa si manifesta all'interno della filosofia con schematismi, rappresentazioni, simboli, che non sono necessariamente il risultato di un'operazione riduttrice. L'esempio insuperabile è il sistema hegeliano, incomprensibile senza *l'analogia Christi*, ma che non preserva sufficientemente la distanza e il mistero. Il pancristismo di Blondel, all'opera soprattutto nella quarta e quinta parte de *L'Action*, fa letteralmente sorgere dal nulla una cristologia a tematica filosofica. Ugualmente la matura riflessione di G. Marcel è profondamente impregnata di reminiscenze cristiane e cristologiche che, in ordine sparso, rinascono in filosofemi talvolta insoliti. Va da sé che queste cristologie filosofiche, anche semplicemente abbozzate, attingono la loro forza alla pienezza di Cristo, cioè alla levatura dei suoi aspetti, delle sue categorie ed *epinóiai*, poiché tutti gli aspetti di Cristo sono compossibili. Il punto debole di un approccio come quello di M. Légaut è di fissarsi, sebbene appassionatamente, solo sul Maestro spirituale. Una simile cristologia, quando affronta la realtà ontologica di Cristo, se l'affronta, vi giunge completamente sprovvista ed estenuata.

c. Esiste un terzo tipo di cristologia filosofica che deriva dal secondo, ancora poco sfruttato, e in ogni caso rimasto implicito nella riflessione cristologica. Si tratta piuttosto, a dire il vero, di una fenomenologia di Cristo che, munita di intuizione simpatica, scruta in tutta la misura del possibile l'*éidos* dei suoi vissuti e delle sue categorie, soprattutto quelli che hanno una rilevanza filosofica: la soggettività, il tempo, l'intersoggettività, la corporeità, la sofferenza, la morte, il peccato, il male, il destino. Questa fenomenologia cristologica gioverebbe tanto alla scienza dell'uomo (nel senso di Maine de Biran) quanto alla conoscenza di Cristo. Non esiste ancora, ma se ne trovano elementi sparsi, molto suggestivi, negli studi di J. Mouroux sulla coscienza del tempo, e soprattutto di M. Nédoncelle sull'intersoggettività. A fianco di questi pionieri, esegeti e teologi producono molto materiale prezioso: Guardini, Balthasar, Guillet, Guitton... ma già K. Adam, L. de Grandmaison e l'incomparabile Newman.

Il libro di O. Cullmann dal titolo promettente *Cristo e il tempo*, orientato del tutto diversamente, è l'esempio da non seguire. In compenso offre un «punto d'aggancio»: la concezione del tempo cristiano che si collega necessariamente alla temporalità stessa di Cristo. Quando Kierkegaard vede nelle parole di Gesù a Giuda «quel che devi fare fallo presto» l'espressione più lacerante del vangelo, indica attraverso l'impazienza del desiderio angosciato una singolare relazione qualitativa con il tempo.

In una celebre pagina sant'Agostino aveva tracciato una linea di demarcazione tra il Logos familiare alla filosofia pagana e il Verbo incarnato, introvabile in Platone e nei suoi eredi. Il forte sviluppo della filosofia cristiana ha smentito, com'era prevedibile, l'osservazione allora esatta di Agostino; e nemmeno l'emancipazione della filosofia ha arrestato le ripercussioni della fede cristologica sulla ragione autonoma. L'ardita proposizione enunciata anticipando Teilhard de Chardin non sembra aberrante: «Il Dio dei filosofi è, in quanto Cristo dei teologi, il Dio di Abramo, di Isacco e di Giacobbe». Frase abbastanza sibillina, ma da cui possiamo trarre la conclusione che Cristo occupa ormai il posto del Dio dei filosofi e che la cristologia filosofica si sostituisce alla teologia filosofica. Rimane tuttavia da sensibilizzare maggiormente i fratelli nemici, filosofi e teologi.

Una nota sulla cristologia trascendentale. Questa è appannaggio e titolo di gloria di → K. Rahner. Il teologo di Innsbruck non pretende di sostituirla alla cristologia categoriale o positiva di cui costituisce invece il presupposto indispensabile. Egli la intende, sotto l'influenza di Kant e di Maréchal, come l'esame delle condizioni a priori o dell'apriori ipotetico di una data possibile esperienza (o realtà). La cristologia trascendentale rahneriana verte sulla possibilità dell'incarnazione o dell'Uomo-Dio, e corrisponde infatti a due problemi che si incrociano: a quali condizioni riconoscere – soggettivamente – l'uomo che è Dio, il Dio fatto uomo? a quali condizioni un uomo può essere detto Dio, com'è possibile che un uomo sia Dio, capace di Dio? In entrambi i casi (diversamente da Kant) Rahner preferisce la procedura ascendente oggi in voga.

Il secondo problema si risolve con

il ricorso alla → *potentia oboedientialis*, in questo caso filiale, radicalizzata; in ciò Rahner si avvicina a Schleiermacher. Il primo problema, complesso, fa intervenire l'umanità storica; la cristologia è alla ricerca della realtà del Salvatore assoluto che i suoi schemi di precomprensione (disponibilità assoluta, perfetto abbandono) le fanno presagire; anche se questo desiderio naturale sarebbe meglio esaudito alla fine della storia nell'escatologia, esso ascolta il linguaggio della fede che designa Gesù di Nazareth. La cristologia trascendentale non potrebbe soppiantare la fede, la cui evidenza attesta che Gesù soddisfa le condizioni. Indirettamente Rahner giustifica così Kant, che non ha creduto di poter equiparare il Maestro del vangelo all'Archetipo trascendente. Egli stesso in quanto teologo, e volendolo essere, ha più libertà di azione.

Il grande disegno di Rahner, di cui diamo soltanto un riassunto molto succinto, mostra l'interazione della cristologia e dell'antropologia a vantaggio della cristologia. Niente impedisce di rendere valido con lo stesso vigore il cammino inverso, ossia a vantaggio dell'antropologia.

Bibl. - R. Schneider, *Die Heimkehr des deutschen Geistes. Über das Bild Christi in der deutschen Philosophie des 19. Jahrhunderts*, Baden-Baden 1946; H. Gouhier, *Bergson et le Christ des Évangiles*, Paris 1961; J. Mouroux, *Le mystère du temps*. Approche théologique, Paris 1962; H. Bouëssé - J.J. Latour (edd.), *Problèmes actuels de christologie*, Paris 1965; A. Matheron, *Le Christ et le salut des ignorants chez Spinoza*, Paris 1971; M. Légaut, *Introduzione all'intelligenza del Cristianesimo*, Assisi 1972; T. Pröpper, *Der Jesus der Philosophen und der Jesus des Glaubens. Ein theologisches Gespräch*, Mainz 1975; K. Rahner, *Corso fondamentale sulla fede*, Roma 1977; X. Tilliette, *Il Cristo dei filosofi*, Brescia 1976; Id., «Spinoza devant le Christ», in *Greg* 58 (1977) 221-237; Id., «È possibile una cristologia filosofica?», in R. Latourelle (edd.), *Problemi e prospettive di teologia fondamentale*, Brescia 1980, 173-191; Id., *La christologie idéaliste*, Paris 1986; Id., *Filosofi davanti a Cristo*, Brescia 1989; Autori vari, *Pour une philosophie chrétienne*, Namur-Paris 1983; E. Brito, *La christologie de Hegel*, Paris 1983.

XAVIER TILLIETTE

III. Titoli cristologici

Porsi teologicamente dinanzi alla problematica dei «titoli cristologici» significa prendere atto di un duplice dato. Il primo, è quello che permette di costatare l'irriducibilità del Gesù di Nazareth alle pur innumerevoli classificazioni che la mente umana, insieme alla fede, è riuscita ad esprimere nel corso dei secoli. La sua persona infatti, emerge sempre più, andando continuamente oltre le differenti qualificazioni, e mostra la grandezza del mistero davanti al limite della persona, che lo può cogliere sempre e solo come un *novum* che le viene offerto.

Il secondo dato, è quello che permette di raggiungere dei risultati che favoriscono sia la percezione della storicità di Gesù di Nazareth, nel suo rivelarsi come inviato del Padre, che la comprensione di fede della comunità primitiva. In una parola, si è posti di fronte a quella sintesi reale tra il dato storico e l'esperienza di fede che permette alla teologia fondamentale un approccio del tutto peculiare alla cristologia (→ cristologia fondamentale). La sintesi raggiunta, in nulla umilia o contraddice la componente storica e quella di fede; al contrario, le valorizza entrambe. Mostra infatti, che l'esperienza di fede è sempre legata ad un evento storico, ma questo non è mai un *factum brutum*; è invece relazionato sempre ad un soggetto e ad una cultura che lo plasmano, rendendolo significativo per il presente e condizione di comprensione del futuro e, per questo, «storia».

1. UNO SGUARDO ALLA STORIA - Nella prospettiva della teologia fondamentale, lo studio dei titoli cristologici ha subìto un'evoluzione che può essere percorsa in tre tappe.

a. La trattazione dei titoli cristologici non è cosa nuova. Fin dai primissimi tempi della letteratura cristiana se ne trovano esempi significativi: Dionigi scrive in XIII libri il *De Divinis nominibus* (PG 3,586-990); Orienzo, nel 450 circa, fornisce un poema *De epithetis Salvatoris nostri* (PL 61,1000-1005), in cui sono descritti e commentati 54 titoli.

Una prima stesura «monografica», che ci è data conoscere, viene fatta risalire all'opera di Louis de Leon (1528-1591) che nel 1583 pubblica il *De los nombres de Cristo*. La cosa sorprendente è che l'opera viene scritta con l'intento di marginare il grave pericolo per il popolo, conseguente alla proibizione di pubblicare in lingua volgare la sacra Scrittura.

Per non lasciare quindi il popolo nell'ignoranza circa la verità cristiana, con la conseguenza di un allontanamento dalla pratica credente (pp.4-5), il Leon raccoglie nel suo scritto dieci titoli principali con l'intento di fornire ai semplici credenti uno strumento catechetico: «Nella Scrittura si danno a Cristo molti nomi; i principali però sono dieci, all'interno dei quali è possibile riconoscere in sintesi tutti gli altri» (p.12). Lo sviluppo del volume è accattivante: tre giovani monaci agostiniani, Sabino, Marcello e Giuliano, fuggono dal caldo di Salamanca, e trovano rifugio in campagna. Qui iniziano a discutere sui nomi attribuiti a Gesù: «germoglio», «volto di Dio», «via», «pastore», «monte», «re e principe», «sposo», «amato», «Gesù» e «agnello». A partire dalla brevità del nome si sviluppa una dimostrazione che tende a illustrare il significato di esso e quindi ad imprimere nella mente del lettore la verità di fede sottostante.

Si è di fronte ai titoli cristologici come ad un sostituto della lettura della Scrittura in modo tale che «conoscendo Cristo, si arrivi alla vera e propria sapienza dell'uomo» (p.8).

b. Una seconda tappa è rappresentata dalla teologia manualistica (→ Teologie, II), vera e propria inventrice della problematica dei titoli in teologia.

Il contesto su cui si poneva lo studio era quello della polemica con l'illuminismo e, più direttamente, con il razionalismo. Il *De legato divino*, che trovava nel trattato dogmatico *De Verbo incarnato* il suo completamento, costituiva l'impatto apologetico alla cristologia.

Finalità di questa metodologia era dimostrare infondate le tesi che sostenevano la contraddittorietà e la contrapposizione tra la ricerca storica sulla vita di Gesù e la sua immagine dogmatica. In effetti, ciò che veniva presentato era ben lungi da poter essere considerato come una difesa della storicità del Gesù di Nazareth. Ciò che i titoli raggiungevano, oltre ad una evidente funzionalità esterna al soggetto in questione, che in questo modo veniva distanziato sempre più dal suo contesto storico, era la presentazione di un Cristo che aveva tutte le caratteristiche di *eccezionalità* sia nella sua umanità che nella sua storicità.

L'immagine quindi che se ne ricavava era ben lontana dalla prospettiva evangelica e dalla realtà storica che si voleva difendere.

Involvendosi nei confronti dei trattati precedenti (si pensi solo, come esempio significativo, al primo trattato apologetico, quello dello Hook, *Religionis naturalis et revelatae principia* 1754 Liber II, pars I, art 1, che come prova della divinità adduceva solo il messianismo di Gesù e la sua autorità nel predicare e compiere miracoli), la manualistica aveva ridotto tutto il contenuto cristologico alla dimostrazione dei soli titoli.

Il materiale preso in considerazione, estraneo a qualsiasi metodologia esegetica, era normato dalla forza del dogma. In questo modo però, l'apologetica manualistica tradiva ogni suo tentativo di presentazione cristologica. Gesù di Nazareth infatti, non era più considerato in se stesso, né come fonte né come descritto dalle testimonianze evangeliche, era piuttosto il prodotto derivato dalla formulazione dogmatica. Paradossalmente, il solco tra il Gesù storico e il Cristo della fede che si voleva superare si veniva qui, in effetti, ad allargare.

c. La teologia fondamentale del post Vaticano II nel momento in cui, eventualmente, si accosta ai titoli, non può prescindere dalla novità impressa alla teologia della rivelazione e alla cristologia dal concilio.

Il ricupero della priorità della Scrittura per una esatta comprensione teologica dei dati, l'orizzonte storicosalvifico su cui è possibile inserire le differenti componenti bibliche, e la sistematicità organica nell'organizzazione dei dati ricuperati, sono chiavi ermeneutiche insostituibili per la trattazione dei titoli nell'orizzonte della fondamentale.

2. PROPOSTA SISTEMATICA - Una proposta sull'utilizzo dei titoli cristologici, che qui si presenta, desidera porre la trattazione come base per un duplice scopo:

a. All'interno di una lettura globale della rivelazione, i titoli possono essere considerati un veicolo mediante il quale è possibile raggiungere la consapevolezza di Gesù che esprime il mistero della sua esistenza e il progetto della sua missione salvifica.

b. Più specificamente, nell'ordine di una metodologia ermeneutica, i titoli possono permettere la verifica che mostra il linguaggio della fede radicato nel linguaggio storico di Gesù di Nazareth. Si ha quindi, per la teologia, la possibilità di una formulazione che garantisce la scientificità e la sensatezza del suo esprimersi, contro ogni riduzionismo cui condurrebbero alcune forme di analisi linguistica.

L. Sabourin, in appendice alla sua opera *Les noms et les titres de Jésus*, raccoglie una lista di 187 titoli, già rinvenibile verso la fine del VII sec., che con diverso significato sono presenti nel Nuovo Testamento.

Dal nostro punto di interesse, pensiamo si possano distinguere tre livelli che potrebbero costituire quasi il contesto ambientale più significativo per la collocazione e la comprensione dei titoli:

1. Titoli che esprimono la coscienza popolare dei contemporanei di Gesù. Il punto di riferimento è particolarmente il mondo veterotestamentario. Questi titoli, quali: «profeta», «figlio di Davide», sono andati in disuso nella comunità post pasquale perché chiaramente non esprimevano più in pienezza il mistero che era stato rivelato.

2. Titoli che risalgono a Gesù stesso che, in questo modo, ha esplicitato la comprensione che aveva di sé (es. «figlio dell'uomo»). La comunità non ha potuto che mantenere queste espressioni perché legate all'insegnamento più genuino del maestro.

3. Titoli che, alla luce di pasqua, la comunità ha esplicitato e applicato a Gesù in un duplice modo:

– sia attualizzando le immagini veterotestamentarie in riferimento a lui (v.g. «sapienza»), o celebrando la liturgia (v.g. «Signore»).

– sia ricordando l'insegnamento stesso di Gesù, i suoi gesti e il suo comportamento, in cui manifestava che lui era il «messia» e «figlio di Dio».

Una rapida panoramica esemplificativa potrà orientare nella prospettiva teologica esposta.

Gesù profeta - L'ambiente giudaico ai tempi di Gesù è fortemente caratterizzato da due fattori: la definitività delle Scritture e il permanente riferimento a Mosè e alla Legge.

Il senso profetico, come era stato sperimentato all'epoca deuteronomista, è venuto meno; la volontà di Jhwh viene ora conosciuta tramite il riferimento alla Tôrāh e ai profeti, letti e interpretati dai dottori. Sebbene si pensasse che lo spirito profetico fosse concluso con Aggeo, Zaccaria e Malachia, il popolo conosceva ugualmente forme che mantenevano viva l'esperienza profetica: il genere apocalittico anzitutto, sostiene l'attesa messianica; poi il carisma profetico che si riconosceva presente nel sommo sacerdote in forza del suo ufficio (cfr.Gv. 11,5); infine, non va trascurata la comunità di Qumrân che con i suoi testi e il suo stile di vita, era guidata dall'autorità del Maestro di Giustizia e dall'attesa costante circa la venuta del messia di Aronne.

Il sorgere del Battista e la sua predicazione, hanno certamente alimentato il clima di attesa che attraversava tutta la storia di Israele, imprimendo ulteriormente a questa figura una connotazione profetica che risvegliava sentimenti già noti, ma assopiti nell'animo del popolo.

In questo contesto si pongono, inizialmente, la predicazione e l'agire di Gesù di Nazareth. Alcuni dati rinvenibili nei testi neotestamentari mostrano senza ombra di dubbio che, a partire dai primi discepoli fino a tutto il popolo, la sua persona fu accolta e interpretata alla stessa stregua del profetismo classico. L'apparire di Gesù sulla scena pubblica risvegliò nei suoi interlocutori l'immagine che il Battista stava già, in qualche modo, provocando a recuperare, quella del profeta.

È facile verificare l'opinione comune, tra i singoli e i gruppi di persone, che si riferiscono a Gesù con il titolo di profeta: Filippo lo comunica a Natanaele (Gv 1,45), Simone il Fariseo lo pensa, ma ne dubita (Lc 7,39), il cieco nato lo attesta davanti ai giudici che lo interrogano (Gv 9,17), la samaritana ne fa professione pubblica di fede (Gv 4,19), i soldati invece lo usano come strumento di scherno (Mt 26,68), mentre per la folla è motivo di gioia e di lode (Mt 21,11; Lc 7,16).

Queste reazioni hanno una base storica tale da permettere di concludere che uno dei primi dati espressi dalla cristologia pre-pasquale era quello che leggeva e interpretava Gesù di Nazareth come profeta che si inseriva nella lunga serie di figure profetiche di Israele (Mt 21,45; Gv 1,21; 7,40; Lc 24,19).

Come si può spiegare l'applicazione a Gesù di questo titolo? Non crediamo che possa essere fatto risalire a Gesù stesso. I vangeli presentano solo due testi espliciti (Mt 13,57; Lc 13,33), in cui direttamente nel parlare di Gesù si fa riferimento al profeta. Il contesto tuttavia è quello della passione e morte violenta che ormai si profila nell'orizzonte di Gesù. Siamo quindi in presenza più di una *figura esplicativa* per esprimere il rifiuto da parte del popolo e la sorte di una morte violenta che era destino comune dei profeti, che non di una identificazione con i profeti stessi.

C'è inoltre una conformità nello stile di Gesù che lo vede rifuggire dal dover esprimere chiaramente con dei titoli l'identità della sua persona e della sua missione. Come si vedrà, con l'espressione «figlio dell'uomo», Gesù sembra utilizzare sempre formule e immagini che se da una parte chiarificano il mistero della sua esistenza, dall'altra lo proteggono e lo nascondono ulteriormente.

Per spiegare allora la reazione dei contemporanei, e la conseguente acquisizione della cristologia pre-pasquale del titolo «profeta», è necessario spingersi verso un'altra possibile soluzione che mostra, nell'agire e nell'esprimersi di Gesù, un atteggiamento tale che al popolo richiamava intuitivamente quello dei profeti.

Anzitutto, la consuetudine di Gesù a dover interpretare le Scritture per spiegare e far meglio comprendere il suo presente. Luca, più degli altri evangelisti, sottolinea questo aspetto ponendolo quasi come archetipo di tutta la predicazione pubblica del maestro (Lc 4,16-30). Gesù, poi, ha fatto profezie; vale a dire, si è espresso con immagini e stili che richiamavano quelli dei profeti. Si pensi alle maledizioni e ai giudizi di sventura (Lc 13,34; Mt 23,34; Mc 13,1-2), o ai giudizi di salvezza (Lc 12,32; 10,23), con i vari macarismi (Mt 5,3-12). In questo orizzonte, non si può togliere al Gesù storico la paternità di Mc 13,1-2 che è da considerare, a tutti gli effetti, un testo profetico sia per il suo stile che per i contenuti raccolti. Questo testo infatti è centrale e costituisce una spiegazione necessaria per comprendere sia le accuse che verranno rivolte a Gesù durante il processo (Mc 14,58), sia gli scherni dei passanti sotto la croce (15,29).

Ancora, Gesù ha compiuto gesti che sono in chiaro riferimento ai numerosissimi atti che i profeti compivano come segni esplicativi di rivelazione; si pensi, in tal senso, al valore simbolico di alcuni miracoli (Gv 6,1-66; 9,41; 11,1-44), ma più direttamente alla purificazione del tempio (Mt 21,12-16), con la conseguente cacciata dei mercanti; al gesto di maledizione del fico relazionato alla incredulità del popolo (Mt 21,18-22), o allo scrivere per terra prima di emettere un giudizio di perdono e di salvezza verso l'adultera (Gv 8,1-11).

Un'altra espressione di atteggiamento profetico può essere individuato nelle varie *visioni* che Gesù aveva. Il loro contenuto è espresso sia in riferimento al cuore degli uomini, per cui nessuno poteva nascondergli qualcosa (Mt 12,25; Lc 9,47), sia nel dover «plasticamente» costatare il sopraggiungere del suo regno di salvezza con il conseguente retrocedere del regno di satana (Lc 18,18).

Sono da considerare infine, come elementi profetici, i differenti annunci di passione con la conseguente promessa di glorificazione (Mc 8,31; 9,31; 10,33). Pur con i diversi gradi di storicità che le tre redazioni rive-

stono, si è comunque in presenza di un dato incontestabile: la piena consapevolezza di Gesù di aver davanti a sé il destino di una morte violenta, tipica per i profeti, e la volontà di imprimere a questo evento un significato personale che desse compimento e senso ultimo alla sua missione.

Le fonti neotestamentarie permettono pertanto di verificare un dato comune, anche se con accentuazioni teologiche differenti: quello della considerazione di Gesù come un profeta in forza del suo comportamento. Se, comunque, riferendo di questo dato storico, si può parlare di una *cristologia profetica*, è necessario anche aggiungere che essa è vista come una primitiva forma che consente di valutare l'immediata reazione della folla davanti a Gesù. Già una dinamica interna dei testi permette infatti di vedere che le fonti neotestamentarie non si accontentano di riferire solo questa dimensione. La persona di Gesù evocava riflessioni e atteggiamenti che obbligavano a vedere in lui «uno che è più di» (Mt 12,41; 12,42; 12,16). Solo *analogicamente* quindi si poteva attribuire a lui il titolo di profeta; l'autorità con la quale si esprimeva e la consapevolezza che rivelava della sua relazione con Dio potevano far emergere nel titolo più la dissomiglianza che non la somiglianza con la realtà (→ Profezia).

Figlio di David - Un altro titolo, legato direttamente con l'idea di messianismo, è quello di figlio di David. La sua assenza nei testi veterotestamentari potrebbe meravigliare, eppure è certo che tutta la tradizione non cessa di pensare al messia che deve venire sulla lunghezza d'onda della profezia di Natan (2 Sam 7,13-16). Solo la letteratura extrabiblica, precedente quella cristiana, ha un solo esempio dato dai Salmi di Salomone 17,21-25; i testi rabbinici invece, mostrano un uso ormai tradizionale della formula: «Il figlio di David che viene». L'uso che si trova nella tradizione sinottica riflette, con ogni probabilità, una mentalità ancora pre-cristiana che vedeva nel titolo il collegamento con la *regalità* del messia e l'instaurazione del suo regno. Si è quindi in piena comprensione di un messianismo politico-regale. Questo fa comprendere la riservatezza che è possibile vedere nell'atteggiamento di Gesù riguardo al titolo. Il lóghion più espressivo in cui questo compare è Mt 22,41-46.

Il contesto di disputa mostra che si è di fronte alla volontà di un mutamento di orizzonte intenzionale nella comprensione del fatto. Facendo leva sull'«antinomia haggadica» (cfr. J. Jeremias, *Teologia del NT*, 295), Gesù accetta la verità che il titolo esprime, ma ne corregge l'interpretazione, perché questa sia più conforme a tutta la sua predicazione che preferisce la figura del servo sofferente a quella del messia glorioso.

Lo stesso caso è da verificare nella pericope di Mc 10,46-52. Sulla storicità di questo fatto differenti fattori possono confluire per arrivare ad un giudizio positivo. Qui il cieco Bartimeo, implorando Gesù come «figlio di David» (v. 47), esprime una formula popolare di speranza messianica che, unitamente a quella di profeta, era tra le più familiari in mezzo al popolo (Descamps, A., «Le messianisme royal», in *Attente du Messie*, 61).

Alla luce di Pasqua, il titolo, che si ritrova ancora nella professione di fede di Rm 1,3-4, inizia a cedere il posto a quello più espressivo e completo di figlio di Dio. Progressivamente infatti, la regalità di Cristo assumeva per la chiesa un valore universale, e la funzionalità di figlio di David non faceva emergere in pieno la realtà ontologica che invece esprimeva il titolo figlio di Dio.

Figlio dell'uomo - Figlio dell'uomo prima ancora di essere un titolo cristologico, è una espressione che la comunità primitiva ha onorato e amato perché la riportava immediatamente, non solo al linguaggio del maestro, ma soprattutto a quell'immagine che egli aveva creato per esprimere il mistero della sua missione e della sua persona.

Figlio dell'uomo è diventato un titolo solo dopo che si era compresa la logica del superamento dell'immagine di Dn 7 e del suo confluire in quella dell' *'ĕbed Jhwh* del Deuteroisaia. Solo quando la comunità comprese l'impossibilità di equivoci tra la visione veterotestamentaria del giudice glorioso escatologico e la sua incarnazione nelle vesti del profeta-servo che soffre e dà la sua vita in riscatto per il popolo, allora fu in grado di moltiplicare l'uso di quell'espressione e di trasformarla, a volte, in un reale titolo cristologico.

Figlio dell'uomo è un'espressione ancorata saldamente alle sole fonti evangeliche. Tranne tre casi (che riportano tuttavia delle citazioni veterotestamentarie cfr. Ap 1,13; 14,15; Eb 2,6), essa è rinvenibile nelle altre fonti neotestamentarie solo in At 7,55; per il resto, la si trova per ottantadue volte esclusivamente utilizzata da Gesù. Questo fatto non può essere immotivato e richiede delle spiegazioni.

La traduzione greca di ὁ υἱός τοῦ ἀνθρώπου (*ho hyiós toú anthrôpou*) è un aramaismo; il secondo articolo infatti è inusuale nel greco, vorrebbe esprimere maggiormente il determinativo per cui si è soliti tradurre con figlio *dell'*uomo.

Questa espressione linguistica, che l'ebraico esprime con *ben-'ādām* e l'aramaico con *bar 'ĕnash*, è molto utilizzata negli scritti veterotestamentari. Nel libro di Ezechiele per almeno 53 volte si trova il vocativo *ben 'ādām* per esprimere la chiamata del profeta. Il significato originario è determinato dalla posizione del prefisso *ben / bar*; può indicare infatti la discendenza se unito ad un nome proprio, o la provenienza se precede un nome geografico. In questo caso *ben adam / bar enash*, indica semplicemente un «uomo», un appartenente alla razza umana.

A partire dalla letteratura apocalittica però, l'espressione rimane condizionata dall'immagine presente in Dn 7,13-14. Qui infatti l'autore sacro, esprimendo la sua concezione fondamentale circa un prossimo intervento di Jhwh che avrebbe costruito il suo regno messianico sulla terra dopo aver distrutto i diversi regni nemici di Israele (cfr. Dn 2,31-45), introduce la figura *simbolica* di «uno simile / come ad un figlio d'uomo».

La critica si è sbizzarrita nel corso di decenni alla ricerca dell'identificazione di questa figura. Il testo in effetti, nella complessità del suo esprimersi, lascia intravedere che «figlio d'uomo» possa essere inteso sia come una singola persona (il re), sia come una collettività (il popolo o i «santi»). L'interpretazione più ricorrente fa ricorso oggi alla teoria della personalità collettiva (*corporate personality*), perché meglio di ogni altra riesce ad armonizzare le apparenti contraddizioni del testo. Partendo quindi da un senso individuale, è possibile riconoscere in esso la presenza di una collettività e viceversa. Al di là dell'interpretazione particolare comunque, l'immagine del figlio dell'uomo contribuisce, nell'economia veterotestamentaria riguardo il messianismo, ad arricchire la speranza messianica aggiungendovi le connotazioni di gloria (v. 14), di potere (v. 15) e di giudizio escatologico (v. 27) che fino ad ora mancavano nella consapevolezza popolare.

L'incertezza sulla determinazione del tempo e dell'identità del figlio d'uomo che caratterizza la lettura veterotestamentaria, sembra invece venir meno nella testimonianza dei vangeli.

Gli studi neotestamentari riguardo l'individuazione del figlio dell'uomo, possono essere raggruppati almeno in tre categorie: 1. Si sostiene che Gesù ha utilizzato il titolo, ma non applicandolo a sé; piuttosto ad un'altra figura. 2. La comunità primitiva ha inventato il titolo per giustificare l'annuncio della glorificazione del servo sofferente. 3. Gesù ha creato personalmente questa espressione per esprimere la sua identità.

Un attento esame dei testi mostra che questa terza posizione si presenta come la più rispettosa dei dati evangelici e quella che meglio riesce a coordinare i differenti indizi facendoli convergere verso una soluzione.

Il materiale evangelico sul figlio dell'uomo può essere suddiviso in tre gruppi che contengono: 1. lóghia che riguardano l'attività terrena di Gesù (es. Mc 2,10); 2. lóghia con i temi della passione-morte-risurrezione (es. Mc 8,31); 3. lóghia che parlano della gloria-parusia (Mc 13,26). Già questi pochi testi, mentre mostrano la loro dipendenza dalla figura di Dn 7, evidenziano contemporaneamente forti differenze con quella. La prima e più impressionante, che crea piena discontinuità con il testo veterotestamentario, è quella che vede le caratteristiche della sofferenza, della passione e della morte come costitutivi del figlio dell'uomo dei vangeli.

Questa caratteristica proviene infatti da un'altra immagine dell'antico testamento che è bene introdurre brevemente, quella dell' *'ebed Jhwh* del Deuteroisaia (→ Messianismo). Sebbene il titolo di «servo» non venga applicato direttamente a Gesù, la sua missione redentiva si è però certamente richiamata a questa figura per potersi esplicitare.

Si è visto precedentemente, che Gesù fu accolto e accettato dai suoi contemporanei anzitutto come profeta. Una serie di testi, anzi, mostra che l'immagine preferita del richiamo profetico era quella espressa dal Deuteroisaia: racconti come quelli del battesimo (Mc 1,11 che cita Is 47,1), degli annunci della passione (Mc 10,33 che cita Is 50,6) e dell'ultima cena (Mc 14,27 che cita Is 53,12), *implicitamente* riportano a quella figura; ci sono inoltre altri testi che *esplicitamente* fanno riferimento al servo sofferente (es. Mc 8,17 e Is 53,4; Lc 22,37 e Is 53,12).

Per il mondo ebraico contemporaneo a Gesù, la figura del profeta è spesso collegata con l'immagine descritta nei quattro canti contenuti nel cosiddetto «libro della consolazione» (1 canto = Is 42,1-4; 2 canto = Is 49,1-6; 3 canto = Is 50,4-9a; 4 canto = Is 52,13-54, 1-12). In questi testi, si parte dalla descrizione della missione del profeta, se ne evidenzia la sua risposta obbedienziale a Jhwh e si prospettano le sofferenze e i lamenti che dovrà subire per il popolo, una sofferenza quindi *vicaria* che viene richiesta a lui perché si realizzi il piano salvifico di Dio. Solo dopo tutte queste ingiurie e sofferenze e la conseguente morte, il profeta potrà cantare la sua vittoria e ricevere come gloria il possesso dei popoli.

Questi canti sono certamente stati presenti a Gesù particolarmente nel momento in cui gli si profilava il destino di una morte violenta alla stessa stregua dei profeti. È da ritenere infatti che Gesù fosse pienamente cosciente del fatto che con il suo comportamento aveva suscitato scandalo (Lc 4,28; 5,27-32), e violente reazioni presso i capi del popolo (Mt 26,4; Mc 12,12); la sua solidarietà con i peccatori e la sua pretesa messianica lo avevano già portato a toccare con mano la morte (Lc 4,29) e ad essere quasi lapidato (Gv 8,59; 10,31-33; 11,8). Un lucido realismo davanti a questi fatti, particolarmente dopo la morte del Battista e i disordini che aveva compiuto nel tempio (Mc 11,15), hanno spinto Gesù a ricercare e dare un significato più profondo che finalizzasse questo suo destino.

La figura del Deuteroisaia diventava quindi, in questo orizzonte, come la più familiare, perché più di ogni

altra anticipatrice di quanto egli comprendeva come sua missione specifica ricevuta dal Padre, unitamente al suo morire per la salvezza del popolo. La missione del servo si trovava pertanto a confluire nell'immagine gloriosa del figlio d'uomo di Daniele. Senza dubbio si creava una stridente contrapposizione di immagini che confondeva la mente del popolo, ma certamente si poneva in atto un indizio di originalità personale di Gesù perché questa sintesi veniva a rompere ogni schema precedente e si poneva come irriducibile con ogni precomprensione messianica del momento.

Questa originalità tipica dei vangeli (le fonti extrabibliche del libro di Enoch e del IV di Esdra sono del periodo giudeo-cristiano quindi posteriori), è da far risalire a Gesù stesso. Una critica completa, che parte da quella testuale e passa per quella storico-formale, porta a concludere che, in alcuni casi (es. Mc 3,28 con Mt 12,31), si è trasformato *bar-'ĕnash* dal senso generico di «uomo» a quello di titolo messianico in riferimento a Daniele. Si verifica inoltre che 37 testi su 51, sono dati in duplice forma; una fonte presenta il pronome personale, l'altra invece figlio dell'uomo. Se ne deve concludere che la forma più antica e originale è quella col pronome; l'evangelista quindi utilizzando figlio dell'uomo lo ha interpretato alla luce del titolo messianico. Si danno tuttavia 13 casi che sono irriducibili ad altre fonti e che sono giunti nei vangeli come forma originaria, arcaica e primitiva (Mc 13,26; 14,62; Mt 24,27; 24,37b; 10,23; 25,31; Lc 17,22.24.26.30; 18,8; 21,36; Gv 1,51). Questa arcaicità dovrà essere tenuta in considerazione in una valutazione globale dei testi. Se a questi dati emersi si aggiunge un ulteriore passo dell'analisi che verte sul criterio di spiegazione necessaria, allora si permette di raggiungere un ulteriore strato di storicità. Si deve infatti essere in grado di rispondere ad alcuni interrogativi che emergono dall'orizzonte redazionale, quali: 1. Come giustificare l'abbondantissimo uso del titolo (82 volte) sempre e solo sulle labbra di Gesù? 2. Perché la comunità lo tramanda, ma non lo usa neppure nei momenti più importanti della sua vita? 3. Perché l'apparente contraddizione tra la descrizione futura della gloria e quella presente della sofferenza? 4. Perché l'assenza di una distinzione tra risurrezione e parusia? 5. Perché Giovanni, che usa il titolo nel vangelo, non lo usa più nelle lettere? A queste domande bisognerebbe aggiungere altri elementi che impediscono di pensare la comunità come creatrice del titolo: si pensi al passo cardine di Lc 12,8-9; qui Gesù compie una sorta di distinzione tra lui e il figlio dell'uomo futuro. Perché la comunità avrebbe mantenuto questa distinzione se fosse stata creatrice del titolo? E perché, inoltre, non esistono lóghia in cui si parla contemporaneamente di risurrezione e di parusia, identificazione che sarebbe stata naturale per la comunità post-pasquale? E perché la comunità avrebbe tralasciato di usare il titolo quasi immediatamente se lo aveva appena inventato? Perché, infine, la comunità avrebbe riferito a Gesù il titolo della gloria della visione di Daniele, se poi lo doveva presentare nello stato di sofferenza?

Tutte queste domande portano a concludere che figlio dell'uomo certamente è divenuto anche un titolo, ma questo solo perché la comunità primitiva aveva memorizzato con quell'espressione il modo più usuale di esprimersi del maestro stesso.

Gesù di Nazareth, conformemente al suo stile, non ha voluto dare una chiara ed esaustiva definizione di sé. Figlio dell'uomo veniva incontro a questa sua esigenza anzitutto per il suo carattere ambiguo; mentre infatti poteva indicare la caratteristica escatologica del messia, contemporaneamente richiamava al significato più generico di «uomo». Se si aggiunge poi che alla figura di Daniele, Gesù imprime la caratteristica della sofferenza, della passione e morte, allora si comprende più facilmente il motivo del dubbio popolare davanti all'utilizzo di questa espressione: «Chi è dunque questo figlio dell'uomo?» (Gv 12,34).

In piena sintonia con la dialettica della rivelazione, l'espressione si addiceva bene a rivelare e a nascondere il mistero di Gesù. La comunità primitiva ha voluto che l'uso di figlio dell'uomo fosse ancorato al solo linguaggio del maestro; non lo userà più infatti, né nella liturgia, né nella catechesi, neppure nelle comunità fuori da quella di Gerusalemme. Figlio dell'uomo doveva mantenere quel carattere di sacralità perché apparteneva ai ricordi più genuini di Gesù.

Figlio di Dio - La consapevolezza messianica di Gesù, toccava il suo culmine nel momento in cui instaurava con Jhwh una relazione talmente unica, che non aveva precedenti nella storia di Israele, quella della figliolanza.

Il titolo figlio di Dio che si ritrova nelle formule dei vari libri dell'Antico Testamento impallidisce, quanto alla pregnanza e originalità che esso possiede, quando il Nuovo Testamento lo applica a Gesù di Nazareth. Qui infatti la realtà che viene espressa è quella di una condivisione della natura stessa, cosa che il pensiero monoteista biblico non solo non avrebbe mai potuto pronunziare, ma espressamente si rifiutava perfino di pensare.

Israele aveva sicuramente subìto l'influsso dell'Egitto riguardo la concezione di una relazione filiale tra il popolo e Jhwh. Esodo e Deuteronomio più volte ripercorrono questo sentiero sia per contrapporre la figliolanza di Israele a quella delle tradizioni egiziane (Es 4,22), sia per elevarlo al di sopra degli altri popoli (Dt 7,6-10; 32,10). La riflessione sapienziale applicherà il titolo anche a quei singoli uomini che si prodigano per mantenere integra la fede dei Padri (Sir 4,10); ma in differenti momenti anche il re, gli angeli o chi detiene un particolare ufficio, viene chiamato figlio di Dio (Sal 29; Sap 2,12).

A partire da David, unico caso nella storia di Israele, al re verrà applicata la formula del Sal 2,7: «Tu sei mio figlio, io oggi ti ho generato»; è evidente tuttavia, il carattere di elettività e adozione che questa proclamazione riveste. Saranno i profeti, comunque, che a più riprese orienteranno nel giusto senso la comprensione della figliolanza; essa sarà costituita dalla correzione che il padre mostra nei confronti degli sbagli e dei tradimenti dei figli nei riguardi della legge, ma in ogni caso una correzione che si realizza e sviluppa alla luce della misericordia e del perdono.

Il NT mostra come progressivamente il titolo sia divenuto patrimonio della fede ecclesiale. Figlio di Dio è interscambiabile con l'espressione assoluta «il figlio» o con quella dell'invocazione «Padre». C'è chiaramente una teologia particolare sottesa ad ogni evangelista, ma per tutti la prospettiva è identica: Gesù Cristo è figlio del Padre in modo unico e assoluto.

Questa fede non potrà poggiarsi su espressioni esplicite da parte di Gesù; egli infatti non ha mai pronunciato, applicandolo a sé, il titolo figlio di Dio; eppure la fede ecclesiale applicandolo a lui non ha fatto altro che esplicitare ciò che Gesù stesso aveva detto.

Si può verificare anzitutto il comportamento globale di Gesù che spinge a vedere in lui la pretesa di una relazione particolare con Dio: l'autorità con cui insegna, la sicurezza con cui si pone davanti ai problemi dei suoi interlocutori, l'inappellabilità del suo giudizio sulla legge, la radicalità con cui chiede di essere se-

guito... sono tutti fatti che si giustificano solo se si accetta questa sua pretesa.

Più direttamente, l'*invocazione* con la quale si rivolge a Dio chiamandolo → «abbà», cioè papà nell'ordine quindi di una generazione naturale, perché tale è il significato del termine, crea una discontinuità totale con la mentalità ebraica precedente.

Insegnando ai discepoli a far lo stesso quando pregano Dio, Gesù tuttavia si distacca anche da loro. Certo, il padre è unico, ma la relazione che si viene ad esprimere tra Padre «mio» (Mt 11,20) e Padre «nostro» (Mt 5,48) è sostanzialmente diversa: loro sono figli perché lui è *il* figlio.

La comunità primitiva, presentando Gesù come il figlio di Dio, avrà inoltre ricordato il suo insegnamento in proposito; quando, ad esempio, narrando la parabola dei vignaioli omicidi (Mc 12,1-12 e paralleli), li spingeva a vedere se stesso nel personaggio che il Padre mandava «per ultimo», il «suo figlio prediletto» che si doveva rispettare e che invece veniva ucciso e gettato fuori dalla vigna.

Si è di fronte, con questo titolo, ad una *coerenza* e *conformità* piena sia nel comportamento di Gesù che in tutto il suo insegnamento. La fede della chiesa, nel momento in cui sperimentava la gloria della risurrezione di Cristo, capiva che i titoli precedenti – profeta, servo, figlio di David, figlio dell'uomo – non riuscivano più a contenere il mistero della sua persona. Si imponeva quindi quasi naturalmente, il titolo figlio di Dio perché, al di là di ogni funzionalità, rivelava l'essenza stessa di Gesù e ne spiegava la sua esistenza storica.

CONCLUSIONE - Una eccessiva sottolineatura dei titoli cristologici possiede certamente un grave pericolo, quello di far cadere nella frammentarietà la descrizione della persona di Gesù, privilegiandone la funzionalità.

I vari titoli tuttavia hanno significato solo se derivanti dalla persona di Cristo e se a lui ritornano. È l'esigenza di un principio unificativo che si impone nello studio teologico e questo è quello che privilegia la globalità del mistero della persona più che non la parzialità degli aspetti che riferiscono della sua missione.

La teologia fondamentale parte dalla centralità di Gesù di Nazareth come rivelatore e rivelazione del Padre e da qui fa scaturire la ricchezza dei differenti titoli. Suo compito specifico non è l'analisi dei titoli come tali; piuttosto il referente rivelativo che in essi si manifesta. Questa scelta prospettica comporta che uno studio teologico-fondamentale abbia a privilegiare solo alcuni titoli sia perché più direttamente coinvolti nella specificità della disciplina, sia perché in grado di mostrare la profonda unità tra il Gesù di Nazareth e il Cristo della comunità primitiva.

Questi titoli cristologici forniscono la prima teologia di Gesù di Nazareth. Qui si è di fronte alla autocomprensione del mistero di Dio incarnato che deve essere privilegiata ad ogni altra analisi. Certo, la risurrezione irrompendo nella vita dei discepoli ha creato in loro una coscienza nuova dei fatti passati, ma nulla ha tolto a quella originaria forma di amore e rispetto che li aveva portati a lasciare tutto per seguire il maestro. La Pasqua quindi non ha abolito il Golgota.

Proclamare nella fede che Gesù è il figlio di Dio è stato reso possibile dalla comunità cristiana per l'immutata fedeltà nel recepire e conservare la sua parola come la parola di colui che compiva le Scritture ed era atteso da sempre. Egli quindi prima è stato accolto dai discepoli come profeta, poi creduto come figlio dell'uomo, anche se nella prospettiva che contraddiceva le loro stesse attese; infine proclamato Cristo e figlio di Dio perché lui stesso li aveva orientati a quello e perché ormai la loro certezza era una sola: qualsiasi formula o espressione avessero usato, questa sarebbe stata impropria e insufficiente per descrivere l'unicità e singolarità della sua persona.

Ai discepoli e alla comunità intera restava quindi solo da comunicare fedelmente ciò che i loro occhi avevano veduto, le loro mani toccato e i loro orecchi udito (1 Gv 1,1-4): il volto di Dio impresso nel volto irriconoscibile del crocifisso innocente che si dava alla morte per esprimere l'autenticità dell'amore del Padre.

Bibl. - L. de León, *De los nombres de Cristo*, Valencia 1680; O. Cullmann, *Christus und die Zeit*, Zürich 1946 (tr.it. 1972); Id., *Die Christologie des Neuen Testaments*, Tübingen 1957 (tr.it. 1970); V. Taylor, *The names of Jesus*, London 1954; Id., *The Gospel according to Saint Mark*, London 1957; E. Sijöberg, *Der verborgene Menschensohn in den Evangelien*, Lund 1955; F. Gils, *Jésus Prophète d'après les évangiles synoptiques*, Louvain 1957; W. Zimmerli - J. Jeremias, «παῖς», in TWNT V, 653-714 (tr.it. GLNT IX, 275-440); C. Colpe, «υἱός» in GLNT XIV, 274-472; Autori vari, *Attente du Messie*, Louvain 1958; R. Bultmann, *Theologie des Neuen Testaments*, Tübingen 1961; J. Coppens - L. Dequeker, *Le Fils de l'homme et les Saints du Très Haut en Daniel VII, Apocryphes et le Nouveau Testament*, Louvain 1961; L. Sabourin, *Les noms et les titres de Jésus*, Montréal 1963; (tr.it. 1972); F. Hahn, *Christologische Hoheitstitel*, Göttingen 1963; E. Dhanis, «De Filio hominis in vetere testamento et in judaismo», in *Greg* 45 (1964) 5-59; H. Conzelmann, *Grundriss der Theologie des Neuen Testaments*, München 1968 (tr.it. 1972); E. Schweizer, *Cristologia neotestamentaria*, Bologna 1969; R.N. Longenecker, *The Christology of Early Jewish Christianity*, London 1970; H. McArthur, *In Search of the Historical Jesus*, London 1970; N. Füglister, «Fondamenti veterotestamentari della cristologia del Nuovo Testamento», in *MystSal* VI, 139-286, Brescia 1971; W. Marchel, *Abba! La prière du Christ et du Chrétien*, Roma 1971; Autori vari, *La venue du Messie*, Paris 1972; J. Duquoc, *Cristologia*, Brescia 1972; Autori vari, *Il problema cristologico oggi*, Assisi 1973; F. Schnider, *Jesus der Prophet*, Göttingen 1973; W. Kasper, *Gesù il Cristo*, Brescia 1975; R. Pesch - R. Schnackenburg (edd.), *Jesus und der Menschensohn*, Freiburg 1975; M. Hengel, *Der Sohn Gottes*, Tübingen 1975 (tr.it. 1984); E. Schillebeeckx, *Gesù la storia di un vivente*, Brescia 1976; J. Jeremias, *Teologia del Nuovo Testamento*, Brescia 1976; Id., *Abba*, Brescia 1968; Id., «Die älteste Schicht der Menschen-

sohn-Logien», in ZNW 58 (1967) 158-172; F.
Lambiasi, *L'autenticità storica dei vangeli*, Bologna 1976; J. Caba, *El Jesús de los Evangelios*, Madrid 1977; C.F.D. Moule, *The Origin of Christology*, London 1977; K. Rahner, *Corso fondamentale sulla fede*, Roma 1977; H.U. von Balthasar, *Gloria. Un'estetica teologica*, vol VII: Nuovo Patto, Milano 1977; E. Jüngel, *Paolo e Gesù. Alle origini della cristologia*, Brescia 1978; R. Latourelle, *A Gesù attraverso i Vangeli*, Assisi 1979; J. Galot, *Chi sei tu, o Cristo?* Firenze 1979; D. Hill, *New Testament Prophecy*, Atlanta 1979; Autori vari, *Jésus et Jésus Christ*, Paris 1979; J. Coppens, «Où en est le problème de Jésus Fils de l'homme», in EThL 56 (1980) 283-387; Id., *Loghia. Les paroles de Jésus*, Louvain 1982 (ed. J. Delobel); Id., *Le fils de l'homme vétérointratestamentaire*, Louvain 1983; B. Forte, *Gesù di Dio. Dio della Storia*, Roma 1981; P. Grelot, *La speranza ebraica al tempo di Gesù*, Città di Castello 1981; Id., *I canti del servo del Signore*, Bologna 1983; R. Kearns, *Vorfragen zur Christologie. III: Religionsgeschichtliche und Traditionsgeschichtliche Studien zur Vorgeschichte eines christologischen Hoheitstitels*, Tübingen 1982; M. Bordoni, *Gesù di Nazareth*, vol. II, Perugia 1982; L. Serenthà, *Gesù Cristo ieri, oggi e sempre*, Torino 1982; A. Grillmeier, *Gesù il Cristo nella fede della chiesa*, vol. I,1: Dall'età apostolica al concilio di Calcedonia, Brescia 1982; X. Léon - Dufour, *Di fronte alla morte, Gesù e Paolo*, Torino 1982; M.E. Boring, *Saying of the Risen Jesus*, Cambridge 1982; E. Cothenet, «Prophétisme dans le Nouveau Testament», in DBSuppl VIII, 1222-1337; L. Scheffczyk, *Problemi fondamentali di cristologia oggi*, Brescia 1983: B. Lindars, *Jesus Son of Man*, London 1983; S. Kim, *The Son of Man as Son of God*, Tübingen 1983; R. Fabris, *Gesù di Nazareth. Storia e interpretazione*, Assisi 1983; H. Schürmann, *Gesù di fronte alla propria morte*, Brescia 1983; G. Vermes, *Gesù l'ebreo*, Città di Castello 1983; D.E. Aune, *Prophecy and Early Christianity*, Grand Rapids 1983; Autori vari, *Prophets, Worship and Theodicy*, Leiden 1984; Autori vari, *Gesù e la sua morte*, Brescia 1984; H. Fries, *Fundamentaltheologie*, Köln 1985; R. Fisichella, *La rivelazione: evento e credibilità*, Bologna 1985; H. Waldenfels, *Kontextuelle Fundamentaltheologie*, Paderborn 1985; E. Schurer, *Storia del popolo giudaico al tempo di Gesù Cristo*, vol. I, Brescia 1985; H.J. Verweyen, *Christologische Brennpunkte*, Essen 1985; W. Kern - HJ. Pottmeyer - M. Seckler (edd.), HFTh II: *Traktat Offenbarung*, Freiburg 1985; K.H. Ohlig, *Fundamentalchristologie*, München 1986; C.I. Gonzales, *El es nuestra salvación. Cristología y Soteriología*, Bogotà 1987 (tr.it. 1988); A. Amato, *Gesù il Signore*, Bologna 1988; G. Claudel, *La confession de Pierre*, Paris 1988; J. Dupont, *Jésus aux origines de la christologie*, Louvain 1989

(n.ed.); S. Pié-Ninot, *Tratado de Teología Fundamental*, Salamanca 1989; C.A. Evans, *Life of Jesus Research. An Annotated Bibliography*, Leiden 1989.

RINO FISICHELLA

IV. Cristologie

Accennando ad approcci diversi in cristologia e apprezzando il valore di ciascuno, cercheremo di chiarire alcuni principi di metodo.

1. CRISTOLOGIA BIBLICA, CRISTOLOGIA PATRISTICA, CRISTOLOGIA SPECULATIVA - La *cristologia biblica* non si identifica con l'esegesi. Quest'ultima si applica all'interpretazione di ogni testo della Scrittura in particolare, mentre la cristologia biblica comporta di per sé una certa sistematizzazione dottrinale dei risultati ottenuti dalla ricerca esegetica. Questa sistematizzazione si fa a vari livelli: può, ad esempio, riguardare un gruppo di testi che trattano un tema particolare, come la cristologia della croce in S. Paolo, o presentare la dottrina di un autore, la cristologia di Matteo, di Marco, di Luca o di Giovanni, oppure cercare di offrire una visione più globale della cristologia come traspare dall'insieme del Nuovo Testamento. Gli esegeti sottolineano, con ragione, che occorre rispettare le idee e gli orientamenti propri di ciascun autore e che non si possono mescolare interpretazioni diverse. Così non si può interpretare Giovanni con Paolo, né Luca con Matteo. Ciononostante vi sono delle connessioni tra testimonianze diverse e gli accostamenti sono necessari, a volte a tal punto che comportano una dipendenza. Inoltre, pur conservando le differenze fra gli autori e ponendo in luce quel pluralismo che li caratterizza, è bene elaborare una sintesi dei dati biblici, al fine di definire Cristo come si rivela attraverso la Scrittura. Non basta definire il Cristo di Marco o di ciascuno degli evangelisti; vi è infine un vol-

to del Cristo del vangelo che deve essere delineato nei suoi tratti essenziali.

La *cristologia patristica* studia l'apporto dei Padri della chiesa, che si fonda, anch'esso, sull'interpretazione della rivelazione biblica. Essa tende prima di tutto a precisare quale sia la dottrina di ciascuno dei Padri, ma studia altresì lo sviluppo che si è prodotto nel corso della storia con le correnti di pensiero che si sono più particolarmente affermate.

Così la cristologia si interessa delle due scuole che nel IV e nel V secolo hanno diviso i teologi: la scuola di Alessandria che metteva l'accento sull'unità di Cristo e sulla sua divinità, e la scuola di Antiochia che insisteva sulla dualità e sulla integralità della sua natura umana. La cristologia patristica si sofferma principalmente a chiarire il senso delle definizioni di fede che sono emerse dalle controversie cristologiche: concili di Nicea (325), di Costantinopoli (381), di Efeso (431), di Calcedonia (451), il secondo concilio di Costantinopoli (553), le cui dichiarazioni hanno valore definitivo solo in quanto significano una semplice esclusione del nestorianesimo, e il terzo concilio di Costantinopoli (681).

La *cristologia speculativa* si sforza, con una riflessione sul dato rivelato, di sistematizzare la dottrina e organizzarla in modo razionale. Essa affronta i problemi posti all'intelligenza umana dall'incarnazione redentrice. Cerca di definire, con l'aiuto di concetti filosofici, la costituzione ontologica di Cristo. Si dedica a ricerche sulla psicologia di Cristo tenendo conto dello sviluppo della sua coscienza umana e dell'esercizio della sua libertà. Cerca di precisare le proprietà caratteristiche della santità umana di Gesù, di capire come si è verificato in lui lo sviluppo della grazia e delle virtù, di mostrare come si possono conciliare perfetta santità ed esperienza di tentazioni, impeccabilità e libertà. Si sforza di definire il senso della missione del Salvatore, di spiegare in che cosa consiste il mistero pasquale, il valore del sacrificio e il senso del trionfo glorioso che ha fatto seguito alla passione e alla morte.

Non vi sono alternative nella elaborazione della cristologia biblica, della cristologia patristica e di quella speculativa. Infatti, la cristologia speculativa deve appoggiarsi alla rivelazione così come è contenuta nella Scrittura e come si esprime nella tradizione della chiesa. Conviene aggiungere che la speculazione cristologica non si nutre solo della bibbia e della patristica ma di tutto lo sviluppo dottrinale che si è prodotto nel corso dei secoli. Essa raccoglie gli apporti della teologia scolastica, in modo particolare dei grandi pensatori del XIII secolo, e più specificamente di S. Tommaso d'Aquino. Essa si elabora in continuità con tutto il movimento teologico moderno e, naturalmente, con la dottrina enunciata dai concili. Nonostante il concilio Vaticano II non abbia voluto trattare espressamente il tema della cristologia, esso offre tuttavia in questo campo vedute e orientamenti, soprattutto nella LG e nella GS.

2. CRISTOLOGIA ONTOLOGICA E FUNZIONALE - La cristologia ontologica si sforza di stabilire in cosa consiste l'essere di Cristo. In parole semplici, essa afferma che Gesù Cristo è veramente Dio e veramente uomo e, più precisamente, che egli è il Figlio di Dio, per l'incarnazione divenuto uomo uguale a noi in tutto, eccetto il peccato. Pur essendo perfettamente Dio e perfettamente uomo, Cristo è uno, un solo soggetto. Nella sua riflessione dottrinale su questo dato essenziale della rivelazione, la cristologia è illuminata dalla professione di fede del concilio di Calcedonia, che afferma l'unione di due nature «in una sola persona, in una sola ipostasi» (DS 302). Mediante l'uso del ter-

mine «ipostasi», il concilio ha voluto mettere in luce il carattere ontologico dell'unità di persona. La cristologia cerca di precisare ciò che costituisce la realtà della persona, la sua distinzione dalla natura.

La cristologia funzionale si dedica a definire e a spiegare la funzione di Gesù. Essa concentra la sua attenzione sull'opera compiuta da Cristo e su ciò che l'umanità ha ricevuto e continua a ricevere da lui. Lo stesso nome di Gesù, «Dio salvatore» (cfr. Mt 1,21), manifesta in lui il Dio che procura la salvezza agli uomini.

Si può notare nella nostra epoca una tendenza a sviluppare soprattutto la cristologia funzionale. È una reazione contro la forma che aveva preso il trattato sull'incarnazione, che si limitava a esaminare i problemi sollevati dall'unità della persona nella dualità delle nature. Un certo numero di teologi ha giustamente osservato che non è possibile separare l'incarnazione dalla sua finalità redentrice e che Cristo è essenzialmente il Salvatore. Pertanto la cristologia ontologica non può essere elaborata indipendentemente dalla cristologia funzionale. Ogni cristologia deve mirare a far capire la missione del Verbo fatto carne.

Risulta tuttavia meno accettabile la posizione di quei teologi che considerano in modo esclusivo la cristologia funzionale. Si disinteressano della ontologia di Cristo e pensano che il solo scopo valido della cristologia stia in ciò che Cristo ha fatto per noi. Talvolta, dietro a questa posizione, si trova la convinzione che è più facile definire la funzione di Cristo che non la sua ontologia e che quella è meno esposta di questa alle controversie.

A questo proposito occorre ricordare che la cristologia funzionale richiede necessariamente una determinazione ontologica. La missione compiuta da Gesù ha un valore e un effetto che dipendono da ciò che egli è. Se fosse solo un uomo, le sue atti-

vità sarebbero molto più limitate; se è Dio, può invece comunicare agli uomini la sua vita divina.

Stando al racconto evangelico il problema ontologico è stato posto dallo stesso Gesù nella domanda rivolta al gruppo dei dodici: «Ma voi, chi dite che io sia?» (Mt 16,15). Piuttosto di chiedere che cosa sia venuto a fare, o quale opera debba compiere, Gesù chiede che gli si dica, in uno slancio di fede, chi egli sia.

Dal 1968, prima in America Latina e poi in altri paesi, si è sviluppata una forma particolare di cristologia funzionale, la cristologia della liberazione. Essa tende a far conoscere quale sia la risposta di Cristo ai problemi drammatici e dolorosi della ingiustizia sociale e politica. Essa infatti trova nel vangelo dei principi che devono guidare la società verso un tipo di regime in cui i diritti di tutti siano rispettati con una più autentica preoccupazione di giustizia e una distribuzione più giusta dei beni della terra. L'orizzonte che questa cristologia si è data ne fissa anche i limiti: non si potrebbe infatti ridurre la liberazione che Cristo ha portato all'umanità a un puro e semplice regime socio-politico. Il problema del male nel mondo è più vasto e la salvezza di Cristo procura agli uomini la liberazione da ogni forma di peccato; egli apporta loro una vita spirituale che trasforma e illumina i cuori con un amore di cui la vita sociale deve raccogliere i frutti e da cui ogni altro aspetto dell'esistenza umana deve essere animato con un orientamento di fondo verso l'aldilà.

3. CRISTOLOGIA DAL BASSO E DALL'ALTO - Le denominazioni «dal basso» e «dall'alto» sono state applicate alla cristologia per distinguere due diversi punti di partenza. Così, nella teologia protestante di lingua tedesca, la cristologia di → R. Bultmann e quella di K. Barth – pur tra loro così divergenti – sono considerate

cristologie dall'alto perché si fondano sulla parola di Dio, mentre quella di W. Pannenberg si presenta come cristologia dal basso perché parte dal Gesù storico per dimostrarne la filiazione divina. Le due denominazioni possono assumere significati diversi. Così, la cristologia trascendentale di → K. Rahner si considera cristologia dal basso anche se non prende come punto di partenza il fatto storico di Gesù: essa si fonda su un dato antropologico comune a tutti gli uomini. Anziché soffermarci sulle diverse sfumature e prospettive di queste denominazioni, ci limitiamo a esaminare due problemi di metodo essenziali che esse mettono in risalto.

Il primo problema riguarda il genere di conoscenza che la cristologia mette in opera. La cristologia viene dal kêrygma, dalle affermazioni di fede e dal messaggio contenuto nella predicazione, o non deriva piuttosto dalla conoscenza del Gesù storico? Il secondo problema riguarda più direttamente l'oggetto prioritario dello studio: bisogna partire dalla divinità di Cristo per arrivare alla sua umanità, o risalire dalla sua umanità alla sua divinità? I due problemi sono collegati tra loro: infatti ogni qualvolta la cristologia parte dal kêrygma, tende a considerare innanzi tutto la divinità di Cristo, mentre quando prende l'avvio dal Gesù storico, è più incline a considerare la sua umanità prima di affermarne la divinità. Comunque ciascuno dei due problemi merita di essere trattato a parte.

a. *Cristologia storica e kerygmatica* - Il punto di partenza è il Cristo della fede o il Gesù storico? Alcuni teologi hanno espresso la differenza distinguendo tra «gesulogia» e «cristologia». Gesù è l'uomo vissuto storicamente in Palestina; Cristo è colui che proclamiamo nella nostra fede.

In effetti, la risposta a questo problema non è di scegliere l'uno e di escludere l'altro. Da un lato bisogna ammettere la priorità oggettiva del Gesù storico e in questo senso si deve parlare di cristologia dal basso; dall'altro, esiste una priorità soggettiva della conoscenza di fede, tanto che si deve parlare di cristologia dall'alto.

L'oggetto della cristologia è il Gesù della storia. Il cristianesimo è cominciato con un avvenimento storico; non è nato da una semplice idea, né da un dogma, né da un messaggio. È nato dalla vita, dalla morte e dalla risurrezione di Gesù di Nazareth. Perciò ogni cristologia è «gesulogia». Cristo non può essere che il Gesù storico.

Il Gesù della storia deve dunque essere studiato in tutta la sua vita terrena, come ci viene riferita dai vangeli. Come punto di partenza della cristologia non ci si può riferire semplicemente al Cristo risorto, come se la rivelazione si fosse determinata solo con la risurrezione e avesse potuto suscitare la fede solo a partire da quel momento. In realtà, Gesù ha rivelato la sua identità di figlio di Dio nella vita pubblica e molto prima della risurrezione ha chiesto ai discepoli una professione di fede. La risurrezione ha portato una nuova luce che veniva tuttavia a confermare nella sostanza le parole e i gesti anteriori di Gesù. Cristo si è manifestato come figlio di Dio e come Salvatore nella condizione storica della sua vita terrena e non solo nel suo stato di gloria.

Oggettivamente, la cristologia si sviluppa così a partire dal Gesù della storia, anche se ciò non toglie che, soggettivamente, essa abbia come punto di partenza il Cristo della fede.

In chi intraprende lo studio cristologico ci sono, di norma, una conoscenza e una convinzione di fede alla base dello sforzo intellettuale. La fede richiede un tale sforzo per capire meglio che cosa essa crede e perché crede. Si serve di tutte le risorse e di tutti i mezzi della scienza, esegetici e storici, per scoprire la persona di Gesù tale e quale è apparsa nella storia.

Quindi colui che fa lo sforzo di scoprire il Gesù storico non deve prescindere dalla propria fede. Rispetta le esigenze scientifiche della ricerca, ma è guidato da una fede che l'orienta verso la verità. Non si tratta solo della sua fede individuale, ma della fede della chiesa, una fede tramandata da una lunga tradizione e sempre in progresso.

b. *Cristologia ascendente, cristologia discendente* - La cristologia deve partire dall'umanità di Gesù e prendere una direzione ascendente, oppure partire dalla sua divinità in direzione discendente? Anche qui non si tratta di scegliere una direzione ad esclusione dell'altra, ma di capire come tutte e due trovano la loro giusta collocazione nello studio cristologico.

La cristologia parte dal volto umano di Gesù, com'è descritto nei vangeli. È nella sua umanità che si rivela la sua divinità. Non si può pensare a due livelli di rivelazione in Gesù, uno divino e l'altro umano. Tutto ciò che in lui è divino si manifesta attraverso l'umano; i racconti evangelici non presentano mai delle attività puramente divine distinte dalle attività umane. Occorre quindi studiare attentamente le parole e i gesti umani di Gesù per scoprire in lui la persona del Figlio di Dio. Tuttavia, ciò non vuol dire che il metodo sia quello di studiare, in un primo momento, esclusivamente ciò che è umano e, in un secondo, la rivelazione del divino, perché tutta l'umanità di Gesù contiene la rivelazione della sua persona divina e i due aspetti non possono essere separati.

La cristologia ascendente deve essere completata con la cristologia discendente. Il fatto che Gesù si riveli come la persona del Figlio, non dispensa dallo scrutare le origini della

sua presenza sulla terra e dal rintracciare la via per cui chi è Dio è divenuto uomo. È quanto fa Giovanni nel prologo del suo vangelo quando afferma che il Verbo che esisteva dall'eternità si è fatto carne. Più in particolare la cristologia discendente mostra come l'atto dell'incarnazione è inizialmente la dimostrazione definitiva dell'amore del Padre che per mezzo dello Spirito Santo ha donato il Figlio all'umanità.

Bisogna sottolineare che l'incarnazione consiste essenzialmente in un movimento discendente: è il Verbo che si è fatto uomo e non un uomo che si è fatto Verbo. L'iniziativa divina è all'origine. Perciò non si può considerare Cristo come un prodotto dell'evoluzione dell'umanità.

D'altro canto nella missione di Cristo si manifesta un movimento ascendente che esige anch'esso di essere riconosciuto e studiato. Immagine visibile e segno di questo movimento è l'ultima salita a Gerusalemme, sviluppata sistematicamente nel racconto evangelico di Luca. Con la sua passione e la morte Gesù perviene al suo trionfo glorioso, che si conclude con l'ascensione e l'elevazione alla destra del Padre, in vista dell'invio dello Spirito Santo.

4. CRISTOLOGIA DOGMATICA ED ESISTENZIALE - La cristologia è stata a volte concepita principalmente come dogmatica, ossia fondata sui dogmi definiti dai concili dei primi secoli, in particolare quelli di Nicea e di Calcedonia. Una tale concezione comportava il pericolo di arrivare a una elaborazione astratta, troppo sistematicamente concettuale e troppo staccata dal quadro dell'opera della salvezza. Per reazione alcuni teologi hanno voluto promuovere una cristologia più esistenziale e meno essenziale, una cristologia che faccia appello all'esperienza, non solo a quella delle origini, ma anche a quella della vita attuale della chiesa.

È vero che la cristologia proviene da un'esperienza iniziale unica, in cui Cristo ha rivelato ai discepoli il proprio mistero. La venuta del Figlio di Dio nel mondo costituisce di per sé l'esperienza eccezionale di una persona divina che vive la vita umana. Un'esperienza che non si potrebbe ridurre alla condizione dell'esperienza comune degli uomini, ma che deve essere riconosciuta in tutto il suo carattere trascendente. C'è stata l'esperienza dei discepoli che vissero con Cristo, ricevettero la sua rivelazione e la trasmisero alle generazioni successive. In ogni epoca la chiesa continua a fare l'esperienza della presenza di Cristo, esperienza di fede definita dalla rivelazione evangelica.

La cristologia dell'esperienza non si oppone per nulla alla cristologia dogmatica se quest'ultima viene intesa nel suo senso più vero. I dogmi proclamati dai concili sono in realtà il frutto dell'esperienza della chiesa, l'esperienza della fede che si sviluppa e cerca di definire meglio quel Cristo al quale aderisce. Le dichiarazioni di Nicea e di Calcedonia sono delle professioni di fede, risultato di una riflessione sempre più profonda sul senso della rivelazione (→ Rivelazione, I). Bisogna aggiungere che l'esperienza della fede cristiana non può conservare la propria autenticità se non riconoscendosi nelle professioni di fede della chiesa e appoggiandosi ad esse.

La cristologia dogmatica riceve il proprio dinamismo dal suo essere collocata nella prospettiva esistenziale dell'opera della rivelazione e della salvezza. La cristologia esistenziale riceve assicurazione e assume giusta espressione nelle affermazioni dogmatiche.

5. CRISTOLOGIA KENOTICA E DELLA RISURREZIONE - Nel secolo XIX si è formata una corrente di cristologia kenotica. Il punto di partenza è la kénōsis affermata da Paolo nell'inno cristologico della lettera ai Filippesi (2,7): il Cristo Gesù, che sussisteva in forma di Dio, si è spogliato. Questo spogliamento, che caratterizza l'atto dell'incarnazione, ha dato luogo a diverse interpretazioni. Alcuni hanno concepito la kénōsis in modo radicale, come rinuncia a delle proprietà divine, quando non è stata addirittura estesa alla vita eterna della Trinità. Questo radicalismo ha trovato una nuova espressione nella teologia della morte di Dio, sviluppatasi soprattutto tra gli anni 1960 e 1970: essa suggeriva l'idea di un assorbimento della divinità da parte dell'umanità di Gesù, di modo che l'incarnazione poteva significare una reale morte di Dio.

Se questa interpretazione estrema non può essere accettata, si deve pure ammettere che la kénōsis esprime la condizione della vita terrena di Cristo. Nell'incarnazione c'è una rinuncia alla manifestazione della gloria divina. Gesù stesso dichiara che è venuto per servire (Mc 10,45) e l'umiltà del suo comportamento implica uno spogliamento intimo. Ogni cristologia deve trovare un posto alla kénōsis, con il suo sviluppo estremo nel sacrificio.

In direzione inversa vengono elaborate delle cristologie della risurrezione. Un esempio recente molto significativo si trova in Pannenberg, il quale considera la risurrezione come l'avvenimento escatologico decisivo in cui Dio si rivela personalmente. Pannenberg pensa di poter così pervenire a una dimostrazione storica della divinità di Cristo. Si riesce a seguirlo con più difficoltà quando considera la vita terrena di Gesù come semplice «prólēpsis» o preambolo.

È utile mettere in luce tutto il valore della risurrezione, ma riconoscere anche quello della kénōsis, sia per la rivelazione della divinità di Cristo che per la sua opera di salvezza.

6. CRISTOLOGIA PNEUMATOLOGICA, ESCATOLOGICA E COSMICA - Alcune

cristologie hanno posto l'accento su alcuni aspetti importanti della rivelazione della persona e dell'opera di Cristo, che prima non avevano ricevuto l'attenzione che meritano.

a. *Cristologia pneumatologica* - L'attenzione dei teologi si è recentemente spostata in modo più insistente e sistematico sul ruolo dello Spirito Santo nella vita di Cristo. Prima, nelle relazioni tra Cristo e lo Spirito Santo, era stato messo in luce soprattutto l'invio del Paraclito da parte del Figlio. Ma il ruolo dello Spirito Santo nello sviluppo della chiesa, a partire dalla Pentecoste, va ricercato nel prolungamento del suo ruolo nella vita terrena di Gesù, come lo mostra il vangelo di Luca. La cristologia si sforza così di precisare in che senso Cristo sia stato animato dalla vita dello Spirito.

b. *Cristologia escatologica* - Cristo è venuto perché si compissero le promesse escatologiche dell'antica alleanza. L'aspetto escatologico è perciò essenziale per la comprensione del mistero dell'Incarnazione redentrice. La cristologia è chiamata a definire quanto dell'escatologia promessa si è realizzato nell'«adesso» o nell'«ora» di Cristo, e quanto deve ancora svilupparsi sia nella vita terrestre della chiesa che nell'aldilà. Il valore e le conseguenze di un avvenimento come la risurrezione di Gesù, devono essere studiate più particolarmente in questa prospettiva.

c. *Cristologia cosmica* - Il mistero dell'Incarnazione implica la trasformazione del destino non della sola umanità ma dell'intero universo. L'aspetto cosmico della cristologia è stato messo in risalto in particolare da → Teilhard de Chardin. Egli ha cercato di integrare in una visione scientifica del mondo il significato della presenza di Cristo quaggiù. Ha unito la visione escatologica a una prospettiva cosmica fissando al termine dell'evoluzione universale un punto

omega che si identifica con il Cristo. Le sue idee hanno attirato l'attenzione dei teologi sull'estensione cosmica della venuta di Cristo, estensione suggerita o sottolineata da alcuni testi del Nuovo Testamento.

Bibl. - W. Pannenberg, *Esquisse d'une christologie*, Paris 1971; K. Rahner - W. Thüsing, *Christologie - Systematisch und exegetisch*, Freiburg-Basel-Wien 1972; W. Beinert, *Christus und der Kosmos. Perspektiven zu einer Theologie der Schöpfung*, Freiburg-Basel-Wien 1974; L. Bouyer, *Le Fils éternel. Théologie de la Parole de Dieu et Christologie*, Paris 1974; W. Kasper, *Jesus der Christus*, Mainz 1974; A. Schilson - W. Kasper, *Cristologie oggi*, Brescia (or.1974); J.D.G. Dunn, *Jesus and the Spirit. A Study of the Religions and Charismatic Experience of Jesus and the First Christians as Reflected in the New Testament*, London 1975; C. Porro, *Cristologia in crisi? Prospettive attuali*, Alba 1975; G. Aulén, *Jesus in Contemporary Historical Research*, Philadelphia 1976; M. Breidert, *Die kenotische Christologie des 19 Jahrhunderts*, Gütersloh 1977; J. Caba, *El Jesús de los Evangelios*, Madrid 1977; B. Mondin, *Le cristologie moderne*, Alba 1979[3]; J. Galot, *Cristo contestato*, Firenze 1979; Id., *Gesù liberatore*, Firenze 1982[2]; Id., *Chi sei tu, o Cristo?*, Firenze 1984[3]; B. Forte, *Gesù di Nazaret, storia di Dio. Saggio di una cristologia come storia*, Roma 1981; E. Schillebeeckx, *Expérience humaine et foi en Jésus-Christ*, Paris 1981; R. Latourelle - G.O'Collins (edd.), *Problemi e prospettive di Teologia Fondamentale*, Brescia 1984; B. Sesboüé, *Jésus-Christ dans la tradition de l'Église. Pour une actualisation de la christologie de Chalcédoine*, Paris 1982; C.E. Gunton, *Yesterday and Today: A Study of Continuities in Christology*, London 1983; G.O'Collins, *Interpreting Jesus*, London-Ramsey 1983; Commission Biblique Pontificale, *Bible et Christologie*, Paris 1984; J.A. Sayes, *Cristología fundamental*, Madrid 1985; G. Segalla, *La cristologia del Nuovo Testamento. Un saggio*, Brescia 1985; A. Grillmeier, *Jesus der Christus im Glauben der Kirche*, Freiburg-Basel-Wien, I, 1979; III, 1, 1986; M. Serenthà, *Gesù Cristo ieri oggi e sempre*, Torino 1986[2]; R. Latourelle (ed.), *Vaticano II, bilancio e prospettive*, venticinque anni dopo, Assisi 1987, specialmente la sez. II «La Parola di Dio», 125-339 e «Il Cristo rivelatore», 343-360.

JEAN GALOT

V. Cristologia in prospettiva

1. LA CONCENTRAZIONE CRISTOLOGICA DEGLI ANNI '80 - Un compito che

continua a porsi alla → cristologia fondamentale è la precisazione del suo statuto epistemologico e una più esatta determinazione del suo ambito di indagine nei confronti soprattutto della cristologia dogmatica o sistematica. Essendoci, tuttavia, un certo accordo sulla loro innegabile pericoresi, e cioè sulla loro intrinseca connessione e complementarità, avanziamo qui alcune riflessioni prospettiche che possono essere sostanzialmente accolte e condivise dalle due ottiche cristologiche.

Il nucleo centrale di ogni discorso su Gesù Cristo resta la proclamazione convinta dell'apostolo Pietro: «In nessun altro c'è salvezza; non vi è infatti altro nome dato agli uomini sotto il cielo nel quale sia stabilito che possiamo essere salvati» (At 4,12). Ciò significa che l'annuncio della buona notizia nella storia continua a essere riassunto dall'affermazione: *Cristo è ancora oggi il salvatore unico e universale dell'intera umanità*. Si veda la prima enciclica del pontificato di Giovanni Paolo II consacrata appunto a Cristo «Redemptor hominis» e «centrum universi et historiae» (RH 1). Il compito di ogni cristologia è quello di dare ragione di questa speranza (cfr. 1 Pt 3,15), e cioè, del significato e del valore di ogni elemento e implicanza di questa solenne proclamazione e pretesa.

All'enfasi *ecclesiologica* del concilio e a quella *antropologica* del postconcilio ha fatto sèguito negli anni '80 una innegabile concentrazione *cristologica*. Questo spostamento (*déplacement*) verso Cristo non avviene, però, con la semplice ripetizione del passato, ma mediante linguaggi, interrogazioni e prospettive nuove, articolate e spesso salutarmente provocatorie. In un contrappunto provvidenziale abbastanza tempestivo, si sono avute alcune risposte autorevoli della coscienza di fede cattolica ad avventure cristologiche metadogmatiche o del tutto dissacratorie. Ci riferiamo alla pubblicazione dei contributi di studio da parte della Commissione Teologica Internazionale (CTI) e della Pontificia Commissione Biblica (= PCB).

La CTI ha pubblicato dal 1980 al 1986 tre documenti di indole cristologica. Nel primo, «Quaestiones selectae de christologia» (cfr. il testo ufficiale latino in *Greg* 61 [1980], 609-632), si analizza l'approccio storico alla figura di Cristo, non solo come possibile e legittimo, ma come un'intrinseca esigenza della fede cristiana. Viene poi riaffermata l'unità tra il Gesù terrestre e il Cristo glorificato e la continuità del dato biblico con il successivo dato dogmatico ed ecclesiale. Nel secondo documento, «Theologia, Christologia, Anthropologia» (cfr. il testo ufficiale latino in *Greg* 64 [1983], 5-24), si rilevano i nessi intrinseci esistenti tra cristologia, da una parte, e rivelazione trinitaria e antropologia, dall'altra. Il terzo documento, «De Iesu autoconscientia quam scilicet ipse de se ipso et de sua missione habuit» (il testo ufficiale latino, con una traduzione italiana, fu pubblicato dalla Libreria Editrice Vaticana nel 1986), ribadisce, fra l'altro, la coscienza filiale e messianica di Gesù. Il documento – data l'estrema molteplicità di opinioni – non affrontò la questione del come Gesù attinge le sue scienze-conoscenze (per una ipotesi di comprensione del problema cfr. A. Amato, *Gesù il Signore. Saggio di cristologia*, Bologna 1988, 381-397).

Lo studio della PCB, «De Sacra Scriptura et Christologia» (per il testo ufficiale latino e francese cfr. Commission Biblique Pontificale, *Bible et Christologie*, Paris 1984; tr.it. Roma 1987), è ampio e articolato. La prima parte contiene un breve inventario degli approcci contemporanei alla figura di Cristo (approcci teologici classici, speculativi, storici, religiosi, antropologici, esistenziali, sociali, sistematici di nuovo tipo), valutandone pregi e limiti. Nella seconda parte si affronta la testimonianza globale della sacra Scrittura che si riassume ancora una volta nella proclamazione di Gesù Signore e mediatore universale di salvezza.

Dal complesso cantiere cristologico degli anni '80 emerge l'esigenza di una maggiore attenzione all'*analogia fidei* (cfr. DV 12). Un'adeguata comprensione dell'evento Cristo non può essere separata né dal mistero trinitario (soprattutto nella sua dimensione pneumatologica), né dal suo intrinseco riferimento al mistero dell'uomo (ri-creato in Cristo a immagine di Dio), alla sua esistenza morale e spirituale e soprattutto alla sua vita liturgica, come suprema concentrazione di verità e di vissuto cristologico indissolubilmente uniti.

Anche ermeneuticamente parlando, si prospetta l'urgenza di ricomporre un rapporto più armonico tra esegesi biblica e teologia dogmatica nei confronti di quesiti cruciali della cristologia, come, ad esempio, la corretta interpretazione e motivazione teologica dell'incarnazione, della coscienza messianica di Gesù, dell'intenzionalità salvifica della sua morte, del fondamento e significato storico-metastorico della risurrezione, della realtà della sua divinità, della sua presenza salvifica nella chiesa e nei sacramenti e della decisività assoluta della salvezza in lui.

D'altra parte non si può disattendere l'esigenza di una maggiore attenzione al dialogo con le scienze umane. Non solo con quelle tradizionalmente in contatto con la teologia, come la filosofia, la letteratura e la storia, ma anche con le scienze nuove – alcune delle quali originariamente impostate in senso antireligioso – come, ad esempio, la psicologia, la sociologia, le scienze dell'educazione, le scienze della comunicazione sociale. Il dialogo non può essere lasciato solo ad alcuni settori della teologia pratica, come la catechesi e

la pastorale, ma deve essere esteso anche alla cristologia fondamentale e a quella sistematica. Superando la fase del sospetto reciproco o di un utilizzo solo parziale e strumentale delle altre scienze, la cristologia dovrebbe passare a una fase di dialogo e di collaborazione in base a precise scelte criteriologiche.

Qui accenniamo più diffusamente ad alcune linee di tendenze cristologiche, alcune delle quali già parzialmente affermatesi, mentre altre stanno gradatamente profilandosi all'orizzonte teologico di questi incipienti anni '90.

2. RIVALUTAZIONE DEL GESÙ STORICO E DELLA CRISTOLOGIA PREPASQUALE - Una tendenza sufficientemente condivisa in cristologia è la riscoperta e la rivalutazione dell'importanza teologica sia della storia, intesa in senso plenario di vicenda libera e autenticamente umana che ospita anche il dialogo salvifico tra Dio e l'umanità; sia della storia di Gesù, intesa come fondamento e motivazione ultima del suo evento salvifico unico e irripetibile (cfr. tra gli altri, W. Kasper, *Gesù il Cristo*, Brescia 1975; B. Forte, *Gesù di Nazaret. Storia di Dio, Dio della storia*, Roma 1981). La storia di Gesù non è un «optional» di cui il teologo può fare tranquillamente a meno, come riteneva, ad esempio, R. Bultmann. È proprio nella storia concreta di Cristo e nella globalità della sua vicenda terrena che si radica e si motiva l'assolutezza salvifica del suo appello esistenziale (cfr. At 2,22-24). In Cristo la storia giunge alla sua massima pregnanza soteriologica, dal momento che la sua esistenza (= gesti, parole, atteggiamenti, miracoli, evento pasquale) è al tempo stesso salvezza definitiva per noi.

Da questo punto di vista, l'enfasi sul Gesù storico da parte della teologia della liberazione è pienamente giustificata, sempre che si rispetti in pieno la continuità personale con il Cristo della fede postpasquale e del dogma ecclesiale. Emerge così la concreta possibilità di una *cristologia prepasquale o implicita* come base indispensabile per la comprensione del Cristo pasquale e della cristologia esplicita postpasquale. Il Gesù prepasquale ha un intrinseco significato cristologico e soteriologico e costituisce insieme alla Pasqua un evento salvifico plenario. È a partire dalla sua straordinaria *exousía* (autorità) prepasquale che si può legittimamente operare il passaggio alla sua altrettanto straordinaria *ousía* (realtà divina). Si parla di cristologia implicita, non tanto nel senso che nel Gesù storico manchino decisivi indizi di riconoscimento cristologico, ma nel senso che essi non sono adeguatamente intesi dai discepoli. L'esistenza di Gesù, come espressione della sua intima autocoscienza, è interamente orientata in senso cristologico. Egli si è sempre presentato come colui che ha l'autorità assoluta di Dio in campo spirituale. Per questo si può parlare anche di *cristologia implicita o aperta*. Nel senso che la cristologia prepasquale – e cioè la fede incipiente dei discepoli – rimane aperta al suo compimento nella risurrezione, evento decisivo di illuminazione e di comprensione autentica dell'intero evento Cristo.

Questa radicazione storica dell'evento Cristo rende insostenibile ogni ipotesi intesa a comprendere mitologicamente la categoria dell'incarnazione. E viceversa, la luce della risurrezione offre lo svelamento ultimo dell'originalità salvifica della figura storica di Cristo, in discontinuità assoluta con l'interpretazione e l'appropriazione che di lui fa, ad esempio, l'odierna *Leben-Jesu-Forschung* ebraica, quando considera Gesù semplicemente come il grande fratello o come l'illuminato maestro e interprete ufficiale della legge in Israele (cfr., ad esempio, S. Ben-Chorin, *Fratello Gesù. Un punto di vista ebraico sul Naza-*

reno, Brescia 1985; H. Falk, *Jesus the Pharisee. A New Look at the Jewishness of Jesus*, New York 1985).

3. LA CRISTOLOGIA «DEGLI ALTRI» O «DAL DI FUORI» - Nella cultura contemporanea sta emergendo una straordinaria *cristologia degli altri o cristologia dal di fuori*. Si tratta della comprensione per lo più positiva – anche se riduttiva – di Gesù Cristo operata fuori dal cristianesimo dagli atei, dai non cristiani, dagli agnostici; o fuori dalle collaudate categorie teologiche tradizionali, ad esempio, dalle scienze psicologiche, dalla letteratura, dall'arte. Si delinea anzitutto un modello *umanistico* di Cristo, celebrato come uomo universale, come il più decisivo degli uomini normativi, fonte di radicale autenticità umana, modello di esistenza liberata, supporto insuperabile di preziosi ideali morali, senza i quali anche le società meglio organizzate, più ricche e più tecnicamente perfezionate, restano barbare. In quest'ottica umanistica, si riconosce a Gesù il merito di aver attribuito un valore assoluto a ogni persona e di aver sostituito alla sopraffazione e all'arroganza del potere il gesto del dono e della condivisione (cfr. K. Jaspers, *I grandi filosofi*, Milano 1973, 280-307; L. Kolakowski, *Senso e non-senso della tradizione cristiana*, Assisi 1975, 32-39; M. Machovec, *Gesù per gli atei*, Assisi 1974, 40s; L. Lombardo Radice, «Figlio dell'uomo», in I. Fetscher - M. Machovec, *Marxisti di fronte a Cristo*, Brescia 1976, 24s; F. Belo, *Lecture matérialiste de l'Evangile de Marc*, Paris 1974). Anche l'approccio psicologico vede in lui non solo «la maschilità esemplare», e cioè una personalità umana assolutamente equilibrata e priva di animosità, ipocrisia, spietatezza e formalismo; ma anche un insuperabile «psicoterapeuta», la cui grande maturità psicologica diventa per gli altri strumento di trasformazione creatrice e uma-

nizzante (cfr. H. Wolff, *Gesù. La maschilità esemplare*, Brescia 1979; Id., *Gesù psicoterapeuta*. L'atteggiamento di Gesù nei confronti degli uomini come modello della moderna psicoterapia, *Ibid.* 1982).

La lettura umanistica apre spazi inediti di rivalutazione della ricchezza umana della figura di Gesù, come uomo giusto, che, riaffermando la dignità di ogni persona indipendentemente dal suo avere economico, intellettuale, morale, psichico, fisico, si presenta come un paradigma umano di una modernità assoluta. Inoltre, la freschezza del linguaggio ha una salutare funzione ossigenante e innovatrice nei confronti dell'arido e spesso ripetitivo vocabolario teologico corrente. Non rare volte, queste interpretazioni umanistiche, pur provenendo da visioni del mondo unidimensionali, materialistiche, negate per principio alla trascendenza, paradossalmente esprimono l'urgenza a sfuggire alla forza gravitazionale dei perversi sistemi antiumani. Per cui quello che a prima vista sembra una storia della «disinterpretazione» di Gesù accettato solo come uomo, potrebbe anche essere considerato come un tentativo estremo di ancoraggio al Cristo come autentico sostegno della fatica di essere uomini.

Oltre al modello umanistico, si intravede anche un *modello religioso* di Gesù così come appare nelle interpretazioni ebraiche, indù, islamiche del Cristo. Egli viene visto come maestro di esistenza religiosa autentica (*guru*), martire del sacrificio e della fratellanza universale, incarnazione plenaria di Dio per illuminare e salvare il mondo (*avatāra*), profeta dell'Altissimo, guida all'autentica moralità umana, martire della giustizia. Il significato umano e religioso del «Gesù degli altri» rappresenta un salutare antidoto a non pochi cristiani smarriti nella loro identità di fede e dubbiosi della rilevanza umana del loro essere cristiani oggi (cfr. G. De

Rosa, *Cristianesimo, religioni e sette non cristiane a confronto*, Roma 1989; H. Küng, *Cristianesimo e religioni universali. Introduzione al dialogo con islamismo, induismo e buddhismo*, Milano 1986; J. Vernette, *Jésus dans la nouvelle religiosité*, Paris 1987).

4. PLURALITÀ DI PRECOMPRENSIONI E DI OTTICHE CRISTOLOGICHE - Questa assimilazione e appropriazione di Gesù da parte *degli altri* ripropone ai cristiani l'eterna domanda cristologica: «Ma voi chi dite che io sia?» (Mt 16,15), con la conseguente esigenza di rimotivazione della risposta di Simon Pietro: «Tu sei il Cristo, il Figlio del Dio vivente» (Mt 16,16). Per i cristiani Gesù non è un relativo, e cioè uno dei tanti modelli di umanità e di religiosità, ma un assoluto salvifico. Egli è il riconciliatore universale (Col 1,20; Ef 1,10), il liberatore dalla schiavitù del male (Rm 6,17-18), il ricreatore dell'uomo e della natura (Rm 5,1; Tt 3,5-6), il figlio di Dio incarnato (Gv 1,14), profondamente uomo pur essendo figlio di Dio (Eb 2,17s; 4,15; 5,7s), il mediatore unico tra Dio e l'uomo (1 Tm 2,5). La comprensione cristiana supera e compie le interpretazioni non cristiane.

Pur rimanendo intatto il nucleo centrale dell'annuncio cristologico, i cristiani sin dall'inizio hanno usato vari modelli interpretativi dell'evento Cristo. Se l'ottica della cristologia ortodossa è per tradizione quella della *gloria*, il modello luterano è invece quello della *teologia della croce*. L'odierna cristologia cattolica è caratterizzata fondamentalmente dall'enfasi sull'*umanità* di Gesù, dall'*appello esistenziale-prassico* e dal *dialogo con la cultura contemporanea*. Questo ha dato origine a una pluralità di modelli e di approcci. Si ha, ad esempio, la cristologia dal basso o dall'alto, cosmica, storica, trascendentale, estetica, narrativa, della liberazione, inculturata, della religiosità popolare (→ Cristologia: Cristologie). La legittimità teologica di questi modelli è data dalla loro disponibilità a mediare la globalità dell'evento Cristo, evitando le insidie della frammentazione, della riduzione e della reciproca incomunicabilità. Per la loro notevole carica di evoluzione e di futuro noi ci soffermeremo solo su alcuni di questi approcci.

5. CRISTOLOGIA E INCULTURAZIONE - Per il concilio Vaticano II, la storia dell'evangelizzazione cristiana è stata e continua a essere un continuo processo di «adattamento culturale», di «dialogo con le culture», di «scambio vitale con le diverse culture dei popoli» (cfr. GS 44,58): «Verbi revelati "accomodata praedicatio" lex omnis evangelizationis» (GS 44). A partire dal sinodo dei vescovi del 1977 il termine → *inculturazione* indica una esigenza ineliminabile del fare teologia oggi (cfr. CTI, «Fides et inculturatio», in *Greg* 70 [1989], 625-646). È stata già delineata una criteriologia teologica dell'inculturazione. Essa è essenzialmente incarnazione del mistero di Cristo in una determinata cultura e sua riespressione nel linguaggio, nei simboli culturali, nella esperienza vitale, nella «carne» dei vari popoli evangelizzati (*criterio cristologico*). Questa «ricreazione» della cultura, purificata dai suoi eventuali disvalori, è realizzata dall'intera comunità ecclesiale (*criterio ecclesiologico*) ed è un servizio di illuminazione e di liberazione della persona umana evangelizzata (*criterio antropologico*).

L'acuta sensibilità dell'originalità e dell'identità propria delle varie zone culturali ecclesiali sta offrendo un panorama amplissimo di cristologie inculturate o in contesto. Oltre alla cristologia latinoamericana, emergono le ricomprensioni asiatiche e africane della figura di Cristo. Ci sono, ad esempio, interessanti proposte di cristologia nelle Filippine, in India, in Giappone, in Corea, in Nuova Guinea. Anche l'Africa sta elaborando spunti cristologici inculturati, come la considerazione di Cristo capo, antenato, fratello maggiore, guaritore, maestro d'iniziazione. Sono nomi e concetti africani che potrebbero facilitare una migliore comprensione della figura di Gesù Cristo e del suo mistero salvifico. Tra i titoli più appropriati, sembra emergere quello di Gesù come *fratello maggiore*. Gli autori africani sono consci però che il mistero di Gesù Cristo non può essere totalmente assimilato ed espresso da categorie indigene, senza perdere di originalità. In Cristo deve restare una irriducibile e intraducibile alterità.

6. CRISTOLOGIA DELLA LIBERAZIONE - Si tratta di un esempio particolarmente attuale di una interpretazione *inculturata* di Gesù Cristo sorta all'interno della teologia della liberazione latinoamericana (→ Teologie). Esemplifichiamo, citando solo le proposte cristologiche di L. Boff e J. Sobrino. Boff parte da due fattori interpretativi dell'evento Cristo: la congiuntura storica e la situazione di povertà dell'America Latina. Ciò significa: «sul piano sociale: oppressione collettiva, esclusione ed emarginazione; sul piano umano: ingiustizia e negazione della dignità umana; sul piano religioso: peccato sociale, qualcosa di "contrario al piano del Creatore e all'onore che gli è dovuto" (Puebla 28)» (cfr. L. e C. Boff, *Come fare teologia della liberazione*, Assisi 1986, 12).

La teologia della liberazione sorge dall'incontro del Cristo povero con i poveri di questo mondo: «Il Crocifisso presente nei crocifissi di questo mondo piange e lancia il suo grido di invocazione» (*Ibid.*, 12). Gesù Cristo «è Dio nella nostra miseria, il Figlio eterno che ha assunto la forma di un ebreo concreto», che «fa proprie le speranze degli oppressi e proclama che ora (oggi) esse ricevono compimento. Il Messia è dunque colui che realizza la liberazione dei miserabili concreti» (*Ibid.*, 83). Cristo viene visto come liberatore e promotore di una prassi ecclesiale liberatrice: «La cristologia che proclama Gesù Cristo come liberatore vuole impegnarsi nella liberazione economica, sociale e politica dei gruppi oppressi e dominati. Si sforza di cogliere la portata teologica della liberazione storica delle grandi masse del nostro continente ... Si propone di articolare in tal modo il contenuto della cristologia e di creare uno stile che metta in luce le dimensioni liberatrici presenti nel cammino storico di Gesù» (L. Boff, «Jesús Cristo Libertador. Uma visão cristológica a partir da periferia», in REB 37 [1977], 502).

Anche J. Sobrino pone una finalità eminentemente pratica alla sua cristologia: «L'ermeneutica non cerca soltanto di risolvere il problema della verità delle affermazioni che vengono fatte su Cristo, ma anche di trovare il modo di renderle comprensibili e operative, cioè di fare della tradizione esistente attorno a Cristo qualcosa che continui ad essere vivo e attuale» (cfr. *Cristología desde América Latina. Ezbozo a partir del seguimiento del Jesús histórico*, México 1977, 299). Per questo egli adotta due criteri di fedeltà: quello dell'ermeneutica della prassi, che implica fedeltà alla situazione concreta; e quello del Gesù storico, che dice fedeltà alla prassi concreta del Cristo biblico.

Sia Boff che Sobrino, dovendo privilegiare non tanto la comprensione e la verità su Cristo, quanto il suo impulso trasformatore e liberatore della realtà oppressa, selezionano e accentuano quegli elementi che si trovano in particolare relazione col paradigma della liberazione (regno di Dio, risurrezione come utopia), e con l'adeguato atteggiamento pratico per realizzarla (attività sociale di Gesù,

esigenza della sequela). È una scelta che fa emergere dal gesto salvifico di Cristo quelle istanze operative capaci di incidere sulla realtà e di trasformarla: «Crediamo che il Gesù storico è il principio ermeneutico tanto a livello noetico come a livello prassico per un approccio alla totalità di Cristo, in cui si realizza realmente l'unità di cristologia e di soteriologia» (*Ibid.*, 8; per ulteriori informazioni cfr. J. Sobrino, *Jesús en América Latina. Su significado para la fe y la cristología*, Santander 1982).

Diciamo subito che è altamente suggestiva per il mondo contemporaneo la stessa parola *liberazione*, che ha un grande impatto emotivo e che evoca una vita umana realizzata e libera (cfr. l'istruzione *Libertatis nuntius*, n. 1). La *scelta preferenziale dei poveri* è l'opzione di fondo della teologia e della cristologia della liberazione. Si tratta di un impegno evangelico che emerge dalla prassi concreta di Gesù Cristo e che la chiesa latinoamericana ha fatto proprio a Puebla nel 1979. Puebla accoglie il tema della liberazione come qualificante e indispensabile per la dottrina e per la missione della chiesa (nn. 355, 562, 1254, 1270, 1283, 1302), dedicando largo spazio alla evangelizzazione, liberazione e promozione umana (nn. 470-506) e all'opzione preferenziale per i poveri (nn. 1134-1165). L'istanza «liberatrice» e «fattuale» del messaggio cristologico – a causa del forte accento dato dalla teologia della liberazione – è oggi maggiormente avvertito dall'intera comunità ecclesiale e ne è diventato *patrimonio prezioso e liberante*. Le stesse istruzioni della Congregazione per la dottrina della fede del 1984 e del 1986 (cfr. AAS 76 [1984], 876-909; AAS 79 [1987], 554-599) non hanno mancato di legittimare le espressioni e le istanze liberatrici della teologia della liberazione (cfr. l'instructio del 1986: *Libertatis nuntius* I-IV), pur mettendo in guardia da un'assunzione rigida e acritica del marxismo come principio determinante del lavoro teologico (*Ibid.* nn. VII-VIII). La scelta dei poveri è sostenuta da una meravigliosa *testimonianza concreta* fino al martirio dei nostri fratelli e sorelle latinoamericani, che si mettono dalla parte dei perdenti e dei poveri per rivendicarne la dignità e la libertà. Mediante la lettura dell'efficacia liberatrice dell'evento Cristo vengono *ricuperati elementi evangelici* spesso disattesi, come le incidenze politiche e sociali del messaggio cristologico sulla realtà latinoamericana. Gesù viene visto come forza liberatrice e contestatrice, capace di rimuovere i meccanismi di oppressione e di ingiustizia, e di promuovere nell'oggi latinoamericano l'impegno per la costruzione di un mondo nuovo, fraterno, giusto e autenticamente evangelico. La cristologia della liberazione infine «rappresenta la prima teologia della periferia elaborata a partire dai problemi suscitati da tale periferia ma con intenti universali» (L. e C. Boff, *Come fare teologia della liberazione*, 134). Essa porta con sé una carica di contemporaneità e di universalità perché si interessa del povero e cioè dell'uomo comunque mortificato e discriminato (economicamente, socialmente, politicamente, razzialmente, sessualmente, culturalmente, religiosamente), da riscattare e liberare mediante l'annunzio del vangelo di Gesù Cristo. La cristologia della liberazione presenta Gesù Cristo come autentica sorgente di *umanizzazione* del mondo contemporaneo.

Nonostante questi indubbi meriti, riportiamo alcune critiche proposte e accolte dagli stessi fratelli Boff (*Ibid.*, 99-100). Essi ammettono nella teologia della liberazione una certa svalutazione delle radici mistiche della realtà cristiana; una esagerata inflazione dell'aspetto politico, a scapito di altre dimensioni più gratuite, più profondamente umane ed evangeliche; una certa subordinazione del discorso della fede al discorso della società e un accento improprio del discorso di classe, senza tener conto dello specifico religioso e cristiano; un'esagerata assolutizzazione della teologia della liberazione con la conseguente trascuratezza della validità di altre visioni teologiche; un'esasperazione unilaterale della figura socio-economica del povero evangelico, che minimizza l'importanza di altri aspetti dell'oppressione sociale, come quella razziale e sessuale; un'accentuazione eccessiva delle rotture piuttosto che delle continuità per quanto riguarda i comportamenti e l'azione pastorale della chiesa; scarso dialogo con gli insegnamenti dottrinali e sociali del magistero pontificio e locale e scarsa attenzione a farsi capire dalle varie istanze ecclesiastiche; l'uso di un metodo, quello dell'analisi marxista, «che non detiene più il monopolio della trasformazione storica» (*Ibid.*, 133). A ciò si può aggiungere che l'insistenza quasi esclusiva sull'operatività socio-strutturale del vangelo e sulla relativa ortoprassi contiene il rischio di elevare a criterio assoluto di verità il principio della sola efficacia pratica dell'evento Cristo. Se ciò fosse vero, perderebbe molto del suo significato il mistero centrale della redenzione e della salvezza cristiana, rappresentato dalla sofferenza, dalla croce e dalla risurrezione di Gesù. A proposito poi dei contenuti, la cristologia della liberazione sottolinea ciò che nella storia del Gesù terreno può essere interpretato come paradigma concreto di liberazione: la sua solidarietà con i poveri, il suo anticonformismo di fronte alle strutture oppressive, e il suo atteggiamento di conflitto nei confronti dei gruppi detentori del potere. L'enfasi sul solo Gesù storico rischia di far trascurare il Cristo biblico-ecclesiale, considerato con una certa sfiducia e senza incidenza concreta nella prassi di liberazione. In tal modo si scava un fossato incolmabile tra il Gesù della storia e il Cristo della fede ecclesiale, del dogma, della liturgia, dei sacramenti, che è l'autentico animatore nella storia della prassi di liberazione totale dell'uomo. Il rischio è l'emergere di una lettura «profana» di Gesù. La sua figura, disancorata dal suo vero contesto trinitario e pneumatologico, viene ridotta quasi esclusivamente a quella empirico-fattuale, considerata come portatrice privilegiata, se non unica, di senso cristologico. In tal modo si tende a minimizzare la testimonianza evangelica sull'obbedienza di Gesù al Padre, sulla sua coscienza messianica di liberatore dal peccato e dalla morte, sul suo sacrificio redentore, sulla sua morte in croce. «Queste tentazioni – si può concludere con i Boff – saranno tanto più facilmente aggirate quanto più i teologi della liberazione saranno impregnati del senso di Cristo (cfr. 1 Cor 2,16), legati alla comunione ecclesiale e vitalmente nutriti della vigorosa linfa mistica della religione e della fede popolare» (*Ibid.* 100).

7. CRISTOLOGIA E RELIGIOSITÀ POPOLARE - La religiosità popolare, chiamata anche «devozione popolare», «pietà popolare», «religiosità del popolo», è una realtà ecclesiale universale e complessa. Descrivendo la religiosità popolare latinoamericana, Puebla afferma: «per religione del popolo, religiosità o pietà popolare, intendiamo il complesso delle profonde credenze suggellate da Dio, degli atteggiamenti fondamentali che da queste convinzioni derivano e delle espressioni che le manifestano. Si tratta della forma culturale o esistenziale che la religione adotta in un determinato popolo. La religione del popolo latinoamericano, nella sua forma culturale più caratteristica, è espressione della fede cattolica. È un cattolicesimo popolare» (Puebla 444). La religiosità popolare è ricca di elementi positivi. Essa contiene un in-

sieme di valori che rispondono con saggezza cristiana ai grandi interrogativi dell'esistenza. Essa ha il senso del sacro, manifesta una sete di Dio, esprime un fervore e una purezza d'intenzione commoventi, che solo i semplici e i poveri possono avere (cfr. EN 48; CT 54); è disponibile nei confronti della Parola di Dio, crede nella provvidenza e nella presenza amorosa e costante di Dio Padre, ha un grande senso della preghiera (cfr. EN 48; Puebla 454, 913); è una sapienza popolare cattolica che possiede una capacità di sintesi vitale che unisce creativamente il divino e l'umano, Cristo e Maria, spirito e corpo, comunione e istituzione, persona e comunità, fede e patria, intelligenza e affetto (cfr. Puebla 448, 913); celebra Cristo nel suo mistero di incarnazione (Natale, il Bambino Gesù), nella sua crocifissione, nell'eucaristia e nella devozione al Sacro Cuore (cfr. Puebla 454, 912); fa progredire nella conoscenza del mistero di Cristo e del suo messaggio, della sua incarnazione, della sua croce redentrice, della sua risurrezione, dell'azione dello Spirito in ogni cristiano, del mistero dell'aldilà (cfr. CT 54); esprime l'amore a Maria, venerata come Madre Immacolata di Dio e degli uomini (cfr. Puebla 454); rende capaci di generosità e di sacrificio fino all'eroismo, quando si tratta di manifestare la fede. (cfr. EN 48; Puebla 913); ha forte la coscienza del peccato e la necessità dell'espiazione (cfr. Puebla 454); esprime la fede in linguaggio totale (canto, immagini, gesto, colore, danza), la situa nel tempo (feste) e nei luoghi (santuari e templi) e la vive profondamente nei sacramenti e nei sacramentali della vita personale e sociale (cfr. Puebla 454); genera atteggiamenti interiori raramente osservati altrove al medesimo grado: pazienza, senso della croce nella vita quotidiana, apertura agli altri, devozione (cfr. EN 48), pratica delle virtù evangeliche (cfr. CT 54), distacco dalle cose materiali, solidarietà (cfr. Puebla 454, 913); ha rispetto filiale per i pastori della chiesa e affetto vivo per la persona del Santo Padre (cfr. Puebla 454). Per questa sua profonda saggezza umana e cristiana la religiosità popolare può costituire un autentico «umanesimo cristiano che afferma la radicale dignità di ogni persona, quale figlio di Dio, stabilisce una fraternità fondamentale, insegna a incontrare la natura e a comprendere il lavoro e fornisce i motivi per un certo buon umore e arguzia, anche se si trova a vivere una vita molto dura» (Puebla 448).

Non si possono sottovalutare, però, i pericoli della religiosità popolare, soprattutto quando essa viene ignorata e trascurata dall'opera di evangelizzazione e di catechesi. I limiti di tipo ancestrale sono: superstizione, magia, fatalismo, idolatria del potere, feticismo e ritualismo (EN 48; Puebla 456). Quelli per deformazione della catechesi sono: arcaismo statico, disinformazione e ignoranza, reinterpretazione sincretista, riduzione della fede a un puro contratto nei rapporti con Dio; esagerata stima del culto dei santi a detrimento della coscienza di Gesù Cristo e del suo mistero (EN 48; Puebla 456, 914). Le minacce alla religiosità popolare sono: secolarismo diffuso dai mezzi di comunicazione sociale; consumismo; sètte; religioni orientali e agnostiche; manipolazioni ideologiche, economiche, sociali e politiche; messianismi politici secolarizzati; sradicamento e proletarizzazione urbana a causa del cambiamento culturale (Puebla 456). Di qui l'urgenza della purificazione, della continua rettifica (CT 54), ma soprattutto di una considerazione teologica della religiosità popolare per farne un modello di annuncio cristiano globale.

Accenniamo a quello che si può chiamare il Cristo «religioso-popolare» in Puebla. Qualunque sia il livello di comprensione autentica o di de-

gradazione di Gesù nella religiosità popolare, egli resta sempre un Cristo vissuto, ascoltato, accolto e amato dal popolo cristiano. Per quanto sfigurato e povero da un punto di vista motivazionale – forse a vantaggio della beata Vergine e di alcuni Santi (Puebla 914) –, è Lui che illumina e sostenta l'esistenza globale del popolo, facendosi portatore e garante dei suoi valori più nobili e delle sue più autentiche aspirazioni. Ne sono prova la partecipazione alla messa, ai sacramenti e soprattutto all'eucaristia; la celebrazione delle grandi feste liturgiche cristologiche; l'uso delle devozioni cristologiche come, ad esempio, quella al Sacro Cuore; la sua presenza protettrice nelle case mediante immagini, altarini, statue (cfr. Puebla 912). Gli studiosi del folclore e della religiosità popolare hanno individuato alcune immagini caratteristiche di Cristo nell'ambito della pietà popolare latinoamericana. In essa è particolarmente viva la devozione a *Cristo morto* (con il quale il popolo si immedesima: il famoso «Crocifisso» della chiesa di S. Francesco a Bahía in Brasile, sintetizza la «cristologia popolare» latinoamericana), a Gesù bambino (che suscita tenerezza), a *Cristo re celeste* (che stimola forza e coraggio nelle difficoltà della vita e nella persecuzione della fede), a Cristo re della pace (predicato dai primi evangelizzatori del continente). Queste immagini sono per lo più di provenienza spagnola.

Di fronte a questa realtà cristologica popolare, Puebla ha impostato una rievangelizzazione senza riduzioni e scelte preconcette della figura del Cristo biblico-ecclesiale, «Vero Dio e vero uomo» (171): «Cristo, nostra speranza, è in mezzo a noi come inviato del Padre, animando con il suo Spirito la Chiesa ed offrendo all'uomo d'oggi la sua parola e la sua vita per condurlo alla sua piena liberazione» (166). «È nostro dovere annunciare chiaramente, senza lasciare spazio a dubbi o equivoci, il mistero dell'incarnazione: sia la divinità di Cristo così come la professa la chiesa, sia la realtà e la forza della sua dimensione umana e storica» (175); «Non possiamo deformare, ridurre o ideologizzare la persona di Cristo, sia facendone un politico, un leader, un rivoluzionario o un semplice profeta, sia riducendo all'ambito meramente privato Colui che è Signore della Storia» (178; cfr. anche 179). È quindi sulla base dell'integrità dogmatica del mistero di Cristo, che la chiesa latinoamericana fonda l'annuncio della liberazione globale, anche socio-economica dei popoli oppressi: «Solidali con le sofferenze e le aspirazioni del nostro popolo sentiamo l'urgenza di dargli ciò che è specificamente nostro: il mistero di Gesù di Nazareth, Figlio di Dio. Sentiamo che è questa la "forza di Dio" (Rm 1,16), capace di trasformare la nostra realtà personale e sociale e di incamminarla verso la libertà e la fratellanza, verso la piena manifestazione del Regno di Dio» (181).

8. CRISTOLOGIA E RELIGIONI NON CRISTIANE - a. *Una pluralità di modelli* - Una sfida che in prospettiva appare decisiva per la cristologia contemporanea è quella lanciata al significato e all'universalità salvifica dell'evento Cristo non tanto dalle religioni non cristiane e dalle sètte, quanto dall'interno stesso del cristianesimo attraverso gli autori che elaborano una teologia delle religioni non cristiane, intesa a dare ragione della loro mediazione salvifica. Così al «mito del Dio incarnato» (cfr. J. Hick, ed., *The Myth of God Incarnate*, London 1977) ha fatto seguito a dieci anni di distanza il «mito dell'unicità cristiana» (cfr. J. Hick - P. Knitter, edd., *The Myth of Christian Uniqueness. Toward a Pluralistic Theology of Religions*, Maryknoll, N.Y. 1987), con un singolare crescendo polemico rivolto a problematizzare, relativizza-

re e anche negare la bimillenaria coscienza di fede cristiana circa l'incarnazione del Figlio di Dio e circa l'unicità e l'assolutezza della salvezza dell'intera umanità nell'unico mediatore Gesù Cristo.

L'articolato contesto di questa sfida è dato dalla rivalutazione conciliare del valore salvifico delle religioni non cristiane, dall'affievolirsi dello spirito missionario all'interno del cristianesimo e dal contemporaneo risveglio delle altre religioni, che dopo secoli di letargo e sudditanza culturale si riscoprono fonte e garanzia di fondamentali valori umani, quali l'identità e l'indipendenza nazionale, la pace e la concordia universale. Il → dialogo interreligioso paritetico, l'emigrazione, la fine del colonialismo, il proselitismo, la misteriosa nostalgia per l'esotismo orientale, l'offerta di uno stile di vita e di una cultura alternativa all'esistenza postmaterialistica occidentale sono tutti fattori che sembrano ridimensionare la cosiddetta arroganza soteriologica del cristianesimo. Sì che non pochi teologi cristiani contestano apertamente l'affermazione di Cristo come salvatore unico e universale, elaborando allo stesso tempo un nuovo quadro di riferimento salvifico in relazione alle altre offerte di salvezza disponibili nella cultura planetaria.

Schematizzando al massimo sono cinque i modelli che sembrano emergere a proposito del significato soteriologico di Cristo oggi. Il modello *esclusivista* che, da una parte, rigetta le religioni non cristiane come idolatriche ed erronee e, dall'altra, riafferma l'assolutezza incondizionata del cristianesimo (cfr. ad es., K. Barth). Questo modello prospetta un universo ecclesiocentrico e un Cristo mediatore *esclusivo* di salvezza.

Un secondo modello, quello *inclusivista*, ha un atteggiamento dialettico di accettazione e di critica: si accetta la validità parziale delle religioni non cristiane in ordine alla salvezza (cfr. LG 16; GS 22); si contesta la loro pretesa di salvezza assoluta. L'eventuale presenza in esse di fede, grazia e salvezza viene ricondotta a Cristo, che è la fonte costitutiva di ogni salvezza disponibile dentro e fuori del cristianesimo. Questo modello prospetta un universo cristocentrico e un Cristo mediatore *costitutivo* di salvezza. È la prospettiva conciliare, condivisa da autori come A. Dulles, K. Rahner, P. Rossano (cfr. A. Dulles, *Models of Revelation*, New York 1983; K. Rahner, «Storia del mondo e storia della salvezza», in *Saggi di antropologia soprannaturale*, Roma 1965, 497-532; Id., *Corso fondamentale sulla fede*, Roma 1977; P. Rossano, «Christ's Lordship and Religious Pluralism», in G. Anderson - T. Stransky, edd., *Christ's Lordship and Religious Pluralism*, Maryknoll 1981, 96-110).

Il modello *normativo* rifiuta la prospettiva dell'unicità della salvezza in Cristo e afferma invece che tutte le religioni hanno un intrinseco valore salvifico indipendentemente dal fondatore del cristianesimo. Esse sarebbero tutte relativamente vere, anche se «normate» da Cristo. Più che mediatore costitutivo di salvezza, Cristo è invece il mediatore *normativo*, che, con l'esemplarità e la pienezza del suo evento, corregge e porta a compimento le altre mediazioni, che restano però intrinsecamente salvifiche. «E poiché può darsi che Dio abbia da dire e da fare più di quanto non sia detto e fatto in Cristo, i cristiani entrano in dialogo con le altre religioni non soltanto per insegnare, ma per apprendere, possibilmente, quanto non hanno mai appreso prima» (P. Knitter, «La teologia cattolica delle religioni a un crocevia», in *Conc*, 1986, 137). Secondo P. Knitter questa comprensione «è diventata ... una prospettiva comune tra i teologi cattolici oggi. In forma diversa essa è rappresentata da H. Küng, H.R. Schlette, M. Hellwig, W. Bül-

mann, A. Camps, P. Schoonenberg» (*Ibid.*, 138; cfr. W. Bülmann, *God's Chosen Peoples*, Maryknoll 1983; A. Camps, *Partners in Dialogue*, Maryknoll 1983; M. Hellwig, *Jesus the Compassion of God*, Wilmington 1983, 127-155; H. Küng, *Essere cristiani*, Milano 1976; *Cristianesimo e religioni universali*, Milano 1986; H.R. Schlette, *Le religioni come tema della teologia*, Brescia 1968; P. Schoonenberg, «The Church and Non-Christian Religions», in D. Flanagan, ed., *The Evolving Church*, Staten Island 1966, 89-109). In questa visione di Cristo salvatore normativo, la prospettiva non è né ecclesiocentrica né propriamente cristocentrica ma teocentrica.

Il quarto modello, quello *pluralistico*, si rifà esplicitamente al mito di Babele, più che al mistero della Pentecoste. Esso propugna una molteplicità e un pluralismo assoluto di mediatori e di mediazioni salvifiche, tutte ugualmente valide. Cristo sarebbe uno dei tanti mediatori, dal momento che ci sarebbe l'obiettiva impossibilità di evidenziare storicamente l'unicità del suo evento salvifico: «Più concretamente e scomodamente, può darsi che il buddhismo e l'induismo siano tanto importanti per la storia della salvezza quanto lo è il cristianesimo, oppure che altri rivelatori e salvatori siano tanto importanti quanto Gesù di Nazaret» (Knitter, *La teologia cattolica*, 138s. Lo stesso autore aveva sviluppato questa sua posizione nel volume *No Other Name? A Critical Survey of Christian Attitudes toward the World Religions*, Maryknoll 1985). Gli autori di questa corrente pensano che i singoli fondatori e le singole religioni del mondo siano per i loro seguaci degli assoluti salvifici con un'importanza decisiva anche per le altre religioni, le quali possono trovare in esse completamento e ispirazione (cfr. ad esempio, H. Maurier, «The Christian Theology of Non-Christian Religions», in *Lumen*

Vitae 21 [1976], 59-74; R. Panikkar, *Il Cristo sconosciuto dell'induismo*, Milano 1976; A. Pieris, «The Place of Non-Christian Religions and Cultures in the Evolution of Third World Theology», in V. Fabella - S. Torres, edd., *Irruption of the Third World: Challenge to Theology*, Maryknoll 1983, 113-139; Id., «Parlare del Figlio di Dio in culture non-cristiane», in *Conc* 19 [1982], 429-439; I. Puthiadam, «Fede e vita cristiana in un mondo di pluralismo religioso», in *Conc* 17 [1980], 895-915; W.M. Thompson, *The Jesus Debate*, New York 1985). L'unicità del cristianesimo viene considerata un mito da superare in vista di una pluralistica teologia delle religioni (è la tesi difesa dal volume in collaborazione edito da Hick - Knitter, *The Myth of Christian Uniqueness;* cfr. anche L. Swidler, ed., *Toward a Universal Theology of Religion*, Maryknoll 1987). Per essi Gesù Cristo è salvatore *relativo* di salvezza in un universo genericamente sacrale.

C'è infine un quinto modello, quello *della liberazione o delle religioni senza riferimento a Cristo*. È questo l'ultimo approdo di Paul F. Knitter presentato in abbozzo nel 1986 e poi precisato nel 1987 (cfr. P.F. Knitter, «La teologia cattolica delle religioni a un crocevia», in *Conc* 22 [1986], 133-144; Id., «Toward a Liberation Theology of Religions» in Hick-Knitter, *The Myth of Christian Uniqueness*, 178-200). Egli parte dal presupposto che i teologi della liberazione e i teologi delle religioni debbano collaborare perché il loro fine è lo stesso. Piuttosto che un dialogo interreligioso fondato su Dio, bisogna puntare sull'uomo da liberare mediante una prassi adeguata. È l'uomo non Dio il luogo teologico di dialogo. Bisogna spostarsi da un superato ecclesiocentrismo, cristocentrismo o teocentrismo a un «kingdomcentrism» o «soteriocentrism» (cfr. Knitter, *Toward a Liberation Theology*, 187).

Secondo lui, il problema non è in che modo ogni religione si riferisca alla chiesa, a Cristo o a Dio, ma in che modo essa è impegnata nel promuovere il benessere umano («human welfare») e nel portare la liberazione ai poveri e alle non-persone. I criteri di distinzione tra le religioni non sono quindi dottrinali ma pratici: dipendono dalla loro efficacia soteriologica umanizzante. I cristiani non hanno bisogno di sapere se Gesù Cristo è il solo salvatore universale per impegnarsi nella promozione della salvezza. È invece l'→ ortoprassi a costituire il criterio ultimo di valutazione religiosa. In questo senso Gesù sarebbe un salvatore semplicemente *complementare* (*Ibid.*, 194) in una prospettiva antropocentrica.

b. *Alcune linee di soluzione* - Il modello conciliare, quello di Cristo mediatore costitutivo di salvezza, si fonda sostanzialmente sull'affermazione della volontà salvifica universale di Dio e dell'unica mediazione di Cristo: «(Dio) vuole che tutti gli uomini siano salvati e arrivino alla conoscenza della verità. Uno solo, infatti, è Dio e uno solo il mediatore fra Dio e gli uomini, l'uomo Cristo Gesù, che ha dato se stesso in riscatto per tutti» (1 Tm 2,4-6). Pur nella valutazione positiva delle religioni non cristiane, anch'esse dono di Dio all'umanità, il discriminante assoluto tra cristianesimo e religioni non cristiane rimane l'evento Cristo, la sua autorivelazione nella storia, la sua presenza privilegiata nella chiesa, suo sacramento di salvezza nella storia dell'umanità. Non c'è opposizione tra religioni non cristiane e cristianesimo, ma trascendimento accettato per fede, ma per una fede storicamente motivata. La storia − non considerata positivisticamente − è disponibile a consegnare quegli indizi certi di una eventuale incarnazione e presenza del salvatore assoluto. Se la storia di fatto ospita una pluralità di ierofanie, essa mi può offrire anche la cristofania. Se la storia può ospitare il mito di Babele, può anche ospitare il mistero della Pentecoste, l'evento cioè di tutte le genti salvate in Cristo.

L'assolutezza salvifica dell'evento Cristo poggia sulla pretesa del Gesù storico e sulla lettura storico-teologica del suo evento, così come ci è stato consegnato nelle fonti neotestamentarie, la cui affidabilità storica non è per nulla inferiore alla loro testimonianza di fede. Si possono ridurre a sette i nuclei decisivi di tale pretesa: l'annuncio del regno e la sua irruzione-identificazione con la persona stessa di Gesù, compimento di tutte le promesse della creazione e dell'alleanza; la coscienza filiale e messianica del Gesù prepasquale; il mistero pasquale della sua morte e risurrezione; la rivelazione del nome di Dio come amore e come comunione trinitaria; l'esperienza della figliolanza divina in ogni persona umana; l'esperienza d'incontro salvifico dell'umanità in Cristo attraverso la comunità ecclesiale; la globalità storico-metastorica della salvezza cristiana. Dall'insieme di questi indizi emerge la discontinuità assoluta di Gesù con gli altri mediatori di salvezza e allo stesso tempo il compimento pieno in lui e nella sua chiesa di tutti gli aneliti di salvezza dell'umanità e del cosmo.

9. L'ESIGENZA DEL «VISSUTO CRISTO-LOGICO» - L'istanza prassica della teologia della liberazione e l'urgenza dell'opzione preferenziale dei poveri mettono in rilievo la necessità di operare un maggior collegamento tra i criteri veritativi dell'evento Cristo e i criteri esistenziali del vissuto cristologico. Una adeguata proposta cristologica non dovrebbe assicurare solo una piattaforma cristologica «ortodossa». Non dovrebbe limitarsi ad enunciare la verità dell'evento Cristo, riassunta: *a.* dalla narrazione della sua storia (polo biblico); *b.* dal riconoscimento della sua presenza come il Vivente oggi (polo ecclesiale); *c.*

come il Mediatore unico e universale *d.* di una salvezza intrinsecamente rilevante per l'umanità e il cosmo. Dovrebbe anche prospettare e tematizzare un vissuto cristologico in piena corrispondenza con la verità enunciata. Sì che i criteri veritativi siano anche criteri esistenziali. Per cui la narrazione della storia di Gesù diventi esperienza di incontro personale con lui (criterio del vissuto personale); il riconoscimento della sua presenza come il Vivente oggi diventi esperienza di incontro nell'ambito della comunità ecclesiale che celebra l'eucaristia e gli altri «mirabilia Dei» (criterio del vissuto comunitario); la fede in Gesù salvatore assoluto e definitivo diventi esperienza di salvezza integrale personale e comunitaria (criterio del vissuto salvifico); e, infine, l'affermazione della rilevanza salvifica del Cristo si traduca in cultura autenticamente cristiana (criterio del vissuto prassico-culturale). Si avrebbe qui il vertice della rilevanza prassica e culturale della cristologia. Non che la vita in Cristo si esaurisca e si plachi nel suo compimento storico, piuttosto nel senso che la cultura cristiana spinge la storia dell'uomo a trascendere continuamente i propri limiti e le proprie imperfezioni fino al totale compimento in lui.

Questa prospettiva cristocentrica globale non significa affatto cristomonismo, bensì vedere in Cristo il rivelatore e il catalizzatore di ogni esistenza personale e comunitaria, il signore della storia e del cosmo, il principio, il sostegno provvidente, l'orientamento, la meta e il fine di ogni creatura. È questo il mistero del Padre che faceva esultare di gioia l'apostolo Paolo: «Ringraziamo con gioia il Padre. È lui infatti che ci ha liberati dal potere delle tenebre e ci ha trasferiti nel regno del suo Figlio diletto, per opera del quale abbiamo la redenzione, la remissione dei peccati. Egli (Cristo) è immagine del Dio invisibile. Tutte le cose sono state create per mezzo di lui e in vista di lui. Egli è prima di tutte le cose e tutte sussistono in lui. Egli è anche il capo del corpo, cioè della chiesa. Perché piacque a Dio di fare abitare in lui ogni pienezza e per mezzo di lui riconciliare a sé tutte le cose, rappacificando con il sangue della sua croce, cioè per mezzo di lui, le cose che stanno sulla terra e quelle nei cieli» (Col 1,12-20). Attirato completamente dalla realtà di questo mistero, l'apostolo esclamava: «Per me infatti il vivere è Cristo» (Fil 1,21); «Non sono più io che vivo, ma Cristo vive in me» (Gal 2,20). Il traguardo di ogni cristologia è la vita in Cristo.

Bibl. - (riguarda soprattutto i paragrafi 5-8): Per cristologia e inculturazione: cfr. una prima introduzione bibliografica generale in A. Amato «Inculturazione, Contestualizzazione, Teologia in contesto. Elementi di bibliografia scelta», in *Sal* 45 (1983) 442-446.

Per la cristologia in contesto filippino cfr. E. Menguito, *Christology in the Philippines (Bibliography)*, in DIWA 6 (1981) 93-100; N.T. Yatco, *Jesus Christ for Today's Filipino*, Quezon City 1983; B. Beltran, *The Christology of the Inarticulate*. An Inquiry into the Filipino Understanding of Jesus the Christ, Manila 1987.

Per la cristologia in India cfr. M.M. Thomas, *The Acknowledged Christ of the Indian Renaissance,* London 1969; R. Panikkar, *Il Cristo sconosciuto dell'induismo,* Milano 1976 (orig. 1964); K. Cragg, «Christologies and India», in Id., *The Christ and the Faiths,* London 1986, 173-241; M. Vekathanam, *Christology in the Indian Anthropological Context*, Frankfurt, Berne, New York 1986.

Per la cristologia giapponese cfr. H.S. Takayanagi, «Christology and Postwar Theologians in Japan», in *Postwar Trends in Japan*. Studies in Commemoration of Rev. Aloysius Milles SJ, Tokyo 1975, 119-167; Id., «La cristologia nell'attuale teologia giapponese», in K. Kitamori, *Teologia del dolore di Dio,* Brescia 1975, 9-27; Y. Kumazawa, «Confessing Christ in the Context of Japanese Culture», in *The North East Asia Journal of Theology* 12 (1979) 1-14; R.J. Sorley, «A Christology for Japan», in *The Japan Christian Quarterly* 50 (1984) 31-40.

Per saggi di cristologia in Cina, Corea, Nuova Guinea e nelle culture del sud Pacifico, cfr. ad es. J. Sangbae Ri, *Confucius et Jésus-Christ,* Paris 1979; C. Wright - L. Fugui (edd.), *Christ and South Pacific Cultures,* Suva Fiji 1985; R. Covell, *Confucius, the Buddha, and Christ. A History of the Gospel in Chinese,* Maryknoll 1986.

Per la cristologia africana cfr. F. Kabasele - J. Dorè - R. Luneau (edd.), *Cristologia africana,* Cinisello Balsamo 1987. Cfr. anche A. Ngindu Mushete, «La figura di Gesù nella teologia africana», in *Conc* 24 (1988) 268-277.

Per la cristologia della liberazione: cfr. C. Bussmann, *Befreiung durch Jesus?* Die Christologie der lateinamerikanischen Befreiungstheologie, München 1980; M. Cook, «Christology from the Other Side of History: Christology in Latin America», in ThS 44 (1983) 258-287; Equipo Seladoc, *Panorama de la teología latino-americana, VI: Cristología en América Latina,* Salamanca 1984; J. Mejia, «Cristología en algunos autores latinoamericanos», in *Medellin* 10 (1984) 176-186; J. van Nieuwenhove, «Jésus-Christ dans la réflexion chrétienne en Amérique Latine. Analyse d'une problématique», in Id., *Jésus et la libération en Amérique Latine,* Paris 1986, 19-52; S. Cajiao, «La cristología en América Latina», in *Theologia Xaveriana* 36 (1986) 363-404.

Per cristologia e religiosità popolare: cfr. J. Dantscher, «Jesus in der Frömmigkeitsgeschichte der Kirche. Der fromme Jesus», in F.J. Schierse (ed.), *Jesus von Nazareth,* Mainz 1972, 174-186; S. Galilea - R. Vidales, *Cristología y Religiosidad Popular,* Medellín 1977²; D.D. Fernandez, «Cristología y cultura de masas en minimilagros», in *Christus,* México 46 (1981) n. 542, 9-21.

Per cristologia e religioni non cristiane: oltre alla bibliografia citata nel testo, cfr. anche i seguenti studi d'insieme: R.F. Aldwinckle, *Jesus A Savior or The Savior?* Religious Pluralism in Christian Perspective, Macon GA 1982; H. Bürkle, «L'unicità dell'evento di Cristo di fronte alla mentalità asiatica», in *Communio* 101 (1988) 59-70; E. Hillmann, *Christ and Other Faiths,* Maryknoll 1988; Id., «Jesus Unsurpassable Uniqueness: A Theological Note», in *Horizons* 16 (1989) 101-130; P. Mojzes (ed.), «Universality and Uniqueness in the Context of Religious Pluralism», in *Ecumenical Studies* 26 (1989) n. 1, 1-216; L. Newbigin, «Religious Pluralism and the Uniqueness of Jesus Christ», in *International Bulletin of Missionary Research* 13 (1989) 30-54; M. Barnes, *Religions in Conversation.* Christian Identity and Religious Pluralism, London 1989.

ANGELO AMATO

CRITICA DELLA RELIGIONE

Una critica della religione esiste già nell'antichità (greca) e agli inizi dell'era cristiana e naturalmente anche all'epoca della Riforma; ma la critica moderna della religione (che acquisì importanza pubblica verso la metà del secolo XIX con la tesi della proiezione di Feuerbach) è una critica della religione di natura particolare. Essa è caratterizzata dall'esplicita e argomentata contestazione dell'esistenza di Dio e dalla conseguente confutazione delle prove della sua esistenza. L'uomo ha il diritto e il dovere di fondare di fronte a se stesso e agli altri la verità della fede religiosa anche sul piano della ragione (cfr. 1 Pt 3,15). La sua coscienza gli impone un tale esplicito confronto. Glielo impone però anche lo stesso cristianesimo (cattolico), perché esso, fin da principio, non concepisce se stesso come un salto nell'incerto, nel casuale, nel facoltativo. Il cristianesimo ha dovuto sempre contendere con i critici radicali della sua fede, ma negli ultimi tempi sono stati addotti degli argomenti filosofico-antropologici più sistematici che inoltre sono largamente diffusi anche nella coscienza generale del moderno uomo «europeo».

Il concetto «critica della religione» non è comunque univoco. E quindi bisogna distinguere una critica *interna* alla religione dall'*interconfessionale*, una critica concernente un'*altra religione* dalla critica *atea o agnostica* della religione. Si parla in senso stretto di critica della religione laddove una riflessione sulla religione – per qualsiasi motivo – conduce al rifiuto della religione e dell'esistenza di Dio. Qui si tratterà della critica della religione in *questa accezione ateistica*.

1. CAUSE E RETROSCENA DELLA CRITICA MODERNA DELLA RELIGIONE - *a*. All'origine della critica moderna della religione si situa l'età dell'illuminismo e soprattutto delle sue conseguenze. Kant nella *Berlinische Monatsschrift* dell'anno 1784 sotto il titolo «Risposta alla domanda: Che cos'è l'illuminismo?» scrive le note frasi: «L'illuminismo è l'uscita dell'uomo dal suo stato di minorità che egli deve imputare a se stesso. Mino-

rità è l'incapacità di valersi del proprio intelletto senza la guida di un altro. È imputabile a se stessa questa minorità, se la causa di essa non dipende da difetto d'intelligenza, ma dalla mancanza di decisione e di coraggio di far uso del proprio intelletto senza esser guidati da un altro. Sapere aude! Abbi il coraggio di servirti della tua propria intelligenza! È questo quindi lo slogan dell'illuminismo».

Non è quindi un caso se ora le cosidette «prove dell'esistenza di → Dio» vengono sottoposte ad un esame critico da parte della sola ragione umana e viene rifiutata fin dall'inizio qualsiasi «prova ex autoritate». Lo stesso Kant, mediante la sua riduzione di tutte le prove dell'esistenza di Dio, che gli erano note, alla cosiddetta «prova ontologica» e il suo rifiuto e soprattutto mediante la contestazione di una possibilità metafisica della conoscenza di Dio, ha offerto alla critica moderna della religione ulteriore motivo e fondamento (cfr. *Critica della Ragion pura*).

Ora, se l'intelletto umano si occupa della questione dell'esistenza di Dio, sorgono i problemi seguenti: indubbiamente l'idea di «Dio» è una di quelle idee che è difficilissimo trasmettere sia in parole che in concetti. In effetti, la teologia si è sempre sforzata di evitare o correggere dei malintesi o delle rappresentazioni troppo semplificate di Dio. Nella prassi della catechesi e della predicazione è comunque difficile trasmettere un'immagine di Dio in certa misura purificata da rappresentazioni mitologiche o antropomorfe. Ora, se gli ateismi moderni continuano ad esser propugnati da pensatori ai quali la tradizione cristiana e il pensiero teologico sono noti solo, per così dire, dall'«esterno», la critica della religione *può* venir intesa come contestazione dell'esistenza di Dio, quale rifiuto di un concetto di Dio che contrasta con la comprensione cristiana di Dio, anche se non è affatto vero che ogni argomento ateistico si basi solo su dei «malintesi». Ciò significa che esistono senz'altro degli argomenti critici nei confronti della religione i quali inducono in ogni caso il cristiano a riflettere e meditare!

b. Un ulteriore retroscena della critica moderna della religione è costituito dal fatto che il concetto di «prova» assume un significato che è orientato alle scienze esatte. Se si richiama alla memoria la dichiarazione del Vaticano I secondo la quale Dio può essere conosciuto con sicurezza con la luce della ragione umana (cfr. DS 3026), allora viene cancellata la differenza fra fede e sapere (nel senso di «prova»). Si può perfino affermare che la teologia fondamentale tradizionale la facesse troppo facile con le cosidette «prove dell'esistenza di Dio», cosa che si poteva ancora giustificare fintanto che la discussione sulla questione di Dio era rivolta a persone che già credevano (e quindi non avevano problemi reali per quanto concerne la questione dell'esistenza di Dio), nel contempo però tale discussione non poteva essere all'altezza né della serietà né dell'intento e neppure delle argomentazioni della critica della religione. In breve: si è dimenticato che non esistono né possono esistere prove dell'esistenza di Dio vincolanti per la ragione, e che invece l'uomo, anche per quanto riguarda la questione di Dio, è in condizione di decidere liberamente secondo coscienza. Secondo K. Rahner (e altri) oggi si dovrebbe esigere una «mistagogia».

c. Adesso, inoltre, tutti gli argomenti «contro» Dio che riguardano la questione della teodicea vengono articolati in modo più chiaro di prima. Il dolore diffuso – e non causato solo dal peccato – la miseria, la paura, ogni affanno umano e l'esperienza della contingenza vengono addotti per contestare l'esistenza di un Dio che ama e soccorre. E così, per esempio, Freud pone al suo amico e parroco protestante O. Pfister l'ovvia domanda di come egli pensi si possa conciliare il dolore di questo mondo con l'amore di Dio. Accanto a questi argomenti, sui quali non ci si vuole qui dilungare, vengono spesso criticati la paura umana e il desiderio di sicurezza e di protezione. Nietzsche, per esempio, esternava l'opinione seguente: «Come si giunge alla fede in Dio? Il senso di potenza, quando investe l'uomo in modo improvviso e sconvolgente – e tale è il caso in tutti i grandi affetti – suscita in lui un dubbio sulla propria persona: egli non osa concepirsi come causa di questo straordinario fenomeno – e quindi per questo introduce una persona più forte, una divinità... Insomma: l'origine della religione sta negli estremi sensi di potenza che sorprendono l'uomo come se gli fossero estranei... La religione è paura e spavento di fronte a se stesso» (H. Kröner, ed., *Der Wille zur Macht*, Stuttgart 1930, 100).

E B. Russel (che si professa agnostico) alla questione su cosa per secoli abbia indotto gli uomini a credere alla religione risponde: «Io credo che sia soprattutto la paura. L'uomo si considera abbastanza impotente. Vi sono tre cose che fanno paura all'uomo: da un lato, quello che può causargli la natura... dall'altro, quello che possono cagionargli altri uomini... E in terzo luogo, e questo ha molto a che fare con la religione, l'uomo ha paura di quello a cui potrebbero indurlo le proprie violente passioni – cose delle quali in un istante di calma sa bene che si dovrebbe pentire. Per questo motivo la maggior parte delle persone hanno molta paura nella loro vita, e la religione le aiuta a non esser troppo tormentate da queste paure» (B. Russell, *Bertrand Russell sagt seine Meinung*, Darmstadt 1976, 46-47). Tali (e innumerevoli altre) affermazioni inducono comunque a porsi delle domande, che si debbono subito esaminare, sulle motivazioni addotte dagli atei e sulle cause della presenza di una fede in Dio.

d. Bisogna pure accennare all'influsso della moderna storia della religione e a un pluralismo delle diverse letture del mondo. La conoscenza di un gran numero di religioni del passato e del presente, la coesistenza spaziale di comunità appartenenti a religioni diverse, una libertà pluralista, per quanto attiene alle ideologie, espressamente perseguita nelle democrazie: tutto ciò naturalmente si ripercuote nella mentalità dell'uomo moderno di modo che non solo ci si pone la domanda su quale sia la vera religione, ma si pone perfino in dubbio l'esistenza di Dio (o di «realtà trascendenti»), come pure la domanda di una vita che continua dopo la morte.

2. ARGOMENTAZIONE DELLA CRITICA DELLA RELIGIONE - Bisogna distinguere fra una specie di argomentazione fondamentale della critica che gli atei muovono alla religione e i singoli argomenti diversi. Per questo motivo si dovrebbe parlare piuttosto di *ateismi* (al plurale), perché certi ateismi si escludono a vicenda.

a. Siccome nessun ateo o critico della religione contesta la contingenza dell'uomo nella molteplicità delle esperienze, la domanda di fondo sull'esistenza di Dio si decide nell'interpretazione di queste esperienze. Il credente ritiene impossibili tali esperienze senza l'esistenza di Dio; senza Dio non potrebbero neppure esistere! L'ateo gli controbatte dichiarando che il dato di fatto incontrovertibile che l'uomo possa travalicare col pensiero i propri limiti e pervenire così a un'idea di Dio non dimostra ancora affatto la reale esistenza di Dio. In tutti gli argomenti della critica della religione traspare il rifiuto del cosiddetto «argomento ontologico» cioè dell'ingiustificata conclusione *dal*

pensiero o dal desiderio alla reale esistenza di Dio. Garaudy (del periodo marxista) presenta molto bene questa problematica: «Il marxismo si pone le stesse domande, vive nella medesima tensione verso il futuro, è assillato dalle stesse esigenze del cristiano, ma non si ritiene autorizzato a tramutare la sua domanda in una risposta, la sua esigenza in una presenza» − con cui s'intende naturalmente la presenza dell'esistenza di Dio − . E poi, sempre nel medesimo contesto, soggiunge: «La mia sete non dimostra (l'esistenza de) la sorgente!» (R. Garaudy - J.B. Metz - K. Rahner, *Der Dialog oder ändert sich das Verhältnis von Katholizismus und Kommunismus,* Reinbeck 1966).

S. Freud argomenta in forma chiara partendo dal desiderio dell'uomo. La fede in Dio è un'illusione nevrotica perché frutto del desiderio infantile; ma − così afferma Freud − non deve affatto essere una realtà ciò che l'uomo può e anzi deve desiderare. Resta comunque pur sempre decisiva la domanda seguente − anche se non ogni critico della religione se la pone in forma esplicita −: Perché esistono di fatto la religione e la fede in Dio, anche se non v'è alcun Dio? In qualunque modo si risponda a queste domande, fondamentalmente però, in ogni tipo di critica della religione la fede in Dio dev'essere valutata come una *coscienza secondaria* e rispettivamente un *bisogno secondario* dell'uomo, per cui alla base della religione sta un *bisogno primario* che il credente non conosce ma che viene scoperto e svelato solo dalla critica della religione e che non ha naturalmente nulla a che fare con «Dio».

b. Si fa ora menzione dei più importanti critici della religione; le brevi citazioni riportate non bastano di certo per una sufficiente comprensione degli argomenti e delle questioni; il cristiano deve lasciarsi interpellare e chiedersi se e fino a che punto la sua immagine di Dio abbia eventualmente bisogno di una revisione da parte degli argomenti addotti dalla critica della religione.

L. *Feuerbach* non s'interessa, come s'interessava invece Kant, della possibilità della conoscenza di Dio mediante la ragione umana, bensì della causa della fede in Dio. Sua convinzione fondamentale è che quello che noi chiamiamo «Dio» in realtà non è altro che la coscienza oggettivata e concettualmente concretizzata dell'uomo stesso e rispettivamente della specie uomo. «La religione, perlomeno quella cristiana, è *l'atteggiamento che l'uomo ha nei confronti di se stesso*, o, più esattamente, *nei confronti della propria essenza*, ma un atteggiamento nei confronti della propria essenza *come fosse un'essenza diversa. L'essenza divina non è altro che* l'essenza umana o, più esattamente, *l'essenza dell'uomo*, separata dai limiti dell'uomo fisico, individuale, cioè reale, oggettivata, *cioè mirata e venerata come se fosse un'altra essenza particolare, diversa da lui*; tutte le *determinazioni* dell'essenza divina sono quindi determinazioni dell'essenza umana» (L. Feuerbach, *Das Wesen des Christentums*, Stuttgart 1960, 17). Con Feuerbach la tesi della proiezione ha fatto esplicitamente il suo ingresso nel pensiero critico nei confronti della religione.

K. Marx, assieme a F. Engels, fu dapprima un «feuerbachiano entusiasta», poi pervenne alla convinzione che Feuerbach avesse sviluppato una spiegazione psicologico-genetica della religione, troppo legata all'uomo individuale. Marx era certamente convinto che la religione fosse stata confutata da Feuerbach; e quindi neppure in Marx si rinvengono delle trattazioni sistematiche contro la religione o l'esistenza di Dio. Tuttavia Marx modifica la critica della religione di Feuerbach definendo la religione come la «quintessenza di un mondo alla rovescia». In concreto: siccome l'uomo è in primo luogo un essere sociale, i rapporti socio-economici determinano anche di volta in volta la coscienza dell'uomo. L'uomo pensa inevitabilmente nel modo in cui si configurano i suoi rapporti sociali, egli è l'«insieme dei rapporti sociali». Poiché la storia dell'umanità è soltanto una storia di conflitti di classe, una storia di sfruttamento dell'uomo da parte dell'uomo, cosicché «le idee dominanti di un'epoca furono sempre solo le idee della classe dominante». Per Marx è ovvio che l'uomo sfruttato abbia bisogno del «sole illusorio» della religione; egli, infatti, mediante la sua capacità di trascendenza, può immaginarsi condizioni migliori di vita al di là della sua situazione di miseria e quindi ha bisogno di una speranza in un mondo migliore – l'aldilà – non rendendosi conto che ciò che si ottiene ora mediante la religione, causa di danni ed espressione della sua miseria terrena, può essere raggiunto mediante un mutamento radicale dei rapporti economici (statalizzazione dei mezzi di produzione) e dell'organizzazione sociale (eliminazione di tutti i conflitti di classe). Di conseguenza la religione è «contemporaneamente l'espressione della miseria reale e... *protesta* contro la miseria reale» (K. Marx - F. Engels, *Manifest der kommunistischen Partei*, in MEW IV, Berlin 1959, 480).

La critica della religione di S. *Freud* deriva, come ci s'aspetta, dalla sua psicologia del profondo. Per Freud la funzione della religione consiste nella fuga dalla «dura realtà»; essa è una regressione in un atteggiamento infantile: l'uomo adulto vorrebbe essere nuovamente bambino; ma poiché ciò non gli è possibile, egli si rifugia nei sintomi dell'atteggiamento nevrotico, per cui la religione è *un* modo psicologicamente patologico di affrontare la vita. In una lettera al suo amico Ferenczy del 1 gennaio 1910, egli riferisce un'ispirazione venutagli di notte su causa e funzione della religione: «La causa ultima della religione è il fatto che l'uomo si sente inerme», una frase che Freud diciassette anni dopo in *Futuro di un'illusione* commenta nel modo seguente: «La stessa persona, cui il bimbo deve la sua esistenza, il padre (più esattamente, l'istanza genitoriale costituita da padre e madre) ha protetto e custodito anche il bimbo debole, inerme, esposto a tutti i pericoli incombenti nel mondo esterno; sotto la sua protezione egli si è sentito sicuro. Anche dopo esser diventato adulto l'uomo sa di essere in potere di forze maggiori, però si è andata pure affinando in lui la capacità di disamina dei pericoli della vita, ed egli quindi perviene con ragione alla conclusione che alla fin fine è rimasto ancora inerme e non protetto come nella fanciullezza e che permane tuttora bambino di fronte al mondo. Egli quindi non vuole rinunciare neppure adesso alla protezione di cui ha goduto da bambino. Da tempo però si è reso conto che suo padre è un essere molto limitato nel suo potere e non affatto provvisto di ogni pregio. Egli pertanto ricorre all'immagine della memoria del padre della fanciullezza che aveva tanto sopravvalutato, l'eleva a divinità e la situa nel presente e nella realtà» (S. Freud, *Gesammelte Werke*, vol. 14, London 1955, 175-176).

Accanto a questi noti critici della religione si dovrebbero pure menzionare molti altri critici e negatori dell'esistenza di Dio. Ultimamente si può sempre più costatare che il numero dei critici della religione, noti per delle pubblicazioni scientifiche, va diminuendo. Si è ben ammesso anche da parte della critica della religione che come non vi sono delle prove cogenti dell'esistenza di Dio, così non esistono neppure prove stringenti per la sua non esistenza. Oggi i critici della religione propendono piuttosto a farsi

passare per agnostici, perfino quando la loro argomentazione può condurre in ultima analisi all'ateismo. L'esempio di un «agnostico ateo» può essere J. Améry il quale, in un saggio divulgato originariamente come conferenza radiofonica, parla di «ateismo senza provocazione». Améry parte dal fatto che egli, in effetti, comprende i tradizionali dogmi religiosi, ma non può crederci (per es. «Al di sopra della volta stellata deve dimorare un padre buono»). Améry invece non comprende le affermazioni di teologi progressisti, come per esempio quando si dichiara che Cristo sarebbe «risorto oltrepassando la coscienza di certa gente». Améry conclude le sue riflessioni nel modo seguente: «Il non-credente, l'ateo o l'agnostico, o in qualunque modo lo si voglia chiamare, non sa che farsene di queste formule che si vengono sviluppando davanti ai suoi occhi, egli ha la sensazione che si lasci la religione che è stata tramandata in balia di se stessa. Non ne esulta per nulla, vede solo, con benevolo stupore, avviarsi un processo che a lui, all'ateo, fa sembrare superfluo entrare in scena con lo zelo del libero pensatore. *La maggiore provocazione dell'ateismo sta nel fatto che esso non provoca più e non vuole più provocare*» (J. Améry, *Widersprüche*, Stuttgart 1971, 27).

Qualora Améry avesse ragione, sarebbe appunto questo il risultato perseguito dall'ateismo, il suo fine implicito e anche esplicito. Allora l'ateismo sarebbe ciò che in fondo ha sempre voluto essere: una indubbia ovvietà che non suscita più nessuna obiezione da parte dei fedeli, dubbiosi e atei.

Bibl. - Oltre alle opere già citate nel testo: K.H. Weger (ed.), *Religionskritik von der Aufklärung bis zur Gegenwart. Autorenlexikon von Adorno bis Wittgenstein*, Freiburg 1988[4].

KARL HEINZ WEGER

D

DEI VERBUM

I. Storia

Non è azzardato dire che la costituzione dogmatica *Dei Verbum* sia il documento più qualificante del concilio Vaticano II; almeno nel senso che esso copre tutto l'arco della sua preparazione e celebrazione. Con questo documento il concilio ha spaziato attraverso i grandi temi della fede cristiana proponendone una lettura che rappresenta, nello stesso tempo, un progresso dell'insegnamento dogmatico e una nuova presentazione di esso al contemporaneo.

Il presente articolo è debitore in duplice modo all'artefice primo della DV, il p. Umberto Betti. A lui si deve infatti la prima pubblicazione di una serie di documenti e testi (serviti alla Commissione teologica preparatoria e alla Commissione dottrinale del concilio), che hanno fatto conoscere la genesi e la ricostruzione delle fasi portanti della costituzione; i suoi articoli e i suoi testi rappresentano quindi la prima fonte che si è

qui seguita, oltre la consultazione degli *Acta et Documenta* e degli *Acta Synodalia*. È doveroso, inoltre, esprimere un ringraziamento per il lungo, fruttuoso e simpatico incontro avuto con lo stesso p. Betti durante il quale i ricordi personali e le precisazioni su alcuni fatti e persone hanno formato una ulteriore preziosa fonte per la stesura di questa voce.

La lunga odissea di DV inizia con la consultazione preconciliare del 1959 e termina con la sua promulgazione il 18 novembre 1965, venti giorni prima della conclusione del concilio. Il tempo impiegato nell'elaborazione del documento non fu certamente vano; il suo contenuto è talmente determinante la fede che, per la chiesa, tutto dipende da questo evento centrale: il suo credere e il suo operare hanno senso solo nella misura in cui riflettono la piena adesione alla parola di Dio rivelata.

Il movimento che si era venuto a creare intorno alla dottrina sulla divina rivelazione, può essere descritto come quella fase che intendeva farla passare dal suo stato di fermento, che era caratteristico del periodo preconciliare, allo stato di una piena maturazione. Il lavoro da compiere era quello di corrispondere all'esigenza di una armonizzazione tra i contenuti di sempre, irrinunciabili per la fede, con elementi nuovi e linguaggi più coerenti alla mutata situazione storica della chiesa.

Per l'economia di questo articolo, sarà sufficiente indicare le tre fasi maggiori che segnano le tappe determinanti della composizione di DV.

1. LO SCHEMA «DE FONTIBUS REVELATIONIS» - Giovanni XXIII, dopo aver manifestato il 25 gennaio 1959 l'intenzione di convocare il concilio, nominò il 17 maggio seguente una commissione antepreparatoria, presieduta dal cardinale segretario di Stato Domenico Tardini, con il compito di «prendere gli opportuni contatti con l'episcopato cattolico delle varie nazioni per avere consigli e suggerimenti; raccogliere le proposte formulate dai sacri dicasteri della curia romana; tracciare le linee generali degli argomenti da trattare nel concilio, uditi anche i pareri delle facoltà teologiche e canoniche delle Università cattoliche» (*Acta et Documenta Concilio Oecumenico Vaticano II apparando*, series I, vol. I, Città del Vaticano 1960, 23). In questo momento prese avvio realmente una consultazione a carattere universale come mai si era verificata precedentemente.

Tra le tematiche maggiori che vennero allora proposte per il lavoro conciliare, particolare attenzione era riservata al problema della «natura della rivelazione», della «modalità di trasmissione della rivelazione» e della «relazione tra magistero e parola di Dio». La commissione teologica preparatoria (formata da sette membri: Tromp, Piolanti, Garofalo, Ciappi, Gagnebet, Hurth, Balič, più due consultori: Staffa e Philippe, era pre-

seduta dal card. Ottaviani; segretario fu nominato p. S. Tromp, professore di Apologetica nell'Università Gregoriana), si premurò di provvedere ad una certa sistematizzazione del complesso argomento, facendo redigere un abbozzo di schema riassuntivo come una prima piattaforma di lavoro.

Questo testo aveva l'espressivo titolo di *Schema compendiosum Constitutionis de fontibus Revelationis*. Inviato ai membri della commissione teologica, non subì particolari ritocchi. Per dare ad esso un conveniente sviluppo, il 27 ottobre 1960 fu costituita una *sottocommissione* interna, presieduta da mons. Garofalo, incaricata appunto di elaborare uno schema sulle fonti della rivelazione.

Il 23 giugno dell'anno successivo il testo dello *Schema* era pronto e dopo una revisione ad opera della commissione teologica, venne inviato all'esame e all'approvazione della commissione centrale il 14 ottobre 1961. Numerosi emendamenti furono apportati al testo proposto; lo *Schema* quindi venne approvato dalla commissione centrale il 22 giugno 1962, e l'intero *Schema Constitutionis dogmaticae de fontibus Revelationis* fu finalmente approvato da Giovanni XXIII il 13 luglio dello stesso anno, e quindi inviato ai padri conciliari in vista della discussione in sede conciliare.

Il 14 novembre 1962, lo *Schema* sulle fonti della rivelazione viene affrontato dal concilio. Si deve osservare, in proposito, che i padri stavano ormai entrando nel clima di aggiornamento che il papa aveva sostenuto che si instaurasse − fin dal discorso inaugurale dell'11 ottobre − come il frutto migliore del concilio; e che la discussione sul documento circa il rinnovamento della liturgia stava già producendo i primi risultati. Ciò fa comprendere perché lo scenario su cui il nostro documento si veniva a porre, fosse alquanto precario.

A questo, si deve aggiungere un altro fatto: tre altri schemi erano stati presentati privatamente ai padri e di per sé costituivano dei testi concorrenziali al documento ufficiale. Il primo era stato elaborato dal Segretariato per l'unità dei cristiani, con il contributo determinante di Stakemeier e Feiner; il secondo, preparato con rapidità incredibile, fu steso da K. Rahner sotto il patrocinio delle conferenze episcopali austriaca, belga, francese, olandese e tedesca ed aveva per titolo *De revelatione Dei et hominis in Jesu Christo facta*; il terzo, era un foglio redatto da Y. Congar dal titolo *De Traditione et Scriptura*.

Con questi precedenti, era naturale che il card. Ottaviani, nella sua presentazione ufficiale del documento, si premunisse con toni fortemente polemici nella difesa dello *Schema* elaborato dalla commissione teologica. La relazione comunque fu letta da mons. Garofalo che cercò di presentare il documento con l'intento di salvare il salvabile; la questione però che si poneva era proprio questa: che cosa poteva ancora essere salvato? I padri si avvicendarono a ruota libera; l'ambiente tuttavia era agitato. Alcuni, influenzati anche dai testi concorrenziali, consideravano lo *Schema* assolutamente inaccettabile; altri, per salvare la correttezza formale, preferivano evidenziare le lacune e parlavano della necessità di una sua radicale trasformazione.

Le motivazioni che portavano ad un ripudio dello *Schema*, vertevano in particolar modo sul primo capitolo. Si faceva rilevare l'improprietà e l'equivocità del linguaggio «duplice fonte» che ricorreva con frequenza quasi ossessiva; ma soprattutto si dimostrava che questa formulazione portava a conseguenze dottrinali che vedevano la Scrittura e la Tradizione come fonti indipendenti una dall'altra. In una parola, veniva contestata la linea assunta dalla commissione,

perché equivaleva ad una scelta teologica unilaterale e per nulla giustificata.

L'attacco massiccio allo *Schema* somigliò molto ad una vera e propria aggressione; le voci critiche che si erano levate nella basilica di san Pietro costituivano già di per sé una bocciatura del testo. Si arrivò comunque alla votazione e venne presentata la richiesta di voto con una formulazione sibillina alquanto insolita. Testualmente veniva chiesto ai padri: «Si chiede se la discussione dello Schema di Costituzione dogmatica sulle fonti della Rivelazione debba essere interrotta». Non si comprendeva, dal quesito, se la sospensione della discussione equivalesse al rifiuto dello *Schema* o se, invece, veniva solo sospeso il dibattito in aula in attesa di momenti più opportuni, senza però rifiutare lo Schema proposto.

Il risultato della votazione, comunicato il 20 novembre, vedeva questo schieramento: su 2209 votanti, i *placet* erano 1368, i *non placet* 822, voti nulli 19; alla maggioranza mancavano 115 voti. Il *quorum* dei due terzi, necessario per respingere lo schema, non era stato quindi giuridicamente raggiunto; la continuazione del dibattito era tuttavia fortemente compromessa. La minoranza non avrebbe più potuto far approvare un testo che la maggioranza rifiutava.

Fu la saggezza di Giovanni XXIII a risparmiare al concilio giorni più difficili. Di sua autorità fece ritirare il documento finché non fosse radicalmente emendato.

2. IL TESTO DELLA «COMMISSIONE MISTA» - Il radicale rifacimento dello *Schema* venne affidato, per decisione del papa, ad una commissione speciale. Ne facevano parte i membri della commissione dottrinale e quelli del Segretariato per l'unità dei cristiani con altri consultori e cardinali di nomina pontificia. Per questa forma di composizione, la commissione ven-

ne denominata appunto «mista»; furono nominati presidenti i cardd. Ottaviani e Bea, e segretari p. Tromp e mons. Willebrands.

Per procedere più speditamente, la commissione si suddivise in cinque sottocommissioni, corrispondenti ai cinque capitoli dello *Schema* che doveva essere rifatto. Un primo accordo di massima raggiunto dalla commissione riguardava: *a.* la struttura fondamentale del nuovo documento, anzitutto se ne modificava il titolo, che diveniva *De divina revelatione*; *b.* si optava poi per la stesura di un «proemio» con lo scopo di evidenziare la dottrina sulla rivelazione; *c.* si conveniva sul cambiamento del titolo del primo capitolo che da «De duplici fonte revelationis» passava a quello di *De Verbo Dei revelato*.

Il primo passo in avanti che la commissione mista fece, fu quello di evitare la questione circa la maggiore eccedenza oggettiva della Tradizione in rapporto alla Scrittura; su questo problema infatti, la commissione era confortata dal benestare dello stesso pontefice che era intervenuto approvando una formula composta dal card. Browne e da mons. Parente. La discussione vera e propria, pertanto, si concentrò su due punti: il proemio e il primo capitolo. Per il primo si notava la fretta della composizione e la non coerenza con il resto del documento; per il secondo invece, oltre alla questione spinosa del rapporto Scrittura-Tradizione, si esaminò più direttamente la relazione del deposito rivelato con la chiesa in genere e il magistero in particolare.

La struttura del nuovo *Schema*, inoltrato alla commissione di coordinamento, venne approvata il 27 marzo 1963 e inviata ai padri conciliari perché esprimessero i loro giudizi.

Il testo che si presentava, comunque, era più un punto di partenza che di arrivo; una lettura anche sommaria mostrava immediatamente delle malformazioni congenite determina-

te dai vari compromessi che erano stati raggiunti durante la redazione. Questo nuovo testo finiva per scontentare tutti e non mancava di generare un senso di sofferenza anche nei meglio intenzionati. Fu un bene quindi che questo testo non trovasse posto nelle discussioni del secondo periodo del concilio (29 settembre-4 dicembre 1963), per evitare ulteriori dissapori. I giudizi dei padri conciliari, che arrivarono numerosi, facevano concludere che lo *Schema* proposto dalla commissione mista subisse ulteriori rifacimenti e innovazioni, pur senza staccarsi dalla struttura fondamentale che era stata ormai data; la cosa però suonava più come una ulteriore bocciatura del testo che non come una sua approvazione. Una soluzione radicale si affacciava all'orizzonte, quella di un definitivo accantonamento della costituzione sulla rivelazione. Questa ipotesi, che avrebbe fortemente danneggiato il concilio, indusse alcuni padri dell'episcopato italiano e francese a chiedere che, se questo si fosse avverato, i punti centrali entrassero comunque nel documento sulla chiesa. La cosa però fu scongiurata.

A questo scopo, il 7 marzo 1964 venne costituita all'interno della commissione dottrinale, una *Sottocommissione* composta da 7 padri (Charue, Florit, Barbado, Pelletier, van Dodewaard, Heuschen, Butler), e 19 periti (Betti, Castellino, Cerfaux, Colombo – che lo stesso giorno veniva eletto vescovo –, Congar, Gagnebet, Garofalo, Grillmeier, Kerrigan, Moeller, Prignon, Rahner, Ramirez, Rigaux, Schauf, Semmelroth, Smulders, Turrado; in seguito si aggiunsero: Ratzinger e van den Eynde); la presidenza venne affidata a mons. Charue, segretario fu nominato p. U. Betti.

3. ELABORAZIONE DEL NUOVO TESTO - Il peso del lavoro della sottocommissione fu in gran parte sopportato

dai periti; costoro avevano il gravoso compito di concordare le diverse e differenti osservazioni che erano pervenute sia dai singoli padri che dalle diverse conferenze episcopali, per amalgamarle in un testo che fosse espressione di tutto il concilio.

Il nuovo documento comprendeva oramai un proemio, che aveva lo scopo di dare un'intonazione pastorale a tutto lo schema, e sei capitoli: 1. «De ipsa revelatione», 2. «De divinae revelationis transmissione», 3. «De sacrae Scripturae divina inspiratione et interpretatione», 4. «De vetere testamento», 5. «De novo testamento», 6. «De sacra Scriptura in vita ecclesiae»; tutto sembrava corrispondere alle aspettative del concilio.

Paolo VI inaugurava il terzo periodo del concilio il 14 settembre 1964; i padri si erano ormai abituati al dibattito che, per molti versi, era unico nel suo genere.

La discussione sul nostro documento durò un'intera settimana: dalla 91ª congregazione fino alla 95ª (30 settembre-6 ottobre). Si svolse in due tempi in corrispondenza alle due parti dello *Schema*: anzitutto il proemio e i primi due capitoli, in seguito i rimanenti quattro capitoli. Relatore della prima parte fu mons. E.Florit, arcivescovo di Firenze; si diede però voce pubblica anche alla minoranza mediante la relazione di mons. Franič, vescovo di Spalato; relatore per la seconda parte fu il vescovo di Haarlem, mons. J.van Dodewaard.

Il giudizio dei padri conciliari fu largamente positivo; le osservazioni fatte sia per iscritto che negli interventi in aula furono poi attentamente vagliate dai periti della sottocommissione. Il risultato, comunque, fu quello che vedeva il testo accuratamente riformato, ma non deformato; la sua portata generale e la forma strutturale rimanevano sostanzialmente quelle di prima.

Questo testo *denuo emendatus*, fu di nuovo consegnato ai padri per es-

sere sottoposto a votazione nel quarto periodo del concilio. Ai padri, a questo punto, era possibile esprimere solo un triplice giudizio: *placet, non placet, placet iuxta modum*. In forza di questa ultima espressione, nuove correzioni venivano apportate ai testi senza tuttavia travisare il testo base. Se si pensa che il numero totale dei *placet iuxta modum* fu di 1498 per l'intero documento, si può comprendere quale lavoro toccò al piccolo gruppo di periti per far rientrare le ultime osservazioni dei padri nel documento finale.

Lo schema accuratamente emendato e saggiamente calibrato, poteva affrontare con tutta sicurezza l'ultima prova in sede di congregazione generale, la 155ª fissata per il 29 ottobre. Si era oramai all'ultimo stadio che consisteva nell'approvare gli emendamenti apportati alle varie parti del testo. I padri risposero con una votazione quasi unanime di accettazione del documento; l'esito infatti fu il seguente: votanti 2115, *placet*, 2081, *non placet* 27, nulli 7. Lo schema così approvato entrava in possesso di tutti i requisiti per passare definitivamente nell'aula conciliare.

La promulgazione venne fissata per la sessione pubblica del 18 novembre 1965, 8ª del concilio.

La votazione finale vide un risultato pressoché plebiscitario: votanti 2350, *placet* 2344, *non placet* 6.

Con la firma in calce del successore di Pietro e di tutti i padri presenti, il documento sulla divina rivelazione che aveva conosciuto vicende così complesse da raggiungere almeno sei diverse stesure, ed era passato per l'intero arco del concilio, diveniva ora una costituzione dogmatica. I contenuti salienti si esprimevano ora negli stessi titoli dei suoi sei capitoli oltre al *Proemium*. 1. «De ipsa revelatione», 2. «De divinae revelationis transmissione», 3. «De sacrae Scripturae divina inspiratione et de eius interpretatione», 4. «De Vetere Testamento», 5. «De Novo Testamento», 6. «De sacra Scriptura in vita Ecclesiae».

Un altro documento entrava così a far parte per sempre del patrimonio dell'insegnamento cattolico. Le sue conseguenze non innovatrici, ma pur sempre rinnovatrici, si vedranno e misureranno solo a distanza di tempo. Certo è che questa costituzione rientra in quel numero di atti del concilio che fecero dire a Paolo VI, quello stesso 18 novembre, che era principio di molte cose nuove per la vita della chiesa.

Bibl. - *Acta et Documenta Concilio oecumenico Vaticano II apparando,* Città del Vaticano 1960-1971; *Acta Synodalia sacrosanti Concilii oecumenici Vaticani II,* Città del Vaticano 1970-1978; U. Betti, «Cronistoria della costituzione dogmatica sulla divina rivelazione», in Autori vari, *Commento alla costituzione dogmatica sulla divina rivelazione,* Milano 1966, 33-67; Id., «Storia della costituzione dogmatica Dei Verbum», in Autori vari, *La costituzione dogmatica sulla divina rivelazione,* Torino 1967, 13-68; Id., *La rivelazione divina nella Chiesa,* Roma 1970; Id., *La dottrina del Concilio Vaticano II sulla trasmissione della Rivelazione,* Roma 1985; Autori vari, *La Révélation divine,* Paris 1968; G. Ruiz, «Historia de la constitución Dei Verbum», in Autori vari, *Comentarios a la constitución Dei Verbum,* Barcelona 1969, 3-35.

RINO FISICHELLA

II. Commento

1. IL VATICANO II E DEI VERBUM - Dopo il periodo di panico, di rallentamento e di stasi rappresentato dalla crisi modernista, la costituzione *Dei Verbum* assomiglia a un grande soffio di aria pura venuta da lontano a dissipare la nebbia. Il passaggio a una concezione personalistica, storica e cristocentrica della → rivelazione costituisce una sorta di rivoluzione copernicana rispetto alla concezione estrinseca, atemporale, nozionale, che era prevalsa nella teologia fino agli anni '50.

Non che questo passaggio sia stato facile, al contrario. La *Dei Verbum,*

infatti, pur essendo una delle prime costituzioni presentate alla discussione dei Padri del concilio, è stata una delle ultime a essere votata (→ Dei Verbum: storia). Sul piano dottrinale la DV è il documento-fonte dell'opera conciliare, la chiave ermeneutica di tutti gli altri testi. Dal punto di vista ecumenico è di grandissima importanza. Per l'economia di questo articolo si prendono in considerazione solo i punti che riguardano la rivelazione. Analisi tanto più importante in quanto è la prima volta che un concilio studia in modo sistematico questa realtà prima e fondamentale del cristianesimo nella sua natura e nei suoi tratti specifici. Onnipresente nella vita cristiana e nel discorso teologico, la rivelazione è stata tuttavia l'ultima a essere studiata. Accade lo stesso in filosofia per le nozioni di esistenza, azione e conoscenza. Noi viviamo queste realtà molto prima di farle oggetto di una riflessione critica.

Nella nostra esposizione il primo capitolo della DV ci servirà da quadro generale. Metteremo in rilievo i punti emergenti che hanno un carattere di novità rispetto ai documenti precedenti.

2. CAMBIAMENTO DI PROSPETTIVA - *a.* A differenza del → Vaticano I, che parla dapprima della rivelazione di Dio mediante la creazione e poi della rivelazione storica, il Vaticano II rovescia la prospettiva e comincia dalla rivelazione personale da parte di Dio e della salvezza in Gesù Cristo: si tratta di un *primo piano,* cioè di una prospettiva sullo *spiegante* prima che sull'*inspiegato*. Il concilio, dopo aver affermato il *fatto* della rivelazione, dichiara immediatamente che essa è essenzialmente *iniziativa* di Dio, pura grazia, come del resto tutta l'opera della salvezza: «La vita eterna che era presso il Padre e si manifestò in noi» (DV 1). «Piacque a Dio rivelare se stesso» (DV 2). «Dio

parla agli uomini come ad amici e si intrattiene con essi» (DV 2). «Dio mandò infatti suo Figlio, cioè il Verbo eterno, che illumina tutti gli uomini affinché ad essi spiegasse i segreti di Dio (cfr. Gv 1,1-18)» (DV 4). La rivelazione sfugge a ogni esigenza e a ogni costrizione da parte dell'uomo. Deriva dal suo imprevedibile amore che Dio, invisibile e puro spirito, abbia quindi deciso di rivelarsi all'uomo in un'economia di carne e linguaggio. Epifania di Dio in Gesù Cristo (DV 5), la rivelazione è luce verticale sul mistero di Dio e sul destino dell'uomo (DV 2). Non è l'uomo a essere il parametro di Dio e a dettargli le forme della sua azione, ma è la parola di Dio che invita all'«obbedienza della fede» (DV 5). Era importante ricordare all'uomo contemporaneo che il cristianesimo non è una più nobile forma di umanesimo, ma un *dono di Dio*. Opera d'amore, la rivelazione procede dalla «sua bontà e sapienza» (DV 2). Il Vaticano II riprende qui i termini del Vaticano I, ma ponendo in primo piano la *bontà* di Dio e successivamente la sua sapienza.

b. Per definire l'*oggetto* della rivelazione, il concilio ricorre abbondantemente alle categorie bibliche, soprattutto a quelle di san Paolo. Invece di parlare, come fa *Dei Filius*, dei «decreti» della volontà divina, esso usa il termine paolino di *mistero* (sacramentum). Dio «rivela se stesso e fa conoscere il mistero della sua volontà» (Ef 1,9; DV 2). Al numero 6 il concilio dice ancora: «Con la divina rivelazione Dio volle *manifestare e comunicare* se stesso». La rivelazione è contemporaneamente automanifestazione e autodonazione di Dio in persona. Dio si dona rivelandosi. L'intento evidente del concilio è quello di *personalizzare* la rivelazione: Dio manifesta se stesso prima di far conoscere il suo disegno di salvezza. Il disegno di Dio, nel senso del mistero di cui parla S. Paolo, è che

«gli uomini per mezzo di Cristo, Verbo eterno fatto carne, nello Spirito Santo hanno accesso al Padre e sono resi partecipi della divina natura» (DV 2). Il disegno divino, espresso in termini di relazioni interpersonali, include i tre principali misteri del cristianesimo: Trinità, incarnazione, grazia. La rivelazione è essenzialmente rivelazione di persone: del mistero della vita delle tre persone divine, del mistero della persona di Cristo, della nostra vita di figli adottivi del Padre. La rivelazione appare quindi nella sua dimensione trinitaria. Questa descrizione dell'oggetto della rivelazione nel suo triplice carattere personalista, trinitario, cristocentrico, conferisce al testo una ricchezza e una risonanza che contrastano con la formulazione del *Dei Filius* del Vaticano I, che aveva potuto parlare della rivelazione senza menzionare Cristo esplicitamente e direttamente, ma solo attraverso un riferimento alla lettera degli Ebrei.

c. Dopo aver affermato l'esistenza e l'oggetto della rivelazione, il concilio ne precisa la *natura*: «Con questa rivelazione infatti Dio invisibile (cfr. Col 1,15; 1 Tm 1,17), nel suo immenso amore, parla agli uomini come ad amici (Es 33,11; Gv 15,14-15) e si intrattiene con essi (cfr. Bar 3,38), per invitarli e ammetterli alla comunione con sé» (DV 2). Per definire la rivelazione, il concilio conserva dunque l'analogia della *parola*, onnipresente nell'AT e nel NT, nella tradizione patristica e medievale, fino ai documenti del magistero. La parola è quella forma superiore di scambio tra esseri intelligenti con cui una persona si rivolge a un'altra per comunicare: i termini usati (*accessum habere, consortes fieri, alloqui, conversari, invitare, suscipere*) vanno tutti nel senso di un dialogo in vista di un incontro; realtà che raggiunge una dimensione insospettata allorquando la parola di Dio in persona assume la carne e il linguaggio dell'uomo in Cristo, Verbo di Dio divenuto uomo tra gli uomini per conversare con loro. Mediante la Parola la trascendenza diventa prossimità. Queste analogie della parola e dell'incontro non vanno quindi trattate alla leggera come semplice tentativo umano, fra tanti altri, di tradurre l'ineffabile. Si tratta al contrario di analogie rivelate, fondate sull'incarnazione, assunte dai testi ispirati e quindi da scrutare all'interno stesso della rivelazione che le veicola. La rivelazione inaugura un lungo e drammatico dialogo tra Dio e l'uomo, che attraversa i secoli e raggiunge tutti gli uomini. Attraverso la parola si inaugura la nuova prospettiva: dall'ascoltare al credere e poi al vedere.

d. Se Dio si rivela è per *invitare* gli uomini a una comunione di vita con lui e per renderli «partecipi della divina natura» (DV 2). Questa è la *finalità* della rivelazione. Opera d'amore, la rivelazione segue un progetto d'amore (*abundantia charitatis... tamquam amicos... ut ad societatem secum*). Se Dio entra in comunicazione con l'uomo e lo inizia al mistero della sua vita intima è al fine di una partecipazione e di una comunione a questa vita. Il concilio moltiplica i vocaboli e i suggerimenti della Scrittura per farci capire che la rivelazione è manifestazione dell'*agápē* di Dio.

3. L'ECONOMIA DELLA RIVELAZIONE - L'analogia parola-incontro, che serve a rappresentare la rivelazione, non dice ancora niente della concreta «disposizione» adottata da Dio per entrare in comunicazione personale con l'uomo: numerosi infatti sono i modi di comunicazione tra persone (gesti, azioni, parole, immagini, simboli, segni articolati o grafici, ecc.). Spetta dunque all'intelligenza della rivelazione descriverne *l'economia*. Rivolgendosi all'uomo, essere di carne e spirito, inserito nel tempo, Dio ha comunicato con lui attraverso le vie

della storia e dell'incarnazione. È la prima volta che un documento del magistero straordinario descrive così l'economia della rivelazione nel suo concreto esercizio e in quella fase attiva che la porta all'esistenza. Anche su questo punto il Vaticano II supera il Vaticano I che descrive la rivelazione come un'azione verticale che sfocia in una dottrina ma che sfiora appena la storia. Il Vaticano II, descrivendo l'economia della rivelazione come effettuantesi mediante l'azione congiunta «di eventi e di parole intimamente uniti tra loro», prende le distanze nei confronti di due concezioni unilaterali della rivelazione: la prima rappresentata da W. Pannenberg (*Offenbarung als Geschichte*, Göttingen, 1961), che riduce la rivelazione all'opaco tessuto degli avvenimenti, sacrificandone di fatto i *verba* che li interpretano e che ne dichiarano il senso autentico; la seconda, frequente nella teologia cattolica pre-conciliare, che ha una invincibile tendenza a confondere la rivelazione-parola con la rivelazione in discorso articolato, riducendo quindi la rivelazione a una gnosi superiore. Il concilio, ricorrendo al binomio *gesta-verba*, esprime il carattere inglobante della rivelazione. Avvenimenti e interpretazione, opere e parole, formano un tutto organico e indissociabile: economia che raggiunge il culmine in Cristo, *Verbo* fatto *carne* che *abita* tra noi.

Osserviamo subito che il termine *gesta* ha una risonanza più personalista rispetto a *facta*; ha inoltre il suo equivalente nel simile binomio *opera* e *verba*: opere e parole che emanano sempre da un centro personale (DV 2 e 4). Queste gesta o opere di Dio sono, per esempio, nell'AT l'esodo, l'alleanza, l'instaurazione della monarchia, l'esilio e la cattività, la restaurazione. Nel NT sono le azioni di Cristo, soprattutto la predicazione, i miracoli, gli esempi, la passione. Le parole sono le parole di Mosè e dei profeti che interpretano le *gesta di Dio* nella storia; sono anche le parole di Cristo che dichiara egli stesso il senso delle sue azioni; sono infine le parole degli apostoli, testimoni e interpreti autorevoli della vita di Cristo.

Il concilio spiega poi brevemente come opere e parole siano dipendenti e a servizio le une delle altre. «Le opere, compiute da Dio nella storia della salvezza, manifestano e corroborano la dottrina e le realtà (disegno e azioni salvifiche di Dio) espresse dalle parole». Quindi la liberazione dal giogo egiziano manifesta l'intervento di Dio potente e salvatore, ma nello stesso tempo conferma la promessa fatta da Jhwh a Mosè di salvare il suo popolo; la guarigione del paralitico manifesta la potenza liberatrice di Cristo e conferma contemporaneamente la parola del Figlio dell'uomo che pretende di rimettere i peccati; la risurrezione di Cristo manifesta il suo impero sovrano sulla vita e sulla morte, ma conferma anche la verità della sua testimonianza e la realtà della sua missione come Figlio del Padre, venuto a salvare gli uomini dal peccato e dalla morte. Le parole a loro volta «dichiarano e chiariscono il mistero in esse contenuto» (DV 2). Gli avvenimenti, le azioni sono, è vero, già ricchi di intelligibilità: così la liberazione di un popolo, una guarigione sono già «significativi». Ma opere e avvenimenti sono sempre minacciati dall'ambiguità, da interpretazioni parziali o equivoche: sono le parole che hanno il compito di dissipare questa ambiguità e di scoprire il senso autentico e la misteriosa profondità voluta da Dio. Il senso dell'avvenimento matura nella parola. Senza la parola di Mosè, che interpreta in nome di Dio la migrazione di Israele come una liberazione per l'alleanza, questo avvenimento sarebbe forse stato diverso da tante altre migrazioni ancor più massive, verificatesi nel corso dei secoli? Senza Mo-

sè l'avvenimento non avrebbe quella pienezza di senso così pregnante che ne fa il fondamento della religione di Israele. Se è vero che nel NT i gesti di misericordia di Cristo esprimono mirabilmente il suo amore per l'umanità, la sua morte resta invece suscettibile di diverse interpretazioni: è la parola di Cristo prolungata in quella degli apostoli che ci fa scoprire la dimensione inaudita di questa morte e che propone alla nostra fede l'evento stesso e la sua portata salvifica. Gli eventi sono gravidi di un'intelligibilità religiosa che le parole hanno il compito di proclamare e di chiarire.

È evidente che questa intima unione di opere e parole è di tipo strutturale e non cronologico. Talvolta vi è simultaneità tra l'evento e la parola, talvolta invece l'evento precede o segue la parola. Osserviamo ancora che la proporzione tra opere e parole può essere molto variabile. Nei libri storici prevalgono gli eventi, mentre nei libri sapienziali e nel discorso della montagna è la parola a dominare. Insistendo sulle parole e sulle opere come elementi costitutivi della rivelazione, il concilio ne sottolinea il carattere *storico* e *sacramentale*. Dio interviene nella storia e proclama il senso del suo intervento; agisce e commenta la sua azione. Questa generale struttura della rivelazione, affermata cinque volte dal concilio (DV 2, 4, 14, 17) basta a distinguerla da ogni altra forma di conoscenza: filosofica, mitica, metatemporale o metaspaziale.

Attraverso questa rivelazione risplende ai nostri occhi in Cristo la verità profonda su Dio e sull'uomo. In Cristo, infatti, ci è rivelato chi è Dio, cioè il Padre che ci ha creati e che ci ama come figli; Figlio e Parola che ci invita a una comunione di vita con la Trinità; Spirito che vivifica e che santifica. In Cristo anche a noi è rivelata la verità dell'uomo chiamato a diventare figlio adottivo del Padre in

Cristo. Questo carattere antropologico della rivelazione è espresso con ancora più rilievo nella costituzione *Gaudium et Spes*: «In realtà solamente nel mistero del Verbo incarnato trova vera luce il mistero dell'uomo» (GS 22). È attraverso il Cristo, «mediatore e pienezza della rivelazione», che l'uomo arriva a comprendersi e a superarsi. Cristo è l'uomo nuovo (GS 22), l'uomo perfetto, l'unico in grado di rendere più umano l'uomo (GS 41).

Dopo aver considerato la rivelazione nella sua struttura interna, il concilio la considera nel suo *sviluppo storico*. DV distingue infatti una duplice manifestazione di Dio: la prima è quella con cui Dio dà agli uomini «una testimonianza permanente» della sua esistenza iscritta nell'universo da lui creato (Rm 1,19-20). Questa manifestazione di Dio non è definita dal concilio «rivelazione» − termine ormai tecnico che designa la rivelazione storica − ma «testimonianza» da parte di Dio di se stesso: della sua esistenza, della sua potenza, della sua maestà, che è rivolta a tutti gli uomini. Se vogliamo conservare a tutti i costi il termine rivelazione per designare questa testimonianza di esistenza, possiamo parlare di rivelazione «cosmica» per distinguerla dalla rivelazione «storica».

Se è vero che il concilio non precisa il rapporto esistente tra queste due manifestazioni di Dio, dichiara tuttavia che lo stesso Dio che si è manifestato agli uomini con il Verbo creatore è anche quello che «volendo aprire la via della *salvezza soprannaturale*, fin dal principio manifestò se stesso ai progenitori» (DV 3). Parlando della rivelazione cosmica come di una *testimonianza* di se stesso e della rivelazione storica come via di una *salvezza soprannaturale*, il testo ci autorizza a pensare che, nello spirito dei Padri conciliari, la testimonianza di esistenza di Dio e il suo riconoscimento da parte degli uomini sono anch'essi *via di salvezza*, sebbene par-

ziale, incompiuta, in attesa di una manifestazione superiore di Dio, di un ordine soprannaturale.

A dire il vero, la rivelazione in senso stretto inizia con la rivelazione storica, di cui il concilio descrive le tappe solo per sommi capi. Dopo la caduta dei nostri progenitori, Dio li ha risollevati con la speranza di una salvezza futura: questo bagliore di salvezza evocato dalla Genesi è il protovangelo. Con la promessa, la cui portata salvifica è universale, la storia della salvezza viene avviata e Dio non lascia nessuno al di fuori di questa «salvezza celeste»; egli «renderà a ciascuno secondo le sue opere: la vita eterna a coloro che perseverando nelle opere di bene cercano gloria, onore e incorruttibilità» (Rm 2,6-7). Allusione alla testimonianza interiore della coscienza, iscritta da Dio nei cuori e che per i pagani è l'equivalente della legge mosaica. Questa grazia di salvezza data a tutti gli uomini è in attesa di quella più esplicita della rivelazione storica. Il testo dice infatti: «Suo autem tempore», cioè nel tempo da lui scelto «Dio chiamò Abraham per costituire un grande popolo» (Gn 12,2). Dopo l'età patriarcale Dio ha istruito questo popolo mediante Mosè e i profeti (DV 3; LG 9). Si è ad esso rivelato «con parole ed azioni» (DV 14). L'ha educato (*erudivit*: istruire e formare) a riconoscere Dio come Padre che si prende cura dei figli, come giudice giustissimo, e ad attendere il salvatore promesso (DV 3). La rivelazione dell'AT è essenzialmente a un tempo promessa e pedagogia. Durante i secoli Dio ha quindi formato il suo popolo e ha aperto le vie al vangelo. Israele ha conosciuto Dio non astrattamente ma nell'esperienza delle vie di Dio nella sua storia.

4. LA CENTRALITÀ DI GESÙ CRISTO RIVELATORE - Al n. 4 la costituzione ritorna sull'affermazione di Cristo, «mediatore e pienezza della rivelazio-

ne», ma questa volta lo fa in una prospettiva *storica* (Eb 1,1). Dopo essere stata frammenti di discorso divino, la Parola raggiunge la sua completezza e perfezione. Se Cristo è il
culmine della rivelazione è perché egli
è il Figlio mandato dal Padre come
Verbo eterno per abitare tra noi e farci conoscere le profondità della vita
divina (DV 4). La funzione rivelatrice di Cristo trae origine dalla sua
qualità di Figlio e di Parola di Dio
all'interno della Trinità. «Gesù Cristo, *Verbo* fatto carne, parla *le parole* di Dio e porta a compimento l'o-
pera di salvezza affidatagli dal Padre» (DV 4). Questo accostamento
della Parola alle parole pronunciate
attraverso le vie della carne e del linguaggio, sottolinea in modo pregnante l'ingresso nella storia e nell'umanità del figlio di Dio, che usa senza
sotterfugi la condizione umana e i
suoi mezzi di espressione. La Parola, che è Spirito, diventa uno di noi,
uomo tra gli uomini, inviato agli uomini per raggiungerli al loro livello:
con parole d'uomo che sono nello
stesso tempo parola di Dio. Poiché
dunque Cristo è Figlio del Padre e
Parola eterna, ne segue che la rivelazione raggiunge in lui il suo termine,
il suo compimento (*complendo*) e la
sua perfezione (*perficit*).

La costituzione applica poi ciò che
ha affermato nel n. 2 sulla struttura
generale della rivelazione. Cristo ha
esercitato la sua funzione rivelatrice
«con tutta la sua presenza e con la
manifestazione di sé, con le parole
e con le opere, con i segni e con i
miracoli, e specialmente con la sua
morte e la gloriosa risurrezione di tra
i morti, e infine con l'invio dello Spirito di verità» (DV 4). Cristo è l'epifania di Dio. La rivelazione in Cristo, Verbo incarnato, attua tutte le
risorse dell'espressione umana, il *facere* come il *docere*, per manifestare
il Figlio di Dio e in lui il Padre. L'incarnazione del Figlio, se intesa correttamente, è la rivelazione. Tutta l'e-

sistenza umana di Cristo (azione, gesti, atteggiamenti, comportamento,
parole) è una perfetta attuazione che
rivela il Figlio e in lui il Padre.

L'originalità di DV è quella di presentare Cristo a un tempo come rivelatore e come segno che permette di
identificarlo come tale. I segni della
rivelazione non sono esterni a Cristo:
sono Cristo stesso nell'irradiare della sua potenza, della sua santità, della sua sapienza. In questo irradiare
percepiamo la sua gloria di Figlio;
passiamo direttamente dal riflesso alla
fonte. Questo irradiare dell'essere e
dell'agire di Cristo costituisce tutto
una «testimonianza divina». Cristo
«completa» la rivelazione, la «compie» e la «corrobora con la testimonianza divina, che cioè Dio è con noi
per liberarci dalle tenebre del peccato e della morte e risuscitarci per la
vita eterna» (DV 4).

5. LA FEDE RISPOSTA ALLA RIVELA-
ZIONE - L'ultima frase del paragrafo
si presenta come una conclusione di
tutto ciò che è stato detto su Cristo.
Poiché egli è la Parola eterna di Dio,
il Figlio unigenito del Padre inviato
agli uomini per rivelare loro la vita
intima di Dio, l'epifania del Padre
(DV 4), colui in cui «trova compimento tutta la rivelazione del sommo Dio» (DV 7), ne segue che l'economia da lui introdotta non può essere considerata soltanto transitoria:
è «definitiva» e «non passerà mai»,
cioè non sarà mai soppiantata da
un'altra più perfetta. «Non è da
aspettarsi alcuna nuova rivelazione
pubblica prima della manifestazione
gloriosa del Signore nostro Gesù Cristo» (DV 4). Poiché Dio ci ha detto
la sua unica Parola, che cosa avrebbe da aggiungere? Che cosa potrebbe donare più del suo unico Figlio?
Il NT è proprio *nuovo e definitivo*.
Gesù Cristo è l'ultima parola della
rivelazione: in lui tutto è compiuto,
la salvezza e la sua manifestazione.
Ciò evidentemente non esclude le →

«rivelazioni private» con finalità particolari e indirizzate a determinati destinatari; soprattutto non esclude un'assimilazione sempre più profonda e una formulazione sempre più ricca e adeguata del mistero rivelato. Questo secondo processo di portata incommensurabile differisce tuttavia dal processo della rivelazione data e costitutiva. A questo proposito, Cristo è al tempo stesso un termine e un inizio. Quale progresso si è verificato, per esempio, nell'intelligenza della rivelazione dal Vaticano I al Vaticano II?

a. Bisogna credere a Dio che rivela: questa è l'affermazione costante della rivelazione stessa (Rm 16,26; 1,5; 2 Cor 10,5-6; Ef 1,13; 1 Cor 15,11; Mc 16,15-16) e dei documenti del magistero (DS 2778, 3008, 3542). Rivelazione e fede sono realtà che si confrontano e si corrispondono. Ora, la rivelazione descritta dal Vaticano II è iniziativa del Dio vivente e manifestazione del suo amore personale. Dio, condiscendentemente viene verso l'uomo e gli apre i segreti della sua vita intima per una reciprocità d'amore. Dal canto suo, l'uomo con la fede si volge a Dio e si dona a lui nell'amicizia. Il concilio dice esplicitamente: «L'uomo si abbandona tutto a Dio liberamente, prestando il "pieno ossequio dell'intelletto e della volontà a Dio che rivela"» (DV 5). Il concilio evita così due nozioni incomplete della fede: quella di una fede-omaggio, praticamente senza contenuto, e quella spersonalizzata, di una fede-consenso a una dottrina. L'autentica fede cristiana è contemporaneamente dono e consenso.

b. La risposta dell'uomo alla rivelazione non è il risultato di una semplice attività umana, ma è un dono di Dio. Non basta che risuoni all'orecchio l'insegnamento del vangelo: bisogna anche che ci sia un'azione della grazia *preveniente* che muove a credere (*ad credendum*) e che fa credere (*in credendo*). Bisogna che Dio con la sua grazia ci «renda connaturali» al mistero in cui ci introduce il vangelo; infatti come potremmo da soli aprirci a questo mondo inaudito del totalmente Altro? Questa azione della grazia è quindi descritta in termini più biblici: si tratta di un aiuto dello Spirito Santo (DS 3009) che ha per effetto quello di toccare il cuore dell'uomo e di convertirlo a Dio, di rischiarare la sua intelligenza e di inclinare le sue facoltà di desiderio (DS 3010, 377). La Scrittura sottolinea a più riprese questa azione della grazia che apre lo spirito dell'uomo alla luce che viene dall'alto (Mt 16,17; 11,25; At 16,14; 2 Cor 4,6) e attrae l'uomo a Cristo (Gv 6,44). Questa azione interiore è la «testimonianza dello Spirito» (1 Cor 5,6) che agisce dal di dentro perché l'uomo riconosca e confessi la verità di Cristo. È ancora allo Spirito e ai suoi doni che bisogna attribuire l'approfondimento della rivelazione (DV 5). Nel movimento dell'uomo verso la fede è lo Spirito che apre l'intelligenza al nuovo mondo del vangelo; è ancora lo Spirito che all'interno della fede sviluppa il potere di penetrazione dell'intelligenza (dono dell'intelletto) e dispone il fedele a comprendere mediante le vie dell'amore (dono della sapienza), infondendogli una consonanza affettiva che lo rende connaturale al vangelo.

c. Il primo capitolo della DV, iniziato con una dichiarazione di fedeltà al Vaticano I, termina con una ripresa della dottrina e dei termini del Vaticano I. Questo procedimento di inclusione letteraria, se è vero che non aggiunge quasi niente a ciò che era già stato detto, rappresenta piuttosto un compromesso per soddisfare gli esponenti della precedente prospettiva. Già dai numeri 2 e 4 sapevamo che la rivelazione è manifestazione e comunicazione e che il suo oggetto è Dio stesso e il disegno di salvezza. Quest'ultimo paragrafo aggiunge tuttavia due precisazioni interessanti. In primo luogo sdoppia il *revelare* del Vaticano I in *manifestare e comunicare*, allineando così il Vaticano I con il Vaticano II. Inoltre sottolinea, con una solennità giustificata dal contesto dell'ateismo contemporaneo, che Dio può essere conosciuto dalla luce della ragione umana che riflette sul mondo; il mondo creato infatti parla invincibilmente del suo autore. D'altra parte, sebbene i misteri propriamente detti restino l'oggetto privilegiato della rivelazione, il concilio aggiunge che bisogna anche attribuire alla rivelazione il fatto che le verità religiose accessibili alla ragione possano essere conosciute facilmente da tutti con una ferma certezza e senza rischio di errore (DV 6).

A conclusione, possiamo tentare di riunire i punti di merito della DV: 1. Il concilio affronta in modo ordinato tutti gli aspetti essenziali della rivelazione: natura, oggetto, finalità, economia, progresso, pedagogia; posto centrale di Cristo, culmine della storia della salvezza e della rivelazione; Dio che rivela e Dio rivelato, che attesta e identifica se stesso; carattere decisivo e definitivo della rivelazione cristica; accoglienza per mezzo della fede e approfondimento sotto l'azione dello Spirito. 2. L'esposizione è serena, profondamente religiosa e si esprime con categorie bibliche (32 riferimenti alla Scrittura, soprattutto a S. Paolo e a S. Giovanni); a dire il vero, vi sono presenti tutti i testi fondamentali. 3. È onnipresente la prospettiva personalista, trinitaria, cristologica, pur senza dimenticare la dimensione antropologica. 4. Sulla base della DV, possiamo definire la rivelazione come automanifestazione e autodonazione di Dio in e attraverso un'economia storica che culmina in Gesù Cristo, autore, oggetto, centro, mediatore, pienezza e segno della rivelazione in persona. Cristo è la chiave di volta di questa prodigiosa cattedrale i cui archi sono i due Testamenti. È con la fede in Cristo e

nel suo vangelo che entriamo nella vita del Padre, del Figlio e dello Spirito. La rivelazione è ormai, nel suo versante attivo e oggettivo, un termine tecnico che non si può usare a qualsiasi proposito o a sproposito.

Ricuperando i dati originali delle sue fonti, la costituzione DV si presenta al contemporaneo come un testo di rara densità. Per giungere a questo splendore erano necessarie le multiformi provocazioni del razionalismo. Tutto, comunque, era già contenuto nei dati della Scrittura e della tradizione patristica: proprio perché si era allontanata dalle fonti, la teologia della rivelazione si era progressivamente impoverita e inaridita.

Bibl. - Sulla Costituzione *Dei Verbum* del Vaticano II, si può trovare una bibliografia completa in HDG I, 1b, 193-194.

RENÉ LATOURELLE

DE LUBAC Henri

Il teologo francese è diventato famoso in tutto il mondo per i suoi sempre validi contributi riguardanti il cattolicesimo, le questioni dell'ateismo moderno, della chiesa e dell'esegesi. Soprattutto le sue indagini circa il problema del «Surnaturel» hanno condotto a discussioni e critiche come pure al fatto che nel 1950 a de Lubac fosse impedito di continuare a tenere l'insegnamento di teologia fondamentale nelle facoltà cattoliche di Lione. La sua collaborazione al concilio Vaticano II come teologo conciliare e, infine, la sua nomina a cardinale furono come un riconoscimento ufficiale della sua persona e del suo lavoro. L'attenzione di de Lubac alla teologia fondamentale risale al 1929, quando a Lione, come successore del Valensin, occupò la cattedra di apologetica. Ciò avvenne in un momento in cui la chiesa con l'enciclica *Deus scientiarum Dominus*, non solo ordinava esternamente in modo nuovo la struttura teologica, ma si disponeva anche a favorire una nuova sintesi che risultasse dalla connessione interna della verità cristiana. In ogni caso, de Lubac fin dall'inizio della sua attività di insegnamento si fece subito delle idee base sullo stato dell'apologetica; gli premeva infatti di poter precisare meglio il suo compito di teologo. Fino allora l'apologetica veniva spesso considerata come una ricerca filosofica e storica propedeutica alla teologia: una prospettiva troppo ristretta dalla quale risultava tutta una serie di difficoltà. H. de Lubac era dell'opinione che queste difficoltà si potevano sostanzialmente superare partendo dal presupposto della fede del teologo apologeta che, coscientemente ed espressamente, inserisca già la sua fede nella propria ricerca. Questo era per lui la teologia fondamentale. Il supposto vantaggio dell'apologetica tradizionale che aveva una base comune con gli oppositori, poté essere da lui dimostrata come un'illusione, che spiegava anche l'inefficacia dell'antica apologetica su coloro ai quali voleva propriamente indirizzarsi. H. de Lubac dal canto suo prese molto sul serio il compito apologetico; solo era dell'opinione che non fosse da condurre sulla via tradizionale e con i presupposti adottati. Questa visione divenne del tutto esemplare per i suoi ulteriori contributi, in quanto nella sua attività si manifesterà sempre lo sforzo di superare distinzioni false, di sostituire programmi inefficaci con altri migliori e di rispettare rapporti esistenti. Un primo ambito per applicare questo orientamento gli fu offerto dall'incarico di insegnare la scienza delle religioni. Il confronto con le religioni mondiali e la missione come era praticata negli anni Trenta gli diedero l'occasione, accogliendo osservazioni e sollecitazioni di Teilhard de Chardin e di J. Monchanin, di indagare la natura e la pretesa del cattolicesimo in modo tale che ne emergessero agganci e possibili collegamenti. Il cattolicesimo offre spazio a tutti i valori autentici, di modo che si può affermare che è contraria al vangelo solo una concezione alternativa della fede cristiana (cioè quella secondo cui il cristianesimo prenderebbe il posto di ciò che costituiva precedentemente la vita di un non cristiano e che in una conversione sarebbe semplicemente da eliminare). Il → buddhismo specialmente riscuoteva sempre più la stima di de Lubac, stima che più tardi sottolineò anche pubblicamente con accurate ricerche. Si trattava prima di tutto di assicurare gli asiatici che si interessavano alla fede cristiana che per diventare cristiani non dovevano rinnegare nessuno dei loro valori tradizionali.

Partendo da questa concezione, de Lubac nel dialogo con P. Charles sviluppò una nuova concezione della missione cristiana e della sua fondazione teologica. Essa si basava su una visione che partiva dall'origine della religione tanto che a qualcuno sembrò davvero un nuovo modo di affrontare il problema. In questa prospettiva il cristianesimo si offriva come allargamento e arricchimento completo, come realtà cattolica nel senso originario della parola, che superava ristrettezze e opposizioni. Questo punto di vista per de Lubac aveva immediatamente un effetto sulla distinzione, così fondamentale per la vita religiosa, fra l'essere cristiano personale-individuale e quello comunitario.

Nel 1936 fu uno dei primi a parlare del carattere sociale del dogma cristiano e così giunse a delle riflessioni che poi riunì con il titolo di «teologia politica» nel volume *Théologies d'occasion* (1984).

La conversione e il crescere come cristiani sono così compresi come espressioni di una comunità, il cui messaggio non può esistere prescindendo dalla comunità. La redenzione di Cristo di conseguenza riguarda l'umanità e il mondo e non una singola anima considerata in maniera esclusiva. Che in tal modo venisse accentuata diversamente tutta una serie di interpretazioni tradizionali, non apparve subito tanto chiaramente, ma i lettori di *Catholicisme* (1938), il primo libro di de Lubac che riuniva i primi tentativi e li riduceva a un comune denominatore, poterono subito notare il diverso modo di vedere e di trattare le cose. Esso risultava da un approfondimento teologico di quei temi che dal tempo della Riforma erano stati trattati in modo assai superficiale e giuridico e il cui significato teologico era stato poi progressivamente dimenticato. Il programma di approfondimento teologico doveva avere delle conseguenze in modo del tutto speciale per la presentazione della chiesa, poiché di essa si era parlato quasi solo come di un'entità sociale e giuridica. Ma in questa cornice il carattere della chiesa cattolica aveva posto solo come espansione numerica e geografica, dunque in un senso ridotto rispetto ai dati di fatto positivi.

Con l'indagine storica *Corpus Mysticum: L'eucharistie et l'église au moyen-âge* del 1939 de Lubac aveva contribuito a modo suo all'elaborazione di un'immagine teologica della chiesa, e per questo più tardi dovrà purtroppo subire una violenta critica. Nondimeno con il legame tra la chiesa e l'eucaristia egli toccò il centro teologico della comunità dei credenti. Nello stesso tempo era posta così la radice che nutre continuamente la vita della chiesa e dalla quale riceve le sue strutture interne determinanti. Evidentemente in quell'epoca l'autore non fu sempre del tutto consapevole dell'importanza di questi lavori dal punto di vista della teologia fondamentale; una serie di circostanze esterne lo condusse a occuparsi di singoli temi. Tuttavia lo fece sempre in modo tale che per la teologia fondamentale ne scaturì un profitto, la cui importanza non di rado

si poté misurare solo più tardi. La situazione politica della seconda guerra mondiale fece mettere immediatamente in primo piano a de Lubac altre questioni: sul versante francese avevano un certo influsso le idee marxiste, mentre su quello tedesco il nazionalsocialismo mirava similmente a intaccare la fede e il cristianesimo. La questione dell'ateismo si poneva allora in modo nuovo, poiché furono toccati da questo problema larghi strati e non solo quelli intellettuali. Come difesa servirono alcuni contributi di de Lubac, che poi egli pubblicò nel volume *Le drame de l'humanisme athée*. A questo riguardo egli prese veramente sul serio l'impulso umanistico e il centro di una certa spiritualità che credeva di riconoscere in questi atei. Non si trattava dunque di controbattere razionalmente dei punti di vista teorici. Ciò spiega la scelta degli autori, ai quali de Lubac rivolgeva la sua attenzione in questo contesto. Nietzsche, Comte e Dostoèvskij non sono certo i nomi che si impongono per primi nella questione sull'ateismo dei tempi nuovi, moderni. Costoro rappresentano una corrente che attraverso un interesse umanistico sceglie una linea spirituale che, proprio per questo, costituisce una provocazione che era stata completamente ignorata dall'apologetica cristiana classica.

Per questo motivo de Lubac era anche consapevole che occorreva condurre positivamente alla realtà di Dio per fare fronte al lento stemperamento della fede in Dio. Il mettere in luce in tutta la sua tragicità l'umanesimo ateo era soltanto una parte del compito da assolvere. Approfondì le *Causes de l'atténuation du sens du sacrée* (1942) e alla fine della guerra pubblicò la sua ricerca *De la connaissance de Dieu*, dalla quale nel 1956 trasse il libro *Sur les chemins de Dieu*, da leggere e da meditare come la controparte positiva di *Le drame de l'humanisme athée*. Soltanto quest'ultimo libro fa capire perché qui la questione di Dio non venga ripresa e trattata nella maniera consueta, ma in modo che diventi una guida spirituale-esistenziale dell'uomo preso sul serio con le sue difficoltà specifiche. Certo anche questo libro, come la maggior parte delle principali opere di de Lubac, è il risultato dell'accorpamento di singole pubblicazioni; e tuttavia al lettore appare immediatamente l'unità interna e l'organicità che provengono dalla natura dell'argomento trattato. La coerenza interna è così forte che ci si domanda con meraviglia come sia possibile che questi libri non siano stati concepiti e scritti tutti di getto. Ma anche la concatenazione dei temi fra loro lascia sorpresi. A ragione → H.U. von Balthasar parlava dell'«*opera organica di tutta la vita*» di de Lubac. Tuttavia qui si tratta anzitutto di determinare esattamente il centro di questa unità organica per capire il significato di tutta la sua opera.

Alcuni hanno affermato che nel pensiero di de Lubac il centro sia coinciso con i suoi noti tentativi intorno al *Surnaturel* (1946), che gli procurarono anzitutto le difficoltà menzionate. Certamente queste indagini e riflessioni hanno a che fare con la determinazione del rapporto reale fra Dio e l'uomo, fra l'uomo e Dio, la cui errata visuale secondo de Lubac è una delle cause principali della possibilità intellettuale dell'ateismo moderno. Secondo la sua convinzione fino all'inizio dell'era moderna gli uomini sono stati tutti influenzati in qualche modo religiosamente tanto che era inconcepibile pensare a un'esistenza del mondo e dell'uomo senza Dio o una divinità. Soltanto quando nella teologia comparve l'idea di una «natura pura» e se ne fece un sistema per concepire il rapporto fra Dio e l'uomo, al margine si manifestò la possibilità di una esistenza che poteva avere tutto il suo significato in sé e non in una relazione che ri-

mandasse costituzionalmente al di fuori di sé. Questa scoperta spiega la lotta decisa di de Lubac contro il sistema della «natura pura», per la quale seppe anche far valere sufficienti ragioni interne alla teologia. Per questo motivo *Surnaturel* si ricollega logicamente ai lavori e alle pubblicazioni sull'ateismo moderno e sugli attuali modi di avvicinarsi a Dio. Secondo de Lubac uno dei motivi fondamentali per lo sviluppo del sistema della «natura pura» nel XVI sec. sta nella separazione medievale della spiritualità dalla teologia, dell'esistenziale rapporto di vita dall'esposizione teorica della riflessione di fede. Tale separazione trasformò la teologia in un sistema concettuale logico, un tutto di una concezione razionale da valutare secondo criteri linguistici, filosofici e storici, per la quale un riferimento alla vita e alla realtà, che andasse oltre l'ambito razionale, non era decisivo. I critici di de Lubac non hanno colto queste connessioni e generalmente hanno cercato di vedere e giudicare le sue affermazioni da posizioni del tutto differenti. A dire il vero, dal punto di vista storico non si poteva dire quasi niente di convincente contro le sue indagini, perciò si cercò di farlo da posizioni sistematiche che secondo de Lubac erano appunto il risultato del sistema della «natura pura». Lui stesso non si sentiva toccato realmente da queste critiche, ma prima di tutto doveva contestare il fatto che esse – cosa che era il loro intento principale – potessero effettivamente garantire il carattere gratuito della grazia. L'enorme impiego di queste riflessioni non portò al risultato desiderato, ma nel migliore dei casi ad alcune strutture ausiliarie alle quali anche de Lubac non negava un limitato diritto purché si accettassero certi presupposti, non sempre certi e sicuri.

Personalmente stimava particolarmente gravida di conseguenze la separazione, che risaliva già al medioevo, della teologia dalla spiritualità, anche se poi non si fosse arrivati al sistema di una «natura pura». Dai suoi studi di storia delle religioni, specialmente dalle indagini sul buddhismo, gli era noto quanto la vita spirituale fosse importante per la convinzione religiosa. Per questo si interessava attentamente ai problemi della mistica e dell'esperienza spirituale, ma anche alla loro autentica testimonianza e interpretazione. In ciò gli premevano meno i fenomeni straordinari a tutto vantaggio delle esperienze esistenziali accessibili e anche intime della fede cristiana. Infatti da esse si chiarisce il significato preciso di asserzioni e confessioni religiose, per cui il linguaggio religioso non deve essere visto e usato in modo isolato o funzionale. De Lubac fu pure costretto dalle circostanze a dimostrare anche concretamente queste idee nei suoi studi: *La pensée religieuse du Père Teilhard de Chardin* (1962) e *La prière du P. Teilhard de Chardin* (1964). Infatti le asserzioni religiose di Teilhard, misurate su stretti schemi enunciativi, venivano messe molto in discussione e furono sovente malintese. Nella stessa linea di tentativi si deve considerare lo studio *Claudel et Péguy* (1974), poiché anche qui si tratta di espressioni religiose che secondo la misura di una rigida ortodossia sembrano problematiche. Il rapporto tra mistica e linguaggio, come aspetti della teologia fondamentale odierna, fu un argomento che forse gli venne piuttosto offerto dal di fuori e in base a circostanze non cercate, e tuttavia questo gli consentì di approfondire ricerche e riflessioni che da lungo tempo lo avevano occupato.

È del tutto evidente che i suoi quattro volumi di *Exégèse Médiévale* (1959-1964) si devono considerare lo studio più esteso del suo lavoro di indagine scientifica. Se si aggiunge poi *Histoire et Esprit. L'intelligence de l'Ecriture d'après Origène* (1950),

si dimostra subito che lo studio e l'interpretazione della sacra Scrittura sono stati l'impegno centrale della produzione di de Lubac, per il quale anche al di fuori di questi volumi si possono sempre scoprire tracce in tutto l'arco della sua esistenza. La questione non è posta e trattata nel senso della teologia dei «Loci», ma come sforzo di far valere la Scrittura in quanto testimonianza della rivelazione sempre sulla base di determinati presupposti spirituali. Nell'antichità e nel medioevo gli uomini cosa hanno tratto per la loro fede dalla lettura e dall'uso della sacra Scrittura? Perché la Scrittura poteva offrire loro un tale nutrimento? Cosa ne segue per il contatto che si ha oggi con la parola di Dio nella Scrittura? In modo significativo il capitolo centrale di *Catholicisme* era già stato dedicato al tema: «L'interprétation de l'Ecriture». L'intera opera di de Lubac deve essere interpretata a partire da qui. Naturalmente si deve anche tener conto della tradizione, che nei numerosi contributi del pensiero di de Lubac non va collocata sotto questa voce, ma sotto il tema «chiesa». Questo è importante per la sua comprensione della Scrittura. Riguardo agli spunti per una comprensione teologica della chiesa si è già detto qualcosa più sopra e perciò non è qui necessario un ulteriore sviluppo del tema. Per de Lubac questi interessi centrali della sua ricerca come teologo trovarono convergenza nella collaborazione data allo svolgimento del concilio Vaticano II e nelle costituzioni dogmatiche *Lumen Gentium* sulla chiesa e *Dei Verbum* sulla divina rivelazione. Anzitutto in *La Révélation Divine* egli ha ampiamente commentato e accentuato l'importanza del proemio e del primo capitolo della costituzione sulla rivelazione. H. de Lubac fin dall'inizio sottolinea il carattere personale della parola di Dio in questo documento e il convergere cristologico dell'evento, esperienza e mediazione della rivelazione. I suoi sforzi personali nella formazione di una teologia fondamentale che corrisponda al pensiero di oggi e che con determinati presupposti possa aprire un accesso alla fede e risvegliare la comprensione del suo messaggio, sono riconfermati dal concilio e presentati come una sfida. Infatti il compito di una oggettiva impostazione teologica della verità del cristianesimo si pone in modo nuovo alla luce delle prospettive allargate del concilio, poiché con esse sono state ampliate e approfondite precedenti riduzioni, limitazioni e fissazioni su concetti, idee e modi rigidi e quasi meccanici di rapportarsi. In questo nuovo spazio aperto però non si fa più teologia fondamentale solo per se stessa; al contrario questa disciplina è pronta per incontri autentici e vivi con idee religiose e correnti spirituali i cui valori possono essere senz'altro accolti e resi fecondi per il cristianesimo e la sua missione. Tale lavoro non è ancora finito.

In questi nuovi tentativi H. de Lubac era in stretti rapporti con una serie di pensatori. La sua opera non è concepibile senza il dialogo con questi colleghi. Ne menzioniamo solo due che indubbiamente furono per lui i partners più importanti: il filosofo G. Fessard (1897-1978), e il teologo fondamentale H. Bouillard (1908-1981), ambedue con de Lubac hanno orientato in modo particolare la loro ricerca in relazione alla filosofia di → M. Blondel. Nel modo di pensare e nei punti chiave come pure nel temperamento essi erano tra loro assai diversi. Tuttavia nei loro sforzi intellettuali si sapevano guidati dagli stessi obiettivi, di modo che questo scambio divenne fecondo e fu motivo di arricchimento sotto diversi punti di vista. Essi erano convinti che il pensiero teologico senza una filosofia non può bastare: una posizione che Bouillard ha sostenuto con forza nella sua grande disputa con K. Barth. Essi però erano anche convinti che si deve partire dal cristianesimo per stabilire come si deve impiegare il pensiero filosofico per la riflessione teologica. Parve loro che il pensiero di M. Blondel offrisse dei buoni presupposti, specialmente nella sua schiettezza e nella sua esatta consapevolezza e rispetto dei propri limiti. Nel mondo odierno il metodo di → immanenza di Blondel fece sperare in un'argomentazione più convincente e nello stesso tempo anche nella possibilità di far entrare nella riflessione l'uomo contemporaneo con la sua autocoscienza. In questo modo si delineava una grande *chance* per una teologia fondamentale; contemporaneamente la stessa verità offriva la possibilità di superare certe posizioni di dubbio e una critica ingiustificata e creare una base sulla quale poter costruire i trattati e le discipline teologiche. Questo necessario servizio fu spesso sottovalutato e preso alla leggera per cui a molte proposte venne a mancare l'ancoraggio nel terreno delle realtà effettive. Le critiche di H. de Lubac riguardavano per lo più posizioni che a lui sembravano prive di un fondamento solido nella fede della chiesa. Proprio per questo motivo egli sempre più diffidava dei grandi lanci e progetti teorici. Il paziente lavoro storico dal quale aveva tratto le sue idee durante tutta la sua vita era diventato per molti troppo faticoso e fu scartato o praticato solo in modo eclettico e arbitrario. Ma appunto la storia della fede è anche sempre la storia dello spirito e non soltanto una raccolta casuale di particolari senza valore e di dettagli non essenziali. Se a prima vista de Lubac lavora come storico, non lo fa però senza un progetto mentale e una continua penetrazione intellettuale del contesto del mistero. In questo modo di procedere sono pienamente mantenuti i modi classici del lavoro dell'apologetica, che qui però vengono estesi e utilizzati in uno scambio vivo. Qui spiritualità e pensiero non sono più staccati fra loro e isolati, ma vengono presi sul serio i dati spirituali del mondo moderno, senza che il cristiano si lasci intimidire o semplicemente dettare la sua prospettiva da loro. Questo genere di teologia fondamentale è caratterizzato da una ricerca e da un continuo esaminare e distinguere, un processo che non si lascia racchiudere in una formula teorica di facile uso. Offre però il vantaggio di essere abbastanza flessibile, per poter riconoscere e rispondere alle sfide attuali che sorgono di volta in volta e, cambiando rapidamente le circostanze, di poter far parlare la parola di Dio sempre in modo corrispondente.

Bibl. - Per l'opera di H. de Lubac cfr., K.H. Neufeld - M.Sales, *Bibliographie Henri de Lubac S.J. 1925-1974*, Einsiedeln 1974² e il supplemento: «Bibliographie de Henri de Lubac (Corrections et compléments) 1942-1989», in H. de Lubac, *Théologie dans l'Histoire* II. Questions disputées et résistance au nazisme, Paris 1990, 408-420; H. de Lubac, *Mémoire sur l'occasion de mes écrits*, Namur 1989.

KARL H. NEUFELD

DEPOSITO DELLA FEDE

1. *Introduzione* - 2. *Nozione biblica* - 3. *Percezioni storiche: Ireneo, Vincenzo di Lerino, J.H. Newman* - 4. *Il moderno insegnamento cattolico tra il Vaticano I e il Vaticano II* - 5. *Prospettive ecumeniche* - 6. *Ulteriori problemi* (J. Wicks).

---

1. INTRODUZIONE - Una delle ultime lettere dell'età apostolica incoraggiava i lettori a continuare l'impegno «per la fede che fu consegnata ai santi una volta per tutte» (Gd 3). «Deposito» è il termine che racchiude quella fede e quella forma di vita lasciate in eredità dagli apostoli e dai loro collaboratori alle chiese da loro fondate con la proclamazione della buona notizia di Gesù Cristo. Gli apostoli lasciarono in eredità una struttura coerente di fede, di insegnamenti e di prassi di interpretazione biblica, di culto e di strutture di servizio nella comunità e di vita nel mondo secondo la parola e gli esempi del Signore Gesù. Fedele al patrimonio apostolico, espresso in modo particolare negli scritti del Nuovo Testamento, il popolo di Dio di ogni età mantiene la sua fede, si sforza di vivere nella santità e rinnova la propria percezione della verità rivelata (cfr. DV 8). In conseguenza della sua potenzialità inerente all'eredità apostolica assume forme diverse in epoche diverse, perché la chiesa è guidata dallo Spirito a vivere secondo la norma e l'ispirazione concesse all'inizio. Ma sorgente e norma dell'insegnamento della chiesa rimane quel «deposito» lasciato da quelli che Gesù inviò come suoi emissari perché trasmettessero la sua rivelazione e i suoi doni divini.

2. NOZIONE BIBLICA - Nell'antichità i codici legali greci e romani fissavano gli obblighi derivanti alle persone che ricevevano in deposito oggetti o somme di denaro da chi, per esempio, partiva per un viaggio. Il depositario era prima di tutto tenuto alla custodia fedele che escludeva qualsiasi uso personale del deposito. Su richiesta doveva essere effettuata la restituzione *in specie* al proprietario. La violazione di queste norme poteva provocare un'incriminazione e l'ira degli dèi. Gli amministratori dei santuari religiosi erano apprezzati come guardiani dei depositi e questo servizio tornava a vantaggio del buon nome della divinità ivi venerata. Le Dodici Tavole romane dichiaravano che

un depositario negligente o comunque infedele doveva ripagare il doppio del valore del deposito originario. Simili obblighi di fedeltà erano imposti all'esecutore testamentario sotto la cui custodia veniva lasciata l'eredità, come un vero deposito, perché fosse fedelmente distribuita ai beneficiari designati.

Le scritture di Israele redigono semplici leggi sul deposito che fanno parte delle disposizioni mosaiche del patto del Sinai (Es 22,6-12). Quando un deposito viene danneggiato o perduto, il depositario deve giurare di non essersi appropriato indebitamente di quanto gli era stato dato in custodia. Il depositario infedele deve risarcire il doppio quando sia dichiarato colpevole di inadempienza in materia di deposito. La legge rituale di Israele stabiliva il modo con cui un depositario infedele, una volta pentito, doveva restituire il maltolto al depositante e offrire un sacrificio espiatorio per ottenere il perdono del Signore che si fa garante di ogni contratto di deposito (Lv 5,26). Il tempio stesso riceveva i depositi che i poveri con fiducia mettevano sotto la protezione del Signore del medesimo luogo sacro (cfr. 2 Mac 3,7-30).

Verso la fine del I secolo d.C., Flavio Giuseppe riferisce di depositi nella narrazione che fa delle norme che Mosè aveva stabilito per disciplinare la vita degli israeliti nella terra che stavano per occupare. Il depositario è obbligato da impegno solenne: «Che il destinatario di un deposito lo ritenga degno di custodia come un oggetto sacro e divino e che nessuno si azzardi a defraudare chi gliel'ha affidato... nemmeno se con questo pensasse di procurarsi un'ingente quantità d'oro» (*Antichità giudaiche*, IV, 38, n. 285).

Sullo sfondo dell'obbligo sacro che il depositario ha di fronte a Dio di una custodia coscienziosa e di una trasmissione fedele, le lettere pastorali si riferiscono alla tradizione paolina come a un deposito (*parathêkē*) che va mantenuto intatto e custodito contro qualsiasi falsificazione (1 Tm 6,20; 2 Tm 1,12-14). E ancora, Timoteo che era stato collaboratore di Paolo dovrà anche lui affidare quanto ha ricevuto a persone fidate che potranno in seguito ulteriormente trasmettere ciò che un tempo fu consegnato dall'apostolo fondatore (2 Tm 2,2).

L'esegesi moderna giudica le lettere pastorali come pressanti espressioni della validità normativa della tradizione paolina scritte da un autore ignoto negli ultimi anni del I secolo dopo Cristo. Le lettere riaffermano e reinterpretano il làscito di Paolo alle chiese che si trovano ad affrontare delle crisi che il fondatore non aveva conosciuto. Le lettere pastorali aggiornano la dottrina, l'etica e specialmente i doveri ministeriali dei pastori per respingere l'influenza sovversiva delle false dottrine, dei miti e di una pretesa «conoscenza» (*gnôsis*) che minacciano di distruggere la linea di continuità con Paolo per cui queste comunità hanno una loro identità come «la casa di Dio che è la chiesa del Dio vivente» (1 Tm 3,15).

Le lettere pastorali considerano il «deposito» come il risultato del multiforme ministero paolino di fondazione. Esse non ne catalogano il contenuto ma insistono invece sulla sua ininterrotta idoneità e normatività per la vita delle comunità un quarto di secolo dopo la morte di Paolo. I pastori della chiesa di quel tempo sono depositari che hanno il compito di proteggere fermamente il patrimonio dell'apostolo con la loro fedeltà all'annuncio del suo vangelo (per es. Tt 3,4-7), dando accurate istruzioni (*passim*), insegnando le Scritture ispirate e sicure (1 Tm 4,3; 2 Tm 3,14-17), regolando la preghiera comunitaria (1 Tm 2,1-6), scegliendo con cura gli altri ministri (1 T 3,1-13; 5,15-22; Tt 1,5-9; 2 Tm 2,2) e resistendo alle dottrine estranee e sovversive (1 Tm 1,3-4; 4,1-3;

6,2-5.20-21; Tt 3,9-11; 2 Tm 2,14). La situazione di confusione crescente richiedeva una riformulazione autentica di certe dottrine, per es. il significato della legge (1 Tm 1,8-11), l'universalità della redenzione in Cristo (1,15; 2,3-7) e il valore del matrimonio e di ogni cibo (4,1-5). Ancora di fondamentale importanza è l'esempio della vita stessa di Paolo, sia come peccatore perdonato dalla grazia divina (1 Tm 1,12-16), sia come persona che soffrì per amore del vangelo (2 Tm 1,8-15; 2,3).

Così il deposito del NT è, nella sua forma ampia e complessa, la tradizione apostolica nelle comunità per cui diventa norma di fede e sorgente di vita. La sopravvivenza nella identità un tempo impressa in queste comunità dipende oggi dalla fedeltà al deposito che esse hanno ricevuto. Ciò che Paolo aveva trasmesso è stato infatti realizzato nella vita di queste comunità. Così le lettere pastorali insistono sulla necessità di un'attenzione sempre nuova per mantenere intatto il deposito e per trasmetterlo nella sua integrità. Per tale compito non bastano gli sforzi umani, per cui l'autore manifesta la fiducia che Paolo ha nel protettore divino dei depositi (2 Tm 2,12) e nella forza animatrice donata alle comunità e ai loro pastori: «Custodisci il buon deposito con l'aiuto dello Spirito Santo che abita in noi» (2,14, cfr. 1,6-7).

Altri libri tardivi del NT condividono la preoccupazione che le chiese rimangano radicate nel terreno vitale del deposito apostolico e lo preservino da ogni contaminazione. Negli Atti l'ultimo discorso dell'attività missionaria di Paolo raccomanda in modo incisivo il suo testamento ecclesiale al collegio degli anziani della chiesa di Efeso (20,17-35). E mentre Paolo pensa alla fine del suo ministero (20,24), i pastori di Efeso debbono considerare quanto insegnato da lui sul pentimento e sulla fede nel Signore Gesù (20,20-21). Da lui hanno appreso l'intera economia di Dio nella cui luce devono «vegliare... su tutto il gregge in mezzo al quale lo Spirito Santo vi ha posti come vescovi (*epískopoi*)» (20,27-28). L'autentica dottrina paolina è messa in pericolo da chi cerca di alterare la verità (20,29-30), per cui divengono imperativi una rinnovata vigilanza e un attento discernimento.

I vangeli di Luca e di Matteo possono essere considerati autentiche formulazioni del testamento apostolico negli anni ottanta del primo secolo, in una forma che conferisce a questa eredità un profilo definitivo in un periodo estremamente agitato. Analogamente, quello che è forse l'ultimo Scritto neotestamentario inveisce contro i falsi maestri (2 Pt 2) raccomandando allo stesso tempo le Scritture correttamente interpretate (1,19-21). Più incisiva in rapporto al deposito nella seconda lettera di Pietro è l'insistenza sulla necessità di ricordare sempre di nuovo ciò che è stato trasmesso come insegnamento fondamentale, e cioè «le parole già dette dai santi profeti e il precetto del Signore e salvatore, trasmessovi dagli apostoli» (3,2).

3. PERCEZIONI STORICHE - Il *magnum opus* di Y. Congar sulla tradizione esamina le comprensioni mutevoli del deposito apostolico e del suo modo di essere presente nella chiesa dei secoli successivi. La nostra presentazione sarà selettiva; verranno infatti riportate soltanto le vedute di tre autori che scrissero con originalità sul deposito della fede in rapporto alla sua costituzione interna e al peso che questo ebbe nella chiesa: Ireneo di Lione, Vincenzo di Lerino e → John Henry Newman.

Verso la fine del II secolo sant'Ireneo contestava la legittimità di una molteplicità di elaborate dottrine gnostiche appellandosi alla «regola della verità» ricevuta dagli apostoli di Cristo allora accessibile nella predicazione e nella professione battesimale delle chiese di fondazione apostolica (→ Regula fidei). Mentre gli gnostici propagano i loro confusi miti sulla caducità cosmica e sulla conoscenza redentiva in conventicole segrete, l'unica tradizione proveniente dagli apostoli è preservata come pubblico possesso in numerose chiese affidate dagli apostoli di Cristo a presbiteri e vescovi ben istruiti, perché vi continuino il ministero dell'insegnamento. A Roma, per esempio, nella chiesa fondata da Pietro e Paolo, si può apprendere l'economia della salvezza in Cristo e condividere «un'unica stessa fede, sorgente di vita, che è stata preservata nella chiesa dagli apostoli fino a oggi ed è trasmessa nella verità» (*Adversus haereses*, III,3,3).

Così nel momento stesso in cui la chiesa incominciava a definire la lista ufficiale degli autentici scritti apostolici (→ Canone biblico), Ireneo enunciava un principio correlativo, vale a dire un modello normativo di fede in Dio creatore, nel figlio di Dio che nella carne compì l'opera della salvezza e nello Spirito Santo elargito ai credenti come «garanzia di incorruttibilità, potere corroborante della fede e scala di ascesa a Dio» (III,24,1). Attenendosi a questa fede chiunque nella chiesa può leggere tutte le Scritture dell'AT e NT con la precisa assicurazione di capirne tutto il significato, e cioè la gamma intera dell'economia di cui essi rendono testimonianza. Fuori dell'ambito della regola della fede apostolica ed ecclesiale, i testi biblici non assicurano un solido nutrimento, dal momento che sono stati frantumati dagli eruditi gnostici e forzati a servire il proposito estraneo di spiegarne i miti.

La «regola della fede» di Ireneo è presente nelle Scritture e trova giusta espressione nella catechesi delle chiese e nei diversi modelli di professione di fede. Ma la regola non è del tutto identica per ogni chiesa né è fissata da queste in modo esauriente.

La regola dà origine a espressioni diverse in posti diversi, ma «la forza della tradizione (*dýnamis tês paradóseōs*) è una e medesima» (I,10,2). Del resto, non è solo il vero significato dell'insegnamento apostolico che queste chiese ricevono e trasmettono; esse infatti «riconoscono lo stesso dono dello Spirito, si sforzano di osservare gli stessi comandamenti e conservano la stessa forma di costituzione ecclesiastica, mentre aspettano lo stesso avvento del Signore desiderando ardentemente la stessa salvezza dell'intera persona, corpo e anima» (V,20,1; cfr. IV,33,8).

Così Ireneo pensò in termini di un deposito apostolico completo ma, a differenza dell'autore delle lettere pastorali, non mise l'accento sui doveri dei vescovi depositari. Ireneo sottolineò invece la grande ricchezza derivante ai credenti dall'eredità degli apostoli, che «come ricco deposito lasciarono alla chiesa in modo copioso tutto quello che attiene alla fede, così che quanti lo desiderano possano attingere a questa fonte e dissetarsi con l'acqua della vita» (III,4,1). La tradizione apostolica della verità si trova nella chiesa dove i cristiani credono nella piena partecipazione di Dio. «Conserviamo e proteggiamo la fede ricevuta dalla chiesa che, come deposito di valore in un vaso prezioso, agisce continuamente mediante lo Spirito di Dio per rinnovare sé e il vaso stesso che la contiene» (III,24,1). Il deposito apostolico, nella visione di Ireneo, è un possesso spirituale totale e corroborante che si trova in mezzo alla chiesa come modello di fede e di stile di vita.

Vincenzo di Lerino, che scrisse nella Gallia meridionale nel 434 d.C., è giustamente conosciuto per aver formulato i criteri classici per verificare se una dottrina appartiene alla verità rivelata: «Nella chiesa cattolica si deve porre la massima cura per attenersi a quanto si è creduto dovunque, sempre e da tutti (*quod ubi-*

que, quod semper, quod ab omnibus)» (Commonitorium, 2). Innovazioni dottrinali sono escluse perché non conformi a quanto è stato tramandato fin dall'inizio come parte della tradizionale regola di fede. Questa regola è il «senso cattolico ed ecclesiastico della Scrittura» (*Ibid.*), reso noto dai decreti dei concili generali. Ciononostante, Vincenzo non fa alcun accenno al concilio di Nicea e alla sua norma dogmatica per la comprensione dei testi biblici sulla relazione tra il Padre e il Figlio. Vincenzo attribuisce grande importanza allo smascheramento di particolari opinioni ritenute devianti mostrando la loro divergenza da una raccolta di vedute di autorevoli maestri cattolici il cui consenso prova la genuinità della verità che essi trasmettono (*Comm.*, 27-28).

Vincenzo non esclude progressivi sviluppi nella chiesa, ma ciò si verifica nell'ambito ristretto della tradizione antica. Mentre non si può rinunciare a nessun principio del dogma cattolico, ciò che cresce è la comprensione, la conoscenza e la sapienza nello stesso insegnamento: *«in eodem scilicet dogmate, eodem sensu eademque sententia»* (*Comm.*, 23). Tuttavia, se il deposito viene considerato come un insegnamento formulato, vien fatto di chiedersi come si possa applicare questo concetto di progresso nel caso di una nuova questione che emerga in un tempo e in una cultura grandemente diversi da quelli dell'età apostolica.

Non sorprende che Vincenzo di Lerino rimanesse molto colpito dal mandato assegnato a Timoteo di custodire il deposito apostolico. Questa parola che, per Vincenzo, si applica ai suoi giorni sia alla chiesa universale che a tutti i suoi capi dovrebbe istillare una mentalità precisa. Infatti il deposito «è quanto ti è stato affidato e non quello che hai inventato; quanto hai ricevuto e non quello che hai escogitato; non una

questione di fantasia ma di dottrina; non un'acquisizione privata ma una tradizione pubblica; qualcosa che ti è stato consegnato e non è stato prodotto da te; una materia che tu non hai creato, ma che devi conservare; non come maestro ma come discepolo; non come guida ma come seguace. Questo deposito, egli dice, custodiscilo. Preserva il talento della fede cattolica inviolato e interamente intatto» (*Comm.*, 22).

Da buon anglicano J.H. Newman si oppose alla nozione che la Scrittura fosse sufficiente interprete di se stessa. Contro la frammentazione dottrinale derivante dal principio protestante del giudizio privato, Newman faceva appello alla tradizione e alla regola della fede come derivano dagli apostoli per cui la chiesa afferra senza errore il «senso immediato ed esatto» dell'insegnamento biblico rivelato.

Scrivendo nel 1836 sulla tradizione apostolica Newman cita la prima lettera a Timoteo per mostrare che gli apostoli affidarono ai loro successori un deposito dottrinale da tramandare ulteriormente. Newman cita la spiegazione di *depositum* fatta da Vincenzo di Lerino (vedi sopra), ma aggiunge una descrizione caratteristica che va oltre un insieme iniziale di dogmi. Ciò che è stato trasmesso dagli apostoli non può essere racchiuso in documenti. Era «troppo vasto, troppo particolareggiato, troppo complicato, troppo implicito, troppo fecondo perché potesse essere messo per iscritto, quanto meno in tempo di persecuzione; era perlopiú trasmesso oralmente e a salvaguardia contro la sua corruzione stavano il numero e l'unanimità dei testimoni». Il credo riportava i titoli principali, ma nelle chiese la sostanza della tradizione «era molteplice, varia e indipendente nelle sue manifestazioni locali» (*Essays Critical and Historical*, London 1871, I, 126ss). Per Newman la tradizione apostolica, più che da un semplice indottrinamento, proviene dal contatto vivo che produce quel ricco complesso di verità che penetrano la chiesa come la sua stessa atmosfera.

Quando Newman divenne cattolico l'ampiezza e la fecondità del deposito apostolico occuparono una parte centrale delle sue riflessioni. I suoi studi sulla crisi ariana e sul concilio di Calcedonia lo convinsero che la verità rivelata doveva ulteriormente svilupparsi sotto la guida di un'autorità di insegnamento non soggetto a errore. Come ebbe a spiegare nell'opera *An Essay on the Development of Christian Doctrine* (1845), il cristianesimo è un fatto che colpisce il credente in un modo che ha poi un'infinità di ripercussioni. È dogmatico, devoto, sociale e pratico in un tutto unico e non c'è una singola espressione che basti a definirlo. La Scrittura ci permette di penetrare in un vasto territorio che però non riusciamo né a circoscrivere né a contenere in un solo catalogo. Nel tempo della chiesa l'esplorazione delle molte parti della rivelazione è un lavoro di indagine, contemplazione e risoluzione di controversie. A volte si debbono dichiarare nuovi dogmi ma fondamentalmente essi manifestano solo una nuova consapevolezza raggiunta dalla chiesa su quanto era implicito nel deposito fin dall'inizio.

Ciò che gli apostoli trasmisero aveva una sua unità e una sua coesione in modo che un'intuizione porta nel corso del tempo a un'altra. Newman fa notare che le grandi idee non si afferrano d'un colpo ma crescono per arrivare nel tempo a una loro giusta comprensione. Le menti devote e illuminate danno spazio di espansione alla parola di Dio che genera sempre nuova conoscenza di sé nelle sue diverse parti e nei suoi multiformi rapporti con le sfere della vita. La Scrittura stessa è piena di questioni che gli apostoli non risolsero in modo perentorio. Infatti hanno lasciato che molte decisioni maturassero col tempo, come per esempio il canone biblico, il battesimo dei neonati e il perdono dei peccati commessi dopo il battesimo. Risposte a tali quesiti sono via via venute con lo sviluppo graduale e omogeneo del deposito. Newman vide che quel dinamismo della crescita che si manifesta con l'esplicitazione del contenuto non deve essere interrotto con la dichiarazione che un certo punto del tempo rappresenta la fine di una asserita epoca classica. Come il Verbo eterno si è fatto carne, così è entrata decisamente nella storia anche la parola rivelatrice di Dio.

Senza dubbio la mente umana può svisare e deformare la verità rivelata, per esempio affermando incautamente una sola dottrina a detrimento o esclusione di altre verità di fede. Così Newman espose i suoi famosi criteri o test per separare il grano dalla pula, vale a dire per distinguere un vero sviluppo da una corruzione del deposito.

Gli sviluppi dottrinali autentici conservano lo stesso tipo di dottrina che si trova nelle formulazioni più rudimentali; essi si conformano a certi principi durevoli profondamente impressi nella mente dei credenti; assimilano con successo altre realtà di valore come per esempio i sistemi filosofici; si trovano in rapporto logico con posizioni anteriori, anche se lo sviluppo si è verificato in modo piuttosto spontaneo; portano a compimento precedenti frammentarie anticipazioni di ciò che viene più tardi; agiscono in modo prudente su sviluppi passati illustrando e ratificando l'intero corpo di pensiero da cui traggono origine; essi infine manifestano una forza persistente e stabile, mentre ciò che viene alterato scompare facilmente dalla scena.

I testi di Newman erano anzitutto uno strumento apologetico tendente a mostrare che il successivo insegnamento cattolico era in continuità di-

namica con l'originale parola apostolica. Allo stesso tempo essi sollevano
anche la questione correlata di quale
sia il modo corretto per scoprire il
deposito apostolico nella grande varietà di ciò che la chiesa trasmette nelle varie epoche. Come può il credente trovare la Tradizione in mezzo a
tante tradizioni? G.O'Collins ha proposto un metodo che supera i limiti
severi del canone classicheggiante del-
l'antichità, dell'universalità e del consenso, proprio di Vincenzo di Lerino, senza per questo giungere all'e-
stremo opposto di identificare semplicemente la tradizione apostolica
con le parole del suo interprete vivente, il magistero. Qui al *sensus fidei*, agli scritti del NT e allo stesso
Cristo risorto viene data la giusta collocazione senza negare le difficoltà di
interpretare correttamente queste realtà di spirito, di parola e di vita.

4. IL MODERNO INSEGNAMENTO CAT-
TOLICO - Fra i due concili vaticani la
chiesa docente ha manifestato una
forte consapevolezza di essere depositaria ufficiale dell'eredità apostolica della verità rivelata. Ciò che Cristo e gli apostoli le hanno affidato
da custodire e da dichiarare in modo
infallibile è il *Verbum Dei scriptum
vel traditum* il cui significato si ritrova soprattutto nei pronunciamenti
dogmatici della chiesa. Ci sono sviluppi ma il modo preferito di descrivere il progresso dottrinale deriva da
Vincenzo di Lerino e non da J.H.
Newman (cfr. Vaticano I, «Dei Filius», DS 3011,3018,3020).
La crisi modernista doveva in seguito sollecitare una forte corrente di risposta ufficiale che avrebbe modellato la teologia tipica dell'insegnamento in vigore nei seminari cattolici fino
al 1960. Qui il deposito era visto come la *summa* delle verità contenute
nella Scrittura e nella tradizione apostolica. Questo *corpus* dottrinale oggettivo si chiude con la morte dell'ultimo apostolo ed è da questo fatto che

trae origine l'insegnamento della chiesa cui è stato affidato l'incarico di
conservare ed esplicitare il senso del
retaggio apostolico. Fattori interiori e
personali nella vita spirituale dei credenti sono secondari rispetto alla rivelazione soprannaturale, come lo è
qualsiasi nozione di un'evoluzione storica del significato autentico delle dottrine (DS 3420-22,3541).
Nell'enciclica «Humani generis»
(1950) Pio XII accentua il ruolo normativo del magistero gerarchico nel
formulare quel contenuto del deposito che deve essere accettato da credenti e teologi. Questi ultimi devono
immergersi nelle sorgenti apostoliche,
ma il loro studio e il loro insegnamento rimane strettamente subordinato: «È infatti loro compito indicare come gli insegnamenti del vivo magistero si trovino, esplicitamente o
implicitamente, nella sacra Scrittura
e nella tradizione divina» (DS 3886).
Così il deposito è un territorio su cui
l'autorità del magistero gerarchico ha
certi diritti esclusivi. «Infatti, insieme a queste fonti sacre, Dio ha dato
alla sua chiesa il magistero vivente a
cui spetta chiarire ed elaborare le verità che sono solo oscuramente ed implicitamente contenute nel deposito
della fede. Il compito di interpretare
autenticamente il deposito non fu affidato dal nostro divino Redentore né
a singoli cristiani né ai teologi, ma
unicamente al magistero della chiesa» (DS 3886).
Tra il 1959 e il 1962 l'ostilità verso
il modernismo e una posizione difensiva rispetto al lavoro indipendente
sulle fonti dominò la preparazione ufficiale dei materiali del concilio Vaticano II. Tuttavia interventi decisivi
di Giovanni XXIII, particolarmente
il discorso di apertura «Gaudet Mater Ecclesia» (11 ottobre 1962), diedero al Vaticano II uno spirito fresco e una direzione creativa. Papa
Giovanni con enfasi dichiarò la responsabilità del magistero nel trasmettere una dottrina di grande be-

neficio potenziale per gli uomini in ogni settore della vita. La chiesa è depositaria di un messaggio di grande potenziale per nutrire la fede in Dio e assicurare guida e ispirazione alla vita su questa terra. È chiaro che l'insegnamento di questo concilio sarà in continuità con il corpo dottrinale elaborato dai concili precedenti. Tuttavia una comunicazione più efficace diviene imperativa, perché l'insegnamento stesso ha potere benefico quando afferma la dignità personale e quando contribuisce a umanizzare la vita sulla terra. I tempi richiedono uno sforzo nuovo finalizzato a comunicare il prezioso deposito della verità salvifica e non la preoccupazione di condannare degli errori. Il Vaticano II si aprì con un invito. autorevole a riaffermare la dottrina fondamentale della chiesa, il deposito della fede, in un modo che avesse più probabilità di accrescere la vita dei credenti e di tutta la gente di buona volontà.

La costituzione dogmatica del concilio Vaticano II sulla chiesa parla del deposito della fede anzitutto in rapporto con il carisma speciale dell'infallibilità, che protegge essenzialmente il deposito contro ogni errore e travisamento nelle espressioni solenni dell'insegnamento della chiesa (LG 25,3). I maestri ufficiali, i vescovi e il papa, tuttavia devono studiare attentamente le testimonianze che profeti e apostoli hanno reso una volta per tutte al deposito, perché l'insegnamento magisteriale non cade dal cielo come nuova rivelazione, ma tende invece a chiarire e ad attuare la rivelazione definitiva che è già stata fatta (LG 25,5).

Il decreto sull'ecumenismo afferma che la continua riforma della chiesa può talvolta esigere un aggiornamento del modo con cui viene enunciata la dottrina. Il deposito della fede rimane definitivo e perenne ma l'articolazione che la chiesa fa può richiedere un adattamento in base a una migliore comprensione delle inesauribili fonti originarie oppure dei requisiti di una più efficace comunicazione (UR 6). Nel 1973 la Congregazione per la dottrina della fede ha ripreso la problematica circa la riformulazione dottrinale. Tale aggiornamento magisteriale può rendersi necessario in primo luogo a causa della grandezza trascendente degli stessi misteri della salvezza che non vengono pienamente comunicati in una singola espressione di verità. In secondo luogo, dal momento che il linguaggio è una realtà storica, anche le più penetranti formulazioni possono col passar del tempo perdere la loro efficacia comunicativa. Possono così aver bisogno di completamento o di revisione per poter manifestare più chiaramente la benefica fecondità del messaggio di Cristo trasmesso dagli apostoli («Mysterium Ecclesiae», n.5; EV 4,1674-76).

La costituzione pastorale del Vaticano II sulla chiesa nel mondo contemporaneo si rivolge in un suo capitolo allo sviluppo culturale umano (GS 53-62). Chiaramente certe difficoltà hanno impedito che vi fosse un'influenza pienamente creativa dell'insegnamento cristiano ed ecclesiale sulla cultura moderna. Qui la costituzione sottolinea la necessità che la teologia contribuisca a superare gli ostacoli favorendo una maggiore comunicazione tra la chiesa e il mondo moderno. Come indicato da papa Giovanni, il deposito e le verità della fede sono una cosa sola nel loro significato e nella loro sostanza, ma il modo in cui queste vengono formulate può essere ancora sviluppato per arricchire i diversi settori della vita umana (GS 62,2).

Le più importanti dichiarazioni del Vaticano II sul deposito della fede si trovano nel capitolo II della costituzione dogmatica sulla divina rivelazione (DV 7-10). Dal momento che questi ricchi paragrafi hanno già trovato ampio spazio nei commentari di

→ *Dei Verbum*, ci limiteremo qui a toccare solo tre punti dell'insegnamento che trattano in modo nuovo del deposito apostolico e del suo modo di esser presente nella chiesa.

Primo, il patrimonio apostolico consegnato alla chiesa è più di un *corpus* dottrinale derivante dalla rivelazione. È vero che Gesù ha insegnato e che i suoi apostoli hanno svolto un ministero di insegnamento all'interno delle chiese da loro fondate. Ma gli apostoli si erano pure formati assistendo alle opere di Gesù e condividendone la vita.

Inoltre nelle comunità di coloro che accettavano il vangelo gli apostoli trasmettevano i doni divini con ciò che dicevano, con il modo in cui vivevano e con le strutture (ministeri, forme di culto) che istituivano (DV 7). La loro multiforme influenza creava un êthos che è formativo sia per la fede che per il comportamento: «Ciò che gli apostoli trasmisero comprende tutto quello che serve ad aiutare il popolo di Dio a condurre una vita santa e a crescere nella fede». Dopo l'età apostolica ciò che viene trasmesso è un'articolata forma di fede e di vita condivisa in comunità: «La Chiesa nella sua dottrina, nella sua vita, nel suo culto, perpetua e trasmette a tutte le generazioni tutto ciò che essa è, tutto ciò che essa crede» (DV 8). In tal modo la tradizione crea un ambiente vitale di comunione con una molteplicità di concretizzazioni finalizzate alla formazione personale nella sapienza e nella santità.

Secondo, anche se la rivelazione divina è completa con Gesù e con i suoi apostoli (DV 4), ciò che una volta per tutte fu dato è intrinsecamente ordinato allo sviluppo e al progresso. Gli stessi apostoli furono passo dopo passo condotti dallo Spirito Santo a quella piena comprensione della salvezza in Cristo che è contenuta negli scritti del NT (DV 7). Nell'epoca della chiesa il senso del deposito apostolico emerge anch'esso gradualmente e si esprime in modo progressivo. Nel tempo numerosi fattori influenzano il processo di sviluppo pienamente storico; tra di essi il continuo influsso dello Spirito Santo non è certo il minore. «La comprensione, tanto delle cose, quanto delle parole trasmesse, cresce con la riflessione e lo studio dei credenti i quali le meditano in cuor loro (cfr. Lc 2,19.51), sia con la profonda intelligenza che essi provano delle cose spirituali, sia con la predicazione di coloro i quali con la successione episcopale hanno ricevuto un carisma certo di verità» (DV 8).

Il Vaticano II tuttavia non rimase vittima di un pappagallesco ottimismo sul progresso della chiesa, infatti lo stesso concilio affermò anche la necessità di ricorrenti interventi per riformare la disciplina e la dottrina della chiesa (UR 6). In modo chiaro Newman ha dato un contributo decisivo e sono state accettate forme storiche di pensiero relative alla presenza del deposito apostolico nella chiesa. In effetti, è stato messo da parte il classicismo statico di Vincenzo di Lerino.

Terzo, l'importanza attribuita alla riflessione sull'esperienza vissuta, insieme al soprannaturale *sensus fidei* dell'intero popolo di Dio (LG 12), mostra un considerevole cambiamento rispetto a quelli che furono gli insegnamenti di Pio XII nella *Humani Generis*. Il concilio dichiara che il deposito è affidato alla chiesa intera perché serva come base e ispirazione di vita a immagine dell'ideale comunità apostolica di Atti 2,42: «La sacra tradizione e la Sacra Scrittura costituiscono un solo sacro deposito della parola di Dio affidata alla chiesa. Aderendo ad essa tutto il popolo santo, unito ai suoi pastori, persevera costantemente nell'insegnamento degli apostoli e nella comunione, nella frazione del pane e nelle orazioni» (DV 10,1).

Il magistero gerarchico deve dare un

contributo essenziale, quello cioè di interpretare autenticamente la parola del deposito; tuttavia lo stesso magistero è subordinato a questa parola, in quanto la ascolta, protegge ed espone ufficialmente. Tutto l'insegnamento ufficiale che la chiesa propone deriva da questo deposito della fede lasciato dagli apostoli (DV 10,2). Così il magistero non è un ufficio isolato e sovrano, né crea l'insegnamento della chiesa *ex nihilo*. Lo stesso deposito raggiunge i credenti in modi diversi e rimane accessibile attraverso varie espressioni. Ma i pericoli di imprecisione che possono sorgere dalla stessa abbondanza di quanto è trasmesso, se necessario, possono essere evitati mediante interventi chiarificatori del magistero. In tal modo il magistero si trova a servizio del progressivo contributo del deposito alla fede e alla vita vagliando criticamente le espressioni ecclesiastiche e teologiche e adattando l'insegnamento della chiesa alle nuove situazioni.

Un intuitivo riferimento al deposito fu fatto da Paolo VI nel discorso conclusivo del Vaticano II (7 dicembre 1965). Il concilio offriva al mondo un'immagine nuova della chiesa e allo stesso tempo una presentazione più chiara, precisa e ordinata dell'eredità ricevuta in deposito da Cristo. «Su questo il popolo ha meditato nel corso dei secoli; questo, per così dire, esso ha assimilato nella propria carne e sangue; questo ha in certo modo espresso con uno stile di vita... È un deposito vivente in virtù della forza della verità e della grazia divine che lo costituiscono e per questo lo si deve considerare del tutto capace di vivificare chiunque lo riceva devotamente per trarne nutrimento per la vita» (EV I, 448).

Nell'insegnamento cattolico moderno il deposito apostolico è complesso ma vivificante, una realtà di crescita naturale che si manifesta con espressioni nuove, un tesoro di famiglia che certamente deve essere conservato nella comunità, ma – più importante ancora – un'abbondante sorgente da comunicare a quanti necessitano della sua luce e guida.

5. Prospettive ecumeniche - La dottrina *orientale ortodossa* sulla rivelazione è centrata sull'incarnazione del figlio di Dio, la sua gloriosa risurrezione e la continua trasformazione della vita presente attraverso l'azione dello Spirito Santo. La chiesa è la presenza della salvezza escatologica già proiettata nel tempo e realizzata mediante la celebrazione sacramentale. In particolar modo nella sinassi eucaristica il mondo rinnovato, centrato in Cristo e nei suoi santi, si manifesta agli occhi della fede. Rivelazione e sacramenti producono così la deificazione dell'uomo e del mondo nello Spirito Santo.

La rivelazione storica in Cristo fu affidata dagli apostoli alla chiesa come deposito salvifico, sia per iscritto sia nella tradizione che riporta il vero senso delle Scritture. I primi concili espressero in forma dogmatica il mistero centrale di Cristo, mentre i padri orientali, fino a Massimo il confessore, esposero sinteticamente la stessa rivelazione e chiarirono la verità della divinizzazione umana per opera dello Spirito del Cristo risorto. Oggi la tradizione è realizzata nella chiesa e in un certo senso è la chiesa in quanto forma della presenza di Cristo rivelata alla fede (Staniloe). La tradizione è rivelazione salvifica in se stessa completa, ma col tempo essa apre nuovi spazi perché ce ne appropriamo progressivamente nella fede e perché la teologia ne penetri il significato essenziale.

Il pensiero cattolico occidentale condivide la convinzione ortodossa che la rivelazione è trasmessa mediante la Scrittura letta nella chiesa alla luce della tradizione. Ma il cattolicesimo vede la chiesa immersa profondamente nella storia umana dove continua a guardare avanti con la nostalgia di una pienezza escatologica della divina verità non ancora realizzata.

Il vangelo apostolico di Cristo è per i cattolici l'unica fonte di ogni verità salvifica e guida per la vita (DV 7, dove si riafferma l'insegnamento del concilio di Trento), ma anche nell'età apostolica il vangelo portò a una grande abbondanza di istruzioni e a forme diverse di fede e di vita nel mondo. Questo vangelo e gli insegnamenti apostolici devono essere ulteriormente chiariti e applicati alla vita dei credenti in una grande varietà di culture. Così per i cattolici lo sviluppo dogmatico continua a offrire nuove espressioni del deposito originario molto tempo dopo la fine dell'età patristica. Qui si apre uno spazio alla progressiva interpretazione del deposito sia per mezzo di esperienze spirituali e di riflessioni colte sia mediante interventi del magistero episcopale e papale.

Il pensiero *protestante* percepisce la rivelazione a partire dal suo centro, vale a dire dal vangelo della preveniente misericordia di Dio e dal suo dono gratuito della salvezza *propter Christum*. Questo vangelo ha creato e continua a creare la chiesa in quanto assemblea di coloro che per fede aderiscono al messaggio evangelico. Nel mezzo delle prime chiese il vangelo venne una volta per tutte formulato nelle Scritture del NT. Dopo l'età apostolica il ministero ecclesiale della parola e dei sacramenti continua a comunicare il vangelo aiutando così a suscitare la fede salvifica in Cristo. Si può anche dire che la rivelazione continua nella chiesa ma quando ciò accade non ha il valore normativo proprio della bibbia. I libri biblici mantengono un'autorità insuperabile in quanto norma di verità e, ancora più importante, in quanto fonte in ogni età della *viva vox* del vangelo.

Le chiese, certo, continuano a formulare ed interpretare il vangelo in simboli, dottrine, catechismi e teologie. Il vangelo può anche essere presente in modo autentico in queste forme postapostoliche, ma esse sono di per se stesse vulnerabili, vale a dire soggette ad errore. Infatti ogni parola e azione ecclesiale deve essere verificata in modo critico per valutarne la conformità con l'originale norma biblica del vangelo e il reale contributo di esse alla promozione della fede nei doni che Dio gratuitamente elargisce in Cristo.

Per i protestanti le Scritture *sono* il deposito apostolico e il loro centro luminoso si trova nel vangelo della salvezza non meritata. Ciò conferisce loro una capacità di autointerpretazione che rende superflua qualsiasi ermeneutica della tradizione o del magistero. Nell'autorevole visione di O. Cullman, la chiesa del secondo secolo vide il pericolo di perdere il vangelo e reagì subordinando la sua vita intera, vale a dire tutta la tradizione ecclesiastica, alla regola chiara della tradizione apostolica espressa nei libri del canone del NT. Da allora la fede non può avventurarsi senza timore fuori dell'ambito rigidamente fissato del deposito apostolico.

Anche l'insegnamento cattolico ritiene che il vangelo di Cristo sia un messaggio di efficacia salvifica e conviene sul fatto che il NT ha un valore unico in quanto esprime la predicazione e la fede apostolica. Ma i cattolici sono convinti che i grandi doni trasmessi dagli apostoli costituiscano un'unità complessa di cui il vangelo non è che una parte. Il lascito apostolico produsse delle comunità, vale a dire dei centri di vita comune illuminati dall'insegnamento, ispirati dall'esempio vivente, strutturati in modo istituzionale, di gente che osservava forme di culto tramandate. Il vangelo era centrale, ma portava sin dall'inizio i suoi frutti creando condivisione di vita e testimonianza.

Dopo l'età apostolica il deposito si sviluppa attraverso espressioni che ne chiariscono il significato inerente. Custodire il deposito non significa mantenerlo inalterato, ma fare in modo che possa applicarsi con frutto alla fede e alla vita di ogni età. La trasmissione della rivelazione comporta un adattamento ai nuovi bisogni e conduce a una percezione rinnovata del dono originale. Vari fattori interagiscono nel produrre questo sviluppo: la meditazione e la riflessione sulla esperienza, uno studio sapiente della testimonianza biblica, la predicazione e l'attività magisteriale dei vescovi e del papa. Occasionalmente vi sono definizioni che elaborano aspetti fondamentali della rivelazione da proporre ai credenti come parte della sostanza del deposito della fede.

La fede cattolica guarda con ottimismo al potenziale di una autentica crescita nella chiesa. Così insiste sul contesto comunitario dell'incontro del credente con il patrimonio apostolico. Un grande ventaglio di testimonianze nella comunità fa pressione sul cristiano che professa la fede, celebra il memoriale di Cristo e cerca di servire l'umanità. Solo in questa rete di interazione, secondo la visione cattolica, viene alla luce il significato integrale del deposito apostolico originale.

Si può pensare che negli anni '90 il dialogo tra ortodossi e cattolici assicurerà i fondamenti di una futura riconciliazione con il ripristino della comunione. Le differenze sulla rivelazione e sul deposito sembrano essere aperte alla riconciliazione e in ultima analisi all'unità in una diversità che si fonda sul vicendevole riconoscimento futuro della realtà ecclesiale di ciascuno. Il dialogo deve promuovere ancora una maggiore disponibilità a discernere la sostanza cristiana che caratterizza ambedue le comunità anche se in forme diverse, ma non contraddittorie, di predicazione, di sacramenti e di ministero.

L'ecumenismo tra protestanti e cattolici è frazionato in numerosi dialoghi bilaterali e la maggioranza di questi non ha ancora affrontato l'insieme dei problemi relativi al deposito apostolico e lo sviluppo di questo nell'insegnamento e nella vita della chiesa. Importanti passi avanti sono stati fatti, per esempio, nel dialogo tra luterani e cattolici sui sacramenti, ministero e giustificazione. Ciò che un tempo era considerato un grosso ostacolo all'unità è risultato essere praticamente inesistente. Ma rimane molto da discutere nell'area dell'ecclesiologia dove il nodo cruciale rimane la «dottrina sulla dottrina» delle rispettive chiese perché sembra che permangano serie divergenze. La maggior parte dei protestanti è restia a vedere il potere salvifico del vangelo compromesso nel groviglio dei pronunciamenti del magistero oppure offuscato dagli appelli al *sensus fidelium*. I cattolici, da parte loro, hanno l'impressione che l'arco intero delle disposizioni apostoliche possa essere compromesso da certi appelli riduttivi alla semplicità del vangelo originale. Essi rifiutano anche di lasciare l'interpretazione del senso della rivelazione divina unicamente nelle mani degli esegeti biblici. L'intero patrimonio apostolico è un tesoro spirituale troppo prezioso per essere affidato alla pluralità indisciplinata di chi cerca di ricostruirlo dai libri biblici con gli strumenti della critica storica e letteraria. Il dialogo deve continuare.

6. Ulteriori problemi - L'insegnamento illuminante sul deposito apostolico fatto da figure eminenti come sant'Ireneo e il cardinal Newman ha contribuito a formulare gli accenti nuovi con cui il Vaticano II ha parlato del deposito della fede. La riduzione dell'eredità apostolica a una serie di dottrine che anticipano i dogmi futuri è stata superata da un resoconto più completo di come gli apostoli contribuirono e contribuisco-

no ancora alla formazione dei cristiani nella comunità. Il patrimonio apostolico non è più visto come un possesso della sola gerarchia, ma come una presenza vitale che influisce sulla vita dei credenti per farli crescere nella sapienza della fede ed aiutarli a camminare nella santità. Vi sono tuttavia ancora dei punti di questo deposito della fede e della vita che devono essere ulteriormente chiariti teologicamente. Ne vogliamo esaminare tre.

a. Mentre la chiesa nel suo insieme vive del deposito nel suo insegnamento, nel culto e nella vita, vi è anche una presenza contemporanea di porzioni del deposito apostolico nei libri scritti del NT. Le lettere apostoliche e i vangeli hanno un posto privilegiato nella vita cristiana, specialmente nella preghiera personale e nella liturgia.

Ma le espressioni originarie della fede e dell'insegnamento apostolico sono accessibili anche allo studio analitico del loro significato con il metodo della critica letteraria e storica. L'uso di tali metodi è stato autorevolmente raccomandato (Pio XII, *Divino afflante Spiritu*; DV 12,2). Un'analisi sapiente può ottenere il risultato di ricuperare la particolare intenzione didattica di Gesù o di un autore apostolico, per esempio in un dotto commentario su di un vangelo o una lettera. Uno studio di questo tipo delle «sacre pagine» è un modo per ricuperare porzioni del deposito apostolico.

Ma come riconciliare i risultati della critica esegetica con l'esperienza dei credenti spinti dalla grazia a vivere delle ricchezze del deposito? Come si rapporta l'interpretazione storica e letteraria dell'insegnamento degli autori apostolici alla tradizione dottrinale della chiesa che risulta dagli interventi di chi interpreta il deposito in virtù del proprio ufficio pastorale e del «sicuro carisma della verità»? Il Vaticano II era consapevole di questa dualità di metodi interpretativi e, in DV 12, li raccomanda tutti e due. Ma l'insegnamento del concilio è più una giustapposizione che una considerazione di come riconciliare i due metodi in una coerente unità. Pare che sia necessario un ulteriore chiarimento teologico sulla interrelazione dei modi diversi con cui oggi si percepisce il contenuto dell'eredità apostolica.

b. Il deposito della fede, comunque si attualizzi, è anche un deposito di ispirazione vitale e di guida per la pratica cristiana. L'insegnamento apostolico rende testimonianza tanto a Dio che si comunica nella grazia quanto a tutta una serie di modi con cui si risponde alla sua parola e ai suoi doni. L'eredità apostolica di conseguenza è stata considerata spesso come un qualcosa che trasmette un insegnamento morale ben articolato. Nel NT si trovano numerose indicazioni sia di principi etici sia di particolari direttive per la vita dei seguaci di Gesù. La chiesa non ha esitato a precisare numerosi doveri cristiani nella sua catechesi e nell'insegnamento ufficiale.

Si pongono tuttavia dei problemi: primo, sul carattere normativo di particolari direttive apostoliche che dovrebbero impegnare oggi le coscienze cristiane, ad esempio l'insegnamento di Paolo relativo al matrimonio in 1 Cor 7. Tutto ciò che è contenuto nel testamento apostolico continua a essere rilevante in quanto norma atta a plasmare l'agire cristiano in epoche più recenti? Secondo, pare che occorra un ulteriore chiarimento del magistero ecclesiale che svolge il ruolo di custode e interprete del deposito. Il magistero, con quale competenza formula le norme morali destinate ai credenti? Nel deposito apostolico sono comprese anche parti della legge naturale? Fino a dove può spingersi il magistero tanto nell'enunciare quei principi morali solo implicitamente contenuti nell'insegnamento apostolico quanto nell'applicarlo a casi particolari che insorgono nelle nuove circostanze della storia?

c. Infine abbiamo il rapporto tra il deposito apostolico che media la comunione con Dio e la forza che esso ha di accrescere la vita degli uomini nel mondo. La rilevanza sociale e terrena del messaggio di Gesù non deve, certamente, mettere in ombra in nessun tempo i doni della vita divina concessi dallo Spirito Santo. Gli apostoli resero testimonianza di quanto avevano visto e udito da Gesù in modo che i credenti potessero unirsi a loro e condividere la gioia della comunione con Cristo e con il Padre (cfr. 1 Gv 1,1-3). Gli apostoli e i maestri cristiani che li seguono si dedicano in primo luogo al compito di mostrare il significato trascendente di questo dono.

Ma c'è un'ulteriore irradiazione della luce di questo messaggio religioso sull'intera vita umana, nella famiglia, nella società politica, nelle professioni. Papa Giovanni XXIII, all'apertura del concilio Vaticano II, volle sottolineare le ricchezze inerenti al deposito atte a umanizzare ed arricchire la vita sulla terra. La costituzione pastorale del concilio afferma in modo esplicito l'esistenza di questo rapporto e rappresenta un considerevole sforzo di illuminare con la luce di Cristo una gamma di problemi umani. Nel suo racconto del dono e del modo di attuare la salvezza divina il deposito accresce anche la dignità umana, sostiene i legami sociali e conferisce un significato nuovo e profondo al lavoro degli uomini (GS 40,3).

In tal modo l'insegnamento cristiano deve tendere a ogni livello a mantenere l'equilibrio, mentre si sforza di offrire un'articolazione che comprenda quella verità liberante ed elevante che Gesù ha introdotto nel mondo e che gli apostoli hanno formulato come loro prezioso deposito affidato alla chiesa.

Bibl. - C. Spicq, *Les Épîtres pastorales*, Paris 1947², Excursus XV, «Le bon dépôt», 327-335; Y. Congar, *La Tradition et les traditions*, voll I-II, Paris 1960-63. (tr. it. Roma 1964-65); G. Biemer, *Überlieferung und Offenbarung. Die Lehre der Tradition nach John Henry Newman*, Freiburg 1961; N. Brox, *Offenbarung, Gnosis und gnostischer Mythos bei Irenäus von Lyon*, Salzburg-München 1966; J. Ratzinger, «Kommentar zum 2. Kap. von Dei Verbum», in *Das zweite Vatikanische Konzil*, LThK, II, Ergänzungsband, 515-528; O. Cullmann, «La Tradizione, problema esegetico, storico, teologico» in *Studi di teologia biblica*, Roma 1969, 203-256; J. Schumacher, *Der apostolische Abschluß der Offenbarung Gottes*, Freiburg 1979; G. O'Collins, «Criteri per l'interpretazione delle tradizioni», in R. Latourelle - G. O'Collins (edd.), *Problemi e prospettive di Teologia Fondamentale*, Brescia 1982, 397-412; U. Betti, *La Dottrina del Concilio Vaticano II sulla trasmissione della rivelazione*, Roma 1985; D. Staniloe, *Il genio dell'Ortodossia*, Milano 1985; R. Fabris, *Le Lettere pastorali*, Brescia 1986; J. Wicks, «Il deposito della fede: un concetto cattolico fondamentale», in R. Fisichella (ed.), *Gesù Rivelatore*, Casale Monferrato 1988, 100-119; M. Wolter, *Die Pastoralbriefe als Paulustradition*, Göttingen 1988.

JARED WICKS

DIALOGO INTERRELIGIOSO

1. IL DIALOGO NEL MAGISTERO DELLA CHIESA - Anche se «dialogo interreligioso» è un termine recente nel vocabolario della chiesa, la sua realtà non è altrettanto nuova. Senza voler ritornare all'epoca dei pionieri missionari, come il de Nobili in India o M. Ricci in Cina, è chiaro che il dialogo era già una realtà durante il periodo che precedette il concilio Vaticano II nei paesi in cui la chiesa viveva quotidianamente accanto ai membri di altre tradizioni religiose. Ciò non toglie che venisse praticato in modo sporadico e che spesso rischiasse di degenerare in sterili discussioni. Bisogna d'altronde riconoscere che il concilio ha dato al dialogo interreligioso uno slancio inedito, facendone una delle punte del rinnovamento e dell'apertura della chiesa da esso pro-

mossi. Così facendo il concilio seguiva l'impulso infusogli dal papa Paolo VI.

Il 6 agosto 1964, tra la seconda e la terza sessione del Vaticano II, Paolo VI pubblicò la sua enciclica-programma → *Ecclesiam Suam* in un momento in cui i documenti del Vaticano II che dovevano trattare del dialogo interreligioso erano ancora in fase di elaborazione. Il Segretariato per i non cristiani era stato creato dal papa meno di tre mesi prima dell'uscita dell'enciclica (19 maggio 1964). L'*Ecclesiam Suam* segna l'ingresso del dialogo in generale nella nuova prospettiva inerente al programma di rinnovamento della chiesa e di apertura al mondo voluti dal concilio. Lo stesso termine «dialogo» appare qui per la prima volta in un documento ufficiale della chiesa.

Secondo le stesse parole del papa, l'enciclica riguarda «il problema del dialogo» (*colloquium*) tra la chiesa e il mondo contemporaneo (ES 15). «La Chiesa deve venire a dialogo col mondo in cui si trova a vivere. La Chiesa si fa parola; la Chiesa si fa messaggio; la Chiesa si fa colloquio» (67). Il dialogo è concepito nel pensiero del papa come «un modo di compiere la missione apostolica, un'arte di comunicazione spirituale» (83). Distinguendo le diverse forme che il «dialogo della salvezza» può assumere insiste sulla «somma importanza che la predicazione cristiana conserva ... nel quadro dell'apostolato cattolico ... La predicazione è il primo apostolato» (94). La chiesa, osserva il papa, «deve essere pronta a sostenere il dialogo con tutti gli uomini di buona volontà, dentro e fuori l'ambito suo proprio» (97). L'enciclica prosegue delineando una serie di cerchi concentrici «intorno al centro in cui la mano di Dio ci ha posti» (la chiesa) (100); così spera di dimostrare come il dialogo della salvezza, implicito nella missione della chiesa, raggiunga in modo distinto le diverse categorie di persone. Il papa distingue quattro cerchi concentrici, a cominciare da quello più lontano (l'insieme dell'umanità e l'universo), passando poi a un secondo (i fedeli di altre religioni), fino a un terzo (gli altri cristiani), per terminare con il cerchio più vicino (il dialogo all'interno della chiesa stessa).

Il secondo cerchio è composto essenzialmente da coloro «che adorano il Dio unico e sommo quale noi adoriamo»; tale cerchio comprende non solo gli ebrei e i musulmani, ma anche «i seguaci delle grandi religioni afro-asiatiche» (111). «Per dovere di lealtà» – insiste il papa – «noi dobbiamo manifestare la nostra persuasione essere unica la vera religione ed essere quella cristiana e nutrire speranza che tale sia riconosciuta da tutti i cercatori e adoratori di Dio» (111). Tuttavia, «non vogliamo rifiutare il nostro rispettoso riconoscimento ai valori spirituali e morali delle varie confessioni religiose» e siamo disposti a entrare in dialogo e a prendere l'iniziativa – dialogo vertente sulle idee che abbiamo in comune nell'ambito della promozione e della difesa della libertà religiosa, della fraternità umana, della cultura, della beneficenza sociale e dell'ordine civile (112).

Questa parte dell'enciclica termina con un'apertura autentica ma prudente. La valutazione teologica delle altre religioni, così come il campo aperto al dialogo interreligioso, restano limitati. Il ruolo e il posto di questo dialogo nella missione della chiesa non sono maggiormente elaborati e specificati.

Tuttavia viene aperta una breccia che il concilio Vaticano II potrà allargare. Tale concilio è il primo nella storia conciliare della chiesa a parlare positivamente delle altre religioni dell'umanità. Da una parte vi è nei documenti conciliari un desiderio di riconoscere «tutto ciò che di verità e di grazia era già riscontrabile»

(AG 9) non solo nella vita religiosa individuale dei fedeli di altre religioni, ma anche negli elementi oggettivi delle tradizioni religiose stesse, sia che si tratti dei loro «riti e culture proprie» (LG 17), di «iniziative anche religiose (*incepta*)» (AG 3) o di altre ricchezze che «Dio nella sua munificenza ha dato ai popoli» (AG 11) e che si ritrovano nelle loro «tradizioni religiose» (*Ibid.*). Questi elementi sono visti come «un raggio di quella Verità (*illius Veritatis*) che illumina tutti gli uomini» (NA 2).

D'altra parte il concilio ha preso crescente coscienza dell'influenza universale esercitata dallo Spirito Santo ben al di là delle frontiere del cristianesimo, raggiungendo l'intero universo. Lo Spirito di Dio – che è anche lo Spirito di Cristo – riempie l'universo (GS 11). I documenti AG e GS – entrambi frutto dell'ultima sessione del concilio – fanno espliciti riferimenti a questa presenza universale dello Spirito nello spazio e nel tempo: «Indubbiamente lo Spirito Santo operava nel mondo già prima che Cristo fosse glorificato» (AG 4); esso si trova anche nel mondo contemporaneo, nelle aspirazioni di uomini e donne di qualunque provenienza che aspirino a una migliore qualità di vita (GS 38), a un ordine sociale più degno dell'uomo (GS 26), alla fraternità universale (GS 39). La sua influenza costante mantiene viva nell'uomo la domanda sul proprio destino religioso (GS 41), offrendogli la luce e la forza per farvi fronte (GS 10). L'uomo è stato riscattato da Cristo ed è divenuto una creatura nuova nello Spirito Santo (GS 37). Infatti lo Spirito chiama ora tutti gli uomini a Cristo non solo attraverso la predicazione del vangelo, ma anche già con i «germi del Verbo» (AG 15); offre a tutti «la possibilità di venire a contatto, nel modo che Dio conosce, col mistero pasquale» (GS 22). Così vivificata e riunita nello Spirito di Cristo risorto, l'umanità si av-

via verso la consumazione della storia umana (GS 45) con una viva speranza, dono dello Spirito (GS 93).

Questo è il fondamento profondo del dialogo interreligioso nei documenti del concilio. I documenti invitano i membri della chiesa a iniziarsi a questo dialogo. Una simile esortazione si trova gia in NA: la chiesa esorta i suoi figli affinché «con prudenza e carità, per mezzo del dialogo e la collaborazione (*per colloquia et collaborationem*) con i seguaci delle altre religioni, rendendo testimonianza alla fede e alla vita cristiana, riconoscano, conservino e facciano progredire i beni spirituali che si trovano in essi» (NA 2).

Analoghi appelli ritornano in AG e GS. Secondo l'esempio stesso di Gesù «i suoi discepoli, profondamente animati dallo Spirito di Cristo, devono conoscere gli uomini in mezzo ai quali vivono ed improntare le relazioni con essi ad un dialogo sincero e paziente, affinché conoscano quali ricchezze Dio nella sua munificenza ha dato ai popoli; ma nello stesso tempo devono tentare di illuminare queste ricchezze della luce del vangelo, di liberarle e di riferirle al dominio di Dio salvatore» (AG 11). La *magna charta* del dialogo, secondo il Vaticano II, si trova in GS 92, là dove il Concilio riassume in ordine inverso i quattro cerchi concentrici già presentati nell'enciclica *Ecclesiam Suam*. Per ciò che riguarda i credenti di altre tradizioni religiose, il testo si augura che «un dialogo fiducioso possa condurre tutti noi ad accettare con fedeltà gli impulsi dello Spirito e a portarli a compimento con alacrità» (GS 92). Queste generose parole, mai pronunciate prima da un concilio ecumenico, tuttavia non indicano il posto che il dialogo interreligioso occupa nella missione della chiesa. Spetterà al periodo postconciliare chiarire progressivamente questo aspetto, fino a considerare il dialogo interreligioso come una par-

te integrante, un'espressione autentica, della missione evangelizzatrice della chiesa (→ Evangelizzazione e missione).

2. Lo SCOPO DEL DIALOGO - Il dialogo interreligioso fa parte a pieno
titolo della missione globale della
chiesa, senza che lo si possa ridurre
a un elemento estrinseco o considerarlo semplicemente come un utile
mezzo in vista della proclamazione
del vangelo, in quanto aiuti un primo approccio nei confronti dei «non
cristiani». Esso dunque non è semplicemente in ordine alla proclamazione come un mezzo al fine, ma è
già fine in sé in quanto bene in sé.
Per capire ciò − e per vedere in che
senso il dialogo resti comunque aperto alla proclamazione del vangelo −
bisogna approfondirne il significato
e lo scopo.

Il dialogo interreligioso è una forma del «dialogo della salvezza» di cui
parlava Paolo VI (vedi sopra); la ragione di ciò è la presenza universale
e attiva del mistero di Cristo attraverso il suo Spirito in tutti gli uomini, cristiani e altri. Per questo il dialogo non si ferma alla reciproca comprensione e alle relazioni amichevoli
con altri credenti, nemmeno alla collaborazione a progetti di società. Esso va oltre e raggiunge il livello dello
spirito in cui si stabilisce uno scambio, tra cristiani e membri di altre religioni, che consiste in una reciproca
testimonianza di fede. Nel dialogo,
dice un recente documento pubblicato dal Segretariato per i non cristiani
(1984), «i cristiani incontrano i seguaci di altre tradizioni religiose per camminare insieme verso la verità e collaborare in opere di interesse comune» («L'atteggiamento della Chiesa
di fronte ai seguaci di altre religioni
− Riflessioni ed orientamenti su dialogo e missione» 13). Nel dialogo i
cristiani e gli altri sono chiamati a
una più profonda conversione a Dio
e a un approfondimento del loro im-

pegno di fede. Il dialogo quindi non
ha per scopo, da parte cristiana, la
conversione degli altri al cristianesimo e l'aumento numerico della comunità cristiana, ma piuttosto il reciproco arricchimento e la comunione nello Spirito con coloro che non
condividono la nostra fede.

La proclamazione o l'annuncio del
vangelo mira, d'altra parte, a comunicare agli altri la conoscenza esplicita di Gesù Cristo e di ciò che Dio
ha compiuto in lui per la salvezza del-
l'umanità intera, e dunque mira a invitarli a diventare suoi discepoli entrando nella comunità cristiana. Così dunque, nell'annuncio kêrygmati-
co del vangelo, la chiesa esercita una
funzione profetica: dichiara Gesù Cristo fonte del mistero della salvezza,
nel quale già comunicano i partners
del dialogo e invita a riconoscere questo mistero coloro che fin qui lo condividono senza poterne identificare
l'origine o nominarne l'autore.

Dialogo e proclamazione rappresentano quindi diversi procedimenti nella missione evangelizzatrice della chiesa: il loro scopo è diverso. Tuttavia,
mentre quello interreligioso non può
essere concepito come un mezzo per
la proclamazione del vangelo, resta
tuttavia aperto su questa. Infatti la
missione evangelizzatrice della chiesa è un processo dinamico che − anche se, di fatto, ciò non si realizza
sempre − culmina e trova la sua pienezza nella proclamazione o nell'annuncio di Gesù Cristo.

3. LE ESIGENZE DEL DIALOGO - Al di
là delle disposizioni psicologiche di
apertura e di ascolto, indispensabili
per qualunque dialogo, quello interreligioso ha esigenze proprie, interne, senza le quali non può essere né
vero né autentico. Ogni partner deve, nella misura del possibile, entrare nell'esperienza religiosa dell'altro
per comprenderla dal di dentro. Questo sforzo di comprensione e di simpatia è stato definito «dialogo intra-

religioso» (R.Panikkar); esso è condizione indispensabile del dialogo autentico.

Ciò non significa che si debba e nemmeno si possa, per quanto provvisoriamente, mettere la propria fede «tra parentesi». L'onestà e la sincerità del dialogo richiedono al contrario che i diversi partners vi si impegnino nell'integrità della loro fede. Ogni dubbio metodico o restrizione mentale è qui fuori causa, come anche qualunque compromesso circa il tenore della propria fede o qualunque riduzione del suo contenuto. Il dialogo autentico non ammette né sincretismo né ecclettismo; senza voler dissimulare le eventuali contraddizioni tra le rispettive fedi religiose, deve piuttosto assumerle, là dove esistono, con pazienza. Dissimularle equivarrebbe a barare e avrebbe come esito quello di privare il dialogo del proprio oggetto.

D'altronde entrare, quanto è possibile, nell'esperienza religiosa dell'altro, pur aderendo fermamente alla propria fede, non significa condividere con l'altro la sua fede. Sembra infatti impossibile condividere due fedi religiose diverse, facendo propria ognuna delle due e combinandole insieme all'interno della vita personale. Infatti al di là degli eventuali contrasti all'interno della persona di aspetti contraddittori delle due fedi condivise, ogni fede religiosa costituisce un tutto indivisibile e postula un coinvolgimento totale. Sembra impossibile a priori che un simile coinvolgimento assoluto possa essere condiviso e quasi diviso tra due fedi.

Poste tutte le necessarie garanzie, resta tuttavia certo che il dialogo interreligioso per essere vero richiede da parte di ciascun partner, il positivo sforzo necessario per entrare nell'esperienza religiosa e nella visione globale dell'altro. Simile incontro, all'interno di un'unica persona, di due modi di essere, di vedere e di pensare è la preparazione crocifiggente, ma

necessaria all'incontro sincero e all'autentico scambio tra le persone.

4. LE FORME DEL DIALOGO - Il dialogo interreligioso non deve essere compreso in senso stretto, come se consistesse unicamente nello scambio reciproco di esperienze religiose a livello dello spirito. Il documento del Segretariato per i non cristiani, menzionato sopra, distingue quattro forme di dialogo. Si tratta del dialogo della vita, accessibile a tutti (29-30), del comune impegno nelle opere di giustizia e di liberazione umana (31-32), del dialogo intellettuale degli specialisti (33-34) e della condivisione di esperienze religiose nella comune ricerca dell'Assoluto (35).

Il contenuto e lo stesso ordine di queste «principali forme tipiche» del dialogo (28) richiama alcune riflessioni. Prima di tutto bisogna insistere sul ruolo primordiale del dialogo della vita, accessibile a tutti, che il documento mette con ragione al primo posto. «Implica attenzione, rispetto e accoglienza verso l'altro, al quale si riconosce spazio per la sua identità personale, per le sue espressioni, i suoi valori» (29). «Ogni seguace di Cristo, in forza della sua vocazione umana e cristiana, è chiamato a vivere» questa forma di dialogo «nella sua vita quotidiana» (30).

Del tutto a proposito il documento parla anche, in secondo luogo, dell'impegno comune per la giustizia e per la liberazione umana, dandogli la priorità rispetto al discorso teologico. Ha anche ragione di sottolineare come questa forma di dialogo debba consistere maggiormente in un'azione comune piuttosto che in discorsi condivisi: «Un ulteriore livello è il dialogo delle opere e della collaborazione per obiettivi di carattere umanitario, sociale, economico e politico che tendano alla liberazione e alla promozione dell'uomo» (31). Questa dimensione del dialogo riveste un'importanza estrema nel presente contesto di una società culturalmente e religiosamente pluralista, caratterizzata a un tempo dai problemi universali dei diritti umani e della giustizia, della promozione e della liberazione umana. I membri delle diverse tradizioni religiose possono e devono impegnarsi insieme, partendo dalle loro rispettive convinzioni religiose, per la promozione di un mondo più umano. Il dialogo della vita deve quindi sfociare in quello delle opere; entrambi formano il sostrato umano comune senza il quale il discorso teologico tra specialisti e lo scambio di esperienze religiose non avrebbero alcun fondamento.

Ci si può del resto interrogare sul vero fondamento dell'ordine stabilito dal documento del Segretariato quando arriva a queste due ultime forme di dialogo. L'ordine non dovrebbe forse essere invertito? L'esperienza religiosa non precede forse il discorso teologico? Lo scambio a livello dell'esperienza non deve allora a sua volta servire da fondamento al discorso comune? Senza dubbio è teoricamente possibile il discorso teologico sulle visioni del mondo e sulle rispettive dottrine religiose dei partners del dialogo, anche se non è fondato sul reciproco scambio a livello dell'esperienza religiosa. L'esperienza concreta mostra tuttavia che la reciproca comprensione a livello del discorso teologico resta precaria − supponendola possibile − se ad essa non viene fatta precedere una comunione profonda nello Spirito, che può essere stabilita solo con il mutuo scambio dell'esperienza religiosa. In mancanza di ciò il discorso rischia di diventare discussione astratta, se non di degenerare in scontro. È a livello dello scambio spirituale che il dialogo è a un tempo più esigente e più promettente. Su questo scambio spirituale profondo il dialogo teologico può stabilirsi al meglio per portare frutti di reciproca comprensione; d'altra parte lo scambio e la comunione richiedono normalmente il discorso.

5. IL PUNTO DI PARTENZA DEL DIALOGO TEOLOGICO - Dove comincerà il dialogo teologico? Quale sarà il suo programma? Indubbiamente non possiamo fissarne un programma prestabilito, poiché lo Spirito soffia dove vuole. Tuttavia ci si può domandare: quale può essere il punto di partenza? Dove trovare un terreno comune a partire dal quale i cristiani e gli altri possono condurre insieme un discorso teologico?

È stato suggerito che il «punto di incontro» è il «mistero cristico» universalmente presente e attivo, anche se la sua azione raggiunge i cristiani e gli altri in modi diversi (R. Panikkar). Il punto di partenza del dialogo teologico non dovrebbe essere cercato in nessuna dottrina; infatti le dottrine, pur coincidendo parzialmente nel loro intento profondo, sono comunque profondamente diverse. Il «mistero cristico», al contrario, è comune a tutti.

Noteremo tuttavia che la presenza universale e attiva del mistero di Gesù Cristo rappresenta il fondamento teologico che rende possibile l'incontro e il dialogo interreligioso, più di quanto non segni il punto di partenza concreto del dialogo stesso nel suo aspetto teologico. È chiaro che il mistero di Cristo, così come la fede cristiana lo intende, non può servire da punto di partenza su cui si realizzerebbe in anticipo l'accordo. Bisogna dunque cercare altrove.

Un possibile punto di partenza è l'esperienza del mistero divino nello Spirito. Abbiamo detto sopra che lo scambio spirituale e la comunione nello Spirito sono necessarie condizioni del dialogo teologico fecondo; possono anche servirgli da oggetto immediato.

Un punto di partenza, indubbiamente più umile ma non meno valido e più accessibile, risiede nelle questioni fondamentali che ogni uomo religioso, a qualunque tradizione appartenga, si pone personalmente: da dove veniamo e dove andiamo? Qual è il senso dell'esistenza umana? Della sofferenza e della morte? Qual è la fonte di questo movimento, sperimentato in noi e condiviso dai partners del dialogo, che ci obbliga a uscire da noi stessi nell'amicizia, nella fraternità, nella comunione con gli altri e al di là di noi stessi, per rispondere a un Assoluto divino che sempre ci precede? Il concilio Vaticano II pensava che queste questioni fondamentali sono poste oggi da un numero crescente di persone e che sono sentite con una rinnovata acutezza (GS 10). La Dichiarazione *Nostra Aetate* elenca questi «oscuri enigmi della condizione umana che ieri come oggi turbano profondamente il cuore dell'uomo» e di cui «gli uomini delle varie religioni attendono la risposta» (1).

Anche la costituzione GS formula una serie di analoghe questioni nei confronti degli uomini del nostro tempo (GS 10). Non è a caso del resto che lo stesso documento del concilio attiri l'attenzione da una parte sugli interrogativi che oggi si pongono tutti gli uomini e dall'altra sulla presenza universale dello Spirito in essi, così come si manifesta nelle speranze e nelle aspirazioni, nei progetti e nei tentativi dell'umanità contemporanea. Infatti lo stesso Spirito ispira i progetti e suscita le questioni.

La domanda sull'uomo porta alla domanda su Dio; per questo essa costituisce un sicuro punto di partenza del dialogo teologico. Per il resto l'agenda di questo dialogo deve essere lasciata allo Spirito che vivifica i partners. Lo Spirito, suo principale agente, è già la fonte della comunione spirituale su cui deve essere fondato ogni discorso teologico comune.

6. LE SFIDE E I FRUTTI DEL DIALOGO - Abbiamo appena ricordato che lo Spirito è all'opera da una parte e dall'altra nei partners del dialogo interreligioso. Il dialogo non può dunque essere a senso unico. In esso il cristiano non ha solo da dare, ma anche da ricevere. Il fatto di aver ricevuto in Gesù Cristo la pienezza della rivelazione non lo dispensa dall'ascoltare; infatti non ha il monopolio della verità. Deve piuttosto lasciarsi possedere da essa. Di fatto il suo interlocutore nel dialogo, pur non avendo inteso la rivelazione che Dio ha fatto di sé in Gesù Cristo, può essere sottomesso più profondamente a «quella Verità» che ancora cerca e allo Spirito di Cristo che ne diffonde in lui i raggi (cfr. NA 2). Possiamo senz'altro dire che attraverso il dialogo i cristiani e gli altri «camminano insieme verso la verità» (Segretariato, 13).

Il cristiano ha dunque qualcosa da guadagnare dal dialogo. Gliene deriverà un duplice vantaggio. Da una parte, un arricchimento della propria fede: attraverso l'esperienza e la testimonianza dell'altro, potrà scoprire in modo più approfondito alcuni aspetti e dimensioni del mistero divino meno chiaramente percepiti da lui e forse meno messi in rilievo dalla tradizione cristiana. Dall'altra, una purificazione della sua fede: lo choc dell'incontro lo costringerà spesso a mettersi in questione, sia che si tratti di rivedere alcune affermazioni gratuite, di distruggere pregiudizi radicati, sia anche di rovesciare concetti o prospettive troppo ristrette. Nello stesso tempo, i benefici del dialogo costituiscono una sfida per il cristiano.

Frutti e sfide del dialogo vanno dunque insieme. Al di là di determinati benefici, tuttavia, bisogna dire che l'incontro e lo scambio hanno valore in se stessi; sono fini in sé. Mentre in partenza supponevano l'apertura all'altro e a Dio, ora operano l'apertura a Dio di ciascuno attraverso l'altro.

Il dialogo non serve dunque come mezzo per un fine ulteriore. Il suo scopo non è la «conversione» del partner alla propria tradizione religiosa quanto piuttosto una conversione più profonda di entrambi a Dio. Infatti lo stesso Dio parla al cuore di ognuno dei partners e lo stesso Spirito è all'opera in tutti. Attraverso la reciproca testimonianza, lo stesso Dio interpella i partners l'uno per mezzo dell'altro. Essi divengono quindi, per così dire, l'uno per l'altro e reciprocamente, un segno che guida a Dio. Il fine proprio del dialogo interreligioso è in ultima analisi la comune conversione dei cristiani e dei membri delle altre tradizioni religiose allo stesso Dio – quello di Gesù Cristo – che li chiama insieme interpellandoli gli uni attraverso gli altri. Questa reciproca interpellanza, segno della vocazione di Dio, è mutua evangelizzazione.

Bibl. - H. Le Saux, *La rencontre du christianisme et de l'hindouisme*, Paris 1965; Segretariato per i non cristiani, *L'atteggiamento della Chiesa di fronte ai seguaci di altre religioni*, Città del Vaticano 1984; K. Cragg, *The Christ and the Faiths*, London 1986; H. Küng, *Cristianesimo e religioni universali*, Milano 1986; M. Zago, *Il dialogo interreligioso a 20 anni dal concilio*, Roma 1986; R. Panikkar, *Il dialogo intrarreligioso*, Assisi 1988.

JACQUES DUPUIS

DIO

I. IL DIO DELLA RIVELAZIONE: 1. *Il problema di Dio* - 2. *Il dibattito oggi* - 3. *Logica del teismo cristiano* - 4. *Il Dio della rivelazione* - 5. *La fede della chiesa cattolica* (F.-A. Pastor) II. PROVE DELL'ESISTENZA DI DIO: 1. *Riflessioni preliminari* - 2. *Fondamentali tipi di prove dell'esistenza di Dio* (H. Verweyen).

I. Il Dio della Rivelazione

1. IL PROBLEMA DI DIO - a. *La Teologia cristiana* - Un linguaggio teologico sull'affermazione di Dio nasce dall'incontro tra cultura filosofica greca e messaggio religioso del cristianesimo. Nei primi → apologeti cristiani sorge un tentativo di recepire in maniera sistematica il concetto filosofico di Dio. Il cristianesimo proclamava che il Dio ignoto e misterioso, creatore del mondo, era lo stesso Dio di Abramo e Padre di Gesù, l'unico Dio vivo e vero, rivelato nell'alleanza e signore della storia universale, oggetto trascendente del sentimento religioso di tutti i popoli e principio ultimo di ogni realtà (At 17,23ss; Rm 1,18ss). Con l'aiuto della filosofia greca, in particolare del platonismo e dello stoicismo, i primi pensatori cristiani poterono descrivere l'anima come realtà singola, spirituale e immortale; accentuarono il carattere estatico dell'esperienza religiosa e segnalarono gli attributi determinanti della realtà divina, in quanto unica e ultima, spirituale e trascendente, eterna e provvidente, opponendosi al panteismo materialista degli stoici e al deismo indifferente degli epicurei (*Giustino, Ignazio di Antiochia, Clemente di Roma*). Il confronto del monoteismo cristiano col dualismo gnostico (*Valentino, Marcione, Celso*) portò alla formulazione ortodossa del linguaggio del primo articolo di fede, affermando l'assoluta singolarità e unità della «monarchia» divina attraverso l'identificazione inequivocabile del Dio creatore, della vecchia alleanza, col Dio salvatore e Padre di Gesù, dell'alleanza nuova (*Ireneo, Tertulliano, Origene*).

Nella teologia cristiana di Alessandria o della Cappadocia, Dio emerge come realtà assoluta e infinita, trascendente e superessenziale, da cui deriva la realtà della molteplicità creata. Attraverso l'ordine naturale o l'ordine salvifico, la luce divina illumina tutto. La presenza di Dio riempie l'universo e la storia. L'uomo, in quanto creatura, può unirsi al Creatore non solo per la «via catafatica» dell'affermazione dei nomi divini, ma anche e soprattutto per la «via apofatica» della teologia negativa, e per la «via mistica» dell'unione estatica (*Clemente di Alessandria, Gregorio di Nissa, Dionigi*). La teologia latina sottolinea non solo la trascendenza ontologica della realtà divina, ma soprattutto l'incomprensibilità del disegno salvifico della volontà di Dio, assolutamente libero e onnipotente. Come amore assoluto, nella sua volontà salvifica imperscrutabile Dio attira a sé l'universo, rivelando la sua misericordia infinita e la sua grazia predestinante, nella elezione e nell'alleanza, nello splendore della creazione e nel mistero della «historia salutis». L'uomo religioso ricerca e incontra la verità infinita, non solo contemplando i «vestigia Dei» nella creazione sensibile, ma principalmente per la «via interiore», dove la verità divina si rivela in modo illuminante, immediato e incondizionato, come verità amata, assoluta e certa (*Ambrogio, Vittorino, Agostino*). Nei suoi → simboli della fede, la chiesa antica affermava il Dio unico e vivente non solo come realtà assoluta, ma anche come realtà personale nella sua identità di creatore dell'universo e Signore della storia, benefattore onnipotente e Padre santo (DS 125, 150). Negando un concetto di Dio comprensibile e finito (DS 410), la comunità credente affermava Dio come essenzialmente incomprensibile e misterioso, infinito e ineffabile, fondamento e abisso, Padre ingenito, origine senza origine e «principium sine principio» di ogni realtà, creata e increata, visibile e invisibile. Accogliendo l'aristotelismo, la teologia scolastica può elaborare, in alternativa alla via contemplativa della

«discesa» dall'Infinito al finito, tipica del platonismo agostiniano *(Anselmo, Bernardo, Bonaventura),* una via «deduttiva» dal finito all'Infinito, dalla creatura al Creatore, attraverso l'analogia dell'essere *(Tommaso d'Aquino).* Presupponendo un'antropologia dell'apertura umana alla trascendenza, nel dinamismo della verità e del bene, e una ontologia della causalità, diventa possibile la legittimazione logica dell'affermazione di Dio, nella sua realtà assoluta e nella sua realtà personale, vale a dire negli attributi del suo essere sussistente e nelle perfezioni del suo vivere eterno e spirituale: attualissimo e onniperfetto nel suo essere, eterno e onnipresente nel suo vivere, onnisciente e onnipotente nel suo operare. La sua sapienza e la sua bontà agiscono concordemente, nell'ordine della natura come creazione e provvidenza, e nell'ordine della salvezza come grazia e predestinazione. Nella prospettiva scolastica vengono a unificarsi la concezione del platonismo cristiano, di un Dio origine e fine dell'universo in quanto sommo Bene, e l'ontologia della causalità dell'aristotelismo, affermando Dio come prima causa efficiente e necessaria per la universalità delle creature, e causa finale ultima del loro dinamismo, che troverà la sua perfezione e consumazione solo in una partecipazione alla beatitudine divina. Non solo la teologia, ma anche la chiesa medievale mantiene vivo nelle sue dichiarazioni dogmatiche l'orizzonte del mistero, affermando il Dio uno e unico, vero e santo, eterno e immutabile, come «incomprensibile, onnipotente e ineffabile»; tuttavia il linguaggio su Dio sarà possibile a causa della partecipazione creaturale, dal momento che tra creatura e Creatore esistono «somiglianza e dissomiglianza», anche se la dissomiglianza è «sempre maggiore» (DS 806; cfr. 800) (→ Analogia). La teologia e la chiesa parleranno dunque sempre di un «Deus semper maior».

b. *La ragione e la fede* - Sia la via «apofatica» e mistica del platonismo cristiano, sia la via speculativa e «dialettica» dell'aristotelismo cristiano devono confrontarsi con la nuova prospettiva metodica della ragione autonoma, che nella matematica e nella scienza dell'universo cerca la possibilità di una nuova teologia razionale (*Descartes, Leibniz, Newton*). La nuova religione razionale si contrappone alla fede rivelata, come istanza critica nella sfera teoretica; come istanza etica nella sfera pratica, invece, la religione razionale polemizza con l'intolleranza, il fanatismo e la superstizione presenti nelle religioni storiche (*Diderot, Voltaire, Hume*). In alternativa alle religioni storiche e alla positività della rivelazione cristiana, il razionalismo teologico difende l'universalità della religione razionale e afferma Dio come Artefice dell'universo, garante delle leggi matematiche che lo regolano; difende pure il primato della ragione morale sulla fede religiosa, che diventa un puro corollario dell'eticità (*Schaftesbury, Rousseau*). Col razionalismo la teologia sembrava dissolversi in una filosofia a carattere panteistico della natura onniperfetta (*Spinoza, Lessing*), o in una religione della ragione come ricerca popolare dell'onestà morale (*Kant*). In alternativa al razionalismo, il fideismo cristiano (*Lutero, Pascal, Jacobi*) prende in considerazione la difficoltà di affermare con certezza l'Infinito a partire dall'opacità della finitudine. Dio non si rivela come evidente alla «luce della ragione», ma solo alla «luce della fede». La storia della salvezza è una teofania del Dio misterioso di Abramo e non del dio razionale dei filosofi. C'è da aggiungere che solo la rivelazione conosce il mistero dell'uomo, come finitudine nostalgica dell'Infinito e come alienazione che ha bisogno della correzione e della grazia. Già il razionalismo teologico era cosciente dell'impossibilità di affer-

mare il Dio della fede nella sublimità della sua essenza, seguendo la via di una fede razionale pura. Il fideismo teologico è pienamente cosciente della originalità della fede in Dio, nella sua immanenza e nella sua trascendenza, nella sua personalità e nella sua assolutezza.

Sia nel razionalismo che nel fideismo le affermazioni teologiche sono fondate a partire dalla soggettività umana come intelligenza critica, come volontà etica o come sentimento credente. Ma per la ragione autonoma della modernità risulta sempre problematico sia l'antropomorfismo religioso, sia il personalismo biblico. La difficoltà di pensare l'Assoluto simultaneamente come infinito e come personale si fa più acuta nell'idealismo filosofico (*Fichte, Hegel*); cercando di superare lo iato tra soggettività e oggettività, tra idea e realtà, tra io e mondo, l'idealismo affermerà l'orientamento del soggetto finito verso l'oggetto infinito, che sarà in seguito riconosciuto come Soggetto assoluto (*Schelling*). Nella questione del rapporto tra finito e Infinito, l'idealismo non resiste alla seduzione del principio di identità. Data la sua convinzione della inoggettivabilità dell'Infinito e della aconcettualità dell'Assoluto, l'idealismo teologico sembra condannato a un totale apofatismo. L'unica via di mediazione consiste nella elaborazione del sentimento soggettivo di dipendenza radicale in relazione alla realtà divina, riconoscendo Dio come fondamento assoluto da cui tale dipendenza deriva (*Schleiermacher*). Il rischio della teologia idealista, affascinata dal principio di identità, consiste nello smarrire la nozione della differenza tra realtà condizionata e fondamento incondizionato, slittando verso una forma di monismo panteista.

In alternativa all'idealismo romantico, sorge un pensiero a carattere esistenziale che valorizza l'uomo nella sua concretezza di corpo e spirito, di sentimento e ragione, di istintualità e normatività, di alienazione e angoscia, di socialità e storicità (*Feuerbach, Marx*). Tale movimento, quando entra in competizione con la religione e la fede, può lasciarsi andare a una forma di nichilismo o di → ateismo postulatorio, come pure a un naturalismo e pessimismo esistenziale (*Schopenhauer, Nietzsche*). Tuttavia l'ottica esistenziale può aiutare ad approfondire l'universo della fede, quando si elabori la coscienza della differenza qualitativamente infinita tra l'uomo concreto, nella sua finitudine e nella sua alienazione, nella sua disperazione e nel suo peccato, e l'Assoluto in quanto Dio personale di santità (*Kierkegaard*). Per superare razionalismo e fideismo, panteismo e ateismo, il cristianesimo ecclesiale dovrà proporre una nuova metodica della dialettica tra la ragione, contemplativa e critica, e la fede nel Dio della religione e della rivelazione. Il concilio Vaticano I sarà obbligato a confrontarsi con tale problematica. Integrando la duplice istanza della → ragione e della fede, il magistero ecclesiale dovrà riaffermare il «teismo cristiano» di fronte al dubbio dell'agnosticismo e dello scetticismo religioso, o di fronte alla negazione di Dio come realtà assoluta e come realtà personale, nelle diverse forme di ateismo e di panteismo (DS 3001-3005). Tra Dio e il mondo c'è una differenza qualitativamente infinita, come tra creatore e creatura; ma tra il Dio misterioso della creazione e il Dio rivelato come Signore della storia della salvezza c'è un'identità profonda, come vuole la secolare affermazione del primo articolo di fede.

2. IL DIBATTITO OGGI - Apofatismo e catafatismo, razionalismo e fideismo, idealismo ed esistenzialismo continuano a confrontarsi nel dibattito odierno, confluendo verso direzioni opposte e contrastanti: quella delle teologie della trascendenza e quella delle teologie dell'immanenza.

a. *Teologie della trascendenza* - In campo protestante, il superamento della «teologia liberale», con la sua riduzione del cristianesimo a un teismo etico e la sua tendenza a un razionalismo panteista, si avrà con la «teologia dialettica», che rivaluta il momento trascendente dell'esperienza religiosa, il personalismo della rivelazione biblica e il cristocentrismo escatologico nella fede e nella teologia. La conoscenza di Dio è possibile unicamente in Cristo, sua parola divina, che giunge a noi attraverso la Scrittura e la predicazione ecclesiale. Il Dio di Abramo e di Gesù si rivela come il Dio che ci ama nella libertà. L'incontro col Dio della fede non può compiersi per la via dialettica della «analogia entis», ma solo per la via paradossale della «analogia fidei», nell'incontro con la grazia divina che giustifica il peccatore (→ *K. Barth*). L'incontro con la parola divina di salvezza nel kêrygma significa anche la scoperta della propria esistenza, quando si accetti di viverla nell'autenticità e nella fede. La croce ci rivela il senso dell'autenticità personale. Il programma di una «teologia della parola» deve integrarsi con l'uso di un'ermeneutica esistenziale e di una lettura demitizzatrice (→ *R. Bultmann*).

Se la teologia dialettica sottolinea l'intervallo abissale tra il «Dio nascosto» della religione, che poteva condurre all'empietà, e il «Dio rivelato», che conduce alla giustificazione mediante la fede e nella grazia, il «metodo di correlazione» accentua a sua volta l'identità profonda tra il Dio dell'esperienza della trascendenza, nella dimensione dell'assoluto, e il Dio dell'irruzione del sacro, nell'esperienza della rivelazione cristiana. Se la rivelazione escatologica avviene in Cristo, la sua rilevanza religiosa si verifica solo nella risonanza esistenziale dei grandi simboli cristiani, mediante un incontro dell'esperienza personale con la rivelazione stessa. La realtà umana si trova minacciata onticamente dalla morte, eticamente dal male morale, spiritualmente dall'assurdo. Caratteristica della condizione umana sono infatti la sua finitezza essenziale, la sua alienazione esistenziale e la sua ambiguità vitale. Dio si rivela in modo significativo solo nel confronto metodico tra tale condizione umana e i simboli cristiani, come irruzione del senso incondizionato e ultimo di ogni realtà (→ *P. Tillich*). Tra finito e Infinito, tra uomo e Dio esistono una tensione massima e una correlazione profonda: Dio è per l'uomo fondamento e abisso. Benché si occupi fondamentalmente del Dio della rivelazione e della fede, la teologia potrà affrontare in maniera soddisfacente la tematica credente solo collocandosi nella prospettiva dell'assoluto e del sacro, che invade il mondo della relatività e della profanità, come fondamento dell'essere e del senso ultimo della realtà. Solo muovendo dal «Dio nascosto» si può affermare il «Dio rivelato», solo a partire dal Dio della religione si può intendere il Dio della fede.

In campo cattolico il superamento della crisi modernista, con la sua accentuazione dell'immanentismo religioso, ha significato il ricupero, unitamente a quello logico e mediato, anche del momento mistico e immediato nell'esperienza religiosa (→ *M. Blondel*, → *A. Gardeil*). La cosiddetta *nouvelle théologie* ha cercato di dar vita a un movimento di rinnovamento, orientato in direzioni diverse: ricupero del momento mistico nell'esperienza religiosa, attenzione al Dio vivente della rivelazione biblica, contatto con la spiritualità apofatica della tradizione patristica, attenzione alla attualizzazione della «historia salutis» nell'azione liturgica, accoglienza positiva dell'anelito religioso delle grandi religioni orientali, con-

fronto culturale col problema religioso nell'universo della secolarità e dell'umanesimo ateo (→ *H. de Lubac*, *J. Daniélou*, → *H.U. von Balthasar*). La sensibilità verso il Dio della trascendenza e della mistica non ha impedito il formarsi di una teologia della cultura e della storia, del lavoro e delle realtà terrene, della politica e del temporale, sottolineando la prospettiva teonoma per il credente immerso nel mondo della secolarità e della profanità (*M.D. Chenu*, *G. Thils*, *J. Maritain*). Alla ricerca del Dio vivente, nella rivelazione biblica e nella mistica cristiana, nella dossologia liturgica e nella tradizione teologica (*E. Przywara*, → *R. Guardini*, *H. Rahner*, *J.A. Jungmann*), il «metodo trascendentale» (→ Metodo: teologia sistematica) aggiunge una elaborazione teoretica della riflessione credente, nella prospettiva della svolta antropologica della modernità, associando gnoseologia trascendentale e ontologia esistenziale alla perenne meditazione del mistero cristiano. Un'analisi di carattere trascendentale, sulle condizioni necessarie a priori nello stesso soggetto conoscente, scopre l'uomo come «spirito del mondo», nella sua struttura di libertà cosciente e nella sua situazione spazio-temporale, e come «capace di ascolto della parola», aperto a una possibile rivelazione divina e immerso nell'orizzonte divino del mistero. L'uomo si ritrova dunque davanti a Dio come «mistero santo», scoprendo se stesso nella sua struttura creaturale e storica, spirituale e aperta alla trascendenza, come un essere angosciato nella sua finitudine, immerso in un mondo resistente alla grazia e invitato dalla stessa grazia vittoriosa, come oggetto e destinatario dell'autocomunicazione divina. Parlando di questa grazia vittoriosa, in cui sono avvolti il mondo e la storia umana, come di un autentico «esistenziale soprannaturale», si afferma una determinazione ontologica positiva sull'uomo storico in quanto oggetto della volontà salvifica universale di Dio (→ *K. Rahner*). L'uomo aperto al mistero, destinatario di una possibile autocomunicazione divina, che supera e ripara il male nella storia e ricupera la dimensione soprannaturale del disegno divino, riceve nella «historia salutis» della rivelazione e della grazia l'autocomunicazione libera della misericordia del Padre, che si rivela come assoluta verità nel Figlio, mediatore assoluto, e come bontà santificante nello Spirito divino.

b. *Teologie dell'immanenza* - In campo protestante, accentuando la dimensione di immanenza nell'esperienza religiosa, la «Teologia della secolarizzazione» cerca un linguaggio «mondano» su Dio per spiegare all'uomo secolare il messaggio cristiano. La salvezza sarà annunciata come liberazione e Cristo sarà proclamato come Signore del mondo, in quanto paradigma del comportamento solidale. Scompare un'immagine presuntamente «religiosa» di Dio, concepito come un mero «deus ex machina» a cui fare ricorso in situazioni estreme dell'esistenza umana. I teologi della secolarizzazione propongono l'accettazione di Dio a partire dalla realtà dell'autonomia del mondo, vissuta in un orizzonte di fede. Il credente vive in mezzo alla provocazione della secolarizzazione, in un mondo che sembra funzionare perfettamente «etsi deus non daretur». Il Dio della fede si rivela nella teologia della croce, manifestandosi come il Dio «che ci abbandona». Nell'umiliazione di Gesù la rivelazione proclama non un Dio di potenza, che risolve magicamente i problemi umani ma un Dio di impotenza, affermato nel paradosso della fede (*D. Bonhoeffer, F. Gogarten*). Non potendo vivere serenamente la loro fede nella maniera convenzionale, numerosi credenti passano per una crisi di autenticità umana e di sincerità religiosa. In alternativa al cristianesimo convenzionale, i teologi della secolarizzazione cercano di superare ogni comprensione antropomorfica dell'esperienza religiosa e del linguaggio teologico, accettando il programma della demitizzazione e la critica della superstizione. Cercano ugualmente di coprire la dimensione di profondità e di ultimità, dove l'uomo si apre all'Infinito. Vedendo il prossimo come «fratello» e come «colui che fa le veci» di Gesù, viene rivalutata la prassi cristiana della responsabilità e solidarietà reciproca (*J.A.T. Robinson, H.E. Cox, D. Sölle*). Per i teologi della «morte di Dio» l'eclisse del sacro nella cultura secolare può essere elaborata teologicamente solo sostituendo alle categorie della trascendenza del platonismo cristiano o alla dialettica della contingenza dell'aristotelismo teologico, un confronto empirico col fatto religioso, ivi compresa la realtà dell'irreligiosità. La crisi del teismo convenzionale sarà superata accentuando la concentrazione cristologica nella riflessione teologica; dovrà ugualmente accentuarsi la dimensione della prassi, accettando l'impegno fraterno e la dimensione sociale e storica. Si eclissa il Dio della trascendenza, ma si rivela il Dio dell'immanenza, manifestato in Cristo e nella storia (*G. Vahanian, P.M. v. Buren, T.J.J. Altizer, W. Hamilton, H. Braun*). La dimensione della storia e del futuro viene pure rivalutata nella «Teologia della speranza» (*J. Moltmann*), accentuando la tensione del «non ancora» e la dialettica del «novum», come tensione tra possibilità ed evento. La categoria del futuro è fondamentale per l'esistenza umana individuale e sociale. L'uomo vive nella dimensione della speranza e la comunità vive nella prospettiva dell'«utopia». La rivelazione non va pensata come epifania dell'eterno presente, ma come manifestazione storica del Dio che viene, cioè del Dio della speranza e del futuro.

Anche in campo cattolico la teologia ha sentito la necessità di confrontarsi con la sfida della secolarizzazione e con l'urgenza di cercare un nuovo paradigma teologico di fronte alla secolarità (*E. Schillebeeckx, P. Schoonenberg, H. Küng, L. Dewart*), tentando nuove vie. Così questa «teologia della modernità» cerca di integrare le esigenze di razionalità critica della cultura secolare con la tradizione credente della comunità cristiana, proponendo di vivere l'esperienza di Dio nel fondo della coscienza dell'essere, facendo appello a una «fiducia di fondo» come base dell'affermazione credente, superando ogni schema di rivalità tra libertà creata e libertà onnipotente, o ricercando nell'impegno etico il nuovo paradigma della trascendenza nell'orizzonte del futuro. Il processo di «mondanizzazione», o affermazione del secolare nella sua autonomia, si presenta come forma legittima di liberazione da un'eteronomia oppressiva. Nella sua opacità mondana e nella sua ambiguità storica il mondo manifesta soprattutto i «vestigia homïnis». Solo in quanto realtà creaturale e in una prospettiva trascendentale il mondo può rivelare i «vestigia Dei». L'affermazione del secolare e del mondano è vista come corollario dell'esperienza cristiana in una considerazione del mondo come creazione e come alleanza, come opera divina e come destinatario della storia della salvezza (*J.B. Metz*).

Nel contesto storico concreto dell'America Latina, di fronte alla ricerca di una nuova emancipazione per le classi popolari e per le razze e culture subalterne, la «teologia della liberazione» (→ Teologie) scopre la rilevanza politica del Dio della rivelazione biblica, come Dio liberatore degli oppressi e come Dio della religione profetica, ossia un Dio di santità e di giustizia, che condanna l'in-

giustizia sociale e i peccati contro la fraternità allo stesso modo che i peccati contro l'idolatria (*G. Gutiérrez, H. Assmann, J.L. Segundo*). Attraverso la storia della salvezza Dio si manifesta come Signore della speranza e del futuro e come Dio della liberazione degli oppressi e dei disprezzati. Nella riflessione teologica sul significato della rivelazione il povero diventa un «luogo epistemico» privilegiato, mentre il «paradigma dell'esodo» illumina la riflessione credente sull'attualità storica (*L. Boff, C. Boff, E. Dussel*). Al momento di leggere il significato totale del messaggio cristiano, in un continente afflitto da una forma di povertà infrumana, il vangelo del regno divino, come momento di liberazione e di speranza per i condannati e gli oppressi della storia, diventa una specie di «canone nel canone», che permette di denunciare il contrasto tra realtà sociale conflittuale e ideale cristiano della fraternità.

3. LOGICA DEL TEISMO CRISTIANO - a. *Possibilità di una teoria teologica* - Il problema dell'affermazione di Dio, considerato soprattutto alla luce del primo articolo della fede cristiana, non può prescindere dalla questione del «metodo» migliore per analizzare il linguaggio religioso, cercando di scoprire il senso e il significato del linguaggio cristiano su Dio, la sua articolazione logica e il suo significato teorico e pratico. Sarà perciò necessario esplicitare alcuni presupposti metodologici:

1. Il linguaggio su Dio - Il → linguaggio teologico del teismo cristiano può essere considerato come un'espressione linguistica dell'affermazione di Dio, nella prospettiva del primo articolo di fede. Infatti la fede in Dio, come creatore onnipotente e Padre misericordioso, costituisce l'affermazione fondamentale della professione credente, non solo per la comunione cattolica, ma anche per tut-

te le confessioni cristiane, e in certo modo anche per le grandi religioni monoteiste. La secolarizzazione, denunciando una comprensione mitica, antropomorfica, ingenua o superstiziosa del linguaggio credente, ha provocato la crisi del linguaggio religioso convenzionale. La miglior risposta a tale provocazione si trova nella comprensione del significato esatto del linguaggio della fede.

2. Il metodo teoretico - Importanti concetti di logica e di teoria della scienza, di filosofia del linguaggio e di teoria della comunicazione potrebbero essere utilmente applicati alla costruzione di una teoria generale del linguaggio su Dio. Superando una metodologia puramente empirista e ingenuamente positivista, il metodo teoretico deve proporre le ipotesi preliminari e l'assiomatica generale, le regole linguistiche e i teoremi teologici che possano esprimere meglio il senso religioso, il significato teorico e la rilevanza pratica del linguaggio cristiano su Dio.

3. Una teoria teologica - In quanto teoria, dovrà procedere con metodo a partire da ipotesi preliminari, successivamente sottoposte a un processo di verifica e di conferma. Le ipotesi generali di comprensione del linguaggio della fede saranno verificate in un confronto con l'esperienza cristiana normativa, oggettivata nella rivelazione biblica. Tali ipotesi potranno essere ulteriormente confermate confrontandole con le soluzioni e le formule dogmatiche del linguaggio ortodosso della tradizione ecclesiale. L'intelligenza del problema dovrà precedere in parte la soluzione teologica del problema stesso, equilibrando utilmente la tensione dell'intelligenza che cerca la fede («intellectus quaerens fidem») con l'impulso della fede verso la comprensione della propria logica («fides quaerens intellectum»).

4. Kêrygma e Logos - Il discorso teologico non può prescindere dall'u-

so della ragione logica che cerca l'intelligenza della fede, ma non può nemmeno dimenticare la testimonianza della rivelazione biblica o quella della tradizione ortodossa. La tensione tra «teologia apologetica», o dialogale, e «teologia kerygmatica», di obbedienza alla fede, non deve risolversi in un'alternativa riduttiva ed escludente. Per svolgere la sua particolare diaconia, la teologia non può rinunciare al dialogo con la situazione culturale e sociale; non deve però nemmeno rinunciare ad ascoltare il vangelo della fede e la tradizione della fede stessa della comunità ecclesiale.

b. *Ipotesi preliminari sul teismo* - Sulla questione di una possibilità dell'affermazione religiosa e della confessione di fede, come pure di una sua ulteriore elaborazione teoretica in un sistema teologico, vengono fondamentalmente proposte quattro ipotesi alternative:

Prima ipotesi: l'affermazione di Dio non è possibile né nell'immanenza della storia, né nella trascendenza dello spirito. La realtà di Dio è introvabile per il fatto di essere inesistente o inconoscibile sia in quanto realtà assoluta, sia in quanto realtà personale. Tale è la risposta dell'ateismo e dell'antiteismo, dell'agnosticismo e, almeno in parte, del panteismo.

Seconda ipotesi: l'affermazione di Dio è possibile solo nella trascendenza al mondo. Tale è la risposta della religione vissuta come mistica e della teologia contemplativa, che sottolineano il carattere trascendente dell'esperienza religiosa, vissuta principalmente come incontro con la santità di Dio e come presenza del mistero.

Terza ipotesi: l'affermazione di Dio è possibile solo come impegno etico nell'immanenza della storia. Tale è la risposta del vissuto profetico della religione e delle teologie della prassi, che tendono a sottolineare esclusivamente la dimensione etica dell'esperienza religiosa, vissuta come un in-

contro, individuale e sociale, con la
giustizia di Dio che condanna il male, nell'individuo e nella società.
   Quarta ipotesi: l'esperienza religiosa del cristianesimo suppone la sintesi dialettica di trascendenza e immanenza della realtà di Dio nella vita
del credente. Il dilemma che propone in modo esclusivo fede verticale
o fraternità orizzontale come uniche
alternative dell'opzione religiosa contribuisce a ridurre e a impoverire la
complessità e la ricchezza dell'esperienza religiosa cristiana, caratterizzata dalla tensione tra contemplazione mistica ed esigenza etica, che troverà la sua sintesi e il suo superamento nell'esperienza della misericordia
di Dio, alla luce misteriosa della croce e della grazia.
   c. *Assiomatica generale* - Si riser-
verà il nome di «assiomi» ad alcuni
postulati di carattere fondamentale e
generale, attinenti alla logica dell'affermazione credente e alla struttura
di significato nell'affermazione religiosa. Tra tali assiomi verranno proposti i seguenti:
   1. Assioma fondamentale: «il Dio
rivelato è il Dio nascosto». Tale assioma risolve in equivalenza l'antinomia fondamentale del linguaggio teologico cristiano, cioè la tensione esistente tra rivelazione divina e mistero di Dio. In altre parole, il Dio che
si rivela come misericordioso e fedele nella «historia salutis» è lo stesso
Dio velato e nascosto, creatore del-
l'universo, referente ultimo della realtà contingente, che abita nella luce
inaccessibile del mistero. L'assioma
fondamentale formula l'equivalenza
del «deus revelatus» e del «deus absconditus».
   2. Assioma gnoseologico: «il Dio
conosciuto è il Dio incomprensibile».
Tale assioma risolve in equivalenza,
sul piano teoretico della verità, l'antinomia noetica propria dell'affirma-
zione di Dio, cioè la tensione tra conoscibilità di Dio e incomprensibilità
divina. In tanto si può parlare della

conoscibilità di Dio in quanto viene
affermato come mistero incomprensibile. Il secondo assioma afferma l'e-
quivalenza logica tra il «deus cogno-
scibilis» e il «deus incomprehensibi-
lis». Ciò significa che Dio infinito è
affermato dall'uomo, che trascende
così i limiti della propria finitudine,
dando ragione all'enunciato «finitum
capax infiniti».
   3. Assioma ontologico: «il Dio immanente è il Dio trascendente». In
linguaggio retorico l'assioma esprime
la tensione tra «prossimità» e «distanza» nell'esperienza religiosa. Il Dio
dell'alleanza e dell'elezione, della predestinazione e della grazia, è identico al Dio della creazione, metatemporale e metaspaziale, trascendente il
mondo. L'immanenza divina nella
realtà e nella storia non nega, suppone anzi la trascendenza divina. Il
terzo assioma enuncia la logica del-
l'equivalenza tra immanenza e trascendenza nel linguaggio cristiano su
Dio.
   4. Assioma dell'identità: «Dio è
Dio, e solo il Signore è Dio». Il quarto assioma enuncia sul piano teoretico della verità l'assoluta singolarità
di Dio nella sua identità. La comprensione della realtà divina sotto il
principio di identità può avvenire solo nella forma logica di una tautologia; si tratta però, com'è stato osservato, di una «tautologia significante». «Solus deus est deus» proclama
il monoteismo esclusivo della religione profetica, enunciando la monarchia divina sulla religione e sulla
storia.
   5. Assioma della realtà: «Dio deve
essere pensato necessariamente come
realtà». Il quinto assioma formula sul
piano teoretico della realtà la necessità di Dio come assoluta e incondizionata. Nella ontologia del «summum esse» coincidono idea ed essere, potenza e atto, esistenza ed essenza. La traduzione logica del quinto
assioma richiede l'uso del cosiddetto
«quantificatore esistenziale», dato che

si parla sempre dell'«ipsum esse per se subsistens».

6. Assioma etico: «il Dio della fiducia è il Dio del timore e viceversa». La realtà divina non solo si rivela come assoluta e necessaria, trascendente e incondizionata, ma anche come personale e spirituale, intelligente e libera. Il sesto assioma esprime il duplice aspetto del «fascinans» e del «tremendum» dell'esperienza del mistero numinoso, in quanto incontro col Dio del «timore e tremore» e col Dio di «fedeltà» e di «speranza». Il presente assioma enuncia sul piano pratico e pragmatico la tensione massima provocata nel credente dalla polarità spirituale dell'«amor Dei» e del «timor Dei».

7. Assioma della relazione: «il linguaggio teologico suppone la relazione religiosa tra l'uomo e Dio». Il settimo assioma sottolinea il carattere relazionale dell'esperienza religiosa, soggiacente al linguaggio su Dio. Nel linguaggio religioso non avrebbe senso parlare dell'oggetto della religione dimenticando il soggetto religioso; tanto più che Dio trascende lo schema soggetto-oggetto, essendo egli ontologicamente il soggetto assoluto, riconosciuto come realtà personale. Sostituendo alla logica sillogistica la logica bivalente, il presente assioma permette di intendere in maniera più adeguata, per esempio, il linguaggio biblico sulla giustizia e sulla misericordia di Dio.

8. Assioma conclusivo: «il Dio santo ed eterno si rivela come Signore dell'alleanza e Padre di fedeltà e di bontà». L'ottavo assioma afferma l'identificazione tra il Dio incontrato nella teofania sacrale, nell'esperienza della vita sacramentale o nell'estasi mistica, col Dio della rivelazione biblica, che proclama la sua giustizia e fedeltà, annunciando la vittoria della grazia sul male e sul peccato. L'assioma conclusivo riveste un grande significato ecumenico: il Dio ricercato nelle religioni storiche o nella spiritualità personale è lo stesso Dio che si rivela nella religione biblica e nell'epifania escatologica, che dà origine al cristianesimo.

d. *Regole linguistiche* - Come regole verranno proposte alcune indicazioni generali di carattere formale, attinenti al linguaggio religioso, in modo particolare nella teologia cristiana.

1. Regola fondamentale: «il linguaggio su Dio non deve dimenticare che suo referente è sempre il Dio ineffabile». Questa regola afferma il paradosso che è alla base del linguaggio religioso, ricordandoci che la teologia cerca di parlare di un Dio che è impossibile circoscrivere adeguatamente in un discorso. Il linguaggio teologico può esistere unicamente conciliando affermazione e mistero. L'ineffabilità di Dio è la versione linguistica del suo mistero e della sua incomprensibilità, della sua infinita trascendenza e della sua inafferrabile libertà, della santità della sua giustizia e dell'eternità della sua fedeltà e bontà.

2. Regola dell'uso linguistico: «il linguaggio cristiano su Dio non può ridursi a un unico tipo di uso linguistico». Per esempio, il linguaggio della «dossologia» nel culto sarà prevalentemente espressivo della speranza cristiana; l'uso dell'«analogia» in teologia sarà tendenzialmente informativo; il linguaggio di un «simbolo di fede» o di una dichiarazione dogmatica manifesterà un uso linguistico di preferenza normativo.

3. Regola del significato: «l'ermeneutica del linguaggio su Dio deve fare attenzione alla molteplice rilevanza semiotica di tale linguaggio». Nel linguaggio teologico non interessano solo lo studio del materiale significante o la sintassi logica del discorso, ma anche il suo significato teorico e la sua significazione pratica.

4. Regola delle funzioni: «nell'interpretazione del senso del linguaggio religioso sarà utile una considerazione delle diverse funzioni lingui-

stiche presenti in ogni processo di comunicazione». Il linguaggio su Dio
suppone una comunità credente e serve da mezzo di comunicazione di un
messaggio, dentro un complesso processo di accettazione e ricezione della fede. Anche nella comunicazione
religiosa, come dialettica tra rivelazione e fede, proclamazione e conversione, ricezione e trasmissione, sono presenti le funzioni linguistiche
fondamentali di ogni processo comunicativo: emissione e ricezione, messaggio e referente, codice e contatto.
    5. Regola dell'analogia: «l'esisten-
za del linguaggio dossologico e del
linguaggio ortodosso legittima l'uso
dell'analogia nel discorso su Dio». Il
linguaggio su Dio proclama al credente la realtà suprema, come rivelata e misteriosa, affermabile e ineffabile, singolare nella sua identità e
inafferrabile nella sua libertà, oggetto di amore infinito e di timore incondizionato. Il linguaggio su Dio sarà positivo o «catafatico» in quanto
afferma le perfezioni di Dio attraverso i nomi divini; sarà anche negativo
o «apofatico» in quanto nega in Dio
le imperfezioni della finitudine o della
contraddizione e in quanto corregge
senza posa il senso della proposizione credente. Il linguaggio dell'analogia, che partecipa di questa dialettica di affermazione, negazione e correzione di senso, non va pensato come una via intermedia tra equivocità
e univocità, ma come una forma moderata di equivocità, e quindi come
una forma moderata di apofatismo.
    6. Regola del paradosso: «il linguag-
gio su Dio esprime il carattere paradossale dell'affermazione credente».
Il paradossale si ritrova all'interno di
ogni analogia. Nella «analogia del-
l'essere» la tensione tra creatura e
Creatore, finito e Infinito, condizionato e incondizionato, dovrà necessariamente trovare un linguaggio dove l'incondizionato si esprima attraverso forme condizionate, e quindi in
una forma oggettivamente parados-

sale. Nella «analogia della fede» solo un linguaggio paradossale può
esprimere la tensione tra rivelazione
della grazia e giustificazione del peccatore, per il fatto di essere entrambe totalmente immeritate, e quindi logicamente inaspettate. Nella «analogia del simbolo», o dell'immagine, il
cristianesimo stesso appare come religione paradossale nella sua teologia
della elezione e della croce. Il regno
di Dio sceglie gli umili per confondere i sapienti e la croce, dal punto di
vista della logica, è stoltezza e scandalo. Il linguaggio cristiano su Dio
si limita a mostrare il carattere paradossale del cristianesimo stesso.

    e. *Teoremi teologici* - A differenza
delle regole, attinenti all'aspetto formale del linguaggio religioso cristiano, i teoremi si riferiscono al «contenuto» del linguaggio cristiano su
Dio, nella prospettiva del primo articolo di fede.
    1. Teorema fondamentale: «Dio si
rivela a tutti gli uomini, pur rimanendo incomprensibile mistero, strettamente ineffabile». Il primo teorema si riferisce alla possibilità reale di
un'affermazione di Dio ma anche ai
limiti di tale affermazione. Il teorema, che ha come referente il «Dio
rivelato», propone, sotto la forma di
un enunciato complesso, tre questioni di gnoseologia teologico-fondamentale: la questione della possibilità reale dell'affermazione di Dio da
parte della ragione umana, come affermazione necessariamente possibile «in sé» e universalmente possibile
«quoad nos»; la questione della incomprensibilità divina; la questione
della ineffabilità di Dio, e quindi della limitazione di ogni possibile linguaggio teologico. Dal primo teorema si ricava un corollario pratico
fondamentale: ogni linguaggio teologico suppone un'esperienza religiosa
di carattere «numinoso», come incontro personale col Dio della fede, incomprensibile e ineffabile.

2. Teorema della santità divina: «Dio si rivela come essere infinitamente santo, necessario e onniperfetto, assolutamente singolare e unico». Il secondo teorema si riferisce alla realtà divina in quanto essere. Sotto la forma di un enunciato complesso, il teorema risponde a tre questioni attinenti all'essere divino: la sua infinita santità; la sua incondizionata necessità e onniperfezione; la sua assoluta singolarità e unicità. Dal secondo teorema si ricava un corollario pratico, relativo al momento «sacramentale» dell'atto credente, in quanto l'esperienza religiosa significa anche l'incontro esistenziale con la santità di Dio.

3. Teorema della presenza divina: «Dio si rivela come vivente eterno, onnipresente e immenso; la presenza divina si manifesta come spirituale e personale». Il terzo teorema si riferisce al «Dio rivelato» in quanto vivente. Sotto la forma di un enunciato complesso, il teorema risponde a tre questioni relative alla vita divina come eterna presenza: la sua eternità; la sua onnipresenza; il suo carattere spirituale o personale. Anche dal terzo teorema si può dedurre un corollario pratico: nel confronto esistenziale con la presenza di Dio il credente sperimenta il momento «mistico» della sua viva esperienza religiosa.

4. Teorema della giustizia divina: «Dio si rivela come onnisciente e onnipotente, anche nella sua giustizia e nel suo giudizio di condanna del male». Il quarto teorema affronta tre questioni decisive riguardanti il «Dio rivelato», non solo come realtà assoluta e suprema, ma anche come realtà spirituale e personale, vale a dire intelligente e libera: la questione dell'infinita intelligenza e onniscienza di Dio; la questione della sua divina volontà, come assolutamente libera e onnipotente; la questione infine della sua giustizia, come onnisciente e onnipotente, anche nel suo giudizio sul male. Dal quarto teorema si de-

duce ugualmente un corollario pratico: il credente vive il momento «etico» dell'esperienza religiosa quando si confronta personalmente con la giustizia di Dio.

5. Teorema della fedeltà divina: «Dio si rivela come creatore buono, nella sua provvidenza misteriosa e santa; come Signore fedele, nella sua alleanza universale di salvezza; come Padre misericordioso, pieno di fedeltà e di bontà». Il quinto teorema si riferisce alla realtà divina in quanto operante nell'ordine della creazione e in quello della salvezza, alludendo a tre questioni fondamentali: l'azione creatrice e provvidente di Dio; la sua volontà salvifica universale e la sua predestinazione al bene; il suo comportamento salvifico nella storia della salvezza. Dal presente teorema si deduce il corollario seguente: nel confronto esistenziale con la fedeltà misericordiosa di Dio, che concede la grazia della giustificazione al peccatore senza alcun suo merito, il credente convertito può vivere il momento «paradossale» dell'esperienza religiosa cristiana.

6. Corollario religioso: nei teoremi precedenti è stata implicitamente confermata la complessa struttura dell'atto religioso cristiano in quanto confronto del credente col mistero di Dio, nella sua ineffabile presenza di santità, nella sua giustizia e fedeltà misericordiosa. Nel cristianesimo l'atto religioso, come dialettica di rivelazione e fede, possiede una grande complessità e non può essere ridotto a un unico principio: all'irruzione dell'incondizionato nel sacro, come rivelazione o come teofania, risponde l'adorazione mistica della presenza divina, come espressione del momento fascinante dell'esperienza religiosa; si manifesta però anche l'esigenza incondizionata della giustizia divina, come tensione di infinito timore e come norma morale. Se l'esperienza della vita mistica può essere considerata sotto il principio di «identità»,

in quanto tensione del finito all'Infinito, l'esperienza della vita etica può essere considerata solo sotto il principio di «differenza», come espressione della tensione tra la santità divina e l'alienazione del peccatore. La tensione tra mistica ed etica, o la dialettica di identità e differenza, si risolvono in maniera paradossale nella teologia della grazia.

4. IL DIO DELLA RIVELAZIONE - a. *La fede in Dio* - Esaminiamo in primo luogo le tappe fondamentali dell'esplicitarsi della fede in Dio, nella religione biblica:

1. Enoteismo arcaico. La religiosità biblica primitiva riconosce un Dio misterioso, universale e benevolo (*'El*), signore della natura e del mondo (Gn 33,20), e il Dio che si rivela ad Abramo, Isacco e Giacobbe, il «Dio dei padri», che protegge i suoi adoratori (Gn 30,43). Tale polarità si risolve chiaramente in una identificazione, in tempi storici, tra il Dio nascosto del mondo e il Signore dei patriarchi rivelato nella storia. Successivamente la teologia dell'esodo e dell'alleanza, propria del jahvismo mosaico, proclama una monolatria di liberazione storica e fedeltà etica. La fede religiosa del jahvismo si trova all'origine dell'esperienza storica di liberazione dalla schiavitù (Es 3,7). Questo collegamento intimo fra trascendenza religiosa e immanenza salvifica, tipica del teismo biblico, implica una concezione personale del sacro, come pure una teologia della speranza e del futuro (Es 6,7). La teologia dell'alleanza impedisce una falsa contrapposizione tra religione di culto e religione etica (Es 20,3ss). La religione dell'alleanza esprime chiaramente la valenza religiosa della questione etica e sottolinea il momento personale nell'incontro con Dio, nella dialettica esistenziale della fiducia e del timore (Es 20,18ss).

2. La teologia profetica. I profeti trasmettono l'oracolo divino e la norma etica della religione dell'alleanza. Come espressione della coscienza etica e del sentimento di differenza, i profeti proclamano l'avvento del giudizio divino sull'iniquità umana (Am 5,18ss; Is 5,16). L'eventuale punizione divina non acquista mai una valenza demoniaca, è invece condizionata dalla volontà della santità di Dio di distruggere il male e l'ingiustizia (Am 8,4ss). La dialettica dei profeti contrappone un momento ideale nella relazione religiosa, vista come alleanza nella storia (Os 12,10; Ger 2,7), a un momento reale di contraddizione morale, vista come apostasia (Os 4,2; Ger 3,1ss). La polemica profetica non sfocia in questo momento negativo, ma invita a una conversione, ossia a un ritorno alla dimensione dell'incondizionato, reso possibile dal paradosso della fedeltà di Dio (Am 5,15; Is 12,2; Ger 31,31). Con i profeti il linguaggio religioso afferma un teismo trascendente e personale, vale a dire un monoteismo teorico esplicito (Is 43,10-11). Contro ogni tentazione politeista, il profeta usa l'arma dell'ironia (Is 44,8-9). Il Signore rivelato a Israele si identifica col Dio unico e universale, creatore trascendente e Signore incomparabile del futuro, Dio giusto e salvatore di tutte le nazioni (Is 45,12-13. 21-22).

3. Teologia sapienziale e apocalittica. Per i saggi di Israele il principio della sapienza coincide col timore di Dio, identificato con una conoscenza pratica della volontà divina (Prv 1,7; 2,5). La riflessione sapienziale non trascura la dimensione contemplativa dell'esperienza religiosa, in quanto ammirazione della gloria di Dio, rivelata nelle opere della creazione (Sir 42,15ss) e nella storia della salvezza (Sir 44,1ss). La teologia sapienziale medita anche sul silenzio di Dio, confrontandosi con la questione del male e con la sofferenza del giusto (Gb 42,3.6). Il saggio arriva a interrogarsi sul problema della

possibilità di costatare, a partire dalla bellezza e potenza del mondo come effetto creato, l'onnipotenza e intelligenza dell'Artefice divino, come principio creatore (Sap 13,1-9). A sua volta, il profetismo apocalittico mantiene vivo l'interesse per la relazione tra Dio e la storia (Dn 10,21; 11,40; 12,1). L'Altissimo guida il corso della storia ineluttabilmente e giudica escatologicamente individui e nazioni (Dn 10,13-14). La teologia apocalittica della storia è il corollario del monoteismo: un decreto divino immutabile predetermina la storia, che è una come Dio è unico (Dn 7,22; 8,13-14).

4. Il messaggio di Gesù. Il Dio del regno vicino, annunciato da Gesù, è lo stesso Dio dei padri e Signore dell'alleanza (Mc 12,26.29). Il messaggio religioso di Gesù annuncia Dio come «Padre» (Mt 6,6.9) (→ Abba), manifestando una coscienza singolare della sua relazione filiale, fatta di fiducia illimitata nella bontà divina onnipotente (Mc 14,36). Il vangelo proclama anche il → regno di Dio, come «Signore» unico ed esclusivo (Mt 6,24). Il discepolo deve cercare esclusivamente il compimento della volontà divina, seguendo il disegno della provvidenza (Mt 6,10.32). Secondo la tradizione sinottica, sul mondo condizionato dalla finitudine e dall'alienazione, dominato dall'iniquità e dal male, si annuncia l'avvento della monarchia divina come potenza salvifica (Mc 1,15), resa presente nel ministero umile di Gesù, maestro della nuova legge e profeta del beneplacito divino, taumaturgo della vita ed esorcista del male (Mc 1,21ss), giusto perseguitato ingiustamente e servo della riconciliazione con Dio (Mc 1,11). Gesù insegna i misteri del disegno divino e la perfezione della divina osservanza (Mt 11,27; 5,17). La nuova prassi del discepolo dovrà imitare la perfezione divina, in particolare la misericordia di Dio, che dovrà tradursi in bontà fraterna, anche in relazione ai propri nemici (Mt 5,48; Lc 6,36).

5. Teologia del cristianesimo primitivo. La comunità dei primi discepoli fonda la sua speranza in una teologia della risurrezione: mettendo la propria fiducia nel Dio della risurrezione e della vita, Padre onnipotente di Gesù (At 2,22-24), la comunità tutta si sente graziata con la nuova giustizia della fede e spera nella sua stessa risurrezione (Rm 3,24-25; 1 Cor 15,20). La comunità credente professa un panenteismo escatologico: la potenza divina sottometterà alla sovranità del Padre tutte le forze avverse, attraverso il dominio messianico del Figlio (1 Cor 15,28). Per la teologia paolina il Dio ignoto può essere riconosciuto attraverso la creazione e la coscienza morale (Rm 1,19-20; 2,14-15), benché gli uomini inescusabilmente non riconoscano né adorino il loro creatore. La parola della croce acquista un significato di rivelazione: Dio Padre si rivela come giusto e giustificante di quanti, giudei o gentili, vivevano nell'empietà (Rm 3,25). Il vangelo è la proclamazione dell'amore paterno di Dio, rivelato nella croce di Gesù, scandalo e stoltezza per la logica dei sapienti di questo mondo (1 Cor 1,23). A sua volta, per la teologia giovannea la conoscenza vera di Dio è mediata dall'azione rivelatrice di Gesù, parola eterna del Padre (Gv 10,14-15; cfr. 1,14), e dall'azione illuminante dello Spirito, dottore della comunità e accusatore del mondo (Gv 14,16-17; 16,7-8). La conoscenza divina non è frutto di pura riflessione; richiede la prassi della carità (1 Gv 4,16). Conoscere Dio è osservare i suoi comandamenti, in particolare il comandamento nuovo dell'amore (1 Gv 2,5). Tale dovrà essere la risposta di fondo del credente all'amore del Padre, rivelato nel dono di Gesù (Gv 3,16; 17,25-26).

b. *Il teismo biblico* - Analizzeremo l'affermazione di Dio nella rivelazione biblica come tensione tra mistero e teofania, storia e trascendenza, esclusività e universalità, assolutezza e personalità.

1. Epifania del mistero. Nella religione biblica la dialettica tra rivelazione e mistero determina il carattere affascinante e tremendo della viva esperienza religiosa (Is 45,15). L'esperienza teofanica si risolve in un'epifania velata del mistero (2 Cor 5,7). A questa tensione religiosa fondamentale corrisponde la polarità che è alla base del linguaggio del teismo biblico, come dialettica di un Dio che si rivela e si nasconde: il Dio rivelato nell'enoteismo primitivo (Es 6,2-3), nel culto monolatrico (Dt 6,4), nel monoteismo profetico (Is 6,3), o nella meditazione sapienziale (Sap 13,5), si manifesta attraverso il mondo come creazione e attraverso la storia come salvezza (At 17,24.31). Però il Dio «ignoto» (At 17,23) rimane invisibile e inaccessibile (Rm 1,20; Gv 1,18; 1 Tm 6,16). Il linguaggio su Dio quindi non fa che esprimere una situazione religiosa fondamentalmente ineffabile.

2. Storia e trascendenza. Caratteristica del teismo biblico è la sua convinzione di una comunione col Dio trascendente, realizzata nell'immanenza della storia. L'istituzione dell'alleanza costituisce il paradigma di tale tipo di relazione religiosa (Es 19,4-6). Questa categoria fondamentale domina tutta la storia della fede di Israele e condiziona teologicamente tutte le sue tradizioni: creazione ed elezione (Gn 2,16-17; 9,9; 17,4), rivelazione e liberazione (Es 3,12-14), regno e grazia (Is 52,7-9; 54,7-8). La comunità escatologica della nuova alleanza vive un'intensa e definitiva esperienza di comunione con Dio (1 Gv 1,3); in essa si radicalizza la tensione dialettica tra storia e trascendenza. Il Dio unico si rende presente in Gesù (Col 1,13-15). La santità e la gloria del Padre si rivelano nel Figlio (Gv 1,8). La grazia divina ci vivifica nella forza dello Spirito (Rm 8,26-27; Gv 14,17). Gesù è

mediatore della rivelazione definitiva (Eb 1,2), ed è anche mediatore della nuova alleanza di salvezza (Eb 9,15).

3. L'identità di Dio - Nel teismo biblico la questione di fondo del credente in relazione a Dio era la sua identità. Il Dio dell'alleanza e della pietà religiosa di Israele si identificava col creatore dell'universo e col re eterno (Sal 121,2; 47,3; 146,10). A differenza del politeismo ambientale (Gn 24,2), della enolatria primitiva (Gn 15,1), la fede di Israele fu vissuta come monolatria esclusiva (Dt 12,2) e come monoteismo esplicito (Is 46,9-10). Il monoteismo salvifico di Israele è al tempo stesso nazionale e universale, comunitario e personale. L'orizzonte religioso del teismo biblico ci permette di comprendere l'originalità del messaggio cristiano. Il Dio del regno vicino, annunciato da Gesù, è lo stesso Dio dei padri e dell'alleanza (Mt 22,32.37). Il messaggio di Gesù annuncia Dio come Padre compassionevole e come Signore esclusivo (Mt 6,6.24). Il regno divino, annunciato da Gesù nelle sue parabole, è Dio stesso, nella sua santità e nella sua potenza, nella sua giustizia e nella sua bontà (Mt 18,23ss; Lc 15,11ss).

4. Dio come realtà. Attraverso l'identità fondamentale del Dio misterioso, creatore del mondo, col Signore dell'alleanza, rivelato nella storia (Sal 95,3-7), il credente diventa cosciente della realtà divina. Poiché il Signore della storia è creatore del mondo, può essere contemplato attraverso la creazione. Per questo si ritiene inescusabile l'idolatria (Sal 10,4; 14,1; cfr. 19,2; 33,6). La rivelazione della realtà di Dio può essere vissuta sotto forme diverse: come affermazione della possibilità di un interrogativo religioso sulla realtà ultima, come fondante ogni realtà creata (Rm 1,20; Sap 13,4); come maniera religiosa di vivere la coscienza del dovere morale e come imperativo etico assoluto (Sal 51,4; Rm 2,14); come rivelazione di una potenza salvifica

assoluta, di liberazione e di redenzione nella storia (Es 3,12); come esperienza del divino, che nel paradosso della croce e della grazia si rivela e si nasconde (1 Cor 1,23; Fil 2,8).

5. Un monoteismo salvifico. Nella religione biblica l'affermazione di Dio assume la forma di un teismo esclusivo, trascendente e personale, universale e salvifico (Is 45,14.18.22). Dio si rivela come uno e unico (Es 20,3; Dt 6,4), santo ed eterno (Is 6,3; Ger 10,10). La realtà divina è assolutamente singola e onniperfetta, trascendente e onnipresente (Is 40,22; Ger 23,24). Dio è mistero di santità inaccessibile (Es 33,19; Ez 10,18ss). Altissimo nella sua maestà e nella sua gloria (Ez 11,22-23; Is 59,19), trascendente lo spazio e il tempo, la natura e la storia (Sal 90,2; 139,7ss), Dio, come vivente eterno, domina la terra e riempie il cielo con la sua onnipresenza salvifica (Gb 11,7-10; Prv 15,3). Il Dio vivo e vero si rivela sempre non solo come realtà assoluta e incondizionata, ma anche come realtà personale: Dio è il Santo di Israele e il Signore dell'alleanza (1 Sam 6,20; Es 20,1ss), Redentore della servitù e Liberatore dalla schiavitù (Es 6,5-6), Artefice dell'universo e Plasmatore del mondo (Gn 1,1ss; Sap 13,5). Come creatore e come alleato, la sua presenza è una potenza personale e salvifica, a cui si può ricorrere nella preghiera di supplica (Sap 9,1ss). A differenza degli idoli ciechi, sordi, muti, impotenti, Dio rimane sempre fedele e verace, fermo nel suo proposito e immutabile nella sua identità, onnipotente e onnisciente, nella sua creazione e nella sua provvidenza, nella elezione e nella grazia (Sal 136,5; 135,6). Il Dio vivo, onnisciente e onnipotente è anche il Signore giusto e fedele, compassionevole e misericordioso. Dio si rivela come giusto, in quanto è fedele alla sua alleanza di salvezza (Is 45,8; 51,7). Dio è giusto perché salva, rivelando la sua giustizia nella difesa dei poveri e dei perseguitati (Sal 10,17-18; 18,3-4). Dio è il Signore della speranza e rende giustizia al povero (Is 33,5; 51,6-7). Dio è geloso del bene e la sua ira si oppone al male (Es 20,5; Dt 4,24). Nell'orizzonte religioso dell'alleanza il comportamento divino è caratterizzato dalla fedeltà del suo amore e dalla sua benevolenza (Es 34,6; Dt 7,9). Dio è costante nella sua misericordia e nella sua compassione (Sal 25,10-11; 89,3).

Nella comunità escatologica della nuova alleanza Gesù attualizza l'imperativo monolatrico (Mc 12,29-30). Gesù insegna anche a venerare il nome divino, espressione della sua inaccessibile santità (Mt 6,9; cf. 5,33ss). Soprattutto Gesù insegna la fiducia nella provvidenza divina, che non abbandona le sue creature (Mt 6,25ss). Il «Padre» è il Signore del cielo e della terra (Lc 10,21). Il Dio vivo e Padre di Gesù (Mt 16,16) si identifica con il creatore onnipotente e onnisciente nella sua provvidenza salvifica (Mt 6,26; 10,29). Con la rivelazione escatologica viene definitivamente svelato il piano divino: Dio ha creato il mondo per salvarlo in Cristo (Ef 3,8-11; Col 1,26-27). Il Padre di Gesù ci adotta e ci santifica nello Spirito (Gal 4,4-7). Nella comunità dei discepoli Gesù afferma il disegno divino come assolutamente libero e pieno d'amore, orientato verso il trionfo divino della sua misericordia e del suo perdono (Mt 18,14.35). Nella croce di Gesù si rivela l'amore definitivo del Padre (Gv 3,16-17). Il monoteismo biblico si conferma non solo come un teismo trascendente e personale, ma anche come un teismo di fedeltà e di bontà: si afferma definitivamente la monarchia compassionevole del Padre (1 Gv 4,9.19).

5. LA FEDE DELLA CHIESA CATTOLICA - a. *Identità e differenza* - In tutti i simboli della chiesa antica come prima proposizione credente viene affermata la fede nell'unico Dio Padre e

creatore. Così succede nelle formule più arcaiche (DS 1-6), nel cosiddetto simbolo apostolico (DS 10,40ss, 60), come pure nei simboli dei concili di *Nicea* (DS 125) e di *Costantinopoli* (DS 150). Di rilievo appare la dichiarazione antiorigenista, che condanna ogni negazione della infinità e incomprensibilità divina, e afferma quindi un apofatismo primordiale nel linguaggio su Dio (DS 410). Importanti sono anche le affermazioni di una monarchia divina coesistente con una triplicità ipostatica (DS 112-115) e della uguaglianza interpersonale nell'unica essenza divina indivisa (DS 71-76). All'inizio il linguaggio dell'ortodossia ecclesiale professa la sua fede nell'unico Dio Padre onnipotente, creatore della realtà visibile e invisibile dell'universo (DS 13-19, 25-30), identificando così, contro ogni dualismo gnostico, il Dio creatore e provvidente dell'antica alleanza col Padre misericordioso della nuova. Il Dio ingenito ed eterno, infinito e incomprensibile, creatore onnipotente, è sempre più nettamente identificato col Padre santo del Figlio eterno divino, ispiratore attivo dello Spirito paraclito e Giudice onnisciente della storia (DS 139, 441, 451s, 490, 525, 617). Il re dei secoli, immortale e invisibile (DS 16, 21s, 29), è origine senza origine e principio senza principio della vita intradivina e della storia della salvezza (DS 71, 284, 470, 485, 525s).

Nell'Occidente latino il magistero ecclesiale propone costantemente la dottrina del primo articolo di fede, difendendola da ogni interpretazione eretica. I concili *Carisiaco* (di Quierzy: DS 623) e *Valentino* (di Valence: DS 626s, 633) respinsero diversi errori sulla prescienza e predestinazione di Dio, in relazione a una necessità teologica del male. Anche il concilio *Senonense* (di Sens) respinse come eretiche alcune proposizioni di Pietro Abelardo sulla necessità nel comportamento divino, sia in relazio-ne al bene, per cui Dio non avrebbe potuto operare nel mondo meglio di quanto ha fatto, sia in relazione al male, che Dio stesso non potrebbe impedire (DS 726s). Il concilio *Remense* (di Reims: DS 745) criticò il linguaggio teologico di Gilberto di Poitiers, perché distingueva con distinzione reale l'essenza divina, in quanto realtà sostanziale, e la trinità in Dio, in quanto realtà tripersonale.

Gli albigesi e i catari rinnovarono l'eresia dualista, distinguendo un Dio creatore, principio del male, e un Dio salvatore, principio del bene, introducendo una frattura insanabile tra antica e nuova alleanza. Contro tale affermazione il concilio *Lateranense IV* riaffermò l'unicità della monarchia divina, confessando «un solo e unico Dio vero, eterno, immenso e immutabile, incomprensibile, onnipotente e ineffabile» (DS 800). Il concilio respinse pure la dottrina panteista di Amalrico di Bène, che identificava Dio col tutto universale (DS 808). La teoria analogica del concilio si presenta come un tentativo di mediazione tra una teologia dell'identità e una teologia della differenza: tra Creatore e creatura esiste una dialettica di somiglianza e dissomiglianza, dove la dissomiglianza è sempre più grande, ponendosi così la dottrina conciliare vicino a una posizione moderatamente apofatica (DS 806).

Anche il concilio *Lugdunense II* (Lione) riaffermò la dottrina dell'unità e unicità di Dio, contro ogni dualismo teologico e contro ogni pessimismo cosmico (DS 851). Il concilio *Fiorentino* confermò ugualmente la dottrina dell'unità della monarchia divina (DS 1330-36). Nella costituzione «In agro dominico», Giovanni XXII condannò diverse proposizioni del Maestro Eckhart, che sembravano affermare l'eternità del mondo, l'unicità personale di Dio e l'impossibilità di parlare della bontà divina (DS 951ss, 973s, 978).

Agli albori dell'epoca moderna il

concilio *Tridentino* proclamò la sua fede, partendo dalla formula nicenocostantinopolitana, manifestando la sua fedeltà alla tradizione ecclesiale (DS 1862). Attraverso tali simboli di fede, definizioni teologiche e dichiarazioni dogmatiche, il magistero ecclesiale professava la fede della chiesa cattolica, proclamando la convinzione credente di una profonda *identità* tra il Dio misterioso, creatore e provvidente, manifestato nell'Antico Testamento, e il Dio rivelato nel Nuovo Testamento, come Signore della storia salvifica e Padre di bontà e di misericordia; simultaneamente il magistero affermava l'insormontabile «differenza» tra Dio e il mondo, tra il Creatore e la creazione. Durante il primo millennio il pericolo per la fede deriva da una perdita della coscienza dell'identità di Dio, creatore e Padre, negando la monarchia divina a causa dell'ammissione di una diarchia suprema, vale a dire di un duplice principio ultimo, del male e del bene, della creazione della materia e della salvezza dell'anima, delle tenebre e della luce, dell'antica e della nuova alleanza. Durante il secondo millennio cristiano, il rischio di negare il primo articolo di fede proviene anche da una perdita della coscienza della «differenza» tra creatura e creatore, finito e Infinito, mondo e Dio, come succede sia nel panteismo che nell'ateismo.

Nella modernità inoltre, abbandonando il modello di integrazione profonda tra ragione e fede, tipico del platonismo cristiano, come pure il modello di moderata subordinazione della ragione alla fede, tipico dell'aristotelismo scolastico, si sfocia in modelli di esagerata subordinazione della ragione critica al modo convenzionale di vivere la fede tradizionale, come nel fideismo; o all'opposto si subordina la religiosità e la fede al controllo della ragione critica, col rischio del razionalismo. Entrambi gli errori sono respinti dal magistero, che

riafferma l'utilità teologica di una integrazione delle esigenze della fede col metodo razionale. Durante i pontificati di *Gregorio XVI* e di *Pio IX* vennero respinti gli errori fideisti di L.E. Bautain (DS 2751-56, 2765-68) e di A. Bonnety (DS 2811-14), come pure le tesi razionaliste di A. Günther (DS 2828-29) e di I. Froschammer (DS 2853-57). Il magistero si oppone anche alla tendenza verso il panteismo assoluto, essenziale o evolutivo, difendendo la libertà divina nella sua creazione e provvidenza, come pure l'infinita differenza tra il mondo e Dio (DS 2841-47, 2901-05).

b. *L'affermazione di Dio* - Nel contesto della crisi religiosa della cultura secolare, il magistero del concilio *Vaticano I* acquista un significato rilevante allorché respinge, come errori contro la fede, → ateismo e panteismo, → agnosticismo e deismo, → fideismo e → razionalismo (DS 3021-24). La dottrina conciliare riaffermò pure la realtà e identità di Dio e la sua differenza essenziale dal mondo, confermando la fedeltà al linguaggio religioso della rivelazione biblica e della tradizione teologica cattolica (DS 3001-03). Una importanza particolare va attribuita all'insegnamento su una possibilità reale dell'affermazione di Dio a partire dalla realtà creata, per mezzo della «luce naturale della ragione umana», e anche mediante la «luce della fede» a partire dalla rivelazione divina (DS 3004-05; cfr. 3026-27). Davanti alla sfida moderna dell'incredulità e dell'ateismo, la dottrina del magistero sull'affermazione di Dio, alla luce del primo articolo di fede, propone il superamento del nichilismo e dell'indifferenza religiosa, dichiarando anatema chi sostiene l'ateismo teoretico e chiunque nega il monoteismo cristiano (DS 3021). La condanna dell'ateismo e la proposta di un teismo legittimabile razionalmente non equivale all'accettazione di una forma di razionalismo teologico. Il magistero suppone sempre una nozione di Dio come mistero assoluto e santo, trascendente e personale, incomprensibile e ineffabile, sia nella sua realtà che nella sua autocomunicazione salvifica. Allo stesso modo, l'affermazione di una conoscenza naturale di Dio, come precondizione dell'atto di fede, supera la tesi del fideismo, ma non significa negare l'influenza positiva della comunità credente con la sua tradizione di fede e la sua cultura della religiosità. Meno ancora significa negare la rilevanza del fatto religioso o l'utilità della rivelazione cristiana, e anche la sua necessità morale, perché le verità relative all'atteggiamento religioso e al comportamento morale dell'uomo possano essere conosciute e accettate «universalmente, con certezza e senza errore» (DS 3032, 3041).

Anche il magistero papale ha affermato la possibilità di un'affermazione di Dio. In occasione della crisi modernista, *Pio X* indicò nella via della causalità l'itinerario di una dimostrabilità della realtà di Dio, superando una forma di religiosità ridotta all'immanentismo della soggettività e all'individualismo della coscienza interiore (DS 3538; cf. 3420 e 3475-77). In seguito, prendendo posizione nel dibattito ecclesiale sulla «nouvelle théologie», anche *Pio XII* propone la tesi tradizionale di una possibilità reale dell'affermazione di Dio mediante la luce della ragione, giungendo a un'accettazione della sua esistenza come realtà unica e trascendente, assoluta e personale (DS 3875; cf. 3892). D'altra parte, l'affermazione di una possibile colpevolezza dell'ateismo non implica una esclusione dalla misteriosa provvidenza salvifica divina di coloro che, pur ignorando Dio senza propria colpa, a loro modo lo cercano (DS 3869-72).

Anche per il concilio *Vaticano II* è determinante la questione teorica e pratica dell'affermazione di Dio. Sul problema dell'ateismo appare un richiamo significativo nella costituzione pastorale sulla chiesa nel mondo attuale, nel costatare la gravità del fenomeno in quanto negazione esplicita di una possibilità reale dell'affermazione di Dio. La perdita da parte dell'uomo della sua coscienza della trascendenza lo condanna a rimanere come un problema non risolto, anche se spesso, più che negare il «Dio del vangelo», quello che si desidera è negare una caricatura falsa e perversa del divino (GS 19). Più drammatica è la situazione di coloro che sembrano aver perduto la stessa inquietudine religiosa, o quella di coloro che attribuiscono un valore assoluto ai beni terreni. Altre volte l'intenzione non è tanto quella di negare Dio, quanto quella di affermare l'uomo nella sua responsabile autonomia, difendendo una legittima emancipazione da ogni forma di oppressione, come pure da un modo di vivere la religione come eteronomia. Non raramente la ricerca di una liberazione storica viene circoscritta all'orizzonte terreno, limitandosi semplicemente a un agire nella sfera sociale, economica e politica (GS 20). D'altra parte, la religione non deve costituire un pretesto per alienarsi irresponsabilmente dai problemi della giustizia interumana. La lotta nell'immanenza storica del vivere umano non deve però dimenticare la dimensione profonda dell'inquietudine religiosa, e nemmeno l'apertura esistenziale alla trascendenza e al Dio della fede (GS 21).

Benché la dottrina conciliare alluda a una possibile colpevolezza morale dell'ateismo, pur senza approfondire ulteriormente la questione, non tralascia però di riconoscere che i credenti hanno una parte di responsabilità nella incredulità degli atei, anche per una loro influenza negativa, nella misura in cui sono incoerenti nel loro modo di vivere la religione (GS 19). La questione della possibilità di un ateismo incolpevole nella sfera teoretica della coscienza rifles-

sa, qualora ciò avvenisse in coincidenza con una vita eticamente one-
sta, trova eco in alcuni documenti
conciliari. Non può infatti considerarsi escluso dal regno di Dio chi vive una vita retta, pur senza giungere
a un'affermazione teoretica esplicita
dell'atto religioso, poiché la sua onestà morale non esiste senza la grazia
divina, e gli elementi di verità e di
giustizia presenti in tale forma di vita costituiscono una vera «preparazione al vangelo» (LG 16). La dottrina conciliare afferma pure che Dio,
data la sua volontà salvifica universale, può portare alla fede, in modo
misterioso, quanti senza loro colpa
ignorano il vangelo (AG 7).

È stato inoltre merito della dottrina conciliare il costatare la realtà
della conoscenza religiosa e la positività dell'esperienza del sacro come ricerca costante del divino, che troverà nelle grandi religioni storiche le sue
forme di espressione più significative, sia nell'esperienza religiosa del
momento mistico nell'adorazione del
mistero divino, sia nel vissuto della
rivelazione profetica e della fede
abramica. Si riconosce con questo il
valore teologico dell'esperienza religiosa di Dio, come creatore provvidente e Padre misericordioso. Nell'e-
sperienza religiosa i credenti cercano
una risposta ai massimi problemi esistenziali, dell'essere e del vivere, del
bene e del male, della sofferenza e
della felicità, del desiderio di Dio e
del timore religioso (NA 1). Il magistero conciliare riconosce la presenza
di numerosi valori spirituali, morali
e culturali, nei seguaci delle religioni
non cristiane, nelle quali possono trovare una via di purificazione e un rifugio etico, la suprema illuminazione dell'animo e un cammino di liberazione dalle passioni umane e dal-
l'egoismo mondano (NA 2). Nelle
grandi religioni monoteiste, come →
l'islam o l'ebraismo (→ Giudaismo),
si adora l'unico Dio vivo ed eterno,
creatore provvidente dell'universo,

protettore di Abramo e dei credenti,
Signore onnipotente e misericordioso di un'alleanza di salvezza nella storia, che culminerà nell'avvenimento
cristiano (NA 3-4).

Particolarmente significativa è la
dottrina conciliare sulla → rivelazione divina, dove si propone il mistero
del Dio della rivelazione e della fede,
che ha voluto rivelare se stesso e manifestare il suo disegno di salvezza,
mosso dalla sua sapienza e dalla sua
bontà. In tal modo si afferma la fede in un Dio invisibile e misericordioso, che parla agli uomini invitan-
doli a una partecipazione misteriosa
della sua vita e alla sua beatitudine
infinita. La manifestazione del mistero e del disegno di Dio avviene nelle
parole e nei fatti della storia della rivelazione e della salvezza, che culminerà in Cristo, mediatore e pienezza
della stessa rivelazione salvifica escatologica (DV 1). Il Dio della creazione, attraverso le opere create, offre
una perenne testimonianza di sé. A
quanti perseverano nella pratica del
bene, il Dio della salvezza offre la
vita eterna. Attraverso la storia del-
l'elezione e dell'alleanza col popolo
della promessa, il Dio della rivelazione si è manifestato all'umanità, come unico Dio vivo e vero, creatore
benevolo del mondo e giudice giusto
della storia universale (DV 2-3). La
rivelazione di Dio è culminata nella
manifestazione del suo Figlio eterno,
parola divina incarnata per la nostra
illuminazione e salvezza, come pure
nella missione dello Spirito divino, testimonianza della presenza della grazia, che ci libera dal male e ci dà la
vita eterna, nella comunione consumata con l'amore infinito (DV 4). Al
Padre, che si rivela nel suo Figlio Gesù Cristo, il credente, mosso dalla luce e dalla grazia dello Spirito Santo,
deve prestare un assenso totale e libero dell'intelletto e della volontà
(DV 5). Nella comunicazione di sé e
della sua volontà di salvezza universale si rivela il disegno misterioso di

Dio. Perciò la rivelazione divina offre al credente una conoscenza religiosa universale e facile, infallibile e certa, su Dio stesso come principio e fine dell'universo, fondamento dell'essere e del senso della realtà contingente e storica (DV 6).

I documenti conciliari manifestano una continuità dottrinale col magistero precedente, riaffermando la loro fede nel Dio unico, rivelato e misterioso, salvando l'unità e singolarità della monarchia del Dio vivo ed eterno, Padre onnipotente, «principium sine principio» (AG 2) e origine senza origine della vita intradivina e della storia della salvezza, assolutamente differente e distinto dal mondo creato, che restaura l'universo mediante l'azione redentrice nel suo Figlio Gesù Cristo e lo santifica definitivamente col dono escatologico del suo Spirito divino (LG 2-4).

Bibl. - I - G. Aulen, *Das christliche Gottesbild in Vergangenheit und Gegenwart*, Gütersloh 1930; R. Jolivet, *Le Dieu des philosophes et des savants*, Paris 1956; M. Miegge (ed.), *Religione*, Firenze 1965; B. Mondin, *Il problema del linguaggio teologico dalle origini ad oggi*, Brescia 1971; W. Weischedel, *Der Gott der Philosophen*, I.II, München 1979[2].
II - P. Tillich, *Systematic Theology* I, Chicago 1951; H. de Lubac, *Sur les chemins de Dieu*, Paris 1956; J. Daniélou, *Dieu et nous*, Paris 1956; E. Schillebeeckx, *God en Mens*, Bilthoven 1965; K. Rahner, *Corso fondamentale sulla fede*, Roma 1977.
III - H. Bouillard, *Connaissance de Dieu*, Paris 1967; J.C. Murray, *The problem of God Yesterday and Today*, New Haven - London 1962; F. Ferré, *Linguaggio, Logica e Dio*, Brescia 1972 (or. 1961); I.T. Ramsey, *Linguaggio religioso*, Bologna 1975 (or. 1967); F.A. Pastor, *La Lógica de lo Inefable*, Roma 1986.
IV - B. Balscheit, *Alter und Aufkommen des Monotheismus in der israelitischen Religion*, Berlin 1938; W. Eichrodt, *Das Gottesbild des Alten Testaments*, Stuttgart 1956; K. Rahner, «Theos nel NT», in *Saggi Teologici*, Roma 1965, 467-585; J. Jeremias, *Abba*, Brescia 1968; J. Coppens (ed.), *La notion biblique de Dieu*, Gembloux-Louvain 1975.
V - R. Aubert, *Vatican I*, Paris 1964; J. Goetz, «Summi Numinis vel etiam Patris», in *L'Église et les missions*, Roma 1966, 51-63; K. Rahner, «Über die Heilsbedeutung der nichtchristlichen Religionen», in *Evangelizzazione e Culture*, Roma 1976, I, 295-303; B.

Neunheuser, «Cum altari adsistitur semper ad Patrem dirigatur oratio». Der Canon 21 des Konzils von Hippo 393. Seine Bedeutung und Nachwirkung in *Aug* 25/1-2 (1985) 105-119; F.A. Pastor, «L'uomo e la ricerca di Dio», in R. Latourelle (ed.), *Vaticano II: bilancio e prospettive*, Assisi 1987, II, 923-938.

FÉLIX-ALEJANDRO PASTOR

II. Prove dell'esistenza di Dio

1. RIFLESSIONI PRELIMINARI - *a*. Se ogni uomo è responsabile davanti a Dio, allora la ragione umana, in forza della propria sostanziale predisposizione, deve avere un accesso alla conoscenza di Dio. Lo scopo specifico delle «prove dell'esistenza di Dio» è quello di sviluppare in maniera filosofico-riflessa questa «conoscenza naturale di Dio». Il concetto «prove dell'esistenza di Dio» ha la sua giustificazione nel fatto che quella predisposizione naturale non è un qualcosa che attenga al mero sentimento, ma alla ragione e perciò deve essere tematizzata con rigore razionale. L'espressione «prove dell'esistenza di Dio» ha il suo limite principale nel fatto che la conoscenza di Dio può compiersi solo in libertà e, in questo senso, non è «dimostrabile». Da una parte, si presuppone un atto di libertà umana con il quale si può anche rifiutare Dio. Dall'altra, la conoscenza di Dio (come del resto la conoscenza di una persona umana) è possibile solo sulla base di una libertà che mi si apre e l'attuazione della «predisposizione naturale» alla conoscenza di Dio è vincolata a un libero autodonarsi da parte di Dio (→ Anselmo di Canterbury, *Prosl.*1).

Oltre a questo principale limite, le prove dell'esistenza di Dio sono esposte sotto diversi aspetti a difficoltà conoscitive storicamente condizionate.

b. Approcci alle prove sull'esistenza di Dio si possono trovare risalendo nel tempo fino agli albori del filosofare occidentale (e anche orientale). Essi vengono sviluppati per la prima volta con rigore sistematico laddove la teologia riconosce la filosofia come una disciplina che le sta di fronte in quanto disciplina autonoma, perlomeno sotto l'aspetto metodologico. Nell'occidente cristiano ciò si verifica dall'inizio della scolastica (→ Ragione e fede). Nell'età dell'illuminismo le prove dell'esistenza di Dio servono al tentativo di fondare – nell'emergere (in parte ostile) delle religioni costituitesi in modo storico-positivo – una religione razionale universale e quindi, da parte della teologia, vengono sospettate d'essere un'impresa fuorviante. Come elemento del nuovo rilancio della filosofia scolastica da parte del magistero cattolico, le prove dell'esistenza di Dio vennero inoltre sempre più percepite come reazionarie rispetto al pensiero moderno e da allora non godono di buona fama sotto l'aspetto sia teologico che filosofico.

c. Accanto a queste difficoltà condizionate sia dal punto di vista storico che scientifico, i tentativi circa le prove dell'esistenza di Dio, anche a causa dell'evidenza che di volta in volta è alla loro base, incontrano ostilità e incomprensione. In un tempo in cui l'uomo si sapeva protetto in un cosmo ordinato dal Logos divino, le prove dell'esistenza di Dio, derivanti dall'esperienza del mondo, potevano contare su una accettazione rilevante. Di fronte a un universo sentito piuttosto come minaccioso, ripiegato in se stesso, il soggetto moderno è andato sempre più alla ricerca di vie di conoscenza razionale di Dio in cui quell'ordine cosmico non fungesse più da premessa. Però anche le vie che prendono le mosse dall'esperienza personale dell'io sembrano sbarrate nella misura in cui il soggetto diviene estraneo a se stesso. La questione sul valore delle prove dell'esistenza di Dio è intimamente connessa alle possibilità, di volta in volta emergenti (o che sembrano essere

escluse), di una «filosofia prima», cioè di un pensiero, che non si percepisce soltanto frammentario o perfino manipolato, ma che può iniziare a esprimersi nell'orizzonte di un vasto progetto significativo.

2. FONDAMENTALI TIPI DI PROVE DELL'ESISTENZA DI DIO - Nel conciso sommario che segue ci si può occupare soltanto delle prove «classiche» dell'esistenza di Dio, cioè di quegli argomenti che per la loro forza di persuasione hanno continuamente provocato il pensiero. Si può ricavare una prima suddivisione dal loro rispettivo punto di partenza che si colloca, da un lato, nell'esperienza del mondo e, dall'altro, nell'autoscoperta dell'uomo. Questa suddivisione sta anche alla base delle riflessioni dei primi due capitoli della lettera ai Romani (cfr. Rm 1,19s; 2,14s).

a. *Esperienza del mondo come punto di partenza* - Kant, nella sua suddivisione delle prove dell'esistenza di Dio, nomina due generi di prova che derivano dalla nostra esperienza del mondo sensibile, e cioè l'argomento «fisicoteologico» e quello «cosmologico». Il primo parte da una «determinata esperienza e dalla particolare natura del mondo sensibile conosciuta tramite quella esperienza»; alla base del secondo ci sarebbe soltanto un'«esperienza indistinta» (cfr. KrV, B 618s). Per motivi storici e sistematici è opportuno seguire questa suddivisione.

1. L'argomento teologico o fisicoteologico - Kant considerò l'argomento «fisicoteologico» come la prova «più antica, più chiara e più conforme alla comune ragione dell'uomo» (cfr. KrV, B 651). In effetti, in occidente questa si può far risalire fino a Socrate (cfr. HWP 3, 820) ed è anche molto diffusa nella filosofia indiana (cfr. TRE 13, 751). Questa prova, che da una natura sensatamente ordinata («teleologica») deduce un'intelligenza divina che la ordina, si ri-

trova in forma più semplice in Tommaso d'Aquino (S.Th I,2,3 «quinta via»), dove si presuppone soltanto che nel mondo sensibile alcuni esseri, che non sono dotati di ragione, agiscano sempre, o perlomeno di sovente, per uno scopo. Durante l'illuminismo invece viene spesso assunto come punto di partenza l'ordine del mondo come un tutto – concepito secondo l'analogia del meccanismo di un orologio –. L'argomento gode ancora di grande stima presso l'agnostico Hume e perfino all'interno della critica principale, fatta da Kant a tutte le prove dell'esistenza di Dio da parte della ragione che esamina teoreticamente; perde tuttavia la propria plausibilità in una concezione evoluzionistica del mondo.

2. L'argomento cosmologico - La prova cosmologica dell'esistenza di Dio – trasmessa all'Occidente cristiano soprattutto partendo da Aristotele tramite eruditi musulmani e giudei – ha esercitato un grande influsso specie mediante le sue formulazioni nelle prime tre «vie» dell'Aquinate. Essendoci alla base (secondo Kant) soltanto una esperienza «indistinta» nel mondo sensibile, tale prova, in questa astrazione, non si può seguire così facilmente come per l'argomento teleologico; sembra però essere meno impugnabile a causa della base esperienziale più generale. L'idea centrale è che un essere contingente, per chiarire sufficientemente la propria esistenza, richieda un essere necessario. La sua formulazione logica più convincente si trova nella versione che Tommaso d'Aquino, nella «prima via» della *Summa Theologica*, ha dato alla «prova desunta dal moto»: qualcosa, che da un mero essere-possibile (potenza) giunge all'attuazione di questa possibilità, necessita per questo di un «apporto di energia». Se tale crescita viene comunicata da qualcosa, che trasmette solo questa «energia» e non l'ha originariamente da sé, allora anche la sup-

posizione di una serie infinita di tali mere «mani passanti» non risponde alla domanda iniziale sull'origine della crescita dell'essere-reale (atto). Una risposta adeguata si può solo conseguire partendo da un «primo motore» il cui puro essere-reale (atto) non è unito a nessun essere-possibile (potenza). Anche per l'evidenza di questa prova è presupposto un minimo di orientamento significativo del moto. Nel contesto di una osservazione della natura, dove i mutamenti vengono concepiti ancora soltanto come spostamenti di energia all'interno di un quanto di energia che permane costante, è quasi impossibile far comprendere la forza probante dell'argomentazione.

Oltre alle difficoltà illustrate nel contesto dei paradigmi odierni di spiegazione della natura, bisogna pure segnalare i problemi filosofici di principio dell'argomentazione teleologica e cosmologica.

3. Problemi fondamentali delle prove dell'esistenza di Dio che prendono le mosse dall'esperienza del mondo. – Se la traccia che si diparte dall'esperienza del mondo deve ricondurre a Dio, allora il mondo alla fin fine dev'essere esperito come ordinato e non come assurdo. Già la percezione di parziali disturbi sensibili, che non si possono imputare ad alcuna libertà finita («malum physicum»), solleva il problema della teodicea cui non si può dare una risposta con i mezzi della ragione teoretica. L'osservazione della natura può eludere questo problema con il livellamento della propria prospettiva al mero quantificabile escludendo la categoria del significato (del «cosmico» nell'accezione originaria). In questo modo però, come si è fatto notare sopra, vengono a trovarsi fuori dal suo orizzonte anche le prove «cosmologiche» o «teleologiche» dell'esistenza di Dio. Però, anche dopo la fine di una metafisica che si diparte dal buon ordinamento del cosmo, si dovrà pur sem-

pre rinviare al fenomeno della →
bellezza naturale che di tanto in tanto ci sorprende come un lampo, fenomeno che difficilmente si inserisce
totalmente nell'interpretazione quan-
titativa della natura e perlomeno è in
grado di tener desta la *domanda* su
Dio.

– Una carenza di principio delle
prove dell'esistenza di Dio che si di-
partono dall'esperienza del mondo sta
nel fatto che esse per lo più non portano a riflettere sullo stesso soggetto
che percepisce. E quindi, da una parte non si può sapere quanto della sua
esperienza sia effettivamente da ricondurre a una realtà che gli si para
dinanzi e quanto debba essere invece
effettivamente considerato come investimento della sua propria precomprensione.

D'altra parte, il Dio che è stato reso accessibile permane, per il momento perlomeno, nell'orizzonte di un essere concepito come un oggetto. La
ragione che trascende verso la loro
causa suprema gli oggetti che gli si
pongono dinanzi, viene essa stessa già
oltrepassata e superata in questo trascendere – oppure deve concepire se
stessa come un qualcosa di ultimo che
sta di fronte a tutto questo mondo
di oggetti insieme alla loro causa suprema, cioè, in ultima analisi, come
la fonte della costituzione del «mondo in senso assoluto»?

b. *Autoscoperta come punto di partenza* - 1. L'argomento ontologico.
La collocazione della prova dell'esistenza di Dio definita da Kant come
«ontologica» fra gli argomenti logico-
soggettivi, necessita di una precisazione. Non tutte le formulazioni di
questa prova dell'esistenza di Dio
provengono dalla soggettività. Partendo per esempio dal concetto di
«ente perfettissimo» (Descartes) o
«ente realissimo» (Kant), Dio viene
senz'altro concepito in forma obiet-
tivo-teorica. Solo la forma più originaria dell'argomento che ritroviamo
in → Anselmo di Canterbury (*Prosl.*

2-4) può essere definita come «sog-
gettivo-teorica» in quanto il concetto «ciò di cui non si può pensare nulla di maggiore» («id quo nihil maius
cogitari potest») esprime Dio stesso
attraverso la riflessione sulle estreme
possibilità della ragione umana. Il
pensiero nella formazione di questo
concetto non si pone di fronte a Dio
come a un «massimo» (per cui rimane la tentazione di superare ogni concrezione immaginata di questo «massimo» – per es. nella serie potenzialmente infinita dei numeri naturali in matematica – ancora una volta
mediante un «n + 1»). Piuttosto, siccome la ragione (come il dottor Faust
nel patto con Mefistofele) assapora
la propria peculiare dignità del trascendere, che non può arrestarsi a
nessun dato oggettivo, il suo sguardo coglie una trascendenza e una infinitezza totalmente diversa, che non
si può collocare nell'ambito delle possibilità di proiezione del pensiero.
Questo concetto di Dio non è ottenuto proiettando (partendo da oggetti
empirici o dalle loro qualità) (Feuerbach!) ma si può comprendere come
causa ultima della capacità umana di
proiezione (cfr. più avanti).

La critica alla «prova ontologica
dell'esistenza di Dio» è rivolta soprattutto al fatto che si vuole concludere
da un mero concetto ad un'esistenza
reale: qualcosa che esiste sarebbe
«maggiore» di un qualcosa di meramente pensato. Quindi il concetto «...
quo nihil maius...» includerebbe l'e-
sistenza di quanto vi è pensato. Kant
(come aveva già fatto Gaunilone e in
seguito poi Frege, Scholz e Russel)
obiettò che l'affermazione dell'esistenza si muove su di un piano totalmente diverso da quello della predicazione concettuale e quindi non si
può desumere in forma concettuale-
analitica. Il limite di questa critica sta
nella generalizzazione di una logica
desunta da oggetti *contingenti* (cfr.
l'indignazione di Hegel per l'esempio
kantiano dei «cento talleri»). Ansel-

mo sostiene la logica stringente della sua deduzione con la mira esclusivamente rivolta al concetto di *Dio* – e Kant ammette, perlomeno per la realizzazione *concettuale* dell'«Io penso», la simultanea fatticità di questo io (cfr. KrV, B 157) –. Si dovrà riconoscere ad Anselmo che l'esistenza di Dio nella rivisitazione del concetto da lui formulato viene *necessariamente pensata* (cfr. *Prosl.* 3). Non si comprende però come questo pensiero necessitante debba trovare un corrispettivo nella realtà. Questa carenza viene superata solo nell'argomento logico-trascendentale.

2. *L'argomento logico-trascendentale.* Sotto il concetto «prova logico-trascendentale dell'esistenza di Dio» riuniamo parecchie forme d'argomentazione, che hanno avuto delle denominazioni molto diverse (per es.: prova «noetica», «noologica», «ideologica», «antropologica», «trascendentale» dell'esistenza di Dio). La forma originaria dell'argomento si trova in → Agostino (cfr. in particolare *De libero arbitrio* II,3-15).

Agostino assume come punto di partenza la certezza acquisita nel dubbio metodico del proprio essere cosciente («si fallor, sum»). Questa ragione conscia di se stessa si riconosce come superiore alle proprie percezioni sensibili e al «senso interno» che le coordina, perché essa *giudica* tutto questo. La domanda se vi sia ancora un qualcosa di più elevato e, a differenza della ragione umana, di immutabile, va a sfociare nella domanda su un qualcosa al cui giudizio anche la ragione umana è soggetta. In questo – o in «qualcosa che si trova ancora oltre a questo» – si dovrebbe riconoscere Dio, «quo nullus est superior». Una tale realtà immutabile e valida per tutti, al cui giudizio la ragione è soggetta, Agostino la ravvisa come esistente «nel numero e nella saggezza». Il «numero» è per Agostino il supremo valore indicativo nell'ambito dell'estetica, come

la «saggezza» esprime la misura nell'ambito della ricerca della felicità.

Descartes ha presentato una forma ulteriormente sviluppata di questo tipo di argomentazione (*Meditazione* III). Partendo ugualmente dal terreno dell'evidenza, «Io penso/io sono», che non può essere scossa da alcun dubbio, Descartes va alla ricerca di un contenuto di questo pensiero che non può essere ricondotto a nient'altro che a Dio. Fra tutti i contenuti del pensiero solo l'idea di Dio soddisfa questa condizione. Essa non può esser pervenuta alla ragione per vie a posteriori e neppure essere stata acquisita tramite negazione del finito. Anzi, il concetto di «finito» presuppone in modo logico-trascendentale il concetto di «infinito», come del resto anche lo stesso dubbio universale – il punto di partenza delle «Meditazioni sulla filosofia prima» – ha quest'idea di incondizionato come condizione della sua possibilità.

Il fascino di questo tipo di argomentazione sta nel nesso indissolubile fra concetto di Dio e certezza dell'esistenza, che non c'è nella «prova ontologica dell'esistenza di Dio»: la ragione, anche nelle sue prestazioni apparentemente più lontane dalla verità, riconosce in se stessa l'impronta di un essere incondizionato.

Anche in questo caso però si potrà parlare di prova dell'esistenza di Dio soltanto con delle limitazioni. Infatti il problema della teodicea, che non si può evitare partendo dall'esperienza del mondo, viene solo apparentemente superato mediante l'eliminazione di tutti i fattori empirici d'incertezza nel dubbio metodico. In realtà la «prova logico-trascendentale dell'esistenza di Dio» rappresenta solo la formulazione più stringente della situazione dell'assurdo (nel senso di A. Camus): l'ineludibile certezza di «Sisifo» mediante l'idea di un incondizionato, che appare però come irrealizzabile. Anche se quest'idea dev'essere necessariamente ricondotta a

«Dio», sarebbe comunque «meglio per Dio, se non esistesse», fintanto che Sisifo non è in grado di scorgere senso alcuno in tale «maledizione divina». L'autoscoperta dell'uomo verificatasi nell'argomento logico-trascendentale tiene però desta, in modo più intenso che l'esperienza col mondo, la domanda su un possibile senso nonostante la situazione dell'assurdo e quindi su di un «qualcosa, oltre cui non si può pensare nulla di più grande».

3. La prova morale dell'esistenza di Dio. Kant con l'argomento fisicoteologico, cosmologico e ontologico ritiene esaurita la lista delle prove (anche se non stringenti) dell'esistenza di Dio che la ragione teorica deve effettuare. Egli non ha preso in considerazione la possibilità di una prova logico-trascendentale dell'esistenza di Dio nonostante ciò apparisse ovvio in base alla domanda donde l'idea di Dio desumesse in effetti il suo carattere *regolativo* per ogni uso della ragione (cfr. KrV B 380, 384-386).

Kant comunque, sulla base della ragione morale-pratica, ha sviluppato un argomento autonomo, che egli stesso definisce «prova morale dell'esistenza di Dio» (KU § 87). L'argomento si incontra in versioni diverse, di cui solo la più tarda (nella *Critica del giudizio* e *La religione entro i limiti della pura ragione*) convince.

Per riconoscere la necessità di questo «postulato dell'esistenza di Dio», è innanzitutto presupposta l'evidenza di un dovere assoluto – in cui la ragione si sente obbligata per mezzo della «pura ragione pratica» (e non per esempio da Dio quale legislatore esterno). Il dovere assoluto però non esige soltanto una disposizione conforme ad esso, ma anche la propria realizzazione nel mondo sensibile. Lo scopo finale della pura ragione pratica è l'organizzazione generale del mondo sensibile, secondo la legge morale che obbliga tutti gli uomini.

Tuttavia il mondo sensibile ubbidisce alla propria legge naturale e quindi il corso delle cose appare solo di rado conforme alla ragione pratica. Quindi affinché il dovere dell'uomo di promuovere lo scopo finale non debba apparire insensato – perché a questo dovere non corrisponde per principio alcun potere – l'uomo, come garante di un'armonia fra libertà e legge naturale ancora possibile in definitiva, deve ammettere Dio come fonte ultima delle due normative. Strutturalmente affini alla prova morale kantiana dell'esistenza di Dio sono i moderni tentativi di concepire Dio, muovendo dall'idea di una solidarietà universale, come orizzonte ultimo di quest'idea, in particolare l'approccio comunicativo-teorico di H. Peukert.

Il fondamento della prova morale dell'esistenza di Dio non è una certezza indubitabile, bensì un fatto di libertà incondizionatamente impegnata. Quanto in questo modo l'argomento sembra perdere in «carattere probante», l'acquisisce d'altro lato in riferimento alla costatazione fatta all'inizio: che una vera e propria conoscenza di Dio si può conseguire solo con un atto di libertà.

Sulla base dell'argomento sviluppato da Kant è possibile dare una risposta al problema della teodicea: Dio entra quindi nell'orizzonte dell'uomo nella misura in cui questi aderisce con incondizionata solidarietà agli altri uomini e non rifugge da questo impegno anche di fronte all'apparente assurdità dell'esistenza che si manifesta nel dolore di vittime innocenti. Questa solidarietà, che resiste allo spettacolo di un incomprensibile sterminio, è come la firma apposta ad un assegno scoperto che solo Dio sarebbe in grado di pagare.

Bibl. - Indicazioni generali: D. Schlüter, «Gottesbeweis», in HWP III: 818-830; J. Clayton, «Gottesbeweise», II-III, in TRE 13, 724-784. Più direttamente al nostro articolo: F. Alquie, *La découverte métaphysique de l'hom-*

me chez Descartes, Paris 1950; H. Verweyen, *Nach Gott fragen*. Anselms Gottesbegriff als Aleitung, Essen 1978; Id., «Kants Gottespostulat und das Problem sinnlosen Leidens», in ThPh 62 (1987) 580-587; M. Albrecht, *Kants Antinomie der praktischen Vernunft*, Hildesheim-New York 1978; H. Peukert, *Wissenschaftstheorie - Handlungstheorie -Fundamentale Theologie*, Frankfurt 1978²; H. Huber, «Die Gottesidee bei Immanuel Kant», in ThPh 55 (1980) 1-43; K. Kienzler, *Glauben und Denken bei Anselm von Canterbury*, Freiburg 1981; A. Winter, «Der Gotteserweis aus praktischer Vernunft. Das Argument Kants und seine Tragfähigkeit vor dem Hintergrund der Vernunftkritik», in K. Kremer (ed.), *Um Möglichkeit oder Unmöglichkeit natürlicher Gotteserkenntnis heute*, Leiden 1985, 109-178; W.M. Neumann, *Die Stellung des Gottesbeweises in Augustins De libero arbitrio*, Hildesheim 1986; H. Seidl (ed.), *Thomas von Aquin, Die Gottesbeweise in der «Summe gegen die Heiden» und der «Summe der Theologie»*, Hamburg 1986²; J. Splett, «Über die Möglichkeit, Gott heute zu denken», in HFTh I, 136-155; J. Rohls, *Theologie und Metaphysik*. Der ontologische Gottesbeweis und seine Kritiker, Gütersloh 1987.

HANSJRGEN VERWEYEN

DOGMA

Il termine «dogma» di solito si riferisce a una dichiarazione dogmatica, a una proposizione che esprime una parte del contenuto della rivelazione divina, proposta come tale dalla chiesa cui si deve assentire per fede. Tale proposta vien fatta sia per mezzo del magistero ordinario e universale della chiesa sia per mezzo di quello straordinario e infallibile. Si deve così riconoscere che gli articoli del credo e i canoni dei concili ecumenici esprimono dei dogmi.

1. DICHIARAZIONI DOGMATICHE E RIVELAZIONE - a. *La parola escatologica di Cristo e su Cristo* - L'esposizione del contenuto della rivelazione espresso in proposizioni e il ruolo che questa esposizione svolge nella tradizione della rivelazione devono essere intesi come un aspetto della rivelazione. Essa è la storia delle parole e dei gesti salvifici di Dio prima ver-

so e poi attraverso Israele, di cui il Verbo incarnato nella sua vita, morte, risurrezione e nell'invio dello Spirito Santo è somma e culmine. La teologia contemporanea come pure il concilio Vaticano II (DV 2) sono infatti lontani dal concepire la → rivelazione solo e principalmente come una raccolta di proposizioni. Tuttavia, dal momento che le opere della storia della salvezza e la rivelazione non sono dei semplici fatti, ma sono gli atti personali di un Dio personale, esse contengono in se stesse un significato e una intelligibilità che normalmente sono espressi solo in parte nelle parole profetiche che li accompagnano e sono suscettibili di ulteriore elaborazione in acute riflessioni ispirate. Così anche in Israele si trova almeno un'espressione normativa della fede del popolo di Dio legata all'alleanza, che recita: «Ascolta, Israele: il Signore è il nostro Dio, il Signore è uno solo» (Dt 6,4-9; 11,13-21; Nm 15,37-41).

Le opere di Dio, la loro interpretazione profetica e la riflessione sapienziale su di esse fatta all'interno dell'Antico Testamento non sono tuttavia finite e costituiscono solo un'affermazione incompleta della promessa di Dio. Soltanto con Cristo viene interamente proferita la Parola di Dio e perfettamente delineata la pienezza della sua promessa (DV 2, 4). Ora l'attività preminente nella vita di Cristo è quella di proclamare in parole e in opere che il → regno di Dio è vicino; in parole, come per es.: «il tempo è compiuto e il regno di Dio è vicino» (Mc 1,15) e ancora, «andiamocene altrove per i villaggi vicini perché io predichi anche là; per questo infatti sono venuto» (Mc 1,38); in opere, come nel radunare discepoli che si mettano incondizionatamente al suo seguito, nel sedersi a tavola con i peccatori, nel perdono dei peccati, nelle guarigioni e negli esorcismi. Non solo, questa vita e questo insegnamento costituiscono una rivendicazione da parte di Gesù che la presenza della sua persona, come dicono le parole e provano i fatti, è sufficiente testimonianza e dimostrazione della → credibilità della verità del messaggio del regno. La sua parola è autorevole: «Avete inteso che fu detto... ma io vi dico» (Mt 5,21-22; Mc 1,22). Analogamente le sue opere richiedono in modo oggettivo che vi sia una risposta di fede: «Ma se io scaccio i demoni per virtù dello Spirito di Dio, è certo giunto fra voi il regno di Dio» (Mt 12,28; Gv 5,36; 9,32-33; 10,38; 14,11). Questa testimonianza e questa dimostrazione identificano Gesù come colui senza il quale la buona notizia del regno e lo stesso regno rimangono inaccessibili, nel senso che la sua causa e quella del vangelo sono un'unica cosa (Mc 8,35; 10,29), e in tal modo lo identificano positivamente, anche se solo implicitamente, come il Cristo, il mediatore, cioè colui che media, come Dio in quanto figlio di Dio. Questa testimonianza e questa dimostrazione sia della verità del suo messaggio che dell'identità della sua persona vengono perfezionate e confermate solo nella risurrezione, segno inconfondibile che la fine del tempo, mediante l'atto salvifico di Dio, è realmente anticipata in Gesù, presente nel tempo.

La risurrezione è una «parola»: essa significa che la parola del crocifisso è vera, che la parola escatologica di Dio pronunciata nel tempo da Gesù è stata garantita dall'atto escatologico di Dio nella storia e che il crocifisso è colui che dice di essere il salvatore escatologico che salva per mezzo della sua morte (Mc 14,24-25). Anche la risurrezione deve essere proclamata con la parola (Mc 16,6-7). L'espressione «è risorto» viene perciò considerata come l'affermazione iniziale e completa della rivelazione (cfr. At 2,24), affermazione che non è semplice risposta umana all'opera di Dio («confessione» intesa in senso

stretto), ma la stessa parola di Dio che crea l'espressione umana, poiché è parola autorizzata dallo stesso Gesù (Mt 28,10; 18-19; Lc 24,46-48), ed elemento formale che serve da base alla comprensione cattolica del dogma: la proclamazione della risurrezione, anche come dogma, è un «insegnamento» che ha un contenuto, il risultato di una «decisione», libero placet di Dio che redime l'umanità, e al tempo stesso un insegnamento garantito da Dio e in tal modo il suo insegnamento conosciuto come tale.

Così, all'origine, la possibilità di dichiarazioni dogmatiche si ritrova: 1. nell'insegnamento di Gesù stesso, cioè nella parola escatologica di Dio pronunciata nelle parole umane di Gesù; 2. nella rivendicazione almeno implicita fatta da Gesù sulla sua persona e significato, rivendicazione che diviene esplicita già nel Nuovo Testamento nelle affermazioni riguardanti Gesù; 3. nella conferma che tale insegnamento e tale rivendicazione ricevono dall'evento della risurrezione che è in se stessa una parola che deve essere proferita. Essere seguaci di Gesù perciò comporta: 1. tenere per vero ciò che Gesù ha insegnato essere vero, ossia il vangelo che ha annunciato, poiché a lui spetta il titolo di «Maestro»; 2. tenere per vero su Gesù quanto la chiesa del NT ha ritenuto essere vero, ossia il vangelo che lo «riguarda» (Rm 1,3), la «professione del Figlio» (1 Gv 2,23) e la «testimonianza» dell'apostolo che il Padre ha inviato il Figlio come salvatore del mondo (1 Gv 4,14), il che è il «buon deposito» dell'insegnamento da conservare (2 Tm 1,14): 3. tenere queste verità per verità rivelate da Dio.

b. La parola escatologica conservata nel tempo - Di solito si pensa alle dichiarazioni dogmatiche come a qualcosa di distinto o aggiunto alle affermazioni della Scrittura. La necessità di un'ulteriore dichiarazione deriva dal fatto che ogni parola escatologica è stata pronunciata nel tempo, quel tempo propriamente umano in cui vi è un controllo solo parziale della successione temporale, vale a dire il tempo della dimenticanza e dell'oblio e il tempo del progresso e, in ciascun evento, quella differenza di tempo che minaccia e la memoria e l'identità di significato di una parola pronunciata una volta. Se la Parola eterna deve rimanere come la parola escatologica pronunciata nel tempo ed esser quindi presente indefettibilmente nella fede di chi l'ascolta, deve esserci un qualche sistema perché rimanga ciò che essa è nelle parole e per le parole pronunciate dagli uomini nel tempo. Ciò significa che, proprio come le parole umane, così anche l'atto umano dell'interpretazione deve essere assunto dal Verbo di Dio. Infatti il significato umano delle parole degli uomini non sempre rimane quello che è, nella sua uguaglianza e identità, se non attraverso l'interpretazione, che ne conserva il senso oltre il tempo in cui la parola è stata proferita. Il prodotto dell'interpretazione della parola escatologica di Cristo, pronunciata a suo tempo, è «dogma».

Così come Gesù stesso interpretò le precedenti parole della rivelazione dell'AT (per esempio quelle sul divorzio, Mt 19,4-6, o sulla risurrezione, Mt 22,31-32; cfr. oltre 3.a), così fa anche la chiesa, suo corpo non separato dal Capo, quando interpreta le parole di Cristo contenute nella Scrittura. O si potrebbe anche dire: la parola escatologica del vangelo, presente senza interruzione nella memoria della chiesa (Gv 14,26), continua a interpretare e giudicare le varie questioni e le varie parole che gli uomini portano come contributo all'accoglienza del vangelo. Tra queste formulazioni non vi è differenza, secondo la comprensione cattolica che riconosce la priorità e la gratuità della grazia, ma riconosce nello stesso tempo il fatto che la grazia è veramente elargita agli uomini e che davvero li trasforma.

Che il potere di interpretare autorevolmente la parola di Dio fatta carne, e quindi proferita in parole umane, sia esercitato da coloro e con coloro che sono uniti a Cristo nello Spirito è già implicito nell'accettazione del canone del NT (→ Canone biblico). Questa accoglienza significa che sono normative le teologie del NT i cui autori sono anche gli evangelisti e gli apostoli. Se l'interpretazione di ciò che compone il NT è da ritenersi necessaria a distanza dal tempo del Signore, si può prevedere una simile necessità anche per successive formulazioni normative, per un'attualizzazione del NT con un linguaggio nuovo e più umano, in modo che la parola del NT e quindi la parola di Dio possa perdurare nel tempo.

2. L'EMERGERE DELLA NOZIONE DI DOGMA - a. *La moderna nozione di dogma* - Si è soliti vedere nella *Pastor Aeternus* del concilio Vaticano I un'espressione della nozione moderna e tecnica di dogma: «Si devono credere con fede divina e cattolica tutte quelle cose che sono contenute nella parola di Dio, scritta o trasmessa, e che la chiesa propone alla fede in quanto divinamente rivelate mediante dichiarazione solenne o attraverso il magistero ordinario e universale» (DS 3011). Ciò che è formale in questa nozione, oltre il fatto che il dogma è una dottrina contenuta nella rivelazione, è che questo insegnamento viene proposto in quanto tale alla fede dall'autorità docente della chiesa. Inteso così, il concetto di «dogma» è più ampio del medievale *articulus fidei* che si riferiva in senso stretto agli articoli del credo, ma meno ampio di «dottrina» e meno ampio anche di «dogma» che, nell'uso teologico medievale, non comprendeva la caratteristica di esser proposto dal magistero infallibile ordinario o straordinario.

Questa nozione tecnica di dogma emerge per la prima volta con Melchior Cano, *De Locis theologicis* (1563) (→ Luoghi Teologici), il quale più che darne una definizione, usa questo termine per denotare un insegnamento che è al tempo stesso apostolico, tramandato mediante la Scrittura o la Tradizione, definito da un papa o da un concilio e accettato da tutti i fedeli. A Ph. Neri Chrismann, *Regula Fidei Catholicae et collectio Dogmatum Credendorum* (1792), viene spesso attribuito il merito di aver formulato la moderna definizione di dogma: «Dogma fidei nihil aliud fit, quam doctrina, et veritas divinitus revelata, quae publico Ecclesia iudicio fide divina credenda ita proponitur, ut contraria ab Ecclesia tamquam heretica doctrina damnetur». Nel contesto della formulazione si tratta perciò di una nozione che ha due facce: la prima, polemica, contro il protestantesimo; la seconda costruttiva, in risposta a quelli che sono i principi della scienza teologica e a come questi si possano definire.

Vi sono vantaggi e svantaggi nella formulazione di questa nozione tecnica, così come accade in ogni oggettivazione: è utile per scopi sia teologici che controversi (ed ecumenici) essersi impadroniti in modo accurato e preciso di questo oggetto. È pericoloso in quanto questa definizione incoraggia da una parte una limitata considerazione giuridica del dogma, isolato dalla realtà più ampia della rivelazione e della fede, e dall'altra un certo restringimento dell'oggetto proprio della fede stessa.

b. *Il dogma nel Nuovo Testamento* - Proprio come la formulazione di ogni dogma, per es. sulla cristologia o sulla teologia trinitaria, pone il problema del suo rapporto con la Scrittura e la tradizione e del senso in cui questo può esservi contenuto, così anche la formulazione della stessa nozione di dogma pone il problema del suo rapporto con la Scrittura e la tra-

dizione e del senso in cui si può affermare che già sia in esse contenuto.

Nel greco corrente *dógma* (da *dokéin*, pensare, supporre) è un'opinione e più in particolare: 1. l'opinione o l'insegnamento di una scuola filosofica; oppure 2. la risoluzione o il decreto di un'assemblea o di un governante. È questo secondo significato che prevale nel NT. At 17,7 parla del «decreto di Cesare» (cfr. 2,1). Si parla ancora di *dógmata* legali riferendosi alla legge mosaica abolita da Cristo (Col 1,14; Ef 2,15; vedi Col 2,20). Infine si registrano i *dógmata*, le «decisioni» degli apostoli e degli anziani prese a Gerusalemme sulla purezza dei cibi e della vita sessuale (At 16,4; 15,22; 25; 28). Mentre il contenuto preciso di questi *dógmata* è disciplinare ed etico, si deve osservare che il contesto è più che etico, infatti nella decisione di non imporre la circoncisione ai gentili si viene a toccare una materia che è essenziale nel vangelo. Sarà nella letteratura cristiana del II e III secolo che dogma diviene un qualcosa di dottrinale e disciplinare allo stesso tempo, in linea con il concetto di cristianesimo considerato come «vera filosofia».

Le principali garanzie fornite dal NT alla nozione di dogma in quanto dottrina, oltre a quanto si è detto sopra, si trovano infatti: 1. nell'uso di *pístis* e *pistéuein*; fede nel NT non è solo confidenza nel Signore e obbedienza a Dio ma anche considerare vere certe cose (per es. Rm 10,8-9; Gv 6,69); 2. nella formula del credo o in quelle precedenti, specialmente inniche, contenute nel NT, cui Paolo fa appello (per es. Fil 2,5-11; 1 Cor 15,1-3), il che indica che l'idea di un'espressione relativamente fissa della fede non era del tutto estranea al NT; 3. in quell'uso di *homologhía* e *homologhéin* in cui l'oggetto confessato, riconosciuto, approvato è il kêrygma di Cristo, ad es. «Gesù è il Signore» (Rm 10,8; cfr. 1 Tm 6,12; Eb 4,14; 1 Gv 4,15); 4. nell'enfasi messa dalle lettere pastorali sulla *didaskalía*, la «dottrina sicura» (Tt 1,9; 2,1) cui Timoteo e Tito sono incoraggiati a esser fedeli, il «buon deposito» che devono conservare (2 Tm 1,14), che è la «verità» (2 Tm 2,25; 3,7) ed è lo stesso che il «modello delle sane parole» che essi hanno ricevuto (2 Tm 1,13).

c. *Nicea* - Nel NT e nel cristianesimo primitivo pertanto il «dogma» esiste già come realtà vissuta ma senza una grande enfasi su una standardizzazione della formula verbale; con Cano e Chrismann c'è un possesso riflesso della realtà del dogma, di cui si può trovare traccia in *Pastor Aeternus*. Ma tra la realtà vissuta, che comprende la possibilità di un'espressa standardizzazione della formula, e il possesso riflesso, c'è l'attualizzazione del dogma in quanto insegnamento espresso e codificato, proposto dall'autorità della chiesa che ne chiede l'assenso di fede divina. Questa attualizzazione è preparata dall'emergere dei simboli catechetico e battesimale, come pure dalla crescente coscienza della → *regula fidei* nella controversia con gli gnostici. Ma si verifica in pieno per la prima volta a Nicea. «Ma coloro che dicono: "C'era un tempo in cui lui non era"; oppure: "Che fu fatto da ciò che non esiste o da un'altra ipostasi o ousia"... costoro sono anatematizzati dalla Chiesa» (DS 126). Così quello che si deve dire per poter appartenere alla comunità di salvezza è che il Logos è eterno, non creato, e *homooúsios* con il Padre. L'enfasi è posta su ciò che viene detto perché ciò che diciamo con locuzioni e proposizioni, formulando un giudizio, è una rivendicazione a possedere, nella conoscenza, ciò che esiste. Indipendentemente da ciò che pensiamo o da ciò che gli ariani dicono, il Logos è così come è. Non solo, ma ciò può esser conosciuto e la conoscenza viene espressa con un giudizio autentico, una proposizione vera corrispondente a ciò che esiste. E questo possesso della realtà da parte di una mente illuminata dalla fede fa parte di ciò che significa salvezza.

3. SVILUPPO DEL DOGMA - a. *Sacra scrittura, tradizione, magistero* - Partendo dall'accezione corrente di Scrittura, tradizione e magistero e dal rapporto tra essi esistente, il loro nesso con le dichiarazioni dogmatiche permette di fare la seguente affermazione. Se per Scrittura si intende la testimonianza ispirata, materialmente sufficiente, che la comunità apostolica rende a Cristo, Verbo incarnato di Dio, e quindi è la *norma non normata* della fede; se la tradizione, il cui principio è lo stesso Spirito che ha ispirato le Scritture e il cui soggetto complessivo è la chiesa, è il contesto formalmente necessario in cui leggere e interpretare correttamente la Scrittura perché contiene l'esperienza di quelle stesse realtà di cui parla la Scrittura (DV 8), allora una dichiarazione dogmatica sarà collegata alla Scrittura e a precedenti espressioni della tradizione in quanto interpretazione normativa di queste; allora il ruolo del magistero nella produzione di tale interpretazione sarà semplicemente quello di riconoscere infallibilmente, secondo il dono ricevuto dallo Spirito Santo, che l'interpretazione è assolutamente corretta (DV 10). Così la produzione di una dichiarazione dogmatica si può giustamente considerare in primo luogo come una sorta di esegesi, anzi una «esegesi spirituale», vale a dire una lettura della Scrittura e un servizio che le viene reso, nello Spirito di Cristo, il quale rimuove dal volto di Mosè il velo, quella «durezza di cuore» che impedisce di leggere l'AT come un testo che parla di Cristo (2 Cor 3,12-18). La garanzia di questa esegesi, inoltre, è l'esempio di Cristo secondo la comprensione che ne hanno Luca e gli Atti. In Lc 4,16-21 Cristo dichiara essere lui stesso il senso di Is 61, 1-2: con l'insegnamento egli assicura

ed è in realtà il contesto normativo dell'interpretazione della Scrittura. In Lc 24,27 ancora una volta Cristo dichiara essere lui stesso il senso della Scrittura («Mosè e tutti i profeti»). Non solo, ma questo esempio è seguito anche da altri, per esempio in At 8,27-35 dove Filippo dichiara all'eunuco etiope che è Cristo il significato di Is 53,7-8.

b. *Teorie di sviluppo* - Si distinguono comunemente quattro teorie di sviluppo dogmatico. Per chi continua ad ammettere la nozione di «sviluppo», la posizione sicuramente più comune è l'ultima.

1. Sviluppo come nuova o più chiara espressione di ciò che è già concettualmente posseduto e conosciuto (Bossuet). Con l'idea ormai sorpassata della tradizione come raccolta di insegnamenti non contenuti nella Scrittura e trasmessi oralmente e con una maggiore attenzione riservata alla storia non solo dell'espressione verbale estrinseca, ma anche dei concetti che sono patrimonio della tradizione cristiana, questa idea di sviluppo è stata ormai abbandonata.

2. Sviluppo come attività logica per giungere a conclusioni su premesse rivelate (per es. F. Marin-Sola). Secondo questa visione dovrebbe essere possibile dimostrare con logica stringente la continuità tra Scrittura e dogma. La difficoltà di tale dimostrazione ha spinto ad abbandonare questa ipotesi.

3. Sviluppo come trasformazione materiale delle espressioni didattiche della fede secondo i concetti scientifici e filosofici del tempo (Schleiermacher, modernismo). Questa visione è normalmente criticata per il fatto che la continuità del cristianesimo è più che la continuità dell'esperienza e della religiosità e perché essa comprende anche una continuità di insegnamento.

4. Sviluppo come riflessione propriamente teologica sulla realtà rivelata fatta dalla ragione necessariamente condizionata dalla storia e illuminata dalla fede (Newman, Moehler, Blondel). Il riconoscimento delle condizioni storiche imposte alla ragione spiega quei salti nello sviluppo che non possono essere legati logicamente come se fossero un passaggio da premesse già acquisite a conclusioni prima non formulate chiaramente. Una delimitazione dell'oggetto della riflessione alla *realtà* rivelata (il Cristo), non negando il ruolo delle proposizioni nella trasmissione della rivelazione, spiega come vi possa essere di più nello sviluppo di quanto era stato precedentemente espresso in proposizioni. Infine il fatto che la riflessione venga indicata come «teologica» e la ragione come «illuminata dalla fede», 1. trasforma l'effettivo processo di sviluppo in un atto di fede che non si può ridurre del tutto a pure capacità umane; 2. trasforma in un atto di fede anche il successivo riconoscimento di sviluppi autentici.

c. *L'interpretazione del dogma* - In generale le dichiarazioni dogmatiche devono essere interpretate secondo gli stessi canoni della Scrittura: l'obiettività critica della storia è portata a muoversi entro i confini della fede e della tradizione. Dal momento che esse stesse sono interpretazioni della Scrittura e della tradizione trovano una loro interpretazione in rapporto alla norma di quanto interpretano. Laddove obbligano il credente a un atto di fede, le dichiarazioni dogmatiche devono per loro natura essere interpretate rigidamente. Il fatto che le dichiarazioni dogmatiche sono «irriformabili» (DS 3074), non significa che non ammettano una interpretazione e anche una riformulazione; significa invece che, nel senso in cui furono capite al tempo e nel contesto della loro definizione, devono essere considerate come vere.

4. LA NEGAZIONE DEL DOGMA - Nel NT eresia e scisma non sono distinti

chiaramente come negazione di parte della rivelazione, da un lato, e rottura della comunione senza tuttavia separazione dalla regola della fede, dall'altro. Gli «scismi» di Corinto (1 Cor 1,10) sembrano essere più che altro delle fazioni, in ogni caso caratterizzate in parte dalla semplice adesione a questo o a quel leader (1 Cor 1,12). Ma negli Atti la base dello «scisma» tra i cittadini di Iconio (14,4) e nel Sinedrio (23,7) è chiaramente un disaccordo intellettuale. *Háiresis* (da *hairéomai*, scegliere, selezionare), che nel greco precristiano significa setta e specialmente scuola filosofica, è usato negli Atti in modo analogo: «la setta dei sadducei» (5,17; 15,5; 24,5; 26,5). Sembra essere soprattutto la descrizione di un gruppetto esterno al gruppo (cfr. 24,14) fatta in modo alquanto ostile. Per l'uso che ne fa Paolo è difficile distinguerlo dallo scisma (cfr. 1 Cor 1,10 e 11,18). È solo in 2 Pt 2,1 che si comprende chiaramente come «l'eresia» si fondi su una negazione della dottrina e per di più una dottrina riguardante Cristo. Che tali differenze comportino già nel NT la rottura della comunione è chiaro a partire da 1 Gv 1,18ss. La indefettibilità della fede ecclesiale appartiene alla chiesa in quanto comunione e non all'individuo in quanto tale.

Con la produzione del dogma a Nicea diventa possibile una nozione correlativa esatta di eresia in quanto negazione di una dichiarazione dogmatica. E ciò avviene in continuità con la nozione più plastica dell'eretico (considerato come uno che non interpreta la Scrittura secondo la regola della fede, come in Ignazio), in continuità con il senso che ha eresia in 2 Pt 2,1. La chiarezza del dogma dopo Nicea però cambia la natura della controversia dottrinale: mentre per Ireneo ci vollero quattro libri per dimostrare il fatto che gli gnostici non interpretano la Scrittura secondo la regola della fede, gli ariani e i semia-

riani possono essere facilmente identificati se si misurano con il metro dell'*homooúsios*.

Le questioni moderne relative alla nozione di eresia non devono essere distinte dalle questioni moderne relative alla nozione di dogma; esse pongono il problema se una certa conoscenza della verità espressa in proposizioni, appartenga essenzialmente ai beni della salvezza oggi posseduti e quindi formalmente necessaria per appartenere alla comunità dei salvati.

5. PROBLEMI E PROSPETTIVE - a. *Presupposti antropologici* - I problemi moderni relativi alla nozione di dogma cominciano con le difficoltà inerenti ai presupposti antropologici del dogma stesso. Tali presupposti, come la possibilità dello stesso dogma, sono conosciuti teologicamente solo attraverso la realtà della rivelazione. Come prima della rivelazione non si poteva sapere che il Verbo di Dio si sarebbe espresso con parole umane, così, sempre prima della rivelazione, non si poteva sapere che lo avremmo potuto ascoltare. Le condizioni antropologiche del dogma possono essere formulate in modi diversi. In modo classico, e con Tommaso, si può dire che il presupposto fondamentale è che vi sia un naturale desiderio umano della visione di Dio. Tale desiderio, conosciuto, in quanto tale, in modo soprannaturale, senza dubbio dipende strettamente dal carattere della mente umana considerata *quodammodo omnia*, e tale che l'estensione analogica del nostro linguaggio va oltre il dominio dell'essere materialmente condizionato: la mente umana arriva in verità a capire qualcosa di Dio, o con più precisione qualcosa di ciò che Dio non è, e le umane parole possono parlare di cose divine (→ Analogia). Tali condizioni naturali del dogma fanno parte in modo rigorosamente implicito della predicazione di Gesù sul regno; se l'uomo può dire una parola esca-

tologica, allora il suo tempo non è quello di un'immersione animale in una pura successione di percezioni, ma quello della percezione delle successioni: in questo ambito egli domina quel tempo cui nondimeno è soggetto e costruisce la → storia, essendo disposto all'ascolto della parola riguardante il fine della storia, non fissato da lui, ma da Dio. Tale apertura implica che la mente umana si estenda col desiderio oltre le regioni dell'essere, ben oltre l'intero cosmo materiale e temporale e così abbia per oggetto adeguato l'essere in quanto tale.

La possibilità antropologica del dogma viene comunemente negata in duplice maniera. Primo, se una filosofia critica sostiene che l'oggetto adeguato della mente non è l'essere in quanto tale, questa viene confinata nella conoscenza dei fenomeni e un discorso analogo su Dio cade nell'equivoco: qualsiasi discorso religioso è nella migliore delle ipotesi metaforico e così non c'è linguaggio appropriato usato nei nostri confronti da parte di Dio, ricevuto ed espresso con parole nostre. In secondo luogo, se un idealismo postcritico sostiene che l'essere non solo è oggetto adeguato ma anche oggetto proprio della mente, non vi è intelligibilità che la superi, ogni affermazione analogica di Dio finisce nell'univocità e non vi è per nulla la necessità di accettare alcuna verità sull'autorità di Dio rivelante.

b. *Problemi moderni* - L'idea stessa di dogma induce a una crisi di fede non solo per i vari rifiuti della filosofia postcristiana, ma anche per quanto sul serio uno prende le seguenti questioni.

1. La prima è quella della Riforma. Il diritto che ha la chiesa di proporre il dogma non è in contraddizione con la libertà della coscienza cristiana e con la libertà che ha il vangelo, e la parola di Dio, di rivolgersi alla coscienza? E non lo fa inserendo un'autorità umana fra il cristiano e colui che è mediatore fra Dio e l'uomo, Gesù Cristo? E non riduce la fede, che sola salva e il cui solo fine è Dio, a una serie di «opere» intellettuali, di assenso a proposizioni formulate in modo umano, intese in modo umano?

L'attenzione moderna verso la questione della Riforma è normalmente legata alla lettura liberale che fanno i protestanti della storia della dottrina, per cui il dogma non è che l'espressione della corruzione intellettualizzante greca della religiosità cristiana del NT. C'è inoltre una sorta di pressione esegetica da parte dei fautori di una coerente escatologia per cui il dogma è la soluzione che il primo cattolicesimo avrebbe dato al problema del ritardo della parusia. In generale i protestanti sono inclini a interpretare il dogma in senso stretto come «confessione», intesa come risposta umana alla parola della rivelazione, ma non sufficiente a partecipare dell'autorità della rivelazione stessa.

2. La seconda questione è quella dell'illuminismo. La stessa idea di dogma non è in contraddizione con la libertà dell'uomo? Una *fides imperata*, come suppone la nozione di dogma, è una *fides servilis*; la fede libera, la sola che è considerata moralmente valida, non richiede nessun altro assenso oltre a quello dato ai principi di moralità, connessi con l'idea di Dio, così come sono postulati dalla ragione pratica (Kant). Ancora il dogma è in contraddizione con lo spirito di libera indagine (Heidegger) e si oppone all'apertura del metodo scientifico (J. Dewey, B. Russell). L'accusa illuminista del dogma si potrebbe riassumere così: un «dogma» è un'opinione che non è e non può essere conosciuta come vera, perché imposta in modo illegittimo ad altri da una autorità umana. L'imposizione di un dogma è «eteronomica», nega il carattere autonomo dello spirito inquisitivo e dell'azione umana. E

se ciò fosse fatto nell'interesse di una classe sociale, il dogma diverrebbe «ideologia» nel senso marxista.

3. Terzo, come ripristinare l'unità cristiana se si considerano quelle divisioni apportate dal dogma, che non si possono superare con la semplice affermazione di una gerarchia di verità (UR 11)?

c. *Proposte moderne* - Tutte le difficoltà toccate da queste questioni sembrano insorgere solo in una visione del dogma di tipo cognitivista e relativista: le affermazioni dogmatiche ci dicono qualcosa di Dio, di Cristo, dei modi che Dio ha di agire con gli uomini; inoltre le affermazioni dogmatiche sono vere in quanto sono corrispondenti alla realtà, per es. l'affermazione «ci sono tre persone in Dio» è vera perché ci sono tre persone in Dio. Tutte le difficoltà si possono considerare perciò superate se ci si libera da questa nozione, o negando che il dogma per natura sua sia un'espressione atta a informare o liberandosi della corrispondente idea di verità. Quelle che seguono sono le principali linee necessarie per una riformulazione.

1. La nozione esperienziale ed espressivista del dogma. Chi propone questa visione pensa, con Schleiermacher, di rispondere alla critica illuminista sia della conoscenza che della religione rivelata. I dogmi vengono fraintesi se pensiamo che ci forniscano informazioni su qualche realtà trascendente la nostra esperienza ordinaria. I dogmi sono piuttosto espressioni ed evocazioni di un tipo unico di esperienza, l'esperienza di «assoluta dipendenza», la nostra «consapevolezza di Dio». Per esempio «Gesù è *homooúsios tô patrí*» è un'espressione della consapevolezza di Dio − in senso ampio dell'esperienza religiosa o dell'interesse ultimo − di chi fa l'asserzione. Fare un'asserzione evoca la consapevolezza che ha di Dio colui che la fa; essa

lo mantiene in quell'esperienza. È, per così dire, una metafora che mostra l'esperienza, che è essa stessa propriamente indescrivibile, al di fuori dell'ambito di quel genere di intelligibilità che la nostra lingua e i nostri concetti riescono a esprimere con proprietà.

L'affermazione è vera rispetto all'esperienza di chi la fa dal momento che realmente esprime ed evoca la sua consapevolezza di Dio; è vera rispetto a Gesù dal momento che egli ebbe davvero un'insuperabile consapevolezza di Dio.

L'affermazione è emendabile purché la riformulazione esprima ugualmente l'esperienza di Dio da parte di colui che fa l'affermazione, a patto che la riformulazione assuma un simile impegno nei confronti della unicità di Gesù. C'è da augurarsi che la riformulazione dell'affermazione stia al passo con il linguaggio scientifico e filosofico del tempo. La continuità dello sviluppo dogmatico è fatto di esperienza, non di contenuto concettuale.

Conformemente con quanto esposto sopra, le dottrine della chiesa possono solo avere una normatività temporalmente e culturalmente relativa. Esse non vincolano né la libertà del vangelo né quella della coscienza. Di conseguenza esse non erigono grossi ostacoli per l'unità dei cristiani.

2. Pragmatismo, modernismo. Il senso di ogni affermazione sta nella prospettiva di esperienza che essa implica e nell'azione che essa esige. Così «Gesù è *homooúsios tô patrí*» significa che dovremmo agire nei confronti di Gesù come si agisce nei confronti di Dio e significa anche che ci si può aspettare che egli agisca con noi come agisce Dio. Ad esempio, se Dio è l'agente della nostra salvezza ci possiamo aspettare che Gesù sia altrettanto. I significati di due affermazioni sono distinti solo se implicano esperienze diverse ed esigono azioni diverse. Così, se «Gesù è la rivela-

zione di Dio» implica le stesse esperienze ed esige anche le stesse azioni della dottrina nicena, allora è equivalente ad essa nel suo significato, perché il significato è l'intenzione non della realtà ma del nostro rapporto con essa.

La verità dell'affermazione è una funzione della sua coerenza con la nostra esperienza e pratica, come pure con ogni altra affermazione cui siamo impegnati; infatti una verità può essere vera ed essere conosciuta come tale solo in quanto parte di un tutto. Il progresso libero della scienza e della filosofia può così esigere una riformulazione del dogma.

L'olismo pragmatico e il coerentismo, combinati sia con una visione storicista (spesso heideggeriana) del rapporto tra Essere e linguaggio, sia con una escatologia futurista, producono una visione delle dichiarazioni dogmatiche per cui esse non sono che delle indicazioni solo provvisoriamente utili della Verità escatologica che ancora deve essere rivelata. La loro verità non consiste in una corrispondenza presente con la realtà ma nel tenerci orientati verso una Verità che non possiamo possedere ora con il linguaggio, ma di cui il nostro linguaggio può esprimere solo la speranza.

3. Antifondazionalismo, costruttivismo. Una terza e duplice possibilità di riformulare il senso del dogma nasce dalla costruzione contemporanea del discorso in quanto raccolta disparata di lessici e strutture culturalmente e storicamente formati, nessuno dei quali è privilegiato rispetto all'altro, di nessuno dei quali si sa se possa metterci in rapporto con il reale meglio degli altri. Come il pragmatismo anche questa visione è una funzione dell'olismo e del coerentismo hegeliano, che tuttavia asserisce una pluralità di incommensurabili discorsi o lessici, ciascuno dei quali è formato storicamente e culturalmente per qualche fine extraconoscitivo, per es. l'unità di qualche comunità o la conservazione di qualche pratica etica. Si possono seguire due linee: a. La linea dei dogmi considerati come dichiarazioni fatte dentro a certe strutture, capaci di verità solo al loro interno e nella presupposizione delle medesime; b. la linea dei dogmi in quanto metadichiarazioni costituenti le strutture stesse. Nella prima, è il rapporto della struttura con la realtà a essere problematico: se la struttura non è vera rispetto alla realtà, allora nessuna verità all'interno della struttura riuscirà a farci avere realmente il possesso del reale. E questo è un ritorno al pragmatismo.

La seconda linea si può sviluppare come segue. Il fondamento di un discorso sta nel fissare i limiti di ciò che è importante discutere inventando le categorie in cui parlarne. Le dichiarazioni dogmatiche sono esempi di tali delimitazioni. Come le regole, anch'esse non sono né vere né false; esse determinano piuttosto un discorso entro il quale si possono fare dichiarazioni capaci di verità o di falsità. «Gesù è *homooúsios tô patrí*» è una scrittura stenografica per varie regole: a. parlare sempre di Dio come uno; b. parlare sempre di Gesù e del Padre come persone veramente distinte; c. parlare sempre di Gesù allo scopo di accrescerne l'importanza. Ci si mantiene entro il significato del dogma in quanto norma a seconda di quanto si seguono le regole. Se si riesce a mostrare che l'affermazione «Gesù è la suprema rivelazione di Dio» rientra nello spazio della formazione delle dichiarazioni fissato dalle regole, allora si deve dire che rientra nell'ortodossia di Nicea. Lo stesso dogma è vero, non nel senso che corrisponde, ma se le categorie (unità divina, distinzione reale, importanza massima di Gesù) sono adeguate agli scopi del discorso cristiano nella sua interezza, che intende aiutarci a raggiungere il rapporto reale con la realtà ultima. Regole differenti di adeguatezza categoriale non costituiscono un serio ostacolo all'unità dei cristiani.

Proposte come queste hanno contribuito grandemente a capire il rapporto esistente tra dogma ed esperienza e azione (prassi), tra storia e cultura, e ad apprezzarle come modo speciale di fare un discorso connesso con il discorso della preghiera e della lode che nella religione è prioritario. Ma ricevono anche delle critiche per il fatto che: *a.* nessun concilio, nessuna autorità della chiesa, enunciando un dogma, ha inteso evocare un'esperienza né fornire delle norme di comportamento né stabilire delle condizioni di adeguatezza categoriale, laddove ciascuna di queste cose è distinta dal fatto di dichiarare come stiano le cose; *b.* nessuna delle proposte, negli esempi, esclude pienamente l'arianesimo e nemmeno l'adozionismo. Evidentemente le domande cui esse rispondono esigono la dimostrazione che, se la comprensione cognitivista-realista del dogma è corretta, questo non solo non si oppone alla libertà del vangelo e a quella del cristiano, ma li aiuta concretamente a mantenere la presenza della parola evangelica nel tempo e che l'eteronomia del dogma, come della stessa rivelazione, è lo strumento di una libertà umana più grande di quanto l'uomo possa concepire o raggiungere con le sue forze.

Bibl. - J.H. Newman, *An Essay on the Development of Christian Doctrine*, 1878; M. Blondel, «Histoire et Dogme», in *Les Premiers écrits de Maurice Blondel*, Paris 1956; K. Rahner, *On Heresy* (Quaestiones Disputatae, II), Freiburg-New York-London-Montreal 1961; Id., «Che cos'è un "asserto dogmatico"?», in *Saggi Teologici*, Roma 1965, 113-165; W. Kasper, *Il dogma sotto la parola di Dio*, Brescia 1967 (or.1965); J. Walgrave, *Unfolding Revelation: The Nature of Doctrinal Development*, London-Philadelphia 1972; B. Lonergan, «The Origins of Christian Realism», in *A Second Collection*, Philadelphia 1974; Id., *The Way to Nicea*, Philadelphia 1976; P. Schrodt, *The Problem of the Beginning of Dogma in Recent Theology*, Frankfurt a.M.-Bern-Las Vegas 1978.

GUY F. MANSINI

DREY Johann Sebastian

1. DATI BIOGRAFICI - J.S. Drey nacque il 17 ottobre 1777 a Killingen (oggi: Ellwangen-Röhlingen) in condizioni familiari disagiate. Dopo un curriculum ginnasiale convenzionale (1787-1797) e studi teologici di secondo ordine (presso il collegio S.Salvatore degli ex-gesuiti ad Augsburg dal 1797-1799 e nel seminario diocesano dal 1799-1801) giunse all'ordinazione sacerdotale nel 1801. Utilizzando gli anni passati come vicario per studi autodidattici programmati, nel 1806 venne nominato professore di matematica e fisica nel liceo di Rottweil. Con la fondazione dell'università Friedrich di Ellwangen, che ebbe peraltro breve vita, nel 1812, senza preparazione specifica, ricevette l'incarico d'insegnamento in dogmatica e storia dei dogmi (oltre al lavoro per l'enciclopedia teologica). Qui, in deroga al piano degli studi, già nel 1814 cominciava a svolgere in forma creativa lezioni di apologetica. Il trasferimento dell'istituto di Ellwangen all'università di Tübingen (1817) come facoltà di teologia cattolica (accanto alla già esistente facoltà di teologia evangelica) venne incontro alle sue aspirazioni. Mantenendo le sue materie istituì a Tübingen la disciplina e l'insegnamento di apologetica. In breve tempo Drey fu considerato il più eminente teologo della facoltà. Oltre a favorire innovazioni nella teologia cattolica (*Revision des gegenwärtigen Zustandes der Theologie*, 1812), si fece deciso promotore (dopo il 1830 con minor profilo) della riforma ecclesiastica in tutti i campi (pressappoco nell'orientamento di I.H. von Wessenbergs [1774-1860]). Dal 1822 al 1827 la casa reale del Württemberg propose quattro volte di seguito la sua candidatura a primo vescovo di Rottenburg, sempre respinta da Roma per motivi di politica ecclesiastica. Il deludente corso degli eventi facilitò a Drey il ritiro ad una

vita da studioso, esteriormente meno appariscente e movimentata, ma interiormente dinamica e incisiva per la teologia di Tübingen nel suo modello di base (scientificità, attualità ed ecclesialità della teologia all'insegna della «riflessione autonoma»). Accanto a *Kurze Einleitung* (1819) e alla sua opera principale *Apologetik I-III* (1838-1847) la rivista *Theologische Quartalschrift*, di cui fu cofondatore, contiene la mole principale delle sue pubblicazioni. Non diede alle stampe un'opera dogmatica più ampia; delle sue lezioni di dogmatica e di storia dei dogmi restano alcuni manoscritti. Due successive nobilitazioni (1823, 1846) depongono a favore dell'alto grado di riconoscimento della sua opera. Dal 1846 insegnante emerito, Drey morì il 19 febbraio 1853 a Tübingen. Non esiste una biografia completa della sua vita.

2. EFFICACIA DELLA SUA OPERA E STATO DELLA RICERCA - L'importanza specialistica di J.S. Drey risulta dal ruolo di «fondatore» o «padre della teologia fondamentale moderna» che oggi gli viene unanimamente attribuita. La sua insistenza nel chiamarla «apologetica», come denominazione tecnica stabile (nonostante le metafore «fondamentali» concettualmente determinanti) è dovuta, da una parte, principalmente alla difesa di terminologie e generi cattolici antichi e coestensivi, come «dogmatica generale» (*Dogmatica generalis*), introduzione alla dogmatica (*Introductio* o rispettivamente *prolegomena*) ecc.; dall'altra, al positivo interesse per l'identità terminologica con la parallela iniziativa della teologia evangelica (specialmente di F. Schleiermacher, 1768-1834); non significò quindi una affermazione attualizzante della tradizione apologetica.
Va tuttavia notato che l'attribuzione iniziale del ruolo di fondatore a J.S. Drey (avvenuta da parte della

teologia evangelica assai prima della teologia cattolica) e ancor più la sua discontinua diffusione, non dipesero esclusivamente da *uno solo* dei suoi scritti relativi. Prima che alla *Apologetik* (1838 ss.) il merito va riferito alla *Kurze Einleitung* (1819) – anche se le concezioni apologetiche / fondamentalteologiche di queste due opere in parte divergono – e solo più tardi le due concezioni vengono unificate. Ciò è confermato dal dato seguente: il tema «apologetica» in Drey abbraccia non solo una determinata opera stampata (*Apologetik*), ma anche un programma *didattico, letterario* e *teologico* che, dalla fase di progettazione allo stadio finale, ha percorso una evoluzione complessa con reciproche interferenze. Ciascuno dei tre aspetti produsse il suo specifico effetto. L'apologetica / teologia fondamentale di Drey non è quindi da identificare senz'altro con la sua *Apologetik*. Essa risente già del peso di obiezioni concettuali (e anche di interdizioni tabuizzanti) contro il suo progetto dottrinale, senza che peraltro venga abbandonato il nocciolo del suo originale approccio innovativo.
Una estesa e continuativa «storia degli effetti» (*Wirkungsgeschichte*) dell'apologetica / teologia fondamentale di J.S. Drey, che non fu fondatore di una «scuola», si interruppe già con il suo collocamento a riposo o rispettivamente con la conclusione della sua opera principale. Il suo successore, J.E. Kuhn (1806-1887), si oppose per ragioni teologiche di fondo alla autonomia specifica di questa materia, come disciplina nettamente distinta dalla dogmatica dal punto di vista teoretico-scientifico. In effetti, per motivi totalmente diversi, anche il modello dominante dell'apologetica scolastica della seconda metà del XIX secolo andava nella stessa direzione. Se la teologia fondamentale cattolica associa alla «paternità» di fondazione di Drey qualcosa di più di un titolo onorifico, ciò sembra esprimere

un momento orientativo nel complesso processo della sua strutturazione teoretica.

Gli stadi dello sviluppo del progetto di Drey tra il 1814 e il 1819 (Lezione di Ellwanger / *KE*) e del 1847 (*Apol* II² e III) non sono ancora stati definiti per quanto concerne le fonti. Per questo il postulato metodologico, che trova ancora riconoscimento, e mira a sostenere la trattazione analitico-oggettiva e sistematica della sua apologetica con ricerche di appoggio storico-genetiche, in linea di principio è attuabile. Questo postulato metodologico universale per decenni fu poco rispettato negli studi su Drey, iniziati in modo regolare solo nel 1930 da J.R. Geiselmann. Le ricerche condotte personalmente da Geiselmann, che hanno segnato per lungo tempo l'ermeneutica circa l'interpretazione di Drey, ne sono in parte un esempio precario. Per questo alcune delle interdizioni tabuizzanti sopra accennate continuarono ad agire anche dopo la benemerita «riscoperta» di J.S. Drey. Ne è sintomo il fatto che l'apologetica / teologia fondamentale di Drey (soprattutto nella forma della *Apologetik*) per lungo tempo trovò accoglienza solo in alcune sue singole tematiche, ma non fu mai presentata, fino a poco tempo fa, nella sua genesi, nella sua forma originale e nel suo approccio sistematico.

3. CONCETTUALIZZAZIONE INIZIALE - Il formarsi di concezioni proprie prende corpo in Drey con il suo distanziarsi dai generi quali i «Prolegomena» (di carattere ancora dogmatico, vedi in specie E. Klüpfel [1752-1811]) o l'«Introductio» (vedi in specie P.B. Zimmer [1752-1820]). Già dal 1812 al 1813 egli considera le sue lezioni introduttive di dogmatica come «esposizione filosofica del cristianesimo», come esposizione dell'«idea assoluta del cristianesimo»: *il Regno di Dio*. Questa idea, oltre alla sem-

plice fondazione della dogmatica, tende chiaramente alla «fondazione filosofica della teologia cristiana» nel suo complesso. Il cambio di denominazione delle lezioni (1814: «Apologetica») manifesta apertamente la connessione di questa idea con la concezione della «teologia filosofica» di F.Schleiermacher. La sinergia ideale e strutturale con Schleiermacher è ampiamente visibile nel suo primo progetto enciclopedico (non portato materialmente a termine) dell'Apologetica del 1819 (*KE* par. 221-247): essa è 1. *contenutisticamente* una ricerca sull'«essenza del cristianesimo» (come religione e come chiesa) che dimostri: *a.* la sua interiore intellettuale e intelligibile verità (idea del regno di Dio) alla luce dell'intelletto, mediante una argomentazione intrinseca; *b.* la sua origine divina (rivelazione), mediante una metodologia storica estrinseca; 2. *metodologicamente*, la «costruzione filosofica» dell'essenza del cristianesimo, la quale, pur essendo informata storicamente, opera nell'ambito della ragione essenziale e con i principi che le sono propri; 3. *strutturalmente*, la parte costruttiva della «fondazione» della «teologia scientifica» (in quanto ancora più legata alla parte sistematica che alla teologia nel suo complesso), tuttavia non nel senso di un formalismo costruttivo, bensì come «conoscenza scientifica» essenziale del cristianesimo, «valida a difendere la convinzione del cristianesimo ... di fronte ad ogni ragione»; 4. *funzionalmente*, la disciplina sistematica fondamentale della teologia, che (in Drey diversamente da Schleiermacher) trasforma i dati storici del cristianesimo in idee della ragione («sapere») o rispettivamente li ingloba nel *sistema* intrinsecamente coerente e interdipendente dell'umano sapere.

Da parte cattolica Drey ha in comune soprattutto con M. Dobmayer (1735-1805) la costruzione aprioristica razionale del principale concettoguida (Regno di Dio) come punto di partenza dell'apologetica. La «interpretatio apologetica» dell'opera di Dobmayer (parallelamente a una certa presa di distanza da Schleiermacher 1821 ss), segna una fase di nuove riflessioni (fin verso il 1834 circa) nei confronti della posizione autonoma dell'apologetica e del suo criterio generale. In questo procedimento l'elaborazione definitiva dei veri motivi teologici non sempre si riflette in modo chiaro nella loro trasposizione didattica nelle lezioni di Drey. Nel suo decorso l'apologetica assume *a*. il suo forte profilo (soprattutto nei confronti della dogmatica) come disciplina della *fondazione* della fede nell'orizzonte gnoseologico e obiettivo e *b*. come suo principio, al posto del Regno di Dio subentra il concetto-base di *Rivelazione*, che in seguito guiderà costantemente l'elaborazione sistematica dell'apologetica di Drey.

4. FORMA DI PENSIERO E APPROCCIO INIZIALE - Contro l'antagonismo che polarizza la teologia del tempo tra naturalismo e razionalismo e tra soprannaturalismo e iperrazionalismo (con l'inclusione del misticismo) Drey stabilisce in linea programmatica la forma di pensiero del *razionalismo positivo nella chiesa*. Egli parte dal cristianesimo come dato di fatto, come si rivela «positivamente» nella sua origine e nella traditio storica della chiesa fino alla sua forma attuale. Come «religione positiva e storica, il cristianesimo può esser conosciuto in primo luogo solo storicamente» (*Apol* I-3): nella chiesa, come continuazione oggettiva, ininterrotta, pura e coerente dell'evento primordiale (biblicamente testimoniato). Perciò la chiesa, («la vera base di ogni sapere teologico» *KE* par. 54) è l'istanza di garanzia transoggettiva di tutto l'oggetto del mondo teologico. Il chiarimento della *verità* del diritto di legittimità, affermato con questa asserzione, tuttavia non può essere limi-

tato all'accertamento delle fonti (esegesi, storia della chiesa) o all'esibizione dell'identità tra l'attuale consapevolezza della fede e le singole testimonianze della tradizione o la loro interpretazione in consonanza con essa (dogmatica). Essa esige la razionalità teologica essenziale: di trasferire in razionalità universalmente accettabile i dati posti positivamente (in teoria e nella prassi), mediante il riscontro della loro interiore intelligibilità attraverso un procedimento critico-normativo (apologetica). Ciò che secondo la sua *origine* è il contenuto della rivelazione, secondo la sua *struttura* deve potersi esprimere come idea evidente della ragione. Il rapporto reciproco della rivelazione e della ragione è di carattere assoluto: «Tutto *da* Dio − *attraverso* la ragione − e *per* essa» (*Ibid., 291*). L'apologetica, in senso pienamente scientifico, è quella disciplina *teologica* (non preteologica!) che trasforma «la verità inizialmente solo creduta in verità compresa»; che coglie «il contenuto della rivelazione» come un «nesso di dottrine» che «hanno in se stesse la loro verità e necessità»; una disciplina che fa scivolare «il mistero nell'idea e le verità rivelate in verità della ragione» (*Ibid., 305s*).

Caratteristica essenziale dell'approccio è il suo intrinsecismo apologetico di fondo.

5. CERCHIO ERMENEUTICO - Un procedimento critico-normativo di correlazione è tuttavia possibile solo come esame della rivelazione in se stessa, vale a dire presupponendo l'esistenza della rivelazione e come processo indotto originariamente da essa stessa. Tra i presupposti ermeneutici dell'apologetica di Drey rimasti *aperti*, c'è il fatto che essa apriorizza mentalmente un aposteriori, la rivelazione storico-positiva, nell'interesse della sua convalida interna. La correlazione tra trascendentalità e fenomenalità della rivelazione, sempre

presupposta in essa come sistema di riflessione, tra concetto ideale-trascendentale di rivelazione e sua evoluzione storica, trova la sua verifica complessiva solo nella storia reale. Siccome le categorie fondamentali dell'apologetica di Drey sono elaborate *in senso storico*, essa implica la comprensione interiore di tutta la storia (della rivelazione). Per questo, nella sua prospettiva di fondo, è inclusa anche la sua filosofia e teologia della storia, che restano sempre condizionate dal modello gnoseologico del «realismo ideale», creato (in termini idealistici) da F.W.J. Schelling (1775-1854) e costantemente affermato da Drey.

6. Comprensione personale-partecipativa della rivelazione - Le categorie fondamentali dell'apologetica di Drey sono anch'esse delineate *in forma personale*. La rivelazione non è da lui intesa entro categorie dell'ammaestramento, ma essenzialmente come «auto-rivelazione di Dio» (*Apol* I-1,119-121, 124s) nel senso del modello teoretico-partecipativo di comunicazione (M. Seckler) dell'autocomunicazione di Dio per la redenzione dell'uomo. Essa ha il suo culmine insuperabile, quanto a forma e contenuto, nella persona di Cristo (*Ibid.*, 199-204). L'incarnazione è quindi il punto di partenza e il punto centrale, dove converge anche il fine, dell'apologetica (*Ibid.*, 26): come dottrina fondamentale (*Ibid.*, 124 e passim), come verità fondamentale (*Ibid.*, 3,15 e passim), fatto fondamentale (*Ibid.*, VII e passim), realtà fondamentale (*Ibid.*, 3 e passim). I fini particolari della rivelazione (sotto l'aspetto noetico: istruzione; etico: rinnovamento morale; sociale: istituzione della chiesa) convergono nella storia in *uno solo*: la redenzione (*Ibid.*, 177 e passim). La rivelazione cristiana è «rivelazione della salvezza» (*Ibid.*, 245).

7. Apologetica come teologia fon-DAMENTALE - L'apologetica garantisce – nell'ambito della nozione di scienza di allora – la possibilità e l'esistenza della teologia come scienza, mediante la dimostrazione del suo principio (doppio oggetto formale) reale (rivelazione) e formale (scientificità). In tal modo essa elabora il fondamento per tutta la teologia (nella sua pluridimensionalità metodica e materiale), e ciò sotto quattro aspetti: a. *oggettivamente*, il fatto «teologia» e la sua qualificazione come teologia della rivelazione, mediante la dimostrazione del cristianesimo come religione rivelata; b. *gnoseologicamente*, nella individuazione dell'«idea fondante» del cristianesimo fatta all'interno (nel modus di conoscenza) e all'esterno (nel modus di spiegazione); c. *metodologicamente*, con l'elaborazione del primo e ultimo fondamento del sistema argomentativo teologico e l'ordine delle rationes che comporta; d. *pedagogicamente*, nel senso di una introduzione nella realtà della teologia. A partire dall'approccio iniziale (vedi sopra), l'apologetica, come disciplina-base, collega tutte le operazioni teologiche alla loro base comune, la rivelazione così come oggi essa si presenta nella chiesa. In questa funzione fondante della chiesa nei confronti della teologia, si avverte in Drey l'influsso abbastanza evidente della gnoseologia teologica di Dobmayer.

8. Struttura metodologica e ductus interiore - I *tópoi* ormai tradizionali si ritrovano anche nell'apologetica di Drey, ma mutati funzionalmente mediante la struttura metodologica di base adeguata alla finalità intrinseca.

La *ratio philosophica* (*Apol* I: «Filosofia della rivelazione»), come filosofia teoretica della rivelazione, (comprendente filosofia, teoria e critica della rivelazione), fonda le norme critico-regolative (principi entitativi e conoscitivi della rivelazione) per l'individuazione del concetto-base. In questa prospettiva la rivelazione appare come «la base trascendentale di quanto empiricamente è cristiano» (*Apol* I 15): come l'unità dal punto di vista ideale di quanto fenomenalmente è multiforme.

La *ratio philosophico-historica* (*Apol* II: La religione nella sua evoluzione storica fino al suo compimento nella rivelazione di Cristo), come filosofia applicata della religione (al giudaismo e al paganesimo precristiano) o come storia filosofico-critica della religione, esamina le manifestazioni categoriali della rivelazione (delle rivelazioni) dal punto di vista della loro idea. Alla sua base sta il postulato di un sistema coerente in tutta la storia (della rivelazione), «che si evidenzia appunto nella serie di queste manifestazioni» (*Ibid.*, 132). Esso va individuato nell'evolversi successivo del «piano pedagogico di Dio con gli uomini» (*Ibid.*, 245).

La *ratio historica* in ultima analisi ha la sua funzione là dove la fatticità di una idea colta trascendentalmente non è apodittica, ma può essere verificata come fatto accaduto dalla ragione investigativa storica, in base alla congruenza tra realtà storica e idea, ad es. nella prova storico-positiva dell'incarnazione. Nel sistema argomentativo apologetico essa non ha un valore logico isolato in senso positivistico, ma una validità logica controllata in senso normativo.

Questa struttura metodologica fondamentale compare nei due primi volumi della *Apologetik* che riguardano la suddivisione classica dei trattati. Inoltre i trattati sulla religione e sulla rivelazione (*demonstratio religiosa* e *demonstratio christiana*) per

motivi intrinseci sono combinati insieme (interdipendenza del concetto di religione e di rivelazione).

Il trattato sulla chiesa (*Apol* III: «La rivelazione cristiana nella chiesa cattolica») ripete con un approccio autonomo nuovo la struttura fondamentale già delineata, (idea di chiesa; fondazione della chiesa; via notarum ecc.), ma, in fondo, resta ancorato più strettamente alla tradizione apologetica. L'elaborazione che Drey vi fa del concetto di «tradizione viva» (la chiesa come prodotto della rivelazione e come portatrice della rivelazione) continuò ad avere un valore orientativo.

Bibl. - FONTI: J.S. Drey, *Kurze Einleitung in das Studium der Theologie mit Rücksicht auf den wissenschaftlichen Standpunkt und das katholische System*, Tübingen 1819 (= *KE*; Ristampa: Darmstadt 1971); Id., *Die Apologetik als wissenschaftliche Nachweisung der Göttlichkeit des Christentums in seiner Erscheinung*, voll. I-III, Mainz 1838-1847, 1844-1847[2] (= *Apol*; Ristampa della 1ª ed.: Frankfurt a.M. 1967).
LETTERATURA: M. Seckler, «Ein Tübinger Entwurf: Johann Sebastian Drey und die Theologie», in Id., *Im Spannungsfeld von Wissenschaft und Kirche*. Theologie als schöpferische Auslegung der Wirklichkeit, Freiburg i.B. 1980, 178-198; F.-J. Niemann, *Jesus als Glaubensgrund in der Fundamentaltheologie der Neuzeit*. Zur Genealogie eines Traktats, Innsbruck 1983, 301-348; R. Lachner, *Das ekklesiologische Denken Johann Sebastian Dreys*. Ein Beitrag zur Theologiegeschichte des 19. Jahrhunderts, Frankfurt a.M.-Bern-New York 1986; E. Tiefensee, *Die religiöse Anlage und ihre Entwicklung*. Der religionsphilosophische Ansatz Johann Sebastian Dreys (1777-1853), Leipzig 1988; A.P. Kustermann, *Die Apologetik Johann Sebastian Dreys (1777-1853)*. Kritische, historische und systematische Untersuchungen zu Forschungsgeschichte, Programmentwicklung, Status und Gehalt, Tübingen 1988, con bibliografia e letteratura.

ABRAHAM P. KUSTERMANN

E

«ECCLESIAM SUAM»

Giovanni XXIII e Paolo VI hanno voluto far entrare la chiesa nella storia del secolo XX e farne una chiesa ricca di risorse e in dialogo con il mondo. Da questo punto di vista l'atteggiamento *dialogico* è, fra tutti i cambiamenti di atteggiamento che esprimono la *metánoia* o → conversione operata dal concilio stesso (conversione soprattutto al servizio, all'apertura al mondo, al dialogo, all'interiorità, alla ricerca di senso, all'attenzione allo spirito piuttosto che alla lettera), quello che ha operato la rivoluzione più profonda nella vita della chiesa.

Esso sopraggiungeva, infatti, dopo un periodo di protesta da parte della chiesa contro il mondo moderno, seguito da un periodo di isolamento, di silenzio, se non di mutismo. In occasione del Vaticano II, la chiesa si è convertita: da diffidente e ostile è divenuta accessibile e accogliente. Precedentemente pretendeva di sapere tutto senza nulla imparare. Ora, essa riconosce il mondo come partner di un dialogo aperto. Riconosce le altre culture, le altre mentalità e dà loro fiducia. Il dialogo, per lungo tempo interrotto con le scienze e le filosofie del tempo presente, si ristabilisce. La chiesa avvia quindi il dialogo con le comunità cristiane separate, con le grandi religioni mondiali (→ Dialogo interreligioso) e anche con l'umanesimo ateo. Essa cerca forme di collaborazione, o per lo meno di intesa, con gli stati comunisti.

In questa presa di coscienza ecclesiale circa l'urgenza di giungere a un atteggiamento di dialogo, l'anno 1964 rappresenta un momento di maturità. Quattro importanti documenti appaiono nello spazio di quattro mesi, tutti centrati sulla parola di Dio e sul dialogo:

– lo schema III sulla rivelazione contiene un paragrafo interamente nuovo, di oltre dodici righe, sulla rivelazione intesa come dialogo tra Dio e gli uomini con la mediazione di Gesù Cristo. Pubblicato nel luglio 1964, questo testo è rimasto immutato fino alla promulgazione della DV nel 1965;

– l'enciclica *Ecclesiam suam* che descrive l'atteggiamento della chiesa di fronte al mondo in termini di dialogo, uscì il 6 agosto 1964;

– infine, la costituzione sulla chiesa e il decreto sull'ecumenismo sono stati promulgati il 21 novembre 1964.

Una tale convergenza di testi fondamentali, ravvicinati nel tempo e tutti centrati sul dialogo, non potrebbe essere frutto del caso. La coscienza ecclesiale era maturata e l'atteg-

giamento dialogico era stato raggiunto. L'interesse per l'*Ecclesiam suam*
deriva dal fatto che l'enciclica ha voluto esprimere i fondamenti teologici
di questo atteggiamento ritrovato, im-
mergendosi nel cuore della rivelazione. «La Chiesa deve venire a dialogo
col mondo in cui si trova a vivere.
La Chiesa si fa parola; la Chiesa si
fa messaggio; la Chiesa si fa colloquio» (ES 67). Ora, il prototipo di
questo dialogo della chiesa con il
mondo è il dialogo stesso di Dio con
gli uomini che noi definiamo rivelazione: «La Rivelazione, cioè la relazione soprannaturale che Dio stesso
ha preso l'iniziativa di instaurare con
l'umanità, può essere raffigurata in
un dialogo, nel quale il Verbo di Dio
si esprime nell'Incarnazione e quindi
nel Vangelo. Il colloquio paterno e
santo, interrotto tra Dio e l'uomo a
causa del peccato originale, è mera-
vigliosamente ripreso nel corso della
storia. La storia della salvezza narra
appunto questo lungo e differenziato dialogo che parte da Dio e che in-
tesse con l'uomo una varia e mirabile conversazione. È in questa conversazione di Cristo fra gli uomini (Bar
3,38) che Dio lascia capire qualche
cosa di Sé, il mistero della sua vita,
unicissima nell'essenza, trinitaria nelle
Persone; e dice finalmente come vuole essere conosciuto: Egli è Amore;
e come vuole essere da noi onorato
e servito: amore è il nostro comandamento supremo. Il dialogo si fa
pieno e confidente; il fanciullo vi è
invitato, il mistico vi si esaurisce. Bisogna che noi abbiamo sempre presente questo ineffabile e realissimo
rapporto dialogico, offerto e stabilito con noi da Dio Padre, mediante
Cristo, nello Spirito Santo, per comprendere quale rapporto noi, cioè la
Chiesa, dobbiamo cercare d'instaurare e di promuovere con l'umanità»
(72-73).
    È la prima volta che un'enciclica de-
scrive con un simile rilievo il rapporto dialogico della rivelazione e che lo

propone come prototipo del dialogo
chiesa-mondo. Riprendendo i termini dello schema III sulla rivelazione,
quelli cioè di *dialogo* (*colloquium*:
ES, *et homines alloquitur*: DV) e di
conversazione (*Sermocinatio*: ES, *et
alloquitur*: DV), tratti dallo stesso testo di Baruc 3,38, l'enciclica sottolinea in modo inedito il carattere dinamico e interpersonale della rivelazione. Il Dio vivente esce dal suo mistero per un'iniziativa d'amore ed
entra in comunicazione con l'uomo:
dialoga, conversa con lui, per stabilire una comunione di pensiero e di
vita. L'oggetto principale di questo
dialogo, che è confidenza d'amore,
è il mistero stesso della vita divina.
Il dialogo della rivelazione, tiene a
precisare l'ES, ci illumina circa il dialogo della chiesa con l'umanità. Alla
base di qualsiasi dialogo vi è un profondo rispetto dell'altro e una disponibilità all'ascolto che già sono un inizio di amore. Il dialogo, prosegue
l'ES, implica «un proposito di correttezza, di stima, di simpatia, di
bontà da parte di chi lo instaura»
(81). Il dialogo perfetto si incontra
là dove colui che parla sa anche ascoltare e dispone alla confidenza colui
che deve rispondere; e reciprocamente, là dove colui che ascolta manifesta un'attenzione e una simpatia tali
da disporre colui che parla a cedere
la parola per ascoltare l'altro. La
grande tentazione del dialogo è il mo-
nologo per dominare l'altro, o il rifiuto del dialogo per eliminare l'altro. Il vero dialogo implica sempre
la possibilità di una morte, di un olocausto, anche da parte della chiesa:
per questo non potrebbe essere sostenuto senza la carità. L'ES riassume tutto ciò riconducendolo a quattro qualità del dialogo: chiarezza, mitezza, fiducia, prudenza, seguendo
l'esempio di Cristo stesso (83).
    Tra il dialogo di Dio con gli uomi-
ni e il dialogo degli uomini tra loro
vi è analogia ma non identità. Una
volta sottolineata questa differenza

essenziale, resta vero che il dialogo della salvezza può servire da ispirazione per i rapporti della chiesa con il mondo e per i rapporti di ciascun cristiano con gli uomini suoi fratelli. L'ES descrive entrambi questi tipi di dialogo.

Prima di tutto l'enciclica delinea le proprietà caratteristiche del dialogo della rivelazione: *a*. È un dialogo «aperto spontaneamente dall'iniziativa divina: *Egli (Dio) per primo ci ha amati*» (74). *b*. È un dialogo inaugurato dalla «carità, dalla bontà divina» (75). *c*. È un dialogo «che non si commisurò ai meriti di coloro a cui era rivolto, e nemmeno ai risultati che avrebbe conseguito o che sarebbero mancati» (76). *d*. Sebbene sia di un'importanza inaudita a motivo della salvezza che vi è in gioco, esso è tuttavia infinitamente rispettoso della libertà umana: «Il dialogo della salvezza non obbligò fisicamente alcuno ad accoglierlo; fu una formidabile domanda d'amore, la quale, se costituì una tremenda responsabilità in coloro a cui fu rivolta, li lasciò tuttavia liberi di corrispondervi o di rifiutarla» (77). *e*. Il dialogo della salvezza «fu a tutti senza discriminazione alcuna destinato» (78). *f*. Infine, questo dialogo è stato opera di paziente e saggia pedagogia: «ha conosciuto normalmente delle gradualità, degli svolgimenti successivi, degli umili inizi prima del pieno successo» (79), rispettando così la lentezza della maturazione umana.

In una seconda parte l'enciclica descrive i doveri della chiesa nei confronti della rivelazione. Da una parte, essa deve approfondire la propria coscienza che «il tesoro di verità e di grazia, a noi venuto in eredità dalla tradizione cristiana, dovremo custodirlo, anzi dovremo difenderlo» (66). Tuttavia «né la custodia, né la difesa esauriscono il dovere della Chiesa rispetto ai doni che essa possiede» (66); essa deve anche diffondere il patrimonio ricevuto. Di conseguenza, de-

ve manifestare nel suo insegnamento «la preoccupazione di incontrare il più possibile l'esperienza e la comprensione del mondo contemporaneo» (66). Deve adattarsi «alla vita degli uomini in un dato tempo, in un dato luogo, in una data cultura, in una data situazione sociale» (89). Questo tema sarà largamente sviluppato nella GS soprattutto a proposito della cultura (GS, 58).

Fedeltà e *adattamento*: questi sono i due poli dell'azione della chiesa di fronte al vangelo e nel suo dialogo con l'umanità. Essa deve proporre agli uomini del nostro tempo il vangelo di Cristo, dato una volta per tutte e tuttavia sempre presente e attuale. La chiesa deve armonizzare in sé questi due atteggiamenti di cui nessuno può essere esclusivo: deve guardarsi dal conservatorismo timoroso, freddo e sterile, come anche da un adattamento troppo liberale che sarebbe solo «irenismo e sincretismo» (91). Dalla ricerca di questo equilibrio tra la preoccupazione di fedeltà e quella di adattamento risulta un dialogo autentico. Un equilibrio delicato ma legato alla condizione stessa di una rivelazione che entra nella storia per raggiungere gli uomini di tutti i tempi.

Bibl. - J. Lacroix, «La Filosofia del Dialogo» in *StCatt* 8 (1964) 57-64; R. Latourelle, «La Révélation comme dialogue dans *Ecclesiam suam*», in *Greg* 46 (1965) 834-839; Id., *Teologia della Rivelazione*, Assisi 1967, 308-314; Id., *Cristo e la Chiesa segni di salvezza*, Assisi 1968, 117 ss.

RENÉ LATOURELLE

ECUMENISMO

1. TERMINOLOGIA - Il termine *ecumenismo* e in particolare l'aggettivo *ecumenico*, sono attualmente adoperati in due sensi diversi. In espressioni quali *patriarca ecumenico* o *concilio ecumenico* il termine ha un antico significato connesso a quello del

greco classico, in cui οἰκουμένη (*oikouménē*) indicava il mondo abitato, più specificamente il mondo della cultura greca o romana, l'impero romano bizantino e più tardi il mondo cristiano unito all'impero romano non ancora diviso. E così si riferiva anche alla dottrina ufficiale, ortodossa, comune alla chiesa orientale e occidentale. Soltanto nel periodo 1920-1930 il termine *ecumenismo/ecumenico* cominciò ad essere correntemente usato per indicare il movimento per l'unità dei cristiani. Il termine è talvolta usato in un senso ancora più ampio, per indicare cioè ogni tipo di sforzo tendente all'unità fra le religioni o tra le nazioni. Noi adoperiamo qui il termine nel suo attuale e più ristretto significato, per indicare gli sforzi verso l'unità tra le chiese cristiane separate.

2. DEFINIZIONE - Il concilio Vaticano II nel documento sull'ecumenismo, *Unitatis Redintegratio*, ha descritto il movimento ecumenico nel modo seguente: «Moltissimi uomini in ogni dove sono stati toccati da questa grazia (cioè del ravvedimento per la divisione e il desiderio dell'unione), e anche tra i nostri fratelli separati è sorto, per grazia dello Spirito Santo, un movimento ogni giorno più ampio per il ristabilimento dell'unità di tutti i cristiani. A questo movimento per l'unità, chiamato ecumenico, partecipano quelli che invocano la Trinità e professano la fede in Gesù Signore e Salvatore, e non solo singole persone, ma anche riunite in comunità, nelle quali hanno ascoltato il Vangelo e che i singoli dicono essere la Chiesa loro e di Dio. Quasi tutti però, anche se in modo diverso, aspirano alla Chiesa di Dio una e visibile, che sia veramente universale e mandata a tutto il mondo, perché il mondo si converta al Vangelo e così si salvi per la gloria di Dio» (UR 1). Il decreto indica perciò alcune caratteristiche essenziali del movimento

ecumenico, come il suo riferimento all'opera dello Spirito Santo, il suo carattere comunitario ed ecclesiale, il suo orientamento missionario. Lo Spirito Santo opera oltre le frontiere di ogni chiesa e le conduce all'unità per la salvezza del mondo. A causa delle sue radici pneumatologiche ed ecclesiologiche la dimensione ecumenica fa parte di ogni riflessione teologica.

3. PANORAMICA STORICA - Sebbene la storia della disunione pesi gravemente nella storia delle chiese cristiane, tuttavia tale infelice stato di cose non è stato mai accettato con la coscienza tranquilla. Sempre ci sono stati tentativi di riconciliazione e di ristabilimento dell'unità. Ricordiamo soltanto i vani tentativi dei concili di Lione (1274) e di Firenze (1439) riguardo alle chiese orientali e l'influsso dello spirito di D. Erasmo sui colloqui religiosi in Germania e in Francia al tempo della Riforma protestante. Ma soltanto nel secolo ventesimo lo scandalo della divisione tra i cristiani è stato pienamente riconosciuto. Molti motivi storici hanno contribuito allo sviluppo di questa coscienza, quali ad esempio i movimenti filantropici internazionali del XIX secolo, i movimenti interconfessionali di studenti e di giovani, la diffusione dell'idea missionaria nel mondo protestante. In verità, è la Conferenza missionaria mondiale tenutasi a Edimburgo nel 1910 che generalmente viene considerata il punto di partenza del moderno movimento ecumenico. Come conseguenza di questa conferenza venne fondato nel 1921 l'*International Missionary Council* (Consiglio missionario internazionale) con lo scopo in particolare di «promuovere la solidarietà dei cristiani su scala mondiale e l'unità d'intenti e d'azione nell'opera di evangelizzazione» (*Storia del Movimento ecumenico*: II, 303). Il *Movimento di Fede e Costituzione* (Faith and Or-

der Movement) è sorto per affrontare i problemi teologici che erano stati consapevolmente omessi a Edimburgo, ma che continuavano a pesare su tutti i successivi contatti. Il movimento organizzò due importanti conferenze mondiali, la prima nel 1927 a Losanna e la seconda a Edimburgo nel 1937. Una terza corrente di primaria importanza che portò alla prima *Universal Christian Conference on Life and Work* (Conferenza mondiale di Cristianesimo pratico), tenutasi a Stoccolma nel 1925 e alla seconda a Oxford nel 1937, ebbe origine dalla sollecitudine del vescovo luterano di Uppsala Nathan Söderblom (1866-1931), a favore della pace durante la prima guerra mondiale 1914-1918. Questo movimento era fondato sulla convinzione che si poteva servire nel migliore dei modi l'unità con un comune interesse e collaborazione a favore della pace e della giustizia. Insieme con questi settori maggiori, altri gruppi lavorarono per un riavvicinamento tra i cristiani. Il *Christian Student Movement* (Movimento degli studenti cristiani) dovrebbe essere ricordato come il vivaio spirituale di molti leaders ecumenici. Fu nel 1937 che *Faith and Order* (Fede e costituzione) e *Life and Work* (Cristianesimo pratico) decisero formalmente di fondersi nel CEC (Consiglio ecumenico delle chiese).

L'*International Missionary Council* (Consiglio missionario internazionale) decise in quel momento di non entrare a far parte formalmente del Consiglio, ma tuttavia lavorò in stretto contatto con esso. I tre elementi, cioè dottrina, servizio e missione, che diedero vita al Consiglio ecumenico delle chiese, rimasero all'opera nella successiva evoluzione del Consiglio: essi continuano a sviluppare i loro programmi all'interno dell'unica struttura del CEC, convocando per esempio le loro particolari conferenze mondiali.

È giusto affermare che quando la chiesa cattolica romana mostrò il suo interesse al movimento ecumenico nei primi anni Sessanta con la fondazione del *Segretariato per l'unione dei cristiani* con il cardinal A. Bea (1881-1969) quale suo primo presidente, con l'invio di osservatori ufficiali all'assemblea generale del Consiglio ecumenico delle chiese tenutasi a New Delhi nel 1961 e con l'invito a osservatori non cattolici al concilio Vaticano II, essa prese parte a un movimento che si era già pienamente stabilito. Per molti anni la chiesa cattolica si era tenuta a distanza dal movimento ecumenico. L'enciclica *Mortalium Animos* di Pio XI, del 6 gennaio 1928, fu un rifiuto ufficiale a collaborare. Questo atteggiamento rimase fondamentalmente inalterato fino al 1960 anche se l'Istruzione del Santo Ufficio del 20 dicembre 1949 *de Motione Ecumenica*, manifestò già qualche apertura. L'ingresso nel movimento era stato preparato dall'impegno personale di molti ecumenisti cattolici come Y.M. Congar (1904), P. Couturier (1881-1953), M. Pribilla (1884-1956) e L. Beauduin (1873-1960), fondatore del monastero benedettino di Amay, in seguito Chèvetogne. Dovrebbe essere ricordata anche la *Conferenza cattolica per le questioni ecumeniche*, di cui J. Willebrands era segretario. L'apertura della chiesa cattolica fu significativa per tutto il movimento ecumenico. Tramite un atto conciliare il Vaticano II diede il suo appoggio allo sforzo ecumenico e lo fece entrare a far parte, come mai prima, delle priorità ufficiali della chiesa cattolica, come pure di altre chiese.

L'ingresso della chiesa cattolica mutò il panorama ecumenico. Se in precedenza il movimento ecumenico poteva largamente identificarsi con le realizzazioni del Consiglio ecumenico delle chiese, il Consiglio ora diventava una parte importante di un più vasto movimento. In questo panorama i *dialoghi bilaterali tra le con-*

fessioni e le chiese acquistarono una grande importanza. Sebbene la rete dei dialoghi sia più ampia di quella in cui è coinvolta la chiesa cattolica, è anche vero che quest'ultima possiede un'indubbia predilezione per essi. Nominiamo alcuni dei dialoghi più fruttuosi a livello mondiale: la Commissione mista internazionale per il dialogo teologico tra la chiesa cattolica romana e la chiesa ortodossa, la Commissione internazionale anglicana-cattolica romana (ARCIC), la Commissione congiunta cattolica romana-evangelica luterana e la Commissione mista di studio cattolica romana-riformata. Ci sono anche dialoghi e incontri con le antiche chiese orientali, con i battisti, i discepoli di Cristo, i pentecostali e i metodisti. Alcuni importanti dialoghi a livello locale, quale il dialogo luterano-cattolico romano negli Stati Uniti e l'opera del gruppo francese *Groupe des Dombes* hanno avuto un forte influsso nella formazione del consenso ecumenico. La conoscenza dei risultati di questi dialoghi disponibile attraverso molti rapporti e dichiarazioni ora riuniti in diverse raccolte, allargherà l'orizzonte della teologia e favorirà la recezione dei loro risultati.

L'iniziativa ecumenica non si limita ai contatti ufficiali e ai dialoghi dottrinali. È qualcosa di più di un semplice impegno tra tanti altri. È diventata una forma esigente di rapporto vicendevole in differenti modi e a vari livelli della vita ecclesiale, dalle forme ufficiali fino ad altre molto informali di vivere insieme nella vita quotidiana.

Queste nuove relazioni si esprimono in preghiere, lettura della bibbia e celebrazioni comuni, nella comune testimonianza e nel servizio nei confronti dei vari bisogni del mondo, in modo speciale a favore della pace e della giustizia. I cristiani in realtà dovrebbero fare assieme tutto quanto non sono costretti a fare separatamente. Il movimento ecumenico è un

modo provvisorio di vivere insieme come cristiani, nato dalla profonda sofferenza per lo scandalo della disunione e dal riconoscimento di una fede comune. L'impegno per l'unità e la non uniforme accoglienza del progresso ecumenico creerà inevitabilmente tensione e fermento nelle chiese e nell'insieme del mondo cristiano. L'esperienza della comunione per quanto sia ancora imperfetta, non può mai essere in modo adeguato espressa da regole e direttive che necessariamente sono codificazioni di una realtà del passato. La pazienza e prudenza, richiesta dall'azione ecumenica, lotta con l'urgenza del traguardo, vale a dire la rimozione della separazione e la restaurazione della comunione spezzata.

4. PROBLEMI TEOLOGICI - Non intendo offrire un panorama completo dei problemi teologici che sono stati sollevati nei dialoghi ecumenici. In conformità all'orientamento del dizionario, ne menziono alcuni che sembrano più significativi per la teologia fondamentale.

a. *Metodo della teologia ecumenica* - I rapporti tra le varie confessioni sono stati caratterizzati per secoli dalla *controversia*, volendo ognuno difendere la posizione propria opponendola con metodo apologetico e polemico ad un'altra chiesa o comunità. Spesso tale modo di discutere portò ciascuna chiesa ad esaltare i propri punti di vista deprezzando, mettendo in ridicolo e condannando in modo globale i punti di vista divergenti come eretici, per non dire diabolici. Perciò la disputa ha edificato impressionanti biblioteche e una quantità di pregiudizi. Fin dal sorgere del movimento ecumenico sono stati cercati dei metodi atti a migliorare la mutua comprensione. Uno dei primi fu il *metodo comparato*, «un neutrale e semplice metodo di auto-spiegazione e di confronto senza sollevare il problema di chi ha ragione e chi torto»

(Pathil 398). Sebbene il mettere a confronto resti ancora inevitabile, l'esperienza ecumenica ha condotto a guardare alla diversità nella luce di una *ermeneutica di unità*. Un passo importante è stato il cosiddetto *metodo cristologico* presentato nel rapporto finale della Terza conferenza mondiale di Fede e costituzione tenutasi a Lund nel 1952: «Ancora una volta, afferma il rapporto, si è dimostrato vero che se cerchiamo di tenerci più stretti a Cristo noi ci avviciniamo di più gli uni agli altri» (*A Documentary History...*, 85). Pur non negando le differenze si cerca di guardare al di là di esse col riconoscere una unità più fondamentale in Cristo e con il ricercare le origini comuni nella Scrittura e nella comune tradizione di insegnamento, di culto e di preghiera. Ma più volte ci si trovò di fronte alla grande diversità e pluralità di tradizioni e di teologie connesse con peculiari situazioni esistenziali, storiche, socio-culturali, politiche e psicologiche. Questa diversità di contesti è tenuta in conto nel *metodo contestuale* che cerca di collegare l'uno con l'altro, nello sforzo di esprimere così l'unità nella diversità della chiesa (Pathil 346).

Uno strumento importante per raggiungere gli scopi di questi metodi è il *dialogo*. È una parola-chiave del moderno movimento ecumenico. Secondo il decreto sull'Ecumenismo gli incontri e i dialoghi «dove ognuno tratti da pari a pari» giovano più di tutto alla discussione di questioni teologiche (UR 9). In un documento di lavoro del *Segretariato per l'unione dei cristiani* contenente riflessioni e suggerimenti riguardo al dialogo ecumenico (1970) si afferma: «Considerato nella sua generalità, il dialogo esiste, tra persone o tra gruppi, quando ogni partecipante ascolta e risponde al tempo stesso, cerca di comprendere e di farsi comprendere, interroga e si lascia interrogare, si mette a disposizione e accoglie gli altri, a pro-

posito di una situazione, di una ricerca, di una azione, allo scopo di avanzare insieme verso una più grande comunione di vita, di vedute, di realizzazioni» (EV III, 1615). Il concilio Vaticano II accettò il dialogo basato su una metodologia ecumenica ben collaudata. Il fondamento teologico può essere trovato nella ecclesiologia di «comunione». Sebbene non ancora in piena comunione le chiese si reputano come chiese-in-relazione, come chiese in-dialogo, a causa del loro impegno ecumenico. Tuttavia le chiese esitano a riflettere sulle implicazioni e sui significati ecclesiologici del contesto più ampio nel quale sono *chiesa in relazione con altre chiese e comunità*. Le radici del dialogo si trovano antropologicamente nella dignità e nella natura sociale della persona umana ed ecclesiologicamente nel fatto che lo Spirito di Dio è all'opera oltre i confini di ciascuna comunità: «I cristiani sono in grado di comunicarsi a vicenda le ricchezze che lo Spirito Santo sviluppa in loro. Questa comunione di beni spirituali è la prima base su cui appoggia il dialogo ecumenico» (*Ibid.*, 1619). Il dialogo tra le chiese cristiane ha acquistato un'estensione e una profondità che non si poteva prevedere dal concilio Vaticano II. La comunicazione delle convinzioni di fede proprie di ciascuna chiesa da una parte e l'attento e paziente ascolto delle convinzioni dei partners del dialogo dall'altra, rimarranno sempre un faticoso requisito per vivere insieme in quanto chiese, sia in una non ancora completa che in una piena comunione tra loro. Non esiste comunione senza la permanente prontezza ad ascoltare, a comprendere e lasciarsi trasformare nel processo (cfr. *Ecumenical Findings*, ER 41 [1989] 126). La preferenza per la dimensione dialogica è stata talvolta sentita in contrasto con il dovere missionario della chiesa.

b. Uno dei problemi fondamentali

della riflessione ecumenica è senza dubbio quello della → *credibilità* del messaggio cristiano predicato dalla chiesa. All'origine del movimento ecumenico si trova il problema della → missione. La preghiera di Gesù «che siano tutti una cosa sola... perché il mondo creda che tu mi hai mandato» (Gv 17,21), pervade l'intero movimento ecumenico. Essa dimostra che l'unità della chiesa non è uno scopo in se stessa, ma ha un intento missionario e deve testimoniare definitivamente che il regno di Dio trascende tutto. Questa prospettiva implica che il movimento ecumenico deve riflettere sulla funzione salvifica della fede cristiana e della chiesa di fronte alle altre religioni e fedi, e quindi sul significato specifico dell'assolutezza del messaggio cristiano. Il movimento ecumenico diventa sempre più consapevole dell'urgenza teologica della sua responsabilità per il mondo e l'umanità, per la giustizia, la pace e la integrità della creazione. Davanti alle molte minacce che mettono in pericolo l'umanità e il mondo, il movimento ecumenico è diventato più sensibile alla sua responsabilità per la creazione la cui sopravvivenza è affidata a tutti gli uomini.

c. *Modelli di unità della chiesa* - Tutte le chiese professano l'unità della chiesa con le parole del Credo costantinopolitano. Nella sua natura più intima la chiesa è una e non può esistere divisa. Dove sorge la divisione si dovrebbe ripararla con il perdono e la riconciliazione. «Perdonaci il male che abbiamo commesso, come noi perdoniamo coloro che ci hanno fatto del male» (Mt 6,12) - «Se dunque presenti la tua offerta sull'altare e lì, improvvisamente ti ricordi che tuo fratello ha qualche cosa contro di te, lascia lì il tuo dono davanti all'altare e va' prima a riconciliarti con il tuo fratello» (Mt 5,23-24). Nella lettera agli Efesini Paolo pone davanti ai nostri occhi Cristo nostra pace, che ha riconciliato i due, i gentili e i giudei,

in un unico corpo, con Dio per mezzo della croce sulla quale ha distrutto l'inimicizia. Egli ha abbattuto il muro di separazione (Ef 2,11-22). In situazioni diverse queste citazioni diventano la fonte e il germe della riconciliazione in un'unica comunità credente.

Il movimento ecumenico contemporaneo si è sforzato di tracciare i sentieri per restaurare la futura unità. Questi modelli devono tener conto degli elementi essenziali della fede e dell'ordine della chiesa, come anche della pluriformità delle confessioni cristiane, dei riti e delle tradizioni che sono sorte nel mondo cristiano per differenti ragioni culturali, storiche e psico-sociologiche. Una delle più grandi sfide per la ricerca dell'unità è in che modo conciliare la necessaria unità con l'ammissibile e legittima diversità.

Questi modelli sono condizionati dalle convinzioni ecclesiologiche particolari e dai propri modi di vedere dei diversi partners del dialogo.

L'Ortodossia sottolinea la necessità di un ritorno alla comune fede dell'antica e indivisa chiesa dei primi sette concili ecumenici. Quell'eredità pura, immutata e comune degli antenati di tutti i cristiani separati è stata conservata interamente e intatta soltanto dalla chiesa ortodossa. L'unità è vista come un'armoniosa sinfonia di chiese nazionali autocefale che hanno conservato o ricuperato la fede ortodossa e l'intera struttura episcopale della chiesa (cfr. «Dichiarazione dei delegati ortodossi su "Fede e costituzione"» in *A Documentary History...*, 141-143; tr. it: C. Boyer - D. Bellucci, *Unità cristiana...*, vol. I. 240-243 e terza conferenza panortodossa: «Les relations de l'Église orthodoxe avec l'ensemble du monde chrétien» ed «Église orthodoxe et mouvement oecuménique» in *Istina* 32 [1987] 391-400).

In accordo col settimo articolo della *Confessione Augustana* (1530) la tradizione protestante, sia i luterani sia i riformati, insegna che «per la vera unità della Chiesa cristiana è sufficiente che il Vangelo sia predicato unanimemente secondo la pura comprensione di esso e che i sacramenti vengano amministrati in conformità alla Parola divina». L'uniformità delle cerimonie istituite dagli uomini non è una necessità. Ciò che appare come un principio alquanto formale in realtà ha per i riformatori un concreto contenuto teologico, concernente la giustificazione per la sola fede e l'istituzione divina dei sacramenti. L'unità della chiesa richiede l'accordo sui punti essenziali della fede e dà grande libertà nel concretizzare le forme istituzionali della comunità. La grande diversità istituzionale delle esistenti chiese storiche non può distruggere l'unità essenziale della chiesa quando esiste realmente un accordo circa la fede e i sacramenti. La ricerca dell'unità visibile permane una fragile impresa di esseri umani che sperano di trovare formule tali che aiutino le chiese storiche a rispondere un po' meglio all'unità che confessano nel Credo.

L'Anglicanesimo ha espresso il suo punto di vista nel cosiddetto *Lambeth Quadrilateral*. Contiene i quattro requisiti fondamentali per il raggiungimento dell'unità: l'accettazione della sacra Scrittura, del Credo niceno e apostolico, dell'istituzione divina dei sacramenti del battesimo e della santa comunione, infine dell'episcopato in quanto provvede i mezzi per un ministero, «di cui ogni parte della Chiesa riconosca che esso possiede non solo l'interiore chiamata dello Spirito, ma anche il mandato di Cristo e l'autorità sull'intero corpo» (*Conferenza di Lambeth 1920, Un appello a tutti i cristiani.* C. Boyer - D. Bellucci, *Unità cristiana...,* vol. I, 78-79). L'anglicanesimo crede in una unità visibile, collegiale, comprensiva e organica in cui le fonti della originaria eredità della fede e l'or-

dine fondamentale della chiesa sono pienamente conservati, nonostante la grande diversità di espressioni culturali. *La Comunione anglicana* giudica se stessa come un modello provvisorio di una tale comunione universale.

Entro il mondo cristiano *la chiesa cattolica romana* occupa un posto particolare. Come nessun'altra chiesa essa possiede la coscienza di essere universale, estesa in tutto il mondo e anche nel suo aspetto esterno una chiesa veramente cattolica. Anche se nel mondo si mostra largamente come chiesa *latina* nelle sue caratteristiche culturali, tuttavia essa non ha mai perso la coscienza di essere in verità una comunione di chiese locali che hanno riti e tradizioni diverse. Prima del concilio Vaticano II la chiesa cattolica riteneva la restaurazione dell'unità come veniva affermato nell'enciclica *Mortalium Animos* di papa Pio XI (6-1-1928), quale un *ritorno* all'unica vera chiesa di Cristo, «alla Sede Apostolica, fondata nella città che Pietro e Paolo... consacrarono con il loro sangue...». Il Vaticano II pone l'idea di *comunione* al centro della sua ecclesiologia affermando nel decreto sull'Ecumenismo: «Quelli che credono in Cristo e hanno ricevuto debitamente il battesimo, sono costituiti in una certa comunione, sebbene imperfetta, con la Chiesa cattolica... Nondimeno, giustificati nel battesimo dalla fede, sono incorporati a Cristo, e perciò sono a ragione insigniti del nome di cristiani, e dai figli della Chiesa cattolica sono giustamente riconosciuti quali fratelli nel Signore» (UR 3). La piena comunione è ricostituita quando i cristiani, «avendo lo Spirito di Cristo, accettano integralmente l'organizzazione della chiesa e tutti i mezzi di salute in essa istituiti, e nel suo corpo visibile sono congiunti con Cristo, che la dirige mediante il sommo pontefice e i vescovi» (LG 14). Risulta chiaro da questa esposizione e dalla storia del dialogo ecumenico, che il problema fondamentale è dato dal ruolo del ministero personale di unità nella chiesa universale in quanto presente nel vescovo di Roma. Con l'ingresso della chiesa cattolica nel dialogo ecumenico questa questione è diventata un argomento inevitabile.

Accanto a questi punti di vista principali ci sono delle comunità cristiane che hanno una debole comprensione della futura unità mettendo l'accento particolarmente sull'importanza ecclesiologica della comunità locale e ritenendo tutte le istituzioni più ampie come utili ma del tutto accidentali strumenti per la collaborazione e lo scambio, senza una vera rilevanza ecclesiologica.

Dal dialogo, dal reale vivere insieme e dalla comune esperienza nel movimento ecumenico sono sorti alcuni modelli di futura unità. Si sono raggiunte perfino unioni di chiese a livello nazionale. Si è acquistata, così, una maggiore esperienza. Guida per le successive riflessioni è stata la breve descrizione data dall'assemblea generale del Consiglio ecumenico delle chiese tenutasi a Nuova Delhi nel 1961: «Noi crediamo che l'unità, la quale è nel contempo volontà di Dio e dono di Dio alla sua Chiesa, viene resa visibile quando tutti coloro che, in ciascun luogo, sono battezzati in Gesù Cristo e lo confessano come Signore e Salvatore, vengono condotti dallo Spirito Santo a formare una comunità totalmente impegnata, ritenendo l'unica fede apostolica, predicando l'unico Vangelo, spezzando l'unico pane, unendosi in preghiera comune, e conducendo una vita corporativa che si irraggia nella testimonianza e nel servizio verso tutti, mentre nello stesso tempo sono uniti in tal modo con l'intera comunità cristiana in tutti i luoghi e in tutte le età che il ministero e i membri sono accettati da tutti, e tutti possono agire e parlare insieme secondo che le circostanze lo richiederanno affinché

siano assolti quei compiti ai quali Dio chiama il suo popolo» (C. Boyer - D. Bellucci, *Unità cristiana...*, vol. I, 302). L'assemblea di Nairobi (1975) descrisse l'unità come una «comunità conciliare»: «La Chiesa una – fu dichiarato, rifacendosi anche a New Delhi – deve essere considerata come una comunità conciliare di chiese locali, esse stesse autenticamente unite. In questa comunità conciliare, ogni chiesa locale possiede, in comunione con le altre, la pienezza della cattolicità e testimonia la stessa fede apostolica; riconosce quindi che le altre chiese fanno parte della stessa chiesa di Cristo, e che sono guidate dallo stesso Spirito. Come ha indicato l'assemblea di Nuova Delhi, esse sono unite tra di loro dallo stesso battesimo e dalla stessa eucaristia; riconoscono reciprocamente i loro membri e i loro ministri». La dichiarazione sottolinea, in particolare, lo scambio tra le chiese e le invita di conseguenza ad essere unite nel loro comune impegno di proclamare il vangelo di Cristo attraverso la predicazione e il servizio al mondo e mira a favorire i rapporti di amicizia con le chiese sorelle e a rafforzare quelli già in atto, manifestandoli in assemblee conciliari ogni volta che è necessario, per il compimento della loro comune vocazione («Le esigenze dell'unità», § 3, in *Il Regno. Documenti* 21 [1976] 153). Questo modello si riconnette alla tradizione conciliare e sinodale che esiste in quasi tutte le chiese. Non indica soltanto lo scopo da raggiungere, ma dice anche qualcosa circa la strada che deve essere compiuta già in una forma «conciliare» di crescente fiducia e scambio reciproco tra le chiese.

Alcuni, tuttavia, hanno ritenuto che questa descrizione non abbia tenuto conto a sufficienza della diversità che esiste tra le confessioni e che abbia sfocato la peculiarità delle differenti tradizioni. Questo condusse a sviluppare il modello dell'Unità in una diversità riconciliata. La *Federazione mondiale luterana* la descrisse come «una via verso l'unità che non implica automaticamente l'abbandono delle tradizioni e delle identità confessionali. Questa via verso l'unità è una via di incontro vitale, di esperienza spirituale vissuta insieme, di dialogo teologico e di reciproca correzione, una via in cui le caratteristiche distintive di ciascun partner non vengono perdute di vista o lasciate fuori circolo ma trasformate e rinnovate, divenendo in tal modo visibili ed evidenti agli altri partners come forme legittime di vita cristiana e dell'unica fede cristiana. Le differenze non vengono dissimulate né vengono semplicemente salvate e conservate inalterate. Al contrario, esse perdono il loro carattere di disunione e sono riconciliate le une con le altre» («Models of Unity», § 15, in *In Christ - A New Community*, Genève 1977, 174. Cfr. pure «L'Unità davanti a noi», § 33, in *Enchiridion Oecumenicum* 1582).

Sono state proposte altre descrizioni e altri termini, quali *Chiesa di chiese* o *Comunione di comunioni*. Nel dialogo con le chiese ortodosse si parla di *Comunione di chiese sorelle*. Nel dialogo con la comunione anglicana, *koinōnía* divenne uno slogan. Tuttavia tutti i modelli devono tener debito conto dei due poli, *unità* e *diversità*.

Sorge allora una questione fondamentale: quale diversità è tollerata dall'unità? «Fino a quale punto è ammissibile la diversità nell'interpretazione senza che praticamente si distrugga la vera comunanza dell'accordo?» (*Ecumenical Findings*, ER 41 [1989] 132). Quali sono i criteri per definire la diversità lecita? È inidonea una visione che non lascia spazio alcuno alle differenze tra le confessioni e alla varietà di modelli e mondi spirituali nell'ambiente cristiano.

Lo sviluppo storico ha fatto sì che diversi modelli di stili di vita e di pensiero cristiani si siano incarnati in forme sociali ed ecclesiastiche. Questi modelli formano mondi spirituali, insiemi di idee, valori e consuetudini differenti e nutrono la vita del cristiano in vista del suo destino spirituale.

Il ristabilimento della piena unità della chiesa sarà il risultato di un lungo e paziente processo di riunione. Come le ferite hanno bisogno di lungo tempo per cicatrizzarsi, così il ristabilimento dell'unità è il risultato di un processo ampio e prolungato di apprendimento il cui metodo e fine sono strettamente connessi tra loro. Soltanto promuovendo la comunione, cammin facendo si raggiungerà alla fine la comunione piena. I concetti statici non faranno mai giustizia alla realtà vivente della riconciliazione che è al centro di ogni ricerca di unità. L'evoluzione procede per fasi diverse, mentre produce già una reale unità. I rapporti sempre crescenti tra le chiese devono portare a reale desiderio di passi successivi. È compito dei responsabili delle chiese esaminare con coraggio i progressi fatti e prendere iniziative ufficiali. Questo graduale progresso verso l'unità delle chiese è stato descritto nel documento della Commissione congiunta cattolica romana-evangelica luterana, *L'Unità davanti a noi* del 1985: «La riconciliazione non è possibile senza il dialogo e la comunicazione costante. È un processo di discernimento degli spiriti e di ricerca di passi su una via che solo Dio conosce. Pertanto la riconciliazione è un processo dinamico. Lo è anche là dove esiste o è stata riconquistata l'unità ecclesiale ...» (par. 48, in EO, 1597).

d. La ricerca dell'unità delle chiese fa sorgere parecchie questioni specifiche, spesso di natura ermeneutica. Esse sono talvolta condizionate da divergenti presupposti teologici, antropologici ed ecclesiologici che spesso si sono formati in modo polemico e controverso l'uno contro l'altro. Tuttavia queste divergenze non dovrebbero essere indebitamente esagerate, anche se non possono essere misconosciute. Esse devono integrarsi negli schemi di unità. Piuttosto che essere esclusive esse possono essere di avvertimento l'una all'altra e attirare l'attenzione sulla unilateralità di ogni tentativo di parlare di colui che è ineffabile e si rivela nel Signore Gesù Cristo. Fede e unità si fondano definitivamente su colui che è *al di là e al di sopra* dei nostri sforzi.

– Un primo campo di discussione riguarda l'esistenza o meno di una *differenza fondamentale* che metterebbe in questione, alla radice stessa, l'importanza degli accordi ecumenici su specifiche questioni, già raggiunti nei dialoghi bilaterali. Ciò mette in questione l'asserzione che un *consenso* fondamentale è tuttora esistente e che le chiese sono ancora concordi negli elementi più essenziali della fede cristiana, nonostante alcune differenze più superficiali. Il problema è nato nel contesto del dialogo tra cattolici e protestanti. Ma analoghi problemi non potrebbero sorgere nei rapporti tra le chiese occidentali e quelle orientali? Nell'occidente la questione sorse fin dai primi anni del secolo diciannovesimo in parecchi libri di controversia teologica. Comunque il dialogo ecumenico ne ha fatto un problema scottante. Non c'è dubbio che molte differenze superficiali rivelino in realtà differenze più profonde e perfino più radicali. Noi pensiamo che esse debbano essere cercate nel campo della «mediazione sacramentale», del cosiddetto «sinergismo» tra Dio e gli uomini nell'ordine della salvezza. Esse manifestano differenze nella descrizione del rapporto tra Dio e l'uomo. La tensione prodotta dalla differenza essenziale e assoluta tra Dio e la persona umana, tra creatore e creatura sono state messe in rilievo in modo differente nella

tradizione cattolica e in quella protestante. Questa differenza comporta implicazioni importanti per la antropologia e l'ecclesiologia. Perciò non sorprende affatto che gli ultimi dialoghi ecumenici vogliano occuparsi di problemi quali la giustificazione e la natura della chiesa. Ma queste diversità devono essere esclusive? Non potrebbero essere complementari e richiamare l'attenzione su verità dimenticate? Non dimostrano in modo salutare i limiti dei nostri sforzi per esprimere in modo sistematico i misteri insondabili del modo di agire di Dio con l'umanità?

L'accenno alla → *gerarchia delle verità* in UR 11 resta importante per il dialogo ecumenico. Il decreto specifica: «Nel mettere a confronto le dottrine si ricordino che esiste un ordine o "gerarchia" nelle verità della dottrina cattolica, essendo diverso il loro nesso col fondamento della fede cristiana». Il concilio non volle adottare la distinzione tra verità «essenziali» e «non essenziali». Sebbene tutti gli articoli di fede siano egualmente veri e vincolanti, essi tuttavia non possiedono tutti la medesima aderenza al nucleo della fede circa Dio e la salvezza mediante Cristo. La fede è una realtà strutturata in cui alcuni articoli sono più strettamente congiunti con il «fondamento» di altri. Il dare debito peso a questa prospettiva può essere di aiuto alla catechesi missionaria e al discernimento di ciò che è necessario e di ciò che è secondario in vista dell'unità.

– *Il rapporto tra sacra Scrittura e Tradizione* è un problema centrale in particolare nel dialogo con le chiese protestanti. La relazione su «Scrittura, tradizione e tradizioni» esaminata nella Conferenza mondiale di Fede e costituzione tenutasi a Montreal nel 1963, segnò una svolta. La questione non poteva essere più vista soltanto nei termini del concilio di Trento. Il rapporto tra Scrittura e Tradizione non veniva più visto come l'esterna giustapposizione di due fonti, ma piuttosto in maniera comprensiva entro un'unica *parádosis* o tradizione. «Con *Tradizione* intendiamo il Vangelo stesso, trasmesso di generazione in generazione nella Chiesa e dalla Chiesa, con Cristo stesso presente nella vita della Chiesa. Con *Tradizione* intendiamo il processo della trasmissione. Il termine *tradizioni*, al plurale, è usato in due sensi, e indica sia la diversità delle forme di espressione, sia ciò che noi chiamiamo tradizioni confessionali ...» (C. Boyer – S. Virgulin, *Unità cristiana* ..., II, 35). La stessa sacra Scrittura e le diverse tradizioni si sono sviluppate sotto la guida dello Spirito Santo all'interno della tradizione vivente e conglobante. Questa nuova prospettiva non elimina tutte le accentuazioni e le differenze dei vari elementi del processo, ma le pone entro un processo più ampio e più dinamico. Il documento *Battesimo, Eucaristia e Ministero* ha dato un nuovo impulso alla riflessione sul significato della tradizione nel momento in cui parla «della fede della chiesa attraverso i secoli». In che modo deve essere compresa questa espressione in un contesto ecumenico? La discussione sulla tradizione fa sorgere immediatamente il problema della funzione delle diverse autorità. La sacra Scrittura e i documenti autorevoli della chiesa sono «autorità» in un modo del tutto differente da quello del → «magistero» vivo della chiesa che ha il compito di interpretare e di decidere sulla fede della chiesa, in fedele obbedienza all'istituzione divina della chiesa nell'evento-Cristo e alla testimonianza che fa da fondamento. Le Scritture dunque sono sempre delle sfide irriducibili a tutti i loro successivi interpreti. Le questioni connesse all'autorità, agli incaricati e all'estensione dell'ufficio d'insegnare nella chiesa sono tra le più difficili del dialogo ecumenico.

– *L'apostolicità della chiesa* che in-

clude la *successione apostolica* dell'ordine, in particolare dell'episcopato, è strettamente connessa al modo di intendere la tradizione. La questione è stata ora ripresa in una visione più ampia dell'apostolicità come si può vedere ad esempio nel documento di studio preparato dalla Commissione teologica congiunta su «Cattolicità e Apostolicità» (1968) (EO I, 790-865).

Il più recente documento su *Baptism, Eucharist and Ministry* (Battesimo, Eucaristia e Ministero) del 1982 afferma: «Tradizione apostolica nella Chiesa significa continuità nelle caratteristiche permanenti della Chiesa degli apostoli: testimonianza alla fede apostolica, proclamazione e interpretazione sempre rinnovata dell'Evangelo, celebrazione del battesimo e dell'eucaristia, *trasmissione delle responsabilità ministeriali*, comunione nella preghiera, nell'amore, nella gioia e nella sofferenza, servizio ai malati e ai bisognosi, unità tra le Chiese locali e condivisione dei beni che il Signore dona a ciascuna» («Ministero», par. 34, in EO I, 3154). La successione ordinata del ministero ordinato e la successione dei vescovi sono, conferma il documento, un'espressione della continuità della fede apostolica. Rimane ancora da chiarire quale sia la funzione e l'efficacia particolare della successione ministeriale entro l'inglobante apostolicità della chiesa. In che senso si può affermare che la successione episcopale è una «garanzia» e un «segno efficace» della continuità della chiesa attraverso i secoli?

– Anche se il movimento ecumenico è essenzialmente un movimento di riconciliazione di ciò che è separato, esso si occupa senza dubbio anche della diversità e del pluralismo del mondo cristiano. Queste varie forme di diversità sono il risultato di evoluzioni molto complesse dovute a processi culturali e storici, a scissioni e a scomuniche nella chiesa, come anche alla formazione di ideologie confessionali e stili di vita con una intricata struttura di idiosincrasie psicosociali, di pregiudizi e di ricordi che gravano sui vicendevoli rapporti tra le chiese. Essi si fanno sentire nella discussione di problemi apparentemente soltanto teologici. Si dovrebbe essere consapevoli di questi elementi quando esprimiamo convinzioni che riteniamo intimamente connesse con la propria fede. Un'ermeneutica dell'unità diventa dunque un esercizio nel mettere in relazione le proprie convinzioni con la fede degli altri cristiani, credendo che lo Spirito Santo parla in molti modi impensati. È infatti vero che, – come si afferma nel documento *Battesimo, Eucaristia e Ministero*: «l'apertura degli uni verso gli altri comporta la possibilità che lo Spirito parli a una Chiesa attraverso le cognizioni di un'altra» («Ministero», par. 54, in EO I, 3178).

5. CONCLUSIONE – La ricostituzione dell'unità non può essere ridotta alla ricerca teologica e al dialogo. Però senza serie riflessioni teologiche e scambi in merito, si costruirà sulla sabbia. Tale scambio deve essere fatto con grande umiltà e prontezza ad ascoltare dapprima gli interrogativi delle altre tradizioni: «Dobbiamo prepararci ad ammettere che la parola di Dio può arrivare a noi tramite i nostri partners nel dialogo» (*Ecumenical Findings*, ER 41 [1989] 126). Inoltre nessun insegnamento della chiesa può semplicemente identificarsi con le sue concezioni dei secoli passati, quando le chiese si separarono le une dalle altre. Il tempo ha guarito le ferite. Ma talvolta le aree di divergenza sono cambiate. Veri progressi sono stati fatti nel dialogo interconfessionale. Il movimento ecumenico dovrebbe però coltivare la sua memoria e continuare a costruire sulle convergenze e anche sugli accordi già raggiunti.

Tuttavia tutta l'azione ecumenica deve essere sostenuta da convinzioni. La disunione dei cristiani è e resta uno scandalo, anche maggiore dal momento che è stato riconosciuto come tale. Il vangelo contiene un urgente e permanente appello a fare tutto ciò che è possibile, ogni giorno di nuovo «settanta volte sette» (Mt 18,22), per abbattere i muri, per perdonare e per convertirsi l'uno all'altro affinché la testimonianza sia unanime, e così «il mondo creda» (Gv 17,21). Questi appelli richiamano alla conversione del cuore, aggravato dal peso della nostra disunione e dalle sue conseguenze storiche, per alzare lo sguardo, insieme, al Signore crocifisso (Gv 19,37). Questa conversione a Dio e degli uni agli altri è al centro di tutto l'impegno ecumenico.

Bibl. - DOCUMENTI: *A Documentary History of the Faith and Order Movement*, L. Vischer (ed.), St. Louis (1963); S.J. Voicu-G. Cereti (edd.), *Enchiridion Oecumenicum*: documenti del dialogo teologico interconfessionale: I, Dialoghi internazionali 1931-1984: II, Dialoghi locali 1965-1987, Bologna 1986, 1988; C. Boyer-D. Bellucci, *Unità cristiana e movimento ecumenico*, vol. 1, Roma 1963; C. Boyer-S. Virgulin, vol. II, Roma 1975 (Testi e documenti 2,10).
R. Rouse-St. Ch. Neill (edd.), *A history of the Ecumenical Movement*, vol. I, 1517-1948, London 1945[1], Genève 1963[3]; H.E. Fey (ed.), vol. II, *The ecumenical Advance*, 1948-1968, London 1970[1], 1986[2] (tr. it. citata: *Storia del Movimento ecumenico dal 1517 al 1948*, Bologna 1973, 1982; *Storia del Movimento ecumenico: L'avanzata ecumenica dal 1948 al 1968*, Bologna 1982; K. Pathil, *Models in ecumenical Dialogue*, Bangalore 1981; G. Pattaro, *Corso di Teologia dell'Ecumenismo*, Brescia 1985; P. Neuner, *Breve Manuale dell'Ecumene*, Brescia 1986; L. Sartori, *Teologia ecumenica. Saggi*, Padova 1987; Id., *L'unità della Chiesa: un dibattito e un progetto*, Brescia 1989.

JOS E. VERCRUYSSE

ELEZIONE/ALLEANZA/LEGGE

Abbiamo raccolto questi tre argomenti sotto uno stesso titolo perché strettamente collegati tra loro. Ogni alleanza è preceduta da un'elezione divina e, a partire dal Sinai, la legge è legata indissolubilmente all'alleanza e viene sottoposta, come l'alleanza, a un processo di progressiva interiorizzazione.

1. L'ALLEANZA CON ABRAMO - L'alleanza con Abramo è preceduta da una chiamata che è un'*elezione* da parte di Dio. Disse Jhwh ad Abramo: «Vattene dal tuo paese, dalla tua patria, dalla casa di tuo padre... Farò di te un grande popolo» (Gn 12,1-2). Tale chiamata ha separato Abramo dal suo popolo, dalla sua terra e dalla sottomissione a una cultura che si rifaceva a Babele e alle sue conseguenze (Gn 11). Jhwh scelse Abramo per formarsi un popolo che avrebbe ereditato le benedizioni e le antiche promesse fatte da Dio al momento della prima (Gn 3,15) e della seconda creazione – l'alleanza con Noè – (Gn 9,17). Per scelta divina Abramo sarebbe divenuto la radice d'una generazione benedetta che, un giorno, avrebbe accolto Cristo, suo vero discendente (Gal 3,16).

Questa alleanza con Abramo non è un patto bilaterale cui si impegnano due parti, ma una promessa, un giuramento unilaterale con cui Jhwh solennemente promette un'eredità ad Abramo e ai suoi discendenti. E questo giuramento si può ben chiamare alleanza, infatti esso crea effettivamente un nuovo rapporto tra Jhwh e Abramo. Ciò nonostante si tratta di un «accordo» del tutto particolare dal momento che l'iniziativa è esclusivamente di Jhwh e Abramo si accontenta di accoglierla e di rendere omaggio alla parola di Jhwh in un atteggiamento di abbandono totale (Gn 15,6).

In quanto atto di Jhwh sovranamente libero e gratuito, l'alleanza con Abramo non poteva essere né condizionata né compromessa dagli uomini: era indefettibile ed eterna. Jhwh sarà per sempre il Dio di Abramo e della sua discendenza e le promesse fatte saranno infallibilmente mantenute a tempo debito.

Ma le promesse non erano indirizzate a tutti i suoi discendenti. Esse comportavano una scelta da parte di Jhwh e si sarebbero quindi trasmesse tramite alcuni discendenti e non altri, in virtù dello stesso disegno di Dio e non per colpa degli uomini (S. Lyonnet). La scelta sottolinea la libertà di Dio che si esprime con la differenziazione degli eletti e si manifesta già nel curioso fenomeno delle «coppie di fratelli»: occorrono infatti almeno due figli perché vi sia una scelta. Sarà scelto Isacco e non Ismaele. Secondo la legge degli uomini è Ismaele, il «primogenito», che avrebbe dovuto ricevere per primo la promessa dell'eredità di Abramo. In questo caso si tratta invece del diritto della libera grazia di Dio. Tutta la storia d'Isacco non ha che uno scopo: manifestare che egli è nato unicamente per merito della potenza di Dio. E lui è il figlio della promessa, partorito da Sara, la «donna libera» (Gal 4,22), mentre Ismaele, il figlio della schiava, non avrà alcun rapporto diretto con la vocazione di Abramo. La vera posterità di Abramo è Isacco, grazie alla libera iniziativa di Dio.

La libertà di scelta viene affermata ancor più con i gemelli Esaù e Giacobbe, i cui destini si incrociano in modo del tutto caratteristico. La Genesi presenta Esaù come fratello maggiore (Gn 25,35). Nonostante ciò Jhwh sceglie Giacobbe e lo costituisce erede delle promesse. In virtù di tale scelta e come segno di distinzione, Jhwh cambierà il nome di Giacobbe in quello di Israele. Dopo aver rinnovato con Isacco (Gn 26,3-5) l'alleanza conclusa con Abramo (Gn 17,19), Jhwh la fa risiedere sulla persona di Giacobbe e sui suoi dodici figli, gli antenati delle dodici tribù d'Israele che costituiranno le strutture di base del popolo di Dio. «Il tuo nome è Giacobbe. Non ti chiamerai più Giacobbe, ma Israele sarà il tuo nome... popolo e assemblea di popoli verranno da te, re usciranno dai tuoi fianchi» (Gn 35,9-11). Giacobbe-Israele è l'eletto di Dio e, in quanto tale, diverrà il padre e il fondatore del popolo eletto, cui Dio accorderà i suoi favori piuttosto che ai suoi eguali o ai suoi rivali. Israele sarà formato dalla discendenza di Abramo, secondo la linea di Isacco e di Giacobbe, e non di Esaù, l'antenato degli Edomiti, nemici storici di Israele, che certamente non fanno parte del popolo eletto (S. Lyonnet). Così si afferma, ancora una volta, la libertà dell'atto elettivo di Jhwh.

Starà al Nuovo Testamento rivelare che l'amore paterno di Dio, al di là delle apparenze esteriori, non ha mai dimenticato l'altro fratello. Il tema dei due fratelli ricompare in due delle parabole di Gesù: il figliuol prodigo (Lc 15,11-32) e i due figli (Mt 21,28-32) (card. Ratzinger).

Anche le donne hanno un ruolo nel mistero dell'elezione divina. Per la Bibbia la sterilità era una maledizione e la fecondità una benedizione. Ma Sara era sterile e Agar, invece, feconda. Ma le cose si capovolgono: Agar la feconda deve lottare contro la minaccia del rifiuto e sarà in ultima analisi respinta (Gn 21,14), mentre Sara diviene la donna benedetta che genererà Isacco, il figlio della promessa. Lo stesso capovolgimento si verificherà per altre «coppie» di donne sterili e feconde: Rachele e Lia (Gn 29,30), Anna e Peninna (1 Sam 1 e 2). Nel cantico che anticipa il *Magnificat* di Maria, Anna, madre di Samuele, esalta proprio questo ribaltamento di valori: «La sterile ha partorito sette volte e la ricca di figli è sfiorita» (1 Sam 2,5). Maria, la vergine feconda, sarà la replica più nobile di queste donne sterili che partoriscono con l'aiuto di Dio (Lc 1,35).

2. L'ALLEANZA DEL SINAI - Il Signore chiamò Mosè dal monte dicendo: «Questo dirai alla casa di Giacobbe...: Voi stessi avete visto ciò che ho fatto all'Egitto e come ho sollevato voi su ali di aquile e vi ho fatti venire fino a me. Ora, se vorrete ascoltare la mia voce e custodirete la mia alleanza, voi sarete per me la proprietà tra tutti i popoli» (Es 19,3-5).

In questa «ouverture» che è come un riassunto di tutta l'alleanza mosaica ci sono − tutti insieme − l'esodo, l'elezione, la promessa dell'alleanza e la legge.

È Jhwh stesso che porta a compimento *l'esodo*, lui che «ascoltò il loro lamento, si ricordò della sua alleanza con Abramo, con Isacco e con Giacobbe» e scese «per liberarlo dalla mano dell'Egitto» (Es 2,24; 3,8). L'esodo è la continuazione di una storia unica della liberazione iniziata con Abramo. Il suo scopo è di costituire un'alleanza che farà di Israele un popolo libero, conferendogli una sua dignità, una sua legge e una sua missione nella storia.

L'elezione - La relazione tra Israele e Jhwh si fonda unicamente sulla libera volontà di Jhwh che sceglie Israele. Non vi sono esempi nella storia delle religioni di alleanze tra una sola divinità e un solo popolo. Il caso di Israele è unico: «Qual grande nazione ha la divinità così vicino a sé, come il Signore nostro Dio è vicino a noi ogni volta che lo invochiamo?...» (Dt 4,7). «Il Signore si è legato a voi e vi ha scelti, non perché siete più numerosi di tutti gli altri popoli − siete infatti il più piccolo di tutti i popoli −, ma perché il Signore vi ama e perché ha voluto mantenere il giuramento fatto ai vostri padri, il Signore vi ha fatti uscire con mano potente e vi ha riscattati liberandovi dalla condizione servile» (Dt 7,7-8). Israele è scelto tra i popoli, è benedetto e colmato di doni da parte di Jhwh. Tutto è pronto per un rapporto nuovo tra Jhwh e Israele.

L'offerta dell'alleanza - «Se vorrete ascoltare la mia voce e custodirete la mia alleanza» (Es 19,5).

Il semplice fatto che Jhwh chiede al popolo una libera risposta sottolinea il carattere unico dell'alleanza mosaica. I rapporti tra la divinità e gli uomini sono completamente cambiati. Non vi è più concorrenza ma la possibilità di una libera collaborazione. Nelle religioni confinanti invece gli uomini non hanno nessuna scelta, nessuna libertà di rifiutare o d'accettare. Jhwh si presenta certo come Signore potente, ma non come dittatore: «Dio non è un tiranno. Desidera che quanti lo servono lo facciano liberamente e liberamente accettino il suo disegno di salvezza e che facciano il bene non per timore ma per libera scelta» (Origene). Al sì di Jhwh al suo popolo deve corrispondere – come risposta – il sì del popolo che si impegna a compiere liberamente la sua volontà. L'alleanza mosaica è uno scambio libero di promesse e di impegni. Dio si è scelto un popolo che, liberamente, ha accettato di camminare lungo il cammino indicato. Si tratta di una tappa nella storia di Israele, né la prima né l'ultima. È una nuova testimonianza della fedeltà di Jhwh alle sue promesse di salvezza e prende pieno significato dall'alleanza con Abramo che essa continua. È preceduta dalla promessa fatta ad Abramo e a Isacco, di cui essa è la prima realizzazione. Israele resterà per sempre sotto la benedizione dell'alleanza abramitica la quale manterrà tutto il suo valore, anche quando Israele prenderà il cammino dell'esilio a causa della sua infedeltà: «Io mi ricorderò della mia alleanza con Giacobbe, dell'alleanza con Isacco e dell'alleanza con Abramo» (Lv 26,42).

La legge - L'alleanza del Sinai ottenne un doppio risultato: dette vita al popolo di Jhwh e al tempo stesso lo dotò di una legge che aveva per scopo di conformare l'agire di Israele alle esigenze della sua sublime vocazione. L'alleanza con Abramo assume sul Sinai la sua forma completa per introdurre e fondare la legge che d'ora in avanti sarà inseparabile dall'alleanza. Questa legge, proprio come l'alleanza, è dono di Dio al suo popolo: «Fra tutti i popoli della terra Jhwh ha scelto Israele e a lui ha dato la sua legge». «Quale grande nazione ha leggi e norme giuste come è tutta questa legislazione che io oggi vi espongo?» (Dt 4,8).

La legge è collegata all'esodo, all'elezione e alla benedizione di Jhwh per il suo popolo. Viene dall'esodo, l'esprime e lo continua. È il mezzo con cui il popolo avanza nel suo cammino di esodo-liberazione cominciato ma non ancora compiuto. La legge non esisteva all'inizio della storia del popolo eletto. Israele è stato scelto, salvato e liberato senza la legge. Quando l'ha ricevuta era già un popolo liberato. La legge non gli poteva esser data in Egitto, ma solo all'indomani della liberazione: gli schiavi non hanno una legge! Jhwh liberatore fa appello alla libertà del popolo affinché questo rimanga libero e lo divenga ogni giorno di più. Radicata nel ricordo della liberazione dall'Egitto, la legge consacra la libertà. La legge non salva né dona la vita, quantunque sia strettamente legata alla salvezza e alla vita. Dono di Dio a Israele, la legge è inseparabile dalla grazia dell'alleanza e per conseguenza dal soccorso divino necessario per osservarla. La legge è il cammino da percorrere per mantenersi nella salvezza già concessa e liberamente accettata. Non è mai un mezzo per «guadagnarsi» il rapporto con Jhwh, ma il mezzo per viverlo. L'alleanza mosaica è stata concessa come una pura grazia di Dio; essa contiene tuttavia delle esigenze religiose e morali che debbono essere rispettate se Israele vuole rimanere nell'alleanza. Così come con l'elezione e l'alleanza Jhwh aveva manifestato a Israele il suo disegno di salvezza, con la legge gli indica il modo per continuare ad essere semplicemente popolo (nessuna comunità umana può vivere senza legge) e restare popolo di Dio per speciale vocazione. Vi è continuità fra il cammino della liberazione e quello della legge. Vivendo secondo la legge Israele marcia a fianco del suo Dio, diviene attore responsabile del proprio destino e sempre più libero interiormente. Ora, un dono divino come la legge deve essere condiviso tra tutti. A chiunque sia stato a sua volta liberato dalla schiavitù non è consentito trattare il fratello come una cosa disponendo della sua vita, della sua donna, della sua reputazione o dei suoi beni (Es 20,13-17). La legge di Dio non deve mai essere separata né da Jhwh che l'ha data (altrimenti essa non «parlerebbe» più, diverrebbe una cosa muta), né dagli altri beneficiari dell'alleanza con cui deve essere condivisa, ossia osservata.

3. L'ALLEANZA CON DAVID (2 Sam 7,1-29) - La scelta inattesa di David sottolinea ancora una volta la gratuità dei piani di Dio. Incaricato, in quanto più giovane, della cura del gregge, è purtuttavia lui, il più giovane, che viene scelto, tra i figli di Jesse, ad essere il successore del re Saul respinto da Jhwh (1 Sam 16,10-12).

La regalità della dinastia davidica è descritta nei termini della tradizione abramitica. Nella persona di David le promesse fatte ai patriarchi vengono compiute e rinnovate. Mentre l'alleanza mosaica era condizionata, l'alleanza con David elimina espressamente ogni idea di rottura: sarà un'alleanza eterna e per questo aspetto si riallaccia a quella di Abramo. Il trionfo di Jhwh re, iniziato con l'esodo (l'idea di regno era già presente sul Sinai, cfr. Es 19,6), si

concluderà con il trionfo del re messia, «figlio di David». La speranza di Israele riposa sulla continuità tra il passato, il presente e il futuro. La fedeltà alla parola data, dimostrata da Dio nel passato (Abramo), è la garanzia delle promesse nel presente e nel futuro (David e il Messia): è quanto Maria annuncerà nel Magnificat (Lc 1,54-55).

L'alleanza con David acquista una grande importanza nel momento dell'esilio quando, dal profondo della sua miseria, Israele si chiede se, dopo aver rotto tante volte l'alleanza mosaica, fosse ancora il popolo di Jhwh degno delle sue promesse. I profeti e soprattutto Geremia, Ezechiele e Isaia hanno allora rivelato aspetti nuovi dell'alleanza divina ricordando che si tratta di una disposizione del tutto gratuita che non poggia sui meriti del popolo ma unicamente sulla misericordia di Jhwh. L'alleanza non è tanto un patto quanto un atto gratuito di Jhwh che rimane fedele al suo popolo. Il suo giuramento dura per sempre. L'infedeltà di Israele non rompe automaticamente l'alleanza perché Jhwh è libero di pazientare e di perdonare.

Si fa così appello a un'alleanza che non è formulata in termini di benedizioni e maledizioni dipendendo quindi dal modo in cui gli uomini la osservano, ma è un'alleanza pura promessa di Dio, valida al di là di qualsiasi debolezza umana. Viene in mente la promessa incondizionata fatta a David la quale non distrugge l'alleanza del Sinai, piuttosto la conferma centrandola sul re. D'ora in poi è attraverso la discendenza di David che Dio sarà presente al suo popolo.

A cominciare da David l'alleanza di Dio con il suo popolo passa attraverso il re. Il trono di Israele sarà il trono di David. Ed è per la mediazione di un re, successore di David, che Dio salverà il suo popolo. La speranza di Israele diviene allora dinastica (→ Messianismo).

4. GEREMIA ED EZECHIELE ANNUN-
CIANO UNA NUOVA ALLEANZA - *Geremia* - La lunga storia dell'infedeltà
di Israele punito ai tempi di Geremia, con una catastrofe senza precedenti, sottolinea fin troppo l'importanza della legge e dell'alleanza che
ne era il fondamento. Il popolo era
in esilio in Babilonia. Ogni speranza
umana di ripresa era vana. Tutto
sembrava finito. Eppure tutto ricomincia. Jhwh rivela a Geremia il disegno di riunire Israele attorno a sé
con il vincolo di un'alleanza eterna.
È così che Jhwh resta fedele alle promesse fatte ad Abramo. Al di là del
giudizio divino Geremia predice un
miracolo di Dio. Annuncia un'alleanza di nuovo tipo che andrà oltre le
mediazioni esterne e realizzerà un'u-
nione più profonda con Jhwh: «Con
la casa d'Israele e con la casa di Giuda io concluderò un'alleanza nuova...
Porrò la mia legge nel loro animo,
la scriverò sul loro cuore» (Ger
31,31-33).

Geremia descrive l'azione curatrice
e liberatrice di Jhwh che va diritto
al «cuore» del problema per guarire
le deviazioni del cuore umano dove
hanno origine le complicità del male
(Mc 7,21). Con la Nuova Alleanza
la legge di Dio cambierà di *posto*:
non sarà più scritta su delle tavole
di pietra ma nel cuore dell'uomo.
Cambierà di *funzione*: non sarà più
condizione bensì *oggetto* della promessa. Diverrà più *efficace*: finora
Israele *doveva* osservare la Legge,
d'ora in avanti la *potrà* osservare perché ne riceverà la piena capacità.

Ezechiele - Prendendo atto che «l'i-
stinto del cuore umano è incline al
male fin dall'adolescenza (Gn 8,21),
Ezechiele annuncia un cambiamento
del cuore. La novità non è quella del-
l'alleanza come in Geremia bensì
quella del cuore e dello Spirito. Ezechiele descrive bene l'azione interna
che Dio compie nel cuore dell'uomo,
la trasformazione interiore profonda
del partner umano: ablazione del cuo-

re di pietra, trapianto di un cuore
nuovo e azione continua dello Spirito Santo, il solo capace di sciogliere
le opere della carne e di far maturare quelle dello Spirito (Gal 5,19-22):
«Vi darò un cuore nuovo, metterò
dentro di voi uno spirito nuovo; to-
glierò da voi il cuore di pietra e vi
darò un cuore di carne. Porrò il mio
spirito dentro di voi» (Ez 36,26-27).

Ezechiele descrive la nuova alleanza con le categorie più personalisti-
che e spirituali di *cuore* e di *spirito*
dimostrando in tal modo che la legge interiore di cui parlava Geremia
non era solo una norma ma un principio di azione perché è soltanto lo
Spirito Santo che produce una trasformazione profonda del cuore umano. Il concetto di Geremia di «legge
interiore» si collega in Ezechiele a
una teologia dello Spirito Santo. In
Geremia Dio dona una legge inscri-
vendola nel cuore; in Ezechiele questo dono acquista un nome: Spirito
Santo, il dono di Dio per eccellenza.
Si passa dalla legge scolpita nel cuore alla «legge dello Spirito» (Rm 8,2),
vivente e attiva nel cuore.

Ed è nel cuore umano di Gesù, al
momento della passione, che si sono
innanzi tutto realizzate le profezie di
Geremia e di Ezechiele. La legge di
Dio è perfettamente scritta nel suo
cuore, Gesù ha il cuore nuovo promesso da Ezechiele e Dio ha messo
in lui il suo Spirito. Ora, attraverso
il suo sacrificio, le stesse profezie si
realizzano in noi: è nel cuore di Gesù che a nostra volta acquistiamo un
«cuore nuovo» (A. Vanhoye).

5. UNA STORIA DI SALVEZZA CON LA
FIGURA DEL DIABOLO - Se volessimo
tracciare un diagramma della storia
di Israele, potremmo rappresentarla
con la figura del *diabolo*, formato da
due coni con i vertici contrapposti e
le cui punte si toccano (l'immagine
è di H. Cooper). Attraverso tutta
l'antica alleanza si nota un processo
di restringimento costituito da una

successione di chiamate e di rifiuti. Abramo viene scelto tra uomini di Mesopotamia molto più raffinati di lui. Tra i figli di Abramo, Ismaele viene respinto e viene scelto invece Isacco. Dei due figli di Isacco, ad essere respinto è Esaù mentre viene scelto Giacobbe. Anche se il «meno numeroso tra tutti i popoli», Israele è scelto perché sia il popolo di Jhwh, sia a lui consacrato. David, il più giovane, è anch'egli preferito agli altri figli di Jesse. Il processo di restringimento si accentua al momento dell'esilio babilonese: solo un piccolo resto tornerà dall'esilio. Questa nozione di «resto-élite» è legata alle strutture stesse della fede di Israele: elezione, alleanza, giudizio, salvezza. La severa predicazione dei profeti che parlano di rottura e d'infedeltà si attenua con il riferimento a un resto santo che sarà salvato. Anche nei momenti peggiori della storia di Israele c'è sempre stato un piccolo resto fedele dove la parola di Dio ha trovato una risposta pienamente umana, un resto-élite cui Jhwh ha riservato i suoi favori e in cui si conservava l'intero avvenire del popolo. Oltre la discontinuità vi è sempre stata una piccola continuità. A causa del suo amore Jhwh ricostruirà sempre il suo popolo a partire da questo resto «umile e povero» (Sof 3,12). Pars pro toto: è la parte che conduce il tutto a buon fine. Questo piccolo resto rappresenta agli occhi di Jhwh l'intera comunità. La parte fedele sussiste grazie all'elezione divina operata all'interno del popolo stesso. Dio agisce in suo favore per procurare a tutto Israele perdono e salvezza. È la radice che trasmette la santità a tutto l'insieme, è il nucleo di un nuovo Israele che finalmente vivrà nella santità e nell'obbedienza. Alla fine questo piccolo resto si ridurrà a qualche famiglia santa – Elisabetta e Zaccaria, Simeone e Anna, Gioacchino e Anna – da cui nascerà Maria. Con la «piccola figlia di Israele» si arriva alla punta del primo cono: il Signore Dio finalmente potrà visitare il suo popolo. Da questo punto centrale il processo si ribalta e il secondo cono andrà allargandosi sempre più. Si passa dalla benedizione unica ed eccezionale di Maria, piena di grazia, a una benedizione universale che ci riguarda tutti: nel figlio prediletto del Padre e di Maria tutti noi siamo eletti alla gloria della grazia di cui Dio ci ha fatto dono in suo Figlio (Ef 1,1-6).

Maria si trova al punto di intersecazione dei due coni, al punto in cui le due alleanze, l'antica e la nuova, s'incontrano. In lei si abbracciano il passato e il futuro. La catena delle profezie e delle promesse dell'antica alleanza portava verso l'annuncio a Maria. Israele, latore di promesse, trova il suo compimento in Maria, vera figlia del suo popolo. Senza il suo *fiat* non avrebbe potuto compiersi il cambiamento di rotta. Il suo *sì* segna la fine dell'alleanza antica e l'inizio della nuova. Tutta la luce dell'antica alleanza, da Eva fino al libro della Sapienza, risplende in Maria perché il «sole di giustizia» (Ml 3,20) ha fatto ingresso nel seno di lei, dove comincia la nuova alleanza, il regno del vero David il cui dominio non avrà fine (Lc 1,33).

Maria è il vero Israele e in lei l'antica e la nuova alleanza sono indissolubilmente unite: vi è una continuità di fede da Abramo fino a Maria. Essa è il popolo di Dio che porta frutto, grazie alla potenza misericordiosa del Signore. Teodoro d'Ancira saluta Maria come libro nuovo della nuova alleanza, *novus tomus scriptionis novae*.

Non c'è frattura tra le alleanze dal momento che vi è un'unica economia di salvezza che ha il Padre per autore, il Figlio per salvatore e lo Spirito Santo come promessa e dono. Il Dio di Gesù Cristo è anche il Dio dell'antica alleanza. Tutta la storia dell'antica alleanza ha il valore del modello: sta infatti a indicare la speranza dell'uomo che si aggrappa alle promesse di Dio (Abramo, Mosè, David) e ne trova infine la realizzazione in Cristo. In vista della venuta di Cristo, ogni momento di questa storia si prolunga in avanti secondo una dinamica di continuità e di superamento. Tutta l'antica alleanza è una «parabola»: la fede di Abramo è già la sostanza della fede cristiana ancorché nascosta. L'Apocalisse mette le dodici tribù d'Israele (Ap 21,12) e i dodici troni della nuova alleanza (Ap 21,14) sulla stessa fila, davanti al trono di Dio. Cristo è la conclusione dell'alleanza antica, è la somma di tutte le promesse: «In lui tutte le promesse di Dio son divenute sì» (2 Cor 1,19).

Concentrarsi su Cristo, unico discendente, era condizione di una vera universalità, «affinché la benedizione di Abramo passasse alle genti» (Gal 3,14). A partire da Cristo si opera un rovesciamento di prospettiva. L'inserimento sociologico in Israele non è più necessario per la salvezza: basta aderire a Cristo, autentica discendenza di Abramo. Cristo è al tempo stesso nostra alleanza (Is 42,6), nostra legge (Gal 6,2) ed eletto del Padre (Is 42,1). D'ora in poi, in lui e per lui, siamo tutti eletti (Ef 1), la nuova alleanza si conclude a favore di tutti (Mt 26,28) e lo Spirito Santo viene offerto a tutti come legge (Rm 8,2).

Bibl. - G.E. Mendenhall, *Law and Covenant in Israel and the Ancient Near East*, Pittsburg 1955; W. Moran, «De Foederis mosaici Traditione», in VD 40 (1962) 3-17; J. Giblet - P. Grelot, «Alliance», in *Vocabulaire de théologie biblique*, Paris 1962, 20-29; P. Grelot, «Loi», in *Ibid.*, 540-551; J. Giblet, «Election», in *Ibid.*, 266-272; E. Hamel, *Les Dix Paroles. Perspectives bibliques*, Paris 1969; Id., «Alleanza e Legge», in RdT, 16 (1975) 513-532; L. Monloubou - F.M. Du Buit, «Alliance», in *Dictionnaire biblique universel*, Paris 1985, 22-25; Id., «Election», in *Ibid.*, 198-199; Id., «Loi», in *Ibid.*, 428-431.

ÉDOUARD HAMEL

ELLENISMO

Vi è stata una «ellenizzazione del cristianesimo o una cristianizzazione dell'ellenismo»?

Sembra essere questo un esempio significativo di interpenetrazione, ovverossia di azione reciproca. Due mondi, per tanti aspetti separati, si congiungono nel corso dei primi secoli dopo la nascita di Cristo. E il fatto che questa nascita abbia inaugurato una nuova era a partire dalla quale si contano i secoli – «dopo Cristo», «anno Domini...» – non impedisce alla civiltà greco-romana di sopravvivere e perfino di penetrare profondamente nel mondo antico parallelamente al progresso della religione cristiana. Per la verità la Grecia e poi la Macedonia avevano perduto l'egemonia dal IV al II secolo prima dell'era cristiana; ma Atene non aveva cessato di attirare una élite straniera, soprattutto romana, e Alessandria era rimasta città greca, la cui lingua divenne quella della Bibbia favorita dalla traduzione dei Settanta. Questo museo di cultura pagana doveva costituire, ancor prima di Bisanzio, un vero centro di teologia cristiana.

Gli storici della religione greca non hanno mai cessato di insistere sui rapporti sempre più stretti tra ellenismo e cristianesimo. Citiamo in modo particolare M.P. Nilsson, A.J. Festugière, A.D. Nock, le cui opere principali avevano preceduto il «capolavoro polivalente» di E.R. Dodds, *Païens et chrétiens dans un âge d'angoisse*.

Più di una caratteristica accosta i seguaci della religione antica ai discepoli di Cristo. Il «servizio» dell'esistenza terrestre poteva interpretarsi in senso ottimista o pessimista. Ai sogni così rilevanti per Elio Aristide si possono paragonare quelli del *Giornale di prigione* della martire Perpetua. Il *Peregrinus* di Luciano aiuta a capire Pontano. Per competere con il cristianesimo, ai pagani si richiedeva una fede, *pístis*, ma essi non potevano misurarsi con il cristianesimo nella carità. Dodds ha sottolineato più le «differenze di mentalità e di sentimenti» che le «discussioni dottrinali».

Il libro di Dodds si conclude con questa frase: «I cristiani erano "membri gli uni degli altri" e non si trattava di una semplice formula. In effetti fu questa la causa principale, forse l'unica e la più forte, del progresso del cristianesimo». Dodds, in nota, cita la frase seguente di una conferenza di A.J. Festugière: «Se questo non fosse avvenuto il mondo sarebbe ancora pagano». Prima Festugière aveva sottolineato le principali divergenze che contrappongono paganesimo e cristianesimo. Se l'inquietudine religiosa è comune sia ai pagani che ai cristiani, lo è però in forme chiaramente assai diverse; se il senso stesso della religione non è estraneo ai «greci» del primo secolo, tanto che Paolo nell'aeropago li giudica «fin troppo religiosi», l'atteggiamento nei confronti del peccato li oppone in maniera radicale: «gli antichi non hanno il senso del peccato» come l'intendono i cristiani, vale a dire «come offesa diretta contro Dio».

Abbiamo citato il discorso di Paolo all'areopago. In dieci versetti (At 17,22-31) l'apostolo riassume il messaggio cristiano e un'analisi di questo discorso ci consente di tratteggiare la «mentalità religiosa del primo secolo». Vediamo subito il v. 22. *Deisidáimōn*, qui usato al comparativo, «un po' troppo» (religiosi), in latino sarebbe reso meglio con *religiosiores* che non con il *superstitiosiores* dei migliori manoscritti della Volgata. Questo aggettivo implica normalmente il senso peggiorativo di «superstizioso» e traduce quindi male l'intenzione dell'oratore preoccupato di accattivarsi la benevolenza dell'uditorio. Gli elementi componenti l'aggettivo greco («temere», «de-

monio») non debbono essere intesi come descrizione di un sentimento o comunque di una entità biasimevoli. Vi è un timor di Dio che è buono (nella bibbia è perfino considerato «l'inizio della saggezza») e i demoni greci, pur distinti dagli dèi e inferiori ad essi, sono fino a Platone messaggeri tra il cielo e la terra.

Il verso 23 è l'unica testimonianza letteraria di un culto greco-romano reso a un «dio sconosciuto» (al singolare). L'altare che Paolo poteva aver visto a Falero (Pausania I, 1,4) aveva un'iscrizione al plurale: «degli dèi sconosciuti» e Gerolamo nel suo *In Titum* (I,12) denuncia questo «ultimo colpo» dell'apostolo. Sta di fatto che i pagani dedicavano altari a «dèi sconosciuti» temendo delle omissioni che avrebbero loro alienato la divinità dimenticata.

Ai vv. 24 e 25 abbondano i punti d'incontro fra pagani e cristiani. Un Dio autore del mondo, Signore del cielo e della terra che non abita in templi costruiti dagli uomini, che non ha bisogno delle mani degli uomini, come se gli mancasse la benché minima cosa: è proprio così che in Grecia e a Roma poeti e filosofi solevano rappresentare l'«Essere supremo». Un seguace di Platone poteva non esser disposto ad accettare la soppressione dei templi, ma lo era senza dubbio lo stoico fedele all'insegnamento di Zenone: «Non verranno costruiti templi; infatti nessun'opera di manovale né di muratore è cosa preziosa». Una parte della tradizione patristica estende la proibizione alle statue. Per il Platone del *Timeo* e delle *Leggi* vero tempio è il mondo e immagine degli dèi sono quegli astri con cui egli rimpiazza le divinità dell'Olimpo. Nel discorso dell'areopago il rifiuto dei «templi fatti dalle mani dell'uomo» (v. 25) si amplia (v. 25a) attraverso un principio generale: «Dio non si serve con le mani umane come se Egli avesse bisogno di qualcosa». Il «servizio», *therapéia* è qui un culto e il *colitur* della Volgata rende bene il verbo greco. E se si pensa di trovare qui qualche apparenza di novità, la ragione apportata è tradizionale, tanto nell'Antico Testamento quanto nella filosofia greco-romana: cinque secoli dopo Senofane (VI sec. a.C.), Lucrezio (II, 650) doveva scrivere a proposito della divinità: *Nihil indiga nostri.* Il riconoscimento dell'indipendenza divina portava al rigetto dei sacrifici, tema preferito della teologia ellenistica.

La seconda parte del v. 25 fornisce la ragione della «autarchia» divina: il presente *didoús* oppone la «creazione continua» con cui Dio sostiene il mondo all'atto immediato con cui l'ha creato: così si spiega l'aoristo *epóiēsen* dell'inizio del versetto 26. La triade del verso 28 – vita, movimento, essere – mette bene in luce la dipendenza totale dell'uomo da Dio, ma anche qui l'idea è del Platone degli ultimi dialoghi che, nella definizione dell'anima, associa rigorosamente movimento e vita e più immediatamente forse del Portico. A sostegno di questi accostamenti Paolo stesso cita il verso 5 dei *Fenomeni* di Aratos: «Infatti noi siamo anche della sua razza».

Il v. 29 esclude gli idoli e aggiunge anche la proibizione dei templi (v. 24). Fin qui gli ateniesi in ascolto potevano ben accettare ogni cosa. Può essere però che il richiamo alla loro ignoranza (v. 30a = 23b) risultasse loro poco gradito. Ma doveva essere l'invito alla penitenza del verso 30b e soprattutto l'annuncio del giudizio finale e della risurrezione dei morti a suscitare in essi irritazione e disprezzo.

Sta qui in effetti il grande scoglio:

l'accenno alla risurrezione poneva fine ai discorsi perché niente più di questo si opponeva alle idee greche. Il Platone del *Fedone* voleva provare l'immortalità dell'anima, ma non teneva in nessun conto il corpo. La gente comune era rimasta alle negazioni di Eschilo: «Il nero sangue d'un essere umano, una volta versato per terra, nessun incantatore potrebbe ricondurlo in quelle vene da cui è scaturito» (*Agamennone*, 1019-1021); «Una volta che la polvere si è bevuta il sangue d'un uomo, se è morto, per lui non vi è più risurrezione» (*Eumenidi*, 647-648). Alla fine del IV secolo della nostra èra un convertito dal paganesimo divenuto vescovo di Cirene, Sinesio, farà un'enorme fatica ad accettare il dogma della risurrezione e i suoi ultimi commentatori si chiedono ancora in che misura l'avesse alla fine accettato.

Questa breve esposizione non può certo dare un'idea sufficiente dei contrasti fra le due morali. I «costumi greci» erano un grave ostacolo alla rinascita battesimale. Ma Paolo abbastanza spesso enumera i «vizi dei pagani» affinché alla sola lettura emergano le divergenze. Forse era necessario insistere più sulle convergenze: a questo proposito il discorso dell'areopago pare esemplare.

Bibl. - A.J. Festugière, «Aspects de la religion populaire grecque», in RThPh (1961) I, 31; E.R. Dodds, *Pagan and Christian in an Age of Anxiety*, Cambridge 1965 (tr. fr. di H.D. Saffrey, *Païens et chrétiens dans un âge d'angoisse*, 1979, soprattutto il capitolo IV, 119-154); E. des Places, *La religion grecque*, Paris 1969, 327-361; G. Madec, «Platonisme des Pères», in *Catholicisme* (fasc. 50, 1986) 492.

ÉDOUARD DES PLACES

ERMENEUTICA

1. *Introduzione* - 2. *Storia dell'ermeneutica biblica* - 3. *L'ermeneutica moderna* - 4. *La dimensione teologica dell'ermeneutica moderna* - 5. *Conseguenze per la teologia fondamentale* (P. Grech).

1. INTRODUZIONE - La parola «ermeneutica» nel contesto di un dizionario di teologia fondamentale comprende un ambito più ampio di ciò che avrebbe nel contesto di teologia biblica. In quest'ultima il termine può significare semplicemente il metodo di fare esegesi, cioè di arrivare all'intenzione originale di uno scrittore biblico, ovvero estrarre dal testo biblico pensieri utili per la vita cristiana. Dall'illuminismo in poi l'ermeneutica comprende pure la relazione tra → ragione e fede nell'interpretazione della bibbia, la relazione tra storia e teologia e quella tra un possibile «mito» scritturistico e il preintendimento filosofico contemporaneo. Di fatto entrano nell'ambito dell'ermeneutica le varie teologie odierne derivate dal contatto del testo sacro con le differenti scuole filosofiche e ideologiche contemporanee. Tutto questo viene pure compreso dall'ermeneutica in un contesto di teologia fondamentale, ma poiché dopo la Riforma l'ermeneutica da metodo interpretativo è diventata una disciplina a sé stante che tocca, secondo le opinioni dei vari autori, problemi come l'arte della comprensione, il valore e l'interpretazione della tradizione umanistica, la conoscenza come ermeneutica dell'essere, la storicità della verità, il ruolo del soggetto nell'interpretazione, le varie funzioni del linguaggio e la relazione tra le filosofie e le ideologie, si comprende bene che l'ermeneutica si fa carico di problemi gnoseologici, ontologici, storici e linguistici che invadono l'intero campo della teologia fondamentale. Da essi dipendono decisioni radicali circa l'immutabilità della verità, la possibi-

lità di conoscerla, il valore dei dogmi della chiesa, la demitizzazione e la possibilità di intendersi tra culture diverse. In questa selva oscura il compito di dare un fondamento razionale alla comprensione della rivelazione si fa sempre più difficile, anche perché l'ermeneutica stessa, pur avendo come scopo quello di chiarire le cose, si è intrappolata in un labirinto dal quale, al momento, non vede con chiarezza una via d'uscita. In questo articolo seguiremo un'esposizione storica del problema, indicando infine le questioni esegetiche, filosofiche e teologiche che toccano la teologia fondamentale.

2. STORIA DELL'ERMENEUTICA BIBLICA - A parte l'ermeneutica demitizzante e allegorica che facevano gli ellenisti dei racconti omerici, la reinterpretazione come è confluita nella tradizione cristiana ha i suoi inizi già nell'Antico Testamento. Il testo ebraico della nostra bibbia è stato fissato dai rabbini nel primo secolo della nostra era; fino ad allora era abbastanza fluido, e gli stessi scribi potevano glossarlo con espressioni di chiarimento o di portata teologica (→ Canone). Ma ancora prima, nello stadio di collezione e redazione di testi tradizionali, troviamo una reinterpretazione continua che adatta provvedimenti nomistici alle circostanze contemporanee e rilegge le profezie nella luce degli ultimi avvenimenti della storia salvifica con metodo aggadico. A questo si aggiunge l'interpretazione semantologica di sogni e visioni. Il significato di tutto ciò è che, per gli ebrei, la Tôrāh e i profeti parlano sempre alla generazione che li legge. Raccontano sì della storia, ma non per puro interesse storici-

stico bensì storia attualizzante con un messaggio ai contemporanei. Il senso storico dell'autore ha valore soltanto in quanto parla ancora nel presente. La letteratura intertestamentaria, in gran parte apocalittica, è anche di natura ermeneutica. Voleva essere un'interpretazione dei loro tempi nella luce della tradizione biblica con la quale si ricollegava per mezzo di riferimenti, citazioni implicite o rielaborazione midrashica. Al tempo di Gesù, poi, si trovano delle vere scuole esegetiche che vanno dal midrash dei targumim fino al litteralismo dei rabbini della tendenza farisaica che vogliono giustificare la loro tradizione interpretativa orale con mezzi ermeneutici letteralistici; dall'esegesi settaria di Qumrân all'allegorismo di Filone e degli alessandrini.

L'esegesi giudaica del primo secolo non è rimasta senza riflessi nel Nuovo Testamento. Nella rilettura dell'AT la tecnica letteraria è molto simile, ma il contenuto è completamente diverso, benché in linea con la reinterpretazione tradizionale che troviamo nella stessa bibbia, quella, cioè, di rileggere i testi con il preintendimento offerto dagli ultimi avvenimenti della storia della salvezza. È ovvio che per Gesù l'avvenimento precipuo è l'arrivo del → regno di Dio, per gli scrittori neotestamentari la venuta, la morte e la risurrezione di Cristo, culmine dell'opera salvifica di Dio. L'avvenimento Cristo, di conseguenza, illumina il senso del testo biblico da cui però riceve il suo significato. Il NT, quindi, offre certi tipi di ermeneutica che diventeranno paradigmatici per l'esegesi patristica: spiegazione letterale, midrashica, midrash pesher, allegoria e tipologia, particolarmente in passi come Rm 9-11, Gal 4, 1Cor 10 ed Eb.

Quello però che ha messo in crisi l'ermeneutica del secondo secolo, era la tesi paolina che negava ogni valore salvifico alla Tôrāh in quanto tale. Questa fu la causa del rifiuto di Pao-

lo da parte dei giudeocristiani ebioniti, che erano ancorati alla Legge. D'altra parte diede l'occasione agli gnostici e a Marcione di attribuire l'AT in tutto o in parte al Demiurgo, ovvero al «Dio giusto». L'esegesi gnostica partiva dal presupposto dei diversi sistemi, attribuiti agli apostoli che li trasmisero a loro con una tradizione segreta, e nel contesto di questi sistemi erano interpretate frasi singole, sia dell'AT sia del NT, spesso distaccate dal contesto e manipolate per dare un senso gnostico.

La Chiesa Grande non trova meno difficoltà nell'ermeneutica veterotestamentaria. Già la lettera di Barnaba inizia una spiegazione allegorica mentre Giustino, facendo l'apologia del cristianesimo contro i pagani e contro gli ebrei, rilegge cristologicamente i testi profetici in un modo che convincerebbe un cristiano credente ma lascerebbe molti dubbi nella mente di un rabbino che non accetta il presupposto cristiano. Questa dicotomia nella spiegazione dell'AT ha sempre diviso l'esegesi cristiana da quella ebraica, particolarmente se si suppone, come fa Giustino e dopo di lui tutti i padri preniceni, che il Logos non aveva soltanto creato il mondo ma era anche l'autore dell'AT e illuminava i filosofi greci.

È Ireneo che, avendo a che fare con gli gnostici, stabilisce una volta per sempre certe regole di ermeneutica cristiana che sussistono fino ad oggi. A differenza degli gnostici, i passi oscuri della Scrittura devono essere spiegati da quelli più chiari (*Adv. Haer.* II,10), ogni frase deve essere capita nel suo contesto immediato (*Adv. Haer.* I,8,1; I,9,4), ma anche nel contesto di tutta la bibbia, AT e NT, che ha un solo Dio come autore. Ciò non basta, la bibbia deve essere letta nel contesto della *regula fidei* (*Adv. Haer.* I,10,1) che ci viene trasmessa non in modo esoterico ma pubblicamente dai vescovi delle diverse chiese (*Adv. Haer.* IV,26 1-4).

Queste regole per trovare il vero senso della Scrittura furono elaborate da Ireneo nel contesto della controversia antignostica. Ma quando si spiega l'AT al popolo credente per nutrirlo spiritualmente, quale spiegazione si deve fare della storia e delle leggi degli ebrei? Il problema viene risolto da Origene per mezzo dell'esegesi allegorica, già praticata da Filone e dagli ellenisti. Ciò non significa che Origene non si curi del senso storico e letterale: la *Hexaplá* curata da lui con spese ingenti lo dimostra ampiamente. Ma la storia, a livello di semplice racconto, è buona per i *simpliciores*, il «corpo» nella chiesa; i proficienti, l'«anima» nella comunità, cercano un senso morale, mentre gli spirituali hanno bisogno dell'allegoria, ovvero il senso teologico. Si deve stare attenti alla terminologia di Origene, che egli espone nel *De principiis* IV, perché «senso spirituale» non sempre si oppone a «senso letterale» ma spesso a «senso materiale» che più volte corrisponde al nostro senso redazionale.

Contro l'allegoria si ribellarono gli antiocheni, Diodoro di Tarso, Teodoro di Mopsuestia e Giovanni Crisostomo, anche se essi stessi ne facevano uso nelle loro prediche. Ma essi insistettero sul senso letterale, cioè il senso dell'autore, da cercare attraverso le circostanze storiche della composizione del libro. Però con questo tipo di esegesi subito scoprirono che alcuni testi profetici, comunemente interpretati come messianici, non parlavano veramente del messia in modo diretto. Quindi proponevano la teoria della *theoria*, o visione. Con ciò supponevano che un profeta parlasse di un avvenimento futuro prossimo che sarebbe diventato tipo per un altro avvenimento da compiersi in un futuro indeterminato: così Diodoro nella sua prefazione ai salmi particolarmente al Sal 118 e Teodoro su Gal 4,22-31. I commentari di Crisostomo sembrano aridi in confronto

alla ricchezza teologica di un Origene. L'anello tra antiocheni ed alessandrini viene fornito dai Padri Cappadoci, i quali, facendo teologia biblica, parlavano di *skopós* ed *akolouthía* che comprendevano sia lo scopo dell'autore sia l'accompagnamento salvifico dell'opera di Dio.

Ma è → Agostino, che nei libri II e III del *De doctrina christiana* codifica dei principi ermeneutici di critica testuale, letteraria e teologica, che hanno dominato tutto il medioevo latino. Il rètore ipponense, distinguendo tra *res* e *signa*, e questi tra *propria* e *impropria*, dà le regole per discernere la metafora dall'allegoria mentre sottolinea il senso letterale che è il vero senso inteso dallo Spirito Santo, benché l'AT abbia pure un senso spirituale se letto con occhi cristiani. Il contesto è sia prossimo, sia scritturistico, sia della → *regula fidei*. Quindi ammette un certo *sensus plenior* che egli, particolarmente nei commenti dei salmi, esprime con l'aiuto delle sette regole ermeneutiche di Ticonio. Il medioevo codifica l'esegesi agostiniana nei quattro sensi classici: letterale, allegorico, morale e anagogico: «Littera gesta docet, quid credas allegoria, moralis quid agas, quo tendas anagogia».

Se vogliamo adesso riassumere la teoria ermeneutica della tradizione, finora esaminata, possiamo dire che abbiamo un testo biblico che ha in sé più possibilità di spiegazione di ciò che l'autore storico abbia inteso. L'intenzione dell'autore sarà sempre il primo senso, ma la comunità che lo legge, sia essa la sinagoga o la chiesa, ne estrae altri significati, edotta dallo svolgimento della storia, di modo che il testo parli continuamente ad ogni generazione successiva. Testo e comunità, quindi, sono inseparabili in quanto la comunità diventa il contesto di lettura insieme al momento storico. Le modalità di esprimere, o di esplicare, questa continua comprensione sono influenzate dall'ambiente culturale in cui si legge, che necessita qualche volta di una traduzione, o, meglio, di traslazione da un linguaggio culturale all'altro oltre che da un passato a un presente. Trattandosi di un testo ispirato, è lo Spirito operante dentro la comunità che realizza le possibilità del testo in rapporto con la *regula fidei* vissuta.

3. L'ERMENEUTICA MODERNA - Con Lutero accade una vera rivoluzione nell'ermeneutica biblica. Con i suoi principi di «sola Scriptura» e «Scriptura sui ipsius interpres», la Riforma stacca l'interpretazione biblica dalla tradizione, dalla chiesa e dal magistero, rendendola un libro che si può interpretare individualmente con l'aiuto dello Spirito Santo. I metodi ermeneutici dei Padri non bastavano più perché la Scrittura, malgrado la sua quasi divinizzazione da parte dei riformatori, viene ridotta a livello di qualsiasi libro dell'antichità. Il modo di leggerla, dunque, a parte la pietà e venerazione del lettore, era pari a quello della lettura di opere classiche. Segue che da quel momento l'ermeneutica comincia a diventare, da metodo per interpretare la sacra Scrittura, una disciplina a sé stante avendo come oggetto opere letterarie o artistiche. Uno dei padri di questa nuova disciplina era Mattia Flacio Illirico (1520-1575), teologo luterano che, per sottolineare l'autosufficienza della Scrittura, propone il «circolo ermeneutico» con cui spiegare il tutto attraverso le parti e le parti attraverso il tutto.

Nel periodo dell'illuminismo però anche il razionalismo entra nella teologia, particolarmente per opera di Spinoza. Il soprannaturale viene spesso ridotto nei limiti del razionale, quindi l'ermeneutica «sacra» diventa un dipartimento di quella filosofica o letteraria con J.H. Ernesti. Ma lo scrittore che pone il problema e offre soluzioni che sono ancora vive è senza dubbio F. D. E. Schleiermacher

(1768-1834), il quale, oltre che nello spirito protestante e illuministico vive anche in pieno romanticismo tedesco. Quest'autore è generalmente conosciuto per la sua teoria dell'intuizione geniale che unisce lettore e scrittore e risolve il problema della distanza temporale che separa l'uno dall'altro. Questo, però, è solo un aspetto secondario dello Schleiermacher. La sua filosofia ermeneutica è molto più ampia. In primo luogo, l'ermeneutica è l'arte della comprensione, non della spiegazione, oggetto della retorica. Non si limita a opere scritte dell'antichità, ma ad ogni specie di discorso, anche orale. L'atto del parlare (o dello scrivere) è un fatto linguistico che si deve considerare sia sul piano storico dello sviluppo della lingua sia su quello dello sviluppo di colui che parla. Lo stile è l'anima del tutto. C'è quindi un aspetto strutturale e uno fenomenologico. L'analisi filologica serve a decifrare l'aspetto linguistico mentre l'aspetto psicologico si coglie con tutti quei mezzi storici e letterari che contribuiscono alla psicologia individuale dell'autore e fanno nascere l'intuizione geniale. Comprendere un autore tuttavia non significa oggettivizzarlo e sviscerare il significato conscio dei suoi asserti. Siccome il parlare o lo scrivere è un «atto» che quasi prescinde dall'io, il cerchio della comprensione non si chiude mai perché la genialità dell'interprete trova nel testo delle verità non intese dall'autore che, nell'atto della comprensione, diventano un nuovo avvenimento storico e così via in qualsiasi altra circostanza di lettura. La soggettività dell'interprete viene compresa nel circolo ermeneutico. La trasparenza del testo non è un fine, ma un mezzo del nuovo avvenimento comprensivo che ridiventa per conto suo oggetto di comprensione.

Prima di arrivare a Dilthey, che è la prossima pietra miliare nella storia dell'ermeneutica, giova dire una brevissima parola su alcuni altri autori dell'800 tedesco. W. von Humboldt, per esempio, potenzia il ruolo del soggetto nella comprensione non solamente nel campo del linguaggio – posso comprendere solo se sento ciò che penso io, messo in parole da un altro – ma anche nella ricerca storica, nella quale è il ricercatore che deve dare unità logica ai frammenti che risultano dai documenti, una unità logica analoga a quella del momento in cui vive lo storico. Per J.G. Droysen contribuisce alla coscienza e conoscenza storica il fatto che oggetto della nostra ricerca sono avvenimenti della cui eredità viviamo oggi. Però i documenti non hanno soltanto un contenuto fattuale ma rivelano pure lo stato d'animo, la psicologia, l'*êthos* di chi li ha composti, un altro mondo quindi. La loro comprensione è solo possibile perché con questo mondo abbiamo in comune la nostra natura umana che serve, come si dirà più tardi, da preintendimento. A. Boeckh è concorde con l'idea storica di Droysen in quanto riferisce alla conoscenza storica come conoscenza del già cognito perché tutto è frutto dello spirito umano. Comprendere un autore del passato non significa soltanto spiegarlo ma comprenderlo meglio di quanto egli comprese se stesso, in quanto per un'epoca posteriore si rendono espliciti molti fattori d'influenza su uno scrittore, fattori ignoti a lui ma non a noi. L'interpretazione però ha a che fare con l'opera in assoluto; l'opera considerata in relazione al suo ambiente è frutto della critica.

W. Dilthey (1833-1911), nel quadro dello «spirito oggettivo» hegeliano, distingue tra *Naturwissenschaften*, scienze della natura, e *Geisteswissenschaften*, scienze umanistiche. Queste si regolano autonomamente con il loro statuto proprio. Mentre per Schleiermacher la comprensione era un fatto linguistico, per Dilthey essa diventa una categoria vitale. L'esperienza della vita di tutti gli uomini, i loro sentimenti, la loro comprensione del pro-

prio mondo sociale e culturale, si esternano per mezzo di espressioni vitali (*Lebensäusserungen*), o di quelle quotidiane, ovvero di quelle più alte delle arti, letteratura, istituzioni ecc. Oggetto dell'ermeneutica sono proprio queste manifestazioni in quanto esprimono l'intendimento dell'uomo a proposito del suo mondo vitale. Nel processo storico tali espressioni vitali si cristallizzano in esteriorizzazioni che hanno perso il contatto con la fonte dell'esperienza. L'ermeneutica, facendone l'oggetto del proprio studio, ha il compito di riconvertire queste manifestazioni umanistiche in esperienza vitale dell'uomo contemporaneo. La ragione umana è il continuo che le congiunge. La comprensione, quindi, con Dilthey, diventa un principio esistenziale senza cessare di essere un concetto metodologico delle scienze umanistiche, ma la distinzione tra comprensione e interpretazione diventa sempre più oscura.

Nell'ultimo decennio della sua vita Dilthey si era appoggiato al metodo fenomenologico di Husserl. Su ambedue si appoggia M. Heidegger per portare l'ermeneutica al suo culmine esistenziale. Il filosofo di Marburg vuole studiare l'essere come tale, quello che mantiene gli esseri dal ricadere nel nulla. Ciò non può essere fatto studiando gli esseri direttamente senza cadere nello schema soggetto-oggetto, ma poiché il luogo privilegiato dove l'essere si manifesta è il *Dasein*, cioè l'essere umano, è in lui che si può studiare. L'uomo, come presso Dilthey, non è un'essenza precostituita e assoluta, ma è la sua stessa possibilità e guadagna la sua *existentia* con le sue scelte. È una trascendenza finita la cui struttura contiene delle relazioni con il mondo che lo circonda (*in-der-Welt-sein*). Se il *Dasein* si spersonalizza come un essere qualunque cade nell'esistenza inautentica, se al contrario realmente accetta di essere il luogo in cui si manifesta l'essere e realizza tutte le sue possibilità diventa esistenza autentica, ciò che si fa lottando continuamente per non ricadere al livello di oggetto (*Verfallenheit*). L'ansia di creare sempre il proprio futuro può diventare terrore, particolarmente di fronte alla morte. L'orizzonte in cui si sviluppa l'essere è il tempo, passato, presente e futuro. Lo studio del modo in cui l'uomo abbia compreso e attualizzato le sue possibilità nel passato, apre l'orizzonte alle possibilità presenti per progettarsi nel futuro ed «esplicarsi» o autorealizzarsi come uomo. Quindi la filosofia è essenzialmente un'ermeneutica, l'ontologia è l'interpretazione dell'essere. Ma l'uomo non deve esplicare ciò che è esterno a lui perché costitutivo dell'essere-nel-mondo del *Dasein* è una certa comprensione primaria esistenziale che agisce da preintendimento. La comprensione umana è linguistica di natura sua, il linguaggio ordina la comprensione, e le asserzioni autentiche dei pensatori o poeti sono interpretative dell'esistenza. Il loro studio, dunque, è lo studio della storia dell'autocomprensione del *Dasein* e delle sue possibilità, se queste asserzioni non sono mere chiacchiere (*Gerede*). Questo aspetto linguistico viene sviluppato nel «secondo» Heidegger. Verità è *a-lêtheia*, uno svelarsi dell'Essere all'uomo, che diventa, per mezzo della sua comprensione e linguaggio, un altoparlante della voce muta dell'Essere. L'ermeneuta, dunque, non è uno che spiega soltanto il significato delle parole perché queste servono solo per rivelare il linguaggio dell'epoca, un linguaggio forse troppo stretto per esprimere la totalità della comprensione e quindi traducibile in un linguaggio odierno più adatto alla nostra autocomprensione.

L'insistenza sul linguaggio del secondo Heidegger conduce allo studio di H.G. Gadamer in *Wahrheit und Methode*. Ermeneutica è comprensione, ma questa comprensione avviene quando il lettore, vivendo nel presente e quindi erede di certi pre-giudizi che gli sono arrivati attraverso il continuo della storia culturale, si confronta con il testo. L'orizzonte del testo e l'orizzonte del lettore si fondono l'uno nell'altro di modo che ciò che era pre-comprensione si modifichi e diventi comprensione. Ma questa comprensione non è assoluta, è anch'essa un anello storico nella catena di varie comprensioni storiche del passato. Il continuo della tradizione è *Wirkungsgeschichte* (= storia dell'effetto) dei testi all'origine della nostra cultura e si manifesta nel linguaggio, nel quale i valori culturali si innestano. Benché il testo sia normativo, l'interpretazione è un processo continuo e non si può dire che una interpretazione sia definitiva perché l'atto comprensivo si rinnova di generazione in generazione per ogni interprete facendo nascere una nuova verità che diventa essa stessa oggetto di interpretazione. La catena di spiegazioni che concretizzano la comprensione è, per Gadamer, la tradizione.

4. LA DIMENSIONE TEOLOGICA DELL'ERMENEUTICA MODERNA - A questo punto dobbiamo uscire dal campo filosofico e andare a quello teologico, per poi ritornare al primo in seguito. È ben noto che le discussioni ermeneutiche studiate finora, particolarmente l'Heidegger di *Sein und Zeit*, hanno avuto la loro ripercussione nella teologia di → R. Bultmann. La teologia fondamentale odierna non può più prescindere dal fare i conti con la problematica bultmanniana che si svolge su tre piani: la messa in questione della storicità dei → vangeli, la rilevanza della nostra conoscenza del → Gesù storico sulla nostra fede nel Cristo del kêrygma e la questione della demitizzazione del messaggio del NT.

Con il presupposto della *Formgeschichte* secondo cui la maggioranza dei detti di Gesù e dei racconti del vangelo sono stati creati dalla comunità primitiva, Bultmann ha tagliato le gambe alla storicità dei vangeli. Non era una tesi nuova; fin dai tempi di Reimarus alla fine del '700 una tale convinzione si stava preparando. Le conseguenze di una simile tesi sono deleterie per la teologia fondamentale. Ma questo fatto non sconvolse Bultmann che, da buon protestante, non ammette che la sua fede in Cristo sia fondata su qualsiasi ragione, anche storica. Quindi, anche se la vita di Gesù potesse essere conosciuta ora per ora, ciò secondo questo principio non avrebbe aggiunto niente alla sua sicurezza nella fede, anche perché la fede, in Bultmann, non è questione di accettazione di verità rivelate, ma di fiducia nel futuro di Dio che ci fa uscire dalla nostra autoasserzione che è l'essenza del «peccato» (parallela all'esistenza inautentica di Heidegger). Le verità tradizionali del cristianesimo, inoltre, possono servire da precomprensione perché si arrivi a una tale fede, ma non sono il suo oggetto proprio. Esse sono formulate in un linguaggio di duemila anni fa che risente della visione mitica del mondo presso ebrei ed ellenisti e che, perché sia accettabile all'uomo di oggi, ha bisogno di essere ritradotto, o demitizzato, in un linguaggio più moderno. Questo linguaggio Bultmann lo trova nella filosofia esistenzialista di Heidegger, come aveva fatto H. Jonas per lo gnosticismo. Quindi incarnazione, risurrezione, redenzione, grazia e sacramenti ricevono un'interpretazione antropocentrica in funzione della decisione di fede che avviene nel contatto con la parola di Dio e che è simultaneamente salvezza, redenzione e giudizio, un'escatologia realizzata, «puntuale».

Come Bultmann si era appoggiato al primo Heidegger del Sein und Zeit, i cultori della «Nuova Ermeneutica», particolarmente E. Fuchs e G. Ebeling, hanno continuato il discorso del secondo Heidegger e di Gadamer.

Anche loro coltivano la storia delle forme come metodo, però sono meno scettici di Bultmann di raggiungere alcuni dati sicuri su Gesù. Il ritorno al Gesù storico non è soltanto possibile, ma anche necessario in quanto egli è l'iniziatore del nostro linguaggio di fede, un linguaggio sorto dal contatto con Dio, concettualizzato in linguaggio, ma che in ogni generazione che lo legge si scioglie e ridiventa un'esperienza di fede che a sua volta diviene linguaggio da interpretare. Riprodurre in me stesso la fede di Gesù significa credere in Cristo. La conoscenza del Gesù storico è quindi indispensabile per la fede.

La dissociazione di storia e fede in Bultmann viene criticata da tutte le parti: perché rimuove la «extra nos» della salvezza (Käsemann); perché sa di gnosticismo e docetismo (Jeremias): poiché non rimane nessun criterio per giudicare tra le diverse cristologie postpasquali (Robinson). Anche il suo scetticismo critico è oggi molto ridimensionato con gli studi di Schürmann sul Sitz im Leben Jesu, di Jeremias sulla parabole, di Gerhardsson sul modo semitico di trasmissione orale, mentre K. Berger ha recentemente rivoluzionato la Formgeschichte come metodo letterario.

Anche l'ermeneutica demitizzante non ebbe miglior fortuna. Dopo un primo successo, quando teologi provenienti da diverse scuole filosofiche produssero diverse «teologie» ermeneutiche (van Buren dal positivismo logico, Belo e Gutiérrez dal marxismo, la «Process Theology» da Whitehead, ecc.), si è cominciato a vedere che la teologia di Bultmann svuotava il cristianesimo del suo contenuto rivelato oltre che del suo fondamento storico, quindi la critica di gnosticismo non era ingiustificata. Se, invece di «mito» parliamo di linguaggio simbolico, una via di mezzo si potrebbe trovare negli scritti di P. Ricoeur. Da Dilthey in avanti si era detto che l'uomo deve

essere studiato attraverso le manifestazioni culturali nella sua storia. Ricoeur riprende questo motivo asseren-
do però che molte di queste manifestazioni culturali sono codificate in segni e simboli o miti, i quali hanno
una funzione retrospettiva verso la loro origine e una faccia teleologica che
guarda avanti verso la maturazione
dell'uomo. Questi simboli devono essere decodificati con i metodi della
psicanalisi e altre scienze perché possano parlare con un linguaggio intelligibile all'uomo in un certo stadio di
maturazione.

Il linguaggio biblico è spesso simbolico, pensiamo soltanto ai racconti di Gn 3-11. Il mito non deve essere né ridotto alle origini istintuali di
Freud né svuotato del suo contenuto
intellettuale come fa Bultmann, ma
integrato nella riflessione teologica
sulla rivelazione nel suo vero significato. Il mito concerne la corteccia,
non il nucleo della fede.

La chiesa cattolica, con una serie
di documenti che vanno dalla *Provi-
dentissimus Deus* del 1893 alla *Dei
Verbum* del concilio Vaticano II, ha
incoraggiato lo studio della sacra
Scrittura, che era diventato quasi monopolio dei protestanti. Questi documenti contengono indicazioni ermeneutiche come regole per arrivare al
vero *sensus auctoris*, che è quello inteso pure dallo Spirito Santo che ispira la bibbia. Essi ammettono progressivamente mezzi tecnici come lo studio dei generi letterari, certi aspetti
metodologici della *Formgeschichte* e
la pratica della filologia nella consapevolezza che qui si tratta di un libro sacro che bisogna interpretare nel
contesto della tradizione con la guida del magistero. Queste dichiarazioni, però, non toccano l'ermeneutica
nel senso filosofico della parola, lasciando una moltitudine di questioni
aperte dalle quali l'esegesi e particolarmente la teologia fondamentale
non possono prescindere se devono
dare risposte adeguate agli interroga-

tivi di oggi. Su queste questioni torneremo in seguito.

Torniamo, però, alle discussioni ermeneutiche dopo Gadamer. Lo possiamo fare soltanto accennando ad alcuni problemi che incidono sulla nostra materia. Era da aspettarsi che la
tesi di Gadamer non rimanesse senza
sfida. Reagiscono contro il soggettivismo dell'interpretazione, ciascuno
dal suo punto di vista, E. Betti, E.D.
Hirsch e P. Szondi. Questi insistono
che con i criteri gadameriani non rimane nessuno strumento per verificare la verità o la falsità di un'interpretazione perché il soggetto si sostituisce troppo all'autore, e venuta a
mancare la visione hegeliana di totalità, si cade in un frammentarismo
storicistico. Il vero senso di un passo
− essi sostengono − è quello inteso
dall'autore, ed è un senso chiuso e
completo. Ciò che quel significato oggettivo ha da dire a me (*Bedeutung* -
*Bedeutsamkeit; meaning - significan-
ce*) è una cosa completamente differente e dipende dalla mia soggettività
in relazione al testo, il cui senso può
essere approfondito con ulteriori studi che fanno capire meglio l'autore,
ma non escono dalla *mens auctoris*.

Dal punto di vista filosofico corregge molto il punto di vista di Gadamer, L. Pareyson che dà un fondamento ontologico all'interpretazione
mantenendo l'unità della verità e la
pluralità delle sue manifestazioni, in
quanto la verità dell'essere si svela
continuamente o sporadicamente nei
grandi avvenimenti della cultura. Abbiamo dunque in Pareyson un ontologismo personale.

Ultimamente anche dalla critica letteraria di Hirsch proviene una scuola che, unendo un'analisi strutturalistica con elementi di retorica classica
e moderna, vuole scoprire quale impatto un testo − particolarmente testi scritturistici − abbia avuto sui lettori immediati. R. Jewett e altri biblisti negli Stati Uniti applicano questo metodo di ricerca.

Un'ultima critica a Gadamer che mi sembra possa chiudere questa rassegna storica dell'ermeneutica è quella che viene da Habermas. Questo simpatizzante della scuola di Francoforte, nella sua critica all'ideologia, contesta a Gadamer che la sua stima per la tradizione imprigiona la società in un tradizionalismo irreale che non prende coscienza né dei conflitti reali né di quelli psicopatologici indicati dalla psicanalisi e quindi preclude la via al completamente moderno ed emancipato. Gadamer risponde che una tale critica non ha capito bene il concetto di tradizione ermeneutica esposta in *Wahrheit und Methode* in quanto è precisamente la tradizione criticata dal punto di vista degli orizzonti attuali che costituisce la coscienza della modernità.

5. CONSEGUENZE PER LA TEOLOGIA FONDAMENTALE - Avendo tracciato molto sinteticamente la storia dell'ermeneutica sia come metodo biblico sia come disciplina filosofica, è ora di tirare le somme per comprendere quali siano le conseguenze di tutta questa discussione per la teologia fondamentale. È chiaro, da questa rassegna, che il concetto di ermeneutica non è affatto univoco presso tutti gli autori, e oggi si tende a estendere il compito di questa disciplina a quello di coordinatrice interpretativa non soltanto delle scienze dello spirito ma anche delle ideologie e delle scienze naturali. È quindi diventata quasi sinonimo di filosofia condividendone pure le incertezze e i conflitti del momento presente. Ne risente ovviamente la teologia, che ha voluto sempre tenere stretti rapporti con la filosofia (→ Teologia, V) e adesso si trova pienamente immersa nel mondo dell'ermeneutica. Enumeriamo brevemente i problemi che la controversia in questo campo suscita nella teologia fondamentale indicando sia i contributi sia le limitazioni e i pericoli delle diverse posizioni.

Il campo più toccato è ovviamente quello dell'esegesi biblica. Finora sia nell'area cattolica, sia in quella protestante si è pensato che il vero senso della Scrittura, quello ispirato dallo Spirito, è il senso letterale, cioè quello inteso dall'autore. Abbiamo visto che, con il potenziamento del ruolo del soggetto interprete, la *mens auctoris* è in pericolo di svanire. D'altra parte abbiamo pure costatato che certi testi dell'AT vengono utilizzati teologicamente nel NT non secondo il loro senso letterale, ma riletti dal punto di vista degli ultimi avvenimenti della storia salvifica. I Padri, poi, tirano fuori dal testo sensi allegorici che non sono frutto di pura fantasia. Da ciò possiamo concludere che il testo come tale, come consegnato alla chiesa, contiene più possibilità di significato di quella o quelle previste dall'autore umano, e queste possibilità vengono attualizzate dal processo storico dell'attività salvifica di Dio nella chiesa e nel mondo. La storia, dunque, è un principio ermeneutico di rivelazione interpretativa in cui lo Spirito che ha ispirato il primo autore continua a parlare con le sue parole, oltrepassandone la limitatezza storica originaria. D'altra parte, il legame con il senso originale non può essere spezzato senza andare contro la «mens auctoris» o il significato ovvio del testo. Teorie contrapposte come quella di Gadamer e Betti, dunque, possono riconciliarsi nella esegesi se ammettiamo la continuità dello Spirito come autore e interprete, e intendendo come «soggetto» non l'individuo ma la chiesa.

L'insistenza gadameriana sul linguaggio come il sottofondo continuo della tradizione culturale che rende possibile la fusione di orizzonti tra il «pre-giudizio» del lettore e l'orizzonte del testo è di aiuto per comprendere la connessione tra Tradizione e Scrittura. Il linguaggio cristiano nasce dalla predicazione apostolica da cui nasce anche il NT. La chiesa porta avanti questo linguaggio dipendentemente e indipendentemente dal NT. I due sono inseparabili per una retta comprensione sia della bibbia sia della tradizione. Il linguaggio della tradizione è quello in cui siamo nati e che fornisce il pre-intendimento per capire il NT come libro. Quando la Riforma ha voluto separare Scrittura da → tradizione e dalla viva voce della chiesa, ha rimosso la bibbia dal fiume in cui navigava per fermarla sulla riva asciutta.

Anche il concetto stesso di tradizione potrebbe guadagnare dalle speculazioni ermeneutiche di Dilthey e Gadamer. Tradizione non è certamente ripetizione materiale, ma crescita organica. I diversi dogmi della chiesa sono interpretazioni ermeneutiche della rivelazione apostolica nel linguaggio dell'epoca in cui sono stati formulati. L'errore sarebbe se si identificassero talmente linguaggio e sostanza che, riformulando il dogma in un linguaggio del nostro tempo, ne modificassimo il contenuto. Allora sarebbe non più «traduzione» ma invenzione. In questo stanno i limiti di Ebeling che vede nella tradizione la riformulazione dell'autocomprensione di fronte a Dio (fede) di Gesù, ma senza un contenuto di *traditum* che fa da base congiuntiva.

Causa di molti fraintendimenti è l'insistenza, per es., presso Dilthey, della storicità dell'uomo e della verità. L'uomo non avrebbe una natura immutabilmente definibile, ma la sua definizione cambia con il proprio autointendimento nella storia. La verità non avrebbe un fondamento ontologico, ma cambia con la storia. Qui si vede l'importanza del correttivo di Pareyson che vuol richiamare all'identità di essere e verità nel processo dell'interpretazione storica. La immutabilità dei dogmi presuppone la stabilità di una verità che sia stabile anche se è ovvio che un dogma si deve interpretare in relazione alla sua origine storica e ritradurre dentro l'orizzonte della situazione ecclesiale odierna.

La separazione bultmanniana tra storia e fede è deleteria per l'ermeneutica cristiana. Già Käsemann aveva notato che Bultmann priva il cristiano dello «extra nos» della salvezza, rendendola immanente e gnosticizzante ma, in ultima analisi, se non mi riferisco alla storia non rimane nessun criterio perché debba credere che Gesù è il Cristo e non Abramo o Maometto. Bultmann, infatti, sostiene che io non credo in Gesù perché egli è il Cristo, ma che egli è Cristo perché la mia fede lo ha reso tale.

L'ermeneutica demitizzante di Bultmann, poi, è la conseguenza di questa separazione. Chiamando «mito» ogni ingerenza del mondo trascendentale nella concatenazione di cause mondane (con la sola eccezione del mio atto di fede che Bultmann sostiene sia soprannaturale), il teologo di Marburg vuol risparmiare all'uomo odierno un «sacrificium intellectus». Ma, a parte il fatto che Bultmann già chiede un *sacrificium intellectus* quando nega alla fede un fondamento razionale o storico, un linguaggio cristiano che non corrisponde a una realtà trascendentale, ma solo alla nostra immanenza, ci costringe a un «sacrificium spei» di uscire dal cerchio di un'esistenza racchiusa nel peccato. Un'astratta azione salvifica di Dio non ha senso se la distacchiamo dalla storia salvifica nella sua cruda realtà.

Qui entra in gioco la distinzione richiamata sopra tra *Bedeutung* e *Bedeutsamkeit, meaning* e *significance*, cioè il significato di una cosa in sé e il suo significato per me. Come posso sperare che una dottrina abbia un significato per me se nego la validità del significato in sé?

E qui pure entriamo nel vasto campo della gnoseologia in cui versa tutta l'ermeneutica contemporanea. Identificando ermeneutica con comprensione *sic et simpliciter* non usciamo

dalla nostra intenzionalità fenomenologicamente per poter definire l'oggetto della nostra comprensione.
La teologia fondamentale ha bisogno di una epistemologia che presuppone non soltanto un'ontologia ma anche una metafisica per uscire dalla intersoggettività e raggiungere qualche forma di oggettivismo nel senso che questo ha nella filosofia perenne. In ultima analisi si tratta di sapere se possiamo affermare che Dio esiste o non esiste fuori di noi.
Il clima odierno di nichilismo in filosofia e di disintegrazione dei valori non è certamente di aiuto alla teologia fondamentale, e in questo clima versa una parte dell'ermeneutica contemporanea, donde l'urgente bisogno di ermeneuti credenti, nel campo sia filosofico sia teologico, che illuminino la via all'ermeneutica cristiana nella Babele di voci che la circondano.

Bibl. - M. Heidegger, *Sein und Zeit,* Tübingen 1927; Id., *Unterwegs zur Sprache,* Pfüllingen 1959; E. Fuchs, *Zur Frage nach dem historischen Jesus,* Tübingen 1960; Id., *Marburger Hermeneutik,* Tübingen 1969; P. Althaus, *Die Theologie Martin Luthers,* Gütersloh 1963; R.M. Grant, *A Short History of the Interpretation of the Bible,* New York 1963; R. Bultmann, *Jesus Christus und die Mythologie,* Hamburg 1964; Id., *Storia dei Vangeli Sinottici,* Bologna 1969 (con rassegna di tutte le opere di Bultmann); G. Ebeling, *Wort Gottes und Tradition,* Göttingen 1964; Id., *Einführung in die theologische Sprachlehre,* Tübingen 1971, articoli «Hermeneutik» e «Tradition» in RGG³, III, 242-262, VI, 974-984; W. Schmithals, *Die Theologie Rudolf Bultmanns,* Tübingen 1966; E.D. Hirsch, *Validity in Interpretation,* New Haven 1967 (tr.it. Bologna 1973); P.H. Jørgensen, *Die Bedeutung des Subjekt-Objektverhältnisses für die Theologie,* Hamburg 1967; R.E. Palmer, *Hermeneutics,* Evanston 1969; L. Pareyson, *Verità e interpretazione,* Milano 1971; H. De Lubac, *Esegesi medievale,* voll. I-II, 1972; H.G. Gadamer, *Verità e metodo,* Milano 1972; N. Henrichs, *Bibliographie zur Hermeneutik,* Düsseldorf 1972; R. Heijne, *Sprache des Glaubens: Theologie von E. Fuchs,* Tübingen 1972; I. Mancini, «Ermeneutica» in NDT, Roma 1977, 370-380; P. Ricoeur, *Ermeneutica filosofica ed ermeneutica biblica,* Brescia 1977; Id., *Essays on Biblical Interpretation,* Philadelphia 1979; B. de Marjerie, *Introduction à l'histoire de l'exégèse,* voll. I-III, Paris 1980; V. Mannucci, *Bibbia come parola di Dio,* Brescia 1981;

H.J. Sieben, *Exegesis Patrum: Saggio bibliografico dell'esegesi biblica dei Padri,* Roma 1983; D.K. McKim, *What Christians Believe about the Bible,* New York 1985; M. Simonetti, *Lettera e/o allegoria,* Roma 1985; P. Grech, *Ermeneutica e teologia biblica,* Roma 1986; Id., «Ermeneutica» in NDTB, Milano 1988, 464-489; G. Mura, *Emilio Betti, L'Ermeneutica come metodo generale delle scienze dello spirito,* Roma 1987; G. Vattimo e altri, *Il pensiero ermeneutico,* Genova 1988; K. Mueller-Vollmer, *The Hermeneutics Reader* (antologia), New York 1989; M. Ferraris, *Storia dell'ermeneutica,* Milano 1989².

PROSPER GRECH

ESCATOLOGIA

Quando si parla di escatologia dal punto di vista cristiano bisogna tenere presenti due aspetti inseparabili: da una parte, la piena rivelazione di Dio che ha avuto luogo in Gesù, l'apparizione di Dio nel mondo che costituisce l'evento decisivo che imprime alla storia il suo orientamento definitivo; con Cristo irruppe nel mondo «l'ultimo»; sarebbe ancora meglio dire che egli è «l'ultimo». D'altra parte, e sempre in relazione a questo primo aspetto, bisogna considerare il contenuto concreto della speranza cristiana, non solo «l'ultimo», ma anche «le ultime cose», tutto quello che attende l'uomo, sia alla fine della storia (escatologia collettiva o finale), sia al termine della sua vita mortale (escatologia personale o «intermedia»). Anche quest'ultimo punto di vista ha a che vedere direttamente con Cristo. Infatti la speranza cristiana non può avere altro oggetto ultimo che non sia Dio stesso che si manifesta a noi in Cristo. Pertanto l'escatologia cristiana non parla di un futuro intramondano superabile in linea di principio da qualsiasi altro evento, ma del futuro assoluto che è Dio stesso. Gesù, come evento escatologico, apre al senso delle realtà ultime del mondo e dell'uomo. Ciò che in lui è già accaduto anche se in modo velato, ciò che a partire dalla risurrezione è realtà in lui che è il capo, attende la piena manifestazione in tutto il suo corpo.

L'orientamento cristologico dell'escatologia cristiana ne determina le caratteristiche fondamentali. Prima di tutto, non possiamo pretendere una «descrizione» del mondo futuro. Gesù ci manifesta il Padre che nessuno ha visto (cfr. Gv 1,18). La rivelazione di Dio nella sua pienezza non solo è molto di più di ciò che l'occhio ha visto o l'orecchio ha udito, ma va anche molto al di là di ciò che la nostra mente può immaginare (cfr. 1 Cor 2,9). Pertanto lo stesso intento di descrivere ciò che speriamo sarebbe distruttore della stessa speranza cristiana; significherebbe ridurre al nostro ambito mondano ciò che per definizione lo oltrepassa.

In secondo luogo, l'escatologia cristiana è un messaggio di salvezza. Ci annuncia la realizzazione piena della salvezza avvenuta in Gesù. Se tutto l'evento-Cristo è salvifico, non può fare a meno di esserlo la sua manifestazione definitiva. È vero che la fede cristiana afferma con tutta serietà la possibilità della condanna dell'uomo, del suo rifiuto della grazia offerta a tutti (perché solo così si afferma la sua autentica libertà e pertanto il carattere veramente umano dell'adesione a Dio e al suo invito alla comunione amorosa); è altrettanto chiaro, però, che questo non può costituire il centro del suo messaggio. L'escatologia cristiana è un aspetto dell'annuncio della salvezza, è «vangelo» nel senso più puro del termine. Così lo intesero i primi cristiani che desideravano ardentemente la piena manifestazione di Gesù nella gloria.

Infine, l'escatologia cristiana è cosciente di dover affermare sia la realtà già presente dell'«ultimo», sia il futuro delle «ultime cose». Da un lato Gesù è già venuto, è morto ed è risuscitato ma, dall'altro, noi non partecipiamo ancora pienamente della sua gloria. La signoria di Cristo su tutto ciò che è reale, a partire dalla sua risurrezione (→ Mistero pasquale), non è stata però ancora pienamente manifestata. Gesù ha vinto già il peccato e la morte, noi però ne sperimentiamo ancora il peso: si tratta del paradosso del presente e del futuro, della continuità e della rottura tra questo mondo e i nuovi cieli e la nuova terra. Il futuro assoluto è realmente anticipato in Gesù (altrimenti non potremmo dire assolutamente nulla di esso), è già rilevante per noi, e in un certo senso continua a essere la novità radicale che oltrepassa perfino i nostri desideri. Nella gran parte degli scritti neotestamentari troviamo questa tensione tra presente e futuro che naturalmente ammette diverse accentuazioni dell'uno o dell'altro aspetto. Credo che come regola ermeneutica possa valere il principio di affermare allo stesso tempo tutti e due gli estremi, senza contrapporne uno all'altro. La realtà della salvezza in Gesù non può essere minimizzata; il battesimo significa una partecipazione alla sua morte e alla sua risurrezione. D'altro lato, la piena partecipazione alla sua gloria presuppone anche la partecipazione alla sua morte, non solo sacramentalmente anticipata. Tutti noi e anche il mondo che ci circonda dobbiamo essere sottomessi al giudizio della croce di Cristo.

I contenuti concreti dell'escatologia cristiana (nei cui dettagli non possiamo entrare) portano anche il sigillo di Gesù, mostrano che sono lo sviluppo dell'evento escatologico che ha avuto luogo nel mondo attraverso la sua presenza. Nel credo niceno-costantinopolitano si proclama la fede nella venuta gloriosa di Cristo per giudicare vivi e morti e si aggiunge che il suo regno non avrà fine. La manifestazione gloriosa di Gesù è stata l'oggetto della speranza dei primi cristiani. Se nella risurrezione Gesù è stato intronizzato come Signore, que-

sto dominio deve manifestarsi pienamente. La parusia del Signore è pertanto la conseguenza della risurrezione, la piena realizzazione della salvezza il cui fondamento sta nella
vittoria che Gesù ha ottenuto. Paolo
ha espresso il contenuto teologico di
questo evento in 1 Cor 15,23-28; Cristo è la primizia della risurrezione,
alla quale farà seguito, nella sua venuta, la risurrezione di tutti (fra poco torneremo su questo aspetto). La
venuta o parusia di Cristo significa
la «fine» e con essa la distruzione di
tutte le potenze nemiche di Dio e del-
l'uomo, compresa la morte, contemplata qui senza dubbio, nella sua intima relazione con il peccato (cfr.
1 Cor 15,54-56). In questo momento
finale tutto viene sottomesso a Cristo; il suo dominio sul mondo diventa realtà. Allora Gesù consegna il →
regno al Padre, attraverso la cui iniziativa si è realizzata tutta la storia
della salvezza, che si conclude in quel
momento. Il riferimento di Gesù al
Padre, costante in tutti i momenti
della sua vita, trova anche qui la sua
espressione. Con il suo pieno dominio su tutta la sua creazione Dio sarà «tutto in tutte le cose».
La piena manifestazione del dominio di Dio significa la piena salvezza
dell'uomo. Nel passo che abbiamo
appena riferito e in altri ancora (cfr.
per es., Fil 3,21; 1 Ts 4,14-18) si fa
notare la connessione tra parusia e
risurrezione. Quest'ultima, come pienezza dell'uomo, viene ad essere la
correlazione dell'apparizione di Gesù nella sua gloria. Il dominio di Cristo su tutto significa la nostra piena
salvezza. La risurrezione equivale pertanto alla pienezza dell'uomo in tutte le sue dimensioni personali, cosmiche e sociali. La configurazione al
Cristo risorto è l'unica vocazione definitiva dell'uomo. Egli è la primizia,
a partire dalla quale diventa realtà la
risurrezione di tutti coloro che sono
di Cristo (cfr. 1 Cor 15,20-23); è anche il primogenito tra i morti (cfr.

Col 1,18), e di conseguenza «allo stesso modo che abbiamo rivestito l'immagine dell'uomo terreno, rivestire-
mo anche l'immagine di quello celestiale» (1 Cor 15,49). La risurrezione
nell'ultimo giorno significa anche la
pienezza del corpo di Cristo, della
chiesa celeste. Quando si parla del-
l'escatologia non si può dimenticare
la dimensione sociale della vita cristiana, che in altri campi teologici viene posta molto in rilievo. Il cap. 7
della costituzione LG del concilio Vaticano II è abbastanza chiaro a questo riguardo.
La perfetta configurazione al Cristo risorto e la partecipazione alla sua
vita costituisce per l'appunto la «vita eterna», il «cielo». La salvezza del-
l'uomo non può essere che Dio stesso, visto che dal momento della creazione siamo stati fatti per lui. Solo
in lui può trovare riposo il cuore
umano (cfr. S. Agostino, Confessioni I,1). Perciò la tradizione della chiesa, con una chiara base biblica (1 Cor
13,12; 1 Gv 3,2) ha parlato della visione di Dio, intuitiva e «faccia a faccia», come del contenuto fondamentale della ricompensa dei giusti. Una
visione che non deve essere intesa nel
senso puramente intellettuale, ma in
quello di comunione piena di amore
con il Dio uno e trino nella realizzazione totale della nostra filiazione divina. La condizione dell'uomo salvato è per molti altri passi del Nuovo
Testamento «essere con Cristo» (cfr.
Lc 23,43; 1 Ts 1,17; Fil 1,2; Gv 17,24
ecc.). Attraverso l'inserimento nel
corpo glorioso del Signore otteniamo
la pienezza della vita.
Gesù come presenza definitiva della salvezza, e in questo senso come
evento escatologico, ci apre alla speranza delle cose ultime; e queste in
definitiva si concentrano in lui, mediante il quale abbiamo accesso al Padre nello Spirito. In effetti non avrebbe senso che colui che doveva venire
ci rimandasse a qualcuno o a qualcosa di diverso da se stesso.

Bibl. - K. Rahner, «Theologische Prinzipien zur Hermeneutik eschatologischer Aussagen», in *Schriften zur Theologie* IV, Einsiedeln 1960, 401-428; J. Ratzinger, *Escatologia: morte e vita eterna*, Assisi 1979; C. Pozo, *Teologia dell'aldilà*, Roma 1981; J.L. Ruiz de la Peña, *L'altra dimensione. Escatologia cristiana*, Roma 1981; H.U. von Balthasar, *Teodrammatica*, vol. IV: Ultimo atto, Milano 1986; M. Kehl, *Eschatologie*, Würzburg 1986; M. Bordoni - N. Ciola, *Gesù nostra speranza*. Saggio di escatologia, Bologna 1988.

LUIS F. LADARIA

ESEGESI INTEGRALE

Per esegesi intendiamo l'interpretazione, il commento o la spiegazione del testo biblico. Vogliamo presentare qui unicamente i principi o le regole dell'esegesi cattolica da integrare con l'articolo → ermeneutica, la cui visuale è più ampia. Diamo il nome di testo biblico alla sacra Scrittura o bibbia, nel senso cattolico del termine, comprendendo l'Antico Testamento, inclusi i libri detti «deuterocanonici», e il Nuovo Testamento (→ Canone). Con la definizione «esegesi integrale» vogliamo esprimere per quanto possibile la totalità del procedimento esegetico. I principi fondamentali di questa esegesi integrale sono stati fortemente sottolineati dalla costituzione → *Dei Verbum* del concilio Vaticano II. Si può completare il documento conciliare con alcuni discorsi di Paolo VI e di Giovanni Paolo II.

1. DIMENSIONE SCIENTIFICA - «Poiché Dio nella sacra Scrittura ha parlato per mezzo di uomini alla maniera umana, l'interprete della sacra Scrittura, per vedere chiaramente ciò che egli ha voluto comunicarci, deve ricercare con attenzione che cosa gli agiografi in realtà hanno inteso significare e che cosa a Dio è piaciuto manifestare con le loro parole» (DV 12,1).

Lo scopo ultimo dell'esegesi è di ordine teologico: «vedere chiaramente ciò che Dio stesso ha voluto comunicarci». L'esegesi implica la fede nell'ispirazione divina delle Scritture (DV 11,1) e altresì la fede nell'intenzione realizzata di Dio allorché il suo Spirito ispirava gli autori sacri: «i libri della Scrittura insegnano fermamente, fedelmente e senza errore la verità che Dio per la nostra salvezza volle fosse consegnata nelle sacre lettere» (DV 12,1) (→ Verità). Alle sue radici dunque l'esegesi non è una scienza puramente profana o secolare, fa parte integrante della teologia e l'esegeta che la pratica è e deve essere teologo allo stesso titolo del dogmatico o del moralista. Infatti l'oggetto, se così possiamo dire, delle sue ricerche, la parola di Dio, è eminentemente teologica e anche teologale. Vedremo più avanti (par. 2) le implicazioni di queste affermazioni.

Rimane ugualmente vero che per realizzare il suo progetto Dio «ha scelto degli uomini, dei quali si servì nel pieno possesso delle loro facoltà e capacità» (DV 11,1), che egli «ha parlato per mezzo di uomini alla maniera degli uomini» (DV 12,1). Quindi «l'interprete deve... ricercare con attenzione che cosa gli agiografi in realtà hanno inteso significare e che cosa a Dio è piaciuto manifestare con le loro parole» (DV 12,1).

Per far questo si deve far ricorso a molte scienze e anche a molti metodi. A questo proposito non deve turbare il ricorso al sapere profano, se lo strumento scientifico o metodologico viene usato con onestà e senza presupposti arbitrari. Paolo VI ha fatto riferimento per tale questione a una pagina del p. Lagrange scritta nel 1918 (DC 71 [1974] 326) e Giovanni Paolo II è ritornato sull'argomento nel 1989:

«È vero che, più d'una volta, certi metodi ermeneutici sembrava che costituissero un pericolo per la fede, poiché sono stati usati da interpreti non credenti, nell'intenzione di sottomettere le affermazioni della Scrittura a una critica distruttiva. In tal caso si deve stabilire una netta distinzione tra il metodo stesso, che potrà contribuire all'arricchimento delle conoscenze, se corrisponde alle esigenze autentiche dello spirito umano e, dall'altra parte, presupposti contestabili – di tipo razionalista, idealista o materialista – che possono influire sull'interpretazione e toglierle validità. L'esegeta illuminato dalla fede non può evidentemente adottare tali presupposti, ma potrà profittare del metodo» (DC 86 [1989] 472).

a. Un primo impegno consiste nello *stabilire il testo* attraverso il confronto delle testimonianze manoscritte che lo hanno trasmesso. Nella maggior parte dei casi l'esegeta potrà far riferimento alle ottime pubblicazioni degli ultimi decenni sia per il testo ebraico dell'AT sia per i testi greci del NT e dei Settanta. Avendo però una preparazione di base alla critica testuale, dovrà far ricorso all'apparato critico delle edizioni classiche dei testi. Dovrà spiegare ai suoi studenti come usare tali apparati critici. Dovrà altresì tener conto del fatto oggi sempre più riconosciuto che alcuni libri biblici ci sono stati trasmessi sotto diverse forme; ciò soprattutto per Siracide, Ester, Tobia e anche Atti, senza che la chiesa abbia mai imposto nel suo canone una forma particolare. Talvolta la critica testuale conduce a percepire diverse tappe nel processo di trasmissione del testo.

Una volta stabiliti il testo o i testi si deve *tradurre*. Si tratta di un lavoro di una complessità notevolmente maggiore di quanto pensi il grande pubblico. Il fatto è che i testi biblici sono stati redatti diciannove secoli fa per i più recenti e circa trenta secoli fa per i più antichi, in una precisa cultura, quella del mondo mediterraneo orientale, semitica, poi ellenistica, e in lingue ora scomparse (aramaico) o fortemente modificate (ebraico e greco). L'evoluzione delle lingue moderne permette di farsi un'idea della complessità del problema: così l'italiano di Dante risulta appena comprensibile per l'uomo della strada nell'Italia di oggi. In questo ambito l'esegeta potrà valersi del servizio degli orientalisti, specialisti delle lingue e delle culture del Vicino Oriente antico. I dizionari delle lingue bibliche, ebraico, aramaico e greco, notano la parentela delle parole nelle diverse lingue dell'ambiente.

Per farsi un'idea della varietà delle soluzioni possibili si potrà confrontare la traduzione di un medesimo passo nelle diverse bibbie oggi in uso. È sconsigliabile servirsi di una sola traduzione della bibbia, è un impoverimento, un rischio. Si dovrà così imparare a leggere e confrontare le note critiche delle diverse bibbie. Ma qui sorge una nuova difficoltà. È vero che Tommaso d'Aquino non conosceva alcuna lingua biblica, ma nel XX secolo la parola di S.Teresa di Lisieux conserva la sua forza: «Se fossi stata prete, avrei studiato a fondo l'ebraico e il greco così da conoscere il pensiero divino, come Dio si degnò di esprimerlo nella nostra lingua umana». Ogni programma di studi teologici che si rispetti include un corso di ebraico biblico e uno di greco del NT. Il valore della parola di Dio per chiunque si mette al servizio della chiesa dovrebbe essere uno stimolo sufficiente per applicarsi seriamente allo studio delle lingue bibliche, soprattutto oggi, quando gli scambi internazionali obbligano tanta gente a parlare più lingue. E il concilio Vaticano II (cfr. OT 13), seguendo Pio XII (*Divino afflante Spiritu*, II, 1), ha incoraggiato questo accesso diretto ai testi originali della bibbia.

b. Una volta stabilito il testo, le sue varianti conosciute, il senso preciso delle parole, talvolta con diverse possibilità per certi passi, arriva la tappa difficile impiegata a «scoprire l'intenzione degli agiografi» (DV 12,2). Qui entrano in gioco metodi diversi («inter alia», DV 12,2). Se il concilio si sofferma in modo speciale sulla ricerca del «genere letterario», ciò conferma quanto scriveva Pio XII nell'enciclica *Divino afflante Spiritu* del 1943 ed estende pure implicitamente questa ricerca al NT, come ammoniva nel 1964 l'Istruzione *Sancta Mater Ecclesia* della Pontificia Commissione Biblica. Ma DV 12 riconosce anche la validità del seguente principio generale: «Per comprendere esattamente ciò che l'autore sacro ha voluto asserire nello scrivere, si deve far debita attenzione sia agli abituali e originari modi di intendere, di esprimersi e di raccontare vigenti ai tempi dell'agiografo, sia a quelli che allora erano in uso qua e là nei rapporti umani». Pio XII l'aveva già riconosciuto ufficialmente.

Una tale esigenza si fa già sentire nell'analisi del vocabolario degli autori sacri, come si è detto; si avverte anche quando ci si dedica all'analisi di un passo particolare come di testi più ampi. Così si poté esprimere la comprensione dell'alleanza (→ Elezione/alleanza/legge) nella parte più antica dell'AT ricorrendo a certi schemi fondamentali dei trattati detti «di vassallaggio», utilizzati allora nelle relazioni internazionali. La sapienza dei popoli antichi del Vicino Oriente è l'ambiente in cui si è sviluppata la sapienza biblica, più spesso in dialogo che nell'isolamento. I miti pagani delle popolazioni semite permettono di cogliere dove si trova l'originalità degli autori biblici: se ne potrebbero fare innumerevoli esempi (→ Profeti e → Vangelo). Tale impegno di lavoro esige dall'esegeta una cultura che spesso egli non ha, ma può far ricorso alle ricerche degli orientalisti. Paolo VI lo riconosceva sinceramente nel 1974: «Come risulta difficile comprendere l'opera di Cristo al di fuori della tradizione biblica che egli ha assunto, così, in nome della verità che dev'essere la nostra prima preoccupazione, sembra difficile leggere oggi l'Antico Testamento trascurando

le sue radici culturali» (*Orientalia* 45 [1976] 6).

L'onestà del metodo richiederà di non confondere analogia e similitudine, somiglianza e identità, e soprattutto somiglianza e dipendenza, giungendo così a non riconoscere più nulla come proprio del messaggio biblico.

In ogni caso il poter determinare un genere letterario suppone il confronto tra diversi testi biblici o extrabiblici, di cui si passano in rassegna le somiglianze di argomento, di tematica, di vocabolario e anche di struttura. Per evitare di applicare a un testo una struttura frutto delle nostre proprie idee e della nostra propria cultura, rischio che nel passato è stato corso, ci si applica a rilevare nel testo stesso, letto nella lingua originale, tutti i dati linguistici e verbali che ne disegnano l'organizzazione interna: parole ricorrenti, variazioni nelle forme grammaticali, ecc.; si arriva così a scoprire *strutture letterarie* per i testi più diversi. Ma, per non cadere nella mania di vedere dappertutto, per esempio, strutture concentriche, bisognerà assicurarsi che siano stati presi in considerazione tutti gli indizi presenti nel testo. Un tale metodo di lettura assicura una base più solida al confronto con altri testi e permette anche di precisarne il genere letterario. Potrebbe esserne un buon esempio il caso del libro della Sapienza.

Questo metodo, se si suppone – lo si fa gratuitamente? – che un testo sia ben scritto, permette di determinare le glosse e le addizioni introdotte nel testo. Più di una volta ciò sarà confermato dalle versioni antiche.

Ci sono però dei casi, nel Pentateuco o nei profeti per esempio, dove le asperità del testo come l'analisi della sua struttura letteraria conducono a scoprire che, insieme al testo primitivo, esso trasmette delle riletture in cui le comunità successive hanno lasciato tracce delle proprie letture e interpretazioni. A questo livello si sviluppa tutta la storia della vita e della trasmissione di un testo nella comunità.

L'importante, a proposito delle glosse, delle addizioni e delle riletture, è di non fermarsi al culto dell'*Ur-text* o testo primitivo, che faccia rifiutare qualsiasi valore ai complementi successivi. Dovremo dare attenzione al testo biblico finale, com'esso ci è giunto, perché la chiesa ha conservato tale testo. Altrimenti ci troveremmo a opporci al canone delle Scritture, quale la chiesa lo intende. La situazione del libro del Siracide ne è un esempio tipico.

In fondo tutta questa ricerca del genere letterario e della struttura letteraria del testo implica la convinzione che si ha a che fare con insiemi letterari che debbono essere trattati come tali. Quando un testo presenta un racconto – e lo farà normalmente in prosa – allora si ricorre da due o tre decenni a un altro metodo, soprattutto in Francia. Viene chiamato → *l'analisi strutturalistica* o semiotica. Si ispira a teorici russi, i quali cercano di studiare il funzionamento dei racconti. Si costruisce una vera e propria grammatica del racconto. Malgrado un vocabolario troppo spesso sibillino e un orientamento troppo marcato per gli aspetti formali, con il rischio di sottovalutare il messaggio, questo metodo è utile e più d'una volta complementare.

L'interesse per gli insiemi, che ha il gran vantaggio di evitare di atomizzare un testo, conduce altresì a considerare un libro, oppure un insieme di libri, come una totalità. Allora l'attenzione si sposta dalle asperità del testo, che svelano addizioni e riletture, a tutto ciò che unifica un insieme. Un tal lavoro ha condotto, per esempio, a mostrare l'originalità di ciascuno degli evangelisti (→ Vangelo: Metodi di analisi); ha anche permesso di parlare della storia deuteronomista, da Dt a 2 Re.

Si può forse situare a questo punto il metodo che di recente si sviluppa oltre Atlantico e che ha il nome di *close reading*: consiste nel leggere il testo tratto a tratto con un'attenzione estrema, assicurandosi di aver percepito tutte le sfumature espresse dall'autore; l'attenzione si dirige anche su tutto ciò che è implicito e anche al non-detto, spesso proprio questo rivelatore di un pensiero. Un tale metodo mette bene in luce l'unità profonda di un testo, un racconto per esempio, rimette in discussione teorie che avevano visto in un testo diversi strati redazionali. Talvolta anche questo metodo potrà mostrare come tali strati redazionali furono alla fine integrati armoniosamente nell'unità testuale che è arrivata fino a noi.

c. Quanto detto finora riguardava la critica letteraria, e non ci si deve stupire di questi sviluppi della ricerca, dal momento che l'oggetto delle analisi è un testo. Pur tuttavia una parte notevole dei libri biblici, almeno Pentateuco e libri storici per l'AT, vangeli e Atti per il NT, hanno per oggetto degli avvenimenti ed è importante determinare il loro valore storico. La critica letteraria illumina il cammino della *critica storica*, non la abolisce. Il concilio Vaticano II – ed era opportuno – ha rilevato, parlando dei generi letterari, che testi detti storici possono esserlo in maniera diversa (DV 12,2) e ha affermato «senza esitare la storicità» dei quattro vangeli (DV 19). Sembra che la critica storica susciti oggi poca attenzione e che si sia instaurato uno scetticismo forse eccessivo almeno per quel che riguarda la storicità dei fatti anteriori alla presa di Gerusalemme da parte di Nabucodonosor nel 586 a.C. Per quel che riguarda i vangeli e gli Atti, l'esegesi cattolica sembra arrivata a un consenso rispettoso della storia.

La critica storica, che cerca di determinare quale sia la storicità dei fatti narrati nei testi è dunque fondamentale. Come infatti la fede non si riferisce a degli enunciati, ma alla realtà che questi esprimono – secondo la formula tomista – così, sembrerebbe, l'esegesi non fa riferimento solo ai testi, ma alla realtà di cui i testi parlano. E questa realtà è la nostra salvezza operata da Dio nella storia umana, in maniera definitiva nella persona di Gesù Cristo. Ma è chiaro altresì che non può esserci critica storica al di fuori della critica letteraria dei testi, e non solo alla luce delle testimonianze esterne al testo. L'archeologia, da un secolo protagonista di tali scoperte, e tutte le scienze da questa suscitate, epigrafia, numismatica, ecc., danno qui un prezioso apporto.

2. DIMENSIONE TEOLOGICA - Tutta questa ricerca scientifica, diversificata in critica testuale, filologica, letteraria e storica, mira a «scoprire ciò che l'autore sacro ha voluto affermare per iscritto» (DV 12,3). Ma questa è solo una faccia del compito affidato all'esegeta. L'altra faccia sarà propriamente teologica e porterà l'esegesi a non rimanere un'opera puramente profana. Non si legge Isaia o Paolo come lo si fa con Omero o Virgilio.

«La Sacra Scrittura deve esser letta e interpretata alla luce del medesimo Spirito che la fece mettere per iscritto» (DV 12,3). La ragione di una tale asserzione è che l'oggetto da leggere e interpretare è la sacra Scrittura, unica pur avendo come autori Dio e degli esseri umani scelti ed ispirati da lui, comunque si debba spiegare quest'azione congiunta che il concilio Vaticano II non ha voluto determinare in maniera definitiva. Risulta che «tutte le affermazioni degli autori ispirati... debbono essere considerate affermazioni dello Spirito Santo» (DV 11,2).

Cercando di comprendere quell'oggetto unico che è la Scrittura, l'esegeta si mette anche all'ascolto dello Spirito che ne è all'origine della composizione. Dal momento che l'oggetto è unico, si può dire che tutta la ricerca scientifica e critica di ciò che l'agiografo ha voluto dire è già per l'esegeta mettersi, come l'autore sacro, sotto l'azione dello Spirito: le asserzioni dell'agiografo sono anche quelle dello Spirito. Mettersi in questa disposizione è un requisito tradizionale nella chiesa: risale almeno a Origene e a Girolamo; di nuovo proclamato al concilio Vaticano II dalla chiesa d'Oriente, è significativo che DV 12,3 abbia ripreso qui una proposta del Pontificio Istituto Biblico, il quale ha tanto lavorato perché acquistasse importanza nella chiesa la scienza biblica più critica.

a. Dal punto di vista dell'esegeta, «interpretare alla luce dello Spirito» significa almeno ciò che Paolo VI, con il suo solito acume, precisava nel 1970: se la parola di Dio è «viva ed efficace» (Eb 4,12) per condurre alla salvezza, «chiunque scruti la Scrittura è in primo luogo scrutato da essa, e deve accostarla in questo spirito di umile disponibilità che solo prelude alla comprensione piena del messaggio»; notava ancora «la necessità di cercare una certa connaturalità di interessi, di problemi, con l'argomento del testo, per potersi aprire all'ascolto di esso»... «Ma soprattutto è importante rilevare... l'esigenza di una vera fedeltà alla Parola»: «Il Cristo è la prima "esegesi" del Padre, la sua "Parola", quella che lo manifesta, ed ogni ulteriore parola su Dio e sul Cristo si basa su questa prima rivelazione del Padre». Nel 1974 aggiungeva: «Una reale apertura esistenziale al mistero del Dio d'amore, senza la quale la nostra esegesi, per quanto colta, rimane necessariamente ottenebrata, non può mantenersi in noi senza la luce della grazia divina, che dobbiamo quotidianamente domandare con umiltà».

b. Il concilio Vaticano II si limita

di fatto ad alcune caratteristiche fondamentali della Scrittura, oggetto dell'esegesi. Poiché bisogna leggerla alla luce del medesimo Spirito che promosse la sua composizione, bisogna riservare uguale attenzione al contenuto e all'unità della Scrittura nella sua totalità (cfr. DV 12,3). Sembra che mai la chiesa avesse affermato così chiaramente questo principio di ermeneutica biblica. Ne viene data la ragione: è stato lo Spirito Santo a determinare la composizione della Scrittura. Se gli autori umani sono numerosi e dispersi nel tempo, lo Spirito, dal momento che li ha ispirati tutti, ha dato unità all'insieme, la Scrittura. Del resto, in questo insieme unificato lo Spirito aveva lo scopo di consegnare la verità in vista della nostra salvezza, e questa ha raggiunto la pienezza nella persona di Gesù Cristo, unico mediatore. La Scrittura costituisce un'unità − DV 16 lo ripeterà − e quest'unità appare eminentemente al livello del suo contenuto. Chiunque abbia familiarità con la Scrittura percepisce questa unità di contenuto; se siamo sensibili al messaggio particolare di un autore biblico, bisogna riconoscere la sua sintonia con l'insieme, di cui questo è solo un elemento. Noteremo che il concilio parla del contenuto, del messaggio, e non più della forma letteraria che lo esprime.

c. Il concilio va ancora oltre sulla linea degli insiemi, che caratterizza l'attuale ricerca esegetica. L'attenzione al contenuto e all'unità della Scrittura nella sua totalità deve tener conto della tradizione vivente della chiesa intera e dell'analogia della fede (cfr. DV 12,3). Il testo è sfumato: per ben percepire il contenuto e l'unità della Scrittura nella sua totalità, bisogna tener conto della tradizione vivente della chiesa intera e dell'analogia della fede. Per precisare l'intenzione del concilio è necessario a questo punto ricorrere alla storia del testo.

Scegliendo questa formula, la Commissione teologica del concilio intendeva tener conto di alcuni emendamenti proposti dai vescovi: questi domandavano che si parlasse della tradizione, più che delle tradizioni (cfr. DV 8-10), dei padri della chiesa, del → sensus fidei del popolo di Dio e del → magistero.

Si va sempre più scoprendo oggi il rapporto tra la Scrittura e la chiesa. Se la chiesa ricevette l'AT da Gesù e dalla comunità cristiana primitiva, di cui era l'unica Scrittura, il NT fu composto al suo interno e per esprimere il mistero ricevuto di cui essa era portatrice. Il migliore esegeta è colui che legge la Scrittura in unità di vita con la chiesa; il padre Lagrange aveva dato ragione con acume di queste esigenze già nel 1918.

La bibbia infatti non è di proprietà degli esegeti; essi sono solo dei servitori del popolo di Dio al quale questa si rivolge di generazione in generazione, e tramite il popolo all'umanità intera chiamata alla salvezza. Dono di Dio affidato alla chiesa, per essa e attraverso di essa, la Scrittura esige una fede integra per essere compresa dall'interno in rapporto agli autori sacri e a Dio che vuole la salvezza di tutti; esige di essere in comunione con la chiesa di oggi e anche con coloro che, da due millenni, ne hanno vissuto e ne vivono; costruisce sempre la chiesa e non può diventare una proprietà privata, il cui accesso sarebbe riservato ad alcuni privilegiati, che si arrogano il diritto, avanzando pretese di scientificità, di mettere in dubbio la fede del popolo di Dio nei suoi aspetti più radicati. E questo popolo − la chiesa − possiede in se stesso, per la volontà di Cristo, il suo organo regolatore, il magistero, assistito dal medesimo Spirito che ha parlato per mezzo dei profeti e degli apostoli e che a partire dalla Pentecoste anima tutta la vita della chiesa. Spetta al magistero dichiarare l'autenticità di qualsiasi esegesi.

d. La tradizione vivente della chiesa intera si esprime anche nei padri della chiesa, orientali e occidentali e nei grandi esegeti che ci hanno preceduto. Si manifesta oggi sempre più il ritorno all'esegesi antica e nel contempo cresce la conoscenza che ne possiamo avere con edizioni migliori e le migliori ricerche di cui oggi disponiamo. Questo è vero per l'esegesi patristica, ma anche per quella dei teologi medievali latini, senza dimenticare il rinnovamento biblico dei secoli XVI e XVII. Quest'ultimo periodo è ancora poco conosciuto, ma i precedenti sono stati esplorati, per esempio nei volumi di → H. de Lubac. La nostra conoscenza del Vicino Oriente antico supera certo la loro e più rigorosi sono giudicati i nostri metodi. Tuttavia, pur con minori mezzi ed esigenze scientifiche, ci superano per un inserimento più esplicito nella comunità ecclesiale: la loro esegesi è davvero teologica, spirituale e pastorale. La nostra deve rinnovare questi orientamenti e arricchirli.

La tradizione vivente di tutta la chiesa comporta ancora il *sensus fidei* del popolo di Dio. Significa che l'esegeta per interpretare correttamente il messaggio biblico deve restare in contatto con il popolo di Dio e in comunione con ciò che anima la sua fede. L'esegesi non può essere unicamente un'attività di biblioteca, una ricerca di scrivania. Più l'esegeta dialogherà con il popolo di Dio, più riuscirà a capire come la Scrittura è vero nutrimento e più fuggirà la tentazione del puro gioco intellettuale senza portata e senza contenuto. La pastorale biblica sarà per lui il luogo in cui verificare il valore della sua intelligenza della bibbia. Sia parlando che scrivendo si sentirà condotto a maggiore autenticità e verità e ne ricaverà un potente incoraggiamento a proseguire, dal momento che avrà toccato con mano il bene reale che queste possono apportare. Arri-

verà a percepire come la Scrittura è veramente parola di Dio per tutti noi oggi e non oggetto da museo. Lo capirà anche quando, seguendo una lunga tradizione cristiana oggi rinnovata, si dedicherà alla *lectio divina*, lettura in un clima di ascolto di ciò che il Signore, attraverso la bibbia, dice a noi oggi. A fortiori quando nutrirà di Scrittura gli esercizi spirituali. Forse soprattutto in questa occasione capirà cosa voglia dire leggere la Scrittura con il medesimo Spirito che ha determinato la sua composizione.

Il *sensus fidei* del popolo di Dio si manifesta principalmente nella liturgia. *Lex orandi lex credendi*. Con la tradizione, soprattutto latina, DV 21 ha ricordato che la chiesa si nutre alla «unica tavola della Parola di Dio e del Corpo di Cristo». Si tratta di vivere intensamente la liturgia della Parola quale oggi ci viene proposta, ma anche di mettersi a studiare le liturgie antiche (cfr. DV 23). L'uso che tutte fanno della Scrittura rivela spesso l'orientamento dell'interpretazione cristiana. È senza interesse sapere, per esempio, che molte liturgie, ma non quella che porta il nome di Paolo VI, rileggono Giobbe in connessione al mistero pasquale?

Il *sensus fidei* include infine le grandi esigenze, di cui la chiesa oggi percepisce l'urgenza: ecumenismo, dialogo con il giudaismo, apertura alle culture. Ambiti dai quali gli esegeti non possono essere assenti. Dal momento che Dio vuole la salvezza di tutti, Gesù Cristo è l'unico mediatore di questa salvezza e la Scrittura la promuove efficacemente (cfr. Eb 4,12) nell'unità del genere umano; dal momento che la Scrittura è la buona notizia proclamata a tutti, l'esegeta è in dovere di prender parte a qualsiasi ricerca che permetta al messaggio della Scrittura di essere meglio compreso e trasmesso. La lettera ai Romani, per esempio, ha un'importanza fondamentale nel dialogo con le chiese e comunità uscite dalla Riforma, ma anche per la qualità dell'approccio cristiano al giudaismo. Se vi aggiungiamo una conoscenza più esatta e più rispettosa di quanto fosse nel passato delle tradizioni cristiane non cattoliche e della tradizione giudaica, la nostra conoscenza della Scrittura ne acquisterà spesso in penetrazione. In particolare le testimonianze del giudaismo antico, contemporaneo del cristianesimo nascente, i *Targûmin*, per esempio, non possono essere ignorati dagli esegeti. È anche importante il dialogo con le religioni non cristiane e con le culture al cui interno esse si sono sviluppate, soprattutto in certe parti del mondo, e vi si richiede una presenza attiva degli esegeti. La bibbia stessa non ha ignorato questo dialogo, come del resto le generazioni cristiane che ci hanno preceduto, ed è un'esigenza fondamentale, affinché la bibbia non appaia in questi luoghi come un prodotto straniero non assimilabile, che si immagina come occidentale, cosa che non è assolutamente vera.

In tutte queste occasioni di dialogo, sembra che si debba tener conto di alcune esigenze fondamentali: non solo il rispetto del testo biblico così com'è, la fedeltà integrale al deposito della fede e la comunione con tutta quanta la chiesa, che significherà anche lo sforzo di far partecipare agli esegeti, impegnati altrove, le ricchezze scoperte e i problemi che si pongono; ma inoltre e più specificamente l'accettare come scontato il fatto che ogni metodo esegetico è il prodotto di una cultura e che l'esegesi occidentale del XX secolo non sfugge a questa realtà: un'altra cultura pone questioni diverse e diversa è la sua ermeneutica. Questo è già vero per l'esegesi cristiana patristica e medievale; potremo stupircene affrontando l'esegesi giudaica o cercando di inculturare in Brasile, India, Zaire il modo di ac-

cogliere veramente la bibbia e il suo messaggio?

e. Infine DV 12,3 indica che l'attenzione portata al contenuto e all'unità della Scrittura tutt'intera deve tener conto anche dell'*analogia della fede*. L'espressione viene da Rm 12,6 e sembra esprimere il senso dell'armonia esistente tra tutte le affermazioni della fede cattolica. Ciò equivale a dire implicitamente che c'è coerenza tra l'insegnamento della Scrittura e quello della chiesa. Si ricorderà che la Scrittura è la «regola della fede», la *norma normans* della fede. DV 25, riprendendo un'espressione di Leone XIII, che l'aveva appresa dai gesuiti, come l'ha mostrato J.M. Lera nel 1984, chiede che la Scrittura sia «come l'anima della teologia», che quest'ultima riceva come la sua vita dalla Scrittura. Dire questo è chiedere che l'esegeta sia prima di tutto un teologo. Da lui ci si aspetta che metta in rilievo la portata teologica dei testi biblici e, per tener conto dell'analogia della fede, che ne mostri l'armonia con ciò che il dogmatico e il moralista, per limitarci ai suoi colleghi più prossimi, spiegano a nome della chiesa. Oltre alla loro argomentazione scritturistica, che non può più accontentarsi di semplici citazioni bibliche, si tratta soprattutto, sembra, di una ricerca comune, interdisciplinare, sui grandi problemi che oggi l'umanità si pone e la teologia cerca di chiarire. Sminuire il valore della testimonianza biblica o tacerla con il pretesto che sarebbe anacronistica è una soluzione poco conforme alla fede cattolica. Paolo VI, nel 1973, aveva reclamato l'aiuto dell'esegesi per risolvere i problemi morali posti oggi alla coscienza cristiana. Ugualmente la cristologia e le altre grandi affermazioni dogmatiche devono continuamente essere rilette alla luce della Scrittura.

Da un secolo la chiesa continua a precisare le regole della sua ermeneutica biblica, ed è la sola comunità di credenti ad averlo fatto. Aperta a tutte le esigenze scientifiche, mantiene fermamente la prospettiva fondamentale della Scrittura, la salvezza di tutti gli uomini, ed è per questo che la sua ermeneutica è teologica. Infine, poiché Dio in Cristo proclama e realizza la nostra salvezza nel corso della nostra storia, la chiesa invita a non separarci da coloro che sono stati prima di noi i depositari e i portatori della parola di Dio, testimoni del suo significato.

Bibl. - M.-L. Lagrange, *Le sens du christianisme d'après l'exégèse allemande*, Paris 1918; Id., *La méthode historique*. La critique biblique et l'Eglise, Paris 1966; H. de Lubac, *L'Écriture dans la Tradition*, Paris 1966; L. A. Schökel, *Il dinamismo della tradizione*, Brescia 1970; E. Hamel, «L'Écriture, âme de la théologie», in *Greg* 52 (1971) 511-535; P. Dreyfus, «Exégèse en Sorbonne, exégèse en Eglise», in *RB* 82 (1975) 321-359; Id., «L'actualisation de l'Écriture», in *RB* 86 (1979) 5-58, 161-193, 321-384; P. Grelot, «L'exégèse biblique au carrefour», in NRTh 98 (1976) 416-434, 481-511; B. Maggioni, «Esegesi», in DTI, Torino 1977, II, 101-110; Id., «Esegesi biblica», in NDTB (Cinisello Balsamo 1988), 497-507; C. Buzzetti, «Esegesi ed ermeneutica», in DTI, Torino 1977, II, 110-126; M. Gilbert, «Paul VI. In memoriam», in *Bibl* 59 (1978) 453-462; J.M. Lera, «"Sacrae paginae studium sit veluti anima Sacrae Theologiae" (Notas sobre el origen y procedencia de esta frase)», in A. Vargas Machuca - G. Ruiz (edd.), *Palabra y vida. Homenaje a J. Alonso Diaz*, Madrid 1984, 409-422; R. Latourelle (ed.), *Vaticano II: bilancio e prospettive*. Venticinque anni dopo (1962-1987) I, 289-307, Assisi 1987.

MAURICE GILBERT

ESPERIENZA

Prima di tratteggiare il prezioso ruolo che il concetto di esperienza può svolgere nella teologia fondamentale contemporanea, potrebbe essere utile dire qualcosa sull'ambiente in cui nacque tale concetto. Solo recentemente il linguaggio dell'esperienza è stato accolto dai teologi cattolici.

1 - SITUAZIONE STORICA - Fino al concilio Vaticano II la maggior parte dei teologi cattolici – e, in particolare, i teologi fondamentali – evitavano di impiegare il concetto di esperienza. Il padre del protestantesimo liberale, F.D. Schleiermacher (1768-1834), riteneva che la religione fosse basata sull'intuizione e sul sentimento e, disgiungendola dal dogma, sosteneva che la sua più elevata esperienza stesse nel senso di unione con l'infinito. Definendo infine la religione come il sentimento di assoluta dipendenza, considerava il cristianesimo meramente come l'espressione più completa di questo sentimento. Alla fine del sec. XIX e all'inizio del XX, altri fattori rafforzarono le incertezze cattoliche riguardo alla terminologia dell'esperienza. Alcuni modernisti, ad esempio, hanno enfatizzato troppo il ruolo dell'esperienza religiosa individuale e ridotto il valore delle espressioni comuni della fede nella vita cristiana.

Una simile spinta antidogmatica apparve nelle lezioni di Gifford tenute nel 1902 da W. James (1842-1910): *The Varieties of Religious Experience*. Sebbene non esprimessero sempre i loro timori in tal senso, molti teologi e vescovi cattolici evitarono di considerare l'esperienza come incompatibile con la dottrina e le istituzioni della chiesa e furono propensi a incoraggiare un cristianesimo emozionale e irrazionale.

Comunque, sia tra i cattolici sia tra altri cristiani, si esprimevano giudizi più positivi sull'esperienza, che gradualmente influirono sulla teologia fondamentale. In una classica difesa della sua fede, *Apologia pro Vita Sua* (1864) ed altri scritti, → J.H. Newman (1801-90) non credeva che il suo tanto caro «principio dogmatico» fosse minacciato dai continui richiami all'esperienza, sia collettiva che individuale. L'esistenzialismo di S. Kierkegaard (1813-55) a dispetto del suo sforzo di fideismo ed eccessivo individualismo, riuscì alla fine a farsi ascoltare negli ambienti cattolici. In modi diversi, anche gli altri filosofi come W. Dilthey (1833-1911), E. Husserl (1859-1938), A.N. Whitehead (1861-1947), → M. Blondel (1861-1949), M. Scheler (1874-1928), K. Jaspers (1883-1969), G. Marcel (1889-1973), M. Heidegger (1889-1976), M. Merleau-Ponty (1908-61) e H. G. Gadamer (1900-), contribuirono ad accrescere il peso dell'esperienza per la teologia fondamentale cattolica. La stessa cosa si è verificata con il dibattito sulla comprensione e l'interpretazione promosso dall'ermeneutica esistenziale di → R. Bultmann (1884-1976).

Spesso più difficili da puntualizzare, altre influenze molto reali incidevano sull'apologetica o teologia fondamentale come la si cominciava a chiamare. L'opera di R. Otto (1869-1937) sul ruolo del numinoso (*mysterium tremendum et fascinans*) nella coscienza religiosa, il crescente dialogo con altre religioni, una maggiore apertura alla psicologia della religione (→ Religione, VIII), l'impatto della sociologia e, in generale, la penetrante influenza delle scienze sperimentali, favorirono la riflessione cattolica sull'esperienza umana di Dio. A volte un → dialogo interreligioso con altre comunità cristiane e teologie, ha sollevato la questione dell'esperienza religiosa. Così accadde con i movimenti biblici e liturgici nell'ambito del cattolicesimo. Si poteva difficilmente parlare della divina pedagogia operante nell'Antico Testamento, della testimonianza apostolica di Cristo (1 Gv 1, 1-3) o della liturgia come fonte teologica, senza entrare nel campo dell'esperienza.

Sebbene certi studiosi come J. Mouroux (1901-73), H. Bouillard (1908-81), Y. Congar (1904-) e, in particolare → K. Rahner (1904-84) avessero elaborato approcci al tema dell'esperienza, nei suoi 16 documenti il concilio Vaticano II ha impiegato questo linguaggio in modo piuttosto parsimonioso: il sostantivo *experientia* 32 volte e il verbo *experior* 17 volte. Natu-

ralmente, l'uso più frequente (il sostantivo 11 volte e il verbo 11 volte) si ebbe nella costituzione pastorale sulla chiesa nel mondo contemporaneo (*Gaudium et Spes*), che non solo era il documento più esteso del concilio, ma anche l'unico a trattare ampiamente delle esperienze e problemi degli uomini e delle donne nel mondo di oggi. La costituzione sulla rivelazione divina (*Dei Verbum*) parlava di Israele «che sperimentò» le vie di Dio (DV 14) e di diverse cause di sviluppo nelle tradizioni post-apostoliche, una delle quali sarebbe «la profonda intelligenza delle cose spirituali» di cui i credenti fanno esperienza (DV 8). Quest'ultima affermazione non passò incontestata da alcuni vescovi che udirono echi di modernismo che privilegiava un'intima coscienza erroneamente separata dalla chiesa e dai suoi pubblici insegnamenti. Tuttavia il linguaggio dell'esperienza si ripresentò in un documento che trattava dell'auto-comunicazione divina (DV 6) nella storia della salvezza (DV 3,4,14,15,17) e sollecitava gli esseri umani ad abbandonarsi tutti a Dio liberamente (DV 5). Oggi sembra siano praticamente scomparsi i persistenti timori riguardo al fatto che esperienza e autorità siano in qualche modo opposte o si escludano reciprocamente. Nel suo insegnamento, Giovanni Paolo II ha frequentemente impiegato il linguaggio dell'esperienza. Nella sua seconda enciclica, *Dives in Misericordia* (1980) il sostantivo compare tredici volte ed il verbo sei volte in riferimento alla nostra esperienza religiosa, sia nei suoi aspetti comunitari che individuali.

2 - CONCETTO E REALTÀ - Per ciò che riguarda la teologia fondamentale, è relativamente semplice illustrare il ruolo permeante dell'esperienza. Se i destinatari della teologia fondamentale sono gli esseri umani non in astratto, ma nella loro concreta sto-

ricità, dove e in che modo facciamo esperienza del mistero di Dio? Come sappiamo che stiamo incontrando Dio e come possiamo interpretare correttamente questa esperienza? Che cosa nella nostra esperienza umana conferisce credibilità al messaggio giudeo-cristiano che riceviamo?

Quel messaggio proviene anzitutto dalle esperienze di Dio fatte dal popolo di Dio, profeti ed altri, nello svolgersi della storia dell'AT. Poi la teologia fondamentale studia la rivelazione fondatrice mediata attraverso la singolare esperienza di Dio fatta da Gesù, l'esperienza di Gesù fatta dai discepoli e l'esperienza della chiesa apostolica allorché la sua missione si sviluppò nella potenza dello → Spirito Santo.

La tradizione post-apostolica può essere considerata come la memoria collettiva di quelle esperienze privilegiate che costituivano la rivelazione fondatrice che raggiunse il suo definitivo e insuperabile apice con Gesù Cristo e la venuta dello Spirito Santo. In tutte le sue forme scritte e non scritte, la → tradizione è il trasmettere da una generazione all'altra l'esperienza di Dio in Gesù Cristo che la chiesa fa in modo collettivo e specificamente cristiano.

Se il tema dell'esperienza ha a che fare costantemente con le questioni centrali della rivelazione di Dio in Gesù Cristo, con la sua → credibilità e la sua trasmissione, allora la teologia fondamentale deve esaminare accuratamente ciò che l'esperienza umana e religiosa comportano. Diversamente, questo complesso concetto e realtà non si riveleranno molto produttivi nello sviluppo della disciplina.

Almeno sette punti principali richiedono una riflessione in qualsiasi analisi dell'esperienza umana. 1. Sebbene di norma sia intesa come un processo, l'esperienza è anche la condizione che ne risulta. 2. L'esperienza pone il soggetto in diretto contatto con l'oggetto. 3. Tale immediatezza

non implica che le esperienze siano senza presupposto. Fattori sociali, storici e religiosi di ogni genere condizionano e rendono possibile la nostra esperienza. 4. In alcune esperienze il soggetto è più attivo (ad esempio, in esperimenti scientificamente controllati), in altre più passivo (ad esempio, in momenti di intensa grazia). Gli elementi attivi e passivi sono inseparabilmente presenti in ogni esperienza. 5. L'evidenza e l'autorità dell'esperienza sono chiare e dirette. Tuttavia, nuove esperienze possono modificare e correggere ciò che è già stato appreso. 6. Le esperienze sono sempre interpretate. L'opera di interpretazione inizia proprio nella stessa circostanza dell'esperienza. 7. Esperienza personale e tradizione (che si possono considerare come il prodotto delle esperienze della comunità o della società) influiscono l'una sull'altra reciprocamente. La tradizione aiuta a dare un significato alle nostre esperienze che, a loro volta, aiutano a comprendere e a modificare la tradizione.

Soltanto alcune esperienze umane sono consciamente religiose, vale a dire situazioni che permettono di avvertire l'autocomunicazione rivelatrice e salvifica di Dio e invitano a prendere o rinnovare un impegno di fede.

Il linguaggio spaziale è stato spesso impiegato per descrivere queste esperienze come «situazioni di confine», «esperienze limite», «esperienze di punta» e «esperienze profonde». È anche possibile riconoscere tali esperienze profondamente sentite in termini di «essere consegnati dalla morte alla vita», dall'assurdità al senso e dall'ostilità o solitudine all'amore e alla comunione. Una simile interpretazione ravvisa un volto trinitario in tutte le esperienze religiose poiché esse ci avvicinano alla pienezza di vita (il Padre), al significato e verità ultimi (il Logos), e alla pienezza d'amore (lo Spirito Santo).

Le esperienze storiche, categoriali a livello conscio devono essere distinte dal dinamismo trascendentale, *a priori*, che crea la possibilità per ogni esperienza religiosa peculiare. Il tomismo trascendentale, in particolare quello elaborato da K. Rahner, ha mostrato in che modo, in ogni esperienza specifica, noi facciamo esperienza simultaneamente di noi stessi e della nostra apertura all'Essere assoluto e illimitato. In tal senso tutte le esperienze umane hanno una dimensione ultima religiosa, che è la forma primordiale dell'autocomunicazione rivelatrice e salvifica di Dio.

In conclusione: l'«esperienza» non è l'unica via per lo sviluppo di una teologia fondamentale. Studi chiari ed accurati, comunque, possono fare sì che essa costituisca un fruttuoso approccio a tale disciplina. Inoltre, chiarendo il concetto stesso, i teologi fondamentali si trovano nella necessità di stabilire criteri di interpretazione e valutazione delle esperienze religiose.

Bibl. - J. Mouroux, *L'expérience chrétienne*, Paris 1952; H. Bouillard, *Logique de la foi*, Paris 1964; Autori vari, «Rivelazione ed esperienza», in *Conc* 14 (1978); G. O'Collins, *Teologia fondamentale*, Brescia 1982; C. Geffré, «La rivelazione e l'esperienza storica degli uomini», in R. Fisichella (ed.), *Gesù Rivelatore*, Casale Monferrato 1988, 164-177.

GERALD O'COLLINS

EVANGELIZZAZIONE

I. EVANGELIZZAZIONE E MISSIONE: *Scopo della missione; Per un concetto più ampio di evangelizzazione; Missione di Gesù e della Chiesa* (J. Dupuis) - II. EVANGELIZZAZIONE DELLA CULTURA: *Rinnovato approccio all'evangelizzazione; Sfida della cultura di massa; Modernità come cultura* (H. Carrier) - III. NUOVA EVANGELIZZAZIONE: *Come rievangelizzare le culture? Un'antropologia aperta allo Spirito; Per la redenzione delle culture* (H. Carrier).

I. Evangelizzazione e missione

1. MISSIONE E MISSIONI - Fin dall'inizio del suo ministero Gesù «chiamò a sé quelli che egli volle ed essi andarono da lui. Ne costituì Dodici perché stessero con lui e anche per mandarli a predicare» (Mc 3,13-14; cfr. Mt 10,1-42); dopo la risurrezione affidò loro la missione della sua chiesa (Mt 28,16-20; Mc 16,14-19; Lc 24,36-49; Gv 20,19-29; At 1,6-11). La → missione è dunque proprio un termine biblico fondante la chiesa. Questo termine non è mai scomparso dalla terminologia teologica. Ciò non toglie che in una recente, benché secolare, tradizione si sia parlato maggiormente di *missioni* (al plurale) che di *missione*. Ciò risale soprattutto al grande movimento missionario dell'epoca moderna a partire dal secolo XVI. Distinguevano allora le «missioni» (i paesi di missione) dai paesi tradizionalmente cristiani (la cristianità); questi ultimi inviavano missionari per evangelizzare i popoli «non cristiani». Il compito missionario fu affidato (*ius commissionis*) alle grandi congregazioni religiose e agli istituti missionari. La congregazione «de Propaganda Fide», che dopo il concilio Vaticano II ha preso il nome di «Congregazione per l'evangelizzazione dei popoli», fu fondata nel 1622 per organizzare e dirigere tale compito.

In un'epoca ancora recente *la* missione (al singolare) è tornata in uso nel vocabolario ecclesiologico. Si è ripresa coscienza di come la chiesa sia essenzialmente missionaria in tutte le circostanze e in tutti i paesi del mondo, che siano o meno tradizionalmente cristiani. La recente «scristianizzazione» del mondo cristiano ha paradossalmente aiutato questa nuova presa di coscienza. Così H. Godin poteva pubblicare nel 1943 a Lione un libro che all'epoca ebbe un'influenza profonda, intitolato *La France, pays de mission?*; si trattava principalmente della scristianizzazione della classe operaia che doveva essere nuovamente evangelizzata. La secolarizzazione del mondo occidentale contribuiva a far sì che la coscienza della missione, come compito universale della chiesa, si diffondesse nuovamente. Oggi si parla della missione evangelizzatrice della chiesa come del suo compito essenziale; ed esplicitamente – ma forse impropriamente, poiché l'evangelizzazione è un processo mai compiuto – della «nuova evangelizzazione» (→ Evangelizzazione, III) del mondo occidentale «post-cristiano». La chiesa è dovunque e per sempre missione.

La recente ecclesiologia si è sviluppata alla luce di una riscoperta della tradizione antica. Il posto essenziale che la missione occupa nel mistero della chiesa è stato rimesso in evidenza. Significava passare da un'ecclesiologia statica, cioè quella della «società perfetta», a un concetto dinamico della chiesa come comunione, essenzialmente missionaria in movimento nella storia. La chiesa o *è* missione o non è chiesa. L'esortazione apostolica *Evangelii Nuntiandi* di Paolo VI, che fa seguito al sinodo dei vescovi sull'evangelizzazione del mondo contemporaneo (1974), si fa eco di questa coscienza rinnovata. Parlando in termini di evangelizzazione il papa scrive: «Evangelizzare è la grazia e la vocazione propria della Chiesa, la sua identità più profonda. Essa esiste per evangelizzare» (EN 14).

Il concilio Vaticano II aveva già parlato di questa rinnovata coscienza. Non che cessi di parlare delle «missioni» (al plurale) nel senso usuale; le colloca tuttavia nel più ampio contesto della «missione» della chiesa, all'interno della quale devono essere comprese. Caratteristicamente il documento loro dedicato si intitola: «Decreto sull'attività missionaria della Chiesa» (AG). Esso sviluppa dapprima il vasto contesto della missione universale della chiesa (AG 1-5) per situarvi in seguito le «missioni», cioè la missione della chiesa così come si esercita e si sviluppa progressivamente in quei territori in cui non ha ancora raggiunto pienamente la maturità (AG 6ss). La priorità della missione sulle missioni indica quindi che la vocazione della chiesa è fondamentalmente la stessa in tutte le regioni, anche se il suo grado di sviluppo varia da regione a regione.

2. LO SCOPO DELLA MISSIONE - Una «missiologia» ancora recente si è sforzata di definire il fine *delle* missioni (al plurale). Lo enunciava in termini di «plantatio ecclesiae». Bisognava che la chiesa fosse saldamente stabilita nei paesi in cui aveva ancora solo giovani radici. Stabilirla saldamente comprendeva anche lo sviluppo di un clero e di una gerarchia «indigeni», oltre a quello della comunità cristiana. Una volta saldamente e completamente stabilita la chiesa in un luogo, la missione avrebbe raggiunto il suo scopo. Questa tesi non era priva di meriti. Paragonata alle idee precedentemente in voga, rappresentava un sicuro progresso: non si parlava più semplicemente di salvare le anime, che altrimenti non avrebbero avuto alcun accesso alla salvezza eterna; si trattava piuttosto di stabilire dovunque nel mondo la chiesa, mezzo universale voluto da Dio per la salvezza degli uomini.

Ciò non toglie che questa tesi si mostrasse insufficiente in più di un punto. Vi sopravviveva una visione tutto sommato negativa della salvezza dei «non cristiani»: si affermava, è vero, la volontà salvifica universale di Dio e la possibilità della salvezza individuale per tutte le persone umane; ma non si attribuiva alle religioni «non cristiane» alcun ruolo positivo in questo mistero della salvezza. Inoltre la posizione era indebitamente centrata sulla chiesa stessa come se questa fosse un fine in sé. Sarebbe stato necessario, al contrario, decentrare la chiesa da se stessa centrandola su Gesù Cristo e sul regno di Dio nel mondo; si sarebbe allora concepita la chiesa come un segno che rimanda al suo Signore da una parte, e all'instaurazione del regno nella storia, dall'altra. Infine, come inevitabile conseguenza, la tesi posta veniva ad essere caratterizzata, in modo unilaterale, dalla proclamazione del vangelo, dalla catechesi e dal conferimento dei sacramenti; vi regnava una preoccupazione esagerata per la crescita numerica della comunità cristiana. Bisognerebbe ancora osservare che l'«impiantazione» della chiesa, che costituiva la prospettiva centrale, avvenne per lo più sul modello di una «trapiantazione»: si trapiantava nei paesi di «missione» un determinato modello di realtà ecclesiale come si era sviluppato in occidente, senza preoccuparsi molto di adattamento o di → «inculturazione». Si sarebbe dovuto seguire la parabola evangelica del seminatore (Lc 8,4-15) e seminare quindi la parola di Dio nella terra dei popoli, perché germogliasse e vi si sviluppasse trasformandola (cfr. AG 22). L'immagine della missione è quella del seme del vangelo e non il trapianto di modelli stranieri di realtà ecclesiale.

Ciò spiega come dal concilio Vaticano II in poi, si sviluppò una nuova teologia della missione che si inserisce peraltro nel contesto dell'evoluzione, richiamata sopra, *dalle* missioni *alla* missione. La missione della chiesa è identica in tutti i luoghi, anche se ammette gradi e forme diverse. Il suo scopo è quello di evangelizzare, cioè di comunicare la buona notizia, il vangelo di Gesù Cristo;

o ancora, quello di rendere il mistero di Gesù Cristo visibilmente presente e operante con la parola e le azioni. È facile vedere che una simile concezione permetteva di superare l'ecclesiocentrismo unilaterale della tesi precedente, ricentrando la chiesa su Gesù Cristo e sul vangelo, sul → regno di Dio instaurato in lui e che cresce attraverso la storia. Essa era anche più biblica, poiché riprendeva direttamente l'immagine della semina della buona notizia. Permetteva inoltre di superare la prospettiva strettamente occidentale secondo la quale il vecchio continente − e più tardi l'America del Nord − fondavano «missioni estere» nel mondo. A questa ristretta visione si è sostituita oggi la teologia delle chiese locali, stabilite dovunque, anche se non tutte della stessa anzianità, e quella di una missione reciproca tra le chiese sorelle. Questa nuova teologia della missione si applica universalmente a tutte le chiese, senza con questo negare le loro differenze.

Il concilio Vaticano II non ha scelto tra le due teorie. Preoccupato piuttosto di raggiungere l'unanimità dei consensi, le ha giustapposte reciprocamente senza forse accorgersi che si trattava di percezioni e prospettive divergenti. Si legge quindi nel decreto sull'attività missionaria della chiesa riguardo alle «missioni»: «Le iniziative speciali con cui gli annunciatori del Vangelo inviati dalla Chiesa, andando nel mondo intero, svolgono il compito di predicare il Vangelo e di impiantare la Chiesa stessa in mezzo ai popoli e ai gruppi che ancora non credono in Cristo, sono chiamate comunemente "missioni"» (AG 6). E più chiaramente: «Il fine proprio di questa attività missionaria è l'evangelizzazione e l'impiantazione della Chiesa nei popoli e gruppi in cui ancora non ha messo radici» (*Ibid*).

Si avrebbe dunque torto a opporre una tesi all'altra come se fossero in contraddizione. Ciò non toglie che l'ecclesiologia e la missiologia post-conciliari hanno optato sempre più per la prospettiva più biblica e fondamentale dell'evangelizzazione. La chiesa post-conciliare ha allargato sempre più il concetto di evangelizzazione fino a fargli indicare tutto ciò che ha attinenza con la sua missione. Infatti si è giunti a identificare i due termini o a parlare pleonasticamente della missione evangelizzatrice della chiesa. Il testo sopra citato di Paolo VI nell'esortazione apostolica *Evangelii Nuntiandi* andava in questo senso: «Evangelizzare è la vocazione propria della Chiesa. Essa esiste per evangelizzare» (EN 14).

Se lo scopo della missione è l'evangelizzazione, resta comunque da chiedersi: che cos'è evangelizzare? Quali attività ecclesiali comprende per sua natura la missione evangelizzatrice della chiesa? Si tratta solo di annunciare o di proclamare il vangelo e di invitare gli altri a convertirsi a Gesù Cristo divenendo suoi discepoli nella chiesa? Oppure l'evangelizzazione ha un'accezione più ampia che non si può ridurre, a rischio di restringere troppo la missione della chiesa?

3. PER UN CONCETTO PIÙ AMPIO DI EVANGELIZZAZIONE - Una volta definita la missione universale della chiesa in termini di evangelizzazione, questo stesso termine ha acquisito nell'ecclesiologia post-conciliare un'accezione sempre più ampia. Senza voler ritracciare il cammino di questa evoluzione attraverso i numerosi congressi e sessioni teologiche sulla missione che hanno segnato gli anni post-conciliari, bisogna almeno indicarne brevemente il percorso attraverso alcuni testi ufficiali del magistero ecclesiale. La tendenza generale consiste nel passare da una nozione ristretta dell'evangelizzazione, in cui quest'ultima si identifica con l'annuncio o la proclamazione del vangelo, a una nozione più ampia, secondo cui la promozione umana e la lotta per

la → giustizia o anche il → dialogo interreligioso appartengono a pieno diritto alla missione evangelizzatrice.

Il sinodo dei vescovi sull'evangelizzazione del mondo contemporaneo (1974) rappresenta una tappa importante di questa evoluzione. I risultati vengono ripresi in modo molto personale da Paolo VI nell'esortazione apostolica *Evangelii Nuntiandi* (1975). Dopo aver stabilito che l'evangelizzazione è «la vocazione propria della chiesa» (14), il papa sviluppa una nozione più ampia dell'evangelizzazione, osservando che «nessuna definizione parziale e frammentaria può dare ragione della realtà ricca, complessa e dinamica, quale è quella dell'evangelizzazione, senza correre il rischio di impoverirla e perfino di mutilarla. È impossibile capirla, se non si cerca di abbracciare con lo sguardo tutti gli elementi essenziali» (17). Per quanto concerne il soggetto dell'azione evangelizzatrice, il papa nota che essa coinvolge tutta la persona: le parole, le azioni, la testimonianza (21-22). Riguardo all'oggetto, esso si estende a tutto ciò che è umano: «Evangelizzare, per la Chiesa, è portare la buona notizia in tutti gli strati dell'umanità e, col suo influsso, trasformare dal di dentro, rendere nuova l'umanità stessa» (18). Si tratta quindi per la chiesa di «evangelizzare la cultura e le culture dell'uomo» (20).

Quali attività ecclesiali comprende allora l'evangelizzazione? Paolo VI nota che alcuni aspetti dell'azione evangelizzatrice della chiesa «sono talmente importanti che si tende a identificarli semplicemente con l'evangelizzazione. Si è potuto così definire l'evangelizzazione in termini di annuncio di Cristo a coloro che lo ignorano, di predicazione, di catechesi, di battesimo e di altri sacramenti da conferire» (17), opinione che il papa sembra in qualche modo riprendere per sé (cfr. 14). Piuttosto che pretendere l'esclusività, si tratta co-

Jacques Dupuis, 410

munque per Paolo VI di far risaltare il posto privilegiato e necessario che la proclamazione del vangelo occupa nella missione evangelizzatrice: «Non c'è vera evangelizzazione se il nome, l'insegnamento, la vita, le promesse, il Regno, il mistero di Gesù di Nazareth, Figlio di Dio, non siano proclamati» (22). Questa proclamazione non acquista a sua volta «tutta la sua dimensione, se non quando è intesa, accolta, assimilata e allorché fa sorgere in colui che l'ha ricevuta un'adesione del cuore» (23).

Che posto hanno allora nella missione evangelizzatrice altre attività ecclesiali? Paolo VI si dilunga sulla promozione, lo sviluppo e la liberazione umana. Egli nota che tra questi e l'evangelizzazione vi sono «legami profondi» di ordine antropologico, teologico ed evangelico (31). Indubbiamente la missione non può essere ridotta «alle dimensioni di un progetto semplicemente temporale» e il papa non manca di riaffermare «la finalità specificamente religiosa dell'evangelizzazione» (32). Ciò non toglie che, capito questo, la chiesa «ha il dovere di annunziare la liberazione di milioni di esseri umani, di aiutare questa liberazione a nascere, di testimoniare per essa, di far sì che sia totale. Tutto ciò non è estraneo all'evangelizzazione» (30). Per quanto generose siano queste parole, non evitano comunque di sembrare timide se paragonate a ciò che affermava il sinodo dei vescovi del 1971 in un testo sulla «giustizia nel mondo». I vescovi dichiaravano: «La lotta per la giustizia e per la partecipazione alla trasformazione del mondo ci appaiono pienamente come una dimensione costitutiva della predicazione del Vangelo che è la missione della Chiesa per la redenzione dell'umanità e la sua liberazione da ogni situazione oppressiva» (6).

Al sinodo sull'evangelizzazione, alcuni vescovi asiatici, in particolare, avevano raccomandato che un concetto più ampio della missione evangelizzatrice della chiesa dovesse includere anche il dialogo interreligioso come sua parte integrante. L'esortazione apostolica *Evangelii Nuntiandi*, tuttavia, non fa eco a questa opinione. Parlando delle religioni «non cristiane», il papa le considera come se tenessero «per così dire, le loro braccia tese verso il cielo», ma incapaci di stabilire «con Dio un rapporto autentico e vivo», quale solo il cristianesimo «instaura effettivamente». Anche se le altre tradizioni religiose contengono «le espressioni religiose naturali più degne di stima», solo «la religione di Gesù, che essa [la chiesa] annunzia mediante l'evangelizzazione, mette oggettivamente l'uomo in rapporto con il piano di Dio, con la sua presenza vivente, con la sua azione» (53). Ne consegue che i «non cristiani» figurano solo come destinatari della proclamazione della buona notizia da parte della chiesa che «mantiene vivo il suo slancio missionario»; niente viene detto del resto sul dialogo interreligioso tra cristiani e altri, come anch'esso appartenente alla missione evangelizzatrice (*Ibid.*).

Il magistero di papa Giovanni Paolo II ha sottolineato più volte lo stretto legame esistente tra evangelizzazione e promozione della giustizia. Già nell'enciclica → *Redemptor Hominis* (1979) la giustizia è vista «come un elemento essenziale della missione della chiesa, indissolubilmente congiunto con essa» (15). Ciò verrà spesso ripetuto in seguito in termini equivalenti. La stessa enciclica affronta il tema delle altre religioni con una grande apertura. Il papa vede nella «ferma credenza dei seguaci delle religioni non cristiane» un «effetto anch'essa dello Spirito di verità, operante oltre i confini visibili del corpo mistico». Raccomanda ogni attività che tenda «all'avvicinamento con» loro «mediante il dialogo, i contatti, la preghiera comunitaria, la ricerca dei tesori della spiritualità umana, i quali non mancano neppure ai membri di queste religioni» (6). Riprendendo le vie di alcuni Padri della chiesa il papa vede nelle diverse religioni «quasi altrettanti riflessi di un'unica verità come "germi del Verbo", i quali testimoniano che, quantunque per diverse strade, è rivolta tuttavia in una unica direzione la più profonda aspirazione dello spirito umano, quale si esprime nella ricerca di Dio ed insieme nella ricerca, mediante la tensione verso Dio, della piena dimensione dell'umanità» (11). «L'atteggiamento *missionario* inizia sempre con un sentimento di profonda stima di fronte a ciò che "c'è in ogni uomo" (Gv 2,25); si tratta del rispetto per tutto ciò che lo Spirito che "soffia dove vuole" (Gv 3,8) in lui ha operato» (12). Il papa insiste quindi sul riconoscimento della presenza operante dello Spirito di Dio nei fedeli delle altre religioni e vi fonda teologicamente il significato del dialogo interreligioso nella missione della chiesa. La stessa dottrina sarà ripetuta in seguito; rimaneva da esprimerla esplicitamente in termini di evangelizzazione.

Ciò sembra essere raggiunto da un documento pubblicato nel 1984 dal Segretariato per i non cristiani intitolato «L'atteggiamento della Chiesa di fronte ai seguaci di altre religioni. Riflessioni e orientamenti su dialogo e missione». Il documento spiega che la missione della chiesa è unica, «ma si esercita in modi diversi secondo le condizioni in cui la missione si esplica» (11). Si dedica poi a radunare «i modi e gli aspetti differenti» (12). Ciò viene fatto in un testo che, senza pretendere di essere esaustivo, enumera cinque «elementi principali» della «realtà unitaria ma complessa e articolata» qual è la missione evangelizzatrice della chiesa. Tali elementi sono: la presenza e la testimonianza; l'impegno al servizio degli uomini, l'azione per la promozione sociale e per la liberazione umana; la vita liturgica, la preghiera e la contemplazione; il dialogo interreligioso; l'annuncio o proclamazione e la catechesi (13). «Tutto questo comprende l'arco della missione» (*Ibid.*). Ma l'elenco non è completo. Possiamo fare alcune osservazioni. La proclamazione del vangelo mediante l'annuncio e la catechesi viene alla fine e a ragione, poiché la missione o l'evangelizzazione devono essere viste come una realtà dinamica o un processo. Tale processo culmina nella proclamazione di Gesù Cristo mediante l'annuncio (*kêrygma*) e la catechesi (*didachê*). Per la stessa ragione «la vita liturgica, la preghiera e la contemplazione» avrebbero potuto essere inserite dopo la proclamazione di Gesù Cristo a cui sono direttamente unite – proprio come in At 2,42 cui il testo rinvia – e di cui sono il naturale compimento. L'ordine sarebbe allora stato: presenza, servizio, dialogo, proclamazione, sacramentalizzazione, dove gli ultimi due elementi corrispondono alle attività ecclesiali che, in una visione più ristretta ma tradizionale, costituiscono l'evangelizzazione. Nella più ampia prospettiva adottata dal documento, la «realtà unitaria» dell'evangelizzazione è presentata a un tempo come «complessa e articolata»: è un processo. Ciò significa che se tutti gli elementi inerenti al processo sono forme di evangelizzazione, non tutti hanno lo stesso valore né occupano lo stesso posto nella missione della chiesa. Così, per esempio, il dialogo interreligioso precede la proclamazione. Il primo può essere seguito o meno dal secondo, ma il processo di evangelizzazione è portato a termine solo quando la proclamazione segue il dialogo, poiché la proclamazione e la sacramentalizzazione sono il culmine della missione evangelizzatrice della chiesa.

4. MISSIONE DI GESÙ E MISSIONE DELLA CHIESA - Il Nuovo Testamento of-

fre un fondamento biblico a questa ampliata nozione di evangelizzazione, così come la coscienza attuale della chiesa la concepisce? A prima vista sembrerebbe di no. Se facciamo riferimento all'invio missionario degli apostoli dopo la risurrezione di Gesù, come è riportato nei vangeli e negli Atti, saremmo portati a concepire l'evangelizzazione secondo la nozione ristretta che la identifica con l'annuncio o proclamazione della buona notizia. Le differenti versioni hanno tuttavia sfumature diverse. Mt parla di fare discepoli in tutte le nazioni, di battezzare e di insegnare (28,19-20); Mc di proclamare la buona notizia a tutta la creazione (16,15); Lc di proclamare e di testimoniare (24,47-48); At aggiunge che la testimonianza deve estendersi «fino agli estremi confini della terra» (1,8); Gv infine parla di invio in missione, una missione che prolunga quella di Gesù, affidatagli dal Padre (20,21). Testimonianza, insegnamento, proclamazione, battesimo: ecco le diverse componenti che tuttavia rientrano tutte in ciò che abbiamo definito concetto ristretto di evangelizzazione.

Notiamo d'altronde che per Mc la buona notizia (*to euagghélion*) di Dio proclamata da Gesù si riferisce, nella sua forma nominale, alla totalità dell'evento, parole e gesti compresi (1,14), a quello stesso evento che la chiesa dovrà proclamare dopo di lui (16,15). In Lc, che preferisce la forma verbale, evangelizzare (*euagghelízein*) sembra assumere in sé il senso tecnico ristretto di «proclamazione» della buona notizia (4,18; 7,22; 16,16), di annuncio del vangelo, reso altrove con i verbi *kērýssein* o *katagghélein* aventi come oggetto il vangelo (*to euagghélion*). Resta tuttavia che dal punto di vista linguistico il verbo *euagghelízein* può indicare qualunque azione, non solo la proclamazione che ha per oggetto la buona notizia.

Tuttavia, al di là della terminologia, dobbiamo riferirci alla missione

di Gesù stesso, prolungata da quella della chiesa, per scoprire l'ampiezza della missione evangelizzatrice. Scopriremo allora che non si riduce alla proclamazione, per quanto essenziale questa possa essere, ma che si estende al di là di essa nella direzione che abbiamo sopra indicato.

La missione di Gesù che continua in quella della chiesa, il suo vangelo che essa deve attuare e rendere operativo, è lo stesso evento Gesù in tutta la sua ampiezza. Egli compie la sua missione evangelizzatrice non solo attraverso le parole, ma anche con i gesti e le opere. È lui stesso alla fine, nella sua persona, la buona notizia di Dio operante nel mondo. Il vangelo in atto di cui parla Mc è un riassunto programmatico dell'attività missionaria di Gesù (1,14-15), è tutta la sua vita di uomo che termina con la morte e la risurrezione. Il racconto globale ha come titolo nello stesso autore «la buona notizia di Gesù Cristo» (1,1). Questo vangelo di Gesù comprende le azioni come le parole: prima di tutto le azioni, poi le parole; infatti, già nell'Antico Testamento, Dio si rivela con atti che spiegano le parole profetiche. È dunque tutta la vita umana di Gesù che fa da fondamento alla missione evangelizzatrice della chiesa.

Le parole di Gesù sono vangelo in atto. Sarà sufficiente notarlo a proposito del «discorso evangelico» riportato da Mt (5-7) e da Lc (6,20-49). Non si tratta prima di tutto di una nuova legge da seguire per essere salvati; meno ancora di un ideale irraggiungibile che disporrebbe alla salvezza mediante la sola fede. Più che un codice morale il discorso della montagna è «vangelo» (J.Jeremias). Descrive la nuova qualità della vita che segue all'accoglienza del regno che Dio instaura nel mondo attraverso il suo messaggero; proclama la venuta di una nuova era piuttosto che nuove esigenze morali. Per questo inizia con le «beatitudini» che, nella forma di Lc, che sembra più antica (6,20-23), proclamano la gioia del regno accolto: beati *voi*! Anche nelle altre sezioni del discorso viene posto l'accento sulla dichiarazione della venuta del regno, dell'instaurazione della buona notizia, piuttosto che sulle sue esigenze morali.

Simili osservazioni si impongono a proposito delle parabole (Mt 13). Non si tratta di esortazioni morali illustrate, ma della «difesa della buona notizia» (J.Jeremias). Le parabole enunciano la certezza del compimento del regno di Dio la cui potenza è già attiva e che niente potrà fermare; dicono anche come il regno cresce. L'aspetto di imprevisto, che c'è in esse, indica la novità del regno, manifesta il suo carattere misterioso e invita ad accoglierlo. Così dunque tutto il discorso evangelico, parabole comprese, illustra la centralità e l'attualità del regno di Dio nelle parole di Gesù.

Vale lo stesso per i suoi gesti e le sue azioni. Gli atti di Gesù sono atti profetici di cui è importante cogliere la vera portata. Ciò riguarda in particolare i miracoli di guarigione e gli esorcismi. La risposta di Gesù agli emissari di Giovanni Battista (Mt 11,4-6) indica bene il senso dei miracoli: essi dimostrano che la buona notizia è già all'opera attraverso le sue azioni. I miracoli sono dunque vangelo in azione. Non bisogna interpretarli − come troppo spesso è stato fatto − come semplici prove della credibilità del messaggero; essi sono in se stessi parte integrante dell'instaurazione del regno.

Lo stesso vale per gli esorcismi. Essi indicano, come i miracoli di guarigione, la vittoria già reale del regno di Dio sulle potenze del male. Liberano gli uomini dalla sottomissione agli spiriti malvagi, dalla condizione alienata a cui erano ridotti. Essi contengono, come azioni simboliche di Gesù liberatore, la buona notizia che in lui le forze del male sono già vin-

te, che il regno di Dio si instaura non solo nelle anime ma anche nei corpi degli uomini e nel loro ambiente fisico, che il mondo è riconciliato con Dio e con se stesso. Sono il regno in pratica, come indica molto chiaramente la risposta di Gesù nella controversia con i farisei a proposito della cacciata dei demoni (Mt 12,26-28).

Al di là delle parole e delle azioni, dobbiamo far riferimento a tutta la vita di Gesù per rendere conto della sua missione evangelizzatrice. Il suo stile respira la libertà, come anche è portatore di diversità. I suoi atteggiamenti, le sue opzioni, i suoi orientamenti lo distinguono e lo rendono singolare. Egli prende posizione impegnandosi contro il legalismo degli scribi, contro l'autogiustificazione dei farisei, il ritualismo dei sacerdoti e dei leviti. Non teme l'opposizione al potere ingiusto, anche religioso, del suo popolo. Rifiuta ogni discriminazione sociale e si schiera in modo preferenziale con i poveri, con gli oppressi e gli emarginati. Proclama che è a loro che la buona notizia si rivolge prima di tutto. Sebbene non sia un rivoluzionario politico, la sua vita e la sua morte hanno comunque una dimensione politica in quanto i suoi atteggiamenti costituiscono per l'autorità, sia religiosa che politica, una sfida e una minaccia. È questa minaccia che lo porta al supplizio della croce.

Questa dimensione umana e politica dell'azione di Gesù non toglie niente alla sua dimensione trascendente, al rapporto unico con Dio che egli chiama → *Abba*. Egli attribuisce al suo insegnamento un'autorità unica che gli viene da Dio, rivendica per se stesso prerogative divine, afferma che in lui il regno di Dio si sta instaurando nel mondo. Le due dimensioni della sua persona e della sua azione, orizzontale e verticale, non possono essere separate o disgiunte. Ciò che in lui si inaugura è a un tempo divino e umano, trascendente, ma anche sociale e politico. Si tratta di una liberazione integrale per gli uomini, contemporaneamente dal peccato e dalle strutture ingiuste che ne derivano. Il vangelo sociale fa parte del regno di Dio.

L'osservazione è importante, se si vogliono trarre dalla missione evangelizzatrice di Gesù alcune conclusioni riguardo alla missione della chiesa. Appare chiaro che la promozione della giustizia e della liberazione umana fanno parte della missione ecclesiale, che dunque non si può ridurre alla proclamazione della salvezza in Gesù Cristo, cioè all'evangelizzazione intesa in senso stretto.

Resta tuttavia da chiedersi se la missione di Gesù fondi anche l'appartenenza del dialogo interreligioso alla missione evangelizzatrice. Le apparenze sembrerebbero a prima vista contrarie. Gesù infatti non ha forse dichiarato apertamente di non essere stato «inviato che alle pecore perdute della casa di Israele» (Mt 15,24)? Inoltre durante il suo ministero diffidò esplicitamente i dodici apostoli che inviava in missione dall'«andare fra i pagani» o di entrare nelle città della Samaria; anch'essi dovevano piuttosto andare «alle pecore perdure della casa di Israele» (Mt 10,5-6).

Ciò non toglie che il racconto evangelico mostri Gesù che manifesta nei confronti di uomini e donne non appartenenti al popolo di Israele un atteggiamento aperto. Egli ammira la disposizione a credere del centurione, professando di non aver trovato simile fede in Israele (Mt 8,5-13); compie miracoli di guarigione per «stranieri» (Mc 7,24-30; Mt 15,21-22). Conversa con la samaritana, annunciandole l'ora «in cui i veri adoratori adoreranno il Padre in spirito e verità» (Gv 4,23). Per Gesù il regno di Dio che si sta instaurando nel mondo per mezzo di lui è presente e all'opera al di là dei confini del popolo eletto. Infatti egli annuncia esplicitamente l'ingresso dei gentili nel regno di Dio (Mt 8,10-11; 11,20-24; 25,31-32), un regno che è storico ed escatologico a un tempo. Senza voler forzare l'evidenza, l'atteggiamento di Gesù sembra tale da potervi fondare la disposizione della chiesa al dialogo con i membri di altre tradizioni religiose come facente parte integrante della sua missione evangelizzatrice.

5. CONCLUSIONI TEOLOGICHE - Questa missione va dunque intesa in senso ampio e nella prospettiva inglobante secondo la quale l'evangelizzazione non si riduce alla proclamazione o all'annuncio del vangelo, per quanto insostituibile sia il posto che questi vi occupano. Possiamo dunque formulare le seguenti conclusioni teologiche.

a. *È necessario un concetto più ampio e comprensivo di evangelizzazione* - Tale concetto significa non solo che tutta la persona dell'evangelizzatore è qui implicata – le parole e le opere, la testimonianza di vita –, né che l'evangelizzazione si estende a tutto ciò che è umano, tendendo alla trasformazione della cultura (→ Evangelizzazione, II) e delle culture attraverso i valori evangelici, ma che essa comprende tutte le varie forme di attività ecclesiali che fanno parte dell'evangelizzazione. Il concetto deve comprendere attività come la promozione della giustizia e il dialogo interreligioso, che non derivano dalla proclamazione di Gesù Cristo e dalla sacramentalizzazione conseguente. Queste attività devono essere considerate come se fossero a pieno diritto autentiche forme di evangelizzazione. Ciò presuppone che si superi l'abitudine stabilita di ridurre l'evangelizzazione alla proclamazione esplicita e alla sacramentalizzazione all'interno della comunità ecclesiale, relegando come accessorie la promozione della giustizia e il compito di liberazione umana e confinando nell'oblio il dialogo interreligioso.

b. *La promozione della giustizia e il dialogo interreligioso sono dimensioni intrinseche dell'evangelizzazione* - Il sinodo dei vescovi del 1971 ha affermato con forza che la promozione della giustizia e la partecipazione alla trasformazione del mondo rappresentano una «dimensione costitutiva» della missione evangelizzatrice della chiesa. Si dovrebbe poter dire la stessa cosa del dialogo interreligioso. Infatti si tratta qui, più che di parti distinte, di elementi o dimensioni diverse, o meglio ancora di forme, di modalità o di espressioni distinte della missione che è «una realtà unitaria ma complessa e articolata». Le forme concrete che la missione evangelizzatrice riveste in pratica dipenderanno largamente dalle circostanze concrete di tempo e di luogo e dal contesto umano – sociale, economico, politico e religioso – in cui è all'opera. Nel contesto di una ricchissima varietà di tradizioni religiose che continuano ancora oggi a essere la fonte di ispirazione e di valori per milioni di fedeli, il dialogo interreligioso sarà, naturalmente, una forma privilegiata di evangelizzazione. Potranno anche verificarsi circostanze che ne faranno, almeno temporaneamente, la sola via possibile della missione.

c. *L'evangelizzazione rappresenta la missione globale della chiesa* - Dal momento in cui l'evangelizzazione viene compresa come identica alla missione, anche se si esprime in una varietà di forme, vengono apparentemente superate alcune distinzioni a lungo mantenute. Così le distinzioni tra pre-evangelizzazione ed evangelizzazione, tra evangelizzazione diretta e indiretta, fondate sull'identificazione dell'evangelizzazione con la proclamazione esplicita di Gesù Cristo. L'inconveniente di tali distinzioni era che tutto ciò che il concetto di pre-evangelizzazione o di evangelizzazione indiretta comprende, sembrava appartenere all'ordine dei mezzi che in

maggiore o minor misura tendevano e conducevano direttamente alla proclamazione esplicita di Gesù Cristo nell'evangelizzazione come tale. Non è affatto così. La promozione della giustizia e il dialogo interreligioso sono – insieme anche ad altro – non solo mezzi suscettibili di condurre all'evangelizzazione, ma a pieno titolo forme autentiche di questa.

d. *L'evangelizzazione termina nella proclamazione di Gesù Cristo* - Ciò che abbiamo appena affermato non mette in ombra il fatto che la proclamazione di Gesù Cristo rappresenti il culmine e l'apogeo della missione evangelizzatrice della chiesa. Il processo della missione termina nella proclamazione e nella sacramentalizzazione. Per quanto riguarda il dialogo interreligioso, il momento opportuno in cui, di fatto, sfocerà nella proclamazione deve essere lasciato in ogni caso a Dio e alla sua Provvidenza. Le circostanze possono del resto essere tali da far sì che la proclamazione sia possibile fin dall'inizio del processo di evangelizzazione.

Bibl. - Paolo VI, *Evangelii Nuntiandi*, 1975; Segretariato per i non cristiani, *L'atteggiamento della chiesa di fronte ai seguaci di altre religioni*, Città del Vaticano, 1984. Cfr., inoltre, E. Hillmann, *The Church as Mission*, London 1966; J. Schütte (ed.), *L'activité missionnaire de l'Église*, Paris 1967; R. Laurentin, *L'évangélisation après le quatrième synode*, Paris 1975; M. Dagras, *Théologie de l'évangélisation*, Tournai 1978; Autori vari, «Evangelizzazione nel mondo di oggi» in *Conc* 4 (1978); M. Dhavamony (ed.), *Prospettive di missiologia, oggi*, Roma 1982; D. Senior - C. Stuhlmueller, *The Biblical Foundations for Mission*, New York 1983; Autori vari, *La missione negli anni 2000*, Bologna 1983; H. Teissier, *La mission de l'Eglise*, Paris 1985; Autori vari, *Missiologia oggi,* Roma 1985; S. Dianich, *Chiesa in missione*. Per una ecclesiologia dinamica, Milano 1985; L. Legrand, *Le Dieu qui vient*. La mission dans la Bible, Paris 1988.

JACQUES DUPUIS

II. Evangelizzazione della cultura

L'espressione «evangelizzare le culture» è relativamente nuova nella chiesa. Secondo la concezione tradizionale, l'evangelizzazione si rivolge strettamente alle persone, poiché ognuna di esse è invitata a rispondere all'annuncio della buona notizia di Cristo. Propriamente parlando, solo le persone sono capaci di convertirsi, di ricevere il battesimo, di porre l'atto di fede e di aderire alla chiesa. Pur riconoscendo che i primi destinatari dell'evangelizzazione sono anzitutto le persone, la chiesa oggi parla di *evangelizzare le culture*, cioè le mentalità, gli atteggiamenti collettivi, i modi di vita. Come comprendere questa estensione del concetto di evangelizzazione? L'evoluzione è spiegabile per due principali ragioni. Da una parte, si è verificato un ampliamento della nozione di cultura applicata non solo alle persone ma anche alle comunità umane: queste due accezioni individuale e collettiva, della cultura, sono ben tradotte da espressioni come «la cultura dello spirito», «una persona di cultura» o «la cultura italiana», «la cultura dei giovani». Dall'altra parte, la chiesa si è impegnata, sotto l'impulso del Vaticano II, in un nuovo dialogo con il mondo moderno e le sue culture, concepite come una posta in gioco vitale per l'avvenire religioso dell'uomo.

1. LA CULTURA COME CAMPO DI EVANGELIZZAZIONE - Fermiamoci dapprima sulla nozione di cultura. Tradizionalmente cultura si dice delle persone, del loro sviluppo intellettuale, della loro creatività artistica, delle loro produzioni scientifiche. In questo senso si parla di una persona colta, cioè erudita, istruita, che ha sviluppato i suoi doni e talenti. Questa accezione resta valida tuttora; ma a fianco di questa cultura definita «classica» o «umanista», si è imposto ai contemporanei un concetto «antropologico» della cultura. In questo senso si parla di identità culturale, di cultura popolare, di mutazioni culturali, di sviluppo culturale,

di dialogo delle culture. La cultura designa allora i tratti caratteristici di un gruppo umano, i suoi tipici modi di pensare, di comportarsi, di umanizzare un dato ambiente. Ogni comunità umana si riconosce nella propria cultura.

Questa realtà culturale, collettiva e storica, è oggi percepita come *oggetto di evangelizzazione*. Non basta più semplicemente raggiungere gli individui uno per uno; è importante raggiungere anche la collettività nella sua cultura per evangelizzarla, come ha sostenuto con forza Paolo VI: «Per la Chiesa non si tratta soltanto di predicare il vangelo in fasce geografiche sempre più vaste o a popolazioni sempre più estese, ma anche di raggiungere e quasi sconvolgere mediante la forza del Vangelo i criteri di giudizio, i valori determinanti, i punti di interesse, le linee di pensiero, le fonti ispiratrici e i modelli di vita dell'umanità, che sono in contrasto con la Parola di Dio e col disegno della salvezza» (EN 19).

Il vangelo si rivolge dunque contemporaneamente alla coscienza individuale e collettiva, cercando di rigenerare la cultura delle persone e la cultura dei gruppi umani, cioè le mentalità tipiche di un dato ambiente.

Per cogliere, al di là delle formule, cosa significa «evangelizzare le culture», bisogna partire da un dato che potremmo definire socio-teologico: il vangelo è da sé creatore di cultura. Giovanni Paolo II lo ricordava nel suo discorso all'Unesco (2 giugno 1980), quando sottolineava «il legame fondamentale del vangelo, cioè del messaggio di Cristo e della chiesa, con l'uomo nella sua stessa umanità. Questo legame è infatti creatore di cultura nel suo stesso fondamento». Tutta la storia del cristianesimo illustra il potere civilizzatore del vangelo.

2. UNA LUNGA ESPERIENZA DI EVANGELIZZAZIONE DELLA CULTURA - Fin

dall'inizio la chiesa ha esercitato la sua azione sulla cultura illuminando, purificando ed elevando lo spirito umano con l'annuncio del vangelo. I grandi pensatori cristiani come Origene, Agostino, hanno espresso il messaggio di Cristo in categorie intelligibili per i loro contemporanei. Più tardi alcuni teologi originali, come Tommaso d'Aquino, hanno arricchito il pensiero razionale e religioso elaborando audaci sintesi tra la filosofia classica e la dottrina di Cristo. Questo aspetto più intellettuale dell'evangelizzazione della cultura resta sempre attuale e costituisce, per ogni generazione cristiana, una sfida vitale per la chiesa. Tale sfida si estende anche alla creazione artistica. La storia testimonia un'autentica evangelizzazione dell'immaginario e del simbolico con creazioni pittoriche, architettoniche, musicali, poetiche, ispirate dalla fede cristiana (→ Bellezza). Si pensi, per esempio, alla sorprendente profusione delle immagini di Cristo e della Vergine Maria che hanno arricchito per sempre la storia dell'arte. Pensiamo al Beato Angelico che creava opere mirabili, pregando ed evangelizzando. Ricordiamo i tesori della musica gregoriana. Possiamo così tracciare un legame molto netto tra il progresso dell'evangelizzazione e la nascita di un autentico umanesimo cristiano.

La diffusione del vangelo in tutto l'impero romano aveva introdotto una nuova pedagogia delle intelligenze e delle coscienze. A partire da modeste scuole, centrate innanzitutto sullo studio della Scrittura, alimento di vita interiore e fonte della predicazione, la chiesa sviluppò le prime facoltà consacrate alla teologia e alle scienze allora conosciute. Così nacquero le università che segnarono profondamente tutta l'Europa e i paesi in cui questa ebbe influenza. La cultura fu segnata da un umanesimo a un tempo teologico, letterario e scientifico, che formò l'élite intellet-

tuale impegnata nella costruzione dell'Europa e della sua civiltà. Questa cultura dello spirito e del cuore produsse grandi esploratori e geniali evangelizzatori, come M. Ricci in Cina, R. de Nobili in India, Las Casas in America Latina.

Attraverso una lenta osmosi, tutta la civiltà fu allora impregnata dei valori del vangelo e tutti gli aspetti della società furono influenzati dallo spirito cristiano. Leone XIII ricordava questo risultato dell'evangelizzazione in una formula incisiva: «Fu un'epoca in cui la filosofia del vangelo governava gli Stati e in quel tempo la forza e l'influenza sovrane dello spirito cristiano avevano penetrato le leggi, le istituzioni, i costumi dei popoli e le organizzazioni dello Stato» (*Immortale Dei*, 1 nov. 1885, 9).

Queste brevi annotazioni storiche permettono di comprendere ciò che significa trasformare le culture con la forza del vangelo. Si intravede come il vangelo agisce a livello delle persone, dei costumi, delle istituzioni. Questa azione della chiesa sulla cultura delle persone e delle comunità umane si è esercitata fin dalle origini del cristianesimo, cioè molto prima che i nostri contemporanei cominciassero a parlare di *evangelizzare le culture*. Dobbiamo allora chiederci come si spiega il sorprendente successo di questa espressione, relativamente recente, e dobbiamo riflettere sulla novità che essa connota nell'approccio pastorale della chiesa attuale.

3. Un rinnovato approccio all'evangelizzazione - La novità dipende da parecchi fattori. Vi è prima di tutto il fatto che tutte le culture sono ormai sottoposte a profondi e rapidi mutamenti. Tutti i contemporanei si chiedono quale sarà il futuro dei valori culturali che finora garantivano stabilità ai costumi, agli atteggiamenti, alle istituzioni, ai comportamenti tradizionali. Proiettati nell'era moderna, tutti i gruppi umani si

interrogano sulla loro identità culturale e sentono la necessità di prendere in mano il loro avvenire secondo criteri di scelta la cui portata morale e spirituale è evidente a tutti. Questo ha molto sensibilizzato i contemporanei ai cambiamenti culturali, al loro significato, al loro orientamento. Le intuizioni degli antropologi e dei sociologi, che riguardano l'analisi e l'azione culturale sono oggi largamente condivise dalla maggioranza. I governi si sono quindi impegnati in audaci politiche culturali, creando ministeri della cultura e diversi organismi di promozione culturale.

La chiesa, soprattutto nel Vaticano II, ha accolto questa visione moderna delle culture come realtà umane da comprendere, discernere ed evangelizzare. Giovanni Paolo II ha creato a questo scopo il Pontificio consiglio della cultura per sensibilizzare tutta la chiesa ai compiti concreti dell'evangelizzazione delle culture e dello sviluppo culturale. La cultura è divenuta, anche per la chiesa, una categoria dinamica indispensabile per l'analisi sociale e per la definizione dell'impegno cristiano nel mondo moderno. In questa prospettiva storico-antropologica, in cui l'avvenire delle società esige d'ora in avanti *l'analisi culturale* in vista dell'*azione culturale*, si coglie tutto il significato che l'evangelizzazione delle culture riveste.

L'evangelizzazione culturale, che la chiesa realizzava un tempo con una lenta azione e una paziente osmosi negli spiriti e nei costumi, deve oggi essere intrapresa con uno sforzo molto più cosciente e metodico.

a. *Rottura tra fede e cultura* - Il fatto massivo e drammatico della → secolarizzazione esige d'ora in poi un ripensato approccio per l'evangelizzazione degli spiriti e delle mentalità. Nel mondo moderno religione e cultura non vanno più di pari passo come nelle società del passato. Le culture desacralizzate e scristianizzate so-

no diventate un nuovo terreno di evangelizzazione. È questa presa di coscienza che motiva e giustifica l'evangelizzazione della cultura. Paolo VI ne sottolineava la drammatica urgenza: «La rottura tra Vangelo e cultura è senza dubbio il dramma della nostra epoca, come lo fu anche di altre. Occorre quindi fare tutti gli sforzi in vista di una generosa evangelizzazione della cultura, o più esattamente delle culture» (EN 20).

Ciò richiede prima di tutto da parte dell'evangelizzatore la *percezione mentale* della cultura come campo specifico da cristianizzare. A ciò è necessaria una formazione all'osservazione, al discernimento e alla scoperta dei settori culturali in cui il vangelo potrà penetrare. Come dire che lo sforzo evangelizzatore deve esplicitamente perseguire nello stesso tempo la conversione delle coscienze individuali e la conversione della coscienza collettiva. Paolo VI descriveva così i due aspetti, personale e collettivo, dell'evangelizzazione: «La Chiesa evangelizza allorquando, in virtù della sola potenza divina del Messaggio che essa proclama, cerca di convertire la coscienza personale e insieme collettiva degli uomini, l'attività nella quale essi sono impegnati, la vita e l'ambiente concreto loro propri» (EN 18).

b. *L'êthos da evangelizzare* - Percepire la cultura come campo di evangelizzazione significa distinguere, in un contesto culturale, ciò che da una parte è contraddittorio con il vangelo e ciò che richiede di essere purificato, rigenerato, elevato. Poiché la cultura è costruita proprio da modelli di comportamento e da modi tipici di pensare, di giudicare, di sentire, è a livello dell'agire collettivo che si deve far penetrare la luce e la forza del vangelo. Bisogna raggiungere *l'êthos* di un ambiente, cioè i codici di condotta comunemente recepiti da un gruppo umano. L'*êthos* può spesso essere in contraddizione con l'etica, proponendo come «normali» condotte che finiscono con il distruggere l'essere umano e la sua dignità: pensiamo alla pratica dell'aborto, dell'eutanasia, del razzismo; pensiamo alla permissività e all'individualismo eretti a stile di vita.

Evangelizzare le culture obbligherà spesso i cristiani a mostrarsi «controculturali»: dovranno criticare e denunciare ciò che nella loro cultura è recepito come qualcosa che va da sé e che tende a oscurare le coscienze e a indebolire il senso morale. La pressione esercitata dalle mode, dai giudizi e dagli interessi collettivi agisce in profondità sulle culture vive e condiziona i comportamenti comuni. Evangelizzare significherà discernere questi modelli di comportamento secondo i criteri dell'insegnamento di Gesù Cristo, venuto a salvare tutto l'uomo nella sua dimensione personale, sociale e culturale.

Tuttavia la denuncia del male, del peccato individuale e collettivo, richiederà positivamente l'annuncio dell'ideale evangelico che raggiunge le aspirazioni più segrete di ogni persona e di ogni cultura. Il vangelo dovrà influenzare i settori chiave dell'agire collettivo, come la famiglia, il lavoro, l'educazione, i divertimenti, gli ambienti sociali, economici e politici. Non si tratta solo di richiamare i principi di una morale sociale, ma di convertire le mentalità e di sconvolgere con la forza del vangelo le scale di valori che caratterizzano una cultura viva nel bene e nel male. Bisogna che gli effetti della redenzione trasformino i modi di pensare e l'ideale di comportamento di un ambiente particolare. Ogni cultura domanda di essere interpellata nelle sue mode, nei suoi costumi, nelle sue tradizioni. Molto concretamente, un dato ambiente culturale deve scoprire che c'è «un modo cristiano» di lavorare, di vivere in famiglia, di educare i propri figli, di dirigere una scuola, di servire il bene comune, di impegnarsi politicamente, di difendere

i diritti umani. Questa azione sulle mentalità non è facile; si esercita prima di tutto attraverso le persone e le famiglie. Essa cerca di sensibilizzare le opinioni e i giudizi collettivi in vista di una conversione reale dei comportamenti.

c. *Conversione delle coscienze e delle culture* - Certamente è indispensabile proporre un'etica sociale, ma l'insegnamento morale costituisce solo una prima tappa dell'evangelizzazione. Non vi è evangelizzazione senza conversione, senza cambiamento delle coscienze. La fede deve arrivare a trasformare la cultura viva di un ambiente. Certo la conversione delle culture va intesa in senso analogico rispetto alla conversione individuale, ma bisogna sottolineare che la coscienza collettiva ha anche un vero bisogno di purificazione e di *metánoia*. Esistono nelle società «strutture di peccato» o «colpe sociali» che derivano da molteplici peccati personali, da corresponsabilità o complicità più o meno ammesse, da omissioni, da cupidigie, da pregiudizi collettivi. La conversione della coscienza collettiva esigerà uno sforzo comune e la collaborazione di un grande numero di persone, pronte a riconoscere il fatto del peccato socialmente diffuso e il bisogno di redenzione della cultura. L'evangelizzazione delle culture avviene allora con la mediazione delle persone che accettano il messaggio salvifico di Cristo nella loro vita individuale e nel loro ambiente di vita. Si produce così una sorta di influenza reciproca tra le conversioni individuali e le conversioni collettive. La fede deve dunque raggiungere nello stesso tempo le coscienze e le culture. Questa sintesi deve essere operata dall'evangelizzazione della cultura, come diceva Giovanni Paolo II: «La sintesi tra cultura e fede non è un'esigenza solo della cultura ma anche della fede. Una fede che non diventa cultura è una fede non pienamente accolta, non interamente pensata e fedelmente vissuta» (Lettera di fondazione del Pontificio consiglio della cultura, 20 maggio 1982).

4. LA SFIDA DELLA CULTURA DI MASSA - Per cogliere tutta la portata e anche la difficoltà di agire sulle culture di oggi è utile osservare attentamente la cultura di massa e l'impatto dei media sulle mentalità moderne. Oggi i mass-media offrono un mezzo particolarmente efficace per l'azione culturale. I media sono diventati potenti agenti di produzione e di trasmissione di una cultura di massa che condiziona gli spiriti e le coscienze. Ogni sforzo metodico di evangelizzare le culture dovrà accordare un'attenzione speciale ai media e i cristiani devono imparare a discernere e a criticare efficacemente la cultura prodotta da questi mezzi moderni. È importante soprattutto che i valori cristiani trovino la loro espressione nella produzione e nella diffusione dei mass-media. È questa una posta in gioco decisiva per l'avvenire della cultura e dell'evangelizzazione. Proprio l'irruzione dei media nella vita moderna ha radicalmente sconvolto i valori e le mentalità, al punto che le famiglie, le scuole e le chiese si sentono minacciate nel loro modo tradizionale di educare le nuove generazioni.

Se insistiamo sul significato dei mass-media nella società moderna non è perché li consideriamo come l'unica causa dei mutamenti culturali, ma prima di tutto perché i media rappresentano ai nostri occhi l'immensa posta in gioco di ogni azione sulle attuali culture. I media sono certamente produttori di cultura, ma sono soprattutto rivelatori della coscienza moderna con i suoi valori, i suoi gusti, le sue aspirazioni tipiche. È a questo livello che si situa il nuovo campo di evangelizzazione. È questo fatto di civilizzazione in quanto tale che interpella i cristiani.

5. LA MODERNITÀ COME CULTURA -

La questione nuova e molto complessa che si pone alla chiesa è quella di sapere se le prodigiose creazioni della civiltà moderna serviranno al bene spirituale o alla rovina delle coscienze. La → modernità stessa deve essere compresa come una cultura da evangelizzare. La cultura contemporanea è segnata dall'impatto che i fenomeni di urbanizzazione e di industrializzazione esercitano continuamente sui modi di pensare e di agire. La cultura moderna si accompagna innegabilmente a progressi umani e ad attese che l'evangelizzatore deve saper assumere in vista di uno sviluppo culturale aperto alla speranza cristiana. Per contro, la cultura moderna deve essere criticata nei suoi tratti negativi che ostacolano il progresso umano e spirituale delle persone e delle società. La coscienza moderna deve ora affrontare problemi morali che hanno una dimensione planetaria, come la costruzione della pace, la solidarietà nello sviluppo di tutti, la protezione della natura. Questi problemi superano le capacità di ogni individuo, ma nessuno può sentirsi indifferente di fronte alle responsabilità comuni. Queste esigenze fanno ora parte della cultura emergente nel mondo.

Lo sforzo evangelizzatore deve ormai raggiungere questa vasta dimensione delle nuove culture. L'ampiezza della sfida suggerisce che il compito non potrà essere condotto a buon fine senza uno sforzo più concertato e metodico di tutti i responsabili dell'evangelizzazione. Nessuna diocesi, nessuna parrocchia, nessun istituto o movimento religioso riuscirà da solo ad assumere la missione di evangelizzare le culture di oggi. Uno sforzo congiunto a tutti i livelli si dimostra ormai indispensabile. In ciò risiedono la novità e la promessa dell'evangelizzazione delle culture. Questo approccio è oggi oggetto di ricerche e di studi speciali, centrati sul connesso problema dell'→ incul-

turazione del vangelo. I due problemi si chiariscono reciprocamente: l'evangelizzazione della cultura e l'inculturazione del vangelo vanno compresi nei loro mutui e complementari rapporti (→ Evangelizzazione, III). Insomma si richiede una nuova sensibilizzazione dei responsabili dell'evangelizzazione. È chiesto loro di percepire la dimensione culturale dell'azione pastorale e di promuovere un approccio concreto, a livello di tutta la comunità cristiana, perché la fede penetri e rigeneri le culture vive. È una delle sfide più urgenti dell'evangelizzazione, come afferma Giovanni Paolo II: «Dovete aiutare la Chiesa a rispondere a queste domande fondamentali per le culture attuali: come è accessibile il messaggio della Chiesa alle nuove culture, alle attuali forme dell'intelligenza e della sensibilità? Come può farsi capire la Chiesa di Cristo dallo spirito moderno, così fiero delle sue realizzazioni e nello stesso tempo così inquieto per l'avvenire della famiglia umana? *Chi è Gesù Cristo* per gli uomini e per le donne di oggi?» (al Pontificio consiglio della cultura, 15 gennaio 1985).

Bibl. - H. Carrier, *Vangelo e culture: da Leone XIII a Giovanni Paolo II*, Città del Vaticano 1987; L.J. Luzbetak, *The Church and Cultures: New Perspectives in Missiological Anthropology*, Maryknoll, NY 1988.

HERVÉ CARRIER

III. Nuova evangelizzazione

Il termine «nuova evangelizzazione» è divenuto di uso corrente nella chiesa ed è stato diffuso soprattutto dall'insegnamento di Giovanni Paolo II. Si usano delle varianti: seconda evangelizzazione, rievangelizzazione, nuova tappa dell'evangelizzazione. Il concetto si riferisce alle nuove condizioni dell'evangelizzazione nel mondo attuale. Infatti, il compito di evangelizzare le coscienze e le culture (→ Evangelizzazione, II) presenta oggi una

nuova sfida, poiché accade spesso che gli ambienti da cristianizzare siano stati segnati un tempo dal passaggio di Cristo, ma la buona notizia è stata rimossa nell'indifferenza o nell'agnosticismo pratico. La società secolare ha particolarmente aggravato questo clima di fede inibita o addormentata. Così, si impone alla chiesa di intraprendere una *nuova evangelizzazione*. Chiediamoci qual è la differenza tra la prima e la nuova evangelizzazione.

La prima evangelizzazione è quella che rivela la *novità* di Cristo Redentore ai poveri, per liberarli, convertirli, battezzarli e per impiantare la chiesa. L'evangelizzazione si propaga nelle coscienze e nelle strutture portanti della fede: famiglia, parrocchia, scuola, organizzazioni cristiane, comunità di vita. C'è qui una vera evangelizzazione della cultura, cioè una cristianizzazione delle mentalità, dei cuori, degli spiriti, delle istituzioni, delle produzioni umane. Le culture tradizionali sono state così cristianizzate con un lento effetto d'osmosi. La conversione delle coscienze ha trasformato profondamente le istituzioni. Conosciamo bene i prototipi della prima evangelizzazione: Paolo, Ireneo, Patrizio, Cirillo e Metodio, Francesco Saverio.

Parecchi evangelizzatori del passato compirono una notevole opera di → inculturazione, molto prima che fosse coniato il termine. Giovanni Paolo II ricordava che «i santi Cirillo e Metodio seppero anticipare certe conquiste, che sono state assunte pienamente dalla chiesa nel concilio Vaticano II, sull'inculturazione del messaggio evangelico nelle diverse civiltà, prendendo la lingua, i costumi e lo spirito della razza in tutta la pienezza del loro valore» (discorso a Compostella, 9/11/1982). Notiamo che la prima evangelizzazione nel mondo non è terminata e spesso si rivela molto difficile: in India, in Giappone, negli ambienti islamici, buddhisti, in diversi settori della società refrattari ai valori religiosi. *La nuova evangelizzazione* si presenta in condizioni molto diverse. La seconda o la nuova evangelizzazione si rivolge a popolazioni che furono evangelizzate in passato, ma che vivono adesso in un clima secolarizzato, in cui il fatto religioso è svalutato, la religione è relegata nell'ambito del privato, a volte combattuta direttamente od ostacolata indirettamente con politiche e pratiche che emarginano i credenti e le loro comunità. È una situazione nuova che non si è mai presentata con una simile gravità nella storia della chiesa. Essa richiede uno sforzo collettivo di riflessione per scoprire i *soggetti* o i *destinatari* dell'evangelizzazione nuova, condizione indispensabile per *rievangelizzare le culture*.

1. A CHI SI RIVOLGE LA NUOVA EVANGELIZZAZIONE? - Cerchiamo di capire la mentalità delle persone che sono le destinatarie dell'evangelizzazione nuova.

Sono i nuovi ricchi. Queste persone non si considerano psicologicamente come i «poveri del vangelo», ma come dei «ricchi», dei soddisfatti concentrati sul loro avere, la loro autonomia, la loro autorealizzazione. È questa psicologia collettiva che si deve penetrare con simpatia per farne cogliere i limiti di fronte all'Assoluto di Dio. Potrà così apparire la «povertà spirituale» che si nasconde spesso dietro atteggiamenti apparenti di soddisfazione o di indifferenza.

Una fede sradicata. In molte persone, la fede primaria non si è sviluppata per mancanza di radici e di approfondimento. Spesso la prima evangelizzazione è stata insufficiente, superficiale, e si è indebolita e spenta a poco a poco, per difetto di interiorizzazione e di motivazioni solidamente ancorate. La fede non è stata rinforzata da una esperienza personale di Cristo, dalla condivisione della fede nell'amore e nella gioia, né consolidata dal sostegno di una comunità cristiana, vicina e viva.

Una fede rigettata e repressa. Molti cristiani di nome, che vivono in una indifferenza pratica, hanno rigettato una religione rimasta, nella loro psicologia, a uno stadio infantile che appare ad essi come moralmente repressiva, poiché la cultura popolare confonde spesso religione e moralismo. Questa religione fa paura e agisce sulle angosce inconsce. In nome della libertà, la religione e la chiesa sono quindi rigettate come alienanti. Bisogna chiedersi quali deficienze della prima evangelizzazione hanno potuto provocare questa percezione mentale del cristianesimo.

Una fede addormentata. È difficile dire che, in queste persone, ogni fede sia morta, ma essa è in ribasso, inoperante, dimenticata, ricoperta da altri interessi e preoccupazioni: denaro, benessere, comfort, piacere, che spesso diventano veri idoli. In un contesto di cristianità, la pressione della religione abituale poteva bastare a mantenere i credenti in una pratica sacramentale regolare. Questa pressione sociale non invalida necessariamente il valore della religione popolare o tradizionale, che ha dato grandi cristiani e grandi cristiane. Costatiamo tuttavia che la nuova cultura lascia la persona spiritualmente sola, di fronte a se stessa e alle sue responsabilità spesso avvertite nella confusione. Il disincanto, l'incertezza spirituale rendono l'individuo fragile, angosciato ed esposto alla credulità. L'isolamento rende sensibili a una parola di accoglienza. Le → sette l'hanno capito, e qualche volta meglio di noi. Dobbiamo esplorare con cura questo approccio psicologico e spirituale.

Psicologie moralmente destrutturate. Un fenomeno ancora più inquietante è una specie di «demoralizzazione» innata che ha fatto perdere alla persona ogni struttura morale o spirituale. Diventa quasi impossibile credere, quando l'individuo diffida di ogni ideologia, di ogni convinzione, di ogni grande causa che obbligano a uscire da se stessi. La tendenza è aggravata dal ritirarsi dell'individuo in una illusoria autarchia morale. La società moderna tende a erigere a sistema questo atteggiamento individualistico. L'evangelizzatore misura il temibile ostacolo da superare per raggiungere la coscienza di queste persone. Malgrado tutte le difficoltà, dobbiamo convincerci che in tutti i cuori, in fondo, c'è bisogno di speranza. Nessun individuo rifiuta per sempre la luce e la promessa della felicità.

Una speranza latente. L'uomo moderno ha angosce e speranze caratteristiche (→ Teologia fondamentale: destinatario). I cristiani sono entrati nello spirito profondo del concilio, che è stato così attento alla mentalità dei nostri contemporanei? Bisogna indovinare l'angoscia nascosta dietro tanti atteggiamenti e comportamenti apparentemente tranquilli. Mai come oggi forse si è rivelata una tale sete di → senso e una ricerca così appassionata di ragioni di vita. Scoprire questo bisogno latente di speranza è una prima tappa importante dell'evangelizzazione. Al di là delle angosce, bisogna soprattutto avvertire le aspirazioni positive che si esprimono, spesso in modo confuso. Queste aspirazioni alla giustizia, alla dignità, alla corresponsabilità, alla fraternità, manifestano un bisogno di umanizzazione e una sete di Assoluto. L'evangelizzatore saprà leggervi una prima apertura al messaggio di Cristo. Queste preoccupazioni socio-pastorali si trovano in tutti i documenti del concilio, come un pensiero evangelizzatore molto concreto. Si deve rileggere il Vaticano II in questa prospettiva. Una speranza latente e una fame spirituale si nascondono in fondo ai cuori. È importante indovinarne la traccia nella cultura attuale, per

apportare loro la risposta della fede. È una nuova tappa dell'evangelizzazione.

2. COME RIEVANGELIZZARE LE CULTURE? - *La cultura non è più un'alleata.* In una situazione di seconda evangelizzazione, la posta in gioco è la *cultura nuova.* Non c'è più «una cultura di sostegno», come un tempo. Oggi la chiesa affronta una cultura di opposizione (persecuzione, oppressione), o una cultura d'indifferenza, o di eliminazione tranquilla, che relativizza tutte le convinzioni.

Notiamo che la *cultura pluralista,* che ha l'inconveniente di mettere tutte le convinzioni allo stesso livello, può offrire peraltro all'evangelizzatore una nuova *chance,* e la possibilità di far valere il suo punto di vista originale nel concreto delle opinioni. Spesso può perfino beneficiare dei mezzi moderni di diffusione per annunciare la *novità* del suo messaggio. Una educazione speciale per vivere e agire in una cultura pluralista è ormai necessaria.

Rivelare gli ostacoli alla nuova evangelizzazione. Questi ostacoli possono variare molto da un paese all'altro o da una regione all'altra. In parecchi paesi di vecchia cristianità, la chiesa è stata come sfigurata da una lenta erosione, da un processo di evacuazione o di rigetto della fede, da parte di una cultura progressivamente secolarizzata. Questo ha dato vita a una cultura dell'→ indifferenza, ostacolo tra i più temibili per la *rievangelizzazione,* poiché la religione non sembra più interessare, coinvolgere, interpellare una massa sempre più grande di individui spiritualmente «altrove», che vivono in un universo «areligioso».

Notiamo che la situazione della miscredenza è molto diversa a seconda dei paesi. In diverse nazioni, infatti, la rievangelizzazione si rivolge a popolazioni la cui memoria porta le tracce delle persecuzioni, delle guerre religiose, delle rivoluzioni, delle politiche aggressivamente atee. Altre hanno provato la colonizzazione straniera, lo sfruttamento, o anche la perdita della classe operaia nel secolo scorso. La cosa più importante è di afferrare bene la psicologia collettiva segnata dall'esperienza storica di ogni gruppo da evangelizzare. *Infrangere il muro dell'indifferenza.* Nei paesi occidentali, la secolarizzazione ha diffuso un clima di indifferenza religiosa, di non-credenza, d'insensibilità spirituale, di disinteresse per il fatto religioso. Il dramma è che il vangelo non è affatto ignorato e non è affatto nuovo. Ci troviamo di fronte a una psicologia religiosa ambigua. La fede è come presente e assente negli spiriti. Il sale evangelico è divenuto insipido, *le parole* stesse hanno perduto la loro intensità. Le parole vangelo, chiesa, fede cristiana, non sono più nuove, sono consumate, banalizzate. L'identificazione della cultura con il cristianesimo, è divenuta superficiale: si guardi, per esempio, la sorte riservata alle celebrazioni di Natale, di Pasqua, e il loro ricupero commerciale e mondanizzato. La buona notizia fa parte dei costumi, come le tradizioni, come il folclore e i tratti culturali dell'ambiente. I cristiani devono rivalorizzare il loro tesoro nell'opinione pubblica, nei mass-media, nei comportamenti comuni. Si deve reagire contro una *culturalizzazione del cristianesimo* ridotto a parole, a fatti secolarizzati, a costumi desacralizzati.

Non lasciarsi emarginare. I cristiani non possono rassegnarsi a divenire degli emarginati, dei respinti dalla cultura dominante. Si deve prendere coscienza che i nostri valori centrali sono progressivamente eliminati. Notiamo, per esempio, le parole diventate tabù nel nostro ambiente culturale: virtù, vita interiore, rinuncia, conversione, carità, silenzio, adorazione, contemplazione, croce, risurrezione, vita nello Spirito, imitazione di Cristo. Queste parole tipiche

della vita spirituale hanno ancora un senso nel linguaggio corrente? Se i nostri contemporanei non capiscono più le parole che esprimono la nostra speranza, come possiamo attirarli a Gesù Cristo? I giovani soprattutto sono particolarmente colpiti dallo spirito del tempo che svaluta radicalmente il fatto religioso. I giovani sono i testimoni e le vittime della crisi religiosa, ma sono anche e soprattutto i rivelatori delle aspirazioni contemporanee. Con loro potremo creare veramente una nuova cultura della speranza.

3. UN'ANTROPOLOGIA APERTA ALLO SPIRITO - Una delle «novità» più importanti della nuova evangelizzazione è il fatto che essa mira esplicitamente alla conversione non solo delle persone, ma anche delle culture. Ed evangelizzare le culture suppone un nuovo approccio antropologico della pastorale. Le scienze umane possono rendere un servizio prezioso per operare i discernimenti e le analisi indispensabili. Il principale vantaggio dell'antropologia moderna è quello di «definire» l'uomo attraverso la *cultura* e di raggiungerlo così nel contesto psico-sociale in cui si svolgono la sua vita associativa, le sue produzioni, le sue speranze e le sue angosce. Giovanni Paolo II ha più volte insistito su questo approccio nell'evangelizzazione: «l'uomo diventa in maniera sempre nuova la strada della Chiesa» (*Dominum Vivificantem* 58). La percezione dell'uomo come un essere dotato di ragione e di libertà, si arricchisce molto attraverso la visione culturale della realtà umana, fornita dall'antropologia moderna. Giovanni Paolo II lo diceva in questi termini: «I recenti progressi dell'antropologia culturale e filosofica dimostrano che si può ottenere una definizione non meno precisa della realtà umana riferendosi alla cultura. Questa caratterizza l'uomo e lo distingue dagli altri esseri, non meno

chiaramente della ragione, della libertà e del linguaggio» (Discorso all'Università di Coimbra, 15/6/1982).

Raggiungere l'uomo storico al centro delle culture vive permette all'evangelizzatore di scoprire il dramma di tante esistenze che soffrono per una specie di agonia spirituale, condizione crudelmente risentita da molti, crediamo. Se gettiamo lo sguardo ancora più in profondità, vediamo, forse, che questa angoscia spirituale prepara spesso alla scoperta della salvezza di Gesù Cristo. P. Tillich descriveva così questa esperienza della precarietà umana che può predisporre alla fede: «Solo quelli che hanno provato lo choc della precarietà della vita, l'angoscia in cui si prende coscienza della propria finitudine, la minaccia del nulla, possono comprendere che cosa significa la nozione di Dio. Solo quelli che hanno sperimentato le tragiche ambiguità della nostra esistenza storica e che hanno totalmente messo in causa il senso dell'esistenza, possono capire che cosa significa il simbolo del regno di Dio» (*Systematic Theology*, Chicago 1951). Saper leggere i segni dello sconforto morale, ma anche l'immenso bisogno di speranza provocato dalla cultura secolarizzata, aprirà una via nuova all'evangelizzazione.

4. PER LA REDENZIONE DELLE CULTURE - Infine, l'evangelizzazione pone le culture di fronte al mistero di Cristo morto e risorto. È inevitabile una rottura radicale, «scandalo per gli ebrei, follia per i gentili», diceva Paolo. È richiesta una → conversione costante. Il dinamismo evangelizzatore si realizza soltanto nell'incontro con Gesù Cristo. Lui è l'unico mediatore attraverso il quale diventa realtà il regno di Dio. L'evangelizzazione delle culture come delle persone trova la sua unica efficacia nella forza dello Spirito, nella preghiera, nella testimonianza di fede, nella partecipazione al mistero della croce e della reden-

zione. Sarebbe un tentativo vano voler cambiare le culture con un semplice intervento psico-sociale o sociopolitico. L'evangelizzazione, soprattutto nella notte oscura della fede – e nella notte spirituale delle culture – suppone una conversione al mistero della croce. Soffrire questa purificazione e sperare nelle vie, misteriose ma sicure, dello Spirito è una disposizione indispensabile per affrontare il lavoro della rievangelizzazione. Non è confortevole vivere nelle angosce di un nuovo mondo che prende forma in maniera oscura intorno a noi.

In definitiva, rievangelizzare significa annunciare continuamente la salvezza radicale in Gesù Cristo, che purifica ed eleva ogni realtà umana, facendola passare dalla morte alla risurrezione. In un certo senso, ogni evangelizzazione è nuova, poiché proclama il bisogno permanente di conversione. Le culture hanno un ardente desiderio di speranza e di liberazione. Evangelizzare diventa allora la forma eminente di elevazione delle culture e delle coscienze, che aspirano alla liberazione da tutti gli egoismi che ostacolano il regno di Dio. Evangelizzare esige questo annuncio della salvezza definitiva in Gesù Cristo e questo vale sia per le persone sia per la culture, come ricorda Giovanni Paolo II: «Poiché la salvezza è una realtà totale e integrale, essa riguarda l'uomo e tutti gli uomini, raggiungendo così la realtà storica e sociale, la cultura e le strutture comunitarie in cui essi vivono». La salvezza non si riduce alle sole azioni terrene o alle sole capacità dell'uomo. «L'uomo non è il salvatore di se stesso in maniera definitiva: la salvezza trascende ciò che è umano e terreno, è un dono dall'alto. Non esiste auto-redenzione, poiché soltanto Dio salva l'uomo in Cristo» (Discorso all'Università Urbaniana, 8/10/1988).

La nuova evangelizzazione si rivolge a tutte le persone e a tutte le culture. Giovanni Paolo II ne ha proclamato la necessità in tutti i continenti. Questa evangelizzazione, ha detto, sarà «nuova nel suo ardore, nuova nei suoi metodi, nuova nella sua espressione» (Discorso al Celam, 9 marzo 1983).

Bibl. - H. Carrier, *Vangelo e culture: da Leone XIII a Giovanni Paolo II*, Città del Vaticano, 1987; Id., *Évangélisation et Développement des Cultures*, Roma 1990.

Hervé Carrier

F

FEDE
---

1. LA FEDE SECONDO LA SCRITTURA - Per la bibbia la fede è la risposta integrale dell'uomo a Dio che si rivela come salvatore. Essa accoglie le parole, le promesse e i comandamenti di Dio; è contemporaneamente sottomissione fiduciosa a Dio che parla e adesione dello spirito a un messaggio di salvezza. L'Antico Testamento insiste sull'aspetto della fiducia; il Nuovo pone più in luce l'assenso al messaggio. Per quanto riguarda il vocabolario fondamentale della fede, esso evoca la solidità di colui su cui poggia, così come la sicurezza e la fiducia di chi si appoggia a Dio.

a. *L'Antico Testamento - Credere* infatti significa per l'AT *affidarsi a Dio* (Gn 15,6; Es 14,31: Nm 14,11), abbandonarsi alla parola salvifica di un Dio che conduce la storia e che ha stretto alleanza dapprima con i padri e poi con il «suo popolo», Israele. Così Abramo si è fidato senza riserve della promessa di Dio, pienamente persuaso che si sarebbe compiuta: «Egli credette al Signore che glielo accreditò come giustizia» (Gn 15,6). Il popolo di Israele è nato proprio dalla fede nella potenza, nella preminenza e nella sollecitudine di Jhwh, il Dio dell'alleanza (Es 19,1). La dottrina monoteista tradurrà poi questa esperienza di Israele in cui Dio è apparso come unico salvatore (Is 43,10-13). In formule più o meno elaborate, questa dottrina solleciterà la fede (Dt 6,20-24; 26,5-9; Gs 24,2-13; Ne 9,5-25).

b. *Il Nuovo Testamento* - Nel NT, in cui in Gesù Cristo si opera la fusione della → storia della salvezza con il Verbo di Dio incarnato, l'oggetto della fede è definito in modo più conciso e l'importanza del cammino da fare si impone più esplicitamente. La fede, esigenza primaria di Gesù, è, secondo i sinottici, la condizione sufficiente per la salvezza. Negli Atti non viene richiesto niente altro per la purificazione dei cuori e l'accettazione della salvezza; secondo Giovanni, la fede è il cammino di tutto l'uomo − conoscenza e impegno – che va verso la persona di Gesù Cristo.

A causa del suo carattere interpersonale, questa fede è naturalmente simile a quella dell'AT. È rispettivamente fiducia e abbandono in Dio, presente nella parola e nell'azione di Gesù (sinottici); obbedienza che rende simili al crocifisso-risorto e che dona lo Spirito dei figli di Dio (Paolo); adesione alla testimonianza del Padre e del Figlio (Giovanni).

Ma in modo più forte qui che nell'AT, la fede è assenso a un messaggio. Il messaggio si presenta, d'altra parte, sotto aspetti diversi: annuncio del → regno di Dio e proclamazione dell'amore misericordioso del Padre, nei sinottici; vangelo della morte e della risurrezione di Gesù, Signore e unico salvatore di tutti gli uomini, nelle lettere di Paolo e negli Atti degli apostoli; in Giovanni è la persona stessa di Gesù, Verbo fatto carne, pieno di grazia e verità in cui contempliamo la gloria del Padre.

Cammino dell'uomo, la fede trova tuttavia la sua fonte originaria in Dio. È suscitata dalla potenza salvifica di Dio, all'opera nella parola e nell'attività di Gesù (sinottici). Per Paolo e per l'autore degli Atti, la fede deriva da questa azione escatologica di Dio che è la risurrezione di Gesù e la predicazione che l'annuncia. Nel vangelo di Giovanni la fede nasce dall'attrazione ad opera del Padre che invita e associa alla vita della Trinità.

2. LA TRASCENDENTALITÀ DELLA FEDE - Essendo un'attività propriamente nostra, la fede trova in noi le condizioni stesse del suo apparire. Se così non fosse, qualunque ruolo riconoscessimo a Dio nel sorgere della fede, dovremmo affermare che questo fenomeno, propriamente parlando, ci è estraneo e non ci concerne. Possiamo anche parlare dei *preamboli* della fede in senso più radicale di quanto non si facesse un tempo: è nel soggetto stesso, nelle sue strutture e non

solo in ciò che si offre alla sua considerazione come oggetto, che si percepiscono le condizioni dell'apparire della fede.

Secondo il pensiero cristiano, il cammino della fede non è un atto dimissionario o una capitolazione dello spirito, ma è il sovrano esercizio con cui l'uomo fa proprio il pensiero di Dio. Accogliere la parola di Dio non significa rinunciare alla ricerca personale della verità, ma accedere al registro divino della verità. Quindi non si darebbe per nulla ragione del cammino del credente, se lo si considerasse solo come un cedimento dello spirito o come il ricorso a qualche altra intelligenza creata o finita.

a. *L'infinitezza dello spirito o l'apertura a Dio* - Queste considerazioni preliminari suppongono che lo spirito umano sia segnato dall'infinitezza e che sia quindi aperto a Dio. Che senso avrebbe accogliere la parola di Dio per chi non fosse già in qualche modo legato a lui? Ora, con la sua apertura all'essere, l'uomo è già a contatto con l'infinito. La preoccupazione che lo abita in ogni suo passo, dopo il risveglio dello spirito, riguarda l'essere: *ciò che è, che cos'è?* La *domanda*, così caratteristica dell'attività umana, dimostra che il bambino è già armonizzato con l'essere, che sa già, senza che gli si sia potuto o dovuto mostrare, ciò che l'essere è; conosciamo l'essere *per istinto*. D'altra parte le nostre domande non avrebbero ragion d'essere e noi nemmeno le porremmo se ciò che si offre alla nostra considerazione fosse pienamente essere o fosse l'essere per identità. Le nostre domande attestano che il dato dell'esperienza trae il suo essere da ciò che non lo trae da nient'altro.

Lo spirito prova l'irreprimibile desiderio di raggiungere nella sua essenza questo Assoluto che polarizza e sostiene ogni pensiero. Il desiderio di raggiungere ogni essere nella sua intimità è altrettanto forte nei confronti di ciò che lo spirito sa essere: la fonte e il culmine dell'essere. Siamo ossessionati dalla passione di vedere nella sua trascendente singolarità questo Dio che per il momento conosciamo solo per → analogia. «Questo desiderio – scriveva un vecchio teologo – si presenta come qualcosa di negativo o come una realtà la cui caratteristica è quella di lasciarci in sospeso: si pensa che tale desiderio non possa arrestarsi né appagarsi in niente che sia al di qua. Ci mettiamo in cammino in questa ignoranza, verso un aldilà che Dio farà conoscere e raggiungere quando darà la luce della fede e l'aiuto della grazia (*ita nesciens, aliquid altius quaerit*)» (Joannes Tinctoris, *Lectura in Primam Sancti Thomae* qu. 12, a.1, fol 20 r-v). Così il mistero di Dio è nello stesso tempo ciò che non possiamo darci da soli e ciò a cui aspiriamo con tutte le nostre forze.

b. *La parola, mediazione privilegiata della rivelazione divina* - Se la fede trova nell'infinitezza dello spirito creato le condizioni fondamentali del suo emergere, nella parola trova la mediazione più adatta per esprimere i segreti di Dio. Indubbiamente la creazione ci illumina su Dio (lo mostra come fonte ultima e sovrano esemplare), ma gli elementi della creazione ci fissano prima di tutto sulla consistenza loro propria; essi parlano anzitutto di *se stessi* ed è in un secondo momento soltanto che lo spirito, partendo dalla creazione, si eleva a Dio. La parola ha da parte sua il privilegio di esistere solo in rapporto a *qualcos'altro* da sé; ha consistenza propria solo in quanto designa *colui* che in essa si esprime e *ciò* che per mezzo di essa egli significa. La parola parla solo per cancellarsi, trasparenza che non fossilizza e non limita nulla e che, partecipe dell'infinitezza dello spirito, può mirare a ciò che si coglie solo per analogia. Nella divina rivelazione, scrive il Vaticano II, «le parole dichiarano le opere [di

Dio] e chiariscono il mistero in esse contenuto» (DV 2).

c. *Le disposizioni morali di fiducia e di abbandono* - Nell'ordine morale, la fede implica il consenso mediato alla condizione di creatura; suppone fiducia e abbandono. Fiducia incondizionata in una sapienza e in un amore infinitamente al di là di ciò che possiamo concepire; possiamo affidarci senza timore a colui che è verità e bontà assoluta. La fede suppone ancora l'abbandono alla potenza creatrice di Dio o il rifiuto dell'autosufficienza. Il riconoscimento dei propri limiti dispone precisamente a non lasciarsene imprigionare; sebbene non metta direttamente in grado di superarli, permette di riconoscere che non vi è alienazione nel sottomettersi a colui che è senza limiti.

«Il riconoscimento del sigillo del Padre sul Cristo, della sua parola nelle parole del Cristo, della gloria di Dio nei segni, ci insegna il vangelo di Giovanni, richiede alcune disposizioni di ordine spirituale. La fede quindi non rivela tanto la potenza delle intelligenze, quanto la qualità dello sguardo... Allo sguardo della fede l'umanità appare divisa in due razze spirituali: quella dei figli delle tenebre e quella dei figli della luce. Gli uni, estranei alla verità, non vedono i segni compiuti in loro presenza (6,26; 12,37), la parola non penetra in loro (8,37), la luce li acceca (9,39). Per gli altri, coloro che "operano la verità" (3,21), tutto è luce, segno, opera, testimonianza, sigillo del Padre» (D. Mollat, *Etudes johanniques*, Paris 1979, 84-85).

3. LA TEOLOGALITÀ O L'ORIGINE DIVINA DELLA FEDE - Sebbene la fede, per essere veramente nostra, debba trovare in noi la sua radice o procedere dalle nostre facoltà, essa tuttavia ha la fonte originaria in Dio stesso. Ecco una affermazione che la tradizione ebraico-cristiana ha fatto con crescente fermezza e chiarezza. Annunciando i beni dell'alleanza messianica, i profeti parla-

no del cuore nuovo e dello spirito nuovo, del suo spirito, che Dio darà agli uomini affinché lo conoscano. Per il NT, l'abbiamo visto, la fede deriva dalla potenza divina di salvezza all'opera nella parola e nell'azione di Gesù; l'assenso alla risurrezione del Cristo, cuore della fede cristiana, risulta dalla stessa forza che ha provocato la risurrezione; la fede è infine risposta a una chiamata interiore e gratuita da parte di Dio.

a. *L'iniziativa creatrice e ristrutturante di Dio* - L'accoglienza della parola di Dio, per non essere riduttiva, richiede una partecipazione a quell'intelligenza da cui tale parola è illuminata e in cui trova la propria densità. È necessaria una nuova creazione, interna alla prima, per non ridurre la parola di Dio a livello della parola umana su Dio. È ovvio cosa comporti una tale elevazione dello spirito creato. Essa implica da parte nostra un adattamento all'orizzonte o all'oggetto dell'intellettualità divina. Questo oggetto specifico è Dio stesso nella sua intimità o nel suo mistero; non quindi una *idea* su Dio, ma la realtà di Dio. Quindi, affinché ci sia possibile appoggiarci a Dio come al *mezzo* della nostra conoscenza di fede, è necessario che ci colleghiamo alla visione che è propria di Dio.

Dal punto di vista del credente, la fede implica dunque l'iniziativa creatrice e ristrutturante di Dio: è a Dio che lo spirito si appoggia, come su di un fondamento primo e assoluto. Correlativamente Dio, quando si affida al di là del tramite dell'analogia, non può contare che su di sé, allo scopo di rinforzare la propria testimonianza. La verità assoluta, per imporsi in quanto tale allo spirito creato, non può dipendere che da se stessa.

b. *Il ruolo e la portata delle ragioni per credere* - Tale statuto dell'Assoluto che attesta se stesso obbliga a riflettere sul ruolo e sulla portata delle *ragioni per credere* o dei *segni* (→ Se-

meiologia: segno) che accompagnano la rivelazione divina. Stando alla Scrittura, il profeta doveva provare l'autenticità della sua missione attraverso dei «segni», dei prodigi compiuti in nome di Dio (Is 7,11; cfr. Gv 3,2; 6,29-30; 7,3-31; 9,16-33). Dal canto suo, la ragione esige, per dare il proprio assenso, che vi siano delle *ragioni* per credere. Che senso avrebbe la dignità e la responsabilità umana in una fede che si offrisse senza *ragioni*? S. Agostino pensava che non si ha diritto di credere se non si hanno ragioni per credere.

D'altra parte, per quanto forti e numerose siano le ragioni per credere, non possiamo appoggiarci formalmente su di esse quando offriamo la nostra fede a Dio. Le ragioni mi lascerebbero, alla fin fine, di fronte alla mia *ragione* e non di fronte a Dio. Per quanto indispensabili, non sono tuttavia sufficienti e, a ben vedere, appartengono a un ordine inferiore. È stato detto molto bene che le ragioni per credere non dispensano dal credere.

Qual è allora il ruolo di questi segni o ragioni per credere? Non si dovrebbe affermare che in realtà ci lasciano sprovveduti di fronte alla decisione di fede? «Per mezzo dei segni e della loro conoscenza razionale – scrive J. Alfaro – l'uomo non esamina l'intima credibilità della parola di Dio, ma la propria conoscenza sul dovere di credere e la propria libera decisione per la fede... La possibilità di una conoscenza razionale dei segni della rivelazione è solo un postulato per la rettitudine umana della libera decisione, che l'uomo realizza nella sua fede in Dio... I segni della parola di Dio si pongono all'uomo non come dati di un problema puramente oggettivo, ma come manifestazione di un fatto divino che tocca l'esistenza umana come tale: nei suoi segni, Dio è presente all'uomo e si rivolge a lui. In questo appello entra in gioco oltre alla libertà dell'uomo la grazia di Dio... La ragione rende possibile la conoscenza dei segni di Dio, ma è la grazia che rende visibile in essi la chiamata personale alla fede. L'illuminazione interiore approfondisce la conoscenza razionale dei segni, nel sapere che "Dio mi chiama alla fede in lui": lo *iudicium practicum credibilitatis* include così un momento personale, inesprimibile e incomunicabile, il riflesso della chiamata divina della coscienza.

L'*attractio* interiore di Dio crea così nell'uomo una conoscenza "connaturale", in cui egli sperimenta vitalmente l'invito di Dio ad affidarsi alla parola divina nella sua credibilità trascendente» (J. Alfaro, «Praeambula fidei», in SM VIII, 440-441).

4. LA GLOBALITÀ DELL'ATTO DI FEDE - La fede, che spesso ha avuto il torto di identificarsi totalmente con un cammino intellettuale, ha un carattere di globalità che è importante sottolineare. «A Dio che rivela − dice il concilio Vaticano II − è dovuta *l'obbedienza della fede* (cfr. Rm 16, 26; rif. Rm 1,5; 2 Cor 10,5-6), con la quale l'uomo si abbandona tutto a Dio liberamente prestando "il pieno ossequio dell'intelletto e della volontà a Dio che rivela" e assentendo volontariamente alla rivelazione data da lui» (DV 5). Come si vede, dunque, il concilio mette l'abbandono della persona a Dio che parla, prima dell'assenso al messaggio. La fede appartiene innanzitutto all'ordine interpersonale dell'alleanza.

a. *L'intelligenza, testimone dell'origine divina e della radicalità della fede* - Il pieno abbandono coinvolge l'intelligenza, il cuore, il comportamento e il gesto: ci raggiunge in tutte le nostre dimensioni. La nostra epoca, in cui sono stati riscoperti i valori affettivi, fa fatica a vedere il ruolo dell'intelligenza nella fede. In che senso l'adesione a un messaggio o a una dottrina avrebbe un valore salvifico? Si potrà davvero paragonare Dio a un maestro di scuola, il cui consenso dipende dalla nostra ca-

pacità di ripetergli quanto ci ha insegnato? Forse Dio chiede qualcosa di più della fiducia e dell'abbandono del cuore?

L'assenso alla rivelazione divina esprime innanzitutto l'alterità assoluta della sapienza e dell'amore che ci salvano. I gesti salvifici non dipendono dalle nostre risorse di creature; non ci appartengono, come invece ci appartengono l'abbandono e la fiducia di cui abbiamo appena parlato. Le parole e i gesti della rivelazione procedono dal mistero di Dio, quindi dall'altro in ciò che ha di più radicale. Ora, noi abbiamo accesso all'alterità solo attraverso l'intelligenza, facoltà del non-io o dell'altro percepito appunto in quanto altro.

Del resto, questo movimento dell'intelligenza non esprime forse la radicalità del reciproco dono di sé tra Dio e la creatura? Alla prima processione trinitaria, quella del Verbo, corrisponde il primo movimento del nostro essere spirituale. Inoltre il ruolo dell'intelligenza credente attesta il rispetto da parte di Dio per gli esseri capaci di lucidità da lui creati. Il messaggio, come vedremo, non fa che proporre alla chiara coscienza il dono che Dio fa di sé e la realtà che esso suscita in noi.

b. *L'amore e la libertà: l'attrattiva della comunione alla vita divina* - Credere in Dio che parla dipende anche dall'amore e dalla libertà. È proprio l'attrazione del bene proposto dalla rivelazione che fa scattare in noi l'insieme del comportamento credente. «Credo perché voglio credere». Il bene ultimo proposto alla mia esistenza non appartiene alla mia condizione di creatura; è al di là di ciò a cui sono abilitato per natura: una conoscenza e un amore di Dio che prenderebbero le strade dell'analogia, un approccio *asintotico*, «felicità in movimento, ma non beatitudine», come scriveva Maritain (*Neuf leçons sur les notions premières de la philosophie morale*, Paris 1951, 99). È nella piena libertà che accetto di lasciarmi sedurre dalla nuova vocazione che Dio mi propone: la partecipazione, grazie all'incarnazione, alla condizione stessa del figlio di Dio. La decisione del credente non verte solo sui mezzi che lo indirizzeranno verso un fine già assegnato, ma sul fine ultimo stesso.

Quindi la fede non è libera solo perché si appella alle disposizioni di fiducia e di obbedienza nei confronti di Dio che parla, oppure perché il messaggio della fede sfugge al controllo della ragione ragionante, sempre protesa all'evidenza. La fede è libera fondamentalmente perché io accetto di essere attirato, al di là di tutto ciò che posso concepire o volere da me stesso, dal bene rappresentato dall'accesso alla rete delle relazioni trinitarie. La grazia ci raggiunge in quella decisione in cui accogliamo un senso nuovo per il nostro essere nella sua globalità. «Non è attraverso la proclamazione esteriore della legge e della dottrina – scriveva Agostino nella sua confutazione delle tesi di Pelagio – ma attraverso una potente azione interiore e segreta, ammirabile e ineffabile, che Dio è l'autore nel cuore degli uomini, non solo delle vere rivelazioni, ma anche delle decisioni volontarie conformi al bene» (*De gratia Dei et de peccato originali*, XXIV, 25).

c. *Il comportamento: la «sequela Christi»* - Questa adesione del cuore e dello spirito tende a realizzarsi in un comportamento da figli di Dio nella *sequela Christi*; la fede comporta un impegno totale. La parola che il credente accoglie è la parola di Dio. Atto oltre che verità; parola che suscita ciò che enuncia e che dunque vuole trasformare l'esistenza che ad essa si apre. La fede senza le opere che la realizzino è vana; è «morta», come dirà Giacomo (2,14-26; cfr. 1,22-25), e anche Paolo che, pur rifiutando alle opere «della Legge» la forza di meritare in se stesse la sal-

vezza, ritiene che la vera fede si accompagni necessariamente alle opere compiute in noi dallo Spirito (Rm 8,4; Ef 2,8-10).

Sebbene la perdita dell'amicizia con Dio a causa del peccato non implichi necessariamente nell'uomo la scomparsa della fede, non ne segue che la fede possa esistere senza l'aspirazione all'amore di Dio. La fede implica necessariamente il desiderio della salvezza, della riconciliazione e poi di un'unione piena e definitiva con Dio. «La vita cristiana è non una conseguenza della fede, ma la sua autentica realizzazione nell'uomo; è attraverso l'azione che l'uomo riconosce pienamente la realtà del mistero di Cristo» (J. Alfaro, «La fede, dedizione personale dell'uomo a Dio e come accettazione del messaggio cristiano» in *Conc* 1, 1967, 71-72).

d. *I gesti e i riti: la vita sacramentale* - La fede si esprime e si celebra inoltre in gesti nei quali la condiscendenza di Dio ci incontra nella nostra realtà corporale e comunitaria. Il battesimo è considerato, fin dai primi secoli cristiani, come il *sacramento della fede*. «Tutti voi infatti siete figli di Dio per la fede in Cristo Gesù, poiché quanti siete stati battezzati in Cristo, vi siete rivestiti di Cristo» (Gal 3,26-27). «Con lui infatti siete stati sepolti insieme nel battesimo, in lui anche siete stati insieme risuscitati per la fede nella potenza di Dio, che lo ha risuscitato dai morti» (Col 2,12). D'altra parte, il vangelo di Giovanni mostra come la fede e l'eucaristia siano legate in un mirabile contrappunto (capitolo 6). Se la fede è necessaria per accogliere l'eucaristia, il pane di vita appare come il condensato e il testo supremo della fede.

5. L'UNITÀ DELLA FEDE - La fede, che coinvolge la totalità delle nostre risorse, presenta anche, nelle sue stesse strutture, un carattere di unità in cui si riconosce la semplicità di Dio

e della sua azione. Questa unità gioca a un triplice livello. Dal punto di vista formale, la fede è indissolubilmente accoglienza della realtà stessa di Dio e adesione alla rivelazione che egli fa di sé. Per quanto riguarda il contenuto di questa rivelazione, esso è omogeneo all'azione di Dio e al cammino del credente; è espressione del processo stesso con cui Dio si dona e con cui l'umanità l'accoglie. Questi due punti di vista della forma e del contenuto sono infine riuniti nell'associazione del credente all'esperienza religiosa di Cristo Gesù, mediatore e pienezza della rivelazione.

a. *Accoglienza della realtà di Dio e adesione al messaggio della rivelazione* - La vitale adesione al mistero dell'intimità tripersonale di Dio e della nostra comunione a tale mistero implica ben altro che gli ordinari elementi delle nostre affermazioni. Si tratta molto di più dell'esercizio dei nostri innati poteri di intuizione, di osservazione e di deduzione. Non rende pienamente conto della realtà nemmeno la fede che possiamo porre nei nostri simili.

Accogliere la parola di Dio senza snaturarla, l'abbiamo già detto, suppone che la verità divina, mezzo o fondamento del nostro sapere, sia incorporata nel processo della nostra affermazione e che lo spirito del credente sia stato adattato al mistero di Dio come a qualcosa che è, da quel momento in poi, connaturale. Non è più dunque un concetto, per quanto elevato lo si possa costruire, che polarizza il dinamismo umano, ma la realtà unica e rigorosamente irrappresentabile di Dio.

«Mediante la grazia – scrive ancora J. Alfaro – Dio si comunica e si manifesta in se stesso senza altra mediazione che quella della sua ineffabile attrazione verso di lui, mentre l'uomo conosce in maniera aconcettuale Dio vivendo la sua chiamata. Tale conoscenza non è visione di Dio né sua esperienza immediata, ma tensione viva verso l'essere trascendente in se stesso e (in questa tensione) captazione aconcettuale del suo termine, che è l'assoluto che si dona gratuitamente» («La fede dedizione personale...», in *Conc* 1, 1967, 73).

b. *Omogeneità del cammino e del contenuto della fede* - L'unità tra il contenuto proposizionale e il cammino della fede emerge ancora in modo sorprendente. Lungi dall'essere una collezione di affermazioni senza legami interni con l'attività che le sostiene, l'oggetto della fede ricopre il duplice movimento con cui Dio e l'uomo si donano l'uno all'altro. Di che cosa si tratta, infatti, nella fede, se non *della pura accoglienza* a partire da Dio *di una Parola coinvolta nella nostra storia e pienamente rivelatrice di Dio*, parola *diventata nostra in tutta lucidità e libertà*? Triplice cammino di accoglienza, di ascolto e di appropriazione che ci pone in presenza di un Dio fonte o Padre, Verbo o Figlio incarnato, Spirito o amore che si dona al nostro spirito per assicurare il nostro proprio dono. Il nostro cammino è dunque correlativo con la fecondità interna di un Dio Padre, Figlio e Spirito, con l'incarnazione del Verbo nella nostra specie e nella nostra storia, con la comunione di vita voluta da Dio tra sé e l'umanità. Le formule del credo cristiano non parlano che di questo.

La fede presenta, in questa corrispondenza di cammino e contenuto, un aspetto *mistagogico* a cui i Padri della chiesa erano molto sensibili: la fede dà accesso al mistero che è fonte e oggetto della rivelazione divina. «Piacque a Dio nella sua bontà e sapienza rivelare se stesso e far conoscere il mistero della sua volontà, mediante il quale gli uomini per mezzo di Cristo, Verbo fatto carne, nello Spirito santo hanno accesso al Padre e sono resi partecipi della divina natura» (DV 2).

c. *Cristo Gesù, mediatore e pienez-*

za della rivelazione - La fede trova infine la sua unità viva nella persona di Cristo Gesù. In Cristo infatti, dono assoluto di Dio alla famiglia umana, la fede trova il fondamento, l'oggetto e il fine. La fede si fonda anzitutto su Cristo come unico mediatore della pienezza della rivelazione. «Tutto mi è stato dato dal Padre mio; nessuno conosce il Figlio se non il Padre, e nessuno conosce il Padre se non il Figlio e colui al quale il Figlio lo voglia rivelare» (Mt 11,27).

«Gesù, come uomo, senza la conoscenza immediata della persona del Verbo quale relazione sussistente con il Padre, cioè senza la visione immediata del Padre, non può essere cosciente di se stesso» (J. Alfaro, «Le funzioni salvifiche di Cristo quale rivelatore, sacerdote e signore», in *Myst-Sal*, V, 863).

Mediatore della fede, Cristo ne è anche l'oggetto pieno. «Anch'io o fratelli – scrive Paolo – quando sono venuto tra voi, non mi sono presentato ad annunziarvi la testimonianza di Dio con sublimità di parola o di sapienza. Io ritenni infatti di non sapere altro in mezzo a voi se non Gesù Cristo, e questi crocifisso» (1 Cor 2,1-2). In Gesù, Figlio di Dio, si trova la totalità del mistero che ci è rivelato: Trinità, incarnazione redentrice, filiazione adottiva mediante il dono dello Spirito di Gesù.

È Cristo infine che dà impulso alla fede per il bene o per il fine che la fede persegue. «In nessun altro c'è salvezza», proclama Pietro davanti al Sinedrio (At 4,12). «Dio mandò il suo Figlio... perché ricevessimo l'adozione a figli. E che voi siete figli ne è prova il fatto che Dio ha mandato nei nostri cuori lo Spirito del suo Figlio che grida: Abba, Padre!» (Gal 4,4-6). Dio ci riconcilia con sé, infatti, in quanto ci unisce al suo Figlio diletto; e la gioia che sollecita il credente è partecipazione alla condizione di Cristo risorto.

Bibl. - H. Bouillard, *La logique de la foi*, Paris 1964; J. Alfaro, «La fede, dedizione personale dell'uomo a Dio e come accettazione del messaggio cristiano», in *Conc* 1 (1967) 71-72; Id., «Foi et existence», in NRTh 90 (1968) 561-580; Id., «Glaube», in SM III, 729-750; Id., *Rivelazione cristiana, fede e teologia*, Brescia 1986; H.U. von Balthasar, *Gloria. Un'estetica teologica*, vol. I, Milano 1975; J.M. Faux, *La foi du Nouveau Testament*, Bruxelles 1977; K. Rahner, «Osservazione sulla situazione della fede oggi», in R. Latourelle - G. O'Collins (edd.), *Problemi e prospettive di teologia fondamentale*, Brescia 1980, 339-358; Id., *Corso fondamentale sulla fede*, Roma 1984[4]; B. Welte, *Che cos'è credere?* Brescia 1984.

GILLES LANGEVIN

FEMMINISMO

Femminismo indica i movimenti per l'emancipazione della donna che, nel secolo diciannovesimo e di nuovo nel ventesimo, comparvero nel Nord America e in Europa per estendersi poi a tutto il mondo. Esso fa parte di quella concezione della storia che ha generato l'idea secondo la quale le strutture politiche, sociali e culturali sono il prodotto della creatività umana e non semplicemente naturali o stabilite da Dio. I movimenti femministi si sono verificati, tanto nella società che nelle chiese, per il fatto che le donne operarono per la parità di partecipazione nei processi politici delle proprie nazioni e nelle istituzioni della società e nella cultura: educazione, vita familiare ed ecclesiale, professioni. Man mano che i movimenti si svilupparono, la richiesta iniziale di parità si approfondì in esigenze di riforma delle strutture della vita politica e sociale e dei sistemi ideologici che le giustificavano. Nei movimenti sia del diciannovesimo che del ventesimo secolo le donne si resero conto che le chiese cristiane, con il loro modo tradizionale di considerare la donna, rappresentavano una delle cause della sua subordinazione e inferiorità nella vita sociale, politica ed ecclesiale.

Così, come parte del lavoro accademico del movimento femminista, la

teologia femminista e gli studi sulle
donne in campo religioso hanno portato alla luce sia la massiccia esclusione che l'attivo impegno e la creatività delle donne nella cristianità. Da
una parte, le ricercatrici del femminismo hanno fatto rilevare i tre aspetti dell'ideologia presente nelle tradizioni religiose occidentali, cristianesimo compreso, nei riguardi della
donna: la donna come proprietà, oggetto o strumento; la donna come
corruttrice, pericolosamente sexy o la-
sciva; la donna idealizzata in modo
romantico come superiore all'uomo
in campo morale e spirituale, ma infantile e bisognosa di protezione nella sfera privata (Ruether, 1975). D'altro canto, studiose femministe hanno dimostrato che, nonostante le i-
deologie che limitavano severamente
la loro autonomia e partecipazione,
le donne ricoprivano significativi ruoli
di primo piano praticamente in tutte
le tradizioni cristiane e in tutti i periodi storici (Ruether e McLaughlin).
In una tradizione e in una teologia
che le ha sistematicamente diffamate
e strumentalizzate, le donne hanno
occupato una posizione importante.
Alcune studiose ritengono che il cristianesimo sia intrinsecamente patriarcale e incitano le donne a prendere le distanze dal suo ambiente oppressivo (Daly).

Invece, molte donne femministe rimangono nelle chiese e trovano che
contenuti quali: Dio, Cristo, Spirito,
grazia e comunità dei redenti, sono
vivificanti, anche se esse contestano
i padri della tradizione teologica ed
ecclesiale e fanno pressione perché
l'esperienza delle donne sia presa in
maggior considerazione nella storia,
nella teologia e nella pratica della vita cristiana (Carr). Queste femministe cristiane e le studiose che hanno
sviluppato le diverse forme di teologia femminista cristiana, ritengono
errata quella mentalità, presente in alcuni manuali e in momenti storici,
che dà il resoconto soltanto del pen-

siero e delle azioni degli uomini. Tale mentalità non riconosce né il carattere oppressivo della religione biblica, né l'eminente ruolo attivo delle donne nella sua evoluzione storica
e teologica. Possiamo oggi delineare
la teologia femminista cristiana secondo i suoi tre aspetti di protesta
e critica, di revisione storica e di co-
struttività teologica.

1. PROTESTA E CRITICA - Il pensiero
femminista cristiano rileva il travisamento della donna che spesso è avvenuto nella storia della cristianità.
La sua critica ideologica evidenzia l'i-
dolatria di una tradizione che considera Dio come un maschio celeste e
sulla terra colloca il maschio al di sopra della donna. Questo pensiero,
inoltre, sostiene che alcune scuole teologiche hanno legittimato modelli di
dominazione nei rapporti tra Dio e
l'umanità, tra Cristo e la chiesa, tra
uomini e donne, tra adulti e bambini, tra clero e laici, tra nazioni ricche e povere, tra bianchi e gente di
colore, tra l'uomo e la terra. Il concetto del «Dio padrone» esteso ai rapporti umani, dal punto di vista delle
donne e di altri gruppi oppressi è una
deformazione del messaggio cristiano, un travisamento che si ritrova
spesso nelle espressioni storiche della
teologia cristiana.

Mentre la riflessione femminista si
allarga ad altre espressioni di dominio del cristianesimo storico e della
vita contemporanea, il pensiero femminista cristiano si sforza di essere
autocritico al proprio interno e di evitare a sua volta modelli di dominio.
Ci sono altri problemi con i quali si
confronta, come quando analizza, per
esempio, i meccanismi del razzismo,
del classismo, dell'elitismo, del clericalismo. Contemporaneamente il femminismo richiama l'attenzione sul
problema personale e pubblico delle
donne, le quali non sono semplicemente un gruppo accanto ad altri, che
lottano oggi per la liberazione, ma so-

no presenti in *tutti* i gruppi tenuti as-
soggettati e in tutte le razze e le classi. Le donne sono un caso unico. Non
sono né una casta, né una minoranza: esse costituiscono più della metà
del genere umano. Molte studiose del
femminismo ritengono che l'assogget-
tamento delle donne è la forma di
oppressione originaria, analoga alle
altre forme di oppressione della storia. Per questo il femminismo contemporaneo protesta contro il maschi-
lismo in quanto è una deformazione
del rapporto tra maschio e femmina,
che si risolve nella violenza carnale,
nella tortura, nella sofferenza e nello
sfruttamento delle donne e non riesce a rispettare la vita e le situazioni
di donne concrete. La teologia femminista, da parte sua, ha reso noti
i testi e le tradizioni della cristianità
che denigrano la donna come fonte
di peccato e di male, come essere
umano inferiore o incompleto e incapace di assolvere ruoli direttivi nella
comunità cristiana.

2. REVISIONE STORICA - Mentre la
discriminazione sessuale, come esempio di potere dominatore, fa da in-
centivo alla protesta e alla critica femminista, è anche vero che le donne
non hanno soltanto subìto, ma sono
state anche attive nella loro vita religiosa; hanno fatto sentire con forza
la loro presenza in ogni periodo della storia cristiana; hanno raggiunto
le mete più alte dell'elevazione religiosa e hanno espresso le loro idee
in campo spirituale e teologico. Come hanno osservato alcuni storici laici, il recupero della storia delle donne, perduta, dimenticata o cancellata, ha procurato la recentissima ridefinizione della storia stessa. Il guardare la scena della storia con gli occhi
delle donne, dalla prospettiva dell'as-
soggettazione della donna o della sua
libertà, cambia le idee correnti e dà
nuovo senso ai periodi storici. L'o-
biettivo di integrare la storia della
donna nella «storia» vera e propria

– storia degli uomini – nasce dalla
consapevolezza che i riferimenti storici sono pervasi di valori patriarcali
e di interessi maschili (guerra e politica, invece dell'educazione dei figli)
e che soltanto l'elaborazione della
storia della donna condurrà a un'autentica storia universale.

Interessanti sono le conseguenze della storia della donna per la storia cristiana – una storia di servizio pastorale e di teologia che dovrebbe incorporare l'attività e la visione teologica delle donne – nella religione
popolare, nella spiritualità, nel misticismo, nella predicazione, nell'insegnamento e nell'organizzazione e rinnovamento dei gruppi religiosi. Per
esempio, storici delle religioni medio-
orientali antiche, della bibbia ebraica, del Nuovo Testamento e della cristianità primitiva, hanno messo in luce concezioni che smentiscono il carattere androcentrico della storia. Essi
asseriscono che la diversità fondata
sul sesso è relativamente poco importante nelle culture politeistiche, mentre è essenziale nelle religioni mono-
teistiche della bibbia (Ochshorn); che
«controvoci» presenti nella bibbia
ebraica contestano il suo dominante
spirito patriarcale, manifestano l'e-
guaglianza tra maschio e femmina
nella creazione, nelle relazioni eroti-
che e mondane, rivelano che la Scrittura è impregnata di immagini fem-
minili (Trible). Essi dimostrano che
l'antica rappresentazione femminile di
Dio fu fatta propria in modo positivo dal monoteismo giudaico e cristiano (Ruether 1983); che il movimento
che fece capo a Gesù cominciò come
una riforma all'interno del giudaismo
che incorporava una visione inclusiva del regno, linguaggio e mitologia
della deità femminile e un eguale discepolato per uomini e donne (Schüs-
sler-Fiorenza). Gli studiosi dimostrano che certe donne hanno svolto ruoli
di primo piano, come profetesse e di-
scepole nelle primitive comunità cristiane, come maestre e fondatrici in

epoca patristica e medievale, come
attive organizzatrici sociali in ambienti della controriforma e come riformatrici religiose e sociali nell'Europa del diciannovesimo secolo e in
America (Ruether e McLaughlin). Ricerche sulla mistica medievale hanno
richiamato nuova attenzione sui simboli teologici di «Gesù come madre»
e della «maternità di Dio» (W. Bynum), mentre tradizioni di cristologia androgina e spirituale, comprendente anche le donne, sono state rin-
tracciate in tutto l'arco della storia cristiana (Ruether, 1983). Questi modelli di *leadership* femminile
e di rappresentazione e immaginativa positiva femminile costituiscono un'importante corrente di sottofondo alla principale corrente andro-
centrica della storia ecclesiale e teologica.

3. COSTRUZIONE TEOLOGICA - Al di
là della protesta, della contestazione
e della revisione storica, la teologia
femminista ha cominciato a parlare
di Dio e del senso del rapporto umano con Dio, in Cristo, dal punto di
vista dell'esperienza delle donne. Un
esempio tra molti illustra questo lavoro costruttivo. La questione viene
sollevata dalla contestazione del femminismo radicale: Dio è maschio?

A dispetto di tutte le smentite teologiche sembra che sia così, visto il
persistente uso di pronomi maschili
per Dio e vista la reazione negativa
di molti cristiani all'uso del pronome femminile «lei» nei confronti di
Dio. Eppure è evidente che «lei» non
soltanto è appropriato per Dio quanto il pronome «egli», ma è forse necessario per dare un nuovo orientamento all'immaginazione cristiana e
distoglierla da tendenze idolatre del-
l'uso di un linguaggio esclusivamente mascolino nei confronti di Dio e
dall'uso predominante e dalle conseguenze dell'immagine paterna nella
chiesa. C'è chi ha proposto l'uso del-
l'espressione «padre e madre» o l'in-

dicazione di Dio come «genitore-
genitrice» (*parent* in inglese), o l'uso
equilibratore del femminile per indicare lo Spirito. D'altra parte, alcune
studiose femministe hanno sollecitato l'abbandono delle rappresentazioni genitoriali che inducono l'idea di
una dipendenza religiosa infantile invece che adulta. Mentre le immagini
genitoriali esprimono compassione,
accoglienza, guida e disciplina, non
esprimono invece la reciprocità, la
maturità, la cooperazione, la responsabilità e lo scambio che sono oggi
richieste dall'esperienza personale e
politica.

Le teologhe femministe richiedono
l'uso di svariate metafore e modelli
per dire Dio e le relazioni divino-
umane, dal momento che nessuna da
sola è adeguata. Un primo suggerimento è quello di usare per Dio il
concetto metaforico inerente al termine «amicizia» (McFague, 1982,
1987). Vi è per questo una base biblica, allorché Gesù parla del dare la
vita per i propri amici (Gv 15,13) e
quando dice che il Figlio dell'uomo
è amico dei pubblicani e dei peccatori (Mt 11,19). Gesù *è* la parabola del-
l'amicizia di Dio verso il popolo.
Questa amicizia si rivela nelle parabole della pecora perduta, del figliol
prodigo, del buon samaritano e nella
«parabola in atto» del suo stare a tavola con i peccatori. I vangeli ritrag-
gono Gesù come uno che contesta i
vincoli familiari e la cui presenza trasforma la vita dei suoi amici. L'atteggiamento amichevole verso l'estraneo, sia esso un individuo, una nazione o una cultura, costituisce un
modello «per il futuro sul nostro sempre più piccolo e angustiato pianeta
nel quale, se le persone non diventano amiche, non potranno sopravvivere» (McFague, 1982).

La metafora amicale di Dio corrisponde all'ideale femminista di «personalità collettiva» (*corporate personality*), un rapporto tra persone e gruppi che sia non-competitivo e recipro-

co. Essa corrisponde all'interesse femminista per quelle espressioni del rapporto divino-umano che superano quelle concezioni di rinuncia a se stessi che ha formato l'esperienza delle donne e prodotto modelli interiorizzati di disprezzo di se stesse, di passività e di irresponsabilità, e avviano verso la ricerca di idee di reciprocità, di auto-realizzazione nella comunità e verso la creazione di comunità sempre più ampie aperte ad altre persone e al mondo (Plaskow). Il tema dell'amicizia di Dio si trova accentuato nella vita e nella morte di Gesù, il quale mostra un Dio che soffre per la gente e l'invita a una fraterna solidarietà con la sofferenza degli altri (J. Moltmann). Essa, infine, unifica la teologia e la spiritualità femminista nell'accento che pone sull'amicizia delle donne e una reciprocità e interdipendenza non-competitive e non-gerarchiche.

Femminismo, teologia e spiritualità femministe costituiscono oggi dei vigorosi movimenti nel mondo e nelle chiese, sia protestante che cattolica romana, incarnando la lotta che ovunque le donne stanno portando avanti per la liberazione di se stesse e per la liberazione delle strutture sociali, politiche ed ecclesiali che rappresentano il contesto della loro vita.

Bibl. - M. Daly, *Beyond God the Father: Toward a Philosophy of Women's Liberation*, Boston 1973; R. Ruether Radford, *New Woman, New Earth: Sexist Ideologies and Human Liberation*, New York 1975; Id., *Sexism and God-Talk*. Toward a Feminist Theology, Boston 1983; P. Trible, *God and the Rhetoric of Sexuality*, Philadelphia 1978; R. Ruether Radford - E. McLaughlin (edd.), *Women of Spirit*: Female Leadership in the Jewish and Christian Traditions, New York 1979; J. Grant, «Black Theology and the Black Woman», *Black Theology: A Documentary History 1966-79*, G. Wilmore - J. Cone (edd.), New York 1979, 418-433; Id., «A Black Response to Feminist Theology», in *Womanspirit Bonding*, J. Kalven - M.I. Buckley (edd.), New York 1984, 117-124; J. Plaskow, *Sex, Sin and Grace*: Women's Experience and the Theologies of Reinhold Niebuhr and Paul Tillich, Washington DC 1980; M. Katoppo, *Compassionate and Free*. An Asian Woman's Theology, Maryknoll 1980; C. Moraga - G. Anzaldúa (edd.), *This Bridge Called me Back*. Writings by Radical Women of Color, New York 1981, 1983; J. Ochshorn, *The Female Experience and the Nature of the Divine*, Bloomington 1981; C. Bynum, *Jesus as Mother*. Studies in the Spirituality of the High Middle Ages, Berkeley 1982; S. McFague, *Metaphorical Theology*. Models of God in Religious Language, Philadelphia 1982; Id., *Models of God*. Theology for an Ecological, Nuclear Age, Philadelphia 1987; E. Fiorenza Schüssler, *In Memory of Her*. A Feminist Reconstruction of Christian Origins, London, New York 1983; E. Moltmann-Wendel e J. Moltmann, *Humanity in God*, New York 1983; Autori vari, *Donne e chiesa*, Palermo 1985; C. Militello (ed.), *Teologia al femminile*, Palermo 1985; V. Fabella - M.A. Oduyoye (edd.), *With Passion and Compassion*. Third World Women Doing Theology, Maryknoll 1988; A.E. Carr, *Grazia che trasforma*. Tradizione cristiana ed esperienza delle donne, Brescia 1990.

ANNE E. CARR

FIDEISMO E TRADIZIONALISMO

I grandi movimenti causati in Francia dall'*Aufklärung* e dal criticismo kantiano hanno messo al primo posto per tutto il secolo XIX il problema dell'equilibrio tra → ragione e fede. Il magistero di conseguenza è intervenuto a più riprese per chiarire posizioni ambigue.

Tradizionalisti e fideisti riducono eccessivamente le capacità della ragione in materia religiosa, mentre i razionalisti e i semirazionalisti esaltano oltre misura il potere della ragione. Fideismo e tradizionalismo vanno compresi in questo contesto: o si dà tutto alla ragione o tutto alla rivelazione.

1. FIDEISMO E TRADIZIONALISMO NEI CATTOLICI DEL SECOLO XIX - Sebbene la fede sia libera, non risulti cioè da una serie di argomenti costringenti, essa è tuttavia un *obsequium rationabile*, cioè un'opzione *sensata*. Non è evidente che Cristo sia Dio, ma le sue dichiarazioni, la sua vita, le sue opere, il suo messaggio, la sua risur-

rezione, costituiscono motivi di → credibilità della rivelazione che egli impersona. La teologia cattolica prende le distanze da due concezioni incomplete della fede: una fede-omaggio fiduciosa, praticamente senza contenuto e una fede-consenso a una dottrina, ma spersonalizzata. L'adesione di fede coinvolge la conoscenza e l'amore.

Nella storia della teologia cattolica il *fideismo* richiama un movimento di pensiero che si è sviluppato in Francia all'inizio del secolo XIX contro il razionalismo del secolo XVIII. I suoi principali rappresentanti sono Gerbert, Bautain (1796-1867), A. Gratry (1805-1872) discepolo di Bautain, Bonnetty, a cui si può aggiungere Bonald e de Lamennais, che si definiscono piuttosto come «tradizionalisti». Tutti si dedicano a umiliare la ragione che gli enciclopedisti avevano esaltato, sottolineandone le debolezze, le contraddizioni e le incertezze. Gli stessi motivi di credibilità non sembrano loro atti a fondare un'opzione solida. Ma che cosa importa se la fede ce la fa da sola e se ha in sé il proprio fondamento? Per Bautain la fede è possibile solo a quelli che hanno in sé un senso del divino, opera della grazia. Solo la grazia permette di riconoscere la verità della rivelazione mediante un'esperienza interiore e non attraverso i segni esteriori o i motivi di credibilità della rivelazione. Bautain ha poi ritrattato riconoscendo il valore dei motivi o segni che hanno come scopo quello di manifestare la rivelazione come «credibile».

Il magistero ha denunciato a più riprese le deviazioni dei fideisti soprattutto con Gregorio XVI (DS 2751-2756), con Pio IX nell'enciclica → *Qui pluribus* nel 1846 (DS 2775-2780) e soprattutto con il Vaticano I (DS 3008-3009), con Leone XIII nell'enciclica *Aeterni Patris* nel 1879 (DS 3135-3138) e con Pio XII nell'enciclica *Humani Generis* nel 1950 (DS 3875). Questi documenti sottolineano il valore delle prove dell'esistenza di Dio (→ Dio, II), dei motivi di credibilità, senza comunque negare gli aiuti interiori dello Spirito. Il fideismo disapprova giustamente il → razionalismo, → l'agnosticismo e il liberalismo, ma cade esso stesso nell'eccesso contrario, quando fonda la fede su se stessa. Se anche il magistero ha messo in guardia dal disprezzo esagerato della ragione da parte dei fideisti e dei tradizionalisti, la sua prima preoccupazione è stata quella di opporsi alle pretese dei razionalisti e di ricordare il ruolo preponderante della grazia nell'economia della salvezza.

2. FIDEISMO IN CONTESTO PROTESTANTE - Nel vocabolario protestante il termine fideismo ha un senso del tutto diverso: esso designa la salvezza mediante la sola fede. Così Lutero rifiuta la filosofia come esaltazione della ragione e della natura. Egli concepisce la fede come un puro abbandono fiducioso in Dio che salva e giustifica. Mediante la fede, l'uomo si getta in Dio indipendentemente dall'adesione ad un corpo dottrinale. Quindi i protestanti raccomandano, a lato della conoscenza dei dogmi (→ Dogma) rivelati che essi ammettono ma che chiamano «fede storica», un altro tipo di fede: una fiducia totale nelle promesse divine in generale e soprattutto la convinzione assoluta di essere giustificati per i meriti di Cristo. Questa fede-fiducia sarebbe l'unica fede cristiana autentica: per mezzo di essa, indipendentemente dalle buone opere, l'uomo sarà salvato. In questa concezione della fede la testimonianza interiore dello Spirito Santo occupa evidentemente tutto lo spazio. → K. Barth porta all'estremo questa concezione della fede dei primi protestanti. L'uomo è impastato di orgoglio e di peccato: può solo accogliere l'opera di Dio in lui.

3. FIDEISMO INCONSAPEVOLE E PRATICO NEL CATTOLICESIMO CONTEMPORANEO - Definiamo così l'atteggia-

mento di molti cattolici che non attribuiscono nessuna importanza, o un'importanza insufficiente, ai problemi di credibilità della rivelazione. Paradossalmente tale atteggiamento appartiene all'epoca post-conciliare. Poiché il Vaticano II, come anche le *Normae Quaedam* che dovevano ispirare la riforma degli studi ecclesiastici, hanno tralasciato di parlare della teologia fondamentale, molti seminari e facoltà hanno ceduto alla tentazione di sacrificare una disciplina a cui sembrava non tenesse lo stesso magistero. In alcuni casi la teologia fondamentale è stata semplicemente soppressa. Altrove è stata smembrata e ridotta allo stato di frammenti inseriti bene o male nelle altre discipline: storicità dei vangeli in esegesi; rivelazione-tradizione-ispirazione nell'introduzione alla teologia.

Il tema dei segni di → credibilità è stato semplicemente eluso o parzialmente trattato in esegesi (per esempio i miracoli di Gesù che sono stati negati più che trattati). Altrove infine, seguendo la → *Dei Verbum*, la fondamentale è stata ricondotta allo studio della rivelazione e della sua trasmissione, privata così della metà del suo dominio, soprattutto nel campo della credibilità. Insomma, scomponendo la fondamentale, legando i suoi problemi alle altre discipline come cocci di un'ipotecata eredità, si è privata la fondamentale del suo compito specifico (confermare i fratelli nella fede) e sono stati portati alla deriva migliaia di fedeli indifesi di fronte a interrogativi sconvolgenti e troppo difficili per essere affrontati senza l'appoggio degli specialisti.

Ma la realtà è più forte delle teorie. La fondamentale tratta problemi troppo gravi, troppo autentici, perché li si possa ignorare: origini storiche del cristianesimo, realtà e identità di Gesù, realtà storica del suo messaggio e delle sue opere, soprattutto dei miracoli, della risurrezione, della volontà e natura del progetto eccle-siale fondato su Pietro e gli apostoli. Ci si può rifugiare per un po' di tempo in un fideismo mascherato, ma i problemi sussistono e sono sempre alle porte della chiesa. Ci si può rifiutare di vederli, ma non si potrà abolirli. Il tono deve senz'altro cambiare, soprattutto nell'attuale clima ecumenico, ma la funzione della fondamentale resta sempre. Tanto più che le questioni che essa tratta costituiscono un insieme che ha un'unità propria e che fa della fondamentale una distinta regione della teologia.

Bibl. - S. Harent, «Fidéisme», in DThC VI, 1,174-236; G. Rotureau - Y. Congar, «Fidéisme», in *Catholicisme*, IV, 1260-1261; R. Aubert, *Le problème de l'acte de foi*, Louvain 1945, 1-2-130; H. Bouillard, *Karl Barth*, voll. I-III, Paris 1957, soprattutto vol. II; P. Poupard, *L'abbé Louis Bautain:* un essai de philosophie chrétienne au XIX siècle, Paris-Tournai-New York-Roma 1961; Id., *L'abbé Louis Bautain*. Introduction et choix de textes, Paris 1964.; R. Latourelle, «Smembramento o rinnovamento della teologia fondamentale?», in *Conc* 6 (1969) 48-60; Id., «Assenza e presenza della fondamentale al concilio Vaticano II», in R. Latourelle (ed.), *Vaticano II, bilancio e prospettive*: venticinque anni dopo, Assisi 1987, 1381-1411.

RENÉ LATOURELLE

FILOSOFIA CRISTIANA

1. NOTA STORICA - L'espressione filosofia cristiana non è biblica. Il Nuovo Testamento usa una sola volta il termine «filosofia» e lo fa per designare una sorta di gnosi o di pregnosi di cui denuncia le seduzioni (Col 2,8). I primi autori cristiani sono spesso molto critici nei confronti dei filosofi (Taziano, Erma, Tertulliano, che tuttavia deve allo stoicismo alcuni suoi schemi di pensiero). In alcuni, come Giustino, compare l'espressione «la nostra filosofia» o anche «filosofia cristiana», ma allora significa semplicemente la dottrina o, più generalmente, la vita cristiana considerata come la sola vera filosofia. Questo conferma il rifiuto della

filosofia dei filosofi. Tale senso di *fil. cr.* si manterrà a lungo: lo troviamo ancora nel secolo XVI in Erasmo. Alcuni tuttavia riconoscono, nei grandi filosofi, germi di verità che spiegano con una supposta influenza dei profeti, se non addirittura con una sorta di ispirazione.

Nella misura in cui si approfondisce la riflessione sulla fede e la teologia viene abbozzata, il pensiero cristiano affronta ambiti già esplorati dai filosofi, approfitta delle loro scoperte e impara a usare il loro patrimonio concettuale e dialettico. La filosofia, a sua volta, riceve da questo incontro e da questa assunzione un approfondimento e un ampliamento. È il caso di Agostino, di Tommaso e dell'insieme degli scolastici, ma in modo abbastanza diverso. In Tommaso l'ambito della teologia è distinto meglio da quello della filosofia, il suo uso è più metodico. Ma, come in Agostino, la riflessione teologica incorpora una metafisica e una filosofia morale. Si potrebbe parlare qui di *fil. cr.* ma l'espressione compare poco in questi autori, almeno in questo senso.

A partire dal secolo XIII, ma soprattutto nell'epoca moderna, la filosofia è oggetto di interesse per il suo proprio valore e non semplicemente come strumento della teologia. Con un movimento inverso a quello precedente essa rivendicherà, come suoi, settori che sembravano riservati a questa. In questo modo si delinea il concetto di una *fil. cr.* distinta dalla teologia e autenticamente filosofica. Infatti, nell'epoca moderna, questa espressione serve generalmente a designare la filosofia comune dei cristiani, l'insieme delle dottrine, razionali di diritto, da questi professate in accordo con la fede e/o come preamboli di essa. Talvolta assume un valore polemico: così i discepoli di Cartesio e soprattutto quelli di Malebranche definivano volentieri «cristiana» la loro filosofia, nella quale

ritrovavano qualche cosa di Sant'Agostino in opposizione alla scolastica, legata al «pagano» Aristotele. Ma già l'espressione è contestata, per ragioni del resto opposte. Il cristianesimo non ha niente a che vedere con la filosofia. Né la ragione con la fede. Sono addirittura incompatibili. *Fil. cr.* significherebbe contaminazione e quindi abdicazione o della ragione (→ Fideismo) o della fede (→ Razionalismo).

Nel secolo XIX *fil. cr.* si incontra abbastanza frequentemente, senza che ci si preoccupi molto di precisarne il senso. Nel 1830 vengono fondati in Francia gli *Annales de philosophie chrétienne* che saranno pubblicati fino al 1913, ma la filosofia da essi proposta è, nei primi anni, un tradizionalismo di fondo antifilosofico. Con la rinascita scolastica e tomista, il senso dell'espressione tenderà a restringersi. Nel 1879 l'enciclica *Aeterni Patris* che contiene l'espressione, ma solo nel titolo, l'applica prima di tutto alla dottrina di S. Tommaso.

Già nel 1928, e soprattutto negli anni '30, la nozione di *fil. cr.* diventa, soprattutto in Francia, oggetto di vive discussioni. E. Bréhier, in conferenze tenute in Belgio e in una famosa comunicazione alla Società francese di filosofia, la critica principalmente come non rispondente a nessuna realtà storica, mentre altri, come il P. Mandonnet, le rimproverano di essere contraddittoria, poiché la filosofia non può, per definizione, accettare altre regole che la ragione. Al contrario, difendono la validità di questa nozione, con argomenti diversi e intendendola diversamente, E. Gilson J. Maritain, M. Blondel, G. Marcel, M. Nédoncelle, ecc. (vedi più avanti). Da allora, praticamente dal 1935, non vi sono stati altri progressi. L'espressione *fil. cr.* è talvolta usata al plurale, non solo per far posto ad altre correnti di pensiero diverse dal tomismo, ma anche per designare, in senso debole, dottrine che non si era abituati a definire cristiane.

2. CAMPO SEMANTICO DELL'ESPRESSIONE - Lasciando da parte il senso indifferenziato e polemico di «fede cristiana» e «vita cristiana», e il senso già più determinato di «riflessione sulla fede cristiana», troviamo numerose linee di significato per l'espressione *fil. cr.*

a. Dal punto di vista storico-sociologico la *fil. cr.* è la filosofia dei cristiani. Ma questo ha interesse solo: 1. se si tratta di cristiani che pensano come cristiani (e non che figurano solo come tali su qualche registro); 2. se si può dimostrare l'influenza del cristianesimo sul pensiero filosofico e scoprire un suo apporto originale. È ciò che Bréhier contesta e Gilson afferma.

b. Questa influenza può essere di tipo molto diverso. Un pensiero come quello di Nietzsche o di Feuerbach è incomprensibile senza il cristianesimo, non solo perché è l'avversario che dà senso al loro progetto, ma anche perché gli devono l'immensità di orizzonte in cui tale progetto si dispiega. Tuttavia non parleremo qui di filosofia cristiana, a meno di non forzare al di là del consentito il senso dei termini; riserveremo questo nome alle dottrine su cui l'influenza del cristianesimo è positiva, e in cui la ragione va nel senso della fede, accogliendo e ritrovando nel «rivelato» ciò che le è di diritto accessibile (il «rivelabile», secondo la terminologia di Gilson).

c. Siamo condotti con questo a un concetto di *fil. cr.* che verte sul contenuto, più precisamente sul suo accordo con la fede cristiana. Ma un accordo semplicemente negativo, che tutt'al più permettesse di essere contemporaneamente cristiani e adepti di una determinata filosofia, non consentirebbe di parlare di *fil. cr.*, soprattutto se tale «accordo» non sup-

pone alcuna influenza da parte del cristianesimo.

d. È diverso per una filosofia le cui affermazioni concordino con quelle della fede o, più esattamente, con i presupposti della fede (esistenza e unità di Dio, creazione, provvidenza, ecc.). Poiché questi presupposti sono, secondo l'insegnamento della chiesa, il termine a cui deve giungere una ragione pienamente fedele alla sua luce e alla sua essenza, possiamo dire che la filosofia è «naturalmente cristiana». Di fatto, tuttavia, un tale accordo si incontra pienamente solo là dove il pensiero è entrato in contatto con la rivelazione cristiana. Dunque i punti di vista della storia e del contenuto coincidono. Sotto questo duplice aspetto la filosofia dell'«età moderna», nei suoi grandi rappresentanti (Cartesio, Malebranche, Leibniz, Locke al limite, ma non Spinoza o Hume) può essere definita «cristiana». Cosa che non diremo, almeno nello stesso senso, di Kant, e ancor meno di un filosofo come Aristotele la cui dottrina, malgrado gli elementi di verità che hanno permesso al pensiero cristiano di utilizzarla, è stata elaborata indipendentemente dalla rivelazione ebraico-cristiana.

e. In particolare potremo chiamare «cristiana» una filosofia che non solo permette di accogliere il messaggio cristiano anche in ciò che questo ha di non filosofico (di «soprannaturale», di «misterioso»), ma riconosce nella natura e nell'attività dell'uomo un orientamento verso un aldilà di ogni fine, di ogni valore «naturale», un'insoddisfazione radicale che fa sì che la parola rivelata, senza essere pretesa né immaginata in anticipo, sia riconosciuta quando si presenta. Una filosofia di questo tipo merita evidentemente, e al massimo grado, il nome di «cristiana» (o, come preferisce Blondel, di «cattolica»), *a condizione* che sia autenticamente filosofica e non faccia in alcun modo entrare le affermazioni della fede nella catena dei suoi ragionamenti e delle sue riflessioni. Ma è questa condizione che fa problema, come la *fil. cr.* in generale.

3. IL PROBLEMA DELLA FILOSOFIA CRISTIANA - In realtà, il problema è duplice e ne conosciamo già i termini: *a*. L'espressione *fil. cr.* non è contraddittoria? *b*. Di fatto c'è o c'è stata una filosofia che meriti questo nome? E in che senso?
Iniziamo da quest'ultimo problema. Non ci occuperà per molto. I lavori di E. Gilson − per citare solo lui, ma non è il solo − hanno stabilito, in un modo che possiamo credere definitivo, l'originalità cristiana della filosofia medievale − a cominciare da S. Agostino. Sembra impossibile vedere, per esempio nel tomismo, un semplice germoglio dell'aristotelismo che avrebbe anche potuto svilupparsi al di fuori della corrente ebraico-cristiana. Non è notevole che i testi in cui Tommaso manifesta la sua maggiore profondità metafisica si ritrovino più frequentemente nei suoi scritti teologici e, anche qui, in un contesto e a proposito di questioni più tipicamente teologiche (come per la dottrina della volontà, precisata e perfezionata attraverso la teologia dello Spirito Santo)? Inoltre, come abbiamo visto, è tutta la filosofia successiva che tradisce un'influenza cristiana o che almeno appare, in ampi settori, inspiegabile senza di essa.
Ma questo è sufficiente perché si possa parlare a rigore di termini di *fil. cr.*? L'espressione sembra suonare male quanto «fisica cristiana» o «matematica cristiana». La filosofia si muove sul piano della ragione e non ammette altre norme. Qualificarla «cristiana» vuole dire applicarle una determinazione di altro ordine e dunque puramente estrinseca, proprio come quando si dice «filosofia italiana» o «filosofia tedesca». Questi paragoni sono fallaci. A differenza

della fisica e delle matematiche, la filosofia tratta di problemi umani esistenziali che coinvolgono la persona e il suo destino: perciò essa è in contatto con la religione e con la fede. Per questo anche l'unità della fede unifica i pensatori in un modo incomparabilmente più profondo dell'unità della lingua. (Del resto «filosofia italiana», «filosofia tedesca» esprimono qualcosa di più di una determinazione linguistica: un certo spirito, una certa struttura di pensiero, l'attenzione particolare ad alcuni problemi, esempi, allusioni, ecc. che fanno riconoscere, anche se tradotta, l'appartenenza all'autore).
Ma resta la difficoltà di fondo. Se *fil. cr.* significa qualcosa di più di una filosofia semplicemente accettabile per un cristiano, ma implica − interpretata storicamente come «filosofia» sviluppatasi in ambiente, in clima cristiano − un'influenza positiva della rivelazione, come salvaguardarne il carattere strettamente razionale? → Ragione e fede, filosofia e parola di Dio sono due essenze che non potrebbero mai amalgamarsi senza distruggersi.
Possiamo distinguere, con Maritain, la *natura* della filosofia come ricerca strettamente razionale della verità e il suo *stato* concreto nel filosofo, in cui essa beneficia, se il filosofo è cristiano, di «apporti oggettivi» (le verità rivelate che pongono al pensatore nuove questioni e che lo portano, per rispondervi, a perfezionare i suoi strumenti concettuali, proprio come l'esperienza e le teorie fisiche spingono lo scienziato a perfezionare i suoi mezzi matematici, a costruire meccaniche nuove) e «conforti soggettivi»: azione della grazia, che porta rimedio all'accecamento spirituale dovuto al peccato, ma anche, sul piano puramente psicologico, una certa finezza spirituale, la perseveranza nella ricerca suscitata dall'interesse per questioni che il non cristiano, il non credente, ritiene oziose e noiose.

Del resto ogni pensatore subisce inevitabilmente l'influenza del suo ambiente come del suo temperamento. Deve soltanto sottoporre a una critica leale ciò che gli è così dato. Il dato della fede non fa eccezione per lui. Solo ciò che la ragione avrà riconosciuto con questo esame come rientrante nel suo ambito, potrà entrare nella costruzione filosofica.

Altri tuttavia insisteranno, più che sulla distinzione formale delle discipline, sull'unità del soggetto teso verso la conoscenza integrale del reale. Perché il filosofo dovrebbe privarsi di questa fonte di informazioni che è la rivelazione ebraico-cristiana? Vanno in questa direzione, in modi del resto molto diversi, G. Marcel, M. Nédoncelle, l'ultimo Gilson, forse già Sertillanges e E. Stein. All'obiezione che la filosofia (cristiana) così intesa si confonde con la teologia, si può rispondere: 1. che la teologia richiede in principio un'adesione di fede, mentre una riflessione filosofica è possibile senza questa adesione (per esempio circa i dogmi considerati come ipotesi); 2. che, in ogni modo, il fine intenzionale resta diverso, poiché la teologia è centrata sul mistero di Dio e considera tutto il resto in rapporto a lui, mentre la filosofia cerca di conoscere la realtà nel suo insieme e raggiunge Dio alla fine dei suoi percorsi come ciò che dà alla realtà la sua piena intelligibilità.

Malgrado tutto possiamo pensare che questa nozione di *fil. cr.* si distanzi troppo dall'uso linguistico, allargando all'eccesso il senso della parola «filosofia». Forse qui sarebbe più esatto parlare di «saggezza cristiana».

Bibl. - E. Bréhier, «Y a-t-il une philosophie chrétienne?», in *Revue de métaphysique et de morale* (1931) 131-162; J. Maritain, *De la philosophie chrétienne*, Paris 1933; M. Blondel, *Le problème de la philosophie catholique,* Paris 1933; M. Nédoncelle, *Existe-t-il une philosophie chrétienne?*, Paris 1937. Ma soprattutto E. Gilson, *L'esprit de la philosophie médiévale,* Paris 1932, capp. 1 e 2, con le sue prezio-sissime *Notes bibliographiques*; A. Henry, *La querelle de la philosophie chrétienne: histoire et bilan d'un débat*, Paris 1955, 35-68, che s'ispira a A. Renard, *Querelle sur la possibilité de la philosophie chrétienne.*

JOSEPH DE FINANCE

FONDAMENTALISMO

Nel mondo di lingua inglese la corrente fondamentalista del cristianesimo protestante riafferma l'assoluta inerranza della bibbia e la sua suprema autorità per la fede e per la vita. Come movimento del XX secolo il fondamentalismo è una reazione critica all'erosione delle tradizionali certezze compiute dal modernismo in teologia e dall'investigazione storico-critica della Scrittura.

Una serie di dodici opuscoli, distribuiti su vasta scala, *The Fundamentals: A Testimony to the Truth* (1910-1915), espose le dottrine fondamentali sulle quali la fede tradizionale non dovrebbe permettere dubbi o adattamenti: la totale ispirazione della Scrittura come parola di Dio; la divinità di Gesù Cristo; la sua concezione verginale, i miracoli, la morte espiatrice, la sua risurrezione nel corpo e futuro ritorno; la realtà del peccato e della salvezza per fede; la potenza della preghiera e il dovere dell'evangelizzazione. Tra il 1920 e il 1940 laceranti diatribe tra fondamentalisti e modernisti hanno diviso le maggiori denominazioni come i battisti, i metodisti e i presbiteriani, ma nella sua rinata forma negli anni '70 e '80, la religiosità fondamentalista si trova in modo più caratteristico nelle congregazioni indipendenti e tra i seguaci dei predicatori televisi come Jerry Falwell e Pat Robertson.

I fedeli e le comunità fondamentaliste sono intensamente legati alla parola biblica, vedono il cristianesimo incentrato sulla → conversione e sull'accettazione di Gesù Cristo come signore e salvatore personale e si sforzano di seguire un rigido codice morale nella vita personale e familiare. Il fondamentalismo alle origini ripudiava il «vangelo sociale», ma fondamentalisti a noi più vicini si distinguono nel sostenere cause politiche conservatrici quali leggi restrittive in materia di aborto e omosessualità. L'espansione missionaria delle comunità fondamentaliste è caratterizzata dal sostegno dato ai pastori inviati in America Latina. L'interpretazione fondamentalista della profezia biblica spesso sostiene l'ansiosa attesa del ritorno di Gesù il quale toglierà i fedeli dal decadente e condannato mondo sul quale regnerà l'anticristo fino alla sua definitiva sconfitta e fino all'inizio del regno millenario dei santi di Dio.

La fede fondamentalista nella parola profetica e apostolica non è interessata al condizionamento storico e ai contesti ecclesiali dei mediatori della rivelazione. La definitiva parola di Dio è a immediata portata di mano nei testi biblici ispirati e infallibili. L'ermeneutica fondamentalista, tuttavia, non si basa sulla teoria di un letterale dettato dello Spirito Santo; piuttosto sulla totale coerenza e autorità della bibbia che si automanifesta nel suo insieme e in ciascuna delle sue parti. La predicazione fondamentalista asserisce in modo specifico l'attuabilità dei racconti biblici, dimostra come un passo è sostenuto dai testi provanti di molti altri libri biblici e regolarmente mostra il piano divino di offrire la salvezza in Cristo a coloro che, confessando il loro peccato e la loro impotenza, decidono di accettare Gesù e aprono senza riserve la loro vita alla sua potenza e guida per compiere la santa volontà di Dio.

Molti studiosi vedono i cristiani fondamentalisti come coloro che cercano un rifugio sicuro dal caos morale della moderna società occidentale e alcuni osservatori notano le loro analogie con similari movimenti integralisti nell'islam contemporaneo e perfino nel cattolicesimo romano. Il fondamentalismo è estraneo e spesso ostile verso le tradizioni della chiesa che affermano il ruolo della ragione e dello studio critico (per es. DV 12, GS 62). Tuttavia esso ricorda in modo deciso che la Scrittura costituisce un mondo completo di pensiero con un immenso potenziale per arricchire la vita quotidiana di guida e di motivazioni nuove.

Bibl. - E.R. Sandeen, *The Roots of Fundamentalism. British and American Millenarianism 1800-1930*, Chicago 1970; J. Barr, *Fundamentalism*, London 1977; N.T. Ammerman, *Bible Believers. Fundamentalists in the Modern World*, New Brunswick, N.J. 1987; T.F.O'Meara, *Fundamentalism: a Catholic Perspective*, Mahwah, N.J. 1990.

JARED WICKS

G

GARDEIL Ambroise

Ambroise Gardeil (1859-1931), entrato nell'ordine domenicano nel 1878, ricevette una solida formazione nella filosofia e nella teologia neoscolastica, che lo introdusse alla conoscenza di Tommaso d'Aquino, rimasto suo maestro per tutta la vita. Iniziando nel 1883 con l'opuscolo *De locis theologicis*, proseguì con l'insegnamento dell'apologetica e di svariati corsi di dogmatica e teologia morale. Prima di ritirarsi dalle aule, dopo il 1911, per dedicarsi a scrivere, alla predicazione e alla direzione spirituale, aveva esercitato un grande influsso personale sui propri studenti e contribuì alla strutturazione dei programmi dell'istituto Le Saulchoir. Sebbene non abbia scritto un trattato dettagliato di apologetica, la sua interpretazione del metodo teologico, in particolare dei rapporti tra → ragione e fede, fissò i parametri di questa scienza.

Di fondamentale importanza, per il suo iniziale modo di intendere la teologia, fu il «realismo concettuale» filosofico. Seguendo Cajetano e Giovanni di S. Tommaso, Gardeil insegnava che l'intelletto umano raggiunge il reale e attraverso questo il concetto universale. L'essere, che è in ultima analisi concettualizzabile, fornisce il fondamento di ogni pensiero oggettivo. Siccome il concetto viene recepito nell'intelletto passivo per mezzo del quale la mente è assimilata alla realtà e ne scaturisce la verità, la distinzione delle facoltà spirituali, intelletto e volontà, sulla base dei loro oggetti formali, il vero e il bene, lo portò a intendere la volontà come la facoltà attiva, rispondente al bene percepito e che pone l'uomo a contatto della realtà esterna. Sebbene gli sforzi di volontà possano facilitare l'intellezione nel soggetto con la rimozione degli ostacoli e la concentrazione dell'attenzione, la volontà non esercita un influsso diretto sull'intelletto, che attinge il reale oggettivo. Questa percezione del reale consente una conoscenza naturale di Dio, della legge morale e dell'immortalità dell'anima. La lotta che l'uomo deve sostenere per vivere in modo moralmente retto di fronte alla sfida del peccato, lo stimola a ricercare nella storia una salvezza che trascenda le sue capacità naturali. È a questo punto che il messaggio cristiano lo interpella e gli chiede di credere.

L'assoluta supremazia e oggettività della comprensione intellettiva significa che le verità della rivelazione vengono offerte sotto forma di proposizioni concettuali. Essendo soprannaturali e, da parte di Dio, puramente gratuite, le proposizioni rivelate superano qualunque sforzo dell'intelletto naturale lasciato a se stesso che voglia comprenderne la verità. In che modo, allora, l'uomo potrà giungere ad accettare la fede necessaria per la salvezza? Analizzando il processo psicologico che si conclude con l'atto di fede, Gardeil risponde che la volontà in fondo viene mossa dal fine ultimo dell'uomo, l'infinita bontà di Dio, e dovrebbe scegliere i mezzi adatti per il raggiungimento di quel fine. Indubbiamente, la promessa evangelica di redenzione attrae la volontà, ma come può l'uomo, senza andare contro il suo dovere morale nei confronti della verità, acconsentire alle proposizioni della fede, dal momento che la loro intima verità non può essere percepita dal suo intelletto naturale?

A questo punto Gardeil ricorre alla testimonianza veridica come a una via per stabilire dall'esterno delle verità storiche. Se Dio ha deciso di rivelare all'uomo delle verità soprannaturali, l'uomo ha il dovere morale di credere tutto quello che il suo creatore dice. Però l'uomo ha bisogno dell'evidenza, ossia di motivi di → credibilità, per poter asserire il fatto della rivelazione. Il compito dell'apologetica, quindi, consiste nel presentare in modo razionale gli argomenti che giustificano con prudenza l'assolutezza dell'adesione intellettuale della fede. Mediante l'analisi dei segni esterni e storici dati da Dio – specialmente i miracoli e l'adempimento delle profezie – a conferma della testimonianza dei suoi inviati, come pure a conferma della veridicità e competenza delle testimonianze in loro favore, l'apologetica può dimostrare la loro attendibilità. Siccome Gesù affidò il suo messaggio ai discepoli, l'apologetica li ha inoltre identificati con la chiesa concreta una, santa, cattolica e apostolica, la quale, nel corso dei secoli, ha conservato la sua fedeltà al messaggio e alla missione di Cristo.

L'apologetica approda a un giudizio assolutamente sicuro di credibilità, a una «fede scientifica» in ordine al fatto della rivelazione. Sebbene non sia richiesto che ogni singola persona giunga a questo grado di certezza – la fede, in quanto dono divino, nelle singole persone può servirsi di un argomento per sé solo probabile – a fondamento della sua fede la chiesa ha bisogno di testimoni oculari, i quali abbiano poi istruito altri. Gli apostoli, come pure altre persone, videro i miracoli di Cristo e udirono le sue parole. Una volta stabilito il fatto della rivelazione, il dovere dell'uomo di obbedire a Dio che rivela si concretizza in un giudizio di credentità, che è assoluto nell'ordine della moralità naturale, ma soggetto a condizioni in quanto subordinato alla possibilità di un atto di fede divina. Per questo è necessaria la grazia. Sotto l'azione della grazia l'uomo viene spinto, da un giudizio soprannaturale di credentità assolutamente obbligatorio o necessitante, a dare la sua adesione alle verità rivelate, le quali, essendo per sé oscure, lasciano spazio a una risposta libera. Da ciò scaturisce l'elezione, effettuata in primo luogo dalla volontà allorché le verità della fede vengono riconosciute come buone da credere; quindi la volontà emette l'imperativo «credi» all'intelletto speculativo e lo applica al suo atto normale, il giudizio di adesione ai termini espressi, culminante quindi nell'atto di fede. In seguito, l'*habitus* della fede e i doni dello Spirito Santo potranno sviluppare le verità rivelate e causarne una più profonda comprensione dall'interno.

Questa interpretazione di ragione e fede pone il fondamento della fede esattamente sull'autorità di testimoni veritieri: Cristo e la chiesa. La teologia speculativa deve accettare i suoi basilari principi sull'autorità prima di poter ordinare e far luce su quei dogmi ponendoli in relazione al loro fine ultimo e scoprire appropriate analogie tra verità rivelate e verità naturali. Così la teologia positiva deve in primo luogo ricercare e valutare le fonti, Scrittura e tradizione, per scoprire quanto fa parte della fede della chiesa. È tale la continuità – sotto la guida dello Spirito Santo – tra il Cristo e la presente, infallibile chiesa, che si può usare anche un «metodo regressivo». Partendo dall'insegnamento attuale del magistero, i teologi dovrebbero esaminare la tradizione antica per trovarvi la conferma della fede attuale della chiesa. Questo metodo riguarda non soltanto la teologia positiva, ma anche l'apologetica nella misura in cui la continuità degli insegnamenti attuali con quelli di Cristo viene presupposta e provata sulla base di questa supposizione.

L'evoluzione del dogma poneva un grosso problema alla posizione di Gardeil. Infatti, poiché la rivelazione viene offerta in parole che esprimono concetti che fanno astrazione da condizioni di tempo e di spazio per rendere accessibili enunciati eternamente validi, e giudizi storici concernenti realtà che non possono essere diverse, le verità rivelate non sono soggette a revisione. Al massimo vi può essere un passaggio dall'implicito all'esplicito, quando certi articoli della fede ecclesiale danno ulteriore spiegazione concettuale a quanto affermato da quelli che li precedono. Le forme espressive e le immagini possono cambiare, mentre ciò che viene significato, la forma o il concetto di fondo, rimane invariabile. La mancanza di testimonianze esplicite e storiche nei confronti di diversi dogmi successivamente definiti, veniva spiegata presupponendo che i documenti esistenti non rappresentano altro che tracce parziali della intera tradizione orale della chiesa.

Accanto allo stretto approccio concettualistico all'apologetica e alla teologia, altri elementi lasciavano spazio all'evoluzione e alla flessibilità. Già nella prima edizione di *La crédibilité et l'apologétique* (1908), Gardeil ammetteva che in casi eccezionali Dio poteva, senza segni esterni, condurre le persone alla fede – un processo oggettivo nella misura in cui la Prima Verità istruisce gli uomini dall'interno – e dedicò molte pagine ai sostituti soggettivi (*suppléances*) di credibilità. Comunque egli non riteneva che un'apologetica immanente (→ Blondel e altri), per quanto utile soggettivamente, potesse conciliarsi con un'apologetica oggettiva e scientifica. Quattro anni più tardi, nella seconda edizione, egli adottò una visuale realistica e dinamica invece della precedente analisi astratta e «ontologica» dell'atto di fede. Adesso Gardeil riconosceva nell'atto iniziale della coscienza morale e riflessa la chiamata divina ad affermare e scegliere il proprio ultimo fine, che *de facto* è soprannaturale. Questa «intenzione di fede» colloca il ruolo della grazia all'inizio della genesi della fede, laddove essa opera implicitamente, finché non si sviluppa nella fede esplicita in seguito all'impatto con la predicazione ecclesiale. Pur ritenendo la validità e la necessità dell'analisi astratta e della credibilità razionale, Gardeil accentuò la continuità soprannaturale del processo di fede per cui si richiederebbe soltanto un unico giudizio soprannaturale di credentità, mentre il giudizio di credibilità sarebbe appena distinguibile, mediante astrazione, dal giudizio di credentità.

La polarità tra analisi astratta e concreta permise a Gardeil di sostenere una rigorosa credibilità razionale e una fede scientifica, pur riconoscendo la certezza relativa, o verosimiglianza, raggiungibile con i segni storici, che nella maggioranza dei casi servono come base razionale dell'assoluto assenso di fede sotto l'azione della grazia. Di conseguenza l'apologetica veniva considerata sia un «circolo chiuso razionale» sia subordinata alla teologia. Analogamente, senza metter da parte la validità dei concetti, l'intenzione di fede includerebbe una conoscenza soprannaturale, non concettuale e un amore di Dio anteriore all'esplicito atto di fede e di carità. Questa relazione più unitaria tra ordine naturale e soprannaturale, come pure tra intelletto, volontà e grazia, servì a Gardeil come preparazione agli studi successivi sul misticismo. Sostenendo che l'anima dovrebbe possedere abitualmente una conoscenza vaga di se stessa rischiando altrimenti di essere incapace di riconoscersi come soggetto conoscente in un successivo atto di riflessione, egli concludeva che l'anima consapevole di se stessa era in grado di riconoscere la presenza soprannaturale di Dio nel proprio intimo, attraverso una conoscenza immediata, esperienziale, connaturale e attraverso l'amore. Questa apertura verso la conoscenza non concettuale e l'esperienza soprannaturale, senza metter da parte l'analisi concettuale, ossia l'apologetica oggettiva, caratterizza il ruolo importantissimo svolto da Gardeil nell'evoluzione del tomismo del Cajetano. Mentre il suo discepolo Garrigou-Lagrange divenne seguace della fase iniziale dei suoi studi con il loro concettualismo accentuato, altri discepoli, come Chenu, preferirono sviluppare i suoi scritti più tardivi.

Gardeil può essere considerato una figura di transizione da una apologetica fondata sull'oggettività e la concettualità, a una moderna apologetica dell'esplicitazione, di orientamento più soggettivo. In effetti egli cercò di equilibrare le imperative esigenze della verità oggettiva con i bisogni dei singoli soggetti e di difendere la validità dei concetti, senza assolutizzarli. Questa tensione di polarità costituisce l'essenza del tomismo e di una efficace apologetica.

Bibl. - Opere di Ambroise Gardeil: *Les Dons du Saint-Esprit dans les saints dominicains*, Pa-

ris 1903; «La Réforme de la théologie catholique», in RTh 11 (1903) 5-19, 197-215, 428-457, 633-649; 12 (1904) 407-443; *La Crédibilité et l'apologétique*, Paris 1908 (2ª ed. 1912); *Le Donné révélé et la théologie*, Paris 1910; *La Structure de l'âme et l'expérience mystique*, Paris 1927.
LETTERATURA: H.-D. Gardeil, *L'oeuvre théologique du Père Ambroise Gardeil*, Etiolles-Le Saulchoir, 1956; Id., «Ambroise Gardeil», in DSp VI (1967) 122f; R. Aubert, *Le Problème de l'acte de foi*, Louvain 1950 393-450. Cfr. anche *Bulletin Thomiste* 4 (1931) 69-92, compresa la bibliografia; RSPhTh 40 (1956) 629-669.

JOHN M. McDERMOTT
(collab. di A. Doni)

«GAUDIUM ET SPES»,

La sensibilità per i problemi dell'uomo e della sua condizione che troviamo nei recenti pensatori (per esempio, → Guardini, F.M. Sciacca, → M. Blondel, → Teilhard de Chardin, → K. Rahner, G. Marcel, → H.U. von Balthasar, M. Légaut, M. Zundel, A. Solzenitsin) è antica quanto il cristianesimo stesso, che è essenzialmente religione della salvezza dell'uomo in Gesù Cristo. Mai, tuttavia, questa sensibilità si è espressa così chiaramente, così esplicitamente come nei documenti della chiesa nel corso degli ultimi due decenni, in particolare nella costituzione pastorale del Vaticano II sulla situazione della chiesa nel mondo contemporaneo: *Gaudium et Spes* (7 dicembre 1965). GS è un documento originale perché: *a*. è il documento più lungo di tutta la storia conciliare della chiesa *b*. è la prima volta che un documento del magistero straordinario si esprime sugli aspetti direttamente temporali della vita cristiana. Non si era mai parlato così direttamente dell'uomo alle prese con i problemi della vita terrena; *c*. il procedere stesso del documento è nuovo: invece di partire dai dati della fede, si appoggia a una descrizione della condizione umana nel mondo di oggi. È un procedimento, di conseguenza, empirico e poi teologico. Lungo i cinque schemi che scandiscono la storia della costituzione, la sola vera linea di continuità della ricerca è questa preoccupazione di raggiungere il mondo, di occuparsi dei suoi problemi, di offrirgli i servizi della chiesa e più concretamente la luce del vangelo; d. il mondo a cui la costituzione si rivolge è l'uomo nella sua totalità: individuo e società, materia e spirito, inserito in una continuità indefinita. L'uomo è l'individuo e la società, ma è l'uomo «contemporaneo» nel mondo «di oggi» alla ricerca del senso della condizione umana. Prospettiva questa che è esattamente quella della → teologia fondamentale rinnovata.

L'esposto preliminare della costituzione è precisamente una descrizione dell'attuale stato della collettività umana (4-10). Il fatto incontestabile è che l'uomo ha camminato con passi da gigante verso il progresso. L'immagine del mondo ne è stata subito sconvolta (3). L'uomo per primo ha subito il contraccolpo di questo cambiamento accelerato. E la costituzione enumera in forma di antitesi i principali cambiamenti con la loro contropartita (4): a. Crescita prodigiosa delle ricchezze e dell'economia; dall'altra parte, fame e miseria di una larga fetta dell'umanità. b. Forte sentimento di libertà e di autonomia; dall'altra parte, presenza multiforme di schiavitù sociale e psicologica (dominazione, oppressione, tirannia della pubblicità). c. Coscienza dell'interdipendenza di tutti, della solidarietà universale; dall'altra parte, lacerazione sociale, razziale, politica, ideologica, minaccia di guerra mondiale. d. Diffusione universale delle idee per mezzo dei media; dall'altra parte, stessi vocaboli celano sensi molto diversi alla stregua delle ideologie che li manipolano (libertà, lavoro, progresso). e. Sviluppata organizzazione temporale, ma progresso spirituale in declino.

Di fronte a un mutamento così rapido e così profondo che cosa ne è dell'uomo? Egli è diviso tra la speranza e l'angoscia. Fa fatica a dissipare le ambiguità, a discernere i valori costanti. Perché tanti sforzi terreni? Perché la tecnica? Perché il progresso? Perché l'ascesa della massa umana alla cultura, se tutti questi sforzi non sfociano in uno stato in cui l'uomo e i valori umani sono salvi? Questa evoluzione del mondo costituisce una sfida da raccogliere (5).

La chiesa deve prima di tutto prendere coscienza della dimensione di questa evoluzione e del suo impatto sulla collettività. Essa deve essere più umana per essere più cristiana. L'uomo è il luogo d'incontro degli uomini, delle politiche, delle religioni. Per questo la GS inizia, per partito preso, dalla condizione dell'uomo del giorno d'oggi: è il dato base del documento. Se la chiesa cerca di comprendere «il mondo in cui viviamo, le sue attese, le sue aspirazioni» è per poter rispondere «in modo adatto a ciascuna generazione ai perenni interrogativi degli uomini sul senso della vita presente e futura e sulle loro relazioni reciproche» (4).

Questa fenomenologia non è dunque un «in sé», ma è in vista del miglioramento del servizio dell'uomo. Se la chiesa scruta i → segni dei tempi è perché s'interessa dell'uomo più dell'uomo stesso e perché essa esiste solo per la salvezza dell'uomo. La sua fenomenologia è per un'antropologia e questa è ispirata da una visione dell'uomo in Gesù Cristo, l'uomo nuovo.

La conclusione di quest'analisi dei mutamenti sociali, psicologici, politici, economici, morali e religiosi dell'umanità viene espressa alla fine dei nn. 9-10 che servono da transizione per tutto il resto del documento: «In verità gli squilibri di cui soffre il mondo contemporaneo si collegano con quel più profondo squilibrio che è radicato nel cuore dell'uomo» (10).

«Diventano sempre più numerosi quelli che di fronte all'attuale evoluzione del mondo si pongono o sentono con nuova acutezza gli interrogativi più fondamentali: che cos'è l'uomo? Qual è il significato del dolore, del male, della morte, che continuano a sussistere malgrado ogni progresso? Cosa valgono quelle conquiste pagate a così caro prezzo? Che apporta l'uomo alla società, e che cosa può attendersi da essa? Cosa ci sarà dopo questa vita?» (10). «Così nella luce di Cristo il Concilio intende rivolgersi a tutti per illustrare il mistero dell'uomo e per cooperare nella ricerca di una soluzione ai principali problemi del nostro tempo» (10).

Nel primo capitolo della prima parte «La Chiesa e la vocazione dell'uomo», la GS dimostra proprio come la rivelazione cristiana sia luce al mistero dell'uomo. All'inizio, la domanda fondamentale: «Ma che cos'è l'uomo?... spesso o si esalta così da fare di sé una regola assoluta, o si abbassa fino alla disperazione, finendo in tal modo nel dubbio e nell'angoscia. Queste difficoltà la Chiesa le sente profondamente e ad esse può dare una risposta che le viene dall'insegnamento della divina rivelazione, risposta che descrive la vera condizione dell'uomo, dà una ragione delle sue miserie, ma in cui possono al tempo stesso essere giustamente riconosciute la sua dignità e vocazione» (12). La GS esprime così, in termini che evocano i *Pensieri* di → Pascal, il paradosso miseria-grandezza costitutivo dell'uomo.

I numeri dal 12 al 18 propongono in seguito le grandi linee dell'antropologia cristiana. Originariamente l'uomo creato a immagine di Dio (12) con l'affermazione storica del peccato (13). Poi, la struttura fondamentale dell'uomo come esplicitazione dell'immagine di Dio, fondamento della sua grandezza: sua unità e interiorità (14), intelligenza (15), coscien-

za morale (16), libertà (17). Il numero 18 prosegue la riflessione su un problema particolarmente drammatico, quello della → morte. «In faccia alla morte l'enigma della condizione umana raggiunge il culmine». La morte, infatti, è l'angoscia inscritta nell'orizzonte della coscienza contemporanea. Per ragioni storiche (campi di sterminio, guerra permanente, minaccia nucleare, morte sulle strade e nell'aria); per ragioni culturali (tema della morte che invade la narrativa, il teatro, la televisione, la stampa); per ragioni filosofiche (definizione dell'essere umano come essere-per-la-morte); e per una ragione eterna, cioè l'angoscia animale, umana e spirituale di fronte alla morte; l'uomo, a un tempo grandezza e miseria, è alle prese con la morte come davanti a un enigma insolubile e insopportabile. «L'istinto del cuore lo fa giudicare rettamente quando aborrisce e respinge l'idea di una totale rovina e di un annientamento definitivo della sua persona. Il germe dell'eternità che porta in sé, insorge contro la morte» (18). L'uomo dunque si sente fatto nel contempo per morire e per non morire, all'interno di un'esistenza votata alla disgregazione.

A questo abisso può rispondere solo un altro abisso: quello del mistero cristiano. Dio non ha fatto l'uomo per la morte, ma per la risurrezione: ciò vuol dire a un tempo affermare ma anche superare la morte. La morte è un passaggio che sfocia nella «comunione eterna» con Dio. Cristo per primo ha attraversato la morte per liberarcene. La morte cristiana è l'atto con il quale l'esistenza umana finisce di morire e acquista il suo senso definitivo. La morte è la possibilità di una «comunione in Cristo» con tutti coloro che sono morti con lui e in lui. Così là dove l'uomo non può dire niente, la fede in colui che è risurrezione e vita ci insegna che l'uomo è condotto oltre la morte alla vita eterna (18).

Dopo aver parlato di coloro che rifiutano questo rapporto intimo e vitale dell'uomo con Dio (ateismo), la GS presenta in un paragrafo più elaborato (22), Cristo, *uomo nuovo*, come la vera risposta al mistero dell'uomo. La frase essenziale è la prima: «In realtà solamente nel mistero del Verbo incarnato trova vera luce il mistero dell'uomo». Cristo appare come la chiave dell'enigma umano, colui che ne scopre il senso poiché è l'uomo nuovo, il nuovo Adamo della nuova creazione e del nuovo stato dell'umanità.

Nei paragrafi successivi Cristo è presentato: *a.* come l'immagine creatrice e ricreatrice dell'uomo, come colui che ha restaurato nell'uomo la somiglianza con Dio alterata dal peccato (22); *b.* come il redentore che «col suo sangue sparso liberamente ci ha meritato la vita», così che ognuno può dire: «Mi ha amato e ha sacrificato se stesso per me»; *c.* come la salvezza dei cristiani interiormente rinnovati e conformati a Cristo con il dono dello Spirito; *d.* come la salvezza di tutti gli uomini di buona volontà, anch'essi associati al mistero pasquale (22).

Il capitolo termina così: «Tale e così grande è il mistero dell'uomo, questo mistero che la rivelazione cristiana fa brillare agli occhi dei credenti. Per Cristo e in Cristo riceve luce quell'enigma del dolore e della morte, che al di fuori del suo Vangelo ci opprime». Cristo il Figlio «ci ha fatto dono della vita, perché anche noi, diventando figli col Figlio, possiamo pregare esclamando nello Spirito: Abbà, Padre!» (22). È il mistero di Cristo che infine rivela l'uomo all'uomo. La sua verità è quella di essere figlio, chiamato a entrare nella vita trinitaria. La rivelazione, tutt'altro che estranea all'uomo, è al contrario così intimamente legata al suo mistero che l'uomo non potrebbe senza di questa identificare se stesso. Ne segue anche che se la rivelazione appa-risse all'uomo come una realtà della storia di cui si possono distinguere le tracce e i segni, l'uomo dovrebbe interrogare la storia e soprattutto interrogare se stesso per scoprire se Dio non l'abbia interpellato.

RENÉ LATOURELLE

GERARCHIA DELLE VERITÀ

Questa espressione, recentemente aggiunta al vocabolario teologico, trasmette un modo di considerare la dottrina cattolica che è stato incoraggiato dal *decreto sull'Ecumenismo* del Vaticano II e approvato da molte persone impegnate nel movimento ecumenico. Il 25 novembre 1963 l'arcivescovo A. Pangrazio suggerì al concilio che l'attenzione all'*ordine gerarchico* delle verità rivelate avrebbe fornito una migliore valutazione dell'attuale unità e divisione tra i cristiani in materia di dottrina. Pangrazio dichiarò che, mentre tutte le verità rivelate devono essere credute, esse non hanno tutte la stessa importanza quando si considera la rivelazione come un tutto. Alcune verità appartengono alle realtà eterne, come i misteri della Trinità, dell'incarnazione o della redenzione, mentre altre appartengono ai mezzi di salvezza che un giorno finiranno, come, ad es., le verità sulla chiesa. Molte divisioni tra i cristiani riguardano queste ultime verità sulla vita pellegrina della chiesa. Ma in molte delle più importanti verità della rivelazione i cristiani sono già uniti nella fede.

Il concilio non accolse il linguaggio di Pangrazio che distingueva tra verità sul fine della salvezza e verità sugli strumenti di salvezza. Ma l'11 novembre 1964, proprio dieci giorni prima della votazione finale sulla *Unitatis Redintegratio*, i vescovi votarono di includere in quel decreto la seguente proposizione: «Nel mettere a confronto le dottrine [i teologi cattolici] si ricordino che esiste un ordine o "gerarchia" nelle verità della dottrina cattolica, essendo diverso il loro nesso col fondamento della fede cristiana». Incluso nella sezione del capitolo 2 della UR, che riguarda il dialogo, il concetto di gerarchia delle verità ha lo scopo di aiutare i cattolici impegnati nel dialogo non soltanto a spiegare la dottrina della loro chiesa più correttamente ma anche a realizzare, insieme con i loro partners, una sempre più adeguata espressione delle «imperscrutabili ricchezze di Cristo» (Ef 3,8). Le verità cristiane, al plurale, sono viste in relazione reciproca. La costante che si può scoprire tra queste verità permette alla chiesa di possedere in modo più adeguato la verità cristiana e di crescere nella sua comprensione della rivelazione.

La frase «gerarchia delle verità» ha parecchi precedenti nel XX secolo, particolarmente in alcuni scritti di teologi alla fine degli anni '30, sulla metodologia teologica di Tommaso d'Aquino. Però l'espressione esatta raramente appare fino a dopo il Vaticano II. Da allora essa ha dato vita a un grande numero di pubblicazioni e a non pochi corsi presso diversi centri teologici. In alcuni dialoghi ecumenici è stata giudicata in modo favorevole la gerarchia delle verità, oggetto di una serie di consultazioni sponsorizzate dal Gruppo misto di lavoro tra la chiesa cattolica e il consiglio ecumenico delle chiese. I risultati di tutta questa attenzione possono essere riassunti sotto le categorie storica e sistematica.

1. CATEGORIA STORICA - I teologi hanno suggerito molti antecedenti storici della nozione di gerarchia delle verità. Lo stesso Nuovo Testamento suggerisce che la verità cristiana è incentrata nella persona di Gesù (Gv 14,6: «Io sono la via, la verità e la vita»; come pure l'assoluta enfasi giovannea data all'importanza della personale dedizione nell'amorosa se-

quela di Gesù). Varie espressioni del *kêrygma* della buona notizia (1 Cor 15,3-5 o i discorsi di Pietro e Paolo in At 2,14-36; 3,12-26; 4,8-12; 10,34-43; 13,16-41), riferimenti al «fondamento della fede» (1 Cor 3,10-11; Eb 6,1), inni sul mistero di Cristo (Ef 1,3-10; Fil 2,5-11; Col 1,12-20) e formule trinitarie, tutti convergono su un punto focale della verità cristiana nel quale è incentrato l'intero messaggio cristiano. Questa idea di gerarchia tocca anche la risposta esistenziale del discepolo nei passaggi che parlano del «più grande» comandamento (Mt 22, 34-40), del pericolo di trasformare semplici precetti umani in dogmi (Mt 15,9) e della preminenza dell'amore (1 Cor 13).

Questo senso della proporzione continua nel corso della tradizione cristiana. Fin dall'inizio furono sviluppate formule di fede come mezzi per soddisfare il bisogno liturgico di esprimere il fulcro della verità cristiana nelle celebrazioni del battesimo e dell'eucaristia. I teologi patristici della prima chiesa avevano il senso del nucleo trinitario della fede e tendevano a riferire ogni particolare tema teologico a quel nucleo. Più tardi i teologi della scolastica preferirono dimostrare che tutte le verità cristiane derivavano dagli articoli del credo. La Riforma ha riconosciuto la centralità del messaggio evangelico della salvezza in Cristo come il principio per interpretare correttamente la Scrittura e la norma per riformare la vita della chiesa. Tra le chiese della Riforma alcuni dei primi sforzi per raggiungere l'unità cristiana erano basati su nozioni quali «articoli fondamentali», «verità necessarie alla salvezza» e il consenso dei primi cinque secoli o dei primi sette concili ecumenici, nozioni che in modi diversi presuppongono che la verità cristiana ha un centro adeguatamente identificabile. Nella teologia cattolica del XIX secolo, questo tema ricompare nello sforzo di → M.J. Scheeben nel dimostrare che tutte le verità cristiane possono essere ridotte ad alcuni misteri centrali; lo stesso avviene nell'insegnamento del → Vaticano I per il quale la ragione umana, guidata dalla fede, può fare valido progresso nella comprensione della rivelazione considerando la reciproca interrelazione delle verità rivelate tra loro e con il destino finale dell'umanità (DS 3016). Per questo, benché l'espressione «gerarchia delle verità» appaia soltanto nel XX secolo e specialmente dopo il Vaticano II, ciò che con essa si intende dire ha profonde risonanze in gran parte della tradizione cristiana.

2. CATEGORIA SISTEMATICA - La nozione di gerarchia delle verità è di particolare interesse per la teologia fondamentale per il suo profondo rapporto con la comprensione di rivelazione del Vaticano II. Alcuni hanno perfino detto che l'insegnamento dell'UR sulla gerarchia delle verità è inconcepibile senza il riferimento all'insegnamento della *Dei Verbum* sulla rivelazione. Infatti qui la rivelazione è presentata come l'automanifestazione di Dio (DV 2.4.6). La rivelazione non riguarda tutte le possibili verità, piuttosto un centro definito, la *prima veritas*, che in ultima analisi è estremamente semplice. La fede è una risposta personale e completa a questa rivelazione e, come tale, è in definitiva una risposta all'estremamente semplice mistero di Dio stesso (DV 5). La gerarchia delle verità esprime così la natura stessa della rivelazione. Questa tocca una questione con profonde conseguenze per la teologia fondamentale, prima fra tutte: qual è la relazione tra l'«unica semplice verità» che è Dio e le molte singole verità che la chiesa è giunta ad asserire durante il corso di molti secoli?

Un secondo importante problema relativo alla teologia fondamentale riguarda il rapporto tra fede e rivelazione. Se la rivelazione è strutturata in un certo modo, non dovrebbe anche la fede, che a quella rivelazione risponde con amorosa e grata accettazione, adeguarsi ad essa in qualche modo? Qui si tocca il problema della corrispondenza tra l'ordine «oggettivo» inerente al contenuto proprio della stessa rivelazione e quello «soggettivo» o «esistenziale», che caratterizza la fede degli individui e delle comunità. Finora i teologi hanno notato che i fedeli sembrano manifestare una «gerarchia esistenziale delle verità» per quanto la fede dei singoli e dei gruppi possa esprimere un centro particolare. Alcuni hanno proposto che il fulcro oggettivo della rivelazione debba servire da guida e da correttivo alla fede esistenziale. La fede non dovrebbe collocare al centro qualcosa di relativamente periferico all'automanifestazione di Dio.

La gerarchia delle verità solleva, inoltre, il problema dell'obbligo di credere la verità rivelata nella sua totalità. Nella *Mortalium Animos* (1927) Pio XI ha rigettato i tentativi di unità cristiana basati su una distinzione tra articoli di fede fondamentali e non fondamentali sulla base che tutte le verità rivelate da Dio devono essere credute. Dal punto di vista dell'autorità che sostiene le verità della rivelazione, tutte queste verità sono uguali. Per questo la nozione di gerarchia delle verità non deve essere pensata in modo da compromettere l'autorità di Dio rivelante; essa deve salvare la «obbedienza di fede» (Rm 16,26). Affermare la gerarchia delle verità dovrebbe essere di fatto una espressione di tale obbedienza. A questo riguardo la gerarchia delle verità implica che l'obbedienza di fede si adegui anche al contenuto strutturato della rivelazione. L'accento posto sull'autorità formale che sostiene la rivelazione non deve oscurare le differenze tra le verità rivelate. Questo aggiunge un ulteriore senso alla parola «indifferentismo». Indifferentismo non è soltanto un atteggiamento di *laissez-faire* nei confronti della dottrina religiosa. Un'altra forma di indifferentismo tratta come uguali verità che, per il rispettivo rapporto «con il fondamento della fede cristiana», non sono uguali. In questo senso si può dire che la UR completi l'insegnamento della *Mortalium Animos* collocandola in un contesto più comprensivo.

Dal punto di vista ecumenico la gerarchia delle verità può essere di aiuto per due motivi. Primo, come uno strumento per il dialogo tra i cristiani divisi. Questa nozione può aiutare ambedue le parti in dialogo a capire in modo più accurato la dottrina dell'altro come pure aiutarli nel comprendere, esprimere e confessare insieme la fede apostolica oggi. In secondo luogo, la gerarchia delle verità potrebbe aiutare le chiese a identificare quella unità nella fede che è necessaria ad una piena comunione. Questo secondo elemento sarebbe possibile solo sotto la guida del magistero docente della chiesa, che potrebbe discernere quale importanza ha la gerarchia delle verità nell'identificare e promuovere l'unità della fede. Su questo punto è necessario che la gerarchia delle verità sia approfondita per portare avanti la discussione sul → pluralismo teologico. Può un legittimo pluralismo comprendere non solo differenze di espressione, ma anche differenze nel numero delle dottrine credute, supponendo sempre l'intenzione di credere tutto ciò che Dio rivela e l'esplicita professione delle verità centrali di fede? Una risposta affermativa a questa domanda potrebbe essere data soltanto sotto la guida chiarificante dell'autorità docente della chiesa, la quale dovrebbe anche rivolgersi alla necessità pastorale di dimostrare come tale risposta non comprometta l'autorità delle varie espressioni dell'insegnamento ufficiale della chiesa durante i secoli.

La gerarchia delle verità è inoltre importante anche per altre numerose questioni teologiche. Essa fornirebbe una direttiva al dovere di trasmettere la fede cristiana sia che si tratti di → evangelizzazione e di → inculturazione che di catechesi. Essa promette di essere un utile strumento nel → dialogo tra il cristianesimo e le religioni del mondo e nel compito di presentare ad una società secolarizzata il messaggio cristiano in modo credibile. Inoltre può servire come struttura ermeneutica al perenne compito di studiare ed esprimere sempre in modo nuovo la tradizione cristiana. Dando importanza, come in effetti fa, alla natura strutturata della rivelazione, la gerarchia delle verità si dimostrerebbe molto utile ad una più profonda comprensione dello sviluppo dottrinale. Essa resta un insegnamento conciliare degno di promettenti sviluppi.

Bibl. - H. Mühlen, «Die Lehre des Vaticanum II. Über die *Hierarchia veritatum* und ihre Bedeutung für den ökumenischen Dialog», in ThG 57 (1966) 303-335; U. Valeske, *Hierarchia veritatum*, München 1968; O. Cullman, «Einheit in der Vielfalt im Lichte der "Hierarchie der Wahrheiten"», in E. Klinger - K. Wittstadt (edd.), *Glaube in Prozess, Christsein nach dem II Vatikanum*, Freiburg 1984, 356-364; H. Witte, «Alnaargelang hun band met het fundament van het christelijk geloof verschillend is», in *Wording en verwerking van de uitspraak over de "hiërarchie" van waarheden van Vaticanum II*, Tilburg 1986; W. Henn, «The Hierarchy of Truths Twenty Years Later», in ThS 48 (1987) 439-471.

WILLIAM HENN

GESÙ DELLA STORIA E CRISTO DELLA FEDE

Per comprendere questa distinzione è necessario anzitutto situarla nel contesto storico che l'ha vista nascere. Risale a M. Kähler e alla sua piccola opera: *Der sogennante historische Jesus und der geschichtliche, biblische Christus*, pubblicata nel 1892, dove egli si impegna a dimostrare come l'unico Gesù reale sia il Cristo della predicazione e della fede e non il Gesù del passato. Egli introduce così una distinzione di successo tra il Gesù della storia e il Cristo del kêrygma. La posizione di questo autore è che il nostro interesse riguarda il Cristo della predicazione apostolica e non il Gesù della storia, di cui del resto sappiamo ben poco, per lo meno con certezza scientifica. Kähler non rifiuta ai vangeli un sostrato storico minimo, ma ritiene vana e futile la ricerca della Scuola liberale su Gesù.

Per maggiore chiarezza ricordiamo che per Kähler l'*historischer Jesus* designa l'uomo di Nazareth, così come può essere proposto da una biografia di Gesù; mentre il *geschichtlicher Christus* implica già la fede nel Salvatore proclamato dalla chiesa.

È evidente che non si tratta di negare l'esistenza terrena di Gesù, come nemmeno la predicazione del Cristo ad opera della chiesa primitiva; tuttavia non si dimentichi che si tratta sempre della stessa persona ormai «identificata» grazie alle sue dichiarazioni e alle sue opere come Cristo e Salvatore. Facendone un solo nome, *Gesù Cristo*, la chiesa sottolinea che si parla di una sola persona. La distanza tra il Gesù della storia e il Cristo della fede è artificiale e rappresenta un falso problema.

L'attuale ricerca non intende ritornare alle prospettive della *Leben-Jesu-Forschung*: essa conduce a Gesù di Nazareth identificato come Cristo e Signore sulla base di ciò che egli veramente ha detto e ha fatto nella sua vita terrena. La distinzione di Kähler, ripresa da → Bultmann, poggia su una concezione della fede che elimina l'evento che la fonda: è, in pratica, un ritorno alla gnosi.

Bibl. - M. Kähler, *Der sogenannte historische Jesus und der geschichtliche, biblische Christus*, Leipzig 1892; F. Mussner, «Der historische Jesus und der Christus des Glaubens», in BZ 1 (1957) 224-252; R. Marlé, «Le Christ de la foi et le Jésus de l'histoire», in *Et* 302 (1959) 65-76; R. Bultmann, «Das Verhältnis der urchristlichen Christuskerygmas zum historischen Jesus», in H. Ristow - K. Matthiae (edd.), *Der historische Jesus und der kerygmatische Christus*, Berlin 1961, 233-235; R. Latourelle, *A Gesù attraverso i Vangeli*, Assisi 1979.

RENÉ LATOURELLE

GIUDAISMO

I. Lo spirito del giudaismo

Indipendentemente dalla ubicazione geografica i giudei hanno, in modo più o meno accentuato, la sensazione di vivere nella Terra Santa e alcuni di loro la provano in modo intenso come il poeta spagnolo Judah Halevi i cui grandi poemi d'amore per Sion sono stati per i giudei una costante sorgente d'ispirazione dal primo momento in cui sono stati scritti.

1. L'ALLEANZA PATRIARCALE O ANCESTRALE: BERÎT ABÔT - L'inizio di questo intimo legame con la terra risale a epoche anteriori ai tempi medievali. Gli ebrei hanno sempre visto se stessi come parte di un'alleanza tra Dio e il suo popolo, alleanza che viene da Abramo, Isacco e Giacobbe. Sin dall'inizio questo rapporto comprendeva la terra d'Israele come indispensabile elemento costitutivo del patto. Il loro Dio che chiama Abramo dalla terra natia è «Elōhei Haaretz», il Dio della terra. Il patto viene stipulato quando Abramo giunge nella terra promessa: «Stabilirò la mia alleanza con te e con la tua discendenza dopo di te e di generazione in generazione come alleanza perenne, per essere il Dio tuo e della tua discendenza dopo di te. Darò a te e alla discendenza dopo di te il paese dove sei straniero, tutto il paese di Canaan in possesso perenne; sarò il vostro Dio» (Gn 17,7-8). La designazione e la santificazione del po-

polo sono inseparabili dalla santità della terra.

La promessa fatta ad Abramo fu confermata ai patriarchi successivi, a Isacco e Giacobbe. Più avanti, quando Mosè venne inviato in Egitto a liberare il popolo dalla schiavitù, sarà nel nome dell'alleanza sancita con i patriarchi che egli affronterà ogni fatica. Vi è un'unica destinazione possibile dopo l'Esodo: la terra d'Israele.

Nel prendere possesso della terra sotto la guida di Giosuè, a questi viene detto: «Sii coraggioso e forte perché tu dovrai far entrare questo popolo in possesso della terra che ho giurato ai loro padri di dare loro» (Gs 1,6).

Una volta preso possesso della terra, il contadino ebreo doveva recarsi al santuario con la decima. La seguente preghiera faceva parte dell'offerta della decima: «Volgi lo sguardo dalla dimora della tua santità, dal cielo, e benedici il tuo popolo Israele e il suolo che ci hai dato come hai giurato ai nostri padri, il paese dove scorre latte e miele» (Dt 26,15).

Le citazioni sono troppe per essere riportate tutte. Ciò che esprimono è il legame inseparabile tra il popolo e la terra, tra il popolo santo e la terra santa. I due destini, del popolo e della terra, sono inseparabili, tenuti insieme dalla promessa divina. In quel paese o in esilio ciò rimane parte della loro identità e della loro coscienza.

2. L'ALLEANZA DEL SINAI: BERÎT SÎNAÎ - C'è una seconda alleanza che è di rilievo per gli scopi che ci proponiamo, un'alleanza cui si fa già cenno nel ciclo dei racconti di Abramo. Essa tuttavia non emerge nella sua globalità che sul monte Sinai. Quanto segue può essere letto nella Genesi, nel preludio alla distruzione di Sodoma: «Devo io tener nascosto ad Abramo quello che sto per fare, mentre Abramo dovrà diventare una nazione grande e potente e in lui si diranno benedette tutte le nazioni della terra? Infatti io l'ho scelto perché egli

insegni ai suoi figli e alla sua famiglia dopo di lui a osservare la via del Signore e ad agire con giustizia e diritto, perché il Signore realizzi per Abramo quanto gli ha promesso» (Gn 18,17-19).

Più tardi, sul monte Sinai, questo comando di osservare la via del Signore diverrà la *Tôrāh*, il complesso dei 613 comandamenti che devono guidare la vita dei discendenti di Abramo, il popolo d'Israele appena liberato. Studiosi ebrei hanno normalmente capito che tutti e due i patti continuano a essere operativi, senza che il secondo abbia superato il primo. In tal modo il popolo di Israele ha una doppia santità derivante dall'alleanza: il patto ancestrale con la promessa della terra e l'alleanza del Sinai con i suoi comandamenti. Nella prospettiva del primo patto Israele all'estero, lontano dalla terra, è incompleto. Non ottempera al dovere di stabilirsi nella terra promessa ed abitarvi come popolo di Dio e per conseguenza ne viene diminuita la santità. Ma l'alleanza del Sinai non si fonda sulla terra. La *Tôrāh* può essere portata con sé e la sua santità accompagna il popolo ovunque vada. Molti comandamenti non possono essere osservati al di fuori della terra poiché si riferiscono alla presa di possesso e alla coltivazione del terreno come pure alle celebrazioni da farsi nel tempio di Gerusalemme. Ciononostante ovunque prevale la santità della *Tôrāh* del Sinai.

3. I CONTENUTI DELLE ALLEANZE - Il rabbino J.B. Soloveitchik ha trattato delle due alleanze in un famoso discorso ai fedeli sionisti d'America, i Mizrachi, negli anni 60. Egli sottolinea che il contenuto dell'alleanza del Sinai ci è chiaro. «Si esprime attraverso leggi e giudizi nel compito di osservare 613 comandamenti». Ciò conferisce al popolo giudaico un carattere e uno scopo precisi: il suo *Yiud*. Poi Soloveitchik si chiede: «Ma

qual è il contenuto del patto patriarcale? A parte la circoncisione, Dio non ha dato alcun *miṣwāh* ai patriarchi... Mi sembra che il contenuto dell'alleanza patriarcale sia da trovarsi nel senso della separazione dell'ebreo, nel suo isolamento esistenziale, nel fatto che egli deve battersi contro le filosofie secolari e le forze politiche che il non-ebreo colto ignora, nel fatto che la sicurezza della società di per sé non garantisce sempre la sicurezza agli ebrei. In altre parole il giudaismo dell'alleanza dei patriarchi si esprime bene con la nostra identificazione con Abramo l'ebreo. "Tutto il mondo da una parte e lui dall'altra". (Quest'ultima citazione è un commento midrashico alla parola *ebreo-ibri*. La radice *eber* può significare "dall'altro lato")».

«L'alleanza dei patriarchi si concretizza all'interno della coscienza giudaica, infatti gli altri indicandolo dicono: "È un ebreo!". In una parola, questa alleanza trova espressione nel senso di unione con il *Klal Yisrā'ēl* (l'insieme della collettività di Israele), nella partecipazione di ciascuno alla sorte di tutti gli ebrei e nella coscienza del fatto che essere ebreo è cosa unica e singolare. Chi non ha questa mentalità e non si sente legato alla singolare e anche paradossale sorte degli ebrei, manca della santità derivante dall'alleanza dei patriarchi. Uno potrebbe osservare tutta la *Tôrāh* e tutti i comandamenti e trovarsi così interamente inserito nel patto del Sinai e profanare nello stesso tempo la santità dell'alleanza dei patriarchi». In altre parole questa è un'alleanza di una sorte, di un destino: *goral*.

In tal modo si può affermare che gli ebrei fanno risalire all'alleanza ancestrale o patriarcale quel forte senso di appartenenza familiare: siamo i figli dei padri e delle madri di Israele. In quanto membri della stessa famiglia ognuno si prende cura dell'altro, gioisce per i successi dell'altro e piange quando uno qualsiasi della fami-

glia vive una tragedia. Il patto del Sinai è un'alleanza per imparare, per fare cioè quanto ci è stato comandato. La figura centrale è allora Mosè conosciuto nella tradizione ebraica come «il nostro Maestro».

4. IMPLICAZIONI MESSIANICO-REDENTIVE - Ognuna delle alleanze ha una sua dinamica redentiva. Per il *Berît Abôt* il dramma della redenzione si incentra sulla terra. Lontano dalla terra, Israele è incompleto, in esilio, e l'alleanza rimane incompiuta. Il ritorno alla terra ha perciò un significato messianico. Si compie così l'alleanza e ancora una volta il Dio della terra è il loro Dio. Il possesso e la sovranità sulla terra sono il segno del ritorno alla predilezione redentiva e forse anche l'inizio di un'era messianica.

La coscienza dell'alleanza del Sinai porta alla realizzazione del programma dei comandamenti della *Tôrāh* che diventano la forza guida di ciascuna delle fasi della vita del popolo. Si concentra sulla questione degli ebrei che hanno il potere di creare le circostanze in cui attuare i termini dell'alleanza. Il ritorno alla terra può essere un segno di perdono per qualsiasi peccato che abbia provocato l'esilio ed ha lo scopo di offrire una nuova occasione di miglioramento rispetto al passato. Con la speranza che ne derivi una società più perfetta che si ispira alla *Tôrāh*.

Per capire il significato religioso che ha Israele per gli ebrei si devono tener presenti ambedue le alleanze. Queste operano insieme dando vita a enfasi diverse. Esistono forme sia religiose che secolarizzate. Così nello sviluppo del sionismo abbiamo tanto ebrei religiosi che sionisti secolari ambedue preoccupati della sopravvivenza del popolo ebraico. Ambedue temono che l'emancipazione e quanto ne consegue possano produrre un'assimilazione totale o un annullamento antisemitico. Queste previsioni si sono purtroppo realizzate e confermate sia con l'olocausto che con l'assimilazione generalizzata presente in tutte le comunità della diaspora. Si trovano anche ebrei religiosi spinti dalle preoccupazioni del Sinai per cui vi sono maggiori occasioni di attuare le responsabilità dell'alleanza nella terra d'Israele che fuori da essa, ivi compreso il comando di assoggettarla e renderla fertile. Anche i sionisti secolari hanno una loro versione della coscienza del Sinai: mirano a costruire una società radicata sui valori giudaici di giustizia.

L'azione sionista è così motivata da tutt'e due le forme di coscienza dell'alleanza. L'emancipazione ha prodotto la perdita della sovranità della vita ebraica comune, un prezzo pesante pagato all'integrazione nello stato moderno. Con essa gli ebrei sarebbero stati integrati in quanto cittadini a pieno titolo nei loro paesi di residenza. E ciò sarebbe stato una difficile sfida all'identità della nazione ebraica. Il *Berît Abôt* era in pericolo e presto anche il *Berît Sînaî* sarebbe stato minacciato man mano che procedeva il processo di indigenizzazione. Ogni sforzo atto a preservare un forte senso della vita comune ha dovuto misurarsi con gli sviluppi del moderno antisionismo politico e razziale. La sovranità ebraica nell'antica patria diveniva una necessità per la sopravvivenza di ambedue le alleanze. Uno stato-nazione sarebbe stato la garanzia della sopravvivenza fisica e del rinnovamento spirituale del popolo ebraico in ogni parte del mondo.

5. LO STATO DI ISRAELE - L'avverarsi delle aspirazioni sioniste e l'antico sogno del nostro popolo si realizzarono con la creazione dello stato di Israele nel 1948, con una risoluzione dell'Assemblea Generale delle Nazioni Unite. Da allora lo stato si è andato progressivamente sviluppando in quanto elemento significativo della vita religiosa, spirituale e morale degli ebrei in ogni parte del mondo. Ciò

è sembrato particolarmente vero da quando nel giugno del 1967 Gerusalemme è passata sotto il controllo di Israele con la guerra dei sei giorni.

La guerra era stata preceduta da settimane di timori che colpirono gli ebrei con le notizie di minacce e i preparativi per buttare a mare tutti gli abitanti di Israele. Il fulmineo, drammatico e inatteso scampo dal disastro e l'occupazione di Gerusalemme furono per molti una svolta decisiva. Da quel momento molti ebrei si identificarono con Israele e con il ritrovato patrimonio spirituale in una impresa interamente nuova di moderna vita ebraica. Dovettero ammettere che la rinascita di Israele rappresentava una promessa per la sopravvivenza della nazione e la determinazione a ricostruirla dopo il massacro provocato dall'olocausto. Dopo duemila anni di relativa impotenza a difendersi gli ebrei avrebbero ora avuto la forza per farlo e, ancor più significativamente, per delineare il loro destino in quanto popolo moderno di radici antiche.

Imparare a usare questa forza per creare un nuovo stato è stato fonte di sfide continue. Come il dover cogliere numerosi profughi dall'Europa e dai paesi arabi, costruire una società moderna e giusta, cercare di creare un centro spirituale per gli ebrei di tutto il mondo mentre era giocoforza difendersi e studiare una forma di pacifica coesistenza con i vicini.

Molti ebrei sono orgogliosi dei risultati ottenuti dallo stato mentre non si nascondono i molti problemi che Israele deve affrontare. Si può ben affermare che gli ebrei sparsi in tutto il mondo cercano di essere partners responsabili nello sviluppo della vita di Israele. Hanno una sensibilità accentuata per i problemi della sicurezza, della stabilità e del morale dei cittadini di Israele. Molte attività della comunità ebraica della diaspora fanno riferimento a Israele: conferenze di eminenti studiosi o leaders israeliani, raccolte di fondi per scopi educativi e umanitari, incoraggiamento agli investimenti economici. Frequenti sono i viaggi in Israele che numerosi studenti compiono come parte dei loro corsi di studio. Tali attività danno sia agli individui che alle comunità ebraiche il vero senso della partecipazione alla costruzione della nazione di Israele.

Tutto ciò ha portato a un vivo senso di identità comunitaria e nazionale degli ebrei (l'adempimento del patto con i patriarchi) che comprende sforzi a mantenere l'assistenza alle comunità della diaspora con particolare attenzione agli ebrei che si trovano in circostanze critiche come in Russia, in Siria e in Etiopia.

Così la rinascita dello stato di Israele sull'antica terra dell'alleanza ha marcato un rinnovato impegno verso la nazione che è stata sempre l'essenza della coscienza del patto con i patriarchi. In tale prospettiva la sopravvivenza del popolo ebraico nella storia è di per sé un fenomeno sacro, fonte di ispirazione per molti ebrei di oggi − sia quelli coinvolti sia quelli in qualche modo alienati dalla tradizione − a rafforzare i loro legami ebraici e anche ad approfondire la loro comprensione di quegli insegnamenti religiosi, spirituali e morali che costituiscono il loro patrimonio e provengono dall'alleanza del Sinai.

6. POTERE: BENEDIZIONI E DILEMMI - Così il potere è considerato una necessità per sopravvivere come popolo unico. Si pensa anche che il potere sia necessario per la realizzazione della visione del Sinai. È una sfida che impone all'ebraismo di venire a patti con il mondo reale e con i problemi della vita moderna. Chi è senza potere può restare seduto ai bordi della strada e moraleggiare. È infinitamente più difficile sradicare la povertà, creare posti di lavoro, combattere guerre e terrorismo con dignità. Si devono fare delle scelte e spesso si sbaglia. Spesso anche le scelte migliori possono avere delle conseguenze spiacevoli e impreviste.

L'esistenza dello stato è un'occasione per far rivivere l'ebraismo, per mettere in pratica i comandamenti di Dio che devono far da guida a una società moderna. Può il sacro entrare nel mondo e trasformarlo o deve rimaner racchiuso nelle sinagoghe e nei centri di studio, lontano dalle tensioni della vita reale? Possono gli ebrei creare una società che sia fedele ai valori della bontà e della giustizia? Oppure ciò vale solo per sognare e non per la realtà?

Dal momento che gli ebrei considerano la lotta mediante il potere e le implicazioni che ne derivano un problema oggi assolutamente critico, sarà giocoforza soffermarcisi ed ampliarne la dialettica. Oggi si è capito che parole aspre e atteggiamenti involuti possono diventare forme articolate particolarmente pericolose. Gli ebrei sono spesso preoccupati perché si potrebbero scordare le lezioni del potere. Per tutta la nostra storia abbiamo avuto abbastanza forza morale per negoziare la nostra esistenza mantenendoci un'entità fisica e spirituale ben distinta. A volte la bilancia si è abbassata a nostro svantaggio. Ci è mancato il sostegno che sarebbe stato necessario per proteggerci e ne abbiamo sofferto le conseguenze. L'esempio più tragico si è avuto ai nostri giorni. Nel momento dell'olocausto abbiamo sofferto di un'assoluta impotenza. Non si è potuto fare quasi nulla per salvare i sei milioni di ebrei che furono eliminati e per le numerose comunità che fecero l'esperienza del trasferimento forzato. Questo doloroso evento è ancora fresco nella nostra mente ed evoca incubi in molti sopravvissuti. Ma la nostra generazione ha fatto anche esperienza di una realtà insperata. La nascita e lo sviluppo dello stato di Israele, nonostante i molti problemi, è un fatto straordinario moderno. Noi speriamo e preghiamo che sia «reshit zemihat geulatenu», il primo fiorire della grande redenzione promessa. Certo, Israele è considerato oggi una delle principali potenze per la sua capacità militare. In tutta la nostra storia non siamo forse mai stati forti come oggi in senso assoluto o relativo. In breve tempo siamo passati da una condizione di estrema impotenza a una di estrema potenza. Questa potenza tuttavia non è solo un bene, è anche una sfida. Una nazione può ubriacarsi di potere come successe per l'antico Egitto del Faraone. Possiamo forse dimenticare la lezione del profeta Zaccaria: «Non con la forza, non con la potenza, ma con il mio spirito, dice il Signore Dio degli eserciti»? Questi versi si leggono nella festa della *Hanukkāh* richiamando alla memoria la vittoria e la potenza dei Maccabei. Essi sono una sfida permanente per chiunque detenga il potere.

Cos'è questo spirito di Dio cui Zaccaria si riferisce? Sicuramente è parte della coscienza del Sinai. Prima di Zaccaria era già stato descritto molto bene da Isaia con riferimento al leader messianico: «Lo spirito del Signore si poserà su di lui: spirito di sapienza e di intelligenza, spirito di consiglio e di fortezza, spirito di conoscenza e di timore del Signore». Un senso di verità, di giustizia e di bontà ne caratterizzerà le azioni. Ed ecco quali ne saranno i risultati: «Il lupo dimorerà insieme con l'agnello, la pantera si sdraierà accanto al capretto; il vitello e il leoncello pascoleranno insieme e un fanciullo li guiderà. Il bue e l'orso pascoleranno insieme; si sdraieranno insieme i loro piccoli. Il leone si ciberà di paglia come il bue». Lo spirito di Dio si manifesta quando i potenti, anziché abusare dei deboli, imparano a vivere con essi nello stesso mondo. È dovere dei ricchi e dei potenti iniziare questo processo. Sono loro che si assumeranno le proprie responsabilità facendo uso della loro ricchezza – la forza e l'abbondanza che Dio ha loro affidato – condividendola con gli altri. Questa è la nostra visione del futuro.

L'arroganza del potere consiste nell'ostinazione con cui il proprio volere viene imposto sugli altri in modo pieno e totale. In effetti i bisogni degli altri sono ignorati e la loro dignità e i loro diritti sono zero. La tentazione del potere è sognare di riuscire a ottenere tutto ciò che si vuole, facendo uso della forza se necessario. Non ci si accontenta di un successo parziale, si pensa di poter avere tutto. Gli umili sanno che in questo mondo imperfetto in cui viviamo la volontà inadeguata deve normalmente essere considerata adeguata. L'arroganza di pretendere tutto può portare a non avere nulla. Secondo il Pirke Abot, «Tafasta merubah, lo tefasta» ossia «Chi troppo vuole nulla stringe». È una verità che si può applicare a tanti aspetti della vita.

Frasi, in quanto frasi, pronunciate in comunità possono in certi casi indurre a giustificare azioni criminali che non rientravano nelle intenzioni originarie di chi le ha dette. Mi riferisco ancora alla nostra esperienza dell'olocausto la quale ci ha insegnato che convinzioni e atteggiamenti duri finiscono per influire sul nostro comportamento verso gli altri. Le azioni seguono le parole e alla fine il processo di disumanizzazione può portare alla distruzione. Dopo secoli di discorsi disumanizzanti nei confronti degli ebrei gli atti fecero seguito alle parole e noi fummo colpiti dalla fin troppo conosciuta tragedia. Nel ritmo della vita che oggi si è fatto più intenso, il processo può essere ancora più veloce. Rinchiudere in una baracca degli arabi innocenti e dar loro fuoco è un chiaro esempio di questo fenomeno. Quanti detengono il potere e hanno autorità devono fare ancora più attenzione alle loro parole perché anche le parole hanno potere. «Hakhamim, heezaharu bedibrèykhem». «Sapienti, siate prudenti con le vostre parole», consiglia ancora il Pirke Abot. Saggio consiglio davvero.

7. ALLEANZA IN CONFLITTO - I due tipi di coscienza dell'alleanza possono essere in conflitto tra di loro. Secondo la mentalità del Sinai l'osservanza delle norme della *Tôrāh* sulla pace, la giustizia e la compassione deve essere bilanciata con gli altri comandamenti di sviluppo e coltivazione della terra e con il dovere di assicurare agli ebrei un'esistenza sicura. Coloro cui spettano le decisioni devono arrivare alla conclusione di come bilanciare tra di loro norme antitetiche e come pesare ciascuna componente di una data situazione. È possibile che non risultino totalmente soddisfatte tutte le esigenze mentre ci si sforza di arrivare a una giusta conclusione.

Tuttavia la coscienza dell'alleanza ancestrale ha solo un punto all'ordine del giorno: il possesso della terra, la sovranità e il potere con cui assicurare la sopravvivenza degli ebrei secondo la loro visione dell'alleanza. Altre considerazioni sono irrilevanti.

L'attuale realtà di Israele riflette spesso il conflitto esistente tra questi due modi diversi di porre il problema. Tradizionalmente gli ebrei si sono mossi alla luce di una forte coscienza del Sinai cercando di applicare i comandamenti alla realtà d'ogni giorno. Lo stato d'animo del giudaismo dopo l'emancipazione e l'olocausto sembra esser piuttosto quello di preoccupazione per la semplice sopravvivenza. C'è stato un chiaro spostamento verso una coscienza dell'alleanza ancestrale anche tra molti fautori della tradizione sinaitica. La vita e il pensiero degli ebrei dovrebbero riflettere ambedue queste alleanze fondamentali che hanno dato una fisionomia al nostro popolo nei secoli. Resta da vedere come gli ebrei sceglieranno di affrontare le loro responsabilità.

HOWARD JOSEPH

II. La vita giudaica

1. - SCRITTURE EBRAICHE E COMPRENSIONE CRISTIANA - Le Scritture ebraiche più fondamentali vengono chiamate dagli ebrei *Tanakh*, o bibbia ebraica. È quanto i cristiani chiamano «Antico Testamento», anche se tale denominazione suggerisce un'interpretazione cristiana del ruolo e dello scopo delle Scritture. Indica che, in contrasto con il l'AT, il «Nuovo» è migliore ed è da preferire in quanto perfezionamento dell'AT che è considerato incompleto.

Neppure gli ebrei del resto considerano le Scritture ebraiche, e in modo particolare i primi cinque libri (il Pentateuco, o Libri di Mosè), come un qualcosa di completo. Essi tengono in considerazione il testo scritto e, al tempo stesso, una interpretazione orale che completa la bibbia ebraica. Questa interpretazione che completa il testo e ne rende il messaggio applicabile alla vita di ogni giorno introduce contemporaneamente al messaggio scritto. Le interpretazioni orali sono tanto valide quanto il materiale scritto e sia il testo che la sua interpretazione devono essere capite insieme. In effetti ambedue le tradizioni, quella scritta e quella orale, sono una cosa sola. I cristiani hanno consapevolezza del testo scritto ma sanno molto poco della tradizione orale.

L'insieme – comprendente testo e interpretazione – può esser diviso in due ampie aree: il materiale legale e le direttive morali. Tutto insieme questo si chiama *Tôrāh*. La stessa voce *Tôrāh* viene comunemente interpretata in tre modi diversi: *a.* i primi cinque libri di Mosè, dal Genesi al Deuteronomio (il Pentateuco); *b.* l'intera bibbia ebraica con le scritture non contenute nel Pentateuco che assicurano l'interpretazione del medesimo; *c.* l'intera bibbia ebraica con in più la sua interpretazione orientata alla pratica. Un ebreo religioso opterebbe per quest'ultima. Quegli ebrei che conducono una vita basata sul solo testo sono considerati eretici. I farisei, malgrado tutta la pubblicità negativa e i frequenti pregiudizi del NT, sostennero l'idea di un rapporto continuo e vivente fra il testo e la sua interpretazione e fra la tradizione scritta, Dio che ne è l'autore e l'individuo. Fecero sì che tutti, ricchi e poveri, lavoratori e principi o sacerdoti, potessero divenir parte integrante della tradizione. In questo spirito la tradizione giudaica ha sempre cercato che ogni persona avesse un rapporto con Dio in ogni età e in ogni circostanza, nella propria terra o tra i gentili, in tempo di tolleranza o di persecuzione.

La bibbia ebraica - La bibbia ebraica è suddivisa in tre parti principali: i libri di Mosè o Pentateuco, i Profeti e gli Scritti.

L'ordine dei libri della Scrittura ebraica differisce da quello della Scrittura cristiana; per es. la bibbia ebraica si conclude con gli Scritti mentre le versioni cristiane della stessa bibbia collocano i profeti posteriori dopo gli Scritti e subito prima dei vangeli. Le Scritture della bibbia ebraica sono ordinate in modo da insegnare uno stile di vita nel contesto della storia (Genesi, Re II), poi si concentrano nell'attuazione del rapporto derivante dall'alleanza (profeti posteriori). La bibbia ebraica si chiude con gli Scritti, testi di varia natura non necessariamente legati ad aspetti specifici della storia o dei problemi profetici e nondimeno contenenti aspetti del rapporto e dell'esperienza tra il credente e Dio. Sembra che l'intento dell'ordine cristiano sia quello di sottolineare il rapporto diretto tra la «promessa» contenuta nei Profeti e la sua «realizzazione» nei vangeli.

Storia e alleanza - La storia del popolo ebraico dei tempi antichi è contenuta nel Pentateuco e nei profeti anteriori, ampliata poi in Esdra, Nee-

mia e Cronache. È una storia di promessa e adempimento. Comincia con la creazione, continua riflettendo sulla società umana nel suo insieme e poi sul rapporto speciale di Dio con i discendenti di Abramo, Isacco e Giacobbe, cioè con il popolo di Israele. L'intera storia si fonda sulla nozione di alleanza, un accordo contrattuale tra Dio e l'umanità.

I profeti vennero suscitati da Dio perché rammentassero al popolo quelli che erano gli obblighi derivanti dall'alleanza.

Individuo e comunità nel rapporto dell'alleanza - Nella società contemporanea si dà molta importanza all'individuo. Mentre le leggi e ingiunzioni morali cristiane si rivolgono all'individuo e solo in un secondo tempo alla comunità nel suo insieme, la bibbia ebraica si rivolge innanzitutto alla nazione e solo in modo secondario agli individui che la compongono.

La *Tôrāh* è un programma di vita. Il suo scopo è quello di dirigere le azioni delle persone in modo che esse possano condurre una vita pia.

Una grande differenza tra la visione giudaica e quella cristiana dell'umanità è che nel giudaismo manca assolutamente la nozione di caduta o di colpa originale trasmessa da una generazione all'altra. Il cristianesimo crede invece che gli effetti del peccato di Adamo ed Eva vengano tramandati alle generazioni successive.

Così pure la nozione di messia differisce per gli ebrei e i cristiani (→ Messianismo, I).

Disputa e dialogo - I modi diversi con cui si possono raggiungere gli scopi religiosi hanno indotto ebrei e cristiani a interpretazioni diverse delle Scritture ebraiche nel loro insieme o di parti specifiche delle medesime. Nei tempi antichi e nel medioevo vi furono dispute tra ebrei e cristiani sulla interpretazione della Scrittura; in esse i cristiani sostenevano che la

Scrittura ebraica apparteneva interamente a loro e la vedevano strettamente legata alla Scrittura nel NT.
È fuori dubbio che fin dall'inizio il
cristianesimo ha cercato di mettere in
luce il suo stretto rapporto con il giudaismo anche nel momento in cui
tracciava la discendenza ebraica di
Gesù. Ci sono voluti quasi duemila
anni di riflessione, di accuse, di oppressione e anche un tentativo di eliminare gli ebrei e il giudaismo, prima che si potesse passare dalla disputa al dialogo. Con il dialogo si ricerca un maggior apprezzamento della
lettura che della Scrittura fanno sia
gli uni che gli altri e si tende al rispetto dell'interpretazione scritturale
che gli ebrei hanno il pieno diritto
di fare. Siamo arrivati a capire che
i cristiani e le Scritture cristiane sono
state «innestate» nella tradizione
scritturale ebraica. Il Consiglio mondiale delle chiese parla di una «asim-
metria» delle Scritture: mentre i cristiani hanno bisogno dell'AT, questo non ha bisogno del Nuovo. Non
solo, ma il popolo ebraico, la cui
Scrittura è l'AT a cui si riferisce col
nome di bibbia ebraica, ha sviluppato una fruttuosa vita morale e religiosa anche senza il NT. È una sfida
tutta speciale per i cristiani e anche
per gli ebrei quella di capire ciò che
ciascuno ritiene di grande valore nella propria tradizione scritturale e di
vedere che, nonostante differisca per
ciascun gruppo ciò che costituisce la
Scrittura, sia l'uno che l'altro sono
completi nel loro diritto. E anche se
il metodo può essere differente essi
mantengono in comune un obiettivo
di bontà e di santità in questo mondo carico di problemi.

Con il dialogo con cui ebrei e cristiani prestano attenzione alla rispettiva interpretazione della Scrittura, le
due parti si arricchiscono a vicenda
e cominciano a capirsi. Dialogo significa cambiamento in chi vi partecipa e nel migliore dei casi occasione
per cominciare a guardare all'altro

non come a un nemico da vincere ma
come a un amico che porta nuova
luce da quel Dio che si rivela nella
Scrittura.

2. GESÙ E LA PRIMA COMUNITÀ CRI-
STIANA - a. *Chi era Gesù di Nazareth?* - Avete mai pensato sul serio
a chi era questo Gesù di Nazareth?
Si dà per scontata la risposta che in
fondo è semplice. Certo, è uno di cui
si legge nel NT e nella cui immagine
ci si imbatte in una forma o nell'altra ogni qualvolta si va in chiesa o
quando si richiamano alla mente le
memorie dell'insegnamento domenicale. Tutto è piuttosto vago, anche
confuso e forse non sono molti quelli che hanno l'interesse di scoprire chi
sia stato in realtà questo Gesù. In
fondo si crede di saperlo e non si sente il bisogno di ulteriori ricerche.

Quello che segue è una sfida a ripensare e rileggere almeno alcune pagine del NT partendo dall'ipotesi che
vi sono ancora delle cose da scoprire
e da imparare su di lui. Siccome fa
parte di uno studio di ciò che è conosciuto come «l'olocausto» e dovendo in qualche modo far risalire al NT
molte delle tensioni e delle difficoltà
presenti e passate tra cristiani ed
ebrei, sarà giocoforza sottolineare il
rapporto tra Gesù e gli ebrei senza
dimenticare che lui stesso era un
ebreo. Uno dei nostri compiti oggi
è quello di riscoprire la sua «ebraici-
tà» che – non va dimenticato – fu
strenuamente e violentemente negata
dalla ideologia nazista.

Non è sufficiente fermarci all'affermazione del credo che Gesù si fece
uomo. Gesù non si fece uomo in generale, né divenne un uomo neutrale, un uomo privo di colore e di dati
razziali, anche se è dubbio che possa
esistere un tale uomo. Gesù per essere autenticamente uomo concreto divenne ebreo e niente altro. Nacque
giudeo, crebbe piamente all'ombra del
tempio e della sinagoga in modo del
tutto naturale. Visse e morì come giu-

deo. In questo contesto si deve tornare a riflettere sul significato di tanti versetti del NT: Gv 1,46; Lc 2,42. 51; Lc 4,16; Gv 2,13; Mc 15,34; Sal 22,1. Fu conosciuto come il figlio di un falegname (Lc 4,22; Mc 6,2-3; Gv 6,42), ebbe quattro «fratelli» e almeno due «sorelle» (Mc 6,2-3); fu stimato come uomo colto e pertanto chiamato maestro (Gv 1,38; 3,2; Mc 10.17; Mt 19,16; Lc 18,18), fu invitato a cena nelle case di cittadini influenti ed egli non li rifiutò (Lc 7,36). Spesso operò come esorcista e guaritore (Mc 1,32-34, Gv 5,2-8), assai più spesso come maestro nella tradizione dei profeti (Mc 1,14-15; Mt 5,1-2; Lc 4, 43-44) come uno dei farisei. Niente al di fuori dell'ordinario sembra sia successo attorno a lui nonostante che di quando in quando Gesù abbia incontrato opposizione e critica (Lc 4, 28; 5,21). Perlopiù si trattava solo di dispute su questioni esegetiche cui si lasciavano volentieri andare i teologi in generale e i farisei in particolare (Mc 7,1-23). Una cosa tuttavia è fuori discussione: l'interesse anticonformista dimostrato da Gesù per i peccatori e gli emarginati spesso provocò protesta e conflitto come vediamo in Lc 15; Mt 18,12-14.

La situazione cambia radicalmente e in peggio quando Gesù viene a Gerusalemme in quello che sarebbe stato il suo ultimo pellegrinaggio nella città santa (Mc 11,1ss; Mt 21,1ss; Lc 19,28ss; Gv 2,12ss). La popolarità di cui godeva in tutto il paese gli valse una festosa accoglienza. I guai cominciarono quando Gesù entrò nel tempio e cominciò a scacciarne cambiavalute e mercanti che per antica abitudine vi conducevano i loro affari (Mc 11,15-18; Gv 2,13-16). E quando cominciò a fare commenti critici sullo stesso tempio (Mc 13,1-2; Lc 21,5-6; Gv 2,18-22) la gerarchia incaricata del tempio, dei suoi servizi e della amministrazione cominciò a mettere in discussione l'autorità di Gesù (Mc 11,27-33; Mt 21,23; Lc 20,

1-2; Gv 2,18). La sequenza degli eventi che portarono alla crocifissione è registrata da tutti gli autori dei quattro vangeli. Da essi traspare che la gerarchia ebbe un ruolo determinante nel lavoro di preparazione senza, però, essere alla fine parte diretta nella esecuzione del piano. Non sarebbe infatti stato possibile per la semplice ragione che nella loro legge non era prevista la crocifissione come strumento della pena capitale. La crocifissione era per tradizione una forma con cui i romani applicavano la pena capitale ai ribelli che mettevano in pericolo la sicurezza dello stato. È difficile dire con certezza fino a che punto rimase coinvolta la leadership ebraica, se ne possono nondimeno individuare alcuni punti.

b. *Di chi è la responsabilità della crocifissione?* - 1. Non è verosimile (come lascia intendere Marco) che l'intero sinedrio si radunasse nella residenza ufficiale del gran sacerdote (Mc 14,53) e non piuttosto nella sala del giudizio o nel tribunale ufficiale. Matteo, Luca e Giovanni parlano di una riunione più modesta, forse qualcosa come un comitato esecutivo.

2. È degno di nota il fatto che i farisei con cui Gesù spesso si era scontrato in aspri dibattiti (anche se va ricordato il tentativo dei farisei di salvare la vita di Gesù, Lc 13,31) non compaiano per nulla nella storia della passione e della crocifissione. Essi non avevano la responsabilità né del tempio né delle cerimonie che vi si svolgevano; inoltre né il metodo e i contenuti del loro insegnamento né la loro condizione sociale erano in alcun modo messi in pericolo dal rabbi di Nazareth. Per molti versi l'insegnamento di Gesù poteva apparire parallelo al loro e assai spesso Gesù avrebbe potuto esser preso per uno di loro.

3. La maggioranza del popolo sembrava essere dalla parte di Gesù. Occorreva disfarsene rapidamente prima che tutti credessero in lui (Gv 11,

48); la gente pendeva dalle sue labbra (Lc 19,48) e ci si aspettava ormai una rivolta in favore di Gesù (Mc 14,2). La folla che si dice si assiepasse fuori del palazzo del governatore (Mc 15,11; Mt 27,20, Lc 23, 13; Gv 18,38) non era altro, con ogni probabilità, che una feccia pagata dai capi perché assistesse al processo.

4. Nel medesimo contesto si deve leggere anche il verso che è stato così spesso usato nella storia come evidenza della responsabilità degli ebrei nella morte di Cristo per giustificarne la punizione (Mt 27,25). Non vi fu una presenza della nazione giudaica anche se Matteo usa un linguaggio che sembra riferirvisi mentre in versetti precedenti (15,20,24) aveva chiaramente accennato alla sola presenza di una plebaglia radunata e organizzata. È un vero peccato che le nostre versioni non riescano a chiarire questa differenza di vitale importanza. Si deve anche notare che il lavarsi le mani come segno di innocenza è un gesto giudaico (Dt 21,1-9) più che romano e che è quindi poco probabile che l'abbia compiuto Pilato. Dietro questi versetti vi è più una tendenza teologica che dei fatti storici, ma di quali indicibili dolori son divenuti responsabili!

Per concludere, in nessun modo si può dire che tutti «i giudei» della generazione del NT furono responsabili della crocifissione e della morte di Gesù di Nazareth. Né vi è la minima giustificazione per ritenerne responsabili gli ebrei di tutti i tempi.

c. *Il vangelo di Giovanni* - Un atteggiamento più ostile nei confronti degli ebrei sembra trovarsi nel vangelo secondo Giovanni. In varie parti del vangelo gli avversari di Gesù sono semplicemente chiamati «i giudei». Si deve tener presente che questo vangelo fu scritto in un'epoca relativamente tarda quando già si era verificata la rottura fra la comunità cristiana e la sinagoga, cui fa riferimento Gv 9,22. Era nell'interesse del-

la comunità cristiana sottolineare le differenze esistenti tra questa e la sinagoga, la «madre chiesa». Vi furono avvenimenti esterni che contribuirono ad acuire la divisione, per esempio la distruzione del tempio ad opera dell'esercito di Tito nell'anno 70, fatto ampiamente giudicato dai cristiani come segno esterno e visibile che Dio aveva sottratto agli ebrei il proprio favore. Attribuire la responsabilità della crocifissione alla comunità ebraica altro non era che una conseguenza di questa teologia della «rimozione».

In vista del fatto che in nessun modo l'intero popolo poteva essere pienamente coinvolto nei fatti che portarono alla crocifissione, non si deve ritenere che Giovanni abbia usato un linguaggio atto a correggere i racconti dei primi tre vangeli. Forse, invece, di «giudei» in senso comprensivo si potrebbe cercare di leggere «gli altri giudei» o «gli avversari di Gesù» o «i capi dei giudei». Talvolta il termine sta semplicemente a indicare la gente della provincia della Giudea. Non si dovrebbe nemmeno tralasciare l'importanza data al problema nel «libro dei servizi alternativi» e l'idea in esso contenuta che il termine «giudei» del vangelo di Giovanni può applicarsi a particolari individui e non all'intero popolo ebraico. Nella misura in cui ognuno di noi volta le spalle a Cristo, infatti, continua quella nota, è responsabile della sua morte (liturgia del venerdì santo).

Nel suo colloquio con la Samaritana (Gv 4,22) Gesù afferma che la «salvezza viene dai giudei». La discussione tra lui, giudeo (Gv 4,9), e la donna samaritana riguarda il luogo del culto, Gerusalemme o il monte Garizim, e Gesù sottolinea che il culto avviene in «spirito e verità» indipendentemente dal luogo in cui questo si svolge (Gv 4,24). Gesù vuole indicare che il luogo di culto dei giudei è migliore o, se si vuole, più appropriato. I giudei sanno che la salvezza viene da loro; la prerogativa permanente di Israele da cui viene il messia è così chiaramente indicata da Gesù. La permanenza di Israele dopo Gesù è dunque proclamata in un vangelo ritenuto antigiudaico!

d. *Il posto di Israele nella storia della salvezza* - Il dibattito sul destino spirituale e religioso dei «giudei» deve essere cominciato presto nella comunità cristiana, subito dopo la crocifissione e molto prima che fossero scritti i vangeli. «I giudei», nella persona dei loro capi, furono ritenuti responsabili della crocifissione di Gesù di Nazareth considerato e acclamato messia da ampi strati della popolazione (Mc 8,29; 11,9-10) e confermato dal Padre mediante la risurrezione dai morti. Si poneva ora la domanda: quale sarebbe stato il futuro dei giudei e di Israele? Sarebbero stati perduti e condannati per sempre? L'uccisione di Gesù era stata un deicidio? Non erano essi il popolo eletto (Os 11,1) che aveva sperato nel messia a lungo desiderato? Ormai avevano perso il posto assegnato loro da Dio nel progetto di salvezza per non aver voluto riconoscere che Gesù era il messia e il posto rimasto vacante era stato occupato da coloro che hanno fede in Gesù. Non si deve dimenticare che almeno all'inizio questo era un dibattito tra giudei, tra quelli cioè che accettavano Gesù come messia e quelli che lo rifiutavano. Non era ancora una disputa fra gentili e giudei o tra cristiani ed ebrei nel senso moderno.

e. *Paolo e gli ebrei* - Paolo raccoglie la discussione. In nessun modo i giudei hanno perduto il loro posto nella storia della salvezza! Io che ero un fariseo (At 23,6), ben istruito nella legge e nella religione ebraica (At 22,3) e che sono ora discepolo e messaggero di Gesù di Nazareth (At 9,15) desidero rammentarvi alcuni fatti, scrive nella sua lettera alla comunità dei romani. Gli ebrei (io sono uno di loro, non dimenticate!) «possiedono l'adozione a figli, la gloria, le alleanze e le promesse» (Rm 9,4ss). Il Padre che li ha scelti semplicemente perché li ha amati (Dt 7, 7-8) continua a farlo, «perché i doni e la chiamata di Dio sono irrevocabili» (Rm 11,29). Momentaneamente – non si deve dimenticare che la prima generazione di cristiani attendeva l'imminente ritorno di Gesù Cristo e la fine della storia – alcuni giudei non credono in Gesù come messia ma lo faranno in futuro (Rm 11,25ss). Altri ci credono, come Paolo (Rm 11,1), tutti i discepoli, le donne della storia della passione e molti altri ancora. È di grande rilievo tenere a mente che la prima rottura non avvenne tra gentili ed ebrei né tra cristiani ed ebrei ma tra ebrei ed ebrei, ebrei cristiani ed ebrei israeliti.

Fin dall'inizio del secondo secolo i giudei che accettavano Gesù come messia venivano chiamati apostati dalla comunità ebraica, la sinagoga. Agli occhi di questi, però, i veri ebrei erano i seguaci di Gesù mentre per il momento i cuori degli altri rimanevano induriti (Rm 11,25) per il rifiuto di riconoscere l'evento messianico della morte e della risurrezione di Gesù. I giudei cristiani, per il loro modo di vedere, erano cittadini con una doppia nazionalità, parte del popolo ebraico e al tempo stesso della comunità di Gesù Cristo.

Paolo, in quanto uno di loro, è profondamente preoccupato del presente e del futuro di Israele, pur tuttavia il suo interesse principale rimane per i pagani e i gentili (Gal 2,7-9). I cristiani gentili non devono osservare la *Tôrāh* (At 15,10.19; 10,34-35. 44ss): l'unico obbligo che hanno nei confronti degli ebrei è quello di non dimenticare i poveri della comunità di Gerusalemme (Gal 2,10). I cristiani giudei dal canto loro continuano ad adorare nel tempio (At 2,46) e sono ancora tenuti a osservare la

Tôrāh. Ambedue i gruppi dovevano naturalmente condurre una vita morale e non gli era consentito mangiare cibi ritualmente impuri (At 15,20).

Cristo e la *Tôrāh* non sono perciò considerati come eliminantisi a vicenda. Gesù non è la fine storica della Legge, come le parole di Paolo sembrerebbero indicare (Rm 10,4). Egli stesso aveva reinterpretato ma non abrogato la legge (Mt 5,17-20, 21,48) e ora i suoi discepoli e seguaci dovevano gioiosamente proseguire, guidati dalla medesima, nello spirito del loro maestro (Rm 12,1). La volontà di Dio, santa, giusta e pia, continua a guidare e a dirigere i discepoli del Signore nel culto e nel servizio (Rm 13, 8ss). Nel piano di Dio la venuta di Gesù non è la fine dei giudei (e della *Tôrāh*). È piuttosto un dischiudersi delle porte perché vi entri la moltitudine dei gentili. Il dramma continua, gli attori sono gli stessi, solo se ne accresce il numero.

3. L'APPROFONDIRSI DELLA ROTTURA - a. *La rottura tra la chiesa e la comunità giudaica* - Sarebbe ingiusto e scorretto sostenere che le radici dell'«olocausto» si devono ricercare esclusivamente nel NT e tra le persone e i movimenti all'interno della chiesa cristiana. Non si può però negare che parti del NT appaiono fortemente antigiudaiche (cfr. più avanti), che alcuni Padri della chiesa e persone come Lutero sono stati pieni di pregiudizi antiebraici, che il loro linguaggio è stato praticamente antisemitico e le azioni di numerosi concili della chiesa sono state riprovevoli. Nell'enumerare le cause dell'«olocausto» si devono ricordare anche quelle che non sono strettamente religiose. Furono prese decisioni e intraprese azioni politiche direttamente contro gli ebrei; furono pronunciati discorsi, organizzate riunioni, scritti opuscoli e libri che denunciavano una non meglio identificata insidia ebraica, culturale, politica ed

economica, alla civiltà cristiana e occidentale.

Talvolta la chiesa prese delle misure cedendo agli ordini delle autorità civili. Altre volte assicurò ispirazione o anche incoraggiamento attivo a questo o quel libro, a questa o quella pubblicazione, ad una linea di pensiero, se non addirittura ad azioni violente. In molti casi potrebbe non esser facile individuare la causa originaria di uno o più avvenimenti anche se si può ben presumerne l'ispirazione. Per lo scopo del presente articolo maggiore importanza verrà data a quegli sviluppi occorsi all'interno della chiesa e della teologia cristiana che contribuirono all'«olocausto», anche se è chiaro che vi sono state altre influenze.

La distruzione del tempio di Gerusalemme da parte dell'esercito romano nel 70 d.C. ebbe numerose conseguenze. Pose fine al governo fantoccio ebraico del regime sadduceo. Per quasi duemila anni, fino a quando cioè fu creato lo stato di Israele, gli ebrei in quanto popolo rimasero senza uno stato ossia senza responsabilità politica sopra un determinato territorio. Agli occhi dei cristiani la presenza di Dio si era allontanata da questo popolo e il favore divino si era spostato da loro. La vecchia alleanza appariva superata e non molto dopo l'anno 70 una lettera, attribuita a Barnaba, venne scritta alla chiesa in quanto vero Israele. Il fatto che da quel momento in poi la sede centrale delle due comunità si trovasse in posti diversi non fu di aiuto per cementare un'atmosfera di buon vicinato. I cristiani si spostarono a Pella, a est del Giordano, e gli ebrei a Jabne-Jamnia e poi in Babilonia che era stato il secondo centro ebraico a partire dal 556 a.C. Fino ad allora i giudei cristiani continuarono a compiere il culto nella sinagoga. Allora vennero dichiarati setta eretica e perché fosse impossibile ai cristiani continuare ad esercitare colà il loro culto, una maledizione su di loro fu allegata alla dodicesima delle benedizioni quotidiane (Birkath-ham-mînîm).

Questo tempo fu pure dedicato dai giudei a completare la loro struttura organizzativa attuando il sistema rigido della sinagoga elaborato dai farisei, completando il canone delle scritture ebraiche e il calendario e facendo del rabbi il leader de facto della comunità con il molteplice ruolo di maestro, esegeta, giudice e arbitro.

Mentre la rottura avvenne a livello di dirigenza in ambedue le comunità, si sa di numerosi casi in cui vi erano buoni rapporti tra la gente ordinaria. Ma la rottura divenne totale e fu ancor più ufficializzata dopo il 135 d.C. quando un periodo di insofferenza generalizzata si concluse con la rivolta e la morte di Bar Kochba. In opposizione all'imperatore Adriano che voleva ricostruire la città e il tempio di Gerusalemme sullo stile greco-romano Bar Kochba si dichiarò messia ricevendo un ampio sostegno dalla popolazione. Naturalmente non vi potevano essere due messia e ognuno dei due gruppi, i cristiani e gli ebrei, seguendo il proprio messia, non poteva che assumere un atteggiamento ostile nei confronti dell'altro.

L'ostilità aumentò. Il patriarca ebreo di Palestina inviò lettere e istruzioni a tutti i giudei fuori della Palestina non soltanto per sollecitare somme di danaro in sostituzione della vecchia tassa del tempio ma anche per condannare e maledire coloro che non osservavano la legge e avevano accettato Gesù come messia. Venivano formalmente condannati gli insegnamenti e la risurrezione di Gesù. D'altra parte i cristiani non potevano completamente fare a meno della protezione ebraica. Il giudaismo era ancora riconosciuto come *religio licita*, religione ufficialmente riconosciuta e permessa nell'Impero romano, e fino a questo momento i cristiani erano semplicemente vissuti come membri di una delle sette di questa religione. Condannati ufficialmente ed esclusi dalla sinagoga i cristiani dovevano ora giustificare la loro stessa esistenza.

Cominciarono a reinterpretare le Scritture giudaiche dichiarandole il loro AT. E i giudei venivano in tal modo diseredati dei loro libri sacri. Si affermava che tutte le promesse e gli incoraggiamenti della bibbia ebraica erano ora passati ai cristiani. La legge e le promesse portavano a Gesù in quanto messia. I giudei rigettandolo avevano perso la loro parte. La storia di Israele finì per essere interpretata come una storia di declino e di defezione e questo movimento verso il basso si concludeva con l'uccisione di Dio, con il suo assassinio. Le tribolazioni degli ebrei, si disse, erano la punizione della loro infedeltà.

Se questa può essere stata la teologia ufficiale dei rapporti tra cristiani ed ebrei, la pratica fu spesso differente. Si sa di amicizie personali e professionali tra teologi cristiani ed ebrei, delle loro pazienti discussioni, di cristiani che studiavano l'ebraico (come potevano sperare di confutare o di reinterpretare le Scritture ebraiche senza conoscerne correttamente la lingua?), di contatti quotidiani tra gente ordinaria (tutti immersi in un'atmosfera pagana), della pasqua ebraica e di quella cristiana celebrate insieme (la proibizione è solo del secolo IV), di molti cristiani influenzati dagli insegnamenti e dalle pratiche della sinagoga e dalle conversioni (la proibizione è del secolo IV). Né la vita degli ebrei era diversa da quella dei cristiani come invece sarebbe successo più tardi nel ghetto.

Malgrado i numerosi rapporti amichevoli, le conseguenze politiche della rottura religiosa furono inevitabili dal momento in cui la cristianità si trovò nella condizione di dover fare la sua pace con Roma. Da quando cioè non poté e non volle più esser considerata come una suddivisione del giudaismo.

b. *La soluzione costantiniana* - La fase successiva dell'alienazione tra le comunità cristiane e quelle ebraiche inizia nel quarto secolo come conseguenza della cosiddetta soluzione costantiniana. Questa risultò decisiva per gli sviluppi e gli atteggiamenti successivi sia che la si consideri come l'adozione del cristianesimo da parte dell'impero con la relativa incorporazione nello stato, sia come il semplice riconoscimento ufficiale del cristianesimo in quanto religione più importante. Le conseguenze per le altre comunità religiose furono poco piacevoli, in modo particolare per il giudaismo, matrice e per molti versi stretto parente del cristianesimo. La fortuna dei cristiani si mutò presto in disgrazia per i giudei. L'atteggiamento dell'impero fu eguagliato dall'imperialismo della chiesa mentre le leggi di quello modellavano la vita di questa. Divenne difficile distinguere le leggi della chiesa da quelle dello stato. La gerarchia cristiana fece di tutto per consolidare la propria posizione e indebolire quella della comunità ebraica. A quell'epoca la maggioranza dei cristiani erano gentili convertiti da varie religioni. Ogniqualvolta chiedevano di aderire al cristianesimo succedeva che l'adesione fosse nominale ed essi continuavano a condurre una vita di deboli principi morali.

Nelle parole di molti scrittori e predicatori del IV secolo gli ebrei non erano affatto esseri umani contemporanei ma piuttosto un'astrazione teologica oppure una caricatura che aveva le radici nelle azioni colpevoli raccontate nell'AT. Se gli ebrei contemporanei apparivano e si comportavano come normali esseri umani questo doveva essere perché erano riusciti a mimetizzarsi per ingannare il prossimo! Raramente gli ebrei venivano incolpati di ordinari crimini umani, le loro colpe erano religiose,

erano peccati. L'ideologia sostituiva la realtà e le generalizzazioni erano all'ordine del giorno. Il posto particolare riservato a Israele nei piani divini di salvezza non trovava mai posto negli studi dei Padri della chiesa. Tutte le maledizioni dell'AT erano riferite a un solo gruppo, gli ebrei, tutte le benedizioni ai cristiani, loro eredi e successori. Questa lettura della storia ebraica plasmò per secoli il pensiero cristiano ufficiale e popolare e in buona parte continua fino ad oggi.

Le prediche di quei tempi raggiungevano scopi sia ecclesiastici che politici. Dovevano guidare e istruire i fedeli ed erano al tempo stesso un modo per pubblicizzare leggi e ordinanze recenti o venture. Erano anche strumenti destinati a formulare delle politiche che sia la chiesa che lo stato intendevano introdurre. Così Ambrogio, vescovo di Milano, poteva parlare delle sinagoghe come di «templi di empietà», dimore di demoni e di idolatri. Erano luoghi peggiori dei circhi dei pagani ed entrarvi era azione blasfema. Partecipare alla pasqua ebraica con amici o vicini era insultare Cristo. Era ovvio che Dio odiasse gli ebrei e dagli uomini ci si aspettava che facessero altrettanto.

Le più violente prediche contro gli ebrei furono quelle di Crisostomo, vescovo di Costantinopoli. Nei suoi *Otto Sermoni contro i Giudei* predicò contro le sinagoghe, contro la pasqua ebraica, l'assenza di una legittima linea ministeriale, l'incapacità degli ebrei di intendere correttamente le Scritture, contro le feste ebraiche e quei cristiani che avevano delle simpatie per gli ebrei e qualsiasi tipo di comunicazione con loro. I concili della chiesa proibirono non solo i matrimoni tra cristiani ed ebrei ma anche qualsiasi rapporto sessuale. Era proibito scambiare i doni e accettare ospitalità dagli ebrei. Agli ebrei era proibito possedere schiavi cosicché fu loro impossibile possedere e coltivare la terra e lavorare nell'industria. Non era concesso costruire nuove sinagoghe ed erano proibite le attività missionarie di qualsiasi tipo. Gli ebrei non potevano entrare nell'esercito, né esercitare la professione forense nei tribunali o lavorare come dipendenti dello stato. Sarebbero state necessarie tutte queste proibizioni se ciò non avesse fatto parte della vita d'ogni giorno e dei comuni rapporti sociali?

Malgrado le innumerevoli restrizioni nel secolo VIII gli ebrei si erano sparsi per tutta l'area del Mediterraneo, in Spagna, poi in territorio francese e teutonico fino alle valli del Reno e della Mosella. All'ovest essi potevano ancora praticare il commercio e l'agricoltura e nella penisola iberica spesso funsero da mediatori tra cristiani e musulmani godendo della fiducia di entrambe le parti. Le due comunità, la cristiana e l'ebraica, vivevano relativamente in pace una accanto all'altra, gli ebrei talvolta anche sotto stretto controllo se non addirittura sotto la protezione del vescovo locale. Non è necessario dire che insorgevano di quando in quando delle difficoltà in questo o in quel posto, come l'espulsione degli ebrei da Mainz per mano dell'imperatore Enrico II nel 1012, ma nel complesso l'esistenza era pacifica e il futuro appariva luminoso.

c. *Le crociate* - Le cose cambiarono con la convocazione della prima crociata ad opera di papa Urbano II il 26 novembre 1095: allora si aprì un'epoca di persecuzioni quali gli ebrei non avevano ancora conosciuto. Le orde per lo più indisciplinate dei crociati trasportate dagli agitatori in un autentico parossismo religioso presero a chiedersi: «Perché dovremmo viaggiare fino alla Terra Santa per liberare Gerusalemme dai musulmani nemici di Cristo se i suoi nemici si trovano in mezzo a noi? Liberiamoci di loro prima di tutto». E ci provarono con sanguinose conseguenze specialmente lungo la valle del

Reno e in Francia. Le opzioni loro offerte furono l'apostasia o la morte, e va ricordato ancora una volta che gli ebrei furono spesso protetti dai vescovi locali e perfino dal re.

Dal momento che degli ebrei non c'era più bisogno come mercanti o intermediari e dopo che i loro campi erano stati distrutti, fu giocoforza per loro divenire prestatori di denaro, prestatori su pegno e usurai. Erano accusati di complottare contro i cristiani, di avvelenare i pozzi e di compiere sacrifici rituali di bambini. Obbligati a portare speciali segni di riconoscimento (concilio di Narbonne, 1227) e vestiti particolari (governo di Castiglia, 1412) gli era imposto di risiedere in distretti speciali e, al tempo della Riforma, i ghetti divennero obbligatori. Questi non erano altro che distretti recintati o strade chiuse di notte. I loro libri furono arsi in pubblico a Parigi nel 1242 e nel 1248. Papa Innocenzo III nel secolo XIII dichiarò ufficialmente che gli ebrei erano responsabili della crocifissione di Cristo ed erano per la loro colpa condannati a vagare e a fuggire per sempre come Caino. L'inquisizione, creata nel 1233 per perseguire i cristiani eretici, fu usata in Spagna nel XV secolo per sradicare gli ebrei che erano divenuti cristiani di nome anche se continuavano a praticare in segreto la loro religione.

Nel 1290 gli ebrei furono espulsi dall'Inghilterra e costretti a rifugiarsi in Francia, un secolo più tardi espulsi anche dalla Francia si trasferirono in Spagna per esservi cacciati ancora un secolo dopo. D'altra parte vi fu una migrazione volontaria verso l'est, in Lituania e in Polonia; questi due paesi finirono per avere il numero di ebrei più grande d'Europa.

d. *L'influenza di Lutero* - Il successivo punto più basso nella vergognosa e imbarazzante storia dei rapporti fra cristiani ed ebrei fu raggiunto con M. Lutero (1483-1546). Dopo il 1517 Lutero era divenuto molto popolare. In Germania era considerato non solo un riformatore della chiesa ma anche un eroe nazionale. Molta gente comune e molti leaders, ivi compresi prìncipi regionali ed elettori, ne erano divenuti seguaci. Mentre si consideravano tutti leali figli e figlie della chiesa, anche se protestanti, accettarono senza indugio le riforme del culto che il monaco e professore di Wittenberg andava introducendo. La messa e altre celebrazioni cultuali venivano ufficiate in tedesco, si poteva leggere la bibbia nella propria lingua e gli inni venivano tradotti o scritti direttamente in tedesco da Lutero e da altri.

Lutero aveva preso lezioni di ebraico da J. Reuchlin, famoso studioso umanista che era anche membro dell'ordine domenicano (originariamente fondato per combattere i nemici della chiesa, compresi gli eretici e gli ebrei). Reuchlin era recentemente venuto in soccorso degli ebrei a Francoforte e a Colonia dove copie del Talmud erano state pubblicamente arse da Pfefferkorn, un convertito dal giudaismo violentemente antigiudeo, anch'egli domenicano. Lutero era molto interessato a seguire il consiglio di Reuchlin di studiare i libri ebraici piuttosto che darli alle fiamme. Ne fanno fede le sue lezioni sul libro della Genesi. Allora Lutero considerava ancora gli ebrei come primi protestanti contro la chiesa cattolica e prese ad assisterli in ogni modo. In risposta pare che si aspettasse una conversione in massa al movimento protestante. In un opuscolo intitolato *Gesù nacque ebreo* dichiarava che Cristo appartiene più ai giudei che ai gentili germanici e che per questo essi dovevano essere trattati gentilmente e con amore cristiano piuttosto che con le «leggi papali». Scrisse del modo vergognoso con cui nella storia gli ebrei erano stati trattati dai cristiani proprio «come se fossero dei cani e non degli esseri umani».

Ma nel corso del tempo Lutero dovette riconoscere che le sue aspettative di conversione degli ebrei non si erano avverate. Sembravano tanto poco interessati alla sua interpretazione del vangelo quanto lo erano stati a quello predicato dalla chiesa durante i precedenti quindici secoli. Ne rimase molto deluso e tre anni prima della morte avvenuta nel 1546 scrisse un opuscolo *Sugli ebrei e le loro falsità* di un tono così abietto che peggio non è stato scritto da allora, nemmeno dalla stampa nazista antisemita. Anzi, buona parte di quanto vi si trova fu ripreso di sana pianta da Lutero. Bisogna avere la consapevolezza che gran parte dell'antisemitismo che caratterizzò molte delle chiese luterane traeva origine da questo scritto del riformatore. Si deve anche sottolineare nondimeno che le chiese luterane hanno da quel momento ripudiato l'antisemitismo.

e. *Conseguenze dell'illuminismo* - L'illuminismo, o età della ragione come fu anche chiamato questo periodo, cominciò come corrente di pensiero dopo la rivoluzione inglese del 1688. Nacque sotto l'influsso del razionalismo di Cartesio, della scoperta di Newton di un fondamentale ordine dell'universo, dell'empirismo di F. Bacone. Lo scopo si può dire sia stato quello di applicare il pensiero razionale e scientifico ai problemi sociali, economici, politici e religiosi. Era la fine degli atteggiamenti medievali (compresa la Riforma naturalmente) di intolleranza religiosa e dell'oscurantismo, ma anche la fine delle restrizioni applicate al commercio e alle imprese mercantili. Libertà, ragione, umanitarismo divennero gli slogans su cui fondare la propria vita. I diritti dell'uomo − oggi si direbbe i diritti umani − venivano proclamati non solo da filosofi e saggisti in Inghilterra, Francia e Germania ma anche da «despoti illuminati» (è così che volevano essere conosciuti) in Russia, Prussia, Austria e anche in Spagna.

Dovevano essere gli ebrei, in quanto settore più disprezzato della società, a beneficiare maggiormente dell'illuminismo. Non si deve però dimenticare che i diritti umani non sono necessariamente la stessa cosa dei diritti civili e ci vollero anni prima che gli ebrei potessero ottenere pieni diritti in quanto cittadini. La Francia fu il primo paese nel 1791, seguita dall'Olanda nel 1796 e poi dalla Prussia nel 1812. Abbastanza stranamente l'Inghilterra seguì molto più tardi anche se all'epoca l'integrazione sociale degli ebrei era già effettiva da un lungo periodo.

Potrà esser sembrato agli ebrei di allora che le loro sofferenze stessero per finire e che la persecuzione sofferta durante centinaia di anni fosse giunta al termine. Ma non fu così. Obiezioni alla liberazione civile degli ebrei continuarono a essere avanzate da parte di quei circoli che temevano maggiormente per le loro proprietà e per i loro privilegi: i proprietari terrieri, le classi medie che si stavano arricchendo come conseguenza della rivoluzione industriale e l'esercito.

Le vittorie di Napoleone con tutte le loro conseguenze ebbero anche un'influenza sul modo di pensare delle classi colte e della popolazione in generale. Questo nemico esterno sconfitto con l'aiuto di altri paesi in un periodo di tempo relativamente breve lasciò un'impressione duratura in quanti erano responsabili dello sviluppo e della formazione mentale dei loro concittadini: professori delle università tedesche, scrittori, giornalisti. Cercarono e trovarono, almeno così pensavano, una lezione di imperituro valore. Le guerre napoleoniche avevano provato che gli stati vanno e vengono, che i loro confini possono essere modificati e aggirati. C'era bisogno di qualcosa che fosse più permanente per assicurare un fondamento sicuro alla vita, sia quella personale che quella politica. Nacque l'idea naturale di nazione, di *Volk* (po-

polo), naturale nel senso di esser data da Dio e non fatta dall'uomo e per conseguenza mutevole. Lo schema della filosofia dell'uomo tracciato da J.G. Herder divenne fondamentale per pensatori successivi come Hegel e Fichte, Schleiermacher, E.M. Arndt e H. von Goerres. Ad essi seguirono dopo una o due generazioni Marx, E. Duhring, R. Wagner, H. vom Treeitschke, A. Stoecker, P. de Lagarde.

Prima di ogni altra cosa c'era la nazione. Era pura e santa e doveva essere preservata nella sua purezza a ogni costo. Gli stranieri non ne potevano far parte anche se vi trovavano posto ma erano disprezzati. Gli ebrei, sparsi per ogni paese, erano sospettati di distruggere l'unità della nazione ed erano perciò mal accetti. La loro influenza doveva esser tenuta sotto controllo se non addirittura eliminata. La propaganda antisemita sulla stampa fu di poco inferiore a quella del periodo nazista. Rivolte popolari in città come Amburgo e Francoforte e in centri minori del Baden e della Baviera costrinsero le autorità a far intervenire l'esercito per sopprimerle. E mentre la vita dei singoli ebrei era relativamente sicura, non lo era certo la loro esistenza in quanto gruppo ben identificabile. Gli ebrei continuavano a esser presentati come nemici di Cristo ed erano all'ordine del giorno prediche e pronunciamenti della chiesa contro di essi. Buona parte della ideologia nazista antisemita ebbe origine nel pensiero della Germania colta del XIX secolo.

In tutta la storia cristiana il conflitto tra cristiani ed ebrei è stato religioso, una lotta fra due diverse fedi religiose. A metà del secolo XIX la prospettiva cambia. Quello che era stato fino a quel punto antigiudaismo diventa antisemitismo, termine che apparteneva originariamente alla scienza linguistica, e la lotta si sposta sul terreno della razza. Il giudaismo in quanto religione divenne scarsamente rilevante, il giudaismo in quanto razza divenne il nemico. La razza era considerata come qualcosa di fisso e immutabile, qualcosa che mai avrebbe potuto cambiare. In conseguenza della sua razza l'ebreo fu considerato un male in se stesso incapace di cambiare, anche il battesimo non avrebbe alterato la situazione. Lo studio di Joseph Arthur Comte de Gobineau sulla «ineguaglianza delle razze umane» pubblicato nel 1855 assicurava un fondamento scientifico alle successive teorie razziste. Queste furono seguite in Germania dagli scritti del filosofo antireligioso Eugen Duhring e da Houston Stewart Chamberlain, genero inglese di Richard Wagner. La sua opera *Fondamenti del diciannovesimo secolo* scritta originariamente in tedesco (1899) divenne uno dei libri di testo degli ideologi nazisti per la sua glorificazione delle imprese teutoniche e le sue concezioni violentemente antisemitiche.

Si devono ricordare due altri eventi importanti per l'influenza che ebbero sugli sviluppi futuri. L'affare Dreyfuss avvenuto in Francia nel 1894 quando un ebreo, capitano dell'esercito, fu accusato e riconosciuto colpevole di alto tradimento per aver ceduto segreti militari alla Germania. Venne condannato ed esiliato a Devil's Island. Il libro di Emile Zola *J'accuse*, assieme alle voci di molti cittadini compresa quella del presidente francese, ne ottennero la riabilitazione e il ritorno a Parigi dopo quattro anni. Ma il danno era stato fatto, l'antisemitismo divideva i francesi e favorì l'aumento dei socialisti. Allo stesso tempo promosse la crescita del movimento sionista tra gli ebrei dell'Europa occidentale.

Si deve anche ricordare l'opuscolo *I protocolli degli anziani di Sion*, dapprima pubblicato in Francia con il finanziamento della polizia segreta imperiale di Russia. Dovevano essere i verbali di riunioni segrete di un alto comando internazionale ebraico che aveva l'obiettivo di conquistare e dominare il mondo. L'opuscolo apparve dapprima in Russia dove fu ampiamente usato dopo il 1917 dai monarchici contro la Rivoluzione d'ottobre in cui erano naturalmente coinvolti gli ebrei. Da allora l'opuscolo è stato tradotto in tutte le lingue dell'Europa occidentale e in arabo. Hitler lo conosceva bene e ne fece uso nel suo libro *Mein Kampf*. Lo stesso si deve dire di Goebbels e di A. Rosenberg (*Il mito del ventesimo secolo*). I *Protocolli* non avrebbero avuto alcun successo in Russia e in Polonia se non vi fossero state anche là, una dopo l'altra, ondate di persecuzioni e di progroms contro gli ebrei (specie negli anni 1880), quantunque questi non abbiano mai avuto l'ampiezza dell'«olocausto».

I fondamenti ideologici degli avvenimenti che caratterizzarono il periodo dell'«olocausto» furono posti saldamente da tutta la storia europea e non solamente da quella del XIX secolo. Bastava solo una scintilla perché il fuoco fosse appiccato.

Non si deve dimenticare che dopo l'illuminismo innumerevoli individui e famiglie di ebrei abbandonarono tutto e si ricongiunsero ai gruppi numerosi presenti in Germania, in Inghilterra e in altri paesi occidentali. La loro influenza sugli sviluppi culturali, economici e politici fu grande: occuparono cattedre universitarie, divennero scrittori e pubblicisti, medici e avvocati. Si sentivano tedeschi, inglesi, italiani... Di conseguenza quando scoppiò la guerra nel 1914 molti di loro combatterono per il loro paese a fianco dei loro connazionali.

4. GLI ANNI DELL'«OLOCAUSTO»: 1933-1945 - a. *Preludio allo sterminio* - Se vi fossero nella storia dei giorni da cui non è possibile aspettarsi altro che male, il 30 gennaio 1933 sarebbe certamente uno di questi. È il giorno in cui A. Hitler, leader del Partito Nazionalsocialista dei

lavoratori, fu fatto cancelliere della Germania in modo del tutto legale e democratico, anche se non mancarono dietro le quinte intrighi e patteggiamenti tra i partiti della destra politica. Allo scopo di chiarire la situazione, il 5 marzo si tennero delle elezioni che assicurarono al partito una schiacciante vittoria.

Purtroppo molti nelle classi medie non erano preparati agli avvenimenti del 30 gennaio e a ciò che sarebbe successo dopo. Non sarebbe stato dignitoso per loro fare la conoscenza di quell'ex caporale austriaco, rumoroso e violento, imbianchino, agitatore e oratore da bettole. Aveva perfino scritto un libro, pubblicato nel 1923, *Mein Kampf* (La mia battaglia), ma perché prenderlo sul serio? Era pieno di esagerazioni e di un linguaggio iperbolico su ciò che non avrebbe mai potuto succedere in Germania, come per es. questo paragrafo: «Può essere cittadino solo chi è membro della nazione e membro della nazione può essere solo chi è di sangue tedesco indipendentemente dalla professione religiosa, ma nessun ebreo può esser membro della nazione». Perché preoccuparsi di cose come questa? In primo luogo gli ebrei non erano poi tanti e il paragrafo 24 del programma del partito del 1923 non diceva che «il partito sostiene il cristianesimo positivo senza legarsi in materia di fede a nessuna confessione in particolare»? Era abbastanza come garanzia di civile comportamento cristiano, anche se la frase seguente del programma diceva che «il partito combatte all'interno e all'esterno lo spirito materialista degli ebrei». Non si deve nemmeno dimenticare che in conseguenza della sconfitta della Germania nella prima guerra mondiale le condizioni economiche, politiche e sociali esigevano un forte leader che potesse assicurare l'ordine nel grande caos e guidare il paese e i cittadini verso un futuro di pace e di sicurezza. Un'altra ragione per cui si rendeva necessario un «salvatore» politico era il «pericolo bolscevico», la paura che il comunismo russo si allargasse a macchia d'olio in Germania e in tutto l'Occidente mentre le condizioni permanevano così poco stabili.

I fatti si svilupparono rapidamente secondo l'ideologia nazista. Il primo aprile 1933 fu dichiarato in tutto il paese un boicottaggio dei negozi di proprietà degli ebrei: chi vi voleva entrare ne era impedito con la forza dalle camicie brune naziste che ne prendevano i nomi. Qualche giorno dopo, il 7 aprile, fu approvata la prima legge antiebraica: era la «legge per la restituzione della professione dell'impiego statale» (sospensione da ogni impiego pubblico) che escludeva tutti gli ebrei, eccetto quelli che avevano fatto la prima guerra mondiale. Avvocati e medici ebrei si videro notevolmente ristretta la possibilità di praticare la loro professione e fu proibito l'ingresso in scuole e università a studenti di origine ebraica o anche solo per metà ebraica (due nonni ebrei) compresi quelli che erano cristiani solo per essere stati battezzati. Tutto era perfettamente legale con leggi e leggine approvate dal parlamento.

Numerosissimi furono gli incidenti locali che occorsero agli ebrei e la stampa nazista rigurgitava praticamente ogni giorno di articoli ed editoriali contro gli ebrei. Il *Der Stuermer* (soldato dei reparti d'assalto) del leader locale Streicher non avrebbe potuto scendere più in basso con i suoi ignobili e deliberatamente sporchi articoli e caricature antiebraiche. Nel 1933 vivevano in Germania circa 500.000 ebrei. Negli anni seguenti coloro che ne ebbero la possibilità lasciarono il paese, qualche volta per trasferirsi in uno stato confinante dove, allo scoppio della guerra, furono raggiunti dai nazisti. Tra i rimasti molti credettero che la situazione per loro non avrebbe potuto divenir peggiore.

La successiva tappa nei provvedimenti contro gli ebrei iniziò nel settembre del 1935. Durante l'annuale raduno del partito a Norimberga furono proclamate le più dure leggi antiebraiche allora conosciute. Da allora in poi solo i membri della nazione, i cosiddetti ariani, erano considerati cittadini a pieno titolo, con tutti i diritti e i privilegi; gli ebrei potevano essere cittadini del paese solo con doveri da compiere e con nessun diritto. I matrimoni tra ebrei ed ariani non erano più consentiti, quelli con i mezzi ebrei richiedevano un permesso speciale che nei mesi e negli anni successivi non venne accordato (a meno che uno non fosse pronto a pagare una forte somma alla cassa del partito). Chi ne faceva richiesta si sentiva dire che i figli sarebbero stati dei bastardi e che perciò il matrimonio non poteva essere permesso. Rapporti sessuali tra ariani ed ebrei erano punibili e a nessuna donna ariana al di sotto dei 45 anni era consentito prestare lavoro domestico nelle case degli ebrei.

Poco dopo fu tolto a tutti gli ebrei il diritto di partecipare alle elezioni parlamentari. Tuttavia durante i giochi olimpici del 1936 le scritte e i manifesti antiebraici e ogni altra indicazione di antisemitismo ufficiale furono accuratamente rimossi per far buona impressione sui visitatori provenienti dall'estero e per lasciar intendere che quanto leggevano sulla stampa non era vero o era quanto meno molto esagerato. Nel novembre 1937 fu abolito il privilegio di procurarsi il passaporto per andare all'estero, eccetto in casi speciali come per emigrare. Nel luglio dell'anno seguente fu annullato il diritto di accedere a certi lavori e fu emessa l'ordinanza che dal successivo primo gennaio tutti gli ebrei avrebbero dovuto avere speciali carte d'identità. Dal luglio 1938 i medici ebrei poterono esercitare solo come «assistenti medici» e nell'agosto dello stesso an-

no a tutti gli ebrei fu ingiunto di aggiungere al loro nome *Israel* se maschi e *Sarah* se femmine a meno che non fossero già identificabili come ebrei. A partire dall'ottobre dello stesso anno i passaporti degli ebrei dovettero essere timbrati con una grande «J» (Jude = giudeo, ebreo).

Nell'ottobre del 1938 cominciò la deportazione degli ebrei su larga scala. 15.000 ebrei dichiarati apolidi furono inviati in Polonia che non aveva nessuna intenzione di riceverli. Dovettero passare mesi nella regione che si trova tra i due paesi in una terra di nessuno, affamati e sofferenti per le spaventose condizioni fisiche e sanitarie. Tra di loro c'erano i genitori di un giovane ebreo che viveva allora a Parigi. Per la disperazione questi attentò alla vita di un consigliere dell'ambasciata tedesca che morì dopo due giorni. Su istigazione di Goebbels, ministro nazista per la propaganda, ci furono diversi giorni di sommosse antiebraiche che terminarono con la «notte dei cristalli» (8 novembre 1938) durante la quale le strade, i luoghi pubblici e i cortili furono letteralmente cosparsi di vetri delle finestre delle sinagoghe, dei negozi e delle case degli ebrei.

Come «riparazione» per l'assassinio di Parigi fu imposta all'intera comunità ebraica la tassa di un miliardo di marchi e agli ebrei fu ordinato di riparare a loro spese i danni della notte dei cristalli. In conseguenza di ciò gli ebrei non poterono più esser proprietari di nessuna impresa commerciale e fu loro anche proibito di andare a concerti, a teatro e ad altri avvenimenti culturali. Poco dopo tutte le imprese commerciali degli ebrei furono prima chiuse e poi requisite dai nazisti. Alcuni distretti furono interdetti agli ebrei durante certe ore del giorno e le autorità locali avevano la facoltà di impedire agli ebrei l'ingresso nelle strade in cui si tenevano feste naziste. Alla fine del 1938 agli ebrei furono chiuse anche le università. I beni immobili, i titoli e i gioielli dovevano essere consegnati alle autorità. Nella primavera del 1939 il numero degli ebrei in Germania era sceso a 215.000.

b. *Gli anni della guerra* - All'inizio della guerra in settembre fu istituito il coprifuoco e gli ebrei dovettero consegnare le loro radio. In Polonia cominciarono subito atrocità contro gli ebrei da parte dei tedeschi invasori o di speciali distaccamenti di forze di sicurezza naziste. Gli ebrei residenti in Austria cominciarono a esser deportati in Polonia dove erano costretti a portare la stella gialla di David.

Con l'invasione della Russia nel giugno 1941 prese l'avvio l'ultima fase dell'operazione che riguardava la «questione ebraica». Un decreto dello stesso mese richiedeva a tutti gli ebrei di classificarsi come «miscredenti». Da questo momento anche gli ebrei di Germania dovettero portare la stella di David e non poterono più lasciare il loro luogo di residenza senza un permesso della polizia. Gli ebrei non potevano ormai avere più nessun contatto sociale con i tedeschi e nemmeno usare i telefoni pubblici. In ottobre cominciarono su larga scala deportazioni di ebrei in campi di concentramento. Nel gennaio del 1942 il loro numero in Germania era sceso a 130.000.

Il 20 gennaio 1942 si tenne una conferenza a Wannsee, pochi chilometri da Berlino, per mettere a punto piani per la «soluzione finale» della questione ebraica sia in Germania che nel resto dell'Europa occupata. Furono attuate misure prese in segreto da Hitler e dai suoi assistenti. Solo dopo la guerra tutta l'ampiezza di questo genocidio organizzato fu portata a conoscenza della maggioranza dei tedeschi e del mondo. Furono così uccisi in modo brutale e disumano più di sei milioni di ebrei, zingari, polacchi e altri «indesiderati» che in Germania e nell'Europa occupata intralciavano il cammino della pura razza

nordica che nazisti e altri prima di loro avevano vagheggiato. La conferenza cui parteciparono alti ufficiali di vari ministeri tedeschi, del partito e dei servizi segreti si svolse sotto il comando di Heydrich incaricato dal maresciallo Goering di eseguire tutti i piani. L'emigrazione e i campi di concentramento non si erano dimostrati sufficienti, così fu giocoforza trovare una nuova soluzione: il trasferimento forzato di tutti gli ebrei dall'intera Europa in campi est-europei. Qualche mese prima, nell'autunno del 1941, si era cominciato a sperimentare le camere a gas nei campi vicino a Posen e ad Auschwitz. Ora si richiedeva un ultimo sforzo. Il lavoro necessario per costruire i campi di sterminio poteva essere fornito dagli ebrei che erano fisicamente forti. Questi dovevano lavorare finché cadevano a terra e morivano di esaurimento e colpiti da una pallottola. A tutti quelli che venivano trasportati all'est si diceva che avrebbero lavorato per contribuire allo sforzo bellico. Ma la vera ragione del viaggio era tenuta segreta sia agli ebrei che alla popolazione tedesca. L'Europa fu letteralmente setacciata in cerca di ebrei.

Furono costruiti sei campi di sterminio. Questi erano diversi dagli ordinari campi di concentramento i quali, almeno all'inizio del periodo nazista, furono pubblicizzati come «campi di protezione» in cui i prigionieri, per il loro stesso bene, venivano protetti dalla furia della popolazione. Venivano anche chiamati «campi di rieducazione».

Molte delle misure prese da Hitler contro i giudei erano già state usate prima nella storia: ghetti, vestiti speciali, la stella gialla, restrizioni sui viaggi, controlli effettuati da polizia e dai vicini. La cosa nuova era il livello di massa e l'applicazione sistematica e scientifica di moderne tecnologie, tecniche di controllo e sottigliezze burocratiche. L'andamento della guerra era meno importante della distruzione degli ebrei in Germania e in tutta l'Europa occupata. Vennero dirottati treni, allestite nuove linee ferroviarie, ordinati migliaia di vagoni merci in cui furono stipati uomini, donne e bambini ebrei. Furono fatte arrivare in Polonia e in altri distretti dove si trovavano i campi di sterminio, unità dell'esercito e delle forze naziste di sicurezza. Ingegneri, chimici, fisici furono distolti dallo sforzo bellico e inviati a lavorare in questi campi dove avrebbero inventato e poi controllato diabolici mezzi di distruzione di milioni di persone. L'ideologia doveva prevalere a tutti i costi! La politica era guidata da qualcosa che rassomigliava a fanatismo religioso. Per creare l'ambito paradiso in terra che sarebbe durato per mille anni almeno si doveva prima produrre questo inferno: il massacro di sei milioni di ebrei.

Forse non riusciamo a immaginare appieno le reazioni di chi per primo entrò in quei campi nella primavera del 1945. Deve essersi presentata ai loro occhi una scena incredibile, disumana. Perché nessuno si era mosso per far qualcosa e cercare di salvare almeno una parte delle vittime di questa brutalità di massa? I governi di Mosca, di Londra, di Parigi, di Washington erano ben al corrente della situazione ma per motivi politici, militari e strategici non poterono o non vollero fare niente. E il popolo tedesco? La reale ampiezza del genocidio poteva non essere conosciuta dalla maggioranza ma la gente almeno vagamente sapeva cosa stava succedendo, infatti la persecuzione degli ebrei e dei «non ariani» era cresciuta divenendo sempre più aperta e «legale». I tedeschi avevano parenti che tornavano dal fronte orientale, soldati e personale delle SS direttamente coinvolti nelle atrocità. Essi devono aver parlato con le loro mogli, con i loro dottori, forse anche con i loro pastori. Ma essi dice-

vano anche: «Non dite niente,˗ non dite niente a nessuno o io e voi dovremo pagare con la vita o con un campo di rieducazione». Nella generale atmosfera di terrore e di mancanza di libertà in cui viveva la gente, la cosa funzionava. Molti mantennero il silenzio.

Naturalmente vi fu anche chi non tacque, non pochi, anche se di ciò mancano le statistiche. Vi furono persone che protessero gli ebrei, che si trattasse di amici e vicini o no: li nascondevano o li aiutavano a passare le frontiere di paesi neutrali, come la Svizzera e la Svezia. Vi furono persone che osarono parlare. Non si devono dimenticare i nomi di Faulhaber e di von Galen, cardinali arcivescovi di Monaco e di Münster, né quello di B. Lichtenberg, il coraggioso decano cattolico di Berlino che protestò spesso attraverso il giornale parrocchiale e che morì mentre veniva trasportato in un campo di concentramento. Né quello del pastore D. Bonhoeffer che nei primi tempi del regime scrisse contro la persecuzione degli ebrei, ne aiutò diversi a fuggire dal paese e che, nello sconforto per il trattamento riservato loro dai nazisti, entrò nella clandestinità armata, reato per cui fu impiccato una settimana prima della fine ufficiale della guerra. L'atteggiamento della chiesa nei confronti della questione ebraica − scrisse − permetterà di stabilire se essa è ancora cristiana. L'espulsione degli ebrei dall'Occidente comportava necessariamente l'espulsione di Cristo in quanto ebreo egli stesso: «Il popolo di Israele rimarrà in eterno il popolo di Dio, il solo popolo che non passerà perché Dio ne è divenuto il Signore, Dio tra di loro ha preso dimora ed ha costruito la sua casa».

Vi sono altre due persone, ambedue pastori luterani, che vengono spesso citati per aver aiutato ebrei e cristiani non ariani a nascondersi in Germania o a emigrare, Grüber di

Berlino e Maas di Heidelberg. Né si devono dimenticare persone come padre M. Kolbe, il prete cattolico che scelse di essere ucciso nel campo di Auschwitz nella speranza che con questo sarebbe stata risparmiata la vita di un altro detenuto. Tutto ciò può apparire e nei fatti può essere stato niente altro che un gridare nel deserto, ma anche il gridare nel deserto può esser meglio che non gridare affatto.

I nomi fatti fin qui sono quelli di persone che occupavano, almeno alcuni, importanti posizioni ma essi non parlarono né agirono in quanto rappresentanti delle rispettive istituzioni ma solo nella loro capacità individuale. Le chiese, sia la protestante che la cattolica, preferirono mantenere il silenzio. Non si dimostrarono interessate al destino degli ebrei in quanto tali. L'antica storia che gli ebrei avevano perso il posto davanti a Dio non era stata dimenticata e la teoria della sostituzione era ancora valida. C'era un numero relativamente piccolo di ebrei battezzati in queste chiese e ancora meno erano gli ebrei membri del clero. C'era la tendenza a non interferire in quella che era considerata la sfera statale e c'era la tendenza, umanissima, di tacere quando parlare sarebbe costato troppo. Il comando contenuto in Prv 31,8 che ebbe un ruolo importante nei circoli che gravitavano attorno a Bonhoeffer non fu ascoltato: «Apri la bocca per i muti... per i miserabili e per i poveri». Se si pensa che la maggioranza della gente che lavorava nei campi di sterminio era probabilmente battezzata o quanto meno credeva in ciò che Hitler chiamava «cristianesimo positivo» e se si pensa al silenzio delle chiese e della popolazione in generale non è certo esagerato parlare – come ha fatto F.H. Littel – di «apostasia di massa» e di «apostasia di quei milioni di persone che collaborarono».

Ma questi milioni di persone non erano soltanto in Germania o nei paesi alleati o occupati. Vi fu collaborazione indiretta anche da parte di coloro che semplicemente non fecero nulla o si rifiutarono di fare qualcosa di più. Lo sterminio di massa degli ebrei corse parallelo all'apostasia di massa dei cristiani che vivevano fuori della Germania e che si rifiutarono di alzare la voce a favore dei perseguitati e di forzare i rispettivi governi ad aprire le frontiere per ospitarli. Gli Stati Uniti furono contrari a mutare il sistema della quota di immigrazione a favore degli ebrei perseguitati. La Gran Bretagna all'inizio della guerra dette ospitalità a soli 70.000 «rifugiati dall'oppressione nazista». Non sarebbe giusto a questo punto non ricordare George K.A. Bell, vescovo di Chichester, l'uomo che in Inghilterra non trovò requie ricordando in continuazione la triste sorte degli ebrei e che dedicò un'enorme quantità di tempo e di energia ad aiutare quelli che erano riusciti a emigrare dalla Germania in Inghilterra. L'Australia ammise solo qualche migliaio di ebrei, il Sudafrica 26.000, il Brasile e l'Argentina 64.000 ciascuno. Il Canada, dietro consiglio del direttore dell'ufficio immigrazione, Frederich Charles Blair, agì secondo il principio che «nessuno è già troppo», con l'eccezione di alcune centinaia di ebrei i quali furono per errore scambiati per prigionieri di guerra e come tali inviati in quel paese. Si deve tuttavia ricordare qui una «Risoluzione sulla persecuzione degli ebrei» presa dal sinodo generale della Chiesa d'Inghilterra in Canada (così si chiamava ancora a quel tempo) durante la sua riunione a Montréal il 21 dicembre 1934. Il solo paese disposto a ricevere gli ebrei in gran numero fu la Palestina ma le fu impedito dalla Gran Bretagna che conservava un mandato su quel paese. In un documento del 1939 il numero delle persone da ammettere era fissato a 15.000 ogni anno e per timore della reazione degli arabi la cifra non doveva essere cambiata per nessun motivo.

Ci sono numerose domande sull'olocausto che si pongono ancora oggi coloro che furono toccati dalla tragedia e quanti sono interessati alla storia di questo secolo. Come fu possibile ai nazisti spostare gran parte dei loro sforzi dalla guerra al tentativo di liberare il mondo dagli ebrei contro qualsiasi calcolo strategico? Perché non intervennero gli alleati e anzi mantennero il più completo silenzio? Perché solo in Germania e da parte dei tedeschi mentre l'antisemitismo nel passato era stato molto più forte in Francia e in Russia? Perché non ci fu resistenza attiva contro le leggi antisemitiche e la deportazione degli ebrei da parte della Germania e dei paesi occupati?

c. *Riflessioni giudaiche* - C'è anche, occorre dirlo, il problema di come reagì la comunità ebraica. La risposta che cerchiamo di dare è breve e incompleta. Dopo il primo silenzio dovuto allo stordimento, cominciarono a farsi sentire varie reazioni. Dall'estrema destra cassidica europea – o quanto di essa era rimasto – si levarono alcune voci in termini di legge deuteronomica (Dt 30,15ss) su peccato e punizione. Mentre non si può non rimanere impressionati da una lettura così biblicamente ortodossa anche di fronte a un incredibile male come l'olocausto, non si deve dimenticare che la maggioranza dei pensatori europei erano più vicini nel loro giudizio ai nordamericani. Negli Stati Uniti, Richard Rubinstein nel libro *After Auschwitz* sosteneva in effetti che Dio era morto: solo con questa premessa si poteva capire Auschwitz; Emil Fackenheim rispose: No! Presumere che Dio sia morto equivale a concedere a Hitler una postuma vittoria distruggendo l'anima degli ebrei dopo che i corpi erano stati passati per le camere a gas nei campi di ster-

minio. Era la 614a legge ebraica che non poteva consentirlo.

Elie Wiesel rimase in silenzio per un lungo periodo. In quanto sopravvissuto non poteva e non voleva parlare dal momento stesso che Dio era chiaramente rimasto in silenzio. Perché? Dio non se ne cura e non se ne curò? Dio rimane indifferente di fronte alle sofferenze del suo popolo? Dio è adirato? Si può dibattere e contendere con un simile Dio? In genere si è d'accordo sul fatto che riuscire a capire Auschwitz sarebbe peggio che non poterlo capire affatto. Sarebbe la fine della visione religiosa del mondo. Il rabbi verso la fine del libro di Wiesel *The Gates of the Forest* dice: «Come non puoi credere in Dio dopo tutto quello che è successo?». Dopo Auschwitz gli ebrei si ritengono certo giustificati quando sostengono che il messia non è ancora venuto e dopo la miseria e il male di Auschwitz sono costretti a chiedersi con maggior urgenza di prima: Quando verrà? Da parte loro i cristiani i quali sostengono che il messia è venuto si devono confrontare con la domanda: Perché c'è ancora tanto male nel mondo?

Il problema del messia è una cosa che unisce cristiani ed ebrei tanto quanto li separa. È una cosa che deve essere all'ordine del giorno di qualsiasi dialogo presente o futuro fra le due comunità di fede.

5. GIUDAISMO, CELEBRAZIONE DI VITA - Il giudaismo è celebrazione di vita e la vita è specialmente celebrazione di una comunità di popolo. Malgrado le enormi difficoltà incontrate dagli ebrei negli ultimi tremila anni, malgrado la catastrofe dell'«olocausto», evento doloroso che ha distrutto la vita di un terzo della comunità ebraica del tempo, la tradizione ha mantenuto una visione positiva della vita e dell'individuo ed è stata un vero investimento nell'esperienza terrena delle persone ordina-

rie in qualsiasi momento della loro esistenza.

a. *Nozioni* - Numerose nozioni interagiscono nell'esperienza dell'ebreo e ne foggiano l'esperienza della vita. Un concetto fondamentale nella tradizione è Dio. In quanto creatore Dio è singolare e unico. Dio è fuori del tempo e non è legato ad alcun luogo in particolare. L'antico nome biblico di Dio, Yhwh, ossia «*'Ehyeh 'Asher 'Ehyeh*» che vuol dire «Sono quello che sono» o «Sarò quello che sarò» indica un'esistenza fuori del tempo. Il nome biblico di *'Elōhîm* indica la forza da applicarsi in modo costruttivo. L'appellativo *'Adōnāi* manifesta la signoria che deriva da Dio in quanto creatore. Nel giudaismo del periodo greco-romano divennero correnti altri appellativi: *hasem*, «il nome», lascia intendere lo speciale potere creativo di Dio, che dà la vita e conferisce con la parola speciale identità a oggetti animati e inanimati (p.e. Sia fatta la luce...), mentre *hamāqôm*, «il luogo», lascia invece intendere l'onnipresenza. Dio è il luogo dell'essere.

Il compendio della creazione divina è l'essere umano. Il giudaismo considera il riferimento all'umanità creata a immagine di Dio più come una sfida che come una semplice affermazione. Le genti dell'antico Medio Oriente adoravano idoli, forme. La teoria che sottostava all'uso della forma era che questa doveva essere collocata al centro della comunità umana in un luogo speciale (il tempio) disegnato perché vi stesse comodamente. Se la forma era un oggetto perfetto, il dio vi avrebbe abitato, vi avrebbe preso forma e sarebbe così rimasto a dimorare nella comunità umana la quale avrebbe tratto profitto dalla presenza divina.

Il giudaismo sostiene che è l'uomo, creato a immagine di Dio, l'oggetto in cui Dio deve prender forma. Tutti siamo sfidati ad agire in modo divi-

no. Il giudaismo sottolinea grandemente il valore dell'individuo ordinario. Conduciamo una vita di partners di Dio nella creazione del mondo che è ancora in corso.

Nell'incidente del giardino dell'Eden il giudaismo non vede una «perdita della grazia» ma nient'altro che una tappa nella realizzazione del progetto divino della creazione degli uomini. La conoscenza derivante dall'albero della scienza proviene da un atto di libera volontà umana ed è di per sé liberatorio. Essa ha varie interpretazioni, come conoscenza sessuale, chiave della procreazione; o conoscenza della certezza della morte che dovrebbe servire come stimolo principale e in ogni momento per l'attività produttiva; o infine la conoscenza in generale che permette a noi creature che esaminiamo, cerchiamo, creiamo, di applicare i frutti delle nostre ricerche al miglioramento dell'ambiente umano che è poi nient'altro che questo mondo in cui Dio ci ha collocato.

Malgrado tutti i suoi piaceri il giardino descritto in Genesi 3 è troppo angusto perché gli uomini vi si possano esprimere pienamente. È il mondo, questo mondo, il nostro giardino. Ne godiamo i frutti in rapporto all'investimento fatto nella loro produzione. La donna di Gn 3 è «maledetta» col dolore del parto. Il dolore è grande davvero ma grande è anche la gioia e la consapevolezza del grande potenziale racchiuso in ciascun essere umano. La stessa esperienza della nascita – l'espulsione forzata del bambino dal ventre materno – è scioccante per il nuovo essere che prende coscienza della vita. Questa si sviluppa e cresce rendendo possibili grandi gesta. L'espulsione dall'Eden può esser letta in modo analogo. È lo stimolo necessario per porre gli uomini lungo il cammino voluto da Dio.

Il rapporto tra l'uomo e Dio e tra una persona e un'altra, come il complesso dell'esperienza personale e di ciò che prova l'individuo in risposta all'ambiente totale da cui è circondato, essenzialmente è descritto nell'idea dell'alleanza che è poi la sostanza della *Tôrāh*.

La nozione di alleanza, di accordo, di patto o trattato che descrive i complessi rapporti ricordati sopra si muove sulla linea delle alleanze in vigore nel mondo politico dell'antico Medio Oriente. Applicando l'idea in modo rivoluzionario dalla sfera politica a quella dei rapporti tra Dio e gli uomini, il giudaismo libera l'umanità dall'esperienza limitante del mondo antico con tutti i suoi dèi capricciosi e pieni di interessi contrastanti, ognuno alla ricerca della fedeltà degli uomini. Nella *Tôrāh* è rivelata la volontà di Dio ed è chiarito cosa egli si aspetti dagli uomini. Siamo resi liberi dalla inefficacia della divinazione. Il grande studioso Abraham Joshua Heschel descrive Dio come un «Dio in cerca dell'uomo». La prima domanda che Dio rivolge all'uomo (Gn 3) è: «Dove sei?». Dio chiede: «Dove sei nel tuo rapporto con me, date le azioni che hai intrapreso?». L'azione umana ha valore agli occhi di Dio e la responsabilità è un aspetto fondamentale dell'esistenza umana. Dio ama l'umanità creata a sua immagine e per tutta la narrazione biblica Dio dimostra di esser pronto ad adattarsi alla creatura umana.

Le promesse fatte a Noè (che il mondo non avrebbe mai più sofferto la distruzione globale) e a David (che la stirpe davidica sarebbe sempre stata in definitiva la radice della leadership umana) garantiscono sicurezza e fiducia alla comunità umana. L'alleanza del Sinai in cui è descritto il disegno divino di una comunità umana produttiva e in progresso serve come base per la sfida finale agli uomini di fare di questa terra un luogo divino dove l'umanità intera e tutta la natura arrivino a fare l'esperienza di una gioia e di un piacere comple-

ti. Le aspettative rituali ed etiche dell'alleanza sono complementari e hanno tutte lo scopo di celebrare la vita.

La *Tôrāh* è rivelata al popolo ebraico come disegno di una comunità modello. La *Tôrāh* non è per niente statica, si evolve con l'evolversi dell'esperienza umana. È destinata all'uso quotidiano di ogni persona. Il Deuteronomio dice: «Non è in cielo», non è né distante né irraggiungibile. È un piano realistico che pone sfide realistiche. In particolare essa apprezza il fatto che le più grandi conquiste umane si realizzano quando gli uomini lavorano assieme, in comunità, per fare di questo mondo un posto meraviglioso in cui vivere. L'azione produttiva di qualsiasi comunità ebraica contemporanea è l'espressione di tutte le decisioni della comunità storica, ossia dell'intero popolo ebraico vissuto finora. Nel giudaismo c'è un senso profondo di attaccamento di ogni ebreo tanto a tutti i suoi contemporanei quanto agli ebrei vissuti nel passato. Ogni ebreo si identifica con le gioie e i dolori dell'esistenza ebraica nei secoli.

Sebbene il giudaismo non sia principalmente preso da considerazioni di spazio o di luogo, essendo Dio lo spazio per eccellenza (*māqôm*, come è stato detto sopra), la terra di Israele è un posto del tutto speciale, infatti è su quella terra che la comunità modello descritta nella *Tôrāh* trova la prima espressione. Con la comunità modello che vi abita, la terra deve essere un paese modello. La topografia varia e la collocazione centrale nel mezzo del mondo antico indicano che essa è la risposta o il riflesso del giardino descritto in Gn 3. La terra è il giardino in cui, con la nostra conoscenza, guidati dall'alleanza ed articolati in azione comune, possiamo raggiungere quella grandezza di cui farà parte l'intera umanità. La fine della lunga separazione della maggioranza degli ebrei dalla loro terra nel 1948 è considerata da molti di noi come l'inizio di un processo che porterà alla più produttiva espressione di tutti gli ideali contenuti nelle nozioni che abbiamo finora discusso. Nell'espressione ebraica contemporanea la festa dell'Indipendenza (1948, il quinto giorno del mese Iyyar nel calendario ebraico) e l'anniversario della Liberazione e della riunificazione di Gerusalemme (1967, il ventottesimo giorno del mese Iyyar nel calendario ebraico) hanno nella vita rituale e sociale della comunità ebraica un significato tutto particolare. È una nuova e grande sfida per gli ebrei, specialmente quelli che vivono fuori dello stato di Israele, a considerare questo stato come la propria casa e nello stesso tempo godere, apprezzare e contribuire all'esperienza di altre «case» (il Canada o qualsiasi altro paese dove vivono gli ebrei), spesso più familiari e per molti versi più comode.

b. *Articolazione delle nozioni di vita* - Mentre le nozioni descritte – Dio, individuo, *Tôrāh*, comunità, terra – interagiscono e nell'interazione rendono edotti tutti della realtà giudaica, molti ebrei apprezzano tali nozioni in modo indiretto. La vita giudaica consiste nel vivere l'interazione di tali nozioni presenti spesso nel subcosciente. La tradizione giudaica, mentre apprezza il lavoro della contemplazione, è principalmente incentrata nell'azione. Le infinite interazioni umane, interazioni tra di noi, con noi stessi e con il cosmo, si svolgono sotto la guida della *Tôrāh* e più in particolare dei comandamenti e delle direttive (*miṣwōt*) che si basano sulle antiche scritture ebraiche e che sono poi elaborate dalle generazioni e nei luoghi in cui gli ebrei vivono. L'elaborazione fa parte della stessa tradizione. Essa risponde alle nuove sfide dei tempi e dei luoghi a beneficio dell'esperienza cumulativa della comunità ebraica sparsa per il mondo, come pure a beneficio delle comunità dei popoli, se si considera il

fatto che gli ebrei sono vissuti tra i popoli traendo profitto anche dalle loro intuizioni.

Il complesso delle *miṣwōt* è nella sua totalità espressione della religiosità ebraica. Per un ebreo vivere da ebreo significa vivere una vita al servizio di Dio. In un certo senso ogni atto è una liturgia, ogni azione è preghiera o adorazione. Contemporaneamente vi sono numerose *miṣwōt*, particolarmente nell'area rituale, che specificano tempi (l'ora della preghiera, le stagioni delle feste annuali) e luoghi (la sinagoga per la preghiera o lo studio in comune, anche se va bene qualsiasi posto dove si raduna un gruppo di dieci, o la casa per i molti riti da farsi colà). Mentre si compiono le *miṣwōt*, mentre si agisce in accordo con l'alleanza divina, si accetta la sfida dell'esser stati creati a immagine di Dio. Con le nostre azioni ne completiamo l'immagine. Così facendo si raggiunge l'obiettivo del *tikkûn 'olām*, preparando l'unità e l'integrità del mondo.

La tradizione ebraica identifica tre tipi di comandamenti o *miṣwōt* che comprendono tutto l'arco dell'esperienza umana. Non tutti gli ebrei, mentre vivono e interagiscono con gli altri o con l'ambiente, sono consci delle *miṣwōt* particolari che vi sono coinvolte. Mentre la tradizione apprezza la consapevolezza del posto speciale che ogni interazione occupa nel complesso dell'esistenza, ciò che in fondo è importante è l'azione e non la coscienza del posto che essa occupa nel sistema.

I tre tipi di *miṣwōt* sono: 1. *bên 'ādām lammāqôm*, ossia tra gli uomini e Dio; 2. *bên 'ādām leḥăvērô*, tra un essere umano e un altro; 3. *bên 'ādām la 'aṣmô*, tra l'uomo e se stesso.

La categoria *bên 'ādām lammāqôm* comprende tutto il complesso delle leggi rituali, compresa l'osservanza di giorni speciali (le feste, il sabato), le regole dietetiche e le norme di armonia con i cicli della natura. Tale categoria si riferisce ad aspetti della vita che hanno implicazioni sia cosmiche che comunitarie.

Un ebreo fa esperienza della storia ebraica come di una combinazione equilibrata di gioie e di dolori, di accettazione e di rifiuto da parte degli altri. L'«olocausto» incombe come esempio terrificante e in definitiva deludente di questo rifiuto. Terrificante per il dolore causato e per la distruzione di un certo modo di vivere. Deludente perché è riuscito a minare e per molti ebrei continua ancora a minare la fede nella bontà di fondo degli uomini. È un fatto che sostanzialmente le chiese fecero silenzio negli anni dello sterminio di un ebreo su tre e che i nazisti si rifecero orgogliosamente ai due millenni di storia cristiana per emanare leggi sempre più ostili agli ebrei. È altamente deludente che in un momento di così grande bisogno solo poche mani si tesero a offrir la vita, dopo essersi raccolte per ricevere la comunione. Non si guarisce facilmente da ferite fisiche e morali come quelle inflitte dall'«olocausto». Per molti versi si può dire che non vi sarà mai guarigione. La grande sfida è far sì che tali ferite non rendano inabili del tutto.

Come tradizione che ama la vita e tutta la gente del mondo di cui aspira al miglioramento, il vivere quotidiano è un equilibrio di tradizione e cambiamento e lo stesso cambiamento è il risultato del dinamismo interno e significativamente della interazione con la gente e la natura. Per il giudaismo le sfide e la sorprendente potenzialità dell'esistenza sono gli elementi essenziali della vita e il cammino verso queste sfide positive o l'attaccamento alla tradizione è un obbligo sociale da tramandare. Il Deuteronomio dice: «Allora, scegli la vita». Noi scegliamo la vita! E il nostro coinvolgimento nella vita in quanto individui e in quanto comunità è un motivo per far festa.

6. VERSO UN FUTURO DIFFERENTE DAL PASSATO - Cominciamo con un brano tratto dal romanzo di A. Schwarz-Bart, *L'ultimo dei giusti,* ambientato nella Parigi occupata dai nazisti. I protagonisti sono due giovani ebrei.

«Egli (Gesù) fu davvero un buon ebreo, sai, un uomo gentile e misericordioso. I cristiani dicono di amarlo ma io penso invece che lo odiano senza neppure saperlo. Così prendono la croce dall'altra parte, ne fanno una spada e con essa ci colpiscono. Capisci, Golda... prendono la croce e la capovolgono, la rovesciano, mio Dio!... Povero Gesù, se tornasse sulla terra e vedesse che i pagani hanno fatto di lui una spada che viene usata contro i suoi fratelli e le sue sorelle ne rimarrebbe amareggiato. Sarebbe afflitto per sempre. E forse tutto questo lo vede!».

Il romanziere riassume così in modo efficace ciò che è sfortunatamente stata prassi comune nell'atteggiamento dei cristiani di tutto il mondo verso gli ebrei e il giudaismo per quasi venti secoli. Che ne sarà delle future relazioni giudaico-cristiane? Alla luce di un passato realmente pauroso ci possono essere speranze realistiche di un futuro radicalmente diverso? In caso affermativo, su quale base si deve costruire tale futuro? Ci sono la conoscenza e la volontà di costruirlo, soprattutto in quanti di noi professano la fede cristiana? Se siamo preparati a farlo abbiamo il coraggio necessario e l'onestà di perseguire quello che Dio e l'umanità richiedono da noi?

Sono domande, queste, poste dalla storia passata dei rapporti giudaico-cristiani e dalla conoscenza di cui disponiamo oggi, le quali, se prese con serietà da noi cristiani, devono portare a un ripensamento radicale della coscienza che abbiamo di noi stessi in quanto seguaci di Gesù, fedele giudeo, che noi riconosciamo come salvatore e signore. Tra i molti fattori correlati che hanno spinto eminenti pensatori e semplici cristiani a intraprendere questo lavoro, pochi hanno avuto significato quanto l'orrore dell'«olocausto» e quel fenomeno unico che è la nascita del moderno stato di Israele. A questi due avvenimenti dobbiamo aggiungere la scoperta dei documenti di Qumrân e la relativa crescita degli studi biblici con le recenti sofisticate metodologie sia nel ramo cattolico che negli altri rami della cristianità.

Dobbiamo fin dall'inizio tenere bene a mente due punti. Primo, l'antisemitismo come fenomeno storico è precedente all'avvento del cristianesimo nel mondo. Secondo, l'antisemitismo cristiano si è mostrato molto più tenace e pericoloso di qualsiasi altro fenomeno a noi conosciuto a partire dalla storia «pagana» (specialmente greco-romana). Ma ciò non sorprende gran che se si pensa al potenziale contenuto nel pregiudizio teologico. Infatti cosa c'è di peggio che rivestire di sanzione apparentemente divina la propensione umana a temere (e perciò a odiare) «l'altro»? Gli esempi che ci vengono forniti dalle cosiddette guerre religiose – come le crociate, la guerra dei trent'anni e più recentemente i conflitti in Irlanda del nord, in India e nel Medio Oriente – sono fin troppo noti. Di conseguenza quel miscuglio di competitività umana e di razionalizzazione teologica evidenti nei rapporti della chiesa con gli ebrei si dimostrò disastroso per le conseguenze storiche che toccarono a questi ultimi.

a. *Razionalizzazioni teologiche* - Nelle pagine precedenti abbiamo già scritto di queste conseguenze storiche. Se vogliamo metterci al riparo dalla possibilità che tali tragici atteggiamenti e comportamenti possano riapparire, noi cristiani dobbiamo in primo luogo essere consapevoli e quindi disfarci di certe distorte razionalizzazioni teologiche che fanno parte della nostra tradizione. Solo allora saremo nella posizione di costruire il

modello positivo di un rapporto futuro con i nostri fratelli e le nostre sorelle ebrei. Sarà quindi il caso di riassumere le razionalizzazioni teologiche più significative del nostro passato cristiano e, per farlo, si può seguire la classificazione delle «Impressioni antigiudaiche generate dagli scritti dei primi cristiani» preparata da M. Cooke.

1. C'è l'accusa – forse la più perniciosa di tutte dal punto di vista storico – che il popolo ebreo, dei tempi di Gesù e di quelli successivi, sia collettivamente responsabile della sua morte. E dal momento che, secondo la fede ortodossa cristiana, Gesù è incarnazione di Dio, l'accusa non è di mero omicidio, ma addirittura di «deicidio». Oltre a essere una violenta diffamazione antisemitica questa accusa, nella rigida prospettiva storica, è assurda e priva di qualsiasi fondamento. Molti ebrei di Palestina e la maggioranza di quelli che erano dispersi per il mondo greco-romano ai tempi di Gesù non ne sapevano assolutamente nulla. L'asserzione di colpa collettiva non è sostenibile alla luce dell'etica sviluppata sia dalle Scritture ebraiche che dallo stesso NT.

2. È stato anche fatto credere che le disgrazie storiche del popolo ebreo – in particolare la dispersione nel mondo – non erano altro che la giusta punizione per il crimine del «deicidio». Tale addebito è di nuovo privo di fondamento se vogliamo attenerci a una prospettiva storica. La diaspora ebraica inizia molto prima dell'avvento del cristianesimo e l'esodo più significativo si verifica approssimativamente cinquecento anni prima della nascita di Cristo. Dal momento che la maggioranza degli ebrei risiedevano già fuori della Palestina durante il ministero di Gesù è difficile vedere come ciò possa venire in aiuto a una fallimentare teoria teologica.

3. Altra arma nell'arsenale della polemica cristiana è stata l'accusa di «ri-

mozione» o di «sostituzione», secondo cui il patto tra Dio e il popolo di Israele viene a terminare nel momento in cui Gesù viene respinto come messia e si stipula una «nuova alleanza» con i cristiani, che destituiscono e rimpiazzano gli ebrei in quanto popolo di Dio. È questa linea di pensiero che darà vita al termine «Antico Testamento», denominazione intrinsecamente peggiorativa delle Scritture ebraiche. L'infondatezza scritturale della «teoria della rimozione» sarà dimostrata più avanti.

Oltre a queste tre accuse potremmo citarne altre due che tendono a rafforzare le prime e renderle maggiormente accettabili presso i fedeli cristiani.

4. Divenne comune pratica cristiana − evidente fin dai tempi del NT − assecondare una metodologia interpretativa particolarmente malevola e superficiale per cui, con particolare riferimento alla letteratura profetica, le critiche bibliche negative mosse dai profeti ai loro contemporanei ebrei dall'amore e dall'interesse per la loro fedeltà religiosa furono usate dai cristiani − molti dei quali in definitiva di origine gentile − come armi polemiche con cui colpire i giudei. In contrasto con questo procedimento i passi più positivi della letteratura profetica che contenevano le promesse di speranza e di salvezza venivano applicati dai cristiani non ai giudei cui i profeti avevano indirizzato queste parole, ma alla chiesa che aveva ora sostituito l'«antico Israele» ed era divenuta il «nuovo Israele». Scrive bene R. Radford Ruether, studiosa romano-cattolica: «Nella esegesi cristiana dell'AT la storia ebraica è spaccata in due. La dialettica del giudizio e della promessa diviene schizofrenica essendo applicata non a un popolo eletto ma a due popoli: il popolo reprobo, i giudei, e il futuro popolo eletto della promessa, la chiesa... Il rigetto e l'uccisione del messia è l'apice logico della

perversa storia del popolo ebreo. È la chiesa l'autentica erede della promessa di Abramo».

Si può anche notare che lo stesso metodo di ermeneutica selettiva si ritrova persino nell'uso che più tardi la chiesa fa delle critiche di Gesù verso alcuni degli uomini religiosi suoi contemporanei. Tali critiche provenienti da un reale interesse e amore per il suo popolo furono più tardi convertite in strumenti polemici per cui un'autocritica del tutto interna (giudaica) divenne esterna e fu usata come mezzo per «degiudaizzare» lo stesso Gesù.

5. È stato anche detto che il giudaismo dei tempi di Gesù era ormai corrotto e privo di vita, che non aveva alcun potere di rigenerarsi e che la sua caratteristica principale era un arido e crudele «legalismo» vuoto di contenuto spirituale e demotivato. Tale accusa fu come cristallizzata nella presentazione notoriamente e uniformemente negativa del partito religioso da noi conosciuto come i farisei. Contro questa accusa, come contro le precedenti, è stata fatta giustizia con fatti storicamente dimostrabili, con il giudizio teologico e con il puro e semplice senso comune. È oggi risaputo che il giudaismo dei tempi di Gesù era una mescolanza ricca e vivace di varie scuole di pensiero, come stanno a dimostrare questi dati: *a*. La variegata letteratura canonica ed extra-canonica dall'anno 200 a.C. circa fino ai tempi di Gesù; *b*. i documenti di Qumrân scoperti alla fine degli anni 1940 conosciuti comunemente come i rotoli del Mar Morto; *c*. l'idea del tutto migliorata che oggi abbiamo degli stessi farisei. La «riabilitazione» dei farisei negli ultimi decenni è stata considerevole, come lo è stato l'effetto delle scoperte di Qumrân che hanno rivoluzionato la conoscenza della storia del giudaismo precristiano e dello stesso primo cristianesimo.

Si deve sottolineare di nuovo che

la polemica antiebraica non si ritrova solo in una parte specifica della letteratura patristica ma in buona misura anche nei primi fondamenti dello stesso NT. Questo fatto, riconosciuto da molti competenti e stimati teologi cristiani odierni, è praticamente sconosciuto o eluso da molti cristiani che devono ancora fare i conti con le implicazioni di questo dato di fatto per la chiesa e il mondo. È vero che certi passi del NT, interpretati storicamente, sono meno negativi di quanto appare a prima vista; spesso vengono letti però senza una buona esegesi e sono perciò interpretati e usati in modo errato. All'opposto, altri passi che hanno potenzialmente un immenso valore per ripristinare il rispetto dei cristiani verso gli ebrei e l'ebraismo hanno fino a poco tempo fa ricevuto scarsa attenzione da parte degli studiosi biblici cristiani, per non parlare dei comuni laici.

b. *Correggere gli errori del passato* - Che cosa è stato fatto allora per correggere gli errori del passato e cosa rimane da fare? Se dovessimo scegliere un evento di particolare importanza perché si possa sperare che un futuro rapporto tra ebrei e cristiani sia radicalmente diverso dal passato, molti senza esitare citerebbero il n. 4 di *Nostra Aetate* (28 ott. 1965). Dietro questo passo relativamente breve c'è, va detto, una storia lunga e talvolta controversa, ma il fatto stesso che sia stato promulgato si deve in buona parte ai persistenti sforzi irenici dello studioso ebreo francese J. Isaac la cui ricerca sulla storia passata dell'«insegnamento del disprezzo» della cristianità nei confronti degli ebrei e dell'ebraismo aveva avuto un impatto significativo sul proposito di papa Giovanni XXIII di vedere la dichiarazione approvata dal concilio. Forse le frasi più importanti si riferiscono a due delle maggiori accuse sopra riassunte, quella del «deicidio» e quella della «teoria della rimozione».

Nostra Aetate afferma: «secondo l'apostolo gli ebrei, in grazia dei padri, rimangono ancora carissimi a Dio, i cui doni e la cui chiamata, sono senza pentimento (cfr. Rm 11, 28-29)».

Queste parole, se prese nel loro pieno senso, sgombrano il terreno da ogni teoria di «rimozione» o di «sostituzione» del giudaismo da parte del cristianesimo; in realtà esse sottintendono un significativo ripensamento da parte dei cristiani su posto e ruolo degli ebrei e dell'ebraismo nell'opera della redenzione del mondo nel contesto di un ininterrotto e valido patto tra Dio e il popolo di Israele.

Ugualmente significativa è la sconfessione esplicita dell'accusa di «deicidio»:

«Quanto è stato commesso durante la sua (di Gesù) passione non può essere imputato né indistintamente a tutti gli ebrei allora viventi, né agli ebrei del nostro tempo... Gli ebrei non devono essere presentati né come rigettati da Dio, né come maledetti, come se ciò scaturisse dalla sacra Scrittura» (NA 4).

È anche degno di nota che questa sezione di *Nostra Aetate* riconosca la grande importanza della corretta predicazione e della esegesi biblica come base sicura d'istruzione religiosa. È proprio questa attenta ed erudita esegesi che è in grado di assicurare una volta per tutte i mezzi atti a demolire sia il mito di diaspora in quanto punizione che l'interpretazione storica delle Scritture ebraiche intese come semplice «preparazione» del vangelo cristiano. Queste ricerche potranno anche dissolvere il mito di uno stato apparentemente degenerato del giudaismo al tempo di Gesù. È poi ugualmente importante il fatto che le istruzioni sull'applicazione della *Nostra Aetate* rilasciate successivamente sia dal Vaticano che dai vescovi cattolici degli Stati Uniti abbiano reso ancor più esplicita e chiara l'attuazione di questo documento chiave per la liturgia, la predicazione e la catechesi.

Se si considera il peso della chiesa cattolica romana e il posto storico che essa occupa all'interno della cristianità si capisce come qualsiasi azione da essa intrapresa per migliorare i passati tragici rapporti tra ebrei e cristiani sia di enorme significato per tutti i cristiani. A questo punto occorre anche avere la consapevolezza del fatto che molte delle principali chiese protestanti e anglicane hanno rilasciato simili esplicite dichiarazioni sulle radici teologiche dell'antisemitismo storico dei cristiani (ivi compresa la formulazione teologica di antigiudaismo).

Il ruolo del predicatore è anch'esso cruciale; egli può forse rendere un grande servizio non ripetendo all'infinito i pericoli dell'antisemitismo ma avendo tale sensibilità e intelligenza da esporre con chiarezza, tutte le volte che è necessario, quei valori positivi dell'eredità giudaica a cui i cristiani devono attingere. Anche la catechesi si deve basare a tutti i livelli su materiali liberi dagli elementi antigiudaici del passato; questi materiali riflettono la nostra attuale comprensione del valore e della legittimità della matrice giudaica da cui, in quanto cristiani, proveniamo. In rapporto a ciò sarà bene sottolineare lo sviluppo e la continua vitalità del giudaismo postbiblico sia come deterrente contro qualsiasi residuo dei miti della «rimozione» e della «degenerazione» sia come ricca sorgente di discernimento spirituale e di speranza in questo nostro pellegrinaggio in quanto discendenti spirituali di Abramo, nostro padre comune nella fede.

Questa rivalutazione della liturgia, della predicazione e della catechesi implicano la necessità continua, a livello di studio, di sviluppare una positiva teologia del giudaismo e di ripensare la cristologia, di modo che la chiesa e il popolo di Israele possano esser veduti l'uno accanto all'al-

tro e non l'uno contro l'altro, dal momento che ciascuno è impegnato a mantener fede al proprio patto con quel Dio che ambedue riconosciamo e cerchiamo di servire.

c. *Cambiare il mondo* - Quest'ultimo punto ci dice che rimangono numerose aree dove, in quanto cristiani ed ebrei impegnati, possiamo unire gli sforzi in modo onesto e senza compromessi perseguendo il nobile scopo di «*tikkûn ʿōlām*» (cambiare il mondo). È qui che si possono esprimere i nostri comuni valori etici mentre nella solidarietà cerchiamo di affrontare i gravi problemi della giustizia sociale così evidenti nel mondo di oggi.

Mentre cristiani ed ebrei differiscono sulla identità e sulla venuta del messia, dobbiamo tuttavia confessare che il mondo, allo stato attuale, è ben lontano da quella redenzione totale che è la nostra speranza comune per l'umanità. È questa speranza e questa visione coraggiosa che devono tenerci insieme negli anni che verranno.

C'è un'ultima cosa che deve essere apprezzata da noi cristiani se davvero desideriamo capire e rispettare i fratelli e le sorelle ebrei: il grande significato che ha il moderno stato di Israele per il popolo ebreo nel suo insieme. Dalla rinascita di Israele nel 1948 la valutazione dell'importanza di tale avvenimento fatta dal mondo cristiano è stata del tutto ambivalente. Non vi è dubbio che le ragioni di questa ambivalenza sono complesse ma, alla luce del passato, non sembra una forzatura affermare che in parte almeno l'ambivalenza è dovuta, anche a livello inconscio, al persistere tra i cristiani delle idee di «deicidio» e di «diaspora punitiva». Un ripensamento serio di queste insostenibili ipotesi teologiche non disgiunto da una maggiore consapevolezza del ruolo che il popolo svolge nell'ebraismo saranno di grande aiuto ai cristiani per accettare con maggior imparzialità e positività il fatto del moderno Israele. Possiamo non esser d'accordo con particolari politiche di un particolare governo israeliano; diversità di vedute si ritrovano anche all'interno della comunità ebraica. In quanto cristiani siamo certamente preoccupati che vi siano misure adeguate per i vari gruppi cristiani (e altre minoranze) all'interno di Israele. In ogni avvenimento non ci si può lasciar trasportare da quel «tipo di critica che vedrebbe nell'incapacità di Israele di mantenersi al più alto livello morale una scusa per negarne il diritto all'esistenza». Ciò che si deve affermare è l'accettazione incondizionata del diritto che ha Israele di vivere in pace e nella giustizia con i suoi vicini: la mancanza di questa accettazione renderebbe impossibile un dialogo effettivo e l'amicizia tra cristiani ed ebrei.

Il dialogo deve poggiare sull'accettazione reciproca e sul rispetto tra uguali. Tale rispetto presuppone che vi sia la volontà di permettere a ciascuna comunità di definirsi secondo i propri fini, liberi dai pregiudizi e dagli stereotipi del passato. Il dialogo non verrà mai usato come tentativo occulto di far proseliti ma sarà piuttosto la base su cui sviluppare e mantenere quella fiducia che è così necessaria per l'attuazione congiunta del compito del «*tikkûn ʿōlām*». Questo dialogo deve perciò divenire realtà a livello locale, a livello di comunità se ci devono essere cambiamenti duraturi di atteggiamento e di comportamento nei nostri rapporti che sono già così inestricabili.

Bibl. - GIUDEI E GIUDAISMO: M.M. Kaplan, *Judaism as a Civilization*, Jewish Publication Society 1957; M.I. Dimont, *Jews, God and History*, New York 1962; T.H. Gaster, *Festivals of the Jewish Year*, Peter Smith 1962; J. Parkes, *A History of the Jewish People*, London 1964; A.J. Heschel, *Between God and Man: An Interpretation of Judaism*, New York 1965; A. Eban, *My People, the Story of the Jews*, Behrman 1968; A. Hertzberg (ed.), *The Zionist Idea*, New York 1970; J. Parkes, *Whose Land? A History of the Peoples of Palestine*, Taplinger 1970; C. Roth - G. Wigoder (edd.), *Encyclopedia Judaica*, New-York 1972; H. Kaufman, *Jews and Judaism Since Jesus*, New York 1978.

RAPPORTI CRISTIANO-GIUDAICI: J. Isaac, *The Teaching of Contempt*, Anti Defamation League 1964; G. Baum, *Is the New Testament Anti-Semitic?*, Mahwah, NJ 1965; R. de Corneille, *Christians and Jews: The Tragic Past and the Hopeful Future*, Longmans Canada 1966; R. Ruether, *Faith and Fratricide*, Seabury Press 1974; K. Stendah, *Paul Among Jews and Gentiles*, Minneapolis 1976; E. Fischer, *Faith Without Prejudice*, Mahwah, NJ, 1977; J. Parkes, *The Conflict of the Church and the Synagogue*, New York 1977; H. Croner - L. Klenicki, *Issues in the Jewish-Christian Dialogue*, Mahwah, NJ 1979; A.T. Davies, *Anti-Semitism and the Foundations of Christianity*, Mahwah, NJ 1979; M. Hay, *The Roots of Christian Anti-Semitism*, Anti-Defamation League 1981; J. Pawlikowski, *Christ in the light of the Christian-Jewish Dialogue*, Mahwah, NJ. 1982; A.J. Rudin, *Israel for Christians*, Minneapolis 1982; C. Williamson, *Has God Rejected His People?*, Nashville 1982; J. Koenig, *Jews and Christians in Dialogue*, Minneapolis 1983; P. van Buren, *A Christian Theology of the People Israel*, Seabury Press 1983; L. Klenicki - G. Wiglder, *A Dictionary of the Jewish-Christian Dialogue*, Mahwah, NJ 1984; E.H. Flannery, *The Anguish of the Jews*, Mahwah, NJ 1985[2]; S.E., Rosenberg, *The Christian Problem: A Jewish View*, Hippocrene Books 1986.

L'«OLOCAUSTO» DAL PUNTO DI VISTA STORICO: L.S. Dawidowicz, *The War Against the Jews: 1933-1945*, London 1975, New York 1976; Ph. Hallie, *Lest Innocent Blood be Shed: The Story of Le Chambon*, New York 1980; G. Clare, *Last Waltz in Vienna*, London 1982; I. Abella - H. Troper, *None is Too Many*, New York 1982; A. Frank, *Il diario di Anna Frank*, Torino 1988[11].

IAN KAJEDAN

GIUSTIZIA

1. *Introduzione* - 2. *Nell'Antico Testamento* - 3. *Nel Nuovo Testamento* - 4. *Il concetto filosofico-giuridico* - 5. *Alcune caratteristiche nel nuovo concetto allargato* - 6. *La discussione mondiale sui diritti e la libertà dell'uomo* - 7. *Giustizia sociale prima dell'enciclica «Sollicitudo rei socialis»* - 8. *Giustizia sociale nell'enciclica «Sollicitudo rei socialis»* (I. Fuček) - *Giustizia nella visione del «Magnificat»* (E. Hamel).

1. INTRODUZIONE - La *semantica* del concetto di *giustizia* (sedāqāh, dikaio-sýnē, iustitia, Gerechtigkeit, justice, fairness, pravednost) è polivalente: possiede un significato biblico, teologico, filosofico, giuridico, sociale, politico, etico, religioso e laico. Quindi è un concetto analogo, né univoco, né equivoco. Esprime un comportamento personale o sociale, sia nelle microstrutture che nelle macrostrutture. I filosofi greci, con Aristotele, insistevano sulla *teoria* della giustizia, che progressivamente è diventata un sistema razionale di principi, quasi esclusivamente della giustizia «commutativa», secondo il criterio «suum cuique», con forte accentuazione sul «suum» e sull'«alienum». I profeti dell'Antico Testamento invece insistevano sulla *prassi* della giustizia, soffermandosi sulla volontà di Jhwh, secondo il criterio «abbi cura del tuo prossimo». Quindi mentre la «giustizia» dei greci ha un significato filosofico, giuridico, sociale, politico etico e laico, la «giustizia» dei profeti del popolo eletto ha un significato biblico, teologico, sociale, morale e religioso.
Nonostante le diversità di significato, c'è una continuità fondamentale fra la nozione dei greci e quella degli israeliti. Come «pars in toto», così il concetto greco *cuique suum* di fatto è incluso in quello biblico di giustizia. Ma il concetto di «giustizia» si trova come l'eredità sacra in ogni cultura ed in ogni religione. Dalla scoperta archeologica del 1901/1902 è venuto alla luce il codice di Hammurabi (tra il 1717-1665 a.C.), scritto in caratteri cuneiformi su un obelisco; esso contiene 282 articoli: Ham-murabi è designato dagli dèi ad amministrare la giustizia nel paese, a «dare giustizia» al popolo, a proteggere le vedove e gli orfani e a fare in modo che il forte non opprima il debole. Il concetto di giustizia non di rado è ideologizzato a seconda dei sistemi sociali, economici, politici e delle tradizioni culturali. Nella cultura occidentale, essa di fatto raccoglie la *sintesi* di tre dimensioni: l'ebraico-cristiana, la greco-romana, la germanico-slava. Ciò fa sì che oggi nell'Occidente il concetto di «giustizia» possegga delle sfumature da paese a paese, da un cerchio culturale ad un altro. Ma non soltanto nell'Occidente, questo «pluralismo» della nozione «giustizia» è una realtà mondiale. Durante la storia, infatti, il concetto di «giustizia» e il comportamento «giusto» sono stati arricchiti ma anche offuscati da elementi filosofici, giuridici, politici e ideologici, provenienti da diverse teorie e ideologie. Si può dire pertanto che la giustizia oggi rappresenta uno dei concetti più complessi, e quindi più difficili da spiegare «ad captum». Nello stesso tempo è un concetto tra i più compromessi, in quanto ogni regime ed ogni sistema crea la propria «giustizia», secondo la quale procede non soltanto nella teoria (pur usando gli stessi termini), ma anche nella prassi e nella legiferazione.
Il nostro intento è di descrivere la vera nozione di «giustizia»; occorre perciò investigare le radici, analizzare e sintetizzare la prudenza e la saggezza dell'esperienza socio-religiosa giudeo-cristiana, da una parte, e la teoria filosofico-giuridica greco-romana, dall'altra. Il concetto biblico di

«giustizia» è religioso, personale e spirituale. Riguarda il popolo eletto e il singolo membro non al di fuori ma all'interno del popolo. Di fatto viene identificato con il concetto di *perfezione, santità*; perciò il perfetto, il santo è *giusto*.

Nella società teocratica di Israele Jhwh è il re «giusto» (perfetto, santo), e alla base dell'alleanza; Israele deve essere «giusto» (perfetto, santo): deve imitare Jhwh-re-giusto. La giustizia di Jhwh-giusto è la *chiamata* per il popolo eletto. Le opere di Jhwh-re-giusto, specialmente verso i poveri, gli oppressi in genere, verso gli «*'anāwîm*» sono l'*imperativo* morale per il popolo eletto a imitarle. Pertanto la giustizia del popolo eletto è la *riscoperta* concreta di questa chiamata. Di conseguenza, più che sulla teoria, i profeti insistevano sulla prassi religioso-morale, paragonando Jhwh-giusto con Israele-giusto.

Si può dire che un rapporto simile fra l'uomo e l'assoluto si incontra in tutte le grandi religioni etiche dell'Oriente, e in alcune religioni africane (W. Schmidt). Gli aderenti a queste religioni «fanno» e devono «fare» «giustizia», cosa che, in un certo senso, si avvicina alla giustizia della bibbia. Il concetto di «giustizia» nella filosofia greco-romana ha carattere profano, filosofico, giuridico, politico, laico. Essa riguarda l'uomo singolo e la convivenza sociale dentro la «polis», determina i limiti delle leggi che regolano la vita della «polis». Per i sofisti le leggi «giuste» hanno un valore puramente convenzionale; per Socrate, Platone e Aristotele invece le leggi «giuste» sono un'espressione della razionalità della natura umana; mentre la filosofia greca sviluppa la teoria, lo stoicismo, precisamente quello romano con Seneca, accentua anche la prassi, l'ascesi. Per lo scopo della teologia fondamentale, l'ordine più appropriato è quello di entrare prima nel concetto biblico (giustizia divino-umana), che chiari-

sce il *fondamento* di ogni giustizia, e soltanto in un secondo momento entrare in altri concetti di giustizia, fino alla discussione moderna sul concetto di giustizia «sociale».

2. NELL'ANTICO TESTAMENTO - L'*origine* e il *modello* del concetto di «giustizia» presso Israele sono *profani*. Israele nel tempo nomadico condivide lo stesso concetto con i popoli dell'antico Medio Oriente: l'attività del re nell'amministrazione della giustizia, con riguardo speciale ai poveri e agli oppressi, era la loro protezione (Hammurabi). Il re deve essere giusto, perciò la protezione dei bisognosi è uno dei principali compiti del re. È un privilegio dei bisognosi essere difesi e protetti dal loro re. Coloro che umanamente non hanno nessuna speranza, si gettano nelle braccia del loro re.

Con la rivelazione si passa dal concetto profano a quello religioso di giustizia. Il «re-giusto» è il Dio di Israele. I Settanta nella traduzione della bibbia per rendere *saddīq* usano la parola *díkaios* (giusto) che ricorre 180 volte, e 43 per i derivati da *saddīq*. La voce *dikaiosýnē* invece compare 220 volte per *sedāqāh* o *sedēq* (giustizia). La giustizia veterotestamentaria è *relazionale*, primariamente in chiave *comunitaria* (Jhwh-Israele), incluso ogni membro della comunità. Ma il carattere comunitario della giustizia veterotestamentaria non significa «sociale» nel senso della «polis» greca o di una nozione moderna, ma fondamentalmente nel senso di relazione personale. Essa si basa sull'alleanza, e non sul rapporto tra leggi assolute e le azioni concrete del popolo e del singolo. Però più che legale, il carattere è sempre quello personale, tra i due contraenti dell'alleanza: dell'«io» di Jhwh e del «tu» di Israele. Si tratta quindi della rettitudine e dell'autenticità di un atteggiamento all'interno della relazione bilaterale di carattere personale

(Jhwh-Israele-singolo). Come tutta la morale di Israele è di carattere personale, piuttosto che «legale» o «legalista», come si pensava una volta, così anche questo atteggiamento è interno, bilaterale, partecipativo, e riflette (segue, imita) la giustizia di Jhwh-giusto (Is 45,21; 51,5s; 56,1; 62, 1; Sal 24,5).

Jhwh quindi si rivela come *re-giusto* di Israele, come *Dio-giusto* (Gn 18, 15; Dt 32,4; Sof 3,3; Sal 111,7) *liberatore* (con Abramo: Gn 12,1-4; nell'Esodo: Es 1-15), che dimostra la sua *potenza*, «il potente di Giacobbe» (Gn 49,24; Es 1,24; 49,26; 60,16), la sua *vigilanza* (sui patriarchi: Gn 20, 6s; 28,15; su Giuseppe per «salvare la vita a un numeroso popolo»: Gn 45,8; 50,20; nel deserto: Es 16,15-18). Jhwh dà il *Decalogo* (dieci libertà: Es 20; Dt 5,6-21; Es 24,3-15), fonda e rende possibile la giustizia in Israele. Il suo amore, la sua azione *redentrice* e salvatrice che libera un popolo oppresso e schiavo, brilla in ogni pagina della bibbia: «Dio giusto e salvatore non c'è fuori di me» (Is 45, 21). «La mia salvezza durerà per sempre, la mia giustizia non sarà annientata. Ascoltatemi esperti della giustizia, popolo che porti nel cuore la mia legge... La mia giustizia durerà sempre, la mia salvezza di generazione in generazione» (Is 51,6-8). Jhwh è il *signore* della terra e del *suolo* dato a Israele; il popolo eletto è soltanto un inquilino di Dio, che deve sempre rimanere «straniero e ospite» (Lv 25, 23; Sal 119,19). Perciò Israele deve manifestare a Jhwh la sua lode, il suo ringraziamento, la sua dipendenza. Anche le feste agricole (Es 23,14s) corrispondono ai ritmi della natura: festa degli azzimi, della messe, delle primizie (Es 23,16), del raccolto. Anche l'uso dei prodotti ha un regolamento particolare: si deve lasciare spigolare il povero e lo straniero (Dt 14, 29; 24,19-21); per non esaurire il suolo, i prodotti non si raccolgono una volta ogni sette anni (Es 23,11).

«Questa legge della terra, ad un tempo religiosa e sociale, indica l'autorità di Dio a cui il suolo appartiene di diritto. La sua osservanza deve differenziare Israele dai contadini pagani che lo circondano» (G. Becquet). Ma la grande tentazione per Israele sono i cananei con la loro vita agricola e con baal, signore del paese; adottando cioè le loro usanze nel campo e nella vigna, adottano anche i loro costumi religiosi, idolatrici, materialistici, prostituzionali.

Dio si rivela come un Dio che *condanna* ogni specie d'ingiustizia fatta al popolo, colui che fa giustizia agli oppressi, a quanti soffrono l'ingiustizia (Is 41,10s; 54,17; Sal 129,4s). Egli è il capo degli *eserciti* di Israele (Es 12,41), un guerriero che dà la *vittoria* al suo popolo (Es 15,12 ss; 1 Sam 17,45), rendendolo *forte* (Dt 8, 17s); assicura la sua *presenza* (2 Sam 6,2; Sal 132,8), ma sempre Jhwh è *forza* del popolo (Sal 144, 1s; 28,7s; 68,34ss). Jhwh continuamente agisce *in favore* del suo popolo, è *fedele* alle sue promesse (la «roccia» di Israele: Dt 32,4). Pertanto la sua giustizia si manifesta nei «magnalia Dei», e la regalità di Dio viene sempre concepita nel senso dinamico e relazionale. Da quando Israele si è dato un re, questa «regalità» è subordinata alla regalità di Jhwh, è un organo della *teocrazia* fondato sull'alleanza, concesso e scelto da Jhwh: nel caso di Saul (1 Sam 10,24), nel caso di Davide (1 Sam 16,12) e di tutta la dinastia davidica (2 Sam 7,12-16). Il regno è soprattutto l'irradiamento della sovranità divina operante. Questa sovranità, a sua volta, si manifesta in una relazione privilegiata con il povero, l'oppresso, il misero, il piccolo, il debole («poveri di Jhwh»: Sal 74,19; 149,4s; essi sono oggetto del suo amore: Is 49,13; 66,2; costituiscono le primizie del «popolo umile e modesto»: Sof 3,12s). In tutti questi aspetti il re-giusto è protettore e garante della giustizia. Egli non è tanto un arbitro fra due parti (Jhwh-popolo), quanto la protezione del debole contro il forte.

Da qui il legame *verticale* (Jhwh-Israele) e *orizzontale* (i membri del popolo eletto fra loro). Si può dire, con alcuni autori moderni, che in forza all'alleanza si crea un legame di *parentela* (Jhwh-Israele), specialmente nei confronti dei più poveri. La *fraternità* di tutti si basa sulla creazione «da un principio» (Gn 1-2; At 17,26), sull'alleanza («Non odierai il tuo fratello..., amerai il tuo prossimo»: Lv 19,17s). Nella tradizione patriarcale ci sono esempi-modello di questa fraternità: Abramo e Lot lontani dalle discordie (Gn 13,4), Giacobbe si riconcilia con Esaù (Gn 33,4), Giuseppe in maniera commovente perdona i fratelli (Gn 45, 1-8). D'altra parte, i profeti scongiurano Israele perché ha abbandonato l'amore fraterno (Os 4,2), «nessuno risparmia il proprio fratello» (Is 9,18ss); l'ingiustizia è universale, non c'è più nessuna fiducia (Mi 7,3-6), non ci si può «fidare di nessun fratello, perché ogni fratello vuole soppiantare l'altro» (Ger 9,3; cf. 11,18; Gb 6,12), però «un fratello aiutato dal suo fratello è una roccaforte» (Prv 18,19 LXX). Ma la violazione del diritto del *povero* è una ferita ancora maggiore inflitta alla comunità *fraterna* che lega Israele, è un affronto personale a Jhwh, creatore della solidarietà dell'alleanza, è pervertimento della giustizia (Am 5,7; Is 10,1s; Ger 22,13-17), di cui Jhwh è *garante*. Perciò quello che calpesta il fratello, specialmente povero, cadrà sotto il giudizio del Signore, che, come re-giusto è il vindice del povero, e come alleato-parente è il difensore del popolo da lui fondato e voluto quale comunità di fratelli.

Israele quindi, come comunità, ed ogni suo singolo membro, è *chiamato* a partecipare alla giustizia di Dio (Sal 24,5), specialmente a seguire Jhwh nella sua cura dei fratelli poveri e piccoli, giacché essi sono in modo particolare amati e protetti da Jhwh. Poiché essi sono più minacciati, perché più bisognosi, più miseri e più deboli, Jhwh-giusto li protegge maggiormente, li difende, li vendica, li aiuta e ascolta le loro grida. Il proletariato rurale, infatti, a volte si trova in un'incredibile miseria (Gb 24,2-12). Contro l'asservimento dei piccoli, il profeta Geremia proclama «la libertà degli schiavi, rimandando liberi ognuno il suo schiavo ebreo e la sua schiava ebrea, così che nessuno costringesse più alla schiavitù un giudeo suo fratello» (Ger 34,9). Jhwh-giusto è il vendicatore dell'ingiustizia inflitta ai fratelli piccoli: «Voi non avete dato ascolto al mio ordine che ognuno proclamasse la libertà del proprio fratello e del proprio prossimo: ora, ecco, io affiderò la vostra liberazione − parola del Signore − alla spada, alla peste e alla fame e vi farò oggetto di terrore per tutti i regni della terra» (Ger 34,17). I profeti tante volte rievocano la chiamata del popolo: «Osservate il diritto e praticate la giustizia, perché prossima a venire è la mia salvezza; la mia giustizia sta per rivelarsi» (Is 56,1). «Per amore di Gerusalemme non mi darò pace, finché non sorga come stella la sua giustizia e la sua salvezza non risplenda come lampada. Allora i popoli vedranno la tua giustizia, tutti i re la tua gloria» (Is 62,1).

Siamo in presenza di un profondo senso del concetto religioso della giustizia dell'AT, poiché Jhwh vuole il benessere e la felicità di tutti nella comunità del popolo eletto. Pertanto la giustizia di Jhwh verso Israele *fonda* e rende possibile la giustizia di Israele. Tutto il popolo ed ogni singolo della comunità di Israele non possono essere giusti verso gli altri se non *partecipando* alla giustizia di Jhwh e *cooperando* con essa. Essere «giusto» in Israele, quindi, è la *risposta* data a Jhwh sotto forma di fedeltà all'alleanza (→ Elezione/alleanza/legge): Jhwh è fedele e pieno di amore verso Israele sempre e in ogni circostanza, Israele deve ricambiare questa fedeltà e amore di Jhwh verso di sé; dunque fedeltà per fedeltà, amore per amore. Soltanto così Israele sarà giusto di fronte a Jhwh e a tutti i «regni della terra» (Ger 34,17).

Dato ciò, la dimensione *sociale* della giustizia in Israele, nei confronti dei fratelli della stessa comunità, significa osservare i comandamenti *sociali* dati da Jhwh, affinché nella comunità regni concordia, fraternità, solidarietà, benessere. «Guai a coloro che fanno decreti iniqui e scrivono in fretta sentenze oppressive, per negare la giustizia ai miseri e per frodare del diritto i poveri del mio popolo» (Is 10,1-2). D'altra parte, Isaia loda la giustizia dei giusti: «Chi cammina nella giustizia..., chi rigetta un guadagno frutto di angherie, scuote le mani per non accettare regali, si tura gli orecchi per non udire fatti di sangue, chiude gli occhi per non vedere il male: costui abiterà in alto» (Is 33,15-16). «Se uno è giusto e osserva il diritto e la giustizia, se non mangia sulle alture e non alza gli occhi agli idoli della casa d'Israele..., se non opprime alcuno, restituisce il pegno al debitore, non commette rapina, divide il pane con l'affamato e copre di vesti l'ignudo... se cammina nei miei decreti e osserva le mie leggi agendo con fedeltà, egli è giusto ed egli vivrà, parola del Signore Dio» (Ez 18,5-9).

Prima dell'esilio si parla ancora poco della giustizia personale del singolo, si accentua di più l'importanza di rimanere nella giustizia che Jhwh dimostra all'intero popolo (Sal 15; 24, 3s; 143,1). In questo periodo la «giustizia umana» si intende quasi sempre in un rapporto tra persone (Gn 38,26; 1 Sam 24,15; Am 5,7; 6,12). Il «giusto» appartiene al popolo cui Jhwh ha concesso di partecipare alla sua giustizia divina (Sal 7,9; 17,1-15; 18,22-24; 26,1-6). Con il *giudaismo*

rabbinico si passa al degrado: la giustizia, sia sociale che personale, non è altro che l'armonia con la legge. La *comunità di Qumrân* parla della giustizia anche nel senso di «giustificazione», ed è convinta che «presso Dio sta la mia [tua, nostra] giustificazione», poiché «egli cancella i miei peccati con le sue giustizie» (1 QS 11,2.3.5.12). D'altronde Qumrân accentua particolarmente la dottrina della giustizia con il suo misterioso «Maestro di giustizia» (→ Messianismo: compimento).

Concludendo, possiamo mettere in risalto *quattro* punti che in un certo modo sintetizzano questa breve considerazione sul concetto *sedāqāh* dell'AT.

a. La *povertà* nell'AT è un fatto sociale, legato a circostanze economiche, politiche e sociali, che provoca una riflessione religiosa. Nel tempo nomadico tutto il popolo è povero. Nel codice dell'alleanza appare una scarsa differenza sociale. Con la monarchia si instaura una condizione economica più differenziata: nasce la classe dei poveri. Però condannando la povertà-scandalo i profeti ribadiscono la povertà come ideale: una scoperta dei valori spirituali della povertà e del pericolo delle ricchezze.

b. La giustizia di Jhwh è calata in un evento della storia della salvezza, cioè *l'alleanza.* Dio si fa partner dell'uomo per creare una comunità fedele alla sua Parola e solidale in se stessa. Jhwh si presenta come Parente del suo popolo che accetta l'alleanza. Si tratta di una «consanguineità» più forte di quella etnica. Jhwh si è unito a Israele con legami di parentela, che si fa più stretta quando si tratta dei più poveri. I beneficiari dell'alleanza sono quindi legati fra loro da vincoli di parentela, essi sono «fratelli», fratelli sul piano religioso e morale. Con ciò il concetto *sedāqāh* acquista sempre più l'accezione di solidarietà, di amore, di carità e di bontà, specialmente se il popolo eletto si conserva fedele all'alleanza. Questa nuova comunione familiare di amore, di carità e di bontà non deve escludere nessuno, anzi dimostra la sua autenticità nella sollecitudine verso l'indigente.

c. La giustizia della bibbia è in conformità con la *natura* di Jhwh, che è sempre per i poveri, gli oppressi, i bisognosi, e che l'uomo deve imitare e condividere con cuore puro (*leb tachōr*); il che vale per tutto il popolo eletto e per ogni suo singolo membro. Se diciamo che la giustizia è in conformità con la «natura» di Jhwh, ciò introduce il pensiero teologico che la natura di Dio è l'amore. Pertanto il fondamento ultimo della giustizia dell'AT è l'amore di Jhwh verso il suo popolo. Israele è partecipe di questo amore di Jhwh, da ciò l'obbligo di imitare l'amore partecipativo di Dio per ciascuno. Ogni uomo ha la sua dignità personale, che teologicamente è da ricercare nell'unità con Dio: cioè nell'amore, nella partecipazione dell'amore divino verso ogni uomo.

d. Con ciò abbiamo toccato l'analogia della fede, espressa nella seguente *equazione*: Jhwh fedele = Israele fedele, Jhwh giusto = Israele giusto, Jhwh amore = Israele amore. In termini etici si può dire che l'*indicativo morale* interno ad essere giusti (solidali, caritatevoli) è la stessa natura della persona umana, creata ad immagine e somiglianza di Dio (Gn 1, 26-27): ogni uomo è «ad immagine», quindi tutti gli uomini sono uguali, vicini, fratelli. L'*imperativo morale* non sta in regole esterne ma nell'essere dell'uomo che è tenuto ad imitare o rispecchiare nella sua dignità il suo originale o prototipo, che è Dio creatore-amore, nell'immagine perfetta di Cristo (GS 22). Nella giustizia dell'AT conta più l'essere dell'uomo che non le sue singole azioni, o meglio, le azioni hanno tutta la loro importanza viste nella persona. Perciò la dimensione della giustizia dell'AT è personale, religioso-teologica nei confronti di Jhwh, è religioso-sociale nei confronti del prossimo: Qualsiasi giustizia, o ingiustizia umana, è saldatura o rottura di questa lealtà e solidarietà interumana, ma nello stesso tempo è insieme soprattutto compimento o trasgressione della lealtà e fedeltà verso Jhwh-re-parente giusto e Signore assoluto.

3. NEL NUOVO TESTAMENTO - Per capire meglio la dimensione della giustizia rivelata, dimensione cioè esterna ed interna, personale e sociale, dopo aver visto l'origine e lo sviluppo del medesimo concetto dell'AT, è necessario mettere in risalto alcuni aspetti della *giustizia superiore* nel NT. Si tratta di un salto *qualitativo*. Prendiamo soltanto tre punti rilevanti.

L'*episodio lucano* di Nazareth (Lc 4,18-19) è fondamentale per il nostro tema, perché costituisce il cuore del *programma messianico* di Gesù. Rievoca cinque testi paralleli: Lc 4,18-19; Is 61,1-2; Is 58,6-10; Lc 7,22-23; Mt 25,31-46. L'omelia di Gesù in questa occasione, all'inaugurazione del suo ministero, ha un posto privilegiato. La lettura fatta da Gesù nella sinagoga e la spiegazione del brano del profeta Isaia è centrale, giacché Gesù si presenta attraverso il profeta Isaia. Lo Spirito che riposa su di lui, lo porterà a evangelizzare i poveri, ad annunciare la liberazione ai prigioneri, a riscattare gli oppressi, a proclamare l'anno di grazia del Signore, anno giubilare in cui i debiti saranno cancellati e gli schiavi liberati. Mettere in risalto tutti gli emarginati con i loro rispettivi bisogni — i poveri, i prigionieri, i ciechi, gli oppressi (Lc 4,18-19), gli zoppi, i lebbrosi, i sordi, i muti (Lc 7,22-23) — indica la totalità e l'universalità della sua missione. E Isaia prosegue: «un giorno di vendetta per il nostro Dio, per consolare tutti gli afflitti»

(Is 61,2b), testo questo che Gesù non legge per non aumentare l'irritazione del suo auditorio. Il testo di Isaia che invece legge (61,1-2) è il seguente: «Lo Spirito del Signore è sopra di me; per questo mi ha consacrato con l'unzione, mi ha mandato per annunziare ai poveri un lieto messaggio, per proclamare ai prigionieri la liberazione e ai ciechi la vista; per rimettere in libertà gli oppressi, e predicare un anno di grazia del Signore». Testo parallelo di Isaia è anche quello del cap. 58,6-10, riportato nella parabola del giudizio finale (Mt 25,31-46), dove si enumerano opere di giustizia/carità: «ho avuto fame», «sete», «ero forestiero», «nudo», «malato», «carcerato», «mi avete dato da mangiare», «da bere», «mi avete ospitato», «vestito», «visitato», «siete venuti a trovarmi»… «In verità vi dico: ogni volta che avete fatto queste cose a uno solo di questi miei fratelli più piccoli, l'avete fatto a me».

Nell'episodio della sinagoga nazaretana sono evidenti un aspetto *fisico* e un aspetto *spirituale*. Presso Isaia il ridare «ai ciechi la vista» non si limita ad un fatto fisico, ma designa piuttosto la cecità spirituale e una nuova illuminazione del cuore. Presso Gesù le azioni visibili significano anche azioni spirituali. La risposta agli inviati del Battista (Lc 7,22-23): «I ciechi riacquistano la vista», «gli zoppi camminano», «i lebbrosi vengono sanati», «i sordi odono», «i morti risuscitano», «ai poveri è annunziata la buona notizia», si trova nella stessa linea. È sintomatico che, di tutta una serie di miracoli fatti da Gesù, l'ultimo segno sia più specifico, anzi decisivo poiché caratterizza la sua missione messianica, prevista da Isaia (61,1-2): «Ai poveri è annunziata la buona notizia».

Nel suo ambiente storico, l'omelia di Gesù era carica di una forte tensione *escatologica* e anche *consolatoria*: Cristo offre la salvezza escatologica a chi è spiritualmente povero

nel senso della prima beatitudine (Mt 5,3: «Beati i poveri in spirito»), a chi, cioè, non possiede nulla, è sprovvisto di tutto davanti a Dio. Davanti a Dio è totalmente povero chi, con cuore umile e riconoscente, riceve tutto da Dio. Perciò questi ha l'assoluta sua fiducia. Siamo in una concezione più *ampia* del «povero», che accentua gli aspetti interiori di *distacco* dai beni di questo mondo e di totale disponibilità per il regno. Tre sono i modi di considerare il «povero»: povero in paragone con il ricco, povero di fronte a Dio, Dio di fronte al povero. Ma come Dio compensa l'uomo povero? «Lo riempie facendosi egli stesso *tesoro* di chi è povero: lo riempie donando e autocomunicandosi, non necessariamente arricchendolo con il denaro. Il vangelo rivela questa autocomunicazione di Dio in Cristo e nello Spirito. Dio si rivela al povero in tutta la sua potenza. Questi sta di fronte a lui come bisognoso, come colui che lo invoca, lo supplica, lo aspetta» (C. M. Martini). Certamente Lc 4,18 rimane volontariamente ambiguo, generico ed enigmatico, anzi deve rimanere tale. Tutte e due le interpretazioni, cioè l'escatologica e la consolatoria, hanno il loro peso, poiché senza l'escatologica non c'è la consolatoria, e viceversa. Detto ciò, si può obiettare che vi sono uomini ricchi che non possono porsi nella categoria dei «poveri». Ma la risposta è già data: tutti siamo spiritualmente poveri davanti a Dio in un modo o nell'altro. Il messaggio di Gesù non è classista, poiché gli esclusi, gli ignorati, gli ammalati, gli indemoniati, i lebbrosi, le donne, i bambini, i fanciulli, i pagani, i samaritani, i pubblicani, i peccatori, non vanno intesi prima in senso materiale ma spirituale, non in senso esclusivo ma preferenziale. Con ciò il concetto *sedāqāh, dikaiosýnē, giustizia* attinge, nel programma di Gesù, il suo significato supremo, il suo vertice.

Prendiamo ora l'*evento centrale*, la parabola matteana descritta nel cap. 25,31-46. Dopo la fine della storia della salvezza l'evento escatologico più drammatico è il *giudizio finale* con la realtà tremenda della *giustizia superiore*. Pur non essendo di per sé chiaro, tuttavia si tratta del *giudizio*, anzi del giudizio supremo. E il giudizio ha a che fare con la *giustizia*. E il giudice è Gesù Cristo nella forma del «re-giusto»; egli è la figura principale, *centrale* della parabola. Questo re-giusto ha una relazione reale di *parentela* con i poveri, i minimi, gli oppressi, gli abbandonati, perché li proclama «miei fratelli» (Mt 25,40 e 45). Qual è allora il criterio di giudizio? Il criterio è la *persona* del re-giudice: tutto il bene e il male che si fa ai poveri, ai minimi, ecc., si fa a lui: «In verità vi dico: ogni volta che avete fatto queste cose a uno solo di questi miei fratelli più piccoli, l'avete fatto a me» (v. 40). Le beatitudini vengono definitivamente messe in risalto: «Beati i poveri», «beati gli afflitti», «beati quelli che hanno fame e sete della giustizia», «beati i perseguitati per causa della giustizia» (Mt 5,1-10). Questo trionfo della giustizia già secoli prima era stato perfettamente descritto, quasi con le stesse parole, dal profeta Isaia (58,6-10). Dunque la rivelazione della giustizia è *coerente* dall'inizio alla fine della storia, sempre in ascesa, sempre più umana e umanizzata, spirituale e spiritualizzata. La giustizia del «re», e la giustizia del «giusto» che segue il re, viene *arricchita* dalla solidarietà, carità e misericordia, senza però che queste virtù perdano il loro carattere proprio.

Ma ci sono anche *interpretazioni abusive* (C. M. Martini). La prima è *atea* perché in tutta la parabola matteana non vede nessun motivo superiore o di fede, nessuna traccia di religiosità, così che essa fomenta una teologia dell'ateismo. Però i fautori di questa opinione assurda non vedono che il detto «l'avete fatto a me» e «non l'avete fatto a me» (Mt 25,40 e 45) sono azioni illuminate dalla fede in Cristo e dall'accoglimento della sua persona teandrica. Ciò però non ha a che fare con la pura filantropia. Poi non capiscono che tale carità è teologale, che non esclude l'appello a credere al vangelo, anzi lo suppone. D'altronde è vero che il testo non precisa come la carità (teologale) sia possibile a quelli che non hanno accolto il vangelo. Forse Gesù vedeva proprio nella generosità fraterna una via che conduce all'accoglimento del mistero della sua persona.

La seconda è *superficiale*, perché afferma che nella parabola si parla solo di opere, mentre il cuore dell'uomo non c'entra. Non si richiede l'atteggiamento spirituale da parte di chi presta aiuto al bisognoso, non conta l'intenzione o la coscienza del soggetto agente, vale solo l'aver fatto o non aver fatto. Ma Gesù in tanti testi mette in risalto l'intenzione, la coscienza, la volontà dell'uomo, il cuore dell'uomo: «Quando avete fatto queste cose per essere visti dagli uomini, avete già avuto la vostra ricompensa» (Mt 6,1ss).

La terza opinione è *unilaterale*, giacché afferma che le opere menzionate fanno un catalogo completo ed esclusivo di tutte le opere sottoposte al giudizio, come se fosse una lista delle opere di misericordia corporale tassativamente enumerate. Però «sarebbe errato trarre da questo brano una specie di *catalogo esclusivo* delle cose da fare per salvarsi... Il passo è molto ardito, ma, come succede per molti brani biblici, va ricevuto nel suo senso simbolico, guardando nella profondità del messaggio e non esagerando l'uno o l'altro aspetto» (C. M. Martini). C'è di più: se questa parabola matteana si mette nel contesto di tutto il suo vangelo, risulta che vi si raccomandano tante altre opere, come misericordia, perdono, preghiera nel silenzio, ecc. Gli esegeti moderni sottolineano, tra l'altro, tre dimensioni più rilevanti della parabola di Matteo.

Primo, è chiara la dimensione *cristologica* in questa ultima cristofania: Gesù (figlio dell'uomo, re, Signore) è centro e punto di arrivo, sia dell'intenzione salvifica del Padre, che dell'agire umano (giusto-ingiusto). Ora più chiara che mai diventa la verità che la persona di Cristo è la norma della condotta morale, la «misura di tutte le cose», «e quando tutto gli sarà stato sottomesso, anche lui, il Figlio, sarà sottomesso a colui che gli ha sottomesso ogni cosa, perché Dio sia tutto in tutti» (1 Cor 15,28).

Secondo, l'estensione *universale* del giudizio per tutti i popoli e nazioni: il rapporto parentale fra il re e gli ultimi del mondo, perché «fratelli» del re (affamati, pellegrini, ammalati, prigionieri, poveri, più piccoli), richiede la giustizia nelle *opere personali* (amore, carità, solidarietà, tolleranza); non bastano le cose come tali, quindi non basta la sola giustizia giuridico-sociale, che è «minimum moralitatis», e può essere intesa appunto, in senso minimalistico e puramente legalistico. Al contrario, con la parabola matteana siamo in piena gratuità rivelata: non il piccolo al posto del re, non una piena identificazione o univocità, ma i due assieme in gerarchia: Cristo vuol essere aiutato nei poveri, perciò quello che è fatto al povero è fatto a lui.

Terzo, la *signoria di Cristo* si realizza nel *servizio* dei piccoli: «Il figlio dell'uomo non è venuto per essere servito, ma per servire e dare la sua vita» (Mc 10,45); «Io vi ho dato l'esempio... il servo non è maggiore del padrone» (Gv 13,15s); «Io sono in mezzo a voi come colui che serve» (Lc 22,27). Da qui viene accentuata la serietà del *quotidiano*, del «comune», dell'ovvio, perché nel semplice servizio all'uomo si promuovono i suoi diritti, seguendo il re-giusto in

una triplice linea, di una triplice indigenza. L'*alimentazione* (cibo e acqua) appartiene al primo diritto fondamentale, cioè al diritto alla vita personale dell'uomo. L'inserimento in una *comunità* (straniero senza patria, senza vestiti, senza calore di una comunità) appartiene al secondo diritto fondamentale, cioè al diritto alla comunità, alla società (famiglia, patria, comunità dei credenti, protezione sociale). L'indigenza della *libertà* (malattia, prigionia) appartiene al terzo diritto fondamentale dell'uomo, cioè alla libertà di coscienza, di religione, alla libertà esterna ed interna, lungi da ogni coercizione o limitazione.

Per concludere, dunque, il *criterio* decisivo è la persona teandrica di Cristo («l'avete fatto a me»). Questo criterio fa sì che tutte le opere fatte ai «fratelli» rientrino nel concetto di giustizia ampliato, cioè biblico-teologico-religioso specificatamente cristiano. L'*oggetto* sono le opere di carità, di misericordia, di solidarietà, che, senza dubbio, esprimono una «filantropia» più elevata, un'umanità più nobile, una *giustizia superiore*, al di là di quello che può esigere qualsiasi legge positiva o giustizia di tipo cosificato, espressa con la formula «cuique suum». Dunque nella parabola matteana del giudizio finale sono coinvolti molti valori, elevati, sublimi e spirituali che trasformano anche la giustizia già perfetta dell'AT in una giustizia nuova, grande, salvifica, specificatamente cristiana.

Sulla *giustizia superiore* presso Paolo si è scritto parecchio (J. Blank, G. Bornkamm, F. F. Bruce, R. Bultmann, C. H. Dodd, G. Friedrich, H. Hübner, S. Johnson, E. Käsemann, S. Lyonnet, H. Räisänen, H. Schlier, W. Schrage, H. Schürmann, U. Wilckens, recentissimamente Brice L. Martin, *Christ and the Law in Paul* (1989) e Frank Thielman, *From Plight to Solution. A Jewish Framework for Understanding Paul's View of the Law in Galatians and Romans* (1989).

Il concetto di «giustizia» presso Paolo è nella linea biblica finora spiegata. Ma viene progressivamente *interiorizzato* verso la crescita interna nella «giustificazione» del perdonato in Cristo. Tre pensieri principali: Il debitore, nella cultura romana, deve pagare i debiti, altrimenti va in prigione, nonostante l'esistenza della *aequitas romana* (l'imparzialità del diritto), che ha dato ai romani gloria mondiale. Paolo accentua il concetto di *giustificazione*: al perdonato in Cristo si cancella ogni debito. Il «giustificato» diviene «giusto», «santo». Mentre la giustizia romana emana dalle leggi, la giustificazione paolina si verifica all'interno della persona, nella grazia di Cristo, senza leggi, ed ha effetti positivi anche per la società. Per gli stoici la divinità è solo un modello di «autoliberazione», per Paolo, Dio in Cristo è quello che libera e salva l'uomo dalla sua ingiustizia, dalla «sclērokardía». L'uomo liberato si distanzia dai beni terreni; ciò lo fa disponibile per l'uso di essi a favore dei bisognosi. Con ciò Paolo *relativizza* la legge e i beni materiali, dà una prospettiva sociale più profonda, e rifiuta l'idea stoica dell'autosufficienza.

Ciò infatti guida al vero concetto paolino della «giustizia». Seguendo la linea biblica Paolo è preoccupato per i *poveri* (per es. della chiesa madre di Gerusalemme), ma in un concetto allargato di povertà. Egli si occupa dei poveri e degli emarginati nel senso *sociale*, ma ancora di più nel senso *spirituale*, per gli schiavi spirituali. Paolo difende i diritti dei minimi, proclamando la potestà del regno universale del Cristo risorto. Su questa base tutti, anche i più miseri hanno gli *stessi* diritti e gli stessi *doveri*: nel matrimonio (il marito come la moglie), nella famiglia (il padrone come i figli e gli schiavi) (Ef 5,22-33; 6,1-9), nella società, nessuna discriminazione tra ricchi e poveri, tra greci e giudei, tra padroni e schiavi (Col 3,18;

Gal 3,26-28). Questa è stata un'inaudita *rivoluzione sociale*, perché fino ad allora lo schiavo era una «cosa» del padrone, la donna era la parte debole della famiglia, i figli erano esposti alla volontà dispotica del padre. Ora lo schiavo ha «nel Signore» gli stessi diritti e doveri del padrone (Col 3, 18-19).

Con ciò Paolo non ha rovesciato politicamente l'ordine sociale del tempo, ma l'ha *relativizzato*: la sua espressione «en Christô Jēsoú tō Kyríō hēmôn, in Cristo Gesù nostro Signore» (Rm 6,23 e passim) cambia tutto dall'*interno*, perché «liberati dal peccato e fatti servi di Dio» (Rm 6,23) i cristiani sono capaci di trasformare la *società*. Lo schiavo, nonostante la situazione sociale ingiusta, è già liberato in Cristo: perciò molti schiavi hanno ricevuto il cristianesimo, anche se non li si poteva convertire alla religione giudaica prima di essere socialmente liberati dalla schiavitù, poiché gli schiavi non potevano osservare la legge mosaica. Paolo ha a che fare con la «schiavitù» a Corinto, a Roma, ma quello che importa dell'uomo non è la condizione sociale-economico-politica esterna come tale, ma la *chiamata* di Dio (1 Cor 7, 17ss). Lo schiavo farà dunque il suo dovere di cristiano servendo il suo padrone come a Cristo (cfr. Ef 6,5-8): il padrone cristiano, d'altra parte, riceverà il suo schiavo come suo «fratello in Cristo» (Ef 6,9). Ciò emerge dalla breve lettera a Filemone: «Onesimo... il mio cuore... perché tu lo riavessi per sempre; non più però come schiavo, ma molto di più che schiavo, come fratello carissimo in primo luogo a me, ma quanto più a te, sia come uomo, sia come fratello nel Signore. Se dunque tu mi consideri come amico, accoglilo come me stesso» (Fm 14-21). I battezzati in Cristo sono liberati dal peccato, dalla morte, dalla legge (Rm 6-8; Gal 5,1), divenuti «schiavi» di Dio e della giustizia (1 Cor 7,22s; Rm 6,

16-22). Da schiavi sono divenuti «figli nel Figlio» (Gal 4,4-7.21-31). Liberi nei confronti di tutti, si fanno tuttavia servi e schiavi di tutti, sull'esempio del loro Signore (1 Cor 9, 9, sec. Mt 20,26-27 e Gv 13,14ss).

Dunque questa giustizia superiore paolina identificata con la giustificazione offerta da Dio (Rm 3,5), che penetra nel cuore dello schiavo del peccato (Rm 3,26) è diversa dalla giustizia umana sociale-politico-economica. Tuttavia i frutti sociali di questa *giustizia divina*, non classista né parziale, sono gli unici veramente capaci di trasformare la società di ogni tempo.

4. IL CONCETTO FILOSOFICO-GIURIDICO - Ci sono due visioni del concetto filosofico-giuridico della giustizia: tradizionale e moderna. *a*. La visione *tradizionale* o classica, cominciando con la cultura greca (dikaiosýnē = giustizia, díkaios = giusto, dikáiōsis = giustificazione), deriva dal sostantivo «díkē» = direttiva, indicazione, ordine. «Díkē» è figlia di Zeus e partecipa del suo governo del mondo. Ciò esprime l'eccellenza della giustizia nella cultura greca. La «díkē» è necessaria perché l'uomo possa sviluppare ordinatamente l'esistenza personale e comunitaria. Nel senso giuridico-amministrativo può significare tre cose: l'ordine egualitario che deve essere stabilito in una normale società, il complesso di leggi che garantiscono il medesimo ordine, l'organo o il regime che, senza discriminazione o privilegi, ugualmente per tutti, applica queste leggi. L'opposto dell'ordine giuridico-amministrativo è la «bíē» = violenza o potenza distruttrice dell'ordine. Nel senso di valore personale e interpersonale sono note alcune definizioni dell'antichità. Per Platone la giustizia è un atto, cioè «dare a ciascuno ciò che gli compete» (*Repubbl.* I,6,331). Per Aristotele è un abito: «la virtù per la quale si agisce scegliendo il "giusto"» (*Eti-*

ca Nicom. V, 1129). Anche per Ulpiano è un abito: «costante e perpetua volontà di attribuire a ciascuno il suo» (*Dig.* I,1,10). Per Tommaso è «la virtù per la quale ciascuno, con la volontà costante e perpetua, attribuisce a ciascuno il suo diritto» (STh II-II,58, a. 1).

A queste e simili definizioni classiche, ad eccezione della dottrina di Tommaso complessivamente considerata, si può dire in generale che esse manifestano una giustizia troppo oggettivistica, *cosificata*, quantificata o matematica − «dare a ciascuno il suo» − come se si trattasse solo dei beni esteriori che non hanno nulla a che fare con il soggetto agente, né con la sua coscienza, né con l'intenzione soggettiva, come se rispettivamente la persona dell'agente e la persona a cui si dà il suo non siano da prendere affatto in considerazione. Però tale giustizia, che si limita al dovuto materiale o quantificativo, non è capace di cogliere la profondità *personale* del diritto; si tratta di una giustizia minimale, esterna, che può diventare anche inumana, quindi una «giustizia ingiusta».

b. Ogni qualità etica è del soggetto agente e non di una cosa dovuta. Ciò fa sì che il formalmente giusto secondo una legge o secondo un pattuito, può essere non giusto in nome della dignità dell'uomo. Un salario, un soddisfacimento degli obblighi di giustizia commutativa, una distribuzione burocratica e formale, tutte queste e altre forme di giustizia oggettiva esterna possono essere «giuste» ad *rigorem litterae*, ma non *ad dignitatem personae*, perché il soggetto agente sta *fuori* gioco.

Ma il nuovo principio richiede, come prima cosa, di riconoscere il diritto fondamentale dell'essere persona con tutte le sue implicazioni, come vedremo ancora più avanti; di conseguenza una volta si privilegiava il dovuto *quantitativo* (minimale), oggi il dovuto *qualitativo* («giusto» non in nome della legge, ma dell'uomo). Qui però si può obiettare che oltre lo stretto dovuto e la misura legale c'è solo la carità e la carità non è la giustizia. Dunque la dimensione personale del soggetto agente non c'entra, non ha a che fare con la giustizia come tale. Sì, non ha a che fare con la giustizia intesa nel senso tradizionale-classico oggettivistico o quantificato, ma ha a che fare con la giustizia che primariamente è il garante del bene della persona, del diritto che scaturisce non dalla legge positiva ma dalla natura della persona, che colpisce la persona e non soltanto le sue cose.

La *storia del concetto* di giustizia mostra che, pur essendo scaturita da due fonti, quella biblico-teologica prima, quella filosofico-giuridica poi, dopo i Padri della chiesa, con gli scolastici, la dimensione biblico-teologica è stata quasi *dimenticata*, mentre il concetto greco-romano di giustizia «a ciascuno il suo» è diventato quasi unico, in un ordine sociale conservativo, statico, immutabile. Lasciando cadere la legge dell'AT, nel trattato *de Gratia* si è considerata la giustizia divina e la giustificazione dell'uomo nel senso paolino, senza alcun influsso sulla morale, sulla catechesi, sull'educazione cristiana. Anche oggi abbiamo degli autori che pensano la giustizia unicamente nelle categorie della giustizia aristotelica. Il fatto storico è che i manualisti non sapevano come partire dalla Scrittura per fondare il trattato *de Justitia*. La giustizia *commutativa* occupa il primo e quasi esclusivo posto, come modello paradigmatico. Lo evidenzia E. Chiavacci (*Teologia morale* 3/1,13-23): la giustizia *commutativa* nel manuale di G. Genicot, *Institutiones Theologiae moralis*, I, 1931, occupa 201 pagine, nel manuale di H. Noldin, *Summa theologiae moralis*, I-II, ed. 28a, 1941, occupa 233 pagine; nel manuale di D. M. Prümmer, *Manuale theologiae moralis*, II, 1940, occupa circa

200 pagine; nel manuale di T. A. Iorio, *Theologia moralis*, II, 1946, occupa 255 pagine su 580 della sezione sui precetti di Dio e della chiesa. Pertanto troppo diritto e poco contenuto teologico, quasi senza alcuna dimensione personale, ecclesiale e sociale.

Diciamo ancora una volta che il concetto aristotelico *cuique suum* era unico e comune. La conseguenza è stata che tutti i trattati scolastici erano privi delle dimensioni profonde biblico-teologiche. Non si teneva neppure conto del legame di giustizia con l'amore/carità, né con la dignità della persona umana, né con il diritto dei bisognosi (poveri, piccoli, vedove). «Il trattato si chiamò *de Justitia et Jure* e fu collegato al diritto civile così poco atto a scoprire le ingiustizie sociali. La correzione delle grandi disuguaglianze era affidata alla carità-beneficenza, virtù per eccellenza dei ricchi che erano lodati per la loro generosità verso i poveri» (E. Hamel, *I fondamenti* 75). Hamel aggiunge che la virtù della giustizia per lungo tempo non ha potuto entrare nei trattati di spiritualità. Ma c'è di più. Fino ad oggi il concetto di «giustizia» non si trova elaborato in alcuni testi scolastici, per es. nel *Nuovo Dizionario di spiritualità* ed. 3a, 1982, né nel *Nuovo Dizionario di teologia*, ed. 2a, 1979, né nel *Dizionario di catechetica*, 1986, neppure nel *Dizionario di pastorale giovanile*, 1989, ecc.

Molti *fattori nuovi* urgenti al di fuori della chiesa (la sensibilità per le culture, il comune destino di tutti nei confronti della mancanza energetica, i problemi bioetici e dell'ambiente, il declino politico-economico del socialismo reale, ecc.), come anche i fattori che influiscono su una nuova riflessione nella comunità dei credenti in Cristo (la nascita e l'espansione rapida del «quarto» mondo, la dottrina sociale rinnovata della chiesa, la virtù della giustizia oggi, ecc.), generano un nuovo bisogno d'*integrazione* tra la dottrina della tradizione cristiana biblico-teologica, la dottrina classica filosofico-giuridica e quella d'ispirazione odierna che mette in risalto sempre di più l'*uomo* nella sua *integrità* socio-antropologica. Così si va verso una nuova *sintesi* del concetto di «giustizia», verso un rinnovato e modernizzato concetto biblico-teologico e filosofico-giuridico, che è più umano e cristiano, più comprensibile e accettabile, più credibile ed efficace per il nostro tempo.

C'è chi obietta che con un concetto *allargato* di giustizia, cioè personalizzato e teologizzato, abbiamo forse fatto due errori. Il primo è che la giustizia è molto vicina all'amore/carità, anzi vengono quasi identificati i concetti di giustizia e carità, così che il primo comandamento divino potrebbe essere formulato: «la giustizia verso Dio e verso il prossimo». Non sarebbe questa una confusione dottrinale? Il secondo è che la giustizia così intesa diventa molto vicina alla fede cristiana; anche in questo caso sarebbero quasi identificate fede e giustizia, perciò un tale concetto è troppo cristiano e non realistico né attraente, anzi strano per l'uomo secolarizzato di oggi. Certamente si va verso un avvicinamento dei concetti di «giustizia» — «carità» — «fede». Esaminiamo però la questione punto per punto.

5. ALCUNE CARATTERISTICHE DEL NUOVO CONCETTO ALLARGATO - Ne prendiamo soltanto due:

Il concetto di «suo» (*suum ius*) è quello del *diritto* che sta all'origine (fondamento, radice) della giustizia. Se analizziamo la formulazione platonico-aristotelico-tomistica prevale il «suo» individuale e non quello comunitario o sociale, perciò anche l'etica piuttosto individuale, per non dire «individualistica», durante i secoli è stata troppo focalizzata sulla giustizia *commutativa*, come si è già detto. Ma il *suum* ha almeno due significati precisi: *oggettivo*, qualora ciò che spetta appartenga a una persona, cioè questo dovuto può essere una cosa, un'azione, una prestazione; *soggettivo*, qualora una persona abbia un certo potere di esigere o disporre di una cosa o di una azione. A questi significati del concetto «suo», si aggiungono altri due aspetti riguardanti il diritto dell'uomo, cioè l'aspetto *legislativo* o «ratio iuris», che è la regolamentazione razionale dei diritti e dei rapporti della persona, fondati sul diritto naturale o positivo; l'aspetto *scientifico*, che designa la scienza del diritto, in quanto con un metodo scientifico e sistematico tratta il tema del «suo».

La giustizia è anche una *virtù*. L'abito di attribuire a ciascuno «il suo» diritto è virtù, non dare a ciascuno il «suo» diritto è peccato. Però per essere giusti occorre l'atteggiamento positivo costante (*habitus*), cioè la *virtù*, e non soltanto qualche atto isolato o sporadico. Ma la giustizia è una virtù molto particolare.

Per Platone è una virtù umana che ha due livelli: *sociale*, in quanto, dando a ciascuno il suo, procura di mantenere nel proprio ordine le classi sociali (governanti, guerrieri, artigiani); *personale* in quanto fa sì che sia salvaguardato l'ordine nei rapporti delle tre «anime» (concupiscibile, irascibile, razionale) che, secondo lui, costituiscono l'essere umano.

Per Aristotele, che ha perfezionato il pensiero del suo maestro, sono tre le *forme principali* della virtù della giustizia, che durante la storia saranno un paradigma quasi assoluto.

La prima forma, di cui abbiamo già parlato, esprime l'onere che tocca i cittadini nei rapporti reciproci «suum cuique», chiamata *giustizia commutativa*, particolare, «lineare» (fra «io»-«tu»-«noi»), interpersonale, «aritmetica». Essa ordina il rapporto giusto fra persone singole o gruppi, secondo il principio d'equilibrio dei loro diritti e doveri.

La seconda forma esprime l'onere che incombe sui cittadini verso lo stato o il bene comune, e consiste nel principio dell'osservanza delle sue leggi, che ordinano i membri della società al bene comune, dove la società è il soggetto dei diritti, verso cui i singoli hanno rispettivi doveri, mentre il bene comune è l'oggetto da salvaguardare e sviluppare. Questa è denominata *giustizia legale*, contributiva, generale, dal «basso verso l'alto».

La terza forma mette in risalto i diritti e i doveri dei cittadini dello stato o della società e ordina il rapporto tra la società e i suoi membri, e lo fa mediante i garanti del bene comune. Il soggetto del dovere è la società che dà a ciascuno il suo. Essa porta il nome *giustizia distributiva*, proporzionale, «geometrica», dall'alto verso il basso.

Per S. Tommaso «la giustizia è l'abito grazie al quale una persona dà a ciascuno ciò che gli spetta di diritto con volontà costante e duratura» (STh. II-II, 58, a.1). In teologia essa ha il suo posto tra le quattro virtù cardinali: prudenza, *giustizia*, fortezza e temperanza. Osserviamo che per Aristotele la giustizia (*dikaiosýnē*) fa parte delle virtù «cardinali», insieme alla prudenza (*phrónēsis*), sapienza (*sophía*), temperanza (*sōphrosýnē*) e fortezza (*andréia*) (*Et. Nicom.* I, 3). Quindi è una virtù morale, anzi detiene il primato, in quanto le altre virtù riguardano il bene dell'individuo in se stesso, mentre la giustizia mira al bene comune, che trascende il bene individuale. La giustizia-valore e virtù stabilisce l'uguaglianza tra le parti, la reciprocità tra il diritto e il dovere, la parità tra le persone, la perequazione tra gli scopi.

Quindi la virtù della giustizia è *diversa* dalle altre, poiché l'*equalitas*, o eguaglianza fondamentale tra le persone, non dipende di per sé dalla volontà dell'agente, come in altre vir-

tù. Qui *medium rei* o «giusta misura» mira all'*oggetto* giusto e non all'intenzione dell'agente, il che è la forza ma anche il limite della virtù della giustizia. Da qui il pericolo che la rigida uguaglianza diventi ingiusta, e lo esprime la massima citata da Cicerone «summum ius, summa iniuria» (*De Officiis*, I, 10,33).

Al contrario, la giustizia non deve essere usata in senso rigido né quando esprime il *suum*, né quando rappresenta la *virtù*: essa sa e deve saper rimettere il debito nell'*amore fraterno* nella linea della giustizia veterotestamentaria e neotestamentaria, seguendo il paradigma e l'insegnamento del Signore Gesù (Lc 10,29-36: samaritano; Mt 20,1-16: operai; Mt 18,23-35: servo spietato). Occorre quindi nella giustizia, affinché sia davvero umana, l'*integrazione* nella persona e la *redenzione* operata dalla solidarietà, dall'amore umano e dalla carità cristiana.

In questo senso il concilio Vaticano II, precisamente nella → *Gaudium et Spes*, in tutta la seconda parte (nn. 46-90), sviluppa la dottrina sociale della chiesa in una focalizzazione teologico-morale. Nel n. 29 descrive «la fondamentale uguaglianza di tutti gli uomini», perché «dotati di un'*anima razionale* e *creati* ad *immagine* di Dio», avendo «la stessa *natura* e la medesima *origine,* e poiché da Cristo *redenti*, godono della stessa *vocazione* e del medesimo *destino* (fine) *divino*». Allora i medesimi diritti fondamentali dell'uomo, fondati sulla medesima dignità della persona umana, godono di per sé della medesima giustizia. Tutto ciò rievoca profonde ragioni basilari antropologico-teologiche, e non soltanto socio-economico-politiche, benché le includa.

Ma chi è il *soggetto* del diritto? Solo l'uomo, con le diverse sue istituzioni e società? Non può essere anche un *animale*? Nell'ambito di questo problema abbiamo oggi tre posizioni. La prima, *classica*, dice che il diritto è proprio ed esclusivo dell'essere umano, cioè solo la persona umana può essere soggetto del diritto, e ciò per due ragioni: perché solo la persona (sia persona fisica sia «persona morale») è cosciente, libera e responsabile, solo la persona ha valore di fine e non di oggetto o di strumento. Di conseguenza, nessun essere inframano è persona cosciente, libera e responsabile, né ha valore di fine (il fine non è in se stesso, ma nell'essere personale superiore); come tale può avere solo valore di mezzo ed essere oggetto di diritto. Quindi, sui diritti degli animali si può parlare in un senso analogico e improprio. Ma ciò non significa che l'uomo non abbia *doveri*, alle volte gravi (oggi non si può dubitare di ciò come una volta), nei confronti degli animali, per quelli domestici che deve custodire, alimentare, curarne la salute, ecc., poiché sugli animali si proietta la dignità della persona umana e del soggetto di diritto. D'altra parte, a nessuno è permessa la tortura, l'utilizzazione inumana, ecc., «quod si tamen id faciat, non peccat peccato iniustitiae erga animalia vel erga Deum, sed peccat *erga se ipsum*, cum male utitur de re sua, et hoc peccatum de se veniale non excedit» (B. H. Merkelbach, *Summa theologiae moralis*, II, n. 374). Questa ultima affermazione «veniale non excedit» oggi generalmente è ritenuta arretrata, e la discussione attuale non esclude la possibilità di peccato davvero grave nei confronti degli animali, specialmente quando l'uomo li tortura solo per piacere sadico, scaricando le sue passioni e istinti brutali sregolati.

La seconda posizione, *moderna*, pone la domanda in termini nuovi, con insistenza e sensibilità. In questi ultimi anni, di fronte alla vivisezione e a numerosissimi esperimenti biomedici, di fronte ad ogni specie di manipolazione crudele degli animali, diventati «il vivo materiale» su cui studiare e da utilizzare per il progresso della scienza contemporanea, il problema ha acquistato un nuovo aspetto e una nuova serietà. Perciò nuovi sono anche gli orizzonti in cui si pone il problema, di cui possiamo cogliere tre aspetti: Il protagonista dei diritti degli animali è l'*etica secolare-laicista*. Ma di quali diritti essa può parlare: dei diritti «naturali» o «positivi», cioè di quelli che si fondano sulla natura dell'animale o di quelli che essa riceve dalla legge umana positiva? Certamente non può parlare dei diritti naturali dell'animale, poiché l'etica secolare laicista neppure all'uomo concede i valori costanti e i diritti che si radicano nella natura (per es. le legge naturale, la coscienza morale inerente, ecc.), ma concede esclusivamente la natura storica dell'uomo. Logicamente nel suo insegnamento deve concedere anche agli animali soltanto ed esclusivamente i «diritti positivi». Su questo punto però non ci sembra essere conseguente, poiché per essa l'animale non ha soltanto «natura di oggetto e valore di mezzo», esso non si distingue dall'uomo essenzialmente ma soltanto gradualmente, cosa che l'antropologia cristiana non può concedere. Poi afferma che l'animale, come essere vivente, sebbene non può ragionare né parlare, può *soffrire*, il che è sostenuto anche dall'antropologia cristiana. Così si pone un nuovo principio: la capacità di soffrire dell'animale. Di fronte però alla sofferenza di chiunque, l'uomo ha il dovere di fare il possibile per evitarla. È vero che in questo senso si sono espressi anche diversi codici: l'austriaco, quello della Lega italiana dei diritti degli animali, quello della Lega internazionale dei diritti degli animali, proclamato a Bruxelles presso l'Unesco (che a livello politico e giuridico non ha ancora il valore di una convenzione o risoluzione). Dobbiamo aggiungere anche alcuni autori, come P. Singer, J. Bentham, T. Regan. Certamente il principio di sofferenza ha qualcosa di valido dal punto di vista etico, come diremo più avanti.

C'è una posizione *media* che proclama la nostra cultura schizofrenica, giacché, da una parte fonda il diritto degli animali sulla capacità di soffrire, sia in base al fatto che soffrire fa male, sia in base al rango, alla dignità ontologica dell'essere capace di sofferenza. Logicamente il difensore dei diritti degli animali deve difendere anche gli embrioni umani, quello che non fa, e il difensore degli embrioni umani difenderebbe anche gli animali, in base al comune principio della dignità della vita come tale.

Qui si tocca l'incongruenza di un sistema di leggi e di una mentalità che, da una parte, giustamente tutela l'animale dalle percosse degli uomini ma, dall'altra, lascia impunita l'uccisione di milioni di creature umane nel grembo materno perfino al «nono mese» di gravidanza (Canada 1990). D'altronde siamo d'accordo che la sofferenza e la vita stessa si fondano sulla natura *ontologica* degli esseri viventi. Ma questo appunto è lo scoglio che l'etica secolare-laicista non può superare se nello stesso tempo non rinuncia al suo principio etico-positivista.

La posizione moderna *cristiano-cattolica* è più sfumata. Mentre la manualistica accentuava l'antropocentrismo della signoria dell'uomo sul creato (Gn 1-2), → l'antropologia teologica lega, in ultima analisi, il rispetto dovuto alla vita al teocentrismo, fondato in Dio-Amore. Così la teologia della creazione e dell'amore scoprono l'indicativo che fonda l'imperativo morale. Esso pertanto non si fonda sulla giustizia dovuta agli animali, neppure tanto sul principio di sofferenza, ma seguendo le orme della teologia tradizionale, sulla *dignità dell'uomo* stesso, che ha il compito di far progredire le altre specie di viventi e non di annientarle.

Tutto sommato abbiamo *due prin-*

cipi validi che devono regolare il comportamento dell'uomo verso gli animali. Da un lato è il rispetto dovuto a Dio, poiché Dio protegge tutta la sua creazione, e chi attacca la creazione in un certo senso (analogico) attacca Dio stesso. Dall'altro, si richiede il rispetto dovuto alla dignità dell'uomo, che è il principio classico «peccat erga se ipsum qui male utitur de re sua», perciò pecca contro la sua stessa *dignità* di uomo, che viene offesa con ogni tipo di crudeltà verso gli animali, poiché così l'uomo si degrada, si rende spregevole, si mostra non-uomo.

6. LA DISCUSSIONE MONDIALE SUI DIRITTI E LE LIBERTÀ DELL'UOMO - A questo punto, secondo una logica del procedimento, bisogna toccare anche questo tema moderno, strettamente legato alla discussione sul concetto di giustizia. Da quanto si è detto è ovvio che la giustizia suppone e si fonda sui *diritti* (naturali o positivi), che esprimono il «suum» di un soggetto morale. È pure ovvio che il diritto *naturale* della persona umana, sia dal punto di vista logico che temporale, è anteriore ad ogni società, organizzazione e stato, perciò è anteriore ad ogni legiferazione e legge positiva, ad ogni diritto positivo. A questo riguardo i diritti dell'uomo sono esistenti già prima di ogni stato e di ogni legislazione positiva, quindi «pre-statali» e «sovra-statali», come la persona è prima di ogni stato e sopra ogni stato. E. Ginters dice che «i diritti umani vengono concepiti qui come diritti pre-positivi, pre-posti e pre-esistenti a qualsiasi legislazione statale. In altri termini l'uomo viene concepito come un essere che possiede una *vocazione* o un orientamento a prescindere e prima ancora che venga stabilito da una qualsiasi comunità umana e persino da lui stesso» (*Valori, norme e fede cristiana*, 97).

I diritti dell'uomo sono innati e irrinunciabili, come lo sono la persona stessa e la sua dignità, in cui si fondano (GS 25,1 e 26,3). «Avere un diritto significa avere un titolo per chiedere, esigere o rivendicare qualcosa da parte degli altri i quali hanno il dovere corrispondente di non impedirlo in quella che è l'esigenza o l'oggetto del diritto (aspetto negativo) e di soddisfare le richieste che egli fa a giusto titolo (aspetto positivo)» (Ginters, 77). La discussione contemporanea mondiale o planetria sui diritti e le libertà dell'uomo, secondo il principio *cuique suum*, si svolge in tre ambiti: nella chiesa (protestante e cattolica) e in altre religioni, nell'area del diritto internazionale, nel socialismo reale. Abbiamo quindi *tre* aspetti del nuovo tema teologico-morale e socio-politico, che continua ad approfondire il discorso sulla giustizia. Viviamo i → segni dei tempi i quali si esprimono in un fattore etico fondamentale del mondo di oggi, che tocca tutti gli uomini e non soltanto i cristiani: la società mondiale sta divenendo sempre più l'unica comunità, in cui ogni separatismo è anacronistico, ogni violazione dei diritti e delle libertà offende la dignità dell'uomo e la medesima società. Purtroppo il diritto del singolo e delle comunità è sempre vulnerabile. Perciò qui valgono i co-principi universali: pacta sunt servanda; i danni ingiustamente causati devono essere riparati; le promesse fatte devono essere mantenute, ecc., cioè devono essere riconosciuti i diritti fondamentali di ogni persona, gruppo, nazione.

Uno sguardo *storico* ci dice che il trattato ecumenico sui diritti nella chiesa è recente. Incomincia con i *protestanti, Oekumenischer Rat* a Amsterdam 1948, a Uppsala 1968, a St. Pölten 1975. Vi cooperano parecchi loro teologi, come J. Moltmann, T. Rendtorff, H. E. Tödt, M. Honecker, W. Huber, ecc., ed elaborano varie spiegazioni ed argomentazioni plausibili. La posizione della chiesa *cattolica* è di cautela nei confronti

della dottrina sui diritti. Le ragioni si conoscono: la carta della *Dichiarazione dei diritti dell'uomo e del cittadino*, approvata dall'Assemblea nazionale francese (26 agosto 1789), con gli «immortali principi del 1789» (*liberté, égalité, fraternité*) della Rivoluzione francese. I papi della chiesa cattolica (da Pio VI fino a Pio XII) sono rimasti in aspettativa. Quello che creava difficoltà erano gli articoli 10 e 11 della *Dichiarazione* stessa. Essa, nell'ordinamento dello stato, pone le «confessioni» e le «ideologie» allo stesso livello dei valori. Si aggiunge l'illuminismo in generale, con il suo grande maestro E. Kant (1724-1804), in particolare. C'è anche un fattore speciale: il tema sui diritti e sulle libertà nella chiesa cattolica va insieme, o in primo luogo, con la questione della libertà religiosa, messa in nuova luce soltanto nel Vaticano II con la dichiarazione *Dignitatis humanae* (7 dic. 1965), in cui si spiega «il diritto della persona e della comunità alla libertà sociale e civile in materia religiosa». C'è stato silenzio da Pio VI fino a Pio XI che nell'enciclica *Mit brennender Sorge* (1937), contro il nazismo, afferma i diritti inalienabili dell'uomo. Però in occasione del XV anniversario della Carta dell'ONU sui diritti e le libertà (1948), papa Giovanni XXIII pubblica l'enciclica *Pacem in terris* (1963), e dà una prima sistematizzazione dei diritti fondamentali dell'uomo da parte della chiesa: diritto all'esistenza e ad un appropriato tenore di vita (PT 4), al rispetto della propria persona, alla ricerca del vero, all'obiettività dell'informazione (PT 5), ad onorare Dio (PT 6), alla scelta del proprio stato (PT 7), al lavoro (PT 8), al riunirsi e associarsi (PT 9), all'emigrazione e immigrazione (PT 10), al posto nella vita pubblica (PT 11). Segue la famosa costituzione pastorale sulla Chiesa nel mondo contemporaneo *Gaudium et Spes* (7 dic. 1965) del concilio Vaticano II, che in questo campo è ricchissima. Basta una citazione: «La Chiesa, in forza del vangelo affidatole, proclama i diritti umani, e riconosce e apprezza molto il dinamismo con cui ai giorni nostri tali diritti vengono promossi ovunque. Ma questo movimento deve essere protetto contro ogni specie di falsa autonomia. Siamo tentati, infatti, di pensare che allora soltanto i nostri diritti personali sono pienamente salvi, quando veniamo sciolti da ogni norma di legge divina. Ma per questa strada la dignità della persona umana, non solo non è salvata, ma piuttosto va perduta» (GS 41,3).

Così possiamo individuare le caratteristiche della dottrina del magistero: dalla questione operaia, razziale, classista, femminile, ecologica, del sottosviluppo, ecc., al problema della gestione del mondo, dei diritti dell'uomo, delle ingiustizie, disuguaglianze, ecc. In questa ottica occorre studiare i documenti pontifici sulla dottrina sociale della chiesa: da Leone XIII: *Rerum novarum* (1891), Pio XI: *Quadragesimo anno* (1931), Pio XII: *Summi Pontificatus* (1939), Giovanni XXIII: *Mater et Magistra* (1961), la menzionata *Pacem in terris* (1963), a Paolo VI: *Populorum progressio* (1967) e *Octogesima adveniens* (1971), Giovanni Paolo II: *Laborem exercens* (1981) – ottant'anni dopo l'enciclica *Rerum novarum* – fino alla *Sollicitudo rei socialis* (1987). Aggiungiamo il coraggioso documento del sinodo dei vescovi del 1971, *La giustizia nel mondo*, quello (meno conosciuto ma non meno importante) della Commissione pontificia «Iustitia et Pax» *Self-Reliance; Compter sur soi* (1978), quello della Commissione teologica internazionale sulla *Dignità e diritti della persona umana* (1983) e quello nuovissimo della Congregazione per l'educazione cattolica, *Orientamenti per lo studio e l'insegnamento della dottrina sociale della Chiesa nella formazione sacerdotale* (1989), per un eventuale programma d'insegnamento. Il *Codice di diritto canonico* (1983), che Giovanni Paolo II chiama «l'ultimo atto del Concilio Vaticano II», parla dei «doveri e diritti di tutti i fedeli cristiani» (cann. 2-8-223). Nel frattempo molti teologi e sociologi cattolici hanno approfondito il tema dei diritti dell'uomo (A. Auer, F. Böckle, K. Demmer, J. Schasching, E. Hamel, O.von Nell-Breunig, ecc.).

La storia della dottrina sui diritti umani si può sintetizzare in *cinque* punti: *a.* la dottrina classica non tratta dei «diritti e delle libertà dell'uomo»; *b.* il concetto fu usato, sia dal magistero cattolico che dai teologi, assai cautamente fino agli anni 60; *c.* il tema è messo in risalto con la discussione sullo «specificum cristianum» in morale (1970 in poi); *d.* nell'etica politica cattolica questa dottrina entra soltanto dopo i «segnali» dati dal magistero; *e.* oggi non si può più trascurare in teologia cattolica. Pertanto, di fronte al tema, il pontificato di Pio XII è ancora cauto, quello di Giovanni XXIII e Paolo VI è ormai aperto, ancora di più il Vaticano II (precisamente in DH e GS), si perfeziona con il documento della CTI (1983), e trova la sua massima applicazione con il pontificato di Giovanni Paolo II. È importante rilevare la dimensione interna della dottrina, cioè, che nei documenti pontifici, nei trattati ed articoli sul tema, sempre più vanno insieme i concetti giustizia-carità-solidarietà-partecipazione, come concetti molto vicini. Senza l'amore/carità non ci sono né pace, né vera giustizia degni della persona umana, né riconoscimento del prossimo, né comunicazione, né informazione, né veracità. L'amore/carità permette di vedere le cose più umanamente, biblicamente, cristianamente, nella dimensione personale e personalizzata. Tuttavia tutti questi aspetti non intendono sostituire la virtù della giustizia.

Quanto alla *gerarchia dei diritti*

umani, alcuni sono *essenziali* o maggiori; ci sono i *fondamentali* o primari, come la vita, la dignità, l'uguaglianza, la libertà di pensiero, di coscienza, di religione; ci sono i *nonfondamentali* o secondari, come certi diritti civili: politici, economici, sociali, culturali, personali. Altri diritti sono *contingenti* o accidentali, come conseguenze e condizioni dei diritti fondamentali o legati ad essi; sono meno «intangibili». Esistono infine i cosiddetti *postulati* o diritti minori. Al *fondamento* «prossimo» dei diritti, cioè alla «dignità della persona» si arriva per via «ascendente» (K. Rahner) o «discendente» (H. U. von Balthasar). Se ne può discutere, in quanto la *dignità della persona umana* è già «argomento» fondativo dei diritti umani o piuttosto «postulato» appellativo. Però, quando si analizza punto per punto la dottrina sui diritti umani, in rapporto alla dignità della persona umana, applicando l'ermeneutica teologico-filosofica moderna più appropriata, questo problema pare più uno pseudo-problema che un vero problema, poiché la base fondante i diritti è la realtà della *natura* della persona, intesa nella sua totalità filosofico-teologica, naturale-soprannaturale.

I diritti umani possono essere considerati *secondo i «mondi»*, come fa CTI, nel citato documento (B I, 2,3,4). Il *Primo mondo* ha due caratteristiche: i diritti e le libertà si proclamano, ma questo si fa in un'autonomia assoluta, infatti la dignità e la libertà possono venire stravolte: consumismo, individualismo, naturalismo, appunto falsa autonomia, lassismo pratico, sfrenata libertà, differenze sociali classiste, nazioni più forti «finiscono col far servire altre nazioni ai propri interessi» (*EV* 9,1053). Il *Secondo mondo*, del cosiddetto «socialismo reale», che sta sgretolandosi nel senso sociale-economico-politico, mentre è deciso a salvare l'ideologia marxista-leninista, con il suo

profilo storico-ideologico focalizzato verso il deperimento totale dello stato e del diritto, e come fase finale la «società comunista perfetta» (→ Marxismo). Tutto si fonda sulla dottrina positivista del diritto: lo stato, guidato dal partito comunista, attraverso la costituzione e la legislazione positiva assicura ai cittadini i diritti sociali, politici, economici e personali, i quali in precedenza erano totalmente sprovvisti di ogni diritto «naturale» (K. Marx): i «diritti dell'uomo» non esistono, non hanno senso, una tale espressione non la si trova nella loro legiferazione. D'altronde i regimi del «socialismo reale» usano lo stesso linguaggio del mondo libero («libertà», uguaglianza», «legge», «coscienza», ecc.), ma intendono le stesse cose diversamente, cioè il contenuto è diverso, si deve intendere tutto unicamente dentro il sistema. Perciò tutti devono pensare allo stesso modo, mentre vengono severamente puniti i «dissidenti» e i «diversamente pensanti». Nel *Terzo mondo* con le condizioni diverse dei popoli giovani che stimano la propria cultura, indipendenza, politica, progresso tecnico ed economico, prevalgono gli aspetti sociali dei diritti umani. «Essi ritengono che i diritti di una piena giustizia internazionale spesso non siano loro pienamente riconosciuti» (*EV* 9,1056), anche a causa del loro scarso peso politico e della loro indigenza. Sul piano internazionale le condizioni economiche e commerciali sono spesso sottoposte a clausole ingiuste: minimi aiuti dalle nazioni ricche («durezza di cuore»), valori delle culture indigene non ancora abbastanza apprezzati.

Il *secondo* grande fattore della discussione e del movimento sui diritti umani sono le diverse *carte internazionali* dell'ONU e l'Atto finale di Helsinki della CSCE, con le loro organizzazioni. L'ONU, con il suo *Statuto delle Nazioni Unite* (1945) a San Francisco, già come punto focale «riafferma la fede nei diritti fondamentali dell'uomo, nella dignità e nel valore della persona umana, nell'uguaglianza dei diritti degli uomini e delle donne e delle nazioni grandi e piccole» (al. 2). Al capitolo I, art. 1, si delineano i fini delle Nazioni Unite, tra cui quello di «promuovere e incoraggiare il rispetto dei diritti dell'uomo e delle libertà fondamentali di tutti, senza distinzione di razza, di sesso, di lingua o di religione» (n. 3). Nel documento fondamentale dell'ONU – una «pietra miliare posta sul lungo e difficile cammino del genere umano» (Giovanni Paolo II) – cioè nella *Dichiarazione universale dei diritti dell'uomo* approvata dall'assemblea generale il 10 dic. 1948, da parte cattolica hanno lavorato anche J. Maritain, rifacendosi alla dottrina di Tommaso, Teilhard de Chardin e altri. Nel Preambolo (al. 1) è delineata chiara e indiscutibile la base della costruzione su cui poggia tutta la *Dichiarazione*. Questa base è l'*uomo* considerato non come un essere «vuoto in sé», quasi spogliato di ogni valore esistenziale appartenente alla persona stessa (K. Marx), ma come un essere la cui *dignità* si radica all'interno stesso della sua realtà personale e ontologica. Questa dignità della persona umana nella *Dichiarazione* è il fondamento, ovvero la fonte da cui sgorgano tutti i diritti dell'uomo, «dell'uomo come individuo concreto e dell'uomo nel suo valore universale» (Giovanni Paolo II). Non si tratta di una qualsiasi dignità aggiunta dal di fuori o accidentalmente, ma «inerente a tutti i membri della famiglia umana» in quanto tali (al. 1). Per questa ragione, i «loro diritti» sono «uguali e inalienabili» (al. 1); «il riconoscimento di tale dignità inerente a tutti i membri della famiglia umana e dei loro diritti, uguali, inalienabili, costituisce il fondamento della libertà, della giustizia e della pace nel mondo» (al. 1). D'altra parte, «il disconoscimento e il disprezzo

dei diritti dell'uomo hanno portato ad atti di barbarie che offendono la coscienza dell'umanità» (al. 2). Questo eccellente documento, proclamato come un *ideale* comune da raggiungere da tutti i popoli e da tutte le nazioni, senza dubbio ha esercitato un grandissimo influsso positivo sul mondo intero, ma è rimasto privo di efficacia giuridica non essendo un trattato.

L'ONU inoltre si è assunto l'ulteriore compito di codificare tali principi in *trattati* da presentare all'approvazione e alla ratifica degli stati membri, per essere poi incorporati nelle costituzioni e nelle diverse legislazioni nazionali. Così oggi i diritti fondamentali dell'uomo sono garantiti da due patti o trattati. Di ambedue i patti si afferma nel testo introduttivo che «diverranno, a tempo debito, giuridicamente vincolanti per gli stati che li avranno ratificati». Si tratta del *Patto internazionale dei diritti economici, sociali e culturali*, adottato dall'assemblea generale il 16 dic. 1966, ed entrato in vigore il 3 genn. 1976 in seguito al deposito del 35° strumento di ratifica da parte della Giamaica; e del *Patto internazionale sui diritti civili e politici*, adottato dall'assemblea generale il 16 dic. 1966, ed entrato in vigore il 23 marzo 1976 dopo il deposito del 35° strumento di ratifica da parte della Cecoslovacchia. Fra gli stati che li hanno ratificati si trova tutto l'Est socialista: Bulgaria, Cecoslovacchia, Polonia, Repubblica Democratica Tedesca, Romania, Ungheria, Ucraina, Russia, (tutti membri del patto di Varsavia) e Jugoslavia. L'ONU ha varato anche diverse *Convenzioni* e *Dichiarazioni*.

La stessa cosa riafferma la Conferenza sulla sicurezza e la cooperazione in Europa (CSCE) nell'Atto finale promulgato a Helsinki l'1 agosto 1975 e firmato dai 35 stati partecipanti. Nella *Dichiarazione sui principi che reggono le relazioni fra gli*

Stati partecipanti, tra i dieci principi solennemente enunciati, il più importante è il principio VII, cioè il «Rispetto dei diritti dell'uomo e delle libertà fondamentali, inclusa la libertà di pensiero, coscienza, religione o credo». Anche in questo documento internazionale di grande rilievo, si mette l'accento sulla fonte di tutti i diritti dell'uomo. Vi si dice esplicitamente che tale fonte è la «dignità inerente alla persona umana» (al. 2), e che il compito più importante per gli stati partecipanti è di promuovere e incoraggiare «l'esercizio effettivo delle libertà e dei diritti civili, politici, economici, sociali, culturali e altri, i quali derivano tutti dalla dignità inerente alla persona umana e sono essenziali al suo libero e pieno sviluppo» (all. 1 e 2). La CSCE poi, fino ad oggi si è servita delle sessioni plenarie, per vivificare continuamente questi principi (Belgrado, Madrid, Ottawa, Vienna).

Questo rapido sguardo alle carte internazionali porta alla chiara conclusine che la sorgente dei diritti umani è *l'uomo stesso*. Anzi più esattamente, *la dignità della persona umana*, il cui valore è al di sopra di ogni bene creato. Poiché la fonte da cui sgorgano i diritti è la dignità dell'uomo – di ogni uomo – diventa chiaro che tutti gli esseri umani godono dell'uguaglianza dei diritti e delle libertà fondamentali, senza distinzione alcuna tra di loro, in quanto tutti dotati della stessa dignità persino quando si trovano nell'errore. Questa dignità, inoltre, non sopravviene dal di fuori, ma è *inerente* all'uomo, e perciò *inalienabile*. Se non fosse inerente, diventerebbe alienabile. «Inerente» significa che è così strettamente collegata con la persona umana da identificarsi con essa. Per cui la dignità è patrimonio dell'uomo come tale, sin dalla nascita.

Gli uomini nascono *liberi, uguali* in dignità e libertà, dotati di raziocinio e di coscienza. Per questa ragione,

i diritti dell'uomo hanno valore *universale* non per volontà di uno stato qualsiasi, né perché lo proclamino organizzazioni mondiali, ma perché esistenti nell'uomo indipendentemente dallo stato e da qualsiasi altra autorità. Di conseguenza, è naturale che gli uomini agiscano gli uni verso gli altri con spirito di *solidarietà* e di *fratellanza*, proprio perché sono uguali nella dignità e nei diritti. Che poi questa dignità inerente e inalienabile venga accettata dagli uomini e da molti stati, in modo da costituire il *fondamento* delle *libertà* espresse in innumerevoli manifestazioni private e pubbliche, è un riconoscimento già operante ugualmente a livello internazionale. L'uomo vive la sua dignità di uomo, quando nessuno lo disturba nel suo agire di essere libero, non sottoposto ad alcuno, tanto meno a una comunità, a un sistema, a uno stato o a qualsiasi altra forma di convivenza che lo renda schiavo della società, anziché protagonista responsabile.

Diciamo pure che la questione della *fonte* o piuttosto della *base* su cui poggiano i diritti dell'uomo (la sua dignità), come l'esprimono esattamente le carte internazionali, non è soltanto di carattere strettamente giuridico-filosofico (nel senso hegeliano o di qualsiasi altra filosofia «borghese»), ma rappresenta il punto di partenza di ogni esigenza giuridico-pratica, riguardo alla prassi concreta che si chiede al cittadino da parte dello stato. Se il governo di uno stato si comportasse verso l'uomo come se questi fosse privo d'ogni diritto, oppure come se il *contenuto* dei suoi diritti fondamentali non derivasse dalla dignità personale, risulterebbe che l'intoccabilità, ovvero l'inviolabilità di questo contenuto non avrebbe alcun senso reale. Secondo i documenti internazionali, non si può procedere discendendo dallo stato o dal collettivo all'individuo come sottoposto; l'unico processo legittimo è quello che inizia dall'*adesione* al diritto personale di ogni uomo – attraverso le misure di protezione – e sfocia nella comunità, ovvero nello stato, fermo restando che qualsiasi provvedimento emanato dallo stato proviene prima dall'uomo, in quanto cittadino, e s'impernia sul diritto *intangibile* di ogni uomo come *persona, inviolabile* nella propria *dignità nativa.*

7. Giustizia sociale prima dell'enciclica «Sollicitudo rei socialis» - Qui torniamo di nuovo al concetto di giustizia, ora come *giustizia sociale* e ci domandiamo se questo concetto di carattere prettamente ed esclusivamente filosofico e giuridico, economico, sociale e politico, sia anche di carattere *teologico.* Esso è certamente anche a livello teologico, in quanto il «metro teologico» ne misura la rilevanza etico-religiosa. Pertanto quando parliamo di giustizia sociale siamo *in teologia.* Questo nesso con «la rilevanza etico-religiosa» sta a indicare che la giustizia sociale è strettamente legata ai rapporti *interpersonali,* alla condotta delle persone *tra di loro,* non limitata più soltanto a una *società* e uno stato. Essa è virtù nel senso già spiegato, appartiene alle virtù cardinali. La giustizia sociale fa parte della dottrina sociale della chiesa nel senso eminente, «appartiene», dunque, al campo della *teologia* (SRS 41). Questa nuova prospettiva teologica, anzi di teologia morale, si coglie dal nuovo documento della Congregazione per l'educazione cattolica, *Orientamenti per lo studio e l'insegnamento della dottrina sociale della Chiesa nella formazione sacerdotale* (1989) 30-46 e 47-53.
Sotto l'aspetto *storico* possiamo considerare la giustizia sociale all'interno della dottrina sociale della chiesa prima della *Sollicitudo rei socialis* (SRS), e dopo. Genericamente si può dire che il *concetto* di giustizia sociale non è ancora stabilito, grazie a sempre nuovi fattori socio-economico-politici, comunque nello sviluppo del concetto possiamo intravedere due fasi.

La *prima fase* abbraccia il periodo che va dall'inizio della dottrina sociale della chiesa fino alla seconda guerra mondiale. Il concetto di giustizia sociale nei documenti del magistero viene identificato con la giustizia *distributiva* e *legale,* in quanto essa regola i rapporti tra superiori e sudditi all'interno di una nazione, uno stato, una società. Non si è presa ancora chiara coscienza che la giustizia sociale *trascende* le dimensioni di una società chiusa in sé ed ha dimensioni sovranazionali, sovrastatali, internazionali, intercontinentali, anzi mondiali, planetarie e interplanetarie. D'altra parte il concetto *solidarietà,* pur non identificandosi con essa, è sempre più vicino al concetto di giustizia sociale.

Un tale sviluppo si è verificato soltanto dopo la seconda guerra mondiale, durante gli ultimi decenni, legato soprattutto ai grandi progressi effettuatisi almeno in quattro campi: nei *mass-media* (stampa, radio, TV), per cui l'umanità intera a tutti i livelli ha preso coscienza che le ingiustizie (squilibri, discriminazioni) non colpiscono soltanto le singole persone, ma le nazioni e i continenti; in una *nuova mentalità,* che considera il nostro globo come un comune «villaggio», un'unica casa per tutti gli uomini: oggi infatti siamo tutti quasi un'unica comunità ugualmente protetta e minacciata. Il grande merito di ciò va all'ONU e alla CSCE, come abbiamo visto; alla sensibilizzazione della chiesa per il problema della «giustizia sociale», con sempre nuove accentuazioni della sua dottrina sociale che, superando i confini delle nazioni e dei continenti, ha fatto sì che non soltanto i cristiani ma tutti gli uomini di buona volontà vedano e riconoscano alla chiesa cattolica il primato di guida in questo campo. Ciò che però è importante per il nostro tema è che nei documenti pontifici contemporanei sempre più si trovano affiancate giustizia-carità-solidarietà-partecipazione, pur senza alcuna mescolanza di concetti o indebolimento di quello di giustizia come tale. È scontato che senza l'amore/carità non ci sono né pace, né vera giustizia degna della persona umana, né il riconoscimento del prossimo; l'amore/carità permette di vedere le cose esattamente, ma non sostituisce la virtù della giustizia. I documenti insistono sempre più sul compito dei battezzati di operare sulla base della virtù della giustizia per realizzarla sempre e ovunque, con accento qualitativamente nuovo, cioè sempre più nel senso *personalizzato* e *personalistico*, *biblico* e *teologico*.

Ancora si discute sulla *natura* della giustizia sociale. Più o meno sono conosciute tre opinioni: 1. è una nuova forma di giustizia legale, in quanto essa regola i rapporti socio-economico-politici tra sudditi e superiori, ora non soltanto sul piano nazionale ma anche internazionale. Si obietta: non regola soltanto tali rapporti, ma anche quelli tra i continenti, planetari e interplanetari; evidentemente trascende la classica giustizia legale; 2. è una nuova forma di giustizia legale e distributiva insieme. La risposta precedente vale anche per questa opinione; 3. è una *nuova quarta forma* di giustizia proporzionale a livello mondiale. Si argomenta nel modo seguente: *a.* c'è qui un *nuovo principio* morale che trascende i principi di tre «giustizie» classiche, richiedendo un'equa distribuzione delle ricchezze fra i gruppi sociali nazionali, internazionali, mondiali; *b.* c'è anche un *nuovo criterio* morale di questa *equità*: il diritto-dovere ad una vita degna dell'uomo, nel senso mondiale e planetario; il diritto-dovere alla *partecipazione* allo sviluppo economico-socio-politico-culturale; il diritto-

dovere di contribuire al *bene comune* delle nazioni, dei continenti, di tutto il mondo. Oggi, in particolare, vengono presi in considerazione i profitti, i salari, i conflitti tra ricchi e poveri, la solidarietà, la tolleranza, la carità, la sussidiarietà, l'interdipendenza, la partecipazione, l'ingiustizia sociale, la violenza, il terrorismo, i problemi ambientali o ecologici, con questi anche i problemi energetici, il disarmo, il problema della dissuasione, il rifiuto di una guerra totale, fino all'idea di creare un nuovo mondo economicamente e politicamente unito (SRS 11-26; 27-34; 35-40).

Negativamente, secondo la giustizia sociale, vengono condannati tutti i *sistemi* socio-economico-politici, con le loro ideologie, che in un modo o nell'altro manipolano e opprimono le persone, i gruppi, le nazioni. Tali sistemi condannati sono: il *liberalismo* e il *comunismo* da papa Pio XI, rispettivamente in *Quadragesimo anno,* 1931, n. 101 in *Divini Redemptoris,* 1937, n. 8; *l'ideologia marxista* da papa Giovanni Paolo II, *Laborem exercens*, 1981, n. 11; i *due blocchi,* cioè il capitalismo liberalista e il collettivismo marxista da papa Giovanni Paolo II, *Sollicitudo rei socialis*, 1987, n. 22.

Si richiede quindi un mondo fondato sulla *solidarietà*, anzi sulla *fraternità*, virtù cioè, che risalgono al vero amore umano e alla carità soprannaturale. Su questa base, umana e cristiana insieme sono da risolvere i tre più grandi problemi sociali e teologico-morali attuali, a livello mondiale: 1. il *futuro del lavoro*, nella situazione mondiale nei confronti dei disoccupati in numero sempre crescente, che solo negli stati industriali occidentali ammontano a circa 40 milioni, e che costituiscono il gravissimo problema esistenziale-morale, di una povertà crescente in un mondo opulento; 2. la *dignità della vita* dell'uomo e della sopravvivenza, ancora una volta con le questioni specifiche dell'ambiente e del problema ecologico, dell'energia nucleare, degli armamenti nucleari e chimici; 3. la *responsabilità comune* per il Terzo e il Quarto mondo... (J. N. Schasching, *Dalla lotta*, 1455 ss). Dunque, questi e simili problemi si possono risolvere oggi unicamente con la giustizia sociale, che sfocia nella solidarietà, fraternità, amore, carità, dove i cristiani sono chiamati a dare un più suggestivo esempio concreto con la propria condotta di vita.

8. Giustizia sociale nell'enciclica «Sollicitudo rei socialis» - Si obietta che la *materia* della SRS è troppo economico-sociale, anzi per la prima volta quasi esclusivamente tale in un'enciclica papale. Come può essere oggetto teologico? È vero, questa è la prima novità della SRS, ma tutto è posto appunto in luce teologica. La seconda novità è la planetarizzazione della giustizia sociale con le esigenze di interdipendenza. La terza novità è l'identificazione dello sviluppo con la pace, anzi c'è un abbinamento giustizia-sviluppo-pace. Con ciò la giustizia sociale nella SRS ha assunto una indiscutibile urgenza di sviluppo autentico, sotto l'aspetto sociologico, biblico, teologico ed ecclesiale.

L'*aspetto sociologico* del mondo esistente è assai deludente, pessimisticamente instabile. Vi sono molte «carenze e oscurità» (SRS 25) nel suo sviluppo: le disparità economico-sociali (Nord-Sud), con la nascita del Quarto mondo, con un crescente spregio dei diritti umani in tutto il mondo, con una drammatica crisi degli alloggi, della disoccupazione e sottoccupazione, con un enorme debito internazionale, con un paradossale contrasto di supersviluppo e sottosviluppo (SRS 28), con tentazioni e cedimenti alla disperazione, al pessimismo, alla passività, alla codardia. C'è quindi un sottosviluppo prevalentemente economico, culturale e politico, ma c'è anche un sottosviluppo

umano e spirituale (SRS 15). L'enciclica esamina le *cause* che peggiorano la situazione dei paesi in via di sviluppo. Tra le altre, menziona le seguenti: la perversità di certi meccanismi economici, finanziari, sociali (SRS 16); la logica dei blocchi con quattro contrapposizioni: politica, ideologica, economica, militare (20). Perciò gli animi dell'intera umanità vivono ancora sotto una perenne minaccia di una guerra aperta e totale. Infatti sono pochissime le persone che oggi guidano tutto il mondo. Il Nord, più ricco e più avanzato tecnologicamente ed economicamente, pesa due volte sul Sud (21). C'è la tentazione all'isolamento delle nazioni leaders, che però il bene comune dell'umanità non permette (23). Possiamo elencare inoltre anche diverse *deviazioni dello sviluppo*, come la produzione e il commercio delle armi, che è frutto della «logica dei blocchi» (23-24); la presenza di milioni di rifugiati, a causa di discriminazioni, persecuzioni, ecc. con la sottrazione della casa, del lavoro, della famiglia, della patria, del senso della vita (24); il fenomeno del terrorismo e dei rapimenti (24); come la campagna sistematica contro la natalità (25); la droga, tipica forma d'evasione del nostro tempo, che rappresenta una insidiosa distorsione del concetto di sviluppo personale e sociale (26). Ma ci sono anche *ragioni di speranza*, come: la consapevolezza crescente della dignità della persona di ciascun uomo; la crescente convinzione di una radicale interdipendenza; la preoccupazione comune per la pace, e questo è un dato nuovo nel mondo; la preoccupazione ecologica o ambientale, che man mano sensibilizza i politici e gli uomini in genere; la crescente coscienza nel Terzo mondo di una certa autosufficienza alimentare e di garanzia delle fonti di lavoro.

L'*aspetto biblico-teologico* dice chiaramente due cose: Che cosa non è vero sviluppo, ma soltanto progresso indefinito e illimitato nel senso illuministico, pura accumulazione di beni e di servizi, che guida al consumismo e al materialismo crasso. Il vero sviluppo riguarda l'*uomo integrale* e totale, con tutte le sue relazioni essenziali. L'uomo è il parametro dello sviluppo, non soltanto nel senso laico e profano ma, nel senso interiore che è insito nella specifica natura della persona umana, che è creatura corporale e spirituale, creatura finita ma, in quanto immagine di Dio, affine a Dio infinito. Tutto il creato deve essere ordinatamente subordinato all'immagine divina dell'uomo e della sua vocazione all'amore/carità, datagli dal Creatore-Amore (28). La sua vocazione non è soltanto terrena, ma ha la dimensione dell'immortalità. Questa vocazione è anche allo sviluppo ordinato, come dice il libro della Genesi (1,26-30; 2,15). Quindi l'uomo non deve lasciarsi trascinare dalle cose terrene fino alla dimenticanza totale della sua destinazione escatologica. In questo senso, anche secondo la tradizione cristiana fino al Vaticano II, l'uomo ha tre doveri morali: di tutti verso tutti, la promozione dei diritti e delle libertà dell'uomo, il rispetto del creato (33).

L'*aspetto teologico-morale* tocca due punti: le strutture di peccato e il cammino di conversione (35). Queste *strutture peccaminose* in diversissime forme e sfumature hanno cause di natura economica, politica e morale, precisamente in due forme esasperate, la brama esclusiva del profitto e la sete del potere, che possono contaminare tutto. La → *conversione*, nonostante sia molto ardua, richiede la giustizia sociale nel senso spiegato, cioè la giustizia personalizzata, nella solidarietà, nella carità, nella comunione. Qui ancora una volta incontriamo la giustizia che si trasforma in solidarietà, e questa in amore/carità, la cui radice è Dio-Amore, Dio-comunione trinitaria. Qui

tocchiamo l'identità della realtà giustizia-solidarietà-amore-carità-comunione-fede. Il cristiano quindi vive l'impegno per la giustizia, come evento di fede, come «uomo nuovo creato secondo Dio nella giustizia e nella santità vera» (Ef 4,24). La giustizia vissuta dal cristiano oggi è il segno credibile della fede e della sincerità della sua evangelizzazione, lungi da ogni doppiezza e fariseismo. Così diventa chiaro il fatto che la morale e la spiritualità cristiane non sono due ma un'unica cosa: fare giustizia ed essere giusti senza misura e limiti, secondo la misura dell'amore/carità, che non ha misura. Non si nega che queste discipline possano essere, dal punto di vista scientifico, diversamente strutturate, ma la vita è unica, non ha un più e un meno, ma solo un più.

Pertanto ogni uomo è un *fratello* (Mt 25,40 e 45) che non ha soltanto i suoi diritti e la sua fondamentale uguaglianza, come immagine di Dio, a somiglianza dell'immagine perfetta del Verbo incarnato (GS 22), ma è anche riscattato dal sangue di Cristo e si trova sotto l'azione dello Spirito Santo. L'uomo quindi deve essere amato, anche se *nemico* (Mt 5,44; Lc 6,27-35), con lo stesso amore con cui lo ama il Signore. Solo amando così, l'uomo diventa giusto non della sua giustizia ma della giustizia donatagli da Dio.

Sotto l'*aspetto pastorale-catechetico*, dopo quanto detto finora, diventa evidente, che la dottrina sociale della chiesa non è una «terza via» tra il capitalismo liberista e il collettivismo marxista, ma fa parte della missione spirituale della chiesa. La chiesa non ha altro compito che la salvezza e la santificazione dell'uomo, sia nella dimensione personale che comunitaria. Ciò significa che la missione della chiesa è verso l'uomo integrale, con tutte le sue relazioni e nella sua vocazione terrena ed escatologica. Con ciò appare anche chiaro che l'enciclica SRS è attualissima nella sua lettura della giustizia sociale che mostra e sviluppa, da una parte, visuali eminentemente teologiche, dall'altra, pastorali-catechetiche.

9. PER CONCLUDERE - Percorso l'iter dello sviluppo del concetto di *giustizia*, da quello profano dei tempi della cultura orientale e nomadica, al concetto religioso della rivelazione veterotestamentaria e religioso-superiore della rivelazione neotestamentaria, passando per il concetto filosofico-giuridico dei greci e dei romani, fino alla scolastica, alla manualistica, ed esaminando il concetto di giustizia dell'illuminismo, quello del Vaticano II, abbiamo tracciato una *sinusoide*: dal profano, al religioso, allo spirituale, al filosofico-giuridico, al giuridico sottolineato, di nuovo al religioso, sociale, personalistico.

Dopo il Vaticano II si distinguono due fasi: la prima abbraccia i primi 10 anni, dal 1965 al 1975, in cui i concetti «giustizia», «carità», «fede», nonostante la svolta del Vaticano II, non erano ancora molto affiancati: la giustizia si prospettava piuttosto come socio-economico-politica, anche dopo il documento del Sinodo 1971. La seconda fase è quella degli ultimi 15 anni, cioè dopo il 1975 fino ad oggi. Una nuova svolta in profondità si è avuta con l'esortazione apostolica di Paolo VI, *Evangelii nuntiandi* (8 dic. 1975), precisamente i nn. 17-41, dove la *giustizia* viene di nuovo personalizzata e arricchita con aspetti biblico-teologici ormai in un continuo processo di avvicinamento, anzi di assimilazione tra *fede e giustizia*. «L'evangelizzazione non sarebbe completa se non tenesse conto del reciproco appello, che si fanno continuamente il vangelo e la vita concreta, personale e sociale, dell'uomo. Per questo l'evangelizzazione comporta un messaggio esplicito, adatto alle diverse situazioni, costantemente attualizzato sui diritti e sui doveri di ogni persona umana, sulla vita fa-

miliare, sulla vita internazionale, la pace, la giustizia, lo sviluppo; un messaggio, particolarmente vigoroso nei nostri giorni, sulla liberazione» (EN, 29).

Bibl. - S. Schmidt, «S. Pauli "iustitia Dei" notione iustitiae, quae in V.T. et apud S. Paulum habetur, dilucidata», in *VD* 37 (1959) 97-105; J. M. Casabó Suqué, «La justicia en el Antiguo Testamento», in *Strom* 25 (1969) 3-20; E. Chiavacci, *Principi di morale sociale. Morale sociale generale*, Bologna 1971; Id., *Teologia morale 3/1*: Teologia morale e vita economica, Assisi 1986; J. Dupont, *Les béatitudes*, II, Paris, 65-90; III, Paris 1973; J. Alfaro, *Teologia della giustizia*, Roma 1973; L. Di Pinto, *Volontà di Dio e legge antica nell'Epistola agli Ebrei*. Contributo ai fondamenti biblici della teologia morale, Napoli 1976; E. Hamel, «I fondamenti dell'etica cristiana in ordine alla giustizia sociale: fede e giustizia sociale», in *Comm* 38 (1978) 74-85; Id., «Iustitia et iura hominum in Sacra Scriptura. Investigatio biblico-theologica», in *Periodica* 69 (1980) 201-217; Id., «Fondement théologique des droits de l'homme», in *Seminarium* 23 (1983) 309-318; Id., «Fondamenti biblico-teologici dei diritti umani nella "Gaudium et Spes"», in R. Latourelle (ed.), *Vaticano II bilancio e prospettive*: venticinque anni dopo 1962/1987, Assisi 1987,1001-1016; C. M. Martini, *Evangelizare pauperibus*, Brescia 1978; K. Demmer, «Christliches Ethos und Menschenrechte», in *Greg* 60 (1979) 453-479; I. Fuček, «Il fondamento dei diritti umani nei documenti internazionali», in *CivCatt* 4 (1982) 548-557; Id., *Giustizia alla luce della fede e dell'esperienza*, Roma 1989; S. Mosso, *Il problema della giustizia e il messaggio cristiano*, Casale Monferrato 1982; V. Rossi Agbanou, *Le discours eschatologique de Matthieu 24-25: tradition et rédaction*, Paris 1983; Autori vari, «Human Dignity and Human Rights», in *Greg* 65 (1984); L. Lorenzetti, «Etica sociale cristiana», in T. Goffi - G. Piana (edd.), *Corso di morale*, 4: Koinonia Etica della vita sociale, Brescia 1985, 9-82; Autori vari, «Instrumenta communicationis socialis in formatione sacerdotali», in *Seminarium* 37 (1986); F. Rejon Moreno, *Teologia moral desde los pobres*. Planteamientos morales de la teologia latinoamericana, Madrid 1986; J. N. Schasching, «Dalla lotta di classe alla cultura della solidarietà», in R. Latourelle (ed.), *Vaticano II bilancio e prospettive*: venticinque anni dopo 1962/1987, II, Assisi 1987, 1454-1467; G. Oerstreich, *Geschichte der Menschenrechte und Grundfreiheiten in Umriss*, Berlin 1987[2]; J. Punt, *Die Idee der Menschenrechte*. Ihre geschichtliche Entwicklung und ihre Rezeption durch die moderne katholische Sozialverkündigung, Paderborn-München-Wien-Zürich 1987; P. Pavan, *L'Enciclica «Pacem in Terris»*. A venticinque anni

dalla Pubblicazione, Roma 1988; J. Bryan He-
hir, «John Paul II. Continuity and Change
in the Social Teaching of the Church», in C.
E. Curran - R.A. McCormick (edd.), *Readings
in Moral Theology*, 5. Official Catholic Social Teaching, New York-Mahwah, 247-263;
D. Hollenbach, «Global Human Rights: An
Interpretation of the Contemporary Catholic
Understanding», in *Ibid.*, 366-383; Autori vari, *Solidarietà, nuovo nome della pace*, Studi
sull'Enciclica «Sollicitudo rei socialis» di Giovanni Paolo II offerti da don Giuseppe Gem-
mellaro, M. Toso (ed.), Torino 1988; Pont.
Univ. Lateranense, *Le ragioni della speranza*.
Studi sull'enciclica «Sollicitudo rei socialis»,
Città del Vaticano 1988; E. Biffi, «Cinque Letture» dello sviluppo dei Popoli in *Ibid*, 137-173;
J. Krasovec, *La justice (SDQ) de Dieu dans
la Bible hébraïque et l'interprétation juive et
chrétienne*, Freiburg-Göttingen 1988 (ricca
bibl.); Autori vari, «De doctrina sociali Ecclesiae in formatione sacerdotali», in *Seminarium* 41/29 (2/1989), l'intero numero; M. Mat-
té, «Diritti e valori nella fattoria», in *Il Re-
gno/Attualità* 34 (1989), 97-99.

IVAN FUČEK

GIUSTIZIA
nella visione del «Magnificat»

Varie sono le letture che si possono
compiere attorno al tema della giu-
stiza; qui se ne propone una esemplificazione *narrativa*, partendo dalla
chiave interpretativa che ci fornisce
il «magnificat» (Lc 1,47-55). Il magnificat è l'espressione lirica di un
evento personale: Maria parla di sé,
del suo destino, come persona storica. Contempla la sua storia e quella
dell'umanità alla luce del Dio Salvatore, dell'Onnipotente, che trasforma
in meraviglie la nostra miseria di
creature. Maria è il vero Israele, nel
quale l'antica e la nuova alleanza sono indissolubilmente unite. Maria è
il popolo di Dio che dà frutto grazie
alla potenza misericordiosa di Dio.

1. MARIA GUARDA IL MONDO CON GLI
OCCHI DI DIO - «Ha spiegato la potenza del suo braccio, ha disperso i
superbi, ha rovesciato i potenti dai
troni, ha innalzato gli umili; ha ri-

colmato di beni gli affamati, ha rimandato i ricchi a mani vuote»
(Lc 1,51-53).

Questa seconda parte, così forte,
quasi dura, ricca di antitesi, fa del magnificat il canto più delicato e al tempo stesso più forte del Nuovo Testamento. Moltman del resto fa notare
che nella bibbia gli inni più vigorosi
sono sempre stati cantati da donne:
Myriam (Es 15,21), Giuditta (Gdt 16),
Debora (Gdc 5), Anna (1 Sam 21).

Guardando il mondo, Maria si vede con gli occhi di Dio, potente e misericordioso, e rivela come Dio interviene nella storia degli uomini. Dopo aver ricordato le grandi opere
compiute da Dio per Israele, Maria
presenta una specie di costante del-
l'agire di Dio: l'amore del Padre per
i piccoli, i poveri e gli oppressi. Scegliendo Maria per il suo disegno di
salvezza, Dio illustra la «regola meravigliosa» secondo la quale la debolezza diventa lo strumento preferito
della sua potenza (2 Cor 19,9).

Maria, sulla quale Dio ha posato
il suo sguardo, è il *luogo* privilegiato
di tutti i capovolgimenti operati da
lui nel mondo, il centro della rivoluzione dell'amore divino e della sua
opera di liberazione. Maria incarna
la potenza di Dio che si manifesta
nella debolezza e illustra la legge del
capovolgimento dei valori, quelli del
mondo, a profitto di quelli del vangelo. Ecco perché è speranza per i
poveri e gli oppressi.

Maria è quella «donna forte» che
lascia intravedere le modalità storiche e sociali attraverso le quali Dio
compie il suo progetto di salvezza elu-
dendo le aspettative dei ricchi e dei
potenti, realizzando la sua salvezza
con i poveri e gli umili. Il magnificat
rappresenta una contestazione serena e oggettiva dei valori che gli uomini di tutti i tempi esaltano – potere, sapere e avere – a profitto dei
poveri, innalzati ed esaltati, e dei quali Maria è l'esempio perfetto.

Questo inno fa eco al cantico di Anna, Madre di Samuele (1 Sam 2,1-19), il cui tema principale è il capovolgimento dei valori come segno dell'opera di Dio. Ci presenta un Dio che capovolge la situazione di tutti quelli che si credono dèi e non smettono di opprimere il loro prossimo. È già il vangelo in cui Gesù incarna la cura che il Padre si prende degli affamati, dei piccoli e degli oppressi. Presentando Dio che opta per i poveri e che li ama, Gesù offre la grazia di una redenzione liberatrice che trasformerà la storia dell'umanità. La liberazione cantata dal magnificat, è quella che Dio opera; trascende il sociale anche se ha conseguenze su questo piano. È compiuta senza odio, fondata sull'amore. Dio offre la sua misericordia perfino agli ingiusti che si pentono e si volgono verso di lui (Zaccheo, il pubblicano, ecc.): una volta liberati, essi sono promossi al rango dei piccoli e dei poveri, più somiglianti a Cristo.

Se Dio, nella sua misericordia, «disperde» gli orgogliosi, è perché essi cessino finalmente di essere inumani; se capovolge i potenti è perché questi trasformino in servizio il loro potere; se rimanda via i ricchi a mani vuote è perché essi condividano tutto con i poveri.

Se Dio innalza i piccoli e ricolma di beni gli affamati, non è perché questi diventino orgogliosi, ricchi e oppressori a loro volta, o perché si vendichino di quelli che li hanno fatti soffrire.

2. VISIONE PROFETICA DI MARIA - La parte centrale del magnificat è composta da verbi al passato prossimo, che indicano un'azione già compiuta: «Ha disperso gli uomini dal cuore superbo, ha rovesciato i potenti dai troni, ha innalzato gli umili. Ha ricolmato di beni gli affamati e rimandato i ricchi a mani vuote».

Gli esegeti hanno sottolineato la forza profetica con la quale Maria canta al passato e considera pienamente

compiuti eventi iniziati con lei in maniera quasi impercettibile, ma che accadranno in pienezza alla fine dei tempi. Nella sua fede profetica, ella vede quasi in anticipo la realizzazione definitiva delle promesse di salvezza fatte ai Padri e ormai offerte all'umanità intera. Maria annuncia la liberazione finale mentre, per il momento, vede solo degli inizi molto modesti. Dopo l'annunciazione e la natività, apparentemente niente è cambiato: i potenti contano ancora, gli oppressi sono ancora oppressi, ma la salvezza è data nel silenzio e nell'oscurità, tra gli umili e i poveri che sanno vedere: Maria, Elisabetta e i pastori. E tuttavia, Maria intravede già la conclusione finale. Canta la liberazione al passato e la considera come compiuta agli occhi di Dio, che trascende il tempo e assicura il futuro. Canta le grandi opere di Dio partendo dalla loro piena realizzazione futura già proclamata profeticamente. Tutto quello che l'umanità spera, accadrà. Maria ne è sicura e lo dice. Ecco perché il magnificat contiene, oltre a una minaccia salutare che è offerta di salvezza ai potenti e agli arricchiti, un messaggio di speranza per i poveri e gli oppressi.

3. IL MAGNIFICAT, CANTO DI LIBERAZIONE SOCIALE? - Nell'enciclica *Redemptoris Mater*, Giovanni Paolo II invita a uno sforzo di rilettura e di attualizzazione di questo inno, il più dolce e il più forte di tutto il NT. Il più dolce, perché il soffio poetico che solleva Maria le fa cantare il Dio fedele e misericordioso; il più forte, perché denuncia le false grandezze di questo mondo, il sapere orgoglioso, il potere violento che opprime, la ricchezza che chiude il cuore, e manifesta l'amore preferenziale di Dio per i poveri e gli umili.

In questa professione di Dio in cui traspare l'esperienza personale di Maria e l'estasi del suo cuore, la chiesa apprende che essa non può separare la verità sul Dio che salva dalla manifestazione del suo amore preferenziale per i poveri e gli umili. Essa evita così il pericolo di insistere in maniera unilaterale su una lode mariana che ridurrebbe l'atteggiamento dinamico di Maria nel campo «secolare» della giustizia. È significativo che il vangelo di Luca metta sulle labbra di Maria il primo cantico di liberazione del NT.

Così la teologia della libertà e della liberazione, come eco fedele del magnificat di Maria conservato nella memoria della chiesa, costituisce una esigenza del nostro tempo.

«Totalmente dipendente da Dio e tutta orientata verso di lui con lo slancio della sua fede, Maria è, a fianco di suo Figlio, l'icona più perfetta della libertà e della liberazione dell'umanità e del cosmo. È verso di lei che la chiesa, di cui essa è madre e modello, deve guardare per comprendere nella sua integralità il senso della sua missione» (RM 37). Perché? Perché la chiesa, nella sua pienezza, è presente in colei il cui «sì» l'ha fatta nascere.

La chiesa deve predicare il magnificat nella sua totalità, senza addolcirlo, senza forzarlo, così com'è uscito dalla bocca di Maria, con le sue minacce salutari per gli orgogliosi, i potenti e gli arricchiti, e le sue speranze per i piccoli, i poveri e gli oppressi.

La liberazione che Maria canta è proprio quella che Dio compie; ma questo non autorizza alla rassegnazione di fronte alla miseria. Questo Dio che «colma di beni gli affamati» ci invita a imitarlo. Poiché egli colma, anche noi dobbiamo colmare, a nostro modo e secondo le nostre possibilità. «Gli affamati lui li ha colmati di beni» non può essere separato da «Ho avuto fame e mi avete dato da mangiare» (Mt 25,35).

Luca, che ci ha dato il magnificat di Maria, sottolinea negli Atti l'attenzione costante ai poveri nella chiesa primitiva.

Il magnificat non deve essere cantato sull'aria dell'Internazionale o della Marsigliese, ma sull'aria di Maria, senza spirito di vendetta né di odio. I profeti hanno ricordato vivamente ai ricchi le loro responsabilità di fronte a Dio e ai poveri, sono diventati la voce dei poveri non per incitarli alla vendetta o all'odio, ma per rappresentarli di fronte ai potenti e ai ricchi, ai quali ripetevano le esigenze della giustizia e dell'amore.

Al seguito dei profeti, Gesù non limita la grazia della salvezza a una sola categoria sociale: pensa a tutti e vuole la salvezza di tutti. Il suo messaggio ai ricchi – l'invito che fa ad essi a condividere, le gravi minacce se non condividono – ha per loro valore salutare se, toccati dalla grazia, si decidono finalmente a condividere con i poveri. In questo senso, le minacce di Gesù ai ricchi sono, indirettamente, buona notizia per i poveri!

L'opzione evangelica per i poveri è preferenziale, non esclusiva: non significa rifiuto sistematico degli altri, perché il messaggio ai ricchi ha lo scopo di portarli a ridurre, con la condivisione, le grandi ineguaglienze che sussistono nel mondo.

Del resto, pochissimi possono definirsi totalmente e unicamente oppressi. In ogni oppresso c'è quasi sempre un oppressore che sonnecchia. Non esiste liberazione senza liberazione dall'odio. Senza la liberazione del cuore che solo Dio può procurare, le altre liberazioni sono effimere. Soltanto persone liberate possono liberare veramente e integralmente.

L'opzione preferenziale per i poveri ha come scopo la riconciliazione, non la divisione o l'eliminazione. Come ha ricordato Paolo VI, non gli uni *contro* gli altri, non gli uni *senza* gli altri, ma gli uni *con* gli altri.

Del resto, il libro degli Atti, in cui trionfa la legge dello Spirito Santo scritta nei cuori (Ger 31,31), presenta capovolgimenti pacifici, non violenti, delle situazioni sociali. Sotto la nuova alleanza, è ormai lo Spirito Santo il padre dei poveri, come canta l'inno *Veni Sancte Spiritu* (cfr. Gb 29,15). Con la sua azione nel più profondo dei cuori, che spinge i cristiani alla condivisione spontanea, egli provoca già un capovolgimento pacifico e non violento delle situazioni. Sotto l'azione dello Spirito, i primi cristiani risanavano essi stessi gli squilibri sociali, poiché gli oppressori capivano che non dovevano più opprimere e i ricchi che dovevano condividere. Sotto l'azione dello Spirito che agisce nei cuori, i capovolgimenti di situazioni partecipano al processo generale di interiorizzazione e sono spesso effettuati con calma, senza violenza. I magi di cui parla il vangelo di Matteo (2,1-12), ne sono l'esempio perfetto. Toccati dalla grazia, essi aprono i loro cuori e le loro mani. Il loro *sapere* li ha portati all'adorazione del Bambino-Re, il loro *potere* è divenuto servizio, mentre il loro *avere* è diventato omaggio gratuito al re dei re.

Tutte le disposizioni spirituali che caratterizzano i poveri dell'antica alleanza, canonizzate dalle beatitudini, convergono in Maria e compongono il ritratto spirituale della Maria del magnificat: gioia, servizio di Dio, timore, consapevolezza della propria fragilità, senso della giustizia, solidarietà con il popolo, apertura e disponibilità sul piano divino.

Il magnificat non ci presenta Maria come «una donna passivamente sottomessa o di una religiosità alienante, ma colei che canta il Dio salvatore e liberatore, che rialza gli umili e gli oppressi e rovescia, all'occorrenza, i potenti dai loro troni». Ci offre in lei un modello compiuto del discepolo del Signore: «artefice della città eterna e temporale, ma pellegrino che si affretta verso la città celeste ed eterna; promotore della giustizia che libera l'oppresso e della carità che porta aiuto ai bisognosi, ma soprattutto testimone attivo dell'amore che

Cristo edifica nei cuori» (Paolo VI, *Marialis Cultus*, 37).

*

Questi due articoli sulla giustizia sono eminentemente complementari sia nella dottrina che nelle conclusioni, ancorché lo stile e il metodo siano diversi. L'uno si occupa dello svolgimento storico del concetto biblico-filosofico-teologico-giuridico di giustizia, l'altro con uno strumentario di teologia biblica narrativa mette in risalto la giustizia esemplare del magnificat lucano. Difatti l'inno mariano è l'unico esempio in tutta la storia della salvezza e dell'umanità in cui le posizioni giuste sulla giustizia di tutte le epoche vengono unificate. Così il concetto biblico-religioso di giustizia del magnificat, che racchiude in sé altre visuali, è il *ponte* tra l'uomo vecchio senza Cristo e l'uomo nuovo in Cristo.

Bibl. - E. Hamel, «La donna e la promozione della giustizia nel Magnificat», in Rdt 18 (1977) 417-434; R. Schnackenburg, «Il Magnificat, la sua spiritualità e la sua teologia», in *La vita cristiana*, Milano 1977, 215-234; E. Hamel, «Le Magnificat, la femme et la promotion de la justice», in *Cahiers marials*, 113 (1978) 157-175; Id., «Le Magnificat et le renversement des situations», in *Greg*, 60 (1979) 55-84; J. Dupont, «Le Magnificat comme discours sur Dieu», in NRTh 102 (1980) 321-343; H. Muñoz, «Il Magnificat», in *Parola, Spirito e Vita*, 6 (1982) 100-105; E. Peretto, «Magnificat», in NDM, Roma 1986² 853-865; C.M. Martini, «La prophétie du Magnificat», in *Sur les Chemins du Seigneur*, Paris 1987, 198-204; H. Urs von Balthasar, *Marie pour aujourd'hui*, Paris 1988, 63-68.

ÉDOUARD HAMEL

GNÔSIS

Nel sincretismo religioso del mondo greco-romano il termine greco per conoscenza, *gnôsis* (cfr. Aristotele, *Anal. post.*, II 99b-100b) venne usato per indicare la rivelazione esoterica che

assicurava la salvezza a coloro che la
ricevevano (cfr. Ireneo *Adv. haer.* I,
6,2). Basata sulla rivelazione e accessibile solo per i pochi eletti che aprono gli occhi sull'intima natura divina
che li separa dal *cósmos* materiale e
percettibile, la *gnôsis* rivendica una
verità che non può essere trovata dalla ragione umana, né è reperibile nelle
tradizioni religiose esoteriche dell'u-
manità (cfr. *Trac. Tri.* CG I 5 108,
12-114, 30; *Orig. Mundi* CG II 5 97,
24-98, 10). 1 Tm 6,20 si riferisce alla
dottrina di maestri eretici come a falsa *gnôsis*. Il termine *gnôsis* fu usato
anche da alcuni scrittori per riferirsi
alla dottrina cristiana (cfr. Ireneo,
Adv. haer. IV,33,8).

La lettera di Barnaba usa il termine *gnôsis* per indicare la comprensione dell'attività divina nella storia della
salvezza attraverso l'esegesi dell'Antico Testamento, come pure per la
comprensione dei comandamenti di
Dio (*Barn.* 1,5; 2,3; 6,9; 9,8; 13,7).
Questa comprensione è un dono dello Spirito (1,2ss; 9,9). Perfezionan-
do la *gnôsis* dei lettori, l'autore ne
accresce la fede e sostiene il loro progresso verso la salvezza. Mentre non
tutti hanno la *gnôsis*, le intuizioni di
coloro che la posseggono sono rivolte all'intera comunità cristiana. Nel
secondo secolo emerge un uso più tecnico, che attribuisce a *gnôsis* il senso
di saggezza per i cristiani di élite,
quelli più maturi o in particolar modo illuminati. L'affermazione di possedere la *gnôsis*, rivelata attraverso
Gesù da un redentore celeste, caratterizzò varie sette di cristiani eretici.
Sembra che alcuni si siano chiamati
«gnostici». Altri, cui ci si riferisce con
il nome di maestri fondatori come
Valentino, Basilide, Marco, Simone,
o con tratti specifici del loro insegnamento, ebbero in comune con coloro
che si autodefinivano «gnostici» una
cosmologia mitologica, tradizioni esegetiche, simili immagini del redentore celeste e dell'umanità caduta, come pure forme ascetiche e rituali di

rigetto del mondo materiale (cfr. Ireneo, *Adv. Haer.* I XI, 1-5; XXV, 6;
Ippolito, *Ref.* V 6,4). Nel catalogo
delle divisioni settarie che faceva parte degli attacchi di Celso contro la
cristianità, quelli che affermano di essere «gnostici» vengono distinti da
quanti sostengono che il Dio cristiano non è il Dio degli ebrei e dei valentiniani, anche se tutti e tre questi
gruppi sono d'accordo sul fatto che
il Dio cristiano è un'entità celeste
molto diversa dal Dio degli ebrei che
è un creatore malevolo e ignorante
(cfr. Origene, *Contra Celsum*, V, 61).

La risposta di Origene si occupa separatamente dei tre gruppi. A differenza della confutazione che fa dei
passi esegetici del commentario del
valentiniano Eracleo, Origene, nel
suo commentario su Giovanni, non
richiede in questo contesto una conoscenza dettagliata della teologia cristiana. In primo luogo afferma che
l'esistenza delle sette nella cristianità
non è una prova contro la sua verità
più di quanto non sia l'esistenza di
varie scuole filosofiche. Contro coloro che sostengono che il Dio cristiano non è il Dio degli ebrei, Origene sottolinea che chiunque può provare dalla Scrittura che c'è un solo
Dio per i giudei e per i gentili. San
Paolo, per esempio, continuò ad adorare il Dio dei suoi antenati, una volta divenuto cristiano. L'approccio di
Origene ai valentiniani si concentra
sulle «classi» dell'essere umano, in
questo caso la classe «naturale» e
quella «spirituale», come si trovano
nei loro scritti. La duplice divisione
può derivare da Celso, dal momento
che la più comune antropologia valentiniana sostiene che l'umanità è divisa tra persone materiali, psichiche
e spirituali. Gli spirituali sono gli gnostici autentici. Gli psichici sono spesso considerati i cristiani tradizionali.
Questi richiedono la conversione, la
penitenza, la ricezione materiale dei
sacramenti e raggiungono un livello
inferiore di salvezza celeste. Le per-

sone materiali non raggiungono mai nessuna *gnôsis* o discernimento spirituale. Alcuni scritti sostengono che tali divisioni sono «innate» negli individui. Origene insiste che chi appartiene alla chiesa non può accettare un determinismo fondato sul modo in cui nascono le persone. Infine, egli equipara gli gnostici agli epicurei. Questi ultimi non si meritano il titolo di «filosofi» perché rifiutano la provvidenza. Gli gnostici non si possono chiamare cristiani perché introducono insegnamenti nuovi che non possono accordarsi con le dottrine tradizionali ricevute da Gesù.

Sebbene *gnôsis* venga spesso identificata con l'uso che se ne fa nelle sette eretiche, sia Clemente di Alessandria che Origene usano *gnôsis* per riferirsi alla conoscenza dell'insegnamento cristiano che è possibile solo per alcuni cristiani. Essi sostengono che da un punto di vista pedagogico alcuni degli insegnamenti dovrebbero esser tenuti nascosti a chi, per la sua fede semplice, è incapace di capirne il significato. La definizione che dà Clemente del vero cristiano gnostico concorda con la tradizione che si trova in *Barnaba*: una persona che conosce certe verità, che è matura spiritualmente e che porta altri alla *gnôsis* (*Strom.* II 10,46). Dal momento che la *gnôsis* si fonda sulla rivelazione fatta dalla stessa Verità, è più certa di qualsiasi altra cosa che la ragione umana avrebbe potuto trovare usando gli strumenti della filosofia greca (*Strom.* VI 9,78).

Clemente adotta una tradizione che ha radici sia negli scritti apocalittici giudaici che nella filosofia platonica per cui il fine della *gnôsis* è l'ascesa dell'anima alle sfere celesti per riposare nella visione del divino. L'anima che raggiunge questa visione è essa stessa simile al divino (*Strom.* VII 10,57).

Clemente parla di *gnôsis* come insegnamento del Signore agli apostoli tramandato in forma orale (*Strom.*

VI 7,61). La distinzione tra la falsa e la vera *gnôsis* si fonda sulle dottrine della chiesa (*Strom.* VI 97,5; 125,2; 141,3). La falsa *gnôsis* considera il Dio creatore dell'Antico Testamento come inferiore al Dio dei cristiani, respinge la creazione come opera di un cattivo demiurgo e attacca legittime espressioni delle passioni, come per es. il timore di Dio e il matrimonio (*Strom.* III 9,1; 103,1; IV 147,1; 163,1). I veri cristiani devono respingere anche quell'asserzione per cui la *gnôsis* diviene patrimonio solo degli uomini che sono naturalmente capaci di riceverla. Clemente insiste che la *gnôsis*, perfezionamento della fede, appartiene a un percorso di progresso da uno stato buono a uno migliore, scelto liberamente. Dipende dalla libera scelta degli individui, dallo studio, dalla disciplina ascetica e dalla grazia di Dio (*Strom.* I 16,3; IV 92,2).

Mentre Clemente intende le tradizioni e le dottrine ricevute come regole per valutare rivendicazioni di ciò che appartiene o meno alla *gnôsis* cristiana, Origene la collega all'interpretazione della Scrittura. La Scrittura ha un senso tipologico per cui gli avvenimenti dell'AT prefigurano le realtà della nuova alleanza. Questi hanno anche un significato spirituale o morale per cui i cristiani vengono avviati a una vita virtuosa. Ma il loro significato nascosto, gnostico non può essere condiviso universalmente. Questo riguarda il destino dell'anima, la sua ascesa al mondo dello spirito e la sua origine o discesa da quello stesso mondo (*Hom. Num.* XXVII 2-4). La *gnôsis* si può trovare solo nella tradizione di quei maestri che sanno come interpretare la Scrittura. Confrontandosi con i commentari eretici della Scrittura che pretendono di rifletterne il senso nascosto ed esoterico, Origene attacca queste interpretazioni che violano la logica di quanto la Scrittura rivela altrove (per es. *Comm. in Jo.* 2,2).

Sia per Clemente che per Origene la ricerca della *gnôsis* è segno di un cristiano spiritualmente maturo. La *gnôsis* mette l'anima in grado di capire la sua vera somiglianza con Dio ma non è una condizione necessaria per la salvezza. Gli eretici gnostici, al contrario, considerano la *gnôsis* come un risveglio spirituale dall'ignoranza e dalla delusione. Solo allora uno ha la consapevolezza della propria origine divina e del proprio destino divino (per es. *Ev. Verit.* CG I *3* 22,3-20). L'*Ev. Phil.* (CG II *3* 76, 17-77, 31) basa l'affermazione che la conoscenza della verità gnostica dell'io è necessaria per la salvezza su una interpretazione di Gv 3,1-12, Gv 8,34 e 1 Cor 8,1, come pure sulle allusioni a come Paolo ha trattato il battesimo in Rm 6. La *gnôsis* assicura allo gnostico la comprensione del vero significato dei riti cristiani tradizionali come il battesimo, l'eucaristia e l'unzione.

Senza la *gnôsis* i riti sacramentali rimangono senza effetto. Alcuni gnostici si opposero alla lettura ortodossa dei sacramenti in quanto canali di salvezza (cfr. *Adv. haer.* I 21,4; *Testim. Tr.* CG IX *3* 69,7-32). Dal momento che le mitologie gnostiche fanno risalire le origini del mondo materiale a una fuga di «luce» dal mondo divino e al successivo imprigionamento di questa nella materia grazie all'azione di una divinità inferiore, cattiva e ignorante, né il giudaismo né il cristianesimo ortodosso, che adorano quel Dio, né la filosofia, cui manca la rivelazione divina, possono raggiungere la verità. Solo la discesa di un redentore dal mondo celeste può apportare *gnôsis* a chi rimane invischiato nell'ignoranza di questo *cósmos*. I frammenti dell'inno di una setta gnostica giudaico-cristiana celebrano Gesù come colui che porta la conoscenza in questo mondo senza rimanere contaminato dalla sua lordura (cfr. *1 Apoc. Jas.* CG V *3* 28,7-20; *2 Apoc. Jas.* CG V *4* 47,8-20). Gli

insegnamenti del rivelatore vennero trasmessi agli apostoli in segreto. Per conseguenza questi insegnamenti non si ritrovano in modo esplicito nelle tradizioni evangeliche che derivavano dai circoli dei Dodici (cfr. *Ap. Jas.* CG I *2* 1,1-2,39; *1 Apoc. Jas.* 42,20-24). Mentre i testi canonici presentano il Signore risorto che ristabilisce la comunità dei discepoli e li incarica di proclamare il vangelo, gli scritti gnostici affermano spesso che Gesù rivelò la *gnôsis* nel periodo che sta tra la risurrezione e l'ascensione (cfr. *Ap. Jn., Ap Jas., Soph. Jes. Chr., Pist. Soph.*). L'autentica comprensione delle parole del Gesù terreno ha bisogno di quest'ultima rivelazione.

I miti gnostici sulle origini dei regni celesti, con i loro numerosi esseri divini e l'antitipo terrestre dei cieli retto da un cieco demiurgo che afferma di essere il vero Dio, fanno risalire tutte le cose alla rivelazione dello sconosciuto divino Padre o padremadre. Ma il mito serve a fissare un rigido dualismo cosmico. Solo la scintilla di luce racchiusa nelle anime degli gnostici può esser destata e salire per unirsi con la sua controparte celeste. Tutto ciò che è proprio del mondo materiale e sensibile sarà rimosso e definitivamente distrutto quando tutto ciò che appartiene al divino sarà tornato alla sua vera dimora (cfr. *Orig. Mundi* CG II *5* 124,33-127,17). Il Salvatore, latore di questa rivelazione, è normalmente identificato come la controparte della figura femminile della Sapienza divina la cui attività ha fatto emergere i mondi inferiori da quelli divini (cfr. *Soph. Jes. Chr.* CG III *4* 112,4-114,25). La figura della Sapienza divina svolge un ruolo rivelatorio nel mito cosmologico. Essa rimprovera l'arrogante dio-dominatore di vantarsi della sua superiorità e rivela l'archetipo celeste dell'umanità. In un appassionato desiderio per la bellezza dell'Adamo celeste, il dio-dominatore e i suoi angeli creano i corpi psichici e materiali degli esseri umani che sono soggetti all'ignoranza e alla morte (cfr. *Orig. Mundi* CG II 5 103,1-116,8). Spesso si afferma che la vera Eva, «madre dei viventi», avrebbe destato Adamo con la *gnôsis* della superiorità degli umani sulle divinità inferiori, là dove si parla degli avvenimenti che i racconti della Genesi ricollegano all'albero della conoscenza.

Questa cosmologia mitologica venne chiaramente sviluppata nei circoli giudaici in cui ebbero un ruolo importante le speculazioni sulla creazione di Adamo e i racconti della caduta degli angeli. In molti testi il celeste Seth è la fonte della rivelazione per le anime gnostiche che ne posseggono il seme (cfr. *Ev. Eg.*). Il mito delle origini cosmologiche, della caduta dell'anima e della sua redenzione per opera di una figura celeste come la Sapienza/l'immortale Adamo/Seth sembra essere del tutto indipendente dal mito che si trova negli gnostici cristiani. Equiparando il Cristo a uno degli esseri celesti del mito, gli gnostici poterono affermare che questa storia mitica costituisce la *gnôsis* salvifica insegnata da Cristo.

L'enfasi posta sul dualismo di questa storia mitica rende irrilevante sia il «Gesù storico» che le affermazioni sul significato redentivo della sua morte sulla croce. Per gli gnostici «Gesù» è solo il veicolo necessario, materiale e psichico, per cui il divino redentore può entrare nel mondo per prendere contatto con le anime gnostiche che si sono perse. Gli gnostici cristiani spiegarono la croce con termini del docetismo. I sovrani ignoranti e demoniaci del *kósmos* pensarono di aver crocifisso il salvatore. Ciò che in effetti fecero fu di appendere alla croce un corpo abbandonato. Il Salvatore Immortale non fu mai soggetto alla morte. I cristiani ortodossi che affermano di trovare salvezza nella croce, non nella *gnôsis*, sono

rimasti delusi per aver riposto le loro speranze in un essere umano morto piuttosto che nel salvatore vivente (cfr. *Apoc. Pet.* CG VII 3 81,15-84,6). Analogamente la fede ortodossa nella risurrezione, in quanto futura trasformazione corporale delle persone nell'immagine di Cristo, venne attaccata come una speranza fuori posto fondata sull'attaccamento al mondo materiale. Il vero significato della risurrezione deve trovarsi nel risveglio dell'anima alla sua interiore natura divina (cfr. *De Res.* CG I 4 45,14-48,2).

Un'altra linea di sviluppo, evidente nell'opposizione di Plotino agli gnostici (*Enn.* II, 9), univa il mito del ritorno dell'anima alla divinità con la speculazione platonica sull'ascesa dell'anima verso una visione divinizzante di Dio. La triade neoplatonica, vita-mente-esistenza, viene usata negli scritti di questa scuola per descrivere la divinità (cfr. *Allogenes, Steles Seth, Marsanes* e *Zostr.*). Il dualismo gnostico e la speculazione mitologica sono offensivi per i platonici ortodossi come lo sono per i cristiani ortodossi. Il dualismo gnostico rescinde i legami tra il mondo materiale e gli archetipi celesti. Bellezza e ordine, in quanto immagini del divino in questo mondo, non consentono più all'anima di elevarsi alla contemplazione razionale del divino. La speculazione mitologica costituisce il fondamento dei battesimi rituali legati alla purificazione e all'ascesa dell'anima che si trovano in questi scritti gnostici, e così pure le considerazioni sui nomi degli angeli e sulla moltiplicazione degli esseri celesti.

La speculazione platonica trova maggiore ospitalità nell'antropologia tripartita di molti scritti gnostici che nella cristianità ortodossa. Gli scrittori cristiani protestano spesso che la divisione degli esseri umani in persone spirituali, psichiche e materiali rende la salvezza dipendente dalla natura di ciascuno piuttosto che dalla libera volontà che risponde alla grazia di Dio (cfr. *Exc. Theod.* 45,1; *Adv. Haer.* I 4,1; *Trac. Tri.* CG I *5* 62, 2-5). Altri scritti gnostici, meno influenzati dall'antropologia filosofica, descrivono gli gnostici come coloro che appartengono a una «razza» diversa, quella di Seth o Uomo Immortale. Benché gli scrittori gnostici descrivano l'apertura alla *gnôsis* come risposta alla «chiamata» divina e, in questo senso, come un'esperienza di grazia o di elevazione divina (cfr. *Exeg. Animae* CG II *6* in cui viene narrata la storia del ritorno penitente dell'anima a Dio), gran parte della loro mitologia speculativa presume davvero che solo poche persone possiedano una natura capace di *gnôsis*. Varie scuole differiscono nel modo di trattare gli «psichici» che i valentiniani identificano con i cristiani ortodossi. Alcuni sostengono che essi raggiungano una certa forma di salvezza in una regione inferiore del cielo. Ma l'elemento che più colpisce nella antropologia gnostica è l'esaltazione dell'essere umano che è al di sopra del Dio creatore e dei suoi angeli (cfr. *Ev. Phil.* CG II *3* 71, 35-72, 4). L'identificazione con la propria natura divina interiore, non solo rende lo gnostico superiore alle autorità religiose e culturali che decidono della vita di gran parte dell'umanità, ma lo fa superiore anche al divino creatore di questo mondo.

Questo motivo di alienazione dal *kósmos*, dai suoi dèi e dalle sue autorità è fondamentale nel linguaggio simbolico e mitico dello gnosticismo. Gli gnostici si descrivono come membri di una «razza» senza re, estranei al demiurgo e ai suoi poteri (cfr. *Apoc. Ad.* CG 5 65,18-19; 69, 17-18; 76, 5-6). Le storie bibliche del diluvio, di Sodoma e Gomorra e della distruzione della terra per mezzo del fuoco venivano spesso lette come altrettanti tentativi del demiurgo di distruggere la razza gnostica, che era invece protetta dalle potenze angeliche (cfr. *Apoc. Ad.* CG V *5* 75, 9-28; 76, 8-15; *Ev. Eg.* CG III *2* 63, 43-8). Ogniqualvolta appariva nel mondo la rivelazione, i suoi sovrani si agitavano e cercavano di distruggere chi ne veniva illuminato. Gli gnostici interpretavano l'opposizione proveniente dalle autorità della chiesa come un'ulteriore manifestazione di questo disegno (cfr. *Tract. Seth* CG VII *2* 58, 14-60, 12).

Sebbene i Padri della chiesa abbiano scritto che alcuni gruppi gnostici dimostravano la loro libertà nei confronti delle limitazioni del mondo con pratiche rituali libertine (cfr. Ireneo, *Adv. Haer.* I 23,3; Epifanio, *Pan.* 26), gli scritti gnostici che sono giunti fino a noi mostrano una tendenza decisamente ascetica. Le passioni, specie quelle connesse con la sessualità, sono stratagemmi usati dalle potenze demoniache per sottomettere l'anima e impedirne la reintegrazione nel mondo celeste. La diffusa inclusione delle donne nelle sette gnostiche sembra si basasse sulla asserzione che con le pratiche rituali e ascetiche potevano «divenire maschi» (cfr. *Ev. Thom.* 114). L'anima caduta viene sempre rappresentata al «femminile» mentre cerca di riunirsi alla sua controparte celeste che è «maschile». Il rito centrale dei valentiniani, la camera nuziale, apparentemente rappresentava questa riunificazione (cfr. *Ev. Phil.* CG II *3* 86, 4-18).

Ascetismo, pratiche rituali e lo sviluppo di modelli interpretativi della Scrittura nel contesto di una forma unica di speculazione mitologica, sono tutti evidenti nelle prime forme della tradizione gnostica e si sono sviluppati chiaramente in un ambiente di apocalittico settarismo giudaico. I maestri gnostici del secondo secolo assimilarono sia i materiali propri della media speculazione platonica sul Dio sconosciuto, sull'emanazione del mondo e sulla divina provvidenza, sia il materiale del cristianesimo emergente. Quest'ultimo fornì il contesto sociale e religioso per il crescente sviluppo delle sette gnostiche. Mentre gli scrittori ortodossi insistevano che la vera *gnôsis* richiedeva un'esegesi che approfondisse la fede e fosse coerente con le tradizioni dottrinali della chiesa, gli gnostici respingevano ogni interpretazione che non fosse stata formulata per esprimere simbolicamente la storia rivelata delle origini celesti dell'anima, della sua caduta nel mondo e della sua reintegrazione attraverso la *gnôsis*. Per gli gnostici la storia della salvezza veniva riscritta su un piano mitico. Le narrazioni della storia di Israele o della vita terrestre e degli insegnamenti di Gesù non contengono in se stesse nessuna forza di rivelazione. Il divino Cristo della speculazione gnostica è un essere mitico non toccato dalla sua discesa nel mondo umano.

Respingendo la *gnôsis* della speculazione mitologica e dell'illuminazione individuale, i cristiani ortodossi insistettero sulla speciale natura rivelata delle narrazioni dei vangeli e degli *Atti*. Contro la storia gnostica della salvezza, che consiste in una mitica inversione e in un'opposizione al Dio del giudaismo, la linea ortodossa insiste che il Padre celeste rivelato da Gesù è lo stesso Dio che ha creato il mondo e che si è rivelato nell'AT. L'ascetismo e la ricerca di un'esperienza religiosa di unione dell'anima con Dio appartengono alla pratica religiosa dei cristiani ortodossi. Ma non è loro consentito di fissare le condizioni della salvezza in modo che la morte riparatrice di Cristo o i sacramenti perdano il loro potere di assicurare la salvezza al credente. I termini di fondo con cui i cristiani descrivono la salvezza sono la fede e la grazia piuttosto che la *gnôsis*. L'esperienza fatta da Agostino con il manicheismo, ultima grande espressione di *gnôsis* dell'era patristica, ebbe un ruolo importante nella formazione della sua comprensione del male e della grazia nell'esperienza umana.

Bibl. - TESTI: Edizioni di singoli testi di Nag Hammadi e delle relative traduzioni, note, commenti che compaiono nelle collane: *Nag Hammadi Studies*, Québec-Leiden, e *Bibliothèque Copte de Nag Hammadi* - Per una traduzione italiana dei vari testi gnostici: M. Simonetti, *Testi gnostici*, Bari 1970; L. Morandi, *Testi gnostici*, Torino 1982. - Raccolte con ampio materiale da resoconti patristici sullo gnosticismo e selezioni di testi gnostici tramandati: W. Foerster, *Gnôsis*, vol. I: Patristic Evidence Oxford 1972; Id., *Gnôsis*, vol. II: Coptic and Mandaic Sources, Oxford 1974; B. Layton, *The Gnostic Scriptures*, Garden City 1987.

FONTI SECONDARIE: Trattati sullo gnosticismo nel contesto dello sviluppo teologico del pensiero cristiano: J. Pelikan, *The Christian Tradition*, vol. I: The Emergence of the Catholic Tradition (100-600), Chicago 1971; J. Daniélou, *A history of Early Christian Doctrine*, vol. II: Gospel Message and Hellenistic Culture, London 1973; R.M. Grant, *Gnosticismo e cristianesimo primitivo*, Bologna 1976; M.J. Edwards, «Gnostics and Valentinians in the Church Fathers», in JTS n.s. 40 (1989) 26-47. - Trattati sullo gnosticismo come fenomeno religioso: K. Rudolph, *Lo gnosticismo*, Torino 1973; H. Jonas, *Lo gnosticismo*, Torino 1975; G. Stroumsa, *Another Seed: Studies in Gnostic Mythology*, Leiden 1984. - Raccolte da parte di eminenti studiosi: U. Bianchi, *Le origini dello gnosticismo*, Leiden 1967; B. Layton (ed.), *The Rediscovery of Gnosticism*, vol. I: The School of Valentinus, Leiden 1980; Id. (ed.), *The Rediscovery of Gnosticism*, vol. II: Sethian Gnosticism, Leiden 1981; C.W. Hedrick - R. Hodgson (edd.), *Nag Hammadi, Gnosticism and Early Christianity*, Peabody 1986; G. Filoramo, *L'attesa della fine. Storia della gnosi*, Bari 1987.

PHEME PERKINS

GREGORIO DI NISSA

Il mistero di Cristo si rivela progressivamente alle nazioni in modo tale che queste diventino capaci di accoglierlo e di comprenderlo attraverso le loro culture. Questo fenomeno di → inculturazione, cui il nostro secolo è particolarmente sensibile, ha toccato prima di tutto la cultura greco-latina in cui il cristianesimo si è massivamente diffuso. Ora, da questo punto di vista, il quarto secolo è tanto più rivelatore in quanto è simultaneamente l'epoca in cui, a partire da Teodosio, i cristiani hanno il sentimento di appartenere veramente all'impero, di andare «nel senso della storia», di potersi aprire senza riserve alla cultura di cui diventano il gioiello; ma è anche l'epoca in cui meglio si manifesta nella crisi ariana il punto di rottura e di incompatibilità con questa stessa mentalità greco-latina.

Gregorio di Nissa illustra bene questi due aspetti. Dopo essersi, come sembra, indirizzato al sacerdozio, si lascia sedurre dagli ultimi fuochi della cultura pagana sotto il regno di Giuliano, diventa retore e probabilmente si sposa. Condivide con molti Padri della chiesa e, fino alla fine della sua vita, l'idea che la cultura profana sia utile al cristiano (cfr. *Vita di Mosè*, II,12,SC 1 ter, Paris 1963, 112-113), a condizione che non sia separata dal «latte nutriente della chiesa». Egli dichiara che i suoi maestri sono Paolo e il retore Libanios (cfr. *Lettera* XII 4-6, GNO 8,2, 45,15ss), ma loda la sorella Macrina per il fatto di ignorare la cultura profana e di trarre la sua istruzione solo dalle Scritture (cfr. *Vita di Macrina*, 3, SCN 178, Paris 1971, 148-151). Già nel *Trattato sulla verginità* scritto nel 371, un anno prima della sua elezione a vescovo, confessa il suo rammarico di non aver condiviso questo ideale della verginità «cui non si può più tornare una volta che si è messo il piede nella vita del mondo» (*Trattato sulla verginità*, SC 119, Paris 1966, 274-275). A poco a poco, dopo aver sperimentato i «legami del mondo» ed essersi dedicato ai dibattiti teologici, Gregorio sembra legarsi sempre più alla spiritualità monastica, come testimoniano i destinatari delle sue ultime due opere: quello della *Vita di Mosè* è un monaco e quello delle *Omelie sul Cantico dei Cantici* una pia donna di Costantinopoli.

Ma più che nella sua vita di cui sappiamo solo poche cose, è nella sua opera che egli appare come il rap-presentante equilibrato del cristianesimo della sua epoca. Per la grande cultura, l'eleganza della lingua che si distingue per l'estetismo della Seconda Sofistica, egli riflette la riuscita assimilazione culturale del cristianesimo imperiale. Ma il suo vigore metafisico e la sua profondità spirituale lo rendono atto a sottolineare, meglio di altri, i punti di rottura con questa stessa cultura. In questa duplice luce esamineremo l'espressione della rivelazione cristiana che si trova in lui.

1. CRISTO E L'UOMO - Il primo punto di rottura tra la filosofia greca e la metafisica di Gregorio di Nissa si situa nella concezione dell'universo e nella scala degli esseri. Per Eunomio, suo avversario, da lui giustamente definito «tecnologo», cioè manipolatore di ragionamenti umani, Dio è interamente comprensibile all'intelligenza umana e può essere esattamente contenuto da un concetto umano, quello di ingenerato. Gregorio risponde tenendo conto della qualità trascendente della natura divina. L'abisso incolmabile non si situa tra l'intelligibile e la materia sensibile, ma tra l'Increato e il creato. La natura intelligibile è divisa in due parti: «una è increata e creatrice di tutti gli esseri, è eternamente ciò che è e resta sempre simile a se stessa, è superiore a ogni addizione o sottrazione nella sua perfetta sufficienza; l'altra, portata ad esistenza per creazione, resta sempre volta alla causa prima degli esseri ed è la sua partecipazione al Bene trascendente che la mantiene nell'esistenza» (cfr. *In Cant.* VI, GNO 6, 174,1-7). La natura creata è circoscritta in questi suoi limiti ed è finita; un'immensa e incolmabile distanza la separa dalla natura increata che invece è infinita: è ciò che determina per noi il carattere incomprensibile, inafferrabile e indicibile della divinità. Un solo essere consente di colmare questo abisso: Cristo che, nella mi-

sura in cui unisce in sé l'umanità e la divinità, diventa l'unico e necessario mediatore. «Egli è divenuto ombra accanto al nostro letto, il Beneamato, lui che è bello e delizioso. Infatti se non si fosse adombrato egli stesso nascondendo l'irradiare della sua divinità nella sua forma di servo, chi avrebbe potuto sopportare il suo manifestarsi? Nessuno vedrà il volto di Dio e potrà vivere. Tu dunque, tu il delizioso, sei venuto, ma sei diventato quello che sei perché potessimo accoglierti» (*In Cant.* IV, GNO 6, 107, 11-108, 6). Rompendo con la tradizione greca, che crede di poter ottenere la salvezza con la conoscenza, egli concepisce una salvezza mediante la fede che unisce a Cristo e solo così dà accesso a Dio: «Ed è così che per il seguito della vita ci fu la legge della fede, che con la storia di Abramo insegna a coloro che vogliono avvicinarsi a Dio come ciò sia impossibile se la fede non fa da mediatrice e se, grazie ad essa, non unisce lo spirito che cerca la natura inafferrabile. Abbandonando la curiosità della conoscenza l'apostolo dice: Abramo credette in Dio e ciò gli fu accreditato come giustizia» (*Contro Eunomio* II, GNO 1, 253, 23-30).

2. LE SCRITTURE E IL PROBLEMA DEL LINGUAGGIO UMANO - Sebbene Dio sia trascendente, si fa conoscere in due modi: attraverso le meraviglie delle sue opere nella creazione, e in Cristo insegnato nelle Scritture e dato nei sacramenti. Le meraviglie di Dio sono come un profumo, diffuso nella creazione dalla sua presenza. Partendo da queste tracce che possiamo percepire ci forgiamo alcune idee su Dio e, da queste idee, dei nomi che ci permettono di tradurre ciò che ogni volta cogliamo della realtà divina ma non la realtà divina com'è in se stessa: «Da una parte il profumo stesso della divinità, cioè quello che essa è nella sua essenza, è al di là di ogni

nome e di ogni concetto; dall'altra le meraviglie che vediamo nell'universo forniscono la materia ai nomi che applichiamo a Dio e con i quali lo definiamo sapiente, potente, buono, santo, beato, eterno, giudice, salvatore...» (*In Cant.* I, GNO 6, 37, 12-17). Possiamo fare solo congetture su Dio, cioè tendere a lui senza mai possederlo. Il nostro linguaggio, per il fatto stesso di essere limitato al mondo creato di cui facciamo parte, non può contenere la realtà infinita di Dio; non ci dice ciò che Dio è, ma ciò attraverso cui il nostro pensiero può tendere a lui. In Gregorio di Nissa la critica del linguaggio è severa e radicale.

Cosa dire del linguaggio delle Scritture in cui Cristo si rivela? Per condiscendenza verso l'umanità, Dio si rivela in parole d'uomo, forgiate dall'uomo e quindi manchevoli, se racchiuse nei loro limiti naturali del linguaggio creato. È dunque sempre necessario uno sforzo per superare ogni volta il senso troppo stretto e troppo umano da noi compreso e lasciare che Dio si riveli ogni volta un po' più grande. Siamo sempre tentati di porre le nostre idee «basse e terrene» al posto del Dio trascendente che si rivela. Il Verbo batte alla porta della nostra intelligenza e ci emana la sua conoscenza: «è impossibile infatti che colui che si trova all'interno del santuario invisibile incontri una pioggia o un rovescio di conoscenza, ma deve rallegrarsi se la verità impregna il suo spirito di pensieri tenui e confusi, poiché l'acqua spirituale viene distillata goccia a goccia dai santi e dagli ispirati» (*In Cant.* XI, GNO 6, 325,21-326, 5). Le condizioni della rivelazione di Dio nelle Scritture sono qui ben poste: bisogna che sia il Verbo a bussare alla nostra porta e lo fa eminentemente nelle Scritture (profeti, evangelisti e apostoli che Gregorio cita qualche riga più in basso). Ma per intenderlo bisogna essere all'interno del santuario invisibile, cioè bisogna essere in Cristo e guidati dallo Spirito. Attraverso le parole della Scrittura, che sono parole umane, e grazie a una corretta esegesi tendiamo a Dio e possiamo fare qualche congettura su di lui. La rivelazione garantisce che tendiamo proprio verso Dio e non verso un'illusione, mediante la nostra unione a lui nella fede. Grande è il pericolo, per i pagani come per i cristiani, di voler racchiudere Dio nelle nostre concezioni, o nei nostri concetti bassi e terreni o in un'idea di lui troppo piccola giacché limitata a ciò che siamo capaci di coglierne. Cristo è qui anche il mediatore attraverso cui possiamo raggiungere il vero Dio.

3. CRISTO E L'UOMO PECCATORE - Il peccato non distrugge in modo fondamentale ogni rapporto dell'uomo con Dio. Infatti, secondo Gn 1,26, versetto che guida tutta l'antropologia di Gregorio, l'uomo è creato a immagine di Dio, è cioè orientato a lui, chiamato a conoscerlo, poiché solo il simile conosce il simile ed è destinato a divenire un'immagine sempre più assomigliante grazie a una contemplazione che lo trasformi.

Il peccato è dovuto a un errore di criterio e di giudizio. Invece di giudicare le cose in Dio, secondo la ragione che Dio gli ha dato a sua immagine, l'uomo sceglie come criterio la propria sensibilità. Diventa «materiale» (oggi diremmo «materialista») e sceglie il bene delle apparenze e non della verità. Ora, ciò che alletta i sensi non è realmente il bene, ma è solo ciò che ci orienta verso il Bene supremo che è Dio. Questo errore di orientamento comporta una duplice conseguenza. Prima di tutto l'immagine di Dio, che si riflette nel cuore dell'uomo come in uno specchio, si imbratta, poiché lo specchio voltandosi verso un'altra cosa, riflette un'altra realtà. Ora l'uomo ha la temibile capacità di trasformarsi in ciò che guarda, in un rospo se guarda

un rospo, nella bellezza se guarda la Bellezza (cfr. *In Cant*. IV, GNO 6, 102,4 -104,15). Il suo legame con Dio si altera e, a meno che non intervenga un salvatore, diventa nulla la possibilità di tornare a volgersi a lui.

D'altra parte, essendosi condannato da sé a condurre una vita bassa e terrena, che non era quella cui Dio lo chiamava, l'uomo dovrà adattarvisi. Dio gli conferisce dunque una costituzione tale da poter vivere il genere di vita che egli ha liberamente scelto e questa costituzione non corrisponde a quella della vita beata, l'unica voluta da Dio. È quello che Gregorio spiega dicendo che l'uomo, uscito dal paradiso, si vede rivestito di «tuniche di pelle»: voluttà, cupidigia, collera, ma anche di tutta una serie di aspetti legati alla vita biologica, in particolare la sessualità e la morte. Questi due ultimi elementi sono strettamente legati alla condizione terrena e scompariranno nell'aldilà dove non vi è più né uomo né donna e dove la morte sarà distrutta. Vediamo qui trasformarsi la nozione, così importante nella filosofia greca, di distinzione tra io e non l'io. Come i filosofi, Gregorio dice che gli onori, il potere, il denaro, la bellezza, la salute non sono l'io. Ma i filosofi (Platone, gli Stoici, ecc.) dicono che il corpo non è l'io. Gregorio distingue la tunica celeste, che è il nostro corpo risuscitato, da queste tuniche di pelle che sono solo adattamenti a una vita temporanea. L'annuncio della risurrezione dei corpi riprende così un tema profano trasformandolo.

Così, trascinato dal peccato e dall'attrazione della materia, l'uomo si trova sottomesso a una duplice necessità. Da una parte, in quanto creatura, è un essere uscito dal nulla e la sua natura resta determinata da questo originario movimento. È perpetuamente chiamato a passare dal nulla all'essere o almeno da un certo grado di essere a un altro più alto.

Se si allontana dall'essere, il suo carattere essenzialmente mutevole lo ritrascina verso il nulla. D'altra parte, il peccato lega l'uomo alla materia, cioè al movimento ciclico del nostro tempo materiale. Il peccato è contraddistinto da questo tempo ciclico: abbiamo fame, mangiamo e la fame ritorna. È lo stesso per tutte le nostre passioni. Siamo come chi vorrebbe scalare una duna la cui sabbia cede a ogni suo passo (cfr. *Vita di Mosè*, II, 144, SC 1ter, p. 274-275). Il male non è illimitato, poiché è inventato dall'uomo il cui potere è appunto limitato dal fatto di essere creatura. Le forme del male non sono quindi indefinitamente nuove. In compenso l'uomo ricade indefinitamente negli stessi peccati. E secondo l'antica concezione del tempo ciclico, non c'è nessuna ragione di sperare in una fine. È l'intervento di Cristo nell'incarnazione che rompe il cattivo ciclo e introduce un movimento lineare di continua progressione verso il bene. Unito a lui l'uomo attraversa la zona del male ed entra nel Bene, spiega il *Discorso di Natale*: «Comprendi dunque che la notte del peccato, dopo essere cresciuta quanto era possibile, era giunta con l'esaustiva invenzione dei vizi al culmine della sua grandezza; ma oggi (cioè Natale, il giorno della nascita di Cristo) viene rotta la legge della sua crescita e ormai è riassorbita fino alla scomparsa e all'annientamento» (PG 45).

Cristo introduce quindi una rottura nel movimento ciclico del tempo; spezza anche il maggior effetto del peccato nella creazione: la divisione. Poiché Cristo è uno con il Padre, poiché la natura divina è una e indivisibile, l'incarnazione introduce nell'umanità lacerata un principio di riunificazione. È così, per esempio, che Gregorio commenta la vittoria di Cristo sulla morte. Quest'ultima non è che il punto ultimo della vittoria del male che attua la divisione di ciò che Dio ha voluto unito: l'anima e il cor-

po. In Cristo la morte attua la sua opera separando l'anima dal corpo; ma al punto ultimo della separazione urta con ciò che è indivisibile e unito una volta per tutte all'anima e al corpo: la divinità di Cristo. Ed è a partire dall'unicità indivisibile di questa divinità che si opera la riunificazione del corpo e dell'anima, cioè la risurrezione: «La divinità, prima della carne, nella carne e dopo la passione, resta sempre la stessa... Ma nella passione della natura umana essa compie per noi l'economia. Infatti ha diviso a suo tempo l'anima dal corpo, ma senza separarsi da nessuno dei due elementi a cui è stata unita una volta per tutte; poi ha di nuovo riunito ciò che era separato in modo da dare a tutta la natura umana un punto di partenza e di legame con la sua risurrezione dai morti, affinché tutta la corruttibilità fosse rivestita dell'incorruttibilità e ogni mortale dell'immortalità» (*Confutazione della Confessione di fede di Eunomio*, GNO 2, 387,14-23). La morte non è dunque una distruzione del corpo come insegna il mondo greco-pagano, ma una distruzione di ciò che vi è di corruttore e di corrotto in noi a causa della presenza del male: «Avviene allora che la parte di noi che non serve più a niente, per aver accolto l'elemento contrario, si disgrega... Supponiamo che per malevolenza un vaso d'argilla sia stato riempito di piombo fuso; una volta versato all'interno, il piombo si è solidificato divenendo impossibile farlo colare fuori dal vaso. Il proprietario del vaso fa valere i suoi diritti e poiché possiede l'arte del vasaio spezza ciò che forma una conchiglia intorno al piombo, poi rimodella il vaso nella sua forma originaria, per poterlo usare dopo averlo vuotato della materia che vi era mischiata. Accade lo stesso all'artista che modella il nostro vaso: poiché il male è stato mescolato alla parte sensibile... il Creatore, dopo aver disgregato la materia che conteneva il male, modellerà di nuovo, grazie alla risurrezione, il vaso ormai purificato dall'elemento contrario e, rigenerandone gli elementi, gli restituirà la sua primitiva bellezza» (*La Catechesi* VIII, 7).

Questa riunificazione ad opera di Cristo di ciò che è stato diviso in noi comincia già dal battesimo. Per questo Gregorio insiste in modo particolare sulla necessità di armonizzare in noi l'uomo interiore con l'uomo esteriore, con la purezza dell'anima e la rettitudine delle virtù. Se Cristo è veramente pietra angolare in noi allora i due muri che formano l'angolo devono edificarsi allo stesso ritmo: «La testa dell'universo diventa anche la nostra testa che si adatta ai due muri della nostra vita, quello del corpo e dell'anima, eretti per mezzo della buona apparenza e della purezza, a causa della sua natura di angolo a due lati. In modo che se uno dei due muri fa difetto, quando la bella apparenza non si costruisce nello stesso tempo della purezza dell'anima o quando la virtù spirituale dell'anima non appare nell'aspetto visibile, Cristo possa essere la testa di questa vita troncata per metà...» (*De perfectione*, GNO 8,1; 193,8-17). Quando tutto sarà riunificato in noi, la carne non lotterà più contro lo spirito, perché tutto il nostro essere sarà attraversato da un unico desiderio orientato in Cristo verso Dio (cfr. *In Cant.* I).

4. LA NUOVA NASCITA, MARIA, LA CHIESA - Con l'incarnazione Cristo inaugura un mondo nuovo da cui sono esclusi il male e il peccato. Cristo è il primogenito, non perché sia il primo della nostra creazione, così come questa è a partire da Adamo, ma perché in lui ha origine un nuovo tipo di nascita, quella della rigenerazione battesimale che inizia con il battesimo di Cristo stesso, e una nuova creazione senza morte a partire dalla sua risurrezione. La caratteristica di questa nascita di ordine diverso dalla semplice trasmissione della vita biologica, caduca e mortale, è la nascita verginale: «Si tratta della duplice rigenerazione operata per mezzo di due cose, il battesimo e la risurrezione; egli è divenuto l'iniziatore dell'uno e dell'altra; nella sua carne del resto è diventato Primogenito per essere stato il primo e l'unico a instaurare nella sua persona una nascita verginale sconosciuta alla natura di cui nessuno in tante generazioni umane aveva ancora dato esempio» (*Contro Eunomio* III, 2, GNO 2, 69,14-19). Importa molto a Gregorio sottolineare che questa nascita carnale non è la semplice continuazione materiale dell'umanità, ma è una rottura con la trasmissione della morte. Sottolinea anche in questa nascita la significativa assenza dei segni transitori del peccato: «fu concepito senza unione, messo al mondo senza lordura, partorito senza dolore... Così come ci è stato dato un figlio senza padre, questo bambino è stato messo al mondo senza parto... Non deve la sua origine al piacere né la sua venuta ai dolori. Ciò non è né illogico né inverosimile: poiché la donna, che con il peccato ha fatto entrare la morte nella sua natura, è stata condannata a partorire nelle sofferenze e nei dolori, bisognava assolutamente che per la madre della vita la concezione avesse origine nella gioia e che il parto potesse compiersi nella gioia» (*In Cant.* XIII, GNO 6, 388,8-389-9). Questo testo è la prima traccia in nostro possesso dell'affermazione della verginità *in partu* di Maria. Ne comprendiamo la logica dottrinale: la nascita di Cristo è infatti la ricreazione di un mondo nuovo che sarà la chiesa, da cui si trova necessariamente esclusa ogni traccia di male. All'arianesimo, che si serve del titolo di Primogenito per fare di Cristo una creatura fra le altre, per quanto prima, Gregorio risponde affermando che Cristo è primogenito non in quanto è l'e-

semplare eminente ma il principio della nuova creazione. Alla nascita di Cristo in Maria si manifestano i segni caratteristici di questa creazione. Essi si prolungano nella chiesa: «Infatti, la fondazione della chiesa è una creazione del mondo; in essa, secondo l'espressione del profeta, un cielo nuovo è creato... una terra nuova è fondata... un altro uomo è forgiato, rinnovato dalla nascita dall'alto a immagine del suo Creatore» (*Ibid.*, 384,21-385,6). Quindi colui che guarda la chiesa vede Cristo in essa: «Colui che volge lo sguardo a questo nuovo mondo della creazione della chiesa, vede in questo mondo Colui che è e diviene tutto in tutti...» (*Ibid.*, 386,4-7). Questa è anche la nostra nascita nel battesimo che ci porta «allo stato beato, divino, che sopprime ogni sofferenza» (*La Catechesi*, XXXV, 13).

5. LA VIA CONCRETA DELLA SALVEZZA - «Lo affermo», dice Gregorio, «l'uomo non può risuscitare senza essere stato rigenerato dal battestimo» (*Ibid.*, XXXV, 2). Ciò non vuol dire, precisa, che i non battezzati non risuscitino; ma non risuscitano alla stessa vita. La caratteristica dell'azione di Dio nel battesimo è di far nascere il battezzato alla vita divina e pura: «Colui che sarà stato purificato parteciperà allo stato di purezza; e la vera purezza è Dio» (*Ibid.*, XXXVI, 2). Il cambiamento operato dal battesimo è duplice: da una parte, porta la purificazione da tutto il male che si è unito alla natura umana; dall'altra, fa uscire l'uomo dalla condizione di semplice creatura limitata e lo eleva, con l'unione a Dio in Cristo, al di là dei suoi limiti fino a un'infinita vita di comunione con Dio: «Da mortale l'uomo diventa immortale, da perituro imperituro, da effimero eterno, insomma l'uomo diventa Dio» (*Sulle Beatitudini*, Paris 1979, 93). Ben inteso, questo dono della vita divina e della purificazione

da ogni male non si effettua in modo automatico con l'amministrazione del sacramento. Ci vuole ancora la cooperazione della libertà umana che l'accoglie, il consenso della fede e la manifestazione dell'opera della grazia con la pratica delle virtù: «Se la vita che segue all'iniziazione non è diversa dalla precedente, posso dire senza esitazioni, anche se le mie parole sono audaci, che in questo caso l'acqua è solo acqua. Il dono dello Spirito non si manifesta affatto nell'atto compiuto se l'uomo, non accontentandosi di insultare l'immagine divina che è in lui, persiste a conservare gli ingiusti risultati ottenuti con l'odioso vizio della collera e della passione della cupidigia, con l'indecente disordine dello spirito, con gli accessi di orgoglio, di invidia, di disprezzo, e se la donna dedita all'adulterio continua a servire i propri piaceri» (*La Catechesi* XL, 3). Ricordiamo che per Gregorio, là dove Cristo è all'opera, l'uomo esteriore e l'uomo interiore devono formarsi parallelamente in modo da costituire un'unica persona.

Tutti i sacramenti hanno, secondo Gregorio, questa duplice funzione di guarire l'uomo dal peccato e di fargli superare i limiti che deve alla sua condizione creaturale, per entrare nella partecipazione all'infinito della divinità. Quindi ritroviamo a proposito dell'eucaristia ciò che egli dice del battesimo. L'eucaristia è prima di tutto il rimedio offertoci: «Questo corpo glorioso mostratosi più forte della morte è divenuto per noi fonte della vita» (*Ibid.*, XXXVII, 3). Secondo la divisione del mondo in sensibile e intelligibile che Gregorio rispetta sempre, l'eucaristia è già rimedio alla corruttibilità del nostro corpo e si presenta sotto la forma appropriata di cibo e bevanda. Ma questi non alimentano ciò che nel corpo vi è di caduco e mortale; contribuiscono a nutrire la nuova vita del corpo ricreato. L'eucaristia è anche nutrimento di progresso spirituale che fa passare l'uomo dallo stadio di bambino a quello di uomo perfetto. Provoca nell'uomo l'uscire da un mondo inferiore verso un mondo ogni volta superiore. Quando Cristo entra nell'uomo provoca un uscire da sé che Gregorio chiama estasi: «È a questo che egli invita qui (cfr. *In Cant* 5,1) i suoi amici con la parola; questo infatti compie nel vangelo, se è vero che ogni ebbrezza produce generalmente un uscire da sé da parte dello spirito per effetto del vino. Ciò a cui il Cantico invita ebbe luogo, e ha luogo sempre, mediante il cibo e la bevanda divina, poiché il trasporto e l'estasi dal mondo inferiore al mondo superiore invadono l'anima con il cibo e la bevanda» (*In Cant* X, ˙GNO 6, 308,15-309,2).

6. La rivelazione di Cristo attraverso i membri della chiesa - Grazie a questo uscire da sé il cristiano cresce incessantemente in Cristo. Ma non tutti crescono con lo stesso ritmo; alcuni balbettano mentre altri possono dire come Paolo: «non sono più io che vivo, ma Cristo vive in me». L'uomo così trasformato può allora emanare agli altri ciò che lui stesso ha già ricevuto. Gregorio definisce questo processo «economia della chiesa», grazie a cui si diffonde lo Spirito Santo: «Coloro che per primi furono istruiti dalla grazia e che diventarono i testimoni oculari del Verbo non rinchiusero questo bene in loro stessi, ma generarono, per trasmissione, la stessa grazia in coloro che vennero dopo di loro» (*In Cant*. I, GNO 6, 40,14-17). Così i profeti, gli evangelisti, gli apostoli, ognuno attingendo «tutto ciò che poteva contenere nei tesori tenebrosi, nascosti e invisibili, sono diventati per noi un fiume carico d'acqua» (*In Cant*. XI, GNO 6, 326,6-9). Questa trasmissione non avviene solo nel tempo, poiché ogni membro è per gli altri, nella misura delle sue capacità di rice-

vere Cristo e di trasformarsi in lui, «il profumo di Cristo». Lo Spirito Santo si diffonde così in tutto il corpo e ne assicura l'unità, giacché ogni membro è nello stesso tempo colui che colma gli altri e colui che dagli altri è colmato; regina e concubina, per riprendere l'immagine del Cantico. L'unità finale di questo Corpo è garantita dall'unicità del suo desiderio di Dio ispirato dalla presenza totale di Cristo: «È nella natura di tutti gli esseri tesi nel desiderio della beatitudine e dell'eccellenza. Se dunque le fanciulle proclamano beata la colomba, sicuramente desiderano divenire anch'esse colombe. E che la colomba sia celebrata dalle concubine e dalle regine è prova del fatto che sono anche piene di zelo per ciò che lodano; fino al momento in cui, divenuti una cosa sola tutti coloro i cui desideri sono fissi verso lo stesso oggetto, non essendovi più traccia di male in nessuno, Dio sarà tutto in tutti, poiché tutti sono uniti gli uni agli altri nell'unità della comunione al Bene» (*In Cant* XV, GNO 6, 458,18-469,8).

Gli angeli stessi sono chiamati a contemplare e ad amare la bellezza dello sposo nel Corpo di Cristo che è la chiesa; così è un unico amore che ristabilisce l'unità di tutta la creazione che il peccato aveva spezzato. Un unico desiderio e amore riunificano dunque tutta la creazione in Cristo, ma Cristo resta mediatore, lui che è Dio e uomo, mentre l'umanità non perde mai il marchio della creatura, cioè la capacità sempre limitata, anche se sempre crescente, di cogliere Dio. Per questo gli resta sempre qualche cosa da scoprire e il suo desiderio è eternamente e al tempo stesso colmato e teso nell'oceano dell'infinità divina.

Bibl. - F. Diekamp, *Die Gotteslehre des heiligen Gregor von Nyssa*. Ein Beitrag zur Dogmengeschichte der patristischen Zeit, I, Münster 1896; J. Daniélou, *Platonisme et théologie mystique*, Paris 1954²; Id., *L'être et le* *temps chez Grégoire de Nysse*, Leiden 1970; E. Mühlenberg, *Die Unendlichkeit Gottes bei Gregor von Nyssa*, Göttingen 1966; M. Canévet, «Grégoire de Nysse», in DSp, VI, 971-1011, Paris 1967; Id., *Grégoire de Nysse et l'herméneutique biblique. Étude des rapports entre le langage et la connaissance de Dieu*, Paris 1983; R.M. Hübner, *Die Einheit des Leibes Christi bei Gregor von Nyssa. Untersuchungen zum Ursprung der «physischen» Erlösungslehre*, Leiden 1974; H. Dörrie, «Gregor von Nyssa», in *Reallexicon für Antike und Christentum*, fascicolo 94 (1983) 863-895; H.U. von Balthasar, *Présence et pensée. Essai sur la philosophie religieuse de Grégoire de Nysse*, Paris 1988[2].

MARIETTE CANÉVET

GUARDINI Romano

L'11 novembre 1934 Romano Guardini ebbe ad affermare che la Scrittura era la sorgente di quasi tutta la sua creatività insieme a una profonda esperienza di sé ed un intenso incontro con il mondo, l'uomo e le cose. Presentò il suo pensiero in forma di lezioni e di prediche. A poco a poco costruì un sistema contenente i seguenti quesiti: chi è Dio? chi è l'uomo? che cos'è il mondo? La pietra angolare doveva essere l'incarnazione di Cristo. Il suo lavoro principale sarebbe stata la sua antropologia dove tutta la conoscenza avrebbe dovuto ruotare attorno a una questione: chi è l'uomo?

1. ERMENEUTICA DELL'ESISTENZA - Insieme a K. Neundorfer, il giovane Guardini si misurò con i problemi filosofici sollevati da Kant e da Hegel: l'autonomia dell'uomo e la molteplicità dell'esistenza. Essi elaborarono una ermeneutica dell'esistenza, *Der Gegensatz. Versuche zu einer Philosophie des Lebendig-Konkreten* (1925). Come il titolo lascia intendere, il lavoro prende avvio da una valutazione della oggettività per poi proporre un originale modello epistemologico.

Evitando gli apriorismi kantiani e ogni riduzione semplicistica dell'oggettività, Guardini cercò di salvaguardare il dinamismo di fondo dell'esistenza umana con le sue caratteristiche di trascendenza, libertà di scelta e libertà di attività. Guardini si tenne anche alla larga da interpretazioni romantiche dell'esistenza e dal dualismo radicale tra ragione e comprensione.

La vita viene descritta come un incessante incontro tra soggettività e oggettività, tra l'uomo e il suo mondo (*Umwelt*). Esprimendosi, l'uomo stabilisce un «fuori» e un «dentro» che costituiscono una interazione di polarità (*Gegensätze*) formanti la sua *Gestalt*. L'uomo si può sviluppare secondo una più profonda interiorità oppure può trascendere se stesso verso il mondo degli oggetti e verso gli altri, accrescendo in tale mondo il proprio *Umwelt* e fissando nuovi modelli di rapporti. Di conseguenza ogni essere umano ha un suo proprio ritmo di cambiamento qualitativo e quantitativo.

Nell'opera *Welt und Person*, Guardini sviluppa la sua visione dell'uomo in quanto incontro dialogico tra soggetti. Quando due soggetti superano il loro isolamento esistenziale, dischiudono la loro *Gestalt* attraverso la parola e la comunicazione e decidono di rispettare la reciproca libertà, l'uno offre all'altro, a ciascun «io», l'occasione di essere se stesso, di esprimersi liberamente e di plasmare ciascuno il proprio destino (cfr. *Freiheit, Gnade, Schicksal*, 1948). Non solo, ma l'uomo allarga il proprio *Umwelt* e il proprio orizzonte per arrivare ad abbracciare la totalità dell'esistenza. In tal modo egli incontra la prima parola pronunciata da Dio nella creazione nonché la sua provvidenza che accompagna la creazione attraverso la storia. È la parola creativa di Dio che dà inizio alla storia. L'uomo deve rispondere con una *Weltanschauung* in consonanza con la visione divina (*Blick*) della totalità dell'essere.

L'ermeneutica di Guardini abbrac-

cia l'esistenza dell'uomo nella cornice del suo incontro con l'oggettività,
con la storia e con Dio. Sorpassando
→ l'ermeneutica di Schleiermacher e
di Dilthey, che si fonda su quella che
è la loro visione della comprensione
umana, Guardini cercò di trovare la
struttura fondamentale dell'interpretazione all'interno dell'esistenza stessa.

2. L'UOMO E LA RIVELAZIONE - *Die
Offenbarung* (1940) è il più importante contributo di Guardini alla teologia fondamentale. In un secondo
momento egli rivide tutto il suo materiale che cominciò a pubblicare sotto il titolo *Religion und Offenbarung*.
Il primo volume, che tratta della dimensione religiosa dell'esistenza umana, uscì nel 1958; il secondo, specificamente sulla rivelazione, rimane tuttora non pubblicato presso l'archivio
Guardini.

L'esistenza dell'uomo è incompleta
senza la rivelazione divina che reinterpreta e porta a compimento la parola creativa di Dio.

In linea con la sua metodologia del
Gegensatz (= dell'opposto) Guardini esplora quattro direzioni in cui
l'uomo può fare l'esperienza dei limiti (*Grenze*) del suo essere. L'uomo
ha l'impressione di essere chiamato
a un aldilà senza nome né forma, da
cui spera di arrivare al significato del-
l'esistenza. Con i suoi «dentro» e
«fuori» Guardini si muove avanti e
indietro nella storia: verso l'origine
dell'uomo e verso la sua fine e lo scopo del suo essere.

Guardini definisce l'esperienza della finitezza e della contingenza come
l'esperienza religiosa dell'uomo. Anche la caduta fa parte di questa fondamentale esperienza, alla luce di
quanto contenuto in varie mitologie.
La natura simbolica del linguaggio e
di tante altre cose nella vita richiama
anche l'esperienza umana dei limiti.
Guardini fa ampio uso della teoria
della «numinosità» propria di R. Otto per esprimere quanto appena ac-

cennato, anche se prende le debite distanze su due punti. Le diverse manifestazioni del «numinoso» non sono le espressioni differenti di una
stessa fondamentale realtà; secondo
Guardini è l'esperienza umana del limite che ricongiunge queste espressioni. Inoltre, malgrado l'uomo parli dell'«oltre» come dell'«altro», non
lo deve mai considerare come la controparte dell'essere, dal momento che
l'«oltre» lo abbraccia interamente.

Ogniqualvolta l'uomo parla di questo limite le sue risposte spiegano sia
il limite sia l'uomo che ne dà la definizione. Espressioni come «credo in
uno spirito del mondo» oppure «credo in Dio» indicano sia il significato
che si dà dell'esistenza che il rapporto personale del soggetto con quella
totalità. Guardini sviluppa questo pensiero nell'opera *Den Menschen er-
kennt nur wer von Gott weiss* (1965).

L'esperienza umana del limite è un
incontro dinamico; la vita dell'uomo
è quindi una continua ricerca, un trovare e un perdere di nuovo per muoversi verso un incontro più profondo. La comprensione umana del limite assume la forma del desiderio
di significato e porta alla comprensione di un certo contenuto per poi
frantumare ciò che si è capito, nella
ricerca di un'ulteriore verità. Nonostante la natura simbolica dell'essere, sebbene ogni cosa parli di Dio e
conduca a lui, tutto rimane indeterminato, camuffato e può perfino confondere l'uomo nella sua ricerca del
significato. Solo la manifestazione
che Dio fa di se stesso è capace di
fornire una risposta chiara alla domanda esistenziale dell'uomo che cerca la verità.

La rivelazione è l'incontro di Dio
con l'uomo nella storia: questo incontro dialogico diviene perciò un
evento storico che non può essere annullato. Assumendo la natura di una
parola, l'automanifestazione di Dio
è un esempio della sua *kénōsis* nella
storia. La parola di Dio può passare

inosservata, deve essere decifrata, è soggetta a essere fraintesa e può perfino suscitare scandalo. L'uomo deve perciò essere nella condizione di riconoscere la parola di Dio fra le tante parole e i tanti eventi della storia.

Dio sceglie di rivelarsi con una parola proferita a un popolo determinato cosicché la rivelazione prende la forma dell'azione di Dio (*Handeln*) nei confronti di quel popolo. È fatta di parole e di eventi inscritti in determinate condizioni storiche e spaziali. Nonostante ciò, la parola di Dio si rivolge a tutti gli uomini e suscita da parte dell'uomo una risposta personale di obbedienza e di fede abbinata alla sua partecipazione a una missione universale. L'intervento divino nella storia non aggiunge una nuova religione alle religioni babilonese, cananea, egiziana, ecc. Al contrario, Dio incontra la totalità della storia umana ed entra in dialogo con gli uomini di tutte le razze e di tutti i tempi.

La realizzazione perfetta dell'incontro tra Dio e l'uomo è l'incarnazione. Dio entra personalmente nella storia degli uomini cosicché Gesù diviene l'espressione (*Ausdruck*) e l'epifania del Dio vivente. In Gesù, Dio manifesta il suo «io» tripersonale e il suo stesso pensiero (*Gesinnung*). Il Dio fatto uomo costituisce in tal modo l'ultima parola di Dio su se stesso e sull'uomo chiamato a una piena comunione personale con Dio. Cristo introduce una nuova creazione, una nuova umanità che Guardini chiama interiorità cristiana.

Il rapporto tra l'uomo e Cristo è il tutto (*das alles*). Cristo è il Dio che parla, che rivela ogni cosa, il significato infinito che si autodispiega e, allo stesso tempo, è vero uomo. Con *L'essenza del cristianesimo* di A. Harnack in mente, Guardini afferma che non c'è una definizione astratta di questa essenza. Non vi è insegnamento, né sistema fondamentale di valo-

ri morali, né atteggiamento religioso, né uno stile di vita che siano disgiunti dalla persona di Cristo. «Il contenuto del cristianesimo è Cristo stesso».

Guardini può perciò insistere sul fatto che solo la rivelazione può spiegare se stessa. Venendo dall'essere divino, la rivelazione non può mai perdere importanza e novità. Chiede all'uomo di andare al di là della sua natura simbolica, che può perfino nascondere l'automanifestazione di Dio, e di penetrare di più nell'essere stesso di Dio.

3. LA CONTINUAZIONE DELL'INCARNAZIONE - Malgrado l'individualismo del suo tempo, Guardini presentò la chiesa come la continuazione della sola mediazione di Cristo nel tempo e, stando a → Newman, come la realizzazione del regno di Dio sulla terra. La chiesa è veramente l'uno e il tutto (*Vom Sinn der Kirche*, 1922). L'uomo non può in nessun tempo rivolgersi a Dio dalla sua esistenza isolata, lo può fare solo dalla totalità comprensiva ed aperta della chiesa, dalla sua tradizione vivente e dal suo «io» comunitario. Questo «io» non è un «noi» privo di forma, piuttosto l'incontro di tutti coloro che costituiscono la comunità vivente e credente (*Vom Leben des Glaubens*, 1935). L'uomo risponde a Dio in obbedienza e in fede. Deve cioè decidere se vuole in definitiva conservare o perdere il suo sé (cfr. Mt 10,39) non tanto di fronte a Dio quanto in rapporto alla mediazione umana, la chiesa. È qui che l'uomo deve prendere la sua decisione in favore o contro la rivelazione. Non quindi in un'autonomia nella prospettiva kantiana, ma solo nella chiesa e attraverso la chiesa l'uomo può raggiungere la sua piena libertà così come è espressa nel suo atto di fede.

Nella chiesa e attraverso la chiesa Cristo viene ad abitare nell'uomo e, attraverso il suo Spirito, conduce l'uomo a un nuovo livello di esistenza. L'esistenza redenta dell'uomo si basa sul fatto che il «tu» che è Dio e che in Cristo si avvicina all'uomo, attira l'«io» dell'uomo in se stesso ed esso stesso entra dentro l'«io», cosicché si forma un nuovo rapporto polare.

Per l'azione dello Spirito l'interiorità cristiana invita l'uomo a procedere verso sempre più grandi altezze e profondità, lontano da ogni mediocrità e da ogni falsa sicurezza. È solo la grazia di Dio che permette all'uomo di essere tale; vale a dire di arrivare a essere la vera immagine di Dio stesso. L'uomo risponde in fede e amore. Fede significa una continua apertura alla novità di Dio sulla base dell'accettazione della rivelazione divina e dell'obbedienza alla chiamata di Dio. Polemizzando con l'autonomia kantiana, Guardini crede che l'obbedienza sia il punto più critico della fede dell'uomo: in essa l'uomo affida il suo essere nelle mani di Dio ed avvera ciò che gli è stato promesso. Tale resa di sé richiede nondimeno un atto di fede responsabile e intelligente assieme a una vita d'amore che può unire l'uomo con Dio e gli

uomini tra di loro. In tutto ciò l'uomo è condotto dai suggerimenti del suo cuore che, per dirla con → Agostino e con → Pascal, dirige l'uomo alla ricerca dell'ultima verità, Dio stesso.

Bibl. - Opere di R. Guardini, *Auf dem Wege*, Mainz 1923; *Romano Guardini in Gespräch mit Erich Gorner 1933-34*, n.d.; *Welt und Person*, München 1939; *Il Signore*, Milano 1949; *L'essenza del cristianesimo*, Brescia 1950; *Unterscheidung des Christlichen*, Mainz 1963; «Kirche und Dogma», in M. Galli-M. Plate (edd.), *Kraft und Ohnmacht*, Frankfurt 1963; *Berichte über mein Leben*, Düsseldorf 1984.
H. Engelmann - F. Ferrier, *Romano Guardini. Le Dieu vivant et l'Existence chrétienne*, Paris 1966; A. Lopez Quintas, *Romano Guardini y la dialéctica de lo viviente. Estudio metodológico*, Madrid 1966; Autori vari, *Romano Guardini. Der Mensch - Die Wirkung - Begegnung*, Mainz 1979; R. Wucherer-Huldenfeld, *Die Gegensatzphilosophie Romano Guardinis in ihren Grundlagen und Folgerungen*, Wien 1968; A. Babolin, *Romano Guardini. Filosofo dell'Alterità*, voll. I-II, Bologna 1968-1969; H.U. von Balthasar, *Romano Guardini. Riforma dalle origini*, Milano 1970; H.B. Gerl, *Romano Guardini (1885-1968)*. Leben und Werk, Mainz 1985; H. Kleiber, *Glaube und religiöse Erfahrung bei Romano Guardini*, Freiburg 1985; A. Schilson, *Perspektiven Theologischer Erneuerung. Studien zum Werk Romano Guardinis*, Düsseldorf 1986.

MARIO FARRUGIA

H

HEGEL G.W. Friedrich

1. OPERE SULLA RELIGIONE - In gioventù Hegel per breve tempo studiò teologia prima di volgersi alla filosofia. Durante tutta la sua carriera filosofica conservò un profondo e costante interesse per la religione in generale, per le diverse religioni del mondo in particolare e specialmente per il cristianesimo.

Gli scritti e le lezioni di Hegel testimoniano la passione e l'impegno con cui egli affrontava la filosofia della religione. Agli inizi del secolo ventesimo H. Nohl raccolse le prime riflessioni di Hegel sulla religione e sul cristianesimo in un volume intitolato *Scritti teologici*. La *Fenomenologia dello spirito*, pubblicata da Hegel nel 1807, segnò l'inizio della sua riflessione filosofica più «matura» o sistematica. In quest'opera, affascinante ma complessa, Hegel trattava la religione come il penultimo stadio nel movimento fenomenologico che dalla coscienza, attraverso l'auto-coscienza, arriva fino a quella che egli chiamava «conoscenza assoluta». Hegel pubblicò le tre parti della *Scienza della logica* negli anni tra il 1812 e il 1816. Descriveva il suo progettato movimento di pensiero logico o puro in termini religiosi quando, riferendosi a esso, lo indicava come «la pre-

sentazione di Dio come Dio è nell'essenza eterna di Dio prima della creazione della natura e dello spirito finito». Hegel pubblicò tre edizioni, sempre più elaborate, del sommario del suo sistema filosofico, *Enciclopedia delle scienze filosofiche in compendio*. Qui, ancora una volta, in queste edizioni del 1817, 1827 e 1830, egli poneva la religione come la penultima sfera nel movimento di autosviluppo del pensiero filosofico. Nel 1821, in risposta, almeno in parte, al modo in cui F. Schleiermacher affrontava il tema religioso in *La fede cristiana*, dette inizio alla prima delle sue quattro serie di conferenze berlinesi sulla filosofia della religione. Queste conferenze sulla religione pronunciate negli anni 1821, 1824, 1827 e 1831, non furono mai pubblicate da lui; si trattava, in effetti, di elaborazioni diverse della filosofia della religione delineata nell'*Enciclopedia*. Tuttavia, la loro rapida pubblicazione in una prima edizione poco dopo la sua morte e ancora, in una edizione molto riveduta, alcuni anni più tardi, provocò una notevole discussione su quanto egli prendesse sul serio la religione e il cristianesimo in particolare. Adesso, nell'ultima parte del secolo ventesimo, la pubblicazione, da parte di W. Jaesche, R. Ferrara e P.C. Hudgson, di una edizione critica del manoscritto della sua filosofia della religione del 1821 e di svariate trascrizioni, da parte di uditori, di conferenze posteriori sulla filosofia della religione, rende effettivamente accessibili, per la prima volta, queste conferenze. La loro pubblicazione corona un secolo di rinnovato e crescente interesse per la sua filosofia e particolarmente per il suo pensiero sulla religione e sul cristianesimo.

2. FILOSOFIA DELLA RELIGIONE - Secondo il pensiero «maturo» di Hegel, la religione sarebbe l'elevarsi della coscienza umana, o dello spirito finito, verso Dio, ossia verso l'infinito. Secondo il suo progetto questa elevazione avverrebbe nella forma di un movimento di pensiero riflesso, o concettuale. Egli sosteneva, di fatto, che lo spirito come tale, compreso lo spirito finito, è un movimento del pensiero. Definiva letteralmente il divino e l'umano in termini di pensiero. Ora, siccome la religione sarebbe ciò che vi è di più tipico nell'essere umano sia come individuo che come comunità, essa pure sarebbe un movimento del pensiero. Hegel aveva molti motivi per proporsi di sviluppare in termini di un movimento dinamico di pensiero unificante e comprensivo, sia il suo sistema globale come movimento dello spirito in genere, sia la sua costruttiva lettura filosofica della religione in particolare. Una ragione importante, che particolarmente oggi riscuote interesse, era la sua intenzione di filosofare in ambito pubblico. Egli era convinto che il pensiero riflessivo fosse accessibile al pubblico e criticamente esaminabile. Per questo volle lavorare con il pensiero riflessivo, piuttosto che, per esempio, con qualcosa come l'intuizione o il sentimento.

Hegel non soltanto definiva la religione come l'elevazione della coscienza religiosa finita verso Dio, ossia verso l'infinito, ma riteneva anche,

coerentemente, che questa elevazione presupponesse un movimento più comprensivo dello spirito. Dal 1824 in poi, ma specialmente nel 1827, organizzò le sue conferenze in modo sempre più chiaro e sistematico in modo che riflettessero la struttura di questo movimento più comprensivo. Egli sosteneva che l'elevarsi del finito verso l'infinito era, in realtà, la continuazione, per così dire, di un movimento logicamente anteriore che andava da un iniziale infinito unitario verso la differenziazione o finitezza. Sulla base di simile affermazione, Hegel era in grado di sviluppare la sua filosofia della religione come un movimento dinamico e quindi dialettico e autoaffermativo dello spirito. La religione, o meglio la filosofia della religione, era per Hegel il movimento dialettico dello spirito che si fa altro nella finitezza per poi ritornare, attraverso la negazione di questa finitezza, a se stesso in un modo più pieno. Detto in modo più concreto e in termini da lui esplicitati nelle conferenze del 1827, la filosofia della religione sarebbe l'evolversi di Dio come spirito assoluto. Hegel presentò la filosofia della religione come un movimento che, partendo dal concetto di Dio, giungeva alle svariate religioni particolari o determinate, diverse dal cristianesimo. Egli concludeva la sua filosofia della religione presentando la religione perfetta come la negazione dei limiti e delle particolarità di queste religioni finite o determinate. Nella sua realizzazione storica identificava la religione perfetta con il cristianesimo e in particolare con la sua tradizione cristiana luterana.

Hegel costruì la sua filosofia della religione, come un movimento del pensiero, nella forma di questo interiore auto-evolventesi movimento dello spirito. Avendo identificato questo movimento con l'evolversi di Dio in quanto soggetto divino, egli interpretava la religione come un movimento della soggettività divina. Si tratterebbe di un movimento da Dio come sostanza, a Dio in quanto differenziato al suo interno e, quindi, vero, divino soggetto o persona. Era, senz'altro, un momento della divina soggettività inclusiva, dal momento che Dio venne considerato come [essere] inclusivo di finitezza, ossia del mondo. Per cui la religione sarebbe, per Hegel, un processo di riconciliazione tra l'umano e il divino, una riconciliazione che si realizza nella forma di una auto-affermantesi soggettività divina inclusiva.

In tutte le sue conferenze berlinesi Hegel sviluppò, conseguentemente, la sua filosofia della religione in tre parti. «Il concetto di religione» fu il titolo della Parte Prima. Per descrivere questo primo momento della filosofia della religione usò il termine logico di «universalità». Questo primo momento era formalmente ben strutturato. Si fermava a livello dell'implicito. Sarebbe, egli diceva, l'idea divina ancora «in sé». Sebbene gli ci siano voluti degli anni per elaborare una struttura adeguata per questa prima parte della filosofia della religione, nel presentarla egli cominciava sempre insistendo a dire che la religione non era una questione del solo umano o del solo divino, ma di tutti e due insieme. Iniziava sempre la presentazione del concetto di religione con l'affermazione di una unità originaria, vale a dire con la religione come relazione tra l'umano e il divino. Proseguiva affermando la distinzione tra Dio e la coscienza religiosa finita come sprigionantesi immediatamente da questa unità iniziale. Parlava di questo secondo momento, ossia dell'affermarsi della distinzione, in termini di alterità. Giunse a considerarlo come un momento di quella che egli chiamava ragione teoretica, o, in questo caso, ragione distinguente. È proprio questo manifestarsi della distinzione o differenza che, per essere esatti, costituisce il momento

della religione, perché è qui, in questo secondo momento, che si può parlare propriamente di una elevazione dal finito all'infinito. In un terzo momento, Hegel parlava della negazione di questa distinzione per mezzo del movimento di ciò che chiamava ragione pratica o, in questo caso, integrante. Specialmente nelle conferenze successive questo ultimo passo venne visto più chiaramente come il momento della comunità e del culto, cioè dell'adorazione. Per Hegel la ragione pratica o integrante sarebbe il movimento del pensiero sotto l'aspetto di volontà. Egli sosteneva che questi tre passi o momenti, del concetto di religione, sviluppati in modo più formale, si attualizzerebbero, in modi diversi, in ognuna delle religioni finite del mondo. Essi si troverebbero pienamente attuati nella religione perfetta.

Hegel intitolò la Parte Seconda della sua filosofia della religione «Religione determinata» (o la «Religione finita»). Ne parlava come del momento della particolarità. Si tratterebbe, a suo dire, della comparsa del concetto di religione o dell'idea divina «per se stessa», ovvero in quanto realizzata, in modo esplicito, nell'alterità finita. La «Religione determinata» consisterebbe in una serie di presentazioni, dialetticamente giustapposte e tipologicamente elaborate, delle diverse religioni del mondo eccetto il cristianesimo. Le elaborazioni successive, e in certi casi le variazioni significative, di questa Parte Seconda, stanno a testimoniare il fatto che Hegel continuò a studiare queste religioni in modo molto serio. Nel corso degli anni delle sue conferenze berlinesi, aggiungeva regolarmente una considerevole quantità di nuovo materiale nella presentazione di queste religioni. Qualcuno poté dire che, per quanto riguardava queste religioni, egli era l'europeo più informato dei suoi tempi.

Hegel operò significativi cambiamenti – da una serie di conferenze all'altra – nella organizzazione interna e nell'ordine di presentazione di alcune delle religioni finite o particolari. Tuttavia iniziò sempre questa Parte Seconda con quelle che oggi si chiamerebbero «religioni naturali», in particolare quelle dell'Africa e del Nord America. In queste religioni, fenomenologicamente più antiche, Dio era presente piuttosto nella forma di sostanza. Sebbene egli collocasse queste religioni a uno stadio più primitivo nella progressione fenomenologica delle religioni determinate, egli non si permetteva di rifiutare semplicemente o di non considerare le loro concezioni di Dio. Insisteva che quelle concezioni di Dio fossero da considerare come attualizzazioni più immediate di Dio, sebbene fosse ancora inteso e adorato come una sostanza in qualche modo interiormente indifferenziata. Dio come sostanza sarebbe soggetto, spirito e persona, ma ancora soltanto in modo implicito. Hegel andò avanti nella sua presentazione delle diverse religioni finite, che catalogava, generalmente parlando, secondo il loro modo sempre più esplicitamente sviluppato e complesso di concepire Dio e le relazioni tra l'umano e il divino. Ordinò le religioni finite secondo la loro collocazione geografica, trattando di quelle della Cina, dell'India, del Medio Oriente, della Grecia e di Roma. Con una certa audacia propose anche che questa sua catalogazione fenomenologica e questo ordinamento geografico riflettessero lo sviluppo storico globale delle diverse religioni.

La dialettica dinamica di Hegel circa l'attualizzazione dello spirito nella serie delle forme finite della religione e attraverso di esse, è estremamente complessa, ma affascinante. Cercava di presentare questo secondo momento, la «religione determinata», allo stesso tempo come il momento in cui il concetto di Dio cre-

sceva in complessità e il momento in cui avveniva, alla fine, una totale alienazione. Rilevava questa totale alienazione nella religione romana, che sempre poneva per ultima nella serie delle religioni determinate. Con la sua degradazione e dissolutezza la religione romana segnò il fondo o la svolta decisiva nella fenomenologia e nella storia della religione. In essa le concezioni di Dio precedentemente sviluppate in modo più complesso si frantumarono in una religione sempre più negativa. Secondo Hegel, il cristianesimo nacque dialetticamente dalla negazione di quella negatività.

La Parte Terza delle sue conferenze sulla filosofia della religione Hegel la intitolò «La religione compiuta o manifesta». Qui, in modo generalmente costante in tutte le quattro serie di conferenze, dette una costruttiva interpretazione filosofica del cristianesimo e delle sue fondamentali dottrine, in linea con la sua globale interpretazione dello spirito come movimento dialettico del pensiero autoaffermantesi. Come aveva fatto nella sua presentazione delle varie religioni determinate, anche qui impostò una specie di presentazione tipologica del cristianesimo. Nella sua lettura filosofica indicava il cristianesimo come la religione compiuta, perché esso portava a compimento, o realizzava appieno, la struttura di quello che precedentemente, nella Parte Prima, aveva definito come la struttura e il movimento più formale della religione. La religione manifesta era in grado di svolgere il ruolo di struttura del concetto di religione perché incorporava la realtà che quel concetto aveva raggiunto nelle varie religioni finite e attraverso di esse. Presentava questo terzo momento, la religione compiuta, come il momento dell'individualità. Ciò che era inizialmente presente al pensiero o coscienza religiosa «in se stessa» e ciò che poi veniva attualizzato «per sé» nell'alterità delle varie religioni finite, nella religione compiuta veniva integrato in un momento che Hegel indicava come la comparsa dell'idea divina «in se stessa e per se stessa». Quindi la religione assoluta è la religione dello spirito. È la religione in cui Dio viene conosciuto esplicitamente come spirito e in cui Dio esiste come spirito per lo spirito finito. Nella religione compiuta Dio è un movimento di soggettività divina inclusiva.

Dal 1824 in poi Hegel sviluppa più chiaramente, in tre parti, la sua presentazione della religione compiuta. Il primo elemento o sfera della religione compiuta è quello in cui ritorna all'unità originaria di Dio e della coscienza religiosa. Ma questa unità è diventata, a questo punto, una sfera più sviluppata e internamente differenziata. Nelle conferenze del 1831, Hegel parlerà di essa come del regno del Padre. In questa sfera il concetto di Dio, l'idea divina, è presente al pensiero nella forma di Trinità, vale a dire, di ciò che oggi si chiamerebbe Trinità «immanente». Secondo Hegel Dio, nel cristianesimo, è il duplice movimento dialettico del suo farsi altro e del suo rientro in sé, figurativamente indicato come Padre, Figlio e Spirito Santo. Questo è un movimento del momentaneo affermarsi della differenziazione in quanto momento dialettico di negazione. Il Figlio – o secondo momento – non è l'immediatezza del primo momento. Questo secondo momento è piuttosto un momento di distinzione o di differenza che subito scompare. Questa sparizione della differenza è lo Spirito Santo, il superamento dell'alterità. Questo movimento globale dello spirito, cioè di diversità e di ritorno, viene caratterizzato da Hegel come un movimento di vita e di amore.

Nella prima sfera della religione manifesta l'alterità è soltanto apparente o implicita. È nel passaggio alla seconda sfera che diventa reale ed esplicita, nonché fenomenologicamente percepibile. La seconda sfera è quella di Dio, o dell'idea divina, che si pone come mondo finito della natura e dello spirito finito. Almeno nelle conferenze dal 1824 in poi, questa seconda sfera è la duplice sfera della differenziazione e della immediata riconciliazione. Nel 1831 Hegel chiama questo il regno del Figlio. Nella presentazione delle sue diverse conferenze Hegel si sobbarca una lunga e impressionante analisi delle nozioni cristiane di creazione, di innocenza originale e di peccato originale. Egli ne dà una interpretazione filosofica ed esistenziale, mentre elabora una lettura dialettica del rapporto tra il bene e il male. Porta avanti la sua analisi dell'alienazione, che si manifesta con la distinzione tra Dio e lo spirito finito, fino al punto in cui arriva a dire che l'alienazione costituisce precisamente il nucleo di ciò che significa essere umano. La persona umana è intrappolata in una specie di auto-asservimento. Eppure, essere umano significa essere un'entità pensante e, quindi, essere spirito. La persona umana non è soltanto interiore auto-alienazione, ma, in quanto essere pensante, significa anche, ed egualmente per principio, il superamento di questa alienazione.

Hegel presenta la persona umana come spirito finito ed essenzialmente come essere pensante. Inquadrando in questi termini ciò che significa essere uomo, in termini cioè di alienazione interiore e di possibilità di superare tale alienazione, egli riesce a preparare quello che si potrebbe chiamare il contesto trascendentale nel quale possono realizzarsi, e di fatto si realizzano, la rivelazione e l'incarnazione. Egli parla spesso dell'auto-rivelazione divina e afferma che con l'incarnazione ha avuto luogo una totale divina auto-rivelazione nella forma di un essere umano singolo: il Cristo. Hegel in varie maniere insiste a dire che l'auto-rivelazione divina deve attuarsi in un individuo, se deve essere accessibile a tutta l'umanità. Dio rivela Dio stesso in una forma di alterità che tocca l'abisso della finitezza, vale a dire la morte di Cristo sulla croce. La risurrezione è il passaggio a una presenza spirituale per la comunità e nella comunità credente.

La terza sfera della religione compiuta è quella della comunità, o del culto. Nella seconda sfera Hegel aveva presentato – almeno dal 1824 in poi – il duplice momento della differenziazione e dell'immediata riconciliazione in una individualità divino-umana come il compimento del secondo momento del concetto di religione, cioè quello della conoscenza teoretica. Adesso presenta la terza sfera come il compimento del movimento di conoscenza pratica. Si tratta di un momento di individualità inclusiva. È il momento in cui l'immediata riconciliazione è resa accessibile e realizzata nella comunità degli spiriti finiti. Mediante una lettura filosofica della fede, della dottrina, dei sacramenti e del sacrificio, Hegel a questo punto presenta la progressiva realizzazione, nei membri della comunità spirituale, di quella riconciliazione tra umano e divino che già è stata realizzata in Cristo. Hegel parla liberamente dello Spirito Santo come divina presenza nei membri della comunità spirituale. In tutte le varie conferenze egli designa questa sfera come il regno dello Spirito. In questo regno, vale a dire nello spirito finito e attraverso di esso, Dio è divenuto spirito per lo spirito. Questa consapevolezza di essere una cosa sola con Dio – ciò che Hegel chiama la pace di Dio – deve esprimersi nella condotta etica. Ma per lui la riconciliazione tra umano e divino – una riconciliazione effettivamente attuata qui nella terza sfera – resta legata a una forma religiosa rappresentativa. Cioè, il superamento dell'alienazione avviene ancora nella for-

ma di alterità identificata ancora come Dio Spirito Santo. Per Hegel la riconciliazione e la pace raggiunta nella comunità spirituale e nella condotta etica, trovano la loro espressione ultima e adeguata nella rinnovata immediatezza del puro pensiero filosofico. In questo pensiero, la mediazione è auto-mediazione, senza traccia di alterità mostrata esternamente.

Sebbene Hegel sostenesse che spettava alla filosofia esplicitare l'interiore coerenza del pensiero religioso, egli ugualmente – in particolare nelle conferenze dal 1824 in poi – insegnava che la religione, in quanto penultima forma dello spirito assoluto, costituiva il veicolo stabile di verità e la adeguata rappresentazione della riconciliazione per la massa del popolo. Egli mostrava costantemente la religione, e quella cristiana in particolare, come una dinamica, fenomenologica realizzazione del movimento dello spirito. La religione sarebbe la sfera o il livello nel quale lo spirito si manifesta come movimento dialettico di differenziazione e di ritorno più ricco. Fu qui, in questa sfera della religione, che Hegel di nuovo espresse la nozione più generale di Dio in quella di un movimento di soggettività divina inclusiva, un movimento dello spirito assoluto. Per dirla in termini meno raffinati, Hegel sosteneva che Dio era assoluto spirito perché Dio includeva il mondo. In termini più filosofici, il vero infinito sarebbe l'infinito inclusivo del finito e non semplicemente uno pseudo-infinito che si pone in antitesi del finito. Lavorando con questa nuova formula della nozione di Dio, Hegel riuscì a costruire una singolare filosofia della religione, concepita come un movimento di soggettività divina auto-affermantesi e inclusiva. Egli poteva quindi affermare che questo movimento era un movimento di libertà divina e umana. Di libertà umana, perché la persona umana sarebbe libera sia dall'alienazione esterna che dalla forma di alienazione interiore auto-schiavizzante. Di libertà divina, perché sarebbe un movimento di auto-determinazione divina. Dio sarebbe spirito, cioè Dio si troverebbe perfettamente a proprio agio con Dio stesso nell'altro.

3. HEGEL E LA TEOLOGIA FONDAMENTALE - Ci sono almeno tre funzioni, o compiti classici che la → teologia fondamentale cristiana ha dovuto sobbarcarsi nelle varie epoche: primo, il compito apologetico di esprimere la giustificazione di base della tradizione cristiana e la sua intima coerenza; secondo, il compito fondamentale di stabilire la base sulla quale e dalla quale la teologia cristiana procede nel suo ulteriore compito analitico, sistematico e costruttivo; terzo, la funzione di illuminare i temi fondamentali del cristianesimo dalla prospettiva scelta nell'elaborazione dei precedenti compiti apologetici e fondanti. Sarà utile valutare la filosofia hegeliana della religione nella prospettiva di ognuna di queste funzioni o di questi compiti, al fine sia di capire meglio la sua posizione generale, sia di riflettere sul rapporto tra la sua filosofia della religione e la teologia fondamentale cristiana.

Certamente, non sarebbe sbagliato definire la filosofia di Hegel in se stessa come una teologia filosofica fondamentale. Egli stesso scriveva che la filosofia trova in Dio il suo inizio e il suo termine. (Certo, egli aveva in mente soprattutto il suo nuovo concetto di Dio che aveva elaborato). La sua interpretazione filosofica della religione presenta degli impressionanti parallelismi con la teologia fondamentale. Nel contesto del suo progetto filosofico globale, Hegel si propone, con la sua filosofia della religione, certi compiti apologetici, basilari ed esplicativi, del tutto analoghi a quelli tipici della teologia fondamentale.

In realtà tutto il progetto sistematico della filosofia di Hegel fu apologetico nel senso che egli costantemente si sforzò di esporre la giustificazione di fondo e l'intima coerenza della sua filosofia dello spirito assoluto. Apparentemente egli entrò in discussione con ognuna delle posizioni religiose o filosofiche che gli capitò d'incontrare. Qui sono di particolare interesse gli atteggiamenti critici che assunse verso i teologi cristiani del suo tempo, verso la teologia cristiana stessa e verso la religione in genere e le religioni concrete in particolare.

Fu fortemente critico verso i teologi cristiani, che accusava di aver abbandonato il loro compito fondamentale di esaminare l'intimo contenuto razionale e la coerenza dei maggiori dogmi cristiani. Inoltre, sosteneva che essi si erano rifugiati o a riflettere su sensazioni semplicemente soggettive, o in forme meno serie di studi storici. Riteneva che la filosofia dovesse assumersi i compiti che la teologia fondamentale e sistematica non aveva compiuto.

Hegel insisteva che la religione, compresa la religione cristiana nella sua forma riflessa di teologia cristiana, rendeva senz'altro accessibile all'umanità in genere la verità della riconciliazione. Ma precisava sempre questo aspetto positivo della religione con un'altra riserva. Diceva che spetta sempre alla filosofia identificare l'intima coerenza logica e razionale delle credenze religiose. Costatò che persino la riflessione teologica cristiana spesso era rimasta troppo legata a concezioni assai «infantili» o insufficientemente critiche e quindi apparentemente disparate. Ancora, sebbene accordasse alla filosofia questo compito tanto importante di discernere l'intima struttura logica della riconciliazione religiosa, continuò a ritenere che la religione di per se stessa, e in particolare il cristianesimo con la sua riflessione teologica, aves-

sero un valore e un'importanza per-
duranti. A loro modo, la religione e
la teologia cristiana danno un crescente contributo che non può essere
semplicemente sostituito dal pensiero filosofico. In base a prospettive
diverse, Hegel dà una certa priorità
dialettica costante ora alla religione,
ora alla filosofia. Per quanto nel quadro della sua presentazione sistematica e speculativa egli abbia collocato la religione in penultima posizione, prima, appunto, del momento finale dello spirito come pensiero
filosofico, egli non subordinò semplicemente la religione alla filosofia.
La religione restava la necessaria incarnazione storica della verità espressa nella filosofia. Tuttavia, anche
quando si tengano presenti queste
precisazioni riguardo ai ruoli rispettivi della religione e della filosofia,
può sembrare che Hegel accordi alla
filosofia una funzione di mediazione
e di ermeneutica nei confronti della
religione: ciò che molti esponenti del
pensiero religioso ritengono inaccettabile.
Invece, un'interessante istanza critica di Hegel che molti pensatori religiosi trovano notevolmente più avvincente è il suo criterio concreto di
valutazione di qualsiasi religione o
della concezione religiosa del mondo.
Per lui questo criterio è il problema
di sapere se e in quale misura una
particolare tradizione religiosa dia
espressione alla libertà. Per Hegel il
problema era di sapere se e in quale
misura una religione esprimeva in
modo adeguato la divina libertà e, di
conseguenza, liberi la persona umana singola e la comunità dalla schiavitù di tendenze disumanizzanti e og-
gettivanti in modo unilaterale. Il tema della libertà costituisce il *leitmotiv* che attraversa tutta la filosofia hegeliana della religione. Il modo
in cui Hegel lavora con questo argomento necessita di notevole ulteriore
studio. È un argomento che si è riaf-
facciato di frequente nella riflessione

religiosa post-hegeliana. Spesso questo tema della libertà, in quanto caratteristica costitutiva della vera religione, come pure alcune delle sue formulazioni più specifiche del ventesimo secolo, possono essere fatte
risalire pari pari a Hegel.
L'istanza apologetica di Hegel includeva un interesse costante per un'esposizione in ambito pubblico, per intima coerenza e per la purificazione interna della religione. Di fatto egli portò avanti questo compito piuttosto
apologetico centrando l'attenzione su
quella che si potrebbe chiamare l'esigenza fondante. Cioè, egli elaborò
una fondamentale interpretazione dello spirito come movimento di soggettività inclusiva. Proponeva un evolversi dialettico del pensiero che nel
suo movimento più fondamentale
consisteva nell'affermazione dell'altro
e nel superamento dell'alienazione inclusa nella formazione di questa alterità. Identificava questo duplice
movimento dello spirito con una reinterpretazione creativa delle diverse
prove classiche dell'esistenza di Dio
(→ Dio: prove esistenza). Nella prova ontologica scorgeva una espressione di quello che egli chiamava il movimento dal concetto alla realtà, ossia l'auto-differenziazione di Dio come spirito assoluto. Riformulò in modo interessante le prove più cosmologiche e teleologiche dell'esistenza di
Dio nel senso di un ritorno dialettico
dello spirito, vale a dire come l'elevazione, verso l'infinito, dello spirito finito. La sua concezione fondamentale della dinamica dello spirito
inteso come differenziazione e ritorno dialettico, espressa in senso religioso e teologico nei termini delle diverse prove dell'esistenza di Dio, gli
fornì il paradigma sul quale elaborò
il suo intero sistema filosofico. Le
successive riflessioni analitiche, sistematiche e costruttive le sviluppò sulla base di questa concezione dello spirito. Sarà particolarmente interessante
per la teologia fondamentale ricorda-

re che per Hegel questo movimento dello spirito trovava una espressione religiosa appropriata nella dottrina cristiana della Trinità.

Hegel si servì della sua concezione fondamentale dello spirito per gettar luce sulle tematiche di fondo delle diverse religioni che prese in esame. I suoi sforzi risultarono particolarmente fecondi nella costruttiva interpretazione filosofica del cristianesimo. Molto prima del concilio Vaticano II egli parlò con forza dell'autorivelazione divina. Si potrebbe addirittura dire che fu lui a introdurre il concetto nella moderna discussione filosofica e teologica. La sua riconcettualizzazione dialettica di Dio e dei rapporti tra Dio e il mondo gli permise di proporre un momento di negatività in Dio. Egli identificava questo come il secondo momento nella Trinità «immanente». Riferendosi a questo momento in termini di negazione, egli di fatto introduceva l'aspetto della crocifissione e della morte nel divino. Con l'affermazione dell'esistenza di una differenziazione in Dio, vale a dire di una identità che include la diversità, egli confermava, in modo sorprendente, l'infinito valore e l'importanza della sfera storica, che è, per definizione, il luogo della diversità e del cambiamento.

Sarebbe troppo lungo voler offrire una lista dettagliata delle intuizioni di Hegel che sono entrate in teologia e negli svariati tentativi di fondare una teologia fondamentale cristiana contemporanea. Forse una via per accennarvi potrebbe essere quella di rilevare che Hegel seppe integrare una quantità di dottrine religiose e di tematiche teologiche cristiane apparentemente slegate tra loro. Egli, per esempio, mise insieme i temi della Trinità, della rivelazione, della grazia, del regno di Dio, della storia della salvezza come storia di Dio, dell'alienazione, del peccato, della riconciliazione, della cristologia, della chiesa e della comunità spirituale, della

presenza dello Spirito Santo e della responsabile condotta etica: il tutto, come un'unica, globale sequenza. Fu in grado di mettere in rapporto tra loro questi temi religiosi perché li aveva presentati come aspetti dell'evolversi dialettico di Dio in quanto spirito assoluto e soggettività divina inclusiva.

L'impressionante filosofia hegeliana della religione continua a offrire stimoli costanti alla teologia fondamentale cristiana. Sul piano apologetico, essa provoca la teologia fondamentale a operare in modo creativo nell'ambito pubblico e ad essere autocritica in tutto quello che fa. In una prospettiva fondante, essa provoca la teologia fondamentale a riflettere sulle più fondamentali questioni religiose, comprese quella della struttura dell'esperienza di Dio come spirito dinamico. Hegel non permette al teologo di accontentarsi di forme solo esterne di argomentazione. Piuttosto costringe il teologo ad andare al cuore del problema, alla questione, cioè, dell'articolazione dell'intimo rapporto dinamico tra finito e infinito, tra umano e divino. In una prospettiva esplicativa egli fornisce un gran numero di intuizioni e concrete osservazioni su temi cristiani. In un certo senso la sua filosofia è una miniera d'oro per la teologia. Vi sono, tuttavia, due modi di accostare teologicamente la sua filosofia che, a nostro avviso, dovrebbero essere evitati. Uno è quello di cogliere una intuizione teologica ora qui, ora là in modo puramente eclettico. Ne verrebbe fuori, ovviamente, una teologia eclettica. Un altro, è quello di assumere il sistema hegeliano senza ulteriore riflessione sulla sua intima coerenza. Questo secondo approccio non farebbe altro che trasporre in teologia, con troppo facilità, debolezze che sono proprie della filosofia di Hegel.

Effettivamente non è possibile, per lo studioso di teologia fondamentale cristiana, restare neutrale di fronte alla filosofia hegeliana della religione e di fronte alle sfide che pone. O Hegel è riuscito, sostanzialmente, a esprimere l'intima logica struttura del cristianesimo, oppure no. Nel primo caso, il teologo fondamentale dovrebbe seguirlo attentamente. Se Hegel non vi è riuscito sarà compito del teologo fondamentale trovare una posizione alternativa formulata in modo rigoroso e più soddisfacente. Molti teologi cristiani del passato hanno tratto profitto dall'eccezionale prospettiva e ricchezza delle intuizioni di Hegel. La maggior parte di loro, forse, ha respinto la sua posizione filosofica globale, e ciò per varie ragioni. Queste ragioni potrebbero includere delle perplessità in ordine al fatto se Hegel abbia veramente salvato la divina libertà nei confronti della creazione, se abbia adeguatamente spiegato, sia il carattere radicale del male, che il permanere dell'alterità, o, ciò che è più fondamentale, se egli sia stato capace di dimostrare in modo convincente la propria concezione filosofica. Ma forse, la sfida più concreta cui si trova di fronte il teologo fondamentale, allorché si confronta con la singolare e assai impressionante filosofia della religione di Hegel, è la capacità di riconoscere quanto ogni teologo sia debitore a Hegel senza, però, lasciare che questo debito diventi un peso.

Bibl. - H. Nohl (ed.), *Hegels theologische Jugendschriften*, Tübingen 1907; T.M. Knox (ed.), *Early Theological Writings*, Chicago 1948; A. Negri, «Venti anni di studi hegeliani in Italia (1945-1965)» in *Cultura e scuola* 17 (1966); N. Vaccaro - E. Mirri (edd.), *Scritti teologici giovanili*, Napoli 1972; E. Oberti - G. Borrus (edd.), *Lezioni sulla filosofia della religione*, voll. I-II, Bologna 1974; K. Steinhauer, *Hegel Bibliography / Bibliographie*, München 1980; F. Wagner, «Bibliographie zu Hegels Religionsphilosophie», in F.W. Graf - F. Wagner (edd.), *Die Flucht in den Begriff. Materialien zu Hegels Religionsphilosophie*, Stuttgart 1982, 309-345; W. Jaeschke (ed.), *Vorlesungen. Ausgewählte Nachschriften und Manuskripte*, voll. III-V: Vorlesungen über die Philosophie der

Religion, Hamburg 1983, 1985, 1984; R. Ferrara (ed.), *Lecciones sobre filosofía de la religión*, voll. I-III, Madrid 1984ss; C. Hodgson (ed.), *Lectures on the Philosophy of Religion*, voll. I-III, Berkeley 1984, 1985, 1987.

LETTERATURA SECONDARIA - Filosofia della Religione: Cl. Bruaire, *Logique et religion chrétienne dans la philosophie de Hegel*, Paris 1964; A. Chapelle, *Hegel et la religion*, voll. I-IV, Paris 1964-1971; F. Biasutti, *Assolutezza e soggettività. L'idea di religione in Hegel*, Trento 1979; W. Jaeschke, *Die Religionsphilosophie Hegels*, Darmstadt 1983; Id., *Die Vernunft in der Religion*, Stuttgart 1986; P.C. Hodgson, «Hegel's Approach to Religion: The Dialectic of Speculation and Phenomenology», in JR 64 (1984) 158-172; D.M. Schlitt, *Hegel's Trinitarian Claim. A Critical Reflection*, Leiden 1984; Id., *Divine Subjectivity. Understanding Hegel's Philosophy of Religion*, Scranton 1989.

Hegel e la teologia: H. Rondet, «Hégélianisme et Christianisme: Réflexions théologiques», in RSR 26 (1936) 257-296, 419-453; G. Rohrmoser, «Die theologische Bedeutung von Hegels Auseinandersetzung mit der Philosophie Kants und dem Prinzip der Subjektivität», in NZSTh 1 (1962) 87-111; W.G. Shepherd, «Hegel as a Theologian», in HThR 61 (1968) 583-602; J. Hyppolite, *Genesi e struttura della «Fenomenologia dello spirito» di Hegel*, M. Dal Pra (ed.), Firenze 1972; G. Fessard, «Dialogue théologique avec Hegel», in *Stuttgarter Hegel-Kongreß* 1970, 231-248, Bonn 1974; Id., *Hegel et la théologie contemporaine*, Neuchâtel 1977; W. Pannenberg, «Die Bedeutung des Christentums in der Philosophie Hegels» in H.G. Gadamer (ed.), *Stuttgarter Hegel-Tage 1970. Hegel Studien*, Suppl. 11, 175-202, Bonn 1974; W. Kern, «Philosophische Pneumatologie. Zur theologischen Aktualität Hegels», in W. Kasper (ed.), *Gegenwart des Geistes*, 54-90, Freiburg 1979; F.W. Graf, «Der Untergang des Individuums. Ein Vorschlag zur historisch-systematischen Rekonstruction der theologischen Hegel-kritik», in F.W. Graf - F. Wagner (edd.), *Die Flucht in den Begriff*. Materialien zu Hegels Religions-philosophie, Stuttgart 1982, 274-307; R. Ahlers, «Hegel's Theological Atheism», in HeyJ 25 (1984) 158-177; P. Coda, *Il negativo e la trinità*. Ipotesi su Hegel, Roma 1987.

DALE M. SCHLITT

HISTORIE-GESCHICHTE

È possibile capire la differenza tra *Historie* e *Geschichte* analizzando la base antropologica della distinzione. Secondo la filosofia esistenzialista (così come è rappresentata per es. da M. Heidegger), il *Dasein* è *ex-istentia*, cioè l'essere umano emergente da sé. L'essere umano è il processo del divenire. Questo implica che l'essere umano è temporale oppure *geschichtlich*. L'esistenza viene a prendere coscienza di se stessa come se venisse gettata nel mondo, quindi con una certa fatticità; ed è un progetto, un essere-verso-il-futuro, quindi un essere dotato di possibilità, e questo costituisce la sua autentica forma d'Essere. Il presente del *Dasein* è costituito dall'appropriazione del suo futuro entro i limiti delle sue reali possibilità. Perciò *Geschichte* si riferisce a quella storia che è la storia del *Dasein*. In questo senso *Geschichte* è una struttura *esistenziale* ed ontologica dell'Essere del *Dasein*. Ogni *Dasein* è *geschichtlich*.

Allo stesso tempo la *Geschichtlichkeit* (= la storicità) trascendentale del *Dasein* è espressa oggettivamente o categoricamente nel mondo, e con questo fatto dà origine agli eventi pubblici della nostra storia umana. Questi eventi storici sono aperti alla ricerca oggettiva, empirica e sono scientificamente verificabili. Lo studio oggettivo di questi eventi empirici si chiama *Historie*.

La differenza tra *Historie* e *Geschichte* sta nel fatto che la *Historie* può essere percepita dal conoscitore distaccato e oggettivo. *Geschichte*, d'altro canto, è conoscibile solo attraverso la partecipazione del soggetto, che prende coscienza di sé attraverso le sue auto-espressioni temporali.

JOHN O' DONNELL

I

IDEALISMO TEDESCO

Dalla tradizione del pensiero moderno a partire da Cartesio e Spinoza fino a Kant, gli idealisti hanno ereditato la posizione autonoma della razionalità filosofica di fronte ai problemi della coscienza religiosa e del discorso teologico. A differenza dei loro predecessori, tuttavia, essi supereranno la stretta suddivisione degli ambiti della conoscenza, per investire i diversi campi del discorso e cogliere il particolare rapporto che la coscienza vi intrattiene con se stessa. Il discorso teologico è dunque integrato nel campo delle preoccupazioni concernenti la realizzazione della libertà. Come tale, questo discorso susciterà una vera «riforma dell'intendere», per essere in grado di interrogare e di integrare la logica propria alla teologia e in particolare il suo radicarsi in una rivelazione che sarebbe un modo di contatto immediato, scelto dall'Assoluto stesso nella storia. La critica si è concentrata sul tema della rivelazione, più per trovarle una nuova giustificazione epistemologica, che per squalificarla al modo degli *Aufklärer* (illuministi). La posta in gioco di questa nuova giustificazione epistemologica è rispettare l'autonomia del sapere e quindi giungere a liberarsi dal modello dell' →

analogia, che tendeva a fornire la chiave della conoscenza in generale nell'ordine delle sostanze finite. Si va così a studiare l'evoluzione dei metodi filosofici intorno al problema della rivelazione, in modo da poter situare sul proprio terreno, l'interesse e anche la fecondità di questa «istanza filosofica» per la teologia fondamentale.

1. FICHTE - Sebbene Fichte non abbia mai cessato di invitare a superare le forme esteriori della religione, egli tuttavia, con il suo apprezzamento speculativo del cristianesimo, si è considerevolmente evoluto, dando alla portata etica, che egli già riconosceva nei suoi sermoni, sviluppi inattesi grazie alla trasformazione del suo metodo. Indubbiamente all'inizio gli sembrava più urgente, sulla scia di Kant, portare a termine la liberazione dello spirito dal formalismo religioso, per restituirlo al suo destino morale, cioè alla realizzazione della sua autonomia razionale, piuttosto che interrogarsi direttamente sulla pertinenza del discorso religioso nel quadro di una filosofia dell'azione.

Per il giovane Fichte la religione è accettabile solo nei limiti di un progetto morale ben definito e la rivelazione, da cui trae autorità, non ha alcun interesse se non dal punto di vista pratico, poiché non ha alcun valore teorico vista la sua deroga alle leggi del campo trascendentale della coscienza. Il solo criterio recepibile è l'azione suscitata dalla religione nel quadro della libera azione morale della volontà. Se in questo contesto si perde la giustificazione sovrasensibile delle nostre azioni, si acquista la certezza che solo lo sforzo morale della libertà può essere un vero aiuto nella vita concreta e che non bisogna attendersi altro, se non ciò che possiamo e ci sforziamo di realizzare poveramente. L'idea di una supplenza sovrannaturale alle nostre mancanze morali è una grave illusione che porta direttamente a tutte le deviazioni morali che la religione può suscitare quando pretende di elevare l'azione di certi uomini al di sopra della legge, perché tale azione risponde a principi sovrannaturali. La religione ben compresa non si oppone alla morale; essa cerca solo di rendere l'uomo migliore, di agire sul suo cuore per favorire la sua *decisione* in favore del progresso morale. La religione ha la funzione di preparare in segreto il regno della moralità, è *fede* nella possibilità che l'uomo ha di superarsi, di migliorarsi, di elevarsi al bene. A questo livello, si situa il concetto di rivelazione che è portatore della più forte carica di ambiguità, poiché rischia sempre di trascinare la riflessione verso l'instaurazione di un ordine superiore alla moralità, la cui ingerenza nell'esperienza concreta contravviene alle leggi elementari della libertà. Ma credendosi esentata dall'ordine morale, la libertà perde per ciò stesso *l'autodeterminazione* che di fatto caratterizza il suo rapporto di obbedienza al dovere che si è prefisso. L'istituzione di un ordine sovrannaturale riduce gli esseri liberi a soli attori irresponsabili di un dramma che sfugge loro e i cui interessi «superiori» si sostituiscono ai fini temporali realmente alla loro porta-

ta. La vera religione, al contrario, libera dall'illusione di un ordine «superiore», preesistente, di un piano divino già stabilito, per convertire i cuori a produrre atti concreti, a esercitare la loro responsabilità, a impegnarsi nelle strutture terrene. La religione non deve portarci a fuggire l'umiltà delle nostre azioni, ma ad accettare la nostra dipendenza essenziale da noi stessi, dalla fragilità del nostro sforzo morale.

Nel 1798 e nel 1799, queste posizioni radicali in favore di una religione racchiusa nel cuore dell'uomo, alla fonte dello sforzo morale e sottomessa al progresso morale da essa sotteso, provocheranno una reazione violenta da parte degli ambienti religiosi intellettuali contro la filosofia di Fichte: si arriva al famoso episodio dell'*Atheismusstreit* (disputa sull'ateismo). Fichte non giungerà mai a togliere i sospetti contro la sua filosofia di quell'epoca, al punto che la trasformazione del suo metodo filosofico passerà completamente impercepita agli occhi dei suoi detrattori e, *a fortiori*, sarà così per la portata di questa trasformazione circa il concetto di religione. La rottura con Schelling nel 1806 è un bell'esempio del completo disprezzo che getta un velo su tutta l'opera di Fichte a partire dal 1798. La sua nuova filosofia vuole pensare *a partire* dall'essenza eterna, cioè dall'idealità assoluta che costituisce il campo della coscienza, origine del dinamismo intensivo e non più estensivo della conoscenza. Pensare in linea con l'essenza eterna, come nozione regolatrice, non ha più senso; bisogna pensare a partire da questa e recepirsi come particella di questo Amore infinito, di questa felicità senza macchia, nel punto critico dell'interferenza tra il reale e l'ideale, dove si articolano il sapere e l'azione. Lo sforzo concreto è una replica più o meno riuscita dell'idealità che lo dirige. Sono ormai l'ideale e le strutture proiettive della ragione che assicurano la riflessione vertente su un reale sempre problematico, su un riflesso approssimativo. Lo spirito si autodetermina e si limita in funzione della sua costituzione ideale, assoluta; è l'atto originario della libertà (*Urtat*), l'Amore eterno. In definitiva, ciò che importa è solo questa mistica dell'azione che considera la *manifestazione* dell'amore sotto le forme più inattese. Certamente la filosofia dell'azione fondata sul dovere nel 1794-95 resta valida. Non potremmo dire altrettanto della teoria della morale creatrice. Così come l'azione non è mai abbandonata. È piuttosto la contemplazione che vi si aggiunge e che la vivifica profondamente. Troviamo qui una buona giustificazione delle formule a un tempo religiose e attive di cui Fichte si serve nei *Discorsi alla Nazione tedesca* per caratterizzare la vita e l'esistenza. Ma Fichte ha tuttavia superato la rappresentazione dell'azione, che assimilava totalmente quest'ultima alla tensione esacerbata della moralità finita che scopre, come nel suo inverso, per distorzione o in negativo, l'Assoluto che la giustifica ma da cui non può sperare niente, poiché ciò significherebbe, mescolandovi l'interesse, pervertire l'affermazione razionale da cui la nozione di divinità e di Assoluto trae la sua forza come postulato della ragione pratica. Ora è la manifestazione dell'amore che è importante; di conseguenza bisogna iniziare (*anweisen*) la coscienza ad appropriarsi della sua posizione e del suo compito di essere riflesso in seno all'esperienza concreta, interna ed esterna, etica e politica: il problema è quello di *partecipare* a questa metamorfosi dell'Amore in me. Questa partecipazione consiste nel riflettere l'azione dell'Assoluto in noi, cioè nella correlazione dell'idealizzazione del reale (a partire dal limitato) e della realizzazione dell'ideale (a partire dal limitante), che definisce l'attività della nostra libertà-nel-mondo, impegnata

a inventare le vie di affermazione delle sue virtualità. Partecipare all'Amore consiste dunque nell'accrescere la nostra coscienza di essere-liberi-nel-mondo, nel riunificare il più intimamente possibile azione e pensiero della propria libertà, al punto da identificarsi progressivamente con l'Amore infinito di sé che è piena coincidenza con se stesso, piena assunzione di sé, gioia o felicità di essere-in-sé, «autopossesso dell'Io da parte di se stesso».

Questo tentativo con cui Fichte innalza al grado di estetica teologica l'etica religiosa della sua prima filosofia lascia in sospeso molti problemi circa il fatto storico della rivelazione. È chiaro che Fichte mantiene dei vangeli soprattutto le speculazioni giovannee sul Verbo eterno e la metafisica della carità da questa deducibile che si ritrova anche nelle lettere di Paolo e nei sinottici, nella predicazione del regno. Il nostro tempo ha senso solo in funzione del suo ordinamento al regno che in esso si compie, all'Eterno, all'assoluta libertà incarnata nella persona di Cristo. È qui in questione l'essenza del cristianesimo, la deviazione del kêrygma verso un «vangelo speculativo» alla Lessing? Pensiamo che fondamentalmente si tratti di una «teologia prima», legata a una filosofia assoluta della libertà, fondamento che, in qualche modo, lascia aperta la possibilità di una costruzione religiosa o etica al modo dell'antropologia teologica di → Rahner. Il discorso filosofico in Fichte non pretende di superare lo iato che separa l'autocomprensione *relativa* dell'Assoluto nella storia dalla stupefacente kenosi del Verbo, contemplata nel singolare impegno di un destino etico. Sarebbe necessario quasi un rovesciamento ermeneutico che per Fichte è al di fuori del campo di legittimità della razionalità filosofica, essenzialmente autoriflessiva. La rivelazione, nella sua concretezza storica, resta di competenza della scienza che ne fa il suo principio positivo. La filosofia si trova al punto zero dell'esperienza religiosa e, pur senza contraddirla, non vi si sostituisce e ancor meno la soppianta, ma propone alla libertà critica il senso da dare al valore, per il destino umano, di questo confronto con l'Assoluto che in ogni modo presiede effettivamente a tale destino, teso verso l'avvento della società razionale (il *Vernunftreich*). Un tale avvertimento filosofico, correttamente inteso, eviterebbe alla riflessione teologica di superare il proprio oggetto per ricostituirsi su basi sostanzialmente empiriche in una metafisica «tardiva», che giungerebbe, in nome di una determinata esperienza, a spiritualizzare o «teologicizzare» il problema del mondo e dell'azione. Questa «metafisica teologicizzata» eliminerebbe così l'aporia inerente all'intelligenza finita del finito, aporia che non cessa di dinamicizzare questa intelligenza.

2. HEGEL - Lettore appassionato del *Nathan* di Lessing, → Hegel non tarderà, sotto l'impulso romantico, ad equiparare l'affermazione della vita morale all'affermazione pura e semplice della vita, attraverso le lacerazioni dell'esistenza, questa lunga malattia dell'essere intersecata di stupefacenti rigenerazioni. Che si tratti di moralità, di religiosità, di politica o di cultura popolare, tutte queste forme rivelano la forza vitale che si totalizza in ogni momento della storia e che riunifica tali forze in sé senza perdere le loro dissonanze. In questo lavoro compiuto dalla Vita assoluta sul negativo, il cristianesimo appare come «positività» che libera la coscienza dal regno del negativo, dell'opposizione o del dualismo, per elevarla allo spirito del Tutto che sottende tutte le nostre negazioni. Contrariamente a quanto suggerito da Hyppolite (*Introduction à la Philosophie de l'histoire de Hegel*), la po-

sitività del cristianesimo non risiede nell'«evento Gesù Cristo» in quanto tale, in questa singolarità prestata all'universalità del senso. La rivelazione cristiana trae la sua positività dalla rottura con l'ordine della rappresentazione. Quando essa sia pensata nel senso della sua positività, al di fuori dei precetti e delle verità del catechismo, appare chiaro come non opponga niente alla coscienza, come non le imponga niente di strano o di arbitrario, ma come al contrario sia, nell'intimo di tale coscienza, quasi la manifestazione interiore della sua appartenenza allo spirito del Tutto. Essa è risposta del divino in me all'«ambiente divino», è comunione o armonia dell'esistenza minacciata con il profondo del suo essere, con l'«inesistenza» della differenza, secondo il termine di G. Jarczyk. La vera rivelazione di Cristo a Pietro nel vangelo di Marco (Mc 8,29) potrebbe essere così commentata: «il divino che è in te mi ha riconosciuto come divino; tu hai compreso la mia essenza; essa è risuonata nella tua». La rivelazione non risiede nell'evidenza di un'esteriorità, poiché coloro che hanno visto e toccato Gesù l'hanno rifiutato o si sono accontentati di credere in lui, senza ancora nascere veramente alla verità, diventando «adoratori in spirito», figli della luce che li abita, «rinascendo» così una seconda volta unendosi alla vita del Tutto come i tralci al ceppo della vite.

Secondo il giovane Hegel, la rivelazione non ha dunque senso se non è compresa come manifestazione interiore della comunione della vita con il Tutto e di conseguenza essa diventa assurda quando la si utilizza per legittimare l'esposto dottrinale di proposizioni metafisiche e di precetti morali. Ora questo nuovo concetto di rivelazione si impone come un'esigenza di pensiero rivolta alla ragione speculativa: bisogna sottomettere il pensiero della rivelazione all'ordine del negativo per segnalare un aspetto impensato del cristianesimo al di qua delle opposizioni morali, culturali o politiche cui ha dato luogo. Bisogna pensare il cristianesimo, pensare il suo spirito, contro il suo destino, come il cammino di una riconciliazione effettiva con il divino, di un'unità interiore con lo Spirito universale.

Questo compito incombe sulla sola filosofia, anche se in quest'epoca tale espressione non può significare già per Hegel tutto ciò che ricoprirà più tardi. Lo *spirito del cristianesimo* si presenta ancora con i tratti di un'ermeneutica speculativa, costantemente in contatto con i testi che si sforza di ripensare. Il compito da attuare non suppone ancora questo autopossedersi nel rigore del procedimento dialettico, che caratterizzerà la filosofia della maturità. Otto o nove anni più tardi, *La fenomenologia dello Spirito* non potrà più concepire il rapporto del fenomeno con la coscienza religiosa, senza che lo spirito in cammino miri direttamente a dare al contenuto incontrato una forma determinata nel suo sforzo di coerenza. Si tratta ormai più di logica che di destino; il dramma cristiano che Hegel cercherà senza posa di mettere in scena corrisponde di più ora a una logica dell'azione, cioè al calvario dell'Idea nelle strutture della storia così concepita. Il metodo di Hegel si forgiò nel periodo di Iena, liberandosi e traendo giovamento dalle confusioni che alimentarono la polemica di Schelling e di Fichte. Stigmatizzando l'atto trascendentale di autoriflessione dello spirito (Io = Io) e l'atto formale di autoaffermazione della sostanza assoluta (A = A), Hegel respinge le false logiche dell'identità che mascherano il rapporto della coscienza con se stessa in ogni processo di riflessione e propone una logica dialettica in cui la differenza raddoppiata è la sola via della sintesi, sempre processo di negazione-determinazione dei suoi estremi attraverso un termi-

ne medio, a immagine dell'antico metodo del sillogismo.

Per raggiungere la sintesi filosofica, il nuovo metodo (dialettico) accentuerà il pensiero negativo della rivelazione come esteriorizzazione dell'Assoluto, che si pone così nel campo di esteriorità della coscienza di sé. L'esperienza della comunità credente produce da parte sua solo una falsa interiorizzazione di questa esteriorità, poiché comporta, nel culto, nella memoria vivente e nella dottrina, la differenza che opponeva il Cristo-persona individuale ai suoi e che continua a favorire gli atteggiamenti di credenza, invece di portare al battesimo dello spirito mediante il quale il fedele è egli stesso *l'alter Christus* che reinventa la buona notizia. La religione e la teologia sono divenute, infatti, i maggiori ostacoli alla verità cristiana. Per superare questa *impasse*, bisogna rischiare un approccio fondato su un altro punto di vista, cercare di portare il cristianesimo al suo concetto. È qui che interviene la forma del sapere filosofico propriamente detto, la soppressione di ogni dualismo, l'autonegazione del sé nell'altro, l'abolizione del soggetto nella determinazione concreta che effettua e che con ciò sopprime a titolo di pura fattualità, così come esso stesso muore alla sua idealità. La verità del concetto è nell'atto stesso che vincola l'uno e l'altro, Soggetto e Oggetto, alla loro unilateralità e che li pensa nella duplice negazione in cui si penetrano a vicenda senza confondersi, ma comprendendosi l'un l'altro. Così è per il vero cristianesimo filosofico che rifiuta di pensare Dio senza il mondo e il mondo senza Dio, poiché è nella loro duplice morte che appare il solo riflesso autentico della vita dello Spirito, che non è né espiazione sulla croce né giustificazione alla fine dei tempi, ma presenza radicale dell'Eterno contro il falso universale-singolare dell'individualità e il falso infinito che genera nell'impos-

sibile desiderio di riprodurlo. La verità dello Spirito è nella libertà storica che genera nel presente e che produce essa stessa le forme concrete del-
l'universale che lo Spirito vuole
infinitamente... la comunità delle libertà, la mediazione compiuta e posta come principio formale della coesistenza degli individui, come spazio
di lotta e di rispetto.

Il cristianesimo non insegna altro −
ma ha forse altro da insegnare? −
se non a essere figlio del proprio tempo... «senza essere meglio del proprio tempo, essere il proprio tempo
nel miglior modo possibile» in seno
alle concretizzazioni politiche. Filosoficamente intesa, la rivelazione resta la rinascita interiore della coscienza al proprio destino storico, questa
risposta in me al presente dello Spirito che si gioca nella singolarità della mia storia e della mia politica, il
Volksgeist (animo popolare) che determina la mia responsabilità di fronte all'Assoluto della storia, all'universale libertà sempre da concretizzare.

Hegel si oppone così radicalmente
a tutte le letture della coscienza teologica che vorrebbero sottrarre la «verità religiosa», difesa da questa, alle
sue implicazioni storiche e anche politiche. La verità religiosa non è indifferente per il destino della comunità etica. Proprio al contrario! La
coscienza si è abituata a formulare
i suoi progetti nelle categorie di questa verità ed è attraverso la lacerazione della coscienza cristiana nella
Riforma e nelle guerre di religione
che la accompagnano che è nata la
coscienza moderna. La volontà della
coscienza illuminata di dissolvere il
problema religioso è giunta semplicemente a mostrare che non si poteva porre il progetto etico moderno
senza tentare di riconciliarlo con le
esigenze della coscienza cristiana, poiché la teologia detiene una parte non
trascurabile delle chiavi del problema politico, in quanto pretende di anticipare la fine dell'umanità e riflette

da quaggiù le condizioni di un nuovo essere collettivo. Al di là delle dichiarazioni di Marx nella sua *Critica
della Filosofia politica di Hegel*, si annunciano qui le ricerche di J.B. Metz,
di J. Moltmann e di X. Xhaufflaire
tra gli altri. Più di un semplice interesse della teologia per la politica, come ha inteso C. Boff e ben prima
di lui S. Tommaso, è qui in questione la dimensione politica della teologia. A titolo di riflessione critica sulle origini e sul senso del destino collettivo dell'umanità, questa mette in
crisi molte rappresentazioni limitate
della libertà collettiva e afferma il suo
concetto di salvezza in relazione al-
l'ordine, all'obbedienza, alla ricchezza, alla sessualità, al potere, ecc., relativizzando altre posizioni elaborate
tuttavia su basi diverse. Non possiamo minimizzare la funzione di questo discorso nello spazio culturale ed
esimerci dall'analizzare i modi con cui
mobilita e anche ordina la coscienza.

3. SCHELLING - I grandi periodi della «filosofia in divenire» di Schelling
sono certamente fra quelli che più
aiutano, nell'idealismo tedesco e anche oltre, a chiarire i differenti aspetti
del discorso razionale sulla rivelazione. Al di là della trattazione dei significati attivi e passivi della rivelazione che caratterizza il dibattito del-
l'*Aufklärung* e dell'idealismo nascente (1794-1800), Schelling si interroghe-
rà sul senso ampio e sul senso ristretto del concetto, per ridefinirne l'e-
stensione dal punto di vista della sua
filosofia assoluta, fondata sull'intuizione intellettuale dell'autoconoscenza di Dio in tutte le cose (1801-1806).
Sono allora le categorie tradizionali
dell'uno e del molteplice, a un tempo l'*en kái pan* romantico e le filosofie di Spinoza e di Leibniz, che dominano la filosofia dell'identità. Ma
riappropriandosi criticamente dei parametri di questa filosofia cosmica,
ancora troppo statica e puramente
formale, Schelling si impegna in un

nuovo dibattito sul dramma della libertà nella rivelazione (1809-1821), che pone chiaramente il problema di un'automediazione mediata essa stessa dal proprio contrario (*sub contrario*), attraverso la prova del male necessario o, a partire dal 1810, attraverso quella dell'abbassamento volontario (kenosi), della contrazione originaria che inaugura il processo di rivelazione/effettuazione della libertà divina. Questa sorta di assoluta padronanza di sé, con cui Dio si lascia contenere da ciò che vi è di più umile, annuncia l'apertura razionale al Dio *sui securus*, sovrano, Signore dell'essere e delle sue potenze, nell'ultima filosofia (1821-1853). All'epoca della fase drammatica in cui il regime della rivelazione è quello dell'abbandono e della contraddizione, superato poi da quello della liberazione, le categorie di potenza e di atto dominano la riflessione e la rivelazione viene messa in questione dal punto di vista del valore degli schemi che la esprimono analogicamente; schemi naturali o schemi spirituali, processo o azione libera, necessità di essenza o decisione sovrana, gratuita, dono.

Dal 1800 al 1821 passiamo così lentamente dall'idea che Dio è per essenza autorivelazione di sé (teogonia trascendentale della ragione assoluta), a quella secondo cui Dio deve rivelarsi per realizzare la propria libertà (1809), per giungere a quella per la quale Dio si rivela poiché questa è la sua volontà, la sua libera iniziativa, l'atto inaudito della sua bontà (dal 1815). Attraverso questo itinerario filosofico, Schelling giunge a superare l'approccio razionalista alla rivelazione che mira a definire *a priori* la validità, in seno alle strutture del sistema che dà ragione dell'unitotalità. La rivelazione è più un *Dass*, un evento imprevedibile che decentra lo sforzo razionale e sblocca i meccanismi dell'apriorità, che il *Was*, che preoccupa gli approcci concettualisti-

ci, ivi compresi quelli basati sulla nozione di convenienza all'essenza divina. Non si dà ragione dell'iniziativa divina ed è possibile comprenderla solo seguendola nelle sue implicanze per la libertà a cui si rivolge nell'ordine preesistente nel quale si manifesta. L'iniziativa non può fare altro che suscitare un pensiero *ratificante*; uno sforzo di rifigurazione, basato anch'esso prima di tutto su un «ascolto attento», su una lettura dell'evento, su una configurazione. Ci vuole stupore, abbandono radicale di sé, morte, per seguire l'affermazione di Dio nella storia e cercare di comprendere la sua portata per la libertà umana che vede aprirsi un mondo nuovo. L'estasi della *Schwärmerei* (esaltazione) non risolve affatto il problema, poiché pretende di parlare un linguaggio altro, rigenerato, purificato, che in definitiva non concerne più il mondo cui si rivolge. Il mistico dice ciò che vive, ma senza sapere in che cosa la sua testimonianza ridefinisca l'idea già presente del rapporto storico con l'Assoluto. Il problema è, per la coscienza storica (→ Storia, I), quello di determinare il valore, per le sue strutture di umanità, dell'apertura di un destino spirituale contro ogni attesa all'interno della sua stessa rassegnazione; quando già accettava la falsa partenza dai misteri, l'oppio mitico di una morte senza altro aldilà che il rovescio del mondo, l'esteriore dell'esteriore, l'ingresso nella magia delle esistenze.

Studiando il passato mitico della rivelazione, Schelling dimostra che quest'ultima giunge a *sormontare (überwinden)* il rinchiudersi della coscienza in un mondo falsamente esteriore al divino, che concepisce l'alleanza con Dio in termini puramente esteriori. L'unione con Dio è la storia di una sorprendente fedeltà nascosta nel cuore di tutte le libertà e che finisce per avvolgerle, per esplodere nella loro esteriorità. Cristo è l'eroe di questa riconciliazione: il centro della sua personalità è la *Gesinnung* (atteggiamento interiore) che lo unisce intimamente al Padre dai tempi immemorabili della caduta, attraverso la sua preesistenza cosmica, anonima, attraverso questa apparente esteriorità liberamente voluta per la salvezza dell'uomo. Questa *Gesinnung* spezza il regno delle divinità pagane e l'immagine esteriore del Padre del giudaismo per rivelare, nell'uomo Gesù obbediente, questa grazia interiore che libera dalla morte e riconduce alla destra del Padre. Solo nell'amore-obbediente per il Padre fino alla morte, esplode la figura repressa del Dio della vita, colui che vuole la vittoria dell'amore nel tempo peccatore.

La rivelazione deve ormai essere pensata secondo le strutture dell'atto libero come *Überwindung* (superamento), concatenazione della *Entherrlichung* (de-glorificazione) e della *Verherrlichung* (trasfigurazione), della *Zerstörung* (distruzione) e della *Wiedergeburt* (rinascita). In ogni atto un'esteriorizzazione declina e un'interiorizzazione si annuncia; in Cristo la gloria mistica declina fino al suo annientamento e la vera gloria, quella dell'obbedienza al dono del Padre, alla chiamata del suo amore, all'iniziativa creatrice, traspare e si afferma come nuova vita, come ricreazione.

Per elaborare questo nuovo concetto di rivelazione come replica all'orizzonte del pensiero moderno, rivelazione intensiva, attiva e «spirituale» – cioè di portata intrinsecamente socio-culturale –, Schelling ha dovuto opporsi a vari modelli di teologia. Dal 1803 fustigava l'empirismo esegetico e il normalismo dogmatico che impedivano qualunque riflessione sul valore speculativo del cristianesimo, intendendo la sua intuizione assoluta dell'universo come storia e il suo concetto di rivelazione coestensiva al dramma storico dell'umanità, tesa verso il compimento trinitario dei tempi. Nella sua filosofia intermedia si dibatte tra i presupposti di una certa teologia mistica incapace di «desostanzializzare» il suo discorso sulla rivelazione e quindi sempre alla ricerca di una spiegazione necessarista in cui Dio è assimilato alla fine del processo estatico della rigenerazione spirituale. Infatti la teologia mistica soffre dello stesso male della teologia razionalista, accanita a perfezionare le sue prove dell'esistenza di Dio (→ Dio: prove esistenza). Così come l'idea non conduce alla vita o la tesi dell'esistenza assolutamente necessaria all'effettività del Dio personale, la vita non riconduce al principio, l'affermazione esistenziale all'idea *a priori* dell'Assoluto. L'esperienza mistica e le dimostrazioni razionali sono incapaci di costituirsi in scienza della rivelazione, poiché suppongono sempre la priorità del procedimento esplicativo sulla spiegazione che Dio dà di se stesso nel medesimo atto con cui si rivela.

Schelling è qui molto vicino alle formulazioni di K. Barth, ma giunge ad altre conseguenze. Per Schelling è importante, filosoficamente, cogliere la portata del fatto cristiano della rivelazione nell'esperienza umana della libertà. La questione non è tanto quella di dire in che cosa la rivelazione ci concerne, ma precisamente che essa, giungendo a noi e riguardandoci, implica un modo di esistere in riferimento alla Scrittura e alla memoria collettiva, che determina strutture di azione particolare nella società e un atteggiamento significativo di fronte alla morte, all'altro e all'essere-in-comune. Come diceva Bruaire, se Dio è Qualcuno, tutta la mia filosofia dell'esistenza è chiamata in causa e costretta a riappropriarsi di sé criticamente, per determinare il valore esistenziale di questo rapporto con l'assoluto, senza che qui si tratti di un'opzione o di un atto di fede. Si tratta di cogliere in che senso l'essere cristiano in rapporto con la rivelazione sia anche una parola sull'essere-uomo in rapporto alle strutture della vita in comune. Saremo così già sulla strada di una teologia naturale (→ Teologie) post-moderna che si lascia interpellare ·per interpellare a sua volta le modalità oggettive della libertà nello sforzo di cristianizzare le sue pratiche. Questa teologia naturale suppone una «rottura epistemologica» con l'antica pratica dei *preambula fidei* (→ Credibilità): non si tratta di formulare razionalmente l'esistenza di Dio, ma di interrogarsi sulla portata esistenziale della libera iniziativa di Dio nella storia, grazie a una razionalità sprovvista della sua apriorità di principio, privata della sua volontà di produrre, per divenire, secondo un metodo ipotetico-deduttivo, attestazione, ratifica, «progressione *a posteriori*», «empirismo a priori», o ancora «teo-logica della storia».

4. VERSO UNA DIALETTICIZZAZIONE DELLA RAGIONE TEOLOGICA - Considerato da questi diversi punti di vista, l'idealismo tende a riportare lo sguardo teologico verso la «sintesi materiale» della storia, in cui poi si inventa la figura di una fedeltà sempre rinnovata dell'Amore a se stesso (*Estetica fichtiana*), o in cui si concretizza l'interiorità del dono che anima il Tutto (*Drammatica hegeliana*) e in cui ancora si manifesta la sorprendente iniziativa della libertà assoluta che avvolge il tempo (*Teo-logica schellingiana*). La riflessione sul cristianesimo non può essere relegata in definizioni di nature senza rapporto con la storia vissuta; non può essere riferita a logiche sacramentali senza vero legame con i rapporti di società concepiti nella storia. Non vi è «pensiero automatico» della salvezza di cui si dominerebbero le condizioni e gli effetti. La teologia deve essere *dialetticizzata* nel suo rapporto con le strutture storiche dell'esistenza o non può essere affatto. La ripresentazione teologica della storia cede il posto a una lettura storica della teologia,

il cui quadro epistemologico è una dialettica dei saperi (in quanto modi di essere-nel-mondo), che sfugge totalmente al «grande genere dell'analogo». La teologia deve essere *pensata* in riferimento alla storia vissuta (economia salvifica), *centrata* sull'evento che la istituisce e che non cessa di rilanciarla nel suo interrogarsi (cristologia); essa deve infine *circolare* tra la sua contingenza originaria (dono) e la sua riappropriazione epocale (ermeneutica), attraverso categorie che la inscrivono nel gioco di una cultura sempre in movimento. In questo rapporto circolare tra l'origine e l'attualità, ·essa attraversa il testo delle Scritture che deve sempre essere rivivificato dallo scambio con l'attualità, anche in quanto testimone privilegiato dell'origine. Questa concretizzazione del discorso teologico prospettata dall'idealismo tedesco annuncia già la teologia come scienza storica, esegetica ed ermeneutica. Inoltre questo sforzo di chiarificazione della coscienza teologica *alle prese con la storia attraverso l'interpretazione di Cristo «per noi»*, non ha senso solo se raggiunge il progetto politico della → modernità e se aiuta a situare il ruolo della religione come teoria e come pratica nelle lotte di potere che pongono sempre il problema del potere sulle coscienze e sul loro immaginario morale e sociale. La teologia concreta, «dialetticizzata», che pone Cristo nella storia per la coscienza interpretativa, è anche politica, poiché segnala l'impatto di questo rapporto religioso della coscienza sulle strutture del potere. Piuttosto che dirigere tali strutture (per supplenza o supervisione), la chiesa dovrebbe essere una delle istanze trascendentali della cultura, che assicurino criticamente il destino della libertà nelle sue strutture di potere.

L'idealismo ha dunque provocato il discorso teologico nel senso di una «dialetticizzazione» del suo metodo e dei suoi contenuti per favorire un pensiero del cristianesimo che parta dalla storia e non l'inverso, una teologia direttamente in discussione con la storicità delle sue strutture di intelligibilità. La teologia che esso si attende, pur essendo speculativa, dovrà anche essere storica, cristocentrica e politica. Ben inteso, ci rendiamo conto che l'«idealismo» è solo un termine improprio per significare la comprensione sistematica del campo di attuazione della coscienza storica di cui la teologia, e molto più ampiamente la religione, formano un ambito suscettibile di essere interrogato e costretto a ripensare se stesso.

Il progetto di una teologia ermeneutica tiene conto fondamentalmente di questa interpellanza, poiché mira ad articolare il lavoro storico della comprensione e l'evento cristico nella sua singolarità e nella sua resistenza a tutti i tentativi di pura teorizzazione. Tutto il problema consiste nell'ereditare, nella nostra attualità storica, questa novità che non cessa di essere in se stessa l'alleanza offerta agli uomini in Gesù Cristo. Il compito della teologia fondamentale è allora quello di creare le condizioni di invenzione di questa tradizione-eredità in ogni epoca, esprimendo la portata storica dell'evento cristico all'interno dell'autostrutturazione delle concrete modalità di azione. La parola è parlante solo a condizione di essere «parlabile» per una coscienza dentro l'attuale trattazione delle teorie e delle pratiche. Bisogna determinare un insieme delle categorie performative che rendono udibile la parola, cioè bisogna elevare il piano della coscienza interpretativa (comprensione) al piano delle configurazioni storiche (eventi parlanti), per lasciarli interagire e rimodellarsi continuamente in funzione di questa interazione. Una simile teologia deve essere pronta a rischiare una «dottrina ecologica della creazione», per esempio, o a pensare il carattere provvisorio (transitorio) di tutte le nostre rappresentazioni del regno (co-

me eccesso o eccedenza) attraverso l'*éschaton* dei progetti secolari. Il valore di una teologia si misura con il rischio di farle assumere categorie inedite, proprie dell'autocomprensio·ne epocale di colui al quale la parola si rivolge, per adattarvi la sua *epistêmē*.

5. LA TEOLOGIA COME SCRITTURA SIMBOLICA - Proseguendo nel dibattito della coscienza critica con la religione, l'idealismo ha dislocato i poli di interesse e di conseguenza le poste in gioco del dibattito. Ha prima di tutto dimostrato che la coscienza non può porsi, a livello di metodo, come puramente esteriore al criticato ma deve, al contrario, pensarsi secondo la logica che essa si impone nel suo rapporto con questo. Il suo linguaggio è dunque sempre duplice, in modo da concepirsi nel movimento della sua oggettivazione. Oltre a questa «genealogia» della coscienza teologica e religiosa, segnalata dalla decostruzione e dalla ricostruzione del suo linguaggio, il fenomeno religioso, come insieme di pratiche e di teorie, è ripensato anche come dimensione culturale, come *scrittura* che questa volta elabora una vera grammatica del senso per gli eventi storici. La coscienza filosofica segue dapprima la logica della sua immagine, delle sue metamorfosi religiose in cui appare ora peccatrice ora salvata; talvolta in disgrazia e talvolta eletta. Ma al di là della logica dell'immagine vi è ancora l'economia del segno o del simbolo (→ Semeiologia), questa eccedenza che la religione e il suo discorso teorico vengono a inscrivere nelle profondità dell'*épos* culturale. Mentre *viene pensata* nell'orizzonte religioso e teologico, la coscienza scopre l'economia religiosa del segno, che rompe il circolo della riflessione e devia lo sforzo speculativo. L'esistenziale teologico-religioso del pensiero e dell'azione umana sfida l'economia del riflesso, la logica dell'immagine che

ancora imprigiona le analisi di Kant, quando questi trasferisce lo schematismo della coscienza morale sulla rappresentazione cristologica della moralità integrale. Riflettendosi nella propria riflessione teologica, la coscienza è come fatta deviare verso l'autoriflessione che opera su di sé l'Assente della teologia, il Principio trascendente, l'apertura divina che rende possibile il discorso stesso su Dio. A questo punto il discorso critico entra in crisi, poiché non può ricapitolarsi nella propria tensione e giustificare con questo l'Assente che a lui stesso ha suscitato la sua istanza. È il punto cruciale della «cristologia» speculativa degli idealisti, anche il punto in cui Schelling decisamente segna il passo rispetto a Hegel: la ragione non può farsi forte di un principio che ha ricevuto solo dal negativo sviluppandolo e assimilandolo al suo sforzo di intercoerenza. Se la teologia si elabora in regime strettamente concettuale, sarà al suo livello e senza pertanto tradirsi, l'immagine dello sforzo permanente della ragione per affermarsi nella storia. Ma in questo preciso momento essa perde la propria economia, questa volontà di attestare, di significare, di simbolizzare l'Assenza. Lo sdoppiamento teologico non è semplicemente lo sdoppiamento della coscienza ermeneutica. Più che un linguaggio, la teologia è una scrittura il cui testo in parte sfugge a colui che lo produce, poiché lo produce sempre a partire da un altro, da un'Assenza, da un segno. Non vi è centro nel gioco della scrittura teologica; il circolo ermeneutico è spezzato. Vi è piuttosto un'alleanza incompiuta, sempre compromessa, attraverso la quale il lavoro della scrittura prosegue e si fa tradizione senza fusione degli orizzonti, ma attraverso una sorta di riporto dell'Assenza su altri orizzonti epocali. L'attestazione si affievolisce per lasciar apparire il testo antico con le sue disparità e le sue mancanze,

questa estraneità che sfida l'interpretazione. La scrittura teologica si caratterizza, dunque, come un autosuperamento nel senso della storia. Essa si fa tradizione ricreando per ogni epoca il proprio spazio interpretativo, l'orizzonte della propria problematica.

6. CONCLUSIONE - Gli idealisti, partiti per interrogare la coscienza cristiana al fine di modernizzarla, hanno finito con il pensare la loro modernità in termini di nuovo spazio interrogativo per la coscienza cristiana. Non hanno in effetti tentato di cristianizzare il loro pensiero quanto piuttosto di pensare un cristianesimo moderno. La sfumatura sta soprattutto nella specificità del compito filosofico: questo consiste nel cogliere la possibilità e il valore della storicità della religione, sia dal punto di vista esistenziale che dal punto di vista dottrinale, ma non nell'assumere la crisi dogmatica che ne deriva. Essa risveglia la responsabilità teologica di fronte alla crisi del suo → *linguaggio*, per provocare un nuovo sforzo di *scrittura*, una riforma della grammatica religiosa del senso per questo tempo. La teologia scrive con il materiale della storia per segnalarvi l'Assente. L'idealismo alla fine mette in questione il modo in cui la parola teologica si fa tradizione attraverso il gioco della sua scrittura e giunge così ad assumere o meno le questioni del suo tempo nel campo che le è proprio. La scrittura teologica è un crogiolo di significati, in cui Dio umanizzato e l'uomo divinizzato si sfiorano per determinare una sovrabbondanza di senso, un'«utopia dialettica», un'alternativa che si definisce Regno della ragione (Fichte), Stato razionale (Hegel) o società giovannea dell'Amore (Schelling). La teologia è la scrittura privilegiata della «palingenesi sociale», poiché essa si articola costantemente sull'Assenza che mobilita il suo pensiero. La produ-

zione teologica intrattiene quindi un rapporto organico con il destino delle prassi collettive. Si tratta più di una storia che si gioca nell'infinita personalizzazione dei rapporti sociali – sebbene già articolata al teologico mediante la combinazione di Leibniz – che di un soggetto che comprende il *suo* Dio (economia dell'immagine). L'idealismo riporta la teologia alla questione centrale del regno come dimensione collettiva e «societaria» della rivelazione, nella logica stessa della sua irriducibilità. Diciamo in una parola che si tratta di articolare un'opzione *singolare* (la fede cristiana) su questioni *generali* (sociali, economiche, politiche, culturali). E la tradizione che può aiutarci a trattare la questione teologica così come ormai si pone, va ormai cercata prima di tutto nella «filosofia» moderna; là dove Spinoza, Hegel, Heidegger, altri ancora, costruiscono in termini di politica, di storia di linguistica, ecc., il discorso relativo agli interrogativi dell'esistenza; là dove la letteratura, al modo del romanzo o della poesia, esplicita con un lavoro interno al linguaggio il problema aperto con la scomparsa di istituzioni significanti diverse dal linguaggio stesso; là dove il lavoro organizza pratiche articolate tra loro, «discorsi» gestuali, ricchi di razionalità, tanto efficaci quanto silenziosi.

Bibl. - SUL PERIODO STUDIATO: X. Léon, *Fichte et son temps*, Paris 1922-27; R. Haym, *Hegel und seine Zeit*, Leipzig 1927; J.R. Geiselmann, *Geist des Christentums und des Katholizismus*, Mainz 1940; R. Kroner, *Von Kant bis Hegel*, Tübingen 1961; E. Klinger, *Offenbarung im Horizont der Heilsgeschichte*, Zürich-Einsiedeln-Köln 1969; G. Stiehler, *Der Idealismus von Kant bis Hegel*, Berlin 1970; A. Schurr, *Philosophie als System bei Fichte, Schelling und Hegel*, Stuttgart 1974; X. Tilliette, *Le Christ des philosophes*, I, Paris 1974; Id., *La christologie idéaliste*, Paris 1986; K. Schwaiger (ed.), *Kirche und Theologie im 19. Jahrhundert*, Göttingen 1975; K. Barth, *La teologia protestante nel XIX secolo*, Milano 1979; E. Cassirer, *Les systèmes post-kantiens*, Lille 1983; G. Gusdorf, *Du néant à Dieu dans le savoir romantique*, Paris 1983; M. Kessler, *Kritik aller Offenbarung*, Mainz 1986; V.A. Mc Carthy, *Quest for a Philosophical Jesus*, Macon 1986.

SU FICHTE: X. Léon, *La philosophie de Fichte*, Paris 1902; E. Lask, «Fichtes Idealismus und die Geschichte», in *Gesammelte Werke*, I, Tübingen 1923; M. Maréchal, *Le point de départ de la métaphysique*, Bruxelles-Paris 1947; L. Pareyson, *Fichte*, Torino 1950; E. Coreth, «Le développement de la théologie de Fichte», in *Ar Ph* 25 (1962) 484 540; D. Julia, *La question de l'homme et le fondement de la philosophie*, Paris 1964; R. Lauth, *Zur Idee der Transzendentalphilosophie*, München-Salzburg 1965; B. Bourgeois, *L'idéalisme de Fichte*, Paris 1968; H. Rademacher, *Fichtes Begriff des Absoluten*, Frankfurt a. M. 1970; I. Schussler, *Die Auseinandersetzung von Idealismus und Realismus in Fichtes Wissenschaftslehre*, Frankfurt a.M. 1972; P.-Ph. Druet, *Fichte*, Namur 1977; A. Philonenko, *La liberté humaine dans la philosophie de Fichte*, Paris 1980²; Id., *L'oeuvre de Fichte*, Paris 1984.

SU HEGEL: A. Chapelle, *Hegel et la religion*, Paris 1963-71; Cl. Bruaire, *Logique et religion chrétienne dans la philosophie de Hegel*, Paris 1964; J.-J. Labarrière, *Structures et mouvement dialectique dans la Phénoménologie de l'Esprit de Hegel*, Paris 1968; G.A. Kelly, *Idealism, Politics and History, Sources of Hegelian Thought*, Cambridge 1969; A. Léonard, *La foi chez Hegel*, Tournai-Paris 1970; M.J. Petry, *Hegels Philosophy of Nature*, London 1970; Th. Litt, *Hegel*, Paris 1973; Fr. Guibal, *Dieu selon Hegel*, Paris 1975; E. Brito, *Hegel et la tâche actuelle de la christologie*, Namur-Paris 1979; Gw. Jarczyk, *Système et liberté dans la logique de Hegel*, Paris 1980; G. Gerard, *Critique et dialectique*, Bruxelles 1982; K. Marx, «Critique de la philosophie politique de Hegel», in *Oeuvres*, III: Philosophie, Paris 1982; J. Hyppolite, *Introduction à la philosophie de l'histoire de Hegel*, Paris 1983; W. Jaeschke, *Die Religionsphilosophie Hegel*, Darmstadt 1983; M. Fujima, *Philosophie und Religion beim jungen Hegel*, Bonn 1985; O. Poggeler, *Études hégéliennes*, Paris 1985; R. Lauth, *Hegel critique de la Doctrine de la Science de Fichte*, Paris 1987.

SU SCHELLING: H. Fuhrmans, *Schellings Philosophie der Weltalter*, Düsseldorf 1954; H. Zeltner, *Schelling*, Stuttgart 1954; G. Semerari, *Interpretazione di Schelling*, Napoli 1958; A. Bausola, *Metafisica e Rivelazione*, Milano 1965; K. Jaspers, *Schelling*, München 1965; W. Kasper, *Das Absolute in der Geschichte*, Mainz 1965; H. Holz, *Spekulation und Faktizität*, Bonn 1970; X. Tilliette, *Schelling, une philosophie en devenir*, Paris 1970; J.-F. Marquet, *Liberté et existence*, Paris 1973; R. Lauth, *Die Entstehung von Schellings Identitätsphilosophie*, Freiburg-München 1975; M. Theunissen, «Die Dialektik der Offenbarung», in

PhJ 83 (1976) 1-29; M. Veto, *Le fondement selon Schelling*, Paris 1977; E. Brito, *La création selon Schelling*, Louvain 1987; M. Maesschalck, *Philosophie et révélation dans l'itinéraire de Schelling*, Louvain-Paris 1989.

MARC MAESSCHALCK

IDEOLOGIA

Il rischio di assolutizzare un aspetto della realtà e farne verità totalizzante è sempre latente ed è ugualmente vero che le ideologie nascono e muoiono con le molteplici forme della «volontà di potenza» e con le sconfitte dall'esterno e le delusioni dall'interno. Se vale per ogni realtà umana, tanto più *insistente* è il rischio per la religione che *pretende* di offrire all'uomo la salvezza totale, attraverso una visione globale del reale, la verità che trascende il fenomeno e la storia. Perciò, può essere utile riferirsi alla *filosofia della religione* (→ Religione, VI): si può vedere facilmente come tutte le categorie appena enunciate si intreccino, si richiamano, si coinvolgono reciprocamente nel loro destino. Ma è anche evidente che, a livello teorico, è fondamentale il concetto di → *verità* per determinare il pensiero ideologico: un pensiero non totalizzante, per la sua stessa struttura, si sottrae più facilmente all'ideologia.

È sotto i nostri occhi, all'inizio del decennio che ci porterà, speriamo, al terzo millennio dell'era cristiana, il declino e il tramonto di molte ideologie (mentre altre persistono o insorgono, non ci si faccia illusioni), segnatamente del marxismo, indicato come un punto di approdo singolare della filosofia della religione. L'ideologia, caratterizzata da una forte carica abrogativa, decostruttiva, finisce per distruggere se stessa; come la demitizzazione più radicale, se contiene tanto o poco di vero, deve rivolgersi, infine, a se stessa. L'ideo-

logia non è intercambiabile con il *mito* (come fa De Gaulle nelle sue *Mémoires*), ma lo contiene e, allora, la demitizzazione va di pari passo con la demistificazione.

È un fatto di cultura: determinati modi di pensare e di agire, sistemi di valori, codici simbolici danno a un gruppo un'unità strutturale. Nell'ideologia marxista c'è (c'era?) una *struttura*: il capitale della società borghese, i rapporti capitale-lavoro, le classi e tante *sovrastrutture* giuridiche, politiche, artistiche, filosofiche e religiose. Alla denuncia di una ideologia (*L'Ideologia tedesca*) è abbinato l'impegno di lotta per porvi fine e, inevitabilmente, l'affermarsi di un'altra ideologia (*Il Capitale*) finché tramonti anche questa. L'ideologia, come ebbe a dire giustamente R. Aron, è l'idea dell'avversario e forma, di conseguenza, gruppi per imitazione, aggregazione, identificazione (inevitabilmente, soprattutto da parte dei più deboli). Di qui la difficoltà di una *scienza* dell'ideologia, soprattutto se, alle coppie dialettiche pregiudizio-ragione, principio critico-autorità e tradizione, si aggiunge (inevitabilmente) l'interesse che sostiene anche l'analisi della scienza e della tecnica (cfr. J. Habermas, *Erkenntnis und Interesse*, Frankfurt 1968; Id., *Technick und Wissenschaft als «Ideologie»*, ivi). Il pensiero è costantemente sotto la minaccia della deviazione ideologica che offre giustificazioni a ciò che non è giustificabile: gli interessi comandano e orientano la conoscenza. Anche se il pensiero è, allo stesso tempo, negazione in sé, resistenza a tutto ciò che vuole imporglisi dall'esterno (Th.W. Adorno, *Negative Dialektik*, Frankfurt 1966), come il goethiano Mefistofele aveva ben detto: «Ich bin der Geist der stets verneint».

Dopo la nostalgia romantica per il passato e la lotta illuministica contro i pregiudizi che ha creato altri miti (per es. la «religione naturale», o il

«progresso» o l'assolutizzazione della «ragione»), una più precisa attenzione al linguaggio (per es. U. Eco,
Semiotica delle ideologie), ci ha reso
attenti al fatto che il messaggio nasconde, anziché comunicare, le condizioni che doveva esprimere. La mistificazione sta nel fatto che impedisce di vedere i vari sistemi semantici
nella totalità del loro mutuo rapporto. Anzi, l'ideologia sovraccarica il
linguaggio, nessun senso è possibile,
se non il «senso unico», che diviene
misura di tutto e colpevolizza chi lo
mette in discussione. Anche qui ha
una parola da dire l'→ *ermeneutica*
(H.G. Gadamer, *Verità e metodo*, Milano 1972) che tenta di studiare gli
effetti della storia sulla coscienza, di
accostare autorità e ragione, di discernere il pregiudizio dall'autorità e dalla
tradizione.

L'approccio attraverso le scienze
dello spirito (Gadamer) o le scienze
della critica sociologica (Habermas)
ha il merito di ricuperare la dimensione storica (Marx: «L'ideologia non
ha storia», in *L'ideologia tedesca* del
1846) e alla distorsione sistematica
della comunicazione oppone, come
possibile idea regolatrice, una «comunicazione senza limiti e costrizioni»
(Ricoeur). Perché, delucidate le relazioni, ma anche le ambiguità del rapporto ideologia-utopia, denunciata
una forma di giudizio non «scientifica» nella quale le affermazioni di fatto non erano sufficientemente distinte dai giudizi di valore, esaurite le
spinte della contestazione e delle
grandi unità politico-sociali, non suc-
ceda il qualunquismo o il trasformi-
smo o il vuoto di idealità. Se la «soglia di tolleranza» è funzione dell'i-
deologia, non è detto che una ideologia debole sia più tollerante di una
ideologia forte. E se l'ideologia è as-
soggettamento della ragione e della
verità, riduzione del pensiero, di contro a una filosofia che rivela la verità, la buona ideologia è un travesti-
mento più sottile della verità.

Dalla «invenzione» terminologica di
Destutt de Tracy (*Mémoire sur la fa-
culté de penser*, 1796-98; *Projet d'E-
léments d'idéologie*, voll. I-IV, 1801-
1845), all'attuale dibattito, in aria di
smobilitazione, l'ideologia ha conosciuto le definizioni più varie e si è
caricata di segni al limite contrapposti. Nessuna meraviglia, se si pensa
che il termine più «naturale» (*natura*, appunto), senza dire del mito della «religione naturale» o degli equivoci dell'«anima naturaliter christiana» (fino ai cristiani anonimi), ha attirato le critiche più severe. Niente di
più equivoco di *phýsis*, di *natura*,
scriveva J. Chr. Sturmius (*Philosophia eleatica*, 1689) e R. Boyle (*De
ipsa natura sive libera in receptam naturae notionem disquisitio*, 1686) aveva già suggerito di abolire un termine che non sarebbe piaciuto neppure
a Leibniz e sarebbe stato ritenuto
«vago e indeterminato» da Hume.

Agli «idola» (*tribus, specus, fori,
theatri*), pregiudizi del dogmatismo
del pensiero tradizionale aristotelico, F.
Bacon (*Novum Organon*, 1620) contrappone le idee vere che nascono dal-
l'esperienza («signacula Creatoris super creaturam»). Ma la *Natural History of Religion* (1757) e i *Dialogues
concerning Natural Religion* (1799) di
D. Hume, mentre ipotizzano indirettamente una religione filosofica pura, caricano il «natural belief» di credulità, superstizione, fanatismo e immoralità.

La critica psicologistica (Bacone) e
l'empirismo deistico-razionalistico (inglese) diventano materialismo sensi-
stico in Destutt de Tracy e negli *idéo-
logues*: Condillac, *Traité des sensa-
tions*, 1754; D'Alembert, *Discours
préliminaire de l'Encyclopédie*, 1751;
i molti scritti attorno al «Système de
la nature» (1766-1776) di Holbac;
C.A. Helvetius (1715-1771); De La
Mettrie, *L'homme Machine* (1748).
Le idee sono fatti di coscienza e l'i-
deologia, naturalmente, scienza delle
idee. Sociologia delle ideologie, per-

ché evitando accuratamente un discorso metafisico su cause, sostanze..., indaga sull'origine delle idee e la legge secondo la quale si formano. L'accusa napoleonica di «tenebrosa metafisica», non estranea a motivazioni politiche, fu ribadita da quella di «futile metafisica» di Chateaubriand (*Le Génie du Christianisme*, 1802) dovuta alla «separazione della storia dello spirito umano dalla storia delle cose divine».

Nella *Fenomenologia dello spirito*, Hegel definisce la cultura «lo spirito che si è reso *estraneo* a sé» e la religione «*coscienza infelice*... figura del movimento, privo di sostanza, della coscienza stessa» (tr.it., Firenze 1974, II, 79). Più avanti, la religione è «lo stesso puro utile» in quanto rapporto con l'essenza assoluta (*ivi*, 107). In conclusione: «Nel mondo stesso della cultura l'autocoscienza non arriva a intuire la sua negazione... o è il cielo della fede, oppure l'utile del rischiaramento» (*ivi*, 133). Rimandando a una esposizione, sia pure sommaria ma generale del rapporto di Kierkegaard con Hegel e con la filosofia idealistico-romantica in sede di filosofia della religione, qualche citazione del filosofo danese può illustrare la sua opposizione a un cristianesimo ideologizzato (anche se, inevitabilmente, si carica di una differente patina ideologica). Tradimento del cristianesimo è rendere evanescente ogni concetto: fede, rivelazione... come ha fatto Schleiermacher, e mettere il proprio pensiero (*Filosofia della rivelazione*) al servizio di una realtà politica, come ha fatto Schelling con la Corte prussiana. «Di questi tempi tutto è politica. La visione religiosa differisce *toto coelo*...» (*Il singolo*, SV XIII, 589). La verità viene fatta dipendere dal consenso della maggioranza, dalla massa e il paradosso del cristianesimo è diventato chiesa di stato: «Di nulla sono così perplesso come di tutto ciò che soltanto puzza di questa disgraziata con-

fusione di politica e cristianesimo». Il principio politico divinizzato della socializzazione è la negazione del principio della individualità religiosa davanti a Dio, della responsabilità personale. «Si rifletta bene, che significa vivere in uno Stato cristiano, in un popolo cristiano, dove tutto è cristiano e tutti sono cristiani» (*Il momento*, SV XIV, 128).

Il teorico della critica marxista della religione, Engels, in *Schelling e la Rivelazione* compie la critica dell'ultimo tentativo della reazione contro la libera filosofia, del 1842 (tr. it. Bari 1972) e denuncia, non a torto, l'aspetto ideologico della «filosofia positiva» di Schelling e della sua *Filosofia della Rivelazione*, con la pretesa di costruire una «filosofia cristiana» per uno «stato cristiano». La conclusione engelsiana suona condanna inappellabile per simili operazioni: «Da una simile dottrina si può ancora una volta avvertire chiaramente su quali deboli piedi poggi il cristianesimo odierno» (116).

Marx ha un'altra premessa teorica: Feuerbach, per il quale la soggettività estrema del sentimento risolve la teologia in antropologia e la religione è «l'insieme dei rapporti dell'uomo con se stesso, ma come se questo se stesso fosse un essere differente da sé» (*L'essenza del cristianesimo*, 1841). Il «gemito dell'oppresso» e «l'oppio del popolo» (K. Marx, «Introduzione» a *Per la critica alla filosofia del diritto di Hegel*, 1843) vanno contestualizzati nella denuncia di tutte le sovrastrutture che nascono e si alimentano nella falsa coscienza della realtà che separa la teoria dalla prassi, astrae dalle condizioni storiche, materiali e sociali del pensiero, serve agli interessi della classe dominante (*L'ideologia tedesca*, 1846). Contro la mistificazione della religione e del cristianesimo, il comunismo viene definito «momento *reale* – e necessario per il prossimo sviluppo storico – dell'umana emancipazione e restaurazione» (*Manoscritti economico-filosofici del 1844*). Quanto lucida è stata l'analisi marxiana di una realtà ideologica, altrettanto evidente (e, finalmente, ammessa senza reticenze) la natura ideologica dell'avventura marxista, con gli esiti che si sanno.

La seconda delle *Considerazioni inattuali* di Nietzsche, «Sull'utilità e il danno della storia per la vita» (1873-76) offre qualche antidoto, anche se la volontà di potenza del superuomo predica il nichilismo dei valori ritenuti finora supremi (*La gaia scienza*, 1882-1887: «Dio è morto»). Non ha molto senso (perché il tragico non si lascia spiegare) stare a vedere quanta responsabilità, diretta o indiretta, l'ideologia nietzcheana abbia sulle ideologie razziste, di distruzione, di guerra, di morte.

Freud, Marx e Nietzsche sono stati definiti «maestri del sospetto», ma anche il sospetto è diventato un'ideologia; una in più, perché le ideologie ci sono sempre state e con segni diversi e contrapposti, in un moto perpetuo tra «mito» e «logos». In senso *estensivo* (insieme di idee, convinzioni e dottrine proprie di un'epoca, una società, una classe) e *riduttivo* (discorso unidimensionale al servizio della classe dominante o in funzione della presa di potere); *teorico-pluralistico* (sistema culturale di un gruppo umano in un periodo storico) e *pragmatico-esclusivistico* («persuasive belief» orientato all'azione, alla trasformazione del mondo); *descrittivo* (sistema di interpretazione globale del reale) e *valutativo* (con in più l'identificazione del proprio interesse con l'interesse generale).

In *Ideologia e Utopia*, del 1929, K. Mannheim ha distinto tra una coscienza ideologica che elude il presente tentando di comprenderlo nei termini del passato (*ideologia negativa*), e una coscienza utopica che trascende il presente ed è orientata verso il futuro (*ideologia valutativo-dinami-*

ca). Come si vede, al di là degli inganni e travestimenti più o meno consapevoli di gruppi umani di interesse (ideologia), l'utopia, con atteggiamento critico e rivoluzionario, volge lo sguardo al futuro. Su questa mediazione, P. Ricoeur (*Tradizione o alternativa*, 1980) ha evidenziato una funzione fondamentale dell'ideologia: modellare, consolidare, ordinare il corso dell'azione. Una funzione di conservazione, anche positiva, di integrazione, rispetto a quella utopica della «sovversione sociale». Entrambe parziali e rischiose, sono esaltate nella loro positività da un'azione reciproca.

La radicale assolutezza della rivelazione, che fa il discorso sull'Assoluto, mentre esclude l'identificazione con qualsiasi interpretazione («la parola di Dio non si lascia catturare») non può prescindere dalle categorie storiche umane nelle quali, necessariamente viene accolta e compresa. Certamente si può conoscere (non dimostrare) Dio, principio e fine di tutte le cose, a partire dalle cose create, mediante il lume naturale della ragione umana: ma alla rivelazione soltanto compete «ab omnibus, expedite, firma certitudine et nullo admixto errore» (DS 3004-3005). Il rimprovero di stoltezza (*Sapienza* 13) e di perversione (Rm 1) non autorizza a dimenticare che «il mio regno non è di questo mondo» (Gv 18,36) e rimane distinto ciò che è dovuto a Cesare da ciò che è dovuto a Dio (cfr. Mc 12,17). Per Innocenzo III (*Unam Sanctam*, 1302) la *potestas temporalis* doveva sottomettersi alla *potestas spiritualis*, sottratta a ogni critica. È la preoccupazione della sopravvivenza e dell'espansione dell'istituzione che trasforma il cristianesimo in ideologia e fa pronunciare condanne (da Erasmo a Galileo) che esprimono la paura dell'ignoto attraverso l'imposizione violenta dell'ortodossia o fa inventare sicurezze (*Donatio Constantini*) condannate, inevitabilmente, a dissolversi. La legittimazione ideologica delle rivendicazioni del potere del papa nella lotta contro l'imperatore, diventa in Bossuet continuità tra una sovranità misteriosa di Dio che si serve degli uomini per i suoi fini (*Discours sur l'Histoire universelle*, 1681) e la giustificazione di un potere assolutistico che si vuole derivare immediatamente da Dio (*Politique tirée des propres paroles de l'Ecriture sainte*, 1709). Il messaggio evangelico, presentatosi nel «patois de Canaan», impone una ricerca libera che si contrappone al conformismo dell'ideologia; anzi, l'obbedienza al vangelo è, per il cristiano, la sola possibilità di ribellarsi contro le molte ideologie. Forse alludeva a questo Paolo quando metteva in guardia: «Badate che nessuno vi inganni con la sua filosofia» (Col 2,8) ed era sulla strada buona Anselmo con la sua *fides quaerens intellectum*. La mancanza dell'istanza critica del rinvio al divenire attivo della storia è stata, forse, una delle ragioni per cui la Controriforma è diventata una delle più grandi ideologie di tutta la storia del cristianesimo ed è l'istanza critica al fondo dell'*Utopia* (1516) di Th. More e dell'*Encomium Moriae* (1509) di Erasmo. Proprio l'affinità con l'ideologia (sistema di interpretazione globale della realtà) e l'inevitabilità di recepire la rivelazione attraverso schemi condizionanti, esige che la teologia sia consapevole della sua precarietà, del rischio costante dell'ideologia. Pur con le doverose e opportune riserve è esemplare la polemica tra C. Schmitt, *Politische Theologie* (1922) ed E. Peterson, *Il monoteismo come problema politico* (1935; tr. it 1983). Soltanto attraverso il dogma trinitario la fede cristiana è stata liberata dal suo legame con l'impero romano; Dio non è più «l'archetipo dei potenti di questo mondo, ma il Padre del Cristo che per noi è stato crocifisso e risuscitato» (J. Moltmann, *Trinità e regno di Dio*, Brescia 1983, 212).

Una «cultura cattolica» vagheggiata da integralisti e ultramontanisti ottocenteschi, ma con residui odierni, è come una ingessatura che coarta la chiesa da movimenti liberi e aperti. Una tale impostazione non sfuggirebbe all'impietosa analisi della cultura dominante che Marx ha fatto nell'*Ideologia tedesca* e ci collocherebbe, comunque, fuori della prospettiva della *Lettera a Diogneto*: «Come l'anima è nel corpo, così nel mondo sono i cristiani». E invece la virulenta opposizione di Tertulliano alla cultura pagana finì per farlo allontanare anche dalla chiesa. L'impegno di evangelizzare la cultura e la consapevolezza del dramma della frattura tra vangelo e cultura che segna la nostra epoca (EN 20), non può significare, in alcun caso, il rammarico della frantumazione di un monolito di tipo costantiniano, controriformistico, premoderno. Meglio una fede più indifesa, ma più libera; più debole, ma più pura; meno compromessa con il potere, ma tanto più evangelica. La «compagnia della fede» dà la forza per denunciare ciò che attenta all'assolutezza di Dio e al primato della persona umana; insomma, il peccato e le strutture di peccato. Così come bisogna riconoscere la funzione stimolatrice dell'utopia senza farsi prendere da stupidi entusiasmi, bisogna liberarsi dai furori iconoclastici e dalla cieca soggezione all'ideologia. Anzi, attraverso l'ermeneutica, la fede può essere collegata con la cultura e l'ideologia: con le dovute precauzioni perché la fede non sia ideologizzata, le ideologie devono potersi liberamente affrontare sul proprio terreno, a uguale distanza dall'integralismo e dalla eteronomicità della fede, sempre attenti a cogliere «una certa affinità di un progetto terreno con la logica profonda della salvezza» (I. Mancini, *Fede e Cultura*, Torino 1979, 44).

Bibl. - Oltre alle opere citate nel testo, E. Castelli (ed.), *Demitizzazione e Ideologia*, Roma 1973; I. Mancini, *Teologia ideologia utopia*, Brescia 1974; S. Di Caro, «Ideologia» in DTI, II, Torino 1977, 264-269; H.R. Schlette, «Ideologia» in *Concetti fondamentali di Filosofia*, II, Brescia 1982, 988-999; G. Ruggieri, «Resistenza e dogma. Il rifiuto di qualsiasi teologia politica in Erik Peterson», editoriale a E. Peterson, *Il monoteismo come problema politico*, Brescia 1983, 5-26.

SALVATORE SPERA

IMMAGINAZIONE

L'immaginazione fornisce la materia prima sulla quale la teologia fondamentale riflette. La rivelazione, infatti, in ogni sistema religioso, si presenta entro strutture immaginative: mito, simbolo, racconto, presentazione sacramentale, ecc. È così che l'immaginazione si rivela per sua stessa natura una insostituibile facoltà di conoscenza. Quanto essa giunge a conoscere non può essere raggiunto direttamente. Come risultato, l'immaginazione nella religione deve inventare mezzi per conoscere chi o che cosa è in relazione con chi. Il salmo 104 può servire da esempio. Per cogliere il fatto che Dio crea, il salmista inventa un linguaggio che imita perfino ciò che Dio ha fatto all'origine del mondo. I problemi cruciali per la teologia fondamentale circa tale conoscenza sono: *a*. L'apertura dell'elemento immaginativo verso ogni comprensione e in ogni direzione; *b*. la realtà della conoscenza; *c*. la varietà di visioni religiose, per esempio, a proposito della creazione.

1. Le costruzioni immaginative dentro e fuori le tradizioni religiose, si sforzano di essere auto-esplicative benché spesso gran parte del loro significato possa dipendere dalla tradizione circostante. La parabola del buon samaritano dipende sì da una tradizione che conosce la distinzione sociale anche se, una volta spiegata, il punto interno e fondamentale di un legame, basato sulla carità, si rivela

per se stesso e serve da paradigma per molte altre situazioni ben al di là del tempo e del luogo della parabola. Lo stesso si potrebbe dire della icona la cui bellezza le è intrinseca benché il suo soggetto venga da fuori. Dove in una costruzione immaginativa il senso non è immediatamente evidente, la teologia fondamentale la interpreta, ma a modo suo, attraverso modelli di pensiero. Può accadere a questo punto che l'interpretazione sostituisca la componente immaginativa. Abbiamo qui allora un cristianesimo platonico o un cristianesimo aristotelico o, come più recentemente, un cristianesimo esistenzialista o in evoluzione. Lo scopo dell'interpretazione in questi esempi è stato di compensare la supposta mancanza di universalità nella componente immaginativa. Un'altra concezione però prende la componente immaginativa e la rende universale definendola unica e non rapportata ad alcun'altra espressione religiosa. L'interpretazione diventa l'attività che applica l'irraggiungibile rivelazione intoccabile alle circostanze storiche. Gli approcci liturgici invece tendono a lasciare le componenti immaginative a trasmettere il loro specifico messaggio da una generazione all'altra, in modo molto simile a un'opera artistica che si esprime di generazione in generazione. La ricerca di base della teologia fondamentale è di scoprire come una specifica tradizione dell'immaginazione religiosa spiega il tutto e in più non esclude come insignificanti altre particolari tradizioni dell'immaginazione religiosa che tentano, ognuna a suo modo, di spiegare il tutto.

Esempio può essere l'uso che M. Eliade fa dell'esperienza dell'icona romena come base per comprendere gli elementi immaginativi che le altre religioni usano per capire se stesse e il senso del sacro. Si torna sempre alla costruzione immaginativa e specifica dopo averla vista nella sua relazione a costruzioni che usano materiali simili. Si tratta di uno studio che è contemporaneamente storico e riflessivo. Il materiale immaginativo conserva un posto privilegiato ed è visto come insostituibile.

2. Le costruzioni immaginative, dentro o fuori la religione, si sforzano di dare un significato al mondo reale. Per questo esse devono essere lasciate dentro la loro propria natura di costruzioni immaginative. Questo è quanto l'interpretazione riflessiva ha scoperto. Una semplice analisi letterale del Sal 104 farebbe perdere sia l'aggancio con la realtà del salmo sia uno dei suoi più profondi contenuti; cioè che il senso della creatività divina è colto nell'esperienza della creatività umana e che i numerosi racconti della creazione che si trovano in molte tradizioni religiose rafforzano, più che diminuire, la lettura umana del mondo in quanto creato. Il mondo suggerisce la sua origine. Si tratta di un messaggio delicato il cui risultato è altrettanto delicato. Nella vita e nella liturgia si imita l'atto della creazione espresso nel salmo. Quella imitazione deve rimanere entro i limiti dell'immaginazione. Verso la fine, il salmo contiene una parte violenta nella quale si chiede a Dio di distruggere ciò che è malvagio. Il che è in contraddizione con il significato del salmo; contraddizione che non sarà notata da chi si ferma al suo senso letterale, per esempio da colui per il quale il salmo parla della potenza stessa di Dio, sia creativa che non creativa. Ma colui per il quale la creazione, anche in Dio, non è mai un atto di distruzione, si accorgerà della contraddizione. Ciò che qui è implicito è il giudizio che le costruzioni immaginative hanno formulato sul senso della vita. D'altra parte, la vita deve giudicare il fatto se le costruzioni immaginative siano vere o no. Se questo non accade allora il materiale religioso immaginativo è pura imposizione nell'ambito di tradizioni diversificanti che perciò non riescono a dialogare tra loro. Il dialogo tra i capp. 52-53 di Isaia e il Gesù crocifisso dei vangeli dovrebbe scomparire come qualcosa di interno a loro due e apparire come qualcosa che dà un senso alla vita ovunque essa sia.

3. Le costruzioni immaginative, dentro e fuori la religione, si sforzano di entrare in relazione reciproca. Per esempio: la figura di Cristo attrae a sé altre immagini se si giudica dal punto di vista della storia dell'arte cristiana – l'immagine del maestro, di Orfeo, del filosofo, del signore, del monaco, ecc. Questo processo può essere rovesciato se si considera dal punto di vista di una certa arte moderna nella quale l'uomo è raffigurato come liberato pur portando su di sé i segni della crocifissione, benché egli non sia il Cristo. Le immagini conservano la loro integrità anche quando vengono assorbite da altre immagini, per esempio il motivo del servo sofferente di Isaia usato per chiarire il significato di Gesù crocifisso. Quando le immagini si influenzano reciprocamente si ha un aumento di significato. Anche se è vero che un processo di propaganda può violentare le immagini e forzarle a sottomettersi a qualcosa che non è loro. Ma a livello estetico, le immagini possono ricuperare se stesse e rivelare che sono state forzate, ad esempio le immagini gnostiche e apocalittiche. La caratteristica dell'integrità di una immagine o di una costruzione immaginativa sta nella sua capacità di rapportarsi in modo cocreativo: l'immagine non perde se stessa né cancella l'altra. Il Sal 104, esclusi gli ultimi versetti, approfondisce Genesi 1,2 e il prologo del vangelo di Giovanni. Possedere tutte e tre queste espressioni su Dio creatore è un arricchimento non una confusione. È la dottrina della creazione dal nulla che ten-

de ad impoverire la consapevolezza del rapporto perché tale creazione è inimitabile.

Le costruzioni immaginative, dentro e fuori la religione, insegnano che esse sono costruzioni e quindi non se ne possono fare degli idoli. Dimostrano di essere parole o dipinto, suono o gesto. Dimostrano anche di essere insostituibili. Il linguaggio che narra la risurrezione di Gesù assomiglia nella sua bellezza al linguaggio di una lunga tradizione poetica, ma è usato per un evento specifico, in un tempo e un luogo specifici. Per quanto stupendo si tratta soltanto di linguaggio ma, storicamente, è insostituibile. E questo è vero anche di tutti i capolavori d'arte sopravvissuti, tutti esprimono la loro fragilità e insostituibilità.

Riflettere sul materiale immaginativo delle tradizioni religiose può dar luogo a linee di pensiero che tendono a giustificarsi nei loro propri termini. Questa è una tipica opera umana, la verità per amore della verità. Ma a questo punto il rapporto con il materiale immaginativo deve essere chiarito. Il compito più arduo è pensare una immagine e mantenerne la priorità sul pensiero.

È a questo punto che il compito della creatività in una tradizione diventa primario, perché l'artista pensa entro un immaginario se accetta la responsabilità per la tradizione. La condizione della teologia fondamentale dipende dallo stato della consapevolezza estetica in una specifica tradizione. Più l'immaginazione è riconosciuta come sintetica in un modo di trovare la verità – per quanto insoliti possano essere i suoi risultati – tanto più si richiede che una mente riflessiva sia sintetica e quindi tanto più essa rischierà. Per esempio, *Il libro di Giona* impone un ripensamento, ieri come oggi, sulla violenza nella tradizione dei salmi e, adesso, esige una mentalità che contenga la verità dei diversi sistemi religiosi. Lo

stesso può essere detto della parabola del buon samaritano. Come sarebbe un moderno *Libro di Giona* o una moderna parabola del buon samaritano? Sarebbero lavori pieni di immaginazione che affronterebbero il problema della vittima dell'olocausto – o della vittima di un qualunque altro genocidio – in un faccia a faccia con il suo aguzzino; o tratterebbero il problema del confronto tra quanti sono colpiti da malattia o da una calamità naturale e quelli che ne sono scampati. Se si producono opere immaginative all'altezza dei problemi moderni allora si può cominciare a pensare sulla stessa lunghezza d'onda. Nel libretto dell'oratorio *Dies Irae* di Penderecki nella parte «Lamentatio» si trova una frase presa dal poeta Louis Aragon: «Neppure Cristo seguì questo sentiero di condanna...». Si deve immaginare che Cristo abbia veramente seguito tutti i sentieri della condanna prima di poter pensare questo. Perché sia una autentica immaginazione si deve sentire una grandissima empatia per chiunque abbia subito una qualunque condanna. È da questi che può venire il modo per capire Gesù. Il *Dies Irae* di Penderecki si conclude con la frase di Paolo: «La morte è stata ingoiata per la vittoria» (1 Cor 15,54).

Bibl. - G. Durand, *Les structures anthropologiques de l'imaginaire*, Paris 1960; M. Griaule, *Conversations with Ogotemmeli*, Oxford 1965; R. Hart, *Unfinished Man and the Imagination*, New York 1968; J.-P. Manigne, *Pour une poétique de la foi*, Paris 1969; H.-G. Gadamer, *Verità e metodo*, Milano 1972; M. Eliade, *A History of Religious Ideas*, voll. III, Chicago 1978-1985; M. Marcuse, *La dimensione estetica*, Milano 1978.

FRANCIS P. SULLIVAN

IMMANENZA, metodo di

Il concetto di «Metodo dell'immanenza» fu introdotto da → M. Blondel per indicare l'approccio filosofico-religioso da lui inaugurato con *L'Ac-tion* (1893).

1. ORIGINE DEL CONCETTO - La tesi di laurea di Blondel (1893) può essere considerata il primo – e finora più profondo – tentativo di affrontare con acribia scientifica uno dei problemi filosofico-religiosi fondamentali dell'età moderna: come può la rivelazione divina, attuarsi come fatto storico positivo, coinvolgere necessariamente l'uomo nella sua più intima autonomia? Non è sufficiente dimostrare la generale apertura della ragione alla trascendenza o la mera convenienza, rispettivamente la rispondenza di una determinata rivelazione al modo di essere dell'uomo. Se l'affermazione di Gesù Cristo «una volta per tutte» è giustificata, allora è dall'intimo della ragione che deve nascere l'assoluta necessità di un sì alla rivelazione cristiana non appena essa perviene, storicamente, all'uomo e questa necessità perciò deve costituire sempre l'ultimo traguardo dell'esistenza umana.

Fin da principio la forza trainante del tentativo di Blondel fu lo sforzo di affrontare, ponendosi in discussione con la filosofia contemporanea e al suo massimo livello (cfr. II, 1302, 13-31), il compito filosofico-religioso che maturava nella sua coscienza di fronte alla dolorosa esperienza della ghettizzazione sociale e scientifica della chiesa francese postrivoluzionaria. Le prime reazioni alla pubblicazione de *L'Action* confermarono Blondel nel suo sforzo (cfr. I, 539). Da un lato benevoli recensori di estrazione cattolica, che avevano evidenziato l'affinità dell'opera di Blondel con il pensiero di Pascal e Maine de Biran (cfr. II, 4; ma anche II, 14) o lo correlavano a tentativi contemporanei di trasporre l'apologetica filosofica sul terreno della psicologia (cfr. II, 22), gli diedero motivo di precisare ulteriormente il suo metodo di natura del tutto diversa.

Dall'altro Blondel fu confermato nell'opinione di dover evidenziare ancora più chiaramente proprio il carattere della sua opera rispondente alla filosofia moderna. A ciò concorse, per esempio, il lusinghiero confronto con la filosofia di Fichte e di Hegel proposto da A. Lasson (cfr. II, 17) ma soprattutto l'appunto mossogli da Brunschvicg secondo cui Blondel trasformerebbe inavvertitamente la filosofia in una apologetica della religione positiva (cfr. II, 15), e non terrebbe conto del concetto di immanenza che costituisce il presupposto essenziale della filosofia moderna (cfr. II, 1). Come documento più importante per la comprensione della riflessione sul metodo, portata a termine poi nella *Lettre* del 1896, si dovrebbe considerare il profondo esame cui Blondel sottopose il saggio del suo amico V. Delbos che mirava a interpretare tutta la filosofia, a partire da Spinoza, Kant, Fichte, Schelling fino a Hegel (→ Idealismo) come una progressiva evoluzione dello spinozismo (évolution du Spinozisme) (cfr. I,26).

Per Spinoza, e soprattutto per i grandi sistemi idealistici, si impone come visione fondamentale l'assunzione dell'*immanenza*, dell'idea cioè che la verità delle cose non si mostrerebbe nel concepirle ecletticamente ma soltanto se, all'interno del sistema dello spirito assoluto, ne viene di volta in volta definito il loro luogo. Blondel non contesta la necessità di dimostrare il nesso dialettico dei fenomeni della immanenza dello spirito. Rifiuta però qualsiasi soluzione meramente *speculativa* di questo compito che inevitabilmente porta a un monismo o a un panteismo dell'intera realtà, legato al potere discrezionale del pensiero. Se invece si concepiscono tutti i fenomeni nel luogo (da stabilire del tutto in modo sistematico), che compete loro nel contesto originario della viva azione (*action*) e non esclusivamente nella sistematica di una speculazione successiva che quindi non ricupera mai definitivamente l'azione, allora la stessa dialettica immanente dello spirito risulterebbe come un movimento aperto, in grado di giungere alla propria perfezione soltanto nell'opzione per un dono garantito dall'alto.

Dalla intensità della discussione con le più importanti correnti filosofiche moderne si comprende l'acume con il quale Blondel nella Parte I della *Lettre* non accetta gli assunti portati avanti fino ad allora dall'apologetica e che non reggono a una critica radicale, i concetti orientati ai postulati della critica moderna con i quali nella Parte II espone il suo metodo di immanenza e infine la fiducia con la quale nella Parte III guarda a una futura riconciliazione del cattolicesimo con la scienza laica sempre che la strada aperta dalla moderna ragione critica sia proseguita sino in fondo in maniera conseguente. Non è tuttavia meno comprensibile l'irritazione che questo «Discours de la méthode» doveva provocare in coloro per i quali qualsiasi aggancio allo spirito dei tempi moderni era già di per se stesso sospetto.

2. CONTROVERSIE TEOLOGICHE SUL METODO - La *Lettre* di Blondel contribuì a far sì che alcuni filosofi, il cui pensiero era aperto alle categorie moderne, valutassero adeguatamente il carattere filosofico-religioso della sua opera (ad es. Brunschvicg: II, 24, R. Eucken: II, 36). L. Laberthonnière, già dal 1894, aveva seguito Blondel ed era diventato talmente fautore di questo metodo che fino al 1913 riuscì difficile distinguere esattamente l'uno dall'altro gli approcci dei due amici (cfr. I 540; II 44; 80). I primi duri attacchi di teologi neoscolastici (M.B. Schwalm: II 26; H. Gayraud: II 28; C. Pesch: II 54) fecero presagire a quali malintesi sarebbero state esposte le categorie di Blondel se interpretate in chiave tomista, non appena fu inevitabile una discussione di princi-

pio tra la teologia tradizionale e il pensiero moderno.

Allo scoppio della «crisi modernista», al centro della critica (cfr. soprattutto II, 1050) stavano innanzitutto i due «piccoli libri rossi» di A. Loisy, dalla cui posizione, lo «storicismo» (historicisme), Blondel si era allontanato nel 1904 (I, 80; cfr. I, 536; II, 989). Poiché tuttavia nello stesso tempo Blondel aveva stigmatizzato l'approccio tradizionale della teologia fondamentale come «estrinsecismo», crebbe pure la diffidenza nei confronti del metodo dell'immanenza. In una serie di articoli (1905-1907: I, 97; 98; 108) Blondel mise a confronto il metodo dell'immanenza con quello apologetico (a lui noto soltanto dal 1904) del card. Dechamps («consacrée par le concile du Vatican»: I, 108, p. 561), mettendone in risalto la comune valutazione del «fait intérieur», la necessaria apertura della ragione umana alla rivelazione contro l'apologetica dell'estrinsecismo. È sorprendente notare a questo punto quanto nello stesso Blondel – e non soltanto nei suoi decisi sostenitori teologi quali L. Laberthonniére, J. Wehrle, Auguste Valensin – passino in seconda linea alcune distinzioni filosofico-religiose, elaborate nel 1906 nello sforzo di difendere il metodo dell'immanenza dentro l'orizzonte del pensiero scolastico.

Le controversie giunsero al culmine quando, dopo la pubblicazione dell'enciclica *Pascendi* (1907), fu sollevata la questione se e fino a che punto il metodo dell'immanenza era da porsi tra quelle dottrine classificate come pericolose o addirittura condannate (cfr. I, 118; 531; 566; II, 119-191). Tra i saggi emergenti dal punto di vista scientifico, apparsi in questo periodo, sono da ricordare: da un lato, il doppio articolo redatto da Albert e da Auguste Valensin per il DAFC del 1912 (II, 175; 176); dall'altro, la «Summe des Anti-Blondelianismus» (II, 177) pubblicata da J.

de Tonquédec nel 1913 sotto il titolo «Immanence».

L'articolo del DAFC era stato abilmente diviso in una prima relazione, scritta da Albert Valensin, sulla «Dottrina dell'immanenza» (*Doctrine de l'immanence*) e in una seconda sul «Metodo d'immanenza» (*Méthode d'immanence*) la cui esposizione era stata assunta da Auguste e la critica da Albert Valensin. Un simile modo di procedere consentì anzitutto di prendere in esame, senza compromettere il metodo, la dottrina sull'immanenza che la *Pascendi* condannava. Tale dottrina viene fatta risalire a Spinoza. Essa avrebbe trovato poi ripercussioni filosofico-religiose e teologiche soprattutto in Schleiermacher, nel pietismo luterano e, in Francia, innanzitutto nel Sabatier. Da essa infine sarebbe nata una «apologetica immanentistica» (*apologétique immanentiste*). Nella esposizione e critica di questa apologetica gli appunti principali dell'enciclica sono diretti a idee e opere che evidentemente non era possibile ascrivere al metodo dell'immanenza.

L'esposizione di questo metodo fornita da Auguste Valensin fu espressamente definita da Blondel una genuina espressione delle linee essenziali del suo pensiero («une expression droite de ma pensée vue en ses lignes originelles et maîtresses» (cfr. I, 168). La sovente citata introduzione nella *Lettre* di Blondel (p. 34) del concetto di «immanenza» come principio informatore del pensiero moderno, viene immediatamente completata da Auguste Valensin che rivela come qui si tratti nientemeno che di un pensiero informatore decisivo per la tradizione (soprattutto per Tommaso d'Aquino). Dopo alcune precise formulazioni sulla necessità dell'apertura immanente della ragione a una rivelazione positiva («Même imposée par Dieu, une loi n'a de prise sur la conscience que par l'intermédiaire d'un élément intérieur à la conscience même», DAFC II, 582), assume ampio spazio il tentativo

di risolvere il problema che ne derivava nel rapporto tra natura e grazia. Gli enunciati decisivi sembrano – come già prima l'interpretazione che il card. Dechamps forniva del «fait intérieur» di Blondel – precorrere l'introduzione dell'«esistenziale soprannaturale» operata da K. Rahner. Dopo il rimando ai precedenti approcci al metodo dell'immanenza (soprattutto in Agostino, Pascal, Bossuet, Fénélon, Malebranche, Dechamps) viene abbozzata per brevi tratti la trama delle idee contenute in *L'Action*.

J. de Tonquédec già nel 1912 aveva fatto pubblicare (cfr. I, 168) estratti della sua critica, pubblicata poi nel 1913, distruttiva e in chiave tomistica della filosofia di Blondel. In questo scenario è facile comprendere come il doppio articolo dei fratelli Valensin fosse potuto sfuggire a fatica all'Indice (cfr. II, 176). Lo scoppio della prima guerra mondiale ridusse poi al silenzio i violenti dibattiti sul metodo. L'editore del DAFC si vide comunque costretto a sostituire, nella nuova edizione del 1926, con estratti del testo di de Tonquédec, l'omaggio critico reso al metodo dell'immanenza da Albert Valensin; il de Tonquédec, anche di fronte alla morte di Blondel (1949) – e alle varie modifiche che nel frattempo il suo pensiero aveva realizzato – non ritrattò nulla della sua critica fondamentale anche se questa, alla vigilia dell'enciclica *Humani Generis*, era rivolta piuttosto contro la «nouvelle théologie» dei suoi confratelli di Lione (cfr. II, 751).

3. METODO DI IMMANENZA E TEOLOGIA FONDAMENTALE - Lo stesso Blondel non parlò mai di una «apologetica dell'immanenza» (*apologétique de l'immanence*), anzi evidenziò che il metodo doveva essere inteso (cfr. I, 155) come parte e al servizio di una «apologetica integrale» (*apologétique intégrale*). Assunta in questo senso non si può non immaginare una odierna teologia fondamentale che prescin-

da dal metodo dell'immanenza. L'approccio di Blondel, attraverso P. Rousselot e J. Maréchal, ha influito sulla «antropologia teologica» e sulla «teologia trascendentale» di K. Rahner e in questo modo ha impresso una duratura impronta alla teologia contemporanea.

Non interpretando il dono della grazia della rivelazione divina in senso teorico-istruttivo-estrinsecistico, come un *depositum* di dottrine da ritenersi per vere – che in linea di principio superano la comprensione umana e che vengono dimostrate, attraverso il ricorso a segni esterni dell'autorità divina prima che intervenga la ragione a mostrarli, come credibili (cfr. Tommaso d'Aquino, STh III q. 43, a. 1; DS 3008), al pari del contenuto di una lettera chiusa dal sigillo regale, – ma assumendola come un colloquio personale e amoroso che si realizza tra Dio e l'uomo (cfr. DV, I), si pone necessariamente il problema di una apertura della natura umana alla rivelazione, di una trama della ragione umana in cui la parola di Dio si inserisce piena di senso e salvifica.

Per quanto la teologia fondamentale contemporanea superi per certi aspetti – attribuibili forse ai progressi dell' → ermeneutica e della filosofia del linguaggio (→ Linguaggio filosofico) – l'approccio originario del metodo dell'immanenza, essa è comunque rimasta, per altri aspetti, ancora indietro. Non si trova alcuna opera filosofico-religiosa paragonabile allo scritto di Blondel, che dimostri, attraverso una fondata e dettagliata analisi critica del nesso globale dei fenomeni dello spirito, il dinamismo interiore della ragione umana verso la rivelazione. E tanto meno viene preso in considerazione il monito di Blondel dall'intraprendere tentativi per spiegare l'apertura alla rivelazione ricorrendo alla dimostrazione di mere correlazioni dalle quali risulti inseribile nel contesto immanente dell'umano (cfr. *Lettre*, Parte I) il dono libero e soprannaturale senza alcun punto d'innesto.

Che cosa resta dell'aspra critica cui fin dall'inizio fu sottoposto questo metodo? Va forse interpretata soltanto come l'ultima impennata di una apologetica essenzialmente già morta? Per quanto attiene al problema non si dovrebbe dimenticare che un pensatore, tanto poco sospetto di «estrinsecismo» come H.U. von Balthasar, ha espresso riserve non soltanto sull'approccio trascendentale di J. Maréchal e di K. Rahner ma anche – sebbene con maggior riserbo – su quello di Blondel e di P. Rousselot. Quindi per von Balthasar la legittimità dell'aspirazione fondamentale del metodo dell'immanenza di dimostrare che all'interno della ragione umana sussistono le condizioni per la possibilità di far ricorso alla parola di Dio rivolta alla storia, non fu mai messa in discussione. Egli si espresse tuttavia con forza contro qualsiasi comprensione di una soggettività precorrente in modo dinamico cui, nel momento dell'attuazione dell'atto di fede, andrebbe ascritta la sintesi vera e propria dei molteplici, contingenti segni della rivelazione, in modo che l'evidenza determinante non può più essere vista come derivante dalla stessa forma storica della rivelazione. Questo accentuare la priorità del problema della realtà e oggettività del fatto storico era l'aspirazione centrale della critica nascente dal pensiero tomistico contro il metodo dell'immanenza.

Come in K. Rahner la questione relativa all'aspetto oggettivo-categoriale della rivelazione, di fronte all'accentuazione posta sulla «rivelazione trascendentale» (nell'impronta della ragione mediante l'«esistenziale soprannaturale»), passa in seconda linea; altrettanto in Blondel si rinviene uno scarso interesse nel fornire una risposta teologico-fondamentale per quanto riguarda il «fait extérieur» a differenza del «fait intérieur» (tanto per

riprendere le categorie di Dechamps).
Questa unilateralità va certo ricondotta non soltanto all'autolimitazione metodologica del filosofo della religione, ma, in ultima analisi, si fonda sul
fatto che nella prospettiva de *L'Action* non v'è spazio alcuno per l'immediata evidenza di una verità assoluta da parte del fatto storicamente
occorrente (cfr. II, 1302, 41-44, 54s,
74s). Già sulla base delle prime argomentazioni di Blondel sul miracolo –
«il n'y a sans doute, si l'on va au fond
des choses, rien de plus dans le miracle que dans le moindre des faits or-
dinaires» (*Lettre*, 14) – si poteva a
buon diritto chiedere in che modo, secondo Blondel, una rivelazione
storico-positiva era in grado di dimos-
trarsi come valida in assoluto.

Appare poi particolarmente sorprendente il fatto che il nostro autore –
nonostante la pionieristica comprensione della tradizione in *Histoire et
Dogme* (I, 80) – non colga evidentemente il punto saliente della «via
empirica» (→ Chiesa, IV) di Dechamps (presenza dello storico «una
volta per tutte» nell'oggi della chiesa, senza un ricorso oggettivante al
«Gesù storico»), quando a proposito
di questo metodo scriveva: «elle ne
vaut jamais que par un recours implicite aux préambules rationnels et aux
fondements historiques de la foi
catholique; on n'adhère à la divinité
de l'église qu'en avouant tacitement
sa surnaturelle origine et qu'en
admettant que cette divine institution
a été et peut encore être prouvée. La
méthode des doctes est enveloppée ou
supposée par celle des simples eux-
mêmes» (I, 108, p. 575). Proprio il

confronto del metodo d'immanenza con la posizione di Dechamps mostra che l'aspirazione principale di
Blondel (come di K. Rahner) consiste
nel dimostrare la possibilità di una opzione in grado di mediare la salvezza
del soggetto anche fuori dell'incontro
con la rivelazione storico-positiva: in
virtù della «presenza anonima» (*présence anonyme*) del «soprannaturale
immanente» (*surnaturel immanent*)
(cfr. *Ibid.* 585).

Questa vicinanza del metodo di Blondel all'approccio trascendentale di K.
Rahner – nei confronti dei due fu sollevata una analoga critica – è ciò che
in ultima analisi è in grado di chiarire
che i più importanti interrogativi su
questo metodo non sono cosa del passato ma continuano a riemergere al
centro della discussione teologico-
fondamentale (→ Ragione-Fede).

Bibl. - M. Blondel, *L'Action*. Essai d'une
critique de la vie et d'une science de la pratique (1893), Paris 1973; Id., «Lettre sur les exi-
gences de la pensée contemporaine en matière
d'apologétique» (1896) in *Les premiers écrits
de Maurice Blondel*, Paris 1956; R. Virgoulay-
C. Troisfontaines, *Maurice Blondel*. Bibliographie analytique et critique. I: Oeuvres de Maurice Blondel (1880-1973); II: Études sur Maurice Blondel (1893-1975), Louvain 1975 / 76; P.
Henrici, «Maurice Blondel (1861-1949) und die
"Philosophie der Aktion"» in E. Coreth (ed.),
*Christliche Philosophie im katholischen Den-
ken des 19. und 20. Jahrhunderts*. I: Neue An-
sätze im 19. Jahrhundert, Graz 1987, 543-584;
C. Troisfontaines, «L'étude philosophique du
christianisme suivant Maurice Blondel», in B.
Willaert (ed.), *Philosophie de la Religion -
Godsdienstfilosofie. Miscellanea Albert Don-
deyne*, Louvain 1987, 93-106; H. Verweyen,
«Methodik der Religions-philosophie. "L'Ac-
tion" (1893) im Spiegel der "Lettre" (1896)»,
in ThPh 64 (1989) 210-221.

HANSJÜRGEN VERWEYEN

INCULTURAZIONE

I. PROBLEMATICA: 1. *Semantica del termine* - 2. *Fondamento biblico-teologico* - 3. *Nuova coscienza della necessità di una inculturazione* - 4. *Elementi indispensabili per una evangelizzazione inculturata* - 5. *Dati elementari di un modello di inculturazione* (M.C. Azevedo) - II. INCULTURAZIONE DEL VANGELO: 1. *Le lezioni della storia* - 2. *Nuovi aspetti dell'inculturazione* - 3. *Criteri dell'inculturazione* - 4. *Estensione dell'inculturazione* (H. Carrier).

I. Problematica

1. SEMANTICA DEL TERMINE - È a partire dal concilio Vaticano II, e soprattutto dal sinodo sull'evangelizzazione nel 1974 e dalla successiva pubblicazione della *Evangelii Nuntiandi* (8.12.1975) di Paolo VI, che nella riflessione teologica e nella prassi ecclesiale si va approfondendo la sensibilità al rapporto fede-cultura. Questo rapporto viene comunemente indicato col termine *inculturazione*. Questa non è un modismo teologico, missiologico o pastorale, ma una qualifica indispensabile della → *rivelazione*, della → *evangelizzazione* e della riflessione *teologica*. La *rivelazione* è avvenuta effettivamente nel contesto di un popolo e nel quadro evolutivo della sua formazione socio-culturale (Eb 1,1-2). L'*evangelizzazione* deve allo stesso modo prendere in considerazione la realtà socio-culturale molto diversificata dei suoi destinatari. La riflessione *teologica* si è sempre svolta anch'essa dentro e a partire da un universo socio-culturale identificabile, che è significativo per la comprensione, interpretazione e valutazione di ciò che viene prodotto teologicamente.

Inculturazione è un termine teologico che ha una connotazione antropologico-culturale. Si distingue dalle nozioni puramente antropologiche di *acculturazione* (processo di trasformazioni di una persona o di un gruppo umano quando vengono a contatto con una cultura che non è la loro), di *enculturazione* (concetto analogo a *socializzazione* che indica un processo di iniziazione di una persona o di un gruppo alla propria cultura o società), di *transculturazione* (termine che denota o la presenza di determinati elementi culturali attraverso varie culture, o il trasferirsi etnocentrico e unidirezionale di elementi culturali da una cultura dominante a un'altra cultura, in generale subalterna). Si distingue pure da *adattamento*, preso come il corrispondere fenomenologico dell'evangelizzatore (modi di essere e di agire) e del messaggio (traduzione ed espressione) alla cultura destinataria.

Con *inculturazione* si indica il processo attivo a partire dall'interno stesso della cultura che riceve la rivelazione attraverso l'evangelizzazione e che la comprende e traduce secondo il proprio modo di essere, di agire e di comunicare. Mediante il processo di evangelizzazione inculturata viene gettato nel terreno della cultura il seme evangelico. Il germe della fede viene allora a svilupparsi nei termini e secondo l'indole peculiare della cultura che lo riceve.

L'*inculturazione* è dunque un processo di evangelizzazione per mezzo del quale la vita e il messaggio cristiano sono assimilati da una cultura in modo tale che non solo essi si esprimono attraverso gli elementi propri di tale cultura, ma vengono pure a costituirsi principio ispiratore, allo stesso tempo norma e forza di unificazione che trasforma, ricrea e rilancia la cultura stessa (Arrupe).

Inculturazione implica pertanto e connota sempre un rapporto tra *fede* e *cultura / e*, realtà che toccano e abbracciano la totalità della vita e della persona umana, sul piano individuale e comunitario. Per → *fede* cristiana non si intende qui l'assenso razionale a un corpo di idee o di dottrine, nemmeno l'organizzazione religiosa, sociologicamente identificabile, di un insieme di credenze o di un sistema simbolico di rituali e discipline. Fede cristiana è presa qui come la piena risposta esistenziale di accettazione data da una persona o da un gruppo umano al dono vivo di Dio in Gesù Cristo. Per *cultura* si intende qui non soltanto il gruppo umano in se stesso (dato etnologico) o ciò che di fenomenologico se ne può scrivere a riguardo (dato etnografico); nemmeno solo l'insieme dell'agire umano sulla natura o il complesso di creazioni dello spirito umano e delle sue espressioni d'ogni tipo (arte, scienza e tecniche). Il termine cultura viene qui assunto come l'insieme di sensi e significati, di valori e modelli, soggiacenti o incorporati all'azione e comunicazione di un gruppo umano o di una società concreta e da essi considerati espressioni proprie e distintive della loro realtà umana.

L'*inculturazione* non è quindi un atto, ma un processo; suppone cioè e include storia e tempo. È un processo attivo che esige reciproca accoglienza e dialogo, coscienza critica e discernimento, fedeltà e conversione, trasformazione e crescita, rinnovamento e innovazione. *Inculturazione* suppone interazione tra fede *viva* e cultura *viva*. Non è dunque archeologia culturale. Il processo di evangelizzazione inculturata non porta ad assolutizzare in astratto una cultura storica che si presuma valida, ma solo nella realtà del suo passato.

Inculturazione suppone interazione della fede con la / le cultura / e, così come questa / e esistono dal vivo, nel loro processo dinamico che integra tradizione e mutamento, fedeltà alle origini e nuove creazioni. L'inculturazione non si riduce nemmeno a una archeologia teologica. Il messaggio biblico-evangelico, fedele a se stesso e al Dio che si rivela in e per Gesù Cristo, viene però annunciato a per-

sone e gruppi concreti. Le espressioni, le accentuazioni, le formulazioni, le mediazioni della comprensione si regolano sui ritmi umani. Esse devono accordarsi ai contesti specifici della vita in cui si attua il processo evangelizzatore. Come mostra la pedagogia di Jhwh nell'Antico Testamento, di Gesù e di Paolo nel Nuovo, e della chiesa sotto l'azione dello Spirito nel corso della storia, il processo di evangelizzazione articola tra loro le dimensioni di educazione e di → comunicazione. L'una e l'altra presuppongono e implicano attenzione all'interlocutore, al suo universo caratteristico, al suo contesto storico, al suo livello di apprendimento e capacità di assimilazione. Metodologicamente non ci può essere dunque un modo unico e uniforme di evangelizzare. Evangelizzatore ed evangelizzando sono entrambi soggetti del processo e devono essere attenti ai rispettivi quadri storico-culturali e all'azione peculiare dello Spirito Santo.

Inculturazione, infine, non è un processo che privilegia l'evangelizzazione della *cultura* a detrimento o in sostituzione dell'evangelizzazione della società. Cultura e società sono concetti e realtà distinti; ma ogni cultura ha espressioni sociali, e ogni società poggia su presupposti culturali che essa sceglie e propugna, trasmette e rende effettivi. Ci può essere maggiore o minore coincidenza tra l'humus culturale di un gruppo umano e il quadro concreto delle sue mediazioni e istituzioni sociali. Ci può anche essere rottura e divergenza tra le due realtà. Nell'evangelizzazione inculturata è dunque implicito il rapporto *fede-cultura-società*. L'evangelizzazione inculturata non si dà quindi solo nel trasferimento o nella modificazione di linguaggi e metodi, di riti e simboli, di organizzazione e norme, di modi esterni di fare e di esprimersi. Essa deve spingersi più a fondo fino a raggiungere i fondamenti, le radici della cultura (EN 19) cioè i suoi sensi e criteri di giudizio, la sua visione del mondo, l'ispirazione tacita o manifesta, ma realmente determinante, della prassi socio-culturale di questo gruppo umano e che si traduce nella elaborazione dinamica e nelle trasformazioni storiche del suo *êthos* socio-culturale. L'evangelizzazione inculturata tocca così il livello più profondo della realtà umana, sul piano individuale o sociale. Si attua dunque al livello della persona e a partire da essa, tenendo presente la complessa rete di relazioni delle persone tra loro e con Dio (EN 20), in una dinamica di conversione individuale e comunitaria. L'evangelizzazione si attua pure in tutto l'ambito delle espressioni etiche della fede, che portano con sé l'esigenza di trasformare e di perfezionare le strutture della società.

2. FONDAMENTO BIBLICO-TEOLOGICO - Il fatto in sé dell'inculturazione è antico quanto la storia stessa della salvezza. La relazione di Dio con l'umanità, in particolare col popolo di Israele, testimonia questa rivelazione che Dio fa di sé come un dono gratuito, tenendo conto di contesti socioculturali ben definiti. L'inculturazione presuppone l'universalità del piano salvifico di Dio e la potenziale capacità di rispondergli da parte di tutti gli esseri umani, a partire dalla diversità socio-culturale in cui vivono. Da questo punto di vista è paradigmatica la realtà storica del popolo d'*Israele*. C'è una molteplicità di culture che rientrano nella elaborazione socio-culturale di questo popolo e si traducono nella realtà nomade o sedentaria delle sue tribù. Dio si serve di questa pluralità culturale (Mesopotamia, Egitto, Canaan, Persia, giudaismo postesilico, ellenismo, tardo giudaismo, cultura greco-romana) per veicolare all'umanità sfaccettature varie del suo mistero. Dio fa pure un uso non simultaneo ma successivo di tali culture, senza che il loro susse-

guirsi implichi rigetto, negazione o sostituzione dello stadio precedente. Si ha un processo continuo e discontinuo, interattivo e integrativo tra i vari elementi culturali, processo che farà di Israele un referenziale storico-culturale importante e inconfondibile per il processo di inculturazione (DV 15-16).

Questa manifestazione di Dio si compie a partire dalla realtà stessa della vita del popolo e dall'evolversi della comprensione che tale popolo viene ad avere di se stesso e del suo Dio. È un Dio che si comunica al popolo attraverso persone, situazioni, avvenimenti, espressioni contingenti e relative (DV 13). Da un lato, non si può assolutizzare una cultura, neppure quella di Israele, come modo unico e fisso di esprimere la rivelazione di Dio, pur restando Israele un referenziale indispensabile e decisivo, precisamente perché in questo popolo si è avuta l'inculturazione di Dio stesso in Gesù Cristo. D'altro lato però, non si può escludere nessuna cultura dalla sua condizione potenziale di essere in qualche modo portatrice di rivelazione, allo stesso modo che non si può privilegiare una cultura come mediazione preferenziale della rivelazione. Questa affermazione ha il suo fondamento nella fede e il suo sostegno nella realtà effettiva della storia della salvezza. Va quindi oltre una semplice equità in relazione alle culture, postulato dell'antropologia culturale.

L'inculturazione è dunque un problema di ordine teologico, sia pure avvalendosi della costatazione e dell'analisi antropologica della molteplicità delle culture, come espressione diversa della profonda unità umana. Il Verbo che è Dio, e senza cessare di esserlo, si fa pienamente uomo in *Gesù Cristo* (Gv 1,1-14; Fil 2,5-8). Traduce e realizza così, mediante l'incarnazione, la forma primigenia e più radicale di inculturazione. L'incarnazione si compie in uno spazio e tempo culturale definito e per questo verso dà la portata teologica del popolo di Israele e l'ispirazione fondamentale di ogni processo di inculturazione. Con l'incarnazione la natura divina assume la natura umana: Dio si fa uomo; relazione da natura a natura. Con l'inculturazione la natura divina si traduce mediante *questo uomo* in questo popolo, in questa cultura, in questo gruppo umano nei quali si colloca, in questo tempo e in questo spazio, questo individuo umano che è Gesù. Mediante l'incarnazione, il Verbo, fatto uomo in Gesù, è uomo come lo sono tutti gli esseri umani. Mediante l'inculturazione, il Verbo si fa uomo come lo sono alcuni esseri umani, nella realtà diversificata della loro cultura e della loro società: i giudei del tempo di Gesù. Storicamente, in Gesù il Verbo si è fatto ugualmente e allo stesso tempo uomo-come-ogni-essere-umano (livello della natura) e uomo-ma-non-come-ogni-essere-umano (livello della cultura), perché giudeo (Beauchamps).

L'inculturazione che si compie oggi mediante il processo di evangelizzazione è come una replica di quella inculturazione realizzatasi esistenzialmente in Gesù. Fondata teologicamente e cristologicamente nel mistero dell'incarnazione, l'inculturazione si proietta nella evangelizzazione come espressione della missione. A sua volta Gesù, saldamente radicato nella propria cultura, mantiene tuttavia nei suoi confronti una libertà critica: in essa assume e conferma ciò che è evangelicamente valido; in essa corregge e orienta in modo nuovo, in una dinamica di conversione e di trasformazione, ciò che ha subìto deviazioni o perversioni, attuando così il piano salvifico di Dio. Questo discernimento nei confronti della cultura, quella dell'evangelizzatore e quella dell'evangelizzando, è indispensabile alla inculturazione e ad essa inerente. In quanto realtà umana, infatti,

ogni cultura è solo una tra le tante e partecipa dei limiti che contrassegnano l'essere umano sul piano ontologico e psicologico, morale e teologico. Nessuna cultura dunque può essere assolutizzata come veicolo adeguato e unico della rivelazione. In ogni cultura c'è spazio e necessaria esigenza di conversione, di trasformazione e di crescita. Il processo di impiantazione della chiesa nei suoi primordi e nel corso dei primi secoli della sua storia, rivela ugualmente una grande apertura alle culture e un costante adattarsi a esse. Semitica in origine, la chiesa impianterà comunità nella diaspora e lo farà all'interno di un ampio processo di mediazione culturale. Dapprima, col fissare per iscritto, mediante gli evangelisti, i contenuti della nuova alleanza, esprimendoli narrativamente in greco. In un secondo momento, col fissare nella dottrina dei concili il mistero cristiano, esprimendolo concettualmente e culturalmente in greco. Nella simbiosi greco-romana dell'Impero, i santi Padri insieme al monachesimo orientale e occidentale, getteranno praticamente le basi, in termini di cultura latina ed ellenistica, di tutto il primo millennio della nostra era cristiana. In tal senso si concretizzava il grande e forse unico processo completo di inculturazione della fede cristiana, nella misura in cui questa fede veniva assimilata e riespressa di fatto a partire dagli elementi e dal genio proprio della cultura che era stata evangelizzata. La lenta incorporazione cristiana dei popoli nordici (barbari) e slavi, pur attenta alle loro culture e sotto molti aspetti recettiva nei loro confronti, sarà ormai in buona parte condizionata da questo modello cristiano di estrazione culturale greco-romana. Nei primi secoli del secondo millennio l'azione della chiesa sarà decisiva nel formare la grande sintesi multiculturale dell'occidente europeo, che ha nel cristianesimo medievale il suo catalizzatore e diventerà subito la cultura cristiano-cattolica. Sarà essa praticamente il referenziale dell'evangelizzazione per i tre quarti del secondo millennio. Sarà considerata come espressione preferenziale e non raramente legittimata come unica portatrice valida della rivelazione. La reazione alla Riforma protestante e il movimento missionario a partire dalla Controriforma, in coincidenza con la scoperta, la colonizzazione e l'evangelizzazione di nuovi continenti, saranno allo stesso tempo lo sforzo per costruire l'unità cristiana universale sulla uniformità culturale dell'occidente e sulla diffusione del messaggio evangelico nei termini esclusivi di quest'unica cultura: lo scotto da pagare sarà l'eclisse, la repressione o la soppressione della dimensione culturale di altri popoli.

Possiamo pertanto dire che dal fatto *teologico-cristologico* dell'inculturazione biblica siamo passati al fatto *cristologico-ecclesiologico* dell'inculturazione dei primi secoli dell'era cristiana, mentre sullo scorcio del primo millennio e in buona parte del secondo sorge e si impone nell'occidente, e a partire da esso in varie parti del mondo, il fatto *storico-politico* della egemonia culturale cristiano-europea. Il cristallizzarsi e il diffondersi di questo modello culturale come veicolo privilegiato, per non dire unico, dell'evangelizzazione porta alla contrazione e alla scomparsa della inculturazione. Si consolida il predominio di una acculturazione e transculturazione egemonica dell'influenza occidentale, con la conseguenza di una dissociazione tra fede e cultura, tra fede cristiana nella sua veste occidentale culturale e la molteplicità di culture che entrano nella coscienza della storia mondiale. Per i popoli non europei abbracciare la fede significherà sempre più rinunciare alla propria cultura e introiettare il quadro culturale occidentale dentro il quale viene proposta tale fede. Pao-

lo VI dirà che la dissociazione tra fede e cultura è il dramma del nostro tempo, come già lo era stato di altre epoche (EN 20).

3. NUOVA COSCIENZA DELLA NECESSITÀ DI UNA INCULTURAZIONE - Tre fattori soprattutto contribuiranno al ridestarsi della coscienza ecclesiale sulla necessità di una inculturazione: l'esperienza diversificata di una chiesa effettivamente mondiale; la valorizzazione delle chiese locali e le sue conseguenze; la riabilitazione o il riemergere di culture lungamente represse od oppresse, in seguito al formarsi degli stati nazionali o al processo di colonizzazione.

a. *Coscienza di una chiesa mondiale* - Contrariamente ai concili di Trento e Vaticano I, il concilio Vaticano II ha potuto contare sulla presenza significativa di vescovi da tutto il mondo: un mondo che, dopo la seconda guerra mondiale, è diventato cosciente sia della sua unità planetaria che della sua profonda diversità. Benché la teologia del Vaticano II sia stata formulata prevalentemente in termini europei, le decisioni del concilio e la loro graduale esecuzione hanno rispecchiato molto la vasta e molteplice presenza della chiesa. Ciò si sarebbe fatto sempre più chiaro a partire dai sinodi mondiali dei vescovi, tra i quali conviene segnalare, sotto questo aspetto, i sinodi sulla giustizia (1971), sull'evangelizzazione (1974) e sulla catechesi (1977). Tutti e tre i sinodi rivelarono questa dimensione geograficamente e culturalmente mondiale che caratterizza la chiesa nella seconda metà del secolo XX.

In tale contesto, già prima del Vaticano II e soprattutto nello stesso concilio e a partire da esso, si consolidarono due posizioni teologiche fondamentali che avrebbero avuto una portata enorme sul recente cammino storico della chiesa e quindi della fede cristiana nel mondo. La prima posizione, incentrata nella *Lumen Gen-*

tium, proietta la sua luce su vari altri documenti conciliari. Mette in piena evidenza una chiesa-in-relazione,
disposta al dialogo, aperta alla diversità della ricerca di Dio da parte degli esseri umani e alla molteplice traduzione concreta di questo sforzo
(*Ad Gentes*). È una chiesa sensibile
quindi alla dimensione ecumenica fra
le tradizioni e denominazioni cristiane (*Orientalium Ecclesiarum* e *Unitatis Redintegratio*), ai rapporti con
le religioni non cristiane (*Nostra Aetate*), e ciò conduce a impostare in
modo nuovo la sua prospettiva missionaria (*Ad Gentes*) insieme all'indole e qualità stessa della sua presenza nel mondo (*Dignitatis Humanae, Apostolicam Actuositatem* e
Gravissimum Educationis) e alla comunicazione reciproca con esso (*Inter Mirifica*).

La seconda posizione, incentrata
nella *Gaudium et Spes*, esplicita e rafforza soprattutto la relazione tra chiesa e mondo. Essa lo fa in particolare
attraverso la chiave analitica ed ermeneutica offerta dalla *cultura*
(GS 53-63). Questa viene presa in una
prospettiva che, al di là del punto di
vista filosofico-umanista dominante
nel secolo XIX e ancor oggi in buona parte della riflessione teologica, integra e sottolinea il contributo attuale delle scienze sociali. In tal senso
appunto si getta luce sulla molteplici-
cità e diversità delle *culture*. Si ha una
rivalutazione dell'importanza del rapporto tra fede e cultura/e. Usata al
singolare, la *cultura* è vista sia come
presenza e azione dell'essere umano
sulla natura, sia come creazione dello spirito umano. Si dà fondamentalmente risalto al rapporto tra fede
e cultura moderna, in una visione ottimista che contrasta con la diuturna
rottura tra chiesa e mondo e con la
divaricazione che il loro sviluppo ha
registrato negli ultimi cinque secoli.
Usato al plurale, il termine *culture*
mette principalmente in rilievo la diversità di etnie e formazioni sociali,

come pure di sensi, valori e visioni
del mondo che si trovano insieme presenti in un mondo complesso e pluralista. La coscienza di essere dunque una chiesa effettivamente mondiale nell'esperienza vissuta di una
realtà multiculturale avvia la chiesa
verso una nuova sensibilità alla necessità di una inculturazione.

b. *Valorizzazione delle chiese locali* -
Questo secondo fattore deriva anch'esso da una posizione teologica
fondamentale di LG: l'importanza
della collegialità episcopale e quindi
dell'identità e autonomia relativa delle chiese locali (*Christus Dominus* e
Presbiterorum Ordinis). Una delle
principali conseguenze di questo processo è stato il maggiore avvicinamento tra pastori e fedeli, con una più
acuta percezione delle loro situazioni, problemi, necessità e aspirazioni:
un atteggiamento ecclesiale molto
presente nei primordi del cristianesimo e nel corso di gran parte del primo millennio. Le conseguenze più importanti di questo punto di vista ecclesiologico adottato dal Vaticano II
sono state: la lettura contestualizzata del concilio stesso, come testimo-
niarono, per esempio, le assemblee
episcopali di Medellín (1968) e di
Puebla (1979) per la realtà latinoamericana, ma con ampie ripercussioni su tutta la chiesa; la celebrazione
dei sinodi mondiali, che hanno messo in rilievo la varietà delle sollecitu-
dini pastorali a seconda delle diversità storiche e socio-culturali delle regioni; la crescente individuazione delle conferenze episcopali nazionali,
regionali o continentali, con una trattazione specifica di problemi affini,
come per esempio il diverso modo
con cui l'episcopato nordamericano,
tedesco e francese affrontano la questione nucleare relativamente alle situazioni e responsabilità dei rispettivi paesi; il moltiplicarsi di sintesi teologiche diversificate, in sintonia con
la sensibilità per le realtà varie del-
l'America Latina, dell'Africa, di dif-

ferenti aree dell'Asia, come, per esempio, India e Filippine; la puntuale riflessione teologico-pastorale su realtà transculturali quali sono le culture dei giovani, della donna, dei neri e altre ancora, dando origine a letture specifiche della bibbia e della tradizione, in funzione delle richieste provenienti dalle varie realtà vissute; a tutto ciò sarebbe da aggiungere l'esperienza culturale diretta di Paolo VI, ma soprattutto di Giovanni Paolo II attraverso i suoi viaggi pastorali. Si sa quanto la preparazione di tali viaggi e la loro realizzazione abbiano contribuito alla conoscenza, all'analisi e all'interpretazione dell'enorme varietà delle realtà culturale-ecclesiali che sono la vita quotidiana dei fedeli cristiani in varie parti del mondo. Sono rilevanti le successive ripercussioni reali o potenziali che questi viaggi hanno sull'interazione tra il papa e i rispettivi episcopati. Questo cumulo di dati e lo svilupparsi di nuove prese di coscienza ecclesiali derivanti dalla valorizzazione della collegialità e delle chiese locali hanno reso imperativa la prospettiva di inculturazione, pur essendo ancora lontano dal mettere a frutto tutte le loro potenzialità a servizio del popolo di Dio.

c. *Riabilitazione o il riemergere delle culture* - È questo un fattore di per sé estrinseco alla vita della chiesa, ma che ha avuto su di essa ripercussioni di vasta portata.

In primo luogo, gli studi di antropologia culturale e sociale durante gli ultimi cent'anni hanno offerto al mondo una conoscenza più completa e accurata della diversità delle etnie e dei loro presupposti storico-culturali. Già prima del concilio Vaticano II la lenta assimilazione di questi nuovi dati da parte della chiesa andava orientando in modo nuovo la sensibilità missionaria. Il vocabolario missiologico prendeva, attraverso l'evoluzione semantica, un nuovo assetto mediante parole come trapianto,

adattamento, adeguamento, incarnazione, inserimento, indigenizzazione, contestualizzazione, inculturazione, rivelando tutta una nuova comprensione della relazione evangelizzatore-evangelizzando, in funzione di una prospettiva ecclesiologica che si rifà al nuovo punto di vista antropologico sulla rivalutazione delle identità culturali.

In secondo luogo, il tramonto degli imperi e del processo di colonizzazione politica in vari continenti portò all'indipendenza di nuove nazioni, specialmente in Africa, Asia e Oceania. Benché non sempre siano state rispettate le frontiere culturali nel disegnarsi delle unità politiche, questo processo ha rappresentato una ripresa di identità culturali represse dalla colonizzazione. Quasi senza eccezioni questo fatto ha avuto ripercussioni sui rapporti tra la chiesa e queste nuove situazioni dei propri fedeli, avendo come principali conseguenze l'istituzione di un clero e di un episcopato autoctono, lo sviluppo di laicati attivamente impegnati e tutta una revisione dei processi educativi, pastorali e promozionali della chiesa in questi paesi.

In terzo luogo, la presa di coscienza di minoranze culturali represse, in occasione del formarsi degli stati nazionali nel mondo occidentale, suscitò la partecipazione della chiesa e la sua nuova sensibilità e realtà ibernate da secoli, com'è stato il caso di baschi e catalani in Spagna, del Quebéc in Canada, di situazioni analoghe nell'Europa centrale e, più recentemente, degli ispanici negli Stati Uniti.

In quarto luogo, la stessa possibilità pratica del rapporto interculturale attraverso sia la comunicazione e l'informazione, sia lo sviluppo accelerato dell'industria turistica, oltre che, da un lato, unificare o avvicinare il mondo, ha insieme rivelato, dall'altro, l'irriducibile diversità culturale delle popolazioni di questo stesso mondo. Anche la diffusione egemonica della moderna cultura occidentale, che a un certo punto aveva sollevato l'ipotesi del rapido avviarsi verso una cultura universale, va rivelando precisamente il contrario, cioè un crescente atteggiamento di salvaguardia della diversità e delle autonomie culturali e subculturali specifiche. Il fenomeno recente della progressiva disoccidentalizzazione dell'Estremo Oriente insieme al suo sviluppo e alla partecipazione crescente alle economie occidentali, è un dato significativo di questa trasformazione. Tale dato è stato preceduto dal tramonto degli imperi colonizzatori e dai moti di indipendenza che ne seguirono in vari paesi o dalla creazione di paesi nuovi, principalmente in Africa, in Asia e in Oceania. In Africa questo movimento è stato caratterizzato da una ripresa culturale. La paziente opera di preservazione di una ricca tradizione orale sta contribuendo alla rivalutazione del patrimonio e dell'identità culturale. Per quanto riguarda l'Asia, la densità di varie tradizioni scritte, intimamente legate a religioni millenarie, ha permesso che si conservassero profili culturali ben definiti, che hanno del resto avuto la meglio sotto forma di grandi maggioranze della popolazione di fronte a minoranze cristiane.

Questa diversità di situazioni pone all'inculturazione, in ognuna di queste aree culturali, problemi specifici di ordine antropologico e teologico, come viene mostrando l'esperienza, la ricerca e la bibliografia sempre più abbondante al riguardo. Conviene infine richiamare l'attenzione sulla creazione e l'attività di organismi internazionali multiculturali, come l'ONU e, collegate ad esso, UNESCO, FAO, UNICEF, ecc., accanto a istanze particolari quali le organizzazioni internazionali e multiculturali di ogni genere, come pure i congressi e i convegni internazionali di natura tematica o corporativa. Tutto questo ha

rivelato l'esperienza e la coscienza della diversità culturale e dell'impossibilità reale di unità egemoniche costruite sull'uniformità o a partire da una inconsapevolezza o sottovalutazione della diversità socio-culturale-storica così evidente nel mondo attuale. Questo riemergere e questa rivalutazione delle culture è un'altra via attraverso la quale la chiesa giunge a prendere coscienza della urgenza dell'inculturazione e a rielaborare costruttivamente un rapporto tra fede e cultura.

4. ELEMENTI INDISPENSABILI PER UNA EVANGELIZZAZIONE INCULTURATA - La nozione di cultura che abbiamo proposto, come insieme di sensi e significati, di valori e modelli soggiacenti e / o incorporati all'azione e comunicazione di un determinato gruppo umano è antropologicamente ben fondata e teologicamente operativa. È infatti applicabile sia alle macroculture (culture nazionali o etniche), sia alle microculture (piccoli gruppi, ghetti urbani, ecc.), sia infine a ogni tipo di subcultura (organizzazioni e istituzioni, realtà transculturali dotate di una propria individualità, come la cultura dei giovani, dei poveri, delle donne, dei contadini, ecc.). In quest'ultimo senso una università, un ordine religioso, un partito politico o una organizzazione sindacale è e ha in certo modo una *cultura*, si distingue cioè per un insieme di sensi e significati, di valori e modelli, per un modo di intendere e di vedere il mondo attraverso il quale si afferma appunto la propria identità, in se stessa e in relazione ad altri gruppi umani. L'*inculturazione* dunque, come processo di evangelizzazione in cui fede e cultura si articolano tra loro, non si limita solo all'evangelizzazione di gruppi e comunità alle quali il vangelo non era ancora stato annunciato (ai «territori di missione» o alle «missioni straniere», per usare termini preconciliari). L'inculturazione de-

ve qualificare ogni processo di evangelizzazione di qualunque tipo, sia in relazione a gruppi umani di tradizione o di origine cristiana nella loro formazione culturale (come la maggior parte dei paesi occidentali, segnati oggi dalla cultura modernocontemporanea), sia in relazione a gruppi che non hanno un passato cristiano precedente o determinante nella loro formazione culturale (come la maggior parte delle regioni dell'Asia, dell'Africa e dell'Oceania), sia infine in relazione a subculture all'interno di questi singoli gruppi (come organizzazioni, istituzioni, regioni specifiche, gruppi transculturali). La ragione di questa affermazione sta precisamente nel fatto che mediante l'inculturazione entrano in rapporto tra loro fede viva e cultura viva, caratterizzate entrambe dal dinamismo di trasformazione e di crescita. Un vero processo di evangelizzazione sarà dunque sempre attento a una triplice dimensione.

a. Non esiste un nucleo evangelico in astratto, che possa essere isolato e trasmesso da una cultura all'altra. Ciò che esiste di fatto è il messaggio evangelico già concretamente inculturato in una cultura, in questo caso nella cultura che evangelizza, proponendo il messaggio a un'altra cultura, quella che viene evangelizzata. In tal senso, proporre o trasmettere il messaggio (evangelizzare), come pure riceverlo e assumerlo (essere evangelizzati), è un'interazione tra culture. La fede che porta a proporre il messaggio e la fede che risulta dall'accoglienza del messaggio è la medesima fede (cioè la piena risposta esistenziale di accettazione data da una persona o gruppo umano al dono vivo di Dio in Gesù Cristo), ma anche una fede culturalmente qualificata e quindi differenziata nel modo con cui è percepita ed espressa.

b. In questo rapporto di culture, in cui consiste il processo di evangelizzazione, sia l'evangelizzatore che l'evangelizzando sono soggetti attivi. L'evangelizzazione pertanto non è una semplice trasmissione o traduzione unilaterale del messaggio evangelico nei termini della cultura che evangelizza. Non è mero adattamento estrinseco o superficiale, sul piano unicamente fenomenologico dell'espressione. Non è nemmeno la ricezione passiva di tale messaggio così com'è veicolato dall'evangelizzatore. L'evangelizzazione è il processo di interazione dialogale tra le due culture, quella dell'evangelizzatore e quella dell'evangelizzando, dialogo che si svolge in funzione del messaggio. L'evangelizzazione inculturata è dunque un processo critico di discernimento in relazione sia alla cultura dell'evangelizzatore che alla cultura dell'evangelizzando. Non si chiede all'evangelizzatore di rinunciare alla propria cultura, ma di essere cosciente dell'identità che la caratterizza nel proprio modo di percepire e di vivere il messaggio evangelico e di non imporre questo modo come veicolo obbligatorio del messaggio. Gli si chiede inoltre di aiutare l'evangelizzando a capire, assimilare ed esprimere attivamente il messaggio a partire dall'identità della propria cultura, evangelizzandolo nei termini e secondo il genio di tale cultura.

c. Poiché l'evangelizzazione inculturata è un processo di rapporto tra culture in funzione del messaggio evangelico, è importante tener presente che, nella concreta realtà della storia, il rapporto tra culture non è in generale simmetrico o fondato sull'uguaglianza, ma asimmetrico. Le culture non sono in rapporto tra loro da pari a pari, ma come culture dominanti e culture subalterne. Così avviene sul piano politico ed economico, sociale e militare, e così è stato di certo anche sul piano ecclesiale, come dimostra l'evangelizzazione soprattutto negli ultimi cinque secoli.

Ogni forma di rapporto tra culture – rapporto di acculturazione, transculturazione o inculturazione – deve rimanere aperto al sospetto della possibilità reale di dominio dell'una sull'altra. Tali rapporti interculturali non saranno quindi per se stessi rapporti naturalmente tranquilli e facili. Saranno al contrario rapporti marcati da tensione, conflitto e perplessità. Da qui la necessità di discernimento, che mira a purificare e a liberare da ogni elemento di imposizione e di pressione, di potere e di violenza. Il processo di evangelizzazione inculturata, come espressione di rapporto tra culture in vista della fede, è un processo dialettico di liberazione di entrambe le culture, quella dell'evangelizzatore e quella dell'evangelizzando, perché vi sia spazio all'azione dello Spirito sui soggetti dell'evangelizzazione nel proporre il messaggio e nel suscitare la sua accoglienza mediante la fede. In effetti la fede, risultato finale dell'evangelizzazione, non è una conquista dello sforzo umano né il prodotto di un metodo, ma il dono gratuito di Dio che si manifesta e si comunica. Il vero processo di evangelizzazione inculturata è dunque anche un processo di liberazione della cultura. A sua volta, il processo di evangelizzazione liberatrice e trasformatrice della società sarà autentico solo se sarà anche un processo inculturato. Non c'è contraddizione ma complementarità reciproca tra le tematiche teologiche dell'*inculturazione* e della *liberazione*: l'una chiama l'altra.

5. DATI ELEMENTARI DI UN MODELLO DI INCULTURAZIONE - Il vangelo non può identificarsi con le culture, ma non è nemmeno indipendente da esse, sia perché è stato rivelato nel contesto di una cultura (Israele), sia perché nel corso della storia è stato vissuto in contesti culturali concreti (tradizione), sia infine perché le persone alle quali viene proclamato si

trovano inserite in culture specifiche. Il vangelo tuttavia non si confonde con nessuna cultura particolare, ma è destinato a tutte le culture e può essere accolto da tutte e animarle tutte. Esso non spunta come il prodotto spontaneo di una cultura qualsiasi, ma è sempre trasmesso a partire da un dialogo apostolico inevitabilmente associato a un dialogo tra culture concrete. Sono numerosi i *modelli di evangelizzazione* proposti negli studi missiologico-teologici. Nella prospettiva di una evangelizzazione inculturata sembra non si possa prescindere dai dati che seguono. Le quattro tappe che descriveremo sono analiticamente distinte, pur potendo svolgersi in modo integrato e perfino simultaneo.

Prima tappa: identificazione antropologica della cultura. È fondamentale conoscere i tratti principali che permettono di identificare la cultura da evangelizzare: mediazioni, canali e veicoli che esprimono e nei quali sono incorporati i sensi, valori e criteri che caratterizzano la visione del mondo, l'azione e comunicazione di tale cultura. Gli appartenenti a essa sono la fonte principale di questa conoscenza, ma possono essere completati da altre fonti e documenti, soprattutto in relazione a ciò che è da loro vissuto in modo spontaneo e inconscio. Questa conoscenza antropologica precede la conoscenza teologica della cultura: come Dio ha agito ed è presente nella vita e nella storia di questa cultura prima dell'arrivo e dell'iniziativa dell'evangelizzatore? Dove si trovano le tracce di Dio, le impronte latenti o manifeste del suo amore nella storia di questo popolo o di questo gruppo umano? I criteri per tale lettura teologica sono l'uomo e Gesù Cristo. Gli eventuali dubbi sulla validità dei criteri relativi all'uomo – perplessità naturali in contesti pluralisti – avranno una loro possibilità di soluzione nel riferimento all'uomo-Gesù Cristo. Ciò che nella cultura risponde a tali criteri può essere conservato tale e quale si esprime nel codice della cultura. Come, a partire da qui, si può procedere e camminare con gli appartenenti a una data cultura? Come rispettarne l'identità e il ritmo, in vista della graduale e crescente accoglienza da parte loro del messaggio evangelico?

Seconda tappa: come è già stato detto, il limite è inerente a ogni realtà umana, personale o culturale. Esistono sempre deviazioni reali in relazione alla teleologia fondamentale del bene dell'essere umano, al quale per principio dovrebbe essere orientata la cultura. Queste perversioni o inflessioni della cultura sono in essa il marchio esistenziale del peccato, della fragilità, dell'incoerenza. Dopo avere identificato le sintonie profonde tra cultura e vangelo, il processo di inculturazione dovrà pure individuare e discernere criticamente le loro *incompatibilità*. Si possono avere incompatibilità *assolute* di ordine morale, strutturale o funzionale, quali per esempio la violenza, l'ingiustizia, l'oppressione, la discriminazione, legittimate e non raramente perfino istituzionalizzate dalla cultura. Si possono avere pratiche culturali incompatibili con la dignità umana o con l'insegnamento di Gesù Cristo. Vi sono pure incompatibilità *relative* tra vangelo e modalità concrete di una data cultura. Si tratta di aspetti in cui non c'è bisogno di conversione o di rottura, come nel caso precedente. Si richiede tuttavia un orientamento nuovo o una migliore esplicitazione di mezzi che aiutino la cultura a riscoprire o a riprendere la propria teleologia (per esempio: la posizione di Gesù in relazione al sabato). Il messaggio evangelico può anche aprire alla cultura una prospettiva di crescita in direzione del suo senso originario (per esempio: nel discorso della montagna, le contrapposizioni che

Gesù stabilisce tra esigenze dell'antica e della nuova legge).

Queste due prime tappe in un modello fondamentale di evangelizzazione inculturata si occupano della cultura così com'essa è, nella sua realtà umana, concreta e attuale. In essa ricercano le sintonie esistenti o le correzioni e i perfezionamenti necessari o possibili in relazione all'accoglienza e assimilazione interattiva del vangelo, nella fedeltà sia al vangelo stesso che alla propria identità culturale. Si stabilisce, per questo verso, la relazione *dialogale* e *dialettica* tra fede e cultura, alla quale abbiamo già fatto riferimento. L'omologazione (*prima tappa*) o il nuovo orientamento della cultura (*seconda tappa*) alla luce dell'uomo e di Gesù Cristo sono già una forma implicita di *proclamazione*, che rimane tuttavia dentro l'orizzonte immanente alla cultura stessa.

Terza tappa: interviene a questo punto l'*annuncio* esplicito ai soggetti della cultura di ciò che è per loro il *dono*, la novità in relazione alla cultura. Questo dono supera le capacità immanenti, proprie della cultura, ciò che essa può raggiungere per sua natura, nella realizzazione massima del suo potenziale umano. Questo dono è fatto da Dio a tutte le culture umane in e mediante Gesù Cristo. È un dono che non deve violentare né sfigurare le culture. Al contrario, deve portarle sia a ottenere i risultati ottimali cui possono giungere le loro capacità immanenti, nella piena realizzazione delle loro virtualità umane individuali e sociali, sia a trascendere questo piano, nell'apertura piena della cultura a Dio. In questa terza tappa ha luogo la proclamazione esplicita del vangelo e l'annuncio del suo progetto e della sua identità alla luce della totalità del mistero di Gesù Cristo.

Quarta tappa: tale annuncio viene fatto a partire da una comunità che ha accolto il vangelo e cerca di viverlo e condividere con altri il dono che rappresenta. Questa comunità di fede è la *chiesa*. Essa è portatrice della buona notizia, cioè del dono manifestato alla cultura nella terza tappa. Ma la chiesa è parte anch'essa del medesimo dono, è parte di ciò che è annunciato. Di fatto, l'accoglienza e l'esperienza viva della fede cristiana si fa sempre in comunità. In questo senso, la progressiva evangelizzazione di una comunità umana concreta, che è tale cultura, la porterà anche a essere, in quanto gruppo culturale specifico, parte della comunità evangelica di coloro che credono e condividono la fede nella speranza e nell'amore. Il processo evangelizzatore che si svolge secondo questo modello elementare suppone naturalmente la *testimonianza* (*martýrion*) coerente e affidabile di coloro che già vivono il messaggio e lo portano alla cultura. Implica parimenti l'interazione *dialogale* con gli appartenenti a quella cultura (*koinōnía*). Include il potenziamento del servizio per la loro crescita umana e cristiana (*diakonía*). Conduce all'annuncio propriamente detto del messaggio evangelico come dono gratuito di Dio, in e per Gesù Cristo (*mystêrion*), da vivere nella *comunità di fede ecclesiale* (*ekklēsía*). Il risultato di questo processo nel tempo è la crescente inculturazione della fede. È la creazione nuova di una comunità al tempo stesso *culturale ed ecclesiale*, nella fedeltà alle ispirazioni fondamentali della cultura e della fede insieme, dell'Uomo e di Gesù Cristo. Questo risultato sarà caratterizzato dalle sue mediazioni ed espressioni di azione e comunicazione. Esse avranno un'identità peculiare, in quanto tributarie di radici culturali specifiche. Godranno però anche di una unità profonda, tenuto conto che tutte queste comunità culturale-ecclesiali si ispirano all'identica fede, che diventa fonte e alimento della loro comunione e relazione interculturale. Si realizza co-

sì l'unità della fede e della chiesa. Questa unità non si basa sulla *uniformità* di un unico paradigma culturale, eventuale mediatore preferenziale o esclusivo della fede, indebitamente imposto di fatto alle varie culture. È invece una *unità* che si costruisce sulla *diversità* cosciente delle culture, impregnate però del medesimo vangelo e da esso configurate in modo nuovo alla luce della novità gràtuita del dono.

Bibl. - A.A. Roest Crollius, «What is So New about Inculturation? A concept and its Implications» in *Greg* 59 (1978) 721-738; P. Beauchamp, *Le récit, la lettre et le corps*, Paris 1982; M. Azevedo, *Inculturation and the Challenges of Modernity*, Roma 1982; Id., *Comunidades Eclesiais de Base e Inculturação da Fé*, São Paulo 1986, 255-377; K. Muller, «Accommodation and Inculturation in the Papal Documents», in Verbum/Svd 24 (1983) 347-360; C. Kraft, *Christianity in Culture*, New York 1984; T. Nkeramihigo, «On Inculturation of Christianity», in A.A. Roest Crollius (ed.), *What Is So New about Inculturation?* Roma 1984, 21-29; H. Carrier, «Understanding Culture: The Ultimate Challenge of the World Church», in J. Gremillion (ed.), *The Church and Culture since Vatican II*, Notre Dame 1985; Id., *L'Église et cultures de Léon XIII à Jean-Paul II*, Città del Vaticano 1987; R. Schreiter, *Constructing Local Theologies*, New York 1985; A. Shorter, *Toward a Theology of Inculturation*, New York 1988; L. Luzbetak, *The Church and Culture. New Perspectives in Missiological Anthropology*, New York 1988; P. Suess, «Companheiro-Peregrino na Terra dos Pobres, Hóspede-Irmão na Casa dos Outros. Desafios para una missiologia a partir da América Latina», in REB 48 (1988) 645-671; Id., «Inculturação, Desafios, Caminhos, Metas», in REB 49 (1989) 81-127; N. Standaert, «L'histoire d'un néologisme. Le terme "Inculturation" dans les documents romains», in NRTh, 110 (1988) 555-570; Commissione Teologica Internazionale, «Fede e inculturazione», in *CivCatt* 140 (1989) 158-177.

MARCELLO DE C. AZEVEDO

II. Inculturazione del vangelo

L'inculturazione è un concetto che serve a descrivere i mutamenti culturali conseguenti alla penetrazione del vangelo in un ambiente umano. L'inculturazione è affine all'*acculturazione*, termine usato dagli antropologi della fine del secolo scorso per designare i mutamenti culturali che si verificano quando due gruppi umani si trovano a vivere a diretto contatto. L'incontro delle culture provoca generalmente molteplici cambiamenti, per esempio nella lingua, nelle usanze, nelle credenze, nei comportamenti. I cattolici iniziarono molto presto a usare il concetto di acculturazione per studiare i rapporti tra il cristianesimo e le culture. Oggi il termine *inculturazione* viene preferito ed è più frequente. Esso ha il vantaggio di sottolineare che l'incontro del vangelo con una cultura non si riduce semplicemente al rapporto tra due culture (acculturazione). Si tratta specificamente dell'interazione tra il *messaggio di Cristo* e una determinata cultura. Il termine inculturazione è usato tra i cattolici fin dagli anni '30, ma solo a partire dagli anni '70 la chiesa lo utilizza nei testi ufficiali. Nel 1988 la Commissione Teologica Internazionale ha pubblicato il documento «Fede e Inculturazione», preparato in collaborazione con il Pontificio Consiglio della Cultura, in cui leggiamo la seguente definizione al n. 11: «Il processo di *inculturazione* può essere definito come lo sforzo della Chiesa per far penetrare il messaggio di Cristo in un determinato contesto socio-culturale, chiamando quest'ultimo a crescere secondo tutti i valori che gli sono propri, purché siano conciliabili con il Vangelo. Il termine *inculturazione* include l'idea di crescita, di arricchimento reciproco delle persone e dei gruppi, in virtù dell'incontro del Vangelo con un ambiente sociale. "L'inculturazione è l'incarnazione del Vangelo nelle culture autoctone e, al tempo stesso, l'introduzione di queste culture nella vita della Chiesa"» (*Slavorum Apostoli*, 2 giugno 1985, n. 21).

È opportuno sottolineare gli aspetti al tempo stesso innovatori e tradizionali dell'inculturazione. Indicheremo più avanti le ragioni che fanno considerare l'inculturazione come un approccio rinnovato dell'evangelizzazione, tuttavia va detto che l'attuale riflessione sull'argomento beneficia di una lunga e ricca esperienza della chiesa.

1. LE LEZIONI DELLA STORIA - Strettamente parlando, il processo di inculturazione, cioè la compenetrazione tra chiesa e culture, è vecchio quanto il cristianesimo stesso. Il vangelo si è rivelato fin dall'inizio come un potente fermento di trasformazione delle culture. I primi evangelizzatori hanno imparato a conoscere le lingue, i costumi e le tradizioni delle popolazioni a cui veniva annunciato il messaggio di Cristo. I primi pensatori cristiani hanno dovuto affrontare il problema posto dall'incontro del vangelo con le culture del loro tempo. Già nel secolo II, nella *Lettera a Diogneto*, si trovano delle osservazioni molto pertinenti sullo stile di vita dei cristiani, «cittadini del cielo» e al tempo stesso pienamente inseriti negli usi del loro paese: «I cristiani infatti non si differenziano dagli altri uomini né per territorio né per lingua o abiti. Essi non abitano in città proprie né parlano un linguaggio inusitato; la vita che conducono non ha nulla di strano... Dimorano sulla terra, ma sono cittadini del cielo. Obbediscono alle leggi stabilite, e con la loro vita superano le leggi» (*Lettera a Diogneto*, V).

All'epoca dell'espansione coloniale e dello sviluppo delle missioni, la chiesa promulgò vere e proprie regole di inculturazione ante litteram. Ad esempio, la congregazione di Propaganda Fide pubblicava, nel 1659, la seguente direttiva: «Non mettete alcuno zelo e non adducete argomento alcuno per convincere questi popoli a cambiare i propri riti, costumi e abitudini, se non qualora siano evidentemente contrari alla religione e alla morale. Non vi sarebbe nulla di più assurdo che trasporre presso i cinesi la Francia, la Spagna, l'Italia o altro paese d'Europa. Non introducete presso di loro i nostri paesi, ma la fede, quella fede che non respinge, né ferisce riti e usi di alcun popolo, se non quando siano detestabili, e che invece li si vuole conservare e proteggere» (cfr. *Le Siège apostolique et les Missions*, Paris 1959).

Il periodo moderno conobbe uno sviluppo missionario notevole, caratterizzato da una sempre più attenta preparazione dei sacerdoti, religiosi e religiose inviati in Africa, Asia e America. Nel secolo XIX vennero creati molti nuovi Istituti missionari, che portarono il vangelo in vaste regioni dove la chiesa non era ancora penetrata né impiantata. Questi Istituti si specializzarono progressivamente nel modo di definire il compito missionario e i metodi di adattamento ai vari popoli.

Dopo la prima guerra mondiale furono molti i documenti della chiesa che i papi pubblicarono sulle missioni, in particolare: *Maximum Illud* (1919), *Rerum Ecclesiae* (1926), *Evangelii Praecones* (1951). In essi venivano enunciate chiare direttive per promuovere un migliore adattamento del vangelo al carattere e alle tradizioni di ciascun popolo. È indicata innanzitutto la necessità di possedere la lingua locale. Un'importanza del tutto particolare è data alla costituzione del clero indigeno. Il sacerdote autoctono dev'essere formato in modo da comprendere gli usi, i costumi e l'anima del suo popolo. Dev'essere accolto e rispettato dalla élite locale e un giorno dovrà poter accedere alle responsabilità di governo delle nuove chiese. I religiosi e le religiose sono quindi incoraggiati ad accogliere e a formare candidati indigeni. Tutti gli evangelizzatori dovrebbero trarre aiuto dalle scienze moderne per meglio conoscere e servire le popolazio-

ni: linguistica, etnografia, storia, geografia, medicina.

Tali direttive contengono indicazioni preziose per l'inculturazione e rivelano una maturazione della teologia missionaria. La prima norma è quella di rispettare il carattere e il genio dei popoli da evangelizzare, coltivando i loro doni migliori, purificandoli ed elevandoli attraverso la fede cristiana. Pio XII, nella sua prima enciclica *Summi Pontificatus* (1939), invita tutta la chiesa «a comprendere più profondamente la civiltà e le istituzioni dei vari popoli e a coltivare le loro qualità e i loro doni migliori... Tutto ciò che, nelle tradizioni dei popoli, non è indissolubilmente legato alle superstizioni o agli errori dev'essere esaminato con benevolenza e, se possibile, conservato intatto». Vedremo come molti di questi orientamenti verranno poi ripresi dal Vaticano II, soprattutto nel decreto *Ad Gentes*.

2. NUOVI ASPETTI DELL'INCULTURAZIONE - Molti avvenimenti, che segnarono il mondo e la chiesa dopo la seconda guerra mondiale, avrebbero dato una urgenza nuova all'inculturazione. Con il movimento di decolonizzazione e di liberazione, le giovani chiese erano chiamate a ridefinirsi nei confronti delle nazioni che avevano portato loro il vangelo. I pastori e i teologi delle chiese d'Africa e d'Asia, ma anche molti occidentali con loro, procedettero a una revisione dei metodi di evangelizzazione utilizzati dai missionari. La chiesa era sì impiantata, ma le culture autoctone erano state davvero convertite in profondità? Molto spesso non era stato toccato il paganesimo soggiacente. D'altra parte, i missionari non avevano compreso e accettato consapevolmente le potenzialità religiose di molti usi o aspetti culturali. Altre critiche vennero rivolte agli evangelizzatori europei, talvolta esagerando: troppo spesso questi trapiantavano la propria lingua, le proprie istituzioni,

il proprio modo di pensare dal loro paese a un altro. Bisognava quindi spogliare il cristianesimo del suo rivestimento occidentale, per inculturare la fede nelle culture locali e procedere così all'africanizzazione, indianizzazione o indigenizzazione delle chiese autoctone. Il dibattito riguardava tutti gli aspetti della vita ecclesiale: il linguaggio, la teologia, la morale, la liturgia, fino all'eventuale accettazione da parte della chiesa di alcuni elementi delle religioni tradizionali (→ Religione, IV), quali i testi sacri e le forme di preghiera.

L'ampiezza e la gravità dei problemi sollevati sottolinearono la necessità urgente di studiare più approfonditamente le condizioni, i criteri e i metodi dell'inculturazione. Risultò chiaro che era necessario procedere a un riesame di tutto il problema alla luce dei principi teologici e di una migliore conoscenza antropologica.

3. CRITERI DELL'INCULTURAZIONE - I criteri a cui attenersi si fondano sulla *natura dell'inculturazione*, intesa come metodo di approccio per evangelizzare le culture. Questo è il presupposto fondamentale che deve ispirare qualsiasi sforzo di inculturazione: lo scopo da raggiungere è *l'evangelizzazione della cultura* (→ Evangelizzazione della cultura). L'inculturazione del vangelo e l'evangelizzazione della cultura sono due aspetti complementari dell'unica missione evangelizzatrice. Per questo l'inculturazione si atterrà alle norme che reggono i rapporti tra la fede e le culture. Nel processo di inculturazione è necessario il duplice rispetto delle realtà teologiche e antropologiche che vi entrano in gioco.

Il punto di partenza è il fatto gratuito dell'incarnazione di Gesù Cristo e la sua ripercussione sulle culture storiche. La diffusione del vangelo chiama ormai tutte le culture a un nuovo destino. Bisogna sottolineare il *significato culturale dell'incarnazio-*

ne. Gesù si inserì in una determinata cultura. «Cristo stesso, attraverso la sua incarnazione, si legò a determinate condizioni sociali e culturali degli uomini con cui visse» (AG 10). D'altra parte, l'incarnazione raggiunge ogni uomo e tutte le realtà dell'uomo. Cristo quindi raggiunge tutti gli uomini nella complementarità delle loro culture. Per un verso l'incarnazione del Figlio di Dio è stata anche una incarnazione culturale. L'incarnazione di Cristo richiede di per sé l'inculturazione della fede in tutti gli ambienti umani.

Il secondo principio a cui si deve attenere l'inculturazione è il *discernimento antropologico* delle culture da evangelizzare. Esso è richiesto dalla complessità della evangelizzazione negli ambienti in rapida trasformazione, che spesso attraversano crisi di identità culturale e religiosa. Uno sforzo metodico di ricerca e di riflessione è oggi indispensabile. È necessario imparare ad analizzare le culture per cogliervi ostacoli e potenzialità in rapporto alla ricezione del vangelo. L'inculturazione favorirà la conservazione e la crescita di tutto ciò che è sano negli usi, nelle tradizioni, nell'arte e nel pensiero dei popoli. La vita della chiesa, e la stessa liturgia, verranno arricchite dal patrimonio culturale delle nazioni da evangelizzare. Come afferma il Vaticano II, la chiesa non imporrà una rigida uniformità: «anzi (essa) rispetta e favorisce le qualità e le doti d'animo delle varie razze e dei vari popoli. Tutto ciò poi che nei costumi dei popoli non è indissolubilmente legato a superstizioni o ad errori, essa lo prende in considerazione con benevolenza e, se possibile, lo conserva inalterato, anzi a volte lo ammette nella liturgia stessa, purché possa armonizzarsi con gli aspetti del vero e autentico spirito liturgico» (SC 37). Questi discernimenti non si possono improvvisare; essi richiedono sforzi concertati da parte delle chiese par-

ticolari, che dovranno sottoporre a
«un nuovo esame» i dati della fede
e gli elementi culturali di ciascuna regione, allo scopo di discernere se possono o meno essere integrati nella vita cristiana. Pur non utilizzando il
termine *inculturazione*, il decreto del
Vaticano II sulle missioni spiega chiaramente le regole che la devono guidare nella sua applicazione (cfr. AG
22).

Insomma, l'autenticità dell'inculturazione si fonda sul rispetto delle condizioni al tempo stesso teologiche ed
etnologiche del compito missionario.
Non si può prescindere dalla piena
comprensione delle realtà della fede
e delle realtà culturali implicate nella
evangelizzazione. Tale discernimento
di natura socio-teologica è indispensabile per poter riconciliare gli elementi che entrano in tensione dinamica nel processo di inculturazione.
In primo luogo, l'inculturazione deve salvaguardare la distinzione tra fede e cultura e, in secondo luogo, la
necessità dell'unità e del pluralismo
nella chiesa. Queste sono esigenze
fondamentali nella pratica dell'inculturazione.

a. *Distinguere fede e cultura* - Innanzitutto la fede dev'essere riconosciuta come una realtà radicalmente
distinta da qualsiasi cultura. La fede
in Cristo non è *il prodotto* di una
cultura, non si identifica con nessuna di esse, anzi se ne distingue proprio perché viene da Dio. Per le culture, la fede è «scandalo» e «follia»,
come si esprime S. Paolo (1 Cor 1,22-
23). Ma tale distinzione tra fede e cultura non significa *dissociazione*. La
fede è destinata a impregnare tutte
le culture umane, per salvarle ed elevarle, secondo l'ideale del vangelo.
Anzi, la fede è veramente vissuta solo se diventa cultura, cioè se trasforma le mentalità e i comportamenti.
Vi è una dialettica da rispettare tra
la trascendenza della parola rivelata
e la sua destinazione a fecondare tutte
le culture. Il respingere l'una o l'al-

tra di queste esigenze significa esporre l'inculturazione al sincretismo, che
confonde la fede con le tradizioni
umane, o a un accomodamento fittizio e superficiale del vangelo con culture determinate.

b. *Salvaguardare unità e pluralismo* -
D'altra parte, l'inculturazione dovrà
salvaguardare sia l'unità della chiesa
che il pluralismo dei suoi modi di
espressione. L'evangelizzazione serve
a costruire la chiesa nella sua unità
e identità essenziali. È vero che il messaggio annunciato è stato tradotto, in
passato, con categorie di pensiero mu-
tuate da culture particolari; tuttavia
queste interdipendenze culturali non
infirmano il valore permanente delle
concettualizzazioni elementari della fede e delle strutture organiche della
chiesa. L'evangelizzatore trasmette un
insegnamento che è stato arricchito da
generazioni di credenti, di pensatori,
di santi, il cui contributo è parte integrante del patrimonio cristiano. È proprio questa identità essenziale e fondatrice che l'evangelizzazione è chiamata a trasmettere alle culture umane in termini a tutte accessibili.

Ma l'unità non va confusa con l'*u-
niformità*. L'inculturazione dovrà
quindi saper riconciliare l'unità e la
diversità nella chiesa. La lunga esperienza delle chiese orientali offre in
proposito un modello che Paolo VI
ha presentato come esemplare: «E
proprio nelle Chiese orientali si ritrova storicamente anticipato e esaurien-
temente dimostrato nella sua validità
lo schema pluralistico, sicché le moderne ricerche intese a verificare i rapporti tra annunzio evangelico e civiltà umane, tra fede e cultura, hanno
già, nella storia di queste Chiese ve-
nerande, significative anticipazioni di
elaborazioni concettuali e di forme
concrete in ordine a detto binomio di
unità e diversità». Il papa afferma
inoltre che la chiesa «accoglie tale pluralismo come articolazione dell'unità
stessa» (Al Pontificio Collegio Greco
a Roma, 30 aprile 1977).

Il principio guida per qualsiasi sforzo di inculturazione della teologia, della predicazione e della disciplina, rimane quello della crescita della «communio Ecclesiae», la comunione della chiesa universale. Non si tratta, tuttavia, dell'unità di un sistema uniforme e indifferenziato, ma piuttosto di quella di un corpo che cresce organicamente. La chiesa universale è una comunione di chiese particolari. Per estensione essa è anche una comunità di nazioni, di lingue, di tradizioni, di culture. Ogni epoca od ogni civiltà porta i propri doni e il proprio patrimonio alla vita della chiesa. Attraverso l'inculturazione, le culture accolgono i tesori del vangelo e in cambio offrono a tutta la chiesa le ricchezze delle loro migliori tradizioni e il frutto della loro saggezza. È proprio questo complesso e delicato scambio che l'inculturazione deve promuovere in vista della crescita insieme della chiesa e di ciascuna cultura.

4. ESTENSIONE DELL'INCULTURAZIONE - Uno sviluppo più recente della riflessione porta a estendere la pratica dell'inculturazione non solo ai tradizionali territori delle missioni, ma anche alle società moderne, le cui culture sono state scristianizzate e segnate da una crescente secolarizzazione. La cultura moderna pone ostacolo all'evangelizzazione e richiede uno sforzo metodico di inculturazione. Si tratta della sfida della *seconda evangelizzazione* degli ambienti dove la fede, sia essa addormentata, soffocata o rifiutata, rende difficile l'annuncio del vangelo in tutta la sua novità. Il documento «La fede e l'inculturazione» della Commissione Teologica Internazionale (1988) dedica l'ultima parte alla cultura della modernità. Vi si legge: «L'inculturazione del Vangelo nelle società moderne esigerà uno sforzo metodico e concertato di ricerca e di azione. Tale sforzo supporrà nei responsabili dell'evangelizzazione: 1. un atteggiamento di accoglienza e di discernimento critico; 2. la capacità di percepire le attese spirituali e le aspirazioni umane delle nuove culture; 3. la capacità di analisi culturale in vista di un reale incontro con il mondo moderno».

In questo modo l'inculturazione assume nuove dimensioni, poiché non riguarda più esclusivamente le persone, i paesi, le nazioni, le istituzioni in attesa del vangelo. Inculturare il vangelo significa anche raggiungere i fenomeni psico-sociali, le mentalità, i modi di pensare, gli stili di vita, affinché vi penetri la forza salvifica del messaggio cristiano. Riassumendo, si può dire che è necessario superare una concezione *geografica* dell'evangelizzazione, per giungere a una concezione maggiormente *culturale*. Non sono prospettive che si escludono tra loro, ma indicano il senso di uno sviluppo necessario della missione evangelizzatrice.

È vero che esistono regioni geografiche ancora da cristianizzare, ma la posta in gioco è ormai quella di evangelizzare le culture stesse. Bisogna che la luce del vangelo penetri nelle mentalità e negli ambienti di vita segnati dall'indifferenza e dall'agnosticismo. Queste correnti spirituali tendono a diffondersi ovunque penetri la modernità. Con discernimento e fiducia la chiesa intende annunciare Cristo alle culture di oggi, e ciò richiederà un lungo e coraggioso processo di inculturazione, come afferma lo stesso Giovanni Paolo II: «La Chiesa deve farsi tutta a tutti, raggiungendo con simpatia le culture di oggi. Vi sono ancora ambienti e mentalità, come pure paesi e regioni intere, da evangelizzare e questo richiede *un lungo e coraggioso processo di inculturazione*, affinché il Vangelo penetri l'anima delle culture vive, rispondendo alle loro attese più alte e facendole crescere fino alla dimensione stessa della fede, della speranza e della carità cristiane».

Il termine → *missione*, aggiunge Giovanni Paolo II, «si applica ormai anche alle vecchie civiltà segnate dal cristianesimo, eppure minacciate da indifferenza, agnosticismo o addirittura irreligione. Anzi, appaiono nuovi settori di cultura con obiettivi, metodi e linguaggi diversi. Il dialogo interculturale si impone quindi ai cristiani di tutti i paesi» (Al Pontificio Consiglio della Cultura, 18 gennaio 1983).

Bibl. - H. Carrier, *Vangelo e culture: da Leone XIII a Giovanni Paolo II*, Città del Vaticano-Paris 1987; Id., *Evangélisation et Développement des Cultures*, Roma 1990; L.J. Luzbetak, *The Church and Cultures: New Perspectives in Missiological Anthropology*, Maryknoll 1988; Commissione Teologica Internazionale, «Fede e Inculturazione», in *CivCatt* 140 (1989) 158-177.

HERVÉ CARRIER

INDIFFERENZA RELIGIOSA

L'indifferenza religiosa è, per sua stessa natura, una realtà difficile da circoscrivere. Senza un discorso proprio, senza argomentazioni, passiva nella maggior parte dei casi, essa di solito connota l'indeterminazione. Tuttavia l'indifferenza religiosa rappresenta un fenomeno riscontrabile nella nostra epoca, che conosce un'estensione e una diffusione sempre più ampie, particolarmente in Occidente. È opportuno distinguere due tipi principali di indifferenza, uno in apparenza superficiale, l'altro profondo e radicale.

1. L'INDIFFERENZA ALLA PROPRIA RELIGIONE - Il primo tipo è l'indifferenza di un individuo verso la sua confessione religiosa di appartenenza. Poiché la maggioranza della popolazione nei paesi occidentali è di appartenenza cristiana, qui si tratterà soprattutto di indifferenza al cristianesimo. Si nota, infatti, presso molti un marcato calo di interesse per elementi importanti della religione cristiana. Il primo indizio è il rilassamento della pratica liturgica, quello della celebrazione eucaristica e degli altri sacramenti. Secondo vari sondaggi, il tasso di presenza alla messa domenicale, in questi anni, è intorno al 38% fra i cattolici del Québec, al 16% in Francia e al 15% in Italia. Certo, un cristiano può rimanere credente anche se ha abbandonato la pratica del culto pubblico: questa pratica non è che un elemento della pratica cristiana più inglobante, costituita dall'esistenza vissuta secondo lo Spirito di Gesù Cristo in tutte le sue situazioni di vita, le sue relazioni e le sue attività. Ma la pratica liturgica rimane un test della vitalità religiosa. Ci sono dei cristiani che, deliberatamente o per negligenza, non sono pronti a confessare pubblicamente la loro fede, a condividerla e a celebrarla. Un'indagine scientifica ha persino dimostrato che esiste una correlazione tra il calo della pratica domenicale e la diminuzione dell'importanza attribuita agli altri elementi della figura di fede, cioè ai grandi oggetti della fede: Dio, Gesù Cristo, la morale, la preghiera e l'appartenenza alla comunità cristiana.

Il cedimento della pratica liturgica non rappresenta comunque un abbandono della religione. L'opera di R. Bibby, *La religion à la carte* (Montréal 1988) presenta i risultati di tre sondaggi nazionali, dal 1975 al 1985, sulla situazione della religione in Canada per l'insieme delle confessioni religiose. Il sociologo riferisce che, nonostante il calo di frequenza nelle chiese, l'affiliazione religiosa rimane stabile: non si rompono i legami. Nel Québec, per esempio, l'affiliazione religiosa è stabile all'88%, anche se l'adesione è soltanto del 25%. D'altra parte, si tiene a conservare i riti di passaggio: il 90% degli abitanti del Québec si rivolge a gruppi religiosi per battesimi, matrimoni e funerali.

La diagnosi è più severa quando il sociologo misura l'impegno in base a parametri oggettivi. L'impegno religioso comporta le dimensioni della fede, della preghiera privata, dell'esperienza della presenza di Dio e delle conoscenze religiose elementari. Ora, il 60% dei canadesi crede alle tre verità fondamentali che sono l'esistenza di Dio, la divinità di Gesù e la vita futura. Ma solo il 20% dimostra di integrare nella sua fede queste tre grandi convinzioni, insieme alla preghiera privata, all'esperienza di Dio e a conoscenze religiose. Ciò significa che «solo circa il 20% offre qualche prova di aderire a quello che si potrebbe considerare come l'espressione tradizionale dell'impegno ebraico-cristiano integrale. La religione della grande maggioranza è una religione di frammenti isolati». Quando Bibby usa il metodo di far parlare le persone direttamente, i canadesi per il 40% si considerano cristiani impegnati (di cui solo un terzo rivela una buona integrazione delle grandi dimensioni della fede), per il 40% si considerano non impegnati e per il 20% si dichiarano non religiosi. E ammettono di operare una selezione di elementi isolati di convinzione, di pratica e di culto.

Bibby giunge alla conclusione che la religione ha poca influenza sulla vita. Sono numerosi coloro che attingono alla religione come dei consumatori, adottando una convinzione qui, una pratica là. «I canadesi sembrano allontanarsi da un cristianesimo o da altre religioni in quanto sistemi che danno un senso a tutta una vita. Adottano frammenti di giudeo-cristianesimo... I canadesi praticano la religione sullo stile di una lista per il menu». Hanno la tendenza a costituire la loro religione secondo un menu prestabilito. Alcuni completano il loro menu cristiano con altre convinzioni sovrannaturali. Mentre una confessione religiosa richiede una sintesi articolata e coerente, ci si trova piuttosto davanti a una religione smantellata, fatta di convinzioni isolate e di pratiche occasionali.

Una religione offerta come articoli di consumo che si associano ad altre comodità di cui ci si può fornire e di cui si può fare a meno. La maggior parte della gente ignora l'impegno e ripiega su frammenti di religione.

La vita di fede non si lascia misurare facilmente. I risultati di sondaggi, anche se approssimativi, danno comunque informazioni sui fatti. Se si tenta una breve interpretazione, bisogna ammettere che una significativa proporzione di cristiani sono impegnati: segni, che si possono osservare dappertutto, rivelano un rinnovamento cristiano e una responsabile assunzione d'impegno. Da un altro lato, i sondaggi confermano la diagnosi che molti credenti fanno una selezione negli articoli del credo, negli insegnamenti della chiesa e nell'applicazione delle norme morali. C'è qui prima di tutto la parte di un cammino personale che occorre saper riconoscere in una vita di fede: non tutti sono arrivati all'auspicata integrazione delle diverse dimensioni della fede e ci sono difficoltà inerenti a questo processo di ricerca, di comprensione e di approfondimento. C'è anche la parte del discernimento tra l'essenziale e l'accessorio nella sequela delle convinzioni e delle pratiche, che cerca il senso delle cose piuttosto che la sottomissione a dei precetti, che privilegia la pratica evangelica rispetto alla preoccupazione di → ortodossia. Il cristianesimo è un'esperienza prima di essere un sistema. E molti credenti, gelosi di un'autonomia acquisita a caro prezzo con le conquiste della → modernità, diffidano dei sistemi, anche di quelli religiosi.

Del resto, queste scelte di frammenti di una religione sbriciolata possono venire dal fatto che si è voluta conservare una certa convinzione, un dato passo evangelico, una data norma morale o un dato insegnamento che piace e che conviene, e che si sono scartati gli altri. Si seleziona ciò che si vuole conservare, si aggiustano le cose come si vuole. Ci si dà una religione che non disturba, di cui si può disporre secondo i propri gusti. Si scivola quindi verso una dissoluzione della propria confessione religiosa.

Sul piano delle conoscenze si finisce col perdersi nella confusione; su quello delle pratiche si è incoerenti e si rischia di dimenticare la propria identità cristiana. Non c'è più quella coerenza che dà senso alla vita e chiama ad andare avanti e a crescere spiritualmente. Si è sempre meno soggetti agli insegnamenti del vangelo. Inoltre, quando si ammette la propria mancanza di impegno, ci si può domandare quali ruoli svolgono nella propria vita questi frammenti di religione. Non è sufficiente il richiamo all'affiliazione confessionale per fedeltà al patrimonio del passato; e neppure il rivendicare la conservazione dei riti di passaggio per il loro residuo festivo, ma si devono pure registrare la povertà del senso religioso e la privatizzazione della religione. Quando si accetta questa situazione, si è molto vicini all'indifferenza pratica verso la propria religione di appartenenza. Infatti si è indifferenti a interi blocchi di ciò che costituisce la vita di fede.

Si tratta quindi di un'indifferenza di decomposizione. Si stabilisce un distacco non solo rispetto all'istituzione ecclesiale e alle sue consegne, ma in rapporto alla comunità dei credenti e a componenti sempre più vicine al nucleo della fede. Si sottoscrive un ritiro per astensione senza dibattito, allontanandosi tranquilli a piccoli passi, o per perdita di percezione della coerenza simbolica delle rappresentazioni e delle pratiche. Questo allontanamento si accompagna spesso a convinzioni errate. Anche quando le persone dicono in generale di credere ancora in Dio, per molti l'idea di Dio si limita all'identificazione con una energia vitale, forza superiore, spirito impersonale, destino o fatalità. La loro concezione di Gesù Cristo si riduce a quella di un essere eccezionale, di un profeta o di una voce di saggezza. Anche sotto un conformismo di superificie, parecchi di loro finiscono col vivere come se Dio non esistesse. Ci sono cristiani che diventano indifferenti dal momento in cui non riescono a vedere in che cosa la fede cristiana possa ispirare il loro progetto umano e la loro vita in società. Entrano quindi in un processo di presa di distanza che può portare all'indifferenza religiosa radicale.

L'indagine del 1985 del Segretariato per i non credenti rivela che questa forma di indifferenza è il fenomeno più significativo nei paesi europei come l'Italia (59%), la Francia (25%), la Germania, la Svizzera, l'Austria, il Portogallo, la Svezia e gli altri paesi scandinavi. Assume proporzioni più vaste nella maggior parte dei paesi dell'America Meridionale, poi in Canada e negli Stati Uniti. La si ritrova fino in India, in Corea e nella Nuova Zelanda (*La foi et l'athéisme dans le monde*, Paris 1988).

Questa prima forma di indifferenza non è però radicale. Non interrompe necessariamente la ricerca di una vita spirituale. Certe persone tentano perfino una ricomposizione dalla parte delle sette, delle gnosi, delle parascienze, del paranormale. Vi trovano riferimenti significativi presso gruppi o guru le cui consegne pretendono di unificare la loro esistenza lacerata. Ma anche qui l'individuo accede a brandelli della religione, sistemati in funzione dei suoi bisogni cognitivi o affettivi. Egli ha alla sua portata beni religiosi di consumo, senza che essi suscitino una conversione esigente al di là della salvezza mediante la conoscenza, del dominio delle sue energie psichiche nascoste, dell'armonia col suo corpo e con le forze cosmiche. Piuttosto che aprirsi a un Altro, che si è svelato come amore e liberazione in Gesù, egli rischia di non uscire dalla preoccupazione individualistica per se stesso, per il suo avvenire e il suo benessere. Questo ritorno al religioso ha certamente una portata positiva, ma rimane ambiguo.

2. L'INDIFFERENZA RELIGIOSA PROPRIAMENTE DETTA - Il secondo tipo è l'indifferenza religiosa propriamente detta, profonda e radicale. Non si tratta più solo di un'indifferenza verso la propria religione di appartenenza, per quanto totale essa sia diventata, ma dell'indifferenza a qualsiasi religione e a tutto quello che si riferisce alla religione.

L'indifferenza religiosa è l'assenza di interesse per Dio e per la religione. Dio, che esista o no, non è un valore. Dio è morto, nel senso che ha cessato di essere un valore vitale, una realtà importante. Non ci si trova di fronte a un rifiuto ponderato di Dio, ma di fronte a un disinteresse. Anzi, è un'insensibilità al problema religioso stesso. È una assenza di preoccupazione «in materia religiosa».

L'insensibilità in materia religiosa è una di queste assenze di preoccupazione nel campo degli interrogativi fondamentali sul senso dell'umano, del suo destino e del mondo. Infatti, il semplice fatto che l'essere umano faccia domande su se stesso e sul suo mondo implica che cerca ciò che lo lega a qualcosa di diverso da se stesso, a un Senso che gli dia il significato e l'orientamento di ciò che egli è e del suo progetto, a un Assoluto o a un Altro che gli dia fondamento. → «Religione» evoca la ricerca di ciò che lega (religio, religare). «Religione» risponde anche al bisogno di ri-cogliersi, ritrovarsi, nella rilettura e nell'interpretazione dell'esistenza per arrivare a fare una scelta (relegere). L'uomo è per natura aperto alla trascendenza, qualunque sia il nome che le dà. Questa ricerca fondamentale della persona è lo spazio in cui mette le sue radici «la fede», nell'opzione

cristiana, ma anche in quella dell'incredulità ponderata che implica una decisione di coscienza.

L'indifferente, invece, rimane insensibile a questa problematica, tanto è preso nel gioco pragmatico del mondo, addirittura spesso invischiato nel materialismo consumistico. L'apertura è bloccata, l'aspirazione soffocata, l'orizzonte trascendente assente. È scomparsa qualsiasi inquietudine spirituale. Scomparendo il problema religioso, Dio scompare con esso. Questa indifferenza è una specie di ebetismo spirituale in cui non si ha neppure il coraggio di porsi i problemi e di esaminarli. È un'incredulità senza contenuto, tranne in rari casi in cui si contesta persino la possibilità di una trascendenza. È una noncuranza piuttosto che un impegno, in cui lo spirito è occupato altrove, se non disperso; talvolta è anche una fuga, un meccanismo di difesa contro l'angoscia di credere. Diversamente dagli atei che lottano lungamente col problema di Dio, gli indifferenti non se ne preoccupano. È la forma più radicale di incredulità.

Fra i non credenti infatti, ci sono gli *atei* che negano o rifiutano l'esistenza di Dio e che si sforzano di giustificare razionalmente questa negazione; il loro → ateismo è il contrario di una fede positiva nell'autonomia assoluta dell'uomo ed è spesso organizzato in sistema di pensiero filosofico o ideologico. Ci sono gli *agnostici* (→ Agnosticismo) che rinunziano a riconoscere Dio perché non possono sapere nulla di sicuro o di soddisfacente su di lui, non potendo dimostrarlo attraverso la conoscenza umana né verificarlo col metodo delle scienze empiriche. Ci sono i *liberi pensatori* che accettano forse una forza vitale del mondo, ma non riconoscono per questo un Dio trascendente e personale; fra loro si possono trovare deisti, panteisti e persone che ripongono la loro fede nell'Uomo o nella Ragione o il cui credo si limita alle dichiarazioni dei diritti della persona. Bisogna contare anche i *non credenti*, quelli che sono «senza religione» per eredità naturale o tradizione familiare, nell'ignoranza oggettiva del Dio delle religioni. Gli *indifferenti*, da parte loro, non solo non si pronunziano sull'esistenza o sulla non-esistenza di Dio, ma praticamente negano la consistenza stessa del problema religioso. Da nessuna parte l'assenza di Dio è così totale. L'indifferenza religiosa è un atteggiamento poco meditato, che non vuole essere critico. Non fa veramente una scelta «in materia religiosa». È una mancanza di fede per difetto. Dato che le energie sono monopolizzate dal soddisfacimento dei bisogni della vita corrente, capita che la coscienza non si preoccupi neppure dei grandi problemi umanitari e delle visioni del mondo che sono in causa. Questa indifferenza è la posizione meno accessibile al dialogo, poiché non sembra esistano problemi d'interesse comune su cui incontrarsi.

Questa indifferenza religiosa è difficilmente misurabile concretamente. Si sa che il 10-20% degli abitanti del Québec si dichiarano non credenti a seconda che la loro incredulità riguardi Dio o Gesù Cristo. Fra loro, meno del 5% si definisce ateo. Non si conosce la proporzione degli indifferenti. Il sondaggio Bibby indica peraltro che, nel 1985, il 20% degli abitanti del Québec, e anche dei canadesi, si definisce «senza religione», ma senza specificare maggiormente. Si definiscono «senza religione» il 14% dei canadesi nati prima del 1930, il 18% dei canadesi nati fra il 1931 e il 1950 e il 25% dei canadesi nati tra il 1951 e il 1967. I «senza religione» sono dunque più numerosi fra gli adulti giovani. In Francia c'è il 15,5% di «senza religione», di cui il 30% fra i 18 e i 30 anni, senza specificare la proporzione di indifferenti (*L'état des religions dans le monde*, Cerf, Paris 1987). L'indifferenza radicale sarebbe un fenomeno massiccio in Svezia e sempre più importante in Europa e in America Settentrionale.

L'indifferenza religiosa è un atteggiamento individuale o un fenomeno culturale? Certamente le due cose. L'atteggiamento personale esiste. Da poco in Occidente si è passati da una fase di contestazione e di emancipazione, addirittura da un'incredulità di rifiuto, a un modo di esistere senza Dio in cui si è serenamente irreligiosi. Per alcuni il problema di Dio sembra gratuito, quello della salvezza un lusso. Quello che importa è il mestiere o la professione, le imprese scientifiche e tecniche, la felicità delle comodità e del denaro (che si ha o che si desidera avere). Secondo certi genitori, i giovani ostentano un'indifferenza religiosa tale da far supporre che per loro non possa esserci altro che ciò che è materiale, la ricerca del successo, l'ideale di star bene per sé e di trarre profitto da ciò che avviene. La religione non dice loro nulla. Una posizione radicale come l'indifferenza religiosa sarebbe forse solo un atteggiamento temporaneo per un periodo limitato nella vita di un individuo? Sembra che siano pochi quelli che potrebbero sistemarsi in modo permanente in un atteggiamento così estremo.

Ma l'indifferenza religiosa deve anche essere considerata come fenomeno culturale. Legato a un universo mentale sempre più estraneo ai riferimenti religiosi, che cerca la sua coerenza in una visione del mondo tecnocratica, scientista, materialista o edonista, il fenomeno dell'indifferenza religiosa progredisce silenziosamente e senza scosse, allontanando perfino le condizioni che permettano di porsi interrogativi religiosi. Lo si respira come l'aria. Annegati nelle cose, annegati nel rumore dove si spingono a forza i decibel della musica, annegati in uno spazio sonoro sovraccarico di parole spesso banali, si è espulso il → silenzio come via di interiorità in cui possono emergere gli interrogativi fondamentali e la riflessione sull'azione. Mancando questo, scrive D. Piveteau, «tutti i nostri sforzi presso i giovani per risvegliarli, trasmettere loro dei valori, sono irrisori. Forniamo loro risposte a domande che essi non si sono mai posti... Beata solitudine che permette di scoprire il tesoro che ognuno deve trovare nel corso della sua esistenza: se stesso!». Si nota allora l'opacità nei confronti dello spirituale. «Il mondo religioso appartiene a un altro pianeta, che manda forse dei segnali, che però neppure si tenta di decifrare, le rare volte in cui ci si accorge della loro esistenza». Ciò che è in causa è la mancanza di equipaggiamento intellettuale e affettivo indispensabile per cogliere il senso dello spirituale. «Quello che mi sembra mancare presso i giovani, come nei nostri coetanei, ma in modo più marcato che in questi, è la possibilità di concepire la Speranza e la capacità di cercare un Senso. Sono come ciechi, in mezzo a possibili splendori, incapaci di goderne per mancanza dei mezzi sensoriali indispensabili. Non rifiutano Dio dopo averlo conosciuto o perché lo avrebbero conosciuto. Semplicemente non ne sospettano la realtà; anzi, addirittura non sentono la curiosità, il desiderio di scoprire chi potrebbe essere» (*Lumen Vitae*, 1983, 183-191).

3. I FATTORI DETERMINANTI - Per cogliere bene queste realtà occorre risalire alle cause o meglio ai fattori che possono spiegarle. Ve ne sono parecchi; qui ne indicheremo solo alcuni. In primo luogo c'è la grande trasformazione culturale che interessa le nostre società occidentali; anzitutto quella della civiltà scientifica e tecnica, frutto del rapporto dell'uomo moderno con la natura e con il suo mondo. L'uomo di oggi è caratterizzato dalla ricerca di un'azione trasformatrice della natura e della società. La logica del suo universo è tutta centrata sulla razionalità scientifica, con la sua traduzione operativa in razionalità tecnica. Si accanisce sulla crescita indefinita del progresso. Tutti beneficiamo di questo lavoro del genio umano, dello sviluppo delle scienze esatte, dei loro effetti per migliorare i nostri servizi collettivi, per far retrocedere la povertà e ripristinare la dignità umana.

Ma questa razionalità scientifica e tecnica porta con sé il rischio di una deriva quando si tende ad assumerla come norma esclusiva. Allora essa estende il suo imperialismo a tutto ciò che è reale, per un mondo unidimensionale. Si giudica buono e valido ciò che è efficace. Ci si apprezza in base al mestiere, alle competenze e soprattutto alle prestazioni. La vita pubblica è determinata dalla produzione e dal consumismo, dagli scambi funzionali, e i rapporti umani si trovano essi stessi a girare intorno a oggetti. Questa razionalità si interessa al «come» delle cose, non al loro «perché», alla loro finalità. Si lasciano da parte alcuni problemi umani importanti: vivere, amare, sapere perché si vive e si muore... Lo spazio della religione è relegato alla sfera del privato. La fede è considerata gratuita, inutile o inefficace in questa società strumentale e funzionale. Le preoccupazioni religiose scompaiono in chi non ha la forza o i mezzi di entrare nella propria interiorità.

Tutto questo è anche l'ideologia della società dei consumi. Si produce per consumare, si diventa freneticamente attivi, senza pause per la riflessione, per la sensibilità a tutto quello che è l'altro. Non si ha concentrazione per interrogarsi, per cercare di precisare la propria visione del mondo. Si evade nel rumore. Ci si agita anche per sfuggire alla propria sofferenza personale. È la società dell'apparire piuttosto che dell'essere. È quella dell'autosufficienza. Il fascino di questo materialismo blocca l'apertura allo spirituale e ai valori evangelici.

È anche il regno dell'immediato, dello spontaneo, del transitorio a breve termine; quello del ritorno narcisistico all'io, al rifugiarsi in un piccolo mondo tutto proprio. L'americano Allan Bloom parla del declino della cultura generale, della scarsa attenzione rivolta, durante la formazione, ai grandi libri, compresa la bibbia, agli studi umanistici, alla storia, alla filosofia. Che cosa è l'uomo? Da dove vengo e dove vado? Ai giovani mancherebbe «una ragione reale di non essere soddisfatti del presente e di prendere coscienza che esistono soluzioni alternative... l'aspirazione a un aldilà si è attenuata... Per mancanza di capacità di interpretare le cose, le loro anime sono come specchi che riflettono non la natura stessa, ma quello che c'è intorno... Manca la coscienza delle profondità così come quella delle vette: manca dunque la gravità» (*L'âme désarmée*, 1987). La rarità di modelli di adulti di un certo spessore, eliminando praticamente la possibilità di identificazione, opposizione o aggressività, non favorisce nei giovani la strutturazione dell'autonomia.

Un altro fattore è la → secolarizzazione della società. È la fine dell'influenza predominante, sul pensiero, delle visioni religiose o sacrali totalizzanti e quella della chiesa sull'organizzazione delle istituzioni. Si proclama l'autonomia del profano. Certo, bisogna considerare questo fenomeno positivamente. Già il giudeo-cristianesimo aveva demistificato la natura sacrale. Dio non è più visto come il tappabuchi delle ignoranze e delle impotenze umane. Vediamo affermarsi l'autonomia delle scienze, del diritto, della politica. Tutte cose buone dunque. La secolarizzazione contribuisce anche a nascondere un riferimento troppo immediato al cristianesimo: occorrerà scoprirlo attraverso altri sentieri e considerarlo in modo diverso. La modernità secolare porta ancora con sé la segmenta-zione, la frammentazione delle attività. La religione, identificata con un universo settoriale, occupa poco spazio in questa società in cui le attività interessanti sono numerose e diverse. Nella profusione, dato che nessuno può interessarsi a tutto quello che è proposto, ognuno fa una selezione e diventa indifferente al resto. Ma potrebbe capitare che il movimento sfoci nel → secolarismo, cioè in un'ideologia positivista atea che esalta l'autonomia assoluta della ragione scientifica e tecnica, al punto da rendere Dio radicalmente assente per quanto riguarda il significato del mondo e l'ispirazione sullo scopo della vita.

Nel Québec e in altre società tradizionali c'è stato il passaggio subitaneo dal cristianesimo unanime al pluralismo. L'ampliamento dell'universo mentale ad altre correnti di pensiero e l'apertura del cristianesimo alla libertà religiosa hanno portato con sé l'accettazione della pluralità delle posizioni in materia religiosa. Si osserva una specie di carosello di correnti religiose concorrenziali fino all'abbondanza delle sètte e di nuove religioni del potenziale umano. Certamente questo pluralismo è benefico. Ma molti vi hanno perduto la loro antica coerenza e non ne hanno trovate di nuove. Se si è liberato lo spazio per opzioni più personali in materia religiosa, ci sono molti che vivono su credenze frammentate e ci sono degli indifferenti del tipo «non voglio saperne niente» o di quello «fa lo stesso». Relativismo? Confusione? Inconsistenza? Sembra di scivolare dalla pluralità a una neutralità livellante. Infatti l'aggressività di prima ha lasciato il posto non a un sano confronto, ma all'indifferenza.

Molti manifestano la loro delusione nei confronti della chiesa, più profonda del semplice risentimento contro il clericalismo. Serbano rancore al modello religioso che è stato loro imposto durante l'infanzia: religione di precetti, di divieti, di mortificazio-

ne, di oscurantismo. Ancora trauma-
tizzati, trasmettono il loro risentimento, attraverso la famiglia e la scuola,
alle giovani generazioni che ripetono
le stesse lamentele senza aver conosciuto l'epoca. Curiosamente gli uni
e gli altri continuano a ignorare totalmente l'evoluzione della vita della
chiesa e il suo rinnovamento evangelico. Partendo da una critica spesso
giustificata della religione, non sempre si accorgono che quello che è in
questione è un modello religioso locale effettivamente carente o desueto
e rifiutando quel modello rifiutano
la religione. C'è ignoranza dei contenuti stessi della fede e della loro necessaria interpretazione. Del resto, il
discorso ecclesiale non riesce a tradurre i contenuti di fede in categorie
culturali contemporanee, troppo spesso propone una morale di norme poco attenta alle situazioni umane reali
e alle esigenze della coscienza adulta. Le omelie rivelano troppo spesso
preti senza cultura, non aggiornati,
che banalizzano la parola. Ci sono
celebrazioni condotte meccanicamen-
te, senza spazio per il silenzio e la
meditazione. Ma anche i cristiani hanno la loro parte di responsabilità, per
il loro lasciar correre e per la loro
religione comoda, intimista e timida.
Infine, un fattore non trascurabile
è il lavoro già fatto dai capifila del-
l'ateismo, a favore dell'autoaffermazione assoluta di sé, nel senso in cui
l'uomo è per l'uomo l'essere supremo. C'è anche lo scandalo del male,
che mette in causa la concezione di
un Dio-assoluto-di-bontà, come se
Dio dovesse essere responsabile di tutto, come se il mondo non fosse contingente e fallibile e come se Gesù
Cristo, portandolo nelle sue lotte,
non avesse dato un senso al male. E
poi c'è sempre la difficoltà di credere. E, chiaramente, la libertà di rimanere indifferenti.

4. OLTRE L'INDIFFERENZA - Nessuno dei fattori menzionati, e neppure

il loro insieme, porta fatalmente con
sé l'indifferenza religiosa. La modernità può aprire come non mai uno
spazio sensibile a tutte le dimensioni
dell'umano. La tecnologia ha ripercussioni umanitarie sicure. La società pluralistica e secolarizzata è un'occasione per la fede perché obbliga a
fare scelte personali. Tutto ciò invita
a un comportamento responsabile: la
posta in gioco è lì.
Questa indifferenza non è neppure
generalizzata. Ci sono credenti sempre più impegnati. C'è anche un curioso ritorno al religioso da parte degli adepti delle religioni della nuova
era che, disorientati davanti al vuoto
spirituale, testimoniano a modo loro
un'aspirazione, la sete di credere, il
bisogno di appartenere a un gruppo.
Beninteso, la frenesia di attaccarsi a
ogni costo a qualche convinzione,
esoterica ed eclettica, può qua e là
accompagnarsi a ingenuità e ambiguità e offrirsi facilmente a sfruttamen-
ti di ogni genere. Ciononondimeno, i
due tipi di indifferenza che abbiamo
indicato si diffondono sempre più.
La grande sfida, per contrastare
l'indifferenza religiosa, è che ciascuno si decifri, chiarisca in tutta coscienza la propria situazione di vita,
a livello di cittadino, a livello di uomo e di donna. È che ciascuno possa
arrivare così a fare un'opzione fondamentale in ciò che è stato nutrito
dai primi valori della sua esistenza e
a vivere di conseguenza. Fare una
scelta fondamentale è optare per una
fede, sia essa religiosa o no, cioè per
il cristianesimo, per un'altra religione o per l'incredulità. Gli atei e i credenti impegnati meritano rispetto:
hanno fatto una scelta; hanno preso
sul serio una grande religione, o per
accettarla o per giustificarne il rifiuto e sostituirla con altri principi. Se
non ci si vuole lasciare andare sulla
via dell'incoscienza, della disperazione o del nichilismo, bisogna identificare e scegliere una fede. Bisogna fare in modo che, nel cristianesimo o

nell'incredulità, la propria posizione personale raggiunga lo statuto di una fede. L'indifferente radicale, da parte sua, non arriva a una vera scelta di coscienza, vittima com'è di un mondo di massa.

Che cosa è la → fede se non una presa di posizione su ciò che dà un fondamento alla vita umana e motiva le sue ragioni di vivere? Avere una fede è affidarsi a un → «senso» che ci precede, che dà il significato e la direzione del progetto umano. È appoggiarsi su questo «senso» per essere precisamente responsabile della condotta della propria vita. È optare per una chiave di comprensione, una struttura di significato che esige un modo di vita e di pratiche. Ora parecchie scelte hanno la pretesa di risolvere il problema umano: quella cristiana, quella di altre religioni, quella dell'umanesimo senza Dio. A questo livello di esigenze, l'incredulità può essere in realtà una fede diversa e il non credente un tipo diverso di credente.

Il cristiano avverte che il Senso, l'Altro che cercava, non è qualcosa, ma Qualcuno. Scopre che la struttura di significato del mondo e della vita è costituita sì da valori umani e ideali universali, ma che in definitiva il senso consistente su cui è fondata è un essere personale. In Gesù Cristo riconosce che il Senso cercato è un Dio-Amore, che ha un suo volto e una sua parola e che si propone come alleato degli esseri umani. Ci trova dei gesti per sé, un interlocutore, degli appelli a realizzarsi e a portare l'umanità alla sua pienezza. Nel non credente, la struttura di significato si polarizza intorno a un valore umano portato all'assoluto, che diventa l'obiettivo ultimo della sua esistenza e che agli occhi del cristiano sembra essere un sostituto di Dio: l'Uomo, la Storia, la Scienza... Molti avrebbero un vantaggio se passassero da convinzioni sparse o superficiali a una fede così ricentrata e poi

unificata. A cominciare dai cristiani.

Per vincere l'indifferenza stabilita come fenomeno di civiltà, diffusa e non ponderata, il lavoro è a monte. Occorre intervenire sulle condizioni di accesso allo spirituale, preparare il terreno. Occorre reintrodurre l'interesse per i problemi umanitari e per l'avvenire del mondo, poi l'interesse per la problematica fondamentale, risvegliando la persona al → mistero della sua origine e della sua fine, al rischio della domanda finale. Occorre favorire il rientro nel centro di se stessi per sentire le proprie voci interiori, confrontarsi col proprio mistero personale, con il non-senso, ritrovare la capacità di ascoltare, la disponibilità a lasciare che un altro ci parli.

Tutto comincia a quel livello di radicalità in cui l'individuo tenta di distaccarsi dalla sua vita, dai suoi conflitti e dalle sue tensioni e cerca ciò che fa vivere, che permette di costruire, di agire e di sperare. Tutto comincia a quel livello in cui qualcuno deve scegliersi un genere di vita, un progetto di umanità e di felicità. Sperimenta valori, si riferisce a ideali, ma scopre quanto questo rimanga precario e quasi impossibile se non c'è un senso determinante, un appoggio consistente che dia delle ragioni di vivere nei suoi fragili successi, nella sua effimera felicità, nelle sue incapacità di comunicare e di amare, nei suoi insuccessi, all'interno del gioco degli interessi, della → solitudine, della → sofferenza e di fronte alla → morte. Abbastanza naturalmente si pone il problema di Dio creatore, fonte, rafforzamento e garanzia di ciò che egli è e fa. Ma questo Dio, se esiste, dove si fa riconoscere? Dove incontrarlo? Chi è? Se l'individuo ha accesso al Gesù del vangelo, potrà vederlo così come ha vissuto, parlato, agito, amato, nella sua esperienza umana. Potrà decifrarlo come manifestazione inedita della profondità di Dio. Potrà riconoscere in Gesù Cristo la figura di quel Dio che egli presentiva confusamente e che infine raggiunge come un Amore e una Parola per sé. È allora che avviene lo scatto, che egli afferra lo stretto legame esistente fra i gesti e gli insegnamenti di Gesù e la sua personale esperienza dell'esistenza. Ha la conferma e il superamento delle sue aspettative: riceve una buona notizia di vita. Essere cristiani significa optare, decidersi per un genere di vita. Dovrà convertirsi a diventare un individuo che ha qualche cosa dello Spirito di Gesù, un individuo per-gli-altri, fedele alle cause promosse da Gesù. Poco alla volta, imparerà a conoscere meglio i contenuti della sua fede e a dare forma verbale alle sue nuove conoscenze in parole credibili per lui e in rappresentazioni credibili oggi. Sarà guidato a esprimere la sua relazione con Dio nella preghiera e poi nella liturgia. Scoprirà, all'interno della stessa intenzionalità cristiana, l'importanza di unirsi alla comunità prevista da Gesù dei suoi fratelli e sorelle in fede, cioè alla chiesa. Si impegnerà ad agire conseguentemente a tutti i livelli della sua attività umana. Vi sono qui altrettante dimensioni costitutive dell'atteggiamento di fede. È un appello a integrarle e a superare il frazionamento della condotta cristiana.

Come si vede, la vita cristiana appartiene all'ordine dell'esperienza. Essa implica un cammino, un tirocinio, un itinerario di crescita. Molti pensano che non potranno mai arrivare, perché non possono integrare tutto spontaneamente. Se c'è cammino, c'è posto per una maturazione, per difficoltà di percorso, per il dubbio. I contenuti di fede non sono evidenze, neppure l'affermazione di Dio. La cultura non offre più come una volta presupposti religiosi: la civiltà occidentale attuale è la prima della storia a non essere religiosa. Questo cammino richiede dunque un lavoro di interpretazione, di purificazione, di verifica. Il dubbio rappresenta una volontà di esame, un tempo per risolvere obiezioni, un modo di non barare, un'esigenza critica per superare la credulità ingenua e raggiungere convinzioni plausibili. Ciò che importa è di non chiudere questo dossier.

C'è una forma di indifferenza, nel primo tipo che abbiamo definito, che è un rifiuto di obbedienza all'istituzione ecclesiale. Questa indifferenza consiste particolarmente nel mettersi fuori dalla portata del potere ecclesiastico; spesso sta qui l'inizio di tutto un processo di disinteresse. Si sa per esempio quale ruolo abbia avuto a questo riguardo l'enciclica sulla contraccezione. La gente avrà interesse a sapere che la chiesa è prima di tutto la comunità in cui i cristiani sperimentano la vita cristiana in comunione gli uni con gli altri. Questa comunità è strutturata, comporta un'organizzazione e un potere di *leadership* che è essenzialmente un servizio. Prigionieri di una concezione massimalista dell'infallibilità, i cristiani ignorano che questa viene esercitata solo molto raramente, che essi hanno la libertà di operare la loro parte di discernimento e che dovrebbero prendere ampio spazio nei dibattiti che li riguardano sulle realtà della fede, della morale e delle pratiche, sull'interpretazione dei loro contenuti e sulla riapertura dell'una o dell'altra posizione convenzionale. Ciò presuppone la costituzione di piccoli gruppi nei quali ci si mette allo studio superando i pregiudizi, ci si riappropria del linguaggio della fede, si ritorna alle proprie origini, si ripensa il discorso cristiano con le sue richieste di coerenza e di pertinenza nel rapporto con la cultura del tempo. Così i cristiani sono chiamati all'esercizio del → «sensus fidei», che ha bisogno di un lavoro di interpretazione illuminata in concertazione ecclesiale. La chiesa è un vasto progetto lanciato sul mondo da Gesù, che richiede l'impegno totale di tutti i suoi membri. Sarebbe tragico se l'emarginazione generasse la smobilitazione e poi l'indifferenza.

Infine, lungi dal tenere il broncio alla società secolare, il cristiano deve farne il suo terreno di vita e di azione. È questo terreno che è chiamato alla trasparenza e all'equilibrio di ciò che egli dovrebbe essere, conformemente al disegno del suo creatore. È qui che il cristiano sarà testimone del valore personale dell'uomo, al di là dell'appiattimento della società strumentale. È qui che egli contribuirà al rinnovamento del suo mondo, in collaborazione con quanto di più nobile nasconde la civiltà tecnica, cioè la logica di trasformazione al servizio dell'umanizzazione. Di fronte alla violenza, alla corsa al profitto, alle minacce del nucleare e delle manipolazioni genetiche, di fronte alla «insostenibile leggerezza dell'essere», Dio senza determinismo e senza attentare alla libertà, si mostra come il richiamo alla finalità del genio umano, colui che ispira l'amore, il garante della giustizia, l'appello al superamento, la speranza d'una salvezza. La salvezza non è una cosa superflua. Non è soltanto un aldilà finale, è di tutti i giorni. La salvezza è trasfigurazione e liberazione: implica la scelta tra la crescita verso un compimento o la degenerazione verso una perdita. Si costruisce e si esercita sul filo dell'esistenza, nel cuore del dramma umano, fino a che il travaglio di una vita sia portato al definitivo nel giorno del passaggio della morte. Il progetto del «regno di Dio» è che l'umanità raggiunga la sua pienezza.

Bibl. - P.A. Liégé, «Indifférence, indifférentisme», in *Catholicisme hier, aujourd'hui, demain*, vol. V, Paris 1962, 1504-1509; G. Girardi, «Riflessioni sull'indifferenza religiosa», in *Conc* 3 (1967) 786-85; *L'indifferenza religiosa*, numero monografico di *Conc* 19 (1983); «Indifférence, incroyance et foi: quelle parole?», in *LumVitae* 38, (1983); Segretariato per i non credenti, *L'indifférence religieuse*, Paris, 1983; Id., *La foi et l'athéisme dans le monde*, Paris 1988; «Athéisme, non-croyance et indifférence religieuse dans le monde. Diagnostic et orientations pastorales», in *Athéis-*me et Dialogue*, vol. XX, nn.2-3, 1985; P. Colin, «L'indifférence religieuse: discours anciens, questions nouvelles», in *Ét* 362 (1985) 393-404; M. Neusch, «Indifférence religieuse», in *Dictionnaire des religions*, Paris 1985, 774-777; M. Clevenot (ed.), *L'état des religions dans le monde*, Paris-Montréal 1987; G. Pietri, «L'indifférence religieuse: un aboutissement. Ses causes et ses limites», in *Ét* 371 (1989) 371-383.

ANDRÉ CHARRON

INDUISMO

1. INTRODUZIONE - L'induismo è una religione eccezionalmente complessa e ricca. Nessuna iniziativa di fondatore, nessun dogma, nessuna riforma hanno mai introdotto restrizioni nell'ambito delle sue credenze e pratiche essenziali. Esso è il prodotto di una storia che può risalire a circa tremila e cinquecento anni fa. E ogni epoca di questa lunga storia ha lasciato delle tracce che tutt'oggi sono presenti nelle credenze e nelle pratiche. Un indù può essere politeista, monoteista, panteista, o addirittura ateo, che crede, però, in qualche principio ultimo. Egli sempre fa parte di una casta e sul piano sociale osserva i costumi e le leggi come si trovano espresse nelle → Scritture sacre. L'induismo è uno stile di vita e un sistema sociale e religioso altamente organizzato.

2. LA TRADIZIONE RELIGIOSA ANTICA - Gli indù dividono le loro Scritture sacre in due categorie distinte, che essi chiamano Śruti (ciò che è udito) e Smṛti (ciò che è ricordato). La prima comprende lo stesso Veda (conoscenza), che è ritenuto come l'eterno Sabda (Parola) udito dai saggi di immemorabile antichità. Il Veda, come noi lo possediamo, si divide storicamente in tre gruppi: le Saṁhita (raccolte) di inni e formule (i quattro Veda); i Brāhmana (testi sacrificali) e gli Āranyaka (trattati della foresta), culminanti nelle Upanishad (trattati

esoterici). Gli indù credono che l'insieme del Veda è increato; è la parola pronunciata dall'Assoluto da sempre e «udita» o «memorizzata» dagli antichi saggi. La seconda categoria (Smṛiti), che non è collocata nel rango della verità eterna, comprende i Sūtra (aforismi filosofici), i Dharma-Śāstra (i Libri della Legge), i Purāṇa (Storie di grandi divinità) e le due epopee nazionali, il Mahābhārata e il Rāmāyana. La Bhagavad-gītā, sebbene non faccia parte del canone sacro del Veda, viene praticamente a godere di una reputazione egualmente elevata da parte degli indù. Questi scritti sacri non contengono un resoconto dei rapporti di Dio con l'uomo nella storia, ma dicono piuttosto la graduale percezione, da parte dell'uomo, del senso della realtà di Dio e della propria. Si tratta della ricerca, da parte dell'uomo, del Reale, della Luce, dell'Immortale, in se stesso e nel mondo che lo circonda. «Dall'irreale conducimi al Reale; dalle tenebre portami alla luce; dalla morte, guidami all'immortalità» (Br.Up.l. 3.28).

3. CREDENZE FONDAMENTALI DELL'INDUISMO - Sebbene l'induismo sia scevro di affermazioni dogmatiche concernenti la natura di Dio e dell'uomo, vi sono tuttavia alcune credenze nell'induismo post-vedico che sono universalmente indiscusse e accettate come per sé evidenti. Esse sono il *dharma*, il *karma*, il *samsāra*, il *brahman*, il *moksha*.
Gli stessi indù chiamano la loro religione *sanātana dharma* (religione eterna). *Dharma* è il modo in cui le cose esistono e la forza che le conserva così come sono. È quello che fa sussistere l'intero universo nell'ordine cosmico e l'umanità nell'ordine morale in conformità con la Legge eterna. Questo *dharma* viene esposto nei testi sacri, particolarmente in quelli che trattano delle norme tradizionali dell'induismo (Dharma-Śāstra).

Il termine viene applicato anche a formule religiose che costituiscono la base di queste leggi. Il Brahman è il substrato permanente dell'universo dal quale procede il *dharma* eterno. Esso fonda anche la prerogativa spirituale della casta brahmanica. Nei testi più antichi il *Brahman* indicava «il sacro» e quindi tutto quello che era considerato sacro, fosse una formula, o un canto, o un'azione sacrificale, era ritenuto *brahman*. Siccome il sacro in quanto celebrato nel rituale sacrificale si riteneva fosse ciò che lega l'uomo nel tempo con l'eterno, *brahman* finì per significare l'eterno come è in se stesso, al di là dello spazio e del tempo, e come si manifesta nel mondo dei fenomeni. Di conseguenza il termine *brahman* era applicato anche allo stato dell'anima liberata (*moksha*); come pure alla fonte da cui ogni esistenza fenomenica deriva il proprio essere; al legame che unisce il mondo del *samsāra*, condizionato dallo spazio-tempo e dalla causa-effetto, al *moksha* che li trascende; all'essere eterno che è la fonte immutabile di ogni cambiamento; e finalmente al *dharma* eterno, la legge fondata sull'eterno e che governa il mondo del *samsāra*.
Il *Karma* è la legge universale secondo la quale ogni azione è l'effetto di una causa ed è a sua volta causa di un effetto. Il processo nel suo insieme è chiamato *samsāra*, il ciclo della nascita e della morte al quale è soggetta ogni esistenza fenomenica. Il mondo dell'esperienza è schiavo delle catene del tempo e del desiderio, perché il desiderio di fare e di vivere fa sì che l'agente rimanga impigliato nella ruota del *samsāra*. Sfuggire a questo ciclo del tempo e dell'azione è possibile e ciò viene chiamato sgancio o liberazione (*moksha*). Il tempo è concepito come una ruota che gira e ritorna sempre al punto di partenza e nella quale non c'è stasi, né salvezza.

Nella mitologia vedica vi sono tren-tatré divinità, divise in divinità terre-stri (Agni, Prithivi, Sarasvati), divi-nità atmosferiche (Indra, Rudra, Ma-ruts, ecc.) e divinità celesti (Dyaus, Varuna, Mitra, Surya, ecc.). La mi-tologia vedica non riguarda soltanto miti della natura, o deità funzionali, o la struttura sociale di una società tribale, ma anche la combinazione e integrazione di queste tre realtà in un tutto ordinato. Vi è un ordine cosmi-co (ṛta) dal quale dipendono l'ordine umano, l'etica e la vita sociale. Quin-di vi è corrispondenza tra il mondo degli uomini che celebrano il sacrifi-cio e il mondo degli dèi che accolgo-no il sacrificio. L'adoratore vedico deve salvaguardare il perfetto equili-brio di questi due ordini mediante la corretta celebrazione del sacrificio che realmente costituisce la base d'incon-tro tra uomini e dèi.

4. I RITI FONDAMENTALI DELL'INDUI-SMO - Il sacrificio vedico consiste nel venerare gli dèi con una lunga ceri-monia che culmina nell'offerta fatta al Fuoco sacro (Agni). Lo scopo è quello di comunicare con gli dèi il cui aiuto è ricercato per il bene gene-rale o per qualche particolare benefi-cio. Nell'induismo più tardivo il ri-tuale vedico fu sostituito con il culto interiore, nella forma di adorazione mentale e dette luogo alla diffusione di gesti simbolici. Universalmente praticate furono la preghiera in for-ma di *mantra* in occasione dell'ini-ziazione, dell'espiazione, ecc., e la pratica del *japa* (recita/mentale). L'a-dorazione (*puja*) è per eccellenza la forma della pratica religiosa indù. L'immagine di una divinità, con una serie di operazioni dipendenti in par-te da modelli vedici, viene unta, ve-stita, adornata; le vengono offerti ci-bo e bevande; vengono apposti dei fiori e accese delle lampade. Annual-mente l'immagine viene portata fuo-ri del recinto del tempio processio-nalmente, sistemata su di un carro,

per essere, al termine della processio-ne, immersa in qualche fiume sacro.

C'è da notare che nella religione ve-dica predomina l'aspetto sacrificale, ieratico e ritualistico; ma anche qui vi è un certo rapporto personale del devoto con la divinità, espresso in modo indubbio in molti inni del Rig Veda; in essi troviamo, insieme con un salutare timore dell'ira degli dèi, una profonda devozione verso le maggiori divinità, nella cui benevo-lenza il devoto pone la sua fiducia, che egli non si stanca di lodare, che invoca fiduciosamente in tutte le sue necessità. La preghiera per il perdo-no dei peccati è caratteristica degli in-ni a Varuna, che sono i più elevati ed etici dell'intero Veda.

5. TENDENZE MONISTICHE E TEISTI-CHE - A proposito del politeismo in-dù e soprattutto vedico, si dovrebbe tener presente che la pratica frequente di invocare singole divinità come fos-sero le più grandi, o le supreme, ha indotto gli studiosi a parlare di «eno-teismo», definito come la credenza in singole divinità considerate alternati-vamente come supreme, perché la di-vinità cui ci si rivolge è trattata, sul momento, come Divinità suprema. Questo costume portò alla identifi-cazione di una divinità con un'altra, e persino con tutte. «Ciò che è uni-co, il saggio chiama con nomi diver-si» (Rig Veda 1.164.46).

Poiché l'antico indiano cerca di spiegare l'origine del mondo e l'evo-luzione dall'unità alla molteplicità, egli si trova di fronte al mistero del-l'esistenza. Negli inni vedici la crea-zione è pensata come il passaggio dal caos a un ordine diversificato me-diante o senza l'azione di un dio pree-sistente. La ricerca dell'Assoluto (Brahman) ha inizio con le Upani-shad. Che cos'è il Brahman? Qual è la Realtà intima (Ātman) di tutte le cose e degli esseri umani? Alcuni di-cevano che Brahman è il cibo, nel senso di qualcosa che è in costante trasformazione, perché non si può vivere senza mangiare, e non si può mangiare senza assumere altre vite animali o vegetali. Il processo del mangiare e dell'essere mangiato è quella unità che fa da sottofondo alle diverse forme di esistenza. Secondo altri Brahman è il soffio di vita, perché si ha bisogno più di respirare che di mangiare per vivere. Altri ancora dicevano che è la mente dell'uomo, perché essa può conoscere tutto. Secondo altri ancora esso è l'etere o lo spazio, il quale, siccome pervade ogni cosa, può giustamente considerarsi come il fondamento di tutte le cose che costituiscono il mondo esterno. Per alcuni sarebbe meglio non dire di esso niente più che «non questo, non questo»: infatti, se lo definisci, lo limiti e, qualunque cosa sia, il Brahman sicuramente non è limitato o circoscritto. O ancora: se gli esseri viventi sono reali nonostante che il loro essere sia soggetto al cambiamento e alla mortalità, allora il Brahman, che costituisce la profonda identità di tutte le cose, deve essere la Realtà del reale. Esso è il controllore intimo, la profonda identità, il vedente invisibile, l'ascoltatore che non si ode, il pensatore impensabile, l'intelligente inintelligibile, l'orditura e il tessuto di tutte le cose, diverso dal mondo, ma che lo controlla dall'interno. In breve, il Brahman è l'Essere eterno e la fonte di tutto l'universo fenomenico; inoltre, esso è anche l'io intimo dell'essenza dell'uomo. Quindi si arriva alla famosa identificazione dell'eterna essenza dell'uomo (ātman) con l'immutabile Assoluto (Brahman) che dimora nell'intero universo e lo dirige.

Sebbene questa tendenza alla pura non dualità o monismo è quella che prevale nelle antiche Upanishad, non è però assente in esse una tendenza a concepire l'Essere supremo in termini personali, distinto dall'universo, tendenza che appare più accentuata nelle Upanishad più tardive.

Forse la prima formulazione dell'idea indù di Dio si trova nella cosiddetta Śandilya-Vidyā, dove il Brahman è chiamato «tutto questo universo», che trascende anche il mondo, perché esso è maggiore del grande, e dimora nell'anima dell'uomo. L'idea di Dio come origine, sostegno e residente nell'universo e nell'io dell'uomo emerge come qualcosa che si distingue da questi. Nella Katha Upanishad, si ha la concezione di un Dio personale, presentato come il Signore del mondo ideale e del mondo del divenire. «Più minuto del piccolo, eppur maggiore del grande è il Sé nascosto nelle profondità della creatura. È lui che è visto da chiunque molla la propria volontà; e allora, svanita ogni sofferenza, per la grazia del Creatore, egli scorge la grandezza del Sé» (2,12). Nella Śvetāsvatara Upanishad viene proposto un teismo possiamo dire chiaro e notevole. Dio (Rudra-Śiva) è colui che presiede a tutte le cause cui sono concessi tempo e il proprio Sé. Dio e la sua forza (śakti) formano una indissolubile unità. In quanto Dio egli sta immoto, in quanto Śakti è il motore. Śakti è la forza creatrice di Dio che ha fatto tutte le cose. Le anime, essendo frammenti di Dio, devono essere, perciò stesso, della sua stessa sostanza e saranno nuovamente immerse in Lui alla fine del tempo. Dio è considerato come Signore e creatore dell'universo, immanente e trascendente, che ama la giustizia e odia il male, che ha delle qualità positive e una personalità distinta.

6. LA BHAGAVAD-GĪTĀ - La Bhagavad-gītā è il coronamento del teismo indiano. Il brahman è, sul piano cosmologico, la materia prima (prakriti o māyā); sul piano psicologico è la realizzazione dell'immortalità. Dio è creatore, conservatore e distruttore dell'universo; il suo inizio, centro e fine; trascendente in quanto persona suprema nello stesso tempo che im-

manente, e risiede nel cuore degli uomini in quanto essenza di tutte le cose e loro seme. Sebbene alcuni brani della Gītā siano panteistici, alcuni punti chiave, però, non implicano il panteismo e intendono correttamente la divina immanenza. Circa gli elementi costitutivi (*gunas*) della natura, Krishna dice: «Sappi che questi vengono da me; io non sono in loro, ma loro sono in me» (7.10; 9.18). In modo analogo Dio è il supporto di tutte le creature, ma non sussiste in esse. «Tutte le creature sussistono in me, ma io non sono fondato in esse. Eppure le creature non sussistono in me. Ecco il mio potere sovrano. Il mio Io sostiene le creature senza sussistere in esse; esso le fa esistere» (9.4-5). La Gītā insegna la dottrina dell'*avatāra* (incarnazione) del dio supremo Vishnu. «Sebbene io sia innato e la mia sostanza sia immutabile, sebbene io sia il signore delle creature, pure io, mediante la mia forza creatrice (*māyā*) faccio ricorso alla natura che viene da me, e allora vengo all'esistenza» (4.6). Il messaggio vero della Gītā è che Dio non è un Assoluto impersonale, ma l'amico dell'anima dell'uomo, anzi, lo stesso amore. Krishna dice: «Io sono nelle cose l'amore che non si oppone alla giustizia» (7.10; 9.18). Egli è il padre, il compagno e l'amato (11.44). Il rapporto tra l'uomo e Dio è caratterizzato dalla grazia e dall'amore. «Io ardentemente ti ho desiderato; perciò ti voglio annunciare la tua salvezza. Pensa a me, venerami, adorami, fammi sacrifici; così tu giungerai a me. Le mie promesse sono vere, perché io ti amo in verità. Lascia perdere tutto quello che è legge, volgiti soltanto a me come tuo rifugio. Io ti libererò da ogni male; non preoccuparti» (18.64-66). Per la prima volta nella lunga storia dell'esperienza religiosa dell'India, Dio sembra che parli direttamente all'uomo, un Dio d'amore, di misericordia e di terrore (11.24-30).

7. LE VIE INDÙ DI SALVEZZA - La comune credenza indù attribuisce tre cause principali alla schiavitù dell'uomo. La rinascita è la conseguenza necessaria delle nostre azioni; le nostre azioni derivano e sono caratterizzate dai nostri desideri, i quali si radicano nell'egoismo; gli uomini sono in balìa dei desideri e dell'egoismo perché ignorano la vera realtà e quindi la propria vera identità. Per cui ecco il rimedio: per un'azione disordinata, il rimedio immediato sarà di fare il bene ed evitare il male, la fedele pratica morale e religiosa. Assai pochi ritengono, che questo da solo possa condurre alla liberazione finale; ma tutti richiedono questo almeno come stadio preparatorio. Per quanto riguarda il desiderio, il rimedio sta nel controllare e nel sottomettere le passioni, aspirando ad agire in modo disinteressato mediante la pratica ascetica e/o a purificare e superare tutti i desideri mediante un amore indiviso a Dio. L'amore di Dio porterà con sé, oppure condurrà facilmente alla vera conoscenza mediante la connaturalità dell'amore e la grazia di Dio. Contro l'ignoranza bisogna acquisire la vera conoscenza della realtà e in particolare la conoscenza della propria vera identità, quindi distruggere l'egoismo alla radice. Per giungere alla conoscenza intuitiva e salvatrice si ritiene comunemente che siano necessarie, con o senza l'aiuto della grazia, una severa ascesi e una tecnica di concentrazione mentale (yoga).

L'induismo ricerca, per l'uomo imperfetto, la via per percepire la Realtà ultima, si tratti di Dio o dell'Assoluto, e la percezione del fine ultimo della vita. Quello che per l'indù costituisce la liberazione (*moksha*) è l'essere prosciolto non dal peccato, ma dalla condizione umana, ossia l'essere sganciato dall'azione (*karma*) di ogni tipo, sia buona, sia cattiva; l'essere liberato verso una condizione in cui sono aboliti il tempo e lo spazio e tutto è visto come Uno. Per le Upanishad non dualiste la liberazione è intesa come immersione nel Brahman, il principio supremo, così come un fiume si perde nel mare; in tal modo l'uomo è liberato dalle catene della vita fenomenica e passa a un modo d'essere che è infinito, onnipresente (perché viene abolito lo spazio) e immortale (perché viene abolito il tempo); questo vuol dire precisamente diventare brahman. Il Saṁkhya-Yoga si limita a definire la liberazione come *kaivalyam*, isolamento dell'anima individuale nella sua essenza eterna. Le sette teistiche della *bhakti* considerano quali vie per giungere a Dio la lealtà e l'amore tra l'anima e Dio, mentre liberazione significa unione d'amore e di totale abbandono a un Dio personale.

Circa la via di salvezza, gli indù parlano tradizionalmente di tre sentieri (*mārga*): la pratica ascetica e religiosa (*karma-mārga*), la conoscenza intuitiva della vera Realtà (*jñāna-mārga*), l'amore di Dio e l'abbandono a Lui (*bhakti-mārga*). La distinzione fra questi tre sentieri, sebbene aiuti a capire la spiritualità indù, non è mai adeguata, perché nella vita pratica essi si compenetrano reciprocamente.

a. *L'ascesi indù* - L'ascesi brahmanica antica consiste principalmente in sacrifici e riti. La parola *yoga* (aggiogare, collegare) veniva usata nel contesto sacrificale. Chi compie il sacrificio «collega» le forze celesti all'offerta, oppure «collega», attraverso la concentrazione mentale, il proprio pensiero alla formula e all'azione spirituale. Chi intende fare il sacrificio, dopo un bagno rituale si sottopone a un rigoroso digiuno, sedendo con ascetica immobilità in posizione fetale, al buio, tra fuochi sacri e in tal modo comunica con gli dèi. L'ascesi interiore, la recita di formule sacre e la meditazione promuovono l'unione con Dio. La *Bhagavadgītā* assegna un significato più pro-

fondo all'ascesi indù. Se la meta dell'uomo è il superare qualsiasi tipo di azione per entrare in una pace atemporale, allora, perché egli dovrebbe ancora agire? La Gītā risponde che non è l'azione, strettamente parlando, che lega, ma l'attaccamento a essa e ai suoi frutti. Quando l'azione è compiuta con totale distacco, essa cessa di legare la persona al mondo. Inoltre, l'azione retta conduce automaticamente a uno stato di distacco dello spirito e a sua volta il distacco conduce a un grado più alto di spiritualità nella via della liberazione. Nell'ultimo capitolo la Gītā dice: «Con la rinuncia all'io, alla forza, alla superbia, alla concupiscenza, all'ira e all'avidità, senza alcun pensiero di «mio», pacificato, in tal modo l'uomo si predispone a realizzare la sua essenza eterna».

b. *La via di conoscenza (jñāna) indù* - Per conoscenza s'intende non solo l'imparare dai libri o la conoscenza razionale empirica, ma la percezione intuitiva della vera identità. Nel proporre questa conoscenza, gli insegnamenti indù differiscono tra loro, a motivo della diversità di opinioni circa la vera natura dell'io e la qualità dell'ascesi. L'ignoranza per cui uno si trova legato alla rinascita può essere: la non-discriminazione tra il Sé e il non-sé (Saṁkya-yoga), l'ignoranza della vera identità del Sé con il Tutto (non-dualità); l'ignoranza del vero rapporto del Sé con Dio e la mancanza di conoscenza di Dio (teismo). La percezione intuitiva del vero Sé e del suo rapporto con l'Assoluto, o con Dio, può essere raggiunta o mediante appercezione mistica, oppure, più spesso, in una esperienza mistica concreta al culmine di una ascesa ascetico-mistica. Il misticismo non dualista (*advaita*) consiste nella conoscenza della diversità che c'è tra l'Assoluto e le realtà illusorie. Come metodo – oltre quelli della rinuncia e della devozione che sono soltanto preparatori – questo tipo di misticismo indù propone una conoscenza trascendentale della propria intima identità. «Bisogna conoscere il Sé nell'io soltanto attraverso l'io». La conoscenza fondata sulle Scritture indù è semplicemente come il dito che indica l'oggetto e che sparisce non appena esso è intravisto. La conoscenza autentica è quella della visione personale, una consapevolezza di identità con il Brahman nel senso di intuizione mistica. Questa consapevolezza non può essere provocata o riflessa, perché non è un lavoro. Per giungervi possono servire, come preparazione, le parole del Veda, o la devozione amorosa (*bhakti*) verso un Dio personale, o la meditazione sulla Verità ultima; in fondo essa è la percezione dell'identità tra l'Assoluto e il Sé.

c. *La via indù dell'amore di Dio* - Per amore di Dio (*bhakti*) s'intende un atteggiamento e un sentimento specifico, i cui caratteri essenziali sono la fede, l'amore e il fiducioso abbandono alla divinità. Si tratta di una effettiva partecipazione dell'anima alla natura divina; di un amore intensissimo verso Dio; un attaccamento del cuore conseguente alla grandezza di Dio. Oggetto della *bhakti* è il Signore benedetto, il Santo, l'Adorabile. Essa è preparazione e compimento della liberazione. La mèta suprema è l'unione e la comunione con Dio nel vincolo d'amore, che include un profondo senso di dipendenza e di sottomissione a Dio. Rāmānuja dice che la conoscenza che distrugge in modo più radicale l'egoismo è quella che deriva dalla meditazione devota del Signore in quanto trascendente e in quanto vero io dell'anima. Questa devota meditazione è una attenzione stabile e quieta, ininterrotta come un flusso d'olio. A motivo della sua eccezionale intensità essa prende il carattere di «percezione intuitiva» ed è altamente desiderabile dall'anima a motivo della suprema amabilità del suo oggetto. Ma questo senso intuitivo e amante di Dio non deriva soltanto dalla meditazione. Esso dipende dalla grazia, da una elezione da parte di Dio.

Il bisogno della grazia: nelle Upanishad si dice che Dio sceglie e favorisce chi ama; soltanto per sua grazia l'uomo giunge a conoscenza e viene liberato. Nella *bhakti*, tutto, in certo modo, è grazia: gli strumenti della *bhakti* sono solo degli aiuti; la *bhakti* è il frutto di una divina elezione. Madhva e Vallabha insegnano una dottrina della predestinazione: alcuni sono predestinati alla *bhakti* e alla liberazione; altri sono predestinati a restare indefinitamente nel ciclo della rinascita. La grazia del Signore risana, illumina, rende conformi alla divina natura e unisce a lui. Ma tutto questo si verifica entro un sistema di creazione immanente. Per quanto Dio conceda la sua grazia in modo indubbiamente libero, questo aiuto non è mai strettamente soprannaturale, perché la grazia riconduce l'anima alla sua vita divina naturale. Essa non eleva l'anima a un livello superiore, soprannaturale di essere, di vita e di attività.

Riguardo alla dottrina della grazia i discepoli di Rāmānuja erano divisi in due scuole, settentrionale e meridionale. La differenza tra queste due scuole si esprimeva in termini drastici. Esse venivano distinte come la via della scimmia e la via del gatto. Infatti, quando una scimmia madre si trova in pericolo, il suo piccolo si aggrappa subito a essa, e quando lei fa un balzo per salvarsi, è vero che è per il gesto della madre che si salvano, ma anche il piccolo coopera un po', perché esso si aggrappa alla madre con un atto che è suo. Si tratta, quindi, di un fatto sinergetico. Quando invece un pericolo minaccia una gatta con il suo piccolo, la gatta prende il micetto con la sua bocca. Il piccolo non fa niente per salvarsi. Esso resta semplicemente passivo. Ogni cooperazione è esclusa. Possiamo brevemente indicare la differenza tra le due scuole in questo modo: la scuola settentrionale sostiene che l'anima raggiunge Dio da se stessa; la scuola meridionale, invece, che Dio raggiunge l'anima da Se stesso.

La mistica della bhakti crede in una reale unione con un Dio personale e a ciò si sforza per via d'amore verso di lui. Questo amore include anche la conoscenza di Dio. Mediante l'amore l'anima religiosa arriva a conoscere Dio, chi è e quanto è grande il suo essere e il suo amore. Conoscendo Dio nella sua essenza, chi ama Dio giunge immediatamente all'unione con lui. Questo stato supremo di partecipazione all'essenza di Dio si attua con la grazia di Dio.

Bibl. - A. Barth, *The religions of India*, London 1882; H. von Glasenapp, *Der Hinduismus*, München 1922; S.N. Dasgupta, *Hindu Mysticism*, Chicago 1927; Bhagavan Das, *An advanced Textbook of Hindu Religion*, Adyar 1930; O. Lacombe, *L'Absolu selon le Vedānta*, Paris 1938; F. Edgerton, *The Bhagavadgītā*, Harvard 1944; K.W. Morgan (ed.), *The Religion of the Hindus*, New York 1953; P.D. Devanandan, *Living Hinduism*, Bangalore 1959; T.M.P. Mahadevan, *Outlines of Hinduism*, Madras 1960; J. Gonda, *Die Religionen Indiens*, voll. I-II, Stuttgart 1960 ss; R.C. Zaehner, *Hinduism*, Oxford 1962; S. Radhakrishnan, *The Hindu View of life*, London 1963; M. Hiriyanna, *Outlines of Indian Philosophy*, London 1964; Jesuit Scholars, *Religious Hinduism*, Allahabad 1964; K. Klostermaier, *Der Hinduismus*, Köln 1965; V. Ions, *Indian Mythology*, London 1967; A.M. Esnoul, *L'Hindouisme*, Paris 1971; M. Biardeau, *Clefs pour la pensée hindoue*, 1972; M. Dhavamony, *Love of God according to Saiva Siddhānta*, Oxford 1972; Id., *Classical Hinduism*, Roma 1982; W.D. O'Flaherty, *Hindu Myths*, Harmondsworth 1975; J.E. Carpenter, *Theism in medieval India*, Delhi 1977; L. Renou, *L'Hindouisme*, Paris 1979.

Mariasusai Dhavamony

IRENEO

Il tema della rivelazione in Ireneo si presenta collegato a Mt 11,27 (Lc 10,22), in lotta contro valentiniani e marcioniti. Le pagine di mag-

gior interesse figurano in *Adversus Haereses* IV,6. Stando ad esse indicheremo: 1. L'impostazione e l'esegesi dei valentiniani; 2. Le impostazioni e l'esegesi di Ireneo.

1. IMPOSTAZIONE ED ESEGESI DEI VALENTINIANI - Ireneo cita il *lóghion* e il suo senso ovvio, per presentare quindi l'esegesi degli avversari:

«Hi autem qui peritiores apostolis volunt esse (= valentiniani) sic describunt: "Nemo *cognovit* Patrem nisi Filius, nec Filium nisi Pater, et cui voluerit Filius *revelare*". Et interpretantur quasi a nullo cognitus sit verus Deus ante Domini nostri adventum, et eum Deum qui a prophetis sit annuntiatus dicunt non esse Patrem Christi» (*Adv. Haer.* IV, 6, 1, 9ss; I, 20, 3,39ss).

Il santo non dà battaglia sulle varianti, ma sul senso che i suoi avversari danno al *lóghion*. Mentre egli (seguendo Giustino) vede nell'oracolo evangelico l'espressione di un'economia universale, senza limiti di spazio e di tempo, i seguaci della setta facevano valere l'aspetto cronologico di entrambi i verbi: ἔγνω (*égnō*) e ἀποκαλύψαι (*apokalýpsai*). Nessuno quindi, stando a tale interpretazione, fino alla predicazione di Gesù avrebbe annunciato il Padre.

Il testo letterale evangelico *da solo* non sembra accreditare la posizione eretica. Marcione – che con piena logica cercava appoggio in Lc 10,22 – poteva leggere i verbi al presente, allo stesso modo di Ireneo e Tertulliano, o leggerli con il suo tipico disinteresse per le forme verbali; comunque egli coincideva in gran parte con le gnosi eterodosse.

C'erano dei pregiudizi, sia che si leggesse il verbo al presente sia all'aoristo. Tra i valentiniani c'era di mezzo il significato tecnico dei due verbi. Per chi non era gnostico, *conoscere* (γιγνώσκειν, ἐπί... = *ghignôskein, epí*) aveva un significato ovvio. Tra i valentiniani, seguaci della gnosi, ne acquistava invece uno ben caratteristico. Lo stesso dicasi di *rivelare* (ἀποκαλύπτειν = *apokalýptein*]), grazie al significato tecnico in correlazione con *conoscere*.

Il *lóghion* (Mt 11,27) attribuisce al Padre la *gnosi* del Figlio, senza far parola di una sua *rivelazione*. Assegna invece al Figlio la *gnosi* del Padre e la sua *rivelazione* (agli uomini). La *gnosi* reciproca tra Padre e Figlio non ha nessun motivo per essere equivoca. Indica, con ogni probabilità, la conoscenza intuitiva, perfetta. Resta da sapere se la *rivelazione* attribuita al Figlio raggiunga, in correlazione con la *gnosi*, la sublimità della conoscenza che vuole comunicare e se, di conseguenza, alla *rivelazione* del Verbo risponda negli uomini una *gnosi* perfetta. Ora, tra i valentiniani sono solo gli «pneumatici» a possedere la *gnosi* perfetta di Dio. Solamente quindi gli spirituali, atti per natura (φύσει = *phýsei*) alla *gnosi* − non gli «psichici», meno ancora gli «ilici» − saranno capaci della rivelazione in senso stretto e pieno del salvatore.

Il *lóghion* in base a ciò risulta equivoco. Entrambi i verbi (*conoscere* e *rivelare*) nel loro senso più rigoroso si applicano unicamente al messaggio del salvatore per i «pneumatici». Tra questi la conoscenza divina, correlativa alla rivelazione di Gesù, raggiunge il medesimo livello della gnosi del Padre da parte del Figlio, o del Figlio da parte del Padre. La familiarità (οἰκειότης = *oikeiótēs*) che unisce Gesù a Dio è la stessa che unisce gli spirituali a Gesù.

Ireneo registra i verbi evangelici, ma non denuncia il tecnicismo valentiniano. Non fa quasi mistero che egli pensi abitualmente alla mediazione del Verbo incarnato, e non del semplice Logos. La soteriologia angelica non entra nel suo orizzonte. Gli interessa la salute dell'uomo mediante il Figlio fatto uomo.

Fa meraviglia che egli non applichi mai ai verbi (*cognoscere, revelare*) il senso forte dei valentiniani. Situato agli antipodi degli eretici, fa persino dubitare se a suo giudizio sia possibile nell'uomo una gnosi *perfetta*. I valentiniani credevano di possedere già in questo mondo, a partire dall'illuminazione, una scienza perfetta dei misteri di Dio, adeguata se non altro alla *gnosi* del Figlio. Non contento di negarla quaggiù come arbitraria, Ireneo dà l'impressione di scoprire nella futura scienza dei santi una conoscenza indefinitamente perfettibile. Anche nell'altra vita Dio avrà sempre dei misteri da comunicare, l'uomo sempre misteri da accogliere. Compatibile allora con la fede e la speranza, la gnosi non sarà mai perfetta in assoluto, né potrà mai commisurarsi a quella di Dio.

Erede della tradizione apostolica, la chiesa è incapace di risolvere tutte le questioni che le Scritture pongono. Anche nel secolo futuro, alla presenza di Dio, ci saranno cose da apprendere. Dio è sempre maestro, l'uomo sempre discepolo.

«Delle cose sottoposte a esame nelle Scritture − (poiché) tutte le Scritture sono spirituali − alcune le risolviamo per grazia di Dio, altre le affidiamo a Dio: e non solo in questo secolo, ma anche in quello futuro, di modo che sia sempre Dio a insegnare e sempre l'uomo a imparare le cose che vengono da Dio» (*Adv. Haer.* II, 28, 3,59ss).

Lo conferma lo stesso apostolo (1 Cor 13,9-13): «Così disse anche l'apostolo. Distrutta ogni altra cosa, rimangono allora queste: la fede, la speranza, la carità. La fede nel nostro maestro permane incrollabile sempre. Egli ci assicura che è l'unico vero Dio e ci dice di amarlo sempre perché è l'unico Padre, e di sperare di ricevere dopo qualcosa d'altro e imparare da Dio, poiché è buono e possiede ricchezze interminabili, regno senza fine e dottrina da apprendere senza misura» (*Adv. Haer.* II, 28, 3,65ss).

Distrutta nell'altra vita ogni cosa imperfetta, rimangono quelle perfette: fede, speranza e carità (cfr. 1 Cor 13,13). La fede perché si consoliderà la nostra fede nel maestro, unico vero Dio. L'amore: lo avremo sempre come a unico Padre. La speranza: avremo sempre qualcosa da ricevere e da imparare da Dio. Buono com'è, possiede ricchezze inesauribili, regno senza fine, insegnamento (o magistero) senza limite e senza termine.

Per i valentiniani la *gnosi*, posseduta già in questo mondo, scaccia la fede e la speranza. Per Ireneo neppure la gnosi dell'altro mondo, elargita all'uomo come «salus carnis», può sfrattare la fede. L'uomo contemplerà fissamente e interamente il creatore: la contemplazione nutrirà la sua fede in lui, come unico vero Dio e fonte di verità senza fine. La vista del creatore alimenterà la speranza dell'uomo scoprendogli ricchezze infinite, raggiungibili solo nell'eternità. *Gnôsis* e *pístis* per Ireneo procederanno unite, come *elpís* e *agápē*, a testimonianza dell'infinita distanza tra Dio-maestro e uomo-discepolo.

Pieni di stupida boria, i valentiniani si lusingano di conoscere già adesso i misteri di Dio. Il Figlio aveva affermato che spettava al Padre conoscere il giorno e l'ora del giudizio. Discepoli superiori al maestro, gli «spirituali» sanno la modalità di processione del Verbo, il tempo e la modalità di creazione della materia, la ragione per cui alcuni angeli hanno trasgredito e altri no (cfr. *Adv. Haer.* II, 28,6-7). Si ha l'impressione che la *gnosi* ricevuta dal salvatore li renda di colpo uguali a Cristo-maestro e a Dio stesso.

Secondo Ireneo, la gnosi senza la carità è vana. Solo la carità conferisce e suggella la perfezione (cfr. *Adv. Haer.* IV, 12, 2,36ss). La gnosi stessa, nel suo grado supremo di intuizione, è ordinata alla carità. In-

fatti «la carità ha maggior valore della gnosi» (*Ibid.* IV, 33, 8,146ss). Invece di erigersi a «vetta e corona della regola» cristiana con autonomia sulla fede-speranza-carità, come vogliono i seguaci della setta, la gnosi deve umilmente accompagnarsi alla *pístis* e restare sottomessa alla carità, regina del cristiano, nel mondo presente e in quello futuro.

Per Ireneo, il *lóghion* esalta l'umile e amorosa conoscenza di fede. Non quella perfetta, definitiva, di pochi privilegiati. La *gnôsis-pístis* è offerta a tutti e riserva i suoi tesori al momento in cui il Figlio si riveli direttamente, gnosi personale del Padre. Il *riconoscimento* del Figlio e del Padre per libero ossequio alla testimonianza del salvatore è *gnosi* come scienza autentica di Dio, e *pístis* come scienza condizionata dall'attuale regime di salvezza.

2. IMPOSTAZIONI ED ESEGESI DI IRENEO - Dio ha inviato il suo Logos unigenito nel mondo per l'umana Salvezza. Umana per la sua destinazione agli uomini, la rivelazione del Figlio è umana anche per il mezzo scelto, l'incarnazione, suprema «apocalisse» di Dio all'uomo (cfr. *Adv. Haer.* IV, 6, 3, 40ss). Inenarrabile, Dio è irrivelabile a tutti tranne che al proprio Figlio. Si richiedono tre cose perché il Logos ce Lo riveli: *a.* che Egli personalmente, in qualsiasi stato, conosca il Padre inconoscibile; *b.* che in Se stesso – nella persona del Figlio – renda rivelabile l'inconoscibile e l'irrivelabile; *c.* che lo renda inoltre *umanamente* rivelabile agli uomini.

La prima non presenta difficoltà. Quanto alla seconda: in virtù della «inenarrabile» generazione divina del Logos, l'infinito si circoscrive nella persona del Figlio, immagine e misura sostanziale del Padre. Quanto alla terza: frutto della divina generazione, il Logos è anche umanamente generabile, a salvezza degli uomini.

Ci sono dunque nel Figlio due rivelazioni (sostanziali) del Padre agli uomini: le due generazioni, divina e umana.

Così pure ci sono due rivelazioni del Figlio agli uomini: la creazione e la manifestazione salvifica. La sola creazione è preliminare alla manifestazione salutare.

I seguaci della setta coincidevano con Ireneo nel fare della filiazione naturale di Dio l'unico titolo radicale per *conoscere* il Padre. Senza Dio nessuno può arrivare a Dio. Né senza il Figlio al Padre, né senza il Padre al Figlio. Sètte gnostiche: *senza natura o discendenza divina* nessuno è chiamato dal Figlio al possesso del Padre. Chiesa: *senza vocazione* (e libera risposta di fede) *divina* nessuno arriva per mezzo del Figlio a Dio. I valentiniani presuppongono la consustanzialità divina dell'individuo, prima della rivelazione del Figlio. Ireneo esige unicamente che l'individuo sia libero di rispondere meritoriamente al messaggio del Lógos.

«Et ad hoc Filium revelavit Pater ut per eum omnibus manifestetur, et eos quidem qui credunt ei juste in incorruptelam et in aeternum refrigerium recipiant – credere autem ei est facere ejus voluntatem – eos autem qui non credunt et propter hoc fugiunt lumen ejus in tenebras quas ipsi sibi elegerunt juste recludet» (*Adv. Haer.* IV, 6, 5,77ss).

Ecco l'origine dell'economia di salvezza. Il Padre ha voluto farsi conoscere dagli uomini. Non potendolo fare personalmente, ha dovuto mediare il Figlio. Ma neppure poteva rivelare il Figlio agli uomini – con efficacia sufficiente a elevarli alla salvezza (della carne) – se prima non lo faceva bambino col bambino (uomo con l'uomo). Lo inviò dunque nel seno della Vergine perché – incarnato e nato da lei – si facesse conoscere al mondo, disponendolo (nell'umana carne) alla visione.

Da sola, la rivelazione del Figlio in-carnato era insufficiente. Alla rivelazione doveva rispondere la fede. Bisognava accettare come autentica la testimonianza di Gesù, riconoscendo in lui il Logos unigenito del Padre.

Ireneo non si sofferma a chiarire i segni della filiazione divina di Gesù, le prove della sua missione da parte del Padre. Ce ne sono abbastanza per obbligare a credere nella sua persona e nella sua testimonianza: offrono a tutti una scelta per salire, mediante la fede, all'incorruttibilità e al riposo col Padre, oppure – privi di fede – separarsi definitivamente da lui.

Uno potrebbe appunto non seguire il Logos se Dio non lo avesse reso accessibile a tutti. Chi lesina sui mezzi indispensabili per far conoscere la propria volontà, come potrebbe a titolo di giustizia esigerne poi il compimento? Dio ha offerto a tutti i mezzi necessari: inviando loro il proprio Figlio, senza escludere nessuno dalla sua conoscenza; rendendolo visibile a tutti, con le logofanie o mediante l'incarnazione (cfr. *Adv. Haer.* IV, 6, 5,83ss).

I giudei non gli prestarono fede e si perdettero per loro colpa. Avevano i mezzi per credere. Videro alla pari di tutti, udirono ciò che gli altri udirono. Hanno contemplato tutti – come i giudei contemporanei di Gesù – il Logos fatto uomo, e udito il messaggio di rivelazione che recava da parte del Padre? È chiaro che no. Ma benché Dio non l'avesse reso *ugualmente* visibile a tutti, lo aveva reso loro raggiungibile in misura sufficiente per condurli alla fede.

Questo ci porta a prendere in considerazione le forme di rivelazione del Verbo. Scrive Ireneo:

«Infatti il Verbo *rivela* il Dio creatore mediante la creazione stessa; e il Signore, Demiurgo del mondo, (lo rivela) per mezzo del mondo; e l'artefice che plasmò (l'uomo) per mezzo del plasma; e il Padre che generò il Figlio (lo rivela) per mezzo del Figlio. E queste cose tutti le affermano similmente tra loro, ma non allo stesso modo le credono. Così pure il Verbo annunciava se stesso e il Padre per mezzo della Legge e dei profeti: tutto il popolo (Lo) udì similmente, ma non tutti allo stesso modo (Gli) credettero» (*Adv. Haer.* IV, 6, 6,88ss).

Abbiamo qui vari modi universali di rivelazione. In tutti il Logos rivela il Padre, ma non allo stesso modo né secondo un identico aspetto. Sono rivelazioni molteplici (e salutari) dell'unico Verbo di Dio.

Una rivelazione è *la creazione*. Avendo Dio Padre creato la materia amorfa, il Logos rivela Dio mediante la creazione prima. A questa prima rivelazione l'uomo risponde come si conviene mediante la sola fede: accoglie in modo salutare il linguaggio del Verbo attraverso la creazione per risalire così al Padre.

Un'altra rivelazione è *il mondo*, la materia fabbricata (= creazione seconda). Per suo mezzo l'uomo arriva al «Fabbricatore del mondo», cioè al Logos Signore. A differenza della rivelazione *per conditionem* (= mediante la creazione prima), in cui si risale dalla sostanza della materia (o materia informe) a Dio Padre che ne è l'autore, in questa *per mundum* (mediante la creazione seconda o demiurgìa) si arriva al Logos demiurgo.

Terza forma di rivelazione è il *plásma* o corpo dell'uomo. Il mistero del «plasma» modellato a immagine e somiglianza di Dio non si scopre al semplice sguardo. Si richiede una speciale rivelazione del Logos per intendere la dimensione divina del corpo umano e da esso risalire al Padre, che impegna il Figlio e lo Spirito Santo per la sua continua formazione.

Quarta e ultima forma di rivelazione è il *Verbo fatto carne* («per Filium»). La sua novità non sta nella filiazione naturale divina del Logos, ma nella filiazione (personale) del «plasma» umano (in Cristo). Il Figlio dell'uomo è Figlio di Dio. Attraverso la creazione, il mondo e il corpo umano la fede deve spingersi fino alla persona del Figlio, che vive nel seno del Padre, e scoprire nella vita di Gesù il mistero inenarrabile del Dio supremo. Nessuno può scoprire con i soli sensi la rivelazione di Dio in Gesù. Si richiede la rivelazione del Logos: quello stesso Logos che manifesta il sacramento della creazione opera del Padre, del mondo opera del Verbo, del «plasma» opera congiunta del Padre con le sue due Mani divine (Figlio e Spirito Santo), rivela ora il mistero della forma servile adottata dal Figlio per manifestarsi agli uomini e annunciare il Padre.

Le quattro forme di rivelazione, comuni come sono a tutti ed egualmente sensibili, dovrebbero condurre senza distinzione alla conoscenza salvifica di Dio. Fondate però sulla fede, umanamente attuabili quindi solo per libero riconoscimento, non si impongono da sé. Alcuni accettano la rivelazione, altri no.

La forma *per ipsam conditionem* non trovò uguale accoglienza tra gli uomini, pur essendo estesa a tutti. Altrettanto dicasi delle forme *per mundum*, *per plasma* e *per Filium*. La storia di Gesù lo dimostra: solo i credenti hanno accolto la rivelazione del Logos incarnato.

«Et haec omnes similiter quidem colloquuntur, non autem similiter credunt» (*Adv. Haer.* IV, 6, 6,91ss).

Tutti − eretici e membri della chiesa − impiegano termini identici, come se tutti ugualmente risalissero «mediante la creazione» all'autore dell'universo, «mediante il mondo» al suo demiurgo e «mediante il corpo umano» al suo artefice. Ma non è così. Attraverso le tre vie di rivelazione gli eretici giungono fino al demiurgo animale, senza incontrare il Logos di Dio e senza scoprirne la mediazione. Manca loro la disposizione umile e amorosa per riconoscere la parola di verità. Dicendo esternamente la medesima cosa, non la credono in modo identico perché, tutto sommato, non credono.

Buoni e cattivi, credenti e increduli erano testimoni dei miracoli e degli insegnamenti di Gesù. Perfino i demoni testimoniavano in lui il Figlio di Dio. Sintonizzati tutti nel vedere, udire e anche proclamare a parole il Figlio di Dio, e per suo mezzo il Padre, non tutti però credettero nel Logos e nel Padre reso visibile in lui. Non riconobbero *come si conviene* (in modo salutare) il Figlio e il Padre; non accettarono in ordine alla Salvezza la rivelazione di entrambi mediante il Verbo.

Nessuno chiamò Gesù direttamente «Dio». Molti lo chiamavano «Dio» al genitivo. Ireneo adduce due esempi ponendoli in bocca al diavolo o ai demoni: «Santo *di Dio*, Figlio *di Dio*». L'appellativo «Dio» attribuito al genitivo a Gesù era la miglior prova che perfino i demoni confessavano entrambi, Dio (Padre) e il Figlio:

«Et propter hoc omnes Christum loquebantur praesente eo, et Deum nominabant. Sed et daemones videntes Filium dicebant (Mc 1,24; Lc 4,34): "Scimus te qui es, Sanctus Dei". Et temptans diabolus videns eum dicebat (Mt 4,3; Lc 4,3): "Si tu es Filius Dei", omnibus quidem videntibus et loquentibus Filium et Patrem, non autem omnibus credentibus» (*Adv. Haer.* IV, 6, 6,100ss).

Parafrasando: perciò tutti, anche i demoni, in seguito alla sua presenza nella carne, non solo lo confessavano *oralmente* («loquebantur») come il Cristo, ma chiamandolo Figlio *di Dio* nominavano insieme il Padre suo.

La testimonianza diabolica acquista singolare rilievo contro alcuni errori. Su una bocca per nulla sospetta viene a confermare la verità annunciata da Cristo. Condanna il fanatismo di coloro che si rifiutano di professare ciò che perfino i demoni affermavano apertamente davanti all'evidenza dei fatti (cfr. *Adv. Haer.* IV, 6, 7, 107ss).

Fa chiaramente vedere contro i giudei la facilità con cui avrebbero potuto arrivare, in seguito all'incarnazione del Logos, alla conoscenza (salutare) del Padre e del Figlio.

Analoga accusa si potrebbe rivolgere contro i valentiniani. Essi avevano inventato di sana pianta la distinzione di persone tra l'unigenito Figlio di Dio e il Cristo carnale. I fatti dicevano un'altra cosa. Non c'era uno che parlava (= il Cristo carnale) e un altro (= l'Unigenito) che, conosciuto dal Padre, lo conosceva a sua volta per rivelarlo agli spirituali. A conoscere e a rivelare era un solo e identico essere, vero Dio e vero uomo: l'unigenito fatto uomo e venuto a rivelare il Padre.

Comprendiamo ora alcuni aspetti particolari. Il *lóghion* (Mt 11,27; Lc 10,22) allude a una *rivelazione salutare*. Il Figlio rivela il Padre a coloro che lo ascoltano *con fede*. La rivelazione (salutare) del Logos non richiede che il mezzo oggettivo della conoscenza sia vincolato a Dio dal medesimo genere di causalità. La creazione, il mondo, l'uomo vengono da Dio in maniera assai diversa da come il Figlio procede da lui. La rivelazione del Logos non cerca di supplire nella realtà fisica l'ordine causale, quasi il mezzo oggettivo non bastasse fisicamente a manifestare Dio: cerca invece unicamente di supplire, in vista di effetti soprannaturali, ciò che la conoscenza fisica non dà. Lascia la verità oggettiva così com'è, rendendola però oggetto di conoscenza di fede.

Si comprende ugualmente la disposizione che Ireneo reclama dagli stessi gentili. Il Verbo non può *rivelare* la notizia (salutare) di Dio finché s'imbatte in un animo dominato dall'idolatria e dalla concupiscenza. La testimonianza di un Epicuro sull'esistenza di Dio non entra nell'orizzonte di Ireneo. Per il suo regime dissoluto di vita egli era incapace di una conoscenza «salutare».

Ireneo non ha mai parlato di conoscenza «naturale» e «soprannaturale». Tale vocabolario è estraneo al secolo II. Non così la realtà. La distinzione tra notizia naturale (della sola ragione) e soprannaturale (di fede), lungi dall'essere «quoad rem» prematura in Ireneo, aveva già una sua storia alle spalle. C'era la distinzione valentiniana dei due ordini («psichico» e «pneumatico»), e quella dei teologi pagani tra conoscenza della sola esistenza (di Dio) e quella della sua essenza, con le due vie: fisica (o cosmica) e divina (= spirituale, «secundum cognationem»). L'antitesi tra conoscenza non salutare dei pagani, dei giudei increduli, degli spiriti maligni, e quella *di fede* positivamente concessa dal Verbo, richiama anch'essa la nostra moderna distinzione naturale / soprannaturale.

Ireneo manifesta una certa predilezione per alcune formule da lui usate. Una di esse contrappone le conoscenze *secundum magnitudinem* a quelle *secundum dilectionem* (cfr. *Adv. Haer.* IV, 20, 1,1ss; IV, 20, 4, 72ss). Se la maestà divina è invisibile e irraggiungibile, l'amore infinito la mette alla portata dell'uomo.

«Secondo la grandezza non c'è modo di conoscere Dio, risulta impossibile misurare chi è il Padre. Ma secondo l'amore − che conduce a Dio mediante il suo Logos − quando gli siamo docili impariamo sempre (prima e dopo Cristo) che esiste un Dio così grande ed è lui che da solo ha stabilito e scelto e adornato e contiene tutte le cose» (*Adv. Haer.* IV, 20, 1,1ss).

Dio non muta. Egli supera l'abisso infinito tra l'inconoscibile che egli è e l'intelletto umano, grazie all'amore o benignità immensa con cui invita tutti, anche se indegni, al banchetto di nozze (cfr. *Adv. Haer.* IV, 36, 5-6).

Benignità o amore non spiegano da soli la conoscenza di Dio da parte dell'uomo. Indicano solo il titolo iniziale dell'economia della salvezza, orientata verso la *gnosi* di Dio.

Il mezzo o forme di conoscenza, come l'intera dispensazione della salvezza, prendono spunto dall'amore gratuito di Dio per l'uomo, ma senza confondervisi. L'uomo non conoscerà mai Dio con l'amore come mezzo conoscitivo; Lo conoscerà mediante il Verbo, suo Figlio, espressione visibile dell'invisibile.

La complessità di aspetti riguardanti la *rivelazione* che Ireneo segnala senza mai abbandonare l'esegesi di Mt 11,27 (Lc 10,22) risponde *a contrario* alla dottrina dei suoi grandi avversari, in particolare ai valentiniani.

Secondo questi ultimi, una cosa è la gnoseologia del demiurgo psichico, altra cosa quella del Dio Spirito. Il *lóghion* evangelico si limita alla rivelazione (o conoscenza) del Dio Spirito. La mediazione del Verbo non riguarda la conoscenza del creatore. Per una via si giunge al dio carnale, per l'altra al Dio Spirito.

Di fronte ai valentiniani, Ireneo fa valere l'identità *Demiurgo = Dio Spirito*, l'unicità dell'Antico e del Nuovo Testamento e la mediazione del Verbo per giungere alla conoscenza salvifica dell'uomo.

Essendo uno il Dio di entrambi i Testamenti, uno il Logos unigenito del creatore e Padre, uno il «plasma» chiamato alla salvezza in virtù della gnosi di Dio, una l'economia che governa la storia dell'uomo prima e dopo Cristo, non c'è motivo di moltiplicare le vie della salvezza: *gnosi* per gli *«spirituali»* e *pístis* per gli «psichici»; né di distinguere le forme della rivelazione secondo la diversità delle umane generazioni: in margine al Logos nell'Antico Testamento, mediante il Logos nel Nuovo.

L'economia della salvezza, comune a entrambi i Testamenti, prende le mosse dall'amore e dalla benignità del creatore, dal quale provengono le quattro principali forme di rivelazione del Logos: la creazione, il mondo, il «plasma» e il Figlio (= Verbo incarnato). La mediazione del Logos è necessaria per intendere sia le prime tre forme di rivelazione sia l'ultima.

Bibl. - J. Lebreton, «La connaissance de Dieu chez saint-Irénée», in RSR 16 (1926) 385-406; L. Escoula, «Saint Irénée et la connaissance naturelle de Dieu», in RevSR 20 (1940) 252-270; A. Houssiau, «L'exégèse de Mathieu XI, 27b selon saint-Irénée», in ETL 26 (1953) 328-354; Id., *La Christologie de saint Irénée*, Louvain 1955, 72-73; 65*-79*; R. Luckhart, «Matthew 11,27 in the "Contra Haereses" of Saint Irenaeus», in RUnOtt 23 (1953); J. Ochagavía, *Visibile Patris Filius*, Romae 1964, 62-69; A. Orbe, «San Ireneo y el conocimiento natural de Dios» in *Greg* 47 (1966) 441-471; Id., «La revelación del Hijo por el Padre según san Ireneo» in *Greg* 51 (1970) 5-83; Ph. Bacq, *De l'ancienne à la nouvelle Alliance selon S. Irénée*, Paris 1978, 68-73.

ANTONIO ORBE

ISLAM

In questo articolo, la rivelazione viene esposta secondo la prospettiva islamica. Si inizia col collocarla nella concezione islamica della storia della rivelazione (1). In un secondo paragrafo viene descritto il processo della rivelazione nell'esperienza profetica (2). Dopo una breve menzione della trasmissione del testo coranico (3), vengono elencati alcuni princìpi ermeneutici che sono operativi nei diversi tipi di esegesi coranica (4), per concludere con un accenno ad alcune linee del pensiero teologico cattolico riguardo al Corano (5). Le indicazioni numeriche fra parentesi rimandano ai capitoli (*Sūra*, pl. *Sūrāt*) e ai versetti del Corano.

1. LA STORIA DELLA RIVELAZIONE - Secondo la dottrina islamica, la rivelazione è iniziata con la storia dell'umanità. Il Corano (*Qur'ān*) dice: Dio «insegnò ad Adamo tutti i nomi» (30,31). Si tratta qui di un insegnamento che proviene da colui che «conosce il mistero dei cieli e della terra» (30,33). Inoltre, sulla base del Corano viene sviluppato il concetto della «religione dell'origine» (*dīn al-fiṭra*),

quella religione cioè con la quale Dio ha creato gli uomini [fin dalle origini] (cfr. 30,30). Tale era la religione quando «gli uomini formavano una sola comunità (*umma*)» (2,213). Ma essi si divisero in sètte, e si opposero gli uni contro gli altri «dopo che fu giunta a loro la Conoscenza» (42,14). Allora Dio mandò loro i profeti per avvertirli e per portare loro la buona notizia (cfr. 2,213), e non esiste nessuna comunità umana (*umma*) a cui non sia stato inviato un messaggero da Dio (cfr. 10,47; 35,24). Fra questi inviati, il Corano fa menzione di alcuni, mentre altri non sono nominati (cfr. 4,164). Menzione speciale ricevono Noè, Abramo, Mosè e Gesù, come predecessori di Maometto (*Muḥammad*). Il loro messaggio era sempre questo: «Osservate la religione e non dividetevi in sètte» (cfr. 42,13).

Il Corano fa la costatazione che gli uomini spesso non hanno accolto le parole degli inviati, trattandoli come impostori. Quasi l'intera Sura 26 racconta i fatti di tali missioni. La missione di Maometto e la rivelazione coranica sono viste come la conclusione della storia della rivelazione. Maometto viene chiamato «il Suggello dei Profeti» (33,40) e, nel codice (*muṣḥaf*) di Ubbay, la sua comunità è detta «l'ultima *umma*» (61,6). Nel credere perciò al messaggio proclamato da Maometto, i musulmani professano di credere nella totalità delle rivelazioni anteriori: «Noi crediamo in Dio e in ciò che è stato rivelato a noi, e ciò che è stato rivelato ad Abramo, a Ismaele, a Isacco, a Giacobbe e alle [dodici] tribù, e in ciò che è stato dato a Mosè e a Gesù, e in ciò che è stato dato ai Profeti dal loro Signore; noi non facciamo distinzione fra nessuno di loro, e a lui ci siamo sottomessi» (2,136).

Nella prospettiva islamica, la storia della rivelazione confluisce nella rivelazione coranica come sua conclusione. Mentre, per le rivelazioni anteriori, non si parla di uno sviluppo della rivelazione, ma viene piuttosto sottolineata l'identità dei messaggi, gli studiosi islamici hanno esaminato con attenzione la cronologia delle parole e dei testi contenuti nel Corano. Tale preoccupazione però non è finalizzata ad evidenziare un progresso nella rivelazione coranica, serve piuttosto a dimostrare la coesione intrinseca e la fondamentale identità di tutto ciò che è contenuto nel testo. Un principio esegetico importante è quello di *al-nāsiḫ wa-l-mansūḫ*, fondato sul testo: «Noi non abroghiamo alcun versetto, né te lo facciamo dimenticare, senza dartene uno migliore o uguale: non sai dunque che Dio è, in ogni cosa, onnipotente?» (2,106; cfr. 16,101; 22,52). Evidentemente, per l'applicazione di tale principio, la conoscenza esatta della cronologia della rivelazione coranica è indispensabile.

Il fondamento ultimo della identità dei messaggi profetici è la loro unica sorgente comune, che gli esegeti riconoscono nell'espressione coranica «la Madre del Libro» (13:39; 43:4; cfr. 58,78), quale «prototipo celeste» delle rivelazioni scritturistiche. Il Corano si presenta come l'unica «copia» esatta della Scrittura celeste, e dunque come norma per l'autenticità delle altre → Scritture sacre la cui trasmissione viene considerata come imperfetta e difettosa.

2. LA RIVELAZIONE NELL'ESPERIENZA PROFETICA - Nel linguaggio coranico vi sono due termini-chiave per indicare il processo della rivelazione: *tanzīl* (letteralmente: «il far discendere») e *waḥy* («ispirazione»). Nell'esperienza profetica, la parola divina da trasmettere agli uomini, viene percepita come proveniente da una sorgente esteriore, superiore e, nel contempo, la percezione di tale parola è un processo interiore, nel cuore del Profeta. Il ricco vocabolario coranico, nel descrivere l'esperienza della rivelazione, mette in evidenza che la parola divina viene come una *chiamata* e un *ordine* da parte di Dio,

presso cui è l'assoluta iniziativa dell'atto rivelatorio. La funzione della parola consiste nell'*insegnare* all'uomo ciò di cui non ha conoscenza, di *rendere chiaro* ciò che gli è oscuro, di *ricordare* ciò che ha dimenticato, di *avvertire* gli uomini dell'imminenza del giudizio e, soprattutto, di *annunziare la buona notizia* della misericordia divina e di *chiamare* gli uomini alla fede, al culto del Dio unico e all'obbedienza della sua legge.

La parola indirizzata al Profeta stabilisce quest'ultimo in una relazione speciale con Dio e gli attribuisce la funzione di «Inviato» (*rasūl*). La «parola di missione» viene espressa nel Corano con forme della radice *KLM*. Ciò è specialmente evidente nelle descrizioni della vocazione e missione di Mosè (4,164s.; 7,143s.). La «parola» (*kalima*) che proviene da Dio è, nel processo di rivelazione, l'*ordine della missione* e la *promessa* di assistenza divina e di vittoria sui nemici. Quando il Corano parla di Gesù come «una parola (*kalima*) da Dio» (3,45,49; cfr. 4,171), la maniera più soddisfacente per interpretare tale espressione sembra pure dover essere cercata nella linea del suo essere organo e intermediario della rivelazione.

Nel Corano la parola di Dio si fa scrittura. Già il versetto che viene considerato come il primo comunicato a Maometto fa riferimento alla recitazione di un testo sacro: «Recita nel nome del tuo Signore che ha creato!» (96,1). Nelle prime *Sure,* però, non è mai fatta menzione di una scrittura presentata dal Profeta dell'Islam. Piuttosto viene affermata la conformità della sua predicazione con ciò che è contenuto nelle scritture anteriori (26,196; 87,18s. ecc.). Gradualmente appaiono delle espressioni che rappresentano Maometto come colui sul quale Dio «ha fatto discendere» la Scrittura (2,231; 4,113 ecc.). Il Corano è chiamato «una scrittura che conferma, in lingua araba [le scritture anteriori]» (46,12).

3. La trasmissione del testo del
Corano - In riferimento all'intrica-
tissima questione della *storia del testo* coranico attuale, i punti seguenti
sembrano accettati dalla maggioranza degli studiosi islamici e non-islami-
ci: *a*. Maometto stesso non ha messo
per iscritto il suo messaggio. *b*. Il Corano è stato registrato e conservato
innanzitutto nei cuori dei fedeli. *c*.
Quando morì Maometto (632) esistevano collezioni di alcune *Sure* o parti di esse. *d*. Una prima redazione del
testo fu fatta sotto il Califfo 'Uṯmān,
intorno all'anno 650. *e*. Una edizione vocalizzata del testo fu realizzata
durante il califfato di 'Abd al-Malik
(685-705). Non esisteva, però, una
uniformità di «letture» del Corano.
Collezioni di 7, 10 o 14 «letture»,
considerate come canoniche, continuavano a godere di una certa autorità. *f*. Con le prime edizioni stampate
si fece sentire il bisogno di una più
grande uniformità nella varietà di letture diverse tuttora esistente. *g*. Nel
1923 fu pubblicata al Cairo un'edizione del Corano, secondo la «lettura» di
Ḥafṣ. Questo testo (rivisto nel 1952)
si è imposto come testo accettato
nella quasi totalità del mondo isla-
mico.

4. Principi ermeneutici nell'esegesi coranica - I diversi tipi di esegesi coranica classica sono guidati da
una varietà di princìpi ermeneutici.
L'*esegesi testuale* ha come scopo di
stabilire l'unica lettura autentica del
testo, e si fonda sul principio che il
Corano costituisce un testo unitario,
la cui coesione interna deve anche essere evidente a livello dell'espressione. Elementi del metodo, di questo
tipo di esegesi, sono: la spiegazione
lessicografica, l'analisi grammaticale
e la composizione di un apparato critico di varianti di lettura.
L'*esegesi narrativa* ha come scopo
di evidenziare l'attualità del messaggio coranico per i credenti. Essa colloca il testo coranico in una cornice

narrativa per evidenziarne il senso.
Talvolta procede anche col metodo
di interpolazioni, in cui si trovano pure elementi desunti dalla Bibbia e dal
Talmud.
L'*esegesi legalistica* si propone di
chiarire il contenuto e il carattere obbligatorio delle prescrizioni morali e
legali contenute nel Corano. Per questa esegesi è di somma importanza la
conoscenza della cronologia coranica, in vista di una retta applicazione
del già menzionato principio di *al-
nāsiḫ wa-l-mansūḫ*. Nello stabilire l'ordine cronologico del testo, il metodo
narrativo ha un ruolo importante,
concentrandosi sugli *asbāb al-nuzūl*:
«le cause della rivelazione», circostanze od eventi, cioè, che hanno occa-
sionato una certa rivelazione e perciò possono servire a spiegarne il senso. Le «tradizioni» (*ḥadīt*) della vita
del Profeta sono la fonte principale
di queste «cause». In tale contesto si
sviluppa *la scienza degli ḥadīt* come
scienza ausiliare dell'esegesi, con la
funzione di stabilire il grado di autenticità dei vari *ḥadīt*.
L'*esegesi dogmatica* si prefigge di
stabilire una relazione dimostrativa
tra posizioni dottrinali della teologia
apologetica e il testo del Corano. Di
importanza metodologica è qui la
spiegazione, in senso metaforico, di
certi testi, con l'aiuto di princìpi della retorica, della poesia e della linguistica araba. Un altro procedimento consiste nel ragionamento secondo i princìpi della logica.
L'*esegesi mistica* è ricorsa all'esperienza religiosa come principio ermeneutico per raggiungere il senso profondo e «reale» che si nasconde nel
testo rivelato sotto le apparenze del-
l'espressione verbale.
Nell'immenso campo dell'*esegesi
contemporanea* si possono distinguere differenti correnti con preoccupazioni diverse:
l'*esegesi tradizionalista* reagisce contro lo spirito secolare, materialista o
razionalista della cultura contempo-

ranea nel dimostrare la validità sovratemporale delle verità e delle prescrizioni coraniche.

L'*esegesi etica* si propone di evidenziare l'attualità del Corano per le nuove generazioni, e mette l'accento sui valori morali ivi contenuti. In alcuni casi, gli esegeti di questa corrente invertono il principio di *al-nāsiḫ wa-l-mansūḫ*, vedendo nei versetti più antichi il fondamento religioso della rivelazione, mentre le rivelazioni susseguenti ne costituirebbero solo delle applicazioni che sono spesso legate a circostanze storiche accidentali.

L'*esegesi «scientifica»* procede secondo il principio che la Scrittura «spiega tutte le cose» (6,154), e applica metodi di un concordismo che intende ritrovare nel testo coranico la menzione di tutte le acquisizioni delle scienze moderne.

L'*esegesi filologica* si sforza di applicare al Corano alcuni princìpi della filologia e della linguistica moderne per stabilire il senso esatto delle parole e delle espressioni del testo sacro.

5. POSIZIONI DELLA TEOLOGIA CATTOLICA - Dagli inizi dell'Islam, il pensiero teologico cristiano si è occupato della rivelazione coranica e della missione di Maometto. Dopo se-coli, in cui periodi di polemica e pregiudizi si sono alternati con momenti di serenità, il concilio Vaticano II ha dato un segnale chiaro per promuovere una riflessione obiettiva e positiva sulla rivelazione coranica. Fra i teologi contemporanei, si possono distinguere diversi approcci: *a.* Il tentativo di stabilire un legame fra il messaggio coranico e la fede di Abramo, a cui l'Islam si riferisce. Tale riferimento alla fede monoteistica di Abramo darebbe all'Islam e al suo Libro Sacro uno statuto speciale nella «storia universale della rivelazione». *b.* La tendenza a identificare gli elementi comuni alla rivelazione coranica e a quella cristiana. Il Corano viene allora considerato come un richiamo della rivelazione biblica e un riflesso di certe verità rivelate qui contenute. *c.* Tentativi di precisare il modo in cui il carisma profetico è stato operativo nella missione di Maometto e nella formazione e recezione del testo coranico.

Bibl. - A.A. Roest Crollius, *The Word in the Experience of Revelation in Qur'ān and Hindu Scriptures*, Roma 1974; J. Wansbrough, *Quranic Studies*, Oxford 1977; R. Caspar, *Traité de théologie musulmane*, vol. I, Roma 1987.

ARIJ A. ROEST CROLLIUS

ISPIRAZIONE

1. *Uno sguardo alla storia (Antico Testamento; Nuovo Testamento; Epoca patristica; Scolastica; Il magistero e i teologi)* - 2. *La novità del Vaticano II (Identità dell'autore; Precomprensione di «verità»; Ispirazione e rivelazione)* (R. Fisichella).

Profondamente unito al contenuto della rivelazione, tanto da costituirne un elemento essenziale, è il tema dell'ispirazione della Scrittura. La libera scelta di Dio di comunicare con l'umanità ha trovato nella persona di Gesù di Nazareth, l'espressione piena e culminante; il suo modo di esprimersi tuttavia, mediante l'azione degli autori sacri, ha visto anche nello scritto un momento qualificante ed essenziale della sua autocomunicazione.

La Scrittura è espressione privilegiata di un narrare di Dio attraverso le forme della comunicazione umana.

Già ad un primo e sommario impatto, si può notare come mediante questa espressione, si pone in atto la dinamica rivelativa. Ciò che viene assunto come strumento di comunicazione è in sé buono, atto ad esprimere Dio, anche se in una forma kenotica; il linguaggio umano infatti è costantemente inadeguato ad esprimere in pienezza la realtà divina.

Il tema della ispirazione della Scrittura appartiene in modo peculiare alla sfera di ricerca interdisciplinare; la teologia fondamentale qualifica il suo impatto in relazione alla rivelazione. Si studierà quindi in che modo la verità contenuta nel testo sacro sia tale in quanto atto di rivelazione da parte di Dio. Si dovrà inoltre mostrare in che modo quell'unica verità, posta una volta per tutte nella storia attraverso i limiti del sapere e dell'esprimersi umano, possa anche oggi essere vera per il destinatario della rivelazione e fonte di conoscenza di se stesso e del mistero di Dio.

Lo studio che la fondamentale fa dell'ispirazione è la valutazione conclusiva dell'atto rivelativo: la pretesa della rivelazione ad essere accolta e compresa storicamente nel corso dei secoli, attraverso una verità data alla storia e mediante gli strumenti umani di un particolare momento storico. C'è quindi lo studio del fatto dell'ispirazione nella Scrittura, che non deve far perdere di vista le implicanze che porta con sé: la possibilità di un esprimersi storico della verità e il suo poter raggiungere gli uomini di ogni tempo (→ Verità).

1. UNO SGUARDO ALLA STORIA - La storia del tema ha conosciuto momenti di interesse differenziato.

a. L'*Antico Testamento* non conosce una terminologia specifica in proposito. Preferisce far ricorso a forme sinonime e più fluide; descrive tuttavia in modo esplicito la realtà dell'ispirazione. Essa viene compresa come azione dello spirito di Jhwh che prende possesso dell'uomo provo-

candolo a compiere gesti o espressioni, in modo da comunicare la sua volontà.

Gesti semplici, quali l'unzione con l'olio (1 Sam 16,13), esprimono una realtà più profonda: il possesso da parte di Jhwh, del suo «eletto» perché, così «consacrato», possa divenire segno di rivelazione. I profeti, in forza della loro missione, esprimono più direttamente la realtà dell'ispirazione. Di Osea esplicitamente viene detto che è «ispirato» (Os 9,7); la stessa consapevolezza è ritrovabile in Michea (Mi 3,8), così pure Neemia proclama che i profeti sono la bocca dello Spirito (Ne 9,30).

I profeti maggiori hanno lasciato nei racconti della loro vocazione i segni evidenti della loro consapevolezza di agire, proclamare e scrivere a nome di Jhwh (cfr. Is 6; Ger 1; Ez 2). Le parole del profeta sembrano non distinguersi più da quelle di Jhwh stesso; espressioni quali «oracolo di Jhwh», «parola del Signore», «così dice il Signore», testimoniano per l'intero arco veterotestamentario che attraverso l'assunzione di simbologie e linguaggi umani dei profeti, Dio stesso comunica con il suo popolo.

b. Il *Nuovo Testamento* fornisce l'unico caso in cui il termine ispirazione (ϑεόπνευστος = *theópneustos*) è assunto come espressione tecnica per spiegare l'atto particolare con il quale Dio ispira la Scrittura; è il testo di 2 Tm 3,16: «Tutta la Scrittura infatti è ispirata (ϑεόπνευστος = *theópneustos*) da Dio e utile per insegnare, convincere, correggere e formare alla giustizia, perché l'uomo di Dio sia completo e ben preparato per ogni opera buona».

È tuttavia alla centralità che proviene dalla persona di Gesù di Nazareth che bisogna far riferimento per comprendere a pieno il valore dell'insegnamento neotestamentario in proposito.

Per la chiesa primitiva infatti, esiste la certezza che tutta la Scrittura è indirizzata a Cristo e solo in lui trova pieno significato. I profeti hanno parlato di lui e anticipato i motivi della sua esistenza (Lc 24,27). Poiché hanno condiviso questo evento di rivelazione, gli apostoli sono anch'essi mossi dallo Spirito del Signore risorto per annunciare al mondo la realizzazione della promessa antica.

La loro è un'esperienza di gratuità che li pone in linea diretta con l'esperienza profetica antica. È in questo orizzonte che bisogna leggere due testi programmatici di Pietro. Il primo annuncia la centralità di Cristo (1 Pt 1,10-12); il secondo l'azione diretta dello Spirito sugli autori sacri (2 Pt 1,20-21).

All'interno della comunità primitiva, inoltre, la presenza del ministero profetico (→ Profezia) rende visibile in duplice modo l'azione dell'ispirazione. Durante l'azione liturgica alcuni uomini e donne, sotto l'azione dello Spirito, esprimono preghiere per la comunità con diretto riferimento alla parola del maestro (At 15,22-32; 1 Cor 12,7-8). Inoltre alcuni profeti sono, con gli apostoli, più direttamente coinvolti nella crescita della comunità. Loro compito peculiare è la trasmissione della parola di Gesù illuminando e rileggendo le vicende ed esigenze della comunità (Ef 4,11; 2,20; 3,5; 1 Cor 12,28).

La loro autorità viene accettata dalla comunità perché li riconosce come uomini mossi dallo Spirito e ispirati direttamente nel momento in cui creano relazione tra annuncio della parola del Signore e vita della comunità (2 Pt 3,2).

I vangeli e le lettere degli apostoli costituiranno inoltre, fin dall'inizio, la testimonianza privilegiata dell'azione dello Spirito che realizza la permanenza della parola del Signore in mezzo alla comunità (Ef 4,11; 2 Pt 3,15-16).

c. Per l'*epoca patristica*, segnata da una profonda fede che accetta naturalmente la Scrittura come parola di Dio, l'ispirazione non costituisce un particolare problema. Un testo del Venerabile Beda che commenta il prologo di Luca, fa ben percepire come i Padri riflettessero in proposito: «Quanto al fatto che all'evangelista sembrò bene scrivere, questo non va compreso come se fosse sembrato bene solo a lui; perché anche ciò che a lui sembrò bene era sotto l'ispirazione dello Spirito» (PL 92,307).

Gli interventi degli → apologeti Giustino, Origene, Cirillo d'Alessandria, tendono a presentare la verità della Scrittura contro gli attacchi dei pagani. Agostino e Girolamo saranno i primi a introdurre le necessarie distinzioni e, più positivamente, daranno le motivazioni per il riscontro della verità salvifica dei testi sacri.

d. Sarà invece con la *Scolastica*, e più direttamente con Tommaso, che il tema dell'ispirazione inizierà ad avere una prima sistematizzazione teologica. Studiando il tema della profezia (cfr. STh II, II, 171-174), Tommaso la interpreta come quel carisma che permette di vedere in profonda unità rivelazione e ispirazione.

La prima, essendo conoscenza di verità divine, esige l'elevazione soprannaturale dello spirito, quindi un'ispirazione. L'ispirazione profetica pertanto è da considerare come un aspetto complementare della rivelazione; mediante questa il profeta viene innalzato, per opera dello Spirito, ad un livello superiore di conoscenza e così può comunicare e trasmettere la rivelazione divina.

e. La storia della chiesa, dopo questo periodo, vede impegnati il *magistero* e i *teologi* a diversi livelli. A seguito del concilio Tridentino, che modificando la formulazione del concilio di Firenze «Spiritu Sancto inspirante» (DS 1334), si era espresso in proposito con «Spiritu Sancto dictante» (DS 1501), le interpretazioni dei teologi si muovono su basi estreme.

Per alcuni, tra cui l'esponente di maggior rilievo è Bañez, l'azione dello Spirito Santo nei confronti dell'agiografo si spinge fino ai «singula verba»; per altri, che facevano capo alle tesi del Lessio, bisognava invece distinguere tra rivelazione e ispirazione per cui un libro poteva essere stato scritto senza l'assistenza dello Spirito Santo, ma se in seguito lo Spirito avesse attestato che in esso nulla di falso vi era contenuto, allora diveniva libro sacro e quindi ispirato.

Nel 1870 appare il libro di J.B. Franzelin, *Tractatus de divina Traditione et Scriptura*, che forte influsso ebbe nelle dichiarazioni del → Vaticano I. Tesi del Franzelin è che Dio è autore dei libri sacri in forza di un'azione soprannaturale sugli scrittori. L'autore è colui che personalmente concepisce e produce lo scritto con la sua mente; Dio invece compie la sua azione agendo sull'intelletto e la volontà dell'autore, facendo sì che questi concepisca nella sua mente, e volutamente scriva, solo quelle cose che egli vuole comunicare.

L'ispirazione è quindi concepita non come la conoscenza di verità (che l'autore potrebbe avere per conoscenza propria), ma come la loro messa per iscritto. Dio pertanto è concepito come *causa principale* e vero autore del testo, l'agiografo invece come *causa strumentale* che agisce sotto la sua azione per ciò che è parte formale del testo, anche se rimane libero di utilizzare le forme espressive conformi al suo tempo.

Il *Vaticano I* costituisce un momento di sintesi per quanto riguarda il tema dell'ispirazione. Respingendo alcune tesi minimaliste, che volevano ridurre l'ispirazione ad un'azione di riconoscimento successivo da parte della chiesa o ad una assistenza che preservava dallo scrivere errori, si affermava un principio fondamentale: i «testi sacri... hanno Dio per autore e come tali sono stati affidati alla Chiesa» (DS 3006).

Successivamente, la *Provvidentissimus Deus* di Leone XIII (DS 3291-3293), e la *Divino Afflante Spiritu* di Pio XII (DS 3826-3830), segnano gli interventi ulteriori del magistero tendenti a focalizzare la problematica. Una più attenta esegesi e una metodologia rinnovata favorivano una comprensione maggiore sia dei generi letterari sia della personalità dell'agiografo.

È tuttavia il *Vaticano II* che dà una spinta propulsiva all'individuazione di nuove soluzioni. Il capitolo terzo di *Dei Verbum* solo apparentemente sembra riferire la tradizionale dottrina sull'ispirazione; in realtà nei soli tre numeri che costituiscono quel capitolo, è possibile vedere realizzato un autentico progresso nell'insegnamento sull'ispirazione.

Il concilio, in effetti, recepisce una serie di provocazioni cui si era pervenuti tramite gli studi del decennio precedente. Su due fronti diversi, sia biblisti che dogmatici, avevano sgomberato il campo dai vari riduzionismi in cui era inserita la problematica e avevano individuato nuove e promettenti piste di soluzione. Sul versante biblico, McKenzie, McCarthy, Coppens, Lohfink e Alonso-Schökel avevano avviato riflessioni più direttamente connesse con il tema dell'agiografo e della verità; nella prospettiva più teologica, Rahner, Grelot, Benoit avevano proposto utili teorie per una rilettura circa la mediazione ecclesiale, la funzione dell'agiografo e il valore linguistico delle mediazioni scritte.

2. LA NOVITÀ DEL VATICANO II - Tre aspetti possono sintetizzare la novità dell'insegnamento del Vaticano II.

a. L'identità dell'autore - L'autore sacro è tolto dall'orizzonte di un semplice esecutore passivo o di uno strumento nelle mani di Dio, come lo aveva identificato la teologia precedente. Allo «Spiritu Sancto dictante» del Tridentino, subentra un linguaggio più positivo e biblico che vede l'agiografo «scelto», «eletto» da Dio, che scrive come un «vero autore» il suo testo.

Viene quindi data una definizione dell'agiografo pienamente positiva: è colui che studia, riflette, ricerca e comunica, con il suo scritto, quell'esperienza salvifica che lo ha visto protagonista. Ogni autore sacro è considerato nella sua piena libertà davanti all'azione gratuita di Dio; egli è colui che ha la responsabilità di una missione in vista della costruzione della chiesa. Questa missione si realizza attraverso la peculiarità del suo scritto; è lui che porta il peso del proprio lavoro e la carica della propria originalità in cui esprime la sua personalità.

Dio comunque è certamente l'autore (*Urheber*), perché è lui che crea la storia della salvezza nei suoi differenti atti rivelativi. Lui quindi è all'origine del testo sacro, sia come libro singolo che nella sua globalità; è lui e la sua azione infatti che l'agiografo cerca di esprimere, ma questo nella logica della rivelazione stessa.

b. Precomprensione di «verità» - Una seconda novità è offerta dalla comprensione di «verità». Mentre i testi preconciliari puntavano sull'inerranza, quindi sull'assenza di ogni errore nella Scrittura, come conseguenza dell'essere rivelazione data per ispirazione, il concilio inaugura un uso più biblico di verità, compresa anzitutto come un comunicare *fedele* e *misericordioso* di Dio, che tende alla salvezza dell'umanità.

La verità della Scrittura è pertanto la verità piena e globale del piano salvifico di Dio sull'uomo e per l'uomo. L'espressione di DV 11: «I libri della Scrittura insegnano con certezza, fedelmente e senza errore la verità *che Dio nostrae salutis causā* ha voluto che fosse consegnata nelle Sacre Lettere», segna certamente un progresso teologico.

c. Ispirazione e rivelazione - Una terza novità da osservare è data dalla recuperata unione dell'ispirazione al tema della rivelazione.

Non si può negare che tra i due concili vaticani il tema si era venuto progressivamente a porre come una realtà autonoma. Il Vaticano II ricompone l'ispirazione nel suo alveo naturale, quindi all'interno della realtà più onnicomprensiva che è costituita dall'evento della rivelazione.

Anche per l'ispirazione pertanto si seguiranno quelle linee direttive che segnano il nuovo percorso della teologia nello studio della rivelazione. Anzitutto, la *centralità di Cristo*. Gesù di Nazareth, in quanto parola di Dio, è anche la verità dell'uomo; lui è il vero libro ispirato per comunicare e donare la salvezza.

Inoltre, la *gratuità del carisma*. L'agiografo vive l'esperienza dell'essere scelto ed eletto dallo Spirito; egli è pienamente autore, ma contemporaneamente consapevole di essere in una relazione intima con Dio a cui si affida e da cui liberamente accoglie la missione di comunicare per iscritto la sua volontà.

Infine, la *storicità di questo evento*. L'ispirazione non distrugge le caratteristiche dell'autore; al contrario, le eleva. Si realizza tuttavia anche un procedimento contrario, quello di un Dio che si abbassa per poter comunicare. È all'interno della storia che si realizza l'evento dell'ispirazione; per questo, la verità che è data totalmente nel testo sacro, viene tuttavia raggiunta solo escatologicamente. C'è un maturare progressivo della chiesa che rilegge quel testo riscoprendo un senso sempre più profondo, creando così tradizione viva secondo l'analogia della fede (DV 12).

L'ispirazione si presenta quindi come una caratteristica di quella forma scritta assunta dalla parola di Dio. È solo nella misura in cui rimane pienamente legata all'evento della rivelazione che acquista il suo senso più

pregnante e significativo. La plasticità dell'espressione di Ugo da san
Vittore può ben fornire il significato
profondo del valore e della realtà del-
l'ispirazione: «Omnis Scriptura unus
liber est et ille unus liber Christus
est».

Bibl. - A. Bea, «Inspiration», in LThK V,
703-705; G. Courtade, «Inspiration», in
DBSuppl IV, 544; P. Grelot, *La verité de l'É-
criture. La Bible Parole de Dieu*, Paris 1965;
K. Rahner, *Sull'ispirazione della Sacra Scrittura*, Brescia 1967; J. Beumer, *Die katholische Inspirationslehre zwischen Vatikan I und
Vatikan II*, Stuttgart 1967; L. Alonso-Schökel,
La Parola ispirata, Brescia 1967; I. de la Potterie (ed.), *La «verità» della Bibbia nel dibattito attuale*, Brescia 1968; P. Benoit, *Esegesi
e Teologia*, vol. II, Roma 1971; V. Mannucci,
Bibbia come Parola di Dio, Brescia 1981; R.
Fisichella, *La Rivelazione: evento e credibilità*, Bologna 1985; M.A. Tabet - T. McGovern,
«El principio hermenéutico de la inspiración
del hagiógrafo en la constitución dogmática
DV», in J.M. Casciaro (ed.), *Biblia y Herme-
néutica*, Pamplona 1986, 697-713.

RINO FISICHELLA

K

KÊRYGMA/CATECHESI/ PARENESI

Questi tre termini designano le forme e le tappe di un unico processo di evangelizzazione fin dagli inizi della chiesa. Di conseguenza è meglio raggrupparli per definirli e distinguerli più facilmente.

1. *Kêrygma*, sostantivo derivato dal verbo *kerýssein*, designa la predicazione globale della buona notizia della salvezza ad opera di Cristo: è il primo annuncio scioccante del vangelo che risuona nel corso dei secoli. Si tratta essenzialmente di annunciare questo evento e di invitare alla conversione e alla fede.

Poiché l'evento è unico e ha infinite ripercussioni, il suo annuncio è paragonabile al grido dell'araldo che annuncia una vittoria senza precedenti. Kêrygma significa esplosione, potenza diffusiva. Così il giorno di pentecoste Pietro grida ad alta voce davanti alla folla la buona notizia della salvezza in Cristo, con lo scopo di renderla pubblica, ufficiale (At 2,14). Questo intento pubblicitario si manifesta in molti modi. Pietro e Paolo si rivolgono alle folle (At 15,22; 3,12; 3,16). Il loro messaggio si propaga in tutto il territorio giudaico e pagano. Essi moltiplicano gli appelli al-

l'attenzione e le ingiunzioni: prestate orecchio (At 2,14), ascoltate (At 2,22), fate penitenza (At 2,38), salvatevi (At 2,40). È del tutto evidente il desiderio degli apostoli di diffondere dovunque la parola di Dio. Sotto l'influenza dello Spirito sono colti da una specie di febbre che li costringe ad annunciare, a evangelizzare. Come potrebbero tacere? La pienezza dei tempi è giunta: «ora», «oggi». Niente di più importante potrebbe ormai accadere. Tutti gli uomini sono chiamati alla salvezza. Niente può rimanere neutrale.

L'elemento unificante del kêrygma, nelle sue formulazioni brevi, è la persona di Gesù identificato come Cristo e Signore (At 8,5; 19,13; 1 Cor 1,23). Se passiamo, al di là di queste formule sintetiche, agli esempi di predicazione quali sono i discorsi degli Atti (At 2,3,5,10,13), il kêrygma si arricchisce dei seguenti elementi: i tempi del compimento sono giunti; sono caratterizzati da: ministero, passione, morte, risurrezione e glorificazione di Gesù. La salvezza si compie mediante la fede in Cristo e con il battesimo che opera la remissione dei peccati e dona lo Spirito. Il kêrygma instaura un legame indivisibile tra l'evento-Gesù e il suo potere salvifico.

Il kêrygma non appartiene al passato e non è... sorpassato. Oggi come ieri lo *choc* della buona notizia deve scrollare gli uomini del mondo intero. Questa proclamazione da parte della chiesa (LG, 26) rende l'evento della salvezza eternamente presente. Il kêrygma attuale deve risuonare ancora affinché Gesù sia riconosciuto e identificato come Cristo, Signore, salvatore universale, centro della storia che invita ogni uomo alla conversione e alla fede, la quale è adesione di tutto l'uomo che si consegna a lui che si è dato completamente: è una fede trasformante e operante (DV 5).

2. Al primo *choc* della buona notizia segue normalmente la *catechesi* che articola ed esplicita il kêrygma. La catechesi presenta istruzioni più elaborate che si rivolgono ai nuovi convertiti, esposizioni di tipo più didattico in cui si spiegano le Scritture alla luce dell'evento cristiano. Così i primi cristiani si dimostravano «assidui nell'ascoltare l'insegnamento degli apostoli» (At 2,42). Gli apostoli «stavano nel tempio a insegnare al popolo» (At 5,25.28). Essi nominano sette diaconi per dedicarsi esclusivamente «alla preghiera e al ministero della parola» (At 6,4). Paolo resta un anno e mezzo a Corinto «insegnando fra loro la parola di Dio» (At 18,11).

Il kêrygma, tuttavia, resta il punto di partenza e di continuo riferimento per la catechesi. Quindi la spiegazione dei sacramenti, le norme della vita morale, hanno senso solo alla luce dell'evento pasquale.

A partire dai secoli II e III la catechesi consiste comunemente nell'insegnamento preparatorio al battesimo degli adulti. In seguito, l'emancipazione della chiesa conferisce alla catechesi un carattere sempre più formale; pensiamo alle catechesi di Cirillo di Gerusalemme e di Teodoro di Mopsuestia, alle spiegazioni di Ambrogio sui sacramenti dell'inizia-

zione (battesimo, cresima, eucaristia), al *Discorso* di Gregorio di Nissa, al *De catechizandis rudibus* di Agostino. Ci si avvia quindi verso forme di insegnamento che preannunciano i nostri catechísmi moderni o contemporanei: catechismo di Lutero, di Pietro Canisio, del concilio di Trento, delle conferenze episcopali, del Vaticano II. Non si tratta solo di preparare al battesimo ma di approfondire maggiormente la fede dei credenti.

3. La *parenesi* differisce dalla catechesi solo per l'orientamento che è quello del comportamento morale e per il tono che è quello dell'esortazione. Così numerose lettere di Paolo terminano, dopo una esposizione dottrinale, con una parenesi (Rm 12-15; Gal 5-6; Ef 4-6).

Nell'Antico Testamento, Israele riceve il decalogo per vivere in modo conforme all'alleanza con il Dio tre volte santo. Similmente, nel Nuovo Testamento i cristiani, chiamati da Dio a divenire suoi figli, devono vivere conformemente a questa vocazione. La vocazione a Cristo ha come corollario necessario la vita secondo Cristo. I precetti accompagnano la vocazione. «Se vi lasciate guidare dallo Spirito, non siete più sotto la legge» (Gal 5,18), ma «sotto la grazia» (Rm 6,14). Vivere in Cristo significa adottare lo stile di vita di Cristo, il suo modo di vedere, i suoi sentimenti. Le esortazioni, i richiami alla vigilanza e alla pratica delle virtù, precetti particolari della parenesi, precisano e attualizzano il precetto generale dell'amore nei dettagli della vita quotidiana. L'apertura all'amore non rende inutile una certa «segnaletica» che eviti di perdersi nelle nebbie e di rischiare il naufragio. La parenesi non è dunque semplice moralismo, ma è realismo della vita in Cristo che non è priva di norme, anche se ne è al di là nel suo slancio e nel suo obiettivo ultimo.

Bibl. - 1. Sul *kêrygma*: K.H. Rengstorf, *Apo-*

stolat und Predigtamt, Stuttgart 1954[2]; G. Friedrich, «Kêrygma» in GLNT V, 472-479; D. Grasso, *L'Annuncio della salvezza*, Napoli 1965; F.X. Murphy, «Kêrygma», in NCE VIII, 167-168; R. Latourelle, *Teologia della Rivelazione*, Assisi 1967, 41-68; Id., *A Gesù attraverso i Vangeli*, Assisi 1979, 126-131; K. Rahner, *La salvezza nella Chiesa*, Roma-Brescia 1969; P. Scabini, «Kêrygma», in *Dizionario di Pastorale*, Assisi 1980, 297-300.

2. Sulla *catechesi*: G. Bardy, «Catéchèse», in *Cath* II, 646 e bibliografia; F.X. Murphy, «Catéchèse», in NCE III, 208; R. Latourelle, *Teologia della Rivelazione*, Assisi 1967, 41-68.

RENÉ LATOURELLE

L

LETTERATURA

La letteratura ha il compito di approfondire, in ciò che ha di più profondo e specifico, il mistero dell'uomo. Essa scaturisce dalla persona in ciò che questa ha di più irriducibile, nel suo mistero dov'è innanzitutto → silenzio e solitudine prima di aprirsi agli altri con la mediazione del → linguaggio. È la vita che prende coscienza di se stessa quando raggiunge la pienezza di espressione, facendo appello a tutte le risorse del linguaggio non solo concettuali, ma soprattutto ai poteri di suggestione che esso esercita con l'immagine, il → simbolo, il ritmo e l'armonia.

A questo proposito la poesia, il teatro e il romanzo sono forme privilegiate della comunicazione interpersonale. La Scrittura fa a sua volta ricorso, per esprimere l'indicibile assoluto, all'immagine, al simbolo, al poema, al canto lirico. È così anche per i grandi mistici (Giovanni della Croce, Teresa d'Avila, Francesco d'Assisi) che non hanno altro mezzo che la poesia per esprimere l'inesprimibile. Infatti nell'esperienza mistica come in quella poetica l'espressione scaturisce da fonti preconcettuali o sovraconcettuali.

In un senso più ampio intendiamo per letteratura quest'attività originale il cui fine è la *creazione*, come lo è per ogni attività che derivi dall'arte, ma con un materiale specifico, il linguaggio, e con finalità sue proprie. In questo senso, la letteratura utilizza i generi letterari più svariati: poema, leggenda, epopea, teatro, cronaca, storia, racconto, romanzo, critica, giornalismo, ecc.

La conoscenza umana sarebbe quindi impoverita se non esistesse la letteratura, poiché essa è lo specchio che riflette l'uomo nel corso delle epoche. Questa conoscenza interessa la teologia; se il cristianesimo, infatti, propone una certa visione dell'uomo e del mondo, gli interessa sapere a chi viene rivolto il vangelo e a quali attese e problemi risponde, e, di conseguenza, come è recepito e percepito, perché è accolto o al contrario rifiutato e attaccato. Il Vaticano II nella *Gaudium et Spes* ha riconosciuto l'importanza della letteratura: «A modo loro, anche la letteratura e le arti sono di grande importanza per la vita della Chiesa. Esse cercano infatti di esprimere l'indole propria dell'uomo, i suoi problemi e la sua esperienza nello sforzo di conoscere e perfezionare se stesso e il mondo, cercano di scoprire la sua situazione nella storia e nell'universo, di illustrare le sue miserie e le sue gioie, i suoi bisogni e le sue capacità, e di prospettare una migliore condizione dell'uomo. Così possono elevare la vita umana, espressa in molteplici forme, secondo i tempi e i luoghi» (GS 62).

Effettivamente tutte le correnti di pensiero che hanno fecondato l'intelligenza umana hanno la loro ripercussione nella letteratura. Se vogliamo conoscere l'uomo non possiamo dunque fare a meno della letteratura. Essa è all'incrocio di tutte le esperienze e di tutti i problemi umani: vita individuale e sociale, silenzio, solitudine, alterità, lavoro e progresso, male e libertà, peccato e morte, ecc. Tutte le forme di impegno come anche tutte le ricerche nella notte, nell'angoscia e nel dubbio, sfociano nella letteratura. Quale sarebbe la nostra conoscenza dell'uomo senza Omero, Sofocle, Eschilo, Dante, Shakespeare, Pascal, Montaigne, Molière, Racine, Tolstoj, Dostoèvskij, Cervantes, Hemingway, Péguy, Claudel, Camus, Bernanos, ecc.?

E tuttavia fino a poco tempo fa la letteratura ha avuto in teologia solo un posto modesto, addirittura vergognoso, unito talvolta a un'offesa: «Oh, non è che letteratura»: un giudizio che evidentemente squalificava ancor più la teologia che la letteratura. L'antropologia si è così privata per molto tempo di un «luogo» prodigiosamente ricco. La messa all'indice di tante opere letterarie non ha evidentemente favorito il dialogo tra letteratura e teologia. Fortunatamente questi tempi sono superati e il Vaticano II ha confessato apertamente tutto ciò che la chiesa deve alla letteratura. Gli attuali teologi non solo vanno alla letteratura come a una fonte insostituibile, ma in molti di loro si verifica la compresenza di letteratura e teologia. Pensiamo ad esempio a → H.U. von Balthasar, → H. de Lubac e J. Daniélou.

Riteniamo di poter distinguere due forme di reciproco arricchimento di teologia e letteratura.

Talvolta la letteratura, pur conservando il proprio carattere «letterario», rivendicato con insistenza dallo scrittore stesso, veicola nello stesso tempo il messaggio cristiano divenuto vita della vita dell'autore. Così uomini come Chesterton, Bloy, Mauriac, Papini, Claudel, Bernanos, Péguy, anche se non sono teologi di mestiere, portano a un'intelligenza della fede molto superiore a quella che si potrebbe ricercare presso molti professionisti della teologia. Il tema della comunione dei santi, il senso del peccato e dell'amore che perdona in Bernanos; o anche quello della permanenza santificante del sacerdozio, nonostante l'indegnità dell'uomo, in G. Greene (*Il potere e la gloria*) ne sono esempi eclatanti.

Vi è anche un tipo di letteratura che, pur non essendo esplicitamente cattolica e nemmeno cristiana, giunge a una tale conoscenza dell'uomo e dei suoi problemi, da costituire una fonte di interrogativi feconda e stimolante per la teologia. Poiché dispone di tutta la ricchezza del linguaggio, la letteratura descrive i problemi dell'uomo con un'acutezza d'analisi, con una potenza di espressività e di evocazione che il linguaggio strettamente teologico non saprebbe raggiungere. Come superare, per esempio, l'intensità drammatica del poema del Grande Inquisitore in Dostoèvskji o del potere dell'odio vinto da quello ancora più grande dell'amore in Bernanos nel *Diario di un curato di campagna*? La riflessione teologica non sostituirà mai la portata poetica e profetica di queste pagine.

La letteratura allora non entra in competizione con la teologia e nemmeno con le ricerche sull'uomo della sociologia, della psicologia, della psichiatria. Essa si è evoluta a un altro livello. Non fa opera di erudizione e di informazione ma, con le mediazioni del linguaggio e del magico potere di evocazione e di creazione, è in grado di approfondire *qualitativamente* il mistero dell'uomo con un sapere diverso da quello delle scienze umane. Le analisi di Jung e di Freud non giungeranno mai a ricoprire l'universo umano rivelato da Shakespeare, da Dostoèvskji, da Tolstoj e da Pascal. Questa grande letteratura esprime indubbiamente più problemi, attese, domande che risposte; ma è precisamente in questo che risiede il suo specifico contributo all'antropologia.

La vera risposta ai problemi dell'uomo viene, lo sappiamo, dalla rivelazione: «Ma che cos'è l'uomo?», dice la GS in un passaggio di ispirazione e di stile pascaliani. «Molte opinioni egli ha espresso ed esprime sul suo conto, opinioni varie e anche contrarie, perché spesso o si esalta così da fare di sé una regola assoluta, o si abbassa fino alla disperazione, finendo in tal modo nel dubbio e nell'angoscia. Queste difficoltà la Chiesa le sente profondamente e ad esse può dare una risposta che le viene dall'insegnamento della divina Rivelazione, risposta che descrive la vera condizione dell'uomo, dà una ragione delle sue miserie, e insieme aiuta a riconoscere giustamente la sua dignità e vocazione» (GS 12). Poi viene il testo chiave: «In realtà solamente nel mistero del Verbo incarnato trova vera luce il mistero dell'uomo» (GS 22).

Ma aggiungiamo subito: il potere della luce portata da Cristo si misurerà con la densità delle tenebre che egli viene a dissipare. Ora, queste tenebre che chiamiamo dubbi, angosce, domande, problemi, aspirazioni dell'uomo, vengono descritte nella loro dimensione dalla letteratura. Dunque che differenza c'è tra una luce diretta su un roveto o sulle profondità di un abisso? La letteratura scopre gli abissi che abitano l'uomo, mentre la rivelazione, e poi la teologia, li assumono per dimostrare come Cristo giunge ad attraversarli e a illuminarli. Insomma, un'antropologia che cercasse di costruirsi senza aver posato un lungo sguardo preliminare sul soggetto che studia, cioè l'uomo, rischierebbe di essere insignificante. La letteratura può evitarle questo rischio scoprendo la dimensione del mistero dell'uomo che il Mistero di Cristo viene a illuminare.

Bibl. - P.H. Simon, *La littérature du péché et de la grâce*, Paris 1957; Pie Duployé, *La religion de Péguy*, Paris 1965; Ch. Moeller, «La théologie devant l'évolution de la littérature au XXe siècle», in R.V. Gucht - H. Vorgrimler (edd.), *Bilancio della teologia del XX secolo*, Roma 1972; L. Guissard, «Littérature» in *Cath* (1974) 7, 842-861; H. Carrier, *Évangile et cultures*, Città del Vaticano-Paris 1987.

RENÉ LATOURELLE

LINGUAGGIO

I. FILOSOFICO: 1. *Presupposti* - 2. *Percorsi* (G. Lafont) - II. TEOLOGICO: 1. *Fondamento del linguaggio teologico* - 2. *Peculiarità del linguaggio teologico (fondazione, elaborazione, superamento)* (R. Fisichella).

I. Filosofico

La questione del linguaggio è evidentemente al centro della teologia fondamentale, perché la stessa parola «teologia» include il *lógos*. Si tratta

quindi di definire le modalità proprie del linguaggio, quando questo riguarda Dio, di stabilire criticamente la validità e i limiti di tali modalità, di esaminare le possibilità che esse offrono in materia di verità e di senso.

Idealmente, tutto questo dovrebbe potersi fare solo sulla base di una teoria generale del linguaggio collaudata, che comprendesse la manifestazione del linguaggio (fenomenologia), i suoi meccanismi (linguistica), la sua portata e il suo valore (critica e interpretazione).

In realtà, una simile teoria unitaria non esiste: il campo molteplice delle scienze del linguaggio appare al contrario molto anarchico e non si intravede ancora il momento in cui si potrebbe rivelare qualche principio capace di ordinare e articolare questa diversità. La difficoltà deriva forse dalla nostra situazione culturale: eravamo discepoli di Socrate, ossia desiderosi di «verità vera», trascinati in un processo di purificazione e di interiorità per giungere al luogo presupposto di tale verità, sospettosi al tempo stesso nei confronti degli strumenti umani e incarnati che, invece di servire questo percorso puro, lo deviano verso gli interessi privati del potere e della ricchezza. L'epistemologia antica ha considerato in maniera insufficiente il linguaggio in se stesso, cioè in quanto ha un ruolo intrinseco nella manifestazione della verità; esso era considerato solo uno strumento, da controllare da vicino.

Oggi, senza dubbio, si verifica un tentativo di rottura con Socrate, a volte anche troppo brusco; ci si mette volentieri a considerare che noi siamo fin dall'origine *nel linguaggio*, il quale non è, o non è soltanto, e comunque non innanzitutto l'espressione di un pensiero né l'abito della verità; esso sarebbe piuttosto come una dimensione ontologica dell'essere-uomo, un elemento, se non il suo elemento proprio; sarebbe una struttura già data che la persona fa propria esistendo, a meno che essa non esista appropriandosene. Bisognerebbe quindi studiarlo in se stesso, nel suo funzionamento, nei suoi meccanismi, nei suoi livelli di sviluppo (e di comunicazione). Per quanto legittima sia,

questa nuova prospettiva non è priva di paradossi: di conseguenza non è facile riconciliare questa considerazione «ontologica» del linguaggio con la sua intenzione significatrice. Se il linguaggio ha un posto veramente originario, come può «far segno», di che cosa e a chi? O, detto con altre parole, come riesce, il sistema di segni che esso costituisce, a non essere un universo ineluttabilmente chiuso in se stesso e che paradossalmente non può significare niente al di fuori di sé? O ancora, che cosa dire del fatto che per studiare il linguaggio disponiamo solo del linguaggio? C'è qui un'opposizione *a priori* a questa nuova disciplina?

Lo stesso paradosso può essere riconosciuto in altro modo: il linguaggio appare al tempo stesso necessario, centrale all'esistenza umana e, da ogni parte, oppresso. Avviene come se, nonostante tutto, si languisse dopo un «discorso veritiero», secondo l'espressione di Celso, di cui si riconoscesse al tempo stesso l'impossibilità. Il significato del discorso è limitato da ciò che lo supera: il → silenzio, come fondo o abisso o, al contrario, vetta al di là di tutto; la comunicazione come riconoscimento tra persone uniche di cui né l'essere, né il divenire, né la parola si lasciano ridurre alla pura logica; la pratica, che si giustifica più come obbedienza, fedeltà e competenza, che come coerenza concettuale. Contenuti di linguaggio sono allora soltanto possibili?

Infine, per sovrappiù e a tutti i livelli, si profilano le malattie del linguaggio: la menzogna, cosciente o simulata, la manipolazione sofistica e, cosa forse più grave, la pretesa dell'appropriazione della realtà attraverso il discorso, tanto più pericolosa, forse, quando il discorso è o crede di essere più vero: la verità, reale o supposta, può allora divenire strumento di potenza, addirittura di persecuzione.

Si può capire che, in una congiuntura così ricca e difficile, questo articolo si limiti a rilevare alcuni presupposti che appaiono essenziali a ogni percezione autentica del linguaggio e a segnare un percorso possibile che segua in un ordine, non esclusivo ma soddisfacente, le diverse operazioni del linguaggio.

1. Presupposti - Ci limiteremo qui a situare il linguaggio in rapporto al *desiderio*; è questa senza dubbio una prospettiva più inglobante di quella che considera immediatamente il rapporto tra linguaggio e verità. Indicheremo in seguito i *riferimenti* sempre presenti da quando esiste la parola. E queste due problematiche, desiderio e riferimento, permetteranno di indicare una proprietà essenziale del linguaggio: la *metafora*. Parleremo brevemente in seguito della *scrittura*, che praticamente non è possibile separare dal linguaggio, ma della quale è difficile discernere il posto. Diremo infine una parola sul *simbolo* e sul suo rapporto con l'*immagine*.

a. Tra tutti gli spazi del significato, il linguaggio è quello che mette in opera il *verbo*; porremo qui, come ipotesi di lavoro, che esso organizza le risorse inesauribili del suono e della voce al servizio di quelli che si potrebbero definire i tre desideri primordiali dell'uomo: desiderio di comunicare, desiderio di sapere, desiderio di fare. Questa triplice flessione del desiderio definisce tre campi del linguaggio: un campo simbolico, in cui le parole sono instauratrici di rapporto più che di conoscenza e la cui verità è nella reciprocità dell'invocazione; un campo razionale, che stabilisce la scienza e la cui verità dipende dalla coerenza logica del discorso; un campo pratico, che consente la prestazione e la cui verità è nel successo. Pur essendo distinti, questi tre campi non sono separati; è chiaro che la verità dell'uno non potrebbe stabilirsi pienamente senza la verità de-

gli altri; d'altra parte può verificarsi, e infatti si verifica, il transfert dei linguaggi, poiché quello di un campo serve «metaforicamente» l'espressione di un altro.

b. Comunque siano i problemi critici, a cui accenneremo più avanti, questo triplice linguaggio del desiderio si sviluppa immediatamente in un *riferimento* anch'esso triplice o, in altre parole, presuppone continuamente una triplice alterità: il mondo proporzionato all'uomo che parla, a cose e a persone; la trascendenza; il tempo. Questo significa che in ognuno dei campi considerati precedentemente, il linguaggio conosce dimensioni che si possono definire, in un senso diverso da quello espresso prima, «metaforiche»: esso è capace di trasferire i significati formati al livello che gli è omogeneo, a livelli che non lo sono. Proprio a questo punto si pone il problema del → linguaggio teologico: quali linguaggi esprimono (e producono) la comunione con Dio, la realtà di Dio, in se stesso e in rapporto a noi, una pratica specifica (se esiste) dell'essere che è in rapporto con Dio e lo conosce? Quanto al tempo, questo introduce nell'idea e nella pratica del linguaggio la parola e la realtà della tradizione: sul solo piano umano, un linguaggio, e quindi una cultura, è, fin dall'inizio, trasmesso al bambino perché possa vivere il suo desiderio; questo dato è fatto proprio e utilizzato in maniera originale dal beneficiario, in modo tale che lo strumento concesso non esce indenne dal nuovo uso; in questo modo nessun linguaggio è dato una volta per tutte; l'uso univoco, anch'esso personalizzato e quindi adattato, si sviluppa sull'orizzonte della prospezione (futuro) e dell'interpretazione (passato) e riceve da questa situazione una parte del suo potere significante. Per di più, se esiste un rapporto di Dio con il tempo, il linguaggio teologico comporta, anch'esso, un elemento incancellabile d'interpretazione.

c. Non è possibile, in una problematica, anche se poco elaborata, del linguaggio, non considerare un po' la *scrittura*. L'oralità del verbo infatti non può mantenersi senza la plasticità della scrittura. A mezza strada tra una visione semplicistica che vede nella scrittura il mero deposito, in se stesso passivo, della parola, e una teoria sofisticata che considererebbe la scrittura come la traccia originaria, indefinita e appena sensata, sulla quale può eventualmente profilarsi la parola, si riconoscerà qui alla scrittura una doppia funzione di costruzione e di memoria. Costruzione nella misura in cui la scrittura accorda al desiderio di significare il soccorso dello spazio: le parole sono in un certo senso «messe in piano», stese, nel senso proprio «manipolate» fino a che il loro ordine nello spazio genera il significato complesso e al tempo stesso vi corrisponde; da questo punto di vista, la scrittura è essenziale allo sviluppo della funzione prospettica della parola, al livello sia del progetto reale sia della finzione; si articolerebbe a questo punto l'idea di → letteratura. D'altra parte, una volta composte tra loro tramite l'atto stesso della scrittura, le parole rimangono a disposizione e costituiscono come una materia sempre di nuovo disponibile per l'interpretazione e l'azione. In un viavai costante, la scrittura provoca la parola, mentre questa commenta (e quindi, in un certo senso, ricrea) la scrittura. Infine, appartenendo al campo plastico, la scrittura fa da ponte tra il verbo e gli altri campi dell'espressione spaziale, che si potrebbero riunire sotto il vocabolo «arte».

d. Quanto è stato proposto finora consente di fare una distinzione tra i diversi significati che può assumere la parola → *simbolo*, usata nel campo del linguaggio. Nella prospettiva del desiderio di comunicare, esso è elemento di *riconoscimento*; è per questo che il nome proprio sarebbe la parola simbolica per eccellenza. Tuttavia ogni parola, presa in un qualsiasi campo del sapere e metaforicamente applicata, può svolgere questo ruolo di strumento di riconoscimento; ecco allora il secondo significato della parola simbolo: designazione immaginata, sempre possibile dal momento che una interpretazione decifra la metafora rivelando la sua potenza di invocazione e di evocazione. Infine, al di là del processo formale del riconoscimento e quindi piuttosto al servizio dei desideri di *sapere* e di *fare*, c'è simbolo ogni volta che una parola presa in un registro di linguaggio riguarda ciò che potrebbe essere detto, con maggiore esattezza se non con maggiore pregnanza, in un altro registro. Ma qui è necessaria una distinzione: in alcuni casi, il linguaggio simbolico può essere, con profitti e perdite, ritrascritto in un linguaggio proprio, e così la prosa succede alla poesia; ma in altri casi non esiste un linguaggio proprio immediatamente disponibile, e così il linguaggio simbolico è essenziale (ma non esclusivo) al linguaggio della trascendenza e al linguaggio del tempo, almeno quando questo vuole significare il futuro, per definizione assente dalla nostra conoscenza come dal nostro riconoscimento.

2. PERCORSI - La figura di un percorso dipende in gran parte dalla sua origine. Poiché il linguaggio raggruppa l'insieme del simbolismo della voce e del suono, cominceremo qui dalle loro prime manifestazioni: *voce / grido / canto*, ma per osservare subito che queste si profilano su una realtà forse più primordiale: *ascolto / silenzio*. La voce, si dice, «rompe» il silenzio. Questo concetto è doppio: si può trattare del silenzio circostante, e allora la voce è una presa di pos-

sesso di questo mondo silenzioso e affermazione di sé presente ad esso; ma c'è qualcosa di più essenziale: la voce è rottura del silenzio personale, in risposta all'attesa e all'ascolto silenzioso dell'altro; le parole non escono se non c'è nessuno che ascolta, mentre, al contrario, il silenzio può essere richiesta di linguaggio.

Ci sarebbe dunque una duplice anteriorità del *silenzio/ascolto* alla parola: anteriorità di un mondo, anteriorità di altri con ascolto reciproco.

Ora, all'orizzonte si profila l'anteriorità di Dio; si apre qui tutta una linea di pensiero per situare ogni teologia all'interno di un ascolto della *doppia* parola di creazione (del mondo) e di alleanza (interpersonale) alla quale, in quanto *lógos*, essa risponde. E così si trova indicato l'aspetto specifico del *silenzio originale* nella teologia cristiana: non si tratta di un *Abgrund* infinito e terrificante nella sua impersonalità, che condannerebbe ogni parola, ma della profondità di un Dio che, nella sua stessa trascendenza, crea e parla. Il silenzio primordiale di Dio libera la Parola e genera la risposta, prima in Dio stesso, poi in ogni uomo e in ogni comunità di questo mondo.

Questo primato del binomio *ascolto/parola*, confermato d'altra parte dallo stesso corpo dell'uomo il cui orecchio è sempre in stato di ascolto mentre la lingua è sottoposta alla volontà, si precisa grazie a un altro binomio: *invocazione/evocazione*. Non esiste parola che non sia indirizzata: il primo grido del bambino è già richiamo, mentre l'uomo normale non parla da solo (anche se una delle numerose malattie del linguaggio è l'astrazione dall'uditore: parola che non domanda e non ammette risposta). Ciò che è detto («evocazione») s'inscrive nell'atto stesso di dire, che è sempre un «dire-a» («invocazione»); il linguaggio è essenzialmente interlocuzione. In termini linguistici, si potrebbe parlare qui di primato del *no-*

me proprio (di colui al quale ci si rivolge) e del *pronome personale in prima persona* (per colui che prende la parola). Il nome proprio contiene e suggerisce i valori immaginari, simbolici, affettivi che mediano il desiderio di essere ascoltati dall'altro, mentre il pronome si esprime effettivamente solo personalizzato dalle caratteristiche esclusive di voce e di tono. E, che si tratti dell'uno o dell'altro, il nome proprio e il pronome rimandano al mistero della comunicazione e dei termini che comunicano: *designano* prima di *rappresentare* (anche se un elemento di rappresentazione è sempre, di diritto come di fatto, inscindibile dalla designazione). Se continuiamo su questa linea, percepiamo, già sul piano umano, ma più ancora nel linguaggio segnato dal divino, il primato dell'*innico*, del *liturgico*, all'interno dei quali soltanto ogni altra forma di linguaggio può acquistare significato e verità. La dossologia è senza dubbio lo spazio proprio della parola.

Il passo successivo in questa considerazione fenomenologica del linguaggio è di natura *etica*. L'invocazione reciproca si carica il più delle volte di un contenuto di *domanda/risposta*: chi invoca l'altro con il suo nome entra nel suo campo di esistenza per invitarlo a dare, a collaborare; la parola diventa interdetto (di continuare da solo), proposta (di fare qualcosa insieme), in una parola *legge*. La legge è la forma di linguaggio che sta alla confluenza del desiderio di comunicare e del desiderio di fare; cerca di creare un'alleanza e tende a introdurre una storia. Se si basa sulla reciprocità accettata dei desideri, è anche *grazia*. Così il linguaggio è il luogo dell'apparizione effettiva delle libertà nella loro capacità di proposta e di sottomissione, di comandamento e di obbedienza; in una parola, di alleanza. Forse è anche a questo livello della legge che il linguaggio svela il suo rapporto con la → *morte*: la parola etica non può andare in direzione della comunità senza rinuncia all'autosufficienza, né senza il superamento dell'isolamento narcisistico.

Ora si può riconoscere un segno del primato della dimensione etica anche nel linguaggio teologico, se si pensa che la prima parola che Dio rivolge all'uomo nel giardino dell'Eden è di *dono* e di *difesa*: proposta d'alleanza che sopraggiunge prima ancora che l'uomo abbia cominciato a dare un nome agli esseri viventi che lo circondano e a riflettere su Dio che l'ha creato e che gli parla. Così la verità integrale del discorso teologico non potrebbe essere slegata dalla fedeltà all'alleanza.

Se il linguaggio si presenta innanzitutto come etico, comporta poi il *racconto*, perché nessuna parola può più essere pronunciata se non sullo sfondo di una memoria delle decisioni prese e della loro inscrizione, benefica o fatale, nel corpo dell'uomo, nel suo mondo e nella sua storia. Qui entra dunque in gioco nel linguaggio l'elemento → tempo, sotto forma di memoria, come ritorno del passato e anticipazione dell'avvenire nella parola. In questo senso, il racconto è un atto di linguaggio con il quale sia il narratore sia gli ascoltatori fondano insieme la loro speranza e la loro azione sull'evocazione di un passato significativo. Sottolineeremo qui che l'elemento di *anticipazione* fa parte, quanto quello del rendiconto, del linguaggio della storia: ciò che ancora non è, e non può quindi essere detto in maniera propria, comanda in parte l'interpretazione di ciò che è stato e il discernimento di ciò che è. Noteremo anche che è a questo livello narrativo che il linguaggio fa apparire più chiaramente il *male* che lo abita; il racconto è sempre, direttamente o indirettamente, confessione dell'ingiustizia commessa e richiesta, anche implicita, di un perdono. L'avvenire anticipato non è soltanto il compimen-

to simbolizzato che dà il suo significato alla parola oggi proferita; è anche purificazione escatologica della storia e di ogni parola che l'accompagna.

Considerato in questa prospettiva, il linguaggio teologico è redentore e fondatore; redentore nel senso che guarisce le ferite della memoria dimentica del suo passato vero; fondatore nella misura in cui rivela le vere coordinate dell'alleanza, non solo passata e presente, ma anche futura. In questo senso il linguaggio fornisce una chiave ermeneutica per una giusta interpretazione del presente. Dire che la teologia è essenzialmente narrativa non significa che essa si limita a «raccontare delle storie», ma che tutto il suo linguaggio riposa, in ultima analisi, su un racconto fondatore, quello del → mistero pasquale di Gesù Cristo, come memoria, alleanza, perdono e missione, cosa che, naturalmente, non può avvenire senza evocare molte «storie».

Se esiste un certo primato del silenzio come spazio originale prima della parola di incontro e di conoscenza ma anche per la parola stessa; se c'è un processo della parola a partire dal primato di quello che si può definire l'indirizzo reciproco: invocazione, legge, racconto, l'investigazione, tuttavia, non può chiudersi con queste costatazioni: sullo sfondo del silenzio, infatti, e all'interno della comunicazione, si delinea il *sapere*. L'epistemologia antica tendeva a fare del linguaggio la semplice trasposizione vocale del pensiero; oggi, al contrario, si fa fatica a leggere un pensiero nel linguaggio; il primato del *dire* è spesso esclusivo di una analisi seria del *detto*. Questa analisi, tuttavia, fa parte della teoria del linguaggio, come si può dimostrare per ognuna delle tappe considerate: l'invocazione reciproca non è in realtà possibile senza l'ausilio di un'immagine, e di colui al quale ci si rivolge e della stessa persona che parla. Che questa immagine sia legata all'atto stesso dell'interlocuzione, è cosa certa; che corra il rischio di fare da schermo piuttosto che servire l'apparizione reciproca degli interlocutori, è altrettanto certo. Ma i condizionamenti e i pericoli non annullano la necessità e la realtà di una immagine: il registro del *vedere* è meno lontano di quanto sembri da quello del dire. Ora, nel cuore dell'immagine si delinea l'*idea*. In secondo luogo, quale comunicazione etica esisterebbe se i nomi che si usano, la grammatica che li collega e la logica che li organizza fossero sprovvisti di ogni obiettività? In mancanza di questa, l'apparente dialogo potrebbe essere qualcosa di diverso da una giustapposizione sorda di espressioni chiuse su se stesse? La normativa della legge non è esterna al processo dell'interdetto fondatore della relazione; essa ne discerne i criteri. Allo stesso modo, ancora, si deve ammettere che un certo aspetto obiettivo dell'avvenimento lavora sempre all'interno della conoscenza storica; il racconto assume le qualità di vero o di falso, a seconda che la sua configurazione è fedele o no a un certo numero di dati, riguardanti sia il futuro sia il passato.

Ci si deve, d'altra parte, interrogare sui mezzi che il *desiderio di sapere* si dà per raggiungere il suo scopo, la scienza ai suoi diversi livelli, non solo nei suoi usi pratici, ma nel suo valore proprio di conoscenza; ora, anche qui, nomi, grammatica e logica fanno giungere al linguaggio il concettuale, a tutti i suoi livelli, e tendono alla manifestazione dell'*essere*. I registri della teoria, dello speculativo, della contemplazione non hanno alcuna ragione di essere cancellati dall'analisi del linguaggio, poiché fanno parte delle risorse di quest'ultimo.

In definitiva, l'analisi antica privilegiava i contenuti del linguaggio e metteva la loro verità in cima ai valori, trascurando forse la presenza della metafora e della sempre nuova

interpretazione; se oggi, e probabilmente a giusto titolo, mettiamo in primo luogo quello che allora era stato trascurato, sta a noi definire, all'interno di questa prospettiva diversa, la presenza e il necessario significato dei contenuti.

Si situa qui l'immenso problema teologico dei Nomi divini, sia quando sono nomi propri, termini della preghiera umana, sia quando accompagnano la confessione dell'alleanza e il racconto delle sue peripezie, ma anche quando cercano di esprimere Dio, in se stesso e nella sua attività creatrice. La verità della teologia presuppone l'interpretazione giusta di queste denominazioni e la loro integrale messa in relazione; la teoria di questa interpretazione e di questa messa in relazione è l'oggetto stesso della ricerca sul linguaggio teologico. La verità qui mirata è un po' come l'asintoto dei nostri desideri umani quando si tratta di parlare di Dio.

Per concludere queste riflessioni frammentarie sul linguaggio ricorderemo che, alla base di ogni linguaggio, c'è l'ipotesi che «la parola dice la verità all'altro». Se il problema della → *verità* è interno al problema del linguaggio che cosa possiamo suggerire a questo punto? Diciamo che la verità si situa alla confluenza di questi desideri che noi abbiamo supposto all'origine del linguaggio e che ora riprendiamo in un altro ordine. Desiderio di *sapere*, di conoscere, di capire; desiderio noetico, centripeto, appropriazione relativa della realtà, secondo l'assioma che «l'anima è chiamata a divenire ogni cosa»; estroversione di un sé limitato verso l'ampiezza di un cosmo in una visione sia diacronica sia sincronica. Desiderio di *divenire*, di svilupparsi secondo un determinato senso, quindi di ricordarsi, di unirsi in una congiura e di sperare, d'interpretare e di progettare: un linguaggio che, implicitamente, parla di immortalità. Desiderio di co-municare, ossia non più di appropriarsi, ma di entrare in un gioco etico d'invocazione e di risposta, di dono, di ricezione e di scambio. La verità integrale risulterebbe dall'articolazione della verità propria a ciascuno di questi desideri. È come dire che essa è un limite e che, una volta raggiunta, essa si mette da parte per lasciare il posto a una ripresa e a un approfondimento.

Queste riflessioni ci orientano anche verso una teoria del linguaggio teologico più inglobante che esclusiva. Non si deve mettere la dossologia contro → l'analogia, l'interpretazione contro la scienza, l'invocazione contro la rappresentazione, l'etica contro l'ontologia, ecc., né al contrario accontentarsi, non senza un certo pericolo di arroganza, di un'articolazione di concetti che definirebbe con precisione le proprietà di un'essenza, come se non ci fosse nessuno che parla o come se il locutore non fosse nell'angoscia di un qualcuno, ma realtà, salvezza. La difficile intenzione della teologia fondamentale in questa materia di linguaggio, è di distinguere per unire, per promuovere una parola indirizzata, impegnata, fedele sia alla realtà che al ricordo e alla speranza, insomma attiva per servire l'avvento della Verità.

Bibl. - J. Ladrière, *L'articulation du sens*, voll. I-II, Paris 1970-1984; I.U. Dalferth, *Religiöse Rede von Gott*, München 1981; A. Louth, *Discerning the Mystery*, Oxford 1983; G. Lafont, *Dieu, le temps et l'être*, Paris 1986.

GHISLAIN LAFONT

II. Teologico

Non si può aggirare il problema del linguaggio teologico; deve essere invece affrontato con tutta chiarezza, anche se la soluzione appare ancora lontana e l'impresa, per molti versi, sembra destinata ad arenarsi su alcuni lidi secondari.

L'importanza del linguaggio teologico non è da dimostrare; si impone da

sé come realtà evidente nel momento in cui si pensa che appartiene allo specifico umano il dover comunicare e allo specifico della rivelazione il dover divenire di patrimonio universale (Mt 28,19).

Nel momento in cui il teologo si appresta a presentare la peculiarità del linguaggio teologico è opportuno che siano rese evidenti almeno due premesse:

1. FONDAMENTO DEL LINGUAGGIO TEOLOGICO - La condizione di possibilità del linguaggio teologico è determinata dalla rivelazione di Dio. Questa priorità non è senza conseguenze. Essa, infatti, apre alla individuazione di alcuni principi ermeneutici fondamentali per una teoria del linguaggio teologico. Più direttamente:

a. Se la teologia può «dire» Dio, è perché Dio ha detto di sé. La primaria e gratuita autorivelazione di Dio è all'origine di ogni linguaggio teologico.

b. Ciò significa, che in un linguaggio umano è stata impressa, una volta per tutte, la forma attraverso la quale Dio ha comunicato con l'umanità. L'individuazione di questa forma implica il suo riconoscimento come norma di ogni ulteriore linguaggio che voglia «dire» il mistero di Dio.

Una prima conseguenza pertanto, è data da vedere. L'economia della rivelazione presenta un crescendo nell'individuazione della forma espressiva dell'autocomunicazione di Dio. Ad un primo livello, intuitivo e universale, la *creazione* è vista come linguaggio di Dio. Ciò che le parole non possono ancora esprimere la natura lo manifesta e rivela: «I cieli narrano la gloria di Dio e l'opera delle sue mani annuncia il firmamento. Il giorno al giorno ne affida il messaggio e la notte alla notte ne trasmette notizia» (Sal 19,2-3).

Tutto quindi, nel creato, diventa parola che Dio pronuncia per orientare l'uomo alla conoscenza del mistero

(Rm 1,20-21). Ma ancora di più, egli pone con atto creativo il linguaggio sulle labbra dell'uomo perché così possa riconoscerlo e lodarlo. Un testo ritrovato a Qumrân è particolarmente significativo in proposito: «Tu creasti lo spirito della lingua e conoscesti le sue parole, tu stabilisti il frutto delle labbra, prima che esse esistessero. Tu ponesti le parole in linea e regolasti il fluire dello spirito delle labbra, facendo uscire le parole in linea secondo i loro misteri e il fluire degli spiriti secondo i loro fini; per far conoscere la tua gloria e per raccontare le tue meraviglie in tutte le opere della tua verità e giustizia; perché il tuo nome sia esaltato dalla bocca di tutti coloro che ti conoscono» (Inno I, in *Manoscritti del Mar Morto*, Bari 1967, 175).

Dalla creazione, alle vicende che compongono la storia del popolo dell'antico patto, la parola di Dio si fa sempre più precisa e assume contorni di una comunicazione più personale. Toccherà particolarmente ai profeti porre in atto un linguaggio che, in una unità inscindibile di parola e segno, esprimesse la volontà salvifica di Dio.

Ma tutto, nella creazione e nella storia, era in prospettiva dell'unica vera parola che il Padre avrebbe pronunciato, quella del suo λόγος (Logos) che da sempre udiva le sue parole e che per questo poteva essere il suo vero interprete (Gv 1,18). Gesù di Nazareth, nella sua pretesa di essere il Figlio, non esprime una delle tante voci di Dio. Egli è Dio come il Padre, il suo linguaggio è, in termini umani, il linguaggio stesso che Dio pronuncia per l'umanità: «Dio aveva già parlato nei tempi antichi molte volte e in diversi modi ai padri per mezzo dei profeti, ultimamente in questi giorni ha parlato a noi per mezzo del Figlio» (Eb 1,1-2). In termini che sembrano commentare la lettera agli Ebrei, fa eco DV 4: «Egli, vedendo il quale si vede anche il Padre, con il fatto stesso della sua presenza e con la manifestazione di sé, con le parole e con le opere, con

i segni e con i miracoli, e specialmente con la sua morte e la sua risurrezione di tra i morti e infine con l'invio dello Spirito di verità, compie e completa la rivelazione».

L'autoconsapevolezza di Gesù di Nazareth che pronuncia le parole del Padre (Gv 5,19; 8,26), indica che il suo linguaggio è l'unico conforme a quello di Dio in forza della sua relazione filiale; in lui infatti «corporalmente abita la pienezza della divinità» (Col 2,9).

La teologia fondamentale, nel momento in cui pone le premesse teologiche per una teoria del linguaggio, non può prescindere da questo a priori, pena la perdita di senso di ogni analisi.

Sarà da osservare, in proposito, che pur nella consapevolezza di una mediazione di questo evento, determinato dalle teologie neotestamentarie, la teologia non rinuncia a ritrovare *mediante* esse, proprio perché sono *mediazioni*, quella forma tipica e peculiare del linguaggio stesso di Gesù.

Questo linguaggio originario, costituito dall'unità di parole e gesti di Gesù, unitamente al linguaggio che lo media, è la fonte prima e normativa di ogni linguaggio teologico successivo. Questo perché, sia in quanto parola di Gesù stesso sia mediante l'ispirazione dello Spirito Santo, costituisce la rivelazione di Dio, che è fondamento di ogni sapere teologico.

2. PECULIARITÀ DEL LINGUAGGIO TEOLOGICO - Il linguaggio teologico rappresenta contemporaneamente una unità di fondo e una differenza peculiare con altri linguaggi che esprimono il mistero divino.

Anzitutto il linguaggio teologico non è il linguaggio della *rivelazione e della fede*. Questo infatti è un linguaggio fondativo che nell'unità e unicità dell'evento dell'incarnazione esprime in una sola parola – Gesù di Nazareth – il linguaggio di Dio. Il linguaggio della rivelazione è quello paradossale, perché rende presente nella morte e risurrezione di Cristo l'essenza dell'amore trinitario. Il linguaggio teologico, come si è detto, si fonda su questo linguaggio e nella pluralità dei concetti e delle espressioni linguistiche si sforza di rendere intelligibile la singolarità dell'evento.

Il linguaggio teologico non è il linguaggio *liturgico*. Questo, infatti, è linguaggio peculiare degli iniziati e per sua caratteristica è linguaggio dossologico e mistagogico. Mentre il linguaggio teologico «dice», quello liturgico «celebra»; il primo si sforza di capire, il secondo di contemplare.

Il linguaggio teologico non è il linguaggio *religioso*. Questo infatti, appartiene ancora ad un ambito confinante con l'antropologia culturale, la sociologia, la psicologia e la fenomenologia del fatto religioso (→ Religione). Per sua natura dovrà prescindere primariamente dalla identificazione della divinità per mantenersi nell'orizzonte più generale del *sacro* e delle attitudini dell'essere umano alla percezione di esso.

Il linguaggio teologico non è il linguaggio *catechetico*; questo infatti è dato per una sistematica educazione dell'essere credente in modo che, rapportandosi alle concrete situazioni di vita, renda più significativa la scelta della *sequela Christi*.

Il linguaggio teologico, infine, non è linguaggio *pastorale*; questo infatti ha, come sua peculiarità, l'attenzione alle diverse situazioni culturali e cerca quindi di tradurre, per le varie forme di evangelizzazione, l'unico messaggio cristiano (cfr. GS 44-62).

Si può pertanto affermare che il linguaggio teologico è prima della molteplicità dei linguaggi descritti perché costituisce la loro fonte come una prima mediazione del linguaggio della rivelazione in ordine alla *intelligibilità* del mistero. Una liturgia che fosse solo mistagogia e non rendesse intelligibile il mistero che si celebra, cadrebbe facilmente in rito magico.

Una catechesi e pastorale che prescindessero da una fondazione teologica nel proprio insegnamento, sarebbero poco efficaci per una evangelizzazione che volesse coniugare insieme l'immutabilità del dato rivelato e l'attualità del momento storico.

Eppure la direzionalità non è solo dalla teologia alle diverse manifestazioni della vita di fede; si deve cercare di realizzare anche il movimento contrario, perché dalle diverse rappresentazioni ed espressioni, il linguaggio teologico venga rivitalizzato in ordine alla comunicabilità dei suoi contenuti.

Il linguaggio teologico pertanto si qualifica, all'interno dei linguaggi della fede, come un linguaggio basilare perché partecipe della dinamica stessa della fede che tende all'intelligibilità del proprio oggetto.

Esso è pertanto un linguaggio che *esprime* la fede nella rivelazione e contemporaneamente un linguaggio che *riflette criticamente* sul suo contenuto.

Le osservazioni seguenti potranno meglio evidenziare la specificità del linguaggio teologico.

a. Una prima caratteristica è la *performatività*. Un linguaggio performativo è per sua natura un linguaggio che impegna il soggetto nel momento in cui lo pone in atto. Il segno linguistico, in questo caso, non è solo espressione verbale, ma porta con sé la verifica del comportamento del soggetto che si impegna e si compromette con quel linguaggio. C'è un'autoimplicazione che rende il parlare e l'agire una unità indissolubile.

La performatività del linguaggio teologico è data come premessa indispensabile che proviene dalla fede stessa del credente come atto fondativo del sapere teologico. Ogni linguaggio teologico pertanto, implicitamente o esplicitamente dipende dalla formula: «Io credo che...».

Questa performatività indica anzitutto che vi è una personale presa di posizione davanti al contenuto del linguaggio che è quella del «credere» come costitutivo sia dell'impegno personale, che del linguaggio stesso. Il credente quindi, non pone in discussione la bontà e verità del contenuto del proprio linguaggio; esso proviene da un sapere della fede, e dall'atto globale di esso, con il quale lo si accetta come dato dalla rivelazione di Dio. Il linguaggio teologico pertanto in quanto performativo, analizza criticamente il suo contenuto, ma con un atteggiamento che è già determinato dal credere.

b. Il linguaggio teologico, come ogni linguaggio, è determinato dalla *storicità.* In quanto linguaggio umano esso sorge dal contesto naturale, si sviluppa in esso e assume dalla *natura* le espressioni che possono caratterizzare la creatività del soggetto. Ma poiché il linguaggio è dato per la comunicazione, esso si inserisce pure in un orizzonte *sociale,* culturale, che provoca la personale libertà di fantasia a divenire responsabile; per questo ognuno si riconosce in un sistema linguistico che permette la comunicazione dei dati.

Questa dimensione è valida anche per il linguaggio teologico. Pensiamo infatti tale linguaggio come dinamicamente costruito su una triade: fondazione, elaborazione, superamento.

Fondazione. Il linguaggio teologico, si è detto, è fondato sulla parola di Dio. Scrittura e tradizione costituiscono il momento normativo e fondante della fede. Questo linguaggio deve quindi fare della vita di Gesù di Nazareth, creduto e proclamato Cristo, il suo primo alfabeto.

Esemplificando: ognuno parla e si esprime con la propria *madrelingua.* Questa si apprende dalla nascita; la sua acquisizione è naturale: nasce, cresce e si evolve in quella relazione che è tipica tra il soggetto, che è abile ad esprimersi, e il contesto in cui deve esprimersi.

Al credente, che nel battesimo riceve la vita di fede, viene data unitamente ad essa, anche la possibilità di apprendere la sua madrelingua come la realtà connaturale con la scelta di vivere la fede. Questo linguaggio che esprime la fede, si identifica con il contenuto stesso di essa: Gesù Cristo. Il suo parlare, che esprime già kenoticamente la sua realtà di incarnazione, è in coerenza con il parlare di Dio.

In lui verranno quindi espresse: la *pienezza dell'amore* perché linguaggio che nasce dalla natura di Dio (1 Gv 4,16), la *totalità della verità* perché fonte di una piena libertà davanti al Padre (Gv 10,18; 8,16), e la *evidente credibilità* perché coerente e significativa in se stessa (Gv 8,13-14; 10,25-38).

Elaborazione. Da questa dimensione fontale, completamente gratuita perché frutto di rivelazione, emerge un linguaggio che cerca successivamente di *riflettere* sullo stesso contenuto. Per continuare nell'esemplificazione precedente, si potrebbe dire che questo è il momento in cui il credente acquisisce nuove lingue oltre la propria madrelingua. Una lingua appresa, però, non potrà mai sostituirsi alla madrelingua che, per definizione, resterà sempre più ampia e più espressiva di ogni altro linguaggio acquisito; qui, infatti, si sperimenta l'unico momento in cui il soggetto *naturalmente* esprime se stesso.

L'elaborazione del linguaggio teologico consiste nel trovare concetti e formulazioni che rendono esplicita e comunicabile all'esterno l'intelligibilità del dato. Questo principio, tuttavia, non è estraneo alla fonte stessa del linguaggio teologico. Scrittura e tradizione costituiscono, infatti, il primo esempio di acquisizione di mezzi espressivi atti alla intelligibilità e comunicazione del contenuto di fede.

Generi letterari, principi del sapere filosofico, formulazioni narrative varie, indicano la strada che si deve per-

correre per rendere sempre attuale l'e-laborazione del linguaggio teologico.
Il contenuto della fede, inserito in contesti e culture differenti, necessita di elaborazioni concettuali e linguistiche che siano conformi e coerenti con il grado di intelligibilità raggiunto (→ Inculturazione). L'applicazione delle norme dell'ermeneutica, il riferimento ai principi di un sapere filosofico, l'attenzione alle oggettive situazioni epocali dei credenti, dovranno costituire un materiale indispensabile per il teologo che ha la responsabilità di far emergere il senso più profondo della rivelazione.

Superamento. La fede è, per sua natura, orientata all'incontro definitivo con il suo Signore; per questo ogni realtà che le si pone innanzi viene relativizzata in vista di questo unico assoluto.
Anche il linguaggio teologico, che interpreta la fede, non può sfuggire a questa situazione. Ogni risultato raggiunto è pedana per una scoperta più grande. L'inesauribilità del mistero rivelato si riflette inevitabilmente nella frammentarietà delle formulazioni che lo spiegano. Nessun linguaggio teologico, pertanto, può avanzare la pretesa di una esaustività. La dialettica costante di un conoscere sempre più grande del mistero, impegna i credenti al rinvenimento di sempre nuove espressioni linguistiche che sappiano rendere credibile la fede nella nuova situazione storica.
Il superamento del linguaggio teologico non è relativismo né abbandono del linguaggio già raggiunto. È un reale superamento che sa cogliere il valore di una tradizione precedente, ma che ha sempre lo sguardo rivolto al proprio fondamento.
È, tuttavia, una coscienza «critica» quella che deve animare il linguaggio teologico; quindi coscienza di una ricerca che ha come suo peculiare interesse il metodo scientifico.
Si danno, a differenti livelli, tentativi di soluzione al problema del lin-guaggio teologico; chi si orienta alla normatività, chi al simbolico, chi al tautologico...; la varietà delle soluzioni è indice della incommensurabilità del nostro linguaggio quando viene a incontrarsi col divino.

L'uomo biblico aveva, relativamente, una situazione più facile della nostra: lui nasceva all'ombra del comando che vietava la nominabilità di Jhwh. Solo Dio poteva pronunciare il suo nome e «dire» di sé (Es 3,14).
Il contemporaneo, invece, nasce all'ombra del predominio e della moltiplicazione della parola per cui si sente obbligato a nominare Dio e ad usare il bisturi della ragione per poter illudersi di aver spiegato il mistero.
Un linguaggio teologico che vuole essere fedele al proprio contenuto da pronunciare, sa fin dall'inizio della *paradossalità* del proprio essere. Da una parte, non può parlare di Dio se non assumendo le forme che lui stesso ha dato, e per questo si qualifica come *teologico*; dall'altra, ha bisogno di rimanere legato alla natura umana perché altrimenti non sarebbe più «linguaggio».
Il carattere paradossale apre allora la strada ad una duplice caratteristica che, ci sembra, dovrà essere costantemente mantenuta. La prima è la legge dell'→ *analogia* che, mai come in questo caso, fa comprendere l'inadeguatezza del nostro parlare davanti al contenuto da esprimere. Senza l'assunzione dell'analogia, il linguaggio teologico potrà essere ricco di formulazioni espressive che potranno accontentare il filosofo o lo scienziato, ma purtroppo non esprimerà più il contenuto della rivelazione.
La seconda, è la caratteristica dell'*universalità*. Il linguaggio teologico dovrà essere cattolico, riconoscibile da ogni credente in ogni parte del mondo. L'universalità di questo linguaggio non è limite alla originalità e peculiarità con cui le diverse chiese vorranno formulare i contenuti della fede; al contrario è ciò che permette

la diversificazione degli asserti perché questi avranno una base comune, una madrelingua in cui riconoscersi.

Il linguaggio teologico, pertanto,
non avrà timore di assumere come
sua componente costitutiva il → silenzio perché cosciente che esso lo
riempie come fonte e fine di ogni autentico linguaggio quando si pone davanti alla rivelazione del mistero trinitario di Dio: *Verbo crescente, verba deficiunt*.

Bibl. - H.U. von Balthasar, *Verbum Caro.
Saggi teologici* I, Brescia 1968; Id. *Il tutto nel
frammento*, Milano 1970; E. Castelli (ed.), *L'a-
nalisi del linguaggio teologico. Dire Dio*, Roma 1969; I.T. Ramsey, *Il linguaggio religioso*, Bologna 1969; J. Macquerrie, *Ha senso
parlare di Dio?*, Torino 1969; D. Antiseri, *Filosofia analitica e semantica del linguaggio religioso*, Brescia 1970; E. Biser, *Theologische
Sprachtheorie und Hermeneutik*, München
1970; G.B. Mondin, *Il problema del linguaggio teologico dalle origini ad oggi*, Brescia 1971;
C. Molari, *La fede e il suo linguaggio*, Assisi
1972; F. Ferré, *Linguaggio, logica e Dio*, Brescia 1972; S. Fausti, *Ermeneutica teologica*,
Bologna 1973; I. Mancini, *Teologia, Ideologia, Utopia*, Brescia 1974; E. Schillebeeckx,
Intelligenza della fede, Roma 1975; P. Ricoeur,
*Dire Dio. Per un'ermeneutica del linguaggio
religioso*, Brescia 1978; J. Ladrière, *L'articulation du sens*, voll. I-II, Paris 1984; G. Lafont, *Dieu, le temps et l'être*, Paris 1986.

RINO FISICHELLA

LUOGHI TEOLOGICI

Nella teologia moderna i *luoghi teologici* sono un complesso di principi
organizzativi prestabiliti che dirigono
il lavoro teologico. Rifacendosi ad
Aristotele, la tradizione retorica occidentale parlava dei «luoghi comuni»
nel senso di collezioni ordinate di conoscenza – come esempi storici, citazioni utili, figure del discorso – che
l'oratore o lo scrittore esperto aveva
acquisito e teneva a portata di mano.
Il *De inventione dialectica* (1479) di R.
Agricola esponeva trenta di questi luoghi comuni, e si trattava di scorci della realtà dai quali poter trarre materiale da usare per costruire un argomento. La successiva appropriazione
teologica del metodo dei luoghi si attuò tuttavia in due modi del tutto diversi.

Una delle prime importanti opere
della pedagogia protestante fu quella
di P. Melantone, dal titolo *Loci communes rerum theologicarum* (1521), riveduta con il titolo *Loci praecipui
theologici* nel 1559. Qui i luoghi sono
i temi principali che costituiscono l'ossatura della Scrittura, come la nostra
condizione umana decaduta, il peccato, il vangelo, la giustificazione, la fede, ecc., temi sui quali si dovrebbero
raccogliere riferimenti e spiegazioni
mediante lo studio di tutti i libri canonici. I luoghi costituiscono una lista ordinata di tematiche o intestazio-
ni che definiscono l'obiettivo della formazione teologica. Il retto uso dei luoghi abilita a esporre la molteplice
testimonianza biblica alla generosità
divina, attraverso Cristo, verso l'umanità peccatrice.

Ma un altro approccio ai luoghi caratterizzò il classico trattato metodologico della moderna teologia cattolica: il *De locis theologicis* di M. Cano
(Salamanca 1563, ristampato trenta
volte fino al 1890). Cano, domenicano, discepolo di Francisco de Vitoria
e teologo imperiale al concilio di Trento nel 1551-1552, espose i luoghi nel
senso di aree di documentazione in cui
il teologo trova l'evidenza a sostegno
di dottrine che devono essere esposte,
o per confutare dottrine respinte come non ortodosse. L'autorevole lavoro metodologico del Cano consiste essenzialmente nell'elenco delle fonti
dalle quali un teologo cattolico desume il materiale. Ogni luogo ha certe
norme proprie di lavoro, che mostrano come si possono trarre specifiche
testimonianze alla verità divina rivelata nel modo conforme al luogo in
questione. In aperto contrasto con la
nozione e l'elenco dei luoghi di Melantone, Cano si rifece al *De oratore* di

Cicerone per indicare i luoghi come «i domicili» di tutti quegli elementi con i quali si porta avanti l'argomentazione teologica.

Cano assegna il primo posto tra i luoghi alla sacra Scrittura e ne spiega la verità e l'autorità canonica. Sfortunatamente la morte avvenuta nel 1560 impedì a Cano di comporre il Libro XIII del suo *De locis*, che doveva essere un trattato sull'ermeneutica biblica.

Il secondo luogo è rappresentato dal complesso di quelle tradizioni apostoliche derivate dal Cristo o dall'istruzione dello Spirito Santo agli apostoli, che risultano appartenere al perenne patrimonio dottrinale.

Queste due fonti fondamentali, nelle quali la parola rivelatrice di Dio dà un'immediata testimonianza a se stessa, sono a loro volta interpretate, custodite e sviluppate mediante quello che il credente e il teologo scoprono in cinque diverse espressioni della verità di Dio nella vita della chiesa: la fede dell'universale corpo dei credenti, i sinodi e i concili, la chiesa romana con il suo vescovo, i Padri, i teologi scolastici. Se consultate in modo corretto − secondo regole basate sulla natura di ciascuna − queste sette aree generano specifici tipi di testimonianza alla rivelazione divina. Ogni luogo può fornire una propria e autoritativa testimonianza al contenuto della dottrina cristiana.

Cano, da buon discepolo di S. Tommaso, non costruì la sua opera teologica secondo un ristretto soprannaturalismo, ma andò oltre elencando tre ulteriori aree dalle quali si dovrebbe desumere materiale di rilevanza dottrinale. Questi luoghi costituiscono come degli annessi ai principali luoghi di residenza dell'evidenza teologica, ma ciò nonostante essi hanno un loro specifico contributo da offrire. Pertanto Cano elencò come i tre ultimi luoghi la ragione naturale, le opinioni dei filosofi e le lezioni della storia umana.

Tradizionalmente la teologia fondamentale comprendeva una esposizione delle fonti dottrinali e del metodo teologico. Questa «dottrina dei principi» costituisce il naturale complemento della tradizione, da parte di questa disciplina, della rivelazione, della credibilità, della fede e della trasmissione del vangelo nella chiesa per il mondo. Una dottrina contemporanea dei luoghi o fonti cercherà di inserire temi assenti in Cano, quali la testimonianza della liturgia e l'esperienza delle chiese regionali o locali. Tuttavia la presentazione di Cano conserva la sua attualità.

1. Il suo trattato rimane un salutare ammonimento a non restringere lo scopo della ricerca teologica, sia perseguendo l'attualità di esperienze particolari, sia fermandosi con una certezza prefabbricata, quale potrebbe derivare da una lettura letterale della Scrittura o dal magistero della chiesa. L'apertura mentale di Cano indica la tipica ampiezza e complessità dell'*auditus fidei* di un teologo cattolico. Nessun luogo, preso singolarmente, può avere il monopolio dell'autorità.

2. I luoghi di Cano producono testimonianze dotate di «autorità». Ma non si tratta di un'autorità dovuta in primo luogo all'atto di volontà per cui questa o quella struttura di mediazione della chiesa è stata storicamente istituita. Le testimonianze dei luoghi si impongono a motivo della parola di Dio che si esprime in ognuno di essi.

3. Infine, il sistema di molti *luoghi* costituisce una profonda indicazione che il vangelo influisce sul credente «in molti e diversi modi» (Eb 1,1). Le testimonianze rese alla verità rivelata parlano con voci di intensità e timbro diverso, che il maestro cristiano cerca di fondere in un tutto armonico. Altre combinazioni e configurazioni sono ovviamente possibili. Ma un buon insegnamento attira e affascina precisamente a motivo dell'interazione armonica delle sue diverse componenti.

Bibl. - A. Lang, *Die «loci theologici» des Melchior Cano und die Methode des dogmatischen Beweises*, München 1925; A. Gardeil, «Lieux théologiques» in DThC IX, 712-747; E. Marcotte, *La nature de la théologie d'après Melchior Cano*, Ottawa 1949; A. Scola, «Chiesa e metodo teologico in Melchior Cano», in RSLR 9 (1973) 203-234; M. Andres, *La teología española en el siglo XVI*, voll. I-II, Madrid 1976-77, II, 311-329, 386-424; M. Seckler, «Il significato ecclesiologico del sistema dei "loci theologici"» in *Teologia Scienza Chiesa*, Brescia 1988, 171-206; J. Tapia, *Iglesia y teología en Melchor Cano*, Roma 1989.

JARED WICKS

LUTERANESIMO

I. Prospettiva

Nella tradizione della Riforma la teologia fondamentale è stata poco dibattuta e meno praticata. Non è stata neppure molto attaccata, come è successo, invece, per la teologia naturale. Questo articolo rappresenta, quindi, un tentativo di spiegare perché è stata ignorata. Si inizia con una descrizione della posizione iniziale della Riforma, si accenna brevemente agli sviluppi dei secoli successivi, e si conclude con osservazioni circa la situazione presente, senza escludere la possibilità che la teologia fondamentale, come genere distinto, possa avere un futuro tra gli eredi della Riforma.

Sebbene scritto da un luterano, questo saggio non ha un carattere confessionale. Nei riguardi dell'argomento che qui ci interessa, a differenza di certi altri, poca è la differenza tra la tradizione riformata (calvinista) e luterana. Perciò sembra più opportuno parlare semplicemente di teologia della Riforma (o, come sinonimo, seguendo l'uso tedesco, «teologia evangelica»).

1. Non è ciò di cui la fondamentale si interessa che esula dalla tradizione della Riforma; è piuttosto la sua esistenza come disciplina distinta. Que-

sta avversione diventa comprensibile non appena si riflette sulle implicazioni del *sola Scriptura* in connessione con il *sola fide*. Nonostante queste parole d'ordine, i riformatori non erano né anti-intellettuali, né fideisti. Essi misero in opera tutte le risorse conoscitive dei loro tempi, incluse quelle di origine pagana, allo scopo di meglio comprendere sia la Scrittura che la fede. Nessun teologo nella storia ha più vigorosamente portato avanti l'impegno della «fides quaerens intellectum». Si trattava, tuttavia, della ricerca di un tipo particolare di intelligenza: la comprensione di quello che si potrebbe chiamare l'intimo *logos*, ossia la logica della fede. Come molti pensatori anteriori alla Riforma – non ultimo Anselmo nel *Cur Deus Homo* – essi concentrarono l'attenzione sul nesso profondo degli insegnamenti scritturistici. A questo essi aggiunsero – più di quanto non fosse stato fatto prima – un interesse metodologico-intenzionale per il valore kerigmatico e per le sue applicazioni *pro nobis*. Adesso noi usiamo dividere questi compiti tra la teologia dogmatica o sistematica e la teologia pratica; per loro, invece, era la stessa cosa e operavano in ambedue i settori come teologi biblici, costantemente attenti al linguaggio e ai criteri concettuali della Scrittura.

Tuttavia, nel perseguire la *fides quaerens intellectum internum*, essi non escludevano quella dimensione diversa, «esterna» dell'auto-comprensione della fede che è l'ambito speciale della fondamentale: il rapporto delle affermazioni della fede con quanto è dato conoscere per vie diverse da essa. Preoccupati com'erano di proclamare il messaggio biblico, ogni tanto si trovavano a riflettere su ciò che appare ragionevole o irragionevole per i non credenti al di fuori della chiesa, come pure sui dubbi residui che permangono nel cuore di ogni cristiano. Solo facendo così si può fare la distinzione cruciale tra vera e falsa offesa all'intelletto e non sostituire allo scandalo della croce uno scandalo diverso. Dopotutto, per dirla in termini elementari, ci sono delle cose – come certe confusioni a livello logico – che possono ostacolare la fede e che vanno illuminate dalla logica. (Lutero, per esempio, si diffonde a lungo sull'utilità della logica occamistica occupandosi delle obiezioni di Zwingli relative alla presenza reale).

Una cosa, tuttavia, bisogna evitare. Non si deve dare l'impressione che il ragionamento, la conoscenza o l'esperienza che si possono ottenere per vie diverse dalla fede, siano in grado di sostenere o accrescere la sua autorità o l'autorità della Scrittura su cui si fonda. La bibbia – per usare delle espressioni classiche – si interpreta da sola ed è la *norma normans non normata*. La sua autorità è quella stessa di Dio e non può essere accresciuta da alcun ragionamento umano (→ Chiesa: interprete della Scrittura). Pretendere di fare questo è altrettanto maldestro come il tentativo di rinforzare la certezza del teorema di Pitagora misurando sempre più triangoli rettangoli (l'Aquinate fa una simile logica osservazione, per esempio, in STh I,1,8). Quindi, per quanto la ragione sia necessaria, sia internamente per spiegare la fede, che esternamente per chiarire confusioni e mettere a tacere gli schernitori, essa non è in grado di offrire la più esile base o giustificazione all'accettazione del messaggio della Scrittura. Nei confronti della ragione il messaggio è autofondante. E non può essere che così se esso viene accolto come vera parola di Dio.

Quanto è stato appena detto circa la costitutiva inadeguatezza della ragione, si può dire in generale di tutti gli altri supporti che si potrebbero proporre a sostegno dell'autorità della Scrittura: tradizione, chiesa, teorie dell'ispirazione o della rivelazione, o della fede stessa. Nel *sola Scriptura*

tutto questo non viene escluso, ma incluso come suo contenuto o come conseguenza. La fede, tanto per cominciare, non dà valore alla Scrittura, ma è piuttosto da questa che riceve valore. Similmente, sebbene la bibbia parli di → ispirazione e di → rivelazione, e sebbene i teologi siano liberi di costruire teorie circa tali materie, l'autorità della Scrittura non dipende dal loro successo o dal loro fallimento (Tommaso segue una linea simile quando discute, per esempio, dell'ispirazione in STh II-II,171-3). Inoltre, l'ascolto della Parola è un'azione comunitaria o ecclesiale, non individualistica, per cui abbiamo bisogno dell'aiuto di altri uditori del passato come del presente, per poter distinguere la voce di Dio dalle nostre fantasie. Eppure quella voce ha in sé la propria autorità, indipendentemente dalla chiesa.

Non viene esclusa, infine, la tradizione, quantunque lo sia la dipendenza da essa. Questo punto richiede ulteriore spiegazione a motivo del supposto anti-tradizionalismo dei riformatori. Essi intendevano la parola in un'accezione più ridotta della nostra e, di solito, in senso peggiorativo. Prima di tutto, se usata nel senso comunemente inteso dagli storici odierni, si può dire che per questi è la tradizione a far sì che la Scrittura sia Scrittura, proprio come se, analogamente, fosse per via di una convenzione tradizionale di lettura che gli *Elementi* di Euclide vengono catalogati come geometria e l'*Iliade* di Omero come poema epico, piuttosto che essere considerati – come lo sono dai filologi – semplici fonti di informazione circa la Grecia antica. La bibbia è una raccolta eterogenea di antichi scritti se non viene letta e usata – come i riformatori sostenevano che avrebbe dovuto essere – come parola del Dio Trino, incarnato *pro nobis* in Gesù Cristo, nel quale soltanto si deve riporre la speranza di salvezza. Per cui, se questi elementi tengono il posto di principi ermeneutici, non sono sviluppi extra-scritturistici, ma parti centrali del contenuto biblico.

In secondo luogo, c'è un altro senso in cui le tradizioni sono contenute nella Scrittura, che furono chiamate «conseguenze necessarie». Lutero mise in questa categoria il battesimo dei bambini, perché, *inter alia*, egli vi vedeva l'esemplificazione paradigmatica del *sola gratia*. In terzo luogo, vi sono tradizioni extra-bibliche da augurarsi che siano permanenti come, per Lutero, la confessione e assoluzione privata; come pure tradizioni che solo provvisoriamente sono accettabili, come le vesti medievali usate per la messa e i rituali (cose sulle quali Calvino era meno permissivo). Quando, perciò, i riformatori rifiutavano la tradizione, essi si riferivano soltanto a una quarta categoria: agli sviluppi contrari alla Scrittura interpretata sulla base del *sola gratia, sola fide, solo Christo*. In conclusione, la bibbia è il criterio autofondante per giudicare tutte le tradizioni, tutte le argomentazioni, tutte le esperienze e tutte le autorità della chiesa. Il *sola Scriptura* ha un valore di primato normativo, non di materiale esclusività.

2. Sebbene questa prospettiva della Riforma non escluda i contenuti della fondamentale, rende comunque difficile la organizzazione in una disciplina distinta. Il ricorso al ragionamento e all'evidenza che i credenti hanno in comune con i non credenti, si presenta come una risposta *ad hoc* concernente problemi specifici nel contesto della riflessione sulla logica interna della Scrittura, o, più particolarmente, sulle applicazioni kerigmatiche di essa. Se da un lato non vi sono obiezioni di principio alla sistematizzazione e generalizzazione delle strategie che queste risposte comportano, dall'altro non sono neppure necessarie. Il bisogno sorge soltanto allorché si ritenga possibile e opportuno fondare l'autorità della Scrittura in certezze più profonde.

Non è questo il luogo per tracciare le origini dell'esigenza di basi epistemologiche che, da Cartesio e Locke in poi, ha dominato la filosofia occidentale e che, quando rimane senza risposta, come è successo sempre più frequentemente negli ultimi cento anni, non ha altra alternativa che il relativismo e il nichilismo. Basti dire che fu in questo contesto che l'apologetica e le diverse teologie fondamentali si trasformarono, da esercitazioni occasionali come storicamente erano state, in discipline sistematiche con orientamento epistemologico, distinte programmaticamente l'una dall'altra e dalla dogmatica o teologia sistematica.

I protestanti, ad eccezione dei fideisti, nell'insieme furono più impegnati dei cattolici romani nella ricerca dei fondamenti, e questo aiuta a spiegare il loro disinteresse per il passo intermedio rappresentato dalla teologia fondamentale. Quelli tra loro che seguivano la corrente ortodossa cercarono di fondare sull'ispirazione l'autorità della Scrittura e svilupparono teorie proto-fondamentaliste di inerranza letterale. I razionalisti vennero a patti con criteri di ragionevolezza in linea, sembra, con l'illuminismo e favorirono l'unitarianismo e il deismo. I semplici pietisti e i loro più sofisticati discendenti liberali facevano ricorso − per analogia alla *sola fides* − alla sola esperienza come fondamento dell'autorità della Scrittura (quindi capovolgendo il rapporto inteso dalla Riforma). Il predominante ideale di oggettività determinò un punto di partenza apologetico, vale a dire estraneo nell'ambito della fede. Quelli che − come certi esponenti della fondamentale appartenenti al cattolicesimo romano − erano favorevoli a cominciare dalla fede, o erano sospettati di farlo, erano regolarmente accusati di disonestà intellettuale. C'era l'idea che la ricerca per le basi epistemologiche non poteva avere successo se veniva influenzata da pregiudizi personali.

3. La situazione è cambiata nel ventesimo secolo. In pratica tutto il pensiero religioso ha punti di contatto con la fondamentale, essendo state abbandonate le pretese di oggettività ed essendo stata riconosciuta l'inevitabilità di partire in qualche modo dall'ambito della fede. Inoltre, quei protestanti che sono più vicini ai vecchi liberali condividono con i teologi fondamentali la preoccupazione di mostrare la ragionevolezza della fede mediante criteri generali piuttosto che specifici. Ma anche le differenze sono notevoli. Spesso il desiderio di rendere la religione comprensibile e attraente per il ceto colto dei suoi denigratori, domina l'intero programma teologico e si risolve in una fusione di apologetica e dogmatica. La logica del credere, che è propria della fede cristiana, tende a essere distorta, o sostituita da una logica di orientamento alla fede (per esempio attraverso un certo tipo di razionalità, o di conversione, o di autenticità esistenziale) che sono spesso comuni a diverse religioni. Per cui, protestanti liberali recenti, dei quali → P. Tillich è il più insigne, si avvicinano alla fondamentale del cattolicesimo romano, ma non le assegnano una collocazione specifica come disciplina chiaramente separata dalla dogmatica.

All'altro estremo dello spettro si colloca → K. Barth per il quale l'autorità della Scrittura è totalmente auto-fondante come lo era per i riformatori, ma lui è andato oltre con la sua avversione − senza badare se era fondata o no − a ogni tentativo di mostrare la ragionevolezza della fede attraverso parametri utilizzabili dall'esterno. Egli per un verso non fece distinzione tra apologetica e fondamentale, né, d'altro canto, tra posizioni che volevano essere fondanti e quelle che non lo erano. Dovuto in gran parte all'influsso di Barth, questo rifiuto indiscriminato di ogni forma di teologia fondamentale è durato in pratica fino al 1960 tra quanti si trovavano confessionalmente impegnati nelle tradizioni della Riforma.

Negli ultimi venticinque anni è evidente l'inizio di un nuovo atteggiamento negli scritti di alcuni teologi luterani tedeschi. Essi, a differenza dei protestanti più liberali, ma in accordo con i cattolici romani, conservano la distinzione tra apologetica, teologia fondamentale e teologia dogmatica. Questi però non sostengono in modo chiaro la non fondatezza dell'autorità delle Scritture, come invece fecero Barth e i riformatori.

Un ulteriore sviluppo sta ora prendendo piede in Nord America sotto l'influsso di ampie istanze filosofiche anglo-americane secondo le quali la ricerca moderna di fondamenti epistemologici è di per sé del tutto irrazionale ed è la responsabile principale del relativismo e nichilismo contemporanei. Sotto l'influsso di questa corrente avversa alla pretesa di fondare razionalmente l'autorità della Scrittura, alcuni teologi, soprattutto protestanti, ma anche cattolici romani, sostengono che Barth, i riformatori e i pensatori anteriori alla Riforma − non ultimi Anselmo e Tommaso − avevano ragione a rifiutare di esibire ragioni che intendessero accrescere o garantire l'autorità della Scrittura o della tradizione cui essi aderivano. In effetti la pretesa di avanzare simili ragioni è in se stessa contaddittoria e non riesce a conformarsi ai criteri di ciò che in questa materia è razionale. Per cui sta forse profilandosi l'esistenza di una teologia fondamentale evangelica pienamente in armonia con le preoccupazioni della Riforma e, ciò che più interessa, è che questa potrà essere ecumenica.

Bibl. - G. Ebeling, «Erwägungen zu einer evangelischen Fundamental-theologie», in ZThK 67 (1970) 479-524; Id., *The Study of Theology*, London 1979, 153-165; W. Pannenberg, *Theology and the Philosophy of Science*, London 1976; W. Joest, *Fundamentaltheologie*, Stuttgart 1981²; F.S. Fiorenza, *Foundational Theology*, New York 1984; G. Lindbeck, *The Nature of Doctrine*, Philadelphia 1984; R. Thiemann, *Revelation and Theology*, Notre Dame 1985.

GEORGE LINDBECK

II. Legge e vangelo

Martin Lutero ha occasionalmente asserito che la giusta distinzione fra legge e vangelo è la *summa* della dottrina cristiana. Nell'opera *La libertà del cristiano* (1520) spiega che tutta la Scrittura si divide in due tipi diversi di contenuto: i comandamenti della legge e le promesse della grazia e della salvezza in Cristo. Le parole bibliche richiedono innanzi tutto un'obbedienza che, a conti fatti, uno non può assicurare né conseguire con le sole forze naturali e innate; ma ve ne sono altre che offrono il dono gratuito di immeritata giustizia e libertà in Cristo (WA 7,23-24; SP 370-372). Per una sana teologia, per l'interpretazione biblica e per la predicazione è essenziale che siano preservati senza mai separarli tanto la legge quanto il vangelo e ciascuno con il suo carattere distintivo.

La nozione di Lutero riguardante la legge e il vangelo non fa riferimento alla divisione tra Antico e Nuovo Testamento, perché nelle Scritture di Israele vi sono indicate importanti promesse evangeliche, come per esempio in Gn 3,15 e 22,18 e le profezie del Salvatore (WA *Deutsche Bibel* 6,4-7; *Prefazioni* 140). Nel NT mentre Gesù è il reale contenuto del vangelo e gli apostoli ne sono gli annunciatori, sia l'uno che gli altri si preoccupano anche di mostrare la radicale profondità ed estensione di quanto viene imposto dalla legge di Dio, come nel grande comandamento dell'amore per Dio e per il prossimo.

La legge di Dio rivelata, con le sanzioni che essa minaccia, rende un servizio all'ordine pubblico dal momento che tiene a freno la distruttività umana e così protegge la buona creazione di Dio dalle forze del caos. Ma l'autentica azione teologica della legge in entrambi i Testamenti è quella di mettere in crisi la persona umana imponendo una richiesta che nei fatti è più di quanto la natura umana caduta può dare con il suo *cor incurvatum in se*. Dio desidera un servizio spontaneo e minaccia di morte e di perdizione quanti mancano di farlo. La salvezza però viene unicamente attraverso la benedizione del perdono e di una nuova vita concessa grazie a Cristo, che è poi quanto afferma il vangelo. Il vangelo proclama che la legge divina è stata osservata da Gesù Cristo in maniera perfetta e invita i peccatori a prendervi parte, come puro dono, per fede. Seguendo il vangelo il credente inizia, in virtù del dono della grazia divina, a osservare in certa misura la legge, ma questa è una risposta riconoscente piuttosto che l'adempimento di un dovere fissato come condizione per ottenere la salvezza.

Lutero, in quanto traduttore biblico, trovò che la distinzione fra legge e vangelo era di grande aiuto per arrivare al significato di difficili passi biblici (WA *Tischreden* 1, 128). La distinzione è parte essenziale anche del generale principio ermeneutico di Lutero secondo cui è la Scrittura stessa ad offrire la giusta direzione per la propria interpretazione («*sacra Scriptura sui ipsius interpres*», WA 7, 97). Lutero lo elaborò in numerosi e dettagliati commenti biblici trattando testi o come illustrazioni e stimoli di esigenze di una legge che in definitiva era inosservabile oppure come annunci della pura grazia del vangelo. È questa la chiave che ci permette di capire tutto il comportamento di Dio nei confronti delle creature umane. La Scrittura intende mostrarci il nostro stato di peccatori per poterci preparare alla buona notizia della gratuita misericordia di Dio che può essere correttamente ascoltata solo da chi ha il senso della propria spaventosa miseria.

Lutero vide il travisamento della Scrittura e la cattiva teologia in due posizioni. Da una parte la dottrina della salvezza meritata, caratterizzata dalla mentalità che Dio deve ricompensare le buone opere sulla base di un *quid pro quo*, doveva essere combattuta insistendo sulla pura grazia di ciò che Dio ha fatto per noi in Cristo. Dall'altra, l'«antinomista» veduta emersa nell'insegnamento di J. Agricola, discepolo di Lutero, secondo cui non vi è posto alcuno per la legge nella vita cristiana. Lutero attaccò senza posa l'offuscamento da parte di Agricola della vera natura della fede come la risoluzione di una crisi mortale. Inoltre Agricola trasferì a Cristo e al vangelo certe funzioni della legge.

In definitiva la distinzione tra legge e vangelo non riguarda i testi biblici o il discorso teologico. Più radicalmente essa solleva il problema dell'essenza del cristianesimo (G. Söhngen) rendendo testimonianza alla natura dell'azione divina nella sua creazione e del nostro rapporto con quel Dio che costantemente ci raggiunge.

Dio opera essenzialmente in due modi, rivelandosi così in due modi distinti ma collegati. In quanto Signore sovrano manifesta la propria volontà e il proprio comando, ma in quanto Padre di misericordia esprime effettive promesse di perdono e di grazia. Di conseguenza «il vero soggetto della teologia sono l'uomo colpevole di peccato e condannato, e Dio giustificatore e salvatore dell'uomo peccatore» (WA 40/2, 318). L'esistenza cristiana, conformata alla corretta teologia, si focalizza nella confessione del proprio peccato e della propria impotenza e nell'afferrare incessantemente la parola della grazia salvifica di Dio per merito di Cristo.

Bibl. - G. Söhngen, *Gesetz und Evangelium: Ihre analoge Einheit*, Freiburg-München 1957; G. Ebeling, *Lutero: un volto nuovo*, Brescia 1970, capp. 7-8; A. Peters, *Gesetz und Evangelium*, Gütersloh 1981; J. Rogge, «Innerlutherische Streitigkeiten um Gesetz und Evangelium, Rechtfertigung und Heiligung», in H. Junghans (ed.), *Leben und Werk Martin Luthers von 1526 bis 1546*, Berlin-Göttingen 1983, 187-204.
Nel testo: WA = «Weimar Ausgabe», cioè *D. Martin Luthers Werke, Kritische Gesamtausgabe*, Weimar 1883ss. - SP = Martin Lutero, *Scritti politici*, trad. G. Panzieri Saija, Torino 1959. *Prefazioni* = Martin Lutero, *Prefazioni alla Bibbia*, a cura di M. Vannini, Genova 1987.

JARED WICKS

M

MAGISTERO

La parola *magisterium* nel latino classico indicava il ruolo e l'autorità di colui che era «maestro» in ognuna delle applicazioni del termine: uno poteva essere «maestro» di una nave, dei servi, di un'arte o mestiere, come pure «maestro di scuola». Nel medioevo, tuttavia, *magisterium* era passato a significare il ruolo e l'autorità dell'insegnante. Il simbolo tradizionale dell'autorità d'insegnamento era la sedia, così S.Tommaso poteva parlare di due tipi di *magisterium*: quello della sedia pastorale del vescovo e quello della sedia professorale del teologo universitario.

Nell'uso moderno cattolico il termine «magisterium» viene associato quasi esclusivamente con il ruolo e l'autorità docente della gerarchia. Uno sviluppo ancora più recente è che il termine «il magistero» viene spesso usato in riferimento non al compito di insegnare in quanto tale, ma all'insieme delle persone che nella chiesa cattolica hanno questo compito, e cioè il papa e i vescovi. Nei documenti del concilio Vaticano II si trova questo termine usato in tutti e due i sensi. Il concilio diverse volte descrive anche il magistero del papa e dei vescovi come «autentico» e dichiara che «l'ufficio di interpretare

autenticamente la parola di Dio è stato affidato al solo magistero vivo» (DV 10). È importante capire che il termine «autentico» come è usato qui non significa «genuino» o «vero», bensì «autorevole» e più specificamente «rivestito di autorità pastorale o gerarchica». Il concilio non intende negare che teologi ed esegeti possano interpretare la parola di Dio con quella autorità che il loro sapere conferisce ad essi. Ciò che asserisce è che solo i pastori della chiesa hanno ereditato il mandato che Cristo dette agli apostoli di insegnare in suo nome con tale autorità che chi ascolta, ascolta Cristo e chi li respinge, respinge Cristo e colui che lo ha inviato (cfr. Lc 10,16).

1. FONDAMENTO DELL'AUTORITÀ D'INSEGNAMENTO DEI VESCOVI - La fede cattolica di cui i vescovi hanno ereditato il mandato dell'insegnamento che Cristo conferì agli apostoli, è espressa nelle seguenti dichiarazioni del Vaticano II: «Per divina istituzione i vescovi sono succeduti al posto degli apostoli quali pastori della Chiesa» (LG 20); «L'ordine dei vescovi succede al collegio degli apostoli nel magistero e nel governo pastorale» (LG 22); «Quali successori degli apostoli, i vescovi ricevono dal Signore la missione di insegnare a tut-

te le genti e di predicare il vangelo a ogni creatura» (LG 24).

Queste asserzioni devono chiaramente essere convalidate con l'evidenza del Nuovo Testamento e dei documenti della chiesa primitiva. Lo spazio consentito permette solo una breve indicazione di come questo possa esser fatto. Occorre sviluppare i punti seguenti: *a.* gli apostoli ricevettero da Cristo il mandato di insegnare in suo nome; *b.* essi condivisero questo mandato con altri che inserirono nel ministero pastorale; *c.* il principio della successione in questo mandato è già operante nel periodo in cui veniva scritto il NT; *d.* la chiesa del secondo e del terzo secolo riconobbe i suoi vescovi come i legittimi successori degli apostoli nell'autorità di insegnamento.

Dal momento che lo stesso Cristo non ha lasciato niente in scritto, la fede cristiana dipende interamente dalla testimonianza dei suoi discepoli e, in modo particolare, dalla testimonianza dei dodici uomini che Cristo scelse personalmente «perché stessero con lui e per mandarli a predicare» (Mc 3,14). Essere cristiano significa essere uno che «crede in Cristo per la loro parola» (Gv 17,20); infatti, se non fosse per la testimonianza degli apostoli, noi non sapremmo niente di quanto Cristo ha detto o fatto. I vangeli ci dicono che questi uomini furono inviati dal Cristo risorto con la missione di «predicare il vangelo a tutte le creature» (Mc 16,15); «ammaestrate tutte le nazioni... insegnando loro a osservare tutto ciò che vi ho comandato» (Mt 28,19s). Adempiendo a questo mandato gli apostoli sarebbero stati autorizzati a parlare in nome di Cristo con la conseguenza che «chi accoglie voi accoglie me, e chi accoglie me accoglie colui che mi ha mandato» (Mt 10,40).

L'esempio più chiaro di come un apostolo condividesse il mandato dell'insegnamento con i suoi collabora-tori si trova nelle lettere pastorali dove a Timoteo e Tito si ricorda ripetutamente la loro missione di insegnanti. A Timoteo vien detto: «Questo tu devi proclamare e insegnare» (1 Tm 4,11). «Fino al mio arrivo, dèdicati alla lettura, all'esortazione e all'insegnamento» (1 Tm 4,13). «Vigila su te stesso e sul tuo insegnamento» (1 Tm 4,16). «Annunzia la parola, insisti in ogni occasione opportuna e non opportuna, ammonisci, rimprovera, esorta con ogni magnanimità e dottrina» (1 Tm 4,2). E parimenti Tito: «Tu però insegna ciò che è secondo la sana dottrina» (Tt 2,1).

Anche il principio della successione nel mandato di insegnamento è chiaro nelle lettere pastorali, per esempio in 2 Tm 4,1-8 dove è evidente che Timoteo dovrà continuare questo ministero dopo la morte di Paolo. È anche chiaro nelle istruzioni rilasciate a Timoteo che deve scegliere degli uomini da destinare al ruolo di *epískopos* che siano «capaci di insegnare» (1 Tm 3,2). A lui vien detto: «Le cose che hai udito da me in presenza di molti testimoni, trasmettile a persone fidate le quali siano in grado di ammaestrare a loro volta anche altri» (2 Tm 2,2). A Tito viene pure detto che, tra le qualità che deve avere uno scelto ad essere «anziano», vi è che «dev'essere attaccato alla dottrina sicura, secondo l'insegnamento trasmesso, perché sia in grado di esortare con la sua sana dottrina e di confutare coloro che contraddicono» (Tt 1,9). Idee simili si ritrovano negli Atti dove il discorso di Paolo agli anziani della chiesa di Efeso si proietta nel tempo che verrà dopo la morte dell'apostolo, quando «lupi rapaci non risparmieranno il gregge». Allora sarà compito di coloro che «lo Spirito Santo ha posto come *epísko-poi*» di essere vigili per salvaguardare la fede del gregge dalla corruzione di uomini che «insegnano dottrine perverse» (At 20,28-31). Di nuovo qui abbiamo il principio della successione nel mandato apostolico dell'insegnamento già operativo nel periodo del NT.

È vero che nel NT non si ritrova una situazione in cui il mandato dell'insegnamento è nelle mani del vescovo in ognuna delle chiese locali. Lo sviluppo, da una primitiva forma collegiale della direzione della chiesa locale all'episcopato storico, si verificò nel secondo secolo con rapidità variante nelle diverse regioni. Molto di quel periodo rimane oscuro, ma ciò che sappiamo è che verso la fine del secondo secolo ogni chiesa era retta da un singolo vescovo, assistito da presbiteri e diaconi, e che i vescovi erano riconosciuti come legittimi successori degli apostoli. La chiesa cristiana accettò i vescovi come testimoni autorizzati della tradizione apostolica con l'autorità di formulare il credo con cui la comunità era chiamata a professare la propria fede. In altre parole, l'intera chiesa riconosceva nell'insegnamento dei vescovi la norma della propria fede.

Ora è senza dubbio un articolo fondamentale della fede cristiana che lo Spirito Santo conserva la chiesa nella vera fede. Ciò è una conseguenza della vittoria definitiva di Cristo e della sua promessa che lo Spirito di verità avrebbe condotto la sua chiesa alla verità tutta intera (Gv 16,13). La chiesa che si conserva nella vera fede per volere divino difficilmente potrebbe sbagliarsi nel fissare le norme della fede. Perciò se la fiducia che lo Spirito Santo ha guidato la chiesa del secondo e del terzo secolo nel discernimento degli scritti che sarebbero divenuti normativi per la sua fede giustifica il fatto che accettiamo il NT come scrittura ispirata, abbiamo ugual motivo di credere che lo Spirito Santo abbia guidato la stessa chiesa del secondo e terzo secolo nel riconoscimento universale che i suoi vescovi erano maestri autorevoli le cui decisioni su questioni dottrinali erano normative per la sua fede.

2. MAGISTERO E PAROLA DI DIO - Il rapporto tra magistero e parola di Dio come si trova nella Scrittura e nella tradizione è spiegato nel seguente passaggio di DV 10: «L'ufficio poi di interpretare autenticamente la parola di Dio, scritta o trasmessa, è affidato al solo magistero vivo della chiesa la cui autorità è esercitata nel nome di Gesù Cristo. Il quale magistero però non è al di sopra della parola di Dio ma ad essa serve, insegnando soltanto ciò che è stato trasmesso, in quanto, per divino mandato, e con l'assistenza dello Spirito Santo, piamente ascolta, santamente custodisce e fedelmente espone quella parola, e da questo unico deposito della fede attinge tutto ciò che propone da credere come rivelato da Dio».

In pratica ognuna delle frasi richiede qualche commento. L'autorità del magistero non è autorità sulla parola di Dio, ma sulla interpretazione che gli uomini ne danno. È un'autorità interna alla comunità di fede al servizio dell'unità della chiesa nella professione della vera fede. Le parole «ciò che è stato tramandato» si riferiscono all'intero «sacro deposito della parola di Dio che è affidata alla Chiesa». È molto significativo che il concilio dica che l'intero deposito della parola di Dio è stato affidato all'intera chiesa e non solo al magistero. Parimenti è «la Chiesa, nella sua dottrina, nella sua vita e nel suo culto, [che] perpetua e trasmette a tutte le generazioni tutto ciò che essa è, tutto ciò che essa crede» (DV 8). Si tratta di un'utile correzione della nozione presente in precedenti trattati sull'argomento, secondo i quali il deposito della fede sarebbe stato affidato unicamente ai successori degli apostoli, trasmesso primariamente, se non esclusivamente, attraverso l'insegnamento ufficiale del magistero.

L'espressione «ascoltandola religiosamente» dice che i vescovi, prima di essere i predicatori della Parola devono esserne gli ascoltatori; e dal momento che «il sacro deposito è stato affidato alla chiesa», essi devono ascoltare questa Parola come è trasmessa nella fede, nella vita e nel culto della chiesa. Ciò comporta la necessità di «consultarsi con i fedeli», come dice Newman, e di ascoltare esegeti e teologi che passano la vita a studiare la parola di Dio. La frase «conservandola coscienziosamente» lascia intendere la speciale sollecitudine che deve avere il magistero: la sua funzione primaria non è di penetrare le profondità dei misteri della fede (compito dei teologi), piuttosto di salvaguardare l'inestimabile tesoro della parola di Dio e di difendere la purezza della fede della comunità cristiana. Essi assolvono a questo dovere «con l'aiuto dello Spirito Santo». Mentre questi abita in tutti i fedeli e desta e sostiene il senso soprannaturale della fede che caratterizza il popolo nel suo insieme (cfr. LG 12), i cattolici credono che il sacramento dell'ordinazione episcopale, che conferisce la funzione del magistero pastorale, sia un impegno divino di speciale assistenza fatta ai vescovi nell'esercizio del loro ufficio d'insegnamento. Mentre tale assistenza assicura la garanzia assoluta della verità del loro insegnamento, solo in alcuni rari casi è per noi motivo di fiducia nell'attendibilità del loro insegnamento anche quando questo non è infallibile.

3. VARIE FORME DI ESERCIZIO DEL MAGISTERO - La prima distinzione da fare è tra l'esercizio ordinario e l'esercizio straordinario dell'autorità di insegnamento. L'esercizio straordinario è l'enunciazione di un «giudizio solenne» (cfr. DS 3011) con cui una dottrina è definita, o da un concilio o da un papa che parla *ex cathedra*. Definire una dottrina significa impegnare la chiesa a mantenerla e insegnarla irrevocabilmente chiedendo un assenso assoluto nei suoi confronti da

parte di tutti i fedeli. La legge canonica prescrive che non si debba ritenere definita una dottrina a meno che non ne sia palesemente il caso (can. 749,3). Ogni altro esercizio del magistero è ordinario. In questo senso tecnico i documenti del Vaticano II sono esempi di magistero ordinario, dal momento che questo concilio ha scelto di non definire alcuna dottrina, pur essendo un avvenimento storico straordinario. Si deve notare che la distinzione tra magistero ordinario e straordinario non è identica alla distinzione tra infallibile e non infallibile poiché, in particolari circostanze che verranno spiegate, il concordante insegnamento *ordinario* dell'intero collegio episcopale gode dell'infallibilità. Di seguito verranno descritti poi i vari casi di esercizio ordinario non infallibile della funzione dell'insegnamento.

Ogni vescovo, che è il pastore di una diocesi, ha la responsabilità e l'autorità dell'insegnamento della dottrina cristiana nella propria diocesi. Egli esercita questa responsabilità con il suo insegnamento, oralmente o per mezzo di lettere pastorali, e con la promozione di un sano insegnamento nelle istituzioni catechetiche ed educative della sua diocesi.

A partire dal Vaticano II, i vescovi hanno esercitato insieme questa funzione nelle conferenze episcopali. La conferenza episcopale è un organismo permanente, composto da tutti i vescovi di un paese o di un territorio, in cui essi esercitano, insieme, il loro ufficio pastorale. Il Vaticano II raccomanda caldamente questa forma di collaborazione regolare tra tutti i vescovi di un paese (CD 37) e Paolo VI ha reso obbligatoria la creazione di tali conferenze (AAS 58 [1966], 774). Siccome l'insegnamento in materia di fede e di morale fa chiaramente parte dell'ufficio pastorale dei vescovi, moltissime conferenze episcopali hanno emesso lettere pastorali o fatto altre dichiarazioni di natura dottrinale in questi ultimi decenni. Il codice di diritto canonico del 1983 sanziona questo esercizio del magistero episcopale dicendo: «I Vescovi, che sono in comunione con il capo del Collegio e con i membri, sia singolarmente sia riuniti nelle Conferenze episcopali o nei concili particolari, anche se non godono dell'infallibilità nell'insegnamento, sono autentici dottori e maestri della fede per i fedeli affidati alla loro cura» (can. 753).

I «concili particolari» cui si riferisce questo canone possono essere «concili plenari» cui partecipano tutti i vescovi di una conferenza episcopale o «concili provinciali» dei vescovi di una provincia ecclesiastica (che consiste di un'arcidiocesi e delle vicine diocesi associate). Le riunioni regolari di una conferenza episcopale non sono concili plenari anche se la conferenza, con l'approvazione della santa Sede, può decidere di tenere un concilio plenario cui il diritto canonico attribuisce più ampi poteri di quelli che hanno le regolari riunioni della conferenza.

Negli ultimi anni vi sono state opinioni differenti tra teologi e canonisti sull'autorità d'insegnamento delle conferenze episcopali. Alcuni sostengono che sono solo i singoli vescovi e non le conferenze in quanto tali che hanno il «mandato di insegnare». Altri affermano invece che le dichiarazioni dottrinali votate e approvate dall'assemblea di una conferenza episcopale hanno per i fedeli di quella regione l'autorità del magistero della conferenza episcopale in quanto tale e non semplicemente quella dei vescovi locali. Al di là del caso giuridico bisogna riconoscere che l'efficacia reale delle dichiarazioni dottrinali, perché queste abbiano l'assenso dei fedeli, viene non tanto dalla loro autorità intesa in senso strettamente giuridico, quanto dalla loro autorità morale che si misura con l'accoglienza di coloro che essendone soggetti sono disposti a riservarle. Per questo motivo difficilmente si potrebbe dubitare che i cattolici accordino più autorità a una dichiarazione fatta dopo attenta riflessione dall'intera conferenza episcopale che a quella del solo vescovo locale. L'autorità morale di alcune dichiarazioni dottrinali fatte dalle conferenze episcopali è accresciuta dal fatto che lo stesso documento fa una chiara distinzione fra i principi su cui tutti i cristiani devono essere d'accordo e le proposte concrete che i vescovi presentano come risultato della loro riflessione, ma su cui sono pronti ad ammettere che ci possano essere legittime differenze di opinione.

Come si è detto, anche i documenti del Vaticano II sono esempi di esercizio ordinario di magistero, dal momento che il concilio ha scelto di non definire nessuna dottrina. Tuttavia anche se «ordinario», questo è pur sempre un esercizio della suprema autorità docente che appartiene all'intero collegio episcopale riunito con il papa, suo capo. Per cui, come ha dichiarato il concilio, tutti i fedeli sono obbligati ad accettarne la dottrina «secondo la mente dello stesso sacro sinodo che si manifesta o con la materia trattata o con il linguaggio impiegato, secondo le norme dell'interpretazione teologica» (AS III/3, 10). Queste ultime espressioni sottolineano i vari gradi di forza vincolante propri delle differenti dichiarazioni che si ritrovano nei sedici documenti del Vaticano II: sarebbe erroneo attribuire ugual peso a ciascuno di essi. Si deve vedere bene quali siano i vari gradi di autorità all'interno della categoria generale rappresentata dal magistero ordinario.

Quanto il Vaticano II ha affermato sull'autorità del proprio insegnamento è detto anche dell'esercizio del magistero ordinario e non definitivo del pontefice romano. LG 25 dichiara: «Questo religioso ossequio della volontà e dell'intelligenza lo si deve in modo particolare prestare al magistero autentico del romano pontefice, anche quando non parla "ex cathedra", così che il suo supremo magistero sia con riverenza accettato, e con sincerità si aderisca alle sentenze da lui date secondo la mente e la volontà da lui manifestata, che si palesa specialmente sia dalla natura dei documenti, sia dal frequente riproporre la stessa dottrina, sia dal tenore della espressione verbale».

Il pontefice romano esercita l'autorità ordinaria d'insegnamento attraverso le encicliche papali, le esortazioni apostoliche e altri documenti che sono indirizzati alla chiesa intera. Lo può anche fare dando esplicita e formale approvazione alle dichiarazioni dottrinali promulgate dalla Congregazione per la dottrina della fede.

Come si deve intendere «religioso ossequio dell'intelligenza e della volontà»? Il termine «religioso» si riferisce al motivo per cui i cattolici hanno questo atteggiamento: il riconoscimento che il papa e il collegio episcopale hanno da Cristo l'autorità di insegnare in suo nome in materia di fede e di morale. Si dice «dell'intelligenza e della volontà» nel senso che, riconoscendo l'autorità che hanno i legittimi pastori di insegnare, ai fedeli cattolici si richiede di voler accettare e far loro questo insegnamento. Questa disponibilità della volontà esercita la sua influenza sul giudizio muovendolo ad assentire all'insegnamento anche al di là dei limiti oltre i quali non si riuscirebbe naturalmente a ritenere convincenti le ragioni fornite per ottenere l'assenso. Se qualcuno su una data materia si fosse già formato un'opinione divergente dalla dottrina ufficiale, gli si richiede di fare uno sforzo serio e prolungato per liberarsi di qualsiasi tendenza all'ostinazione in detta opinione e per convincersi della verità dell'insegnamento ufficiale, così da aderire ad esso con un sincero assenso del-

l'intelligenza. Tuttavia i comuni manuali di teologia cattolica tengono conto del fatto che un atteggiamento di religiosa sottomissione all'autorità del magistero non definitivo non sempre e in ogni singolo caso produce un reale assenso interiore a quanto è stato insegnato in questo modo. Questi manuali autorizzati riconoscono che il non assenso interiore a questo genere di insegnamento può soggettivamente e anche oggettivamente essere giustificato quando, malgrado gli sforzi sinceri di fornire un vero assenso, le ragioni opposte in un preciso punto della dottrina permangono così convincenti che uno è veramente incapace di fornire un tale assenso. Un riferimento a questo comune insegnamento dei teologi cattolici fu fatto dalla Commissione teologica durante il Vaticano II in risposta a un emendamento proposto da tre vescovi che avevano «sollevato il caso in cui una persona erudita, di fronte a una dottrina non proposta infallibilmente, non potesse, per fondate ragioni, fornire l'assenso interiore». E questa fu la risposta della commissione: «In tale caso debbono essere consultati i trattati teologici autorizzati» (AS III/8, 88).

4. L'INFALLIBILE ESERCIZIO DEL MAGISTERO ORDINARIO - Mentre né un singolo vescovo né lo stesso papa parla infallibilmente nell'esercizio ordinario dell'autorità di insegnamento, il Vaticano II determina le condizioni in cui il magistero ordinario dell'intero collegio episcopale gode del dono dell'infallibilità. Le condizioni sono che, mentre mantengono il legame di unità tra di loro e con il successore di Pietro e mentre insegnano in modo autorevole una questione di fede o di morale, essi concordino su una singola opinione, che è poi quella che deve essere in definitiva sostenuta (LG 25). Il caso prospettato è quello di un particolare punto di dottrina che non è stato mai definito so-

lennemente, ma è nondimeno evidente che il papa e i vescovi cattolici di tutto il mondo sono stati d'accordo nell'insegnare come qualcosa che i cattolici sono obbligati a sostenere in modo definitivo. Si potrebbe portare come esempio la dottrina sull'Assunzione di Maria, durante il secolo precedente la definizione del dogma di fede da parte di papa Pio XII nel 1950. Ci sono anche articoli del «credo apostolico» che non sono mai stati oggetto specifico di una solenne definizione ma che sono senza dubbio proposti dal magistero universale ordinario come dottrina della fede cattolica. Un altro esempio potrebbe essere la nostra fede nella «comunione dei santi».

5. L'ESERCIZIO STRAORDINARIO E INFALLIBILE DEL MAGISTERO - Qui si parla dei «giudizi solenni» con cui un concilio ecumenico o un papa definiscono una dottrina. Esempi di tali atti nei tempi moderni sono: la definizione dell'Immacolata Concezione fatta dal papa Pio IX nel 1854; la definizione della infallibilità papale ad opera del concilio Vaticano I nel 1870 e la definizione dell'Assunzione di Maria fatta da Pio XII nel 1950. La fede cattolica nell'infallibilità di questi atti solenni del magistero si fonda su due premesse: che tutti i fedeli sono obbligati a dare il loro assoluto assenso di fede ai dogmi che sono proclamati come tali dal magistero e che così facendo non possono essere indotti in errore nella loro fede. Da questo consegue che tali dogmi non possono essere erronei. E siccome nessun maestro umano è immune da errore si parla giustamente di «carisma di infallibilità», vale a dire di un dono della grazia, opera dello Spirito Santo che, solo, può garantire che questo insegnamento definitivo è assolutamente vero. Le definizioni solenni sono «irriformabili», non nel senso che la loro formulazione è così perfetta e così immutabile da non po-

tere mai essere migliorata, ma nel senso che il loro significato autentico rimarrà sempre vero.

Quando il Vaticano I dichiarò che le definizioni solenni pronunciate dal papa sono «irriformabili di per sé e non in virtù del consenso della Chiesa» (DS 3074), l'intenzione era di confutare la dottrina del gallicanesimo la quale sosteneva che le definizioni papali non sarebbero state irriformabili se non fossero state confermate dall'episcopato (DS 2284). Respingendo la posizione gallicana, il Vaticano I non escluse, e del resto non l'avrebbe potuto fare, una dipendenza reale delle definizioni papali dalla fede della chiesa. Infatti il papa può definire dogma di fede solo ciò che è contenuto nel deposito della rivelazione, che è stato affidato alla chiesa (DV 10) ed è tramandato nella sua dottrina, nella sua vita e nel suo culto (DV 8). Dal momento che il papa non ha a disposizione una fonte indipendente di rivelazione, non può definire un dogma di fede senza essersi consultato in modo reale con la fede della chiesa. Tuttavia non si potrebbe per questo motivo esigere il previo consenso di tutti i vescovi o di tutti i fedeli, come condizione assoluta precedente una definizione papale, perché ciò eliminerebbe la possibilità di un atto determinante del magistero papale di cui ci potrebbe esser bisogno per dissipare una minaccia all'unità della chiesa nella fede e determinare un consenso o anche per ricostruirne uno che si fosse perduto.

6. LA MATERIA SOGGETTA ALL'AUTORITÀ DEL MAGISTERO - Sia il Vaticano I che il Vaticano II hanno descritto l'oggetto dell'insegnamento autorevole e infallibile come «materia di fede e di morale». Ciò significa che i vescovi e i papi non possono affermare di parlare autorevolmente né tanto meno infallibilmente eccetto nel caso in cui la materia trattata non

appartenga alla fede cristiana o alla pratica del modo di vivere cristiano. È importante rilevare che vi sono due modi in cui una cosa può appartenere a questo oggetto: uno diretto, in quanto formalmente contenuto nella parola di Dio rivelata; e uno indiretto, come qualche cosa che non è di per sé rivelata ma è così connessa con una verità rivelata che il magistero non potrebbe difendere o esporre quella materia rivelata senza dover fare affermazioni assolutamente definitive anche su quest'altra materia. Materie di fede e di morale che siano formalmente rivelate, costituiscono quello che si chiama il → «deposito della fede» e questo è l'oggetto primario dell'autorità docente. Altre cose che in se stesse non sono formalmente rivelate, ma su cui il magistero deve poter parlare in modo definitivo allo scopo di difendere o di spiegare una qualche verità rivelata, costituiscono l'oggetto secondario del magistero. Solo ciò che è oggetto primario può esser definito come → «dogma di fede»; ogni materia che appartenga all'oggetto secondario può esser definita come vera, senza che si debba credere con «fede divina», vale a dire fede diretta a Dio in quanto rivelante. Mentre l'infallibilità del magistero che definisce ogni materia dell'oggetto primario è dogma di fede, l'infallibilità del magistero in rapporto all'oggetto secondario non è un dogma della fede cattolica, ma una dottrina sostenuta comunemente dai teologi cattolici e confermata dal magistero ordinario (cfr. AAS 65, 1973, 401).

Una questione molto dibattuta oggi è se tutte le norme della legge morale naturale ricadano entro l'oggetto del magistero infallibile. C'è consenso generale sul fatto che alcuni dei principi e delle norme fondamentali di questa legge siano anche divinamente rivelati e, in quanto appartenenti all'oggetto primario, potrebbero essere insegnati infallibilmente.

Non sembra però che nessuna di queste norme sia mai stata definita solennemente. Non vi è dissenso sul fatto che questioni di legge morale naturale ricadano nella competenza dell'esercizio del magistero ordinario e non infallibile. La questione su cui permangono opinioni differenti tra i teologi cattolici è se il magistero possa formulare dichiarazioni definitive e infallibili su ogni problema riguardante la legge morale naturale, anche sui complessi problemi moderni la cui soluzione non si potrebbe trovare nella rivelazione, ma si deve invece ricercare applicando l'umana intelligenza alla ricerca della verità morale, con altre persone di buona volontà, «alla luce del vangelo» ma anche «alla luce dell'esperienza umana» (GS 46).

Il primo punto da tenere a mente in questa disputa è che, se queste norme morali non sono contenute formalmente nella parola di Dio rivelata, possono appartenere solo all'oggetto secondario dell'insegnamento infallibile. In tal caso potrebbero essere definite con infallibilità dal magistero solo se questi si trovasse nell'impossibilità di difendere o di spiegare una verità formalmente rivelata senza poter dare contemporaneamente un giudizio definitivo anche su tali materie. Il secondo punto è che, se il magistero ha emesso un giudizio infallibile su una particolare questione, tale giudizio deve essere tenuto come assolutamente definitivo ed irreversibilmente vero. Molti rispettabili teologici cattolici si chiedono se sia appropriato parlare di giudizi assolutamente definitivi e irreversibili su questo genere di problemi. Essi sostengono che è difficile escludere la possibilità che l'esperienza futura possa porre un concreto problema morale in un nuovo quadro di riferimento che richieda la revisione di una norma che non aveva previsto questa nuova esperienza nel momento in cui è stata formulata. Si deve infine tenere presente che l'infallibilità del magistero riguardante materie non rivelate non è dogma di fede. Nel caso il magistero dovesse definire una tale questione, ai cattolici non verrebbe richiesto dalla definizione stessa un assenso di fede, nel significato vero e proprio della parola, né alla verità della proposizione definita né all'infallibilità della chiesa nell'atto di definirla.

Bibl. - P. Chirico, *Infallibility: The Crossroads of Doctrine*, Kansas City 1977; K. Rahner, «L'autorità magisteriale secondo la concezione cattolica della Chiesa», in *Corso fondamentale sulla fede*, Roma 1978, 484-493; J. Alfaro, «La Teologia di fronte al magistero», in R. Latourelle - G. O'Collins (edd.), *Problemi e prospettive di teologia fondamentale*, Brescia 1980, 413-432; Autori vari, «Les Théologiens et l'Eglise», in *Les Quatre Fleuves* 12 (1980) 7-133; H.J. Pottmeyer, «Das Lehramt der Hirten und seine Ausübung», in THPQ 128 (1980) 336-348; C. Curran - R. McCormick (edd.), *The Magisterium and Morality*, New York 1982; J. Moingt (ed.), «Le Magistère, institutions et fonctionnements», in RSR 71, (1983); L. Örsy, *The Church, Learning and Teaching*, Wilmington 1985; J. Boyle, «Church Teaching Authority in the 1983 Code», in *The Jurist* 45 (1985) 136-170; F.A. Sullivan, *Il magistero nella Chiesa cattolica*, Assisi 1986; M. Löhrer, «Il magistero speciale della Chiesa», in *MistSal*, 2, 82-122; A. Dulles, «Lehramt und Unfehlbarkeit», in HFTh IV, 153-178.

Francis A. Sullivan

MALE

Il male ha infinite forme, ma il male più profondo ha origine nel cuore dell'uomo. Nel secolo del romanticismo il male era la sofferenza, la malattia, il languore. Oggi si rende asettica l'esistenza umana negando il peccato. Ma noi sappiamo bene che il peccato resta; anzi, che è il male principale. Il linguaggio comune del resto non sbaglia quando distingue ciò che *fa male* da ciò che *è male*, il male *subìto* e il male *voluto*. La sofferenza e la → morte sono dette «umane» perché colpiscono l'uomo, ma in senso stretto solo il peccato è «umano», poiché solo l'uomo ne è l'agente, il soggetto libero e responsabile. Ciò che esce dal cuore rende l'uomo malvagio (Mt 15,19-20). Quando parleremo del male si tratterà prima di tutto del male morale, del peccato, di questa marea nera dell'amore pervertito che soffoca la vita. D'altra parte la malattia e → la morte appartengono comunque allo scandalo del male: ne tratteremo in due articoli distinti come problemi specifici.

1. Acquietamento o ribellione - Prima di ascoltare la risposta di Cristo, esaminiamo subito due posizioni opposte tra loro proprio come sono opposte al cristianesimo: la via dell'acquietamento che è una forma di anestesia e la via della ribellione.

a. La prima cerca di integrare il male in qualche cosa che lo superi, cioè nell'ordine della totalità dell'universo. Per il momento, si afferma, vediamo solo un aspetto della realtà: il lato scandaloso. Ma se il nostro sguardo potesse intravedere la totalità della storia, l'ingiustizia ci apparirebbe allora come il mezzo provvisorio di una integrale giustizia.

In questo senso, una certa visione cristiana del mondo che predica la rassegnazione dicendo che «non è poi così grave» o che «tutto finirà per aggiustarsi», che «il bene finirà per spuntarla», assomiglia stranamente alla concezione marxista della storia. Per il → marxismo infatti l'angoscia, la disperazione di fronte alla sofferenza di un'umanità alienata e sfruttata, corrisponde alla nostra conoscenza incompleta della storia. L'inferno è la condizione necessaria per l'accesso all'ordine definitivo. La dialettica degli opposti finirà per suscitare un'umanità finalmente unica e riconciliata. Il decadimento stesso del proletariato sarà il motore e l'esplosivo della sua liberazione. Uscito dalla disperazione, il progetto proletario mira all'instaurazione di una società senza padroni né schiavi, in cui gli antagonismi, fino ad allora necessari, lasceranno il posto a una duplice armonia: quella degli uomini tra loro e quella degli uomini con il mondo. È sufficiente per il momento, per polarizzare le energie degli uomini, far loro intravedere una condizione superiore di umanità ultratecnicizzata e ultrasviluppata, di cui ognuno usufruirà per partecipazione e in cui ciascuno troverà la propria realizzazione intellettuale e affettiva nella misura in cui fa tutt'uno con l'intero sistema. La lotta di classe, che è il parossismo del male, annuncia la salvezza dell'uomo.

Il gioco della necessità e della libertà nel sistema marxista rimane ambiguo. Si tratta di libertà o di impossibilità a peccare? Situare il paradiso terrestre nel futuro, invece che nel passato, non risolve affatto il problema. Al problema del male il marxismo risponde con un ottimismo forzato. La via dell'acquietamento o dell'anestesia non è una risposta all'angoscia e all'orrore del male. Se Dio esiste e se è Amore, come giustificarlo ammettendo che sacrifica milioni di innocenti a un'«armonia» che trionferà un giorno?

Troviamo talvolta una soluzione ancora più radicale. Nei secoli passati gli uomini peccavano e pesantemente, ma si riconoscevano peccatori. La particolarità del secolo XX, anche in ambiente cristiano, è quella di negare il peccato, di metterlo tra parentesi. Ossessionato dal peccato e dal male, l'uomo rifiuta tuttavia di portarne il peso: lo *scarica* sulle istituzioni, sulle strutture, sui determinismi (ereditari, biologici, psichici), sugli altri, ma mai su di sé. È molto più preoccupato della liberazione collettiva che della salvezza personale. L'esistenza umana viene sterilizzata come i ferri chirurgici. Ma affermando che tutto è permesso e che l'uomo è puro, ci viene tolta la possibilità stessa di questo *plus-essere* che è legato alla nostra condizione di peccatori, ma di peccatori consapevoli e convertiti all'Amore.

È certo, del resto, che il cristianesimo autentico si rende difficile la «partita», mantenendo l'affermazione della Scrittura che il mondo è stato realmente voluto da Dio e che è frutto di un'intenzione. In modo equivalente esso dichiara con estrema lucidità che vi è il male perché c'è il bene. Affermando che Dio ha voluto il mondo e il nostro mondo, esso va incontro alla domanda di Giovanna d'Arco nel dramma di Péguy: Ma allora, mio Dio, perché, perché tanto male? Che drammatico gioco fate con noi, Signore? Fino a quando, fino a quando dovremo non comprendere? Non vi sono alla fine che due uscite: arrendersi e consegnarsi a Dio o ribellarsi.

b. Se si rifiuta l'atteggiamento cristiano non vi è altra alternativa che la ribellione.

In un certo senso è impossibile non ribellarsi di fronte al male. Chi non ha conosciuto quei sentimenti di rivolta espressi dalle imprecazioni di Giobbe? Questa angoscia di fronte al male è in noi come una forza oscura e assopita, ma sempre pronta a scattare, mai perfettamente domata. Accettando nella fede il giudizio delle Scritture sul mondo: «E Dio vide che era cosa buona», il cristianesimo rischia di attirare su di sé e su Dio una ribellione totale, assoluta e implacabile.

Dostoèvskij ha espresso nel modo più drammatico questa ribellione nei *Fratelli Karamazov*. Rivolgendosi a Cristo tornato sulla terra per ricondurre alla fede e incoraggiare gli uomini, ma nuovamente catturato e messo in prigione, il Grande Inquisitore gli dichiara: «Sei tu, tu. Non dire niente. Taci. D'altronde che potresti dire? Lo so fin troppo. Non hai il diritto di aggiungere una sola parola a ciò che hai già detto una volta. Perché sei venuto a scomodarci? Ci disturbi e lo sai bene. Ma sai cosa succederà domani? Domani ti condannerò e tu sarai bruciato. Hai visto gli uomini liberi. Vuoi andare per il mondo a mani vuote, predicando agli uomini una libertà e una speranza che la loro ottusità impedisce loro di comprendere, una libertà che fa loro paura. Ma che finiranno poi per deporre ai nostri piedi. Tu, tu hai creduto nella libertà umana invece di confiscarla. Noi, noi abbiamo corretto il tuo operare e gli uomini hanno gioito di essere nuovamente guidati come un gregge. Oh! noi li persuaderemo che saranno veramente liberi solo abdicando in nostro favore alla loro libertà».

Il giorno in cui scopriremo che ciò che non dovrebbe essere *è* e che il male sembra dilagare su tutta la realtà e trascinarla, giungeremo a porci la domanda: dov'è la colpa maggiore? Nell'uomo o in Dio? Nell'egoismo e nella cupidigia degli uomini, che scatenano tutti i mali, o in Dio che punisce un male che ha acceso con la libertà? Questo tenebroso interrogativo è nel cuore di tutti, sordo e angosciato. L'uomo moderno si ribella a Dio: così il poeta Lautréamont che si suicida a ventun anni e grida a Dio di contemplare per tutta l'eternità il supplizio che non ha meritato; così ancora Nietzsche: «Dio è morto. Dio resterà morto. Noi l'abbiamo ucciso». Nietzsche è morto pazzo, ma con lui è nato l'uomo in rivolta.

La ribellione infatti «è la condanna di Dio in nome della giustizia e dell'orrore del male. Per correggere l'opera di Dio bisogna sopprimere la libertà, ma per sopprimere la libertà bisogna sopprimere Dio, poiché non ci si ribella a un Dio inesistente. La ribellione avviene contro un Dio che esiste e, più concretamente, contro il Dio dei cristiani. Si desidera il silenzio di Dio per non sentir più parlare di lui, per non esserne più disturbati. Si preferisce assassinare Dio per non dover essere soggetti in fondo al cuo-

re all'interrogativo che ci condanna.

Si nasconde dietro a questa ribellione a Dio non solo il rifiuto eterno di ogni speranza, ma anche il rifiuto della stessa condizione umana. Ribellandosi a Dio, gli uomini si rendono capaci dei peggiori orrori. La ribellione infatti è totalitaria. Per farla finita con il male, per cambiare a ogni costo la condizione umana, si sacrificano milioni di esseri a un progresso concepito e fatto «a misura d'uomo». Per correggere l'opera di Dio si confisca la libertà: si entra allora in un ordine peggiore di qualunque male. Quando il nazismo ha voluto farla finita con la putredine dell'Occidente, non ha indietreggiato di fronte a milioni di morti. Quando il marxismo ha voluto imporre ciò che considera la sua giustizia, ha sacrificato intere porzioni di umanità. I peggiori assassini di Shakespeare si fermavano a una dozzina di cadaveri perché erano privi di ideologie. Con le → *ideologie* il nostro secolo non finisce più di accumulare crimini per liberarci da ogni male. Per sterminare il male si stermina Dio. Ma una volta crocifisso Dio, l'uomo è alla mercé dell'uomo, lupo capace di ogni ferocia.

In definitiva, perché è possibile la ribellione? Dio non ha voluto la rivolta ma la libertà che, tuttavia, a sua volta permette la rivolta. Se non fossimo altro che minerali o robot, la rivolta sarebbe impossibile. Se il terribile e formidabile potere di dire di no ci viene conservato, è proprio a causa della libertà. L'uomo non è solo un tasto di pianoforte; egli è libero e la sua libertà consiste in ciò: egli può scegliere tra il rifiuto e l'amore. Cristo ci lascia l'ultima parola. «Lo scandalo dell'universo − diceva Bernanos − non è la sofferenza ma la libertà». Ma di fronte a un tal potere conferito all'uomo, capace di scatenare le peggiori catastrofi, di provocare i peggiori orrori, come non essere tentati di dire: «Ne valeva veramente la pena? Perché, Signore?».

Se Dio dovesse scusarsi non sarebbe del male che ci ha fatto, ma di averci creati *liberi*. Egli ha scelto da una parte delle pietre, degli animali, dei computers, e dall'altra delle persone, cioè esseri capaci di dire sì o no anche a Dio. Per questo egli viene a noi senza difesa come un bambino, con le mani vuote o con le braccia tese sulla croce, per provarci che ci voleva veramente liberi. Dio accetta che la grandezza dell'uomo si manifesti sia attraverso la ribellione che attraverso l'amore. Per un cristiano il problema è ancora più tragico perché la libertà apre la possibilità di una ribellione irrigidita per l'eternità. A dire il vero non vi è altro incontro decisivo con il male se non nel Getsemani e nel Golgota. Non vi è altra risposta alla follia della ribellione e del male che la follia della croce. Per rispetto della nostra libertà, Dio ci ha fatto comprendere che la follia verso cui ci porta consiste nell'arrenderci senza difenderci, nel consegnarci a lui, nel rimetterci a lui completamente, nella fede e nell'amore. Questa apparente sconfitta è l'unica saggezza. Altrimenti l'uomo in rivolta distrugge anche se stesso con violenza. Se continuiamo a credere che l'Innocente è morto per tutti, colpito da tutti, allora, solidali con Cristo, ci arrendiamo con lui, uniti a lui nell'ultima supplica: «Padre». Nel perdono e nell'abbandono al Padre, Cristo manifesta la sua fede nell'uomo come capace di volgersi a lui, e manifesta anche il suo abbandono e la sua fede nel Padre, capace di trionfare sulla morte con la vita. Restiamo nella notte ma sotto le stelle. Tutti coloro che hanno vinto la rivolta hanno rifiutato di difendersi e si sono dati a Dio: Paolo, Agostino, Francesco d'Assisi, come anche tutti quei popoli oppressi che sperano di ottenere, perdonando i loro oppressori e rendendo fedele e tenace testimonianza al Signore, la conversione della ri-

bellione che opprime in amore e che confessa il proprio peccato (C. Mesters, *La missione del popolo che soffre*, Assisi 1982).

2. CRISTO DI FRONTE AL PECCATORE E AL PECCATO - Davanti alle soluzioni insoddisfacenti dell'acquietamento e della ribellione, la filosofia ha moltiplicato le precisazioni per meglio discernere il problema. Tali precisazioni segnalano il cammino, ma non soddisfano i concreti interrogativi degli uomini di fronte al crimine, all'odio, all'ingiustizia, al martirio degli innocenti. Cristo non propone risposte metafisiche all'enigma del peccato, ma una presenza e un atteggiamento.

Possiamo conoscere il modo di vedere di Dio circa il peccato solo a partire da Cristo. Se c'è qualcosa che possiamo capire è guardando a lui. Ora, dalla Genesi al vangelo, da Osea a Giovanni, la Scrittura non cessa di presentare Dio come un *amante*. La creazione è una storia a due in cui il *sì* di Dio sollecita il *sì* della creatura. La creazione ha bisogno per compiersi del consenso dell'uomo, poiché Dio non crea schiavitù ma libertà. Egli non è un despota ma un amante: egli invita, chiama, prega: «Se vuoi»! Dio ama abbastanza gli uomini da deporre il proprio potere e correre il rischio di un rifiuto. Se vi è un inferno sarà quello che ciascuno avrà voluto. L'uomo infatti può sottrarsi a questa collaborazione, soffocare questa chiamata e provocare con ciò uno scacco, una «de-creazione» dell'universo, ma non può impedire all'Amore di continuare ad amare. Nella misura in cui comprendiamo Dio e il suo amore entriamo negli abissi della sua tenerezza e della sua fragilità. Creando libertà, Dio accetta di essere crocifisso da coloro che rifiutano di amarlo, ma non può con questo smettere di essere «in stato di amore».

Nella prospettiva della rivelazione bisogna rovesciare l'ottica di Camus e di Ivan Karamazov. Invece di dire: «Se il male esiste, Dio non c'è», dobbiamo dire: «Se il martirio degli innocenti è così grave è perché Dio esiste ed è vittima insieme con l'innocente». Se il peccato è così mostruoso è perché tocca l'uomo nella sua dignità infinita. Proprio perché Dio *c'è*, il male può avere questo volto orribile, scandaloso, del tradimento. Dio è colpito e crocifisso in questo innocente. Il peccato siamo noi stessi «in stato di rifiuto». Di fronte a un'umanità ostinata, chiusa in se stessa, murata nella propria ribellione, che cosa può fare l'amore se non continuare ad amare come lo sposo ferito per il tradimento della sposa, che offre la propria fedeltà lacerata e lacerante nella speranza che l'amore, infine, risponda all'amore.

È proprio così che Cristo si rivela nelle parabole, negli atteggiamenti, nei gesti che sono segni. Di fronte alla samaritana avremmo agito come Cristo? Egli propone a questa peccatrice la strada della più alta riconciliazione. Avremmo noi scelto dei traditori come Pietro e Giuda per farne uomini di fiducia? Agli occhi di Cristo anche il più miserabile è capace del più grande amore: il ladrone è il primo candidato al regno dei cieli. L'originalità del cristianesimo è di aver definito il rapporto dell'uomo con Dio, dell'infinita limitatezza creaturale con l'infinita grandezza in termini di «reciprocità». Dio attende di essere a sua volta amato e, per amore del nostro amore, lascia la possibilità del rifiuto o del consenso. È proprio il senso della parabola del figliol prodigo. Dio sta al gioco della libertà: tace di fronte alle nostre partenze. Al ritorno del figlio che ha dilapidato tutto ciò che aveva ricevuto, non è né la collera, né la giustizia, né il perdono che caratterizza il comportamento del padre: è il padre che aspetta il figlio, che lo vede giungere da lontano, che interrompe le sue scuse, che fa portare il vestito,

l'anello, i calzari e che corre incontro al figlio e gli si getta al collo, poiché colui che soffre di più è colui che più ama. Dio ama, ma «con la misura di Dio», di un amore *completamente altro* da quello degli uomini. La prima vittima del peccato è Cristo.

La lavanda dei piedi anticipa l'atteggiamento di Cristo fissato nella «plasticità» della croce. Al momento di celebrare l'ultima cena con i suoi, Cristo si abbassa per lavare i piedi dei discepoli, compresi quelli di Giuda. Incontro dell'amore e del rifiuto, della luce e delle tenebre, di Cristo e di Satana, del potere del male e dell'onnipotenza dell'amore. Infatti qui l'onnipotenza è quella della fragilità, dell'umiliazione, della povertà. Cristo assume deliberatamente la condizione di servo completamente alla mercé degli altri: al servizio degli uomini, fino al punto di salvare gli altri a costo della propria vita. L'ultima cena, la lavanda dei piedi, la croce: è sempre l'amore che si dona per amore, per scoraggiare l'odio e il rifiuto. Ma il dramma dell'uomo è quello di non credere all'amore di Dio per lui.

3. IL DIO CROCIFISSO: L'UNICA RISPOSTA - La risposta di Dio all'interrogarsi dell'uomo sul problema del peccato è il volto sfigurato del figlio «crocifisso per noi». L'incontro di questo volto è la risposta più decisiva e sconvolgente al problema del male. Senza la croce, Dio resta da una parte e noi dall'altra. Ma con la croce Dio si mette a fianco delle vittime, dei torturati, degli oppressi, degli umiliati. L'uomo o resiste o crolla davanti a questo sguardo: «Signore, fa' splendere il tuo volto e noi saremo salvi» (Sal 80,4).

È nota la drammatica conversazione descritta da G. Bernanos, in *Diario di un curato di campagna*, tra quest'ultimo e la castellana del paese che, dopo aver perduto il figlio in giovane età, vive nell'odio e nella ribellione a Dio. Ella è in collera con Dio! Il curato osa timidamente parlarle della rassegnazione. «Se non fossi rassegnata – replica la contessa – sarei morta». Appena consapevole delle sue parole il curato prosegue: «Non si tratta con Dio, bisogna darsi a lui senza condizioni. Dategli tutto, vi renderà ancora di più». Indomabile la contessa grida: «Se vi fosse da qualche parte, in questo mondo o nell'altro, un luogo in cui Dio non esistesse, vi porterei il mio (morticino) e direi a Dio: Appàgati! Schiacciaci!». Il curato pensava ai singhiozzi, ai rantoli strappati alla nostra povera umanità sotto torchio. Le dice: «Signora, se il nostro Dio fosse quello dei pagani o dei filosofi potrebbe rifugiarsi nell'alto dei cieli, e la nostra miseria precipiterebbe. Ma voi sapete che il nostro Dio ci è venuto incontro. Potete mostrargli i pugni, sputargli in faccia e infine inchiodarlo a una croce: che cosa importa? È già stato fatto, figlia mia... L'inferno è non amare». Allora, allo stremo delle forze, spossata da una lotta interiore che durava da undici anni, la contessa si arrende. Con un rapido gesto getta nel fuoco la ciocca di capelli biondi del piccolo che conservava in un medaglione come prova contro Dio. Era appena sfuggita alla spaventosa solitudine: aveva incontrato l'Innocente sfigurato. E improvvisamente nel cuore le si era aperta una breccia. Vi era entrata la speranza che veniva da lontano e che la invadeva come una forte brezza primaverile. Nello sguardo di Cristo aveva ritrovato la pace, la serenità e la gioia incommensurabile. La notte seguente, certamente stremata dall'agonia che aveva vissuto per tanti anni, la castellana moriva riconciliata con l'Amore. Due cuori stritolati sotto lo stesso torchio: ma l'amore aveva avuto la meglio sull'odio.

Similmente, se vogliamo comprendere senza sfuggire, dobbiamo contemplare la croce, più saggia di ogni spiegazione, più forte di ogni protesta, più potente di ogni violenza. La suprema legge del mondo non è una legge cosmologica, ma è quella di un misterioso dialogo instaurato tra la libertà umana, cui è data la possibilità di avere l'ultima parola, e la libertà di Dio, la cui ultima parola non è una parola ma un'azione, una *passione* che ci svela fin dove arriva il peccato, ma, nello stesso tempo, fin dove giunge l'amore. La ribellione non è dominata dall'esterno ma sprofondata nell'abisso dell'Amore. Invece di incontrare resistenza l'uomo non trova altro che braccia protese. Per disarmare le nostre rivolte Dio propone una sovrabbondanza di amore. Sulla croce innalzata al crocevia dei secoli, egli diventa il contrappeso dell'amore lacerato e sanguinante, che rompe, in qualche modo per eccesso, l'equilibrio e tutto il peso dei nostri disordini, che smorza ogni nostro odio. Cristo in croce riesce a portare nel mondo più amore di quanto odio potrà mai esserci.

Dobbiamo dunque verificare di nuovo tutte le nostre idee su Dio. Quando Dio vede i suoi figli scegliere la morte rifiutando di rispondere alla sua chiamata, prende il loro posto, si fa colui che risponde a loro. La croce ci porta dunque in un universo situato al di là di ogni giustizia, cioè nell'universo d'amore, ma di un *amore totalmente altro*, che è mistero perché è «a misura di Dio». Mai Dio è così potente come nella sua impotenza. Se il mistero del male è indecifrabile, lo è ancor di più quello dell'amore di Dio.

La croce è l'ultimo tentativo dell'amore per dissolvere il nostro odio, per smantellare l'egoismo, per togliere Dio dalla croce. Ma che cosa c'è nell'uomo, in questa umanità perversa, capace di suscitare un tale eccesso di amore, se non proprio la possibilità in noi di un amore nascente, di un nuovo essere da generare per sempre libero e «liberato», di un *figlio* da inserire nella vita trinitaria? Sospeso alla croce, Cristo invita gli uomini ad abbandonarsi nelle mani del Padre, come figli che egli abbia concepito col suo amore.

La croce di Cristo è l'estremo dell'irrazionalità, la più stupefacente vittoria, la più allucinante forza del male su colui che è la Vita, la Potenza. Ma nello stesso tempo è la rivelazione di un amore che ha la meglio sul male, non con la forza, ma per un'eccedenza di amore che consiste nel ricevere la morte dalla stessa mano di colui che si ama e nel sopportare il castigo che gli è destinato nella speranza di convertire all'amore l'amore che si è ribellato. La totale debolezza di Dio diventa allora la sua onnipotenza. «Le grandi acque non possono spegnere l'amore né i fiumi travolgerlo» (Ct 8,7). «Noi predichiamo Cristo crocifisso, scandalo per i Giudei, stoltezza per i pagani; ma per coloro che sono chiamati sia Giudei che Greci, predichiamo Cristo, potenza di Dio e sapienza di Dio. Perché ciò che è stoltezza di Dio è più sapiente degli uomini, e ciò che è debolezza di Dio è più forte degli uomini» (1 Cor 1,22-25). «Chi non ama non ha conosciuto Dio, perché Dio è amore» (1 Gv 4,8). Che cosa poteva fare l'amore che già non avesse fatto?

Ormai siamo figli di Dio e il suo Spirito abita in noi. Ma per trasformare così la nostra condizione, Dio è dovuto divenire solidale con gli uomini, ha dovuto attraversare (senza tuttavia conoscere il peccato) l'abisso dell'assenza aperto dal rifiuto e dalla ribellione degli uomini. *Solo* il Figlio incarnato poteva assumersi, nella sua duplice natura divina e umana a un tempo, una simile missione. Cristo è l'unico punto di convergenza in cui tutte le cose sono compiute, superate, abolite e sostituite dall'opera *unica* che Dio compie in quanto uomo e che solo Dio, in quanto Dio fatto uomo, può compie-

re. Alla gravità di Cristo crocifisso, consegnatosi per noi, deve corrispondere la serietà del nostro amore che lascia fondere ogni ribellione e rifiuto nell'incandescenza dell'amore trinitario.

4. DAL PECCATO ALL'AMORE - Il cristianesimo non elimina il peccato. Non è una religione di consolazione né di diversivo, ma una religione di → conversione. La risposta del cristianesimo al peccato è l'amore che disarma e che invita a cedere per amore. Il messaggio del cristianesimo è un *messaggio sul senso della libertà e dell'amore* e sul dinamismo onnipotente dell'amore. Se c'è una vittoria sul male è ad opera di un amore più grande dell'odio. Cristo è questo amore allo stato puro: perciò può trionfare sulle nostre ribellioni finite.

È proprio la storia di tutti questi capovolgimenti di situazione che noi chiamiamo «conversioni», che di un peccatore e di un criminale in un lampo fanno un santo. Paradossalmente, secondo il vangelo, (Lc 15,17-20) è il peccatore che, pur nella sua discesa agli inferi, è più vicino al regno dei cieli. Troppo spesso, infatti, il compiacimento nella mediocrità ci impedisce di vedere gli abissi che sono in noi e che il peccatore, che si trova già nel fondo del baratro, spesso percepisce meglio del «giusto». La sua stessa miseria può così divenire una *scorciatoia* verso l'amore e l'abbandono in Dio. Certo Dio ci comprende, ma senza voler essere complice dei nostri imbrogli. Ciò che ci viene chiesto è di non rifiutare di riconoscere quello che veramente siamo, classificandoci in una onorevole «via di mezzo». Il peccatore che sa di esserlo possiede già questo cuore sbrecciato da cui può entrare la misericordia. Egli si riconosce «peccatore amato». Le nostre resistenze, i nostri fariseismi sono stupidi e falsi. Siamo tutti colpevoli; abbiamo tutti bisogno di abbandonarci all'amore e di riconoscerci prigionieri del peccato, ma amati da Dio: e che mai saremo amati da un amore più grande.

La risposta del cristianesimo al problema del peccato relativizza o elimina un buon numero di pseudo-soluzioni senza darla loro vinta: a. *I moralismi* secondo cui il problema del male si risolve con la soddisfazione di una buona coscienza e prendendo le distanze dai peccatori. Ma si dimentica che il male è nel cuore dell'uomo come una possibilità costante e perpetua. b. *I manicheismi* che concepiscono il mondo come un campo di battaglia in cui si affrontano i buoni e i cattivi, cioè i *nostri* contro gli *altri*. Visione semplicistica, poiché la zizzania e il grano buono sono sempre mischiati in questo mondo. Pretendere di eliminare il male tutto di un colpo con l'ultima guerra che ucciderà la guerra è la suprema illusione; infatti la libertà e la grazia possono in qualunque momento spostare o far saltare anche le barriere più solide. c. *I prometeismi* per cui il male sta tutto in un'alienazione che, non sapendo e non potendo, rende l'uomo dipendente dalle potenze naturali e dalle forze sociali di cui un giorno sarà tuttavia padrone grazie alla tecnica. Ma niente è più equivoco di questo concetto di padronanza del mondo. I tecnici possono asservire l'uomo all'uomo con mezzi di sfruttamento e di manipolazione sempre più raffinati e sempre più dispotici: la storia contemporanea mostra fin troppo che queste minacce non sono fantasie.

Il cristianesimo è prometeico ma a modo suo, associando l'uomo all'opera ancora incompiuta della creazione e della redenzione. Il cristianesimo tuttavia, annunciando una salvezza già realizzata e sempre da fare, è il più ottimista e il più pessimista di tutti. Entrambi gli atteggiamenti hanno il loro posto nel mondo che non è ancora il regno definitivo. Tutti noi aspettiamo questo mondo nuovo in cui non ci sarà più né pianto, né male, né morte (Ap 2,14). Ma nell'attesa, la sproporzione tra ciò che deve venire e ciò che vediamo ci sembra così grande che la stessa fede è colta come da vertigine. Di fronte allo spessore del male, alla sua forza sempre rinnovata, alla sua ampiezza, alla sua proliferazione e alla sua violenza esasperata, lo choc è troppo forte. Finché il male ha l'accortezza di restare in certi limiti possiamo ancora sopportare. Ma talvolta scatena una virulenza tale che temiamo di esserne sommersi. Gridiamo al Signore: «Salvami, muoio». Potremmo resistere nelle condizioni delle vittime di Dachau, di Buchenwald, di Auschwitz, di Treblinka, della Cambogia o del Cile? Bisogna essere farisei o ingenui per pretendere di non essere mai colpiti dallo choc del male, dall'orrore e dall'ingiustizia. La nostra fede resta esposta allo scandalo dell'iniquità: esposta alla prova e tuttavia certa di uscirne. Ma proprio se la nostra fede è vulnerabile, vuol dire che esiste. Tutti noi siamo passati o passeremo un giorno al vaglio dello scatenarsi del male. Tuttavia la fede stessa proclama che se tutte le consolazioni della terra non compensano il male, vi è ancora meno proporzione tra la gloria che ci attende, e che è già presente, e il male che subiamo. È vero che il male in certi momenti ci sembra più violento, più duro, più orrendo di quanto possiamo immaginare: è l'ora dello scandalo, della prova, della tenebra. Prova che ci fa scoprire che non siamo all'altezza, *soli* di fronte al male. Ma in un secondo tempo scopriremo che siamo ancor meno «adatti» all'immensità del bene futuro. Al terrificante mistero del male corrisponde il più impenetrabile ancora mistero del bene che è preparato per noi. Due luoghi, due monti, simboleggiano questo mistero: il Golgota e il Tabor. C'è il peso del male, ma anche quello ancor più grande della gloria che viene levandosi come quelle aurore boreali che trasfigurano la notte già popolata di stelle. Accettiamo non di trionfare sul male con facilità, ma piuttosto di essere disarmati dall'amore, poiché Cristo per primo ha ceduto di fronte al nostro rifiuto, debole per amore.

Anche davanti alla croce il male morale legato alla libertà resta un mistero; ma la sovrabbondanza dell'amore manifestata in Cristo proietta una tale *sovrabbondanza di senso*, da giungere a rischiarare questo abisso di tenebre.

Bibl. - A.D. Sertillanges, *Le Problème du*

mal, Paris 1948 e 1951; R. Verneaux, *Problèmes et Mystères du mal*, Paris 1956; X. Tilliette, *La Légende du Grand Inquisiteur*, Paris 1956; E. Borne, *Le problème du mal*, Paris 1958; Id., «Mal», in DS, fascicoli 74-75, coll. 122-136; C. Journet, *Le mal, Essai théologique*, Paris 1962; Ph. Roqueplo, *Expérience du monde, expérience de Dieu*, Paris 1968; F. Hainaut, *Le mal, énigme scandaleuse, contestation radicale*, Paris 1971; B. Bro, *Le pouvoir du mal*, Paris 1976; M. Zundel, *Quel homme et quel Dieu*, Paris 1976; E.Y. Yarnold, «Male», in NDT, 1977, 815-834; P. Evdokimov, *Dostoïevski et le problème du mal*, Bruges-Bruxelles-Paris 1978; P. Guilly, «Mal», in *Cath* VIII (1979) 219-232; R. Latourelle, «Potere del male e salvezza mediante la croce», in *L'uomo e i suoi problemi alla luce di Cristo*, Assisi 1982, 338-363; A. Bonora, «Male», in NDTB 870-887.

René Latourelle

MARTIRIO

1. *Ricupero archeologico dei dati (Antico Testamento; Nuovo Testamento)* - 2. *Il martirio in teologia fondamentale (Il martirio come linguaggio; Il martirio come segno)* - 3. *La significatività del martirio* - 4. *Per una dilatazione dell'identità del martire* (R. Fisichella).

Il martire non ci è estraneo. Sappiamo chi è e riusciamo a individuarne la personalità e portata storica; eppure, troppo spesso, la sua immagine sembra evocare in noi un mondo che non è più il nostro. Appare come un personaggio lontano, relegato ad epoche e periodi storici che appartengono al passato e che, al massimo, solo la memoria liturgica ripropone nel culto quotidiano. Descritto con caratteristiche da eroe, che suscitano l'allergia nel contemporaneo, il martire, particolarmente nelle società occidentali, sembra divenuto un pezzo da museo.

Il martire, tuttavia, è nostro contemporaneo. Se non fosse così, la chiesa già da tempo avrebbe terminato di presentare il kêrygma come un annuncio salvifico comprensibile per l'oggi e significativo per la vita dell'uomo. In lui, infatti, ognuno può vedere la coerenza umana nella sua

trasparenza ultima, là dove si compie l'identificazione perfetta tra la fede e la vita, tra la professione verbale e l'azione quotidiana.

La chiesa ha bisogno dei martiri per far emergere in pienezza la realtà dell'amore che si fa liberamente accettazione della morte e, contemporaneamente, diventa perdono per il persecutore. Il martire, comunque, appartiene alla chiesa non solo perché questa, nella sua storia bimillenaria, è caratterizzata permanentemente dalla presenza dei martiri; piuttosto, perché costitutivamente essa stessa è martire. Prima di essere una *ecclesia martyrum*, essa è *ecclesia martyr*. Nella sua costituzione ontologica le viene impressa, una volta per sempre, in modo indelebile la *forma Christi* che si esprime nella kenosi del Figlio fino al momento culminante della passione e morte di croce.

Ciò che appartiene a Cristo lo è anche della sua chiesa; anche per lei quindi si deve concretizzare e realizzare la forma della kenosi come espressione della sequela obbedienziale che tocca il culmine della passione e morte per amore. La chiesa pertanto, nasce, vive e si costruisce sul fondamento di Cristo martire; sua missione nel mondo dovrà essere quella di orientare lo sguardo di ognuno a «colui che è stato trafitto» (Gv 19,37; Ap 1,7), perché in modo evidente si espliciti la parola rivelativa del Padre.

A conferma di questa prospettiva, viene in aiuto la teologia paolina quando descrive l'azione dell'apostolo con queste parole: «figlioli miei, che io di nuovo partorisco nel dolore finché non sia *formato* in voi il Cristo» (Gal 4,19). La forma di Cristo che l'apostolo imprime non può essere altro che quella del servo sofferente che dà la sua vita per la salvezza di tutti (→ Cristologia: titoli). Questi «sentimenti» (Ef 2,5-6) che caratterizzano la figura storica di Gesù di Nazareth, devono essere anche per coloro che si pongono alla sua sequela per completare ciò che manca ai suoi patimenti (Col 1,24).

Questa dimensione permette di comprendere a pieno la portata dei martiri nella storia e nella vita della comunità cristiana. Mediante la loro testimonianza, la chiesa verifica che solo attraverso questa strada si può rendere pienamente credibile l'annuncio del vangelo. Questo permette anche di spiegare il fatto che fin dai suoi primissimi anni, la chiesa ha visto nel martirio un luogo privilegiato per verificare la verità e l'efficacia del suo annuncio; in questi eventi infatti, la testimonianza per il vangelo non era più limitata alla sola forma verbale, ma estesa alla concretezza della vita. Per questo la chiesa capì che il martire non aveva bisogno delle sue preghiere; al contrario, lei ora pregava il martire per ottenere la sua intercessione. Non si prega quindi per il martire, ma si prega il martire per la chiesa. Il giorno del martirio veniva ricordato e memorizzato come il momento cui ritornare con gioia, per far festa, perché si ritrovava la forza e il sostegno per continuare nell'opera evangelizzatrice.

La comunità cristiana pertanto, ha sempre sostenuto il valore *ecclesiale* del martirio; esso possiede un tono altamente comunitario perché vissuto per la chiesa e da tutta la chiesa, come segno efficace dell'amore.

1. RICUPERO ARCHEOLOGICO DEI DATI - Non è compito di questo articolo l'analisi dei diversi problemi che il termine ha assunto nella sua evoluzione semantica; una teologia del martirio tuttavia, deve avere presente almeno due dati essenziali in proposito: anzitutto, quando si inizia ad avere la valenza semantica del termine nell'accezione che si conosce oggi; inoltre, quando sorge una «teologia» del martirio.

Questi due momenti, in effetti, non coincidono. Dall'Antico al Nuovo Testamento, fino ai primi decenni della chiesa primitiva, si può assistere ad una evoluzione continua del termine μάρτυς (*mártys*). L'evoluzione semantica nasconde il progresso concettuale che si è applicato al fenomeno; si avrà così che progressivamente si passa da un concetto generico di «testimone» di un fatto, a quello più preciso di «testimonianza» di una verità o di altre convinzioni, fino alla testimonianza data con il versamento del proprio sangue.

Il concetto di martire, nell'accezione che oggi possiede, inizia a stabilizzarsi, con ogni probabilità, a partire dal 155, con il *Martyrium Polycarpi*: «Policarpo che fu il dodicesimo a subire il martirio in Smirne, con quelli di Filadelfia, non solo fu maestro insigne, ma anche *martire* eccelso, il cui martirio tutti aspirano ad imitare, perché avvenuto a somiglianza di Cristo come narrato nel vangelo» (19,1). Martire è qui identificato oramai, come colui che dà la propria vita per la verità del vangelo. In proposito, un testo di Origene è fortemente espressivo: «Chiunque rende testimonianza alla verità, sia a parole, sia con i fatti o adoperandosi in qualsiasi modo a favore di essa, si può chiamare a buon diritto «testimone». Ma il nome di «testimoni» (μάρτυρες = *mártyres*) in senso proprio, la comunità dei fratelli, colpiti dalla forza d'animo di coloro che lottarono per la verità o la virtù fino alla morte, ha preso la consuetudine di riservarlo a quelli che hanno reso testimonianza al mistero della vera religione con l'effusione del sangue» (*In Johannem* II, 210).

Il motivo per cui si è passati progressivamente a questa significazione semantica costituisce oggetto di differenti teorie; ciò che resta da costatare è il fatto della distinzione che si viene a creare tra *confessores* e *martyres*. Tutti sono testimoni del Signore, anche se subiscono persecuzioni, il titolo di martire però, viene conferito solo a chi dona la vita, gli altri vengono comunemente ritenuti dei *confessores*.

È necessario tuttavia, richiamare i tratti salienti che nella Scrittura riferiscono di un primo abbozzo della figura del martire.

a. *Antico Testamento* - Per l'AT due elementi balzano immediati per una sua identificazione:

1. *La figura del profeta*. Una serie di testi induce a pensare che la situazione del profeta ha come sottofondo naturale e contiene nel suo orizzonte interpretativo quello di una possibile morte violenta. Il profeta può essere chiamato «martire», anche se si è ancora lontani dalla teologia del martirio come la si interpreterà successivamente. Gli esempi di uccisione del profeta sono abbastanza frequenti: Ger 26,8-11, descrive la reazione degli uditori al discorso del profeta sul tempio: «Devi mo-

rire! Una sentenza di morte merita quest'uomo, perché ha profetizzato contro questa città»; pochi versetti oltre (26,20-23), si narra del profeta Uria anch'egli ucciso perché aveva profetizzato. In 2 Cr 24,17-22, viene riferito dell'uccisione di Zaccaria «lapidato nel cortile del tempio». Nello sfogo che Elia fa al Signore, in 1 Re 19,10-12, si viene a conoscenza che «gli Israeliti hanno abbandonato la tua alleanza, hanno demolito i tuoi altari, hanno ucciso di spada i tuoi profeti, sono rimasto solo ed ora tentano di togliermi la vita». In Neemia 9,26 si trova l'esempio più chiaro di ammissione di questa prassi; a Esdra che legge la Tôrāh, fa seguito l'accusa di peccato da parte del popolo: «Sono stati disobbedienti, si sono ribellati contro di te, si sono gettati la tua legge dietro le spalle, hanno ucciso i tuoi profeti che li scongiuravano di tornare a te». La stessa figura dell'*'ebed* Jhwh del Deuteroisaia può essere presa come immagine simbolica del destino del profeta.

Il profeta è quindi testimone della parola rivoltagli dal Signore, la deve seguire fedelmente fino alla fine; la sua morte verrà vendicata solo da Jhwh: «Io vendicherò il sangue dei miei servi i profeti e il sangue di tutti i servi del Signore» (2 Re 9,7).

2. *Le vicende storiche di Israele*. Nell'interpretazione che viene data alla storia e in modo più peculiare agli avvenimenti di sangue che la attraversano, è possibile individuare una prima «teologia del martirio» ad opera del popolo ebraico. Più direttamente, è all'epoca dei Maccabei, in quel decennio che vede Israele dominato dalla Siria di Antioco IV Epifane (175-163), che si può fissare il sorgere di questa riflessione. Il tentativo di riportare ad una matrice comune l'interpretazione della sofferenza e della morte a causa della fede dei padri, è ciò che costituisce l'idea germinale di una «teologia» del martirio che, curiosamente, prende avvio

da una «teologia» della storia (→ Storia, III) (cfr. Dn 11-12; 2 Mac 6-7).

È facile scorgere in questi testi il fatto che la morte dell'innocente viene recepita come una testimonianza profonda, efficace, capace di mantenere salda la fede e suscitare speranza nell'intervento del Signore. Fortemente espressivo in proposito, è il racconto di 2 Mac 6,12-30 che narra della persecuzione del popolo e dell'uccisione di Eleazaro. Alcuni dati significativi emergono da questa pericope: anzitutto il fatto che il momento della prova e della persecuzione viene interpretato come un momento di grazia (v. 12); il Signore infatti, attraverso questa esperienza, corregge il suo popolo e lo fortifica nella fede (vv. 14-16); la testimonianza del giusto che accetta la morte pur di restare fedele alla legge antica, tende inoltre a confermare i più giovani nella fede dei padri (vv. 24-28); la morte viene accolta quindi, come segno di amore (v. 30); il giusto perseguitato, infine, viene descritto come colui che ha piena libertà davanti alla morte e al persecutore, e tuttavia non teme di sceglierla (v. 30).

Per l'AT pertanto, il testimone che accetta la morte in nome della fede, è innocente e senza colpa; la sua sofferenza e morte sono considerate purificatrici per il popolo e segno della testimonianza più grande che il popolo possa ricevere. Il contenuto della preghiera di Giuda il Maccabeo può ben corrispondere a quanto descritto: «Alzarono allora suppliche al Signore, perché riguardasse il popolo da tutti calpestato, avesse pietà del tempio profanato da uomini empi, usasse misericordia alla città devastata e prossima ad essere rasa al suolo, porgesse orecchio *al sangue che gridava al suo cospetto* e non dimenticasse l'iniquo sterminio di fanciulli innocenti» (2 Mac 8,2-4).

b. *Nuovo Testamento* - Il NT è caratterizzato dalla centralità di Gesù di Nazareth. Il mistero della sua morte salvifica è perno per l'interpretazione del martirio cristiano. La sua vita e particolarmente la passione e morte (→ Mistero pasquale), diventano il centro e la chiave ermeneutica che illumina le stesse sofferenze dei discepoli e la vita della comunità primitiva, che in questi momenti verifica concretamente la sua fedeltà al maestro: «E se ne andarono dal sinedrio lieti di essere stati oltraggiati per amore di Gesù» (At 5,41; cfr. 7,58-60; Fil 1,13; 2 Tm 2,3).

Due elementi comunque, vanno considerati in vista di una lettura globale dei dati neotestamentari:

1. Il fatto che *Gesù ha voluto dare significato alla sua morte*. Tra i dati certi che si possono acquisire come appartenenti al Gesù storico, sono sicuramente da annoverare quello della consapevolezza di una morte violenta e il significato salvifico che ne è stato dato.

Gesù di Nazareth ha avuto davanti a sé, con piena lucidità, la coscienza di sapere che il suo comportamento e le sue parole lo avrebbero inevitabilmente portato verso una morte violenta. Il fatto che i contemporanei, e gli stessi discepoli, lo avessero compreso come un → profeta (Mc 8,28), la morte del Battista (Mt 14,1-12), la sua solidarietà con i peccatori pubblici (Mc 2,15-16), la contestazione della legge mosaica (Mt 5,17-48), l'accusa di bestemmia (Mc 2,6; 14,64), il sospetto di praticare la magia o stregoneria (Mt 9,34), la cacciata dei venditori dal tempio e le dure parole contro i sacerdoti (Mc 11,15-18.28-33), e soprattutto la sua pretesa di essere privilegiatamente il figlio di Dio (Gv 5,18), anche uno solo di questi fatti lasciava intravedere la possibilità della morte violenta. Non si dimentichi, inoltre, che più volte, come viene riportato dai vangeli, Gesù fu sul punto di essere lapidato (Gv 8,59; 10,31-33; Lc 4,29).

Gesù quindi non è rimasto passivo davanti alla prospettiva di questo tipo

di morte; al contrario, ne ha tratto
motivo per finalizzare la sua esistenza
nell'orizzonte di una morte accolta
per la salvezza di tutti (Gv 3,14-15).
2. *Il destino dei suoi discepoli.* Un
secondo elemento da dover valutare è
il ripetersi continuo, nei testi della sequela (cfr. Mc 8,34; 13,9), dell'unità
profonda che lega la sorte dei discepoli con quella del maestro. Un dato
certo per la teologia neotestamentaria
è che la sequela determina l'inserimento nella stessa missione del Cristo e quindi nella condivisione della
sua stessa sofferenza e morte (Mt
16,24; 20,22-23).
Certamente, il NT non ha collegato l'idea del martirio con l'accettazione della morte; martire anche qui
è chiamato colui che rende testimonianza di fede e che attesta la verità
del vangelo. L'esempio più chiaro, in
proposito, è quello di Stefano che
non è chiamato martire perché muore, ma semplicemente perché è testimone di Cristo nella sua attività evangelizzatrice. La sorte del maestro, tuttavia, è presa come chiaro anticipo
anche per il discepolo che si pone alla sua sequela.
La conclusione che emerge dai testi
neotestamentari è, pertanto, che il
martire è essenzialmente il testimone
oculare della vita, passione, morte e
risurrezione del Signore; in seguito,
i discepoli tutti sono chiamati martiri-
testimoni, perché attestano la verità
del vangelo nelle diverse situazioni di
vita, anche a rischio della persecuzione e della sofferenza (1 Pt 4,12-19).
La teologia paolina sarà particolarmente sensibile nell'unificare apostolato e missione evangelizzatrice con
l'accettazione della sofferenza (cfr.
Rm 6,4-15; Gal 5,16-25; 1 Cor 6,11-
10,31; 13,4-7; 2 Cor 5,14-15; 1 Tm
6,12).
Solo un lungo processo, come è stato precedentemente ricordato, porterà all'identificazione del martire con
colui che diventa testimone della fede fino al dono della vita. Le lettere

di Clemente (96 p.C.), di Ignazio
(115), del Pastore di Erma (140), pur
conoscendo già l'esperienza del martirio non usano ancora il termine in
questo senso.
A partire dal *Martyrium Polycarpi*,
si assiste ad un interessante sviluppo
teologico circa il martirio. La nuova
accezione di martire viene ora applicata a Cristo e si avvia quindi una
prima autentica riflessione sui martiri che vengono compresi come testimoni della carità perfetta sull'esempio di Cristo.

2. IL MARTIRIO IN TEOLOGIA FONDA-
MENTALE - Il martirio, come oggetto
di studio teologico, appartiene a differenti discipline che ne analizzano i diversi aspetti in vista di una complementarità per la sua lettura globale.
La teologia *dogmatica*, ad esempio,
valuterà del martirio più direttamente la componente di testimonianza per
la verità del vangelo; la *spiritualità*
invece, ne studierà le forme e le caratteristiche perché possa essere presentato anche oggi come modello di
vita cristiana; la *storia della chiesa*
cercherà di ricostruire le cause che
hanno prodotto situazioni di martirio e valuterà l'esattezza dei racconti
al di là di ogni lettura leggendaria;
il *diritto canonico* infine, valuterà le
forme e le cause in cui si è realizzata
la testimonianza del martire per stabilirne la validità in vista della canonizzazione.
La teologia *fondamentale* studia il
martirio all'interno della dimensione
apologetica, per mostrare che esso è
linguaggio espressivo della rivelazione e *segno* credibile dell'amore trinitario di Dio. Mediante la testimonianza dei martiri, si mostra che ancora
oggi la rivelazione ha la sua forza
provocativa nei confronti del contemporaneo, sia per permettere la scelta
di fede, sia per viverla in modo coerente e significativo.
a. *Il martirio come linguaggio* - Che
lo si voglia o no, il termine «marti-

re» richiama alla mente di chi lo pronuncia o dell'ascoltatore, una realtà definita. Come ogni termine che il linguaggio umano esprime, anche questo è soggetto all'analisi linguistica che ne ricerca anzitutto la sensatezza, quindi la sua verità o meno nella esperienza quotidiana. In quanto linguaggio umano, esso rivela la dimensione più personale del soggetto che vede realizzata, in questo modo, sia la sua capacità a possedere la realtà che sperimenta e che pone in atto, sia l'autocomprensione di sé come soggetto creativo.

Una peculiare forma di linguaggio umano è quella che si realizza tramite il linguaggio di → *testimonianza.* Una sua ermeneutica permette di ricuperare alcuni dati che permettono una visione più organica e significativa del martirio.

La testimonianza è intuitivamente collegata con l'ambito «giuridico» dell'esperienza umana; essa infatti, è compresa come un atto mediante il quale si riferisce ciò che è stato oggetto di conoscenza personale. Questa dimensione tuttavia, è solo la prima forma della nostra conoscenza; la testimonianza infatti, ad una analisi più profonda, rivela delle caratteristiche che giungono fino alla sfera più personale del soggetto.

Ogni testimonianza comporta almeno due elementi: anzitutto l'*atto* del comunicare, quindi il *contenuto* che si esprime. Questa forma di comunicazione necessita, inevitabilmente, della presenza di un ricevente che recepisce la testimonianza. Ciò permette di affermare che la testimonianza è una relazione interpersonale che si crea tra due soggetti, in forza di un contenuto che viene comunicato. La qualità della relazione che si forma, appartiene alla sfera più profonda del rapporto interpersonale in quanto, sulla base del contenuto espresso, i due rischiano circa la fiducia reciproca e la credibilità del proprio essere. Il testimone infatti, in proporzione al-

la fedeltà con la quale esprime il contenuto della propria esperienza, rivela la veridicità o meno di sé; colui che riceve questa testimonianza, dall'altra parte, valutando il grado di attendibilità di ciò che gli viene comunicato, rischia il proprio affidarsi all'altro. In ambedue i soggetti comunque, si evidenzia la volontà di partecipare parte della propria vita e quindi di uscire da sé in vista della comunicazione.

La testimonianza, in questa prospettiva, non può quindi essere ridotta ad un semplice racconto di fatti; essa diventa invece un impegno concreto con il quale si vuole comunicare ed esprimere, se fosse necessario anche con la morte, la verità di ciò che si sta dicendo, facendo leva sulla verità della propria persona. Con la testimonianza, ognuno dispone di sé con quella libertà originaria che gli permette di verificarsi come soggetto veritiero e coerente; in una parola, la testimonianza costituisce uno dei tratti costitutivi del linguaggio umano, poiché possiede un tale grado di performatività che la sola parola parlata non potrebbe esprimere.

Il martirio è stato sempre compreso come la forma di testimonianza suprema che il credente donava in vista della verità della sua fede nel Signore. Gli *Acta martyrum* confermano esplicitamente che il martirio era compreso come quella definitiva testimonianza che, iniziata davanti al giudice, si concludeva poi con l'accettazione della morte.

b. *Il martirio come segno* - Gli esempi che vengono riportati dagli *Acta martyrum*, mostrano in modo chiaro che la testimonianza del martire fu letta come segno della presenza di Dio nella comunità. La Trinità stessa rivelava nella morte del martire l'espressione ultima della sua natura: l'amore che arriva fino al dono completo di sé. La chiesa ha sempre compreso il valore di questa testimonianza e lo ha interpretato come il segno permanente dell'immutabile e fedele amore di Dio che, nella morte di Gesù, aveva avuto la sua espressione culminante.

Il segno (→ Semeiologia, I), con le sue qualità di mediazione e comunicazione, ha la caratteristica di creare consenso intorno al suo significato e di provocare l'interlocutore nel dover prendere una decisione. Le note essenziali del segno si esprimono pienamente anche nel martirio. Intorno al martire, infatti, è facile vedere realizzato il consenso unanime sulla sua forza d'animo e coerenza; il contenuto del suo gesto diventa possibilità, per chiunque lo volesse, per passare al significato espresso in quella morte: l'amore stesso di Dio.

La forza provocatoria che proviene dal martirio e che spinge a riflettere sul senso dell'esistenza e sul significato essenziale da dare alla vita, è talmente evidente che non necessita di dimostrazione alcuna. La decisione di arrivare ad una scelta coerente e definitiva trova qui il suo spazio vitale. La storia dei martiri manifesta lucidamente che la morte di ognuno di loro, se da una parte lasciava attoniti, dall'altra scuoteva a tal punto la coscienza personale che si apriva alla conversione e alla fede: *sanguis martyrum semen christianorum*.

3. LA SIGNIFICATIVITÀ DEL MARTIRIO - La riflessione teologico-fondamentale trova nel martirio una delle espressioni più qualificate per proporre ancora oggi, autenticamente la → credibilità della rivelazione cristiana.

La prospettiva apologetica preconciliare, normalmente si limitava a studiare il martirio nella sfera di una casistica per il rinvenimento delle virtù eroiche che erano testimoniate dai martiri a favore della verità della fede. Superando questa lettura, è possibile vedere il martirio maggiormente relazionato alle perenni questioni dell'uomo, e quindi più conforme ad

essere segno che illumina chi si pone nella ricerca di un senso dell'esistenza.

Tre domande sembrano perennemente toccare la persona umana: la verità della propria vita personale, la libertà davanti alla morte e la decisione per l'eternità.

Per quanto riguarda il primo momento, la verità della propria vita personale, si può osservare che, fin dai primissimi tempi della chiesa, il martirio venne interpretato come uno dei gesti più coerenti che l'uomo poteva compiere. Il credente che aveva accolto la fede, vedeva attuata nella morte del martire la coerenza più profonda tra la professione della fede e la vita quotidiana. Un'analisi dei resoconti dei processi dei martiri fa scoprire che il martire concepiva la via del martirio come la strada che doveva seguire per vedere finalmente realizzata la propria identità di cristiano e per sentirsi completo.

La verità della fede, che alla fine diventava per il martire il «dare la vita per i propri amici» (Gv 15,13), è un'esperienza concreta di verità su di sé; il martire infatti comprende che dare la sua vita al tiranno, in nome di Cristo, è ciò che costituisce e forma la verità del suo essere. Verità sulla sua vita e verità del vangelo confluiscono qui in una sintesi tale che non è più pensabile concepirsi al di fuori della verità accolta nella fede. Egli diventa, pertanto, testimone della verità del vangelo scoprendo la verità sulla sua stessa vita che, al di fuori di quella prospettiva, non avrebbe più senso.

E, tuttavia, il martirio è in questo contesto, espressione dell'onestà e della coerenza che porta a privilegiare e anteporre la verità universale sulle proprie personali scelte di vita. Il martire infatti indica non solo che ognuno può conoscere integralmente la verità sulla propria vita, ma che ancora di più può dare la sua stessa vita per convincere circa la verità che guida le sue convinzioni e le sue scelte.

Per quanto riguarda la seconda domanda, la libertà personale davanti alla morte, è da osservare che nel martirio essa diventa talmente paradossale da sembrare contraddittoria; come si può infatti pensare di essere liberi se questo è proprio il momento in cui la propria vita dipende dalla volontà di un altro?

Oltre la illuminante tesi di K. Rahner in proposito (*Sulla teologia della morte*, Brescia 1972, 75-108), sono da notare i seguenti aspetti ulteriori:

a. La → morte costituisce un *evento* che determina la vita di ognuno e che forma la storia personale. Essa si pone come elemento significativo per il discernimento della verità su se stessi e su ciò che si compie; in una parola, la morte tocca l'uomo nella sua globalità, è un fatto universale, niente e nessuno ne è escluso.

E, tuttavia, la morte non è un semplice dato biologico davanti al quale ognuno vede la parabola della propria vita; è qualcosa di più, perché proprio in quel momento si scopre che non si è fatti per la morte, ma per la vita. Il rifiuto di vedere se stesso scomparire con la scomparsa fisica di sé, fa comprendere quanto essenziale sia per la persona l'affrontare coscientemente questo evento nonostante lo si voglia cancellare dalla propria mente.

b. La morte costituisce pure un *mistero* che sovrasta l'uomo infinitamente e davanti al quale si alternano le reazioni più disparate: paura, fuga, dubbio, contraddizione, desiderio di voler sapere di più, diffidenza, serenità, disperazione, cinismo, rassegnazione, lotta...

Nella morte, ognuno gioca la sua carta vincente perché è costretto a quella «partita a scacchi» (cfr. il significativo film di Bergman, *Il settimo sigillo*), che non può essere rimandata ulteriormente e che alla fine si ricerca come necessaria e inderogabile.

Per questo motivo, si può affermare che anche il martire, anzi soprattutto il martire, rivela la sua piena libertà davanti alla morte proprio quando sembra che non ci sia spazio alcuno per la libertà.

Egli, infatti, posto davanti alla morte sa dare il significato supremo alla sua vita, accettando la morte in nome della vita che gli proviene dalla fede. Il martire quindi, pur essendo condannato a morte, sceglie di morire; per lui infatti, morire equivale a scegliere liberamente di affidare se stesso, pienamente e totalmente, all'amore del Padre. Il martire sa che la sua accettazione della morte, con questo significato, corrisponde a liberare se stesso da una vita che, fuori da quell'orizzonte, sarebbe priva di senso. Si rende evidente qui l'insegnamento che si trova nella teologia di Giovanni: «Io offro la mia vita per poi riprenderla di nuovo. Nessuno me la toglie, ma la offro da me stesso, poiché ho il potere di offrirla e il potere di riprenderla di nuovo» (Gv 10,17-18).

Anche per l'ultima domanda infine – cosa sarà dopo la morte? – il martirio riesce ad essere espressivo di un senso nuovo.

Nei processi dei martiri si ritrova come un *leitmotiv* l'espressione del «ricongiungersi con il Signore». Nella morte si ritrova quindi la dimensione intima della capacità personale di decidersi. Benché possa apparire paradossale, la decisione più autentica per il soggetto, quindi anche la più libera, è quella di sapersi affidare al mistero che si percepisce. L'uomo è mistero, eppure comprende in sé la presenza di un mistero più grande che lo abbraccia senza distruggerlo. Al di fuori di questo orizzonte si diverrebbe enigmi insolubili; all'interno di esso, invece, si trova la chiave per poter autocomprendersi.

Il martirio, in quanto segno dell'amore, è anche segno di colui che nell'amore accoglie il mistero dell'altro.

Non esistono più domande a questo punto, solo la certezza dell'essere amati e per questo accolti. La forza del martire è da ritrovare nella consapevolezza che poiché Cristo ha vinto la morte, anche chi si affida a lui, regnerà per sempre. La palma nella mano del martire, diventa il segno perenne della vittoria che va oltre la sconfitta della morte.

Questi elementi descritti permettono di vedere il martirio come un segno qualificante per la ricerca del senso e per la credibilità della rivelazione. La morte del martire diventa segno della natura del morire cristiano: assunzione della morte stessa di Cristo nella vita, atto supremo della libertà che immette nell'amore del Padre.

Il martire, alla fine, è colui che dà alla morte un volto umano; paradossalmente, egli esprime la bellezza della morte. Andando incontro ad essa, infatti, egli la vede certo come momento drammatico, anche se non tragico, del suo esistere, e tuttavia degna di essere vissuta perché espressione della sua capacità a sapere amare fino alla fine.

4. PER UNA DILATAZIONE DELL'IDENTITÀ DEL MARTIRE - Una rapida panoramica sulla storia del concetto di martire, mostra che nelle diverse epoche si sono espresse differenti accentuazioni. Così Agostino dirà che «martyres non facit poena, sed causa» (*Enarrationes in Ps. 34*); gli farà eco Tommaso dicendo che «causa sufficiens ad martyrium non solum est confessio fidei, sed quaecumque alia virtus non politica sed infusa, quae finem habeat Christum», e ancora: «Patitur etiam propter Christum non solum qui patitur propter fidem Christi, sed etiam qui patitur pro quocumque iustitiae opere pro amore Christi» (*Epistula ad Romanos 8,7*). Suggestiva la posizione di Pascal: «L'esempio della morte dei martiri ci tocca perché sono nostre membra. Noi abbiamo un legame con loro; le loro decisioni possono formare la nostra, non soltanto per l'esempio, ma soprattutto perché hanno reso possibile la nostra» (*Pensées,* 481); e toccante quella di Kierkegaard: «Se Cristo ritornasse al mondo, forse non sarebbe messo a morte, ma in ridicolo. È questo il martirio dei tempi dell'intelligenza: essere messi a morte nel tempo della passione e del sentimento», e in un altro passo continua dicendo: «Nessuna vita ha un effetto così grande come quella del martire; perché il martire comincia ad agire solo dopo la morte. Così l'umanità o resta attaccata a lui o imprigionata in se stessa» (*Diario*, Brescia 1951). La → teologia manualistica, nella sua definizione di martirio, difenderà particolarmente il motivo dell'*odium fidei*: «Teologicamente così si definisce il martirio: sopportazione volontaria della condanna a morte, inflitta per odio contro la fede o la legge divina, che viene fermamente e pazientemente sopportata e che permette l'immediato ingresso nella beatitudine» (S. Tromp, *De revelatione christiana*, 348).

Anche il concilio ha provveduto a dare una sua visione teologica del martirio in cui è facile vedere una articolazione che si può descrivere con queste caratteristiche: anzitutto le *premesse cristologiche*, quindi l'inserimento nello *scenario ecclesiale*, inoltre la riprova della *specificità* del martire credente, infine la *parenesi*, perché tutti i battezzati siano pronti a professare la fede anche con il dono della propria vita. «Avendo Gesù, figlio di Dio, manifestato la sua carità dando per noi la sua vita, nessuno ha un amore più grande di colui che dà la vita per lui e per i suoi fratelli (*premessa cristologica*). Già fin dai tempi antichi quindi, alcuni cristiani sono stati chiamati, e lo saranno sempre, a rendere questa testimonianza di amore davanti agli uomini e specialmente davanti ai persecutori (*scenario ecclesiale*). Perciò il martirio con il quale il discepolo diventa una realtà sola (*assimilatur*) con il maestro che liberamente accetta la morte per la salvezza del mondo, e a lui si conforma nell'effusione del sangue, è stimato dalla chiesa dono insigne e suprema prova di carità (*specificità del martirio*). Che, se a pochi è concesso, devono però tutti essere pronti a confessare Cristo davanti agli uomini ed a seguirlo sulla via della croce durante le persecuzioni che mai mancano nella vita della chiesa (*parenesi*)» (LG 42; cfr. pure LG 50; GS 20; AG 24; DH 11,14).

Come si nota da questo testo, il Vaticano II inserisce il martire in una chiara prospettiva cristocentrica; la morte salvifica di Gesù di Nazareth costituisce il principio normativo del discernimento del martirio cristiano. Questa centralità comunque, è descritta con l'espressione «dare la vita per i fratelli» che richiama il testo giovanneo di 15,13, e permette di verificare che ciò che muove il martire a dare la sua vita, è l'amore archetipo e normativo di Cristo. Anche il richiamo alla dimensione ecclesiale non fa che sottolineare la continuità della testimonianza d'amore resa dal martire per confermare i fratelli nella fede. Anche quando il testo conciliare riferisce della specificità del martirio cristiano dicendo che è «dono insigne», quindi grazia e carisma dati a chi più ama, e «suprema prova di carità», quindi testimonianza definitiva di amore, l'uno e l'altro sono visti comunque, come dati nella chiesa e per la chiesa, perché così essa possa crescere «verso di lui che è il capo, Cristo, dal quale tutto il corpo, ben compaginato e connesso, mediante la collaborazione di ogni giuntura secondo l'energia propria di ogni membro, riceve forza per crescere in modo da edificare se stesso nella carità» (Ef 4,15-15; cfr.1 Cor 12-14).

È possibile quindi pensare che, con

questa descrizione, il Vaticano II apra la strada ad un'interpretazione nuova e più globalizzante la testimonianza del martire, in vista delle nuove forme di martirio cui oggi si assiste per il modificarsi degli eventi. È pertanto lecito pensare che con il concilio si venga ad identificare il martirio con la forma del dono della vita per amore.

Il testo di LG 42, che si è precedentemente citato, non parla né di professione di fede né di *odium fidei*; certamente li suppone, però preferisce parlare di martirio come segno dell'amore che si apre fino a divenire totale donazione di sé.

Se si sottolinea l'amore, più che la fede, si comprende come sia più facile far emergere la normatività dell'amore di Cristo che è alla base della testimonianza del martire; questa forma di amore, infatti, rimane credibile anche presso il contemporaneo che si vede provocare da una persona nella sfera più profonda del suo essere.

Se quindi l'accento è posto sull'amore che sta alla base della testimonianza del martire, si comprende anche quanto più facile diventi l'identificazione del martire con colui che non solo professa la fede, ma la testimonia in ogni forma di → giustizia che è il minimo dell'amore cristiano.

L'amore, pertanto, permette di riportare nell'identità del martire la sua personale testimonianza e il coinvolgimento diretto nello sviluppo e progresso dell'umanità; egli infatti attesta che sono elementi basilari, per una vita umana, la dignità della persona e i suoi diritti elementari oggi universalmente riconosciuti, ma non rispettati. Se si assume questo orizzonte interpretativo, diventa chiaro che il martire non è più isolato ad alcuni casi sporadici, ma è facile ritrovarlo in tutti quei luoghi in cui, per amore del vangelo, si vive coerentemente, fino a tal punto da dare la propria vita, a fianco dei poveri, degli emarginati e dei violentati e si difendono i loro diritti calpestati.

Un allargamento del concetto di martire non corrisponde, tuttavia, ad un suo uso indiscriminato o inflazionista. Non tutti coloro che moriranno a favore dei diritti degli uomini o delle loro aspirazioni più profonde, potranno essere martiri; questo però indica che si ha ulteriormente bisogno di una definizione di martirio che sappia comprendere le nuove forme di persecuzione in cui la verità della fede e la credibilità dell'amore sono compromessi.

Un chiaro esempio di uso moderno di martirio è offerto da Massimiliano Kolbe. Quando il 17 ottobre 1971, Paolo VI lo beatificò, lo annoverò tra i *confessores*. Nella canonizzazione del 10 ottobre 1982 però, Giovanni Paolo II lo annovera tra i *martyres*. Una cronistoria permette di verificare quanto segue:

a. Il 5 giugno 1982, alcuni vescovi polacchi e tedeschi, in rappresentanza delle rispettive Conferenze episcopali, indirizzano una lettera al papa, pubblicata su *L'Osservatore Romano* solo il 7 ottobre, in cui si fa esplicita richiesta perché il beato Massimiliano Kolbe, venga canonizzato come «martire della fede cattolica». Le motivazioni che accompagnano tale richiesta si muovono su un piano di giustificazione canonica e ricalcano le orme di una vecchia concezione di martirio: anzitutto il fatto che l'ideologia nazista era in contrasto con l'etica cristiana e che l'imprigionamento di p. Kolbe fosse dettato dall'odio contro la fede; inoltre che il beato, durante la sua prigionia nel campo di Auschwitz, non ha nutrito odio alcuno nei confronti del persecutore che invece si accaniva contro di lui; infine l'essersi offerto al posto di un padre di famiglia con le semplici parole: «Sono un sacerdote cattolico».

b. Nello stesso giorno, *L'Osserva-* *tore Romano* riportava in seconda pagina un articolo – la mancanza della firma lo rendeva ancora più autorevole – in cui si auspicava una dilatazione del concetto di martirio con queste parole: «Toccherà ai teologi giustificare sul piano teoretico un'opzione forse non decantata appieno nelle scuole. Mi auguro che la teologia riesca a darci quanto prima il profilo esatto del "martirio moderno", perché sono persuaso che rappresenta una sorgente di energia per i fedeli cristiani poter guardare con coscienza e coerenza la "piena attualità del martirio"».

c. Più espressivo e straordinariamente moderno invece è il discorso pronunciato da Giovanni Paolo II durante la messa di canonizzazione. Non si trova mai nelle parole del papa l'espressione martire della fede; tutta l'omelia invece è tesa a mostrare la testimonianza di amore resa da p. Kolbe. La categoria di *segno* viene assunta dal papa come espressione linguistica e teologica che meglio è in grado di manifestare quella testimonianza data per amore.

L'inizio del discorso è posto sotto la luce di Gv 15,13 che è il testo assunto da LG 42; più di 11 volte viene usato il termine «amore» e almeno 5 un'espressione sinonima, per 6 volte si dice che Kolbe è «segno» dell'amore; questo lascia ben comprendere perché il papa si esprimesse poi testualmente così: «Non costituisce questa morte, affrontata spontaneamente, per amore dell'uomo, un particolare compimento delle parole di Cristo? Non rende essa Massimiliano particolarmente simile a Cristo, modello di tutti i martiri, che dà la propria vita sulla croce per i fratelli? Non possiede proprio una tale morte una particolare, penetrante eloquenza per la nostra epoca? Non costituisce essa una testimonianza particolarmente autentica della chiesa nel mondo contemporaneo? E perciò in virtù della mia apostolica autorità ho decretato che Massimiliano Maria Kolbe, il quale a seguito della beatificazione era venerato come confessore, venga d'ora in poi venerato anche come martire».

Si nota pertanto che una dilatazione del concetto di martire è possibile ed è già stata attuata nel caso citato. Questo richiede comunque, una riflessione critica della teologia.

Si propone ora una «definizione» di martire che cerca di tenere unite le varie esigenze espresse precedentemente e che si pone maggiormente nell'orizzonte della teologia fondamentale.

«Il martire, segno dell'amore più grande, è un testimone che si è posto alla sequela di Cristo, fino al dono della vita, per attestare la verità del vangelo. Riconosciuto tale dalla voce del popolo di Dio, è confermato dalla chiesa come testimone fedele di Cristo».

Alcuni elementi di questa «definizione» richiedono di essere esplicitati:

1. *Segno dell'amore più grande*. Si cerca di ricuperare, con questa espressione, la centralità dell'amore come il segno ultimo in grado di provocare ognuno alla decisione di fede. L'amore, inoltre, richiama alla dimensione di gratuità e di dono; in quanto il martire si configura più di ogni altro a Cristo, egli si comprende come destinatario di una grazia che solo nell'amore è spiegabile e comprensibile.

2. *Sequela di Cristo*. Si vuole mostrare con questo la libertà del soggetto nello scegliere per la fede e per le conseguenze ultime di essa. La sequela Christi non è un atto di semplice professione, è prassi concreta di vita e contemporaneamente, testimonianza ecclesiale, perché inserisce nella unica missione della chiesa.

3. *Dono della vita*. Si indica con questa espressione la caratteristica costitutiva del martirio: la morte. Essa però è compresa non al negativo, la

morte come privazione di vita, ma in positivo: il martire non muore, egli invece consegna e offre la sua vita nella piena libertà che si è acquistata. Il martirio è un atto con il quale si continua a vivere.

4. *La verità del vangelo*. Si intende parlare della salvezza. Elemento ultimo e definitivo dell'annuncio evangelico è la vita eterna, cioè la salvezza portata nella persona di Gesù di Nazareth. La salvezza tende a creare la persona come un soggetto libero, pienamente realizzato nella sua natura e proprio per questo capace del dialogo con Dio. Ciò significa che la verità del vangelo è anche annuncio salvifico della dignità e sacralità dell'uomo. Ogni azione, quindi, in favore della dignità umana ha in sé un carattere salvifico e ogni azione che tende a sopprimere o ostacolare un simile annuncio è da considerare un ostacolo e una persecuzione contro la fede.

5. *Riconosciuto dal popolo di Dio*. In questo modo si vuole ricuperare concretamente l'importanza della comunità locale, in sintonia con la prassi della chiesa nei primi secoli. La comunità partecipa sempre al martirio di uno dei suoi membri; proprio per questo essa è la sola in grado di comprendere la portata di quella testimonianza e di giudicarne il segno come autentica espressione dell'amore cristiano. È la comunità locale che sa riconoscere quando la morte del martire è data per la «verità del vangelo» e non per altri fini; in essa infatti il martire nasce, cresce e si irrobustisce sia nell'esperienza di fede che nella preparazione al martirio stesso. Per i martiri dei primi secoli era impossibile una vita fuori dalla comunità, e in molti casi si ha testimonianza di una comunità che arriva fino alla corruzione dei carcerieri pur di restare vicino al suo martire.

6. *La chiesa conferma*. Non si vuole certo sminuire il valore della canonizzazione, che rimane relegato all'at-

to infallibile del papa, piuttosto si vuole evidenziare il carattere universale della santità del martire che è proposto al culto e all'esempio di ogni cristiano.

CONCLUSIONE - Il martirio non è una speculazione intellettuale, è concretezza di vita, anzi è il punto culminante di un'esistenza pienamente umana, perché esprime la piena libertà dell'uomo davanti alla morte.

Diceva nell'omelia del sabato santo del 1979 il vescovo martire O. Romero: «Grazie a Dio possediamo pagine di martirio non solo della storia passata, ma anche dell'ora presente. Sacerdoti, religiosi, catechisti, uomini semplici della campagna sono stati uccisi, spogliati, schiaffeggiati, torturati, perseguitati perché figli fedeli di questo unico Dio e Signore». Ebbene, nessun credente che abbia preso seria coscienza della propria fede può pensare di non essere chiamato al martirio. Esso appartiene talmente all'essenza stessa della vocazione cristiana che costituisce il «caso serio» della vita di ognuno.

Qui ci si sente chiamati a dare la risposta ultima alla richiesta di amore, perché si comprende e si ha certezza che un altro, per noi, ha dato gratuitamente la sua vita come testimonianza di amore.

Il martirio appare pertanto come quella realtà che ancora oggi la chiesa, con orgoglio, può offrire al mondo come il segno più grande dell'amore realizzato dall'uomo. Ognuno davanti a questo segno viene interpellato e deve prendere posizione. Chiedersi perciò se anche oggi ci siano dei martiri e quali siano, è chiedersi se anche oggi la chiesa è in grado di presentare l'immutabile e fedele amore trinitario di Dio.

Se il martire è il segno del più grande amore, è tuttavia segno che anche oggi, nel mondo, vi è il rifiuto di Dio e vi sono persone allergiche all'annuncio profetico e alla forza testifi-

cante delle comunità cristiane. Certo, questi nuovi persecutori sempre più abili perché sempre più legati a forme oscure di potere, non offriranno al credente la possibilità di testimoniare la fede e l'amore come ai primi tempi della chiesa; non condanneranno a morte con sentenze giuridiche emesse dai tribunali...; un modo sempre più subdolo, grave e falso serpeggia nei persecutori del nostro tempo: la derisione, la banalizzazione, l'indifferenza o la calunnia, poi la morte.

Il coraggio dei martiri richiama pertanto al coraggio di porre sempre, incessantemente nuove forme e stili di vita che annunciano la forza vittoriosa della persona di Cristo vivente ancora oggi in mezzo ai suoi che lo proclamano, come i primi credenti, Signore e Testimone fedele.

Bibl. - P. Allard, «Martyre», in DAFC, 331-492, Paris 1926; E. Hocedez, «Le concept de martyr», in NRTh 55 (1928) 81-99; 199-208; R. Hedde, «Martyre», in DThC, 220-254, Paris 1928; O. Michel, *Prophet und Märtyrer*, Gütersloh 1932; H. Delahye, *Les origines du culte des Martyrs*, Bruxelles 1939; S. Tromp, *De Revelatione Christiana*, Roma 1950; E. Esking, *Das Martyrium als theologisch-exegetisches Problem*, Stuttgart 1951; M. Lods, *Confesseurs et Martyrs*, Neûchatel 1958; N. Brox, *Zeuge und Märtyrer*, München 1961; M. Pellegrino, «Le sens ecclesial du martyre», in RSR 35 (1961) 151-175; H. Campenhausen, *Die Idee des Martyriums in der alte Kirche,* Göttingen 1964; H.U. von Balthasar, *Cordula, ovverosia il caso serio*, Brescia 1968; Id., «Martirio e missione», in *Nuovi punti fermi*, Milano 1980, 255-278; A. Kubis, *La théologie du martyre au XX siècle*, Roma 1968; L. Boros, *Mysterium Mortis*, Brescia 1969 (or. 1962); H. Strathmann, «μάρτυς», in GLNT VI, 1269-1392, Brescia 1971 (or. 1942); R. Latourelle, *Cristo e la chiesa segni della salvezza*, Assisi 1971; K. Rahner, *Sulla teologia della morte*, Brescia 1972; I. Gordon, «De conceptu theologico-canonico martyrii», in Autori vari, *Ius populi Dei*, vol. I, Roma 1972, 485-521; P. Ricoeur, «Herméneutique du témoignage», in E. Castelli, *La testimonianza*, Roma 1972, 35-61; H. Musurillo, *The Acts of the christian Martyrs*, Oxford 1972; E. Piacentini, *Il martirio nelle cause dei santi*, Roma 1979; T. Baumeister, *Die Anfänge der Theologie des Martyriums*, Münster 1980; A. Solignac, «Martyre», in DSp 718-737, Paris 1980; X. Léon Dufour, *Di fronte alla morte Gesù e Paolo*, Torino 1981; Autori vari, *Martiri. Giudizio e dono per la chiesa*, Torino 1981; Autori vari, «Il martirio oggi», in *Conc* 3 (1983); Id., *Il sangue dei giusti*, Assisi 1983; H. Schürmann, *Gesù di fronte alla propria morte*, Brescia 1983; J. Janssens, «Il cristiano di fronte al martirio imminente», in *Greg* 66 (1985) 405-427; R. Fisichella, «Il martirio come testimonianza: contributi per una riflessione sulla definizione di martire», in Autori vari, *Portare Cristo all'uomo*, vol II, Roma 1985, 747-767; C. Noce, *Il martirio*. Testimonianza e spiritualità dei primi secoli, Roma 1987; Autori vari, *La Iglesia martirial interpela nuestra animación misionera*, Burgos 1988.

RINO FISICHELLA

MARXISMO

I. Ideologia

1. CONCETTO - Il marxismo abbraccia l'insieme delle dottrine di K. Marx (1818-1883), di F. Engels (1820-1895), e l'insieme dei movimenti di pensiero e di azione che da loro, e successivamente da N. Lenin, − pseudonimo di Vladimir Il'ič Uljanov − (1870-1924), e da Mao Tse-tung (1893-1976) hanno ricevuto ispirazione. Per l'esattezza dobbiamo parlare di «marxismi», poiché già dall'inizio non c'è stato un solo marxismo ma più marxismi di interpretazioni diverse, a volte anche contrastanti (E. Bernstein, K. Kautsky, R. Luxemburg, G. Plechanov). Infatti sappiamo del marxismo «classico» o «ortodosso» dei padri Marx e Engels, del «marxismo-leninista» di Lenin, del «marxismo-trotskijsta» di Trotskij, del «marxismo-stalinista» di Stalin, pseudonimo di Josif Vissarionovič Džugašvili, (1879-1953), del marxismo «ufficiale» riflesso nello Statuto del partito comunista, nella Costituzione e nella legislazione del «socialismo reale» dell'Urss. Si distingue inoltre il marxismo di Mao, detto «maoismo», il marxismo «utopico» di E. Bloch, quello «umanistico» di R. Ga-

raudy, e quello anti-umanistico di L. Althusser. C'è il «marxismo-revisionista» di V.P. Tugarinof nell'Urss, di L. Kolakowski e A. Schaff in Polonia, di R. Richta e M. Machovec in Cecoslovacchia, di G. Markus e A. Hegedüs in Ungheria, quello di un gruppo di filosofi della rivista *Praxis* a Zagreb e di un gruppo di eticisti a Beograd in Jugoslavia, e altri ancora. Infatti «quell'insieme di movimenti di pensiero e di azione», che si può denominare «marxismo», ha tante sfumature, meno filosofiche, più ideologiche, politiche ed economiche.

Oggi, con il declino della «propulsione marxista» (E. Berlinguer), con l'agonia del vecchio marxismo sovietico e del progetto di gestione, con l'applicazione della «perestrojka» (=riorientamento, concetto ancora assai confuso, buio e indefinito) di M. Gorbaciov, si parla ormai di tempo «post-marxista» e di «eredi» dei marxismi che si sforzeranno di presentare il «marxismo autentico» nella sua veste genuina, ripulito da tutti i revisionismi e tutte le variazioni, così che il marxismo, secondo alcuni, non è finito, ma comincia appena ora. La ragione fondamentale è nella sua natura, la quale può paragonarsi con la civilizzazione culturale, come quella del giudaismo, del cristianesimo, dell'islam, del buddhismo, cioè, dei grandi movimenti religiosi del mondo.

2. ELEMENTI DOTTRINALI - Parliamo soprattutto di quegli elementi dottrinali che saranno appropriati e professati dal marxismo «ufficiale» nei paesi del «socialismo reale», dopo la rivoluzione d'ottobre 1917. La forma filosofica della visione del mondo marxista è il *materialismo dialettico*, che nega l'esistenza di Dio creatore del mondo, come pura invenzione umana, e perciò ipotesi nonscientifica, anzi antiscientifica. È «dialettico» in quanto pone come princi-

pio primo e supremo d'ogni cosa la *materia*.

Essa è eterna, internamente dinamica, in continua evoluzione. Dalla materia emana tutto, secondo le leggi della dialettica, che sono in sostanza quelle poste da Hegel, cioè quelle della tesi, della negazione della tesi e della negazione della negazione; questo terzo momento marxiano differisce da quello hegeliano che consiste nella sintesi. L'ultimo balzo dialettico qualitativo nell'evoluzione, ha prodotto l'*uomo* che rappresenta l'ultimo frutto dell'inarrestabile dinamismo che domina la materia e la sua potenzialità è quasi infinita. Perciò il marxismo non attinge dal passato i modelli e le *norme* dell'azione. Il pensiero umano non ha carattere prettamente riproduttivo, ma creativo, nel senso di anticipazione del futuro. La persona umana con la sua dignità non è la fonte dell'etica né ha importanza per il criterio epistemologico delle norme sociali. Il *fine* dell'uomo, il senso meta-etico della vita sono esclusivamente esterni alla persona e intramondani. Qui sta la ragione per cui ogni autentico marxista si oppone alla realtà trascendente, che rende l'uomo incapace di risolvere i problemi intramondani, quindi un essere alienato dal mondo e da se stesso.

L'oggetto del *materialismo storico* è il divenire dell'uomo, cioè della società. Il soggetto è la *società* sotto l'aspetto del suo divenire come società. Il fondamento della società è la struttura economica, e ogni altra struttura è un riflesso della struttura economica. I fattori principali che determinano la storia umana sono materiali. Il passaggio dalla tesi all'antitesi avviene attraverso un salto dialettico.

Il *mondo* non è un sistema le cui strutture vanno conservate, ma la materia prima, dalla quale l'uomo *faber* deve costruire il suo mondo. Il mondo viene umanizzato dall'uomo

che gli impone le proprie idee, munito di quell'agilità che gli consente di abbandonare forme esistenti a favore di forme da lui migliorate. L'uomo, *faber* e demiurgo qual è, partendo da un mondo naturale, elabora un mondo culturale. Questa è la «creazione» dell'uomo che si distingue qualitativamente dal mondo naturale. Si tratta della natura *umanizzata*. In questo modo avviene l'identificazione; l'uomo nel mondo e lo stesso mondo sono le uniche realtà. Con la cognizione della natura e il lavoro, l'uomo trasforma il mondo in luogo di felicità. Il mondo è strutturato su due piani: lo strato base e la sovrastruttura. La base è l'economia del sistema di produzione. La sovrastruttura sono le scienze (filosofia, scienze positive, diritto), la religione, l'arte, la struttura sociale. Pertanto l'ordine economico determina la sovrastruttura. Se cambia la base, cambia necessariamente anche la sovrastruttura. I mutamenti che col tempo nascono nella struttura economica sono prima di tutto quantitativi, ma raggiunta una certa fase, si trasformano in cambiamenti qualitativi e si rivelano come rivoluzioni. Ciò è proprio il salto dialettico. Tali rivoluzioni poi non sono soltanto azioni di volontà libera, ma principalmente scaturiscono da una necessità naturale. A questo punto appare la dipendenza unilaterale del meno materiale o dell'immateriale dal materiale.

Così si afferma il *primato* della *materia*, nell'ordine umano e nel mondo culturale, il cui scopo è di realizzare e perfezionare tutte le condizioni necessarie per l'assoluta felicità terrena. C'è anche uno stadio *escatologico* utopistico: il collettivo sarà il frutto della vittoria finale del comunismo. L'uomo si realizza perfettamente soltanto nell'ultima fase della storia umana, cioè nella società comunista perfetta. La storia umana include quindi una «trascendenza» relativa o immanente, di cui il teoretico più conosciuto è E. Bloch. Le fasi precedenti ne sono soltanto la preparazione, ne formano i passi diversi verso il termine finale. I pensatori neomarxisti in genere non ammettono più l'ipotesi sulla società comunista perfetta senza classi, senza stato e senza il bisogno di alcun diritto, come ultima fase dello sviluppo della storia umana.

Il *lavoro* è il mezzo principale, anzi l'unico dell'umanizzazione della natura. È l'elemento centrale del dinamismo marxista e del materialismo storico. L'uomo, lavorando, trasforma il mondo non-umano, raddoppia se stesso, crea il mondo a propria immagine. Questa oggettivazione o cosificazione dell'uomo è necessaria. Quindi, quando l'uomo, con il lavoro, crea un mondo nuovo, egli continuamente crea se stesso. Trasformando così questo mondo, egli trasforma se stesso. Quindi la qualità primaria del lavoro è il suo carattere sociale, cioè il soggetto del lavoro non è un individuo a sé, ma è il collettivo che lavora e crea il mondo attraverso l'individuo.

Pure la *religione* dipende dall'ordine economico. Essa è quella forma di produzione, in seno alla quale l'uomo è quasi incapace di dominare la natura. La miseria di quest'uomo, la sua inferiorità nei confronti delle forze della natura antagonista, ha spinto l'uomo a fare affidamento sull'aiuto di un essere superiore potente, capace di rendere l'uomo felice. Però un tale essere è un inganno. Esso non esiste, è una pura creazione dell'uomo infelice e bisognoso. Perciò la religione è l'«oppio del popolo» (Feuerbach, Marx). Essa è l'alienazione più profonda e più radicale e perciò più pericolosa, da cui bisogna liberarsi. La soluzione viene dall'economia, cioè quanto più perfetto diventa l'ordine economico, quanto più l'uomo sottomette la natura, tanto meno la religione conserverà il diritto all'esistenza.

L'*uomo* non viene considerato come individuo, ma parte del collettivo. L'individuo è un riflesso della struttura della società a cui appartiene. Quanto più la riflette tanto più è perfetto. Il suo sforzo deve essere quello di diventare totalmente appartenente alla società. Cioè l'uomo è nel collettivo una parte del tutto e il riflesso fedele della totalità di esso. Così l'essenza dell'uomo si identifica con il suo essere-sociale, perciò è un puro essere relativo. Non possiede fin dalla nascita alcun diritto personale, naturale, insito e intangibile. Esiste soltanto un tipo di diritto del cittadino che proviene da fonti esterne, quali il partito, lo stato con la sua legislazione costituzionale, le leggi positive e le norme prescritte. Quindi si tratta di un positivismo collettivista assoluto, che ha un diritto eteronomo, temporaneo, relativo, dipendente sempre dalle condizioni economiche e dal volere di altri uomini, quelli, cioè, che sono al potere.

Di conseguenza, l'uomo conosce se stesso attraverso la cognizione che ha degli altri. Questo «altro» o «tu» è il collettivo. La soggettività nasce per la comunicazione, per l'intersoggettività. La mia autocoscienza nasce dalla presenza dell'altro in me. Quest'altro non è un altro individuo oppure un «tu» indivisibile, ma appunto un «noi» collettivo. Così la persona nel senso ontologico non esiste. La persona si intende unicamente nel senso etico, come *personalità*, e lo diventa se nella prassi riconosce il suo essere relativo. Così l'uomo diventa «uomo-società» ovvero «uomo-collettivo», però con questo non arricchisce la propria persona attraverso l'arricchimento della comunità in cui vive, ma tutto riceve esclusivamente dalla società, e tutto dà alla società. Quindi quest'uomo si aliena da se stesso a beneficio della società, impoverendosi sempre più nell'intimo del suo essere umano.

Nell'ambito del collettivo concreto

in cui vive, l'uomo è libero e responsabile. La *libertà* è la condizione indispensabile per una vita etica, ma in un sistema filosofico, secondo il quale la materia, è la realtà principale, il primato spetta alle leggi sulla materia, cioè leggi di necessità. Ciò nonostante, i marxisti parlano di tre forme di libertà. La «libertà di scelta», che consiste nel conoscere la necessità delle leggi della materia e dell'agire etico secondo questa necessità. Con altre parole, occorre lasciare che le leggi del processo operino sistematicamente senza porre ostacoli. La «libertà esterna» consiste in interventi da parte della società, che sempre più riducono la libertà dell'individuo a favore della stessa società in cui vive. La terza è la «libertà escatologica», quella della fase finale del comunismo, secondo la dottrina ufficiale.

La *coscienza*, come tutti gli elementi di ordine etico nel marxismo, ha tutt'altro significato dell'etica filosofica in generale, espletandosi cioè in un rapporto astratto con il collettivo di cui l'individuo è una particella. La coscienza dell'individuo è lo specchio dell'ambiente sociale concreto. È la voce del collettivo che si manifesta nella cognizione della responsabilità dell'individuo di fronte alla comunità in cui vive. È proprio nella coscienza che il collettivo parla come norma e imperativo categorico «oggettivo». La coscienza si evolve, si forma, progredisce di pari passo con il progresso del collettivo. Nel marxismo ufficiale poi la libertà di coscienza è intesa unicamente come libertà di parola e di stampa, però sempre entro precisi limiti di conformità agli «interessi del popolo» e allo scopo di consolidare, di sviluppare il benessere e il progresso del collettivo.

Dunque il marxismo è, ad un tempo, materialismo storico e dialettico. È nato come reazione all'idealismo hegeliano per opera di K.Marx. La società o collettivo dipende dalla organizzazione dei mezzi di produzione. La ingiusta distribuzione dei mezzi di produzione fomenta la lotta di classe (i capitalisti e gli operai), la quale avrebbe dovuto avere per effetto il crollo definitivo del capitalismo e il trionfo del comunismo.

3. ATEISMO MARXISTA - Il marxismo e i marxismi hanno avuto per obbiettivo di formare l'uomo ateo (*a-theós* = non-Dio, senza Dio) sia nel senso privato che collettivo del sistema. Così l'ateismo *teorico* si fonda sulle ideologie di Marx, Feuerbach, Comte, Nietzsche, Freud ed altri; l'ateismo *pratico* invece si nutre di agnosticismo, di edonismo, di materialismo e di nichilismo. Sia l'uno che l'altro erano insegnati e imposti, dai regimi del «socialismo reale», a milioni di cittadini cristiani e non, con lo scopo di sradicare ogni forma di religione o, se ciò fosse risultato impossibile, di suscitare l'indifferenza religiosa e di favorire il materialismo pratico. Di qui il marxismo, precisamente il marxismo-leninismo, si è prefisso come obiettivo la lotta radicale contro tutte le religioni organizzate, specialmente contro l'antagonista ritenuto il più pericoloso, il nemico più odiato, il cristianesimo e, in prima linea, contro la chiesa cattolica.

Però oggi fra tanti «ateismi» *teoretici*, i tre grandi miti, appropriati e propagati dal marxismo, stanno ormai sgretolandosi, non attirano e non interessano più.

Cioè l'ateismo, detto *umanista*, con finalità antropologiche e antropocentriche, in rapporto all'uomo e all'umanità, che intende rendere l'uomo più autonomo, più libero, più indipendente, più maturo, più grande, più potente, mettendolo al centro della conflittualità con un Dio «geloso» e «rivale» che lo rende schiavo (Nietzsche), che lo minaccia nella sua esistenza (Hegel, Feuerbach), che lo spoglia dei suoi diritti e delle sue libertà, che lo perseguita (Sartre, Camus), non appare più realistico. L'uomo contemporaneo sa bene che contrapporre Dio all'uomo non ha alcun fondamento scientifico e filosofico. Nella situazione contemporanea mondiale insidiata e precaria (si pensi al problema dell'inquinamento dell'ambiente, dell'ingegneria genetica, dell'energia nucleare) di nuovo diventa Dio l'unico garante della libertà, dei diritti e della dignità della persona umana, l'unico garante della vera pace, dello sviluppo e il protettore ultimo ed efficace del bene comune contro le strutture di peccato. La «morte di Dio» ha per conseguenza la morte dell'uomo e della regolare funzionalità del suo mondo e della sua società sia politica che economica. Perciò le teorie dell'ateismo umanista, oggi hanno ormai pochissima risonanza nella coscienza dell'uomo contemporaneo.

Lo stesso succede con l'ateismo cosiddetto *scientifico* in rapporto alla scienza. La mentalità degli scienziati è cambiata. Seguono le tesi degli epistemologi attuali e ne riconoscono l'illegittimità e l'illogicità. Diventa una «contradictio in adiecto» la tendenza del tutto errata, di invocare la scienza o le scienze a sostegno dell'ateismo. Quale scienza mai potrebbe provare la non-esistenza di Dio? Quale metodo scientifico potrebbe apportare una tale prova? «Si può non essere d'accordo e rigettare le "prove" o i ragionamenti umani che tendono a provare l'esistenza di Dio, si possono criticare i concetti umani su Dio. Ma questa critica non arriva a toccare la realtà stessa di Dio. L'ateismo detto scientifico è una assurdità» (P. Poupard), poiché quello di Dio è un problema metafisico e religioso, non un problema che possano risolvere le scienze positive. Esso coinvolge l'uomo in quanto uomo nelle sue dimensioni interne più profonde (metafisica, religiosa, etica), e

non è risolvibile da nessuna scienza positiva in quanto tale.

Il terzo mito è l'ateismo *sociale* che parla in nome della giustizia, come ribellione contro lo sfruttamento, la povertà, e ogni specie di oppressione sociale. Però questo ateismo trasferisce i problemi del passato al nostro tempo; trasferisce cioè la ribellione contro le classi dominanti, che si richiamavano a Dio per giustificare i loro privilegi. Oggi le classi dominanti non si richiamano a Dio; è la chiesa quella «voce del deserto» del mondo che grida contro l'ingiustizia e l'oppressione, contro la povertà e il marxismo ateo, richiamandosi ai diritti e alla libertà, allo sviluppo, alla solidarietà, alla partecipazione; cioè si adopera per salvaguardare e proteggere la dignità dell'uomo a livello personale e comunitario. Dunque i diritti, la libertà, la giustizia in nessun modo possono essere oggetto di ribellione o arringa d'accusa contro Dio.

Crollati questi miti dell'ateismo teoretico, di cui si sono serviti diversi marxismi, particolarmente quello ufficiale sovietico, e aggravatasi la crisi del sistema del «socialismo reale», molti studiosi marxisti cambiano direzione e iniziano a riconoscere chiaramente il «fallimento» del marxismo ateo. C'è da sperare che nella nuova situazione politico-economica che sta creandosi, non soltanto nei Paesi dell'Est (nell'Urss stessa con i paesi baltici, in Polonia, Germania orientale, Cecoslovacchia, Romania, Ungheria, Bulgaria, in Jugoslavia, precisamente nelle sue repubbliche Slovenia e Croazia), ma in tutto il mondo, man mano il marxismo ufficiale, che per sistema è ateo, perda terreno. Tuttavia, nei paesi del «socialismo reale» di ieri, rimane l'enorme problema dell'ateismo *pratico*, frutto dei marxismi propagati durante molti decenni e con tutti i mezzi disponibili al regime comunista. Esso oggi sfocia nel *materialismo pratico* che investe un forte *indifferentismo* religioso e morale. Infatti proprio questo è il nuovo compito del cristianesimo autentico, cioè la cosidetta «nuova» o «seconda» evangelizzazione delle culture. Pertanto i frutti negativi del marxismo, precisamente di quella variante oppressiva e violenta che è stata la leninista e la stalinista, non si cancelleranno dal cuore delle generazioni soltanto con un cambiamento politico ed economico esterno.

4. MARXISMO-LENINISTA - In diversi punti V.I.Lenin si è distanziato dai padri Marx ed Engels, e il sistema sotto il nome di «marxismo-leninista» si è consolidato, anzi è diventato sempre più leninista che marxista. Accenniamo ad alcune differenze eclatanti.

La prima è la dottrina sulla *teoria della rivoluzione*. Per Marx ed Engels la rivoluzione socialista richiede un altissimo livello di sviluppo delle forze produttive con una vittoria assicurata in quasi tutti i paesi sviluppati, ma in condizioni di carattere oggettivo economico-sociale. Lenin modifica tutte e tre le tesi: la rivoluzione parte da un paese capitalista meno sviluppato, non scoppia simultaneamente in tutti i paesi e bastano condizioni di carattere unicamente soggettivo-politico. Inoltre Lenin si batte per una rivoluzione permanente.

Il secondo punto di divergenza dottrinale e pratica riguarda il *Partito comunista* (→ Marxismo, II). Marx ed Engels volevano un partito «operaio» che comprendesse tutta la classe operaia e non un partito che costituisse una forza dirigente di classe. Lenin invece nel VII Congresso (1918) crea il «Partito comunista bolscevico russo» anteponendolo alla classe. Questo carattere leninista del partito si estenderà in seguito a tutti i partiti del comunismo mondiale, perdurerà nella nuova denominazione di «Partito comunista dell'Urss» (PCUS) fatta propria dal XIX Congresso (1952) sotto Stalin e si rafforzerà nella *Costituzione* del 1977 (K'77), col famoso art. 6 che dice: «Il Partito comunista dell'Unione Sovietica è la forza che dirige e indirizza la società sovietica». Questa posizione del PCUS durerà fino al 1990, quando sarà superata dallo «Stato presidenziale» di M. Gorbaciov.

Il terzo punto riguarda *la religione*. Nella teoria Lenin è d'accordo con Marx quando afferma che la religione è l'oppio del popolo («sie ist das Opium des Volks»). Differisce nell'aspetto pratico. Mentre Marx ed Engels ideologicamente si rifanno alla «scuola mitologica» (Bauer, Robertson, Drews), alla «scuola storica» (Strauss, Renan, Harnack), nonché alla dottrina della «scuola di Tubinga» (Strauss, Feuerbach, Ch. Baur), Lenin segue una strada tutta sua, più propagandistica e demagogica, per non dire aggressiva e violenta, ideologicamente molto vicina agli enciclopedisti francesi del sec. XVIII, strada d'altronde «aperta» già da Engels. Poco importa che la lotta degli enciclopedisti non c'entri con il marxismo, quanto a ideologia e prassi, quello che conta è la loro impostazione atea, la lotta contro la religione cristiana. Questo impegno alla «lotta» rientra addirittura nello statuto del PCUS (1961), art. 2: «Il membro del Partito è tenuto... a condurre una lotta decisa contro... i pregiudizi religiosi». La K'77 dal canto suo «garantisce ai cittadini dell'Urss la libertà... di svolgere propaganda ateistica» (art. 52).

Il quarto punto del «leninismo» è lo sviluppo storico del concetto di *diritto*, che sfugge al pensiero originale di Marx. Seguiamo, per prima, la dottrina di Marx, secondo la quale il diritto non è, né può essere, «naturale», ma positivo. Perciò il diritto marxista si colloca, per *natura* sua, esclusivamente nel campo positivo. In quanto alla sua *esistenza*, ipotizza due periodi: il primo «transitorio» (che continua nel presente), il secondo «permanente» (nella società finale senza classi) e si sostituirà al deperimento di ogni diritto, anche dopo la scomparsa dello stato. Questa dottrina risale a Marx ed Engels il cui pensiero non è facile ridurre ad un'univoca interpretazione; Marx in un primo momento non usava neppure il termine «diritto», perché viziato dalla concezione borghese. In un secondo momento, vale a dire dopo aver capito che esso ha radici nell'economia e nella storia, al di là di una pura disciplina giuridica, lo afferma proponendo una nuova sua ontologia che ammette soltanto un'unica realtà, quella materiale. Sotto l'influsso di Hegel, Feuerbach, Spinoza, dei materialisti francesi e inglesi del sec. XVIII, non esclusi alcuni filosofi dell'antichità, come Eraclito e Democrito, Marx formula due tesi fondamentali: 1. il diritto è parte costitutiva della storia dell'economia, dettata dall'evoluzione economica; 2. il diritto non è né immutabile né universale al di sopra delle categorie di tempo, spazio e storia poiché l'essere dell'uomo non è, né può essere una realtà immutabile. Pertanto non esiste alcun diritto naturale, che d'altronde era un sistema borghese nelle mani dei potenti, un sistema schiavista e feudale, strumentalizzato dai capitalisti, che hanno erroneamente attribuito al diritto un valore universale. Insomma per Marx tutte le dottrine a lui anteriori sono, in confronto al materialismo storico, filosofie conservatrici, alleate con la classe dominante.

Accenniamo soltanto brevemente alla dottrina utopica di Marx sul *deperimento* del diritto e dello stato, in quanto ha un'importanza soltanto informativa a livello gnoseologico per il nostro lavoro. Questa scomparsa diventerà realtà quando scompariranno definitivamente le *condizioni* per l'esistenza del diritto e dello stato. Ci vuole un tempo «x», «transitorio», quello della «dittatura del proletaria-to», in cui lo stesso proletariato vittorioso si assume la responsabilità di essere strumento del diritto e dello stato.

Seguendo le tappe dello sviluppo del diritto marxista, lasciando da parte tanti nomi (Kautsky, Plechanov, Bucharin e altri) e le loro opinioni non sempre univoche, né del tutto in armonia con il marxismo ufficiale, c'è da dire che un doppio elemento presso Lenin gioca di nuovo un ruolo importante: le diverse necessità pratiche e pragmatiche sono sempre generate da nuove influenze storiche. Così quello sviluppo previsto da Marx e da Engels generalmente non si è verificato. Lenin e lo stesso Stalin seguirono la strada imposta loro da *condizioni* oggettive che spingevano più al rafforzamento che all'indebolimento del diritto e dello stato. Per questo motivo è stata condannata la dottrina di E.P. Pašukanis (negli anni 1930), la cui fedeltà al pensiero di Marx sul «deperimento» era considerata pericolosa. Da allora le opere giuridiche erano più che altro delle posizioni del PCUS. Stalin, Vyshinski e Judin dettarono ai teorici del diritto le norme secondo cui bisognava pensare e comportarsi. Oggi il diritto del «socialismo reale» (questo ancora esiste con la «perestrojka»), con il capovolgimento «presidenziale» di Gorbaciov, ha assunto delle caratteristiche simili a quello capitalista, come lo statalismo, il normativismo, il concetto prettamente positivistico della legge, il presidenzialismo, ecc. Nonostante tutto, il processo del diritto, secondo K'77, sarebbe arrivato alla disgregazione definitiva.

5. COMUNISMO LENINISTA - Il concetto di *comunismo* si riferisce al sistema economico-sociale fondato sulla comunione dei beni. Infatti questa teoria, a volte utopica, non è nuova, ma durante i secoli ha avuto i suoi teorici e seguaci, come Platone, More, Campanella, Proudhon... Ma

i teoretici del comunismo come *sistema* socio-economico-politico sono appunto i classici «padri» del marxismo, Marx ed Engels. Anche qui ci sono varie tendenze del comunismo come sistema. Tuttavia la più violenta, massimalista e rigorista è quella di V.I. Lenin, la quale, dopo la rivoluzione del 1917, ha creato il *bolscevismo*, cioè la forma propria e tipica del comunismo dell'Urss.

È interessante e significativo che già all'inizio del secolo, dopo la rivoluzione fallita del 1905, un gruppo di pensatori russi abbia profetizzato la catastrofe storica della rivoluzione comunista, indicando nel radicalismo antireligioso dell'intelligencija russa la causa del totalitarismo incombente. Berdjaev, Bulgakov, Struve e Frank, questi i nomi più autorevoli del gruppo che si espresse sulla rivista *Vecchi* nel 1909, dimostrando come il marxismo, avendo ormai esaurito la sua «spinta propulsiva» dal punto di vista teorico, riuscì ad imporsi nella sua *variante* leninista, spacciandosi come religione fondamentalista di una nuova umanità. Dopo circa 80 anni, la profezia si è avverata perfettamente.

Nonostante tali previsioni, questo marxismo-leninista ha avuto nel mondo una forte attrattiva fin dal momento in cui, rivolgendosi al popolo russo, deluso ed esausto per la mancata riforma agraria, V.I. Lenin lanciava, nella Costituzione del 1918, il programma del Governo dei *Soviet* (art. 3). L'appello leninista alla giustizia, all'uguaglianza, alla repressione degli sfruttatori non poteva non far presa sulle masse diseredate del tempo della Russia zarista. Questo tipo di comunismo-marxista, per lo più abbandonato poi negli stessi documenti sovietici, affascinava in quel tempo, attraendo specialmente popoli e uomini che si sentivano oppressi dal peso di qualsiasi tipo di potere.

La concezione rivoluzionaria internazionalistica (non entrando però in questa sede nella storia dell'*Interna-* *zionale comunista*, di cui si tratta alla voce Partito comunista), anche in forma costituzionale, non è, tuttavia, senza precedenti. Già Marx ed Engels, appunto i padri dell'ideologia comunista, l'avevano espressa e accentuata nella Dichiarazione dei diritti del proletariato, nel *Manifesto del partito comunista* del 1848.

Segue il comunismo internazionalista di Lenin all'epoca della guerra civile, cioè dalla rivoluzione d'Ottobre 1917 fino al 1921. All'inizio della *Nuova politica economica* (NEP) introdotta da Lenin, era stata frettolosamente redatta dal *Consiglio dei commissari*, la nota *Dichiarazione dei diritti dei popoli della Russia*, del 15 novembre 1917, la cui grande preoccupazione era di invitare alla «massima fiducia reciproca dei popoli della Russia». Nonostante questo tentativo leninista, la Polonia, la Finlandia, l'Ucraina, l'Estonia, la Lituania, non accettavano la supremazia della Repubblica russa. Seguì l'armistizio del 15 dicembre 1917 e poi la pace di Brest Litowsk del 3 marzo 1918. Bielorussia, Ucraina, Georgia, Azerbaigian e Armenia rimasero indipendenti, costrette ad unirsi all'Urss sei anni dopo, nel 1924, dopo la vittoria della guerra civile. Fu questa una fase molto travagliata e sanguinosa nelle vicende di vari popoli 'del precedente impero zarista. Ma l'obiettivo era di lottare per il comunismo internazionale rivoluzionario mondiale. Questo obiettivo è chiaramente riportato nella Costituzione del 1918, cap. III, che parla della «decisione irremovibile di strappare l'umanità dagli artigli del capitale finanziario e dell'imperialismo che... hanno inondato la terra di sangue» (art. 4), col preciso scopo di preparare «una completa rottura con la barbara politica della civiltà borghese» (art. 5).

L'internazionalismo rivoluzionario comunista mira quindi, secondo Lenin, a creare il socialismo «nel quale non vi saranno divisioni in classi né

potere statale» (art. 9), sicché la sua
linea esprime chiaramente «la certezza che il potere sovietico avanzerà risolutamente su questa strada fino alla completa vittoria della rivolta operaia internazionale contro il giogo del
capitale» (art. 3). Anzi si teorizzava
lo *Stato unionista* sovietico, unito in
federazione, che sarebbe diventato un
modello da imitare. Sicché, realizzata la vittoria mondiale sulla borghesia, i lavoratori di tutti i paesi del
mondo potranno entrare a far parte
di questo stato unionista mondiale.

È risaputo che Stalin, con l'avvento di Hitler, allo scopo di evitare conflitti con altri stati, riducendone al
minimo i motivi, fece entrare, nel
1934, l'Urss nella *Società delle Nazioni*. Il suo gesto ebbe due significati: il riconoscimento di tutti gli stati
con i loro diritti «borghesi»; la rinuncia alla rivoluzione mondiale della
classe operaia, dando un contraccolpo a quella premessa del regime comunista che era l'internazionalismo
della classe operaia. Allo stesso tempo, rinunciò a una repubblica sovietica socialista mondiale. A questo
punto diventa chiaro che la Costituzione di Stalin, del 1936, ne subisse
le conseguenze segnando una svolta
dalla fase rivoluzionaria dell'internazionalismo comunista alla fase garan-
tista del nazionalcomunismo, diventando così la Carta di un comunismo
diverso, che invece di esaltare il partito comunista dell'Urss innalzò lo
stato, e invece di caldeggiare l'internazionalismo comunista di Marx, Engels e quello di Lenin, pose il nazionalismo panrusso al primo piano.
Stalin cercava certezza e stabilità.
Obiettivi che raggiunse con i soliti
mezzi radicali ben noti. Basti pensare all'organizzazione della *Gosudar-
stvennoe Političeskoe Upravlanie*, la
tristemente famosa GPU, ossia la direzione politica statale, che è rimasta
il simbolo della dittatura, del terrore, dell'angoscia, del sangue e della
morte, elevati a livello costituziona-

le. Senza entrare nel dibattito, se Stalin era soltanto un continuatore esecutivo, cieco e superficiale di Lenin,
come pensano Medvedev, Solgenitsyn
e altri, una cosa è certa: che Stalin
abbandonò la linea internazionalista
di Lenin e, nell'intento di mantenersi a tutti i costi al potere, non esitò
a liquidare i suoi principali collaboratori che attorno a Lenin erano stati i primi capi del bolscevismo.

Con l'avvento al potere di N. Chruscev (1953-64) venivano eliminati il
«culto della personalità» e il «terrore poliziesco». Del regime stalinista
restavano, tuttavia, l'economia programmata, la burocrazia delle istituzioni, le procedure pseudodemocra-
tiche, lo stretto controllo del dibattito pubblico e della vita intellettuale.
Il XX Congresso del partito comunista dell'Urss, nel febbraio 1956, veniva considerato molto promettente;
esso, infatti, condannò formalmente
gli eccessi del «culto della personalità» sviluppatisi sotto Stalin e proclamò la «direzione collettiva» con un
programma mondiale per un nuovo
rafforzamento dell'edificazione comunista sul piano internazionale.
Ammise inoltre la possibilità di poter raggiungere anche in molti stati
il trionfo del socialismo senza far ricorso alla violenza. Il Patto di Varsavia, firmato il 14 maggio 1955 con
la Bulgaria, la Cecoslovacchia, la Polonia, la Romania, la Germania o-
rientale, l'Albania – con l'avvallo,
«da lontano», della Repubblica popolare cinese – confermò il peso che
avevano nel mondo i paesi socialisti
raggruppati insieme. Il programma fu
nettamente delineato: niente più contrasti fra partiti comunisti, che nel-
l'ambito di una stessa ideologia, pur
seguendo vie «nazionali» specifiche,
avevano in comune la guida e l'edificazione del proletariato di *tutto il
mondo*. Anche con Chruscev, però,
il vecchio tarlo leninista non mancò
di manifestarsi: ricordiamo i fatti
d'Ungheria nel 1956, e i rapporti po-

co buoni con la Cina comunista (1957-60) tanto che lo stesso Mao accusò l'Urss di «revisionismo», ossia di attuare un comunismo diverso da quello dei «padri» Marx, Engels e Lenin.

Stabilitosi al potere L. Breznev, nell'intento di proporre agli altri paesi del mondo l'Unione Sovietica come modello e agli altri partiti comunisti il PCUS come portavoce delle esperienze rivoluzionarie marxiste-leniniste, decideva di formare uno stato «nuovo», caratterizzato da perfezioni e rinnovamenti impareggiabili. Per raggiungere tali scopi, egli si riprometteva di portare a termine la nuova *Costituzione* nel 1977, già iniziata da Chruscev nel 1962. La teoria dell'internazionalismo comunista proletario permea tutta la K'77 che risulta un ottimo strumento nelle mani del PCUS per l'attuazione di un rigido centralismo. Però, nonostante le belle parole, siamo di nuovo al tipo d'internazionalismo comunista «predominante», lo stato ridiventa succubo del PCUS, come ai tempi della Costituzione leninista. Lo confermano alcuni avvenimenti tragici messi in atto dal regime di Breznev, che praticamente imbocca la stessa strada di Lenin e di Chruscev nella politica rivoluzionaria internazionale. Basti pensare alla soppressione armata della *Primavera di Praga* (1968), alla sanguinosa invasione dell'Afganistan nel 1979, ai fatti polacchi del 1981.

L'internazionalismo comunista intendeva realizzarsi in ogni paese, usando come strumento la nazione maggiore (per es., quella russa nell'Urss) per sottomettere le nazionalità minori. Ora il totale fallimento di questa politica oppressiva ha per effetto una fortissima crescita di nazionalismi proprio in quelle nazioni minori oppresse e umiliate (per es. la Lituania), che auspicano l'indipendenza da un ingiusto protezionismo e sono in opposizione decisiva contro l'internazionalismo comunista.

6. FALLIMENTO IDEOLOGICO - Non intendiamo dire che il «socialismo reale» o il marxismo al potere è fallito in tutti i campi, ma dal punto di vista dei diritti dell'uomo; esaminiamo soltanto i tre fenomeni più chiari e conosciuti.

Il fallimento *sociale*. Paragonando il diritto costituzionale del «socialismo reale» con quello internazionale (ratificato da tutti i paesi dell'Est-socialista), in alcuni punti relativi all'uguaglianza dei diritti sociali, si scoprono notevoli differenze. Il sistema dell'istruzione scolastica era monopolio statale unitario, senza possibilità di scuole diverse da quelle istituite dalle autorità, con pochissime eccezioni di scuole confessionali. Quindi tutta l'istruzione non poteva essere se non marxista-leninista, antireligiosa, strettamente laicista. Non si trattava di indifferenza da parte dello stato verso la religione, bensì di una precisa scelta ideologica atea nel quadro universale dell'istruzione scolastica. Anzi la visione marxista-leninista del mondo e il codice della morale comunista collettivistica dovevano essere sistematicamente inculcati a tutti i cittadini, specialmente alle giovani generazioni in tutte le classi, fino alla fine dell'università, perché tutti potessero avere convinzione e fedeltà al comunismo per essere pronti a difenderlo dai suoi nemici. Agli insegnanti credenti non si permetteva l'accesso alla gioventù, gli studenti religiosi erano discriminati. Dal punto di vista del diritto internazionale, non si poteva accettare il fatto che tutta l'istruzione mirava alla creazione esclusivamente di un tipo di «uomo socialista», senza consentire altre visioni. Anche K'77, come altre costituzioni del «socialismo reale», non usa mai l'espressione «diritto dell'uomo», ma, se parla di diritti, usa il termine «diritti del cittadino».

In questo quadro neppure la scelta vocazionale o professionale era un atto libero della singola persona; piuttosto la scelta era fatta da parte dello stato che organizzava tutto secondo il sistema economico e politico della società, dove il compito principale era svolto dal partito del paese, con le inevitabili discriminazioni per motivi sociali, ideologici, politici, culturali e religiosi. Vi erano tanti favoritismi o preferenze d'ordine sociale. E secondo la dottrina marxista-leninista, c'era sempre una base «legale» per la discriminazione di ogni tipo. La discriminazione si rilevava al momento dell'accesso e della carriera negli impieghi pubblici e politici: mentre si parlava di uguaglianza, questa non veniva assolutamente garantita. Da tutto ciò ancora una volta appare chiaro che nel «socialismo reale» si permetteva soltanto il tipo di uomo o cittadino sempre pronto a servire, senza possibilità di critica, altrimenti diventava «diversamente pensante» o «dissidente», destinato a subire la clinica psichiatrica, la prigione, i lavori forzati.

Il partito e lo stato intendevano ipocritamente farsi «benefattori» dei cittadini, per ricevere riconoscenza e gratitudine. Ma l'uguaglianza di diritti e di libertà per tutti i cittadini è stata solo una finzione della legge, poiché quelli riconosciuti «veri» cittadini, erano esclusivamente i membri del partito comunista.

Il fallimento *economico*. La base del sistema economico era costituita dalla proprietà «socialista» dei mezzi di produzione, in forma di «proprietà statale» (K'77, art. 10). Così proprietà esclusiva dello stato era la terra, il sottosuolo, le acque, e le foreste, i mezzi fondamentali di produzione nell'industria, nell'edilizia e nell'agricoltura, i mezzi di trasporto e di comunicazione, le banche, i beni delle imprese commerciali e comunali e delle altre organizzate dallo stato, il complesso delle abitazioni urbane, nonché altri beni necessari per l'attuazione dei compiti dello stato (art. 11). Lo scopo: il benessere materiale

di tutti, fino ad una ricchezza che di gran lunga doveva superare l'economia capitalista, il soddisfacimento delle crescenti esigenze materiali e spirituali dei cittadini (art. 15). Il risultato: in tutto il «socialismo reale» la produttività era sotto il livello minimo, i prodotti di bassa qualità, la paga mensile ridotta al minimo, l'impoverimento generale. Le profezie sulla «liberazione» degli operai dallo sfruttamento dei capitalisti finì paradossalmente con il fatto che milioni di operai del «socialismo reale» furono costretti a cercare il lavoro e una migliore retribuzione nei paesi capitalisti. Con questo danaro costruivano case e altro nei paesi socialisti. Ancora esistono enormi differenze nel tenore di vita tra i paesi capitalisti e socialisti. Il paradosso sta proprio nel fatto che per il marxismo la base di tutto nel collettivo è la produzione economica, che invece si è rivelata disastrosa.

Il fallimento *politico*. L'ideale era di conquistare il mondo intero con l'internazionalismo sottolineato e propagato, di liberare l'uomo da ogni forma di alienazione e oppressione sociale, economica e politica. Le classi dominanti capitaliste sarebbero dovute essere totalmente eliminate dal mondo, per dare il posto alle classi sfruttate e oppresse degli operai: la «dittatura del proletariato» all'inizio, poi la «fratellanza socialista», infine la «società perfetta senza classi». Al contrario il regime comunista è riuscito a realizzare in tutti i paesi del «socialismo reale» solo un regime dittatoriale e tirannico guidato dal partito comunista, sostenuto dalla polizia segreta che si occupava della eliminazione di milioni di persone innocenti, ma responsabili soltanto di essere «diversamente pensanti» in politica. La pluralità di opinioni non esisteva nemmeno all'interno dello stesso partito comunista, dove ogni membro, secondo quanto prescritto dallo Statuto, era tenuto a rispettare le decisioni degli organi direttivi. Chi in seno al partito non seguiva la linea dei dirigenti (anzi del segretario) finiva col trovarsi fuori del partito, anzi veniva giudicato membro «malato» bisognoso di essere curato, avendo perduto la genuinità del sano e approvato pensiero comunista. In questo senso la libertà doveva essere sempre «in conformità con gli interessi del popolo e allo scopo di consolidare e sviluppare il regime socialista» (K'77, art. 50). Il sistema come tale mai doveva essere criticato, quindi ancora meno si considerava la possibilità di una seria autocritica, mentre risuonavano ininterrottamente le voci elogiative sulla politica, sull'economia, sul regime, sul partito comunista, attraverso tutti i mezzi di comunicazione, strettamente controllati e diretti dall'alto. Questo sistema utopico stava andando in frantumi definitivamente mostrando il suo vero volto di miseria e arretratezza.

Bibl. - K. Marx, *Oekonomisch-philosophische Manuskripte aus dem Jahre 1884*, I/3, 1932, 29-172; Id., *Das Kapital* (tr.it., Roma 1974[8]); vol. I, MEW 23, 1962; vol. II, MEW 24, 1963; vol. III, MEW 25, 1964; vol. IV, 26/1 (1965), 26/2 (1967), 26/3 (1968); Id. *Grundriss der Kritik der politischen Oekonomie. Rohentwurf, 1857-1858*, Berlin 1953 (tr.it. Firenze 1978); Id., *Aus der Kritik der Hegelschen Rechtsphilosophie. Kritik der Hegelschen Staatsrechts* (parr. 261-313), MEW, vol. I, 1957, 201-333 (tr.it. Roma 1983); Id., *Differenz der demokratischen und epikureischen Naturphilosophie*, MEGA, Abt. 1, vol. I; Id., *Thesen über Feuerbach*, MEW, vol. III, 6.; Id., *Zu Judenfrage*, MEW, vol. I, 347-377 (tr.it. Roma 1987); Id., *Das philosophische Manifest der historischen Rechtsschule*, MEW, vol. I, 78-85; M. Stirner, *Der Einzige und sein Eigentum*, Leipzig 1845; V.I. Lenin, *Materialismus und Empiriokritizismus*, vol. XIV, 1873[3]; F. Engels, *Anteil der Arbeit an der Menschwerdung des Affen*, 1896, MEW, vol. II, 1962, 444-455; Id. *Herrn Eugen Dürigins Umwälzung der Wissenschaft («Anti-Dühring»)*, MEW, vol. XX, Berlin 1962, 1-303 (tr.it. Roma 1985); Id. *Dialektik der Natur*, Ibid, 305-570; Id., *Ludwig Feuerbach und Ausgang der klassischen deutschen Philosophie*, MEW, vol. XXI, 1962, 256-307 (tr.it. Roma 1985); I.V. Stalin, «Ueber dialektischen und historischen Materialismus» (O dialekticeskom i istoriceskom materialismel), in *Geschichte der Kommunistischen Partei der Sowjetunion* (Bolschewiki), Berlin 1946, 126-160; G.A. Wetter, *Il materialismo dialettico sovietico*, Torino 1948; Id., *Der dialektische Materialismus. Seine Geschichte und sein System in der Sowjetunion*, Wien 1952; Id., «Marxismo», in DTI II, 469-503; J.H. Bochenski, *Der sovjet-russische dialektische Materialismus*, Bern 1950; J. Lacroix, *Marxisme, existentialisme, personnalisme*, Paris 1951; E. Bloch, *Prinzip Hoffnung*, vol. II, Frankfurt 1959; G. Girardi, *Marxismo e Cristianesimo*, Assisi 1966; H. Gollwitzer, *Die marxistische Religionskritik und der christliche Glaube*, München-Hamburg 1967; Autori vari, *L'ateismo contemporaneo. Il cristianesimo di fronte all'ateismo*, voll. I-IV, Torino 1967 e ss.; L. Bogliolo, *Ateismo e Cristianesimo. Confronto dialettico*, Roma 1971; G.H. Pöhlmann, *Der Atheismus oder der Streit um Gott*, Gütersloh 1977; Poupard (ed.), *L'Église devant le défi de l'athéisme contemporain*, Roma 1982; Id. (ed.), *La fede e l'ateismo nel mondo. Indagine del Pontificio Consiglio per il dialogo con i non credenti*, C. Monferrato 1989; I. Fuček, «Marxismus huius temporis in potestate constitutus de iuribus et libertatibus hominum», in *Periodica* 72 (1983) 273-308 (1.7.12.1983); Id., «Difficultés du Deuxième Monde», in CTI; P. Delhaye - W. Murphy (edd.), *Les chrétiens d'aujourd'hui devant la dignité et les droits de la personne humaine*, Città del Vaticano 1985, 116-126; Id., «Dostojanstvo ljudske osobe u današnjem ateizmu» [La dignità della persona umana nell'ateismo contemporaneo], in Autori vari, *U službi čovjeka. Zbornik Nadbiskupa-Metropolite dr. Frane Franića*, Split 1989, 89-121; M. J. Buckley, *At the Origins of Modern Atheism*, New Haven-London 1987.

IVAN FUČEK

II. Partito comunista

Quello che interessa è il ruolo guida del partito comunista nel «socialismo reale», il suo dogmatismo ideologico e il monopolio del suo potere nel collettivo marxista-leninista con l'aspirazione di conquistare il mondo intero. Durante tutta la storia del partito al potere ufficiale, rimane indelebile il gioco tra il partito e lo stato. Quando ha prevalso il partito sullo stato, il desiderio dell'internazionalismo con la rivoluzione mondiale ha creato una tensione a livello internazionale e mondiale, che a volte raggiungeva culmini molto pericolosi (per es. il conflitto di Cuba, la chiusura diplomatica e minacciosa negli ultimi anni del potere di Breznev, poi di Andropov e Cernienko); quando però ha prevalso lo stato sul partito, il comunismo-leninista ha sempre trovato una pista per il dialogo, una possibilità per i rapporti economici con gli altri stati, un incontro a livello politico-diplomatico (per es. il patto tra Stalin e Hitler, il dialogo Reagan-Gorbaciov e Bush-Gorbaciov). Un'altra caratteristica è quella che «giustificava» il ruolo guida del PCUS, come modello di tutti i partiti comunisti del mondo, anziché la ﾞicerca di alleanze tra lo stato dell'Urss e gli altri stati. Della storia del PCUS e del partito comunista in generale, per il nostro scopo basta mettere in risalto tre aspetti evidenti: la fase evolutiva del partito comunista, la fase del monopolio del potere e quella del suo declino.

1. LA FASE EVOLUTIVA - K. Marx e F. Engels quando parlavano di un «partito operaio» intendevano tutta la classe operaia, ed erano contrari ad un partito d'«élite», come livello dirigente della classe. Ciò è evidente dal *Manifesto del partito comunista* (1847/1848), dove si dice espressamente: «I comunisti non sono uno speciale partito accanto agli altri partiti degli operai. Essi non hanno altri interessi diversi dal proletariato universale. Essi non propongono speciali principi (ted. «keine besonderen»; ingl. del 1888: «sektiererishen»), secondo cui essi vorrebbero modellare il movimento proletario... Così in Francia i comunisti si uniscono al partito socialista democratico. In Svizzera sostengono i radicali. In Germania il partito comunista è insieme alla borghesia. I comunisti in fin dei conti lavorano dovunque in collegamento e in comprensione con i partiti democratici di tutti i paesi» (WEW, 4, 457-493). Dunque i comunisti sono la frazione di tutti i partiti operai

di ogni paese più decisa ad avanzare. Lenin cambia idea. Il partito deve abbracciare non tutta la classe e non essere soltanto una frazione di partito, ma deve diventare l'*avanguardia* della classe, perché sotto il capitalismo è impossibile che tutta la classe sia capace di elevarsi a livello di coscienza del partito. I membri di questa avanguardia devono essere rivoluzionari per professione, perciò soggetti a una disciplina «ferrea». Il partito deve esercitare il controllo sulle masse, assumendo la direzione delle organizzazioni di massa (sindacati, organizzazioni sociali e culturali, ecc.). Contro questa teoria Trotskij obietta: Lenin vuole sostituire il proletariato con il partito, e il partito con il duce. Però fin d'allora nelle costituzioni del «socialismo reale», non soltanto nell'Urss, il partito comunista ha questo carattere strettamente leninista, che si verificherà dal 1917 in poi.

A questo punto è bene menzionare qualche particolare della vita di Lenin (1870-1924), per capire meglio l'essenza e la struttura del partito comunista, poiché la sua biografia è essenzialmente legata alla storia del partito tale quale noi lo conosciamo. Lenin è il suo vero e proprio fondatore. Ateo da ragazzo, già da studente si convinse dell'inefficacia dei metodi del «populismo radicale», specialmente dopo la condanna a morte del fratello maggiore Alessandro, per la partecipazione ai preparativi di un attentato allo zar Alessandro III (1887). A causa della sua partecipazione a disordini studenteschi, Lenin fu espulso dall'università di Kazan', e temporaneamente confinato a Kokuskino, dove lesse le opere di Cernysevskij, e così conobbe il materialismo filosofico e il metodo dialettico di Hegel, cosa che poi gli facilitò lo studio di Marx ed Engels. Nel 1890, entrato in un circolo marxista a Kazan', cominciò a leggere le opere fondamentali di Marx, Engels e Plechanov.

Nel 1893 si dedicò alla preparazione del marxismo a Pietroburgo, nel 1895 si trovò in Europa occidentale dove stabilì i contatti con i marxisti russi a Ginevra (Plechanov, Akselrod) e con Kautsky e Lafargue. Arrestato, dopo 14 mesi fu mandato per tre anni in Siberia; liberato emigrò in Europa (1900), dove si impegnò nella polemica contro il «populismo». Il suo influsso nel «Partito operaio socialdemocratico russo», al quale aderì nel 1899, fu di rilievo. Cominciò a pubblicare il giornale *Iskra*, con lo scopo di preparare il terreno per la fondazione del partito comunista.

Al II Congresso del «Partito operaio socialdemocratico russo» Lenin ottenne una leggera maggioranza e la *Pravda* fu dichiarato organo ufficiale del partito; stando nel giornale, Lenin poteva portare avanti meglio la sua linea. Però poco dopo Plechanov si separò da lui. Così Lenin dopo la pubblicazione del num. 52 (1903) dovette abbandonare la redazione della *Pravda*. Plechanov ebbe a redigere ancora i numeri 53-112, fino all'ottobre 1905: dunque nella lotta fra le due fazioni del partito, quella di sinistra «bolscevica», creata da Lenin nel 1903, ebbe un prestigio maggioritario. Ma nell'ottobre 1905 né Lenin, né i bolscevichi svolsero un grande ruolo nella rivoluzione. Dopo la rivoluzione del 1905 Lenin dovette fuggire in Finlandia, e verso la fine del 1907 fu costretto ad abbandonare anche questo paese ed emigrare nuovamente.

Durante la prima guerra mondiale visse in Svizzera. Nel 1917 (aprile) la Germania gli permise di tornare in Russia con un gruppo di altri rivoluzionari. Nel periodo dell'emigrazione scrisse molti libri, quali: *Che fare?*, in cui sviluppava la sua concezione sul partito come organizzazione di rivoluzionari professionali; *Lo Stato e la rivoluzione* (1917), un'opera importantissima per capire il «leninismo». Il 3 aprile Lenin arrivò a

Pietrogrado, e il giorno dopo propose già le sue famose *Tesi d'aprile* sui compiti del proletariato nella rivoluzione, che erano di una audacia inaudita. Tra l'altro Lenin richiedeva: la lotta contro il governo provvisorio, qualunque fosse la sua posizione; il passaggio di tutto il potere nelle mani dei sovietici e la formazione di una «Repubblica Sovietica», come forma superiore di democrazia, nella quale non vi sarebbe più stata né polizia, né armata, né burocrazia; la nazionalizzazione immediata delle banche e di tutte le terre, mentre la socializzazione dell'industria si poté effettuare solo in un graduale passaggio al socialismo; la sostituzione del *nome* «Partito operaio socialdemocratico russo» (fondato nel 1898), già molto compromesso, con il nome «Partito comunista-bolscevico-russo», approvato nel VII Congresso del 1918. Partito che soltanto sotto Stalin nel 1952, al XIX Congresso, riceverà la nuova denominazione di «Partito comunista dell'Unione Sovietica» (PCUS). Finalmente Lenin prospettò la formazione di una nuova *Internazionale comunista*, che sarà fondata nel marzo 1919. Lenin però, con queste sue richieste, prima della rivoluzione d'ottobre del 1917, si trovava molto isolato anche nel suo partito. Ma con una tenace azione di propaganda e di convinzione riuscì a guadagnare sempre più terreno all'interno del partito stesso.

L'*Internazionale comunista* (*Komintern*) (KI), fu da Lenin fondata come organizzazione mondiale dei *partiti*, con una ferrea disciplina rivoluzionaria, tanto che i singoli partiti comunisti di Europa, America e Asia, con i loro membri, furono sottoposti ai programmi comuni (uno dei primi fu l'ateismo militante) e alle decisioni, obbligatorie per tutti, dei suoi organi, cioè del Congresso e del Comitato esecutivo. Questa *Komintern*, secondo un ordinamento di Stalin, è stata abolita nel 1943. Essa fu chiamata anche la *Terza internazionale*, se si collega con la *Prima Internazionale* del 1864 di Marx, nel cui grembo si sono formate le prime organizzazioni operaie, e con la *Seconda Internazionale*, del 1889, in cui si formarono il partito socialdemocratico tedesco e quello russo, con la prevalenza della sinistra *bolscevica* (1903) sotto la guida di Lenin.

Accenniamo anche al fatto che, dopo la rivoluzione d'ottobre 1917, tutte e due le Costituzioni di Lenin, del 1918 e del 1924 (postuma), hanno una premessa introduttiva nel senso di un programma del partito comunista con l'affermazione che il proletariato ha per obiettivo, con la rivoluzione *mondiale*, «di assicurare la vittoria del socialismo in tutti i paesi» (Cost. '18, art. 3), e «di strappare l'umanità dagli artigli del capitale finanziario e del capitalismo» (art. 4). E nell'introduzione alla Costituzione del '24, si prevede che l'Urss «servirà da sicuro baluardo contro il capitalismo mondiale e dà nuovo, decisivo passo sulla via dell'unione dei lavoratori di tutti i paesi, in una Repubblica Sovietica Socialista Mondiale». Mentre la costituzione di Stalin del 1936 non ha simili pretese, quella di Breznev del 1977 (K'77) invece è un vero e proprio *programma politico* del partito comunista.

2. LA FASE DEL POTERE - Anche senza fermarci a discutere fino a che punto il modello sovietico dello stato, descritto nella *Costituzione* brezneviana del 1977 (K'77), sia ispirato alla dottrina di Hobbes, di Hegel, o di Marx, di Engels, e anche di Lenin, una cosa appare chiara, cioè l'enigma della K'77 − nel Preambolo (all.13,6) con il termine «il popolo sovietico» che dirige «tutto il popolo», che è al di sopra dello stato socialista e che è l'autorità suprema − viene risolto nel famoso art. 6., che afferma testualmente:

«Il partito comunista dell'Unione

Sovietica è la forza che dirige e indirizza la società sovietica, il nucleo del suo sistema politico, delle organizzazioni statali e sociali. Il PCUS esiste per il popolo ed è al servizio del popolo. Il partito comunista, armato della dottrina marxista-leninista, determina la prospettiva generale di sviluppo della società e la linea della politica interna ed esterna dell'Urss, dirige la grande attività creativa del popolo sovietico, conferisce un carattere pianificato e scientificamente fondato alla sua lotta per la vittoria del comunismo. Tutte le organizzazioni di partito operano nel quadro della costituzione dell'Urss».

«Il partito comunista... è la *forza*»; se questo termine preso dallo *Statuto* del PCUS (1961) si unisce ad «armato» e «lotta», due altri vocaboli dello stesso testo, diventa chiaro lo stile militare, anche se, a prima vista, si pensa piuttosto che si riferiscano alla forza ideologica, politica ed etica.

«Il partito comunista... dirige... la società sovietica». Le due espressioni «forza» e «dirige» non si trovano nella costituzione staliniana del '36 (art. 126). Diversamente da Stalin, Breznev ha riabilitato il PCUS dandogli il posto supremo nella società sovietica. Esso è la forza principale, se non l'unica, che dirige tutto il popolo, persino il *Soviet* supremo e la legislatura, non nel senso che le funzioni statali sono trasferite direttamente al PCUS, ma secondo la chiara affermazione seguente: «Nel dirigere l'attività dei *Soviet*, [il PCUS] non si sostituisce ad essi, ma delimita le funzioni degli organi del partito e dello stato... Il partito ritiene che uno dei suoi compiti più importanti sia quello di consolidare, di perfezionare in ogni modo possibile il potere dei *Soviet*, e di aver cura dell'ulteriore sviluppo della democrazia socialista» (L. Breznev). In tal modo Breznev spiega il significato del vocabolo «dirigere» nel discorso sul progetto della K'77, intendendo seguire il pensiero di Lenin.

«Il partito comunista... indirizza la società sovietica» verso fini pianificati dal partito. È l'idea di Lenin, Chruscev e Breznev, che Stalin non aveva inserito nella sua Costituzione del '36. «Indirizzare» significa mettere sulla retta via, avviare, istradare, guidare esattamente, secondo l'impronta del tutto particolare del PCUS. È l'impronta di un «magistero infallibile» quanto alla dottrina, di «assolutezza nella precisazione» quanto all'applicazione, di «mistificazione» quanto all'intelligenza e alla saggezza (R.G. Wesson).

«Il partito comunista... dirige e indirizza... il nucleo del sistema politico, delle organizzazioni statali e sociali»; questa frase dice molto di più di quanto è detto nella costituzione staliniana del '36, dove il partito stesso è ancora «il nucleo direttivo» (art. 26). Se però il PCUS dirige e indirizza il «nucleo» (*jadrom*) di tutto il sistema politico e delle organizzazioni statali e sociali, significa che non rimane proprio nulla che non sia diretto e indirizzato dal partito. E così, passo dopo passo, diventa chiaro che è quel «popolo sovietico» a stabilire i diritti, le libertà e gli obblighi dei cittadini, persino «le finalità dello Stato socialista» (Preambolo K'77, all.13,6). Si tratta di un'autorità senza pari.

«Il PCUS esiste per il popolo...» equivale a dire che, se non ci fosse il popolo diretto dal partito, l'esistenza stessa del partito non avrebbe alcun senso. In questo modo il PCUS è anche il «cuore dell'organismo» sovietico, «inscindibile dal popolo nel suo complesso». Cercare di contrapporre partito e popolo, dice Breznev, oppure parlare di «dittatura del partito» sarebbe come cercare di contrapporre, diciamo, «il cuore a tutto il resto dell'organismo umano». Per «organismo» s'intende il sistema oppure il popolo? In ambedue i casi,

le conseguenze sarebbero le stesse: se sopraggiungesse un infarto cardiaco, morirebbero il sistema e il popolo in quanto tali. Esattamente quello che è accaduto in DDR, Ungheria, Cecoslovacchia e altrove (1989/1990): è scomparso il sistema assieme al partito comunista.

«Il PCUS... è al servizio del popolo»; certo, in quanto tutto avviene in base alla volontà dello stesso partito, ma non per volontà e aspirazione del popolo. Servire o essere al servizio del popolo vuol dire che il compito del partito è d'informare tutti i cittadini del collettivo sovietico nel modo più perfetto possibile secondo gli obiettivi del partito, affinché tutti vi aderiscano e li seguano secondo la volontà del PCUS.

«Il partito comunista, armato della dottrina marxista-leninista...» acquista una sua sicurezza. Si tratta dell'ideologia con cui sono misurate e aggiustate la realtà, l'esperienza e la prassi. L'ideologia marxista-leninista, o semplicemente pragmatista materialistica del mondo, viene, dal PCUS, pressoché divinizzata e assolutizzata in maniera da poterne giustificare e difendere le prospettive e le determinazioni per lo sviluppo della società. Allo stesso modo, si determinano le linee della «politica interna ed esterna dell'Urss». Ecco perché nessun altro pensiero politico diverso è concepibile secondo la K'77, nonostante le voci contrarie e la volontà di cambiamento in senso pluralistico della piattaforma mondiale fossero fortissime.

«Il partito comunista... dirige la grande attività creativa del popolo sovietico» non soltanto come un animatore carismatico del paese, ma come una forza propulsiva e perfettamente organizzata per l'attività «sociale e culturale» (artt. 19-27), per un «lavoro garantito» (art. 40), per l'attività «scientifica, tecnica e artistica» (art. 47), sempre però «in conformità con gli scopi dell'edificazione comunista» (*ivi*). La stessa attività creativa in tutti i campi e livelli dell'Urss si svolge strettamente entro i limiti concessi dal partito, sotto la sua molteplice vigilanza e censura.

«Il partito comunista... conferisce un carattere pianificato e scientificamente fondato alla sua lotta per la vittoria del comunismo». Tutto si decide in dibattiti in seno al PCUS. Sia la pianificazione, sia l'esecuzione hanno un carattere «scientifico», secondo i postulati della concezione materialistica del mondo. «Scientifico» in che senso? L'ideologia marxista-leninista è scientifica? Ancora una volta il termine «scientifico» viene applicato abusivamente.

La vittoria finale del comunismo è assegnata soltanto alla «terza» fase della sua evoluzione, dopo la «dittatura del proletariato» e dopo lo stato «di tutto il popolo», che connota ormai il «socialismo maturo». In essa lo scopo supremo dello stato, del popolo, del singolo che appartiene alla società sovietica, è la «società perfetta», dove lo stato non sarà più necessario e nemmeno opportuno, dove il diritto sparirà e tutti vivranno una vita uguale in piena «cooperazione fraterna» (K'77, Preambolo al.7) e in «amicizia» (*ivi*, al.4). Mentre la società si trova ancora in cammino verso la terza fase dell'evoluzione comunista, il fine supremo della vita per ciascuno (come norma della moralità) è la medesima società futura atea ancora da realizzare.

La costituzione staliniana del '36 parlava soltanto della lotta del PCUS per «il consolidamento e lo sviluppo del regime socialista», mentre la K'77 brezneviana ribadisce la lotta per la vittoria del comunismo. Questa differenza tra le due costituzioni è un grande passo avanti verso il comunismo.

Poco prima che venisse pubblicata la nuova costituzione, venne aggiunta all'art. 6 la riga 3 sulle organizzazioni del PCUS «che operano nel qua-

dro della costituzione dell'Urss» (art. 6. al.3). Seguono due articoli (7 e 8) esplicativi: «I sindacati, l'Unione Comunista Leninista della Gioventù dell'Urss (*Konsomol*), le organizzazioni cooperative...» (art. 7), insieme con tutte le altre organizzazioni del PCUS, diventano, nella nuova costituzione, collaboratori e rami diversi del partito, mentre in quella stalinista non avevano ancora un posto di tanto rilievo, con compiti così estesi. È questo un altro segno che la società socialista sotto la direzione del PCUS sta trasformandosi progressivamente in una società comunista, le cui competenze spetteranno alle organizzazioni dello stesso partito. Senza dubbio era un comportamento strano, quello di chiudere gli occhi dinanzi alla realtà concreta che invece andava in direzione opposta, preparando ormai il crollo del socialismo reale.

Comunque, dall'analisi della K'77, diventa chiaro che in cima alla piramide del potere della società sovietica sta il PCUS, la cui supremazia politica, dottrinale e ideologica nella struttura dello stato è insuperabile. Il PCUS è il primo fattore determinante dello stato e perciò è *sopra* lo stato, che gli serve da «strumento fondamentale» (K'77, Preambolo al.1), mentre la legislazione gli serve da strumento subordinato allo stato. Il PCUS, quindi, è anche la prima e suprema fonte dei diritti e delle libertà dell'uomo sovietico. Non c'è da meravigliarsi se la K'77 brezneviana lo chiama «il popolo sovietico» (*ivi*, al.13), giacché tutto fuori del PCUS è non-popolo, non-realtà, non-verità, non-libertà, non-intelligenza, non-vita, non-sanità, non-umanità.

3. LA FASE DEL DECLINO - Al Plenum del Comitato centrale del PCUS, del 7 febbraio 1990, M.Gorbaciov, il segretario del PCUS, dopo 72 anni di egemonia e di monopolio del potere nelle mani del PCUS, proclamava la svolta storica. Il PCUS, sì, de-

ve cercare di mantere il «ruolo guida», ma non con un atto costituzionale o giuridico, piuttosto con il suo prestigio morale, agendo concretamente nella società sovietica. Con ciò, di fatto, si è arrivati all'idea originale di Marx (= partito tra i partiti), all'indebolimento del partito onnipotente di Lenin, ad archiviare la grande ambizione di Breznev (K'77, art. 6), e indirettamente alla reale prospettiva della nascita di altri partiti. Può essere l'inizio di una vera rifondazione dell'Urss, del partito e dello stato, con i tre punti fondamentali della riforma: la nascita di una repubblica presidenziale, con l'indiretta apertura al multipartitismo, con la democratizzazione della vita interna del PCUS.

Il testo integrale delle tesi che il Plenum del Comitato centrale ha approvato il 7 febbraio 1990, dopo tre giorni di aspra battaglia, non è ancora pubblicato (mentre viene scritto questo articolo il 6 aprile 1990), poiché dovrà essere discusso e approvato dal XXVIII Congresso del PCUS del 2 luglio 1990, con il susseguirsi del parlamento per la modifica costituzionale, ma i punti essenziali della nuova piattaforma politica del documento, in linea di massima si conoscono. C'è stata una raffica di annunci.

Il primo è appunto la *rinuncia* al famoso *articolo 6* della *Costituzione* brezneviana: quindi la fine del partito-stato, dell'egemonia del potere e del magistero del PCUS, con l'apertura, sia pure implicita, al multipartitismo. I comunisti del vecchio stampo, pur avendo votato all'unanimità questo riorientamento, non lo capiscono affatto.

Il secondo è la svolta presidenziale, per cui il governo e il presidente hanno i pieni poteri e non più il PCUS. In realtà, l'Urss non ha avuto un vero presidente della Repubblica. La massima carica statale è stata la presidenza del Soviet Supremo (cioè del parlamento). Una carica che nelle diverse fasi del potere ha avuto più o meno significato e attributi, ma è sempre stata subordinata a quella di capo del PCUS. Ora il presidente che l'Urss sta per darsi avrà ben altri poteri, anche se sono ancora da definire dal Parlamento i meccanismi della sua elezione (probabilmente diretta) e altre caratteristiche del governo presidenziale. Così ancora una volta nella corsa al potere tra il PCUS e lo stato, adesso però in maniera totalmente nuova, si sceglie lo stato e non il partito per completare la grande riforma o riorientamento (*perestrojka*) di Gorbaciov.

Il terzo è la vita del PCUS, che deve mirare alla *democratizzazione* della sua struttura, attraverso una campagna elettorale interna, quindi con battaglia di candidati e di programmi; certamente un mezzo per vitalizzare il PCUS, per liberarsi dei vecchi sistemi ed «equilibri» di potere.

Il quarto è la *modifica* delle strutture. E anche qui la piramide del potere è scossa. Al vertice del PCUS si prospetta un presidente (al posto del segretario generale) con due vicepresidenti. Il Politburo, finora vero cuore del potere, resta, ma dovrà essere affiancato da un nuovo organismo: un Presidium composto dai segretari dei partiti comunisti delle 15 repubbliche che compongono l'Urss. Il Politburo manterrebbe il suo primato sulle questioni interne e ideologiche. Il Presidium avrebbe compiti di comitato politico esecutivo. Il risultato, comunque, è la perdita di potere da parte del Politburo. Nella «piramide» comunista dovrà *cambiare* anche il Comitato centrale, che vedrà ridotto il numero dei suoi membri.

Dunque con questa riforma si prevede l'abolizione del «ruolo guida» del PCUS, indirettamente il pluripartitismo, lo stato presidenziale, ecc. Dopo 72 anni di potere assoluto del PCUS ci si può aspettare nell'Urss finalmente una svolta totale e la sepoltura definitiva del partito comunista, come nella DDR, in Cecoslovacchia, in Ungheria? Sarà necessario parecchio tempo, poiché la riforma economica dell'Urss, enormemente impoverita, è primaria e urgente; la richiesta d'indipendenza da parte delle Repubbliche è legittima, nonostante in questo momento storico sia una minaccia per l'ultimo stato colonialista del mondo; la modifica o piuttosto una nuova redazione della costituzione, la cui intera impostazione, e non soltanto l'art. 6, è ispirata alla supremazia del PCUS di stampo leninista-brezneviano, è imprescindibile.

Bibl. - «Statuto del Partito comunista dell'Unione Sovietica (PCUS) approvato dal XXII Congresso del PCUS (17-31 ottobre 1961), con le parziali modifiche apportate dal XXIII e dal XXIV Congresso», in P. Biscaretti di Ruffia - G. Crespi Reghizzi, *La Costituzione sovietica del 1977*. Un sessantennio di evoluzione costituzionale nell'Urss, Milano 1979, 551-572; «Costituzione (Legge fondamentale) dell'Unione delle Repubbliche Socialiste Sovietiche approvata dalla VII sessione (straordinaria) della IX legislatura del Soviet Supremo dell'Urss il 7 ottobre 1977», in *Ibid.*, 509-547; C.D. Kernig, «Die kommunistischen Parteien der Welt», in C.D. Kernig (ed.), *Sowjetsystem und demokratische Gesellschaft*, Freiburg-Basel-Wien 1969; A. Paglietti, *La costituzione sovietica del 1977 nei suoi precedenti storici e nel quadro del costituzionalismo moderno*, Roma 1980; Il testo russo del nuovo «Statuto del Partito comunista dell'Unione Sovietica», in *Pravda* (7 marzo 1986), 8; anche *Programma...*, 6; I. Fuček, «Il sessantennio della morte di Vladimir Il'ič Lenin (1870-1924)», in *Radio Vaticana - Studio* 28 (1984) 15-19; Id., «Il fondamento dei diritti dell'uomo nella Costituzione sovietica», in *CivCatt* (1983) 222-234; Id., «Libertà religiosa nel diritto costituzionale di ispirazione marxista-leninista: confronto col diritto internazionale ratificato dal marxismo-leninismo ufficiale», in F.Biffi (ed.), *I diritti fondamentali della persona umana e la libertà religiosa*, Roma 1985, 637-641; Id., «Diritti e libertà dell'uomo nell'ateismo ufficiale», in R. Latourelle (ed.), *Vaticano II: bilancio e prospettive, venticinque anni dopo 1962/1987*, vol. II, Assisi 1987, 1270-1299.

IVAN FUČEK

MESSIANISMO

I. ATTESA MESSIANICA: 1. *Il messia regale (50 a.C. - 50 d.C.)* - 2. *L'attesa messianica secondo i diversi gruppi sociali e religiosi* (G. Rochais) - II. COMPIMENTO DEL MESSIANISMO: 1. *La speranza messianica (Messianismo regale, sacerdotale, profetico, escatologico)* - 2. *Gesù il messia* - 3. *La fede nel messia* (R. Fisichella).

I. Attesa messianica

Il messianismo propriamente detto, al di là di ciò che si è pensato al riguardo, nel primo secolo a.C. e nel primo secolo della nostra èra occupava un posto relativamente ristretto nell'escatologia. Era infatti legato al tema più fondamentale del → regno di Dio, abbinato a sua volta alla messa in pratica della Tôrāh. Inoltre questa attesa assumeva colori ben diversi a seconda dei gruppi sociali o religiosi: farisei, esseni e sadducei non condividevano la stessa speranza nei confronti della venuta del messia; i testi della diaspora greca, poco numerosi, non portano nuovi elementi al tema del messia; in compenso la concezione messianica dei movimenti popolari, che si produssero alla morte di Erode il Grande e durante la grande rivolta contro Roma nel 66-70, è molto diversa dalle altre concezioni.

L'esposizione comprenderà due parti. Nella prima si presentano le costanti che si ritrovano nella speranza messianica giudaica a proposito del messia regale, comuni ai vari partiti in causa (farisei, esseni e diaspora greca); costanti verificabili dalla continuità presente nei testi precristiani e in quelli successivi alla distruzione di Gerusalemme nel 70. Questo studio si baserà principalmente sui salmi 17 e 18 di Salomone e sui testi di Qumrân e, all'occorrenza, sul libro III degli *Oracoli sibillini* e sul *Delle benedizioni e maledizioni* di Filone di Alessandria; le apocalissi della fine del primo secolo (*IV Esdra* e *Apocalisse siriaca di Baruc*), alcune tradizioni contenute nell'antico Targûm palestinese del Pentateuco o anche i *Testamenti dei dodici patriarchi*, che nella loro redazione finale sono certamente cristiani, saranno utilizzati solo per rinforzare elementi che si possono datare con sicurezza. Le *Parabole di Enoc* (1 En 37-71) non saranno prese in considerazione per la loro incerta datazione.

Nella seconda parte si farà una lettura differenziata dell'esperienza messianica a seconda degli ambienti (sadducei, farisei, esseni), per mostrare e opporre le loro diverse concezioni del messia regale. Sarà dato un posto abbastanza importante ai movimenti messianici popolari anteriori al ministero di Gesù di Nazareth.

1. IL MESSIA REGALE (50 a.C. - 50 d.C.) - a. *Sue principali caratteristiche* - Il messia è di origine terrena. Nessun testo precedente la fine del primo secolo della nostra èra parla della sua preesistenza. Il messia è un essere umano, terrestre. Ciò risulta chiaramente dai pretendenti reali, menzionati da Giuseppe Flavio, che si presentarono come messia nel primo secolo: Giuda ben Ezechia, Simone, Atrongeo, dopo la morte di Erode il Grande (*Ant. J.* XVII, 271-284; *B.J.* II,4,55-65); o ancora Menahem o Simone bar Giora, all'epoca della rivolta giudaica del 66-70; e infine Simone bar Koshiba, all'epoca della seconda rivolta giudaica. Il solo testo in cui Filone d'Alessandria parla del messia indica chiaramente la sua origine terrena: «Poiché apparirà un uomo dice l'oracolo (Nm 24,7 LXX), che guidando le armate e combatten-

do, sottometterà le nazioni grandi e numerose» (*Delle benedizioni e delle maledizioni*, 95). Nei salmi di Salomone, sebbene idealizzato, il messia è realmente un uomo della stirpe di David (Sal S 17,23-45). A Qumrân, indipendentemente dal nome che viene attribuito al messia (messia di Israele, principe dell'assemblea, germoglio di Davide, ecc.), egli è sempre considerato un essere terrestre. Accade lo stesso per il Targûm palestinese del Pentateuco (TP Gn 49, 10-12; Nm 24,7-29; 24,17-19). Nel secondo secolo Trifone dirà a Giustino: «Tutti noi aspettiamo un messia che sarà uomo tra gli uomini ed Elia che lo deve ungere quando verrà. Se quest'uomo è il messia, si sappia bene che egli è uomo fra gli uomini» (*Dial.* 49). La preesistenza del messia o del Figlio dell'Uomo non sembra attestata prima della fine del primo secolo nel IV Esdra e nel Libro delle parabole di Enoc (IV Esd 12,31s; 13,26.51-52; 14,7-9; 1 En 48,1-6; 62,7; cfr. 39,6s; 40,5; 46,1-8).

Come uomo il messia proviene dalla casa di Giuda o dalla casa di Israele (TP Gn 49,10; Nm 24,17; *Test. di Giuda* 24,1-5). La credenza più diffusa e popolare, sebbene non unanime, è che il messia sarà «figlio di Davide». Nei salmi di Salomone il messia è chiamato «figlio di Davide». A Qumrân il messia è definito in numerosi testi, secondo l'espressione di Geremia, «germoglio di Davide» (4 Qp I^a s II,21; 4 Q *Benedizioni patriarcali* 3-4; 4 Q Flor I,11). Tuttavia nei testi messianici più antichi di Qumrân questa ascendenza davidica non è menzionata (4 Q 175, 9-12; 1 QS^a II,11-22; 1 QS IX,11; 1 QS^b V,20-29). Infatti sembra proprio che la linea davidica si sia persa dopo Zorobabele; a motivo di questa discontinuità i più antichi testi messianici di Qumrân sarebbero quindi stati discreti sull'appartenenza del messia re alla casa di Davide e alla tribù di Giuda. Poiché nessun figlio di Davide poteva presentare titoli indiscutibili, doveva essere frutto di un miracolo non solo l'avvento del re desiderato, ma la sua stessa nascita. La Regola annessa (1 QS^a II,11s) decreta un regolamento di precedenza per il tempo «in cui Dio farà nascere il Messia». Il verbo ebraico, la cui lettura resta congetturale, indica un intervento divino nella nascita del messia, destinato indubbiamente a compensare la discontinuità della linea davidica. Infine, i pretendenti messianici regali menzionati da Giuseppe Flavio non si situavano nella linea davidica, ma aspiravano, al modo di Davide stesso che fu capo banda prima di essere riconosciuto re dal popolo, a un riconoscimento messianico popolare.

b. *La manifestazione del messia. I poteri di cui è dotato* - Le caratteristiche del messia, di natura terrena, discendente di Davide in senso ampio, spiegano la terminologia utilizzata per parlare della sua venuta.

Come uomo il messia *verrà* (CD VII,20; XIX,10; 4 Q *Benedizioni patriarcali* 3; Or Sib III,49); o *si leverà* (CD XII, 23; XIV,19; XX,1; 4 QpIs^a II,21; 4 Q Flor I,11.13). Ma il messia non verrà né si leverà da sé: è Dio che *lo farà levare* o che *lo susciterà* (I QS^b V,27; Sal S 17,21; 18,5); o ancora *lo farà nascere* (1 QS^a II,11), *lo invierà* (Or Sib III,652; V,108). Secondo le apocalissi della fine del primo secolo, il messia è riservato per la fine dei giorni (IV Esd 12,32; 13,26); per parlare della sua venuta viene detto allora che *sarà rivelato* (IV Esd 7,28; 13,32; Ap Bar 29,3; 39,7...).

Ma come si manifesterà il messia, come si riconoscerà che è inviato da Dio? Secondo la fede popolare attestata dai vangeli e nei racconti sui profeti messianici riportati da Giuseppe Flavio, il messia o il profeta messianico si dovrebbe rivelare e giustificare le proprie qualità di messia con dei miracoli. Niente di simile viene

affermato nei testi che possiamo datare con certezza. Nei testi apocalittici della fine del primo secolo (IV Esd; Ap Bar) è la stessa venuta del messia l'atto decisivo che lo rivela. Il modo in cui si rivela – come un leone ruggente che esce dalla foresta (IV Esd 11,37; 12,31s), come un lampo in una nube (Ap Bar 53,1.8-11) – non deve essere materializzato; si tratta di pure immagini che hanno solo valore simbolico. Il messia sarà autenticato come messia dalla sua stessa manifestazione e dall'opera di giudice, di guerriero e artefice della pace che intraprenderà.

Il messia verrà alla fine dei tempi. Dio ha scelto per il suo messia un giorno predestinato (Sal S 18,5) che lui solo conosce (Sal S 17,21); si parla allora del giorno del messia (IV Esd 13,52), del giorno della sua potenza (Sal S 109,3 LXX) o ancora di un giorno prescelto (Sal S 18,5).

Il luogo della manifestazione gloriosa del messia è la Palestina e particolarmente Gerusalemme. Israele e Gerusalemme sono chiaramente menzionate nei salmi di Salomone 17 e 18. Sul monte di Sion l'ultimo capo nemico è condotto in catene, giudicato e messo a morte dal messia (Ap Bar 40,1-3). È ancora sulla montagna di Sion che si alzerà il messia, Figlio dell'Uomo, per giudicare le nazioni venute a combattere contro di lui (IV Esd 13,35-38).

Perché il messia possa compiere la sua missione, Dio l'ha dotato di qualità e di poteri speciali. L'apocalisse di Abramo, testo difficilmente databile, posteriore alla caduta di Gerusalemme, riassume in una breve frase i poteri del messia: «Manderò il mio Eletto che avrà in sé una misura di tutta la mia potenza» (31,1); detto altrimenti, tutte le caratteristiche di Dio sono concesse al messia in una certa misura. Il testo che serve da appoggio a tutte le referenze che si incontrano nelle Pseudoepigrafi o nei testi di Qumrân è Is 11,1-5. Basandosi su questo testo il salmista scrive: «Infatti Dio l'ha reso forte con uno spirito santo e (lo ha reso) maestro con sapiente prudenza unita a forza e giustizia» (Sal S 17,37).

L'eroe escatologico riunisce in sé le virtù di un giudice e di un principe ideale; la sua maggiore qualità è la *giustizia*. Dalla più remota antichità è questo l'ideale della regalità in Oriente. Il messia è un re giusto (Sal S 17,32). Questa giustizia si esercita nei confronti del popolo e delle nazioni (Sal S 17,29.32.40); ciascuno riceverà quanto gli spetta; la pace e l'ordine saranno mantenuti (1 QS^b V,21-23); i peccatori saranno puniti, i giusti vivranno in pace. Il termine giustizia corrisponde parzialmente in questi testi a ciò che si definisce giustizia anche ai nostri giorni, soprattutto nella sua applicazione legale e amministrativa, ma l'espressione «la giustizia del messia» o «messia di giustizia» (4 Q *Benedizioni patriarcali* 3) dice qualcosa di più. Il termine giustizia infatti è associato nella bibbia a quello di salvezza, di liberazione, all'inizio e al mantenimento da parte del popolo di una certa qualità di vita. Il messia farà valere i diritti del suo popolo contro gli oppressori, traditori o banditi, ma anche contro i peccatori che potrebbero esservi al suo interno. Li libererà dalla schiavitù e dall'oppressione; farà regnare la salvezza e la libertà di fronte a tutti i pericoli che li minacceranno; è infatti diritto di Israele essere libero, ricco e prospero, la prima nazione tra tutte le nazioni. La giustizia del messia è la salvezza del suo popolo; giustizia e salvezza sono identiche.

Il messia sarà giusto e *sapiente*; giustizia e sapienza sono in coppia. Il messia, re giusto e sapiente, non sopporta quindi il malvagio (Sal S 17,22-29.41). Le sue parole sono più pure dell'oro prezioso; sono come parole di santi in mezzo ai popoli santificati (Sal S 17,43).

Alla giustizia e alla sapienza si unisce la *forza*. Queste tre virtù, che provengono dal dono dello Spirito conferito al messia (Is 11,2), si trovano menzionate insieme nei salmi 17 e 18 di Salomone. Il messia presiederà nel tempo della salvezza «nella sapienza dello Spirito, nella giustizia e nella forza» (Sal S 18,17). «Poiché il Signore l'ha reso forte con uno spirito santo e (lo ha reso) maestro con sapiente prudenza unita a forza e giustizia. La benedizione del Signore lo accompagna, e sarà forte e non s'indebolirà. Porrà la sua speranza nel Signore, chi è forte al suo confronto? Sarà forte nelle sue opere e potente grazie al timore di Dio» (Sal S 17,37-40). Nella raccolta delle benedizioni a Qumrân si chiede che «Dio elevi [il principe dell'assemblea] fino all'altezza eterna, come una torre fortificata innalzata su di un bastione! e [tu colpirai i popoli] con la forza della tua [bocca]; con il tuo scettro devasterai la terra e con lo spirito delle tue labbra ucciderai l'empio...» (1 QS^{b}V, 23-25). Nel TP Nm 24,7 il messia è «più potente di Saul» e in IV Esd è paragonato a un leone che esce dalla foresta ringhiante e ruggente di fronte all'aquila (11,37; 12,31s).

L'origine della sapienza e della potenza del messia è il *timore di Dio*. Quando questo timore di Dio appare in pienezza esso significa libertà nei confronti del peccato, caratteristica sottolineata dal salmo 17 di Salomone: «Puro da [ogni] peccato così da poter governare un grande popolo e poter confondere i potenti e cancellare i peccatori con la forza della parola» (Sal S 17,36). Il salmista non intende parlare in questo testo di un'impeccabilità di natura ma, secondo la mentalità giudaica, della libertà del messia nei confronti di qualunque atto peccaminoso, cosa possibile per coloro che, vivendo nel timore di Dio e illuminati dal suo Spirito, possono conformarsi alla legge di Dio: per coloro che, in altri termini, sono giusti nel senso biblico del termine. «È un re giusto che Dio istruisce e pone alla loro testa» (Sal S 17,32). «Secondo ciò che [i sacerdoti] gli insegneranno, così giudicherà» (4 QpIs[a] II,27).

Il messia realizza l'ideale religioso e morale di Israele (1 QS[b] V, 20-29). La sua pietà costituisce il cuore stesso della religione fin dall'inizio, soprattutto da Isaia in poi: il timore di Dio e la fiducia in lui gli impediscono di cadere nel peccato di orgoglio, che è la caratteristica delle nazioni pagane che confidano nel potere e nell'intelligenza umana; ma egli «non confiderà nel cavallo, nel cavaliere o nell'arco: non ammasserà oro né argento per la guerra e non raccoglierà speranze per il giorno della guerra facendo affidamento su molti. Il Signore in persona è il suo re, speranza di lui che è forte perché spera in Dio» (Sal S 17,33s). Poiché possiede la sapienza e il timor di Dio, può essere capo del suo popolo ed esempio «quando vivranno sotto il bastone della correzione dell'Unto del Signore, nel timore del suo Dio, con ammaestramento di spirito e di giustizia e di forza, così da guidare l'uomo in opere di giustizia con timor di Dio e porre tutti loro davanti al Signore, generazione buona con timore di Dio, in giorni di misericordia!» (Sal S 18,7-9). Poiché egli stesso è santo, può purificare il suo popolo dal peccato, dall'impurità e dal paganesimo, renderlo santo e dargli questa qualità religiosa e morale inerente alla santità, cosicché questo popolo possa vivere una vita consacrata a Dio (Sal S 17,26-29.32.35s). Il dono conferito al messia infine può essere descritto, secondo l'antica terminologia giudaica, con una sola parola: egli ha ricevuto una benedizione speciale: «La benedizione del Signore lo accompagna, e sarà forte e non s'indebolirà» (Sal S 17,38), per questo egli stesso «benedirà il popolo del Signore con sapienza unita a letizia» (Sal S 17,35).

c. *Il ruolo del messia* - Il messia svolgerà essenzialmente un duplice ruolo: prima di tutto annientare o sottomettere i nemici di Israele, quindi governare Israele nella pace e nella santità. L'attività guerriera e l'attività pacifica del messia sono spesso unite nei testi (1 QS[b] V,20-29; Sal S 17; Or Sib III, 652-660; V, 414-443; IV Esd 11-12; 13; Ap Bar 53-76); talvolta è menzionata solo l'attività guerriera (CD VII,20-VIII,2; Or Sib V, 108s) e talvolta solo il regno pacifico (Ap Bar 30). L'attività guerriera del messia è sempre menzionata prima del regno pacifico tranne che nella benedizione del principe dell'assemblea (1 QS[b] V,20-29).

Quando verrà o apparirà, il ruolo primario del messia sarà quello di sopprimere o di sottomettere i nemici di Israele. Nella sua preghiera il salmista chiede a Dio di mandare il messia «così che possa spezzare i governanti ingiusti e purificare Gerusalemme dai popoli pagani che la calpestano con distruzione e con sapienza di giustizia allontanare i peccatori dall'eredità e spezzare l'orgoglio del peccatore come vasi d'argilla, con verga di ferro sbriciolare ogni loro esistenza, sterminare i pagani trasgressori con (la) parola della sua bocca, con la sua minaccia far fuggire i pagani (lontano) dal suo volto e punire i peccatori per i pensieri del loro cuore. E riunirà un popolo santo di cui sarà capo con giustizia... Giudicherà popoli e nazioni con la sapienza della sua giustizia. Terrà i popoli pagani sotto il giogo per servirlo» (Sal S 17,22-25; 26.29-30). Secondo Or Sib III, 652-654, il re che Dio manderà «ucciderà gli uni e imporrà agli altri patti leali». Secondo Or Sib V, 418-419, «l'uomo felice, disceso dalle pianure del cielo... ha distrutto da cima a fondo con fiumi di fuoco ogni città, ha consumato i popoli degli uomini che un tempo erano malfattori». Per Filone d'Alessandria il messia è uno stratega e un eroe di guerra che «guidando le armate e, combattendo, sottometterà nazioni grandi e numerose» (*Delle benedizioni e maledizioni*, 95).

A Qumrân nella benedizione del principe dell'assemblea, si implora Dio in questi termini: «Che il Signore [ti e]le[vi] fino all'altezza eterna e come una torre forti[ficata] innalzata su di un bastione! e [tu colpirai i popoli] con la forza della tua [bocca]; con il tuo scettro devasterai la terra e con lo spirito delle tue labbra ucciderai l'empio... Faccia di ferro le tue corna e di bronzo i tuoi zoccoli! Incornerai come un to[rello e calpesterai i popoli] come fango della strada! Poiché Dio ti ha posto quale scettro sui dominatori... [e tutti i po]poli ti serviranno ed egli si fortificherà con il suo santo Nome. E tu sarai come un l[eone]» (1 QS^b V,23-29). Nel Documento di Damasco si dice che il principe dell'assemblea «nell'ora della sua venuta, trafiggerà tutti i figli di Seth» (CD VII, 20-21), cioè tutti coloro che furono infedeli alla riforma del maestro di giustizia. Secondo il Pēsher di Isaia, testo molto frammentario, è detto che «il germoglio di Davide... dominerà su tutte le nazioni... e che la sua spada giudicherà [tutti] i popoli» (1 QpIs^a II, 24-25). Il misero frammento di un commento alla benedizione di Giacobbe su Giuda in Gn 49,10 che ci è pervenuto insisterebbe sull'aspetto militare della monarchia messianica, almeno se con A. Caquot si traducono così le righe 2 e 3: «Poiché ciò che è stabilito è l'alleanza regale e le migliaia di Israele sono i fanti» (4 Q *Benedizioni patriarcali* 2-3). Infine nel Florilegio biblico commentato, il Salmo 2,1-2 viene applicato al combattimento finale delle nazioni contro Israele: «L'interpretazione di questa parola è che [tumultueranno] i re delle genti e si accamperanno alla fine dei giorni, ergendosi contro gli eletti d'Israele; questo è il tempo del crogiolo che verrà...» (4 Flor I,19-II,1).

Le apocalissi di Esdra e di Baruc della fine del primo secolo attendono ugualmente un salvatore che annienterà i nemici di Israele. Nella visione dell'aquila (Esd 11,1-12,40) e nella visione della foresta e della vigna (Ap Bar 35-40), il messia annienta il quarto regno, cioè l'impero romano. Nella visione dell'aquila, il leone, identificato con il messia (IV Esd 12,13s) «denuncerà le loro empietà: li riprenderà per le loro ingiustizie, porrà in faccia a loro le loro pretese. Li farà prima passare in giudizio vivi e dopo aver fatto queste accuse li annienterà» (IV Esd 12,32s). Nella visione della foresta e della vigna l'ultimo capo del quarto regno è condotto legato sul monte Sion; e là «il messia lo rimprovererà di tutte le sue empietà, radunerà e porrà davanti a lui tutte le opere delle sue assemblee. Poi lo ucciderà...» (Ap Bar 40,1s). Nella visione dell'uomo che emergeva dal mare Esdra vede «una moltitudine innumerevole di uomini che si radunavano dai quattro venti del cielo per combattere l'uomo che era emerso dal mare». Quest'ultimo si intagliò una grande montagna e volò su di essa; i nemici si spaventarono e tuttavia rischiarono la lotta. Quando «quest'uomo vide l'assalto della moltitudine che sopraggiungeva, non prese né spada né nessun strumento di guerra, ma [...] fece uscire dalla sua bocca come un fiume di fuoco, dalle sue labbra un soffio di fuoco e dalla sua lingua una tempesta di scintille. Il fiume di fuoco, il soffio infuocato e la violenta tempesta vennero uniti insieme, caddero sulla moltitudine degli assalitori pronti a combattere e li consumarono tutti, sebbene non si vide immediatamente più niente di questa immensa moltitudine, se non la polvere di cenere e un odore di bruciato» (IV Esd 13,5-11). Secondo l'interpretazione della visione data subito dopo, nel momento della manifestazione del messia, tutte le nazioni pagane che avranno inteso la sua voce abbandoneranno il loro paese e la lotta che conducevano tra loro per venire a combattere contro il messia. Ma questi, dopo averle convinte di empietà, e aver mostrato i supplizi con cui saranno tormentate, le distruggerà con il suo decreto, rappresentato dal fuoco (IV Esd 13,32-38). Nella visione della nube e delle acque (Ap Bar 53-76) la prospettiva è più nazionalista, più vicina alla legge del taglione. L'angelo Remiel spiega a Baruc il senso della visione delle acque nere e luminose: «Eccone il senso: quando saranno venuti i segni di cui ti ho detto prima, le nazioni saranno disperse e verrà il tempo del messia. Egli chiamerà a sé tutte le nazioni e tra queste alcune le farà vivere, altre morire. Ecco dunque ciò che succederà a queste nazioni che devono ricevere da lui la vita. Ogni popolo che non ha conosciuto Israele e che non ha calpestato la stirpe di Giacobbe vivrà poiché, tra tutte le nazioni, sono quelli che si sottometteranno al tuo popolo. Ma tutti quelli che avranno dominato su di voi o che vi avranno conosciuto, saranno dati alla spada» (Ap Bar 72).

Anche numerosi testi dell'antico Targûm palestinese sono molto significativi. Ci riportano infatti la stessa tradizione che ritroviamo a Qumrân, nei salmi di Salomone e nelle apocalissi di Esdra e di Baruc. Basti citare il testo del Targûm palestinese su Gn 49,11:
«Com'è bello il re messia
che deve levarsi tra quelli della casa di Giuda.
Cinge i suoi fianchi e va a combattere contro i suoi nemici,
e massacra re con principi.
Tinge di rosso le montagne con il sague dei loro uccisi
e imbianca le colline con il grasso dei loro guerrieri.
Le sue vesti gocciolano sangue: assomiglia a un pigiatore d'uva».
Questa strofa sul messia guerriero avvicina Gn 49,11 a Is 63,2-3 di cui

presuppone l'interpretazione messianica. Ora tale interpretazione è attestata anche in Ap 19,11-15; è dunque antica. D'altra parte la promessa evoca prima di tutto la venuta del messia (TP Gn 49,10), poi il suo trionfo nella guerra contro i nemici del suo popolo (v.11) e la prosperità finale di Israele (v.12). Questa sequenza si ritrova nei testi di Qumrân (1 QS^b V, 20-29), nei salmi di Salomone (Sal S 17,23-43), negli Oracoli sibillini (III, 652-660) e nelle apocalissi di Esdra e di Baruc. La stessa sequenza si ritrova ancora in TP Nm 24,7, dove l'essenziale della speranza sta nella liberazione nazionale, nella riunificazione degli esiliati nel loro paese e nel dominio di Israele. L'attività del messia guerriero è ancora presentata in TP Nm 24,17-19, testo citato a più riprese a Qumrân e infine nei più recenti Targûm dei profeti (Tg Is 10,27; 11,4; 14,29-30; ecc.).

Infine il testo dei Settanta dice in Nm 24,7 che il regno dell'uomo uscito dalla discendenza di Giacobbe è più grande di quello di Gog, lasciando intendere che il messia vincerà Gog, cioè annienterà l'assalto dei popoli contro Gerusalemme. La lotta contro Gog è citata anche nell'Apocalisse (20,8) e nei Targûm (TJ1 Es 20,11; TJ1 Nm 24,17; TJ2 Nm 11,26).

Il messia è dunque il vendicatore del popolo di Israele; è il suo liberatore (TP Nm 24,7; IV Esd 12,34; 13,26). È anche il protettore del popolo che sarà rimasto (IV Esd 13,49; Ap Bar 40,2).

Il messia procurerà numerosi beni al suo popolo. Restaurerà Gerusalemme e il suo tempio (Or Sib V 420-427); radunerà le tribù disperse (Sal S 17, 26.31; IV Esd 13,12s.39-50). E secondo il Sal S 17,28, il messia ripartisce il popolo radunato nelle tribù sulla terra di Israele.

Ma al di là di questi benefici accordati alla nazione, ci si aspetta in quest'epoca che il salvatore escatologico costituisca un nuovo ordine per coloro che sono rimasti (IV Esd 13,26); che li colmi di gioia (IV Esd 7,28; 12,34), mostri loro, al ritorno in Israele, un gran numero di miracoli (IV Esd 13,50), benedica il popolo del Signore di sapienza e di gioia (Sal S 17,35), renda a tutti la ricchezza che gli uomini avevano un tempo loro sottratto (Or Sib V,416s).

Ci si attende, più in particolare, secondo Is 11,1-9, che l'eroe escatologico eserciti un giusto giudizio in mezzo alla comunità della salvezza e diffonda la sua giustizia su coloro che sono salvati. Secondo la raccolta delle benedizioni, Dio rinnoverà per il principe dell'assemblea l'alleanza della comunità, affinché restauri il regno di Dio e la santa alleanza, giudichi con giustizia i poveri e conduca con equità gli umili del paese (1 QS^b V, 21-23). Ci si aspetta che guidi con giustizia un popolo santo e che governi le tribù del popolo santificato da Dio (Sal S 17,26).

Il salvatore escatologico accorderà il perdono dei peccati? Nella letteratura giudaica il perdono è riservato a Dio. L'idea che il messia possa portare il perdono dei peccati con le sue sofferenze espiatorie è esclusa. L'assoluzione dal peccato è il risultato di un'attività giudiziaria o amministrativa dell'eroe escatologico; non è un'assoluzione interiore. Si dice che purificherà Gerusalemme santificandola come alle origini (Sal S 17,30); non tollererà che l'iniquità dimori ancora tra loro e l'uomo avvezzo al male non abiterà più con loro (v.27), rimprovererà i principi e distruggerà i peccatori con la sua potente parola (v.36), non vi saranno più tra gli infelici mortali azioni cattive, né aggressioni al letto nuziale, né amore criminale per i fanciulli, né massacro, né tumulto guerriero (Or Sib V, 429-431); farà pascolare il gregge del Signore nella fede e nella giustizia e non lascerà che nessuno tra loro vacilli nel pascolare (Sal S 17,40); la sua missione sarà quella di correggere Israe-

le (Sal S 17,42; 18,7); così dirigerà ciascuno nelle opere della giustizia per il timore di Dio, per stabilire tutti alla presenza del Signore (Sal S 18,8).

Così la comunità del liberatore escatologico è effettivamente una comunità di santi; non vi è ingiustizia durante i suoi giorni tra loro: sono tutti santi (Sal S 17,32); nell'eguaglianza li guiderà tutti e l'orgoglio non introdurrà tirannia in mezzo a loro (Sal S 17,41); è una generazione buona e timorosa di Dio (Sal S 18,9), l'epoca finale dei santi (Or Sib V, 431).

Il salvatore ha dunque una duplice fisionomia: è il liberatore nazionale e politico del popolo, ma è anche il capo spirituale e religioso; il messia è nello stesso tempo re e salvatore, eroe politico e spirituale. Un'affermazione come quella di Gesù in Gv 18,36: «Il mio regno non è di questo mondo» era impensabile sulla bocca del messia giudaico, così come lo descrivono i salmi 17 e 18 di Salomone.

Il tempo del messia sarà per Israele fondamentalmente un tempo di pace, gioia e felicità. La pace sarà grande nei giorni del messia di Israele (Tg Is 11,6) e la felicità immensa. Tale felicità è descritta lungamente nell'apocalisse di Baruc (29; 73-74) e negli Oracoli sibillini (III, 657-660; V, 420-433); è menzionata anche nei Targûm (TP Gn 49,12; TP Nm 24,18). I Padri della chiesa del secondo secolo (Papia, Giustino) riprenderanno queste immagini idilliache e paradisiache per descrivere la felicità degli eletti sulla terra nel regno dei mille anni.

Tempo di pace, di felicità e di gioia, quindi, per Israele questo regno del messia! Ma per le nazioni come sarà? Generalmente si può dire che l'attività salvifica del messia e del suo regno pacifico sono limitati agli israeliti che vivono in Palestina. Le nazioni conoscono il messia anzitutto come loro avversario. Secondo la più tardiva affermazione rabbinica, il messia sarà duro contro le nazioni e dolce con Israele. Secondo Sal S 17,28 il messia non lascerà soggiornare presso gli Israeliti nessun immigrato o straniero. Sopravvivranno solo le nazioni che non hanno dominato su Israele (Ap Bar 72,2-6). Là dove non si suppone l'annientamento delle nazioni, l'eroe escatologico appare come un sovrano che regge tutti i popoli. La sua potenza si estende alla terra intera (Or Sib II, 653s; V, 416); tiene i popoli pagani sotto il suo giogo perché lo servano (Sal S 17,30) e giudica i popoli e le nazioni nella sapienza della sua giustizia (Sal S 17, 29). L'eroe escatologico è riconosciuto dappertutto come il sovrano del mondo e le nazioni vengono dalle estremità della terra per vedere la sua gloria e per portargli in offerta i figli di Gerusalemme che erano stati dispersi (Sal S 17,31; cfr. IV Esd 13,13).

Spesso la durata di questo regno non è menzionata. Tuttavia nelle apocalissi di Esdra e di Baruc è considerato come un regno temporaneo (IV Esd 7,26-44; 12,31-34; Ap Bar 29-30; 39-40; 72-74). La durata di questo regno intermedio è precisata solo in IV Esd 7,28, ma varia a seconda delle versioni: «400 anni» secondo le versioni latina e georgiana e la prima versione araba; «30 anni» secondo la versione siriaca; «1000 anni» secondo la seconda versione araba. Alla fine di questo regno il messia morirà con tutti gli esseri umani. Il mondo ritornerà al suo antico silenzio per sette giorni come all'inizio, affinché non resti nessuno. Poi, alla fine dei sette giorni, il mondo non ancora desto si sveglierà e quello corrotto sarà distrutto (IV Esd 7,29-31).

Tentiamo, a conclusione di questa prima parte, una sintesi dell'attesa del messia tra il 50 a.C. e il 100 d.C. In questo periodo era attesa in certi ambienti (farisei, esseni, apocalittici) la venuta di un messia regale, ed anche di un messia sacerdote e di un messia re a Qumrân. Questa attesa era più o meno condivisa dal popolo che sembra averne sentito parlare nelle letture sinagogali, se si crede che le tradizioni contenute nel Targûm palestinese fossero già conosciute nel primo secolo; questa attesa messianica era conosciuta anche nella diaspora greca. Il messia regale era un essere terreno, dotato tuttavia di poteri soprannaturali. Le apolicassi della fine del primo secolo dicono che questo messia è stato riservato da Dio. Ci si aspettava da lui due cose. In primo luogo la liberazione politica di Israele, cioè che sterminasse o sottomettesse le nazioni pagane o empie. In secondo luogo che stabilisse in Israele riunito un ordine sociale giusto e conforme alle esigenze della legge, rendesse allo stato giudaico un lustro perso da molto tempo, assicurasse un riconoscimento universale al Dio unico. Questo sogno appariva all'orizzonte dal momento in cui veniva pronunciato il nome di messia. Dobbiamo tuttavia notare molte cose:

1. L'attesa messianica è subordinata al tempo molto più fondamentale del regno di Dio, legato a sua volta alla messa in pratica della Tôrāh. Essa non è indipendente da tale attesa escatologica molto più ampia; è solo un aspetto che alcuni giudicano indispensabile, ma che altri non prendono in considerazione. Infatti, per il periodo che ci interessa, alcuni libri importanti non parlano del messia: *il libro della Sapienza*, la *lettera di Enoch* (1 En 91-107); non se ne parla nemmeno in diversi testi contemporanei a Gesù: il *libro delle Antichità bibliche* dello Pseudo Filone *il Testamento di Mosè, il quarto libro degli Oracoli sibillini*. Filone, l'abbiamo visto, ne parla una sola volta. Possiamo allora parlare di febbre messianica come fanno molti autori? No, bisogna sfumare il concetto: l'attesa del messia come capo politico e spirituale era solo una parte dell'escatologia giudaica, propria di certi ambienti religiosi (farisei, esseni) e di certe cerchie apocalittiche; era conosciuta dalla diaspora greca (Filone,

Oracoli sibillini) e più o meno condivisa dalla tradizione comune (Targûm palestinese del Pentateuco).

2. La ripresa del messianismo del secondo secolo a.C. proviene indubbiamente da persone pie, gli asidei, che hanno resistito alla persecuzione di Antioco IV Epifane (cfr. Dn e 1 En 90); il messianismo si è poi sviluppato in opposizione agli Asmonei. Infatti c'è un elemento curioso: nessun testo messianico di Qumrân, salvo forse 1 QS^b V, 20-29 e 1 QM V, 1-2 sembra essere diretto contro i romani. Tutti i testi messianici di Qumrân sembrano proprio, al contrario, essere diretti contro gli Asmonei che servono loro da fattore respingente; è a partire da qui che si può spiegare l'attesa messianica a Qumrân di uno o due messia, a seconda che i prìncipi Asmonei assumano o meno la duplice funzione di re e di gran sacerdote. In compenso è proprio contro i romani che sono diretti i testi messianici usciti dall'ambiente farisaico, dalle cerchie apocalittiche e dalla diaspora.

3. I testi biblici su cui si fonda questa attesa messianica sono poco numerosi e, fatto molto significativo, sono gli stessi testi che si ritrovano sia tra i farisei, gli esseni e gli apocalittici, che nella tradizione comune rappresentata dal Targûm palestinese del Pentateuco; si tratta essenzialmente di Gn 49,10-12; di Nm 24 e Is 11 e, per le apocalissi, di Dn 7. È altamente significativo che i testi riferiti all'alleanza davidica non siano citati, soprattutto 2 Sam 7 e Sal 110. Il messia è chiamato figlio di Davide in senso ampio, secondo Is 11,1, o ancora germe di Davide come Ger 23,5. Come spiegare questo scarso interesse per la linea davidica carnale del messia? Non sarà semplicemente perché non si poteva più ritracciare questa filiazione? Possiamo supporre allora che ci si aspettasse che Dio con un miracolo ricostituisse questa filiazione rivelando o designando lui stes-

so il messia, o ancora «facendolo nascere» (1 QS^a II,11).

4. Il messianismo dei nostri testi è puramente nazionale, politico e religioso. Come si può conciliare questo messianismo con l'attesa di una salvezza veramente trascendente, attesa di una manifestazione di Dio stesso che si ritrova in altri testi? (*Testamento di Mosè, Libro delle Antichità bibliche*).

5. Questo messianismo, malgrado certe costanti, è abbastanza diversificato, ed è puramente escatologico e ideologico. La funzione del messia prevale nettamente sulla persona. Questo messianismo, poiché è ideologico, ha potuto esercitare un influsso sull'immaginario sociale dove le rappresentazioni mentali non sono neutre, ma cercano di realizzarsi, di concretizzarsi; per questo, a fianco di tale messianismo ideologico, si svilupperanno nel primo secolo movimenti messianici popolari di cui parla Giuseppe Flavio. Vi è un legame reale tra l'ideologia nazionalista, politica e religiosa veicolata dai testi che abbiamo appena studiato e i movimenti messianici popolari; lo vedremo nella seconda parte.

2. L'ATTESA MESSIANICA SECONDO I DIVERSI GRUPPI SOCIALI E RELIGIOSI - Il ritratto del messia regale che abbiamo tracciato può sembrare abbastanza uniforme, qualunque siano i partiti religiosi che l'hanno immaginato: farisei, esseni, ambienti apocalittici e anche liturgici. Lo studio comparato delle religioni ha tuttavia mostrato che è proprio considerando gli elementi comuni che si percepiscono le opposizioni. In questa seconda parte può essere bene allora comparare questa attesa del messia secondo le diverse tendenze religiose e sociali del primo secolo in Israele: un più ampio spazio sarà dato alle rappresentazioni messianiche in certi movimenti popolari.

a. *I sadducei* - I sadducei costituiscono un caso a parte. Non riconoscono lo stesso valore a tutti i libri sacri, ma sarebbe esagerato dire che non ammettono come Scrittura nient'altro che il Pentateuco. La Tôrāh comunque, base dello statuto giuridico riconosciuto dai romani come già dai persiani e dai greci, era al primo posto nelle loro preoccupazioni; in materia di *halakāh* bisognava fondare tutto su di essa e riservare solo ai sacerdoti l'interpretazione autentica, rifiutando l'idea di una legge orale la cui autorità eguagliasse quella della legge scritta. I libri non giuridici − Profeti, Salmi e altri scritti − non potevano avvalersi dello stesso privilegio. Ora, nell'ambito del messianismo, il Pentateuco conteneva, letto a livello di testo, solo un materiale molto scarso. I soli testi messianici riconosciuti all'epoca erano Gn 49, 10-12 (benedizione di Giacobbe) e Nm 24,17 (oracolo di Balaam). Per interpretare messianicamente questi due testi bisognava avvicinarli alle promesse fatte a Davide e alla sua discendenza. Dobbiamo quindi fare appello ai libri profetici e ai salmi. Ora, le promesse messianiche contenute nei libri profetici e nei salmi avevano, agli occhi dei sadducei, un'autorità minore delle promesse fatte ai patriarchi: promesse relative alla terra santa, alla prosperità materiale di Israele, all'efficacia del culto per ottenerla. Tuttavia niente consente di dire che essi non attendessero una manifestazione futura del messia. Ma un messianismo popolare, con i suoi entusiasmi incontrollabili, pareva loro un pericolo anche per la nazione. Menahem, il Sicario, che giocava a fare il re, fu preso e messo a morte dal guardiano del tempio Eleazar all'inizio della rivolta giudaica (*B.J.* II, 17,8-10,433-445). Anche Simone bar Giora all'inizio della rivolta, invita a partire con il governo provvisorio di Gerusalemme diretto dall'aristocrazia sacerdotale (*B.J.* IV, 9,3,503-504). E quando la febbre messianica comin-

cerà a salire intorno a Gesù di Nazareth, Caifa dichiarerà che era meglio che uno solo morisse perché la nazione si salvasse (Gv 11,50). Ed è su denuncia dei sadducei (Gv 11,53) che Gesù sarà crocifisso dai romani come messia popolare.

b. *I farisei* - I farisei legavano la loro speranza messianica a tutta la Scrittura, cosa che li separava già dai sadducei. Il loro messianismo, ben conosciuto grazie alla continuità tra i salmi di Salomone, i Targûm e le tradizioni rabbiniche più tardive, resta fedele a un messianismo regale fondato sui *Testimonia* scritturali. La loro speranza messianica è fondamentalmente nazionalista. La scelta di Israele e le promesse alla dinastia davidica forniscono un supporto ideologico alla descrizione del regno di Dio: la realizzazione del regno di Dio nella storia ruota intorno al compimento di queste promesse. Tale compimento è impossibile senza la fedeltà di Israele alla Tôrāh. Anche la restaurazione del potere politico grazie all'avvento del messia non ha altro scopo che il ritorno integrale del popolo a questa fedeltà. Il nazionalismo religioso non è concepito tra loro come una concezione che includa Dio; al contrario ha come scopo il servizio di Dio da parte di Israele e infine da parte delle altre nazioni che a loro volta lo riconosceranno e gli saranno sottomesse.

Questa concezione del messianismo puramente regale separava i farisei dagli esseni e anche dai sadducei. Inoltre si opponeva a questi ultimi per il loro comportamento nei confronti dell'occupante romano. Ogni riconoscimento del potere romano come autorità legittima era per loro fuori questione; avevano rotto con gli Asmonei per fedeltà alla regalità davidica; avevano poi preso le distanze nei confronti di Erode il Grande per lo stesso motivo; non potevano rinnegare se stessi riconoscendo ufficialmente l'occupante romano. Erano tuttavia contrari alla resistenza violenta che poteva solo portare pregiudizio alla nazione, mettendo in pericolo il suo statuto di autonomia cultuale e giuridica. Contavano sull'osservanza fedele della Legge per ottenere da Dio il messia liberatore. Questi aveva evidentemente ai loro occhi una dimensione politica, ma essi non volevano affrettare l'ora della sua venuta con un attivismo sconsiderato. Per questo, durante la rivolta del 66-70, si staccarono progressivamente dall'azione militare: una tradizione riporta che Johannan ben Zakkai lasciò allora Gerusalemme assediata per recarsi in territorio occupato e preparare la riorganizzazione delle istituzioni nazionali. Due elementi separano l'attesa messianica dei farisei da quella dei movimenti popolari, come vedremo: i farisei attendevano un messia davidico, come indicano chiaramente il salmo 17 di Salomone (v.21) e i Targûm. I movimenti popolari non avevano la stessa concezione del messia davidico, anche se vedevano nei loro capi degni emuli di Davide. La resistenza armata, rifiutata dai farisei, aveva nei movimenti popolari un fondamento sociale, economico e anche religioso.

c. *Gli esseni* - È indubbio che l'essenismo abbia atteso con una certa impazienza il compimento delle promesse profetiche in vista della liberazione di Israele e della formazione di un popolo ideale. La teoria dei due messia, di Aronne e di Israele, segna chiaramente il carattere sacerdotale del partito religioso conosciuto attraverso i testi di Qumrân: il germoglio di Davide sarà subordinato al sacerdote escatologico, in un popolo santo la cui vita sarà centrata su Gerusalemme, sul tempio e sul suo culto (1 QS^a II,11-17). Il ruolo del messia regale, che chiede direttive ai sacerdoti, figli di Aronne, per sottometterle la sua condotta alla legge, è ridotto a una dimensione politica (4 QpIs^a

II,27). Il suo ruolo essenziale, secondo 1 QS^b V, 23-29, sembra essere la guerra santa che deve liberare Israele dal giogo dei pagani e degli empi all'interno stesso di Israele. Proprio come nei farisei, il nazionalismo religioso domina i loro pensieri e l'Unto di Israele aveva ai loro occhi anzitutto un ruolo politico. Vi è un'apertura molto netta nei confronti dell'attivismo politico a cui la *Regola della Guerra* fornisce un programma e un regolamento ideale se non utopico. È tanto più strano che il principe dell'assemblea vi sia menzionato una sola volta (1 QM V,1). Il messianismo regale, diretto anzitutto contro gli Asmonei, sembra aver preso più tardi come bersaglio i romani. L'archeologia ha rivelato che il monastero di Qumrân fu distrutto durante la rivolta del 66-70, segno verosimile del fatto che gli esseni presero parte al combattimento contro i romani.

Il messianismo degli esseni si avvicina dunque a quello dei farisei per la sua dimensione nazionalista e per il ruolo attribuito al messia di Israele. Gli esseni sembrano tuttavia più inclini alla resistenza violenta di quanto non lo fossero i farisei. L'attesa di un messia di Aronne, che ha precedenza sul messia di Israele, mentre rivela l'aspetto sacerdotale della setta, li separa anche dai farisei. Tutto distingue gli esseni dai sadducei nella loro concezione messianica. In compenso due elementi li avvicinano ai movimenti popolari: come questi ultimi, gli esseni sembrano portati all'azione violenta, sebbene in contesti differenti. Inoltre, malgrado l'espressione stereotipata «germoglio di Davide», gli esseni non si aspettano necessariamente che il messia di Israele sia della stirpe carnale di Davide.

d. *I movimenti messianici popolari* - La presentazione del messia offerta dalle tradizioni dei farisei, esseni, sadducei o apocalittici è fondamentalmente escatologica e ideologica. Parallelamente a questa attesa idealizzata del messia, ma non senza rapporto con essa, vi furono nella Palestina del primo secolo alcuni movimenti popolari che forniscono una testimonianza concreta e palpabile dell'attività messianica al tempo di Gesù. Vi furono tra il popolo numerosi movimenti reali, concreti, che furono condotti da capi che si proclamarono o si fecero riconoscere re; movimenti e capi che hanno realmente esercitato un potere in certe parti del paese. Conosciamo questi movimenti da alcuni brevi e ostili racconti di Giuseppe Flavio. Egli infatti non ha accordato importanza alle connotazioni religiose di questo fermento piuttosto intenso; tali movimenti sono per lui un semplice fenomeno anarchico in margine al giudaismo ufficiale. È certamente difficile valutare la natura delle aspirazioni che animavano questi gruppi dissidenti, ma alcune constatazioni si impongono da sé. Sembrerebbe chiaro dover distinguere questi movimenti messianici popolari, guidati da un capo che si dà o si fa riconoscere come re, dal banditismo che allora imperversava, dai sicari che si manifesteranno solo verso gli anni 50; dagli zeloti che cominciarono a far parlare di sé solo nel secondo anno della grande rivolta giudaica, dunque nel 67, infine dai movimenti profetici. Infatti, al di fuori dello sfortunato tentativo del sicario Menahem, i capi di questi gruppi o i profeti non si attribuirono mai il titolo di re. I profeti si presentarono molto più come precursori dell'èra messianica e la loro pretesa durò, generalmente, solo pochissimo tempo; appena sorti, questi movimenti profetici furono schiacciati: così Theuda (*Ant. J.* XX, 97-98), il falso profeta egiziano (*Ant. J.* XX, 168-171), il profeta samaritano (*Ant. J.* XVIII, 85). Per l'intento e per la forma, la manifestazione e l'azione di questi profeti sono diverse dai movimenti popolari messianici; inutile dunque studiarli, più di quanto valga la pena

di studiare il banditismo, il movimento sicario o gli zeloti. Ci atterremo dunque ai movimenti messianici guidati da capi che vogliono farsi passare per re e che, agli occhi dei loro partigiani e indubbiamente anche di una parte della popolazione, furono visti come tali.

Giuseppe Flavio dice che questi movimenti si sono prodotti in due momenti precisi: in occasione della rivolta che seguì alla morte di Erode il Grande e durante la grande rivolta contro Roma nel 66-70. Ci occuperemo di tre movimenti al momento dell'ascesa al trono di Archelao: quelli di Giuda ben Ezechia, di Simone e di Atrongeo. Giuseppe Flavio pone questi movimenti, come altre rivolte, immediatamente prima della guerra di Varo. Ma è poco probabile che questi fatti si siano verificati simultaneamente nel 4 a.C. Sembra piuttosto che Giuseppe Flavio abbia accumulato artificialmente avvenimenti che dovettero costellare il governo di Archelao. Nel testo di Giuseppe Flavio questi racconti danno l'impressione di essere riportati da altra fonte: sono intercalati dall'appello che Sabino, assediato in Gerusalemme, lanciò a Varo e dall'arrivo stesso di Varo ambasciatore della Siria (*Ant. J.* XVII, 269-285). Due altri movimenti messianici, guidati da capi che vollero farsi riconoscere come messia, ebbero luogo durante la prima rivolta giudaica: si tratta di Menahem e di Simone bar Giora. L'ultimo movimento messianico si produsse in occasione della seconda rivolta giudaica: si tratta della resistenza condotta da Simone bar Koshiba, riconosciuto come messia da Rabbi Aqiba. Verranno studiati solo i movimenti messianici successivi alla morte di Erode; affronteremo tre punti: come spiegare che alcuni capi di movimenti popolari presero il titolo di re; perché queste rivolte ebbero luogo dopo la morte di Erode il Grande; le caratteristiche di questi movimenti.

Giuseppe Flavio, nonostante l'epiteto poco lusinghiero che attribuisce a certi capi — li tratta da banditi —, dice tuttavia che alcuni di questi capi presero o ricevettero il titolo di re. Così Giuda ben Ezechia ambì gli onori regali (*Ant. J.* XVII, 274); Atrongeo ebbe la temerarietà di aspirare alla regalità e, dopo essersi insediato, tenne consiglio per decidere ciò che si doveva fare (*Ant. J.* XVII, 278-281). Come spiegare questo titolo di re rivendicato da questi capi di rivolte o riconosciuto loro dai partigiani e da una parte del popolo?

Molti fattori hanno potuto giocarvi: possiamo notare, anzitutto, che l'antica tradizione dell'unzione o del riconoscimento del re da parte del popolo, risalente a Saul e a Davide, è potuta durare e rinascere nel momento delle crisi. Questi capi erano, come lo fu Davide stesso, prima di tutto capi di bande e di saccheggiatori. D'altra parte, la linea davidica si era perduta dopo Zorobabele, si aspettava da Dio un miracolo che suscitasse di nuovo un re davidico. Molti testi lasciano chiaramente intendere che Dio stesso susciterà il messia dalla comunità di Israele, senza che si faccia esplicitamente menzione della sua ascendenza davidica (1 En 90,37; 1 QS[a] II,11). I movimenti di rivolta ebbero infine luogo nei momenti di crisi: alla morte di Erode e durante le due rivolte giudaiche; è durante i momenti di crisi che la speranza messianica diventa più forte; si pensi a ciò che è accaduto prima, ai tempi della persecuzione di Antioco IV Epifane (libro di Daniele e libro dei Sogni di Enoc), durante la presa di Gerusalemme da parte di Pompeo (salmi di Salomone). Se si coniugano questi diversi fattori, si può spiegare come i capi di questi movimenti di rivolta abbiano potuto prendere il titolo di re e anche essere riconosciuti re dai loro partigiani e addirittura da una parte della popolazione. Non si può dimenticare d'altra parte che la pretesa della regalità è spiegabile anche con fattori umani: ambizione dei capi di movimenti e desiderio di liberazione nei partigiani e nella popolazione che essi controllavano.

Alla domanda perché queste rivolte ebbero luogo alla morte di Erode il Grande, si può rispondere facilmente: perché fu un periodo di crisi e la crisi ravviva la speranza di liberazione. Economicamente e politicamente parlando, il regno di Erode fu opprimente per i ceti popolari ebrei, soprattutto per i contadini; ma il suo sistema di sicurezza era così forte e le misure prese così severe, che qualunque rivolta era impossibile finché egli era in vita; in compenso si capisce benissimo come siano esplose alla sua morte. D'altra parte la legittimità del re è un fattore importante in tutti i ceti popolari. Agli occhi del popolo, Erode non poteva rivendicare nessuna legittimità. Era giudeo per metà e tutto l'opposto di un capo popolare. Era una marionetta del potere romano che dovette conquistare il suo regno, quindi governarlo con l'aiuto delle legioni romane o dei mercenari che usava come forze di sicurezza; lo stile ellenistico della sua corte e la burocrazia erano estranei al popolo.

Le caratteristiche di questi re o messia popolari sono molto diverse da quelle del messia atteso dai farisei, dagli esseni o più tardi dagli apocalittici. Prima di tutto questi re popolari sono in carne e ossa, esseri storici, a differenza del messia atteso dagli ambienti farisei, esseni o apocalittici. Inoltre sono re popolari che conducono i loro partigiani a liberarsi effettivamente da un governo straniero e tirannico; vogliono ristabilire relazioni sociali più egualitarie mettendo fine ai privilegi socio-economici di cui godevano certe classi sociali.

Questi re hanno le caratteristiche del popolo. Sono grandi, forti fisicamente, e coraggiosi; è il caso di Simone e di Atrongeo (*Ant. J.* XVII, 273.278), come anche di Simone bar Giora. Ora, nessuno dubita che nella tradizione popolare il re scelto da Dio dovesse essere un uomo forte o un guerriero. Questa immagine dell'eroe o del re forte viene dalla memoria del popolo. Era l'immagine che ci si faceva di Davide; secondo 1 Sam 16,18 il servitore di Saul riferisce: «Ecco, ho visto il figlio di Jesse il Betlemmita: egli sa suonare ed è forte e coraggioso, abile nelle armi, saggio di parole, di bell'aspetto e il Signore è con lui».

Questi capi popolari sono di umile origine; il popolo non cerca i suoi capi nelle classi altolocate. Simone era uno schiavo del re Erode e Atrongeo un semplice pastore come Davide (*Ant. J.* XVII; 273.278); Giuda era il figlio di un brigante che impugnò le armi quarant'anni dopo che il padre era stato ucciso da Erode il Grande. Era probabilmente un contadino visto più o meno come un eroe perché figlio di un brigante.

I partigiani di Giuda, di Atrongeo e di Simone erano verosimilmente contadini e artigiani; molti tra loro erano dei disperati (*Ant. J.* XVII, 271) che certamente avevano perso le loro terre a motivo delle durissime circostanze economiche dell'epoca. Dicendo che i Perei avevano scelto Simone come capo a causa della loro follia e che combattevano più con coraggio che con ordine e scienza, Giuseppe Flavio rivela in parte la motivazione che animava questa gente (*Ant. J.* XVII, 274-276). Erano organizzati in compagnie per fini militari e Atrongeo usava i suoi fratelli come capi di diversi gruppi armati. Egli stesso teneva consiglio per sapere quale decisione prendere (*Ant. J.* XVII, 280-281).

L'obiettivo di questi movimenti messianici era duplice: liberarsi dalla dominazione romana ed erodiana e ristabilire l'antico ideale di uguaglianza sociale. Giuseppe Flavio riferisce che essi incendiarono i palazzi reali di Sefforis e di Gerico, non solo per vendicarsi della tirannia erodiana e ottenere armi, ma anche per ricuperare i beni che erano stati loro presi dai funzionari di Erode che li avevano ammassati là (*Ant. J.* XVII, 274; *B.J.* II,4,257). Indubbiamente facevano anch'essi razzie contro le ville borghesi; il loro sentimento di frustrazione a lungo sopportato, lo sfruttamento di cui erano stati vittime prendevano la forma di sommosse contadine, di anarchia che tendeva infine all'uguaglianza.

Questi movimenti, che si fondavano su un'aspirazione all'uguaglianza di natura religiosa e i cui capi erano visti come re, erano più seri delle sommosse o delle bande di razziatori. Furono movimenti che presero il controllo di alcune parti del paese nelle loro rispettive contrade: la Galilea, la Giudea, la Perea. Soprattutto in Giudea il movimento guidato da Atrongeo continuò per un certo periodo, prima che le forze romane o erodiane arrivassero a sottomettere le diverse compagnie di suoi partigiani. Archelao infine persuase l'ultimo dei fratelli ad arrendersi, ma ciò avvenne solo molti anni dopo la rivolta (*Ant. J.* XVII, 281-284).

La concezione messianica di questi movimenti popolari diverge considerevolmente dalle concezioni dei vari gruppi religiosi del tempo. È totalmente opposta alla concezione sadducea. I sadducei sono i nemici contro cui lottano i rivoltosi quanto contro i romani. I movimenti popolari d'altra parte, all'opposto dei farisei e degli esseni, non aspettano un messia: ne scelgono e ne seguono uno con cui i partigiani intraprendono le lotte di liberazione; l'utopia cede il posto alla pratica. Ma il loro ideale messianico non può essere così lontano dall'immagine che i farisei si fanno del figlio di Davide. Ciò che, secondo il salmo 17 di Salomone, i farisei si aspettano dal messia, i movimenti popolari lo vogliono realizzare ora;

la guerra escatologica di liberazione è diventata guerra attuale; sarà seguita dalla liberazione e da un'era di giustizia; è almeno ciò che sperano e il motivo che li spinge alla lotta. La necessità in cui si trovano dà alla loro fede mani e braccia per combattere. Se la motivazione religiosa che li anima non è chiara, non può tuttavia essere negata, e quando Giuseppe Flavio li tratta da briganti non si devono prendere le sue affermazioni per oro colato.

Le concezioni messianiche del tempo di Gesù erano più diversificate di quanto un'analisi schematica delle principali correnti non lasci supporre. Le speranze nell'avvenire potevano assumere forme piuttosto diverse; non tutte erano messianiche, come abbiamo visto. Alcuni ambienti trovavano rifugio in direzione di un sogno molto staccato dalla politica; il *Testamento di Mosè* ne è un buon esempio. Inoltre le concezioni del mondo futuro, mondo che doveva subentrare all'azione liberatrice del messia, offrivano esse stesse un campione molto variegato in cui le tendenze spiritualizzanti confinavano con concezioni molto temporali. Il modo di concepire il regno di Dio, spesso legato alla concezione messianica, non era meno diversificato. Gesù si dovette rapportare alle credenze e alle speranze dei suoi contemporanei. L'impressione di una certa indeterminatezza lasciata da alcuni testi evangelici a proposito della coscienza messianica di Gesù si spiega con questo retroscena. Come avrebbe potuto Gesù definirsi chiaramente messia, quando la parola stessa di messia poteva evocare concezioni tanto diverse? Se è così, si pone inevitabilmente un problema: perché i primi cristiani si sono sentiti obbligati a sintetizzare la loro speranza in un titolo che, unito al nome di Gesù di Nazareth, ha finito con l'esservi sistematicamente associato: Gesù Cristo? Perché la prima generazione cristia-

na non ha creduto di potersi mantenere fedele a Gesù se non designandolo in un modo che da parte sua aveva suscitato, se non un rifiuto, almeno gravi riserve e che nell'ambiente palestinese poteva generare solo confusioni? È il titolo che Gesù portò sulla croce: «Re dei giudei», cioè messia; con la morte e risurrezione il significato del termine «messia» doveva essere trasformato. È per questo che di fronte a qualunque messianismo guerriero o glorioso, secolare o religioso, i cristiani proclamano ciò che al tempo di Gesù era impensabile: «Noi predichiamo Cristo crocifisso, scandalo per i giudei, stoltezza per i pagani; ma per coloro che sono chiamati... predichiamo Cristo potenza di Dio e sapienza di Dio» (1 Cor 1,23s).

Bibl. - M.-J. Lagrange, *Le messianisme chez les Juifs*, Paris 1909; H. Gressmann, *Der Messias*, Tübingen 1927; P. Volz, *Die Eschatologie der jüdischen Gemeinde*, Tübingen 1934; L. Cerfaux (ed.), *L'attente du Messie*, Paris-Tournai 1954; J. Klausner, *The Messianic Idea in Israel*, London 1956; S. Mowinckel, *He That Cometh*, Oxford 1956; A.S. Van der Woude, *Die messianischen Vorstellungen der Gemeinde von Qumran*, Assen 1957; M.-A. Chevalier, *L'Esprit et le Messie dans le Bas-Judaïsme et le Nouveau Testament*, Paris 1958; E. Massaux (ed.), *La venue du Messie*, Paris-Bruges 1962; Autori vari, *Il Messianismo*, Brescia 1966; P. Grelot, *L'espérance juive à l'heure de Jésus*, Paris 1978; A. Caquot, «Le messianisme qumrânien» in M. Delcor (ed.), *Qumrân. Sa piété, sa théologie et son milieu*, Paris-Louvain 1978, 231-247; J. Coppens, *La Relève apocalyptique du Messianisme royal*, Louvain 1979; M. Pérez Fernández, *Tradiciones mesiánicas en el Targûm Palestinense*, Valencia-Jerusalem 1981; H.J. Greshot (ed.), *Jesus-Messias? Heilserwartung bei Juden und Christen*, Regensburg 1982; E.M. Laperrousaz, *L'attente du Messie en Palestine à la veille et au début de l'ère chrétienne*, Paris 1982; R.A. Horsley, «Popular Messianic Movements around the Time of Jesus», in CBQ 46 (1984) 471-495; J. Neusner, «Messianic Themes in Formulative Judaism», in JAAR 52 (1984) 357-374; L. Ruppert, «Die alttestamentlich-jüdischen Messiaserwartungen in ihrer Bedeutung für Zeit», in MThZ 35 (1984) 1-16; R.A. Horsley - J.S. Hanson (edd.), *Bandits, Prophets and Messiahs: Popular Movements in the Time of Jesus*, Minneapolis-New York 1985; R.A. Horsley, «Menahem in Jerusalem. A

Brief Messianic Episode Among Sicari», in NT 27 (1985) 334-348; E. Nodet, «La dédicace, les Macchabées et le Messie», in RB 93 (1986) 321-375; A. Dupont - Sommer - M. Philonenko (edd.), *La Bible. Écrits intertestamentaires*, Paris 1987; H. Cazelles, *Il Messia della Bibbia*, Roma 1987; W. Harrelson, «Messianic Expectations at the Time of Jesus», in *StLukeJournTheol* 32 (1988) 28-42; S. Isser, «Studies of Ancient Jewish Messianism: Scholarship and Apologetics», in *JournEcumStud* 25 (1988) 56-73; P. Sacchi, «Esquisse du développement du messianisme juif à la lumière du texte qumrânien II Q Melch», in ZAW-Suppl 100 (1988) 202-214; J.H. Charlesworth, *Jesus Within Judaism. New Light from Exciting Archeological Discoveries*, London 1989.

GÉRARD ROCHAIS

II. Compimento del messianismo

Il messianismo costituisce per la teologia fondamentale uno dei temi più qualificanti e nello stesso tempo più difficili. Convergono qui infatti, sia risultati tra i più disparati della ricerca biblico-teologica, sia elementi che derivano dall'ebraismo come pure dati particolari della teologia neotestamentaria. Tutti, in qualche modo, cercano di realizzare una sintesi intorno a questo unico centro.

Se per alcuni, il messianismo rappresenta un dato relativo nella identificazione del proprio credo religioso, per altri invece, esso costituisce l'elemento fondante intorno a cui si muove la novità della fede. Di fatto si è di fronte ad un fenomeno che permette di mantenere uniti l'Antico e il Nuovo Testamento; il messianismo infatti è, essenzialmente, segno di una speranza che mai è venuta meno.

Si potrebbe dire che, all'ombra del messianismo, trascorrono quasi quattro mila anni di storia religiosa. Per i primi duemila, un popolo ha sperato in differenti modi che la promessa fatta si realizzasse; per i duemila successivi, un altro popolo, nuovo, anche se in quello antico affonda le sue radici, proclama che la promessa è stata mantenuta e che, in Gesù di Nazareth, si è definitivamente realizzata.

Il fenomeno del messianismo, come una realtà religiosa, non è specifico di Israele. Si trovano forme di messianismo anche nell'antico Egitto, in Mesopotamia e in Grecia. È tuttavia peculiare di ogni popolo e cultura comprendere, vivere ed esprimere fenomeni comuni, con tratti e mediazioni che sono proprie ad ognuno. In questo senso, si può dire che il messianismo è creazione originale di Israele, in quanto è stato realizzato in modo da trovare, nelle forme religioso-politiche del popolo, alcune caratteristiche che lo rendono peculiare nei confronti di altre forme messianiche.

1. LA SPERANZA MESSIANICA - L'ebraico *mashîᵃḥ*, con il corrispondente aramaico *meshiha*, è il participio del verbo *masahah* e significa unto. Il greco lo renderà con χριστός (*christós*) che verrà latinizzato in *christus*. Indica preferibilmente il re o il gran sacerdote, ma in diversi casi viene utilizzato per rappresentare un soggetto con ruoli particolari, quali il profeta (1 Re 19,16), o un re straniero come nel caso di Ciro (Is 45,1).

Il messia è quindi l'unto, colui che agisce secondo il volere di Dio. Come l'olio che viene recato per l'unzione è particolare, in conformità alla legge (Es 30,22-32), ugualmente colui che viene unto con questo olio è considerato come una persona cui sono affidati incarichi speciali o meglio, consacrata per realizzare in mezzo al popolo una missione specifica.

Per l'AT, il messia possiede una connotazione particolare. Intorno a questa definizione si nascondono differenti idee e diverse aspirazioni. Il messianismo indica anzitutto una concezione particolare di storia tesa verso un compimento, esprime poi la speranza di una salvezza che verrà data; riflette, infine, l'attesa di un liberatore o l'instaurazione di un nuovo sistema politico.

Intorno allo stesso termine pertanto, confluiscono accentuazioni e significati diversi che si muovono tra coordinate sia di carattere religioso che politico, tipiche di un sistema teocratico. Questo slittamento di significati non permette di avere un concetto assoluto e monolitico di messianismo per l'AT; alla base, come fosse un denominatore comune, è possibile solo vedere il sentimento di speranza di un popolo che, in diverse epoche, sotto il mutare degli eventi storici, ha concretizzato in questo modo l'aspirazione ad essere guidato da una persona giusta e illuminata.

Una teologia dell'AT, conservando questa pluralità di significati, può mostrare diverse teologie di messianismo che si sono venute a formare lungo il corso dei secoli. Se ne possono descrivere almeno quattro: regale, sacerdotale, profetica, apocalittica.

a. *Messianismo regale* - È certamente l'idea che più di ogni altra si impone nella storia di Israele. A partire dalla profezia di Natan a David (2 Sam 7,1-16), la dinastia regale entra a far parte della tradizione sacrale di Israele. I titoli che precedentemente venivano attribuiti al popolo per indicare il suo essere «eletto», «scelto» e «consacrato» per recare il culto a Dio, ora sono applicati al re. Questi diventa ormai il partner di un rapporto privilegiato con Jhwh; con lui si compie un'alleanza nuova, segno di un rinnovato impegno di Dio a salvare il suo popolo.

Al di là di un'immediata concretizzazione della figura messianica, che poteva essere suggerita dalla nascita dell'erede al trono nella dinastia davidica (in questo contesto la nascita di Salomone da Betsabea, cfr. 2 Sam 12,13), la profezia apre invece la strada che lascia intravedere una promessa che va oltre quel particolare momento storico e che progressivamente si impone in Israele come la speranza di un rinnovato impegno di Dio

ad intervenire in favore del suo popolo.

I cosiddetti «*Salmi regali*» (Sal 2. 18.20. 21.45.72. 89.101. 110. 132) sono l'esempio classico di una rilettura non più solo in chiave politica, ma anche spirituale, di questa speranza messianica che si instaura in Israele. La figura del messia regale si trasforma progressivamente fino ad essere identificato non più come l'ultimo della serie dei re nella dinastia davidica, ma come il modello del re perfetto, di colui che regnerà secondo il volere di Jhwh.

b. *Messianismo sacerdotale* - Il periodo del post-esilio, con la morte di Zorobabel ultimo re della dinastia davidica, segna una nuova riflessione riguardo alla speranza messianica. La persona del sommo sacerdote, che inizia a condensare in sé i poteri civili, militari e spirituali (cfr. Zac 6, 9-15), rappresenta ora la mediazione privilegiata sia dell'alleanza che della promessa di salvezza.

Come al re davidico era stata promessa un'alleanza eterna, così ora gli autori sacri inseriscono nelle tradizioni (Es 40,15; Num 25,13), la promessa di un sacerdozio eterno fatta ad Aronne e a tutta la casa sacerdotale.

In prossimità al periodo neotestamentario, la disfatta dei Maccabei riproporrà questa lettura messianica che sarà confermata, tra l'altro, dall'interpretazione che in Qumrân si dava del doppio messia: quello davidico e del «messia di Aronne» che sarebbe stato il nuovo sacerdote, l'ἀρχιερεύς χριστός (*archieréus christós*), il mediatore unico e definitivo dell'alleanza.

c. *Messianismo profetico* - Il profetismo è una realtà peculiare di Israele. Nelle differenti epoche storiche, esso rappresenta la coscienza critica che vigila sulla purezza della fede. Con la monarchia, i profeti saranno segno di una autorità superiore a quella del re; nel periodo dell'esilio si trasformeranno in una presenza consolatoria per il popolo, e nel post-esilio condenseranno nella loro predicazione il messaggio di speranza.

Il «giorno del Signore» rimane come la sintesi del loro messaggio perché evoca, contemporaneamente, l'obbligo circa l'osservanza della Tôrāh da parte del popolo, e l'immutata fedeltà di Jhwh alla sua promessa.

La figura di Mosè, che resterà sempre nella storia di Israele come l'immagine prototipa del profeta, segna anche la speranza che nel futuro sorgerà uno come lui, capace di rinnovare i segni e i prodigi dell'esodo (Dt 18,15-18).

L'anno 585 costituisce il momento culminante della crisi del popolo. In un solo momento, la storia di Israele sembra toccare il fondo, tanto da considerarsi conclusa. La distruzione del tempio, la deportazione e l'esilio, il crollo della monarchia sembrano distruggere in un attimo la speranza di sempre.

Le figure di tre profeti: Geremia, Ezechiele e il Deuteroisaia sono le uniche voci che sorgono e rappresentano il violento richiamo alla speranza nella salvezza nonostante il senso di sfiducia e scetticismo più profondo si sia annidato negli animi dell'intero popolo. Riguardo al compimento dell'attesa messianica, lo sguardo ora si sposta ulteriormente da quella che era stata la primitiva tradizione regale. Si inizia infatti a parlare di realizzazione della promessa, ma non più nell'ordine di una discendenza davidica, piuttosto nei confronti di tutto il popolo (Is 55,1-5).

Il Deuteroisaia è il profeta che più di ogni altro fornisce in questo momento l'immagine più consona alla speranza messianica. Partendo dalla propria esperienza di vita, orienta a guardare al di là di se stesso per rivelare l'immagine di un profeta futuro che avrebbe pienamente realizzato la missione profetica.

All'interno del «libro della consolazione» (Is 40-55), si trovano quattro brani di alta poesia che vengono comunemente chiamati i «canti del servo di Jhwh». Non esiste ancora concordanza tra gli esegeti circa la suddivisione di questi testi; una lettura *minimale* tuttavia, che trova un generale consenso, può essere così rappresentata:

1° canto: Is 42,1-4: in questo testo si descrive la *missione* del profeta. Egli è un eletto, *unto*, che ha ricevuto la missione di annunciare il diritto di Jhwh.

2° canto: Is 49,1-6: si descrive qui la risposta del servo; ad alcune annotazioni di carattere biografico, fa eco la difficile situazione storica in cui il popolo si trova.

3° canto: Is 50,4-9a: con un richiamo allo stile delle lamentazioni di Geremia, il servo esprime qui la sua fiducia in Dio che lo libererà dalle sofferenze.

4° canto: Is 52,13-53,1-2: esprime la vittoria del servo. A tratti progressivi viene rivelata la sofferenza del profeta: da prima silenzioso e docile, poi stanco e umiliato, quindi maltrattato e deriso, infine talmente sfigurato dalla sofferenza e dagli oltraggi da non poter più neppure essere riconosciuto con il volto umano. La sua sofferenza e morte sono descritte come *vicaria*, cioè sopportata al posto del popolo, perché la vittoria e la salvezza possano giungere in modo definitivo.

L'importanza che questi brani assumono per la teologia, è determinata dalla lettura neotestamentaria che ne è stata fatta. Nel tentativo infatti di spiegare il mistero della propria morte alla luce dell'evento salvifico, Gesù stesso ha utilizzato la figura del servo sofferente come una sua peculiare mediazione di rivelazione (→ Cristologia: titoli).

d. *Messianismo escatologico* - Con l'inserimento in Israele della letteratura apocalittica, anche la speranza messianica acquista una nuova mediazione.

Le figure che la devono esprimere non vengono più desunte dal terreno della storia particolare del re, del profeta, del sacerdote o del popolo, ma dall'intervento di Dio stesso. Il messianismo escatologico fa riferimento quindi alla misericordia di Dio che ormai ha scelto di intervenire per salvare il popolo mediante i suoi propri rappresentanti.

L'angelo di Jhwh, il *mal'k Jhwh* cfr. Es 23,22; Nm 22,22-35; Mal 3, 1-2), rappresenta la concretizzazione della concezione apocalittica nel periodo precedente l'esilio. L'angelo di Jhwh viene incontro, nei testi sacri, in duplice forma: in alcuni casi è identificato con la presenza stessa di Dio (es. Gn 16,11; 31,11 ⟨E⟩, Es 3,2 ⟨J⟩; Nm 22,22-35); in altri invece è distinto da lui, ma ne rappresenta il mediatore più qualificato a tal punto che disobbedire all'angelo equivale a disobbedire a Jhwh stesso (Es 23,22).

Un secondo esempio, è dato dalla personificazione della sapienza (Prv 1,20-23; Sir 24,10), di cui si fornisce una descrizione che raccoglie in sé le funzioni che erano specifiche del re, del sacerdote e del profeta. Essa infatti «predica» e «chiama alla conversione» (Prv 20,20-23), tipica attività del profeta; presta il suo servizio al cospetto di Dio (Sir 24,10 dove si usa il verbo λειτουργείν = *leitourghéin*), servizio peculiare del sacerdote; e infine la si descrive come «generata», «unta» da Dio (Prv 8, 12-36) come per il re davidico.

Un'ultima figura è data dal figlio d'uomo nella visione di Dn 7,13-14 che troverà pieno riscontro nell'uso neotestamentario per il fatto che rappresenta l'unica forma che si trova sempre, e soltanto, sulle labbra di Gesù di Nazareth che la privilegia come espressione per la chiarificazione della sua consapevolezza messianica.

2. GESÙ IL MESSIA - Queste differen-

ti concretizzazioni di un'unica speranza rivivono, ai tempi di Gesù, in modo particolare. La comunità di Qumrân gioca sicuramente un ruolo particolare nella sua identificazione del Maestro di Giustizia con il Profeta escatologico di Dt 18,15. I farisei e i diversi partiti dell'epoca, da parte loro, mantengono viva l'attesa di una liberazione più o meno immediata; non mancano infine tratti di fanatismo che si incarnano in alcuni personaggi particolari (si pensi agli zeloti con Teuda, o all'«Egiziano» di cui si fa menzione in At 21,37-38).

Euforia religiosa popolare, malcontento per la schiavitù romana, obbligo di osservanza di leggi dettate da culture pagane, unitamente alla rabbia per il pagamento di tasse che venivano ad arricchire solo gli stranieri, sono una base sufficiente per capire che la speranza messianica contemporanea a Gesù assume le caratteristiche di una attesa di liberazione da tutte queste forme di ingiustizia.

L'attesa di un leader politico, capace di aggregare intorno a sé consensi per il sovvertimento della situazione di schiavitù e oppressione, è pertanto quella che più si impone come dato di sintesi e chiave di comprensione di questo momento storico (→ Messianismo, I).

Certamente, Gesù non si è mai definito con il titolo di messia. C'è una conformità tale nel suo atteggiamento che mostra un rifuggire costante da ogni formula che possa definirlo chiaramente. L'espressione figlio dell'uomo (→ Cristologia: titoli), è l'unica che ricorre sulle sue labbra e che può essere accettata come storica, proprio per la fluidità di significati che in sé contiene.

I testi neotestamentari tuttavia, propongono a più riprese il titolo di messia che progressivamente viene utilizzato come il nome proprio del Maestro. Si è di fronte, con questo fatto, ad un fenomeno di evoluzione semantica tra i più impressionanti: il sentimento generico di speranza diventa proclamazione precisa di un evento, questo poi fa da supporto ad una fede che ormai trasforma l'aggettivo «cristo» in un nome proprio, per attribuirlo ad una persona storica: Gesù di Nazareth.

Questi passaggi non possono essere solo il frutto della fede di alcuni uomini e donne. Come figli del loro tempo, anch'essi erano legati alla condizione culturale-religiosa del popolo e pertanto, la loro concezione messianica non poteva andare oltre i confini di una liberazione politica.

Il messianismo con cui il NT mette in relazione è, invece, di altra natura; esso è profondamente originale e in discontinuità totale con l'attesa che il popolo in quel momento viveva.

Con il messianismo neotestamentario la speranza generica di un tempo si rivela invece radicata nella concretezza della parola di un soggetto storico che, in modo peculiare, esprime la sua consapevolezza di essere l'intervento definitivo di Dio in mezzo al suo popolo e il compimento delle promesse del passato; anzi con il suo avvento e nella sua persona, egli afferma che si inaugura il regno messianico atteso.

A livello generale, una prima impressione che si ricava dai vangeli è la profonda discrezione cui questo titolo è sottoposto. Particolarmente nel vangelo di Marco è possibile notare che più volte Gesù stesso impone il silenzio a coloro che vorrebbero professare la fede nella sua messianicità (cfr. Mc 1,34; 1,43-44; 3,12; 5,43). Questo fatto è conosciuto sotto il nome di *segreto messianico*.

Il primo a dover esplorare questa pista fu, agli inizi del secolo, W. Wrede (*Das Messiasgeheimnis in den Evangelien*, Göttingen 1901). Fondandosi sul testo di Mc 9,9 egli sosteneva che l'imposizione del silenzio circa la messianicità di Gesù, fosse una creazione della comunità primitiva che in questo modo poteva giustifi-

care sia la sua attuale predicazione, come pure l'assoluta mancanza di coscienza messianica in Gesù.

Gli studi successivi hanno mostrato la parzialità della tesi e la sua lettura troppo radicale; tra gli autori più rappresentativi, si possono ricordare O. Cullmann e V. Taylor da parte protestante, E. Sijöberg e G. Minette de Tillesse da parte cattolica. Con questi studi, la tematica del segreto messianico è stata maggiormente ancorata ai dati che provengono dalla storia di Gesù di Nazareth. Con la richiesta del silenzio, egli ha voluto proteggere e conservare la peculiarità dell'interpretazione messianica del suo messaggio e non sottoporla ai fraintendimenti dei contemporanei.

Certamente Marco, a differenza degli altri evangelisti, ha assunto come sua peculiare caratteristica e struttura letteraria il segreto messianico, ma questo in fedeltà a ciò che era stato espresso da Gesù stesso.

A livello più specifico, è possibile ritrovare alcuni testi esemplificativi che permettono di comprendere più direttamente la consapevolezza messianica espressa da Gesù.

– Uno dei testi basilari in proposito è costituito dal lóghion riportato da Mt 11,2-6 (Lc 7,18-28).

Il Battista, in carcere, tramite i suoi discepoli manda a chiedere a Gesù, in termini inequivocabili, se lui è il messia.

La formula della domanda, che utilizza il participio presente ὁ ἐρχόμενος (*ho erchómenos*), riflette una concezione popolare di attesa messianica. Che si tratti di tale attesa è confermato da tutta la predicazione di Giovanni e dal tono stesso del suo messaggio. Parlando della sua missione, infatti, Giovanni la vede propedeutica a quella di «uno che viene dopo di me» (Mt 13,11), che ha in mano il ventilabro per pulire l'aia, raccogliere il grano e bruciare la pula nel fuoco (Mt 3,12 con riferimento a Is 41,16 e Ger 15,7).

Il Battista pertanto, chiede *esplicitamente* a Gesù di esprimersi sull'identità del suo messianismo: è lui il giudice escatologico che finalmente porterà la salvezza, premiando i giusti e castigando i peccatori oppure si dovrà ancora attendere?

La risposta di Gesù (Mt 11,4-5), solo apparentemente sembra essere evasiva. In effetti, si è in presenza di una evidente e chiara risposta data al Battista, tuttavia non nella logica di questi; piuttosto nell'orizzonte che capovolge completamente la sua concezione messianica.

Il richiamo e il rinvio alle «*opere del cristo*» non lasciano dubbi, infatti, sulla consapevolezza di Gesù nell'indicare che lui è il messia; rimandando però alle opere che sta compiendo, egli evidenzia che il suo messianismo si pone ad un altro livello: non la punizione e la violenza, ma la misericordia e il perdono diventano i segni distintivi del suo messianismo.

L'inattesa beatitudine che conclude la scena, conferma questa lettura. Proclamare uno «beato», significa anzitutto renderlo partecipe del regno messianico; qui Gesù però, va oltre. Chiede infatti al Battista di non fermarsi alla sua concezione messianica, e quindi di non trovare «scandalo», cioè inciampo, nell'accettare una nuova modalità di realizzazione, quella che lui sta incarnando, e che è voluta dal Padre.

Questa pericope, di chiara connotazione messianica, mostra l'evidente presa di posizione di Gesù riguardo al messianismo. Lui è certamente «colui che deve venire», ma realizzerà il giudizio definitivo di Dio in altro modo. L'arcaicità del racconto (si è in presenza di un *apóphtegma*), unito ad una profonda *discontinuità* con la mentalità dell'epoca, non può che essere conferma di storicità del fatto.

– Un altro esempio è fornito da Mc 8,27-30: Pietro, a nome dei dodici, espressamente professa la fede messianica in Gesù.

Un'analisi del testo mostra che già a livello redazionale, Marco sembra costruire il suo vangelo in modo tale da voler giungere progressivamente proprio a questo punto. Tutta la prima parte (1,1-8,26) è orientata al v. 29; tutta la seconda (8,34-16,20) è chiarificata da questo.

Tutto sembra confluire verso la descrizione della scena di Cesarea di Filippo: un indizio letterario mostra che il termine χριστός (*christós*), precedentemente, è usato solo in 1,1; si incontrano alcuni racconti «tipologici», quali le domande di Erode (Mc 6,14-16) e la guarigione del cieco di Betsaida (8,22-26), che sembrano creati intenzionalmente per favorire il parallelo con questa scena; in una parola, si è davanti, con questo brano, al cuore del vangelo di Marco.

Gesù chiede ai discepoli cosa la gente pensi del figlio dell'uomo; dopo varie risposte che esprimono le differenti attese, Pietro professa: «tu sei il Cristo». Gesù, anche in questo caso, non rifiuta il titolo; ma come è consuetudine, specialmente per Marco (cfr. il segreto messianico), impone ai discepoli il silenzio.

A partire da qui, tuttavia, il suo insegnamento che prima aveva un carattere generico, ora diventa preciso, esplicito e chiaro (Mc 8,31). Gesù inizia a parlare della sofferenza e della morte del messia, immagine che contrasta ancora di più, se si pensa che viene usata l'espressione figlio dell'uomo, che richiamava direttamente la gloria e il potere del messia escatologico. Che questo insegnamento venga frainteso e non accettato è evidente dalla reazione di Pietro stesso (Mc 8,32-33: lóghion certamente storico data la riprovazione così dura di Gesù verso Pietro; impensabile per la comunità primitiva che lo accettava e venerava come il primo degli apostoli), e dall'abbandono e paura di alcuni discepoli (Mc 10,32; Gv 6,66).

La scena di fede messianica è giunta nella redazione dei quattro evangelisti (Gv 6,67-70 raccoglie sempre maggiori consensi riguardo all'interpretazione di confessione messianica fatta a Cesarea; avremmo quindi un'*attestazione multipla*), ma può essere assunta anche come una *spiegazione necessaria* per chiarire molti dati che rimarrebbero altrimenti oscuri quali: il cambiamento immediato nell'insegnamento di Gesù, le reazioni contrastanti dei discepoli e il rimprovero a Pietro; della sua storicità difficilmente si può dubitare.

Con questa pagina di vangelo non si è solo di fronte alla fede della comunità primitiva; ma ancora di più, si assiste alla rivelazione del mistero della persona di Gesù che viene incontro come messia glorioso anche se attraverso i tratti del servo sofferente.

– Un'ultima esemplificazione, che motiva la consapevolezza messianica in Gesù e la fede in lui, è data dai racconti del processo che, anche se in redazioni diverse, mantengono comunque l'obiettivo comune, quello di mostrare i motivi della condanna a morte (cfr. Mt 26,62-65; Mc 14,60-64; Lc 22,67-71; Gv 18,12-40; 19,1-6).

Ciò che direttamente si riferisce al nostro tema è dato del contenuto dell'interrogatorio che Gesù subisce dal sommo sacerdote: «Sei tu il Cristo?». Caifa, ormai spazientito dal lungo silenzio di Gesù e dall'inconsistenza delle diverse testimonianze fornite, tendenziosamente gli pone la domanda circa la sua identità messianica.

Se Gesù avesse risposto affermativamente, avrebbe orientato i capi del popolo e i sacerdoti verso una interpretazione politica del suo messianismo, costoro quindi avrebbero potuto accusarlo facilmente come sobillatore del popolo presso l'autorità romana; se avesse risposto negativamente avrebbe da se stesso sconfessato tutta la sua predicazione.

L'evasività della prima parte della risposta di Gesù «tu lo hai detto»

(Mt 26,64; «anche se ve lo dico non mi crederete» di Lc 22,67), è immediatamente corretta dalla precisione delle parole successive con le quali si annuncia il ritorno glorioso del figlio dell'uomo («d'ora innanzi vedrete il figlio dell'uomo seduto alla destra di Dio e venire sulle nubi del cielo» Mt 26,64).

In una parola, il contesto di sofferenza e passione in cui la domanda è posta, non permette che l'annuncio della venuta gloriosa del messia possa essere confuso o identificato con la prospettiva di un messianismo politico. L'unione di due figure, quali il figlio dell'uomo di Dn 7 con quella del re glorioso del Sal 110, mentre da una parte permette la proclamazione dell'instaurazione del regno messianico nella persona di Gesù, dall'altra identifica chiaramente la logica necessaria per il raggiungimento di questo regno: la passione e la morte vicaria come segno dell'obbedienza filiale al progetto del Padre.

3. LA FEDE NEL MESSIA - La fede della comunità post-pasquale si è riferita a fatti storici e soprattutto alla parola del Maestro. I discepoli avevano «lasciato tutto» e seguito il Signore (Mc 10,28), perché nell'incontro con lui, nelle sue parole e nel suo comportamento, avevano riscontrato che la promessa di speranza, alla quale fin dalla nascita erano stati iniziati a credere, in lui si stava realizzando.

Certo, come nella logica della rivelazione, il piano di Dio passava attraverso una via che non trovava immediato riscontro nella loro formazione; per questo Gesù, nella sua originalità e secondo la sua particolare dote pedagogica, li ha introdotti progressivamente a comprendere le modalità di realizzazione di un nuovo messianismo, quello che ormai assumeva le caratteristiche di una universalità e si apriva al personale coinvolgimento nella fede e nella sequela.

Gesù di Nazareth messia, indica alla fede cristiana che la salvezza ormai è, in lui, definitivamente data.

Ad una speranza di liberazione generica, frutto di differenti eventi storici, si sostituisce qui la certezza che riconosce in Gesù messia, Dio stesso che interviene per salvare il suo popolo.

Eppure, proprio sulla parola del messia, la comunità credente fino ad oggi continua a sperare nel pieno e definitivo compimento di liberazione. La presenza del male e dell'ingiustizia provocano il nuovo *popolo messianico* ad essere in sintonia con il suo Signore. La certezza della salvezza data nell'evento del mistero pasquale non esonera, anzi obbliga a divenire strumento di giustizia e di misericordia là dove il male ha ancora il predominio.

La teologia fondamentale studiando il messianismo può trovare un elemento che, sul piano sia religioso che semplicemente culturale, è condiviso da altre espressioni di fede e di popoli in nome di una comune speranza di giustizia e liberazione.

C'è tuttavia un elemento specifico e proprio a cui la fede cristiana non potrà mai rinunciare, quello dell'annuncio dell'avvenuta realizzazione storica del messianismo in Gesù di Nazareth, per cui non si danno altri messia al di fuori dell'unicità della sua persona: «Se qualcuno vi dirà ecco il Cristo è qui, oppure è là, non credete» (Mt 24,23). Il messia è già venuto, il riconoscimento della sua presenza storica ormai è in quel popolo che ininterrottamente lo proclama messia e Signore.

Bibl. - W. Wrede, *Das Messiasgeheimnis in den Evangelien*, Göttingen 1901; O. Cullmann, *Christus und die Zeit*, Zürich 1946 (tr. it. Bologna 1972); Id., *Die Christologie des Neuen Testaments*, Tübingen 1957 (tr. it. 1970); E. Sijöberg, *Der verborgene Menschensohn in den Evangelien*, Lund 1955; V. Taylor, *The Gospel according to Saint Mark*, London 1957; W. Zimmerli - J. Jeremias, «παίς», in GLNT IX, 275-440; A. Gelin, «Messianisme», in DBSuppl V, 1165-1212; Autori vari, *Attente du Messie*, Louvain 1958; R. Bultmann, *Theologie des Neuen Testaments*, Tübingen 1961 (tr. it. Brescia 1985); L. Sabourin, *Les noms et les titres de Jésus*, Montréal 1961; G. von Rad, *Theologie des Alten Testaments*, München 1962 (tr. it. Brescia 1972); F. Hahn, *Christologische Hoheitstitel*, Göttingen 1963; A.B.I., *Messianismo*, Brescia 1966; J. Blinzler, *Processo a Gesù*, Brescia 1966; C. Minette de Tillesse, *Le secret messianique dans l'évangile de Marc*, Paris 1968; H. Conzelmann, *Grundriss der Theologie des Neuen Testaments*, München 1968 (tr. it. Brescia 1972); J. Coppens, *Le messianisme royal*, Paris 1968; Id., *Le messianisme et sa relève prophétique*, Gembloux 1974; Id., *La relève apocalyptique du messianisme royal*, Louvain 1979; W. Eichrodt, *Theologie des Alten Testaments*, I: Gott und Volk, Göttingen 1968 (tr. it. Brescia 1979); N. Füglister, «Fondamenti veterotestamentari della cristologia del Nuovo Testamento», in *MystSal* VI, 139-286; Autori vari, *La venue du Messie*, Paris 1972; Autori vari, *Il problema cristologico oggi*, Assisi 1973; E. Schillebeeckx, *Gesù la storia di un vivente*, Brescia 1976; K. Schubert, *Partiti religiosi ebrei del tempo neotestamentario*, Brescia 1976; J. Caba, *El Jesús de los Evangelios*, Madrid 1977; H. Cazelles, *Le Messie de la Bible*, Paris 1978 (tr. it. Roma 1981); B. Forte, *Gesù di Nazareth. Storia di Dio: Dio della Storia*, Roma 1981; P. Grelot, *La speranza ebraica al tempo di Gesù*, Città di Castello 1981; Id., *I canti del servo del Signore*, Bologna 1983; M. Bordoni, *Gesù di Nazareth*, vol. II, Perugia 1982; A. Grillmeier, *Gesù il Cristo nella fede della Chiesa*, vol. I, 1: Dall'età apostolica al concilio di Calcedonia, Brescia 1982; R. Fabris, *Gesù di Nazareth. Storia e interpretazione*, Assisi 1983; G. Vermes, *Gesù l'ebreo*, Città di Castello 1983; R. Fisichella, *La rivelazione: evento e credibilità*, Bologna 1985; E. Schurer, *Storia del popolo giudaico al tempo di Gesù Cristo*, vol. I, Brescia 1985; C.I. Gonzales, *El es nuestra salvación. Cristología y Soteriología*, Bogotá 1987 (tr. it. Casale Monferrato 1988); A. Amato, *Gesù il Signore*, Bologna 1988; G. Claudel, *La confession de Pierre*, Paris 1988.

RINO FISICHELLA

——— METODO ———

I. Teologia sistematica: 1. *Modelli principali nella storia della teologia* - 2. *Riflessione sistematica* (G. Pozzo) - II. Teologia fondamentale: 1. *Necessità di un discorso sul metodo* - 2. *Per una memoria storica* - 3. *Metodo di integrazione* (R. Fisichella).

I. Teologia sistematica

Premessa - Trattare il problema del «metodo» di una disciplina culturale o scientifica significa considerarla non direttamente nei suoi contenuti, ma nel suo aspetto formale e strutturale. La dottrina del *metodo teologico* si propone quindi di esporre i fondamenti e i presupposti della conoscenza teologica allo scopo di evidenziare il valore delle affermazioni circa la riflessione teologica in genere e quella impegnata sui singoli e specifici contenuti di fede. Se la teologia si definisce come riflessione critica, metodica e sistematica della fede della chiesa, la riflessione sul metodo ha come oggetto lo studio delle norme, dei criteri e delle operazioni che il teologo compie per svolgere correttamente la sua attività teologica.

Occorre essere consapevoli che la teologia ha sempre accompagnato la vita della chiesa attraverso i secoli della sua storia, presentandosi in forme diverse, mutando la sua immagine in relazione con le esigenze e il bagaglio culturale emergenti via via nella vita concreta della chiesa e dell'ambiente storico-culturale del tempo. Tale variabilità dell'immagine della teologia, nell'invariabilità del messaggio e del dato della rivelazione / fede, non è determinata soltanto dalle diverse categorie culturali utilizzate dalla teologia per riflettere sul contenuto della predicazione di fede, ma anche dalla molteplicità dei metodi che la teologia adopera per stabilire il modo di approccio alla comprensione e allo studio del mistero della rivelazione / fede.

Al riguardo appare utile e importante considerare — anche se in modo molto sintetico — le figure e i modelli storici della metodologia e della episteme teologica, non solo per inserire la presente trattazione sulla dottrina del metodo teologico nel contesto storico-teologico globale, ma anche perché attraverso la conoscenza della genesi storica dei principali modelli della episteme teologica si possa meglio comprendere il senso e il valore della proposta metodologica attuale.

1. Modelli principali nella storia della teologia - a. *Il periodo patristico e l'ideale sapienziale* - Avendo come suo oggetto i primi secoli del pensiero cristiano, la patristica mette in luce l'impatto della rivelazione cristiana prima con il giudaismo, poi con la cultura filosofica greca e latina. Si può considerare la patristica come il momento «sorgivo» della teologia che nell'incontro / scontro con la cultura greca e latina fa valere la novità di Gesù Cristo e la consistenza speculativa connessa anche con l'incidenza pratica del messaggio cristiano, di fronte alle varie correnti filosofiche e religiose del tempo. Manca alle opere dei Padri il carattere propriamente «sistematico», mentre appare come costante una impostazione strutturalmente biblica storico-salvifica e l'attenzione a ricercare nel significato dei testi biblici la diversità dei livelli di profondità che essi riflettono per il credente, al di là di quanto il dato puramente filologico possa esibire. Elemento caratterizzante, la riflessione teologica patristica è inoltre la dimensione sapienziale e la vibrazione teo-

logale e spirituale del pensiero dei Padri, orientato a far crescere l'edificazione della propria vita interiore e dell'esistenza cristiana del prossimo. In Occidente l'ideale e l'esempio di → *Agostino* rimasero determinanti. Per l'Ipponate *l'intellectus fidei* nelle sue due varianti (*credo ut intelligas* [teologia] e *intelligo ut credas* [filosofia]) sono al servizio dell'esercizio stesso della beatitudine e della contemplazione cristiana. Lo stesso uso ampio della dialettica e della filosofia neoplatonica in funzione della illustrazione dei misteri della fede è posto sempre al servizio della considerazione storico-salvifica della religione cristiana nell'ordine concreto della salvezza.

b. *La teologia scolastica nel medioevo* - La grande scolastica del sec. XIII, e specialmente → Tommaso d'Aquino, ha reso manifesti i limiti della riflessione patristica e della teologia monastica del primo medioevo, soprattutto nel campo della elaborazione ontologica e metafisica dei dati della rivelazione. Per superare l'orientamento eclettico dei Padri, la teologia scolastica cercò uno strumento filosofico che fosse organicamente omogeneo con la logica del pensiero cristiano. Le *Summe* medievali sono così espressioni di un ripensamento sistematico dei dati della fede orientato alla costruzione di una *sintesi teologica*. Senza voler negare la diversità di impostazioni e opzioni teologiche delle varie scuole medievali (ad esemplificazione basti ricordare la scuola domenicana-tomista e la scuola francescana-bonaventuriana), si possono richiamare i due tratti principali che qualificano l'episteme e la metodologia teologica degli scolastici: 1. l'elemento che l'approfondimento dei dati della fede, ricavati dalla Scrittura, dalla tradizione, dall'insegnamento dei concili e dalla vita della chiesa, mediante il confronto con l'attrezzatura concettuale del pensiero filosofico − e in particola-

re aristotelico − diventa sempre più il luogo prioritario della teologia; 2. l'elemento sempre più decisivo che il paradigma del lavoro tecnologico è assunto dal concetto aristotelico di «scienza» e dall'accettazione che la «scienza» prima è la metafisica.

Tale carattere unitario e metafisico della teologia scolastica sarà messo in crisi dalla frammentazione del sapere ad opera del nominalismo filosofico della tarda scolastica (XIV sec.) e dall'insorgere della scienza moderna e del suo relativo metodo induttivo.

c. *La teologia post-tridentina e manualistica* - Dopo il concilio di Trento e per ritrovare un terreno comune tra tutte le scuole di teologia cattolica da contrapporre al protestantesimo, sorge il cosiddetto «metodo dogmatico» in connessione alla disciplina chiamata «teologia dogmatica». Il nucleo della riflessione teologica è appunto dato dalle definizioni dogmatiche del magistero. Il procedimento segue un ordine di spiegazione che implica diversi momenti: enunciazione della tesi dogmatica, esposizione delle opinioni, prove positive derivate dall'autorità della Scrittura, dei Padri, dei concili; prove desunte dall'argomentazione teologica, soluzioni delle difficoltà e corollari per la crescita della vita spirituale. Accanto a questo fattore, si possono richiamare altre due caratteristiche di tale impostazione metodologica: l'orientamento verso il sistema e l'organicità del discorso, e l'organizzazione della teologia nelle enciclopedie.

La teologia manualistica (→ Teologie, II), che nell''800 e nella prima metà del '900 si sviluppa nelle scuole teologiche, ha alla base i precedenti fattori, e presenta di conseguenza le caratteristiche così riassumibili: 1. la preoccupazione dominante è data dalla volontà di elaborare prove razionali apologetiche, in reazione alle correnti razionalistiche del pensiero moderno. È da sottolineare l'uso apologetico delle fonti della rivelazione (Scrittura e tradizione) per sostenere gli interventi dottrinali del magistero. 2. Si tende a giustapporre in modo piuttosto estrinseco *l'auctoritas* e la *ratio*, cioè i dati della fede e le esigenze della riflessione razionale. 3. Infine la teologia manualistica di fatto eleva l'autorità del magistero al primo posto della scala delle varie autorità, precisamente nel senso che essa si riferisce *direttamente* a pronunciamenti del magistero, e non alla rivelazione contenuta nella Scrittura e tradizione.

L'evolversi della situazione ecclesiale e lo sviluppo delle ricerche moderne riguardanti la natura e il metodo della teologia, offrirono l'occasione di ripensare le linee della metodologia teologica e di proporre una ristrutturazione degli studi teologici.

d. *Indicazioni e prospettive del Vaticano II* - Il pensiero del Vaticano II sulla natura e sul metodo della teologia si trova espresso al n. 16 della *Optatam Totius*. Sulla base del rinnovato concetto di «rivelazione», come è esposto in *Dei Verbum*, si comprende il senso e la portata del rinnovamento del metodo teologico. Il decreto OT insegna che la Scrittura è il punto fondamentale del procedimento, sia perché lo sviluppo dei temi biblici è alla base delle verità da approfondire, sia perché la Scrittura è l'«anima della teologia» (DV 24). Il dettato conciliare prosegue nella direzione di assumere la voce dei Padri della chiesa e lo sviluppo storico del dogma, inteso come percorso necessario per comprendere la chiarificazione del dato rivelato. Le definizioni dogmatiche risultano quindi essere punti di arrivo di un lungo cammino di fede all'interno della vita e del pensiero della chiesa, e punti normativi per comprendere il messaggio rivelato. Segue poi il momento «speculativo» della teologia, che consiste nell'illustrare quanto più possibile i misteri salvifici della fede, tenendo in

speciale considerazione l'esempio di Tommaso d'Aquino. Infine ulteriore compito della teologia è mostrare la continuità fra annuncio biblico, storia di fede, riflessione speculativa e liturgia, pietà cristiana ed edificazione della chiesa. In questo contesto il concilio invita «a cercare la soluzione dei problemi umani alla luce della rivelazione, ad applicare le sue verità eterne alle condizioni mutevoli dell'umanità e a trasmetterle in modo appropriato ai nostri contemporanei» (OT 16).

In conclusione, l'esposto conciliare pur non volendo imporre uno schema rigido al metodo teologico, indica alcuni essenziali orientamenti metodologici, che non possono essere disattesi e invita la riflessione teologica a pensare in modo organico e unitario i principi fondamentali della centralità di Cristo nel mistero della salvezza, l'attenzione antropologica, la finalità pastorale e spirituale.

e. *Il periodo post-conciliare* - Nel post-concilio si delineano molteplici *figure* di teologia, che implicano anche una pluralità di impostazioni metodologiche, di cui ora si farà menzione, senza entrare nella valutazione di merito, ma solo ai fini di una informazione, per altro non certo esaustiva, a complemento della breve esposizione storica.

1. *Figura antropologico-trascendentale.* La «svolta antropologica» in teologia conduce a considerare il discorso sull'uomo come orizzonte, filo conduttore e angolo di visuale di tutto il sapere teologico. In particolare alcuni autori (ad es. Rahner) introducono il metodo trascendentale per la fondazione del sapere teologico e per precisare le condizioni di possibilità del soggetto di pensare e tematizzare una possibile rivelazione di Dio.

2. *Figura ermeneutica.* Questa impostazione teologica è particolarmente attenta alle problematiche del linguaggio, dell'interpretazione e della

riformulazione delle dottrine di fede
che significhino e dicano all'uomo
contemporaneo la Parola di salvezza.
    3. *Figura ortopratica.* In questo mo-
dello epistemologico, la «prassi» costituisce il criterio d'interpretazione
della rivelazione e di verifica del senso della parola rivelata. La figura or-
topratica di teologia conosce varie
forme di espressione (teologia politica, teologia della liberazione, teologia dello sviluppo ecc.). Fondamentali per una valutazione della teologia della liberazione sono le due Istruzioni della Congregazione per la dottrina della fede, *Libertatis Nuntius*
(1984) e *Libertatis Conscientia* (1986).
    4. Alcuni autori parlano anche di
un modello prospettico di «teologia
narrativa» e di «teologia escatologica», di «teologia estetica» (cfr. C.
Rocchetta, «La teologia e la sua storia», in C. Rocchetta - R. Fisichella -
G. Pozzo, *La teologia tra Rivelazione e storia*, Bologna 1987).
    La presente trattazione sul metodo
teologico intende rimanere nella prospettiva del Vaticano II e articolare
una riflessione sistematica sulla metodologia teologica, considerando in
primo luogo i *fondamenti* del metodo teologico e descrivendo successivamente il suo *procedimento*, senza
la pretesa di entrare nell'analisi di
problemi specifici, preferendo illustrare le grandi linee della struttura
organica del sapere teologico.

    2. RIFLESSIONE SISTEMATICA - a.
*Fondamenti della dottrina del meto-
do teologico* - All'origine costitutiva
della teologia sta la *rivelazione*, fonte
dei contenuti teologici e fondamento
delle sue certezze. Il concetto di rivelazione, presente nel linguaggio filosofico e nell'esperienza religiosa, si
precisa in modo assolutamente unico
se riferito a Gesù Cristo. Infatti l'e-
vento-Gesù Cristo è compreso come
la definitiva automanifestazione di
Dio e come lo svelamento pieno e insuperabile della verità ultima dell'uo-

mo e della storia. L'evento-Gesù Cristo, inteso nella sua singolarità unica
e irripetibile, si pone come principio
di un sapere, e in prospettiva di una
nuova scienza, distinta dalle altre. La
rivelazione di Dio in Gesù Cristo non
è solo un principio di trasformazione e di conversione dell'esistenza, ma
è anche (anzi proprio per questo) la
chiave di interpretazione per comprendere il senso ultimo dell'uomo e
della realtà. Su questo presupposto
si fonda la teologia. Il rapporto rivelazione / fede / teologia è quindi un
rapporto di mutua implicazione, nel
senso che l'avvenimento della rivelazione in correlazione alla risposta-
accettazione della fede è il principio
costitutivo della teologia. La dottrina sul metodo teologico, per quanto
debba rispettare le regole di un procedimento rigoroso e disciplinato dal
punto di vista intellettuale, non può
però trascurare *il principio specificamente teologico*, che ha una funzione fondante e normativa per la stessa metodologia, e cioè la realtà del-
l'uomo, credente e teologo, che accetta il dono dell'amore e della verità
di Dio e si converte al vangelo della
salvezza. Risulta quindi da tale fondamento che solo la fede nell'autorivelazione di Dio in Cristo stabilisce
l'orizzonte di comprensione adeguato alla realtà di cui la teologia deve
trattare. Così si indica anche il punto di intersezione tra vita e attività
teoretica, tra esperienza e riflessione
e si identifica, nello stesso tempo, il
presupposto che rende possibile per
il credente tradurre le sue esigenze intellettuali in un procedimento corretto e organicamente strutturato.
    Le considerazioni sopra esposte ma-
nifestano di conseguenza che non è
possibile fare una corretta ed autentica teologia cattolica, metodologicamente disciplinata, se non nel presupposto – che nello stesso tempo è anche un principio formale – che la
radice del sapere teologico, proprio
in quanto sapere, è il sapere della fe-

de, inteso come conoscenza e intelligenza della rivelazione di Dio in Gesù Cristo (Gv 1,14; 1 Cor 1,2; cfr. anche DV 5). Certamente la teologia in quanto «logos» umano è in se stessa strutturalmente aperta alle acquisizioni della filosofia, delle scienze e in genere di tutti gli strumenti logici, ermeneutici, teorici che il pensiero umano scopre e adopera. Dal punto di vista metodologico questa apertura significa che la teologia deve essere sempre attenta alle sollecitazioni delle forme della cultura e del sapere della coscienza storica, come all'evoluzione e al perfezionamento degli strumenti linguistici, logici, critici per realizzare l'incontro tra fede, chiesa, pensare teologico da una parte, e le istanze della cultura contemporanea dall'altra parte. Tuttavia è altrettanto necessario che la elaborazione del metodo teologico consideri il fatto che la teologia è «scienza della fede» e di conseguenza appare impossibile comprendere i modi originali e peculiari della *razionalità* della teologia, finché non si consideri e non si rispetti la *struttura veritativa della fede stessa*, con i propri criteri di verità e di autenticità. In particolare, l'unità propria e fondante della conoscenza / sapere della fede è la rivelazione di Dio compiuta in Gesù Cristo e la chiesa quale luogo dove avviene la memoria attuale dell'evento-Gesù Cristo.

La conclusione è che l'elaborazione del metodo in teologia non può costituirsi solo o principalmente in base ai criteri e alle norme operative comuni alle altre scienze, ma dovrà osservare innanzitutto i principi normativi derivanti dal sapere della fede, assumendo gli apporti e i mezzi critici propri delle forme del sapere metafisico, storico, ermeneutico ecc. In questo modo la teologia è in grado di soddisfare sia l'esigenza di organicità, sistematicità, logicità e unitarietà del pensiero, sia al contempo le esigenze del sapere della fede.

b. *Il punto di partenza del procedimento teologico* - La questione metodologica preliminare di ogni scienza è l'individuazione dell'oggetto e la formulazione esatta della domanda a cui si cercherà di rispondere con mezzi appropriati. In generale, una qualsiasi domanda nasce da un fatto o da un fenomeno già conosciuto in un certo senso, ma che esige di essere conosciuto in modo più approfondito e preciso. Così *il soggetto* costituisce l'elemento conosciuto e *il predicato* costituisce l'elemento ancora non pienamente saputo, che rappresenta l'oggetto della ricerca.

L'oggetto della teologia è la vita e la dottrina di fede della chiesa nel suo riferimento alla rivelazione di Dio Uno e Trino, e la *domanda* è: che cosa significa, come può essere interpretata e resa comprensibile la dottrina della rivelazione di Dio in Cristo testimoniata dalla fede e dalla predicazione della chiesa?

In questa domanda *il soggetto* è la stessa comunità ecclesiale il cui contenuto dottrinale è conscio, anche se non necessariamente giustificato e compreso in modo riflesso e critico. *Il predicato* è la richiesta precisa di capire la vita e il pensiero della chiesa nel suo rinvio alla rivelazione e al mistero di Dio. Esso si ottiene proiettando sul piano della riflessione scientifica, metodica, sistematica l'esperienza e il patrimonio delle dottrine di fede della chiesa. In altri termini: il punto di partenza della teologia sistematica è la presa di contatto con l'esperienza concreta della vita di fede ecclesiale, cioè con i modi attraverso i quali la chiesa ripropone nella storia l'avvenimento cristiano nei suoi elementi dottrinali conoscitivi (*fides quae creditur*) e con i modi attraverso i quali la comunità dei credenti vive interiormente e si appropria esistenzialmente dell'evento cristiano (*fides qua creditur*). Sotto questo ultimo profilo è importante sottolineare la dimensione personale del fare teologia, che esprime l'appropriazione interiore e personalizzata della fede, che si riflette anche nel modo di condurre il lavoro teologico, anche se tale dimensione personale non deve portare ad una soggettivizzazione e a concepire la teologia essenzialmente come un'autobiografia del teologo. Inoltre la realtà di fede vissuta dalla chiesa è sempre anche una realtà provocata. Infatti, sia per l'esigenza psicologica del singolo che avverte l'impulso di soddisfare, anche dal punto di vista intellettuale, il suo desiderio di conoscenza, sia a motivo dei mutamenti e fermenti culturali che oggettivamente mettono in questione gli asserti e le convinzioni della fede, il compito della teologia non consiste solo nel costatare la fede della chiesa, ma si definisce come compito di giustificare il contenuto della fede in base alle fonti della fede stessa, di presentarlo nella continuità storica e nel suo sviluppo lungo i secoli, di spiegarlo nel contesto della rivelazione, di chiarirlo illustrandone la portata e l'attualità esistenziale e storica perché l'uomo di ogni tempo possa comprendere il senso della sua vita e il suo destino ultimo.

Chiarito il punto di partenza del procedimento sistematico di riflessione, si delinea il duplice compito fondamentale della teologia sotto il profilo metodologico:

1. La teologia deve verificare il legame tra la fede attuale della chiesa e l'evento salvifico definitivo di Gesù Cristo, come rivelazione insuperabile della verità e della carità di Dio. Si può chiamare questo primo compito fondamentale *auditus fidei*; esso esprime la funzione positiva della teologia.

2. In un secondo momento, la teologia deve saper rispondere alle esigenze e alle sfide del pensiero e della cultura attuale, rendendo comprensibili all'intelligenza umana i contenuti della fede, mostrando l'effica-cia pratica ed esistenziale del messaggio cristiano, pervenendo ad una sempre più approfondita *sintesi* organica delle verità rivelate. Questo secondo compito fondamentale della teologia si può denominare *intellectus fidei*; esso esprime la funzione riflessiva e attualizzatrice della teologia.

c. *Momento positivo della teologia: auditus fidei - L'oggetto* della teologia positiva è il risultato della presa di conoscenza della vita e della dottrina della chiesa. *La formulazione della domanda* è: come si può verificare e provare che la dottrina della chiesa proviene dalla rivelazione di Cristo?

È bene precisare che propriamente non si tratta di mettere in dubbio ciò che la conoscenza di fede dà per certo, ma di elaborare l'approccio critico al dato di fede. La fondazione e la chiarificazione del legame tra la coscienza di fede della chiesa e il principio della rivelazione, si ottengono mediante lo studio della testimonianza normativa di fede autorizzata a trasmettere l'insegnamento di Cristo perché formata da testimoni oculari e auricolari della vicenda storica di Gesù culminata con l'evento pasquale. Tale testimonianza è stata fissata per iscritto nel Nuovo Testamento ed ha quindi carattere fondazionale per la fede delle generazioni successive. Tuttavia questa testimonianza normativa viene vissuta, trasmessa e interpretata dalla chiesa post-apostolica. La tradizione ecclesiale è precisamente la trasmissione-interpretazione-esplicitazione-attualizzazione fedele e viva della testimonianza di fede apostolica. Tutto il popolo di Dio è impegnato in questa «tradizione» secondo una varietà di compiti tra cui emerge in modo singolare la funzione del → magistero della chiesa, con il suo compito di autenticare l'interpretazione e la comprensione del messaggio rivelato. Tale ufficio magisteriale acquista importanza e significato irrevocabile nei pronunciamenti e nelle definizioni dogmatiche.

Consideriamo ora in particolare le fonti della conoscenza teologica e il loro uso indifferenziato nella teologia positiva.

1. *La Scrittura*. L'uso della testimonianza della Scrittura nel metodo teologico suppone la conoscenza di che cosa sia la Scrittura, di chi ne sia l'autore e in che senso la Scrittura è parola di Dio. Inoltre esso suppone la conoscenza della problematica e dell'impiego del metodo storico-critico nella ermeneutica della Bibbia.

È comunque opportuno richiamare il principio che la Scrittura in quanto parola di Dio non è semplicemente un fenomeno storico-letterario comprensibile per lo più con i criteri che si adoperano per qualunque scritto del passato, ma costituisce essa stessa un evento che si colloca nel progetto della rivelazione storica di Dio. La Scrittura quindi, pur essendo descrivibile in termini di indagine storico-critica, è essenzialmente un fatto da attribuire pienamente all'iniziativa di Dio, che trascende nei suoi contenuti religiosi e dottrinali le dimensioni della natura e cultura dell'uomo. Si comprende così che quando i testi del magistero parlano della Scrittura, uniscono questo tema a quello della tradizione e a quello del magistero, che gode del dono di interpretare autenticamente ed esporre fedelmente la parola di Dio affidata da Cristo e dallo Spirito agli apostoli (DV 9).

Alla luce delle suddette premesse, si possono segnalare alcuni tipi fondamentali di uso della Scrittura nell'argomentazione della teologia positiva.

– L'uso del dato biblico come *argomento scritturistico*. Sotto questo profilo la teologia sistematica trova nella Scrittura, con la conferma dell'esegesi critica, la prova che giustifica la provenienza dalla rivelazione della dottrina di fede attualmente pre-

dicata (ad es. la verità che lo Spirito Santo è conferito nel battesimo).

– L'uso del dato biblico come *fondamento scritturistico*. In questo caso, il dato biblico, esegeticamente compreso e chiarito, offre soltanto una parte oppure solo una base di partenza per la giustificazione della provenienza della rivelazione di una determinata dottrina. Si possono distinguere due casi. Nel primo, il lettore moderno, grazie ai risultati dell'esegesi, può vedere che una parte della verità di fede predicata è contenuta formalmente ed esplicitamente nella Scrittura (ad es. la verità che, secondo Paolo, nessuno può salvarsi dal peccato e dalla morte se non per la morte e risurrezione di Cristo. Il concilio di Trento interpretando Rm 5 indica la direzione esatta per comprendere *pienamente* il messaggio paolino e per evitare interpretazioni riduttive circa la dottrina del peccato originale). Nel secondo caso, esiste il problema di individuare *in quale misura* una verità insegnata dalla chiesa sia presente nella testimonianza biblica (ad es. la nozione di «sfraghís» – sigillo – pur trovandosi nella Scrittura non significa direttamente ciò che la chiesa interpreterà in seguito con la dottrina del «carattere» sacramentale). In altri termini: ci possono essere dottrine di fede che la chiesa insegna dogmaticamente e che trovano nella Scrittura solo un fondamento o base di partenza che nella tradizione viene esplicitato e compreso pienamente e correttamente.

– Infine, si considera il caso in cui circa una dottrina di fede la Scrittura non dice nulla di formalmente esplicito e di tecnicamente formulato. In questa situazione, l'esegesi non è in grado di evidenziare il senso della dottrina, né il punto di partenza da cui è iniziato il cammino di esplicitazione. Di conseguenza il lettore credente e il teologo dovranno ricorrere alla tradizione (ad es. il dogma dell'assunzione di Maria). Ciò però non significa che alcune verità di fede non sono contenute nella Scrittura intesa come parola di Dio, ma significa che il rapporto tra rivelazione, Scrittura e tradizione deve tener conto di questo elemento, cioè che non è sufficiente la conoscenza della Scrittura per comprendere la parola di Dio. Per la determinazione ultima e decisiva dei contenuti rivelati si deve sempre ricorrere alla tradizione (liturgia, senso di fede del popolo di Dio, predicazione autorevole e autentica del magistero).

In conclusione, possiamo riassumere dicendo che i vari usi della Scrittura nel metodo teologico suppongono sempre il risultato dell'esegesi storico-critica, tesa ad enucleare il senso tecnico e diretto del testo biblico, ma oltrepassano tale risultato in quanto l'impiego del dato biblico nell'argomentazione della teologia positiva ha sempre bisogno della tradizione, secondo i modi spiegati, per comprendere il significato e il contenuto della dottrina rivelata. Inoltre, la teologia sistematica dovrà tener conto di altri due criteri fondamentali nell'uso del dato biblico: *a.* Il criterio dell'*unità della bibbia* (ogni singola affermazione deve essere ultimamente letta nell'insieme globale del messaggio della Scrittura); *b.* Il criterio *cristologico* (ciò che si legge nella Bibbia non è qualcosa in sé compiuto, ma va letto insieme a colui in cui tutto è compiuto, Cristo Signore. È Cristo che conduce alla verità profonda e piena delle immagini bibliche).

2. *La tradizione ecclesiale.* Supponendo le acquisizioni dell'autocomprensione della chiesa circa il concetto di tradizione (DS 1501-3007-3386), ci limitiamo a ricordare che secondo il Vaticano II la tradizione trasmette la parola di Dio tramite gli apostoli e i loro successori «integre» (nella sua totalità) fino all'oggi (DV 9). Essa raccoglie non solo la predicazione orale, ma anche gli esempi della vita

di Cristo e la testimonianza della liturgia. Inoltre l'esperienza spirituale, la predicazione dottrinale e lo studio dei fedeli sono gli elementi che provocano il progresso della tradizione nella comprensione della rivelazione (DV 8). Per quanto riguarda l'uso dei dati della tradizione nel metodo teologico, occorrerà preliminarmente distinguere alcuni livelli dell'interpretazione dei documenti della tradizione.

Il livello dell'*interpretazione filologica* consiste nello stabilire il senso del testo nella sua struttura letterale e grammaticale. Il livello dell'*interpretazione storica* intende fissare ciò che l'autore ha voluto dire nel contesto globale dei suoi scritti e del suo pensiero. Il livello dell'*interpretazione dogmatica* ha lo scopo di afferrare il senso trascendente racchiuso nei documenti della tradizione. Non si può trascurare il fatto che nella testimonianza umana e storica dei documenti della tradizione può essere racchiuso un contenuto di verità proveniente dalla rivelazione, garantito dall'assistenza dello Spirito, guida universale.

Per tali motivi l'uso che la teologia fa del dato della tradizione non può prescindere dal magistero che nella tradizione è l'organo atto ad individuare e fissare il senso dogmatico della testimonianza o affermazione dottrinale.

Proprio a questo livello si incontra un problema nodale per il metodo teologico. Si osserva infatti che la tradizione propone certi contenuti di verità con le medesime nozioni e parole fin dall'inizio della predicazione cristiana. Essa però propone altri contenuti di verità in nozioni e parole solo a partire da una certa epoca. Si costata in proposito che la maggior parte della predicazione di fede attuale – *linguisticamente parlando* – non proviene direttamente da Cristo e dagli apostoli. Il quesito che si pone è come si può spiegare questo fatto e quali conseguenze ha per il corretto metodo teologico.

Una risposta al quesito è che il cambiamento di attenzione, in riferimento ai molteplici aspetti del mistero della fede, è condizione necessaria per capire l'introduzione di nuovi termini nella predicazione dottrinale della chiesa (cfr. ad es. il concetto di «homooúsios» o il concetto di «transubstantiatio» o il concetto di «carattere sacramentale» ecc.).

Si giunge così alla seguente chiarificazione. La chiesa trasmette per un certo periodo di tempo un contenuto rivelato senza formularlo tecnicamente. Il risultato dell'introduzione di nuove parole o formulazioni, per esprimere sempre il medesimo contenuto rivelato, è la conoscenza più riflessa, più consapevolmente dettagliata della stessa verità di fede, che era presente nella coscienza vissuta del popolo cristiano in modo pre-concettuale, pre-riflesso e forse anche generico. Nel passaggio dalla coscienza vissuta alla conoscenza e formulazione riflessa entra sempre e necessariamente anche il magistero, che solo può garantire in ultima istanza che tale passaggio e approdo alla formulazione concettuale avvenga senza manipolare e alterare il contenuto rivelato stesso.

Per l'argomentazione probativa della teologia positiva, risulta quindi necessario tener conto degli spostamenti d'accento e dei passaggi di attenzione circa i molteplici aspetti dei misteri della fede. Soltanto così si può dare ragione della esplicitazione e degli approfondimenti-sviluppi storici della tradizione ecclesiale.

Infine, per il metodo teologico, è importante sottolineare la distinzione tra *tradizione dottrinale di fede* e *tradizione teologico-culturale cristiana*. Tale distinzione permette di non confondere il dato appartenente alla fede comune della chiesa, testimoniato dalla vita liturgica, dall'esperienza spirituale e dalla predicazione dogmatica del magistero, e l'elemento appartenente alle persuasioni e opinioni teologiche e culturali che pure è presente nella storia del pensiero cristiano. È vero che di fatto si nota spesso un intreccio tra i due elementi; tuttavia è necessario che la teologia giunga ad una adeguata distinzione tra ciò che appartiene alla tradizione di fede, garantita dal magistero, e ciò che appartiene a modelli e prospettive intellettuali storicamente condizionati e non legati essenzialmente al → deposito della fede. Ciò d'altra parte non significa trascurare il valore educativo e metodologico dei pensatori e teologi (soprattutto i Padri e i dottori della chiesa) che hanno ricevuto un particolare riconoscimento dalla chiesa stessa.

In questo contesto si possono menzionare alcune caratteristiche fondamentali degli autori cristiani da tenere in speciale considerazione: l'ortodossia dell'insegnamento, la santità della vita, il riconoscimento da parte della chiesa e la capacità di aprire la ragione umana alla comprensione dell'avvenimento della rivelazione.

3. *La mediazione del magistero nella conoscenza teologica.* L'affermazione che esiste un rapporto intrinseco tra il ministero della predicazione della Parola vera (cfr. Tt 1,9; 1 Tm 1,10; 4,6; 2 Tm 4,3) e la successione apostolica conduce a considerare il tema specifico del magistero e l'uso dei suoi documenti nel metodo teologico.

Funzione dei documenti del magistero: significato e valore. Il significato del magistero nella chiesa va compreso in ordine alla *verità* della dottrina cristiana. I documenti del magistero non sono quindi qualcosa di estrinseco o di sovrapposto alla verità cristiana, ma esprimono l'enucleazione della verità stessa. Il servizio alla verità salvifica reso dal magistero è a favore di tutto il popolo cristiano, chiamato ad essere introdotto nella libertà della verità.

L'oggetto dell'insegnamento del magistero è la parola di Dio, in tutta la sua ampiezza; l'ambito di competenza del magistero è quindi la dottrina rivelata (DS 3018). Il modo in cui il magistero esercita la sua funzione è sostanzialmente duplice:

– Esiste un modo solenne e straordinario, il cui risultato sono gli enunciati dogmatici irreformabili, per sé e non per il consenso dei fedeli (DS 3074).

– Esiste un modo ordinario, il cui risultato non è tanto una precisazione definitiva di una dottrina, né la garanzia che un contenuto appartenga alla rivelazione; piuttosto si tratta di trasmettere *autenticamente* la sostanza del messaggio cristiano nelle sue applicazioni alla vita pastorale della chiesa.

Per quanto riguarda le definizioni dogmatiche, il *carisma veritatis* del magistero si riferisce alla possibilità di dichiarare in modo infallibile che il contenuto di fede è rivelato, nel presupposto che tale contenuto sia sempre stato presente nel deposito della fede, anche se in modo non riflesso e non formulato tecnicamente. Il concilio Vaticano I, nella formula di definizione dogmatica dell'infallibilità pontificia (DS 3015; 3017), ha deliberatamente incluso anche la possibilità che la chiesa definisca dottrine, senza necessariamente proporle come divinamente rivelate. Tali dottrine, se proposte dalla chiesa in modo definitivo, devono essere accettate e riconosciute, anche se ad esse non è dovuto l'assenso di fede divina.

Può quindi rientrare nell'oggetto di definizioni irreformabili, anche se non divinamente rivelate, tutto ciò che si riferisce ai misteri della salvezza in modo così connesso che senza chiarimenti dottrinali circa tale oggetto non è possibile l'annuncio efficace delle verità rivelate. Rientra in questo ambito di competenza, ad esempio, ciò che si riferisce alla legge morale naturale, ai «preambula fidei», ai cosiddetti «facta dogmatica», quali

la legittimità di un concilio, di un pontefice, la canonizzazione dei santi ecc.

Per quanto riguarda la predicazione del magistero ordinario in materia di fede e di morale, l'insegnamento della chiesa (cfr. LG 25) ricorda che lo scopo è quello di condurre i fedeli all'iniziazione dei misteri centrali della salvezza, attraverso i diversi strumenti dell'azione pastorale, liturgica, catechetica. Tale predicazione, pur essendo autentica, non ha l'intenzione di proporre in modo definitivo un insegnamento dottrinale, che pertanto non è per sé irreformabile. Agli insegnamenti del magistero ordinario non è dovuto quindi un assenso di fede né un assenso irrevocabile, ma è dovuto l'ossequio religioso dell'intelletto e della volontà. In quanto «religioso» esso non si fonda su motivazioni puramente razionali, ma sulla riconosciuta singolarità della funzione del papa e dei vescovi, di esporre e predicare – con l'autorità conferita da Cristo mediante la successione apostolica – i contenuti della dottrina e della vita cristiana. È inoltre da ritenere che, essendo testi di per sé non irreformabili, è doveroso che la competenza teologica approfondisca e sviluppi criticamente il pensiero del magistero.

Quanto al *valore* delle definizioni dottrinali, e in particolar modo dei dogmi, si tratta di tenere presente che gli enunciati dogmatici indicano ciò che la chiesa avverte come non compatibile con l'intelligenza corretta della rivelazione. I pronunciamenti del magistero non pretendono di esprimere positivamente la totalità del mistero della fede; essi tuttavia costituiscono una positività irrinunciabile per la coscienza credente, poiché da un lato negano l'eresia, che è sempre una rottura o una riduzione della globalità del dato della fede, e dall'altro spingono e orientano la teologia a riprendere in modo sempre più approfondito il messaggio della salvezza, salvaguardandolo da comprensioni devianti e riduttive.

Uso dei documenti del magistero e criteri di interpretazione. Si indicheranno qui di seguito i criteri e i principi generali della interpretazione dei testi dottrinali magisteriali, allo scopo di stabilire il loro corretto uso nel metodo teologico.

1. Dinanzi ad un documento magisteriale occorre prima di tutto determinare l'intenzionalità di insegnamento, distinguendo il contenuto dottrinale intelligibile dalle forme o dagli schemi argomentativi e illustrativi dipendenti da prospettive teologiche storicamente condizionate.

Tale criterio è un'applicazione coerente della dichiarazione del Vaticano I che, pur consapevole del progresso della chiesa nella conoscenza della verità rivelata (DS 3020), ha insegnato che «ai sacri dogmi dev'essere mantenuto il senso dichiarato una volta per tutte dalla Chiesa» (DS 3020). Questo insegnamento è stato confermato da Giovanni XXIII durante l'inaugurazione del concilio Vaticano II: «Bisogna che questa dottrina certa e immutabile... sia esplorata ed esposta nella maniera che l'epoca nostra richiede. Una cosa è infatti il deposito della fede, cioè le verità contenute nella nostra veneranda dottrina, e altra cosa è il modo della loro enunciazione, sempre però nel medesimo senso e significato» (AAS 54 [1962] 792; GS 62). La dichiarazione *Mysterium Ecclesiae*, riprendendo tale insegnamento, precisa che qui il papa parla di deposito della fede da identificare con le verità contenute in tale dottrina, e di verità che devono essere conservate nel medesimo senso. La dichiarazione prosegue: «è chiaro che il papa ammette che il senso dei dogmi può essere da noi conosciuto, e che questo è esatto e immutabile... La novità raccomandata, in considerazione delle esigenze del tempo, riguarda soltanto i modi di ricerca, di esposizione e di enuncia-

zione della stessa dottrina nel suo senso permanente» (*Mysterium Ecclesiae*, n. 5). Inoltre il documento dichiara che «le formule dogmatiche del Magistero della Chiesa fin dall'inizio furono adatte a comunicare la verità rivelata, e restano per sempre adatte a comunicarla a chi le comprende rettamente» (n. 5). Ciò non significa che non si possano trovare altre formule integrative ed esplicative di quelle già fissate, ma «esse dovranno essere approvate dal Magistero e indicare l'identico significato in modo più completo» (n. 5). A commento di questo insegnamento, si può puntualizzare che le formule dogmatiche, proposte e definite dalla chiesa, esprimono in modo oggettivo e determinato (e quindi non approssimativo) l'aspetto o il contenuto delle verità rivelate, a cui si riferiscono. Anche se le formule dogmatiche in quanto tali non sono l'oggetto ultimo della fede, poiché la fede è tutta tesa verso la realtà misteriosa e trascendente di Dio, tuttavia esse non sono il risultato di una rappresentazione soggettiva e puramente storica e mutevole dei misteri della rivelazione.

2. Occorre distinguere i diversi gradi di certezza e di obbligatorietà con i quali il magistero intende impegnare la propria autorità dottrinale. Una cosa è la definizione dogmatica, altra cosa è l'indicazione pastorale o l'esortazione o la direttiva disciplinare.

3. È necessario distinguere in un documento i presupposti essenziali di una definizione dogmatica, tali cioè, che una volta negati si nega anche il contenuto della definizione; e i presupposti non essenziali, che appartengono ad elementi contingenti derivanti dalle persuasioni culturali di un'epoca.

4. È necessario infine attirare l'attenzione al problema della distinzione tra il contenuto o significato di un dogma e la sua formulazione con-

cettuale. Al riguardo si costata, nello sviluppo dottrinale dei temi di fede, un passaggio o cambiamento linguistico dalle nozioni bibliche alle nozioni contenute nel dogma (cfr. homooúsios del credo Niceno). Ciò si spiega perché una dottrina biblica può esprimere un contenuto rivelato in termini narrativi o mediante una espressione figurata. Una tale dottrina biblica può richiedere di essere spiegata in un contesto storico mutato e può esigere di separare il contenuto dottrinale dall'espressione figurata per afferrare il significato profondo e autentico. Questa separazione si è di fatto verificata nella storia della tradizione e il magistero ha proposto alcuni contenuti rivelati in una forma figurativa, nello stesso modo della bibbia, e altri contenuti rivelati in una forma concettuale propria e tecnicamente elaborata. Il passaggio dalla locuzione figurata a quella concettuale propria si può definire come processo di interpretazione della fede. In tal caso però il contenuto, che è sempre un elemento anche intellettuale, rimane inalterato ed è riconoscibile dall'intelletto e comunicabile attraverso la parola umana.

Prima conclusione. La riflessione sull'uso delle fonti della rivelazione e dei documenti del magistero ha evidenziato che la Scrittura, la tradizione e il magistero esigono sempre una relazione e un riferimento reciproco. L'uso del dato biblico ha bisogno della tradizione e del magistero perché questi ultimi soltanto possono orientare nella comprensione piena e autentica del messaggio del testo biblico. D'altra parte la comprensione della tradizione esige la conoscenza della Scrittura poiché la Tradizione suppone e dipende dalla testimonianza neotestamentaria originaria. L'uso dei testi magisteriali deve sempre tener conto del contesto più ampio della tradizione, nel quale si colloca il pronunciamento magisteriale.

A sua volta la dottrina della chiesa di oggi illumina l'orizzonte interpretativo in cui il senso del messaggio biblico ed ecclesiale deve essere rettamente compreso.

In conclusione, la teologia prova la provenienza dalla rivelazione delle dottrine di fede nella totalità e integrità dell'uso delle fonti della conoscenza teologica (Scrittura, tradizione e magistero). Senza questa totalità non si può elaborare un'argomentazione valida, poiché senza il quadro globale offerto dalla testimonianza della Scrittura, della tradizione e dei documenti del magistero, non è possibile vedere *come e a quale livello* una verità di fede si inserisce nell'insieme della rivelazione. La storia di fede, intesa come l'uni-totalità di Scrittura, tradizione, magistero fino alla predicazione di fede attuale, permette di conoscere le sottolineature e l'accentuazione di alcuni aspetti della verità cristiana che rendono ragione delle esplicitazioni e delle puntualizzazioni dogmatiche, relative all'enucleazione dei contenuti rivelati appartenenti al depositum fidei.

d. *Momento riflessivo della teologia: intellectus fidei* - Il risultato dell'ascolto critico delle fonti della fede è la verifica della pretesa di verità della dottrina di fede, in quanto proveniente dalla rivelazione. L'*oggetto* della teologia riflessiva è quindi la dottrina e la vita della chiesa in quanto derivate dalla rivelazione o riferite alla rivelazione. La teologia quindi nel momento riflessivo suppone sempre la verità della fede e suppone la sua fondazione critica nel principio della rivelazione. Per formulare *la domanda* a cui la teologia riflessiva deve rispondere, si considera il rapporto tra i dati teologici e il pensiero umano. Tre sono principalmente le esigenze da tenere presenti: 1. l'esigenza di *illustrare speculativamente* il contenuto di fede, tenendo conto dei dubbi e delle difficoltà che la ragione o l'esperienza umana solleva; 2. l'esigenza di mostrare la coerenza intrinseca del discorso della fede in vista di una *sintesi* teologica, che postula la struttura organica del pensiero e della dottrina cristiana; 3. l'esigenza della *attualità* della verità della fede, allo scopo di evidenziare la rilevanza esistenziale e pratica dei misteri della fede e la loro capacità di dare risposta alle attese profonde dell'uomo e della cultura nel particolare momento storico in cui si vive. A queste tre esigenze si aggiunge l'opportunità che nel cammino di approfondimento intellettuale della fede, la teologia scopra qualche elemento non ancora esplicitato o non ancora formulato e chiarito riflessivamente. *Il lavoro esplicitativo* della riflessione teologica è in tale senso un contributo rilevante e creativo per tutta la chiesa impegnata ad approfondire e a penetrare sempre maggiormente nella comprensione dei misteri della fede.

Sulla base di queste considerazioni introduttive, si può suddividere l'impianto metodologico della teologia riflessiva nelle seguenti specializzazioni funzionali: *funzione speculativa, funzione esplicitativa e funzione attualizzatrice* dell'*intellectus fidei*.

Prima di esaminare in particolare queste funzioni, è opportuno considerare alcune premesse generali di ordine epistemologico che si riferiscono alla struttura specifica dell'*intellectus fidei*.

La teologia sistematica ha infatti il compito, come «intellectus fidei», di assumere le categorie e il bagaglio culturale delle diverse epoche storiche per proporre una esposizione dei contenuti di fede che sia in grado di sostenere le esigenze scientifiche e teoretiche del pensiero umano e per soddisfare l'esigenza della *sintesi teologica* dei misteri della fede.

L'assunzione delle categorie concettuali provenienti dall'ambito culturale e teoretico del pensiero pone obiettivamente il problema del *confronto*

tra → teologia e filosofia. Ci si limita qui a indicare i principi orientativi per l'uso della filosofia nel procedimento speculativo dell'*intellectus fidei* e successivamente si presenterà il criterio metodologico basilare per la costruzione della sintesi teologica.

1. *Intellectus fidei e filosofia* - Per un corretto uso del sapere filosofico nell'ambito della riflessione speculativa teologica, sarà necessario tenere presente i seguenti principi e orientamenti di fondo:

a. Il principio-base è dato dal fatto che la rivelazione manifesta la verità di Dio in Cristo Gesù e di conseguenza essa esige e postula che la fede come accettazione/risposta alla rivelazione sia anche intelligenza e riconoscimento vero dell'identità di Gesù Cristo rivelatore del mistero del Padre e Logos di Dio.

La fede in quanto «fides qua» implica l'adesione fiduciale/esistenziale/personale alla parola di Dio rivelata in Cristo. La fede in quanto «fides quae», cioè come riconoscimento della rivelazione, implica l'esistenza di una *dottrina* (*doctrina revelata*) e di un *agire* conformi e adeguati alla verità di Cristo.

b. La dottrina rivelata esige strutturalmente che la ragione umana sia rettamente ordinata alla verità, capace di conoscere Dio a partire dalla realtà creata (DS 3004, 3005; DV 6), e di apprendere i principi della vita morale. Pertanto la recezione/trasmissione della rivelazione da parte della chiesa esige affermazioni di portata metafisica universale, cioè che l'uomo è capace di verità, di enunciare asserti veri, di scegliere liberamente il bene. Tali implicazioni metafisiche di valore universale e oggettivo derivano essenzialmente dalla dottrina rivelata stessa.

c. La fede (*fides quae*) in quanto riconoscimento e adesione della rivelazione possiede intrinsecamente la qualità di essere un legittimo modo di «sapere». Di conseguenza la fede non acquista la ragionevolezza dal di fuori, né esiste separazione o estraneazione tra «fede» e «sapere», tra «fede» e «ragione», anche se fede e ragione si distinguono senza confondersi.

d. Dalla corretta impostazione dei rapporti tra fede e ragione (→ Ragione/fede), derivano alcune implicazioni per la relazione tra teologia e filosofia nel metodo teologico.

− Quando la fede cerca di comprendere se stessa in modo critico e riflesso (fides quaerens intellectum) essa esige la teologia. L'origine della teologia è pertanto il sapere della fede. Per svolgere però il suo compito critico e speculativo la teologia ha bisogno anche della filosofia. Quando la fede / teologia incontra l'ambiente culturale umano, cioè una «ragione colta», necessita di categorie filosofiche che siano coerenti con le esigenze della fede. Poiché per sua natura la filosofia ha la pretesa di dare un'interpretazione della totalità del reale, la fede della chiesa esige di poter disporre di una ragione filosofica che colga la verità di Dio, dell'uomo e del mondo, in modo che la dottrina rivelata possa confermare tali affermazioni ed elevarle al piano della rivelazione. Questo è stato del resto lo sforzo dei grandi maestri del pensiero teologico (Agostino, Anselmo, Tommaso d'Aquino, Bonaventura, Scoto...).

− Non si tratta di imporre per la teologia un sistema filosofico particolare, né di assolutizzare un determinato modello di pensiero, ma di affermare in linea di principio la possibilità e la necessità di un *pensare filosofico retto e vero*, corrispondente alle esigenze della fede.

− In questo contesto, si comprende l'opportunità del richiamo dello stesso Vaticano II a Tommaso d'Aquino, come valore ed esempio da imitare e considerare, senza interpretare tale richiamo in un senso esclusivo ed escludente.

In questa prospettiva, l'*intellectus fidei* non è l'applicazione di una filosofia tecnica alla comprensione della dottrina rivelata. L'*intellectus fidei* non dipende da un'autocomprensione filosofica. D'altra parte le filosofie non sono «indifferenti» per l'*intellectus fidei*. Le categorie filosofiche possono essere utilizzate secondo la convenienza della fede, a patto che siano coerenti con le esigenze della dottrina rivelata stessa. In conclusione sarà opportuno tenere presenti i seguenti elementi:

Primo: la scientificità dell'*intellectus fidei* è intrinseca alla sua stessa natura e la funzione della filosofia non consiste nel mettere ordine dentro ad un dato (la fede) che in se stesso sarebbe disordinato e privo di una sua unità intrinseca.

La funzione dell'*intellectus fidei* è propriamente quella di far emergere un ordine, un'armonia logica che è intrinseca alla dottrina rivelata stessa.

Secondo: l'uso delle categorie e dei modelli filosofici costituiscono un mezzo attraverso il quale l'*intellectus fidei* può mostrare l'intelligibilità della rivelazione e approfondire speculativamente il mistero della fede in ordine al dialogo e al confronto con l'autocomprensione filosofica dell'uomo e della cultura del tempo.

Terzo: in quanto la *dottrina rivelata* contiene e implica essenzialmente presupposti metafisici e principi gnoseologici universali, che esprimono le strutture permanenti dell'essere e del pensiero (creaturalità dell'uomo, capacità della mente umana di conoscere il Vero e di compiere il Bene, capacità del linguaggio umano di esprimere contenuti rivelati ecc.), essa esige un pensiero filosofico che sia coerente e compatibile con le esigenze di verità della rivelazione / fede.

2. *Intellectus fidei e sintesi teologica* - La riflessione sul mistero cristiano mirante ad approfondire e a penetrare progressivamente la comprensione del *depositum fidei*, può pro-

cedere solo se è costantemente integrata e collocata nell'insieme globale della dottrina della salvezza, che è misura e regola di ogni indagine e di ogni ripensamento particolare. In questo modo la teologia riflessiva viene incontro alla esigenza della *sintesi teologica*.

In proposito è conveniente mettere in luce il principio epistemologico dell'*analogia della fede*, che appartiene alla struttura epistemologica della teologia stessa. Tale principio dice che la investigazione speculativa dei singoli contenuti di verità sia condotta nel senso di individuare i rapporti e le connessioni tra le verità della fede, poiché solo in questo modo si può pervenire alla determinazione del significato dei singoli misteri e si giunge così ad una sintesi organica dei temi dottrinali, che sono oggetto di riflessione e sistematizzazione. Il fondamento di questo principio è indicato nell'insegnamento del Vaticano II, e precisamente nella dottrina della gerarchia della verità: «Nel mettere a confronto le dottrine, i teologi si ricordino che esiste un ordine o "gerarchia" nelle verità della dottrina cattolica, essendo diverso il loro nesso col fondamento della fede cristiana» (UR 11). Così la stessa *Mysterium Ecclesiae* afferma che «esiste certo un ordine e come una gerarchia dei dogmi della Chiesa, dato che è diverso il nesso col fondamento della fede. Ma questa gerarchia significa che alcuni dogmi si fondano su altri come principali e ne sono illuminati. Tutti i dogmi però, perché rivelati, devono essere creduti con fede divina» (*Mysterium Ecclesiae*, 4).

Il suddetto insegnamento costituisce una base epistemologica fondamentale per l'elaborazione della sintesi teologica, poiché la teologia può penetrare il significato delle singole verità di fede, solo se stabilisce rettamente il rapporto delle une con le altre, tenendo conto del riferimento «gerarchico» al fondamento della fe-

de che è la rivelazione di Dio compiuta definitivamente in Gesù Cristo. Il principio dell'analogia della fede è quindi una regola basilare per una corretta metodologia teologica nell'ambito dell'*intellectus fidei*.

Stabilite queste premesse epistemiche generali, si illustreranno ora brevemente le funzioni specifiche in cui si articola la teologia riflessiva, con i relativi metodi.

a. La funzione speculativa. *La risposta alle obiezioni della ragione.* Si possono distinguere fondamentalmente due tipi di obiezioni. *La prima è l'insinuazione che esista una contraddizione tra la verità di fede e la verità di ragione.* Sotto questo profilo la teologia procederà esponendo il senso esatto dell'asserto di fede, per evitare malintesi sul significato dell'enunciato e confutare così le apparenti contraddizioni, che in realtà non esistono se l'enunciato è ben compreso. Successivamente la teologia, di fronte alle difficoltà, dovrà provare con strumenti logici che il ragionamento umano che ritiene di vedere una contraddizione tra la fede e la ragione, è falso. Il presupposto epistemologico dell'impossibilità della contraddizione è dato dal fatto che esiste una omogeneità sostanziale tra ordine della creazione e ordine della salvezza (→ Analogia), per cui il Dio che rivela una verità di fede è lo stesso Dio che ha creato la ragione umana. *La seconda provocazione da parte della ragione umana è il tentativo di voler razionalizzare e dimostrare la verità di fede,* riducendola ad una verità di pura ragione, e quindi negando il carattere rivelato e assolutamente gratuito della verità di fede in questione. In questo caso, la ragione umana potrebbe essere usata al fine di mostrare, con i soli mezzi della riflessione, l'evidenza intrinseca della verità di fede. La teologia procederà argomentando l'impossibilità di una evidenza intrinseca della verità di fede (ad es. il mistero della trinità di

Dio) per la sola ragione, in quanto l'oggetto in questione trascende necessariamente la capacità filosofica dell'uomo.

La risposta che suggerisce la ragionevolezza della fede. Occorre distinguere due atteggiamenti possibili per il credente. Il primo è quello di chi vuole rendere comprensibile la verità di fede rivelata attraverso la comparazione con la realtà e l'esperienza umana. Il secondo è quello di chi intende proporre un'argomentazione ragionata per far scaturire il senso positivo del messaggio di fede per la realizzazione dell'esistenza umana.

– *Il metodo della comparazione*: sulla base del presupposto che esiste una omogeneità sostanziale tra ordine della creazione e ordine della salvezza, benché sussista sempre una differenza qualitativa intrascendibile (analogia), si può concludere che esistono rassomiglianze tra verità di fede e verità naturali, *quanto alla possibilità di una comprensione delle prime.* Il procedimento metodologico mette in rapporto una o più verità di fede con una o più verità di ordine naturale e razionale (ad es. l'analogia o similitudine che Agostino vede tra la vita interna e intima della trinità e la vita e la struttura dell'anima umana che si distingue nelle facoltà della memoria, intelletto e volontà). È chiaro che il ragionamento teologico affida la sua fondatezza e plausibilità alla capacità dell'intelligenza umana di sostenere le sue tesi, non essendo in questo caso la ragione teologica immunizzata da possibili errori e approssimazioni, che insidiano sempre la sua ricerca. Nel campo speculativo, la teologia non possiede altra forza che quella espressa dalle ragioni che riesce a identificare e dalle argomentazioni che è in grado di produrre.

– *Il metodo della corrispondenza*: si vuole suggerire il valore della dottrina, presupponendo la sua verità intellettuale. Il presupposto di questo metodo è la convinzione che la verità cristiana è «propter nos homines et propter nostram salutem», cioè è sempre una *verità salvifica.* La teologia speculativa cerca quindi di elaborare una proposta teoretica che offra motivi validi per rendere sensata l'esperienza cristiana. In concreto si tratta di mostrare che i problemi fondamentali della vita dell'uomo (la sofferenza, la morte, l'aspirazione all'autocompimento personale...) non sono creati dalla rivelazione, né tali problemi creano la risposta della rivelazione. La ragione teologica è in grado però di esibire che la problematicità radicale dell'esistenza storica dell'uomo trova nella rivelazione cristiana la risposta *sensata* e il compimento definitivo (→ Senso).

b. La funzione esplicitativa. Non si tratta in questa prospettiva di rendere intelligibile il significato teologico di un contenuto dottrinale, né di rispondere alle obiezioni della cultura umana. L'oggetto specifico è la percezione di un argomento o aspetto del mistero, che non è ancora formulato in parole e nozioni tecnicamente precise. All'inizio del procedimento non si conosce ancora la natura e la rilevanza sul piano dottrinale. Tuttavia esistono elementi che suggeriscono e appellano alla coscienza del teologo affinché si identifichi con maggior precisione un tema di fede (ad es. lo sforzo della riflessione di Agostino per formulare tecnicamente la nozione di «peccato originale»).

Sinteticamente, è possibile indicare il seguente cammino metodologico per la funzione esplicitativa della teologia. All'inizio, esiste la persuasione della chiesa che nella fede cattolica non ci possono essere contraddizioni tra le verità di fede. Mettendo quindi in rapporto una o più verità di fede con il fondamento e centro della rivelazione, cioè l'evento-Cristo, si può vedere il motivo che ha spinto il credente a scoprire il problema ancora non risolto con formule tecniche precise. Il metodo procede quindi a due livelli. Anzitutto si tratta di scoprire la realtà tematica da formulare, e ciò avviene di solito mediante un'intuizione. In secondo luogo, si attua un processo di esplicitazione per arrivare alla formulazione del contenuto cristiano da esplicitare. La garanzia che l'esplicitazione teologica sia corrispondente alla verità della rivelazione viene offerta solo dal magistero della chiesa. Tuttavia la teologia costituisce un momento necessario per giungere all'enucleazione della verità rivelata implicitamente presente nel depositum fidei.

La riflessione esplicitativa della teologia giunge al chiarimento della nozione e dell'aspetto rivelato non mediante un processo logico-deduttivo, ma attraverso un'intuizione del mistero in questione, che si sviluppa mediante la relazione stabilita tra il problema da chiarire e l'insieme delle verità della salvezza già conosciute, e particolarmente in rapporto al mistero di Cristo.

3. *La funzione attualizzatrice* - La teologia è consapevole che esiste un legame intrinseco tra l'esigenza di rendere comprensibile la verità della fede all'intelligenza umana, esplicitando il patrimonio della rivelazione, e l'esigenza missionaria di annunciare il vangelo agli uomini di tutti i tempi e luoghi. Quest'ultima esigenza rappresenta l'istanza attualizzatrice della teologia, che deve ritrovare e rinnovare la propria coscienza missionaria fondata sulla persuasione di proporre una verità e un valore universali e salvifici. Coerentemente a questo obiettivo, la teologia dovrà essere attenta alla sensibilità, agli strumenti più efficaci e al linguaggio in cui e attraverso cui è chiamata ad esprimere le proprie riflessioni. Dal punto di vista metodologico, essenziale è il richiamo a *due principi*. Il primo è che la teologia deve saper distinguere i contenuti dottrinali a carattere definitivo e le illustrazioni o gli schemi argomentativi adoperati per presentare tali contenuti. Questi ultimi sono sempre relativi e contingenti, mentre i primi sono immutabili.

Il secondo principio è che occorre distinguere tra il compito dell'attualizzazione «scientifica» e il compito della «attualizzazione pratica». La teologia sistematica soddisfa alla finalità *pastorale* e attualizzante nella misura in cui essa sa essere *scientifica ed ecclesiale*. Il che significa che la teologia è *attuale* nella misura in cui essa è semplicemente se stessa, e non nella misura in cui diventa qualcosa d'altro da sé. La teologia adempirà alla sua funzione attualizzatrice nel senso che essa ha il compito di far comprendere obiettivamente la realtà della rivelazione/fede, assumendo tutte le acquisizioni teoriche e pratiche, in qualche modo valide, che l'orizzonte del pensiero umano attuale presenta. Non si tratta quindi per la teologia di rinunciare alle esigenze rigorose del suo metodo teologico, inseguendo in forma acritica e frettolosa le modulazioni della cultura contemporanea, ma di assimilare, con discernimento critico, a partire dal giudizio della fede, le prospettive di lettura della realtà, che la storia degli uomini in cammino verso la ricerca della verità suggerisce e reclama.

Conclusione. Compito della metodologia teologica attuale è di raggiungere una unità più profonda tra i vari aspetti dell'investigazione teologica, che necessariamente devono essere differenziati nel procedimento del lavoro teologico. Un primo aspetto di questa unità organica è la convergenza profonda della funzione positiva e riflessiva della teologia. Tali funzioni infatti convergono in quanto sono espressioni di un'unica conoscenza superiore, cioè il sapere della fede. Si può inoltre aggiungere che nella dottrina del metodo teologico, il momento «positivo» e il momento «riflessivo» non sono subordinati l'uno all'altro, ma coordinati per vie diverse ad una conoscenza più adeguata dell'oggetto in questione. Ambedue i momenti sono invece subordinati alla fede, che li usa come strumenti per sviluppare e approfondire la comprensione del messaggio divino rivelato. D'altra parte teologia positiva e teologia riflessiva non sono mai estranee alla viva tradizione della chiesa. Pertanto l'unità tra fede, chiesa e teologia garantisce a quest'ultima la sua legittima autonomia nel suo procedimento scientifico, coordinando i suoi risultati ad un unico fine, che è l'introduzione dell'uomo nella conoscenza e vita intima del mistero di Dio, che in Cristo si è rivelato definitivamente come Padre, Figlio e Spirito Santo.

Bibl. - C. Colombo, «La metodologia e la sistemazione teologica», in Autori vari, *Problemi e orientamenti di teologia dogmatica*, Milano 1957, 1-56; Id., *Il compito della teologia*, Milano 1982; W. Kasper, *Per un rinnovamento del metodo teologico*, Brescia 1969; Id., *Teologia e Chiesa*, Brescia 1989; R. Latourelle, *Teologia scienza della salvezza*, Assisi 1970; B. Lonergan, *Il metodo in teologia*, Brescia 1971; Z. Alszeghy-M. Flick, *Come si fa teologia*, Roma 1974; J. Beumer, *Die theologische Methode*, Freiburg 1977; J. Alfaro, «La teologia di fronte al magistero», in R. Latourelle-G.O'Collins, *Problemi e prospettive di teologia fondamentale*, Brescia 1980, 413-432; J. Ratzinger, *Theologische Prinzipienlehre*, München 1982; W. Kern-J. Niemann, *Gnoseologia teologica*, Brescia 1984; G. Pozzo, «Il metodo nella teologia sistematica», in C. Rocchetta-R. Fisichella-G. Pozzo, *La teologia tra rivelazione e storia*, Bologna 1985, 255-351.

GUIDO POZZO

II. Teologia fondamentale

Scriveva Descartes nel suo *Discours sur la méthode*: «Il mio scopo non è quello di insegnare il metodo che ciascuno deve seguire per ben condurre la propria ragione, ma di far vedere soltanto in qual modo ho cercato di condurre la mia» (Cartesio, *Opere*, a cura di E. Garin, Bari 1967, 133). Questa citazione ben si può collocare all'inizio di un articolo che, per molti versi, si apre su una problematica ancora in fase di allestimento.

Il discorso sul metodo non è mai stato facile. Difficoltà oggettive si accompagnano alla riflessione sulla sua valenza epistemologica e sulle determinazioni consequenziali che si imprimono alla teologia nel momento in cui viene a confrontarsi con le altre scienze (→ Teologia e scienze). Eppure, il discorso sul metodo non può essere ignorato. Esso si dovrebbe anzi imporre con maggiore forza, soprattutto nell'oggi teologico che evidenzia alcune equivocità sia sulla precomprensione dello statuto epistemologico della teologia − e unitamente a questo, sul ruolo e la funzione del teologo − sia nel reciproco rapportarsi delle differenti discipline teologiche.

1. NECESSITÀ DI UN DISCORSO SUL METODO - A 25 anni dalla promulgazione della → *Dei Verbum* (18 novembre 1965), che per la teologia fondamentale segna la magna charta del suo rinnovamento, mentre si può verificare pienamente uno stile differente e dei contenuti nuovi che permettono di tratteggiare l'identità della disciplina, si deve però costatare ancora la presenza di parecchie zone d'ombra nella sua ricerca. Tra i primi vuoti che balzano immediati si trova il problema del metodo e della sua peculiarità nei confronti delle altre discipline teologiche.

Al di là delle considerazioni generali, il discorso sul metodo si impone per la fondamentale quanto più, come disciplina teologica, costituisce una epistemologia per l'intera strutturazione del sapere della fede. Convergono verso questa tematica infatti, differenti elementi che rendono più evidente sia la poliedricità della disciplina, che impedisce di darle una identità prestabilita, sia la pluralità dei contenuti e dei referenti che obbliga all'assunzione di diverse metodologie.

Per un discorso sul metodo in teologia fondamentale, che ovviamente pensiamo determinato dall'oggetto di indagine, sarà opportuno valutare la duplice valenza e funzione di questa disciplina nell'organigramma teologico.

A partire dal Congresso internazionale di Gazzada (6-11 settembre 1964, cfr. gli Atti in Autori vari, *Le deuxième symposium international de théologie fondamentale*, Torino 1965), si può ritenere che vi sia oramai un consensus tra i teologi fondamentali nel considerare la fondamentale come una piena disciplina *teologica* in cui convergono e si esprimono due esigenze complementari: quella *dogmatica* e quella *apologetica*. Quest'ultima non entra in competizione con la prima (e viceversa); ambedue si esprimono piuttosto come *funzioni* necessarie perché l'unica disciplina si identifichi con il ruolo che le compete: presentazione dell'evento della → rivelazione e della sua → credibilità.

L'oggetto di studio della fondamentale quindi è unico, sia per la riflessione dogmatica che per quella apologetica; ma mentre per il primo si usa un metodo che *investiga* il contenuto, per il secondo invece il metodo impiegato è quello della *ricerca*. Con l'*investigare* infatti, ci si muove necessariamente alla luce della rivelazione che è già accolta e creduta come parola di Dio; con il *ricercare* si dà invece spazio alla mente che ancora non ha raggiunto la verità che crede. Tra i due non esiste dicotomia; si riconosce piuttosto la presenza della duplice esigenza precedentemente richiamata, che in fondamentale viene accentuata per l'imporsi di un destinatario (→ Teologia fondamentale, II) che non è più solo il credente, ma anche l'«altro».

Il riconoscimento dell'istanza apologetica che comprende in sé un de-

stinatario non credente, conduce alla considerazione che almeno due elementi devono essere diretto oggetto di studio:

1. La necessità di una presentazione critica dell'atto del credere che sappia valutare la globalità della persona nel suo esprimersi come soggetto epistemico e soggetto credente. Questo è il momento in cui, contenutisticamente, si presenta l'atto di fede come un atto pienamente *libero* e quindi come una scelta profondamente umana.

2. La presentazione dell'oggettività del contenuto che è dato per rivelazione e che quindi può essere semplicemente accolto dal soggetto come atto gratuito che parte primariamente da Dio.

Detto in altri termini, la teologia fondamentale come apologetica, si trova nell'orizzonte del dover esprimere l'evidenza del carattere normativo della rivelazione, che è dato dal suo contenuto stesso, attraverso un procedimento gnoseologico che favorisca la comprensione e la libera scelta dell'atto di fede (DV 5).

Più direttamente: dall'obiettivo metodologico ne conseguirà che la teologia fondamentale in quanto disciplina *teologica*, è pienamente inserita nella metodologia propria che regola il sapere della fede; quindi secondo i caratteri generali che fanno capo all'*auditus fidei* e all'*intellectus fidei*. In quanto disciplina teologica ma con la peculiare dimensione *apologetica*, essa necessita però di un metodo proprio che qualifichi sia l'impatto con il contenuto di analisi, sia il destinatario cui deve essere comunicato.

a. *In riferimento al contenuto* - La teologia fondamentale ha per oggetto l'evento della rivelazione e la sua credibilità. Ambedue le componenti, evento e credibilità, trovano già all'interno della rivelazione i principi che la pongono in atto e che la fanno esistere.

La rivelazione, come evento storico culminante nella singolarità e definitività di Gesù di Nazareth, è concepita come decisione del libero e gratuito intervento di Dio nella storia. Il principio per la sua credibilità inoltre, non è esterno all'evento, ma intrinseco e dato con l'evento stesso; è la stessa persona di Gesù Cristo che non necessita di alcun'altra testimonianza al di fuori di quella del Padre (Gv 5,31-32; 8,13-18). Ciò significa che oggetto di indagine è anzitutto il mistero di Dio nella dinamica e logica della sua autorivelazione.

Questo evento, tuttavia, è dato a conoscere anzitutto da parte di un atto kenotico di Dio che nel mistero della sua incarnazione assume la categoria della *storicità*; inoltre attraverso la *mediazione* della comunità dei discepoli che trasmette tutto ciò che il maestro ha fatto e ha detto, permettendo così alle generazioni future di incontrarsi con il Signore (cfr. DV 7). L'analisi di questi elementi necessita di una metodologia che sappia indagare scientificamente attraverso i dati che sono ormai in nostro possesso, per raggiungere criticamente la verità che viene già accolta nella fede.

Per quanto riguarda la dimensione della *storicità* della rivelazione sarà da premettere che essa non equivale ad una riduzione al solo orizzonte storico, come se si fosse in presenza di una semplice ricerca archeologica sui *bruta facta*. Dire «storicità» infatti, implica affermare il raggiungimento della consapevolezza storica che un soggetto quale «Gesù di Nazareth» ha avuto ed espresso circa la sua persona (→ Cristologia fondamentale). Ciò significa cercare di comprendere quanto egli ha rivelato sulla sua missione, sul ruolo che ha svolto e sulle determinazioni che ha lasciato nei suoi contemporanei e, soprattutto, sulla sua presa di posizione davanti alla propria morte. Questo evento infatti costituisce lo scenario sul quale è possibile far convergere il senso ultimo da lui dato alla sua missione e alla coscienza di essere portatore di una rivelazione che proveniva da Dio stesso.

Affrontare questa tematica significa accedere alla storicità di una persona sapendo che si è posti di fronte ad un evento che ha tutte le caratteristiche per essere considerato un *unicum*, che si realizza nella storia una volta per tutte, e questo può essere verificato a partire dalla storia stessa. In forza della unicità e singolarità che questa persona manifesta, e che è irriducibile ad ogni forma di superesaltazione di un singolo soggetto, si approda anche alla considerazione circa la finalizzazione di tutta la storia; egli infatti supera il semplice orizzonte storico perché è in grado, contemporaneamente, di abbracciarlo nella sua globalità e di orientarlo al di là della sua contingenza immanente.

La storicità comporta inevitabilmente la comprensione di come questo evento è giunto fino a noi: trasmesso e mediato da persone che, trasformate dalla fede, hanno voluto che il nucleo centrale del suo messaggio e le linee portanti della sua persona superassero le barriere territoriali e temporali tanto da renderlo universale.

Più direttamente, in rapporto al nostro discorso sul metodo, si verifica la necessità di varie metodologie esegetiche che siano in grado di fornire elementi perché l'elaborazione teologica possa essere conforme e fedele al significato originario voluto dall'autore. Come esemplificazione, si avrà che diverse analisi linguistiche si addentreranno nei dati della Scrittura, dei Padri, del patrimonio della tradizione e del magistero per evidenziare il rapporto tra formulazione, contesto storico-culturale e senso più profondo della verità che si voleva comunicare. La storiografia con l'archeologia e le varie scienze ermeneutiche dovranno svolgere una ricerca perché, mediante testimonianze esterne, si possa ricostruire con maggior oggettività il dato fornito dalle diverse narrazioni che sono già determinate da intenti più teologici. Insomma, ci si accorge che l'analisi di questo solo contenuto si incontra con un ventaglio di metodologie che concorrono per solidificare il principio di intelligenza della fede.

b. *In riferimento al destinatario* - Una corretta metodologia non può fermarsi al solo contenuto. Essa deve necessariamente continuare nell'individuare e applicare regole che servano anche alla comunicazione dei risultati. Il metodo, quindi, è determinato anche dal referente cui il contenuto è indirizzato.

Si è detto che la fondamentale ha un duplice destinatario: il credente e l'«altro». Al primo, si dovranno dare le *ragioni* del suo credere; al secondo, i motivi per poter almeno prendere in considerazione la sfida della fede.

Anche nell'orizzonte del metodo, in forza di questo referente, si prospettano ambiti e strumenti di applicazione differenti. Il credente infatti, in forza della fede, dovrà essere abilitato a indagare il contenuto di essa con un'intelligenza critica che provenga anzitutto dall'interno dell'atto del credere che, come tale, già comporta una attività intellettiva del soggetto. Per l'«altro» invece si dovrà evidenziare, eventualmente, che già all'interno della struttura ontologica del soggetto, il «credere» è componente determinante per la realizzazione di sé; oppure e inoltre, che nel credere si presentano una serie di «ragioni» o un «cumulo di probabilità» (Newman) che possono rendere la vita pienamente umana.

2. PER UNA MEMORIA STORICA - Si deve onestamente osservare che fino al Vaticano II la teologia fondamentale aveva progressivamente accentuato la dimensione apologetica identificandola quasi con la polemica con-troversista. I manuali dell'epoca mostrano con disarmante evidenza che oggetto peculiare erano i due trattati: *De Revelatione* e *De Ecclesia Christi*. Con il primo gli autori si proponevano di legittimare l'esistenza del cristianesimo come una religione rivelata e quindi soprannaturale, perché aveva come autore Gesù Cristo, messia, compimento delle promesse antiche, e figlio di Dio (la cristologia era ridotta al «De legato divino» e all'analisi dei «titoli cristologici» (↦ Cristologia: titoli)). Con il secondo invece, si mostrava l'autorità infallibile della chiesa cattolica perché in forza delle sue note era l'unica legittima continuatrice della chiesa fondata da Cristo.

Il metodo apologetico che veniva impiegato era teso a dimostrare la verità espressa nella tesi. Essenzialmente la teologia manualistica (↦ Teologie, II) aveva sposato il metodo deduttivo. Il linguaggio impiegato lo rivela al primo colpo d'occhio; i termini «dimostrare» «provare» svolgono un ruolo determinante, ma sono peculiari di questo metodo.

Poiché il riferimento alla Scrittura era privo di una corretta ermeneutica e la metodologia impiegata corrispondeva essenzialmente a quella dei «dicta probantia», la conseguente estrinsecità delle argomentazioni appare oggi in tutta la sua drammatica chiarezza. Miracoli e profezie (assunti come *segni esterni*); oppure la «mirabile espansione della chiesa» e la «sublimità della dottrina» (assunti come *segni interni*) (cfr. in questo senso gli ultimi testi ancora in epoca conciliare di N. Dunas e G. De Broglie), erano i segni oggettivi che si ponevano come prove evidenti e certe della soprannaturalità della rivelazione in quanto raggiunti sulla base di un'attività razionale che prescindeva dalla fede.

Questo metodo apologetico era certamente fedele ai dettati di *Dei Filius* («voluit Deus cum internis Spiritus

Sancti auxiliis externa iungi revelationis suae argumenta, facta scilicet divina, atque imprimis miracula et prophetias, quae cum Dei omnipotentiam et infinitam scientiam luculenter commostrent, divinae revelationis signa sunt certissima et omnium intelligentiae accomodata», DS 3009), ma contemporaneamente tradiva il valore pienamente teologico dei contenuti analizzati. In una parola, si raggiungeva una forma di certezza perché chiaramente l'attività razionale era posta in atto, ma veniva meno la caratteristica di «evidenza» che era interna ai segni perché questi essenzialmente venivano a perdere il loro referente significativo: la persona stessa di Gesù di Nazareth.

Senza voler entrare in giudizi di sorta che meriterebbero un'analisi e uno studio maggiore, si può però pensare ad una inconscia ma continua involuzione messa in atto da alcune scuole teologiche (si pensi, per esemplificare, ai trattati di Liebermann, di Perrone, di Ch. Pesch, di Garrigou-Lagrange, di Tromp che coprono l'arco di circa due secoli), che avevano perso di vista l'originalità delle intuizioni patristiche e della scolastica. Il risultato fu quello di una «apologetica oggettiva» basata solo su argomentazioni metafisiche, priva di ogni relazione con il soggetto credente. L'assenza di una metodologia che mostrasse la storicità dei dati o almeno di un'esegesi che contestualizzasse meglio i contenuti, finirono per offrire il fianco alle diverse critiche che vennero poi radicalizzate nel modernismo.

Un'attenta lettura dei Padri → apologeti fa emergere che costoro si caratterizzano per l'attenzione costante al soggetto cui indirizzano le loro apologie. Anche se evidentemente loro prima preoccupazione era quella di presentare il kêrygma del mistero pasquale nella sua integrità, essi non perdevano mai di vista il soggetto cui si indirizzavano. Giudei e pagani erano sollecitati e spinti ad un incontro

diretto con le sacre Scritture e con la vita della comunità; si pensi solo alle apologie di Giustino, o alla Lettera a Diogneto. Dello stesso tenore si presentano gli scritti di Clemente di Alessandria che compone una stupenda esortazione alla conversione – il *Protrepticus* – o di Origene nel *Contra Celsum* in cui egli mostra di essere a piena conoscenza degli scritti di Celso e dove pone in atto un reale metodo apologetico: conoscenza delle opere del destinatario e ars maieutica per far emergere la verità proprio dai testi che la vogliono negare.

Tommaso stesso, volendo garantire il più possibile la globalità dell'atto umano del credere, inizierà a distinguere tra atto di fede e giudizio di credibilità che si fonda sull'autorità della presenza di Dio e della sua grazia. Egli comunque non dimentica che il credente ha ugualmente bisogno di elementi che gli garantiscano l'umanità del suo atto: «non enim crederet nisi videret ea esse credenda vel propter evidentiam signorum sed propter aliquid huiusmodi» (STh II-II, 1,4).

Venendo a modificarsi il destinatario, nel corso dei secoli successivi si assiste all'individuazione di nuovi contenuti di discussione con la conseguente modifica della struttura e del metodo dell'apologetica. Il deista, l'illuminista e il razionalista in genere, saranno i destinatari delle teologie fondamentali del XVI-XVIII secolo, l'ateo e il marxista lo saranno per il XIX-XX secolo. Nella maggioranza dei trattati la matrice comune è data essenzialmente dalla difesa della soprannaturalità della rivelazione; il metodo assunto in modo preponderante è sempre quello polemico-controversista.

Pur volendo accordare il massimo alle varie metodologie che si sono poi succedute, da quella della «provvidenza» del Dechamps, a quella dell'«autorità» del Brunetière, da quella più «psicologica» – sulla scia di Pascal – di Ollé-Laprune, a quella «storica» del De Broglie, bisogna riconoscere che ci si allontanava sempre più dalla motivazione *teologica* senza prendere coscienza dei gravi pericoli in cui si cadeva: da una parte, si separava completamente fede e ragione, cadendo in modo impietoso nel trabocchetto teso dall'illuminismo, in quanto si affidava la credibilità del contenuto della fede alle prove e ai segni raggiunti tramite la semplice ragione; dall'altra, allontanandosi sempre più dall'unico reale contenuto della rivelazione, la persona di Gesù di Nazareth, si accentuava di volta in volta, o l'ecclesiocentrismo (a danno di un cristocentrismo) o il soggettivismo dell'esperienza individuale (a danno dell'oggettività e universalità del contenuto).

Sarà da sottolineare infine, che queste metodologie si imposero *nonostante* progetti diversi che solo oggi rivelano la loro reale originalità: l'apologetica di → Pascal o l'esegesi del Simon, la ricerca storica del → Drey con la Scuola di Tübingen, la *Grammar of Assent* di → Newman o *L'Action* di → Blondel furono solo tentativi che suscitarono scalpore e polemica, ma all'epoca poco o nulla incisero sulla metodologia teologica in vigore.

3. MÉTODO DI INTEGRAZIONE - Lo sforzo di questi anni, teso alla presentazione di una rinnovata immagine della teologia fondamentale, non può tralasciare di dedicarsi con ugual forza, anche alla problematica del metodo. Il metodo di *immanenza* nella lettura di Blondel, quello *trascendentale* nel progetto di Rahner, quello *psicologico* nel tentativo di Newman o quello della *correlazione* proposto da Tillich, si inseriscono significativamente in questo orizzonte come metodologie diverse e complementari per offrire una lettura apologetica della rivelazione.

Il disperdersi nelle differenti metodologie tuttavia, potrebbe provocare un'ulteriore frammentazione della disciplina annullando i risultati raggiunti. Sembra urgente pertanto, che si identifichi la strada perché la fondamentale, come singolare disciplina teologica che si estende in una lettura apologetica, possa raggiungere un suo metodo peculiare e proprio che, senza assolutizzare una sola metodologia, sappia invece amalgamarle tutte in una visione più omogenea e coerente alla sua specificità.

Il *metodo di integrazione* potrebbe presentarsi come una possibilità di soluzione.

Con metodo di integrazione intendiamo far riferimento anzitutto alla pregnanza semantica del termine. «Integrazione» indica infatti la possibilità di rendere intero ciò che ancora non lo è, mediante l'apporto di elementi necessari e utili. Con il metodo di integrazione, la fondamentale è in grado di assumere nel mistero, che è già teologicamente indagato, l'evento storico che lo rivela e che una comunità trasmette mediando e che necessita pertanto di essere studiato con il metodo suo proprio.

L'integrazione nel mistero non umilia l'evento storico, in quanto il mistero – anche se in forza di un atto kenotico – si è reso conoscibile nell'espressione storica e non può prescindere dalla stessa struttura storica se vuole rivolgersi all'umanità e da questa essere capito e accolto. Si ha, però, integrazione; quindi un'assunzione che costituisce un superamento («Aufhebung» non nel senso hegeliano), per cui tutto ciò che viene dato non è tralasciato né dialetticamente assunto, ma completamente inserito, come un tutto, in un orizzonte più significativo.

L'oggetto peculiare, pertanto, rimane espressione della fede, ma in un'intelligenza che sa assumere a partire dalla fede, la totalità degli strumenti critici.

Data la scelta prioritaria della pre-comprensione della fondamentale come «teologia», è ovvio che la dimensione *dogmatica*, quindi interna alla fede, preceda quella *apologetica*, di estensione e assunzione di un sapere esterno alla fede. Questo non certo per precludere lo sviluppo e la presentazione apologetica, che per sua natura deve ricercare forme e mediazioni gnoseologiche che maggiormente garantiscono l'universalità del dato; piuttosto per dare la globalità del dato che rimane pur sempre uno specifico oggetto di fede.

Esemplificando: se il miracolo, la profezia o i segni dei tempi, presi come eventuali motivi di credibilità, fossero privati della loro originaria dimensione rivelativa (la loro intrinseca dipendenza dalla persona di Gesù di Nazareth rivelatore del Padre), che li fa essere anzitutto segni della presenza di Dio e testimonianza del suo amore, cosa potrebbero fornire al credente e all'«altro» se non sterili «significanti» senza possibile richiamo al loro «significato» più profondo?

Attraverso il metodo di integrazione invece si può pensare che questi mantengono la loro valenza teologica perché riferiti alla centralità del mistero; e tuttavia sono analizzati e studiati con metodologie diverse (esegetiche, storiche...) che ne garantiscono il valore di segno. Solo con l'integrazione nella lettura teologica comunque si potrà avere una visione globale del fenomeno che garantisce, contemporaneamente, l'esigenza di salvare la trascendenza di Dio e la razionalità e libertà del soggetto.

Mediante il metodo di integrazione, anche il destinatario viene pienamente rispettato.

Partendo dal testo classico di 1 Pt 3,15: «pronti sempre a rispondere a *chiunque* vi *domandi* ragione», si possono rinvenire due dati preziosi da acquisire in prospettiva del metodo: l'universalità e la questionabilità.

Il credente, secondo il testo di Pie-tro, deve essere in grado di dare ragione della sua fede a «chiunque», cioè a ognuno e a tutti, senza esclusione di sorta. Ciò significa che la fondamentale dovrà trovarsi sempre nella condizione di dover valutare il singolo soggetto storico, carico di tutta la pregnanza del suo tempo. Per questi dovrà trovare analisi che sappiano mediare il significato originario del contenuto rivelato ma in modo tale da incidere in ognuno perché il mistero rivelato trovi corrispondenza nella storia personale.

Il testo della lettera continua dicendo «a chiunque *domandi*» della speranza cristiana. Ciò consente di dire che la teologia fondamentale dovrà permanere con ogni mezzo, in quello stato di attenzione, di attesa e di «domanda» tanto da non lasciarsi sfuggire nessuna provocazione che, eventualmente, sorgesse nell'«altro». Questa situazione, se da una parte obbliga la fondamentale alla vigilanza, dall'altra la stimola a farsi essa stessa provocatrice di domanda perché, maieuticamente, ognuno riscopra il desiderio di Dio e l'intelligenza del suo mistero. Ciò comporta la capacità di rapportarsi alle diverse discipline che sono in grado di esprimere più scientificamente i mutamenti socio-culturali.

Si può riconoscere che in questa maniera la teologia fondamentale partecipa in modo del tutto peculiare alla formazione di una *sistematica* teologica. Con questo metodo infatti il dato prodotto dall'analisi storico-critica, ad esempio, non compare come un assoluto e quindi come un possibile cedimento alla tesi di un oggettivo sapere esclusivo della razionalità o, come più tardi nelle analisi linguistiche, in forza della «verifica»; perché questo in effetti è *integrato* in quello teologico che trae dal proprio oggetto il metodo con cui indagare. In questo orizzonte però il sapere teologico sistematico è garantito da una pluralità di forme e metodologie che evidenziano ulteriormente la globalità dell'oggetto della teologia e la sua impossibile riduttività ad un «sistema» anche se «teologico».

Il discorso sul metodo non è riducibile ad uno sterile rinvenimento di strumenti o tecniche che una scienza o disciplina si dà per giustificare il proprio ricercare.

Metodo indica molto di più, perché è dato come possibilità che si accompagna alla verità stessa nel suo progressivo svelarsi al soggetto epistemico. Il metodo orienta alla reale lettura che la teologia fondamentale compie sugli eventi alla luce dell'Evento. Per questo motivo non potrà temere di attuare una forma kenotica che parte dalla certezza della fede, assume le forme del sapere critico e indaga con esse l'intelligenza di ciò che già *sa* essere vero, per ritornare ad una visione del mistero più globale e più umanamente significativa.

Bibl. - M. Grabmann, *Die Geschichte der*

scholastischen Methode, I, Berlin 1957; A. Gaboardi, «Teologia Fondamentale. Il metodo apologetico», in Autori vari, *Problemi e orientamenti di Teologia fondamentale*, Milano 1957, 56-103; Y. Congar, *La Foi et la Théologie*, Paris 1962; A. Lang, *Die theologische Prinzipienlehre der mittelalterlichen Scholastik*, Freiburg 1964; R. Latourelle, «Apologétique et Fondamentale», in Autori vari, *Le deuxième symposium international de théologie dogmatique fondamentale*, Torino 1965, 9-27; Id., «Apologétique et Fondamentale. Problème de nature et de methode», in *Sal* 28 (1965) 256-273; Id., *Teologia scienza della salvezza*, Assisi 1968; W. Kasper, *Die Methoden der Dogmatik*, München 1967; Id., «Die Wissenschaftspraxis der Theologie», in HFTh IV, 242-276; M.D. Chenu, *La teologia come scienza*, Milano 1971; E. Schillebeeckx, *Intelligenza della fede*, Roma 1972; B. Lonergan, *Method in Theology*, London 1973; J. Beumer, *Die theologische Methode,* Freiburg 1977; K. Lehmann, «Apologetik und Fundamentaltheologie», in *Comm* 7 (1978) 289-294; G. Pozzo, «Il metodo nella teologia sistematica», in C. Rocchetta - R. Fisichella - G. Pozzo, *La teologia tra rivelazione e storia*, Bologna 1985, 255-347; R. Fisichella, *La rivelazione: evento e credibilità*, Bologna 1985; Id., «Metodo in Teologia Fondamentale», in *Ricerche Teologiche* 1 (1990); D. Tracy, *Plurality and Ambiguity,* London 1987, 28-46.

RINO FISICHELLA

MIRACOLO

1. *Problema di approccio* - 2. *Problemi di precomprensione* - 3. *Autenticità storica dei miracoli di Gesù* - 4. *Classificazione e tipologia dei racconti di miracoli* - 5. *Prospettiva di ogni evangelista* - 6. *Originalità e finalità dei miracoli di Gesù* - 7. *Nozione cattolica di miracolo* - 8. *Definizione del miracolo* - 9. *Valori significativi e funzioni del miracolo* - 10. *Discernimento del miracolo* - 11. *L'uomo di fronte al miracolo.*

Qualunque riflessione sul miracolo non può non avere come punto di riferimento i miracoli di Gesù, cioè i segni *fondanti* del cristianesimo. Senza Cristo e senza la salvezza che egli porta, i miracoli non hanno alcun senso. Bisogna dunque cominciare dallo «spiegante» e non dallo «spiegato». I miracoli di Gesù sono gli archetipi di ogni vero miracolo e la chiave di intelligibilità di tutti gli altri, soprattutto di quelli dei santuari e dei processi di canonizzazione. Sono i miracoli alla fonte e nel loro am-

biente vitale, i segni espressivi della grande presenza tra noi del Dio vivente e tre volte santo. Per questo nel presente articolo la teologia del miracolo si fonda sui miracoli di Gesù (storicità e finalità). Si fa tuttavia precedere una riflessione sui problemi di approccio e di precomprensione, particolarmente importanti quando si tratta dei miracoli.

1. PROBLEMA DI APPROCCIO - In teologia, come nelle altre scienze, i problemi di approccio sono spesso de-

terminanti. L'approccio scelto o porta a vicoli ciechi, ad allergie incontrollabili o, al contrario, dispone all'ascolto e favorisce l'intelligenza delle ragioni proposte. La teologia degli ultimi decenni è stata testimone di due cambiamenti di approccio di una tale importanza da poter parlare a loro riguardo di vera rivoluzione: si tratta dell'approccio antropologico e di quello cristologico. Tale cambiamento di prospettiva ha avuto incidenza sulla teologia dei segni della rivelazione e soprattutto sulla teologia dei miracoli.

Ciò che oggi caratterizza la teologia del miracolo è la preoccupazione di ricollegare i miracoli alla persona di Cristo. Infatti dal secolo XIX al secolo XX si è passati da una prospettiva di oggetto a un'altra di soggetto, di persona. Prima del Vaticano II i segni privilegiati erano i miracoli e le profezie di Cristo, dei profeti e degli apostoli. Miracoli e profezie sono direttamente messi in rapporto con il messaggio cristiano e di conseguenza con Cristo che ne è l'autore. L'enciclica → *Qui pluribus* di Pio IX del 1846 (DS 2779) enumera, in una presentazione sintetica ma non esente da retorica né priva di grandezza, tutti «gli argomenti eclatanti e numerosi» che attestano «che la fede cristiana è opera di Dio». Nel Vaticano I (DS 3034) e nel giuramento antimodernista (DS 3539), miracoli e profezie servono a stabilire solidamente «l'origine divina della religione cristiana». L'enciclica *Humani Generis* del 1950 ripete che «esiste un gran numero di segni esteriori ed eclatanti che permettono ... di provare l'origine divina della religione cristiana» (DS 3876). In tutti questi testi i segni hanno un ruolo di *attestazione*: permettono di stabilire con certezza l'origine divina della dottrina della salvezza. Il legame nettamente dichiarato è tra due termini: il messaggio cristiano e la sua origine divina.

Il Vaticano II orienta meglio la prospettiva. Così come ha personalizzato la rivelazione, il concilio *personalizza* la presentazione dei segni. Questi ultimi non sono pezzi di ricambio che accompagnano il messaggio di Cristo come un passaporto o un sigillo su una lettera che ne garantisca l'autenticità. Al contrario, Cristo è la pienezza della rivelazione ed è Dio in persona con il suo irrompere nella storia, nella carne e nel linguaggio ed è nello stesso tempo il Segno che *si attesta* come Dio-tra-noi: «col fatto stesso della sua presenza e con la manifestazione che fa di sé con le parole e con le opere, con i segni e con i miracoli... compie e completa la rivelazione e la corrobora con la testimonianza divina, che cioè Dio è con noi» (DV 4). I segni emanano da questo centro personale che è Cristo stesso. Essi sono il multiforme irradiarsi dell'epifania del Figlio tra gli uomini. Per mezzo della sua umanità Cristo manifesta il Padre; è anche per un'economia di incarnazione che gli uomini identificano Cristo come Figlio del Padre. Cristo è interamente segno enigmatico che richiede di essere decifrato.

In questo ritorno a un approccio personalista e cristocentrico sembra evidente che un'autentica teologia dei segni debba essere centrata sui segni fondamentali che contengono tutti gli altri, cioè Cristo e la chiesa. Una presentazione dei segni che isolasse i miracoli dalla loro fonte, dal loro centro, cioè da Cristo, o che riducesse il loro valore a quello giuridico, sarebbe estranea alle prospettive del concilio e ancor più a quelle della Scrittura.

2. PROBLEMI DI PRECOMPRENSIONE - Quando si studia il problema del miracolo, ivi compresi i miracoli di Gesù, la difficoltà principale riguarda l'idea stessa di miracolo che viene rifiutata prima di ogni esame dei fatti proposti. In materia di miracoli più

che in ogni altro campo «i giochi sono fatti» fin dall'inizio. I racconti di miracoli, si dice, appartengono a un'altra epoca, a un'altra mentalità. Riconoscerli come realtà storiche vorrebbe dire dar prova di un'ingenuità tanto sconcertante quanto anacronistica. Non si crede più ai miracoli come non si crede più alle fate o ai fantasmi. Ciò che è in gioco è la possibilità stessa del miracolo in un universo che basta a se stesso.

Certo il lettore dei racconti evangelici, credente o non credente, ha sempre una certa *precomprensione* o conoscenza preliminare di Dio, dell'uomo e dell'universo, che esprime con dei *pre*-supposti. Questa precomprensione può arricchirsi se non modificarsi e cambiare a contatto con i fatti. Può anche radicalizzarsi, chiudersi in se stessa e divenire *pre*-giudizio, rifiuto categorico. Ciò che è certo è che ognuno, credente o non credente, deve dichiarare i principi che lo ispirano. È il minimo che si deve richiedere per evitare malintesi.

La maggior parte delle obiezioni sollevate contro il miracolo dal razionalismo fin dal secolo XVIII poggiano sui dati della scienza. Su questa base il razionalismo dichiara il miracolo impossibile o sconveniente. Ogni fenomeno detto «miracoloso» possiede una spiegazione naturale che va scoperta: uso di mezzi medici, fiducia, suggestione, ipnosi, illusione, forze sconosciute. La storia delle religioni confermerebbe questa ipotesi.

a. *In nome della scienza interpretata dalla ragione filosofica* - Dall'inizio del secolo XVIII, *P. Bayle* si dedica a dimostrare l'aspetto ridicolo della credenza nel miracolo. Quest'ultimo, egli dice, ripugna alla ragione, poiché non vi è niente di più degno della grandezza di Dio che il mantenere le leggi generali che lui stesso ha stabilito, e niente vi è di più indegno del credere che egli intervenga per violarne il corso. È *B. Spinoza*, nel suo *Trattato delle autorità teologiche e pratiche*, ad essere il primo teorico di questa posizione indefinitamente ripresa dopo di lui. Parlare di una cosa contraria alla natura equivarrebbe a negare l'esistenza di un Dio immutabile. Ora la natura non può farsi complice di una tale follia. «Non si può dubitare», osserva Spinoza, «che tutto ciò che è raccontato nella Scrittura sia accaduto naturalmente... seguendo le leggi della natura come tutto ciò che è accaduto». I miracoli «sembrano qualcosa di nuovo solo all'ignoranza degli uomini». *D. Hume* (1711-1776) parla del miracolo nel decimo saggio di *Enquiry concerning human Understanding*, pubblicato nel 1748. Il solo fondamento delle nostre certezze, egli dice, è l'esperienza dei sensi. Ora questa esperienza stabilisce la costanza delle leggi della natura. Quindi se un uomo attesta l'esistenza di un miracolo si deve rifiutare la sua testimonianza, poiché «essendo ogni miracolo un'infrazione alle leggi della natura ed essendo queste leggi stabilite su un'esperienza ferma e inalterabile, la natura stessa del fatto fornisce qui, contro i miracoli, una prova di esperienza tanto completa quanto è possibile immaginare». Nel Dizionario filosofico, *Voltaire* rincara la dose. Egli considera il miracolo come una contraddizione in termini. Dio infatti «non poteva disturbare la sua macchina che per farla andare meglio; ora è chiaro che essendo Dio, ha fatto questa immensa macchina meglio che poteva; se avesse visto l'esistenza di qualche imperfezione derivante dalla natura, l'avrebbe prevista fin dall'inizio; quindi non cambierà mai niente». Immaginare che Dio abbia fatto miracoli in favore degli uomini è indegno di Dio. «Osare supporre miracoli da parte di Dio, significa realmente insultarlo (se gli uomini potessero insultare Dio). È come dirgli: sei debole e inconseguente. È dunque assurdo credere ai miracoli, vuol dire in qualche modo disonorare la divinità». Erede del razionalismo dei secoli XVIII e XIX, → *R. Bultmann* interpreta filosoficamente a sua volta la mentalità scientifica del nostro tempo e dichiara che il miracolo è inintelligibile in un mondo sottomesso alla scienza. È necessario distinguere *Mirakel* e *Wunder*. Il *Mirakel* è concepito come un evento che non rispetta le leggi della natura. «L'idea del miracolo come *Mirakel* è divenuta per noi oggi impossibile, poiché comprendiamo il corso della natura come retto da leggi». Per noi la «legalità» del corso della natura è il fondamento esplicito o implicito di ogni nostra azione nel mondo. Se la fede non si interessa al *Mirakel*, breccia nel determinismo delle leggi, si interessa invece vivamente al *Wunder* che ha luogo quando in un evento (*Weltgeschehen*) sottomesso alle leggi universali vede un'azione di Dio (*Gottes Tat*). A dire il vero «vi è un solo miracolo inteso come *Wunder*: quello della rivelazione, cioè della rivelazione della grazia di Dio all'empio». Il *Wunder* è un evento in cui la fede, e solo questa, riconosce Dio che si rivela. Niente è cambiato nell'ordine fenomenico e nella tessitura delle leggi. È solo la fede che vede in una guarigione naturale la rivelazione dell'amore di Dio manifestato all'uomo che si riconosce peccatore e graziato.

Di fronte al razionalismo l'apologetica dell'epoca si trovava in scomoda posizione poiché, definendo il miracolo come «infrazione o eccezione alle leggi della natura» e privandolo della sua funzione essenziale di *segno della salvezza in Gesù Cristo*, restava prigioniera di un universo da cui pretendeva di evadere. Questa caricatura del miracolo «eccezione alle leggi della natura» ha finito con l'imporsi nei cristiani stessi, che sono giunti a considerare come sconveniente se non indecente questa «infrazione» di Dio in un universo che possiede un'intelligibilità propria. Ammettere il miracolo significa ammettere la coesistenza dell'intelligibile e dell'inintelligibile.

È certamente illusorio pretendere di modificare la posizione razionalista, soprattutto se si dichiara esclusiva e senza possibile revisione. Il teologo può tuttavia situare il miracolo nel suo vero contesto di salvezza e cercare di definirlo meglio. In particolare deve affermare la propria precomprensione del mondo senza pretendere di imporla a chi rifiuta di condividerla. Possiamo raggruppare così gli elementi di questa visione.

1. È vero che l'universo materiale trova la sua intelligibilità nell'abituale sottomissione alle leggi del cosmo di cui tuttavia un buon numero restano leggi statistiche. D'altra parte, la totalità del reale non è unidimensionale, cioè ridotta al mondo materiale e all'inflessibile rete delle leggi. La totalità del reale somiglia piuttosto a un ordine piramidale, nessuna parte del quale ha la sua completa autonomia, ma dove tutte fanno parte di un insieme organico, orientato a un vertice che trascende le possibilità di azione connaturali a ciascuna. Siamo in presenza di una gerarchia di ordini subordinati gli uni agli altri: l'ordine inorganico sottomesso al determinismo, l'ordine organico con il suo finalismo, l'ordine del pensiero e dell'arte con la sua creatività, l'ordine della vita religiosa e morale con la sua libertà. In questa gerarchia ogni ordine inferiore è ordinato a quello superiore ed è integrato nell'ordine totale. L'universo infraumano è ordinato all'uomo e quest'ultimo è, a sua volta, aperto all'azione trascendente di Dio. Il miracolo libera l'universo fisico dai suoi «limiti», lo eleva e lo fa collaborare all'ordine superiore della salvezza. È dunque perfettamente legittimo che l'universo fisico trovi il suo *senso abituale* nel determinismo delle leggi; è d'altra parte altrettanto intelligibile che Dio

manifesti, con un'iniziativa tutta gratuita nella storia e nel cosmo e a livello di causa prima, l'iniziativa ancor più gratuita della salvezza comunicata in Gesù Cristo. Il miracolo diventa così la traccia e il segno nel cosmo della grazia della salvezza. Si situa nell'ordine religioso con il quale *Dio* invita l'uomo a una comunione di vita con lui.

2. Inoltre, se è vero che Cristo, Verbo incarnato, è il culmine e il termine della salvezza, il miracolo si presenta come un intervento di Dio situato tra la creazione originaria e la trasformazione finale di tutto e di tutti in Gesù Cristo. Il miracolo, allora, rappresenta un'anticipazione dell'ordine escatologico, quando ci saranno terra nuova e cieli nuovi: è il futuro che invade il presente e gli conferisce senso perché manifesta già la *dýnamis* trasformatrice di Dio all'opera nel nostro mondo. Il corpo glorificato di Cristo risorto è un miracolo permanente. In lui l'uomo è ricreato e di conseguenza il cosmo stesso ne riceve i benefici effetti. In questa prospettiva, che è quella di Paolo (Rm 8,19-21), non è il miracolo che fa problema; è piuttosto il miracolo stesso che obbliga l'uomo a interrogarsi sul senso ultimo della storia e del cosmo. Paradossalmente è il miracolo che spiega ed è intelligibile.

3. Il miracolo può essere colto solo da coloro che guardano il mondo come dominato e diretto da un Essere libero e trascendente, che agisce al suo livello come potenza creatrice e ricreatrice, e che può stabilire con l'uomo rapporti interpersonali. Il miracolo, come la rivelazione, è un appello rivolto all'uomo nelle profondità del suo essere, a quel livello di interiorità in cui l'uomo, come spirito, è aperto a Dio e a un'eventuale manifestazione di se stesso nella storia e nel mondo. Il miracolo presuppone che l'uomo riconosca lealmente il carattere finito della sua esistenza e della sua condizione di essere

«bisognoso della salvezza»; e riconosca anche la libertà di Dio di agire nella storia per intessere con l'uomo un dialogo inedito. La libertà di Dio non si è esaurita nel solo atto creatore, come una sorgente inariditasi nel suo primo zampillare. Dio è la libertà infinita, imprevedibile e inesauribile nella gratuità delle sue iniziative.

4. Il fatto che Dio abbia decretato di rivelarsi all'uomo e di salvarlo attraverso le strade dell'incarnazione e della croce, cioè attraverso ciò che di più dissimile esiste rispetto a sé, spirito puro, cioè attraverso la carne, e il fatto che abbia decretato di prolungare questa economia di incarnazione con un'economia di segni che attestano la presenza efficace della salvezza tra di noi, fa parte del suo imprevedibile amore e della sua infinita libertà. Chiunque collochi il miracolo in questa economia di salvezza e libertà infinite, lungi dal parlare di non senso, percepisce al contrario nell'azione divina una *costellazione di armonie*: armonie dei segni con l'intervento di Dio fatto carne, armonie dei segni tra loro, armonie dei segni con l'uomo, essere di carne e di spirito. I miracoli di Gesù appartengono alla logica superiore dell'amore e della salvezza.

b. *In nome della storia delle religioni* - Lo storico delle religioni ha dato il cambio al filosofo per spiegare la presenza nei vangeli dei racconti di miracoli. Non c'è dubbio, si afferma, che sia stata la predicazione in ambiente ellenistico a rivestire il profeta Gesù degli attributi della divinità greca: viene chiamato Figlio di Dio, Salvatore, Signore. Il Gesù dei miracoli è stato presentato come *l'uomo divino* degli ambienti ellenistici per fini propagandistici. I principali corifei di questa teoria sono: R. Reitzenstein, H. Windisch, L. Bieler, D. Georgi, R. Bultmann. La verità è che questa teoria è destinata a scomparire dopo i recenti lavori di D.L. Tiede e di C.H. Holladay. Il senso della trascendenza assoluta di Dio in ambito ebraico è troppo sviluppato per autorizzare l'attribuzione della divinità agli esseri umani. La categoria dell'uomo divino è assente nell'Antico come nel Nuovo Testamento. Tanto più che l'uso tecnico dell'uomo divino nell'ellenismo è tardivo e si colloca molto dopo Gesù.

c. *In nome dell'ermeneutica demitizzante* - Il metodo della *Formgeschichte*, con Bultmann soprattutto, dopo aver osservato alcune affinità tra la struttura letteraria dei racconti evangelici di miracoli e quella dei prodigi attribuiti ad Apollonio di Tiana o al dio guaritore Esculapio a Epidauro, ne concludeva il carattere fabulatorio e leggendario degli uni e degli altri. Con un procedimento illegittimo si deduce da una similitudine letteraria un giudizio di valore sul contenuto storico. Nulla, infatti, sul piano letterario è più simile a un vero racconto di guarigione eccezionale di un racconto fittizio. La cosa più importante nel caso di Gesù è che la *persona* che sta nel cuore del racconto non ha precedenti nella storia e che il miracolo stesso ha elementi specifici e assolutamente inediti. L'analisi letteraria non è una guida assoluta per dare un giudizio di storicità.

Ma allora bisogna eliminare i racconti evangelici di miracoli? Bultmann ritiene da parte sua che bisogna conservarli ma «demitizzarli» e interpretarli in chiave esistenzialista. Ciò che è importante non è la realtà soggiacente al racconto, spesso impossibile da scoprire o semplicemente inesistente, ma il *senso* che riveste; la fede purifica, vivifica, risuscita e salva l'uomo peccatore e graziato. Si giunge così, con le risorse dell'ermeneutica, a salvare il racconto sacrificando l'evento. I racconti di miracoli manifestano la rivelazione come nutrimento, luce e vita.

Tutti questi tentativi per estrarre i miracoli dal loro contesto religioso e citarli nel tribunale della filosofia e della scienza hanno come effetto quello di pervertire la natura profonda del miracolo. Ridurlo a «un'eccezione alle leggi della natura» rasenta la caricatura. Il miracolo ha senso solo nel contesto in cui, *di fatto*, appare, cioè in quello della rivelazione della salvezza in Gesù Cristo.

3. - AUTENTICITÀ STORICA DEI MIRACOLI DI GESÙ - Uno studio sul valore storico dei racconti di miracoli, per essere fedele alla natura stessa della tradizione evangelica e alla storia della sua formazione, non può evitare, a nostro avviso, di percorrere le seguenti tappe:

a. In un primo tempo si deve stabilire il valore storico dell'insieme della tradizione sinottica. Questo tema è trattato nell'articolo concernente il valore storico dei vangeli e la conoscenza di Gesù mediante i vangeli (→ Vangelo).

b. In un secondo tempo conviene ricordare i due *lóghia* della *Quelle* in cui Gesù stesso indica il senso e la realtà dei suoi miracoli.

1. In un primo *lóghion* Gesù prende atto del rifiuto delle tre città del lago di Genesareth che non hanno saputo riconoscere nelle sue guarigioni i segni della venuta del regno di Dio (Mt 11,20-24 e Lc 10,13-15). Corazin, Betsaida e Cafarnao sono città privilegiate, poiché sono state le prime testimoni e beneficiarie dell'attività di Gesú. Eppure non hanno saputo comprendere il senso delle opere di Gesù. Così la loro sorte sarà più terribile di quella delle città tradizionalmente considerate come empie (Tiro e Sidone) e peccatrici (Sodoma). Il *senso* dei miracoli di Gesù era manifesto. Nello stesso tempo in cui Gesù predicava la necessità della conversione per entrare nel regno, i suoi miracoli erano proposte di Dio, richiami alla penitenza e alla conversione di fronte alla venuta imminente del regno di Dio. Gli abitanti delle tre città hanno visto i prodigi, ma

non hanno saputo ravvisare i *segni* del regno annunciato dai profeti. I miracoli erano tuttavia il regno stesso, visibile nel suo dinamismo di trasformazione totale dell'uomo.

2. Il secondo *lóghion*, ugualmente derivato dalla *Quelle*, costituisce la risposta di Gesù agli inviati di Giovanni Battista che lo interrogano sulla sua vera identità: «Sei tu colui che deve venire o dobbiamo attenderne un altro?». Gesù risponde: «Andate a riferire a Giovanni ciò che voi udite e vedete: i ciechi ricuperano la vista, gli storpi camminano, i lebbrosi sono guariti, i sordi riacquistano l'udito, i morti risuscitano, ai poveri è predicata la buona notizia e beato colui che non si scandalizza di me» (Mt 11,2-6; Lc 7,18-23). Dal punto di vista storico la pericope è in posizione eccellente. I criteri di discontinuità e di conformità trovano qui un'applicazione esemplare. Il *lóghion* di Gesù infatti contrasta con la mentalità giudaica dell'epoca e con la concezione del Battista sul messia; contrasta pure con la mentalità della chiesa primitiva che si appoggia più sulla risurrezione di Gesù che sui suoi miracoli. Si può applicare anche il criterio di conformità. Il *lóghion* infatti è conforme all'insegnamento di Gesù sul tema centrale della sua predicazione, cioè il regno e i segni del regno; è conforme anche al tema della predicazione della «buona notizia» ai poveri (tema delle parabole, delle beatitudini), segno primordiale dell'avvento del regno; infine è consono allo stile di Gesù con il suo abituale modo di rispondere alla delicata domanda riguardante il messianismo. Gesù non solo risponde, ma la sua risposta va ben oltre la domanda del Battista sul fatto della sua messianicità, poiché egli caratterizza il regno come un regno di compassione, di perdono, di grazia. Per il momento Gesù rappresenta l'*agápē* di Dio nel nostro mondo; più tardi verrà il giudizio.

In questi due *lóghia* che appartengono a una tradizione molto antica, Gesù unisce intimamente i miracoli alla venuta del regno che inaugura con la sua persona. I suoi miracoli non sono mai semplici prodigi, ma richiami alla conversione, alla penitenza, condizioni indispensabili per accedere al regno. I miracoli sono al tempo stesso i segni e le opere di Cristo.

c. In un terzo tempo possiamo raccogliere un certo numero di *indizi di storicità globale*, favorevoli all'insieme della tradizione dei miracoli. L'importanza di questi indizi proviene dalla loro molteplicità e dalla loro onnipresenza nella duplice tradizione sinottica e giovannea.

Un primo fatto è il posto importante occupato dai racconti di miracoli nei vangeli; nel vangelo di Marco i racconti di miracoli rappresentano il 31% del testo, cioè 209 versetti su un totale di 666. Nei primi dieci capitoli dedicati al ministero pubblico di Gesù (esclusa la passione), la proporzione arriva a 209 su 425, cioè il 47%. Nel vangelo di Giovanni i primi dodici capitoli chiamati dal Dodd il *Libro dei segni* sono elaborati a partire dai miracoli di Gesù. Nei sinottici, come in Giovanni, miracoli e predicazione di Gesù costituiscono un tessuto non lacerabile poiché manifestano entrambi un'unica realtà, cioè la venuta del regno di Dio. Un buon numero di racconti sottolineano il carattere pubblico dei miracoli e di conseguenza la possibilità di costatarne la realtà al momento della formazione della tradizione evangelica. I nemici di Gesù non contestano la sua attività taumaturgica (illuminante a questo proposito è la pericope antichissima su Beelzebul: Mt 12,26-27), ma la fonte di questa attività così come l'autorità che ne deriva. Infine un testo del Talmud babilonese attesta che Gesù è stato messo a morte per aver praticato la magia e aver condotto Israele all'apostasia

(Sanhedrin 43a). Se i miracoli occupano nei vangeli un posto paragonabile soltanto all'insegnamento e alla passione di Gesù, e se la predicazione primitiva e gli evangelisti sono come «fissati» sul tema dei miracoli e lo uniscono al tema della predicazione di Gesù al punto tale che uno non va senza l'altro, ciò significa che quanto è successo deve essere stato di capitale importanza e che vale la pena di prenderlo in esame per provarne la consistenza.

d. In un quarto tempo, per mezzo di una criteriologia più rigorosa, possiamo applicare ai racconti di miracoli i *criteri di autenticità* utilizzati dalla storia, tenendo però conto del «caso speciale» che i vangeli rappresentano.

1. Criterio di *attestazione multipla*. Questo criterio ci permette di stabilire che la realtà dei miracoli di Gesù si trova attestata nella quasi totalità delle fonti che possediamo: Marco, la Quelle, Luca, Matteo, Giovanni, gli Atti, la lettera agli Ebrei, la tradizione talmudica e gli apocrifi. Il tema dei miracoli non appare solo nelle fonti menzionate, ma si ritrova anche in forme letterarie molto diverse: sommari, discorsi, controversie.

2. Criterio di *discontinuità*. Il fatto che Gesù operi miracoli a suo nome contrasta con l'atteggiamento dei profeti che operano miracoli in nome di Dio e con quello degli apostoli che agiscono in nome di Gesù. Inoltre, in alcuni casi, Gesù dà ai suoi miracoli un senso che contraddice la mentalità giudaica dell'epoca: per esempio, nella guarigione del lebbroso (Mc 1,40-41). Al tempo di Gesù la lebbra era considerata dai rabbini come il castigo specifico di alcuni peccati. Il lebbroso stesso era considerato come un punito da Dio, un impuro, e di conseguenza veniva escluso dal tempio e dalla comunità di Israele. A differenza dei rabbini, Gesù non evita il lebbroso, al contrario, «pieno di compassione» stende la mano per dimostrare che lo prende sotto la sua protezione; lo tocca e gli dice: «Io lo voglio, sii guarito». L'atteggiamento di Gesù nei riguardi del lebbroso come dei peccatori segna una rottura col giudaismo dell'epoca. Nel regno di Dio non vi sono né lebbrosi né sani ma solo figli del Padre.

3. Il criterio di *conformità* con l'insegnamento fondamentale di Gesù sulla venuta decisiva del regno di Dio. Infatti i miracoli sono inseparabili dal tema dell'instaurazione del regno: ne manifestano la venuta e la realtà. Sono un segno e un elemento del regno. Esso infatti non è qualcosa di statico, ma una realtà dinamica, che cambia realmente la condizione umana stabilendo la signoria di Cristo su ogni cosa, corpi e cosmo compresi. Un miracolo senza invito a riconoscere il regno che viene e la persona che viene a instaurarlo è un non senso, un mero prodigio. Per questo, quando Cristo opera un miracolo invita nello stesso tempo alla conversione e alla fede nella sua missione. Che un prodigio sia così legato alla conversione interiore è un fatto unico che accompagna la presenza di Cristo (Mt 11,20-24; Lc 10,13-15).

4. Lo *stile dei racconti di miracoli*. Ritroviamo nei miracoli, come nell'insegnamento di Gesù, uno stile identico fatto di semplicità, di sobrietà e di autorità in un contesto religioso di una purezza e di una levatura singolari. Questo stile contrasta con quello degli apocrifi avidi di meraviglie. Se la gnosi ha tradito il vangelo riducendolo a una dottrina, gli apocrifi, dal canto loro, l'hanno tradito cercandovi solo i prodigi.

5. *Intelligibilità interna del racconto.* Anche il fatto della risurrezione di Lazzaro, coerente con altri racconti di risurrezione in Marco e in Luca e con la stessa risurrezione di Gesù, è perfettamente coerente con il contesto generale del quarto vangelo, soprattutto con i capitoli 5, 11 e 12. Inoltre chiarisce due fatti importanti

della vita di Gesù, cioè la decisione delle autorità giudaiche di farla finita con lui e il fatto dell'entrata solenne di Gesù a Gerusalemme attestata dai tre sinottici. Tuttavia solo il racconto di Giovanni mette in piena luce l'evento e ne fornisce una spiegazione veramente soddisfacente. Solo Giovanni osserva: «Intanto la gente che era stata con lui quando chiamò Lazzaro fuori del sepolcro e lo risuscitò dai morti, gli rendeva testimonianza; anche per questo la folla gli andò incontro, perché aveva udito che aveva compiuto quel segno» (Gv 12,17-18).

6. *Diversa interpretazione, accordo sostanziale.* L'accordo sulla sostanza del fatto, compresente a delle fluttuazioni nella redazione e anche nell'interpretazione, costituisce un solido indizio di storicità. La storia e il diritto fanno costantemente ricorso a questo genere di argomenti. Così, a proposito della moltiplicazione dei pani, Giovanni sottolinea più di Marco il simbolismo sacramentario del miracolo. Marco, a sua volta, sottolinea più di Luca la portata cristologica del miracolo e presenta Cristo come il «buon Pastore che ha pietà delle pecore senza pastore» (Mc 6,34). Il vangelo di Giovanni contiene molti dettagli che gli sono propri. Si tratta sempre dello stesso fatto, ma interpretato e approfondito. Questo accordo sostanziale nella diversità dei dettagli è sostenuto dal criterio dell'attestazione multipla, poiché il fatto è attestato dalla tradizione sinottica e da quella giovannea. L'evento si presenta inoltre come segno del regno messianico ed escatologico in relazione con il segno della manna nel deserto. Infine, negando la realtà dell'evento, molti fatti resterebbero senza spiegazione.

7. Il criterio di *spiegazione necessaria* è un'applicazione del principio di ragione sufficiente ai vangeli. Nel caso dei miracoli ci troviamo di fronte a una decina di fatti importanti che la critica può difficilmente ricusare e che chiedono una spiegazione sufficiente: l'esaltazione popolare di fronte al comparire di Gesù, la fede degli apostoli nella sua messianicità, il posto occupato dai miracoli nella tradizione sinottica e giovannea, l'odio dei grandi sacerdoti e dei farisei per i prodigi operati da Gesù, il consistente legame tra i miracoli e il messaggio di Gesù circa la venuta decisiva del regno, il posto occupato dai miracoli nel kêrygma primitivo, la presenza di altri segni che accompagnano la vita di Gesù, di stesso livello e qualità (profondità del messaggio capace di decifrare la condizione umana, amore inaudito rivelato dalla sua vita, passione e morte, risurrezione gloriosa, opera multisecolare della chiesa), il rapporto intimo tra le rivendicazioni di Gesù di essere Figlio del Padre e i miracoli che manifestano il suo dominio sulla malattia, sul peccato e sulla morte.

Il fatto che tutti i criteri di autenticità storica riconosciuti dalla storia e di recente dall'esegesi trovino, così, un tale esempio di applicazione nei miracoli dei vangeli costituisce una prova di solidità storica difficilmente ricusabile. Tanto più che vi è una *convergenza* di criteri. In confronto, sono ben pochi i *lóghia* di Gesù che si trovano in una situazione così favorevole.

e. Alla fine dovremmo esaminare uno per uno i racconti di miracoli riportati dai vangeli per provarne la *consistenza storica.* Lavoro impossibile all'interno di questo Dizionario, ma che abbiamo intrapreso in *Miracoli di Gesù e teologia del miracolo,* Assisi 1987, 98-318.

4. CLASSIFICAZIONE E TIPOLOGIA DEI RACCONTI DI MIRACOLI - La classificazione dei racconti ha avuto delle fluttuazioni. Secondo una distinzione classica, si parla di miracoli sulle persone (guarigioni, esorcismi, risurrezioni) o sugli elementi della natura

(mare, vento, vino, pesci). Questa divisione è discutibile perché, in ultima analisi, i miracoli riguardano sempre le persone. G. Theissen ha proposto una classificazione che tiene conto sia della natura del rapporto che si stabilisce tra la persona del taumaturgo e il beneficiario del miracolo, sia dei motivi del miracolo. Adottiamo questa classificazione ormai accettata:

a. *Gli esorcismi* - Agli occhi di Gesù, la liberazione degli indemoniati è importante quanto la guarigione dei malati. Le due operazioni liberatrici esprimono la stessa cosa: l'avvento del regno di Dio. D'altra parte, siccome la mentalità dell'epoca attribuiva facilmente malattia e peccato a Satana, la distinzione tra esorcismo e semplice guarigione non sempre è osservata. Nella tipologia dei miracoli noi riserviamo il termine di esorcismo ai casi in cui il demone è l'antagonista del taumaturgo. In questi racconti (sei) si notano tre caratteristiche: 1. l'indemoniato si trova in uno stato di alienazione: perde la facoltà personale di decidere; 2. il taumaturgo ha come antagonista non l'indemoniato ma il demonio in persona: il posseduto è solo la vittima, il terreno di combattimento; 3. Cristo ha a che fare non con degli uomini, ma con questa potenza personale e tenebrosa, Satana, di cui viene a distruggere il regno.

b. *Le guarigioni* - Anche le guarigioni sono in rapporto con il regno, ma non così direttamente come gli esorcismi. Qui la fede svolge un ruolo di mediazione rispetto alla potenza del regno che si esercita in Gesù. Si spiega subito perché. Nel caso degli indemoniati, che sono alienati e passivi, la domanda di fede è impossibile. Diverso è il caso dei malati in cui il rapporto immediato con la persona di Gesù si effettua con la mediazione della fede. Si possono distinguere tre espressioni di questa fede:

fede nel potere di guaritore di Gesù; acclamazione di fede che segue il miracolo, soprattutto in Luca; fede che si identifica con la conversione attesa da Gesù come risposta ai suoi miracoli (*lóghion* sui rimproveri alle città del lago).

c. *Miracoli di legittimazione* - Questi miracoli costituiscono una giustificazione del comportamento di Gesù e, nello stesso tempo, una critica di una certa mentalità farisaica incapace di andare oltre la lettera delle prescrizioni giuridiche. Questi racconti hanno tutti di conseguenza un carattere di controversia (Mt 12,14; Lc 14,13.17; Lc 14,1-6; Mc 1,40-45). Tutte queste guarigioni hanno lo scopo di giustificare il comportamento misericordioso di Gesù nei confronti delle miserie umane e del legalismo dei farisei. Hanno l'effetto di accendere contro di lui l'odio di coloro che detengono il potere e in ultima analisi di condurlo alla morte.

d. *Miracoli di salvataggio e miracoli-dono* - Nei due tipi di miracoli l'iniziativa viene da Gesù. Nei miracoli-dono Gesù interviene a beneficio della folla che non ha da mangiare (Mc 6, 36), di invitati che non hanno più vino (Gv 2,3a), di pescatori che non hanno preso nulla (Lc 5,5). L'evento viene riportato con estrema discrezione. Viene indicato solo il risultato: la folla saziata, la rete stracolma, il vino in abbondanza. I miracoli di salvataggio si verificano in una situazione ancora più drammatica (il caso della tempesta sedata). Oltre alla portata cristologica questi miracoli hanno un carattere ecclesiale. Così nella tempesta sedata Gesù protegge il piccolo gregge contro ogni tempesta. Questi miracoli mostrano la nuova comunità della salvezza radunata intorno a Gesù.

e. *Racconti di risurrezione* - Alcuni autori (per esempio X. Léon Dufour, G. Theissen) preferiscono parlare di «rianimazioni» piuttosto che di risurrezioni. È certamente legittimo cercare una terminologia precisa e fedele alla realtà. Coloro che parlano di «rianimazioni» piuttosto che di risurrezioni sono evidentemente preoccupati di evitare alcune ambiguità. Nei racconti evangelici non si tratta infatti di risurrezioni gloriose, come quella di Gesù: non si tratta nemmeno di un ritorno definitivo alla vita, ma di una vita che riprende il suo corso normale e che si concluderà con una morte totale e definitiva. Lazzaro non ha nulla da raccontare sull'aldilà, su una *life after life*. D'altra parte i vangeli non sono trattati di escatologia. Detto questo, ci si può domandare se il termine che viene suggerito, «rianimazione», non sia a sua volta più ambiguo del termine biblico e classico di risurrezione. Infatti il termine di «rianimazione» ha oggi una risonanza clinica difficile da cancellare. Si parla, negli ospedali, di sala di «rianimazione» dopo una breve anestesia; si cerca di «rianimare» qualcuno che rischia di annegare praticandogli la respirazione artificiale; si «rianima» qualcuno che soffre di insufficienza cardiaca momentanea o di coma diabetico. Inoltre il termine «rianimazione» è davvero fedele all'intenzione dell'evangelista e di Gesù stesso? In tutti i racconti evangelici c'è una convinzione comune: un ritorno alla vita è ritenuto impossibile. Per Gesù queste risurrezioni sono segni della venuta del regno: «I morti risuscitano» dice rispondendo agli inviati del Battista (Lc 7,22; Mt 11,5). Nell'intenzione degli evangelisti questi miracoli manifestano la potenza di Gesù sulla morte, proprio come sulla malattia e sul peccato. Tutto sommato, sembra preferibile parlare di racconti di «risurrezione», anche se è difficile precisare a quale tappa verso la morte erano arrivati i personaggi di cui parlano i racconti evangelici. Come minimo, parlando di risurrezione, si intende parlare del ritorno alla vita di qualcuno che si trovava sulla strada senza ritorno che conduce alla morte. I miracoli di risurrezione hanno una finalità per Gesù e per gli evangelisti. Rappresentano una forma unica del potere di Gesù: il Figlio risuscita i morti proprio come il Padre. Sono segni messianici che richiedono un trattamento particolare. Come la Bibbia di Gerusalemme e come l'edizione della TOB conserviamo il termine «risurrezione» in attesa che gli specialisti propongano una terminologia chiaramente superiore a quella consacrata dall'uso di secoli.

5. PROSPETTIVA DI OGNI EVANGELISTA - Per *Marco* i miracoli sono atti di potenza che designano la persona di Gesù come colui in cui si instaura in modo efficace il regno di Dio. In *Matteo*, rivelano il servitore di Jhwh che compie la volontà misericordiosa di Dio verso gli oppressi dalla malattia e dal peccato. Gesù è anche il Signore che esercita il suo potere. In *Luca*, Gesù è il profeta messianico che porta liberazione e salvezza: in lui Dio «visita» gli uomini. Per *Giovanni* i miracoli sono segni della gloria di Dio che abita in Gesù e testimonianza del Padre attraverso le opere che dà da compiere al Figlio.

In Marco non troviamo nessun titolo cristologico legato ai miracoli; in Matteo Gesù è Servo di Jhwh e Signore; in Luca è il profeta escatologico e Signore; in Giovanni è il Figlio, il Verbo, la Parola fatta carne e i miracoli manifestano la sua gloria divina. In sostanza i miracoli hanno per gli evangelisti lo stesso senso che attribuisce loro Gesù nei *lóghia*.

6. ORIGINALITÀ E FINALITÀ DEI MIRACOLI DI GESÙ - *a*. In termini negativi, diciamo che Gesù rifiuta di confondere miracolo e prodigio. Non vuole essere paragonato a un mago, né a un ciarlatano e nemmeno a un detentore di segreti scientifici. La salvezza che egli porta passa attraverso la croce e sarà riconosciuta solo nel

momento in cui la sua missione sarà interamente compiuta.

b. In termini positivi, il miracolo è destinato alla salvezza di tutto l'uomo. Gesù viene a restaurare l'uomo e a conferirgli quella salvezza a cui aspira invano. Il miracolo rende visibile questa restaurazione totale: Cristo caccia davvero i demoni, guarisce davvero, risuscita davvero perché salva davvero l'uomo. Nella tradizione sinottica tuttavia Gesù non è chiamato salvatore, ma colui che viene a salvare ciò che era perduto. Per questo i miracoli sono legati al tema della conversione che introduce al regno.

c. Il miracolo è in vista di una vocazione al regno. Questo aspetto viene singolarmente illustrato dalla guarigione dell'indemoniato di Gerasa (Mc 5,1-20). Quest'uomo è stato privato di tutto: del suo equilibrio somatico e psichico, della sua dignità umana. È alienato da sé e dalla società. Gesù lo ristabilisce nella sua integrità di uomo, cioè di essere pensante e responsabile, e lo reintegra nella società. Ma l'intenzione del miracolo non si ferma al ristabilimento della salute: si prolunga in una vocazione superiore. Il miracolato chiede a Gesù di «rimanere in sua compagnia» (Mc 5,18). Gesù gli dice: «Va' nella tua casa dai tuoi, annunzia loro ciò che il Signore ti ha fatto e la misericordia che ti ha usato» (Mc 5,19). Di uno schiavo Gesù fa un uomo libero, poi un evangelizzatore del regno: «Egli se ne andò e si mise a predicare per la Decapoli ciò che Gesù gli aveva fatto» (Mc 5,20). Il miracolo ha senso solo sulla base del progetto di Dio per l'uomo: cioè l'ingresso nel regno. Ha anche una funzione di liberazione e di compimento dell'uomo. Attraverso il miracolo Cristo ri-crea, ri-costruisce l'uomo e lo eleva a una pienezza di vita prima insospettata. Questo compimento è l'alba della creazione nuova.

d. Il miracolo stabilisce tra Gesù e il miracolato una relazione nuova, personale e trasformante. Il miracolato non deve osservare scrupolosamente dei riti magici, ma deve entrare, per mezzo della fede, in relazione totale con Gesù. Indubbiamente ai tempi di Gesù questa fede è imperfetta, ma è quantomeno domanda supplichevole e fiduciosa rivolta a colui che annuncia il regno e in cui si manifesta la potenza di Dio. Che un prodigio sia legato alla conversione e che stabilisca tra Gesù e il miracolato una relazione assolutamente nuova e personale, è una caratteristica specifica del miracolo cristiano.

e. L'uomo (il malato stesso o coloro che ne implorano la guarigione) ha dunque un ruolo nel miracolo, una partecipazione che si esprime in un atteggiamento di fede radicale in Gesù, o almeno di disponibilità e di apertura. Il primo movimento dell'uomo è quello di chi si riconosce povero, sprovveduto, «bisognoso di salvezza» al punto da gridare: «Gesù Figlio di Davide, abbi pietà di me» (Lc 18,39). Senza questa partecipazione minimale dell'uomo nemmeno Cristo potrebbe agire. Se l'uomo si chiude e si indurisce di fronte alla salvezza che gli viene offerta, non lascia più neanche una fessura per l'azione di Dio: il miracolo rende ancora più profondo il suo accecamento, ispessisce in lui le tenebre. Questo appello alla partecipazione umana rivela nello stesso tempo la potenza di Dio e la sua fragilità davanti alla libertà dell'uomo: rischio supremo di un Dio che ha fondato sull'amore o sul rifiuto la costituzione di un popolo di figli chiamati a condividere la sua vita.

f. Inoltre i miracoli sono inseparabili dalla croce. Gesù impersona il regno di Dio che distrugge il regno di Satana; non deve stupirci allora se la luce dell'uno dissolve le tenebre dell'altro. Gli esorcismi di Gesù sono interpretati come opera di Beelzebul. Le guarigioni, operate a favore delle città del lago, invece di portare alla conversione portano all'indurimento. I miracoli di legittimazione compiuti in giorno di sabato suscitano l'odio e la decisione di farla finita con Gesù. Anche il miracolo della moltiplicazione dei pani è incompreso e provoca l'abbandono o il dubbio. È la dialettica della potenza-impotenza, della gloria-umiliazione di Gesù. Di sua natura il miracolo è destinato a orientare verso il regno, ma l'uomo può vedere il *prodigio* e fermarsi al *segno*. Gesù è portatore di una salvezza che passa attraverso la conversione: anche le sue opere e i suoi miracoli sono il luogo di un'opzione drammatica. Accogliere i segni significa accogliere Gesù ed entrare nelle strade della conversione. E proprio perché Gesù rifiuta ogni altra lettura dei suoi miracoli, diversa da quella che li propone come segni del regno e come invito a entrarvi attraverso la conversione, alla fine viene condannato (Gv 11,53).

g. I miracoli di Gesù hanno un carattere «ecclesiale». Gesù non è un semplice carismatico che opera per suo conto e per il suo tempo: egli offre una salvezza universale la cui sorgente è ormai inaridita. Per questo conferisce ai suoi discepoli il potere di annunciare il regno come anche quello di guarire i malati e di cacciare i demoni (Mt 10,8), cioè il duplice potere che lui stesso esercita. I suoi miracoli sono il segno della comunità di salvezza che continua a offrire la salvezza inaugurata nel gruppo dei Dodici, ma perpetuata attraverso i secoli ed estesa a tutte le nazioni (Mc 16,15-18; At 5,12).

h. Attraverso i miracoli di Gesù il futuro invade il presente. Con Gesù il regno di Dio invade il nostro mondo (Mt 12, 28). La salvezza diventa un «oggi» che risuona e agisce. Dopo la risurrezione, quando la chiesa

si volge verso Gesù, lo fa per evocare questo passato che ha instaurato il regno e inaugurato il mondo nuovo in attesa della sua perfetta realizzazione. Per il momento ci vengono segni dalla terra promessa in modo intermittente, come una luce interstellare che ci lascia intravedere dimensioni inaudite.

i. I miracoli di Gesù, infine, ci orientano verso la rivelazione della sua persona. Se Gesù è il solo a rendere presente il regno e la salvezza escatologica, la ragione ultima sta nel mistero della sua persona. Questa trascendenza di Gesù appare solo implicitamente, nel suo passaggio terreno in Palestina, nell'esercizio della salvezza che egli manifesta con le sue opere. Prima di Pasqua tutto è già presente e, nello stesso tempo, tutto deve essere ricuperato: il senso ultimo dei miracoli di Gesù sarà colto pienamente solo alla luce dell'esperienza ecclesiale di Pasqua che farà scoprire la vera identità di Gesù: Cristo, Signore, Figlio di Dio. Prima di Pasqua i gesti sono stati posti: essi orientano verso la presenza di una trascendenza personale; ma come percepire l'identità del Dio vivente nella carne e nei gesti dell'uomo Gesù?

7. NOZIONE CATTOLICA DI MIRACOLO - a. *Terminologia biblica* - Nell'AT i miracoli sono definiti come *térata*, cioè prodigi. Il Deuteronomio, così come il NT, spesso unisce *sēméia kái térata* per significare che si tratta di un prodigio sacro. Altri vocaboli come *thaumásia*, cioè fatti che suscitano l'ammirazione e *parádoxa*, cioè fatti inattesi, mettono in evidenza l'aspetto psicologico del miracolo: si tratta di un fatto insolito che suscita stupore, ammirazione, meraviglia da parte dell'uomo.

Nell'AT i miracoli sono spesso qualificati come *adýnata*, cioè opere propriamente divine poiché impossibili all'uomo. Nel vangelo di Giovanni sono opere (*érga*), cioè le opere di Cristo in quanto Figlio del Padre. Marco e Matteo li definiscono *dynámeis*, cioè manifestazioni ed effetti della potenza divina. I miracoli come opere appartengono a questa grande opera che Dio ha cominciato con la creazione del mondo e che ha compiuto con la redenzione, nuova creazione. In quanto manifestazioni di potenza essi si ricollegano alla *dýnamis* divina, cioè all'azione onnipotente con la quale Dio vivifica e salva nell'ordine naturale come in quello soprannaturale. Questi termini, soprattutto *érga* e *dynámeis* mettono in evidenza l'aspetto *ontologico* del miracolo e lo rappresentano come un'opera trascendente, cioè impossibile alle creature, e che di conseguenza suppone un intervento speciale della causalità divina.

Infine nell'AT come nel NT, soprattutto in Giovanni, il miracolo è chiamato *sēméion*, cioè segno (→ Semeiologia, I); vocabolo che è spesso unito a *prodigio*. Il miracolo infatti più che un prodigio è un segno operato da Dio. Esso è portatore di un'intenzione divina che bisogna saper leggere nel contesto.

b. *I dati della tradizione* - I tre aspetti che abbiamo menzionato (psicologico, ontologico, semiologico) si ritrovano attraverso tutta la tradizione patristica e teologica, con tuttavia un'accentuazione e un rilievo che variano nel corso dei secoli. In particolare si verifica un'oscillazione tra l'aspetto fattuale e ontologico, che vede nel miracolo soprattutto un fatto di trascendenza fisica, e l'aspetto semiologico che vede il miracolo prima di tutto come un segno operato da Dio.

Agostino sottolinea in modo particolare gli aspetti psicologico e semiologico. Il miracolo è un fenomeno inatteso che rompe la monotonia del quotidiano e, di conseguenza, provoca lo stupore. Nella sua prospettiva apologetica nei confronti dei pagani, questo effetto scioccante provocato

dall'insolito del miracolo deve servire da punto di appoggio alla funzione di segno. Con il suo carattere prodigioso, il miracolo invita l'uomo carnale, che è legione, a elevare lo sguardo verso il cielo e a contemplare le realtà invisibili del mondo della grazia.

Con Anselmo l'accento viene posto sulla trascendenza più che sulla finalità del prodigio. Il miracolo è un'azione attribuibile solo a Dio, poiché supera le forze di tutto l'universo creato. S.Tommaso, da parte sua, manifesta nelle sue opere di conoscere e riconoscere i tre aspetti del miracolo menzionati dalla Scrittura. Ma quando si tratta della definizione di miracolo, Tommaso si pone risolutamente dalla parte di Dio agente trascendente, interessandosi prima di tutto all'effetto prodotto e alla causa proporzionata: «un fatto è miracoloso quando supera l'ordine di tutta la natura creata» (STh I, 110, 4). La causa proporzionata all'effetto prodotto è Dio. Ciò non vuole negare l'ordine della natura ma, nel caso del miracolo, sorpassarlo poiché la sua azione è su un altro piano. Esso si integra in un ordine che è l'ordine *totale* e universale voluto da Dio.

Gli *scolastici* dopo Tommaso hanno preso l'abitudine − attenendosi alla sua definizione più che alla sua dottrina sul miracolo − di definire il miracolo nell'aspetto ontologico di fatto strettamente divino, tralasciando in pratica gli altri due aspetti. Così Ch. Pesch definisce il miracolo: «un effetto sensibile che Dio produce al di fuori della natura» (*Praelectiones dogmaticae*). E R. Garrigou-Lagrange scrive: «un fatto prodotto da Dio nel mondo al di fuori dell'ordine d'azione di tutta la natura creata» (*De Revelatione*, ed. 1950, II, 40). Fu uno dei meriti di M. Blondel l'aver di nuovo valorizzato l'aspetto semiologico del miracolo. Il miracolo è il segno di questa «anormale» bontà che Dio manifesta nel vangelo della salvezza. La teologia del dopoguerra è caratterizzata dallo sforzo di integrare armonicamente i tre aspetti essenziali del miracolo.

c. *Le indicazioni del magistero* - Senza pretendere di trarre dai documenti del magistero una definizione del miracolo che questi non hanno mai preteso di dare, vi ritroviamo tuttavia i tre aspetti costantemente affermati dalla Scrittura e dalla tradizione. Così il Vaticano I considera i miracoli come *fatti divini*, aventi Dio per autore. I miracoli sono anche *segni* della rivelazione, segni operati da Dio per aiutarci a riconoscere che Dio ha parlato all'umanità. Il Vaticano II parla delle *opere*, dei *segni* e dei *miracoli* con i quali Cristo, a un tempo, rivela e attesta l'origine divina della rivelazione. Questi tre termini rappresentano i tre aspetti del miracolo.

8. DEFINIZIONE DEL MIRACOLO - Utilizzando e raggruppando i dati della Scrittura e della tradizione possiamo proporre la seguente definizione di miracolo: «il miracolo è un prodigio religioso, che esprime nell'ordine cosmico (l'uomo e l'universo) un intervento speciale e gratuito del Dio di potenza e di amore, che rivolge agli uomini un segno della presenza ininterrotta nel mondo della sua Parola di salvezza».

a. *Un prodigio nell'ordine cosmico* - Evidentemente prodigio non è sinonimo di miracolo, ma il miracolo rientra nell'ordine dei prodigi per uno dei suoi aspetti: è un fenomeno insolito che rompe il normale corso delle cose, così come è stato osservato nel corso dei secoli. Per esempio, la guarigione del lebbroso: «Lo voglio, guarisci! Subito la lebbra scomparve ed egli guarì» (Mc 1,41-42) o la guarigione del cieco nato. Si tratta di cose mai viste e mai udite. Ne deriva un effetto scioccante di sorpresa e poi di ammirazione.

b. *Un prodigio religioso e sacro* - In questo modo si esclude fin dall'inizio ogni prodigio che si verifichi in contesto profano, e si comprende sia ciò che è sconvolgente per l'immaginazione, sia anche tutto quello che appartiene alla categoria del meraviglioso, del fiabesco, del favoloso, del leggendario, del mitico. In contesto profano, infatti, il miracolo non avrebbe nessun senso, né alcuna ragion d'essere. La spiegazione del fenomeno quando questo ha un carattere prodigioso, per quanto enorme sia, è da cercare al suo livello, cioè a livello delle cause naturali e nell'ordine profano.

Per contesto religioso intendiamo un insieme di circostanze che conferiscono al prodigio una struttura almeno apparente di *segno divino*. La fenomenologia ci informa su queste circostanze. Per esempio: 1. Il miracolo sopraggiunge in seguito a una preghiera umile, fiduciosa, perseverante, da parte del malato o di quelli che lo circondano. 2. Il miracolo accompagna una vita di santità eroica come segno di una totale unione con Dio e di una partecipazione alla sua potenza di vita (nel curato d'Ars, in Francesco d'Assisi, in Francesco Saverio). 3. Il miracolo autentica una missione che pretende di venire da Dio: è il caso dei profeti, di Cristo, degli apostoli. In tutti questi casi c'è coerenza perfetta tra il prodigio e l'appello fatto a Dio, proprio come nello scambio interpersonale quando qualcuno ottiene una risposta che ha in accordo con la domanda che ha fatto. Nel caso dei miracoli di Gesù, questi si inscrivono in un contesto ancora più ampio, più inglobante. In lui il miracolo non è una realtà isolata: si integra con tutto un insieme di segni dello stesso livello (messaggio, santità, passione, risurrezione, fondazione della chiesa) in questa economia totale con cui Dio salva l'uomo tramite Cristo. Dobbiamo parlare qui di una *costellazione di segni* in cui il miracolo è solo un punto luminoso tra tanti altri.

c. *Un intervento speciale e gratuito del Dio di potenza e di amore* - Sottolineiamo qui che il miracolo, come segno e anticipazione di una salvezza soprannaturale, deriva da un intervento di Dio non meno speciale e gratuito (almeno nel modo di prodursi) della salvezza stessa: diverso, di conseguenza, dalla conservazione e dal governo abituali dell'universo. È un'opera dell'onnipotenza di Dio «contraria alla natura» nel suo aspetto più sconvolgente di prodigio, ma in realtà «superiore alla natura», ad essa trascendente, come segno della trasformazione gratuita dell'uomo e dell'universo operata dall'amore di Dio che salva e fa nuovo tutto, non solo in apparenza ma in verità, non solo per gli uomini di ieri, ma per quelli di oggi e di tutti i tempi.

Evidentemente, quando si tratta di esprimere ciò che avviene a livello fenomenico sotto l'azione di Dio (un'azione non paragonabile a quella dell'uomo), possiamo solo balbettare: ci mancano le parole. Alcuni parlano di un superamento dei determinismi abituali, dello scavalcamento radicale e improvviso di un limite giudicato insuperabile; altri, di una fulminea accelerazione dei processi abituali di restaurazione che contrasta con la temporalità e la continuità, caratteristiche specifiche del fenomenico: è come se si saltasse la barriera del tempo e dello spazio, alla maniera di Cristo risorto che sfugge alla distanza e alla durata e lascia furtivamente intravedere qualcosa del mondo glorificato. Dio non agisce al modo di un attore inaspettato che si introduce a sorpresa nei titoli di testa dell'umanità: egli è onnipresente e agisce al suo livello che è quello di Dio, causa prima, con la sovranità del creatore e ricreatore dell'uomo. La natura non viene tanto violentata quanto restaurata, elevata, dinamizzata. Non c'è alcun argomento decisivo (se si esclude l'ar-

bitrarietà o il pregiudizio) per appiattire il miracolo al livello dei fenomeni ordinari o delle fortunate coincidenze. È, al contrario, sovranamente coerente e intelligibile che la gratuità dell'*evento* unico e sconvolgente di *Dio fatto carne*, linguaggio e vittima crocifissa, sia essa stessa «segnalata» dagli eventi dotati della stessa gratuità, come la restaurazione o la trasformazione della vita corporale mediante il miracolo e la risurrezione, e dall'uomo stesso mediante la santità. Se Cristo è tra noi come figlio del Dio vivente, è coerente che ponga gesti espressivi della sua gloria. La presenza tra noi di Dio, Spirito per eccellenza, è una «cosa enorme»: se una simile presenza non si accompagna alla presenza del nostro mondo di eventi *firmati* da Dio, chi potrà mai garantirci che non siamo le vittime del più colossale imbroglio? È infinitamente più difficile accettare l'incarnazione che il miracolo. M. Blondel dà prova di santità intellettuale e religiosa quando dichiara con franchezza che l'apparente contrarietà introdotta dal miracolo «manifesta analogicamente la reale deroga che l'ordine della grazia e della carità introduce nel rapporto tra Dio e l'uomo». Dio «fa trasparire attraverso segni anormali la sua anormale bontà». Se aggiungiamo che si tratta di un intervento del Dio di potenza e di amore, lo facciamo proprio per sottolineare che il miracolo non è una pura dimostrazione di potenza, ma un gesto d'amore: un'opera comune del Padre e del Figlio, scaturita dal loro amore reciproco. Il miracolo quindi rivela la sua vera natura solo se viene considerato dal punto di vista di Dio non meno che dal punto di vista dell'uomo.

d. *Un segno divino* - Infine, il miracolo è segno della venuta nel mondo della Parola di salvezza. Il termine principale qui è → *segno*. Il miracolo infatti, come totalità, è un *prodigio-significante*, un'*azione-segno*.

Questo aspetto intenzionale, semiologico, del miracolo ne costituisce l'elemento formale. Si tratta di un segno interpellante e interpersonale, portatore di un'intenzione divina e rivolto all'uomo come un linguaggio divino, come una parola concreta e pressante di Dio per fargli sentire che la salvezza è arrivata. I miracoli non sono dunque eventi storici *chiusi* in se stessi, ma mediazioni che orientano verso un loro superamento. Bisogna capire che la salvezza annunciata è verità perché è già presente. I miracoli di Lourdes hanno lo stesso senso: orientano verso la salvezza e verso colui da cui sono mandati.

Il miracolo è sempre in relazione con l'evento della Parola di salvezza o rivelazione: sia che si tratti della parola dell'AT che annuncia e promette la salvezza futura, sia che si tratti della parola di Dio fatta carne e diventata evento in Gesù Cristo o della parola della chiesa che rende presente e attuale sino alla fine dei tempi la Parola di salvezza data una volta per tutte. Il miracolo è sempre al servizio della Parola, sia come elemento della rivelazione, sia come attestazione della sua autenticità e della sua efficacia.

9. VALORI SIGNIFICATIVI E FUNZIONI DEL MIRACOLO - Affermare che il miracolo è un segno significa porre il problema delle funzioni significative del miracolo. Il Vaticano I ha messo soprattutto in evidenza la sua funzione confermativa o giuridica. *Fatti divini, prove, segni*, i miracoli hanno la funzione di stabilire «l'origine divina della religione cristiana» (DS 3009, 3034). Il Vaticano II riconosce ai miracoli una duplice funzione: una funzione di *rivelazione* e una funzione di *attestazione*. Da una parte sono portatori della rivelazione quanto le parole di Cristo; dall'altra, attestano la verità della testimonianza di Cristo e l'autenticità della rivelazione che egli è in persona (DV 4). Mettendo in evidenza queste due funzioni del miracolo, il Vaticano II non pretende con questo di esaurire tutte le sue ricchezze di significato e di espressività. Difatti il miracolo è un segno polivalente. Agisce contemporaneamente su più piani, punta in diverse direzioni. È il NT che esprime nel modo migliore questa pluralità e diversità delle funzioni del miracolo che dobbiamo esporre in dettaglio prima di sistematizzare.

a. *Segni della potenza di Dio* - I miracoli sono opere segnate dalla potenza di Dio. Nei sinottici i miracoli di Cristo sono epifanie del Salvatore, manifestazioni della sua potenza universale e assoluta. Cristo agisce a suo nome. Guarisce con una parola; caccia i demoni con una parola, calma la tempesta, risuscita i morti con una parola. Il suo potere è limitato solo dall'odio, dal rifiuto, dalla rivolta degli uomini. In Giovanni i miracoli sono le opere comuni del Padre e del Figlio; manifestano che la potenza è in Cristo come nel Padre. Cristo è Dio presente tra noi con la potenza del Dio vivente, creatrice di vita e di morte. La sua gloria è quella di Jhwh.

b. *I miracoli di Cristo sono manifestazioni della sua carità* attiva e compassionevole che si china su ogni miseria. Talvolta l'iniziativa viene da Cristo stesso che anticipa la supplica umana (moltiplicazione dei pani, risurrezione del figlio della vedova di Nain, guarigione dell'uomo dalla mano inaridita e della donna curva). Altri miracoli, al contrario, si presentano come la risposta di Cristo a una preghiera, talvolta chiaramente formulata, talvolta silenziosa, racchiusa in un gesto, in un movimento (i ciechi di Gerico, la Cananea, il centurione, Giàiro, Marta e Maria). Dio «visita» l'umanità nel cuore delle sue infermità. Egli ha compassione, è commosso. I miracoli sono la risposta dell'agape di Dio all'appello della miseria umana. Dio è amore e questo amore prende in Cristo forma umana e cuore umano per rendere percepibile all'uomo l'intensità dell'amore divino.

c. *Segni dell'avvento del regno messianico* - Da questo punto di vista i miracoli si ricollegano al tema più vasto del compimento delle Scritture. Essi significano che il regno di Dio annunciato dai profeti nei secoli è finalmente giunto. In Gesù di Nazareth il messia è presente. Gli uomini sono guariti dalle loro infermità e liberati dal peccato, il vangelo è proclamato. Guarigioni ed esorcismi dimostrano che il regno di Satana è in frantumi e che il regno di Dio è arrivato (Lc 7,22; Mt 12,28). Là dove c'è Cristo la potenza di salvezza e di vita annunciata dai profeti è all'opera: trionfa sulla malattia e sulla morte come sul peccato e su Satana. Il regno è presente e attivo. E perché gli uomini comprendano che il mondo nuovo è nel cuore del mondo antico, Cristo *rende visibile* la salvezza totale che annuncia.

d. *Segni di missione divina* - In tutta la tradizione biblica il miracolo ha come funzione principale di garantire la divinità di una missione. Ha un valore in qualche modo giuridico: è la credenziale dell'inviato di Dio. Così Mosè è «accreditato» dai prodigi che Dio compie per mezzo suo davanti a tutto il popolo (Es 4,1-9; 14,31). Quando Cristo appare deve far fronte a questa tradizionale esigenza (Mc 2,12; Mt 11, 21; Gv 11, 41-42). Questa funzione giuridica o confermativa o di attestazione, viene messa particolarmente in risalto nel vangelo di Giovanni: «Alla vista dei segni di Gesù molti credettero in lui» (Gv 2,23). Nicodemo (Gv 3,2), il cieco nato (Gv 9,33), la moltitudine (Gv 7,31) invocano spontaneamente tale argomento. Questa funzione giuridica dei miracoli è ancora più evidenziata negli Atti che nei sinottici. Il

potere miracoloso degli apostoli costituisce una testimonianza resa da Dio: «Il Signore rendeva testimonianza alla predicazione della sua grazia e concedeva che per mano loro si operassero segni e prodigi» (At 14,3; 4,33). I miracoli *accreditano* la parola degli apostoli come autentici ambasciatori di Cristo.

e. *Segni della gloria di Cristo* - Dal punto di vista dell'uomo che ne è il beneficiario i miracoli sono dei segni; ma dal punto di vista di Cristo sono più precisamente le opere del Figlio. I miracoli considerati come opere si collegano alla coscienza che Cristo ha della filiazione divina: essi rappresentano la sua attività di Figlio tra gli uomini. Hanno anche la funzione di garantire la sua missione di inviato di Dio, ma a titolo di Figlio del Padre che condivide con il Padre la conoscenza (Mt 11,27) e l'onnipotenza (Mt 28,18). I miracoli sono le opere comuni del Padre e del Figlio: designano Cristo nella gloria di Figlio unigenito. Cristo quindi non cessa di rimandare i suoi ascoltatori ai miracoli come alla testimonianza del Padre in suo favore (Gv 5,36-37; 10,25). Proprio perché i miracoli sono la manifestazione della potenza di Cristo e lo designano nella sua gloria di Figlio unigenito, la sua persona ne è il centro di irradiamento e di convergenza. Ma questa rivelazione delle opere del Figlio, come quella della sua persona, si è chiusa con un fallimento. Era tuttavia destinata a rivelare la sua gloria.

f. *Rivelazione del mistero trinitario* - Il riconoscimento dei miracoli come opere comuni del Padre e del Figlio ci introduce nel mistero della vita trinitaria stessa. Se le opere di Cristo sono contemporaneamente le opere del Padre che ha l'iniziativa in ogni cosa e se, d'altra parte, appartengono nello stesso tempo al Figlio, poiché il Padre ha rimesso al Figlio il suo potere affinché compisse i miracoli come opere *proprie*, ciò rivela un'alleanza unica, un mistero d'amore tra il Padre e il Figlio. I miracoli rivelano che il Padre è nel Figlio e il Figlio nel Padre, uniti dallo stesso Spirito (Gv 14,10-11; 10,37-38). Evidentemente questa profondità rivelatrice dei miracoli appare chiaramente solo alla luce del discorso di Cristo e della riflessione giovannea che ne dispiega il senso.

g. *Simboli dell'economia sacramentaria* - La venuta di Cristo inaugura un mondo nuovo, il mondo della grazia; opera una rivoluzione, quella della salvezza mediante la croce. Il miracolo lascia vedere, come in trasparenza, la trasformazione operata. È l'immagine espressiva dei doni spirituali offerti agli uomini nella persona di Cristo. Nei sinottici già viene abbozzato il → simbolismo dei miracoli, soprattutto nei racconti della guarigione del paralitico, del lebbroso, della donna curva e delle guarigioni con l'imposizione delle mani. Ma è nel vangelo di Giovanni che esplode, in particolar modo, il simbolismo dei gesti di Gesù. I miracoli di Cristo rivelano il mistero profondo della sua persona e dell'economia della grazia che egli inaugura con i sacramenti: soprattutto il battesimo (guarigione del paralitico con la parola di Cristo che rimette i peccati e con l'acqua della piscina che rigenera; guarigione del cieco nato nella piscina di Siloe ad opera di Cristo luce del mondo) e l'eucaristia (moltiplicazione dei pani). Se il simbolismo di Giovanni è così potente è perché egli opera a diversi gradi di profondità. Si radica prima di tutto nell'incarnazione. Il miracolo è la potenza della Parola fatta Carne che si dispiega attraverso un gesto umano. La vista resa al cieco nato rende presente e visibile la potenza di Cristo come fonte di luce per l'umanità. Ma se il simbolismo giovanneo trova nell'uomo una simile risonanza è anche perché si basa sulle esperienze primordiali dell'uomo legate all'inconscio più remoto: l'acqua, la luce, il fuoco, il pane, la vita e la salvezza. Ricorrendo quindi ai grandi simboli dell'umanità, oggetti essi stessi di un uso multisecolare nei testi dell'AT, Giovanni dà ai miracoli di Gesù una potenza di evocazione e risonanze che toccano le fibre segrete dell'essere. Ma aggiungiamo che se Cristo per Giovanni è Luce, Vita, Acqua, Pane, lo è in ragione del fatto che egli è per noi, nella sua missione di Figlio inviato dal Padre, colui che salva gli uomini dalle tenebre del peccato e della morte.

h. *Segni delle trasformazioni del mondo terminale* - Il miracolo infine è il segno prefigurativo delle trasformazioni che devono operarsi alla fine dei tempi. Infatti la redenzione deve rinnovare tutto ciò che è stato raggiunto dal peccato. Il miracolo è prima di tutto il segno della liberazione e della glorificazione dei corpi. Il corpo di Cristo risorto e glorificato è l'anticipazione visibile del destino finale dell'uomo chiamato alla comunione di vita con Dio e l'attestazione di questa glorificazione agisce già segretamente nel mondo per trasformarlo. I corpi liberati, risanati, placati, vivificati, risuscitati, svelano già il trionfo finale dello Spirito che vivificherà i nostri corpi mortali per rivestirli di incorruttibilità. Anche l'universo materiale è in attesa di questa trasformazione. Trascinato nella scia dell'uomo, deve partecipare alla sua glorificazione come al suo peccato. S. Paolo (Rm 8,19-21) vede l'uomo e l'universo trascinati dal movimento della redenzione verso la loro glorificazione ultima. Per lui l'universo non è destinato a essere annientato, ma trasformato e glorificato. Il miracolo annuncia e avvia questa trasformazione definitiva quando la potenza di Dio, dopo aver distrutto la morte e il peccato, stabilirà tutte le cose in una indefettibile novità.

Tutte queste virtualità significative

del miracolo non sono indipendenti le une dalle altre. Al contrario, l'una implica l'altra, illumina l'altra, e si passa dall'una all'altra con una transizione insensibile. Possiamo tuttavia raggruppare e sistematizzare le *funzioni* essenziali del miracolo nel modo seguente:

1. Il miracolo esercita dapprima una funzione di *comunicazione*: manifesta da parte di Dio la sua intenzione di avviare con l'uomo un dialogo di amicizia. È come il saluto amichevole e preveniente una sorta di «visita» di Dio. Il vangelo del regno si apre un cammino attraverso le vie della carità.

2. In secondo luogo il miracolo esercita una funzione di *rivelazione*. Si presenta come elemento costitutivo di una rivelazione che si compie con «gesti e parole» (DV 2), con «segni e miracoli» (DV 4). Il messaggio annuncia che Cristo è venuto a liberare, purificare, salvare l'uomo. Ora, il miracolo mostra in azione questa parola di salvezza. Realizza sotto gli occhi la liberazione e la restaurazione dei corpi. È la parola agente, atto parlante. Anch'esso, a modo suo, è vangelo, proclamazione, messaggio, luce, parola. Inoltre, in un certo senso, c'è di più nel miracolo che nel discorso. C'è infatti nella rivelazione una parte di ineffabile che il discorso non riesce a tradurre. È allora che il miracolo viene in aiuto e approfondisce la parola. Con la sua forza di suggestione, con il suo dinamismo simbolico, parla ai sensi e allo spirito. Senza il miracolo che vivifica e salva i corpi non avremmo certamente capito che Cristo portava la salvezza dell'uomo tutto intero. Il miracolo è un elemento del regno, che non è qualcosa di statico, ma una realtà dinamica che cambia la condizione umana, che stabilisce la signoria di Cristo su ogni cosa, compresi i corpi e il cosmo.

3. In terzo luogo il miracolo esercita anche una funzione di *attestazio-ne* come segno affermativo, apologetico, giuridico. Il miracolo si presenta come la lettera di credito dell'autentico messaggero di Dio, come il sigillo dell'onnipotenza di Dio su una missione o una parola che pretende di avere origine da lui. Nel caso di Cristo questa attestazione ha per oggetto l'affermazione centrale di Cristo sulla sua condizione di inviato da Dio a titolo di Figlio del Padre. Nello stesso tempo esso conferma l'autenticità divina del vangelo che egli proclama.

4. Dal punto di vista dell'uomo che ne è il beneficiario il miracolo si presenta come un intervento *liberatore e trasformante*. A un uomo la cui vita è limitata dalla malattia; a un uomo che non conta più agli occhi degli altri perché non rende; a un escluso dalla comunità religiosa a causa della sua impurità legale, e ancora di più a un alienato che non è più padrone delle sue decisioni perché è sottomesso a Satana, Gesù restituisce l'integrità fisica e psichica, la dignità umana e soprattutto la liberazione dal peccato. Lo libera dalla malattia, dal peccato e da tutti i pregiudizi che ne facevano un «emarginato». Quest'uomo è restituito a se stesso. Ritrova la normalità dei suoi rapporti con gli altri. Può ormai disporre di se stesso, orientarsi, decidersi: è un «uomo nuovo». Inoltre di uno schiavo fa un discepolo, un annunciatore del regno. Questa funzione di liberazione e di promozione del miracolo è di natura adatta a toccare l'uomo contemporaneo che aspira invincibilmente alla libertà e alla piena realizzazione di se stesso. Il miracolo interpella l'uomo nel cuore delle sue più profonde aspirazioni. Quindi il suo potenziale di credibilità se ne trova considerevolmente accresciuto. Il miracolo, facendo visibili la liberazione e la trasformazione annunciate dal vangelo, accredita il vangelo stesso come buona notizia. Un'umanità nuova sta per nascere in cui l'alienato, l'asservito,

il prigioniero di ieri, è invitato a entrare nello spazio di libertà creato dall'amore crocifisso e risorto. Il miracolo serve Cristo perché serve tutto l'uomo. Il giorno in cui quest'ultimo prende coscienza di questa novità introdotta nella storia è molto vicino al regno.

10. DISCERNIMENTO DEL MIRACOLO - Dopo quello che abbiamo detto sui miracoli come segni dell'avvento del regno e della salvezza in Gesù Cristo, è evidente che i miracoli non si rivolgono alle sole élites intellettuali, ma a tutti gli uomini di buona volontà. I miracoli si rivolgono alla folla di coloro che (istruiti o non) hanno occhi, buon senso e cuore. Perché, in definitiva, il giudizio sul miracolo, come segno di Dio, è un problema religioso: si situa a quel livello di interiorità in cui l'uomo ha già deciso che «basta a se stesso» o, al contrario, cosciente della sua miseria, si riconosce povero, fragile, sprovveduto, «bisognoso di salvezza».

Indubbiamente al tempo di Gesù i miracoli conoscono un momento privilegiato. Trovano in lui e nella sua missione il loro ambiente originario, la loro motivazione primaria. Questi miracoli, l'abbiamo detto, sono i «segni fondatori» dell'autenticità della grande presenza in mezzo a noi di *colui che è*. I miracoli attuali non potrebbero riprodurre questo momento unico, né rappresentare questo urgente bisogno di identificazione di Gesù come Cristo e Signore. Inoltre, la ragione critica, che esisteva già al tempo di Gesù, ha bisogno oggi più di una volta dei dati dell'esperienza medica. Ciò non toglie che il miracolo nella sua complessità di prodigio e di segno religioso interessi la scienza solo per uno dei suoi aspetti.

a. *Due livelli di discernimento* - Per questo riteniamo che il problema del discernimento del miracolo deve essere prima di tutto studiato a livello del discernimento spontaneo, così come lo effettua l'uomo immediatamente confrontato con il miracolo, che sia semplice e poco colto come la folla di Galilea o istruito ed esigente come l'uomo del secolo ventesimo: medico, ingegnere, teologo, canonista. La ragione teologica può successivamente scomporre e analizzare ognuno dei momenti della dialettica che guida lo spirito dal fenomeno osservato al giudizio che permette di riconoscere nel prodigio un segno di Dio, ma sempre allineandosi sul discernimento spontaneo. Discernimento spontaneo e discernimento teologico non vanno dunque opposti come religioso a non religioso, ma come due livelli e due modi di approccio allo stesso evento: conoscenza intuitiva nel primo caso; discorsiva e sistematica nel secondo.

b. *Discernimento spontaneo* - È importante capire cosa avviene a livello di discernimento spontaneo, poiché in entrambi i casi al punto di partenza è l'intelligenza del miracolo come *totalità del prodigio significante*. Prendiamo come esempio il racconto della guarigione del cieco nato (Gv 11) per coglievi il dinamismo del miracolo e la dialettica dello spirito che lo riconosce come tale. Ciò che colpisce nel racconto è il processo del discernimento e la diversità di reazione dei testimoni a seconda delle disposizioni del cuore. All'inizio la reazione è per tutti di choc e di stupore di fronte al prodigio che fa bruscamente irruzione nella loro vita. Poi cominciano i tentativi da parte di una ragione in rotta e la corsa alle ipotesi per reintegrare il fatto nella normalità: il personaggio in questione non è veramente il cieco nato ma qualcuno che gli «somiglia»; Gesù non viene da Dio ma dal diavolo, poiché non osserva il sabato; i genitori, interrogati come testimoni, rifiutano di compromettersi per paura dei farisei; il cieco guarito e tenace torna sempre sui fatti, riaffermando la sua identità di cieco nato e la guarigione ad opera di Gesù; gli avversari trattano Gesù da peccatore mentre riempiono di ingiurie il miracolato e lo cacciano dalla sinagoga. Ma la presenza e il peso sempre più costringente dell'unica ipotesi che dà senso e consistenza all'evento e al contesto, porta il cieco a riconoscere in Gesù il suo salvatore, mentre rende «ciechi» coloro che pretendono di essere nella luce.

c. *Discernimento teologico* - Ciò che colpisce nel discernimento spontaneo è il movimento dello spirito: sin dall'inizio evento insolito e contesto religioso sono indissolubilmente legati e si passa progressivamente dal segno apparente all'autenticità del segno divino con un continuo gioco di confronto e un incessante andare e venire dal fatto al senso e dal senso al fatto. Accade lo stesso sul piano del discernimento teologico: lo sforzo di discernimento verte sulla comprensione di una totalità significante. Il problema si pone in una prospettiva sintetica che non isola mai l'evento storicamente attestato dal senso espresso dal contesto religioso in cui si inserisce. L'identificazione del segno avviene per approssimazioni successive. Là dove ci sia vero miracolo, il significante e il significato si rispondono senza difetto; il fattuale e l'intenzionale si chiariscono reciprocamente portando a un fermo giudizio sulla realtà del segno divino.

d. *Componenti del segno e perizia medica* - Poiché il miracolo è un segno, ognuno dei suoi elementi compositivi deve essere sottoposto a esame. Questi elementi sono: il fatto stesso in quanto storicamente attestato (esame di competenza dell'istanza storica), in quanto insolito e prodigioso (esame che compete all'istanza medica), in quanto inserito in un contesto certamente religioso (esame che compete più direttamente all'istanza ecclesiale). L'esame delle componenti del miracolo è dunque un'opera *interdisciplinare*. In questo richiamo alle competenze specialistiche non bisogna temere di spingersi fino ad esasperare le istanze della scienza, ben sapendo che l'ultima parola sulla candidatura dell'evento a miracolo viene dall'istanza ecclesiale che, d'altronde, pronuncia un giudizio prudenziale e non infallibile. Poiché i miracoli sono soprattutto guarigioni di malattie, presteremo più attenzione al ruolo della scienza medica.

Il medico non è tenuto a pronunciare la parola «miracolo». Se in passato si riteneva quasi costretto a portare da solo il peso del verdetto (in ragione della natura del miracolo, inteso come «eccezione alle leggi della natura»), questo passato è superato, poiché in seguito si è meglio definito il miracolo e le sue componenti. Si richiede al medico di parlare da medico: egli è invitato a valutare ciò che osserva a livello della sua competenza. Non deve dire se ci saranno o meno miracoli nel prossimo millennio; e nemmeno deve preoccuparsi del diminuire o dell'aumentare dei miracoli nel mondo. Al tempo di Gesù bisognava verificare l'equazione: Gesù di Nazareth è *davvero* Cristo, Signore, Figlio del Dio vivente. Nella mentalità ebraica l'attributo divino per eccellenza era precisamente la potenza. Gesù aveva bisogno di una carta d'identità, di un passaporto: per questo si presenta con gli attributi della divinità: potenza, santità, saggezza. Oggi i miracoli non hanno più questo carattere di urgenza. Ma restano segni intermittenti della presenza, sempre attiva nella storia, della Parola della salvezza. È dunque estremamente opportuno che vi siano ancora miracoli, ma è bene che non pullulino. Detto questo, che cosa dobbiamo attenderci dalla perizia medica? Prima di tutto che il medico parli, osservi, descriva e giudichi con tutte le nuove tecniche a disposizione, anche le più sofisticate, senza dimenticare le radiografie fatte fino al momento della guarigione e subito dopo questa. Anche se l'istanza medica dovesse rivelare che le tecniche applicate in passato erano incomplete e insufficienti, non si dovrebbe con questo arrivare alla costatazione di un mancato intervento divino. I criteri proposti da Benedetto XIV nel 1740 servivano a orientare la ricerca senza pretendere di ridurla o estenderla, soprattutto quando si tratta di spingersi oltre e più in profondità. Più la perizia medica sarà completa, più ricco sarà il dossier raccolto e più il giudizio prudente della chiesa ne trarrà profitto. In certi ambienti medici si prova, a torto, una specie di allergia quando si sente usare il termine di istantaneità o quasi istantaneità per definire la rapidità fulminea di alcune guarigioni. A dire il vero, il termine è solo un'eco dei racconti evangelici: «Guarisci, disse Gesù, e fu guarito»; «Prendi il tuo lettuccio e va'»; «Io lo voglio, guarisci». Il termine mira a esprimere che Gesù quando agisce lo fa in Dio, nel miracolo come nell'incarnazione. Abbiamo un'invincibile tendenza ad assimilare l'azione divina a quella umana. La verità è che Dio è presente nel mondo senza però essere sottoposto all'esteriorità dello spazio né alla successione dei momenti. Nelle creature lo spazio divide ed è il tempo che permette di riavvicinare, di organizzare e di unificare. Dio abbraccia l'universo, ma senza dover percorrere i suoi vari luoghi; egli è presente in tutti i tempi senza dover cambiare il fuso orario per andare verso ciò che sta per venire. Egli opera nello spazio ma non deve unire punti separati; opera nel tempo ma non deve distendersi nella durata. Un miracolo è un'operazione estremamente semplice per Dio. Egli la produce senza dover passare attraverso lo spazio e il tempo, anche se il risultato di quest'azione ci si presenta in un prima e un dopo. Il miracolo è superiore più che contrario alla natura: la tra-

scende. È un'azione razionale ma sul piano di Dio. Per Dio è un'opera eminentemente normale perché è proprio di Dio creare e ricreare. Insomma, Dio è Dio e non deve «scimmiottare» l'uomo. La diversità tra Dio e l'uomo sarà sempre infinita rispetto alla loro somiglianza. Per questo la scienza sarà sempre messa alle strette, sempre disorientata di fronte all'azione di Dio. Dio sfugge alle nostre misure poiché agisce con la misura di Dio. Il miracolo è ormai riconosciuto come una realtà complessa il cui discernimento metodico fa appello all'interdisciplinarità della storia, della perizia medica, della fisica, della teologia, del diritto canonico, dell'esperienza ecclesiale. Il giudizio finale, che opera la sintesi di tutti gli elementi raccolti, è prudenziale e non infallibile: spetta alla chiesa.

11. L'UOMO DI FRONTE AL MIRACOLO - Una guarigione può imporsi come un fatto, ma non è necessariamente riconosciuta come un *segno divino*. Discernere il miracolo non è semplicemente un problema di acutezza mentale, di tecnica, ma di atteggiamento religioso e morale. Discernere il miracolo significa aprirsi al mistero di Dio che interpella in Gesù Cristo e riconoscere che l'uomo è indigente e non può bastare a se stesso. Un simile atteggiamento richiede che l'uomo entri in se stesso fino a quel livello di profondità in cui si pone il problema del senso della vita e della salvezza dell'uomo. Accettare di ricevere la salvezza significa rinunciare all'autosufficienza e nulla è più duro per l'uomo di questa *mortificazione*. A seconda che questo atteggiamento sia presente o assente, il miracolo viene interpretato diversamente: come un segno di Dio o come uno scandalo. I racconti evangelici illustrano tutto il ventaglio degli atteggiamenti dell'uomo di fronte al miracolo. I miracoli sono segni rivolti da Cristo per orientare l'uo-

mo verso il regno e per invitarlo alla conversione senza mai costringerlo. Per questo il discernimento *concreto* del miracolo avviene normalmente in un clima di grazia che purifica e sostiene la libertà. I miracoli infatti, soprattutto quelli di Gesù, mettono l'uomo a confronto con il → senso dell'esistenza. Ora, come si può concepire che Dio inviti l'uomo a un'opzione così decisiva senza dargli gli aiuti adatti a condurvelo? Questa presenza effettiva e storica della grazia non significa evidentemente che la ragione umana sia incapace, da sola, di cogliere i segni e il loro valore (DS 3876). La riflessione teologica infatti può mostrare che nulla nella dialettica che porta dal segno al significato è propriamente al di sopra del potere della ragione. Questo significa semplicemente che, di fatto, la grazia di Dio è all'opera in tutta l'impresa della salvezza: nei segni, quindi, come nella rivelazione e nella fede. È la grazia infatti che aiuta l'uomo a interpretare correttamente i segni e a coglierne il rapporto con la sua salvezza personale; come è la grazia che dà il coraggio di affrontare la domanda posta ineluttabilmente, nel caso di Gesù, dalla percezione dei segni.

Bibl. - A. Michel, «Miracle», in DThC X,2, 1798-1858; A. Vögtle, J. - B. Metz, «Wunder», in LThK X, 1255-1265; J.B. Metz, «Miracle», in SM IV, 45-46; T.G. Pater, «Miracle», in NCE IX, 886-895; A. van Hove, *La doctrine du miracle chez S. Thomas et son accord avec les principes de la recherche scientifique*, Louvain 1927; R. Bultmann, «Zur Frage des Wunders», in *Glauben und Verstehen*, I, Tübingen 1933, 214-228; Id., *Jésus, mythologie et démythologisation*, Paris 1950; J.A. Hardon, «The Concept of Miracle from St. Augustine to Moderne Apologetics», in ThS, 15 (1954) 229-257; A. Richardson, *The Miracle Stories of the Gospels*, London 1956[5]; P. Hazard, *La crise de la conscience contemporaine, 1680-1715*, Paris 1959; L. Monden, *Le miracle, signe du salut*, Bruges-Paris 1960; P. Biard, *La puissance de Dieu*, Paris 1960; J. Kallas, *The Significance of the Synoptic Miracles*, London 1961; A. Locatelli, *Dio e il miracolo*, Venegono Inf. 1963; G. de Broglie, *Les signes de crédibilité de la religion chrétienne*, Paris 1964; H. van Der Loos, *The Miracles of Jesus*, Leiden 1965;

C. Moule, *Miracles*, London 1965; K. Tagawa, *Miracles et Évangile*, Paris 1966; V. Boublik, *Incontro con Dio*, Roma 1968; F. Mussner, *I miracoli di Gesù*, Brescia 1969; K. Kertelge, *Die Wunder Jesu in Markusevangelium*, München 1970; R. Pesch, *Jesu ureigene Taten? Ein Beitrag zur Wunderfrage*, Freiburg 1970; G. Theissen, *Urchristliche Wundergeschichten*, Gütersloh 1974; P.-E. Langevin, «La signification du miracle dans le Message du Nouveau Testament», in ScE 27 (1975) 177-182; F. Lambiasi, *L'autenticità storica dei Vangeli. Studio di criteriologia*, Bologna 1976; L. Sabourin, *The Divine Miracles discussed and defended*, Roma 1977; R. Latourelle, *A Gesù attraverso i Vangeli*, Assisi 1979; Id., «Miracolo», in NDT, 931-945; Id., «Miracle», in DSp X, 1274-1286; Id., *Miracoli di Gesù e teologia del miracolo*, Assisi 1987; A. Weiser, *I miracoli di Gesù*, Bologna 1980; G. Segalla, «La soteriologia cristologica dei miracoli nei Sinottici», in *Teol* 5 (n. 2/1980) 157-161; J. Martorell, *Los milagros de Jesús*, Valencia 1980; X. Léon-Dufour (ed.), *I miracoli di Gesù*, Brescia 1980; G. Rochais, *Les récits de résurrection des morts dans le Nouveau Testament*, Cambridge 1981; J.E. Martin Terra, *O Milagre*, São Paulo 1981; N.L. Geisler, *Miracles and Modern Thought,* Michigan 1982; H. Verweyen, «Il miracolo in Teologia fondamentale», in R. Fisichella (ed.), *Gesù Rivelatore*, Casale Monferrato 1988, 196-207; F. Uricchio, «Miracolo», in NDTB, 954-978.

RENÉ LATOURELLE

MISSIONE

1. INTRODUZIONE - a. *Premessa* - Più che offrire un trattato completo, sia pur in dimensione ridotta, della missiologia, cercheremo di cogliere quella che ci sembra possa essere la giustificazione e la prospettiva della stessa, vista dalla teologia fondamentale. Anzi, osiamo pensare che la fondamentale dovrebbe essere il posto privilegiato per una comprensione della missionarietà della chiesa e l'aggancio ideale con il restante vasto universo della scienza teologica.

Va detto allora che, in linea con l'orientamento più diffuso fra gli studiosi contemporanei, consideriamo la teologia fondamentale come la scienza chiamata all'approfondimento della rivelazione a partire dalla rivelazione stessa e alla giustificazione della credibilità dell'evento, quale si è sacramentalizzato in Cristo. Esso nei secoli continua a sacramentalizzarsi nella chiesa che avanza la pretesa di essere quella unica da lui voluta.

Consideriamo la rivelazione come l'autocomunicazione salvifica di Dio in Cristo. È definitiva ed escatologica, quindi destinata a tutti, dal momento che il Padre «vuole che tutti gli uomini siano salvi e arrivino alla conoscenza della verità» (1 Tm 2,3s).

La scienza (= missiologia) che con specifico approccio cerca di studiare la teologia della missione e la problematica connessa, non fa parte propriamente del «cuore» della fondamentale. Dev'essere collocata fra le numerose tematiche di frontiera, caratterizzanti la specializzazione del secondo ciclo. Non abbiamo dubbi nel qualificare questo argomento come scottante, perché il tema della missione oggi coinvolge la sensibilità di quanti concepiscono in modo assai divergente l'esclusività del ruolo salvifico di Cristo, e specialmente della sacramentalità salvifica della sua chiesa.

b. *Nuove situazioni e problemi* - Fino a poco tempo addietro si era fondamentalmente d'accordo nell'esegesi del «mandato» missionario di Cristo. Le divergenze si riducevano ad una diversificata concezione riguardante il fine primario e i vari fini secondari dell'attività missionaria; oppure riguardo alla metodologia di approccio alle altre culture e alle religioni, che erano destinate a passare attaverso una → «conversione» che le avrebbe trasformate in profondità.

Quando fortuitamente appare qualche gruppo etnico o addirittura qualche continente, i cui popoli nulla hanno saputo di Gesù Cristo, non si esita un momento a lanciarsi all'avventura dell'evangelizzazione, spesso sigillata dall'effusione del sangue dei martiri. Il quadro teorico è semplice

e si rapporta – sine glossa – a Mt 28,10-20.

Negli ultimi decenni abbiamo assistito, tanto fra i cattolici che fra i protestanti, ad una ripresa degli studi teologici in generale e in specie, per quel che riguarda il nostro tema.

Ci siamo trovati di fronte ad una veloce successione di svariate interpretazioni, sui più gravi temi teologici fino a poc'anzi considerati definitivamente e pacificamente acquisiti. Si è creata una «precomprensione» nuova, positiva, ottimista sul ruolo salvifico delle altre religioni, che sembrava voler seppellire per sempre la validità del mandato missionario di Cristo.

Si è arrivati, specie da parte della confessione protestante, che del resto ha sempre offerto esempio di impegno missionario, ad avanzare la proposta di una «moratoria», pausa e sospensione dell'attività missionaria. Altri l'hanno svuotata del suo contenuto dogmatico o hanno ridotto il suo ruolo ad una semplice presenza fra gli «altri». Sono quelli che si propongono di testimoniare la propria solidarietà con chi è diverso non solo o/e non tanto per il credo teologico che confessa, quanto piuttosto per la sua situazione di sottosviluppo economico, o per il suo limitato accesso ai servizi offerti dalla tecnica moderna.

Ma su di un altro versante si è assistito anche ad una ripresa, non priva di vivaci dibattiti, dell'animazione missionaria e all'apertura di nuove frontiere per le congregazioni tipicamente missionarie e anche per quelle nelle quali la missione, intesa come missione «ad gentes» e in terre geograficamente lontane, costituisce solo una componente del carisma fondazionale. C'è stato un interessante rinnovamento degli studi, un moltiplicarsi degli approcci, che hanno definitivamente chiarito la provenienza teologale della «missione» come anche la specifica spiritualità del missionario e la metodologia d'approccio al destinatario.

Si sono moltiplicate le monografie, frutto di ricerche teoriche o di esperienze di anni di lavoro-sul-campo che focalizzano poli di interesse che vanno dal kêrygma-evangelizzazione alla didaskalia, alla koinonia; dalla diakonia-testimonianza all'incarnazione-inculturazione-acculturazione del vangelo, all'evangelizzazione delle culture.

Questa vivacità nella ricerca ha causato smarrimento in non pochi, ma anche gioia e ottimismo, fonte di slancio e nuova disponibilità missionaria, in altri.

Alcuni sostituiscono volentieri il termine missione con quello di → evangelizzazione. Dalla storia del loro utilizzo possiamo dire che il termine «missione», a volte anche con significato profano per indicare un ufficio di rappresentanza, fa riferimento piuttosto al primo annuncio kerigmatico. Esso viene usato particolarmente per indicare l'invio da parte di Dio «ad gentes», con il compito di portare il suo messaggio, tendente alla conversione e alla fondazione della chiesa (cfr. AG 6). Il termine *evangelizzazione*, con una portata solo religioso-cristiana, in uso particolarmente dalla seconda metà del secolo scorso, sta a indicare il contenuto stesso della missione: l'annuncio della buona notizia a tutti gli uomini, specie ai non cristiani, o a chi si è scristianizzato (EN 52.56). Esso viene a indicare particolarmente il lavoro di catechesi e formazione cristiana permanente, che abbraccia sia l'annuncio della salvezza escatologica, che la proclamazione dei diritti dell'uomo (cfr. EN 22.27.26.27.29.33 e 53.54).

Una prima risposta, e per noi assai valida, alla questione che consideriamo centrale nel contesto dell'attuale dibattito, e cioè «missione sì» - «missione no», ci viene dalla Scrittura stessa evidentemente rivisitata secondo le esigenze, gli accorgimenti e le conquiste dell'esegesi contemporanea. Ma anche l'ininterrotta prassi della chiesa ci ammaestra. La sua presenza nel secolo ventesimo, è appunto la voce dei secoli a favore di un'unica ermeneutica del mandato missionario del Signore.

Dopo il Vaticano II qualsiasi riflessione sulla missione deve avere il suo punto di partenza e di costante riferimento in quanto si dice della chiesa e del suo inscindibile e vitale rapporto con la missione del Figlio e dello Spirito, volute da quella «sorgente d'amore» che è la carità del Padre (LG 1 e AG 2). Sono testi che offrono nuova luce anche per una rivisitazione dei testi dell'Antico e del Nuovo Testamento riguardanti il nostro argomento. Questo vincolo con la SS. Trinità è ancora più a monte che il mandato stesso di Gesù (Mc 16,15; Mt 28,18-20), sul quale si è tradizionalmente appoggiata l'attività missionaria della chiesa. Anche la nostra ecclesiologia, sull'esempio di quella ortodossa, si deve abituare a vedere nella chiesa l'icona della Trinità. La chiesa dipende ontologicamente dalla Trinità beata e quindi dobbiamo avere l'avvedutezza di saper riportare ad essa ogni aspetto del suo dinamismo.

2. NELLA SACRA SCRITTURA - Il protestante G.F. Vicedom nel 1958 ha pubblicato un libro dal titolo assai significativo e indovinato: *Missio Dei*. L'attuale missione non è se non un segno esterno, che si prolunga nei secoli, di quel dinamismo di autodonazione e comunicazione intratrinitaria, che nella creazione si è riflettuta nel tempo.

a. *Nell'Antico Testamento* - Più che di invio in missione «in partes infidelium» che è una novità assoluta del NT, dove si svilupperà la teologia della missione fondata sulla stessa missione del Figlio, l'inviato dal Padre, nell'AT la diffusione della religione ebraica avviene per simpatia e per altri motivi umani e troviamo rimandi a un'apertura universalistica nel gratuito (cfr. AG 2 e 3) desiderio di salvezza da parte di Dio (cfr. Is 40-45 e il libro di Giona, che sono forse gli unici testi indicativi di un compito missionario da parte di Israele).

Solo due testi fanno riferimento esplicito all'invio in missione (Is 49,6 e Is 61,1-3), ma, a parere degli esegeti, tutti e due sono da applicare profeticamente al futuro messia: del resto secondo Luca 4, 18s, Gesù applicò questo secondo testo a se stesso all'inizio della sua missione.

Ci sono testi quali Dt 7,1, Dt 9,1-3 e Nm 33,51s, che se non interpretati in senso religioso potrebbero condurre a un'interpretazione sbagliata dell'elezione, che è pur sempre di tipo religioso e sembrare una negazione di questa chiamata universale alla salvezza. Di fatto Dio ha scelto Israele semplicemente perché era debole e indifeso, il «più piccolo di tutti i popoli» (Dt 7,7), con caratteristiche assai negative (Dt 9,6), quasi come il «locus» ideale per dimostrare la gratuità del suo amore. Anche se di fatto c'è stata una tendenza a isolarsi dagli altri, chiunque desiderasse vivere secondo le leggi divine, poteva incardinarsi in esso. D'altra parte, solo se osserva le leggi il popolo vivrà da eletto e sarà tale (Dt 7,12s; Is 1,16s; Ger 22,3; Mc 6,8).

I profeti in genere sono i personaggi dell'AT che più assomigliano, per la loro vocazione all'ascolto e alla diffusione orale o scritta della parola di Dio, ai futuri missionari cristiani. Avendo dovuto lottare contro l'involuzione del giudaismo, tentato sempre di chiudersi superbamente in ghetto, e preannunciando il ritorno dei gentili nel seno del popolo eletto, essi – ricordando i temi universalistici del paradiso terrestre, del patto di Noè e della vocazione di Abramo – di fatto collaborarono a preparare la vera missione neotestamentaria.

Gli «Seluhim», ovvero gli «aposto-li della terra d'Israele», costituivano, invece, come delle commissioni di dotti per l'istruzione religiosa, ma sempre e solo all'interno dei propri correligionari onde risolvere e chiarire vari problemi; ma non inviati ai gentili per convertirli.

Con l'esilio il popolo ebreo diventò, sia pur inconsciamente, missionario del monoteismo, popolo sacerdotale, calamita e faro, «servo di Jhwh» facendo proseliti dovunque. Ma definitivamente si può dire che nell'AT e in genere nel giudaismo, non ci fu la «missione» nel senso tecnico della parola.

b. *Nel Nuovo Testamento* - I libri del NT offrono un panorama abbondante e vario sulla missione. I sinottici, oltre a parlare della sua realizzazione, dei suoi «operai», dei destinatari e della metodologia da seguire, ci dicono della testimonianza degli apostoli in quanto amici del Signore, e inviati «ad Hebraeos» e «ad Gentes», quali dottori e testimoni della rivelazione. Negli Atti viene affrontato in una forma chiara il problema dell'universalismo nella chiesa primitiva, dove ci viene detto delle gravi incomprensioni cui andarono incontro Pietro e Paolo per difenderlo, e la loro instancabile attività missionaria, fondamento delle comunità fra le «genti». Altre informazioni in questo senso le troviamo nelle lettere. Da parte sua, Giovanni offre un ottimo fondamento alla teologia della missione, presentando Gesù come missionario inviato dal Padre, e raccontando anche della missione dello Spirito Santo, forza promessa agli apostoli e come persona che vivifica la chiesa universale, con una profusione continua dei suoi carismi.

Gesù fu inviato dal Padre (Gv 20,21; 17,18.21b) per fondare la → chiesa col «resto d'Israele» e con le genti (Gal 6,16): i due popoli sono destinati a divenire un «tertium genus». Per la realizzazione del progetto, si scelse collaboratori che sono come degli agricoltori della sua messe (Mt 10,1), come pastori di un gregge sbandato (Mt 9,37; Mc 6,37), come pescatori fra uomini (Mt 4,20; Mc 1,17; Lc 5,10) e come profeti (Ef 3,4-6; Lc 11,49; Ap 18,20). A questi, eletti gratuitamente da Dio (Mt 10,8b), Gesù promette la pienezza dello Spirito Santo (Gv 16,13a) e i pieni poteri come vengono descritti da Mc 3,14s.

La critica, che risale a R. Bultmann, afferma che i testi contenenti i discorsi di Gesù riguardanti la missione degli apostoli «ad Hebraeos» (prepasquale) e «ad Gentes» (pasquale) sono stati inventati dalla comunità primitiva, che aveva bisogno di giustificare la propria apertura universalistica, facendola risalire a Gesù, per mettere a tacere la corrente giudaizzante, chiaramente opposta.

Senza scendere nei particolari, chiariti in poderosi studi sull'argomento con il «metodo della storia delle forme», accogliamo le conclusioni relative ai discorsi di missione di Gesù e alle due comunità giudeo-cristiana e gentile-cristiana, che hanno la loro origine dall'attività missionaria della comunità prepasquale il cui fulcro si trova in Mc 6,7-13.30s; Lc 9,1-6.10; Mt 9,35-10,42; Lc 10,1-24.

Anche il comando del risorto, conservato in Mt 28,16-20; Mc 16,14-20 (?); Lc 24,44-51 ci riporta all'universalismo.

Gli esegeti sono d'accordo nel localizzare i testi missionari dei sinottici; sono «discorsi di missione» Mc 6,7-13.30s; Lc 9,1-6.10; Mt 9,35-10,42; Lc 10,1-24; Mt 28,16-20; Mc 16, 14-20 (?); Lc 24,44-51 e parecchi «lòghia», alcuni inclusi nei discorsi or ora indicati e altri riportati qua e là in contesti differenti. Grazie agli studi fatti, si può riscoprire il nucleo originale e la situazione tipica della comunità prepasquale, liberando la pericope dagli adattamenti fatti senz'altro dalla comunità postpasquale, e riportandone il nucleo, con un buon

margine di sicurezza, al Gesù storico, particolarmente al suo esempio, perché, anche se personalmente aveva limitato il suo apostolato agli ebrei e ai suoi discepoli, aveva preparato la missione universale della sua chiesa.

Non si deve dimenticare che la missione ha inizio solo dopo che gli apostoli sono stati investiti di «forza dall'alto» (cfr. Is 32,15; Sap 9,17; Lc 1,78; Lc 24,48s). Il maestro afferma: «Poi voi riceverete la potenza, quando lo Spirito Santo verrà su di voi, così mi sarete testimoni a Gerusalemme, in tutta la Giudea e la Samaria e fino agli estremi confini della terra» (At 1,4.8). E fin dall'inizio, questa «forza dall'alto» è sempre «controllata» nella sua autenticità sia dal «sensus fidei» che dal «munus apostolicum».

Nella letteratura neotestamentaria c'è anche un'abbondante riferimento a un apostolato missionario non riportabile al Gesù storico, ma frutto di una visione, un ascolto e una comprensione apocalittica (1 Cor 9,1), di un averlo visto risuscitato in visione (1 Cor 15,5-8), averne ricevuto l'incarico missionario (Gal 1,1), ecc.

È l'apostolato di tipo «apocalittico», fondato sulle rivelazioni fatte dal Padre e dal Cristo glorioso. Fra i due tipi di apostolato non c'è contrapposizione, mentre invece si differenziano dall'apostolato della sinagoga.

Appare una grande varietà di missionari, uomini e donne, chiamati con titoli diversi: profeti, apostoli, dottori, angeli, servi, fratelli, sorelle-mogli, ma sembra abbiano avuto gli stessi incarichi. Gli studiosi discutono sia sulla loro «natura» che sui rapporti con la gerarchia locale. Comunque è certo che, accanto ai grandi apostoli, questi altri discepoli andarono pellegrini nel mondo intero per annunciare il Cristo e il vangelo, sapendolo adattare alle varie catechesi della chiesa primitiva: quella che faceva capo a Giacomo, o a Pietro, o a Giovanni, o a Paolo. Non mancarono conflitti, contrasti e polemiche.

Gesù Cristo sintetizzerà tutta la sua azione salvifica nell'evangelizzazione, nella formazione dei suoi apostoli, ai quali promette lo Spirito che li guiderà nella loro opera missionaria. Subito, a partire da loro, si crea una grande corrente di missionari, testimoni del vangelo.

3. REALIZZAZIONE DEL MANDATO NELLA STORIA - Durante i venti secoli di cristianesimo, nonostante momenti di una certa stasi − dovuta a una convergenza di cause negative, quali ignoranza geografica, semplificazione della realtà, conflitti di interpretazione metodologica, ecc. −, la chiesa ha dato bella prova della definizione che ne dà il Vaticano II, quando dice che «per sua natura è missionaria» (AG 2a). Essa ha la sua ragion d'essere nell'annuncio del vangelo a tutti gli uomini, e giustamente viene definita come «inviata da Dio alle genti per essere sacramento universale di salvezza» (AG 1; cfr. LG 48).

I missionari nel fluire dei secoli con puntuale testimonianza si spinsero − ogni volta che il mondo «occidentale» cristiano entrava in contatto con nuovi popoli − alla loro evangelizzazione e, sull'esempio degli apostoli, «predicarono la parola della verità e generarono le chiese» (Agostino, PL 36, 508; cfr. AG 1), cercando di stabilire su tutta la terra il regno di Dio (cfr. AG 6 con la nota 14).

Le grandi tappe possono essere suddivise così: la chiesa nell'età apostolica e all'interno del mondo greco-romano, con una menzione speciale per le tre grandi missioni di Paolo; l'azione evangelizzatrice nel medioevo europeo, a favore dei popoli barbari e tra gli slavi, e in Oriente tra i mongoli e i musulmani; le missioni «ad gentes» del Cinquecento sia nell'America Latina, sia in Estremo Oriente; la quarta tappa, che inizia con la fondazione della S. Congregazione «de propaganda fide» (1622);

poi quella della rinascita missionaria nel secolo scorso, dopo aver superata la crisi del '700, grazie al nuovo spirito religioso e all'apparire di numerose congregazioni missionarie; infine, il tempo delle grandi encicliche pontificie del nostro secolo, i documenti del Vaticano II e la mirabile *Evangelii nuntiandi* in cui Paolo VI, partendo da Cristo evangelizzatore, spiega che cosa significa evangelizzare, quali sono il contenuto, le vie, i destinatari, gli operai e lo spirito dell'evangelizzazione.

La storia ci dice dello zelo di tanti discepoli del Signore per farlo conoscere e anche delle difficoltà, dei contrasti − fra gli stessi missionari − per la comprensione della missione; della progressiva riflessione ecclesiale a livello anche teologico-scientifico sulla propria comprensione come comunità missionaria, di cui sono testimonianza i grandi documenti del magistero del nostro secolo.

È importante guardare alla storia delle missioni, per evitare gli errori del passato, specie per quanto riguarda la metodologia missionaria nei vari periodi storici. Si ricordi, però, e sia detto di passaggio, che all'analisi dello storico e del sociologo sfuggono spesso le dimensioni più profonde dell'avventura della missione cristiana: la sua provenienza divina e la sua intima animazione mediante la forza dello Spirito.

4. MISSIOLOGIA CONTEMPORANEA - a. *Secondo l'«Ad Gentes»* - La nuova ecclesiologia elaborata dal Vaticano II è entrata nell'AG, aprendo nuovi orizzonti alla missiologia.

Si afferma che «la Chiesa durante il suo pellegrinaggio sulla terra è per sua natura missionaria» (AG 2a); che essa non esiste se non per essere missionaria. Il decreto sottolinea che questa sua realtà è tale non solo per via del mandato missionario del maestro, ma assai di più, per il fatto che «è dalla missione del Figlio e dalla missione dello Spirito Santo che essa, secondo il piano di Dio Padre, deriva la propria origine» (AG 2a) e perciò «questa missione della Chiesa continua, sviluppando nel corso della storia la missione del Cristo stesso» (AG 5b). Precedentemente essa viene descritta come la realizzazione del progetto salvifico del Padre. Allora si può dire che la missione è ecclesiocentrica perché è cristocentrica: avendo Gesù chiaramente affermato la necessità della fede e del battesimo per la salvezza, ha dichiarato anche la necessaria sacramentalità della chiesa, che è il suo Corpo (cfr. AG 7a).

«L'attività missionaria non è altro che la manifestazione, cioè l'epifania e la realizzazione, del piano divino nel mondo e nella storia: con essa Dio conduce chiaramente a termine la storia della salvezza. Con la parola della predicazione e con la celebrazione dei sacramenti, di cui è centro e vertice la santa eucaristia, essa rende presente il Cristo, autore della salvezza» (AG 9b).

Basandosi su LG 1.48b, ecc., l'AG 4 afferma che è lo Spirito Santo a infondere «nel cuore dei fedeli quello spirito missionario da cui era stato spinto Gesù stesso» e sottolinea che tale unione dello Spirito Santo con la chiesa e i suoi missionari è in vista della «realizzazione dell'opera della salvezza».

L'AG 6c offre la seguente descrizione dell'attività missionaria: «Le iniziative principali con cui i divulgatori del Vangelo, andando nel mondo intero, svolgono il compito di predicarlo e di fondare la Chiesa in mezzo ai popoli e ai gruppi umani che ancora non credono in Cristo, sono chiamate comunemente "missioni"». Ma lo stesso numero, oltre a fare riferimento ai confini territoriali di questi popoli e di gruppi che ancora non credono, ci dice subito che sono destinatari dell'attività missionaria anche quei gruppi già evangelizzati che, per motivi vari, hanno perso ogni senso cristiano o non sono ancora arrivati al pieno sviluppo e alla maturità della vita cristiana (cfr. anche 19e).

Anche se «l'attività missionaria tra i pagani differisce sia dall'attività pastorale, che viene svolta in mezzo ai fedeli, sia dalle iniziative da prendere per ristabilire l'unità dei cristiani» si afferma che «queste due forme di attività si ricongiungono saldamente con l'attività missionaria della Chiesa» (AG 6f). Dal momento che questa attività «scaturisce direttamente dalla natura stessa della Chiesa» (AG 2a) non può e non deve mai mancare: anche le giovani chiese debbono predicare «il Vangelo a tutti quelli che sono ancora al di fuori» (AG 6d). Quando la chiesa particolare è «impiantata» deve diventare subito missionaria: «dovendo riprodurre il più perfettamente possibile la Chiesa universale, abbia la piena coscienza di essere inviata anche a coloro che non credono in Cristo e vivono nel suo stesso territorio» (AG 20a). Questo «riprodurre» non ha una dimensione giuridica, ma ontologica. Da questo deriva che l'attività missionaria della Chiesa è essenziale a tutta la Chiesa e in essa perdura per sempre.

L'AG dedica molto spazio alla dimensione soteriologica della missione, e dice chiaramente che la Chiesa ha una «missione salvifica» (AG 41a). Salvezza intesa non solo in senso escatologico, ma globale, anche storico, di tutti gli aspetti della persona umana. Questo lavoro a volte comporta una purificazione. Rendendo presente Cristo, l'autore della salvezza, la chiesa «purifica dalle scorie del male ogni elemento di verità e di grazia presente riscontrabile in mezzo ai pagani per una segreta presenza di Dio e lo restituisce al suo autore, cioè a Cristo, che distrugge il regno del demonio e arresta la multiforme malizia del peccato» (AG 9b). Mentre il linguaggio è sufficientemente ottimista (cfr. anche AG 11b,3a), si riconosce la necessità di una salvezza esterna.

Segnaliamo questa insistenza dell'AG (cfr. 3c; 4; 9b; cfr. anche LG 48b) sul ruolo sacramentale della chiesa nei confronti della salvezza, precisamente perché è uno dei punti contestati da una certa missiologia contemporanea, che fa riferimento alla «missio Dei», volendola concepire in modo tale da prescindere dalla chiesa. Anche se Dio di fatto potrebbe raggiungere i suoi scopi per altre vie, ha liberamente stabilito di farlo sacramentalmente per mezzo della sua chiesa, analogamente a quanto è avvenuto nel mistero dell'incarnazione. Ecco un altro argomento a favore dell'urgenza dell'evangelizzazione (AG 7a).

b. *Secondo l'«Evangelii Nuntiandi»: presa di posizione di fronte alle tendenze più recenti* - A un primo momento di entusiasmo seguito all'AG, in brevissimo tempo sono subentrate forti critiche.

La fonte di questo disagio teologico si può riscontrare in una serie di tendenze ideologiche, che includono: una tendenza all'esclusivismo, focalizzando solo un aspetto dell'impegno missionario; un rifiuto della definizione della missione, come «impiantazione della chiesa», temendo che si tratti di fare delle copie di quelle occidentali, dimenticando quanto invece a proposito delle chiese particolari ha scritto il cap. III dell'AG. Il pericolo più serio sembra essere venuto da una lettura eccessivamente «sociologica» dell'attività missionaria; dalla concezione dei fini da raggiungere, ecc., sempre stabiliti con criteri di tipo induttivo, piuttosto che teologico deduttivo. La missiologia non può perdere la sua dimensione di scienza «teologica»: per essa sganciarsi dalla rivelazione è suicidio. Mentre lo schema dell'AG stabilisce un modello di rapporto concepito così: *Dio-Chiesa-Mondo*, le nuove in-

tuizioni lo preferiscono invece così: *Dio-Mondo-Chiesa*, essendo → «i segni dei tempi», il «mondo» a stabilire di volta in volta l'«agenda» della/per la chiesa (cfr. J.Ch. Hoekendijk).

L'EN di Paolo VI può essere considerata uno dei documenti più significativi del post-concilio, avendo integrato bene la teologia dell'AG con la maggior parte dei temi emersi con rapidità incredibile nel post-concilio.

Notiamo l'assunzione definitiva del termine «evangelizzazione» – preferito a «missione» o «attività missionaria» e «apostolato».

Come l'AG insisteva sul fatto che la chiesa per sua natura è missionaria, qui ripetute volte si dirà che «evangelizzare è la grazia e la vocazione propria della Chiesa, la sua identità più profonda» (EN 14; cfr. anche 66; 59; 13; 60).

Non poteva mancare un riferimento a questa sua essenziale funzione, per quanto essa è dipendente da Cristo: «Nata dalla missione, la Chiesa è a sua volta, inviata da Gesù. La Chiesa resta nel mondo, mentre il Signore della gloria ritorna al Padre. Essa resta come un segno insieme opaco e luminoso di una nuova presenza di Gesù, della sua dipartita e della sua permanenza. Essa lo prolunga e lo continua. Ed è appunto la sua missione e la sua condizione di evangelizzatore che, anzitutto, è chiamata a continuare» (EN 15c).

Il n. 75 ci ricorda che la chiesa è evangelizzatrice, grazie alla forza dello Spirito Santo. Frutto normale e desiderato, più visibile e immediato della evangelizzazione è la nuova chiesa (EN 15b). Il n. 28 afferma che l'«evangelizzazione nella sua totalità consiste nell'impiantare la Chiesa». L'evangelizzazione viene concepita non come un primo annuncio, ma piuttosto come un processo integrativo, abbracciando diversi aspetti della stessa realtà.

Attorno al sinodo del 1974 si è arrivati a concepire come contenuto dell'evangelizzazione tutta la «missione» della chiesa: tutto quanto essa fa. Paolo VI al numero 17 offre un elenco di elementi, ognuno dei quali sarebbe sufficiente per assorbire la definizione stessa del concetto, ma di fatto ognuno è strettamente rapportato agli altri:

«Si è potuto così definire l'evangelizzazione in termini di annuncio del Cristo a coloro che lo ignorano, di predicazione, di catechesi, di battesimo e di altri sacramenti da conferire. Nessuna definizione parziale e frammentaria può dare ragione della realtà ricca, complessa e dinamica, quale è quella dell'evangelizzazione, senza correre il rischio di impoverirla e perfino di mutilarla. È impossibile capirla, se non si cerca di abbracciare con lo sguardo tutti gli elementi essenziali» (cfr. anche nn. 6; 21; 22; 24; 41).

Indubbiamente l'EN descrive il termine «evangelizzazione», in una forma molto più ricca che l'AG: la meta finale sarà, come detto, l'«impiantazione della chiesa», che comporta evidentemente la celebrazione dei sacramenti; la trasformazione dei cuori, facendo delle persone «uomini nuovi», capaci di rendere più giuste, più umane e meno oppressive le strutture (cfr. nn. 15; 28; 23; 18; 36). Un elemento sempre indispensabile è la testimonianza, che deve esserci fin dal primo contatto, che alcuni chiamano, forse impropriamente, pre-evangelizzazione (cfr. EN 51). Se non c'è l'annuncio esplicito di Cristo, qualsiasi tipo di impegno per gli altri nell'evangelizzazione risulterà impotente e, se si vuole, inutile: «Non c'è vera evangelizzazione se il nome, l'insegnamento, la vita, le promesse, il Regno, il mistero di Gesù di Nazareth, Figlio di Dio, non siano proclamati» (EN 22).

Si insiste sull'evangelizzazione delle culture, sul rispetto dei loro valori, ma quando si parla della salvezza di coloro che ancora non sono stati evangelizzati, si dice che possono esserlo «per vie straordinarie» (EN 80), posizione questa teologicamente, a quanto sembra, più chiusa di quanto riscontrato nell'AG. Abbondante attenzione viene riservata al tema della «trasmissione», che dev'essere fatta con particolare fedeltà (EN 4; 15; 78s). Giustamente Paolo VI riserva il n. 48 allo studio della evangelizzazione della religiosità popolare (→ Religione popolare). Il pontefice ha affrontato temi particolarmente sofferti nella decade del '70, quali: la chiesa particolare e il suo rapporto con quella universale, proponendo una soluzione molto avanzata (EN 62-65); la missione della chiesa e il progresso o promozione umana; il rapporto fra storia della salvezza e storia del mondo, vengono affrontati con chiarezza ed equilibrio nel capitolo terzo, a nostro avviso ben riuscito, dell'esortazione apostolica.

5. LA MISSIONE DEL FUTURO DOVRÀ ANCORA ANNUNCIARE GESÙ CRISTO? - a. *Difficoltà recenti e smarrimenti teologici* - Nonostante la chiarezza teologica dell'EN, qualcuno si sente ancora smarrito, quando deve reggere il confronto con sfide forse antiche, ma ora presentate con nuova violenza. Anche se l'EN al n. 14 dichiara che «evangelizzare è la grazia e la vocazione propria della Chiesa, la sua identità più profonda»; e ancora che «essa esiste per evangelizzare, vale a dire per predicare ed insegnare, essere il canale del dono della grazia», si sentono voci sempre più discordanti.

In certi ambienti, in altri tempi fecondi di vocazioni missionarie, si assiste alla perdita dell'identità del missionario e della missione «ad gentes»; altri insistono sull'universale volontà salvifica da parte di Dio, prescindendo dalla necessità di conformare la propria vita alle esigenze del vangelo, cui si aderisce nella fede e quindi, prescindendo dalla necessità di aderire alla sua chiesa.

L'impegno del missionario, si dice, dev'essere più a livello orizzontale; la salvezza escatologica è rimessa a Dio, il quale raggiunge «ordinariamente» i salvandi nelle religioni cui aderiscono già: non c'è bisogno di disturbarsi per disturbarli.

A volte si perde il senso dell'importanza dell'annuncio esplicito del messaggio di Cristo, cedendo alle esigenze di una «denuncia» di tipo sociale o a un dialogo, spesso troppo generico e «irenico» nei riguardi dell'altro.

Contro queste posizioni e altre simili ad esse riducibili, si deve sottolineare che la missione è una mediazione di salvezza piena. Dalla storia dell'AT (Ger 7, 25s; 29, 19; Ez 13,6; Ag 1,13, ecc.) e del NT appare chiara la sua provenienza divina (Mt 3,13; Gv 20,21). Come nell'AT la missione si realizza con la forza dello Spirito (Ez 2,2s; Zc 4,6b), nel NT Gesù assicura ai discepoli il suo Spirito come forza per la missione e come persona che guida, difende, consola i missionari (Gv 14; 26; 16,12s; At 6, 10; 7,55ss; 10,19s; 1 Cor 2,4; ecc.). La missione è opera di salvezza i cui agenti sono: Dio, che invia il Figlio («missio Dei»), e i missionari («missio hominis») i quali sono gli «inviati» della chiesa, depositaria nella storia della salvezza del Cristo («missio ecclesiae»). La missione ha sempre lo stesso scopo: salvezza integrale della persona umana; ma si realizza in circostanze storico-geografiche, religioso-culturali diverse. Quando questa attività salvifica ha l'aspetto di essere un primo annuncio, e si propone l'impiantazione di una nuova chiesa, prende il nome di «missioni *ad gentes*», e comporta sempre un'esigenza di partenza, di servizio, di inserimento.

La «plantatio Ecclesiae» appare come fine della missione (AG 6), in quanto Dio ci vuole salvare non individualmente, ma formando una comunità di salvezza (AG 2b; LG 9a; 13a). Si può dire che si ha una comunità cristiana perfetta quando si accetta il vangelo nella fede, si celebra l'eucaristia e c'è un Pastore (cfr. CD 11, AG 19a).

Si deve sgomberare il terreno dal sospetto e dall'angoscia che la chiesa faccia missione per egocentrismo. Essa ha coscienza di essere strumento di salvezza, ma questa si ottiene solo da Cristo – è lui «la luce delle Genti» (LG 1) – il quale abitualmente si serve di questo suo Corpo.

Pur senza identificarsi con il regno di Dio, è al suo servizio e sulla terra ne è «germe e inizio» (LG 5, 3-9). Il suo unico fine è instaurare questo regno di Dio in tutto il mondo (AA 2), anche se c'è tensione fra chiesa e regno, per quanto la comunità ecclesiale e le sue strutture debbono tendere a incarnare le esigenze secondo il vangelo e il regno. Che ci sia tensione è importante e salutare. Ma tensione non vuol dire contrapposizione. C'è simultaneità e non contrapposizione fra nascita della chiesa e regno di Dio. Riflettendo ideologicamente su questo tema del regno di Dio si è passati facilmente all'affermazione che la «missio Dei» è solo e tutta opera di Dio: la chiesa è un «segno» dell'impegno di Dio nel mondo e Cristo è solo un modello di dedizione agli altri.

La conversione, cioè il conformare la propria vita alle esigenze del vangelo, all'essere discepoli del Signore nella sua chiesa e impegnati per la costruzione del suo regno, va intesa come un processo che coinvolge tutta l'esistenza. Anche se l'AG ripetute volte ne parla (13. 7s), alcuni missiologi non ne vogliono più sentir parlare. Se c'è un vero incontro con Cristo, la rottura col precedente modo di vivere, è in qualche modo inevitabile. Paolo VI ci ricorda che Dio può raggiungere salvificamente – «attraverso vie che solo lui conosce» (EN 80) – coloro ai quali il messaggio evangelico non giunge esplicitamente. Ma la domanda che deve sempre fondare anche l'impegno missionario della chiesa è: «Potremmo noi salvarci se, per negligenza, per paura, per vergogna o in conseguenza di idee false trascuriamo di annunciarlo» (EN 80)?.

La storia dimostra che la chiesa non si è preoccupata solo della salvezza escatologica delle «anime», ma è stata contemporaneamente promotrice di liberazione e promozione umana e sociale (EN 35). In anni recenti, da quando in alcuni luoghi è sorto il miraggio di ridurre l'azione salvifica della chiesa del Signore a una liberazione meramente socio-politica, ci viene ricordato che invece essa dev'essere prima di tutto di tipo religioso e spirituale, di riconciliazione con Dio (Rm 6,6; 8,23s; 2 Cor 5,17-19; 1 Pt 1,18; Tt 2,5; Gal 6,15): tutto questo di riflesso dovrebbe condurre anche a cambi strutturali capaci di condurre al rispetto e alla promozione di ogni uomo in qualsiasi nazione (EN 35; GS 42b).

È grande il cammino che si è fatto nei decenni più recenti per precisare il concetto, i compiti e la missione di ogni chiesa particolare, ma specialmente di quelle giovani. L'impegno permanente di ogni chiesa particolare dev'essere quello di «assimilare l'essenziale del messaggio evangelico, di trasfonderlo, senza la minima alterazione della sua verità fondamentale, nel linguaggio compreso da questi uomini e quindi di annunziarlo nel medesimo linguaggio» (LG 63).

b. *Missione fra dialogo e annuncio dell'unicità di Cristo* - L'indiano M. Amaladoss ritiene come principali cause della crisi della missione le seguenti: una più positiva visione del valore salvifico delle altre religioni, per cui si preferisce il dialogo all'annuncio; un ampliamento dell'idea della missione, per includere tutte le attività della chiesa, che sembrano svalutare

la specificità della missione «ad gentes»; la percezione che la chiesa ora è presente ovunque, percezione che sembra ridurre il senso dell'urgenza di andare oltre le frontiere; un'insistenza sulla responsabilità delle chiese locali, che sembra aver portato gli Istituti missionari a una crisi di identità; infine, una crescente secolarizzazione e una diminuzione delle vocazioni missionarie nelle chiese più antiche. D'altra parte, afferma sempre Amaladoss, si nota un crescente entusiasmo per l'evangelizzazione nelle chiese giovani, che ci permettono visioni che ci fanno parlare di una «nuova era» nella missione.

Il tema della salvezza oggi, sembra fare da elemento coagulante anche per gli altri. Essa è e dev'essere totale e integrale, storica e trascendente, e appunto per questo «essa non può essere ridotta entro il quadro delle sole necessità terrene dell'uomo o della società, né la si può raggiungere solo con il gioco delle dialettiche storiche. L'uomo non è il salvatore di se stesso in maniera definitiva: la salvezza trascende ciò che è umano e terreno, essa è un dono dall'alto. Non esiste autoredenzione, ma Dio solo salva l'uomo in Cristo (Cfr. At 4,12-13; 1 Tm 2,5-6)» (Giovanni Paolo II, *L'Osservatore Romano* 8.10.1988).

La missiologia per mantenersi fedele a quello che ci sembra sia il progetto del Signore, quale risulta da una seria esegesi abbastanza condivisa, dalla testimonianza della prassi del vissuto ecclesiale di venti secoli di storia, dai ripetuti solenni pronunciamenti magisteriali del nostro secolo, ecc., deve lottare per superare il complesso di colpa nei confronti di chi accusa i suoi agenti di ecclesiocentrismo, preferendo vederli più o meno irenicamente solo impegnati socialmente per la costruzione di un mondo più giusto e vivibile.

Sembra esserci − non solo dall'esterno, ma proprio anche fra i membri stessi della comunità cristiano-cattolica −, una specie di complotto inconscio per «de-missionalizzare» la chiesa, secondo l'espressione del Mondin. Il card. Tomko parla di «auto-svuotamento» della missione. D. Colombo offre un appassionato e sofferto studio su tutta questa problematica sotto il titolo *Missionari senza Cristo*. R. Panikkar vede una dicotomia profonda fra il Gesù storico e il Cristo-Logos. Gesù di Nazareth è unico, ma il Cristo-Logos, che gli è superiore, può comparire in modi diversi, ma reali, in altre religioni e figure storiche. Allora è possibile domandarsi se il Buddha sia l'incarnazione orientale del Cristo-Logos.

A partire da queste premesse, P. Knitter affermerà che «forse... altri salvatori e altri rivelatori possono essere tanto importanti quanto Gesù di Nazareth». Forse con «intuizione» teologica, ma anche senz'altro con superficialità esegetica, come gli rimprovera I. de la Potterie, scriverà un'opera domandandosi se, dopo tutto, quella volta Pietro non ha esagerato nel dire che «in nessun altro c'è salvezza; non vi è infatti altro nome dato agli uomini sotto il cielo nel quale sia stabilito che possiamo essere salvati» (At 4,12). Lo stesso autore più di recente, in un'altra opera emblematica (insieme con J. Hick), ha potuto scrivere che «la pietra d'inciampo sembra essere il contenuto del "credere", centrale al cristianesimo, nell'unicità di Cristo. La premessa fondamentale del pluralismo unitivo è che tutte le religioni sono, o possono essere, ugualmente valide. Ciò significa che i loro fondatori, o le personalità religiose che queste religioni riflettono, sono o possono essere ugualmente valide. Questo però aprirebbe la possibilità che Gesù Cristo è "uno dei molti" nel mondo dei salvatori e dei rivelatori. Un simile riconoscimento per i cristiani è semplicemente non ammissibile. O lo è?». De la Potterie, appoggiandosi anche sugli studi di quel noto specialista che è J. Dupont, cerca di dimostrare la fondatezza dell'interpretazione tradizionale, che fa del Cristo l'unico salvatore.

P. Knitter non è il solo a pensarla così. Basti un riferimento al già citato M. Amaladoss: «Nell'attuale contesto di pluralismo religioso, proclamare Cristo come il solo Nome in cui tutti gli uomini trovano salvezza e chiamare a divenire suoi discepoli mediante il battesimo ha ancora un senso?». Secondo López-Gay alcuni «autori arrivano fino all'affermazione che un cristianesimo senza Cristo ha per il mondo d'oggi più attualità che presentare la rivelazione e la comunicazione di Dio in Cristo».

Gli studiosi credono che la radice dell'attuale diffusa confusione di idee in materia di teologia delle religioni (Religione, VII), dialogo interreligioso, valore sacramentale universale e ordinario della chiesa cristiano-cattolica per la salvezza, ecc. sia la teoria del «*cristianesimo anonimo*» (→ Cristiani anonimi) o implicito qual è stato formulato particolarmente da K. Rahner. Alcuni suoi discepoli radicali sono arrivati alla conclusione − forse non la stessa del maestro ideatore −, che le religioni sarebbero, in quanto tali, mezzi di salvezza efficaci e adeguati come lo è il cristianesimo.

Non è questo il luogo per ricordare il lungo dibattito e le contrapposte prese di posizione in merito. Quella di H.U. von Balthasar, particolarmente in *Cordula*, è tra le più significative. Anche se da allora sono passati oltre vent'anni, la vastità della letteratura, attualmente dedicata più al → dialogo interreligioso che non alla missione evangelizzatrice della chiesa di Cristo, sembra dirci che purtroppo von Balthasar è stato profeta.

I documenti della chiesa ci dicono che le «religioni» non cristiane sono una realtà viva che essa non può ignorare, ma le considera come una «preparazione ad accogliere il Vangelo» (LG 16, AG 3; NA 2b), con

elementi buoni e veri, «semi della parola» (AG 11), frutto dell'azione dello Spirito Santo (GS 92s; RH 12); ma
anche con elementi negativi e sa che
«molto spesso gli uomini (non cristiani) ingannati dal maligno hanno
scambiato la verità divina con la menzogna, servendo la creatura piuttosto
sto che il Creatore» (LG 16). Ecco
allora che il Vaticano II, con affermazioni che consideriamo ancora valide, dichiara che la «Chiesa cattolica nulla rigetta di quanto è vero e
santo in queste religioni» (NA 2b) e
che «quanto è stato oscuramente voluto e cercato nelle religioni, viene purificato e assunto dalla Chiesa» (LG
17; AG 11).

«La Chiesa perciò esorta i suoi figli affinché con prudenza e carità, per
mezzo del dialogo e la collaborazione con i seguaci delle altre religioni,
sempre rendendo testimonianza alla
fede e alla vita cristiana, riconoscano, conservino e facciano progredire
i valori spirituali, morali e socio-
culturali che si trovano in essi» (NA
2e). Bisogna considerare il dialogo e
la missione come realtà che si intrecciano: il dialogo interreligioso è un
elemento integrativo del processo di
evangelizzazione, ma non può mai
rimpiazzare né sostituire la missione
(cfr. EN 27).

La missiologia vista dalla teologia
fondamentale ci riporta all'esigenza
di presentare Gesù Cristo come l'inviato – «missionario» – definitivo
del Padre, punto di arrivo di una pedagogia divina e punto di partenza
per un ulteriore cammino spirituale
di salvezza. L'annuncio di Gesù Cristo come il Salvatore sarà fatto tenendo conto delle conquiste metodologiche frutto di venti secoli di evangelizzazione, e di recente perfezionate dalla riflessione conciliare e post-
conciliare, dalla teologia delle religioni e della salvezza. Ma sarà un annuncio irrinunciabile. Solo una visione teologica globale, cui faccia supporto l'equilibrio, ci permetterà di

evitare estremismi dannosi per il bene di «molti» e quindi anche per la
causa del vangelo.

Bibl. - J. Blauw, *The missionary nature of
the church. A survey of the biblical theology
of mission*, 1962; H.R. Schlette, *Il confronto
con le religioni*, Brescia 1964; E. Hillman, *The
church as mission*, New York 1965; G.F. Vicedom, *The mission of God*, Saint Louis 1965;
Id., «Christliche Mission und Entwicklungs-
dienst», in IKZ 3 (1974) 215-229; J. Masson,
Decreto sull'attività missionaria della chiesa,
Torino 1966; J. Jeremias, *Jesus' promise to
the nations*, London 1967; H.U. von Balthasar, *Cordula, ovverosia il caso serio*, Brescia
1968; K. Rahner, *I cristiani anonimi*, Nuovi
saggi, 1, Roma 1968, 759-772; Id., *Cristianesimo anonimo e compito missionario della chiesa*, Nuovi Saggi 4, Roma 1973, 619-642; Id.,
*Osservazioni sul problema del «cristiano ano-
nimo»*, Nuovi Saggi 5, Roma 1974, 677-697;
Id., *Sul significato salvifico delle religioni non
cristiane*, Nuovi Saggi 7, Roma 1981, 423-434;
Autori vari, *Perché le missioni?* - Teologia delle
missioni: studi e dibattiti, Bologna 1970; Id.,
numero monografico sull'*evangelizzazione*, in
Conc 4 (1978); Id., *Missiologia oggi*, Roma
1985; Id., «Vous serez mes témoins», in *Spiritus* 113 (1988) 339-413; Id., «Begegnung der
Religionen», in ThQ 169 (1/1989); J. Lopez-
Gay, *Lo Spirito Santo e la missione*, Roma
1971; Id., «La misionología postconciliar», in
Fac. de teol. del norte de España (ed.), *Estudios de misionología* I: A los diez años del
Decreto Ad Gentes, Burgos 1976, 15-54; G.W.
Peters, *A biblical theology of missions*, Chicago 1972; J. Amstutz, *Kirche der Völker*.
Skizze einer Theorie der Mission, Freiburg
1972; M. Dhavamony (ed.), *Evangelization,
Dialogue and Development*, Roma 1972; Id.,
«Mission in der nachkolonialen Ära: neue Sicht
auf neue Aufgaben», in IKZ 3/74, 203-214;
Id. (ed.), *Prospettive di missiologia, oggi*, Roma 1982; A. Seumois, *Théologie missionnaire*, Roma 1973 ss, voll. I-V; A.R. Tippett, *Ver-
dict theology in missionary theory*, South Pa-
sadena 1973; K. Bockmühl, *Was heißt heute
Mission?*, Giessen/Basel 1974; J.M. van En-
gelen, «Tendenzen in der Missiologie der Gegenwart», in IKZ 3 (1974) 230-247; G. Coffele, *Johannes Christiaan Hoekendijk*. Da una
teologia della missione ad una teologia missionaria, Roma 1976; A. Erba, *Panorami di
storia delle Missioni*, Roma 1976; G. Evers,
Storia e salvezza. Missione-Religioni non
cristiane-mondo secolarizzato, Bologna 1976;
W. Hollenweger, *Evangelism today. Good
news or bone of contention?*, Belfast 1976; Sacra Congregazione per l'evangelizzazione dei
popoli, Esortazione apostolica *Evangelii Nuntiandi* di Sua Santità Paolo VI - Commento
sotto l'aspetto teologico, ascetico e pastorale,
Roma 1976; Ch. Saldanha, *Divine pedagogy*.

A patristic view of non-christian religions, Roma 1984; P.F. Knitter, *No othter name?* A Critical Survey of Christian Attitudes Toward the World Religions, Maryknoll 1985; Id., «Roman Catholic Approaches to Other Religions: Developments and Tensions», in *International Bulletin of Missionary Research*, 8 (1984) 50-54; E. Testa, «I principi biblici della missione», in Autori vari, *Missiologia oggi*, Pontificia Università Urbaniana 1985, 11-47; P.F. Knitter - J. Hick (edd.), *The myth of christian uniqueness: toward a pluralistic theology of religions*, Maryknoll 1987; K. Müller, *Mission theology*. An introduction, Netteral 1987; M. Amaladoss, «Foreign Missions today», in *East Asian Pastoral Review* 25 (1988) 104-117; A. Wolanin, *Teologia della missione*, Casale Monferrato 1989.

GIANFRANCO COFFELE

MISTERO/MISTERI

Biblicamente il concetto ha una sua impronta caratteristica di tipo escatologico con riferimento ad eventi storici. Questi dal canto loro rimandano a una comune base unitaria, cosicché il molteplice uso della parola, attraverso il rapporto interiore delle realtà indicate (*nexus mysteriorum*), rinvia necessariamente all'origine e al compimento della realtà, a Dio, che infine viene designato egli stesso come mistero. Ma ciò si ripercuote sul significato profano della parola in quanto essa non indica soltanto ciò che è semplicemente ignorato, un enigma, un problema o una cosa simile. Infatti queste espressioni del linguaggio comune indicano sempre qualcosa che non deve necessariamente esistere e che bisogna conquistare: un diritto dell'uomo alla conoscenza e alla soluzione, senza le quali egli non può raggiungere la pienezza della sua vita. L'enigma deve essere sciolto. Finché ciò non avviene resta un'insufficienza e la sensazione di un peso, di una carenza.

Del tutto diverso è il mistero nel senso cristiano. Esso si avvicina all'uomo in modo tale che questi presagisce e comprende che qui non solo è impossibile una soluzione, ma

che il mistero deve restare tale, perché soltanto così è significativo e resta importante per lui, perché solo così forma la sua felicità. Il mistero è valido come mistero. Ogni tentativo di risolverlo finirebbe nell'infelicità dell'uomo e metterebbe in pericolo la sua salvezza. Così un simile tentativo nel suo intento specifico sarebbe sempre inefficace, poiché è un tentativo su un oggetto irraggiungibile. Dio e il suo mistero non sono un oggetto per l'uomo.

Il concetto designa perciò qualcosa che supera senz'altro l'uomo, che per questo motivo non può nemmeno comprenderlo facilmente. Lo deve riconoscere nella sua natura che supera l'uomo. Prendere qualcosa come mistero significa da parte dell'uomo rinunciare a ogni disposizione, poiché sarebbe un'aspettativa inopportuna; significa sperimentare che il mistero è buono e giusto solo così e quindi come qualcosa che rende felici. Anche se questa esperienza come tale è unica, come Dio al quale si riferisce, ci sono però nella vita umana esperienze simili nei rapporti con altri uomini. Anche un altro uomo non dovrà mai essere l'oggetto del nostro agire ed essere a nostra disposizione, se lo si rispetta come persona e con la dignità che gli compete. In questo senso si può parlare di un mistero della persona umana: esso contiene tutto ciò che costituisce l'uomo. Tutte le sue manifestazioni quindi fanno anche capire qualcosa di questo mistero. A tale riguardo il mistero si manifesta in una quantità di concretizzazioni che con il loro riferimento al mistero partecipano della sua misteriosità. Queste osservazioni esigono che si assegni al mistero un carattere personale, mentre al problema, all'enigma, al compito insoluto spetta un carattere oggettivo.

Queste esperienze improntano anche il concetto di mistero nella sua applicazione a Dio e alle sue manifestazioni nella storia della salvezza con gli uomini e con il mondo. Questa storia, mentre rimanda al di là dell'immanenza e si serve dell'annuncio biblico, mette l'uomo a confronto con una realtà che gli dà l'occasione di situare se stesso in modo nuovo. Egli si sperimenta come qualcuno di cui un altro dispone, senza però essere leso o limitato nel sentimento del proprio valore. Il mistero personale lo tocca in modo multiforme e così gli dà l'occasione di una vera comprensione di sé, che riconosce e deve accettare come quella che meglio corrisponde alla realtà. In questo contesto gli diventa anche chiaro che egli è debitore di se stesso al mistero assoluto; egli resta legato a tale mistero che è per se stesso incondizionato, mentre lui è appunto condizionato per il fatto che deve rispondere di sé a quel mistero.

Quindi in fondo si tratta di Dio stesso, che viene designato con la parola «mistero» in un modo che solo con questo termine richiama alla memoria determinate condizioni dei rapporti umani, che proprio a causa della critica moderna e delle possibilità riflessive dei nostri tempi sono assolutamente da osservare, se non si vuol cadere in concetti inesatti e in idee false.

Il discorso del mistero ha ricevuto, pertanto, un'altra posizione nella scala dei valori: prima di tutto deve essere usato con più cautela e in modo più differenziato di quanto prima fosse possibile. In primo luogo l'uso linguistico dovrà essere più contenuto nelle molteplici espressioni abitualmente considerate, con tanta naturalezza, un mistero. Anche le distinzioni usuali tra «mysteria stricte dicta» (misteri in senso pieno e stretto) e realtà da essi derivate, hanno bisogno di un uso quanto mai misurato ed esattamente circoscritto per evitare malintesi. La difficoltà sta nel fatto che da una parte il legame tra Dio e la creazione non deve essere leso o ridotto, che tale legame deve contene-

re esplicitamente e genuinamente le caratteristiche di subordinazione e dipendenza; e dall'altra si deve prevenire ogni mescolanza o confusione tra ciò che è increato e ciò che è creato. Il compito richiede una opportuna elaborazione e applicazione dell' →analogia. In essa la designazione di «mistero» dovrebbe rimanere in avvenire strettamente riservata a Dio e a ciò che procede direttamente da lui e lo esprime.

Il male dal canto suo non dovrebbe più essere indicato come «mysterium iniquitatis», anche perché il linguaggio abituale collega al concetto di mistero piuttosto un'attesa gioiosa e fiduciosa.

Allora su questo sfondo può essere utile e fecondo articolare in modo nuovo i tradizionali misteri della fede della Trinità, dell'incarnazione e della grazia, considerandoli semplicemente come formulazioni del mistero, cioè come manifestazione di Dio che ama e si dona, che redime l'uomo e il mondo e così appare chiaramente come creatore. Vista in tal modo la realtà di Dio, inteso come mistero, acquista un alto significato per una teologia fondamentale che consideri come suo compito basilare chiarire il problema di Dio all'uomo moderno.

Si muove nella stessa direzione anche il concilio Vaticano II che esorta a dare una «introductio in mysterium Christi» agli studenti delle scienze teologiche. Oggettivamente ciò dovrebbe far parte del contributo che compete alla teologia fondamentale. In ogni caso, questa introduzione riguarda la comprensione della religione, del cristianesimo e della chiesa proprio sotto l'angolatura del mistero superando così una concezione strettamente razionale. Con ciò non viene certo svalutata ma provocata la razionalità tipica del cristianesimo, in quanto il mistero non sostituisce lo sforzo razionale, ma esige piuttosto la sua applicazione più coerente e rigorosa fino al punto non più superabile con i suoi mezzi. Questo comprende la critica moderna e rende possibile la sua applicazione al pensiero della fede, poiché con il mistero che rende accessibile la trascendenza, l'atteggiamento critico a quel punto diventa un atteggiamento che ascolta e accoglie − senza diventare irrazionale −, un atteggiamento in cui l'uomo, come creatura indipendente, può e deve comparire dinanzi alla grande realtà di Dio, dove la responsabilità razionale si sviluppa in accettazione e adorazione.

Questi misteri, quindi, sono appunto giustificati razionalmente anche quando, secondo la loro natura, superano il piano della sola ragione. Essi ricevono il loro carattere positivo dal Dio sempre più grande, dal Dio quale mistero che rende felici, che si dona all'uomo nella creazione e nella redenzione.

Bibl. - K. Rahner, «Mistero», in SM V, 400-409; Id., «Sul concetto di mistero nella teologia cattolica», in Saggi teologici, Roma 1965, 391-465; Id., «Einheit - Liebe - Geheimnis», in Schriften zur Theologie VII (1966) 491-508; Id., «Glaubensbegründung heute», in Schriften zur Theologie XII (1975) 17-40; Id., «Über die Verborgenheit Gottes», in Schriften zur Theologie XII (1975) 285-305.

KARL H. NEUFELD

MISTERO PASQUALE

I. SOFFERENZA E MORTE: 1. *Il problema della sofferenza umana* - 2. *La morte che redime ogni dolore* - 3. *L'autotestimonianza della fede nella croce* (W. Kern) - II. RISURREZIONE: 1. *L'affermazione* - 2. *Le origini della fede pasquale* - 3. *La rivelazione pasquale* - 4. *Giustificare la fede pasquale* (G. O'Collins).

I. Sofferenza e morte

La doppia espressione «sofferenza e morte» potrebbe in genere essere capita e trattata all'interno di una relazione crescente tra i due termini: nel nostro caso i due concetti, o ancor meglio le due realtà, debbono venir poste l'una di fronte all'altra in modo da apparire quasi un «contrappunto» e cioè come sofferenza degli *uomini* e morte di *Gesù*. Il dolore umano costituisce la domanda; la risposta sarà la morte dell'uomo crocifisso e Figlio di Dio.

1. IL PROBLEMA DELLA SOFFERENZA UMANA - a. *La sofferenza come fatto* - Il fatto che in questo mondo vi sia una sofferenza smisuratamente grande e un male così grande da non poterlo neppure calcolare, è di una evidenza talmente chiara che ogni parola ulteriore è in qualche modo superflua. L'amore tra due persone può cambiarsi in avversione e odio che conducono poi all'uccisione e all'assassinio. Intere popolazioni, a causa di dissidi lungamente fomentati, si trovano in una inimicizia che scatena guerre di enorme portata distruttrice. Molti uomini innocenti − insieme alla donna che aveva perso il suo bambino in un bombardamento notturno − pongono la domanda di Giobbe: «Perché?». In modo particolare, conduce alla ribellione la sofferenza innocente e perciò ingiustificata dei bambini tormentati e perfino torturati, sofferenza questa che è stata definita come «il male assoluto» (cfr. la discussione tra M. Choche in *L'homme et son prochain*, Paris 1956, 145-148 e F. Heidsieck in *Revue de l'enseignement philos.* 9 [1958] 2-7). Ciò fece nascere sulle labbra di Dostoèwskij nei *Fratelli Karamazoff* il grido di protesta contro il

mondo e il suo creatore: «Cosa può riparare in questo caso l'inferno, quando già il bambino è tormentato a morte?... Per questo io mi affretto a ridare indietro il mio biglietto di accesso a questo mondo». Camus accolse questa protesta: «Io mi rifiuterò fin alla morte d'amare la creazione, nella quale vengono martirizzati dei bambini» (*La peste*), e ritiene che a più di uno «la sofferenza dei bambini impedisce di giungere alla fede» (*L'uomo in rivolta*).

b. *Dal problema della teodicea all'«Ateismo di protesta»* - Il problema del male nel mondo era stato collocato da P. Bayle (*Dictionnaire*, 1695-97) al moderno incrocio di due presupposti che lo sorreggono: da una parte, l'antica convinzione circa l'onnipotente, onnisciente e infinitamente buona conduzione del mondo da parte di Dio; dall'altra, la nuova pretesa della ragione umana che deve giudicarne criticamente i risultati. Leibniz, nel 1710, espresse l'aporia sopra indicata con la formula e il postulato: «Teodicea», Giustificazione di Dio (cfr. Rm 3,4s e S1 51,6). Il suo tentativo divenne il modello dell'ottimismo filosofico: il Dio perfetto non poteva che creare un mondo perfetto; nonostante il «male metafisico» incluso nella finitudine del mondo, e nel quale si radica il male fisico e morale, questo mondo, preso nella sua interezza, è il migliore possibile; noi potremmo anche non capire "come": ma questa è la verità, deve rimanere tuttavia un apriori. Il tempo che seguì a questo tentativo produsse una grossa quantità di apologie che lessero nel libro della natura, e perfino nel latte alpino e nella produzione del formaggio (A. Kyburtz, 1753), tutte le tracce pensabili della sapienza creatrice di Dio. Il grande terremoto di Lisbona del 1755 segnò il passaggio dalla mentalità ottimistica al pessimismo. (Voltaire scrisse il *Poème sur le désastre de Lisbonne*, 1756, e la satira *Candide ou*

l'optimisme, 1761). Secondo Hume (*Dialogues concerning Natural Religion*, 1779, capp. 10-11), invece, il corso del mondo non offre nessun appiglio per giungere ad un Dio al quale interessi qualcosa della fortuna o sfortuna della creazione. Schopenhauer (*Die Welt als Wille und Vorstellung* §§ 57-59; e aggiunte § 46) si presenta come il polo opposto a Leibniz: fallito su tutti i fronti, questo mondo è il peggiore possibile che poteva sorgere soltanto da una cieca irrazionalità. E.v. Hartmann (*Zur Geschichte und Begründung des Pessimismus*, 1880, 67), attenua un po' questo pessimismo radicale con l'«affermazione della negatività del bilancio voluttuoso (Lustbilanz) nel mondo»; la non esistenza del mondo rimane da preferirsi alla sua esistenza. J. P. Sartre e A. Camus cercano tuttavia di conferire al nichilismo della loro visione pessimistica (inaugurato in modo ottimistico da Nietzsche) un valore di vita mediante la prassi. Il fallimento, iniziato con la catastrofe di Lisbona, del tentativo di una teodicea, procede di comune accordo con → l'agnosticismo o con un espresso → ateismo. Proprio quando tale ateismo non si presenta con una militante e pseudoscientifica pretesa, come fino a poco tempo fa il virulento «materialismo dialettico», ma come «ateismo di protesta» (K. Rahner), deluso e rassegnato, si richiama «solo» alla molteplice esperienza di dolore dell'umanità, esso, come si mostrerà più avanti, non è confutabile per via teoretica. Già nel secolo passato il giovane poeta G. Büchner, nel dramma *Dantons Tod*, III 4, aveva definito la sofferenza umana «la pietra dell'ateismo».

c. *Monismo? Dualismo?* - Nessuno di questi due opposti modi di concepire il mondo risolve, per così dire attraverso un ontologico colpo di mano, il problema della teodicea. Se esaminate più attentamente, queste due visioni del mondo si rivelano solo come varianti della soluzione ottimistica e di quella pessimistica. Kant che, secondo Goethe, in modo indecoroso «ha sbrodolato il suo mantello filosofico», rimane fedele alla visione di un'inestirpabile «male radicale» nella natura umana. L'idealismo tedesco al contrario, ha mediato monisticamente ogni elemento negativo e specialmente il peccato originale dell'uomo, e lo ha risolto all'interno di un necessario processo di sviluppo tra Dio-mondo-uomo: il male significa e realizza un'apertura verso la coscienza di sé, la strutturazione del mondo e il progresso culturale. In modo molto impressionante, Hegel ha mostrato come lo Spirito si manifesti mediante una necessità essenziale, che è anche libertà essenziale, attraverso una consegna di se stesso in una realtà che è estremamente altro da sé: cioè nel mondo, nella coscienza finita di un singolo individuo (Gesù di Nazareth) e nella morte disonorante (la croce sul Golgota), in modo da giungere così alla cosciente realtà di sé nel mondo-comunità dello Spirito rappresentata dai filosofi... Il male è solo un momento inglobato, per quanto destinato a scomparire, di un tutto globale. Esso guarisce la ferita che produce.

Il *dualismo*, presente soprattutto nella storia delle religioni, possiede, almeno nei suoi elementi esteriori, più aderenza alla realtà e forza convincente. Nella sua forma più chiara questa visione è presente nel Mazdeismo e Parsismo, che si richiamano a Zarathustra (intorno al 600 a.C.): dei due spiriti gemelli derivati dal dio originario Ahura Mazda, uno ha scelto il bene, il vero e la luce; l'altro invece la forza opposta del male, e ugualmente ogni uomo deve porsi di fronte a questa decisione; alla fine del mondo tuttavia, Ahura Mazda erigerà il suo regno eterno per i buoni. Una posteriore interpretazione contrappone, tuttavia, Ahrimon, il Signore delle tenebre anche lui ugual-

mente originario e increato, al Signore del regno della luce.

Per il manicheismo (a partire dal III sec. d.C.), tipo radicalmente dualistico della gnosi, il mondo e l'uomo, quali anormale miscuglio tra spirito-Dio buono e materia-corpo cattivo, sono in una condizione assolutamente cattiva, fino a quando questi principi non verranno nuovamente divisi. Alcune correnti platoniche con una visione dualista hanno influenzato i maestri orfici e pitagorici.

Risonanze di questa visione si trovano, per esempio, nel tedesco T. J. Böhme (1600 circa) e nello Schelling tardivo, i quali accettano un'originaria tensione in Dio tra il principio luminoso e buono dell'amore e quello tenebroso e cattivo dell'ira. Dividendo in due parti la potenza divina, il dualismo vorrebbe togliere al Dio buono la responsabilità diretta per il male e quella indiretta che lo permette e ne svela la crudeltà. Che la delimitazione, e dunque l'eliminazione del principio di onnipotenza sia sicuramente quella che meno di ogni altra visione discrimini la figura di Dio, è oggi un'opinione molto diffusa anche tra alcuni teologi.

d. *Tentativo di confronto con il nichilismo* - Proprio ogni posizione che porta avanti nel modo più globalizzante e fondamentale la negazione di ogni positività nel mondo, negando soprattutto la presenza di senso e fondamento, può offrire, così sembra, una indicazione per proseguire nella nostra indagine.

Verso la fine del XVIII sec. in Germania «Nichilismo» (cfr. il libro dello statunitense Rabbi H.S. Kushner, *When bad things happen to good people*, New York 1981) era una espressione abbastanza usata per correnti spirituali considerate distruttive; nello stesso tempo sorse in Francia la parola «nichilista» per indicare «chi non crede a nulla, chi non si interessa a niente» (cfr. L. S. Mereier, *Néologie ou Vocabulaire de mots nouveaux*, 1801). In un suo primo scritto F. W. Jacobi (1798) indica con nichilismo un'idealismo che soccombe al pericolo di staccare la rivelazione cristiana dalla sua origine, dal Gesù terreno. Questo uso della parola stava in una reale vicinanza, di cui forse Jacobi non era cosciente, con il termine «nihilista», con il quale nel latino medievale si intendevano i teologi che consideravano poco o addirittura niente la natura umana di Cristo, in quanto non possedeva una sua autonomia. È stata anche sostenuta l'opinione che il cristianesimo per primo abbia preparato la via al nichilismo attraverso l'insegnamento della creazione del mondo «ex nihilo»; e alla «creatio» corrisponde perfino il concetto opposto di possibile «annihilatio» del mondo per la «potentia absoluta» di Dio. Oggi il concetto di «nichilismo» ha, soprattutto a partire da Nietzsche e da Heidegger, un significato radicalmente «annientante» (nichtende); entrambi gli autori lo valutano tuttavia come necessario stadio di passaggio verso una nuova e positiva visione e valutazione dell'uomo e del mondo.

Iniziamo la nostra discussione sul nichilismo con la difficile riflessione, almeno a prima vista, che «il niente» può essere descritto solo come ciò che in nessun modo «è». La stessa necessità di lingua e di pensiero appare presente in tutte le cose anche nelle più specifiche parole che esprimono concetti negativi. Già solo la formulazione linguistica di molte esperienze di carattere negativo rimanda al positivo che le sorregge: dis-ordine, dis-armonia, in-successo... Anche la rassegnata affermazione che spesso si ascolta e che cioè tutto sia senza senso, può essere capita solo a partire da una precomprensione di «senso». Concetti negativi o, come afferma la logica formale, concetti privativi (come cecità, stupidità) sono pensabili solo in relazione alla cosa negata da

essi, in parte o totalmente (per es.: capacità di vedere, intelligenza); questi concetti negativi sono concetti opposti di carattere secondario. Tuttavia non si tratta soltanto di abitudini del parlare o del pensare, che sono da chiarire solo per via psicologica, quanto del dato delle *cose* stesse; si tratta cioè della logica della *realtà*. Tommaso d'Aquino (*De pot.*, 7,5; STh II-II,122,2 ad1) non dice solo che «la comprensione di una negazione è fondata sempre su un'affermazione», ma anche: «l'affermazione è, per sua natura, prima della negazione». Già Aristotele (cfr. *Analytica post.* I 25; 86b34-46; *Eth.Nic.* III 7; 111 3b8) aveva riassunto entrambe le affermazioni così: «Mediante l'affermazione viene riconosciuta la negazione, e l'affermazione è anteriore, come anche l'essere precede il non essere», e in modo lapidario afferma: «Dove c'è il no, lì vi è anche il sì».

Un evidente esempio per un chiarimento: cos'è presupposto nella realtà stessa, nella reale costruzione e funzione del corpo umano, perché possiamo sperimentare la malattia? L'essere malato è un fatto a-normale, un fenomeno di caduta (cioè di mancanza) o di escrescenza; essa, mediante cause ed effetti, si pone sotto o sopra la situazione normale che chiamiamo salute (per es. la temperatura corporea sopra o sotto i 36-37 gradi). Solo con la deviazione dal normale stato di salute la malattia può mostrarsi come fastidiosa, dolorosa, debilitante e distruggente; infatti che *cosa* viene debilitato e distrutto attraverso essa? *Solo per questo essa può assolutamente esistere.* Malgrado uno possa essere stato da sempre malato, fin dalla nascita, tuttavia anche in questo caso egli è malato solo perché in sé, a partire dall'organizzazione della natura che sta a fondamento del suo stato difettoso, dovrebbe e potrebbe essere *sano*. Senza questa fondamentale disposizione per l'essere sano e senza la pretesa di questo stato, fondato su questa disposizione, la malattia non sarebbe possibile non solo a livello del nostro parlare e del nostro pensare, ma anche nella realtà, e cioè *in natura rerum*.

Esperimenti mentali estremi, di cui qui non possiamo occuparci in modo approfondito, indirizzano nella stessa direzione: l'accettazione dell'assoluta assurdità del mondo è assurda essa stessa; se tutto fosse senza senso, niente sarebbe senza senso. Per quale ragione (se c'è poi un «perché») gli uomini giungono a preferire la morte alla vita? Forse perché la vita non ha realizzato le aspettative che avevano riposto in essa? O perché hanno bramato e preteso molto o troppo dalla vita? Per quale ragione siamo invidiosi e gelosi a causa di qualunque cosa nei confronti di chicchessia? Forse perché la nostra natura è fatta per aspirare senza misura al tutto?

Come risultato di queste riflessioni è da ritenere che nell'esperienza dell'assurdità si nasconde una più profonda pretesa di → senso. Questa richiesta non garantisce di per se stessa la realtà del compimento del senso, ma sicuramente la sua interna e reale possibilità.

Il realizzarsi della pretesa di senso non deve dunque necessariamente essere vera o un giorno realizzarsi; e tuttavia questa stessa pretesa di senso è pienamente reale. Essa è una reale pretesa di un possibile senso. Questo significa che il nichilismo radicale non ha così l'ultima parola; si può e si deve indagare al di là di esso, prima di esso.

Questo risultato viene confermato da A. Camus (1913-1960), considerato come il pensatore esistenziale dell'assurdità: «Non c'è un totale nichilismo. Appena si dice che tutto è non senso, si esprime qualcosa che ha senso. Respingere ogni significatività del mondo significa sopprimere ogni giudizio di valore. Ma la vita è in sé un giudizio di valore...» (*L'été*, Paris 1954, 134). «Non è possibile eliminare assolutamente il giudizio di valore. Con ciò viene negato l'assurdo!» e perfino: «L'uomo non può disperarsi in modo totale» (*Diario*, gennaio 1942 - marzo 1951). Le testimonianze letterarie, filosofiche e teologiche di questo tipo si potrebbero moltiplicare.

e. *Nessuna soluzione teologica al problema della teodicea* - Il tentativo di presentare il nichilismo radicale come l'ultima istanza dell'interpretazione del *Dasein*, può a livello logico essere ineccepibile; che però ad esso si ascriva un grosso significato esistenziale per l'uomo difronte al destino di sofferenza del mondo e della sua propria vita, questo deve essere messo in questione.

Ma un tale dubbio sembrerebbe potersi addurre anche contro la risposta della tradizione cristiana, anche se questa si presenta un po' più ricca per la soluzione di un tale problema. Queste posizioni, tracciate da Agostino nel V sec., conservano ancora una loro validità:

– Il male, secondo la sua struttura, è solo una (secondaria) mancanza, un difetto, una «privatio boni».

– Il male morale, che è il vero male (violenza sugli altri e menzogna), è da distinguere dal male fisico e da ciò che è cattivo (come malattia e sbaglio). Le catastrofi naturali, poiché sfidano l'ingegno umano, possono essere un volano del progresso culturale (ma giustificano la *miseria* e la morte delle loro vittime?).

– Dio non può volere in sé il male, questo contraddirebbe la sua santità. Egli lo può solo permettere nel senso di non volerlo impedire. (Il concetto di «permettere», nonostante molte contraddizioni, è un'irrinunciabile con-cetto ausiliare).

– Ma perché questo? Anche il solo permesso deve essere fondato e perciò il motivo che risiede nella provvidenza di Dio deve essere un bene più grande, legato in un modo indiretto con il male.

Con ciò si raggiunge il punto saliente della difficoltà. Secondo il modo e il grado, l'abuso più disumano della libertà umana conferisce alla domanda sul perché, la sua ultima acutezza. Spesso si risponde che Dio rispetta proprio la libertà dell'uomo nel decidersi per il bene o per il male. E per questo il mondo è così. Ma non potrebbe Dio, lui che ha creato per un amore eccessivo il mondo nella sua onnipotenza e infinita sapienza, disporre il suo corso in modo diverso e migliore, e non può dirigere i cuori degli uomini così che essi, fatta salva la loro libertà, anzi con una più grande libertà, si rivolgano al bene e solo al bene? Perché dunque c'è il male? Perché Dio lo permette? In questo si capisce un po' perché alcuni teologi preferiscono pensare Dio più come limitato nella sua potenza che, almeno apparentemente, «padre» che guarda alla povertà dei suoi «figli» in modo malevolo e indifferente. È meglio che egli non possa impedire il male piuttosto che egli non lo voglia impedire. Tuttavia anche questa «soluzione» del problema della teodicea in fondo fallisce, come tutto ciò che noi uomini affermiamo su questo problema.

2. LA MORTE CHE REDIME OGNI DOLORE - a. *Prologo filosofico: la morte, una promessa di vita?* - In una parola si può dire, anche se in modo brutale, che la → morte pone fine alla vita dell'uomo. Ma essa, quale definitiva fine del cammino della vita terrena, viene temuta soprattutto come il più grande male fisico. La morte chiude solo le porte della vita, o apre anche uno sguardo di speranza su di una nuova vita?

Tutti gli uomini devono morire. Ma già l'intera esistenza umana è sotto l'ombra della morte e da essa viene determinata; secondo S. Kierkegaard la vita è speciale «malattia che porta

alla morte»; si potrebbe parlare di una estensiva e intensiva *universalità* della morte. Nella morte tutto viene raccolto, essa non permette più nessuno spazio di inventiva, e sembra non lasciar niente aperto. Per questo si capisce perché si getta, dopo la sepoltura, uno sguardo retrospettivo di chiusura che riassume la vita di un defunto; per questo, alla vittima di un incidente tutta la sua vita sembra scorrere davanti agli occhi in brevi frazioni di tempo, come in un film. La vita attraverso la morte sembra precipitare nel baratro del «non essere più». La vita che ci toglie ogni cosa, toglie noi a noi stessi, e ciò che resta per un certo lasso di tempo, dopo poco imputridisce e si disperde. E usando un'immagine figurata ci possiamo domandare: Dove ci porta la morte? Con sé? Nel niente? Per questo noi uomini abbiamo molta paura. La paura della morte è la paura più elementare. E ciò che la rende così inesorabilmente acuta è, al contrario degli animali, la coscienza che l'uomo possiede della sua finitezza e della sua caducità. La morte davanti agli occhi di chi sta morendo diventati, per così dire, ciechi, «consuma l'immanenza del Dasein» (B. Welte, *Heilsverständnis*, Freiburg 1966, 132). Ciò costituisce la negatività (si potrebbe quasi dire assoluta) della morte, ed è l'inizio del suo superamento.

Poiché per ognuno la morte *annienta tutto*, essa è il caso più radicale che emerge dal nostro limite. Perciò qui è presagita la visione sulla dialettica del limite, così come dice J. G. Fichte: «In quanto che l'Io è limitato, esso giunge solo fino al limite. In quanto che esso si pone come limitato, esso va necessariamente al di là, giungendo al confine stesso in quanto tale» (WW I,347). E soprattutto con G. W. F. Hegel (WW VIII 159, e in particolare X 44, cfr. 41; IV 153; XV 184) va notato che: «Qualcosa viene conosciuto e perfino percepito come limite e mancanza solo con l'essere nello stesso tempo al di là di esso». «Già il fatto che noi abbiamo coscienza di un limite è una prova del nostro essere al di là di esso, è una prova della nostra illimitatezza» (WW VIII, 159: X, 44; cfr. pure IV, 153, X, 41; XV, 184). Il principio dell'esperienza = superamento del limite comprende tutti i modi del finito e del limitato: «Niente è così contingente e casuale, che non abbia in sé qualcosa di necessità» (STh I, 86,3). «Per la dialettica oggettiva in se stesso un assoluto è contenuto nel relativo» (Lenin, nello studio su Hegel). Niente è così passeggero che non porti in sé una qualche definitività. Niente è completamente stupido: in esso vi è posta una scintilla dello spirito. Niente è solamente problematico, esso inizia già anche a rispondere (Aristotele: «Il rinvenimento dell'aporia è la soluzione», [*Eth. Nich* VII 4]. B. Welte, *Heilsverständnis*, 131). Niente è così manipolabile e abusabile che non resti nessun bagliore di non disponibilità. Insomma: niente è completamente e solo pura mondanità, solo limitato e finito. E niente è così mortale che non contenga anche vita.

La negatività della morte viene portata al di là di se stessa, al di là del suo proprio «No» attraverso il suo carattere onnicomprensivo. Essa sfocia in altro da se stessa, sfocia nel «Sì», nel superamento della caducità, nella vita al di là della morte. Poiché la morte «fa capire al Desein questa negatività» questo presuppone «che esso si comprende guardando verso la positività del suo essere, ...che al Desein interessa l'essere e non il non essere, ... interessa l'essere integrale (Ganz-sein), l'essere salvato (Heil-sein)... il suo "No" si inscrive in un progetto di salvezza, nel quale il Dasein si progetta da sempre» (B. Welte, *Heilsverständnis*, 127-140). Come conseguenza dell'universalità e della negatività della morte sembra mostrarsi la trascendentalità del suo (tendenziale, richiesto) autosuperamento.

Quanto fin qui detto è accettabile. Tuttavia anche la riflessione sulla morte qui sopra proposta è rimasta astratta (come l'indagine sul nichilismo). Anche il rinvio al cielo e all'inferno non può «giustificare Dio» in modo soddisfacente davanti al tribunale dell'umanità sofferente. Ma se non è sufficiente ciò che fa riferimento alla «giustizia di Dio» e alla teodicea, ci si domanda: cosa fa allora Dio?

b. *La morte in croce di Gesù come parossismo della passione dell'umanità* - Alla speranza che dalla croce di Gesù scaturisca una luce che illumini la storia della sofferenza umana, si contrappone fin dall'inizio un grande «videtur quod non». Anzi sembra essere vero precisamente l'opposto. La crocifissione è il modo più offensivo di un'esecuzione che il mondo conosca. E dalla morte in croce di un uomo dovrebbero originarsi e venir attuate per tutti gli uomini una fede che redime e una salvezza eterna? Questo paradosso ci fa pensare.

– *Lo scandalo della croce.* Dai celti fino agli indiani, i criminali furono giustiziati sulla croce e sacrificati agli dèi come offerte. Presso i persiani e punici (in Nordafrica) la crocifissione veniva usata per i più gravi crimini contro lo stato e per alto tradimento. I romani fecero della croce la tipica punizione per gli schiavi. Nelle province romane, come ad esempio in Giudea, venivano crocifissi sia coloro che commettevano violenza, come anche elementi ribelli. Queste persone venivano normalmente dai più bassi strati sociali, che si pensava dovessero essere soppressi per amore dell'ordine sociale. «Non sine metu» (cfr. Tacito, *Annales* 14, 44,3) si può tenere a freno il miscuglio di schiavi che vivevano a Roma. Si facevano processi sommari: l'imperatore Domiziano nel 90 d.C. fece decapitare uno scrittore a causa di caricature, in uno dei suoi libri, e gli sfortunati schiavi dello scrittore vennero crocifissi. Nella crocifissione si potevano sfogare l'arbitrio e il sadismo dei carnefici, e ciò veniva incontro al desiderio di vendetta e di crudeltà del padrone come anche della folla. La cosa più paurosa era la durata del rimanere appesi «all'albero infelice». Il giovane Cesare deve essere stato abbastanza clemente per far impiccare i pirati del mare prima della crocifissione. Il pubblico spettacolo del giustiziato nudo era considerata come l'estrema vergogna che suggellava chiaramente la sua esclusione a livello sociale e la sua condanna a livello religioso. Nessuno scrittore dell'antichità si è soffermato a lungo sulla descrizione di questa crudele esecuzione. La più dettagliata ci viene dai racconti evangelici! Nei romanzi greci e latini la croce rappresenta la minaccia più grave per l'eroe, minaccia che porta la tensione del dramma al suo culmine; in nessun caso tuttavia l'eroe può soffrire realmente questa morte vergognosa: viene salvato in tempo opportuno da un «deus ex machina». Per Cicerone (cfr. *Il discorso contro Varrone*: 5,66,169; 5, 64,165; 5,62,162), la croce è «la più dura e alta punizione degli schiavi», «la più feroce e disgustosa esecuzione»; egli la denuncia come una «peste», mentre Giuseppe Flavio la giudica «la morte più misera» (*De bello Jud.* 7,203).

– *La morte di Gesù centro della fede cristiana.* Fin dall'inizio la cristianità ha professato la croce di Gesù come il fondamento e il centro della sua fede. Paolo davanti alla comunità di Corinto si è proposto «di non conoscere altro che Gesù Cristo e questi crocifisso» (1 Cor 2,2). Egli è cosciente di essere stato inviato per l'annuncio della buona notizia, ma in modo tale che «non venga vanificata la croce di Cristo», e cioè che essa non perda la sua forza e il suo

significato (1 Cor 1,17). Entrambi i primi due capitoli della prima lettera ai Corinti (1 Cor 1,17-2,9) sono un'unica grandiosa testimonianza del fondamentale e centrale significato che ha per Paolo «la parola della croce» (*ho lógos tou stauroú*: 1 Cor 1,18). Tuttavia già «molto prima di Paolo riflessioni teologiche e professioni liturgiche avevano riconosciuto nella morte di Gesù un avvenimento di salvezza», e proprio Paolo lo mostra, poiché egli «assume le diverse varianti di questo annuncio» e cioè l'interpretazione della morte di Cristo come sostituzione vicaria, riconciliazione, salvezza, e anche come espiazione e offerta (cfr. E. Käsemann, «Die Heilsbedeutung des Todes Jesu bei Paulus», in H. Conzelmann, *Zur Bedeutung des Todes Jesu*, Gütersloh 1967, 11-34). Per questo Paolo di tanto in tanto ricorda molto espressamente che egli «annuncia ciò che lui stesso ha ricevuto», che egli cioè continua l'annuncio dell'originaria tradizione (in particolare 1 Cor 15,3-5; cfr. 11,23-26); e anche la forma della comunicazione manifesta molto chiaramente questo aspetto (Rm 4,25; 8,34; 2 Cor 5,13; 13,4). Nell'inno cristologico, presente nella lettera ai Filippesi (2,6-11), fu sicuramente Paolo ad aver sottolineato l'estremo abbassamento di Gesù, il quale «fu obbediente fino alla morte», e ad aver aggiunto di propria mano la notazione: «e alla morte di croce» (v. 8)! Negli ultimi decenni da parte di alcuni esegeti si è messo in dubbio che Gesù stesso abbia ascritto in anticipo alla sua morte un significato salvifico, tuttavia recenti ricerche critiche ritengono con fondati motivi che Gesù nell'ultima cena fatta con i suoi discepoli diede loro il pane e il vino come suo corpo che veniva offerto e come suo sangue che veniva versato per essi e per «i molti» (espressione che significa: per tutti (cfr. Mc 14, 22-24; Mt 26,26-28; Lc 22,19-21; 1 Cor 11, 23-26).

– *Il paradosso insito nella fede della croce*. Che la misera morte di un uomo sul patibolo della croce, attraverso cui chi muore viene stigmatizzato come criminale della peggiore specie, che una tale morte sia l'inizio per ogni uomo della vita eterna, della beata comunione con Dio, dunque sia il fondamento della sua salvezza e mezzo della sua fede, questo va chiaramente contro ogni probabilità e ogni aspettativa umana.

Può venir richiesta l'accettazione di un tale paradosso ad un uomo che, anche in materia di religione, non è disposto a rinunciare alla sua ragione? I nemici di Gesù, che stavano sul Golgota sotto la sua croce, gli urlavano contro che se fosse sceso dalla croce allora avrebbero creduto alla sua messianicità. Sebbene questo fosse solo un amaro scherno, si nascondeva in questa richiesta un aspetto di verità: che un condannato al patibolo della croce sia il messia ciò è del tutto mostruoso e inammissibile!

I primi cristiani all'inizio dovettero percepire la stessa cosa. Fino intorno alla fine del II sec. non è possibile trovare in nessuna parte una rappresentazione del crocifisso che si riferisca a Gesù. Il crocifisso di burla che si trova nel Palatino a Roma, un graffito sul muro del palazzo dei cesari, costituisce un'eccezione: esso rappresenta un omiciattolo, con la testa d'asino che pende da due tratti che formano una T. Un altro guarda verso di lui e sotto vi è una scritta di commento: «Alexamenos adora il suo Dio». Tertulliano (cfr. *Adv. Marc.* 3,18; CChr I, 531), nell'anno 200 circa, offre questa motivazione: «Il mistero della croce, nel primo annuncio cristiano, dovette essere velato sotto delle immagini. Poiché se lo si fosse annunciato nudamente e senza immagini, questo mistero sarebbe diventato scandalo ancora più grande». Già nel 130 Giustino si sente incalzato da coloro che lo criticavano: «La nostra pazzia consiste nel fatto che

noi assegniamo ad un uomo crocifisso il secondo posto dopo il Dio immutabile ed eterno» e fa domandare ad un giudeo quale prova potesse dare per il fatto che il messia «doveva venir crocifisso e morire di una morte così vergognosa e ignominiosa e maledetta dalla legge», poiché qualcosa di simile non potremmo mai immaginarci (cfr. I *Apologia* 13,4; *Dial. c.Truph.* 90,1).

L'islam, che reputa Gesù come un grande profeta alla pari di Mosè e Maometto, non volle lasciarlo morire in croce: un altro uomo è stato giustiziato al suo posto (*Corano* 4,157-159). Nei tempi più recenti, tralasciando Goethe («Tu mi vuoi fare Dio, tu che sei una tale immagine della disperazione appesa al legno»), si può leggere qualcosa di meno conosciuto di Hegel: «Colui che è attaccato alla croce viene adorato. Ciò è una mostruosa connessione intorno alla quale da molti secoli milioni di anime che cercavano Dio si sono spossate e tormentate» e «secondo le nostre odierne usanze questa nuova religione avrebbe dovuto fare a suo vessillo quello che è ora ciò che quella volta fu la croce e cioè un patibolo» (cfr. *Theologische Jugendschriften*, 1798/99, 335). Nietzsche in *Al di là del Bene e del Male* (§ 46) definì la fede nella croce, che Paolo ha altamente stilizzato, l'«absurdissimum». «Gli uomini moderni, con la loro avversione contro ogni termine cristiano, non comprendono più quanto di orribile e di esagerato, per il modo di sentire antico, era presente nel paradosso della formula "Dio in croce". Finora non si è ancora mai e in nessun posto data una simile audacia nel ribaltare qualcosa di similmente pauroso come questa formula: essa promette un capovolgimento di tutti i valori antichi». La fede nel Dio crocifisso mira «in un modo pauroso ad una permanente autouccisione della ragione» (§ 46). Nietzsche, uno dei più aspri critici del cristianesimo, ha compreso nel modo più acuto l'assurdità che ha per un non credente la fede nella croce.

Anche e proprio Paolo di Tarso, il primo e finora (e per sempre?) il più grande teologo del cristianesimo, a cui dobbiamo i primi scritti del Nuovo Testamento, ha esposto a sé e a noi in modo irriguardoso l'impressione e l'esperienza di questo «absurdissimum» del vangelo, della buona e gioiosa notizia (!), della croce: a questo proposito si veda 1 Cor 1,17b-25! Per questo la croce di Gesù significa scandalo (*skándalon*) per i Giudei, i quali richiedono segni di potenza del loro Dio, come nell'esodo dell'Egitto; mentre essa significa stoltezza e pazzia (*mōría*) per i greci, che cercano l'intelligente sapienza del mondo. Tuttavia proprio per chi «non svuota la croce di Cristo» (v. 17b), ma l'abbraccia nella sua paradossale durezza, questa, che è una parola scandalosamente non affabile, può trasformarsi in «parola della croce» (v. 18) attraente e piena di speranza. Lo scandalo senza salvezza diventa allora salvifico. Per quelli dunque che vengono salvati perché credono, la croce non è debolezza o stoltezza, ma potenza di Dio e sapienza di Dio. Infatti, e di nuovo un miracoloso paradosso: «La stoltezza di Dio è più sapiente degli uomini e la debolezza di Dio è più forte degli uomini» (v. 25).

– *L'incomprensibilità di Dio o la credibilità di ciò che ha dell'incredibile*. Il paradosso della teologia paolina toglie il respiro. Inoltre, chi crede alla croce come ad un avvenimento di salvezza rinuncia per così dire a ragionare. La passione di Gesù giunge al suo punto più alto, che è un punto assoluto in profondità, nel grido del crocifisso per l'abbandono da parte di Dio: «Mio Dio, perché mi hai abbandonato?» (Mc 15,24; Mt 27, 46). In questo grido si sentono vibrare la domanda e il lamento dell'uomo Giobbe, e in essa risuona l'intera passione dell'umanità. Nel modo più pregnante possibile si esprime la contraddittorietà del fatto della croce: l'abbandonato da Dio si abbandona in Dio. Egli invoca colui che non è lì.

Il paradosso della fede nella croce è contenuto in queste poche parole urlate da Gesù: da una parte in questo grido Gesù sembra morire non solo nel corpo, ma anche nell'anima. Dall'altra, il grido è un'unica professione di fede in Dio e nella sua ultima e definitiva incomprensibilità. Gesù riconosce l'essere Dio di Dio, testimoniando e suggellando con la morte questo riconoscimento. Dio per noi è e deve essere nella sua divinità l'incomprensibile, altrimenti egli non sarebbe Dio, ma soltanto uno simile a noi. E poiché la fede è «la stabilità di ciò che si spera e la prova convincente di ciò che non si vede», forse in ciò che, nella sua definitiva e insuperabile contraddizione (il crocifisso quale salvatore del mondo) appare incredibile, potrebbe mostrare la nascosta e profonda credibilità. Il voler credere al paradosso della croce (e il cristianesimo si regge o cade in questa fede) è una sfida che pone di fronte alla incomprensibilità di Dio. Noi in questo rimaniamo fermi in ciò che disse Tertulliano: «credo quia absurdum»...

3. L'AUTOTESTIMONIANZA DELLA FEDE NELLA CROCE - a. *Cosa ha fatto Dio* - Noi uomini, partendo da noi stessi, non troviamo nessuna risposta soddisfacente alla domanda del perché della sofferenza umana. La risposta di Dio è il dono del Figlio nella morte e cioè nella morte in croce. In questo modo il problema della teodicea non viene *risolto* teoricamente, ma la sofferenza del mondo viene *redenta* (erlöst) nella prassi. La sofferenza viene redenta, unitamente alla sofferenza di colui che a modo suo soffre con colui che sta soffrendo.

«Dio ha tanto amato il mondo, da mandare il suo unico figlio... non per giudicare il mondo, ma affinché per mezzo di lui il mondo venga salvato» (Gv 3,11-2; cfr. 1Gv 4,9). Paolo dice la stessa cosa nella lettera ai Romani (8,32): «Egli che non ha risparmiato il proprio Figlio, ma lo ha dato per tutti noi, come non ci donerà ogni cosa insieme con lui?». A questo, come una eco si aggiunge Ambrogio con l'«Exultet» della veglia pasquale: «Per salvare il servo tu hai sacrificato il Figlio». E fino a Kierkegaard: «Egli che ha risparmiato il primogenito di Abramo, per provare solo la fede del patriarca, non ha risparmiato il suo unigenito Figlio» (*Diario*, 13.9.1839).

Gesù non fu obbligato da Dio contro la sua volontà ad assumere il patibolo della croce (cfr. Gv 10,17-18). Anche coloro che lo uccisero, non sono stati in ciò determinati o spinti da Dio; essi agirono secondo la loro propria volontà, certamente presunta buona, ma di fatto «oggettivamente» cattiva. Dio permette il male, e cioè l'uccisione di un'innocente, a causa di un bene più grande, che non deriva dal male come causa, ma in occasione di un fatto cattivo, quale *conditio sine qua non*, scaturisce da un'altra fonte. Cos'è nella morte in croce di Gesù questo «bene più grande» e qual è la sua fonte?

b. *La rivelazione dell'amore che perdona* - La parabola del padre misericordioso (Lc 15,11-32) fa conoscere il senso del mistero della croce. Il padre lascia andar via il figlio più giovane, che dilapiderà la sua parte di eredità con le prostitute, e gli permette di giungere alla miseria, al peccato e al rimorso. Avrebbe potuto impedirlo, ma il figlio trattenuto a casa non avrebbe reagito a questo, forse per tutta la vita, con l'incomprensione e con la protesta? Il padre permette così la via dell'errore del figlio. Tuttavia quando «il figlio perduto» e distrutto dal destino torna a casa, il padre gli corre incontro con un amore sovrabbondante. Quanto poi

sia sorprendentemente generoso e in modo sconcertante questo atteggiamento, viene mostrato dalla figura opposta e cioè dal figlio più grande che nella sua durezza di cuore insiste sulla giustizia. La perdita del figlio più giovane è il presupposto per la *manifestazione dell'amore del padre nella nuova qualità dell'amore* che perdona e che libera dal dolore e dal peccato.

Le crisi e le catastrofi che avvengono nelle relazioni tra le persone che si amano, possono attualizzare la parabola evangelica. Un matrimonio fallisce, un'amicizia viene tradita. Può accadere allora che «tutto è finito». Tuttavia può anche essere che la situazione venga risolta e superata attraverso la pazienza, e che mediante la riconciliazione e il perdono si schiuda una nuova profondità e interiorità della comprensione reciproca e dell'unità vicendevole. Trasferendo quanto qui detto sul piano degli avvenimenti mondiali possiamo osservare: popoli che per decenni furono oppressi dalla mancanza di libertà sotto regimi totalitari, sperimentano mediante una trasformazione rivoluzionaria e con una nuova intensità cosa sia libertà; e la loro esperienza causa forse anche in altre regioni un cambiamento della struttura politica.

Che la morte in croce di Gesù sia la manifestazione dell'inaspettato e perfino impensabile amore di Dio, lo afferma di nuovo Paolo in modo molto calzante: «Dio dimostra il suo amore verso di noi perché, mentre eravamo ancora peccatori, Cristo è morto per noi» (Rm 5,8). Dio agisce per amore. «Dio è amore» (1Gv 4,16). «Dio in quanto amore è attaccato assolutamente alla croce» (Simon Weil). Perciò si può affermare che «l'essere Dio di Dio è da comprendere partendo dall'avvenimento di questa morte» (E. Jüngel, *Unterwegs zur Sache*, München 1972, 119), e che la croce alla fine, è «l'unica possibile definizione di Dio e dell'uomo» (W. Kasper,

Zukunft aus dem Glauben, Mainz 1978, 55ss). Dunque l'«amore crocifisso» è l'autodefinizione di Dio. L'incomprensibilità dell'amore non è più allora l'estremamente vuota, ma al contrario è la più pregnante definizione di colui che è indefinibile. J. A. Möhler dice di Dio che «la sua manifestazione si compie sotto la forma del donarsi per i peccati del mondo» (*Symbolik*, Mainz-Wien 1833, 287). Gregorio di Nissa spiega così la possibilità della sofferenza divina: «Che la natura onnipotente fu capace di abbassarsi alla bassezza dell'uomo, ciò mostra molto di più la sua potenza che un grande miracolo che vada al di là della natura... Il discendere di Dio nella bassezza è un chiaro eccesso di potenza, per la quale non c'è nulla contro natura che si opponga. L'altezza si mostra nella bassezza, e tuttavia l'altezza non viene con ciò abbassata» (*Oratio catechetica* 24; PG 45,64). Dio si spoglia della sua onnipotenza nell'impotenza di colui che, abbandonato da Dio e dagli uomini, muore sulla croce. In ciò egli manifesta a noi uomini la «potenza» dell'amore che non si impone in modo trionfante, ma che tuttavia, per la sua solidarietà nella sofferenza, attrae e sconvolge. Dio si porta verso l'uomo come «Dio nella figura del servo» (S. Kierkegaard); la sua onnipotenza diventa «totale debolezza» (G. Marcel). Gesù stesso interpreta la sua kenosi sulla croce (cfr. Fil. 2,7) attraverso il dono eucaristico: «il mio corpo per voi, il mio sangue per tutti». Tale offerta è la comprensibile-incomprensibile prova del suo amore. L'amore crocifisso sorpassa (e contemporaneamente recupera dal profondo) divinamente e infinitamente l'onnipotente amore del Dio creatore.

c. *La morte della morte* - Nel nostro contesto e nella fede cristiana, è importante che la croce non venga vista in modo isolato, solo come l'evento estremamente crudele avvenuto sul Golgota, ma venga unita con il suo interno teologico e cioè con la risurrezione di Gesù dalla morte. Questa è innanzitutto l'unico e il totale «mysterium paschale».

Già nel primo scritto del NT, e cioè nella I lettera ai Tessalonicesi (4,14: scritta nell'anno 50), Paolo riassume il fondamento della fede cristiana con queste parole: «Noi crediamo che Gesù è morto ed è risorto» (cfr. 2 Cor 15,5 con l'aggiunta «per noi»). Anche quando sembra che Paolo parli solo della morte (1Ts 1,10; Rm 3,25; 5,6.8; 14,15; 1 Cor 8,11; Gal 2,21; cfr. Lc 24,26; Gv 3,16; Gv 3,16), l'annuncia come morte «per noi», includendo in essa dunque la sua globale ed eterna efficacia salvifica. Il primo annuncio missionario cristiano di Atti viene trasmesso in diverse forme redazionali alla base delle quali vi è questa bipolare struttura: Dio ha risuscitato dalla morte Gesù che voi avete ucciso sulla croce (At 2,23s; 3,13s; 4,10; 5,30s; 10, 34-43; 13,27-29). Anche 1 Pt interpreta l'espressione centrale «Dio l'ha risuscitato dalla morte» (1,21) in questo modo: «Cristo è morto una volta per sempre per i peccati, giusto per gli ingiusti, messo a morte nella carne, ma reso vivo nello spirito» (3,18; cfr. 3,21).

È indicativo «che una cristologia prepaolina, conservata nel primo inno cristiano, faceva seguire l'innalzamento celeste di Gesù già a partire dalla croce» (Käsemann, «Die Heilsbedeutung des Todes Jesu bei Paulus», 30). Con ciò diventa di nuovo chiaro quanto strettamente e in modo inscindibile la serie di avvenimenti dei 50 giorni, narrati dagli Atti, e cioè la serie di avvenimenti della risurrezione, dell'ascensione al cielo di Gesù e della discesa dello Spirito Santo, siano uniti con l'avvenimento del venerdì santo: evento pasquale di morte-e-risurrezione. E solo a partire dall'esperienza dei discepoli con il Signore risorto la morte di croce poté essere capita e creduta nella profonda dimensione del suo eterno significato di salvezza per tutti gli uomini (cfr. Mc 8,31; 9,31; 10,34: «e dopo tre giorni risorgerà»).

La morte, dalla quale l'amore onnipotente di Dio ha risuscitato a nuova vita colui che era stato crocifisso, è *la morte della morte*. La morte, che esercita un'inevitabile e definitiva violenza sul destino terrestre dell'uomo e che perciò diffonde su di lui una paura profonda, rappresenta e sintetizza le «potenze e le violenze» che fanno soffrire l'uomo. Il NT conosce questa morte sotto diversi nomi. Secondo Paolo Gesù Cristo ci ha liberato dalla legge, dai peccati della carne e dalla morte (cfr. 1 Cor 15). E riguardo a ciò si trovano in lui espressioni sconcertanti: «Cristo ci ha liberato dalla maledizione della legge, con il diventare per noi maledetto, come sta scritto: "maledetto chi pende dal legno"». «Colui che non aveva conosciuto peccato, Dio lo trattò da peccato» (2 Cor 5,21). «La legge dello spirito che dà la vita in Cristo Gesù ci ha liberato dalla legge del peccato e della morte» (Rm 8,2). Mediante un modo mitico di esprimersi, Paolo afferma che «i dominatori di questo mondo» non riconobbero in Gesù la sapienza nascosta di Dio, «poiché se l'avessero conosciuta, non avrebbero crocifisso il Signore della gloria» (1 Cor 2,8). Similmente Giustino (cfr. *Apol.* I 54-60; PG 6,408-420), in un modo sicuramente non soltanto mitico, si immagina che le forze del male attuarono la crocifissione senza supporre che Gesù, proprio mediante la sua offerta di morte, avrebbe «rubato» la loro «preda», e cioè le anime umane. Infatti furono le potenze che si possono chiamare ideologiche, religiose e politiche del suo tempo a mettere in croce Gesù: la cupidigia di possesso e di potenza sadducea, la giustizia farisaica derivante dalla legge, il fanatismo zelota per una liberazione politica... La vit-

toria di queste potenze fu in realtà la loro sconfitta. La morte dell'innocente, che essi portarono a termine con la collaborazione di Ponzio Pilato, ha smascherato le loro tendenze di morte. Poiché la divina potenza di vita e di amore presente internamente all'uomo e figlio di Dio crocifisso ha sopportato e superato dall'interno la morte. Agostino per esprimere il rovesciamento che scuote il mondo, originantesi dall'interno e dall'esterno dell'avvenimento della croce e che va dalla croce alla risurrezione, dalla morte alla vita, giunse a questa formula: *morte occisus mortem occidit*. Le potenze o le ideologie furono la morte di Gesù, Cristo è la morte delle potenze.

– L'essere uomo in totalità e solidarietà umana - «Ecce homo!». Con questo grido il pagano Ponzio Pilato ha qualificato il coronato di spine, testimoniando così l'umanità della «parola della croce». Questo è il titolo più cristiano di tutti, poiché è la confessione più profondamente umana. Nel crocifisso la vita umana è spinta fino all'estremo confine, nel quale non resta altro che la nuda esistenza, anzi essa è spinta fino alla perdita della vita. Tuttavia il Dio che si identifica con il crocifisso (perché in lui è divenuto uomo), entra nel luogo della sofferenza e dell'annientamento dell'uomo, entra cioè nei campi di concentramento nazisti, o nei Gulag sovietici, facendosi garante così della loro identità defraudata. Nella profondità dell'essere umano, messa a nudo attraverso la morte in croce di Gesù, l'uomo si comprende come *colui che può soffrire*. Egli non deve recitare la parte del grande e del forte, ma può essere piccolo e debole potendo dire così insieme a Paolo: «quando sono debole è allora che sono forte», poiché «la potenza di Dio si realizza nella debolezza dell'uomo», e perciò «mi vanterò ben volentieri delle mie debolezze». Anche Gesù «fu crocifisso per

la sua debolezza, ma vive per la potenza di Dio». Paolo sa cosa significa «portare sempre e dovunque nel nostro corpo la morte di Gesù» (cfr. 2 Cor 12,10.9.5;13,4; 4,10). I vangeli richiedono di prendere su di sé ogni giorno la croce, in questo consiste la sequela di Gesù. La morte di Gesù è la sua scuola di vita cristiana. *Coram crucifixo* sono pronto a lasciar Dio essere Dio, e l'uomo può rimanere uomo.

La fede della croce non spinge alla passività nei confronti del dolore né, tanto meno, ad una gioia di tipo masochista. All'opposto. Ogni elemento negativo deve venire superato nella pazienza, ma per quanto possibile anche in modo attivo, mediante un'ampia solidarietà umana. La parola di vita «con Cristo», espressione che Paolo varia in molti modi (convivere, con-morire, con-crocifisso, consepolto, conrisorto ed essere conglorificato) mira all'altra espressione «per noi»; per noi uomini, per tutti gli uomini senza eccezione. Gesù è *l'uomo* per gli innumerevoli fratelli e sorelle. Il suo sangue «grida più forte del sangue di Abele» (Eb 12,24) e non per vendetta, ma per la riconciliazione. In questo modo la morte di croce per sua essenza interna rimanda alla risurrezione (→ Mistero pasquale, II). Risurrezione dell'*uno* e di *tutti*. Gesù ha dato la sua unica vita affinché noi uomini possiamo avere la vita e in pienezza (Gv 10,10.17). Se l'*esserci* (*Dasein*) dell'uomo, come diceva l'ascesi di un tempo, è una «continua mortificatio» o, detto in modo più moderno, è una «esperienza di morte a piccole dosi», allora questa struttura dell'essere umano è il motivo decisivo per il conseguente e solidale amore del prossimo, amore che porta con sé molteplici conflitti, compromessi, rinunzie e in certe circostanze, come quelle presenti non raramente oggi in America Latina e in altri posti del mondo, porta con sé l'offerta della vita. La croce di Cri-

sto pianta nella storia del mondo il vessillo della solidarietà universale. «Egli ha steso le sue braccia sulla croce, per abbracciare i confini dell'universo» (Cirillo di Gerusalemme, XIII *Catechesi* 28; PG 33,805).

– *Riflessione conclusiva di teologia fondamentale*. La fede nella croce, nella sua paradossalità, rappresenta un'enorme e insuperabile richiesta alla capacità di credere dell'uomo, tanto che essa può apparire come un'estremo argomento contro la credibilità del vangelo, anzi all'inizio deve sembrare così. Noi abbiamo studiato a fondo questo problema e abbiamo cercato di mostrare che la croce è un, anzi forse è l'argomento per la rivelazione cristiana.

L'autocomprensione più profonda dell'uomo e il suo rapporto con il mondo nell'impegno per la giustizia, la libertà e la pace trova il suo fondamento e incoraggiamento in niente altro se non nel Dio del crocifisso. Sicuramente, è da dire che anche la religione, il cristianesimo, la chiesa e la teologia non sono immuni dall'ideologizzazione e dal fare di se stessi un idolo, la loro perversione è così la cosa più grave possibile (*corruptio optimi pessima*; cfr. le guerre di religione). Tuttavia nessun elemento divino delle religioni dell'uomo si oppone ad un loro possibile sfruttamento mirante all'autolegittimazione di chiesa come fine a se stessa o di una qualsiasi posizione di potere, tanto quanto il Dio dell'amore crocifisso. Egli non è il Dio della festa che in modo trionfale si libra in splendore e gloria sopra il mondo. Egli è il Dio della vita quotidiana e delle sue piccole e a volte grandi sofferenze e gioie. Perciò si può acconsentire con la teologa D. Sölle nel dire: «La più precisa interpretazione dell'esistenza umana è... la croce di Cristo. Anche questa frase contiene in sé la pretesa di assolutezza del cristianesimo, e tuttavia la contiene non ponendola e richiedendola più in modo autoritario»

(*Atheistisch an Gott glauben*, Olten 1969, 88).

Per la metodologia che riguarda la teologia fondamentale ne risulta quanto segue: i criteri «esterni» di credibilità dei miracoli operati da Gesù e al cui apice si pone l'esperienza della risurrezione, nella quale si attesta che Gesù è vivo, restano irrinunciabili. Tuttavia va attribuito un significato più rilevante di quanto venisse dato prima, sia a livello di principio (cfr. DS 3016) che a livello pratico, alla verità *interna* del vangelo, cioè a quella verità che Gesù non solo comunicò a parole, ma che anche in modo esemplare testimoniò e per cui morì. Perciò il destino della sua morte sofferta per noi uomini è un esempio. Anzi non ne è forse *l'*esempio?

Bibl. - G. W. Leibniz, *Essais de théodicée sur la bonté de Dieu, la liberté de l'homme et l'origine du mal*, Amsterdam 1710; H. Schlier, *Mächte und Gewalten im Neuen Testament*, Freiburg 1958 (tr. it. Brescia 1967); K. Jaspers, *Kleine Schule des philosophischen Denkens*, München 1965 (tr. it. Milano 1968); W. Kern, «Teodicea e cosmodicea mediante Cristo», in *MystSal* VI, 687-726; Id., «Schöpfung bei Hegel», in *ThQ* 162 (1982) 131-146; Id., «Gesù Cristo nella filosofia della religione di Hegel», in *I filosofi e Cristo*, Trento 1990; Id., *Atheismus-Marxismus-Christentum*, Innsbruck 1979; Id., «Das Kreuz Jesu als Offenbarung Gottes», in HFTh II, 197-222; P. Delling, *Der Kreuzestod Jesu in der urchristlichen Verkündigung*, Berlin 1971; J. Moltmann, *Il Dio crocifisso*, Brescia 1973; D. Arendt (ed.), *Der Nihilismus als Phänomen der Geistesgeschichte*, Düsseldorf 1974; H. Schürmann, *Jesu ureigener Tod*, Freiburg 1975; Id., *Gottes Reich-Jesu Geschick*, Freiburg 1983; J. Choron, *Der Tod im abendländischen Denken*, Stuttgart 1976; A. Paus (ed.), *Grenzerfahrung Tod*, Graz 1976; M. Hengel, «Mors turpissima crucis», in J. Friedrich (ed.), *Rechtfertigung*, Tübingen-Göttingen 1976, 125-184; Id., «Der stellvertretende Sühnetod Jesu», in *Comm* 9 (1980) 1-25,135-147; M. L. Gubler, *Die frühesten Deutungen des Todes Jesu*, Freiburg-Göttingen, 1977; M. Riedel, «Nihilismus», in *Geschichtliche Grundbegriffe*, IV (1978) 371-411; B. Gherardini, *Theologia crucis*, Roma 1978; E. Jüngel, *Tod*, Stuttgart 1979; S. Scherer, *Das Problem des Todes in der Philosophie*, Düsseldorf 1979; C. Andresen - G. Klein (edd.), *Theologia crucis-Signum crucis*, Göttingen 1979; J. Baur, «Weisheit und Kreuz», in *Zugang zur Theologie*, in onore di W. Joest, Göttingen 1979, 33-52; W. Weier, *Nihilismus. Geschichte, System, Kritik*, Paderborn 1980; P. Aries, «Geschichte des Todes», München 1980; *Im Angesicht des Todes leben* (Quellenband 6 = CGG 36), Freiburg 1983; H. Weder, *Das Kreuz Jesu bei Paulus*, Göttingen 1981; H. Ebeling (ed.), *Der Tod in der Moderne*, Frankfurt 1984; W. Beinert (ed.), *Einübung ins Leben – der Tod*, Regensburg 1986; I. Levan-Stefanovich, *The event of death, a phenomenological enquiry*, Leiden 1987.

WALTER KERN

II. Risurrezione

Il cristianesimo si regge o cade sulla fede che Dio è stato rivelato in modo definitivo nella persona e nella storia di Gesù Cristo. Il culmine di questa automanifestazione fu raggiunto, secondo la costituzione dogmatica sulla rivelazione divina del Vaticano II (*Dei Verbum* 4), con la morte e la gloriosa risurrezione di Cristo seguite dall'invio dello Spirito Santo.

La risurrezione del crocifisso Gesù è l'atto decisivo che non solo ha rivelato in modo definitivo e insuperabile il Dio tripersonale ma ha anche inaugurato la conclusione della storia e la pienezza della nostra salvezza. Immediatamente dopo aver riconosciuto che il definitivo momento culminante della divina autorivelazione ha avuto luogo con la prima Pasqua e la prima Pentecoste, la DV indica subito il significato salvifico di quella divina autocomunicazione: «Egli (Cristo) ha rivelato che Dio era con noi, per liberarci dalle tenebre del peccato e della morte e per risuscitarci alla vita eterna» (DV4).

A questo punto la teologia fondamentale dovrebbe prendere in considerazione almeno quattro problemi principali. Cosa intendevano i primi cristiani con la loro affermazione sulla risurrezione di Gesù? Come sono giunti a sapere e a credere in lui come risorto dai morti? In che modo la risurrezione di Gesù crocifisso ha portato alla definitiva autorivelazione del Dio tripersonale? Come possiamo legittimare oggi la fede pasquale?

1. L'AFFERMAZIONE - L'evidenza che viene dalla tradizione kerygmatica citata da Paolo (1 Cor 15,3b-5), dalle formule prepaoline su Dio (il Padre) che risuscita Gesù dai morti (Gal 1,1; 1 Ts 1,9-10), dalle prime formule contenute nei discorsi di Pietro all'inizio di Atti (At 2,22-24; 32-33,36) e da altro materiale della tradizione citato da vari autori neotestamentari (Lc 24, 34), dimostra che l'affermazione sulla risurrezione di Gesù dai morti risale alle origini del movimento cristiano. Come è possibile allora riassumere il principale contenuto di quella affermazione che viene dal 30 al 50 d.C., cioè dai due decenni cruciali prima che Paolo e in seguito gli altri autori neotestamentari cominciassero a scrivere le loro opere?

Fondamentalmente i primi cristiani sostenevano che Gesù è stato risuscitato a vita dalla potenza divina. La tradizione prepaolina parlava di Dio che ha risuscitato Gesù (o suo Figlio) dai morti (Rm 10,9; 1 Ts 1,10), o in altri luoghi ha parlato di Gesù, «che è stato risuscitato» (per es. 1 Cor 15,4; Mc 16,6), il che implica che questo era avvenuto «per la potenza divina». L'affermazione *principale* non fu che la causa di Gesù continuava o che i discepoli erano stati «risuscitati» ad una nuova consapevolezza e alla vita di fede (quando giunsero a costatare che Gesù aveva ragione riguardo a Dio), ma che il Gesù crocifisso era stato personalmente portato dalla condizione di morte a quella di una vita nuova ed eterna. Naturalmente le formule prepaoline riconoscevano che la risurrezione di Gesù era avvenuta allo scopo di trasformarci e «giustificarci» davanti a Dio (Rm 4,25). Ciononondimeno in primo luogo l'affermazione della risurrezione si riferiva a ciò che era avvenuto allo stesso Gesù.

È chiaro che i primi cristiani non presentavano la risurrezione di Gesù come il puro e semplice risuscitare di un cadavere — quel semplice ritorno alla vita atteso in 2 Mac 7 — contenuto nella risurrezione della figlia di Giairo (Mc 5,35-43), o intravista nella paura di Erode per un ritorno in vita di Giovanni Battista (Mc 6,16). Usando un modello spaziale, «verticale» di «su e giù» (piuttosto che il modello più «orizzontale» o temporale del kêrygma di Cristo come crocifisso, sepolto, risuscitato al terzo giorno e apparso ad alcune persone e gruppi), i primi cristiani parlarono o piuttosto inneggiarono a Gesù come «innalzato» o «assunto» nella gloria di Dio (Fil 2,6-11; 1 Tm 3,16). Questo linguaggio liturgico e poetico di esaltazione, citato dalla tradizione prepaolina, indica che i primi cristiani pensavano la risurrezione di Cristo come la sua gloriosa e finale trasformazione. Lungi dall'essere una semplice rianimazione, la sua risurrezione fu intesa come l'aver anticipato la universale e gloriosa risurrezione, attesa dalla letteratura apocalittica (Is 26,7-21; Dn 12,1-4) che avrà luogo alla fine della storia.

Paolo e altri scrittori neotestamentari seguirono questa primitiva tradizione in ambedue i modi. Essi presentarono la risurrezione di Gesù come la sua trasformazione gloriosa e definitiva (per es. 1 Cor 15,20-58; Lc 24,26; At 13,34; 1 Pt 1,11). In secondo luogo essi sapevano che la sua risurrezione era l'inizio della risurrezione finale e universale (1 Cor 15,20; Col 1,18).

Fino a questo punto ho indicato le affermazioni originali ed essenziali sul fatto e sulla natura della risurrezione di Gesù dai morti. Ora passiamo al problema: come i primi cristiani vennero a sapere che questo avvenimento ebbe luogo?

2. LE ORIGINI DELLA FEDE PASQUALE - Durante il suo ministero Gesù

ha collegato il presente e il futuro dominio di Dio alla sua persona e attività (Mc 1,15; Mt 6,10; 8,11; 12,28; Lc 12,8-9; 17,20-21). Annunciando il regno di Dio egli ha dimostrato un notevole senso di autorità personale, cambiando di sua autorità la legge divina (Mc 10,9; Mt 5,21-48). Egli ha agito con sorprendente sicurezza di sé quando scartò varie interpretazioni del riposo sabbatico (Mc 3,1-5) e proclamò il diritto di decidere che cosa doveva essere fatto o no in quel giorno sacro (Mc 2,28). Inoltre, Gesù ha esercitato la sua straordinaria autorità in un modo profondamente amorevole, identificando se stesso con la preoccupazione divina di perdonare e salvare per sempre gli uomini peccatori (Mc 2,15-17; Lc 7,48; 15,11-32; 19,1-10). Come egli intendeva la sua parola identica a quella di Dio, così considerava identiche la sua presenza e la salvezza di Dio.

Da aggiungere anche *a.* la sua singolare consapevolezza filiale (Mt 11,27) nei confronti di Dio cui si rivolgeva con sorprendente intimità chiamandolo → «Abbà» (Mc 14,36) e *b.* il senso della sua missione messianica che portò alla sua crocifissione (almeno in parte) con l'accusa di pretesa messianicità (Mc 15,26 → Messianismo).

La sua morte per crocifissione dopo la condanna dell'autorità sia religiosa che politica sembrò bollare di falso l'affermazione di Gesù che nella sua persona e nella sua attività erano giunte definitivamente la salvezza e la rivelazione divina. Egli morì apparentemente abbandonato (Mc 15,34) e perfino maledetto da Dio (Gal 3,13; 1 Cor 1,23). Alcuni studiosi hanno sostenuto che i giudei al tempo di Gesù non pensavano che la morte per crocifissione significasse essere maledetti da Dio. Ma, da Paolo e da Qumrân (Rotolo del Tempio 64,12), è evidente che essendo questa «la più infame delle morti» (Giuseppe Flavio), a differenza della decapitazione di Giovanni il Battista e dei modi di esecuzione subìti da altri profeti martirizzati (Lc 13,34; Mt 23,35), significava l'abbandono di Dio.

Cosa si può ragionevolmente sostenere sulla situazione dei discepoli di Gesù dopo la sua crocifissione e sepoltura? Sembra che durante il suo ministero essi lo abbiano riconosciuto fino a un certo punto come messia (Mc 8,27-30) ma che non riuscivano ad accettare il suo destino di dolore come Figlio dell'Uomo (Mc 8,31-33; 9,32; 10,35-45). I discepoli maschi che erano rimasti con Gesù al momento del suo arresto fuggirono e Pietro lo rinnegò. Condannato e crocifisso come bestemmiatore e falso messia, Gesù morì − come già rilevato − apparentemente abbandonato e maledetto da quel Dio che egli aveva chiamato «Padre amato». La testimonianza che abbiamo dai vangeli (Lc 24,13-24) concorda con ciò che ci aspetteremmo: che il calvario causò nei discepoli una profonda crisi teologica e infranse la loro fede in Gesù e nel Dio per conto del quale egli aveva agito.

Alcuni scrittori hanno sostenuto un sostanziale grado di continuità tra la fede prepasquale e postpasquale dei discepoli. Questa ipotesi sostiene che i discepoli passarono attraverso la crisi del calvario pregando e riflettendo e giunsero alla conclusione che Gesù aveva ragione riguardo a Dio e che ora doveva essere vivo con suo Padre. Per giungere alla loro fede nella risurrezione i discepoli furono sostanzialmente aiutati dalle generali credenze dei giudei sulla riabilitazione divina della vita dei profeti escatologici martirizzati e forse da insegnamenti specifici che Gesù aveva detto sulla sua riabilitazione dopo la morte, per esempio quando parlò del regno (Mc 14,25) e del figlio dell'uomo (Mc 9,31; cfr. 8,31; 10,33-34). In questo modo alcuni hanno sostenuto che le apparizioni del Signore risorto e la scoperta della sua tomba vuota non erano affatto necessarie per suscitare la fede pasquale dei discepoli. Forse le «apparizioni» non furono niente di più che un modo per esprimere la crisi psicologica avvenuta quando finalmente i discepoli scoprirono la reale verità su Gesù e conclusero che egli doveva essere vivo e con Dio.

Tale ipotesi su una sostanziale continuità tra la fede prepasquale e postpasquale dei discepoli non si regge per parecchi motivi. Primo, la tradizione prepaolina conferma che essi credevano che il risorto Gesù non era solo un profeta riabilitato ma il messia (1 Cor 15,3b). Le attese messianiche veterotestamentarie includevano molti elementi regali, sacerdotali, profetici ed escatologici. Ma non c'è effettiva evidenza che i giudei aspettassero un messia che sarebbe stato ucciso, né tanto meno un messia ucciso e poi risuscitato dai morti. Ancora più impensabile e assurda sarebbe stata l'idea della risurrezione di un messia crocifisso. Eppure quello era quanto i primi cristiani proclamavano. Le loro precedenti credenze ebraiche non possono spiegare simile affermazione assolutamente nuova.

In secondo luogo, come giustamente hanno insistito W. Pannenberg e altri, la proclamazione cristiana della risurrezione gloriosa e finale di una sola persona (Gesù) fu anche qualcosa di eccezionalmente nuovo. A quel tempo l'attesa di una risurrezione generale alla fine della storia era sostenuta da molti giudei. La predicazione di Gesù presupponeva tale risurrezione generale (per es. Mt 8,11; Lc 11,32) e almeno una volta egli discusse sulla sua natura (Mc 12,18-27). Al suo più ristretto gruppo di seguaci egli deve aver annunciato la sua riabilitazione attraverso la risurrezione (Mc 9,31), ma né quella predizione della passione né le altre due (Mc 8,31; 10,33-34) specificano la natura della sua morte violenta (crocifissione) né la natura gloriosa ed escatologica della sua risurrezione. Per questo i discepoli, né dalle loro credenze giudaiche né dallo stesso Gesù, avrebbero potuto dedurre ciò che cominciarono a proclamare: la risurrezione gloriosa e finale di una persona (Gesù), anticipazione di una futura risurrezione generale.

Terzo, interpretare le *apparizioni* pasquali semplicemente come il definitivo arrivo dei discepoli alla verità su Gesù non corrisponde a quanto i testimoni neotestamentari indicano sulle apparizioni. Per queste e altre ragioni, la tesi di un passaggio relativamente dolce dei discepoli dalla loro fede prima della crocifissione all'annuncio postpasquale, non corrisponde all'evidenza.

Possiamo anche lasciare in disparte l'affermazione tuttora occasionalmente presentata che i discepoli erano stati preparati a parlare della risurrezione di Gesù dai racconti uditi sulle divinità morte e risorte. È fin dai tempi di Celso, avversario del cristianesimo del II secolo, che si era sostenuto che dopo la morte di Gesù i suoi discepoli avevano semplicemente applicato al loro maestro morto il modello di divinità come Dionisio, Iside od Osiride che si riteneva risorgessero a ogni primavera reincarnando la nuova vita e la fecondità che segue la morte e la decomposizione dell'inverno. Non è difficile trovare le differenze tra questi racconti e il caso di Gesù. Al contrario di Gesù (che i discepoli avevano conosciuto di persona) non c'è motivo di pensare che qualcuna di queste divinità del mondo vegetale sia mai esistita. In secondo luogo, i discepoli proclamavano che Gesù era risuscitato dai morti una volta per sempre, non che tornava ogni anno dal mondo sotterraneo quando la natura passava dall'inverno alla primavera. Terzo, sarebbe stato estremamente difficile per i discepoli ispirarsi al modello delle divinità del mondo vegetale. Nella Palestina del I secolo non esistono praticamente tracce di un qualsiasi culto di divinità che muoiono e risorgono. Per queste e altre ragioni è chiaro che preesistenti credenze in dèi che muoiono e risorgono non spinsero i discepoli a iniziare ad affermare la risurrezione di Gesù.

Siamo rimasti quindi con due punti catalizzatori della fede pasquale presentati dal Nuovo Testamento: anzitutto l'incontro dei discepoli con il Signore risorto; inoltre il segno negativo e confermativo della sua tomba vuota.

A differenza del vangelo apocrifo di Pietro (9,35; 11,45) del II secolo, le nostre fonti neotestamentarie non dicono mai che qualcuno sia stato testimone del reale avvenimento della risurrezione di Gesù. Al contrario, la tradizione prepaolina (1 Cor 15,3b-5), Paolo (1 Cor 15,6-8), i quattro vangeli e le tradizioni dalle quali gli autori dei vangeli hanno attinto (Lc 24,34), testimoniano che il Gesù risorto e vivo apparve ad alcune persone e a gruppi, soprattutto a «i dodici» o a «gli undici» come Luca 24,33, con maggior precisione chiama il gruppo dopo la defezione di Giuda. Queste fonti divergono sui luoghi dove avvennero le apparizioni (Galilea? dentro e nei dintorni di Gerusalemme?) o in alcuni casi non nominano alcun luogo (1 Cor 15,5-8). Le fonti differiscono nei punti seguenti: *a.* se sia stato Pietro (1 Cor 15,5; Lc 24,34) o Maria Maddalena (Mt 28,9-10; Gv 20,11-18) la prima persona a vedere il risorto Gesù; *b.* che cosa può essere stato detto durante quegli incontri (Mt 28,16-20; Lc 24,36-49; Gv 20,19-23). Da queste varie fonti abbiamo una molteplice attestazione di apparizioni a singoli (come Maria Maddalena, Pietro e Paolo) e a gruppi, in particolare, a «gli undici». Queste apparizioni furono il modo principale grazie al quale i discepoli giunsero a sapere che Gesù era risorto dai morti.

Come erano queste apparizioni? Da Paolo, dai vangeli e da altre fonti sono evidenti le seguenti conclusioni. Le apparizioni mentre *a)* non avvenivano a osservatori neutrali, erano *b)* avvenimenti della rivelazione che manifestavano *c)* il significato escatologico e *d)* cristologico di Gesù e *e)* chiamavano i destinatari ad una missione speciale *f)* grazie a una esperienza unica e *g)* non solo interiore ma comprendente qualche percezione esterna e visiva.

Riguardo ad *a)*, contrariamente alla situazione durante il suo ministero terreno, il risorto Gesù non apparve a nemici o a estranei. Tutti coloro ai quali apparve erano, o almeno divennero, credenti grazie a quell'esperienza. L'unica (parziale) eccezione a questa generalizzazione si trova nella versione di Luca dell'incontro di Paolo sulla strada di Damasco. In due dei tre resoconti i compagni dell'apostolo odono la voce (At 9,7) o vedono la luce dal cielo (At 22,9), ma in nessuna delle due occasioni essi vedono o comunicano con lo stesso Gesù. Essi agiscono non come testimoni diretti della Pasqua ma come testimoni esterni della drammatica esperienza di Paolo.

Paolo testimonia la natura rivelatrice *b)* del suo incontro con il risorto Gesù (Gal 1,12-16) che ha manifestato se stesso *c)* come già vivente la vita definitiva della fine dei tempi (1 Cor 15,20,23,45) e *d)* come Cristo e come figlio di Dio (1 Cor 15,3b-5; Gal 1,12,16). Durante e tramite le apparizioni il Cristo risorto *e)* ha chiamato e inviato Paolo (1 Cor 9,1; Gal 1,11-17) e gli altri apostoli (per es. Mt 28,16-20) alla loro missione. Alcuni si sforzano di interpretare le apparizioni dopo la risurrezione semplicemente come i primi esempi di esperienze possibili a tutti i successivi cristiani. Ma il NT testimonia *f)* la natura irripetibile delle apparizioni (Gv 20,29; 1 Pt 1,8) che cessarono con la chiamata di Paolo (1 Cor 15,8). La natura speciale delle apparizioni al gruppo apostolico corrispondeva alla loro definitiva missione di testimoniare che il Cristo risorto era ed è personalmente identico al Gesù terreno e alla missione di fondare la chiesa attraverso il loro messaggio pasquale. Per fare questo essi non si basavano sulla testimonianza di altri; essi stessi avevano visto il Cristo risorto e creduto in lui. Infine g), al contrario delle esperienze dei profeti maggiori dell'AT, gli incontri dopo la risurrezione non consistevano principalmente nel problema di udire (la parola divina) ma di vedere il Cristo risorto. Le apparizioni erano principalmente visive (1 Cor 9,1; 1 Cor 15, 5-8; Mc 16,7; Mt 28,17; Gv 20,18) più che uditive.

La risurrezione di Gesù fu confermata dalla scoperta della sua tomba vuota (Mc 16,1-8; Gv 20,1-2). Anche nel NT la tomba vuota non è prova chiara della risurrezione. L'assenza del corpo di Gesù potrebbe essere spiegata supponendo che fosse stato rubato o anche solo trasportato altrove (Mt 28,11-15; Gv 20,2,13,15). Ma una volta presentato il principale segno positivo (le apparizioni di Gesù risorto), il segno secondario e negativo del suo sepolcro aperto e vuoto ha confermato la realtà della sua risurrezione.

Alcuni hanno sostenuto che Mc 16,1-8 ed i posteriori racconti della tomba vuota non danno né intendono dare alcuna reale informazione sulla situazione della tomba di Gesù. Essi erano niente di più che semplici, fantasiosi modi per annunciare la fede della chiesa nella risurrezione, completamente derivati dalla principale dichiarazione della risurrezione e dalle successive apparizioni del Gesù crocifisso (1 Cor 15,3-8). Si ritiene che questa leggendaria elaborazione si sia formata durante i dieci o quindici anni intercorsi tra lo scarno racconto di Paolo delle apparizioni (1 Cor 15,5-8) e la stesura del vangelo di Marco. Ma una attenta esegesi

delle due tradizioni (sulle apparizioni e sulla tomba vuota) rivela differenze tali che è difficile dire che la prima tradizione abbia dato vita alla seconda. Elementi importanti di 1 Cor 15,3b-8 non ritornano in modo così semplice in Mc 16,1-8, mentre il racconto di Marco contiene alcuni punti importanti dei quali 1 Cor 15,3b-8 non conosce assolutamente nulla. Le tradizioni dell'apparizione e la descrizione della tomba vuota sono indipendenti e hanno origini indipendenti. Ma il racconto della tomba vuota è storicamente affidabile?

Per la sua credibilità di fondo, la narrazione della tomba vuota può essere considerata un fatto ragionevole. Sia la tradizione che sta dietro Marco che quella che è entrata nel vangelo di Giovanni testimoniano che una (Maria Maddalena) o più donne hanno trovato il sepolcro di Gesù scoperchiato e il corpo assente. Una prima polemica contro l'annuncio della sua risurrezione ha supposto che si sapesse che la tomba fosse già vuota. Naturalmente gli avversari del movimento cristiano liquidavano il fatto del corpo mancante come un evidente caso di furto (Mt 28,11-15). Ciò di cui si disputava non era il fatto che la tomba fosse vuota ma perché fosse vuota. Non abbiamo alcuna prova che nei primi tempi qualcuno, cristiano o non, abbia mai sostenuto che la tomba di Gesù contenesse ancora i suoi resti.

Inoltre il posto centrale delle donne nei racconti della tomba vuota è prova della loro attendibilità. Se queste descrizioni fossero state soltanto leggende create dai primi cristiani, essi avrebbero attribuito la scoperta della tomba vuota a discepoli maschi, non a donne. Nella Palestina del primo secolo le donne, come testimoni attendibili, erano praticamente squalificate. La cosa più naturale per chiunque avesse voluto costruire una leggenda sulla tomba vuota sarebbe stata di attribuire la scoperta a uomini, non a donne. I fabbricanti di leggende di solito non inventano materiale che sia chiaramente di ostacolo.

Tutto considerato, accettare il fatto della tomba vuota conferisce maggiore coerenza ai dati in nostro possesso. Il sepolcro vuoto di Gesù confermava quanto i primi cristiani avevano saputo dai testimoni delle apparizioni (Lc 24,34; Gv 20,18).

In questa parte ho tracciato il tipo di risposta che si dovrebbe dare alla domanda: Come giunsero i primi cristiani a sapere della risurrezione di Gesù? Si potrebbe aggiungere molto di più: per esempio, per respingere la dichiarazione fatta per la prima volta da Celso nel II secolo, secondo il quale i testimoni delle apparizioni erano degli allucinati. La natura e lo scopo delle apparizioni dopo la risurrezione dovrebbero essere concretamente e più dettagliatamente studiate. Da aggiungere anche la necessità di esaminare in che modo le esperienze posteriori (per esempio dello Spirito Santo e del successo della loro missione) abbiano confermato la fede pasquale dei discepoli che originariamente era frutto delle apparizioni del Gesù risorto e della scoperta della sua tomba vuota. Quella fede fu anche confermata dalla loro nuova comprensione del punto centrale e dello scopo delle scritture e della storia ebraica. La risurrezione di Gesù crocifisso ha dato alla loro religione un senso di convergenza e di conclusione.

Ma è tempo di ampliare l'insegnamento di DV, secondo cui la risurrezione di Gesù, della quale i primi cristiani furono testimoni, è stato il culmine definitivo dell'autorivelazione di Dio. In altre parole, passiamo dall'*evento* della risurrezione (e la credibilità dei segni, come le apparizioni, che la rivelano) allo stesso *mistero* pasquale, la pienezza dell'autocomunicazione del Dio tripersonale. Questo è un passare dalla storia (e dai problemi accessibili ai critici storici) all'escatologia e alla rivelazione di Dio che si avvicina a noi in quel definitivo futuro già inaugurato dalla risurrezione di Gesù dai morti.

3. LA RIVELAZIONE PASQUALE - Se si interpreta esattamente, la risurrezione di Gesù crocifisso è *la* verità su Dio dalla quale segue tutto il resto. Paolo intende la risurrezione di Gesù (insieme alla nostra) come la specifica via cristiana di presentare Dio. Sbagliare sulla risurrezione è «travisare» Dio in modo essenziale; Paolo infatti definisce Dio come il Dio della risurrezione (1 Cor 15,15). Quanto l'apostolo dice qui in modo negativo può essere allineato con ciò che egli spesso scrive affermativamente del Dio che ha risuscitato Gesù e ci farà risorgere con lui (Rm 8,11; 1 Cor 6,14; 2 Cor 4,14; Gal 1,1; 1 Ts 1,9-10; 4,14). Sia positivamente che negativamente Paolo definisce il Dio rivelato e adorato dai cristiani come il Dio della risurrezione.

Dalla rivelazione di questo mistero pasquale segue ogni altra realtà della fede. Le ulteriori verità non fanno altro che spiegare quanto è implicito nella risurrezione del Gesù crocifisso.

La croce ovviamente è il grande segno e la caratteristica del cristianesimo. Paolo riassume il suo vangelo nel Cristo crocifisso (1 Cor 1,18-24). Ciononostante egli non sostiene: «Se Cristo non fosse stato crocifisso, la vostra fede sarebbe vana». Tanto meno egli dice: «Se Cristo non fosse stato crocifisso, noi saremmo considerati travisatori di Dio». La crocifissione senza la sua continuazione nella risurrezione non rivelerebbe Dio, non realizzerebbe la nostra salvezza e non porterebbe all'esistenza la chiesa. Il prefazio della seconda preghiera eucaristica non si ferma alle parole «per nostro amore egli stese le braccia sulla croce», ma continua «Egli distrusse la morte e proclamò la risurrezione». Rivelando la risurrezione – cioè rivelando se stesso come risorto dai morti – Cristo, si può dire, ha rivelato ogni cosa. L'autorivelazione di Dio ha toccato il suo culmine nella domenica di Pasqua e nella venuta dello Spirito Santo. Questo insegnamento da DV ha bisogno di essere ampliato in almeno un piccolo dettaglio.

La risurrezione ha rivelato e illuminato la relazione di Cristo con il Dio da lui chiamato: «Abbà, Padre amato». Essa ha reso evidente che la vita di Gesù è stata la vita umana del Figlio di Dio. Con la sua risurrezione dai morti Cristo venne conosciuto come «Figlio di Dio» (Rm 1,3-4). Di qui per Paolo incontrare Gesù il risorto fu ricevere una rivelazione speciale, personale del Figlio che fece di Paolo il grande missionario delle genti (Gal 1,16).

Un altro titolo chiave giunto dalla prima cristianità, «Signore», ha espresso la rivelazione pasquale che Cristo ha veramente condiviso la maestà e l'essere divini. La lettera ai Romani riporta una formula prepaolina che univa la salvezza con la confessione della signoria e della risurrezione di Gesù: «Se confesserai con la tua bocca che Gesù è il Signore e crederai con il tuo cuore che Dio lo ha risuscitato dai morti, sarai salvo» (Rm 10,9). Nella lettera ai Filippesi, Paolo ha riportato e adattato un antico inno cristiano che invitava tutto l'universo ad adorare come Signore divino il Gesù esaltato: «umiliò se stesso facendosi ubbidiente fino alla morte e alla morte di croce. Per questo Dio l'ha esaltato e gli ha dato il nome che è al di sopra di ogni altro nome; perché nel nome di Gesù ogni ginocchio si pieghi nei cieli, sulla terra e sotto terra; e ogni lingua proclami che Gesù Cristo è il Signore, a gloria di Dio Padre» (Fil 2,8-11).

I racconti pasquali dei vangeli presentano in forma narrativa l'invito ad adorare il risorto Gesù ora rivelato nella sua potenza e identità divine.

Nell'ultimo capitolo di Matteo, Maria Maddalena e l'altra Maria lasciano la tomba, incontrano Gesù e lo «adorano» (28,9). Allo stesso modo gli undici discepoli si recano all'incontro sulla montagna di Galilea e quando lo vedono «adorano» Gesù (Mt 28,17). Secondo l'ultimo vangelo è soltanto nella situazione pasquale che ognuno riconosce Gesù nei termini usati da Tommaso: «Mio Signore, mio Dio» (Gv 20,28). È necessaria la risurrezione per rivelare pienamente che Gesù doveva essere riconosciuto e adorato come Signore divino.

L'essenza della fede cristiana comporta l'accettazione della buona notizia che il Figlio di Dio, incarnato e crocifisso, è risuscitato dai morti per la potenza dello Spirito. È così che la dottrina della Trinità manifesta e assomma l'autorivelazione di Dio comunicata attraverso la risurrezione di Cristo (intesa nella luce dei «precedenti» misteri della creazione, della chiamata del popolo ebraico, dell'incarnazione e crocifissione e dei misteri «posteriori» della Pentecoste e dell'éscaton).

Marco ricorda un tipo di manifestazione della Trinità al battesimo di Gesù. Lo Spirito discese «su di lui come una colomba. E si sentì una voce dal cielo, "Tu sei il mio Figlio prediletto, in te mi sono compiaciuto"» (Mc 1,10-11 parr.). Alla risurrezione il Dio tripersonale non «apparve» in nessun modo consimile, eppure fu rivelato. Vediamo qualche particolare.

Le formule prepaoline presentavano «Dio» (Rm 10,9) o «Dio Padre» (Gal 1,1) che aveva risuscitato Gesù dai morti. L'adorazione di Gesù come divino Signore, dopo l'ascensione, si realizza «a gloria di Dio Padre» (Fil 2,11) mentre lo Spirito Santo dà la possibilità a uomini e donne di acclamare Gesù come Signore divino (1 Cor 12,3).

Dal momento che Paolo non distingue in modo pieno e chiaro il Cristo risorto dallo → Spirito Santo (cfr. 2 Cor 3,17; Rm 8,9-11) egli in nessun passo dice che Cristo ha mandato o manda lo Spirito. Luca e ancor più Giovanni tracciano una più chiara distinzione tra il Cristo risorto e lo Spirito. Per questo essi possono parlare del Cristo risorto che manda lo Spirito come il dono promesso dal Padre (Lc 24,49) o «alitante» sui discepoli per dare loro lo Spirito Santo (Gv 20,22).

I cristiani del I secolo intendevano in questi termini trinitari gli eventi del venerdì santo e della domenica di Pasqua. In questi eventi essi sperimentavano la definitiva rivelazione di Dio. Quella rivelazione conteneva qualcosa di triplice in sé, come il discorso di Pietro a Pentecoste enfaticamente riconosce: «Questo Gesù, Dio l'ha risuscitato e noi tutti ne siamo testimoni. Innalzato pertanto alla destra di Dio e dopo aver ricevuto dal Padre lo Spirito Santo che egli aveva promesso, lo ha effuso, come voi stessi potete vedere e udire» (At 2,32-33).

Senza dubbio qui dovremmo stare attenti a non essere anacronistici. I cristiani dovettero affrontare problemi per parecchi secoli prima di giungere ad un esatto insegnamento sulla divinità di Cristo e sulla identità personale dello Spirito Santo. Ciononostante all'inizio del cristianesimo troviamo una chiara idea che il Padre, il Figlio e lo Spirito Santo furono rivelati come operanti nella nostra storia umana soprattutto negli avvenimenti del venerdì santo, nella domenica di Pasqua e nei fatti successivi.

Finora abbiamo visto in che modo la risurrezione del Gesù crocifisso ha chiarito definitivamente il mistero di Dio. Si potrebbe riflettere sui modi con i quali la Pasqua ha comunicato o almeno pienamente illuminato altre verità rivelate quali la creazione del mondo, la fondazione della chiesa e la sua vita sacramentale. Quanto è entrato sia all'inizio che più tardi nel credo niceno può essere correttamente visto come l'introduzione e la spiegazione del pieno senso della verità centrale «egli risorse».

In breve, la teologia fondamentale ha il compito di illustrare come il mistero pasquale è il momento culminante e la pienezza dell'autorivelazione di Dio. Nel fare questo i teologi fondamentali prendono il loro spunto dalle origini del cristianesimo che ebbe inizio con la proclamazione della risurrezione del Gesù crocifisso da parte dei testimoni della Pasqua. I primi cristiani sapevano di essere stati battezzati nel mistero pasquale (Rm 6, 3-11). L'eucaristia celebrava la morte del Signore risorto nell'attesa della sua venuta finale (1 Cor 11,23-26). È in armonia con tutto questo il capire la risurrezione come il centro focale e catalizzatore dell'automanifestazione divina esposta ed espressa nei nostri diversi articoli di fede.

Questo modo di trattare la risurrezione di Cristo ha seguito il tipico corso della teologia fondamentale passando da considerazioni storiche e apologetiche (punti 1 e 2) a riflessioni dogmatiche (punto 3). Rimane ancora un importante argomento da trattare: perché credere oggi nel Gesù risorto?

4. GIUSTIFICARE LA FEDE PASQUALE - Credere in Gesù Cristo come veramente risorto dai morti è un atto ragionevole e responsabile? Simile fede può essere razionalmente giustificata?

In questa discussione sulla fede pasquale hanno spesso influito due fattori. Alcuni hanno sostenuto (erroneamente) che la ragione storica, e di fatto ogni uso della nostra ragione umana, non può mai né legittimare né contribuire a legittimare la fede (→ Ragione-fede). Così facendo ridurremmo la fede ad un elaborato del nostro intelletto e negheremmo che è gratuito dono di Dio da accettare liberamente. Questa nobile scelta «fideista» ignora però il fatto che Dio lavora attraverso il nostro intelletto per dare credibilità alla decisione di fede. La grazia divina e la ragione umana sono, o almeno possono essere, forze che collaborano più che opporsi.

Una seconda difficoltà viene dal campo opposto, da coloro che non intendono liberare la fede dalla storia. Essi esaminano e vagliano le prove delle apparizioni di Gesù risorto, la scoperta della tomba vuota, il dinamico sviluppo del cristianesimo e altri punti di rilevante evidenza storica in favore della verità sulla risurrezione di Gesù. La loro difficoltà comunque non potrà scomparire facilmente: in che modo le conclusioni probabili o anche molto probabili di simile ricerca storica possono giustificare la decisione certa e incondizionata di fede? Una semplice risposta è che, *per se stesse*, le conclusioni storiche non possono convalidare simile decisione. Ma come vedremo, i segni convergenti che giustificano la fede pasquale, includono ma non sono limitati ai pur rilevanti dati storici del I secolo.

Un accostamento esclusivamente storico al problema della risurrezione di Gesù rischia di dimenticare che questo è più che un problema del passato degno di essere investigato e affermato (o rifiutato) per la propria soddisfazione intellettuale. Accettare la verità della risurrezione e credere in Gesù risorto è molto più di un esercizio puramente mentale su fatti e dichiarazioni del passato. La fede pasquale oltrepassa l'accettazione della deposizione dei testimoni pasquali e la confessione («il terzo giorno è risuscitato») per invitare all'impegno («crediamo in un solo Signore, Gesù Cristo») e alla fiducia («aspettiamo la risurrezione dei morti e la vita del mondo che verrà»).

Come potremmo dunque giustificare la nostra scelta libera e ispirata dalla grazia, scelta di coloro che «non

hanno visto eppure credono» (Gv 20, 29) in Gesù risorto? Porre fiducia in coloro che hanno visto e creduto (i testimoni apostolici della risurrezione) significa accettare la testimonianza delle persone che hanno incontrato il Gesù risorto in un eccezionale tipo di esperienza che, almeno in parte, è stato loro peculiare e che perciò supera la portata di possibili esperienze che potremmo semplicemente ripetere e quindi verificare da noi stessi. Accettare la testimonianza apostolica comprende anche il rispondere alle fondamentali domande sulla natura, il significato e il destino della nostra esistenza umana. In un certo senso, questo duplice accostamento alla legittimazione della fede pasquale è già prefigurato in 1 Cor 15. Il capitolo si apre richiamando la testimonianza degna di fiducia di coloro ai quali apparve Gesù risorto (1 Cor 15, 5-11). In seguito la maggior parte del capitolo affronta il problema di ciò che quella risurrezione significa per noi tutti che dobbiamo incontrare la morte. È un significato che dà credibilità alla verità della fede pasquale.

In breve, la convalida della fede pasquale opera «dall'esterno» e «dall'interno». Abbiamo bisogno di ascoltare la testimonianza pubblica e storica che giunge a noi in modo definitivo da Pietro, Paolo, Maria Maddalena e dagli altri testimoni originari. Contemporaneamente cerchiamo segni «dall'interno» riconoscendo i modi nei quali il credere in Gesù risorto corrisponde esistenzialmente alle nostre più profonde esperienze e ultime speranze. Esso ci offre vita, → senso e amore di fronte alla → morte, all'assurdità e all'odio che ci minacciano. Da una parte, il rispetto dei testimoni storici salva la fede pasquale dal ridursi ad un puro desiderio mentale. Dall'altra, il rispetto per la nostra attuale esperienza ci salva dall'illusione di poter vivere e basare la fede unicamente su dati storici.

Come dice il credo, noi abbiamo in

comune la fede nel Signore risorto. Noi siamo il popolo pasquale che celebra ed esperimenta insieme la presenza del Signore risorto fino a quando verrà di nuovo.

Bibl. - R.E. Brown, *La concezione verginale e la risurrezione corporea di Gesù*, Brescia 1977; G. Ghiberti, *La risurrezione di Gesù*, Brescia 1982; J. Schmitt, «Résurrection de Jésus», in DBSuppl X, 487-582; J. Caba, *Resuscitó Cristo, mi esperanza*, Madrid 1986; P. Carnley, *The Structure of Resurrection Belief*, Oxford 1987; J.P. Galvin, «The Origin of Faith in the Resurrection of Jesus: Two Recent Perspectives», in ThS 49 (1988) 25-44; G. O'Collins, *Gesù risorto*, Brescia 1989.

GERALD O'COLLINS

MODERNISMO

Il modernismo, in senso stretto e storico, indica una crisi del pensiero all'interno del cattolicesimo, che si è manifestata alla fine del XIX secolo e all'inizio del XX. A distanza di tempo, troppi storici tendono a raccogliere il modernismo in una unità e una coesione che esso non ha mai avuto. Ha formato un tutto soltanto con la sua condanna complessiva mediante il decreto *Lamentabili* (17 luglio 1907) e l'enciclica *Pascendi* (8 settembre 1907). Si possono tuttavia scoprire alcune tendenze comuni in un certo numero di autori di questo periodo: uno sforzo di sganciarsi da una teologia sclerotizzata, un tentativo di riformulare la fede adattandola all'uomo moderno e una verifica dei fondamenti del cristianesimo con l'aiuto dei nuovi metodi storicocritici. Spinto dal desiderio di ridare alla chiesa la sua presa spirituale sui contemporanei, il modernismo costituisce un tentativo di rinnovamento dell'esegesi, della storia e della teologia, sulla scia di un pensiero divenuto sospettoso rispetto a ogni dogmatismo e familiare con i nuovi metodi di interpretazione dei testi.

I contorni del modernismo non si distinguono facilmente, poiché non lo si può isolare bene dal movimento intellettuale di quel periodo che mirava a colmare il ritardo delle «scienze ecclesiastiche». In Germania, per tutto il XIX secolo, si è sviluppata una corrente di liberalismo universitario e di riformismo cattolico, ma molto ai margini del modernismo. Per l'Inghilterra dobbiamo menzionare G. Tyrrell (1861-1909). In Italia, il modernismo esistette soprattutto sul terreno dell'azione sociale e della cultura religiosa con R. Murri (1870-1904), S. Minocchi (1869-1903) ed E. Buonaiuti (1881-1946). È in Francia che il modernismo trovò il suo terreno di elezione con A. Loisy (1857-1940), E. Le Roy (1870-1954) e J. Turmel (1859-1942). Raggiunse la massima notorietà con l'apparizione del piccolo «libro rosso» di Loisy, *L'Evangile et l'Eglise* (Paris 1902) che si presentava come un'apologia storica non del sistema romano, ma del cattolicesimo illuminato, in risposta ad A. Harnack, che aveva appena pubblicato *Das Wesen des Christentums*, un'apologia storica del protestantesimo liberale. L'opera di Loisy fu giudicata pericolosa per la fede e ancor più lo furono le esplicitazioni che seguirono in *Autour d'un petit livre* (Paris 1903). Per il numero delle sue pubblicazioni e anche per l'interesse suscitato dalle sue prese di posizione in esegesi e in teologia, non è esagerato dire che Loisy è il «modernista per eccellenza». Non conviene schierare tra i modernisti gli autori di questo periodo che sono stati innovatori, ma che hanno mantenuto le loro distanze dagli orientamenti dottrinali del modernismo: M. Blondel, L. Laberthonnière, M.J. Lagrange. E non si deve attribuire troppo presto la paternità del modernismo a Kant, Schleiermacher, Renan o anche a Newman. Parecchie posizioni di Loisy interessano la teologia fondamentale, poiché la sua impresa modernista poggia su una teologia della rivelazione e del suo sviluppo nella chiesa.

1. LA RIVELAZIONE COME COSCIENZA ACQUISITA - Loisy comincia a spogliare la rivelazione da qualsiasi rappresentazione antropomorfica che consisterebbe nel considerarla come la comunicazione all'uomo da parte di Dio di verità già pronte e immutabili. Descrive l'evento rivelatore fondamentale in termini di «esperienza religiosa», «percezione», «contatto col divino». Questa esperienza religiosa primaria si esprime con asserzioni di fede e interpretazioni dottrinali formulate dal credente, lungo tutta la storia, quando prende coscienza del dono di Dio. Il credente acquisisce questa coscienza, in cui Dio agisce, ed essa condivide le condizioni e i limiti di ogni coscienza umana. Così Loisy fonda lo sviluppo della rivelazione sul fatto che il dono divino si riveste di nuove espressioni, che sono sempre in stretto rapporto con la cultura degli uomini che si evolvono.

Per interpretare in modo esatto la formula tanto discussa «la rivelazione non ha potuto essere altro che la coscienza acquisita del proprio rapporto con Dio» (*Autour d'un petit livre*, 195) che è condannata testualmente da *Lamentabili*, occorre comprenderla in rapporto a una distinzione fatta da Loisy tra «rivelazione vivente» e «rivelazione formulata in linguaggio umano». La rivelazione vivente si riconduce alla realizzazione nell'umanità del mistero divino che ha la religione come espressione principale. La coscienza progressiva del suo rapporto con Dio è la rivelazione nella sua realizzazione umana, che prende la forma di un linguaggio simbolico e di una dottrina. La rivelazione non può esistere senza che l'uomo la capisca e l'esprima. Loisy tiene a sottolineare il ruolo attivo e indispensabile dell'uomo per il quale «la verità non entra già pronta nel

suo cervello e non è mai completata». La verità della rivelazione non sfugge dunque alle condizioni di ogni verità umana, segnata dalla storicità e dalla relatività.

Loisy dà a Cristo il titolo di «grande Rivelatore», non tanto a causa del mistero della sua persona, ma perché è colui che ha avuto la «percezione» più chiara e più intelligibile del rapporto tra Dio e l'uomo. In effetti la funzione del Cristo consiste nel rivelare ciò che esiste in fondo a ogni uomo, facendogli capire meglio quello che Loisy chiama la «rivelazione primitiva» o la «rivelazione non spiegata»; cioè quella che l'uomo porta scritta a caratteri indistinti in fondo alla sua coscienza religiosa. Nella sua persona, nella sua vita e nel suo insegnamento, Gesù ha manifestato quello che l'uomo ha sempre vagamente compreso: «Dio si rivela all'uomo nell'uomo e l'umanità entra con Dio in una società divina» (*L'Evangile et l'Eglise*, 268).

G. Tyrrell, in *Through Scylla and Charybdis* (London 1907), insiste ancora più di Loisy sul posto dell'esperienza nella rivelazione. Secondo lui, la rivelazione non comporta una comunicazione di verità, poiché è un atto di Dio con cui il credente entra in contatto mistico. Questo contatto non formulato e non concettuale con Dio è espresso in una sorta di «conoscenza profetica» i cui elementi sono tratti dalla cultura del profeta che riceve la rivelazione. L'esperienza religiosa, che è il centro della rivelazione, è un dono che Dio può accordare a tutti gli uomini. Ma l'esperienza-tipo, che serve come norma per i credenti, è quella di Gesù e degli apostoli in contatto diretto con lui. Le espressioni della loro esperienza hanno un potere di evocazione che può suscitare in noi un'esperienza analoga a quella fatta da loro. Per Tyrrell, le espressioni della fede non possiedono alcun valore di realtà. Esse sono puri simboli, condizionati dalla situazione culturale di un'epoca, ma ci sono utili per provocare in noi l'esperienza della rivelazione e della fede.

Riducendo troppo esclusivamente la rivelazione a un'esperienza del divino, i modernisti non fanno risaltare il fatto della comunicazione di Dio stesso che si realizza in una storia della salvezza e in modo speciale e definitivo in Gesù Cristo. Hanno tuttavia messo in luce un problema reale che è la distinzione fra la verità in sé e la verità posseduta dallo spirito umano.

2. L'ACCESSO A GESÙ - Loisy si è messo a studiare i fondamenti del cristianesimo attraverso un procedimento storico, indipendente dalla fede e dal dogma. Ha pensato che fosse possibile raggiungere la storia di Gesù nella sua materialità, attraverso i testi, senza passare per la fede e l'intenzionalità religiosa soggiacenti alla produzione di quei testi. Loisy sottolinea il genere letterario dei vangeli: non sono opere storiche, ma testimonianze ed espressioni della fede dei primi discepoli che tentano di esprimere dei dati reali e la loro esperienza religiosa. Anche se un'idealizzazione e una sistematizzazione delle parole e dei fatti sono inevitabili, egli è convinto di poter ottenere qualche risultato tangibile rispetto alla forma iniziale e concreta dell'opera e del messaggio di Gesù. Per arrivare a Cristo e al suo vangelo, lo storico deve consultare, oltre ai testi biblici, tutta la storia del cristianesimo: «Ciò che è uscito dal vangelo ci rivela la potenza infinita che era nell'opera di Gesù». Loisy distingue il «Gesù storico» dal «Cristo della fede»; tuttavia questa distinzione non ipotizza che la conoscenza del Gesù storico non abbia alcuna parte nella fede, come più tardi pretese → R. Bultmann.

Loisy ha fatto molto per difendere la realtà storica di Gesù, ma dobbiamo riconoscere che egli non ha ap-

profondito abbastanza la natura dell'intervento di Gesù nella storia e che non ha mostrato a sufficienza l'originalità del suo messaggio e il mistero trascendente e unico della sua persona. Nel dogma della divinità di Gesù egli ha visto solo l'espressione sapiente, ellenistica, o anche la determinazione filosofica del rapporto trascendente e unico esistente fra Dio e la persona storica di Gesù.

3. GESÙ E LA CHIESA - Loisy ricollega la fondazione della chiesa a «una volontà del Cristo immortale, non a un'intenzione manifestata da Gesù prima della sua passione» (*Autour d'un petit livre*, 163). Gesù non ha previsto esplicitamente una società che avrebbe avuto la missione di far conoscere il vangelo nei secoli a venire. Egli predicava la venuta del regno, che doveva assumere una certa forma di società. In questo contesto si devono situare le parole di Loisy, tanto spesso ricordate per illustrare il suo escatologismo: «Gesù annunziava il Regno ed è venuta la chiesa» (*L'Evangile et l'Eglise*, 155). La chiesa è venuta per continuare la missione di Gesù nella fase di attesa dell'avvento definitivo del regno; l'adattamento al tempo ha permesso il suo sbocciare e la sua evoluzione. Anche se sostiene di non cambiare, la chiesa è sempre cambiata, spesso suo malgrado, per poter rispondere ai bisogni degli uomini. Loisy giustifica l'esistenza della chiesa come servizio del vangelo, un servizio come quello reso dai secoli. La sua autorità non è diversa da quella di ogni maestro e di ogni società. La chiesa rende la rivelazione sempre attuale e l'insieme della sua storia costituisce la rivelazione permanente, che si verifica nel corso dei secoli. Come storico, Loisy non può far vedere che Gesù ha fondato la chiesa; ma questa non è del tutto estranea al suo pensiero. Essa viene dopo di lui nel servizio del vangelo che deve adattare alle condi-

zioni mutevoli della vita umana. Essa opera questo adattamento del vangelo con il suo insegnamento e con la formulazione dei dogmi che servono a mantenere l'armonia tra la fede religiosa e lo sviluppo scientifico dell'umanità. Loisy ha mostrato attraverso il metodo storico lo sviluppo della pratica sacramentale e dell'istituzione ecclesiastica. Molti suoi lettori rimasero sorpresi nel constatare che le origini e la storia delle pratiche ecclesiali e dei dogmi erano fragili e oscure in confronto a quello che la teologia tradizionale insegnava. Questo ingresso della → storia nella teologia cattolica rappresenta senza dubbio un aspetto primario del modernismo.

4. BILANCIO DEL MODERNISMO - Il modernismo non può essere ridotto agli elementi di deviazione messi in rilievo dall'enciclica *Pascendi*, in opposizione al pensiero cattolico di sempre: al contrario, ha senso e realtà solo nel movimento stesso del pensiero cristiano che non finisce mai di render conto dei suoi avvenimenti fondatori. Il modernismo ha cercato di situare la fede cristiana su uno scenario più vasto di quello dell'insegnamento tradizionale della chiesa, volendo trovare a questa fede un linguaggio adatto alle trasformazioni dello spirito umano di cui era sintomo e agente lo sviluppo delle scienze moderne. Nel sentir parlare da una trentina d'anni del rinnovamento dell'esegesi e della teologia, non sembra che il progetto modernista sia stato considerato inaccettabile *a priori*. Ha costituito anche il punto di partenza di ricerche e soluzioni che, sì, sono state condannate, ma che continuano a costituire dei problemi nel programma della teologia fondamentale. L'interesse del modernismo, e particolarmente quello di Loisy, non è tanto nelle soluzioni che propone quanto nei problemi validi che suscita e formula: il carattere relativo delle espressioni della verità, la verità della Scrittura, il rapporto fra la storia e il dogma, l'uso dei metodi critici in esegesi, lo sviluppo dei dogmi, l'ingresso della storia nella teologia. Dobbiamo riconoscere che più di un'affermazione, a quel tempo scandalosa e anche condannata, oggi è ammessa o tollerata. Il modernismo tuttavia è un'impresa da pionieri non priva di goffaggini, extrapolazioni o errori. Si è avventurato nell'uso dei nuovi metodi storico-critici, ereditati dalla giovane storia delle religioni, senza fornire uno sforzo epistemologico sufficiente che gli avrebbe evitato di essere prigioniero di una certa mentalità positivista e soggettivista. Da allora, la conciliazione della fede e della ragione è diventata possibile, perché i metodi storici e le scienze della religione, nel complesso, si sono autocriticati e hanno trovato il senso dei loro limiti; hanno anche percepito meglio ciò che la fede ha di irriducibile, di specifico e di trascendente. E la → fede, da parte sua, comprende meglio che le scienze, specialmente la storia, possono permetterle di spiegare le sue ricchezze e di essere significativa per il mondo moderno.

Bibl. - P. Scoppola, *Crisi modernista e rinnovamento cattolico in Italia*, Bologna 1961; E. Poulat, *Histoire, dogme et critique dans la crise moderniste*, Tournai 1962; Id., *Modernistica*, Paris 1982; N. Provencher, *La révélation et son développement dans l'Église selon Alfred Loisy*, Ottawa 1972; Id., «La modernité dans le projet théologique d'Alfred Loisy», in *Église et Théologie*, 14 (1983) 35-45; G. Daly, *Transcendence and Immanence*. A Study in Catholic Modernism and Integralism, Oxford 1980; Autori vari, *Le modernisme*, Paris 1980; R. Virgoulay, *Blondel et le modernisme*, Paris 1980.

NORMAND PROVENCHER

MODERNITÀ

La nozione di modernità è complessa, perché significa al tempo stesso un processo storico circoscritto nel tempo e nello spazio (in Occidente dal XVI secolo ai nostri giorni) e un'ideologia o una retorica del cambiamento, del progresso e dell'avanguardia. Invade tutte le sfere della vita: l'arte, la tecnica, la politica, i valori morali. La modernità implica la rottura irresistibile e irrevocabile col passato, perché pretende di portare finalmente il nuovo e il progresso. Si presenta come lo sviluppo della razionalità che fa nascere un modo molto caratteristico di civilizzazione, opponendosi alla tradizione sulla quale getta il sospetto e facendo intervenire una lucidità critica e una creatività senza precedenti. La modernità considera superato ciò che è vecchio, perché la sua scienza e i suoi valori non sono più operativi e significativi, e prende coscienza del fatto che il progresso e il superamento della realtà presente sono d'ora in poi possibili. La modernità non procede senza crisi o senza tensioni in una data società, poiché implica scelte e modi di vivere e pensare che giustifica in base a criteri di efficacia e novità.

1. Genesi e storia della modernità - In qualsiasi contesto sociale e culturale il vecchio e il nuovo si alternano e si contendono fra loro. Già il medioevo conosceva la «via modernorum». Ma la modernità, come struttura storica e polemica di cambiamento, si può trovare solo in Occidente a partire dal XVI secolo e assume tutta la sua ampiezza solo a partire dal XIX secolo.

La data della scoperta dell'America da parte di Cristoforo Colombo (1492), secondo i testi scolastici, costituisce la fine del medioevo e l'inizio dei tempi moderni. In questo periodo, l'invenzione della stampa, le scoperte di Galileo e l'umanesimo del Rinascimento inaugurano un modo nuovo di vedere la realtà. Bisogna anche menzionare la Riforma protestante che introduce una divisione nella

cristianità, ma anche un modo nuovo di vivere la fede cristiana che valorizza la libertà e l'autonomia della persona. Nel corso del XVII e del XVIII secolo, i fondamenti filosofici della modernità si mettono in regola col pensiero individualista e razionalista di cui sono promotori Cartesio e poi i filosofi illuministi. La rivoluzione del 1789 instaura lo stato moderno, centralizzato e democratico. Il XIX secolo conosce il progresso continuato delle scienze e delle tecniche, la divisione razionale del lavoro e l'urbanizzazione, che introducono un cambiamento dei costumi e la distruzione della cultura tradizionale. La stessa parola «modernità» sembra sia stata usata per la prima volta da Théophile Gautier in un articolo sul *Moniteur universel* dell'8 luglio 1867: «Da un lato la modernità più estrema, dall'altro l'austero amore dell'antico».

Dal XIX secolo ai nostri giorni, il processo di rottura col passato e con la tradizione si è affermato costantemente col crescente impiego di nuove fonti d'energia, di mezzi più efficaci di produzione e di trasporto, dell'organizzazione razionale e più anonima della società. L'informatica e la cinetica contribuiscono ai giorni nostri a cambiare in modo ancora più marcato le diverse sfere della vita. La diffusione industriale dei mezzi culturali, il sorprendente intervento dei *media* (radio, televisione, videoregistratori) plasmano massicciamente una mentalità del cambiamento per il cambiamento in cui i contenuti sono effimeri e non hanno troppa importanza.

2. La mentalità moderna - Dal XIX secolo, i cambiamenti hanno contribuito a migliorare le condizioni dell'esistenza umana e hanno favorito lo sbocciare della modernità. La modernità, che non può essere spiegata senza questi diversi cambiamenti, non si identifica con essi e li trascende, poiché è un modo di pen-

sare, uno stile di vita e una mentalità che hanno le loro caratteristiche e i loro valori: l'egemonia dell'efficienza misurabile, la supremazia della struttura sul contenuto e dell'immagine sul pensiero, la promozione della razionalità e dell'attività a danno della saggezza e della contemplazione, la valorizzazione del consenso e dell'opinione pubblica che ha il sopravvento sulla verità. La modernità subisce anche delle resistenze e non sfugge ad ambiguità che si manifestano oggi attraverso la preoccupazione di salvare la persona come soggetto nel processo di omogeneizzazione della vita sociale, attraverso i timori e le delusioni di uno sviluppo cieco che minaccia la nostra fragile terra, attraverso una ricerca o una richiesta dell'irrazionale, del misterioso e perfino del religioso. C'è dunque un certo disincanto nei confronti della modernità. Alcuni parlano oggi di «post-modernità» per indicare precisamente che si è meno ingenui e più realisti rispetto ai risultati delle tecnologie e delle scienze e alla loro capacità di dare senso all'esistenza umana. Si è più lucidi sui successi di un progresso voluto per se stesso talvolta a detrimento del bene dell'individuo. Si diventa scettici rispetto a un sapere totalizzante e a un modo di essere che non tiene più conto della singolarità e del radicamento storico e culturale.

3. FEDE CRISTIANA E MODERNITÀ - La → secolarizzazione è l'impatto più visibile della modernità sulla fede cristiana. Si è imposto massicciamente un modo di pensare e di vivere senza riferimento a Dio e alla sua parola. La teologia fondamentale non può sfuggire allo choc della modernità se vuole essere significativa e dimostrare la sua credibilità per il giorno d'oggi. La fede cristiana è ricca di una lunga storia, ma non è prigioniera del suo passato. Al contrario, essa è sempre nuova. Fin dal tempo della predicazione apostolica, si è presentata come una novità assoluta, totale, poiché non trae la sua origine dai dinamismi e dai bisogni dell'uomo, ma dal mistero stesso dell'amore di Dio. Sono immagini di rinascita, di eterna giovinezza, di giorno senza sera, di uomo nuovo, quelle che meglio la esprimono in opposizione a un vecchio mondo che va verso la sua morte. La fede cristiana ha una parola originale da far sentire alla modernità. Di fronte alle possibilità praticamente illimitate della scienza e della tecnica moderne, la fede cristiana può lanciare la sfida di rinunciare alle tecniche, tranne a quelle che producono condizioni che rendono possibile la promozione delle qualità di vita necessarie per l'esistenza umana. Certamente essa incoraggia il dominio sugli elementi, poiché sa che l'uomo è chiamato a completare la creazione. Ma, dall'altra parte, essa ricorda il valore di ogni persona e ricorda che nessuna potrebbe essere sacrificata col pretesto del progresso della scienza. La tecnica moderna è diventata troppo spesso fine a se stessa e si sottomette soltanto alla legge del suo sviluppo e delle sue possibilità. Ora, la fede cristiana rifiuta di ammettere che spetta solo alla scienza decidere sul problema del → senso dell'esistenza umana. In più, essa suscita atteggiamenti e comportamenti concreti nei riguardi dei sofferenti che la modernità tenderebbe a non vedere. La teologia fondamentale non può più limitarsi a pensare il mistero cristiano all'interno della sua tradizione e neanche all'interno di un qualche sistema filosofico. Deve uscire dal suo ambiente tradizionale per mettersi all'ascolto degli uomini che soffrono e per affrontare le culture. Ora la prassi e la → inculturazione della fede cristiana fanno parte del programma della teologia fondamentale nell'era della modernità.

Il processo della modernità ritiene che l'uomo diventi autonomo liberandosi delle sue tutele tradizionali e anche da quella di Dio. La non-necessità di Dio nella realizzazione del progresso dell'uomo è una dimensione della modernità. Bisogna ammettere che il Dio che essa ignora è il Dio che era considerato utile al cammino del mondo e garante dell'ordine sociale, ma non si tratta del Dio della fede cristiana. La teologia fondamentale deve far riscoprire quel Dio dell'alleanza che dà se stesso agli uomini in modo gratuito e nel rispetto della loro autonomia e della loro libertà, quel Dio il cui potere è quello dell'amore e il cui diritto è quello della grazia. Essa mostrerà che il mistero di Dio non è solo la semplice risposta a un vago bisogno religioso e a un sentimento d'impotenza. Essa parlerà del Dio che va al di là di tutte le aspettative del cuore umano e che non è necessario, in un certo senso, per la riuscita del progresso umano. Essa presenterà il Dio che vuole comunicarsi gratuitamente all'uomo e farà vedere la possibilità per l'uomo di riconoscerlo e di essere in comunione con lui. In un momento di eclissi della religione e del significato di Dio, la teologia fondamentale ha il compito di mostrare che Dio è sempre presente all'uomo, anche a quello che vive nella modernità, nella sua assenza apparente, un'assenza manifestata dalla croce di Gesù. Per la fede cristiana è la croce, dove Gesù fa l'esperienza del silenzio di Dio, il luogo dove Dio salva il mondo e manifesta la sua solidarietà con quelli che soffrono e muoiono. La teologia della croce, dato che rivela il vero volto di Dio, fa dunque parte della teologia fondamentale che vuole essere attenta alla modernità e mostrarle la credibilità del messaggio cristiano.

Bibl. - J. Ladrière, *Les enjeux de la rationalité. Le défi de la science et de la technologie aux cultures*, Paris 1977; J. Baudrillard, «Modernité», in *Encyclopaedia universalis*, 11, 1980, 424-426; P. Berger, *Affrontés à la modernité. La société, la politique, la religion*, Paris 1980; Autori vari, *Modernità. Storia e valore di un'idea*, Brescia 1982; S. Breton, «Le choc de la modernité sur la pensée philosophique et théologique», in *Théologie et choc des cultures*, Paris 1984, 93-107; J. Chesneaux, *De la modernité*, Paris 1984; R. Virgoulay, *Les courants de pensée du catholicisme français. L'épreuve de la modernité*, Paris 1985; N. Provencher, «La fede cristiana alla prova della modernità», in R. Fisichella (ed.), *Gesù Rivelatore*, Casale Monferrato 1988, 241-254.

NORMAND PROVENCHER

MORTE

Molto giustamente la *Gaudium et Spes* dichiara: «In faccia alla morte l'enigma della condizione umana diventa sommo» (GS 18).

1. UN APPARENTE NON SENSO - Molti contemporanei hanno descritto la morte come la massima assurdità della vita. Per J.-P. Sartre la morte è rottura, frattura, limite, caduta nel vuoto. Lungi dal dare un senso alla vita, le toglie ogni significato. La morte come la nascita è inattesa e assurda. Si nasce senza motivo e, come se non bastasse, si muore per caso. La morte toglie all'uomo la libertà e annienta tutte le possibilità di realizzazione. Ci getta in preda ai vivi, alla mercé dei loro giudizi. Per A. Camus al centro della vita vi è l'uomo con la sua vita assurda, priva di senso, piena di dolore e limitata dalla morte. Ciò che appare è la vita che tende alla pienezza, mentre la morte è fonte di assurdità. La vita ha la prima parola ma la morte ha sempre l'ultima. Milioni di suicidi ogni anno traggono la stessa conclusione: la vita non ha senso, è assurda, meglio sopprimerla.

Colui che è vivo, credente o non credente, non sfugge alla tentazione di ragionare allo stesso modo nella coscienza di essere un morto cui è stato concesso un rinvio. La stampa, la televisione, il teatro, il romanzo e il cinema veicolano solo notizie o immagini di morte: guerre civili, genocidi, terrorismo, invasioni brutali, tragedie dell'aria o della strada. Perché tante vite ridotte o falciate nel momento stesso in cui stavano per fruttificare? Perché tante malattie mortali e non meritate? Perché l'umanità, nonostante i progressi e le tecniche, ricade sempre nelle stesse ingiustizie, negli stessi crimini? Questa minaccia della morte, presenza brutale e «puntuale», genera una psicosi planetaria. Nel momento in cui conosce l'ebrezza del progresso, l'uomo è triste, ha paura. È forse vero che lavora per la sua distruzione? È un essere per la morte o per la vita? Di fronte all'incubo e allo scandalo che è la morte molti si rifugiano nell'oblio: si divertono, si stordiscono, si drogano e ne muoiono. E tuttavia, anche se proviamo ripugnanza a parlare della morte, bisogna proprio parlarne, perché la vita ha il senso che noi diamo alla morte. Se la morte è per la vita allora possiamo sperare. Ma se la vita deve finire con un naufragio totale, persone e cose, allora la vita stessa non ha senso poiché non ha sbocchi.

2. LA MORTE COME COMPIMENTO ED EVENTO - Di fronte al non senso, all'apparente assurdità della morte, il cristianesimo propone una pienezza, se non addirittura una sovrabbondanza di senso totalmente inedita. Questo potenziale di significatività che gli viene dalla rivelazione lo mette sulla via della credibilità.

A dire il vero, al mistero della morte non può che corrispondere un altro mistero: quello della morte temporale per la vita eterna. La morte è a un tempo compimento ed evento. In regime cristiano l'uomo non è un essere per la morte ma per la vita: ciò significa affermare e contemporaneamente superare la morte. La vita ha un senso perché la morte ha un senso: è una «pasqua», un passaggio che sfocia nella vita eterna.

L'aspetto più sorprendente della rivelazione cristiana sulla morte è che Dio ha fatto della morte dell'uomo il mistero dell'amore di Cristo per il Padre e nello stesso tempo il mistero dell'amore del Padre per Cristo e attraverso di lui per tutti gli uomini. La morte umana è divenuta evento di salvezza per Cristo e per il mondo. Cristo dunque non nega la morte ma le dà il suo senso più profondo. Egli ha conosciuto e vissuto la morte in tutto ciò che ha di minaccioso, di tenebroso; in tutto ciò che rappresenta di frattura, di angoscia, di smarrimento, di esperienza dell'impotenza umana. Più di chiunque altro Cristo ha conosciuto una morte di solitudine totale, di sofferenze corporali indicibili, di umiliazione e di sconfitta completa. Non gli fu risparmiato niente di ciò che la morte rappresenta come annientamento dell'esistenza umana. Ma Cristo ha dato alla morte la sua verità e il suo senso più profondo. La morte, che è manifestazione concreta del peccato dell'uomo e della sua rottura con Dio, diventa in Cristo l'espressione suprema della sottomissione a Dio. Il peccato e l'amore hanno raggiunto qui il loro massimo effetto. Nel momento in cui il peccato degli uomini raggiunge il colmo e crocifigge il Giusto, l'Innocente, la morte di Cristo diventa atto di amore del Figlio che si consegna al Padre. Anche l'amore raggiunge l'apice, perché Gesù mantiene fino alla fine la sua alleanza con il Padre: «Tu sei il mio Dio». Con il suo totale abbandono al Padre e la speranza in lui, Cristo ha vinto la morte. È questo dono di se stesso al mistero del Dio-amore, nell'accettazione della sconfitta sulla croce, che ha dato un senso all'esistenza umana finalmente «compiuta» nella morte. Senza per questo perdere nulla del suo carattere tenebroso, la morte diventa qualcosa di totalmente diverso, cioè la resa di tutto l'uomo a Dio per vivere della sua vita.

3. LA MORTE COME SACRAMENTO E ATTO TEOLOGALE - Cristo ci rivela una nuova dimensione della grazia della salvezza. La sua morte acquista, nel momento in cui abbonda il peccato, la sovrabbondante potenza che permette di vincerla. La morte, da annientamento dell'esistenza umana ed espressione del peccato, diventa in Cristo abbandono all'amore e al potere salvifico di Dio, dialogo d'amore con l'Amore. Cristo trasforma la morte in *sacramento*: in segno espressivo ed efficace della realizzazione assoluta dell'esistenza umana in Dio.

Per coloro che vivono la loro vita come un mistero di morte e vita in Cristo, la morte diventa il punto culminante dell'appropriazione della salvezza inaugurata dalla fede e dai sacramenti. Non è tanto limite quanto compimento, maturazione e fruttificazione. È perdita di sé, ma incontro con Dio e vita in Dio.

La morte infatti è *il supremo atto teologale*. Con la fede l'uomo si fonda sulla parola di Dio. La realtà dell'aldilà invade il presente e ispira tutte le azioni. Ma nella morte egli gioca il tutto per tutto. Di fronte alla morte—che in apparenza è solo tenebra assoluta, disperazione, e freddo mortale, egli crede «sulla parola» che questo crollo si apre sulla vita e che egli vivrà eternamente. La fede non può andare oltre: va fino alla fine di se stessa. Nella morte che è speranza contro ogni speranza, l'uomo si abbandona al Dio della promessa. La morte, così vissuta e realizzata in questo abbandono totale e fiducioso, diventa vero incontro con Dio in Cristo. Con la speranza il cristiano si proietta in Dio e gli affida la propria vita per l'eternità. Infine la carità, che è amore di Dio sopra ogni cosa, trova nella morte la sua espressione e il suo supremo compimento. A causa dei nostri peccati abbiamo spesso opposto resistenza alle chiamate di Dio. Ecco ora che ci è data l'occasione di dire un *sì* totale. Spesso abbiamo sofferto per non potere dare tutto o per aver dato solo svogliatamente. Questa volta possiamo in qualche modo raccogliere tutto il nostro essere e offrirlo a Dio come ostia vivente: «Signore nelle tue mani consegno il mio spirito». Penetrando la morte, queste tre fondamentali potenze della vita cristiana − fede, speranza e carità − la trasformano. La morte non è una seconda morte, ma è definitiva vittoria della vita di Dio sulla morte: vita per il bene e per l'eternità.

La morte diventa così reale assimilazione alla morte di Cristo che si opera *misticamente* attraverso i sacramenti e che trasforma la morte. Con il *battesimo* infatti siamo immersi nella morte di Cristo (Rm 6,3), crocifissi con lui (con la morte al peccato), sepolti e risorti con lui. La vita cristiana non è altro che lo sviluppo progressivo e continuo, l'applicazione pratica lungo tutta la nostra vita, del duplice effetto di morte e vita prodotto dal battesimo. Nella nostra morte reale finiamo di vivere la nostra configurazione a Cristo. Moriamo davvero con lui per risuscitare con lui. Il segno coincide con la realtà: siamo effettivamente morti e risorti. Con l'*eucaristia* annunciamo senza posa la morte di Cristo che è nostra morte e nostra vita. Ora, se nell'eucaristia annunciamo Cristo «dato per noi», bisogna che partecipiamo a questo mistero sperimentandolo nella realtà della nostra vita: è ciò che si compie nella nostra morte reale. L'*unzione degli infermi* infine è il sacramento della situazione di morte. Rende manifesto come il cristiano, fortificato dalla grazia di Cristo, sostenga l'ultima prova della sua vita e compia l'ultima azione, la sua stessa morte, in comunione con il Signore. Così il principio, il centro e la fine della vita cristiana si trovano a essere consacrati dai tre sacramenti che sono la progressiva appropriazione della morte di Cristo come nostra salvezza e risurrezione.

La grande verità sottesa da questa visione cristiana della morte è il nostro rapporto con Dio: una relazione verticale, immediata, continua nell'ordine del presente. In ogni istante quando rispondiamo alla chiamata di Dio ci disponiamo a entrare nel riposo del Signore, con la sola differenza che l'ultimo istante ricapitola e ratifica tutti i precedenti istanti e ci fa entrare definitivamente nella vita eterna. L'essenziale della nostra vita è questa presenza a Dio orientata completamente a lui in ogni istante della nostra vita, come il fiore che segue il movimento del sole per tutta la giornata. Dio non si trova alla fine della vita che ci attende, ma il suo sguardo è costantemente posato su di noi: nell'ultimo istante questa grande Presenza si svela e diventa luce eterna. Un diafano velo separa queste due presenze: ora... e nell'ora della nostra morte.

Questa visione delle cose ci può aiutare a sormontare lo scandalo della morte che spezza la vita in fiore, che lascia un'opera incompiuta. Qualunque sia la vita di un uomo, la sua durata, essa in definitiva si misura con l'immensità dell'amore che l'abita e che è lo stesso amore di Dio. Ma chi può misurare l'immensità di questo amore? Questa interiorità e attualità dell'amore divino ci situano in ogni istante al termine della nostra storia. Che l'uomo è salvato per grazia significa che la storia umana personale, mai compiuta, raggiunge sempre la sua fine, che è l'ingresso nella comunione divina, nell'Amore infinito che ci copre di luce senza tenebre.

Da che Cristo è morto, non c'è più nell'universo un evento più importante della morte. Se moriamo con lui, il banale fatto della morte è travolto nel mistero di Dio. Il vero senso della vita è prepararsi a morire, cioè maturare per la vita eterna. Morire vuol dire nascere per sempre: dopo la nascita alla vita temporale, dopo la nascita del battesimo, che è rinascita dall'acqua e dallo Spirito, vi è la nascita alla vita eterna. Il cristiano è colui che ha fede nella buona notizia della morte che si apre su una vita che non conosce morte. Possiamo essere impazienti perché non vediamo, ma sappiamo che verrà il giorno che non finirà mai. «Il desiderio di essere sciolto dal corpo per essere con Cristo» (Fil 1,23).

La riflessione qui proposta si evolve evidentemente all'interno della fede cristiana. D'altra parte se di fronte all'apparente non senso della morte vedo sorgere un Volto illuminante, non dovrei forse volgermi a questo sguardo che penetra nel più profondo di me stesso? Non è proprio Cristo questa pienezza di senso in un mondo alla ricerca del senso perduto? Cristo resta un mistero, come la morte, ma un mistero illuminante, fonte di senso sempre zampillante. Chi si apre a lui vedrà aprirsi di fronte a sé una via di luce.

Bibl. - P. Grelot - E. Borne, «Mort», in DSp 1747-1769; R. Troisfontaines, *Je ne meurs pas*, Paris 1960; G. Martelet, *Victoire sur la mort*, Paris 1962; K. Rahner, *Teologia della morte*, Brescia 1965; V. Jankélevich, *La mort*, Paris 1966; M. Bordoni, *Dimensioni antropologiche della morte*, Roma 1969; L.-V. Thomas, *Anthropologie de la mort*, Paris 1976; P. Ariès, *L'homme devant la mort*, Paris 1977; R. Latourelle, *L'uomo e i suoi problemi alla luce di Cristo*, Assisi 1982, 408-433; G. Couturier - A. Charron - G. Durand (edd.), *Essais sur la mort*, Montréal 1985; H. Bourgeois, *La mort*, Paris-Ottawa 1988.

RENÉ LATOURELLE

N

NEW AGE

A differenza delle sette religiose, il «New Age» (nuova età) costituisce l'espressione contemporanea di una spiritualità «vagabonda», non propriamente organizzata, che emerge dalla moderna fede nel progresso, puntando ormai sul campo religioso e sulla trasformazione spirituale dell'uomo, con tendenze sincretiste, evoluzioniste, ecologiche-olistiche e millenariste.

1. Manifestatosi apertamente nei turbolenti segni della frattura generazionale verso il 1968, il concetto risale alle pubblicazioni della Società Teosofica e di Alice Bailey (1880-1949). Nel suo *Il Ritorno del Cristo* (1948), c'è la visione della riapparizione di un nuovo messia, capo della Gerarchia spirituale, insieme con l'imminente inizio dell'età dell'Acquario. Secondo la mediazione della presunta «cronaca Akasica» inizierebbe un periodo d'armonia universale, di un forte influsso della mistica sulla vita sociopolitica e di un'autorealizzazione spirituale dell'individuo. L'espressione programmatica di questo «tempo di svolta» (Capra) venne pubblicizzata nel musical *Hair* (1968). Proiettando idee gnostiche ed ermetiche dell'astrologia antica («*magnus annus*», Platone, *Pol.* 269c) sulla sorte del mondo intero, l'equinozio della primavera (21 marzo) retrocederebbe ogni 2100 anni ca. di un segno dello zodiaco, passando nel nostro secolo dal segno dei Pesci in quello dell'Acquario. Data la simbolica rappresentazione del cristianesimo con il pesce (gr.: *ichthýs*), finirebbe allora l'epoca della chiesa gerarchica per cedere il posto ad un libero risveglio spirituale, guidato dal Maestro interiore, rappresentante di tutti i Maestri religiosi precedenti. Il nuovo paradigma si esprime come sintesi di quattro componenti: la tradizione giudeo-cristiana e le scienze secolari, che — sempre ombreggiate da una corrente gnostica-esoterica, manifestatasi particolarmente nei periodi di crisi — incontrano oggi, per la prima volta, l'immediata sfida delle religioni orientali e sono quindi stimolate a trascendere le loro limitazioni, di fronte ai gravi problemi di sopravvivenza del mondo e di una cultura planetaria nascente. Fra i testi programmatici si possono menzionare i libri di Baba Ram Dass (R. Alpert, 1973), Marilyn Ferguson (1976), David Spangler (1976) e Fritjof Capra (1980).

2. Le caratteristiche di tale visione globale partono dall'inserimento della polarità fra uomo e cosmo (navetta spaziale-Terra) in un gigantesco gioco di energie divine, che costituisco-

no l'eco-sistema di manifestazioni divine (olismo). Nell'intuizione mistica di queste leggi tutte le tradizioni religiose ed esoteriche, anche se su strade diverse, concordano e ne derivano la loro equivalenza. Una conoscenza cosmica di tali misteri offre all'uomo, attraverso un cammino di risveglio, la possibilità di una graduale trasformazione della sua coscienza fino all'ultima realizzazione della sua natura divina. Basandosi ugualmente sia su varie teorie scientifiche (R. Sheldrake: «campi morfogenetici»; E. Jantsch: «auto-organizzazione del cosmo»; P. Russell: «ipotesi Gaia»; S. Grof: «psicologia transpersonale»), sia sulla gnosi di tutti i tempi (mito di Atlantide, saggezza delle piramidi), la convinzione di un unico cervello globale nella sintonia delle sue molteplici cellule reattive (cospirazione sensibile) si attua ugualmente nella trasformazione evolutiva del sé individuale come nei cambiamenti ecologici-sociali del mondo.

Mettendo alla pari, nel processo dell'illuminazione verso un cosmo cosciente, la dinamica della vita stessa con l'evoluzione della sua conoscenza, le vie della salvezza e la loro meta coincidono e danno origine a nuovi principi metafisici ed etici, superando l'antropocentrismo di una cultura tecnico-razionale verso un paradigma bio-centrico di un'ecologia profonda. La teoria della reincarnazione dell'uomo tra vite passate e future spiega, insieme con la legge della retribuzione morale (*karma*), in chiave ermeneutica sia il desiderio di un'auto-perfezione, sia il sincretismo tra le varie tradizioni spirituali. Comunque, nella presentazione di tali tradizioni e teorie scientifiche si nota spesso un accorciamento eclettico unito ad un rinvio della prova della verità.

3. Rispondendo ovviamente ad un «vacuum» spirituale e alla crisi di valori nelle società occidentali, le suddette idee pluraliste della religiosità alternativa si manifestano, oltre che

nei nuovi movimenti religiosi (per es. Bhagwan Rajneesh, TM, ecc.), in forme piuttosto instabili di una fluida appartenenza a «culti d'udienza» o «culti di clientela» senza credenza obbligante. Mentre l'insieme di comunità alterne attorno ad alcune riviste (per es. *Astra*), autori (per es. M. Ferguson, Shirley MacLaine), programmi cinematografici e televisivi (per es. «*E.T.*»), oppure al comune fascino per oggetti para-religiosi (per es. gli Ufo), illustra l'americanizzazione della religione come articolo di consumo, la clientela di maghi, guaritori spirituali, astrologi, terapeuti, negozi macro-biotici, movimenti ecologici, ecc. tende, invece, verso una ri-sacralizzazione della sfera vitale attraverso pratiche para-religiose, amalgamate da tutte le tradizioni culturali. Puntando sul primato dell'esperienza personale e sulla coltivazione di relazioni armoniose, le attività si svolgono in una fitta rete di gruppi locali, di composizione spesso alquanto eterogenea e senza una gerarchia istituzionale. Lo scambio di idee viene facilitato dai mass-media e dall'informatica.

4. L'interpretazione della religione in un senso panenteistico, come ricongiungimento della sacra polarità fra uomo e cosmo senza la necessità di un Dio trascendente, costituisce la prima sfida alla tradizione giudeocristiana. La propagazione di un *Vangelo dell'Acquario* (H. Dowling, 1908), con l'infondata descrizione dell'iniziazione di Gesù alle dottrine segrete dell'Oriente, richiede l'integrazione del pluralismo religioso nell'esperienza della storicità di Cristo. Il postulato di un nuovo «paganesimo» (pagani = coltivatori della terra) contro la «religione della città» (chiesa delle istituzioni), esige oggi una «seconda evangelizzazione» di una nuova contestualità del cristianesimo nella cultura contemporanea, e della creazione di comunità accoglienti unitamente ad una decisa testimonianza ecume-

nica. Nella riflessione teologica, l'approfondimento dell'ontologia trinitaria, della cristologia cosmica e della pneumatologia, nonché della teologia delle religioni, dimostra in un dialogo fondamentale la fede cristiana dell'inizio avvenuto e della progressiva realizzazione di una nuova età nella Signoria di Cristo (cfr. *Dominum et vivificantem*, 53ss).

Bibl. - FONTI: Baba R. Dass, *Be Here Now*, San Cristobal, 1971; F. Capra, *The Tao of Physics*, Berkeley 1975; D. Spangler, *Revelation, the Birth of a New Age*, San Francisco 1976; M. Ferguson, *The Aquarian Conspiracy*, Los Angeles 1980; K. Wilber, *Up from Eden*, Garden City 1981. STUDI: R. Stark - W.S. Bainbridge, *The Future of Religion*, Berkeley 1985; J. Vernette, *Jésus dans la nouvelle religiosité*, Paris 1987; H.M. Enomiya- Lassalle, *Vivere in una nuova coscienza*, Roma 1988; J. Sudbrack, *Nuova Religiosità*, Brescia 1988; J.G. Melton, *Encyclopedia of American Religions*, Detroit 1989[3].

MICHAEL FUSS

NEWMAN John Henry

«In fatto di religione un uomo può parlare a proprio nome, e solo a proprio nome. La sua esperienza basta ad autorizzarlo a parlare di sé; di farsi portavoce altrui egli non ha il diritto; non può pretendere di far legge per tutti, ma solo di conferire la sua esperienza al cumulo dell'esperienza psicologica comune. Sa che cosa lo ha soddisfatto e lo soddisfa, e che se soddisfa lui, probabilmente soddisferà anche altri; se è così, come egli è convinto che sia, allora ciò che egli ne dice varrà anche per altri, perché la verità è una» (*Grammatica dell'assenso*, 238).

Questa espressione, da sola, potrebbe già far comprendere perché J.H. Newman (1801-1890) fu considerato una delle personalità più controverse del secolo scorso. In vita non mancarono violenti attacchi alla sua persona sia da parte cattolica che anglicana; questi ultimi lo vedevano chiaramente come un rinnegatore, e i primi lo consideravano con sospetto. Impressioni queste che Newman stesso fornisce nell'*Apologia pro vita sua*, testo autobiografico scritto intenzionalmente per difendere la scelta della sua conversione, dove emerge la personalità di un uomo onesto, serio, umile e santo.

Nonostante Leone XIII, nel 1879, gli avesse conferito la porpora, la sua opera rimase anche dopo la morte oggetto di giudizi tra i più disparati. Se qualcuno la salutò come la premessa della filosofia della prassi e de *L'Action*, per altri invece fu considerata la base del pensiero modernista; mentre Przywara stimava Newman il ponte che teneva unito Tommaso con il pensiero moderno, da Prezzolini venne invece definito il «capo del cattolicesimo rosso».

Eppure, chi pensava a Newman come ad un antiintellettuale, perché aveva privilegiato la psicologia dell'esperienza con la pascaliana «raison du coeur», dimenticava che queste «ragioni», anche se del cuore, erano per lui pur sempre delle *ragioni*.

Altri ancora, infine, giungevano a Newman non per via diretta, come richiede il faticoso lavoro del ricercatore onesto, ma per via mediata e le interpretazioni della sua opera non erano sempre, particolarmente agli inizi, tra le più corrette e fedeli.

Per la storia dell'apologetica del secolo scorso, Newman rappresenta un caso isolato. Come → Pascal, → Blondel, → Teilhard e pochi altri, il suo tentativo giungeva in un contesto stagnante che preferiva le troppo sicure certezze dei principi metafisici della dottrina alla situazione del credente che ad essa si accostava.

Il progetto apologetico di Newman, però, aveva posto le sue radici in un terreno più antico e più fertile: la Scrittura e la patristica. Nato anglicano, aveva confidenza più dei cattolici con il testo sacro; il servizio pastorale al St. Mary's in Littlemore, che darà vita ai *Sermons*, gli permise di approfondire e commentare la Scrittura più di molti esegeti e teologi dell'epoca. La fondazione della Biblioteca patristica nel 1835, gli aveva permesso di trovare negli scritti dei Padri e nella chiesa dei primi secoli la forza e il coraggio per intraprendere la «seconda riforma» (*Apologia*, 51).

1. ESSAY IN AID OF A GRAMMAR OF ASSENT - Se in molti testi della sua fertile produzione si trovano elementi propri della problematica apologetica – si pensi solo agli *University Sermons* in cui spesso ricorre il tema del rapporto fede-ragione – è tuttavia alla *Grammar of Assent* che bisogna rivolgersi per individuare il progetto di una teologia fondamentale che si prefiggeva di dare ragione della fede per l'uomo semplice.

È questo un tema che ha appassionato Newman per almeno un trentennio; in alcune note del 1860 già scriveva: «Come può essere razionale la fede? Come l'uso del suo intelletto può essere definito onesto e rispettoso verso il suo creatore? Se una religione è aperta alla *ragione* e allo stesso tempo a *tutti* gli uomini, vi debbono essere ragioni producibili sufficienti per la convinzione razionale di ogni individuo». Nella *Grammatica* confluiscono, come in una unica sintesi, le diverse problematiche che erano state oggetto di studio di Newman, dallo sviluppo del dogma alla tradizione, alla necessità di dare risposta razionale all'assenso di fede.

Il testo non è di facile lettura. Filosofia e teologia si muovono su una piattaforma comune, ma senza confondersi, restando anzi in un forte equilibrio; a volte sembra perfino di assistere ad una vicendevole integrazione con il rimando dell'una all'altra. Solo ingenuamente si può pensare che nella *Grammatica* la teologia abbia un ruolo secondario. Dopo la dimensione più narrativa, o catechetica, perché si fa ricorso all'esperienza del quotidiano e perché la finalità del libro è quella di parlare con l'uomo semplice, la teologia gioca un ruolo di autentica protagonista. Vero centro dello studio è infatti la fede del credente e, più direttamente, del credente nell'atto di voler ricercare proprio quei principi che permettono di verificare la certezza della propria decisione di fede.

Certo, come figlio del suo tempo, Newman appartiene a quella corrente di pensiero che aveva in Locke e Hume i progenitori di un empirismo esperienziale; e tuttavia il suo «empirismo» è differente, perché è solo premessa non punto finale di arrivo. La sua ricerca, pertanto, rimane pienamente teologica perché intenzionalmente compiuta alla luce della fede; ma nello stesso tempo pienamente apologetica perché tesa a dare alla ragione il suo ruolo peculiare come elemento comune di tutti gli uomini nel ricercare e nel decidersi per la fede.

La *Grammatica*, scritta nel 1870, è composta da due grandi parti: nella prima si studia il rapporto tra *assenso* e *apprensione*, nella seconda tra *assenso* e *inferenza*. Alla base di questo rapporto, però, si studia il ruolo del soggetto nella sua attività conoscitiva e, più specificamente, nella dimensione religiosa.

Il contesto in cui l'opera si pone è determinato da una duplice obiezione che proviene dal liberalismo: *a.* se la religione si propone di giungere all'esercizio dell'amore e dell'adorazione, perché la necessità della professione di fede? *b.* Perché la certezza di adesione alla fede deve essere sottoposta alla certezza delle prove che essa fornisce? In una parola, si è dinanzi alla difficoltà del mostrare la necessità dell'atto di fede professato e della sua intelligibilità.

La risposta di Newman giunge anzitutto analizzando le *modalità* del conoscere umano. Queste sono di un triplice ordine: 1. la *proposizione* che può essere «nozionale» e «reale» (es. «l'uomo è un animale razionale», «Filippo era il padre di Alessandro»), cui corrisponde, 2. l'*apprensione*, l'atto cioè, mediante il quale si assegna un significato ai termini che compongono la proposizione, si è nel momento della loro interpretazione. Contenuto dell'apprensione sono gli oggetti percepiti dai sensi; mentre l'apprensione «nozionale» permette il progresso e la conoscenza speculativa, quella «reale», che è la più importante, permette il mantenimento e la conservazione del sapere. Con questa si creano le *immagini* che favoriscono il permanere in noi delle esperienze conoscitive e, mediante la «facoltà di combinazione», essa suscita nuove forme di pensiero. 3. L'*assenso*, infine, costituisce «l'atto con cui si accetta assolutamente, in modo incondizionato, una proposizione» (G. 8). Questo sta in relazione con l'apprensione e l'inferenza.

Come si è detto, la prima parte della *Grammatica* è dedicata al rapporto con l'apprensione. Schematicamente, il procedimento di Newman si sviluppa con questa dinamica.

L'assenso reale permette il sorgere, nel soggetto, di emozioni e sentimenti che dinamicamente lo spingono verso l'azione; quello nozionale, invece, lo proietta nella contemplazione delle sue immagini mentali. Questo schema riportato nell'orizzonte del dogma, darà la possibilità per riconoscere un assenso reale e uno nozionale. Al primo, corrisponde la religione che impegna il soggetto a vivere; al secondo, corrisponde la teologia che esprime la riflessione dell'intelletto. L'assenso, nei due casi, rimane sempre come impegno assoluto; tuttavia si dà a Newman la possibilità di dimostrare che «i sensi, le sensazioni, l'istinto, le intuizioni ci forniscono dei fatti e poi l'intelletto li elabora» (G. 60). Viene quindi ricuperata una prima dimensione, quella che riconosce un orizzonte più universale, la reli-

gione naturale, che viene successivamente illuminata e interpretata dalla rivelazione.

Partendo da queste premesse, Newman continua il suo studio mostrando il movimento della mente umana quando si avvicina alla «credenza», vale a dire all'oggetto materiale della fede. La proposizione: «credo in un solo Dio», viene analizzata nel suo orizzonte di apprensione e serve a stabilire un ulteriore principio che continua la distinzione precedentemente fatta: la religione tocca le proposizioni nel loro singolo presentarsi al soggetto, solo singolarmente si dà un assenso reale; il generale e il sistematico invece riguardano la teologia, per cui tutto ciò che è materia nozionale è oggetto di riflessione.

Per favorire l'assenso reale, e quindi permettere che il creduto diventi azione di vita, Newman fa ricorso al sentimento della *coscienza* perché questa, come senso morale e senso del dovere, permette di relazionare maggiormente il soggetto al suo agire e al suo vivere coerente. La coscienza del bene e del male, tuttavia, non è data verso le realtà inanimate, è sempre relazione interpersonale; è a questo punto, quindi, che si pone il principio etico come la scoperta di «un'immagine di un supremo reggitore, di un giudice santo, giusto e potente» (G. 67). Ma, nello stesso tempo, si è trovato il principio che garantisce l'assenso reale. Nell'uomo infatti (Newman dirà nel «bambino»: G. 68ss), si creano immagini che vanno oltre la semplice nozione di divinità, e permettono di vedere un impegno concreto di vita perché relazionano al creatore, a colui che premia o castiga, ma che, in ogni caso, costituisce un Dio personale cui si dà assenso reale e nozionale.

Una conclusione, cui giunge questa prima parte della *Grammatica*, è costituita dal fatto che l'assenso, reale e religioso, viene dato dal soggetto alla rivelazione come si presenta nella sua unità singolare e originaria: «Chi crede nel *depositum*, crede anche in tutte le dottrine contenute nel *depositum*. Non le può sapere tutte insieme, ne sa alcune e non ne sa altre, per avventura sa solo il *Credo*, o forse solo gli articoli principali del *Credo*; ma sappia molto o poco, se crede nella rivelazione egli si propone di credere tutto ciò che è da credere non appena gli si faccia presente. Tutto ciò che egli conosce oggi come verità rivelata, tutto quanto conoscerà in seguito, tutto quanto v'è da credere, è da lui abbracciato in intenzione con un unico atto di fede» (G. 92). La conoscenza di Dio, che proviene dalla rivelazione, non è quindi una conoscenza speculativa; è piuttosto una realtà che provoca ad una responsabilità morale e che richiede l'impegno di tutta la vita.

La seconda parte della *Grammatica* è posta sotto l'analisi della relazione tra assenso e inferenza; momento essenziale perché tocca la dimostrazione del passaggio che si compie dalla *probabilità* alla *certezza*.

Una spiegazione dei termini-chiave usati dall'autore in questa sezione, potrà più facilmente mostrare la dinamica della dimostrazione newmaniana.

Anzitutto l'*inferenza*. Viene distinta tra: *a.* «formale», che si esprime nella forma del ragionamento, si realizza seguendo le regole della logica e trova nel sillogismo la sua espressione migliore; e *b.* «non formale», il ragionamento che sorge spontaneo e in modo naturale. Tra inferenza e assenso la differenza è netta. Con la prima, infatti, si accetta una proposizione in modo condizionato; con la seconda, in modo assoluto.

Sullo sfondo della dimostrazione di Newman si deve vedere la tesi di Locke secondo cui si può assentire solo a proposizioni che sono ritenute vere in forza delle prove addotte; l'amore per il vero, infatti, impedisce di andare oltre le prove e la dimostrazione. Ma per il nostro autore, l'esperienza dimostra la debolezza di questa tesi; si può infatti dare assenso indipendentemente dall'inferenza.

L'assenso che incondizionatamente viene dato, continua Newman, è sempre accettazione di verità e quindi, come tale, non può mai essere accolto solo sub conditione. La verità o la si accetta come tale o la si rifiuta. Questo immediato assenso alla verità è chiamato «semplice», cioè atto stesso con cui si dà assenso. Di per sé è immutabile; se infatti dovessero intervenire delle modifiche, queste sarebbero solo nell'ordine dell'intensità dell'esperienza, ma non nell'atto come tale.

Dall'assenso semplice è tuttavia necessario passare a quello «riflesso» o, più propriamente, alla *certezza*. A questo punto si deve porre in atto l'*investigation*, o *inquiery*, che si distingue dalla ricerca. La ricerca infatti implica il dubbio, l'investigazione no (G. 116). Chi investiga lo fa perché vuole comprendere la credibilità senza dover cadere in contraddizione o revocando la verità cui assente; chi ricerca invece non ha ancora trovato e quindi, di per sé, ancora non crede. In una parola, l'assenso riflesso è la certezza dei motivi e dei presupposti dell'assenso dato.

Il problema però non è ancora risolto. In che modo si passa all'assenso assoluto? Newman introduce il concetto di *illative sense*. Se il riferimento alla *phrónēsis* aristotelica sembra essere il primo ad affacciarsi alla mente, bisogna tuttavia specificare la peculiarità del concetto nell'uso della *Grammatica*.

Mentre la *phrónēsis* di Aristotele è confinata alla sfera della morale ed esprime il giudizio etico, in Newman l'*illative sense* è aperto a tutto l'ambito gnoseologico. È il giudizio che indaga sul vero e che, al di là di ogni singola tecnica, decide come e quando passare dall'inferenza all'assenso. È un'attività naturale, intima dell'uomo che lo pone sempre in riferimento al concreto, si sviluppa in forza dell'esperienza ed è sempre presente là dove il soggetto sta agendo. Insomma, l'*illative sense* è il principio che crea consapevolezza e sintesi delle diverse probabilità che solo unitamente danno certezza. Attraverso l'*illative sense* si è in grado, quindi, di cogliere il punto di convergenza di una serie di dati che, se presi singolarmente, potrebbero dare solo probabilità, ma alla luce dell'*illative sense*, che li coglie come un tutto, generano certezza.

Dopo questo procedimento, anche per la seconda parte, il capitolo conclusivo è dedicato al problema religioso. La rivelazione, conclude Newman, non è un testo filosofico e neppure un insieme di verità astratte; è piuttosto un insegnamento autorevole che fa fede da se stesso, non necessita di «prove» esterne e, tantomeno, rappresenta qualcosa di opinabile. La rivelazione è una totalità, un'evidenza, una universalità che si dà da sé; eppure anche in questo caso è possibile mostrare la necessità dell'assenso.

Due dati vengono presentati dal nostro autore: 1. La *religione naturale*, che è possibile scoprire presente in ognuno se si riflette sulla coscienza, sulla sofferenza e sul sacrificio; 2. il *cumulo delle probabilità*, che costituisce il «principio essenziale» (G. 255) del ragionamento newmaniano.

Analizzando vari elementi, indipendenti l'uno dall'altro (per es. religione naturale, le religioni storiche e il senso di compimento presente in esse, il senso del peccato, la religione ebraica, Gesù di Nazareth, la chiesa), ma presi nella loro globalità quindi come un cumulo di probabilità, Newman arriva alla conclusione che «c'è una sola religione che tende ad appagare le aspirazioni, i bisogni, i presentimenti della fede e della devozione naturale. Forse si potrà dire che io, educato nella fede cristiana,

la giudico con il suo metro, ma non è così. Non è così perché ho preso in gran parte la mia idea di quello che deve essere una rivelazione, dalle varie religioni...; inoltre io la privilegio anche per una ragione che emerge in piena evidenza dalla sua storia: essa sola possiede un messaggio definitivo rivolto all'umanità intera» (G. 267).

2. ATTUALITÀ DEL PROGETTO - Con questo progetto, si può pensare di essere di fronte ad una apologetica dai tratti contemporanei, capace di provocare anche l'uomo del XX secolo. Si trova qui una «dialettica esistenziale» che per il suo metodo induttivo obbliga a riflettere sulla fede partendo dalla propria condizione umana.

La prima nota caratteristica di questo progetto è determinata dal fatto che il soggetto diventa di nuovo partner del discorso teologico. Non più la dottrina astratta in sé, ma prima di tutto il *real man*, l'uomo concreto che affronta il tema definitivo del → senso. È a partire dall'esperienza che ognuno sente come personale, che Newman è riuscito a prospettare la componente universale della fede cristiana. Egli ha assunto l'esperienza privilegiatamente come lettura psicologica, ma non limitandosi a quella. Raggiungendo l'etica e la storia, ha prodotto anche quella parte di filosofia che è da considerare come premessa alla riflessione metafisica de *L'Action* blondelliana. Newman non poteva andare oltre, ma il punto individuato rimane certamente come un elemento da cui l'analisi teologica non potrà prescindere.

Il tema della storia e di una coscienza storica (→ Storia, I), così costantemente presente nelle sue opere, fa pensare ad un'originalità precorritrice per il nostro presente teologico, e non solo.

La problematica della fede, come viene affrontata da Newman, così collegata all'uomo concreto, tanto da provocarlo ad un'esperienza vissuta, è un'ulteriore caratteristica che emerge da questo progetto apologetico. La fede è considerata come un atto globale, un insieme di sentimento, di ragione e di prassi. La fede come risposta e necessità per *tutti* gli uomini perché l'universalità è la nota della rivelazione stessa.

Nella *Grammatica* si risponde proprio a questo quesito: la fede per tutti gli uomini e per tutto l'uomo. Il semplice, come lo specialista, arriva a comprendere il senso di questo atto che esprime la forza della ragione e la grandezza dell'amore.

L'amore è il protagonista dell'opus newmaniano, perché costituisce la riscoperta di una necessità interna, intima ad ognuno, che proviene da un atto di amore, quello visibile nella morte di Gesù: «C'è un nome che sopravvive ed è quello di un uomo che visse oscuro e morì come malfattore. Sono passati diciotto secoli, ma questo nome ha ancora la stessa presa sulle menti umane. Si è impadronito del mondo e lo detiene ancora» (G. 304).

Con differente sensibilità e con altri termini, viene comunque riproposta ad ogni uomo l'immutabile necessità del credere. Per Newman, questa poggia sulla verità, «che è una sola», sul senso del peccato e sulla concretezza della propria esperienza; ma, come per i più grandi apologeti, alla base vi è ancora il tema centrale dell'arrendersi della ragione davanti al mistero. «Surrender of reason» non è l'arrendersi passivo e infruttuoso, ma quello che dopo aver percorso tutti i passaggi del proprio procedere razionale, proprio per questo si abbandona all'obbedienza dell'adorazione.

Bibl. - J.H. Newman, *The letters and Diaries of J.H. Newman*, voll. I-XXXI; Id., *Parochial and Plain Sermons*, voll. I-VIII, London 1869; Id., *Oxford University Sermons*, London 1880; Id., *Grammatica dell'assenso*, Milano 1980; Id., *Apologia pro vita sua*, Milano 1982; E. Przywara, *Religionsbegründung. M. Scheler und J.H. Newman*, Freiburg 1923; R. Aubert, *Newman, une psychologie concrète de la foi et une apologétique existentielle*, s.d.; Id., *Le problème de l'acte de foi*, Louvain 1945; J.H. Walgrave, *J.H. Newman: his personality, his principles, his fundamental doctrines*, Louvain 1977; Autori vari, *J.H. Newman Theologien and Cardinal*, Roma-Brescia 1981; P. Gauthier, *Newman et Blondel. Tradition et développement du dogme*, Paris 1988.

RINO FISICHELLA

O

ORIGENE

Parlare di teologia fondamentale a proposito di Origene può sembrare anacronistico, poiché la sua teologia ignora le distinzioni tra le branche ed è sempre nello stesso tempo esegetica, spirituale e speculativa. Tuttavia egli ha scritto l'opera apologetica più considerevole dell'epoca antenicena, il *Contro Celso*, confutazione del *Discorso veridico* di Celso, filosofo del medio platonismo, di cui cita nel rispondere ampi estratti. Inoltre hanno attinenza con la teologia fondamentale temi discussi nel *Trattato sui principi* o *Perí Archôn* o anche nei commentari e nelle omelie.

1. DIO - Ci si può stupire di non trovare nell'opera di Origene nessun saggio di prova dell'esistenza di Dio. Gli atei sono rari all'epoca e Celso è ben lontano dall'esserlo. In compenso Origene ritorna spesso sull'incorporeità di Dio e dell'anima; sono infatti aspetti misconosciuti da molti cristiani, antropomorfiti che prendono alla lettera gli antropomorfismi della Scrittura e attribuiscono a Dio membra corporee e passioni umane; millenaristi o chiliasti che, a causa di una lettura troppo letterale di Ap 20,1-6, credono in un regno di mille anni di Cristo e dei martiri nella Gerusalemme terrena, in una «prima risurrezione» che precede quella definitiva. Non sono eretici e Origene stesso non fa menzione dell'incorporeità di Dio nell'esposizione della regola di fede della prefazione al *Trattato sui principi*, mentre il capitolo seguente (I,1) è dedicato a questo argomento. Ma all'uomo è impossibile quaggiù conoscere Dio e parlare di lui senza rappresentarselo come uomo ed è questa, secondo Origene, una delle ragioni dell'incarnazione del Figlio, fattosi uomo per manifestare la divinità attraverso la sua umanità. La creazione del mondo dal niente è affermata a più riprese sia dal *Trattato sui principi* (cfr. I,3,3) che dal *Commentario su Giovanni* (I,17[18], 103) basandosi su 2 Mac 7,28 e sul *Pastore* di Erma (Prec. 1[26],1) che Origene considera spesso come Scrittura. Se la nozione di provvidenza si trova nei platonici e negli stoici, è concepita dall'alessandrino e dal suo discepolo Gregorio il Taumaturgo nel *Ringraziamento a Origene* in modo molto più personalista. L'Uno di Plotino, condiscepolo di Origene, si volge solo a se stesso e la Provvidenza, una Provvidenza che quasi non conosce la persona, incombe sulla seconda e terza ipostasi; il Padre origeniano invece è costantemente associato, nella Provvidenza e nella Creazione, all'opera del Figlio.

2. GESÙ - La discussione su Gesù occupa buona parte dei primi libri del *Contro Celso*. Celso spulcia nella vita di Gesù trovando sempre occasione di accuse o incredulità; la morte in croce occupa tra queste un posto privilegiato. Origene non resta senza risposta. La sua difesa presenta vari tipi di argomentazione che diventeranno classici. Gesù è stato profetizzato dall'Antico Testamento e ha pienamente realizzato tali profezie: con lo stesso ragionamento dimostra nel *Trattato sui principi* (IV,1) l'ispirazione delle Scritture, poiché le profezie sono state compiute da Cristo. Anche i miracoli di Gesù non sono effetto della magia, come pretende Celso che oppone a questi i fatti meravigliosi del paganesimo (cfr. F. Mosetto, *I miracoli evangelici nel dibattito tra Celso e Origene*, Roma 1987). Ma l'argomento fondamentale che valorizza i miracoli di Gesù e tutta la sua missione in questo mondo è l'estensione, il numero e la profondità delle conversioni morali che Gesù ha suscitato. I suoi miracoli hanno per scopo il bene dell'umanità, mentre i fatti meravigliosi invocati dal pagano Celso sono puri prodigi spiritualmente e moralmente indifferenti. Origene parla di esperienza: egli ha costatato il numero e la qualità di questi capovolgimenti provocati dalla predicazione cristiana, che strappa gli uomini da una vita dissoluta ed egoista e li conduce alla virtù. Mentre gli antichi legislatori non sono mai riusciti a fare adottare le loro leggi da stranieri, tutte le regioni del mondo conosciuto da Origene sono piene di cristiani, tra cui molti accettano di soffrire la tortura e la morte per restare fedeli alla fede che Gesù ha predicato. L'insufficienza dei mezzi umani di questa predicazione – il piccolo numero di apostoli che erano persino illetterati – sottolinea ancor più chiaramente che questo successo è dovuto solo alla grazia divina: altrettanto dicasi del poco valore letterario delle Scritture, vasi d'argilla che contengono la parola di Dio. Le sofferenze e i martìri sopportati dai cristiani sono ugualmente invocati come prove della veridicità della loro testimonianza (*CCels* III,27).

3. RIVELAZIONE E SCRITTURA - Per Origene il Verbo e la Scrittura sono contemporaneamente rivelazione in quanto non costituiscono due realtà diverse. Sono infatti entrambi parola di Dio: ora Dio non ha due parole, ma una sola. La Scrittura è dunque già un'incarnazione del Verbo nella lettera, analoga alla carne, non un'incarnazione che si aggiunge all'unica incarnazione, ma a questa relativa, che la prepara (Antico Testamento) e la racconta (Nuovo Testamento); nell'attesa della realizzazione definitiva, quando l'umanità divinizzata in Cristo e divenuta interna a lui, vedrà il Padre con gli stessi occhi del Figlio. La Scrittura si identifica quindi in certo modo con il Verbo incarnato ed è, come l'incarnazione, opera dello Spirito: non si può comprenderla se non si ha in sé lo stesso Spirito che l'ha ispirata. Il carisma dell'agiografo è vicino al carisma di colui che la legge e la comprende; anche comprendere la Scrittura è dunque una rivelazione. Al di là del senso letterale o storico e corporale, che Origene considera come la materialità bruta di ciò che è detto prima, se fosse possibile, di ogni interpretazione – a differenza di alcuni nostri contemporanei per cui il senso letterale è ciò che l'autore umano ha voluto esprimere – la vera comprensione del testo cerca di raggiungere il senso prospettato dallo Spirito, il senso spirituale. Il senso spirituale o allegorico dell'AT riguarda Cristo e tutte le realtà nella nuova alleanza poiché egli è la chiave delle antiche Scritture. Per affermare ciò Origene si basa su numerosi testi del NT, soprattutto paolini e giovannei,

i più importanti dei quali sono 1 Cor 10,1-11; Gal 4,21-31 e 2 Cor 3,7-18: essi mostrano come alcuni episodi veterotestamentari prefigurino realtà neotestamentarie e come l'AT resti nascosto a chi non si sia rivolto a Cristo. D'altronde se prima di tutto la rivelazione è Cristo, l'AT sarebbe rivelazione visto che non tutto parla di Cristo? Ma il NT ha anche un senso spirituale il cui significato è duplice. Dapprima applica al cristiano ciò che viene detto di Cristo. Quindi profetizza i beni della beatitudine, ma con una profezia che è già realizzazione di quanto profetizza. Infatti il vangelo che viviamo quaggiù, il vangelo temporale o sensibile, è diverso dal vangelo eterno, intelligibile o spirituale, solo per l'*epínoia*, un concetto umano: ciò significa che non si distinguono per l'*ipostasi*, il *prágma*, la realtà. Per essa non sono che uno (*ComJn*, I,8 [10],44: cfr. H. Crouzel, *Origène et la «connaissance mystique»*, Bruges-Paris 1961, 352-361). L'unica differenza tra loro è quella della visione «come in uno specchio, in maniera confusa», l'unica possibile quaggiù, e quella della visione «faccia a faccia», dell'eternità (1 Cor 13,12). In questa distinzione è contenuto implicitamente tutto il sacramentalismo cristiano a cominciare dal «sacramento» supremo, cioè Cristo, uomo in cui «abita corporalmente tutta la pienezza della divinità» (Col 2,9).

Contrariamente a quanto si dice spesso dopo impressioni troppo rapide, Origene non disprezza il senso letterale e molte omelie sono basate principalmente su questo. Grammatico e filologo di formazione (cfr. B.Neuschäfer, *Origenes als Philologe* 2 tomi, Basel 1987), egli lo spiega, spesso a costo di ogni sorta di ricerche grammaticali, scientifiche, storiche, geografiche, di incursioni nei costumi ebraici e di consultazioni di diversi manoscritti. Non bisogna dimenticare il colossale lavoro di ese-

gesi critica dei suoi *Hexapla* per giungere a un testo sicuro. Possiamo senza alcun dubbio vedere in lui il principale esegeta critico e letterale dell'epoca antenicena e uno dei più importanti dell'antichità. Qual è allora l'origine della reputazione di disprezzare il senso letterale? È il fatto di dichiarare talvolta che in certi testi esso è inesistente. Ma se si tiene conto della sua definizione di senso letterale sopra indicata, è vero che questo significato manca quando la Scrittura parla un linguaggio figurato. D'altra parte i precetti dell'AT di ordine giuridico e cerimoniale sono stati aboliti da Cristo: non ha più dunque *per noi* valido senso letterale. Ma i libri che li contengono, il *Levitico* ad esempio, ci sono stati dati «per ammonimento nostro, di noi per i quali è arrivata la fine dei tempi» (1 Cor 10,11). Per noi dunque hanno solo un senso spirituale. Aggiungiamo a ciò qualche contraddizione o bizzarria nel testo biblico di cui gran parte deriva dalla versione dei Settanta che Origene, nonostante una certa conoscenza dell'ebraico, considera, come tutti i padri anteriori a Girolamo, il testo ispirato e canonico, quello che gli apostoli hanno dato alla chiesa (cfr. *PArch* IV,3,1-3). D'altra parte a che cosa servirebbero i racconti contenuti nella Scrittura se non ne traessimo almeno una lezione morale? Lo scopo di Origene non ha niente a che vedere con quello dello storico e dell'archeologo; è invece quello del pastore, preoccupato di far progredire moralmente e spiritualmente il lettore o l'auditore.

In generale il senso spirituale deriva dal senso letterale e non è un semplice senso accomodaticcio più o meno arbitrario: non facciamo troppo i difficili riguardo ad alcune eccezioni che potremmo incontrare. In molti casi Origene parte da una spiegazione allegorica già indicata dal NT: la spiega, la estende, la sviluppa. Quando non trova niente nel NT, suggerisce con modestia ciò che gli viene in mente, non come rigida esegesi ma come tentativo contingente, dichiarandosi talvolta pronto ad abbandonare la sua spiegazione se qualcuno gliene indicasse una migliore. Il contesto della scoperta di un'esegesi spirituale è spirituale nel senso più preciso del termine. È la preghiera in cui lo Spirito Santo presente nell'anima svolge, come abbiamo detto, lo stesso ruolo ispiratore che ha avuto nell'ispirare il profeta: vi è dunque una sorta di illuminazione interiore. Per comprendere autenticamente la Scrittura bisogna avere il *noús*, la mentalità di Cristo, come viene affermato in numerosi testi. All'inizio del *Commentario su Giovanni* (I,4[6],23-24), in un celebre passaggio, Origene vede nel vangelo di Giovanni le primizie del vangelo e afferma che può comprenderlo solo chi sia diventato un altro Giovanni, cioè un altro Gesù, poiché Giovanni è stato dato come figlio a Maria, Gesù stesso l'ha sostituito a sé (Gv 19,26). È colui in cui Cristo vive e che ha quindi la mentalità di Cristo (1 Cor 2,16). Cristo è dunque il vero autore dei due Testamenti − abbiamo visto che il Verbo e la Scrittura sono un'unica parola di Dio − e secondo un principio risalente al grammatico Aristarco di Samotracia (217-145), si interpreta convenientemente un testo solo ritrovando in se stessi la mentalità dell'autore (cfr. R. Gögler, *Zur Theologie des biblischen Wortes*, Düsseldorf 1963, 45-46). Questo principio filologico aiuta a comprendere la sua applicazione di ordine teologico da parte dell'Alessandrino.

Dalla preghiera il senso spirituale passa nell'omelia predicata e nel commentario scritto. Conserva dunque un senso soggettivo secondo l'accezione filosofica del termine: questa parola divina è rivolta a un'intelligenza individuale, ma ciò non significa che non sia comunicabile. Non si tratta quindi necessariamente di un signifi-

cato valido per tutti e il predicatore deve esprimerlo con prudenza. Infatti, se l'auditore o il lettore non è alla giusta elevatezza spirituale, egli può fargli del male e venendo frainteso può nuocere ai fratelli. È necessaria infatti una certa disposizione spirituale, dono della grazia, per esprimere o per accogliere un'interpretazione di questo tipo.

Fra i due Testamenti vi è dunque una corrispondenza e uno stretto legame; secondo Origene ciò difende con successo il valore dell'AT contro i marcioniti e gli altri gnostici che lo svalutano o addirittura lo condannano, così come condannano il suo Dio creatore, a loro avviso separato dal Padre di Gesù Cristo. L'AT contiene la promessa che sarà realizzata «come in uno specchio, in maniera confusa» nel Nuovo, «faccia a faccia» nella beatitudine (1 Cor 13,12). In alcuni testi, corretti da altri, Origene persino esagera l'importanza dell'AT sostenendo che patriarchi e profeti hanno avuto una conoscenza delle realtà divine che non era inferiore a quella degli apostoli, senza tuttavia vedere la realizzazione del mistero nascosto (*ComJn* VI, 3-5 [2], 15-30). Ma in seguito, nello stesso *Commentario su Giovanni* (XIII,48, 314-319) considera i profeti come i seminatori e gli apostoli come i mietitori secondo Gv 4,36. Secondo altri passaggi è nella Trasfigurazione che Mosè ed Elia hanno ricevuto la piena rivelazione di Cristo; gli altri santi dell'AT hanno atteso la discesa di Cristo nell'Ade dopo la sua morte. Bisogna anche notare che l'espressione paolina «come in uno specchio, in maniera confusa» è applicata solo al tempo del NT distinto dal vangelo eterno: non la si trova mai attribuita all'Antico che fornisce solo un presentimento, un desiderio, una speranza e non, come il Nuovo, un possesso reale, sebbene imperfetto, delle «vere» realtà, i misteri divini.

La Scrittura non è tuttavia l'unica

rivelazione di Dio. L'uomo trova Dio prima di tutto nella sua natura; infatti come l'angelo – e il demone, che però ha rinnegato la sua partecipazione a Dio – è stato creato a immagine di Dio, immagine che è sempre il Verbo, questa dottrina ha un posto capitale nella conoscenza che l'uomo ha di Dio: solo il simile infatti conosce il simile, poiché lo ritrova in se stesso. La meditazione della Scrittura – la *théia anágnōsis*, la *lectio divina* – ha come presupposto questa conoscenza dell'immagine di Dio ritrovata in se stesso e che progredisce con la grazia e l'esercizio della vita cristiana. E non è tutto. Se gli esseri razionali sono gli unici, propriamente parlando, a essere stati creati a immagine di Dio stesso, altri esseri sono le immagini di misteri divini, esseri sensibili di cui la bibbia parla continuamente. E questi misteri, corrispondenti alle idee platoniche che essi inglobano, sono tutti contenuti nel figlio di Dio, mondo intelligibile in quanto Sapienza. In ultima analisi è sempre il Verbo il rivelatore, sia attraverso la natura umana che attraverso il mondo sensibile e la Scrittura.

4. LIBERO ARBITRIO DELL'UOMO - Il libero arbitrio è il concetto essenziale che domina la concezione dell'uomo di Origene. Gli dedica uno dei capitoli più conosciuti del *Trattato sui principi*, che ha avuto grande influenza sui posteri: vi risolve le obiezioni di origine scritturale sollevate contro questa maggiore prerogativa dell'uomo. La sua insistenza si spiega con il pericolo che correva all'epoca l'esistenza stessa del libero arbitrio in ambito pagano a causa di alcune sette filosofiche, dell'astrologia, della credenza nella magia e nella *heimarménē*, il destino; in ambito cristiano, da parte degli gnostici come i valentiniani che non attribuivano alcun posto al libero arbitrio nella salvezza dei «pneumatici» o nella dannazione degli «ilici», ritenute conseguenze della natura con cui sono stati creati.

Prima di parlare del libero arbitrio diciamo qualche parola sul contesto antropologico in cui si inserisce. L'uomo è formato da tre elementi: forse sarebbe meglio parlare di tendenze, poiché questa antropologia è più dinamica che ontologica. Sono elencati in 1 Ts 5,23 e, malgrado un pregiudizio assai diffuso, hanno pochi rapporti con la tricotomia platonica. Vi è prima di tutto lo spirito (*pnéuma, spiritus*), partecipazione allo Spirito Santo, guida e mentore dell'anima, dono divino che, propriamente parlando, non fa parte dell'essenza dell'uomo: corrisponde con qualche sfumatura alla grazia santificante della successiva teologia. L'elemento essenziale dell'uomo è l'anima (*psychê, anima*): a più riprese Origene definisce l'uomo come anima che si serve del corpo (così *PArch* IV, 2,7). L'anima è la sede della personalità, del libero arbitrio e anche della partecipazione dell'uomo all'immagine di Dio. Ma l'anima è divisa nel profondo di se stessa non in seguito alla creazione, ma come conseguenza del peccato originale che Origene rappresenta nella prospettiva dell'ipotesi da lui preferita: la preesistenza delle anime. La parte o, meglio, la tendenza superiore dell'anima l'attira verso il *pnéuma* di cui è discepola. Quest'ultima è designata sia dal termine platonico *noús, mens*, intelligenza – non la chiamiamo spirito per non confonderla con il *pnéuma* – sia dal termine stoico *hēghemonikón*, parte dominante, in latino, *principale cordis, principale mentis, principale animae*, sia dal termine biblico *kardía, cor*, cuore. Ma dopo la caduta, a essa si è unita una parte o tendenza inferiore che l'attira verso il corpo carnale ed è designata da più nomi, soprattutto quello derivante da Rm 5,6-7 di *phrónēma tês sarkós*, pensiero della carne, in latino *sensus carnis* o *sensus carnalis*; talvolta troviamo semplicemente *sárx* o *caro*, carne, termine sempre dispregiativo che non designa il corpo ma questa parte inferiore dell'anima. Per quanto riguarda il corpo (*sôma, corpus*), terzo elemento, è una nozione plurivoca: più frequentemente designa il corpo carnale dell'uomo, ma può anche esprimere i diversi tipi di corpi che Origene distingue nella storia delle origini umane: corpi eterei o «sfavillanti» – l'etere corrisponde al grado più sottile della materia – degli angeli, delle intelligenze preesistenti, dei giusti risuscitati; corpi ombrosi e oscuri dei demoni e degli empi risuscitati. Il corpo infatti è il segno della condizione di creatura, giacché solo la Trinità è assolutamente incorporea, come afferma a più riprese il *Trattato sui principi* (I,6,4; II,2,2; IV,3,15[27]). Un frammento conservato da Metodio di Olimpo (*De Resurrectione* III,17-18) suppone anche che l'anima, tra la morte e la risurrezione, rimanga rivestita di un involucro corporeo, analogo al «veicolo» (*óchēma*) del medio platonismo. Ma secondo una costante della fisica greca che distingue dalla materia la qualità che la riveste, il passaggio dallo stato preesistente allo stato terreno e poi allo stato risuscitato non suppone un cambiamento di corpo ma solo di qualità.

È in questo contesto di tre periodi, preesistenza, vita terrena o attuale, vita risuscitata, che si situa l'avventura del libero arbitrio: esso è dato da Dio all'anima razionale perché aderisca a lui con un movimento della volontà, ma rende possibile anche il rifiuto. Secondo l'ipotesi preferita da Origene, tutte le creature razionali, che dopo la caduta diventeranno angeli, uomini o demoni, sono state create insieme in completa uguaglianza. Tra queste si distingueva solo l'«intelligenza» unita al Verbo che a tale unione dava la «forma di Dio» (Fil 2,6) e che era perciò assolutamente impeccabile, godendo pure del libero arbitrio; vedremo più avanti la ragione di questo paradosso. Cristo nella sua umanità preesistente era così lo Sposo della chiesa della preesistenza, formata da tutte le altre «intelligenze». Queste ultime vivevano nella contemplazione di Dio. Ma nella maggior parte hanno rifiutato Dio, in diversi gradi, sia per un raffreddamento del loro fervore che le ha rese «anime» – *psychê*, anima, è avvicinato da Origene a *psychós*, freddo, l'anima è dunque un raffreddamento dell'intelligenza primitiva – sia per il disgusto della contemplazione, *kóros* o *satietas*, analoga all'«accidia» che sarà, secondo il monachesimo orientale, una delle maggiori tentazioni del monaco. Questa caduta è l'effetto negativo del libero arbitrio di cui le creature razionali erano dotate all'inizio. A seconda dell'importanza di tale effetto le creature saranno divise in angeli, uomini e demoni e le condizioni nelle quali gli uomini nasceranno dipenderanno dalla gravità della caduta. Il castigo misericordioso degli angeli sarà quello di aiutare gli uomini a salvarsi e di governare i vari regni della natura. Da parte loro i demoni saranno impegnati, secondo la cattiva opzione del loro libero arbitrio, a impedire la salvezza degli uomini. Gli uomini hanno peccato, ma possono guarire. Come prova, Dio crea per loro il mondo sensibile e per viverci il loro corpo, fino a quel momento etereo, assume una qualità terrena. In che cosa consiste questa prova del libero arbitrio che motiverà la redenzione operata da Cristo? Possiamo dedurlo dalla concezione del peccato che Origene esprime costantemente nel suo aspetto antropocentrico. Le realtà di questo mondo terreno sono, l'abbiamo detto, le immagini dei misteri divini. Il loro scopo è quello di suscitarne il desiderio attraverso la loro bellezza, anche se l'anima non deve fissarvisi: sarebbe come se, camminando verso una città, ci si fermasse a un cartello indicatore credendo di essere già arrivati. In altri termini il peccato consiste nel considerare l'assoluto, ipocritamente ma volontariamente, ciò che è solo un'immagine manchevole dell'assoluto, senza continuare a camminare verso l'assoluto di cui questa immagine mostra solo la direzione. Quando, per proseguire il suo itinerario verso Dio, l'uomo si stacca da ciò che è solo immagine – un'immagine innocente in se stessa, certo, tentatrice solo a causa dell'egoismo dell'uomo – egli offre a Dio l'amore che lo salva.

Dio rispetta questo libero arbitrio, così come fa il Verbo, la cui incarnazione non ha lo scopo di costringere l'uomo, ma di motivarlo nel suo cammino verso Dio e di dargli la forza per compierlo. Ciò viene dimostrato da una controversia con i montanisti, la setta cui aveva aderito Tertulliano. Conformemente a certe opinioni manifestate tra i greci a proposito dell'ispirazione poetica e mantica, essi sostenevano che quando lo Spirito Santo ispira i profeti, allontana la loro intelligenza, la loro coscienza e la loro libertà per prenderne il posto; il profeta è uno strumento, il plettro che fa risuonare la lira (Epifanio di Salamina, *Panarion* 48, 4,1). A ciò Origene si oppone risolutamente. Lo Spirito Santo mette il profeta in uno stato di sovracoscienza e di sovralibertà, se si può dire così: è in modo libero e cosciente che il profeta collabora con lui. Solo il diavolo «possiede», obnubilando l'intelligenza e bloccando la libertà. Di qui Origene trae la sua fondamentale regola del «discernimento degli spiriti» (F. Marty, «Le discernement des esprits dans le *Perí Archôn* d'Origène», *RAMy* 34,1958, 147-164, 253-274). Egli concepisce solo per i demoni la possibilità che «la malizia durevole e inveterata si cambi per l'abitudine in un certo modo in natura» sopprimendo così il libero arbitrio (*PArch* I,6,3).

Ma per Origene il libero arbitrio è solo un aspetto della libertà, della quale la sua dottrina spirituale presenta, senza molto attardarvisi, una concezione tutta paolina: colui che aderisce a Dio si libera, colui che si allontana da Dio si rende schiavo ricadendo sotto il peso dei determinismi animali. Questa libertà si manifesta supremamente nell'anima umana di Cristo, un'anima come tutte le altre, dotata anch'essa di libero arbitrio, ma resa assolutamente impeccabile dall'infinita carità di cui la colma la sua unione al Verbo, togliendone l'«accidentalità» della creatura per farla partecipare alla «sostanzialità» della Trinità. A più riprese Origene applica in una certa misura questa concezione della libertà al giusto, fino a parlare come concetto limite della sua immutabilità nel bene, pur affermando altrove che ogni uomo resta peccatore. Così come nell'anima di Cristo la carità ha trasformato «in natura, in seguito a una lunga abitudine... ciò che si trovava nella volontà» (*PArch* II,6,5), ciò avviene anche nel giusto, nelle debite proporzioni. Cogliamo qui il paradosso della libertà: la malizia dei demoni, divenuta natura in seguito all'abitudine, ha bloccato il libero arbitrio: per Cristo, e in certa misura anche per il giusto, la carità divenuta natura in seguito all'abitudine, esalta la libertà, una libertà che fiorisce con l'adesione a Dio.

Il problema della conciliazione del libero arbitrio con la prescienza divina viene spesso posto da Origene, per esempio nel *Contro Celso* (II,18-20), a proposito del tradimento di Giuda. La sua risposta è la seguente: «Non colui che predice è causa dell'avvenimento futuro perché ha predetto che accadrà; ma l'avvenimento futuro, che accadrebbe anche senza essere stato predetto, fornisce al veggente la ragione di predirlo» (*SC* 132, p. 337). Per quanto riguarda la famosa questione teologica della conciliazione del libero arbitrio con la grazia divina, Origene, nonostante alcuni testi insufficienti che derivano da ciò che egli ha vissuto prima che la questione si fosse posta con chiarezza a proposito di Pelagio, nel *Commentario su Giovanni* (IV,36 [20] 181) gli dà una risposta che il concilio di Orange non avrebbe sconfessato: malgrado l'affermazione di Girolamo, Origene non è il padre né del pelagianesimo né del semipelagianesimo. Il capitolo del *Trattato sui principi* che riguarda il libero arbitrio, (III, 1), purché preso nel suo insieme, giunge alle stesse conclusioni.

5. RAGIONE E FEDE - Il problema dei rapporti tra → ragione e fede non si pone per Origene nello stesso modo in cui si pone per molti moderni. Infatti, se il Verbo in quanto Parola e rivelazione è l'origine della fede, egli è anche la Ragione, secondo il duplice senso del termine greco che lo designa, Logos, significante contemporaneamente Parola e Ragione. La ragione non è estranea a Dio e al Figlio che è la Ragione eterna del Padre. Perciò Origene rileva vivacemente le accuse di Celso che rimproverano i cristiani di abbandonarsi a una fede non ragionata e dimostra come si trovi nel cristianesimo un attento esame delle fonti e del contenuto della fede in aiuto alla ragione. Dal cristianesimo scaturisce una vera sapienza, sebbene molto spesso opposta alla sapienza pagana o atea, soprattutto quando predica la croce (*CCels* I,9-13). Un capitolo del *Trattato sui principi* (III,3,1-3) ha per titolo: «Sulla triplice sapienza» e spiega 1 Cor 2,6-7. La «sapienza del mondo» corrisponde alle diverse arti o scienze: in se stessa non dà alcuna idea di Dio. Tuttavia il *Ringraziamento a Origene* di Gregorio il Taumaturgo (VIII, 109-114) mostra il maestro che insegna queste scienze in uno spirito tutto religioso e stando al *Commentario sui Romani*, secondo un frammento greco (Schérer, 230, 1.9ss) che spiega Es 31,35, gli artisti che hanno costruito e ornato il Tabernacolo agivano sotto ispirazione dello Spirito di Dio. Infatti «la sapienza di Dio aiuta colui che ha la sapienza umana e si prepara a ricevere la sapienza divina». Bisogna concluderne che se la «sapienza di questo mondo» con cui «concepiamo e comprendiamo ciò che è di questo mondo» (*PArch* III,3,2) non parla in se stessa di Dio, non è tuttavia incompatibile con una visione religiosa. La «sapienza dei prìncipi di questo mondo», cioè degli angeli o dei demoni che governano le nazioni, corrisponde alle scienze proprie di ogni nazione, a «ciò che si definisce la filosofia misteriosa e occulta degli egiziani, l'astrologia dei caldei, la sapienza degli indiani che promettono la conoscenza delle realtà superiori e le variate e molteplici opinioni dei greci sulla divinità» (*Ibid.*). Origene ha molte volte espresso sulla filosofia greca un'opinione molto sfumata, variabile a seconda delle scuole, meno ottimista di quella del suo maestro Clemente. La lettera a Gregorio Taumaturgo accetta che sia usata dai cristiani per costruire la «divina filosofia» del cristianesimo ed egli stesso ne fa ampio uso nella sua ricerca teologica (cfr. H. Crouzel, *Origène et la philosophie*, Paris 1962). Ma non nasconde che questa operazione è delicata e che un'utilizzazione senza precauzioni della filosofia greca potrebbe condurre all'eresia (*Lettera a Gregorio*, SC 148).

Come regola generale possiamo dire che per Origene non vi è distanza tra la rivelazione e la ragione, poiché entrambe sono il Logos, figlio di Dio. Ciò conferisce correntemente alla ragione un senso più sovrannaturale che naturale, secondo una distinzione che non gli è familiare; lo stesso possiamo dire del termine *loghikós*, razionale. Il figlio di Dio è stato agente della creazione come Sapienza e Logos. In quanto Sapienza aveva in sé le idee di tipo platonico, e le «ragioni» stoiche, cioè i piani e i germi della creazione futura; in quanto Logos li ha espressi negli esseri reali. Ma in ciò ha giocato il libero arbitrio degli uomini, come abbiamo visto, ed è per questo che nella filosofia vi è del vero e del falso. Il suo uso richiede un costante discernimento alla luce della fede. Tuttavia l'esercizio della ragione è indispensabile al cristiano, com'è dimostrato dalla prefazione del *Trattato sui principi*, poiché, sebbene gli apostoli abbiano dato ai cristiani «tutto ciò che hanno ritenuto necessario», hanno lasciato ai credenti ispirati dallo Spirito Santo la preoccupazione di cercare «il modo di essere» e l'«origine» delle realtà che essi hanno rivelato e la cura di unire tutto ciò in un «corpo dottrinale… con l'aiuto di asserzioni chiare e necessarie» che stabiliscano «la verità di ogni punto» «con l'aiuto di paragoni e affermazioni, trovate nelle sacre Scritture o scoperte ricercando la conseguenza logica e seguendo un retto ragionamento» (*PArch* pref. 3 e 10).

Celso accusa i cristiani di fuggire lo spirito critico e di volere una fede cieca. Origene risponde, come abbiamo visto, che tutti i cristiani che possono sono invitati a fare uso della loro ragione per studiare e interpretare le Scritture, ma che pochi ne sono capaci. Per la maggior parte l'atteggiamento migliore è quello della semplice fede: l'efficacia morale della dottrina cristiana è la prova del carattere razionale dell'atto di fede (*CCels* I,9). Origene contrattacca: anche i filosofi chiedono la fede ai loro discepoli. È davvero per un atto di fede che un giovane frequenterà di preferenza una scuola invece di un'altra, poiché non ha precedentemente fatto il giro di tutte per provarle, prima di scegliere quella che seguirà (*CCels* I,10). D'altronde la fede è essenziale per ogni vita umana. Senza

di essa non è possibile alcuna azione: non si può né navigare, né sposarsi, né procreare, né seminare. Crediamo che tutto andrà per il meglio benché l'esito sia dubbio e frequente l'insuccesso. Ma senza questa fiducia non si ha il coraggio di intraprendere qualcosa (*CCels* I,11).

La fede del cristiano può essere frutto di un caso favorevole, che il cristiano chiama Provvidenza, o il prodotto di un rigoroso esame della verità. La massa dei fedeli si trova nella prima condizione, un piccolissimo numero nella seconda (*CCels* III,38). Ma l'atteggiamento di fede è necessario a tutti i cristiani e non solo ai più semplici: la conoscenza e la sapienza dello spirituale hanno sempre la fede come fondamento.

6. LEGGE NATURALE - La nozione di legge naturale, che viene da Dio, contenuta nell'ordine stesso della creazione, deriva dalle *koinái ennóiai*, «concezioni comuni», nozioni morali che si trovano in ogni uomo. È un'eredità stoica. Ne ha già fatto uso Paolo in Rm 2,14-16. Origene, che spesso parla di queste «concezioni comuni», rinvia alla legge naturale nel *Contro Celso* e nel *Commentario su Romani*. Nel primo scritto non contesta l'affermazione di Celso secondo cui i precetti della morale cristiana non hanno niente di originale e sono quelli di tutti gli altri filosofi: egli spiega questo fatto con l'esistenza di una morale naturale iscritta nel cuore di ogni uomo (*CCels* I,4). Si oppone, d'altra parte, al relativismo di Celso secondo cui bisogna conservare scrupolosamente ed esattamente le leggi e i costumi del proprio paese, anche se quelle osservate da paesi diversi sono contraddittorie tra loro (*Ibid.* V,25). Secondo la risposta di Origene bisogna distinguere la legge della natura, di cui Dio è autore, e la legge scritta della città e giudicare la seconda alla luce della prima (*Ibid.* V,37). Un recente studio sui diversi

sensi del termine legge nel *Commentario su Romani* (R.Roukema, *The Diversity of Laws in Origen's Commentary on Romans*, Amsterdam 1988) studia con attenzione ogni testo di quest'opera in cui si tratta della legge e riassume in conclusione i diversi usi.

7. UOMINI E ANIMALI - Concluderemo questo articolo con un ultimo punto: quale rapporto vi sia tra l'anima dell'uomo e quella dell'animale. Il problema si poneva all'epoca a causa dei sostenitori della metempsicosi, che restava oggetto di discussione tra i filosofi. Malgrado ciò che Girolamo e Giustiniano pretendono di aver letto nel *Trattato sui principi*, in contraddizione con diversi testi di Origene conservati in greco e indiscutibili, troviamo già nel *Trattato sui principi* (II,9,3 infine) che l'anima razionale dell'uomo, analoga per sua origine all'angelo, è un essere principale, mentre i muti animali (*álogoi*, senza parola né ragione) sono esseri secondari che Dio ha messo a disposizione dell'uomo. Questo argomento è ampiamente sviluppato nel *Contro Celso* (IV,74-79). Celso attacca i cristiani che pretendono che Dio abbia creato il mondo sensibile per l'uomo; egli sostiene che la Provvidenza non si occupa degli uomini più che del resto dell'universo e dimostra che gli animali sono sotto molti aspetti superiori all'uomo. Origene risponde che la ragione dell'uomo permette di dominare l'animale, ponendo quest'ultimo a un livello ben diverso rispetto all'uomo (cfr. Gilles Dorival, «Origène a-t-il enseigné la trasmigration des âmes dans les corps d'animaux? [à propos de *PArch* I, 8,4]», in *Origeniana Secunda*, Roma 1980).

Bibl. - Cfr. le opere citate nell'articolo. Inoltre: H. Crouzel, *Théologie de l'image de Dieu chez Origène*, Paris 1956; Id., *Origene*, Roma 1986; G. Dorival, «Origène a-t-il enseigné la transmigration des âmes dans les corps d'animaux? (à propos de *PArch* I,8,4)», in *Origeniana Secunda*, Roma 1980.

HENRI CROUZEL

ORTODOSSIA

Questa parola viene dai termini greci *orthós* che significa corretto e *dóxa* che vuol dire opinione o gloria. Anche se qualche volta gli autori greci classici mettono queste due parole vicine (Platone, *Filebo* 11b), l'aggettivo «ortodosso» e il sostantivo «ortodossia» sono diventati di uso comune soltanto nel periodo della patristica greca. Ortodossia significa sana o corretta dottrina; il suo significato esce dal contesto strettamente teologico e può indicare la dottrina accettata o fissata in un qualunque campo di studi. Il termine esplicito «ortodossia» non si trova nel Nuovo Testamento, anche se il suo significato è suggerito in alcuni passi. Alcuni testi parlano della trasmissione attenta del messaggio di Cristo ricevuto dai primi credenti (1 Cor 11,2 e 23; 15,1-3; 2 Tm 2,2). Sia Paolo (Gal 1,23) che Giuda (v. 3) parlano della «fede» in un modo che denota un contenuto dottrinale identificabile. Le lettere pastorali pongono molta enfasi sulla sana dottrina, usano per quindici volte la parola «insegnamento» (*didaskalía*) e fanno differenza tra insegnamento sano (1 Tm 1,10; 2 Tm 4,3; Tt 1,9; 2,1) e insegnamento eterodosso (1 Tm 1,3; 6,3). La nozione di sana dottrina sta alla base della condanna di Paolo per coloro che predicano un «altro Gesù» (2 Cor 11,4) o un «altro vangelo» (Gal 1,6-9) e della condanna dei falsi maestri in 1 Tm 1,3-7; 2 Tm 3,1-9; 4,1-5. Così per quel che riguarda la trasmissione della sana dottrina distinta dalla falsa dottrina, il NT fornisce una base per il successivo uso patristico della parola «ortodossia» che divenne termine comune tra gli scrittori ecclesiastici specialmente dopo Eusebio († 339). Dal tempo in cui i concili di Efeso (431) e di Calcedonia (451) parlarono di ortodossia, il termine non solo indicò la giusta dottrina, ma la dottrina tradizionale e universale della chiesa come è stata tramandata in una linea ininterrotta da Gesù e dagli apostoli.

La pubblicazione di W.Bauer, *Rechtgläubigkeit und Ketzerei im ältesten Christentum* del 1934, sfidò il tradizionale punto di vista che l'ortodossia rappresentasse il contenuto della dottrina originale della fede cristiana e che le eresie ne fossero posteriori deviazioni. Bauer sosteneva che originariamente il cristianesimo era un insieme di gruppi dottrinalmente differenti, la maggior parte dei quali più tardi sarebbero stati classificati come eterodossi. Ciò che in seguito divenne noto come ortodossia fu semplicemente la posizione dottrinale della chiesa di Roma, una posizione che gradualmente prese il predominio durante il III secolo, divenendo la dottrina ufficiale cristiana del tardo romano impero. La tesi di Bauer non conquistò un vasto consenso anche se dimostrò la difficoltà del provare l'unanimità di dottrina nei primi decenni cristiani.

Nella storia posteriore la parola «ortodossia» fu usata con più frequenza tra le chiese orientali − che avevano perfino un'antica festa dell'ortodossia − che non in Occidente dove i papi sembravano aver evitato l'uso del termine. Il Vaticano II usa l'aggettivo «ortodosso» solo una volta quando stabilisce che la devozione a Maria deve essere tenuta entro i limiti dell'insegnamento ortodosso (LG 66).

Per la teologia fondamentale, la nozione di ortodossia apre alcuni importanti campi di riflessione. Innanzitutto, qual è la relazione tra rivelazione e ortodossia? Alcuni hanno visto una specie di canone per l'ortodossia nella seguente dichiarazione del Vaticano I: «Inoltre, per fede divina e cattolica si deve credere a tutto ciò che è contenuto nella parola di Dio scritta o nella tradizione e che è proposto dalla Chiesa come oggetto di fede divinamente rivelato sia in un solenne decreto che nel suo insegna-mento ordinario e universale» (DS 3011). Qui l'ortodossia viene considerata piuttosto nel suo aspetto quantitativo. L'essere contenuta nella Scrittura o nella tradizione e l'essere proposta dalla chiesa come rivelata indica qual è la dottrina corretta e che perciò deve essere creduta. L'ortodossia è l'insieme di quel numero di dottrine che seguono questo criterio. Oggi, invece, molti teologi suggeriscono che è necessario prestare maggiore attenzione agli aspetti qualitativi della dottrina. Credere nel messaggio centrale del vangelo, il *kêrygma* sulla morte e risurrezione salvifiche di Gesù Cristo, è già credere implicitamente all'intera rivelazione cristiana. A questo riguardo la dichiarazione del Vaticano II circa una → «gerarchia delle verità» (UR 11) renderebbe più sfumato l'approccio all'ortodossia piuttosto quantitativo del Vaticano I.

La teologia fondamentale dovrebbe essere interessata anche alla relazione tra ortodossia e fede. A causa del moderno «ritorno al soggetto» è diventato più chiaro che la *fides qua* o l'aspetto soggettivo della fede gioca un ruolo significativo e formativo nella comprensione del credente della *fides quae* o verità oggettiva della rivelazione. Applicato all'ortodossia alcuni hanno suggerito che il clima pluralistico della società contemporanea rende l'atto di fede da parte di ogni individuo suscettibile di numerose influenze culturali e filosofiche così che la complessa costruzione soggettiva della fede in ogni individuo resiste a facili categorizzazioni quali ortodossia o eterodossia. Su questa linea si ha necessità di interrogarsi sul rapporto tra ortodossia e *sensus fidelium*. La proclamazione di due delle dottrine ortodosse generalmente considerate tra i più espliciti esempi di insegnamento papale *ex cathedra*, la dottrina dell'Immacolata Concezione e dell'Assunzione, era strettamente legata alla fede professata dalla maggior parte dei cattolici romani. La teologia fondamentale deve esplorare i modi con i quali si può «leggere» il *sensus fidelium*, come pure il significato teologico del *sensus fidelium*, tra i cristiani divisi, per quella fede ortodossa che fornisce parte della base per la piena comunione. La teologia fondamentale deve dimostrare come l'ortodossia può includere, come ha sempre incluso, legittime diversità.

Quando una cultura è sensibile allo sforzo tutto umano della storicità e alla libertà e responsabilità dei singoli nel cercare la verità, l'ortodossia può apparire un tradizionalismo che non è aperto allo sviluppo nella verità e che ha perfino impensabili pregiudizi contro legittime e alternative espressioni della realtà. Comunque, dichiarando di possedere un messaggio vero, il cristianesimo necessariamente sostiene di avere una «ortodossia». A questo riguardo l'argomento dell'ortodossia conduce alla frontiera tra teologia e filosofia. A un certo livello l'ortodossia implica che il cristianesimo non può mai rimanere neutrale nei confronti di qualunque epistemologia radicalmente relativa.

Bibl. - H. Rengstorf, «didáskō, didaskalía, heterodidaskaléō», in GLNT II, 1093-1126; W. Kasper, «Zum Problem der Rechtgläubigkeit in der Kirche von morgen», in *Kirchliche Lehre - Skepsis der Gläubigen*, Freiburg-Basel-Wien 1970, 37-96; J.B. Metz-E. Schillebeeckx (edd.), «Ortodossia ed eterodossia», in *Conc* 23 (1987).

WILLIAM HENN

ORTOPRASSI

Ortoprassi come termine teologico è entrato in voga piuttosto recentemente sotto l'impatto della teologia politica e della teologia della liberazione (→ Teologie, V-VI) che si sono sviluppate dagli ultimi anni '60 ad oggi. Teologi come J. Moltmann, J.B.

Metz, G. Gutiérrez, J.L. Segundo e D. Sölle hanno criticato le troppo individualistiche preoccupazioni del protestantesimo neo-ortodosso o della teologia trascendentale romano-cattolica, richiamando una maggiore attenzione agli imperativi socio-politici della tradizione giudeo-cristiana. Inoltre, questi pensatori tendevano ad accettare un principio che, filosoficamente, si collegava all'opera di K. Marx, cioè che è più importante cambiare il mondo piuttosto che limitarsi a interpretarlo. Questa dimensione sociale e volta al futuro dell'ortoprassi, trova sostegno nella tradizione delle encicliche sociali dei papi, che cominciarono alla fine del XIX secolo e che forniscono parte dello sfondo per espressioni collegiali di dottrina sociale quali la *Gaudium et Spes* del Vaticano II, il Sinodo dei vescovi del 1971 sulla *Giustizia nel Mondo* e le dottrine sociali delle diverse conferenze episcopali locali; gli esempi più notevoli di tali dottrine sono i documenti delle Conferenze Generali dell'Episcopato Latinoamericano di Medellín (1968) e di Puebla (1979).

La parola «ortoprassi» viene dalle parole greche *orthós* che significa giusto, corretto e *práxis* che vuol dire fatto, azione, pratica. Ortoprassi evidentemente deve essere intesa in rapporto con → ortodossia. Come l'ortodossia riguarda il corretto credo, l'ortoprassi è diretta alla corretta azione. Qualcuno vorrà mettere in guardia dall'identificare l'ortoprassi in modo semplicistico con l'azione; essa rappresenta piuttosto un rapporto critico tra dottrina o teoria da un lato e azione o pratica dall'altro. La dottrina e l'azione si condizionano o si mediano reciprocamente. La dottrina deve provare la sua verità nella pratica; la pratica deve essere guidata dalla dottrina e dare vita a ulteriore riflessione dottrinale.

La bibbia ha offerto una ricca base alla fondamentale importanza dell'ortoprassi. Le scritture ebraiche si dividono nelle categorie della Legge, dei Profeti e degli Scritti, ognuna delle quali può essere presentata come avente la prassi per suo scopo principale. Nel narrare la storia della salvezza, la Legge delinea il modo di vita del popolo eletto da Dio; alla luce delle circostanze contemporanee, i Profeti incitano il popolo ad una più fedele osservanza di quello stile di vita; e gli Scritti trattano vari modi nei quali la Legge influisce sulla vita quotidiana. Questo senso concreto è trasmesso in testi come Dt 30,14: «Anzi, questa parola è molto vicina a te, è nella tua bocca e nel tuo cuore, perché tu la metta in pratica»; o Mic 6,8: «Uomo ti è stato insegnato ciò che è buono e ciò che richiede il Signore da te: praticare la giustizia, amare la pietà, camminare umilmente con il tuo Dio». Inoltre questa dimensione concreta del messaggio delle Scritture ebraiche contiene in sé un inestirpabile aspetto sociale (cfr. Es cc. 20-23; Is 1,1-31; Am 1, 6-7; 4,1-5). Il Nuovo Testamento continua a sottolineare l'importanza della pratica; Gal 5,6 parla della «fede che opera per mezzo della carità». Si ricorda che Gesù dice: «Non chiunque mi dice "Signore, Signore" entrerà nel regno dei cieli, ma colui che fa la volontà del Padre mio che è nei cieli» (Mt 7,21) e il criterio per il giudizio finale riguarda il preoccuparsi dei propri simili (Mt 25,31-46). Nel NT troviamo ripetutamente la dignità del povero e gli impegni sociali che fanno parte dell'essere cristiano. Inoltre, alcuni hanno suggerito che è impossibile comprendere il messaggio del vangelo senza considerare la prassi di Gesù, prassi che presentava implicazioni societarie e che è stata in diretto rapporto con la sua condanna a morte. Per costoro, la prassi diventa un principio ermeneutico, un modo di leggere il NT così da colmare la differenza che separa il mondo di oggi dagli orizzonti del I secolo. Un compito significativo per la teo-

logia fondamentale sarà quello di chiarire la relazione tra ortodossia e ortoprassi. E l'ortoprassi è, in un certo senso, un criterio di ortodossia fino al punto che una prassi non cristiana limita la possibilità di avere una fede corretta? Inoltre, fino a che punto l'ortoprassi è un principio della teologia? Lo sviluppo delle comunità cristiane di base, non soltanto in America Latina ma anche in altri ambienti culturali, ha mostrato con forza il ruolo dell'esperienza nel mediare l'interpretazione della rivelazione com'è contenuta nella Scrittura e nella tradizione. Inoltre, cosa si intende esattamente quando si dice che l'esperienza accumulata con l'ortoprassi influisce sulla dottrina? La teologia fondamentale deve tentare di dare qualche risposta a questi interrogativi.

Un altro campo di interesse per la teologia fondamentale è la relazione tra ortoprassi e la comunione che è la chiesa. Nel passato questa comunione è stata spesso associata alla giusta dottrina o ortodossia. Il termine ortoprassi evoca un contrasto non soltanto con ortodossia ma anche, in un modo differente, con ciò che potrebbe essere definito eteroprassi o prassi eretica. Alcuni teologi hanno discusso le difficoltà inerenti la celebrazione dell'eucaristia da parte di una comunità che comprenda sia l'oppresso che l'oppressore, difficoltà che ricordano quelle affrontate da Paolo in 1 Cor 11,17-34. Un altro esempio più moderno è il sistema sociale dell'apartheid razziale a volte indicato come una «eresia». In ambedue questi esempi il rapporto tra ortoprassi e comunione necessita di ulteriore elaborazione.

Mentre la parola ortoprassi è in qualche modo nuova, le implicazioni sociali e pratiche della fede alle quali essa si riferisce sono antiche come i più antichi testi della Scrittura. Oggi la riflessione sull'ortoprassi potrebbe essere un argomento privilegiato nel dialogo tra la teologia e le discipline politiche e sociali.

Bibl. - J.B. Metz, *Sulla teologia del mondo*, Brescia 1969; J. Moltmann, *Teologia della speranza*, Brescia 1970; G. Gutiérrez, *Teologia della liberazione*, Brescia 1973²; C. Boff, *Teologia e pratica: Teologia do politico e suas mediações*, Petrópolis 1982; B.J. Verkamp, «Doing the Truth: Orthopraxis and the Theologian», in ThS 49 (1988) 3-24.

WILLIAM HENN

P

PASCAL Blaise

1. Nuovo tipo di apologetica -
L'apologetica di Pascal rappresenta
qualcosa di inedito. La sua impresa
non fu subordinata né a una filosofia né a una scienza particolare. È
tuttavia di tipo filosofico: più precisamente è un'*antropologia*. In un universo in cui l'uomo è alla deriva, mistero a se stesso e mistero per gli altri, Pascal cerca di dimostrare come
la religione cristiana dia un senso a
un'esistenza apparentemente assurda:
è un'antropologia di carattere *teologico*. La chiave del mistero dell'uomo è in Cristo, totalità del senso, che
permette non solo di decifrare la condizione umana, ma anche di appor-
tarvi rimedio.

Oggi si qualificherebbe volentieri
l'apologetica di Pascal come *ermeneutica*, cioè ricerca di senso, più
preoccupata di trovare segni che prove. Descrive l'esistenza umana che essa si sforza di interpretare come fosse un testo. Attraverso le diversità, le
opposizioni, le fratture, le discontinuità, le scissioni, Pascal cerca di «decifrare» la condizione umana. Quindi
la sua apologetica non segue un ordine lineare: è piuttosto multidirezionale e multidimensionale. È la ricerca e la scoperta di un senso a partire
da osservazioni e figure che si posso-

no dividere e classificare in modo diverso.

La ricerca del senso passa attraverso l'analisi dei paradossi della condizione umana e la scoperta di un punto superiore che li assume e li illumina.

Il *paradosso*, che è l'elemento privilegiato della dialettica di Pascal,
non è una semplice tecnica stilistica,
un gioco di antitesi letterarie: esso
propone i termini della realtà umana
stessa. Il paradosso consiste nella coesistenza e perfino nell'alleanza degli
opposti; amplia gli opposti senza tuttavia risolverli. Il contrasto che caratterizza lo scrivere pascaliano, che
oppone tra loro i temi miseria-grandezza, finito-infinito, tempo-eternità,
carne-spirito, appartiene a Pascal come appartiene al vangelo e a S. Paolo e descrive il movimento stesso del-
l'esistenza umana: «Sappiate dunque,
superbo, quale paradosso siete per voi
stesso» (B434 C438).

L'intelligenza del paradosso non va
cercata in un equilibrio in cui gli opposti, messi sulla bilancia, finirebbe-
ro con l'annullarsi. Non si deve cercare né equilibrio né simmetria, ma
un *senso* che venga da un *punto più
alto*, superiore, capace di chiarire e
di ordinare visioni divergenti. Tale
punto superiore, che permette di decifrare la condizione umana, è offer-

to dal cristianesimo, soprattutto dal dogma del peccato originale e da quello della redenzione. Il dogma tuttavia non abolisce i termini del paradosso; piuttosto li fa apparire in una luce più cruda. Cristo è un punto di rottura più che di equilibrio. Mistero egli stesso, chiarisce il mistero dell'uomo con un passaggio a un ordine superiore: quello della carità rivelata dalla croce. Solo Cristo decifra la condizione umana.

2. DIALETTICA DI PASCAL - Possiamo qui solo abbozzare a grandi linee il procedere di questa nuova apologetica. La sua originalità sta nel prendere l'uomo come figura centrale della dimostrazione. Per comporre questa figura, Pascal si ispira sia a immagini derivate dalla fisica matematica (l'uomo senza uno spazio preciso nell'universo infinito, l'uomo in abbandono, alla deriva, senza punto di riferimento), sia ispirate alla medicina (termini di malattie, ricerca di una terapia appropriata). In termini di fisica, bisognerà trovare «un punto alto»; in termini di medicina una grazia medicinale, un «rimedio».

In un classico frammento (B72 C84) Pascal mostra come l'uomo viva all'interno di una sproporzione spazio-temporale, segno di una ancora più profonda sproporzione che è quella del suo essere. Nell'universo non c'è luogo naturale in cui egli troverebbe l'equilibrio rispetto a ciò che lo circonda, perso tra i due abissi dell'infinitamente grande e dell'infinitamente piccolo. L'alto, il basso, il centro, la periferia, perdono il loro senso in un universo infinito. Che cos'è questa sfera il cui centro è dovunque e la circonferenza da nessuna parte? A questa visione degli infiniti spaziali si sovrappone quella di un essere che conosce, ma che è *assoggettato* a due limiti: ciò che conosce, non lo conosce né con certezza né totalmente.

L'uomo ritrova il paradosso del finito-infinito nell'abisso della mise-

ria-grandezza che riguarda il suo essere. Egli cerca la verità, la giustizia, la felicità, ma in realtà conosce solo l'incertezza o l'errore, l'ingiustizia o la forza, la disillusione o il miraggio della felicità che è lo svago. Il tutto chiuso dalla morte. E tuttavia l'uomo è grande: «Attraverso lo spazio l'universo mi comprende e mi inghiotte come un punto: con il pensiero sono io a comprenderlo» (B348 C265). «L'uomo è solo un giunco... ma un giunco pensante» (B347 C264). Questo spirito è fatto per l'infinito. La miseria dell'uomo risulta da una capacità beante, aperta sull'infinito, mai soddisfatta, e da uno slancio che non raggiunge mai il suo fine. «L'uomo supera infinitamente l'uomo» (B434 C438), poiché vi è nell'uomo più che l'uomo stesso. Ma allora che cos'è l'uomo? «Che novità, che mostro, che caos, che soggetto di contraddizioni, che prodigio! Giudice di tutte le cose, imbecille verme di terra, depositario del vero, cloaca di incertezza e di errore, gloria e rifiuto dell'universo. Chi sbroglierà questo imbroglio?» (B434 C438).

Fino a questo punto Pascal ha osservato l'uomo guardandolo vivere e pensare con lo sguardo di un biologo o di un esperto contabile davanti a un bilancio. Si può protestare, se si vuole, di fronte ai colori troppo tetri della descrizione. Ma le analisi di Nietzsche, Proust, Dostoèvskij, Kafka, Mauriac, Malraux, Camus, Sartre non fanno che prolungare e ampliare le intuizioni di Pascal dandogli ragione. L'uomo senza vangelo è orrendo.

Al di fuori della fede cristiana, l'uomo decifra nel mondo solo un destino assurdo che sfocia nel nulla. Che cosa farà di fronte al proprio mistero? Vivrà sempre nell'indifferenza, inconsapevole del proprio passato e incurante del suo avvenire? Pascal fa dire all'indifferente: «Io non so chi mi ha messo al mondo, né che cos'è il mondo e cosa sono io stesso: sono in un'ignoranza terribile di ogni cosa; non so che cosa è il mio corpo, i miei sensi, la mia anima e questa parte di me che pensa ciò che dico... Vedo questi spaventosi spazi dell'universo che mi racchiudono senza che io sappia perché sono in questo luogo piuttosto che in un altro... Non vedo che infinità da ogni parte che mi chiudono come un atomo e come un'ombra che dura solo un istante senza ritorno. Tutto ciò che so è che devo ben presto morire, ma ciò che più ignoro è questa morte che non posso evitare. Poiché non so da dove vengo, così non so dove vado; e so soltanto che uscendo da questo mondo cadrò per sempre o nel nulla o nelle mani di un Dio irritato, senza sapere di quale delle due condizioni dovrò essere eternamente retaggio. Ecco la mia situazione, piena di debolezza e di incertezza. E da tutto ciò concludo che devo passare tutti i giorni della mia vita senza pensare di cercare ciò che mi deve accadere» (B194 C335). Dunque il non credente può accettare di vivere nella più totale indifferenza pratica. Egli può non provare alcun imbarazzo a lasciar da parte i problemi che concernono il senso profondo dell'esistenza. «Questo riposo nell'ignoranza è una cosa mostruosa di cui bisogna far sentire la stravaganza e la stupidità a coloro che vi trascorrono la vita, mostrandola a loro stessi per confonderli con la visione della loro follia» (B195 C334).

Pascal si dedica allora a disorientare il libertino per togliergli le sue certezze. Spera di farlo uscire dal suo torpore e di metterlo alla ricerca della verità. Di questi adepti della comodità intellettuale egli vuole fare degli «stranieri» in preda all'angoscia della deriva, per condurli a porsi gli interrogativi ultimi a cui solo il cristianesimo porterà delle risposte. Senza questo coinvolgimento, nessun argomento potrebbe avere un mordente: si ridurrebbe a un mero dibattito accademico.

Pascal non dispera di provocare nell'anima del non credente questa lacerazione esistenziale e questa *ricerca di senso* (→ Senso, II). Infatti la coscienza della sua miseria dovrebbe ridestare l'uomo alla sua vera vocazione; tale vocazione, infatti, è una chiamata vissuta che egli non può soffocare. Ma la strategia di Pascal non si ferma qui. Al paradosso della condizione umana, che va decifrato, ne aggiunge un altro ancor più sconcertante e che concerne questa volta le esigenze di un'autentica decifrazione della condizione umana.

Lontano dal far credere che la verità dell'uomo si trova in una sorta di naturalizzazione di Dio, Pascal afferma crudemente: «Ciò che fa credere è la croce» (B588 C828). Nient'altro può insegnarci a conoscere Dio e noi stessi. «Gesù Cristo non ha fatto altro che insegnare agli uomini che essi amavano se stessi, che erano schiavi, ciechi, malati, infelici e peccatori; che egli doveva liberarli, illuminarli, beatificarli e guarirli; che ciò sarebbe avvenuto rinnegando loro stessi e seguendolo nella miseria e nella morte in croce» (B545 C689).

Non vi è altra strada apologetica che quella della croce. Tutta la descrizione da parte di Pascal dell'universo infinito e della deriva umana, del mistero di miseria e di grandezza che abita e lacera l'uomo, ha il solo scopo di portare l'uomo a scegliere questa strada. La ricerca della verità passa attraverso la croce. Questo approccio costituisce un altro tratto dell'originalità di Pascal. Molto più di un preliminare dottrinale (prove storiche del cristianesimo) egli propone come «preliminare» la «conversione del cuore». In questo modo Pascal taglia corto con le obiezioni del libertino e lo prepara a leggere i segni e le prove storiche. Infatti, per quanto ragionevole sia la decisione di fede, con l'impressionante insieme delle prove storiche, non si è fatto nulla se le passioni non vengono dominate, se il cuore non è disposto ad ascoltare. «Avrei subito abbandonato i piaceri – dicono – se avessi avuto la fede. E io vi dico: voi avreste avuto ben presto la fede se aveste abbandonato i piaceri» (B240 C457). Per capire infatti bisogna sfebbrare, purificarsi.

L'apologetica di Pascal passa dunque attraverso la conversione del cuore e attraverso la croce. Essa si serve delle prove storiche, ma intende somministrarle a un uomo reso *disponibile* dalla coscienza di essere incomprensibile a se stesso, estraneo a tutto; a un uomo che, posta correttamente la questione del senso della vita (origine e destino), desidera trovare la verità nella sola luce che possa svelarla. Ora tale luce è la croce di Gesù Cristo e ci si prepara a riceverla con la mortificazione delle passioni. Questo salto pieno di pericoli, follia per il mondo, umiliazione per l'orgoglio dei filosofi, non può che esprimersi con il pressante avvertimento: *Ne evacuetur crux Christi*.

Pascal si è sforzato fin qui di scuotere l'uomo, di suscitare in lui la ricerca della verità. Gli ha anche mostrato a quale condizione tale ricerca può aver buon esito: se l'uomo si dispone ad accogliere la verità, per quanto sconcertante sia, con la conversione del cuore.

Pascal si rivolge dapprima ai filosofi. Questi si mostrano impotenti a chiarire veramente il mistero. Gli stoici hanno optato per la grandezza e sono caduti nell'orgoglio; gli scettici per la miseria e sono caduti in un'indifferenza riprovevole (B525 C392). Ciò che ai filosofi non è possibile non lo è nemmeno alle religioni dell'umanità. Pascal interroga uno per uno, brevemente, il buddhismo, l'islam, la religione pagana. Ma invano. Per quanto si esaminino tutte le religioni del mondo, conclude Pascal, non ce n'è nessuna che porti una risposta davvero decisiva al mistero dell'uomo e del suo destino. Tutte lasciano l'uomo insoddisfatto e non propongono nessun vero rimedio alla sua miseria.

3. CRISTO, TOTALITÀ DI SENSO - L'illustrazione definitiva della condizione umana avviene solo in Gesù Cristo: «In Gesù Cristo tutte le contraddizioni si accordano» (B684 C558). Egli è il punto di riconciliazione di tutti i nostri paradossi, non con equilibrio o simmetria (peccato-grazia, grandezza-miseria), ma con un cambiamento di ordine. Cristo è questa immagine dell'uomo nuovo che poteva essere posta solo da Dio: un'immagine che il mondo non poteva né esigere, né sospettare, né inventare. Adamo diventa Gesù Cristo, ogni uomo diventa figlio di Dio in Gesù Cristo. Per Pascal, Cristo è il centro di tutto, la ragione e il senso di tutto, il tutto dell'uomo e di Dio (B556 C602). Cristo non dipende da alcuna immagine, poiché in lui «l'immagine è stata fatta sulla verità (B673 C572). Di conseguenza la verità dell'uomo si trova solo in lui. Solo Cristo chiarisce il paradosso della grandezza-miseria dell'uomo. Da una parte, infatti, l'incarnazione mostra all'uomo la grandezza della sua miseria con la grandezza del rimedio che ci è voluto» (B526 C677); dall'altra, la croce svela «la grandezza dell'anima umana» (*Memoriale*), chiamata dalla misericordia a condividere la stessa vita di Dio.

Cristo non solo chiarisce la condizione umana nella sua globalità, ma svela l'uomo a se stesso nel suo *mistero personale*. «Non solo conosciamo Dio solo in Gesù Cristo, ma conosciamo noi stessi solo in Gesù Cristo. Conosciamo la morte e la vita solo per mezzo di Gesù Cristo. Al di fuori di Gesù Cristo non sappiamo né che cos'è la vita, né la morte, né Dio, né noi stessi» (B548 C729). Cristo ha fatto capire agli uomini come fossero egoisti, induriti, asserviti alle loro passioni, ciechi riguardo a

Dio e al loro destino (B545 C689). Ma dal momento in cui essi si volgono a lui, i loro occhi si aprono e imparano chi sono e a chi si affidano. Dunque Cristo è mediatore in un duplice senso: sul piano oggettivo poiché rivela all'uomo l'immagine del Dio vivente e l'immagine dell'uomo secondo Dio; sul piano soggettivo, poiché dà all'uomo, che si apre a Dio, il solido punto d'appoggio della sua esistenza; gli conferisce l'atteggiamento amante e filiale che lo salva.

Cristo è veramente la totalità del senso dell'uomo: egli decifra e salva. È luce e rimedio, verità e vita. L'uomo non si scopre e non si realizza né nella figura del saggio, né in quella dell'eroe, ma in Gesù Cristo crocifisso. In lui il peccato è assunto ma espiato e superato nell'amore; la nostra colpa è riconosciuta, perdonata e superata dalla grazia.

Per Pascal esiste quindi una sola spiegazione dell'uomo: quella della fede cristiana. Ed è quando la verità cristiana si proietta sull'abisso dell'uomo, quando egli si rende conto del suo decadimento e della sua grandezza, che il non credente ha la migliore possibilità di essere «tentato» dalla soluzione cristiana. Vi è continuità tra la descrizione della condizione umana e le prove storiche; ancor più, la descrizione della condizione umana si articola nelle prove storiche. Pascal è tuttavia consapevole che non è sufficiente conferire rispetto alla religione: bisogna stabilirne la plausibilità, la → credibilità, poiché Dio non vuole la fede senza ragione. La sua autorità sarà fondata su solidi argomenti costituiti dal messaggio stesso, dalle → profezie, dai → miracoli, dalla santità (→ Testimonianza). Ecco ciò che basta agli occhi di Pascal per coloro che cercano sinceramente la verità e sono disposti ad accoglierla nell'umiltà di un cuore docile alla grazia. Coloro che non sono conquistati dovranno prendersela con

la propria resistenza, cioè con il loro poco interesse per le cose superiori.

Il filo conduttore dei *Pensieri* è il cristocentrismo di Pascal. A questo proposito vi è un'armonia profonda tra il *Memoriale,* il Mistero di Gesù, i tre Ordini e i *Pensieri.*

Nei *Pensieri* Pascal, almeno in apparenza, non parte da Gesù per tornare poi all'uomo come fa nel *Memoriale* e nel *Mistero di Gesù.* Egli, al contrario, pone a lungo lo sguardo sull'uomo per poi condurlo a Cristo. In realtà il cammino di Pascal nell'*Apologia* è molto più vicino ai *Pensieri* che a quello degli altri due testi. Infatti Pascal non è un moralista o un analista che si compiace dell'analisi dell'uomo e delle sue contraddizioni interiori: ciò che egli vuole, più di tutto, è portare gli uomini a Cristo. Pascal, come Agostino, è un «convertito» e la sua *Apologia* è un progetto da convertito. Pascal ha scrutato, come Paolo e Agostino nella luce di Cristo, la miseria e la grandezza dell'uomo ed è questo che conferisce alla sua analisi un'acutezza sorprendente. Pascal guarda l'uomo, ma attraverso l'Uomo nuovo. In realtà è il mistero di Cristo che permette a Pascal di penetrare gli abissi dell'uomo. Senza la croce di Cristo, non avremmo mai sospettato la profondità di questi abissi. Il nocciolo dei *Pensieri* di Pascal è Gesù Cristo. E in Gesù Cristo la croce e l'amore da questa rivelato sono l'essenziale.

Bibl. - J. Mesnard, *Pascal, l'homme et l'oeuvre*, Paris 1956²; Id., «Blaise Pascal», in NCE X, 1046-1048; R.-E. Lacombe, *L'apologétique de Pascal*, Paris 1958; H. Gouhier, «Blaise Pascal», in *Commentaires*, Paris 1966; M. Pontet, *Pascal et Teilhard, témoins de Jésus-Christ*, Paris 1968; P. Sellier, *Pascal et S. Augustin*, Paris 1970; P. Magnard, *Nature et histoire dans l'apologétique de Pascal*, Paris 1975; H. Bürklin, *Ein Gott für Menschen. Entwurf einer christozentrischen Anthropologie nach Bl. Pascal*, Freiburg-Basel-Wien 1976; R. Latourelle, «B. Pascal: Cristo, totalità del significato», in *L'uomo e i suoi problemi alla luce di Cristo*, Assisi 1982, 45-114.

RENÉ LATOURELLE

PATRIARCHI

«Dio d'Abramo, Dio d'Isacco, Dio di Giacobbe e non dei filosofi e dei sapienti». Così si esprimeva Pascal nel suo *Memorial*. La bibbia conferma questa intuizione? Per rispondere a questa domanda ci soffermeremo su tre punti: 1. La storicità delle narrazioni dei patriarchi. 2. Il genere delle narrazioni. 3. L'evoluzione teologica all'interno delle narrazioni.

1. STORICITÀ - Alcuni autori negano qualsiasi valore storico alle narrazioni del Genesi. Altri lo difendono a spada tratta. I più prudenti dicono che non è impossibile scorgervi lo sfondo storico, soprattutto per quanto riguarda il patriarca Giacobbe. Eppure si avverte sempre più la necessità di trarre una conclusione: le narrazioni dei patriarchi non sono storiografiche nel senso moderno della parola. Gli scrittori sacri non avevano le stesse preoccupazioni degli scrittori moderni e nelle loro opere hanno, per così dire, cancellato ogni traccia che potrebbe portare *direttamente* a personaggi e fatti storici. Anche se i testi biblici contengono elementi di questo tipo, essi sono al servizio di un progetto più ampio della storia pura e semplice.

Un'indagine seria deve perciò partire da questi testi. Una ricostruzione ipotetica dei fatti è troppo rischiosa e i risultati dei lavori storici troppo magri perché possano costituire una base solida per uno studio sulla religione dei patriarchi. Ma a che genere letterario appartengono questi testi?

2. IL GENERE DELLE NARRAZIONI DEI PATRIARCHI - Le tradizioni patriarcali si presentano nella forma di racconti. Conviene dunque analizzarle in funzione di categorie del genere narrativo. È possibile essere più precisi? Abbiamo già escluso la possibilità di leggere questi testi come una sorta di «biografie», che si basano su documenti e testimonianze di cui si può verificare la veridicità e che riportano avvenimenti di interesse pubblico. Possiamo eliminare subito anche la possibilità di vedervi dei miti, anche se mascherati. Il lettore non viene trasportato alle origini, prima del tempo, in un mondo interamente governato dalle norme del sacro. D'altra parte non può nemmeno trattarsi di «fiabe popolari». Nelle fiabe i personaggi sono anonimi, il tempo e lo spazio rimangono indefiniti, sono sospese le leggi della verosimiglianza e l'immaginario è sovrano. Il primo scopo delle fiabe è di divertire e non di creare delle convinzioni. In genere in una data cultura la fiaba rivela desideri e timori dell'inconscio. Non è questo il caso delle narrazioni dei patriarchi. I patriarchi hanno un nome. I racconti hanno un quadro preciso che comporta indicazioni di tempo e di luogo. La narrazione supera raramente la frontiera del verosimile e solo in circostanze del tutto particolari. Infine il narratore biblico non si contenta di affascinare l'uditorio, vuole essere creduto.

Più spesso è stato proposto di collocare i racconti dei patriarchi nella categoria delle «leggende», nel senso preciso di racconti sacri di personaggi celebri del passato fatti allo scopo di edificare (come la *Leggenda aurea* di Giacomo da Voragine) o di spiegare l'origine di un luogo, di un culto, di un costume o di un nome (leggenda eziologica). Qui non mancano le difficoltà. Innanzi tutto i racconti non presentano sempre i patriarchi come modelli di virtù, tutt'altro (si veda tuttavia Gn 18,18-19; 22,15-18; 26,5). Inoltre essi non sono centrati sui personaggi in quanto tali per metterne in risalto l'ascendente spirituale; piuttosto sono centrati sulla ricchezza degli avvenimenti vissuti. Un raffronto con i *Fioretti* di S. Francesco sarebbe sufficiente per metterne in luce le differenze. Infine se i patriarchi fondano dei santuari (Gn 12,

7-8; 13,4.18; 21,33; 22,14; 26,25; 28, 10-22; 32,30; 33,20; 35,14-15) e sono all'origine di certi costumi (Gn 32, 33), questo aspetto è piuttosto secondario e la maggioranza dei racconti non si possono collocare in questo quadro.

La categoria più adatta per definire le narrazioni del Genesi sembra essere quella di «racconti religiosi popolari». Per alcune loro caratteristiche sono vicini alla leggenda. Ma lo scopo principale non è quello di edificare né di giustificare un culto o una pratica. Riportano prima di tutto delle esperienze religiose. Le narrazioni del Genesi sembrano rispondere bene a questa definizione. Se ne possono citare quattro ragioni principali: *a*. Descrivono gli effetti dell'irruzione del divino nella coscienza e nell'esistenza dei patriarchi. Si tratta soprattutto di descrivere il loro incontro con il mondo soprannaturale, nel momento in cui inciampano sulla frontiera che separa il mondo terrestre da Dio (cfr. Gn 28,10-22; 32,23-33). Questi incontri conferiscono un orientamento insospettato alla loro vita (vedere soprattutto Gn 12,1-3; 22,1-2). *b*. L'esperienza ha la preminenza rispetto ai personaggi (contrariamente alle leggende). *c*. I personaggi sono popolari e i destinatari dei racconti possono facilmente identificarsi con essi. Non si tratta di eroi né di avventure fuori del comune (come nell'epopea o nella leggenda sacra), ma di avvenimenti legati alla vita quotidiana, per lo più alla vita privata e alla famiglia. *d*. L'elemento fuori dell'ordinario è limitato al mondo sacro e a quello delle realtà e dei valori ultimi. Ciò lo differenzia dall'aspetto meraviglioso delle storie che fiorisce nel regno dell'immaginario e affonda le radici nelle pulsioni dell'inconscio.

Per riassumere si può dire che questi racconti vogliono prima di tutto rendere partecipi di un'esperienza di Dio di tipo particolare, dal momento che essa getta le fondamenta del po-

polo di Israele in quanto popolo di credenti. Si devono perciò prendere sul serio i racconti in quanto tali. Solo una lettura attenta delle narrazioni consente di tracciare i contorni del loro messaggio.

3. L'ESPERIENZA RELIGIOSA DEI PATRIARCHI - In poche parole la fede dei patriarchi è quella d'un itinerario e d'una scoperta. «Vattene... verso il paese che io ti indicherò», dice Dio ad Abramo (Gn 12,1; cfr. 22,1-2). Quella di Abramo è l'avventura di una partenza verso l'incognito con una promessa di Dio come unica garanzia. Gli Argonauti riportano a casa il vello d'oro. L'ideale della Grecia è quello di un ritorno, un ritorno alla verità nascosta in ciascuno («Conosci te stesso», dice l'oracolo di Delfi a Socrate) o una ricerca dell'unità perduta (riunione di Ulisse e Penelope o ritorno dell'anima nel mondo delle idee per Platone, per esempio). Questo ideale ciclico si ritrova nella maggior parte delle religioni naturali. Abramo, da parte sua, s'avvia alla scoperta di qualcosa di completamente nuovo. Ne conosce il punto di partenza ma non quello di arrivo, che rimane un segreto di Dio. Il racconto biblico presenta quindi due livelli: da una parte un Dio onnisciente e dall'altra un uomo che cerca di orientarsi con le indicazioni che gli vengono dall'alto. È un aspetto che rende Abramo del tutto moderno nel senso che deve trovare la via a tastoni in un'altalena di prove e di errori mentre Dio rimane spesso silenzioso. Dio invece può intervenire all'improvviso per dare alla vita di Abramo una direzione del tutto impensata.

Quest'aspetto è chiaramente sottolineato nella storia di Abramo che si perde prima in Egitto (Gn 12,10-20) e poi nel paese dei Filistei (Gn 21). La promessa di una numerosa discendenza resta a lungo lettera morta. Abramo se ne lagna con sincerità e la visione notturna di Gn 15, nel quadro che offre, riflette assai più di uno stato d'animo: Abramo vive nell'oscurità della fede (Gn 15,5.6.12.17). È allora che nel più profondo della notte Dio stabilisce con il patriarca un rapporto gratuito, unilaterale e incondizionato («giuramento» più che «alleanza», Gn 15,18; cfr. 17; 35,9-15) che mette in risalto la trascendenza della grazia divina. Quando Dio si manifesta la coscienza inciampa nei propri limiti. La promessa divina supera sempre la comprensione (cfr. soprattutto Gn 18,1-15). Infine, Isacco è appena nato che Dio lo richiede in sacrificio (Gn 22,1-19). Nelle tenebre della prova Abramo impara ad affidarsi al «Dio che vede» (22,9.14).

Questo stesso aspetto si ritrova nella storia di Giacobbe. La lotta con Dio, di notte, ne è un'immagine delle più sorprendenti (Gn 32,23-33; cfr. anche Gn 28,10-22). Sarà solo al levar del sole che Giacobbe, ferito all'anca, riuscirà a identificare il suo avversario cui riesce a strappare una benedizione. Quanto alla storia di Giuseppe, essa porterà a compimento questa esperienza perché Dio non gli rivolgerà mai la parola. Giuseppe troverà solo il disegno della provvidenza che dà un senso alle sue avventure (cfr. Gn 45,5-8; 50,19-21). In fin dei conti le narrazioni dei patriarchi non ci insegnano gran che sulla storia dei patriarchi stessi, ma ci dicono come essi hanno scoperto il significato della storia di cui Dio è l'unico signore.

Bibl. - T.L. Thompson, *The Historicity of the Patriarchal Narratives*, Berlin-New York 1974; J. Van Seters, *Abraham in History and Tradition*, New Haven-London 1975; P. Gibert, *Une théorie de la légende, Hermann Gunkel et les légendes de la Genèse*, Paris 1976; Id., *Bible, mythes et récits du commencement*, Paris 1986; Id., «Pour un "bon usage" de l'histoire des patriarches», in *LumVie* 188 (1988) 35-42; D.J.A. Clines, *The Theme of the Pentateuch*, Sheffield 1978; R.L. Cohn, «Narrative Structure and Canonical Perspective in Genesis», in JSOT 24 (1982) 3-25; J. Scullion, «Märchen, Sage, Legende: Towards a Clarification of Some Literary Terms Uses by Old Testament Scholars», in VT 34 (1984) 321-336; A. de Pury, «Les traditions patriarcales en Genèse 12-35», in *LumVie* 188 (1988) 21-34.

JEAN LOUIS SKA

PLATONISMO CRISTIANO

Si può parlare di platonismo cristiano? E. v. Ivánka ha pubblicato nel 1964 una raccolta di studi sotto il titolo *Plato christianus* di cui alcuni risalgono a una trentina di anni addietro; oggi ce ne saranno una cinquantina e non è il caso di chiedere a lui l'ultima parola critica. E nemmeno si può pensare di trovarla nell'articolo monumentale di R. Arnou, «Il platonismo dei Padri», che è del 1935. Per nostra fortuna l'enciclopedia *Catholicisme* ha dato lo stesso titolo a uno studio che completa e aggiorna il precedente lavoro e che ha il merito di dissipare un equivoco. In realtà qualunque sia stata, in particolare dal II al V secolo, l'influenza di Platone sul pensiero cristiano non si è mai avuto, e non si sarebbe potuto avere nel senso stretto del termine, un «Platone cristiano». Rimane tuttavia valida la parola di Pascal: «Platone, per disporre al cristianesimo» (*Pensées*, 219). Altra difficoltà: non si riesce a ravvisare i diversi platonismi che sembra aver individuato invece R. Arnou: «Quello di Platone, quello dell'inizio dell'era cristiana, quello di Plotino e quello dei successori di Plotino». Vi sono in realtà delle costanti. In ogni epoca i «platonici» hanno conservato due parole d'ordine: cercare la verità con tutta l'anima (*Republica*, VII 518 c 8) e toccare ciò che è puro con mani pure (*Fedone*, 67 b 2).

Quando è cominciata l'influenza di Platone sul pensiero cristiano? La si cercherebbe invano nel Nuovo Testamento. Se qualche frase del quarto vangelo, fin dal prologo, si presta a un parallelo con un «omologo» platonico, non si può trattare che di una memoria indiretta, tutt'al più passata per Filone d'Alessandria. E anche in questo caso, a sentire Lebreton, i rapporti tra Filone e Giovanni rimangono dubbi.

Vediamo ora in ordine cronologico alcuni autori cristiani che segnano le tappe dell'assimilazione del platonismo.

Giustino martire. È con Giustino che si pone per la prima volta la questione di un'influenza diretta di Platone. Dopo il capitolo fondamentale di J. Lebreton, molti altri autori hanno esaminato il problema. Basti ricordare C. Andresen e W. Schmid (1952), N. Hyldahl e L.W. Barnard (1966), J.C.M. van Winden (1971), E. F. Osborn e R. Joly (1973). Ma di Platone, Giustino ha conosciuto solo qualche testo, forse tramite un florilegio, e le troppe incertezze sulle fonti non ci consentono di stabilire a quale scuola platonica sia appartenuto. Ci dobbiamo accontentare di accostarlo al platonismo medio; infatti i punti di contatto più numerosi sono con il contemporaneo Numenio, un platonico medio al di sopra di ogni contestazione. Insieme a Platone, Giustino sostiene la tesi della visione di Dio (cfr. *Fedone*, 111 b) collegata con l'immortalità dell'anima, ma per lui l'una e l'altra sono una grazia.

La scuola d'Alessandria. Con Clemente d'Alessandria si apre una serie di scrittori cristiani, il più importante dei quali sarà Origene; essa annovererà comunque altri autori distinti come Dionigi d'Alessandria e più tardi Atanasio e Cirillo d'Alessandria. Nato intorno al 150 Clemente fu ad Alessandria il successore di Panteno alla testa di una scuola di catecumeni. Più tardi la persecuzione lo costringerà a rifugiarsi in Cappadocia dove morirà verso il 215. Il suo platonismo riposa su una conoscenza personale del corpus platonico che è uno dei pochi ad aver letto per intero, e si mantiene nondimeno più vicino al platonismo medio. Se Platone gli sembrava così utile per la propaganda cristiana è perché, come la maggioranza degli autori cristiani, vi ritrovava il meglio della filosofia ebraica: era la tradizione di Filone e degli → apologisti. Una monografia recente sul modo con cui gli *Stromata* di Clemente hanno assimilato il platonismo conclude: «Occorre partire dalle linee maestre del pensiero platonico per arrivare al centro della filosofia di Clemente».

A proposito di → *Origene* dobbiamo dire, con H. Crouzel, che «i suoi errori si riducono all'ipotesi della preesistenza delle anime e a una tendenza al subordinazionismo»? Ciò vorrebbe dire forse minimizzare quelle deviazioni che ha in buona parte in comune con Clemente. Ma i «principali temi platonici di Clemente e di Origene» elencati da R. Arnou potevano in gran parte entrare in una filosofia cristiana e numerose pagine del *Fedone*, del *Banchetto* e del *Fedro* avrebbero poi avuto un'eco nella mistica medievale.

Se *Eusebio di Cesarea* quasi non ha un suo pensiero personale, la sua eccezionale conoscenza di Platone e del platonismo medio fa della sua opera, soprattutto della *Preparazione evangelica*, un repertorio di testi platonici che è spesso l'unico ad averci tramandato. In *Eusèbe de Césarée commentateur*, il primo capitolo, «Eusebio e l'eredità greca», dedica una prima sezione a «Eusebio commentatore di Platone», con un inventario delle citazioni e dei riferimenti di Eusebio. I suoi paralleli tra Platone e Mosè portano avanti l'intento di Giustino e di Clemente d'Alessandria: illustrare l'insieme di ombre e di luci che il paganesimo offriva alla rivelazione. Talvolta Platone gli appare come il rappresentante per eccellenza della morale pagana e cade sotto i colpi della stessa riprovazione, tal'altra – forse più spesso – lo distacca dagli errori del suo tempo per farne il precursore degli apologisti e il loro alleato inconsapevole a secoli di distanza.

Eusebio deve molto a Numenio che per lui rappresenta il platonismo medio. E come tutto il platonismo medio, Eusebio sostiene che la trascendenza di Dio richiede un essere intermediario tra lui e il mondo. Cerca, senza spesso riuscirvi, di conciliare questa concezione filosofica con la fede cristiana in un Verbo divino, seconda persona della Trinità. Acuisce il subordinazionismo di Origene fino al limite di quanto la bibbia possa sopportare. Il «secondo Dio» dei suoi modelli greci, di Numenio in particolare, sembra essere in contrasto con la sua ortodossia; lo accosta ad Ario e, a Nicea, Eusebio farà la figura di essere ariano.

I Cappadoci e il neoplatonismo. Se Numenio è stato il precursore di Plotino, questi non ha quasi esercitato nessuna influenza prima della fine del secolo IV. I suoi discepoli immediati, Porfirio e Giamblico, rimangono più vicini a Numenio e a un platonismo diffuso popolarizzato attraverso gli *Oracoli caldaici*, raccolta di esametri assai mediocri, ma con un significato di notevole profondità. I grandi neoplatonici pagani del V secolo, Proclo e Semplicio, sono i primi a citarli. A partire dalla seconda metà del IV secolo Atene toglie ad Alessandria il primato di capitale intellettuale. Il neoplatonismo cristiano non deriva più da Numenio ma da Plotino, con Basilio, Gregorio Nazianzeno e soprattutto → Gregorio di Nissa e Sinesio: questi due ultimi vescovi, loro malgrado, hanno fatto di tutto per conciliare fede e filosofia. Gregorio di Nissa è stato oggetto di numerosi studi, superati, però, in importanza e profondità dalla tesi di J. Daniélou.

Recentemente è apparso uno studio che stabilisce un parallelo tra il *Fedone* e l'unico dialogo di Gregorio di Nissa, *Dell'anima e della risurre-zione*. Gregorio si manifesta nei suoi silenzi e nelle sue riserve estremamente preoccupato di non contraddire il dogma: nasconde per quanto può le sue tendenze filosofiche rimanendo nondimeno prima di tutto un neoplatonico.

Quanto a Sinesio non è mai arrivato a unificare completamente i tre elementi della sua personalità: formazione di umanista e di retore, filosofia neoplatonica, religione cristiana. La difficoltà ad ammettere la risurrezione dei corpi lo respingeva costantemente verso il platonismo.

Alla fine del V secolo un ultimo esempio di questi conflitti interiori viene fornito dallo pseudo Dionigi l'Aeropagita, discepolo di Proclo e purtuttavia cristiano sincero.

Bibl. - J. Lebreton, *Histoire du dogme de la Trinité*, Paris, II, 1928, 640-642 e 405-484; R. Arnou, «Platonisme des Pères», in DThC XII, 2, 2258-2392; J. Daniélou, *Platonisme et théologie mystique*, Paris 1944; H. Crouzel, *Origène et la philosophie*, Paris 1962; E.v. Ivánka, *Plato christianus*, Einsiedeln 1964; F. Ricken, «Die Logoslehre des Eusebios von Caesarea und der Mittelplatonismus», in ThPh 42, (1967) 311-358; Id., «Zur Rezeption der platonischen Ontologie bei Eusebios von Kaisarea, Areios und Athanasios», in ThPh 53 (1978) 321-352; E. des Places, «Les fragments de Numénius d'Apamée dans la "Préparation évangélique" d'Eusèbe de Césarée», in *Comptes rendus de l'Académie des Inscriptions et Belles Lettres*, 1971, 455-462; Id., «Numénius et Eusèbe de Césarée», in *Studia patristica*, XIII, Berlin 1975, 19-28; Id., *Platonismo e tradizione cristiana*, Milano 1976; Id., *Eusèbe de Césarée commentateur, Platonisme et Écriture sainte*, Paris 1982; Id., *Studia Patristica* (XV, Parte I, Berlin 1984), 432-441; D. Wyrwa, *Die christliche Platonaneignung in den Stromateis des Clemens von Alexandria*, Berlin 1983; G. Madec, «Platonisme des Pères», in *Catholicisme*, 50 (1986) 491-507.

ÉDOUARD DES PLACES

PLURALISMO TEOLOGICO

Il pluralismo teologico dovrebbe essere compreso nel contesto globale del pluralismo come tale. La parola pluralismo in generale si riferisce ad una situazione nella quale coesistono una varietà di sistemi di pensiero, di visioni del mondo o di spiegazioni della realtà senza che nessuna di queste prevalga sulle altre. Sono molte le ragioni per le quali si può dire che il pluralismo caratterizza tutta la società contemporanea. In primo luogo, la filosofia occidentale degli ultimi secoli ha dato importanza al ruolo del soggetto nell'atto del conoscere, col risultato che è stata data maggiore attenzione agli aspetti individuali e situazionali del conoscere. All'asserzione delle verità eterne è stata data un'enfasi minore che alle prospettive e alle opinioni in evoluzione. Anche le scienze fisiche hanno chiarito l'importanza dei vari punti di osservazione, come si può vedere, per esempio, in un cambiamento tanto rivoluzionario della visione del mondo quale quello rappresentato dalla teoria della relatività. I campi della storia e dell'ermeneutica, da parte loro, hanno focalizzato l'attenzione sul fatto che i soggetti sono sempre condizionati in una certa misura da tempo e spazio. Inoltre, lo sviluppo di più efficaci mezzi di comunicazione sociale ha distrutto l'isolamento culturale con il risultato che i singoli sono informati e influenzati da una più vasta gamma di opinioni. Da parte sua l'etica scientifica della libera ricerca contribuisce al pluralismo come fanno idee politiche quali la libertà di parola e di religione. Tutte queste cose aiutano la promozione del libero scambio delle idee e la sottomissione dei diversi punti di vista su un piano di uguaglianza di fronte al campo aperto dell'esperienza e della ragione umana. Il risultato è che la società contemporanea è fortemente pluralistica, alcuni dicono in modo irreversibile.

Il pluralismo può essere distinto dal relativismo epistemologico. Quest'ultimo afferma che tutti i punti di vista sono ugualmente validi, idea questa che rapidamente conduce all'autocontraddizione in quanto ammette la validità del proprio contrario. Però se il pluralismo è inteso come la posizione per la quale una varietà di concettualizzazioni possono, senza contraddirsi, essere complementari nello spiegare una data realtà, è possibile che esso sia coerente con una epistemologia criticamente realista che rigetti con decisione lo scetticismo, che affermi una certa conoscenza della realtà e che spieghi come tale conoscenza sia possibile.

Il pluralismo teologico riguarda la situazione nella quale i teologi, realizzando il compito della teologia espresso in modo classico come *fides quaerens intellectum*, usano espressioni differenti dell'esperienza e del pensiero umano per spiegare il messaggio cristiano in termini da una parte fedeli alla tradizione ricevuta e, dall'altra, comprensibili agli uomini del nostro tempo. Simile pluralismo teologico è fino a un certo grado antico quanto lo stesso cristianesimo. Il Nuovo Testamento usa una varietà di espressioni, esse stesse condizionate dalla composizione delle varie comunità della chiesa primitiva, per esprimere dottrine tanto importanti quali l'identità di Gesù Cristo. È così che i vari titoli cristologici (→ Cristologia: titoli), alcuni predominanti tra i giudeo-cristiani e altri tra i pagano-cristiani, danno un esempio concreto di questo primo pluralismo teologico. La storia successiva del cristianesimo testimonia anche una legittima diversità di approcci in teologia come le differenze di prospettiva tra la teologia orientale e occidentale (UR 17). Per esempio, nello spiegare gli effetti della salvezza, i teologi orientali pongono l'accento sulla divinizzazione della creatura mentre i teologi occidentali tendono ad evidenziare il superamento del peccato originale. Inoltre, all'interno di ciascuna tradizione, la differenza non era piccola. Agostino cita Cipriano che dice: «È permesso pensare diversamente mentre conserviamo il diritto di comunione» (*De baptismo* III 3,5). Più tardi, la teologia scolastica sotto l'influenza degli ordini religiosi e delle nuove università, ha manifestato un genere di pluralismo nelle sue diverse scuole di pensiero, particolarmente basate sui sistemi di pensiero del più tradizionale platonismo o sul più recentemente riscoperto aristotelismo. Inoltre, distinzioni quali quella tra *fides implicita* e *fides explicita* erano usate dai teologi scolastici per giustificare l'unità nella fede esistente tra i dotti e i meno dotti, una unione che ammette sostanziali differenze tra i cristiani a seconda delle credenze da loro esplicitamente professate. La Riforma mostrò che alcuni tipi di differenze in teologia, e ancor più nella dottrina, non sono compatibili con l'unità tra i cristiani. Allo stesso tempo alcuni tentarono senza successo di fare spazio all'unità tra coloro che erano in disaccordo su alcune specifiche dottrine distinguendo tra articoli di fede fondamentali e non fondamentali, tentativo questo che non trattò in modo adeguato l'autorità della rivelazione o del magistero della chiesa e che per questo alla fine fu respinto da papa Pio XI nella *Mortalium Animus* del 1927. In generale, le comunità cristiane del doporiforma mirarono ad una unità nella fede che non apprezzava il pluralismo teologico, fatto testimoniato non soltanto dalla crescente importanza romano-cattolica dell'autorità dottrinale del magistero, ma anche dalle molte non risolte divisioni dottrinali tra le comunità protestanti.

Il pluralismo teologico interessa la teologia fondamentale per diverse ragioni. Una ragione riguarda la natura della stessa rivelazione cristiana la quale, come automanifestazione di Dio, è intraducibile in una espressione pienamente adeguata nel linguaggio umano. S. Paolo scrive: «O profondità della ricchezza, della sapienza e della scienza di Dio! Quanto sono imperscrutabili i suoi giudizi e inaccessibili le sue vie!» (Rm 11,33). La lettera agli Efesini parla delle: «imperscrutabili ricchezze di Cristo» (Ef 3,8). Tommaso d'Aquino espresse una parte di questo senso della natura trascendente della verità rivelata in una frase spesso citata: *articulus fidei est perceptio divinae veritatis tendens in ipsam* (STh II-II 2, 6 ad 2), frase questa che indica come l'espressione della verità divina nel linguaggio umano supera sempre se stessa rivolgendosi alla più grande realtà divina che non può essere mai raggiunta. Dal momento che nessuna espressione è completamente adeguata alla verità rivelata, una pluralità di espressioni non solo è possibile, ma può anche essere benefica se queste si integrano reciprocamente e conducono così a un più completo possesso di quella verità.

Un altro motivo del pluralismo teologico si può trovare nel fatto che la rivelazione è ricevuta nella concreta situazione del credente. Il filosofo e teologo B. Lonergan ha chiarito alcuni dei complessi e molteplici fattori che differenziano le persone l'una dall'altra. Tali diversità nei soggetti conduce inevitabilmente ad una varietà nei modi in cui la realtà rivelata è ricevuta ed espressa. Mentre qualche differenza tra i soggetti deriva dall'ignoranza o dall'errore o dalla mancanza di conversione e conduce a opposizioni irriconciliabilmente contraddittorie, non è necessario che ogni varietà sia di quel tipo. Il Vaticano II benedice quella diversità che rappresenta l'→ inculturazione del vangelo quando nel suo decreto sull'attività missionaria incoraggia la chiesa locale a piantare il seme della fede nel ricco suolo dei costumi, della saggezza, dell'insegnamento, della filosofia, delle arti e delle scienze del suo particolare popolo (AG 22; per una applicazione liturgica di questo cfr. SC 40). La molteplicità che ne risulta nella disciplina, nella liturgia, nella teologia e nella spiritualità, è vista come espressione della cattolicità della chiesa (cfr. LG 23; AG 22; UR 4). Il concilio parla spesso di una legittima varietà anche nel campo delle espressioni teologiche della dottrina (UR 17; AG 22; GS 62), varietà che non ostacola necessariamente l'unità della chiesa ma, al contrario, potrebbe perfino promuoverla (LG 13; UR 16; OE 2). Non soltanto il campo della cultura (spazio) ma anche quello della storia (tempo) ha in sé le radici del pluralismo teologico. Si noterà qui che lo sviluppo della dottrina implica una certa diversità da un'epoca alla successiva, così che la «fede trasmessa ai santi una volta per tutte» (Gd 3) si è espressa in diversi gradi di adeguamento attraverso le epoche. Per questo si può notare un certo pluralismo teologico nel modo in cui figure storicamente distinte come Ignazio di Antiochia, Ireneo di Lione o Bonaventura parlano dell'unica fede. Inoltre, questo campo della storia del pensiero cristiano deve essere considerato sullo sfondo dell'escatologia. Paolo scrive: «Ora vediamo come in uno specchio, in maniera confusa; ma allora vedremo a faccia a faccia. Ora conosco in modo imperfetto, ma allora conoscerò perfettamente come anch'io sono conosciuto» (1 Cor 13,12). La natura indistinta della visione di fede durante questo pellegrinaggio terreno avalla una certa insufficienza che da parte sua permette un margine di legittima diversità tra i teologi.

Il pluralismo teologico, essendo direttamente connesso alla rivelazione e alla sua ricezione nella fede, tocca parecchi dei più vitali problemi della teologia fondamentale. In più, il pluralismo dovrebbe essere necessariamente discusso in ogni epistemologia teologica, cioè in ogni relazione della teologia come scienza (→ Teologia, IV). Ma forse il pluralismo teologico solleva soprattutto il problema di una adeguata spiegazione dell'unità nella fede. Come si distingue quella legittima varietà accettata e perfino lodata dal Vaticano II dalla diversità nella fede che distrugge l'unità della chiesa? Come si distingue il pluralismo teologico dall'indifferenza dottrinale? I criteri per distinguere ciò che concerne la legittima differenza dell'espressione di fede certamente includerebbero fedeltà alla rivelazione come espressa nella Scrittura e nella tradizione, coerenza con il *sensus fidelium* e approvazione da parte del magistero pastorale della chiesa. A questo punto il pluralismo teologico ha attinenza con il problema dell' → ortodossia vista come norma per determinare quali posizioni rimangono entro l'unità della fede.

Ovviamente i problemi sollevati dal pluralismo teologico sono direttamente importanti per il movimento ecumenico che in grande misura presuppone l'unità nella fede come pre-requisito per una maggiore partecipazione alla vita. Se la piena comunione deve attendere il raggiungimento dell'unità nella fede, è essenziale chiarire cosa veramente si intende per unità nella fede, specialmente alla luce del fatto che è legittimo qualche grado di diversità teologica. Come la riflessione sul pluralismo teologico rende evidente, la comunione nella verità che esiste tra i cristiani è complessa, inglobando un grandissimo numero di differenti persone nell'unica unità della stessa fede. Spiegare questa comunione nella verità è una sfida non ancora adeguatamente raccolta.

Bibl. - B. Lonergan, *Doctrinal Pluralism*, Milwaukee 1971; Commissione teologica internazionale, «L'unità della fede e il pluralismo teologico», in *CivCatt* (1973) 367-369; D. Tracy, *Blessed Rage for Order: The New Pluralism in Theology*, New York 1975; J.D.G. Dunn, *Unity and Diversity in the New Testament*, Philadelphia 1977; Y. Congar, *Diversità e comunione*, Assisi 1984.

WILLIAM HENN

POSITIVISMO STORICO

Il positivismo storico, rappresentato da L. von Ranke (1795-1886) e da Th. Mommsen (1817-1903), interessa la teologia fondamentale poiché veicola la concezione della storia che ha dominato il secolo XIX e che, per lungo tempo, ha ispirato i giudizi sul valore storico dei vangeli. Ora, seguendo i canoni del positivismo, che aspira a dare del passato un'immagine esatta e completa a partire da fonti «storicamente pure», questo giudizio può essere solo sfavorevole ai vangeli, dato che questi ultimi appaiono evidentemente come fonti «contaminate» dalla visione di fede e dall'interpretazione teologica. Conviene dunque esaminare i postulati del positivismo.

Alla base del positivismo vi è un'epistemologia ingenua e acritica. Esso infatti considera l'oggetto della conoscenza storica come un dato già costruito e la conoscenza storica come la registrazione o la fotografia di tale oggetto. L'oggettività della conoscenza storica consiste nel percepire il dato così com'è (*wie es eigentlich gewesen*), nel registrare i fatti bruti nella loro verità originale al di fuori di ogni interpretazione. L'ideale del positivismo storico è quello di arrivare all'esattezza fredda, neutrale e impersonale delle scienze naturali come la botanica, la biologia, la chimica. Esso si mantiene rigorosamente a livello dei fatti nella loro pura materialità.

Dobbiamo riconoscere che un simile ideale non solo è inaccessibile, ma anche contrario alla realtà. Von Ranke stesso, nella sua storia della Riforma protestante, è visibilmente ispirato dalle sue simpatie luterane. I fatti sono sempre uniti a un'interpretazione individuale o collettiva senza la quale d'altronde sarebbero inintelligibili. Così, dire che J.F. Kennedy è stato «assassinato» a Dallas è più che parlare di un fatto. Per parlare solo di un fatto bisognerebbe dire: «Kennedy è stato trovato nel corso di una sua visita a Dallas, bagnato del proprio sangue con due proiettili nel corpo». Ma dire «assassinato» è già un'interpretazione del fatto e implica una causa intenzionale da parte di una o più persone. Ogni fatto umano, in pratica, si manifesta nello stesso tempo come fatto e interpretazione che si traduce in giudizio. Al di fuori dello spirito umano che apprende e giudica, vi è solo caos di dati. L'oggettività di un fatto storico consiste dunque nell'entrare nell'orizzonte di una coscienza che lo percepisce e lo giudica.

Aggiungiamo che ogni fatto umano è ricco di un numero indefinito di interpretazioni che attendono di essere riconosciute o riscoperte. Questa attività di discernimento sarà sempre imperfetta, parziale e unilaterale. Tanto più che la materialità del fatto costituisce solo un elemento, fra molti altri, del divenire di un uomo che si realizza in un progetto. Un uomo dà vita a un progetto; un altro uomo, lo storico, si dedica a ricuperare questo fatto interpretando l'intenzione che lo anima con un'ipotesi esplicativa. Per questo in ogni fatto umano l'oggettività può essere definita solo integrando il contributo del soggetto − che ha dato vita al fatto come espressione del proprio progetto − con l'apporto di questo altro soggetto che lo ricupera cercando di interpretarlo.

Nella ricerca storica, come in tutte le scienze umane, intervengono sempre elementi di soggettività individuali o collettivi che non sarebbe possibile eliminare. Per esempio: 1. *La scelta di una prospettiva*: così la Controriforma può apparire come un momento di vigorosa ripresa religiosa; mentre per la storia dell'arte come un periodo di flessione. 2. *L'opzione affettiva*. Così i fattori emotivi svolgono un ruolo determinante nei giudizi sulle persone o sugli avvenimenti. La guerra del 1939-1945 apparirà in una luce molto diversa a seconda delle nazioni in causa, se vista dai francesi, dagli italiani, dai tedeschi, dagli inglesi, dagli americani o dai russi. L'opzione esistenziale dello storico, credente o non credente, con i presupposti filosofici, condiziona il suo lavoro: consapevolmente o meno ispira la scelta dei documenti, l'organizzazione e l'interpretazione dei materiali, la sintesi a cui si giunge. Non si tratta, pertanto, di sprofondare nello scetticismo radicale circa la possibilità di una valida ricerca storica, ma di valutarla correttamente. Un primo passo verso l'oggettività consiste per lo storico nel dichiarare apertamente la prospettiva che adotta e nell'enunciarne i presupposti. Egli può allora aprirsi a un'altra prospettiva diversa dalla propria e persino semplicemente rinunciarvi in presenza di fatti solidamente attestati. L'oggettività è prima di tutto «ricerca» dell'oggettività.

La ricerca storica non si trova, dunque, davanti un puro fatto materiale, privo di qualunque significato, ma si trova di fronte a un'intenzione incarnata, a un progetto realizzato. La ricerca storica è l'interpretazione *ricreatrice* dell'intenzione creatrice della storia vissuta. Essa fa a ritroso il cammino della vita, e si dedica a scoprire l'intenzione del soggetto nell'atto con cui si realizza. Storia vissuta e ricerca storica si condizionano reciprocamente. Ma la conoscenza storica è possibile solo perché la stessa storia vissuta è già «significativa» e intelligibile. Ne segue che la ricerca storica è possibile solo a condizione di adottare nei confronti della storia vissuta un atteggiamento a un tempo di affinità, per «comunicare» con essa, e di «distanza» per giudicarla correttamente. La «comprensione» implica sempre questi due passi. È la *tradizione* che mantiene nello stesso tempo la distanza e la continuità nella distanza.

Accade che la situazione di affinità si verifichi immediatamente, sia a causa di una contemporaneità cronologica con l'avvenimento e l'ambiente d'origine, sia − poiché la tradizione mantiene e veicola l'orizzonte nel quale un documento è nato − rendendo così naturale la lettura di un testo cronologicamente lontano. Il lavoro esegetico consiste allora semplicemente nel chiarire il senso del testo quando è oscuro o ambiguo. Ma capita anche che la tradizione rappresenti una serie di letture o di interpretazioni, compiutesi nel corso dei secoli in orizzonti culturali ogni volta diversi. In questo caso si tratta di ricostruire la situazione culturale originale e di scoprire il senso iniziale. Questa situazione è quella dei → vangeli, che rappresentano una serie di successive riletture dell'esistenza vissuta di Gesù.

Le osservazioni fin qui fatte sulla storia e sulla conoscenza storica, ci permettono già di costatare che i vangeli si avvicinano molto di più ai concetti di storia e di fedeltà storica di quanto non pensassero i rappresentanti del positivismo. Infatti ciò che viene riportato dai vangeli è l'esistenza terrena di Gesù con, tuttavia, il senso profondo che riveste per Gesù stesso. Gesù fa sua la volontà del Padre fino a quell'abisso di carità che lo porta alla croce: ecco il suo progetto fondamentale. Possiamo verificare quanto l'intenzione degli evangelisti sia stata davvero quella di riportare questo senso di oblazione salvifica della vita di Gesù, dall'importanza che essi accordano al racconto della passione. La verità è che due aspetti sono costantemente sottolineati dai vangeli:

1. Da una parte l'evento stesso nella sua realtà di evento «veramente accaduto». I vangeli tuttavia indicano anche il *senso* dell'evento, cioè il senso che appartiene all'evento stesso, che è «interno» ad esso. Il senso non è dunque un elemento «aggiunto»

dalla tradizione, ma fa corpo con l'evento. Il senso dà frutti ma non è creato. Quindi, la morte di Gesù non è un semplice decesso: il carattere oblativo di questa morte appartiene alla sua realtà. La funzione dello storico è quella di cercare, al di là delle diverse analisi critiche, la realtà e il significato dell'evento. Questo è l'elemento di verità che il positivismo contiene: la ricerca storica deve ritrovare il Gesù prepasquale nella totalità di evento significante.

2. Dall'altra parte, se l'evento ha un senso, quest'ultimo non viene offerto alla curiosità come un oggetto di «informazione»: si presenta come un'interpellanza e un richiamo alla conversione, a una vita autentica. La realtà di Gesù non è neutra: mette in gioco l'esistenza di colui che la incontra. Questo è l'elemento valido della «Nuova ermeneutica». Lo storico come tale non deve decidere per gli altri. Egli può tuttavia mostrare che la chiamata alla decisione di fede appartiene al messaggio di Gesù. Può anche mostrare che l'interpretazione cristiana di Gesù è coerente con l'orientamento storicamente presente nella sua esistenza.

Al termine dell'esplorazione lo storico si ritrova sempre di fronte ad avvenimenti e ad un senso. Non giunge mai ad avvenimenti «insignificanti». La sua ambizione, del resto, non è quella di impadronirsi di un passato morto, neutro, per poi contemplarlo come uno spettatore freddo e indifferente (mito del positivismo), ma quella di ricogliere un Gesù pasquale già significante e fonte di significato. Il testo appare come il «precipitato» di un'evoluzione temporale e significante, di cui lo storico si sforza di ricostruire le tappe e di verificarne l'affidabilità. Il rapporto del testo e della tradizione con l'evento-Gesù si precisa solo a poco a poco mediante lo sforzo congiunto della storia e dell'ermeneutica.

Le recenti riflessioni sulla natura della → storia, sulla sua ambizione e i suoi limiti, hanno in buona parte riabilitato i vangeli come via d'accesso a Gesù. Infatti la ricerca storica, concepita come interpretazione ricreatrice del progetto della storia vissuta, dimostra che i vangeli, introducendo il lettore nel senso ultimo della vita di Gesù, cioè l'oblazione al Padre per la salvezza degli uomini, si situano al centro della storia e delle sue preoccupazioni. Nella loro libertà rispetto alle coordinate spazio-temporali restano più fedeli a Gesù della più asciutta e rigorosa cronaca.

Bibl. - R. Aron, *Introduction à la philosophie de l'histoire*, Paris 1948; J. Hours, *Valeur de l'histoire*, Paris 1954; H.I. Marrou, *De la connaissance historique*, Paris 1954; Id., *Teologia della storia*, Milano 1979; V. Melchiorre, *Il sapere storico*, Brescia 1963; P. Ricoeur, *Histoire et verité*, Paris 1966; H.G. Gadamer, *Il Problema della coscienza storica*, Napoli 1969; Id., *Verità e Metodo*, Milano 1983; A. Rizzi, *Cristo verità dell'uomo*, Roma 1972; P. Fruchon, *Existence humaine et Révélation. Essais d'herméneutique*, Paris 1976; R. Latourelle, *A Gesù attraverso i Vangeli*, Assisi 1979.

RENÉ LATOURELLE

POTENTIA OBOEDIENTIALIS

Con l'espressione «potentia oboedientialis», la teologia tenta di qualificare, alla luce del dato rivelato, il rapporto circa la possibilità di relazione tra Dio e l'uomo. Si è infatti dinanzi al problema del rapporto natura e grazia. Da una parte, la riflessione dovrà essere capace di salvaguardare la libertà dell'uomo nel suo porsi davanti alla rivelazione di Dio; dall'altra, dovrà difendere la priorità, la gratuità e la trascendenza dell'agire di Dio stesso.

Solo ingenuamente si può pensare che una simile questione non abbia a toccare la teologia fondamentale. Con la «potentia oboedientialis» si è davanti ad una di quelle tematiche onnipresenti, anche se non sempre esplicitate, che regolano l'intera tradizione teologica. La si ritrova, anzitutto, nel tema di una fondazione antropologica, poi come fattore interno della rivelazione e dell'incarnazione, quindi nelle problematiche circa la conoscenza «naturale» di Dio e la fede, nel rapporto fede-ragione e, infine, nelle questioni di soteriologia. Il tema pertanto non è marginale per la teologia, ma ne costituisce un suo elemento qualificante.

Dal punto di vista formale, come elemento ormai di uso comune, con «potentia oboedientialis» si qualifica, genericamente, la *possibilità* (potentia) che l'uomo ha di poter ricevere una determinazione che di per sé non possiede, ma che può solo *obbedienzialmente* accogliere come dono.

La legittimazione di questo dato viene solo come riflessione teologica. Si pone infatti come già costitutiva la relazione creaturale. Il soggetto si concepisce come creatura, quindi in una differenza ontologica da Dio e in dipendenza da lui, nell'autoconsapevolezza di non poter trovare compimento in se stesso ma solo nella sua relazione con il creatore. Ancora di più, la riflessione – che è di genuina lettura cattolica – è condotta alla luce dell'evento dell'incarnazione; per cui *storicamente* si vede realizzata la relazione archetipa tra Dio e l'uomo nella vita di Gesù di Nazareth che diventa il luogo della chiamata alla partecipazione dell'uomo alla vita divina.

In Cristo, quindi, si ha la totalità della grazia che viene mediata per l'uomo; ogni grazia pertanto va considerata cristica, anche se in lui si verifica pure in quale modo l'uomo è *capax Dei*.

Tutta la riflessione patristica è segnata positivamente da questa precomprensione. L'uomo viene detto essere «divinizzato», vale a dire, ormai chiamato a partecipare alla vita di Dio che, in Cristo, si è già storicamente attuata. *Agostino* fornisce una

prima pista di indagine quando tratta del rapporto tra libero arbitrio e grazia. L'uomo è libero, ma per agire verso il bene deve essere liberato; la sua disponibilità davanti alla grazia deve essere completamente obbedienziale.

È in *Tommaso* invece che, per la prima volta, ci si incontra con la terminologia tecnica di «potentia oboedientiae» e «potentia oboedientialis» (*De Ver.* 3,3,3), per indicare una potenza passiva dell'animo umano. In un testo classico si legge: «Nell'anima umana, come in ogni creatura, è presente una duplice potenza passiva: una attribuibile agli agenti naturali; l'altra resa possibile dal primo agente, il quale può portare (potest reducere) qualsiasi creatura ad azioni superiori a quelle a cui è portata dagli agenti naturali, e questa potenza è usualmente chiamata, nella creatura, potenza obbedienziale (potentia oboedientiae)» (STh III,11,1).

Successivamente, il tema ha subito interpretazioni differenti soprattutto ad opera del *Molina* e la sua scuola. Più direttamente, come risultati che giungono alla teologia contemporanea, si può cercare di vedere la «potentia oboedientialis» alla luce dell'intuizione tomista in una più genuina interpretazione. Secondo Tommaso infatti, compimento essenziale della creatura e gratuità di dono per il suo compimento non possono essere considerati concetti contraddittori all'interno di un soggetto.

Si deve pertanto valutare anzitutto l'unità del soggetto umano che si esprime nel suo essere *persona*. Al di là di ogni dualismo (spirito-corpo, con la conseguente divisione di trascendenza-immanenza o finito-infinito), la realtà della *persona* è quella che più di ogni altra favorisce, fin dall'inizio, l'unità e la non contraddittorietà dei concetti e delle caratteristiche ad essa legate.

L'essere persona, per il soggetto umano, significa autocomprensione e capacità di autorealizzazione mediante atti di libertà. Ora c'è un'apertura infinita nel soggetto, una dinamica costante di apertura che è segnata dal *desiderio* di poter raggiungere l'oggetto del proprio conoscere. Eppure, proprio questa tensione e desiderio fanno prendere coscienza di una finitezza del proprio atto di essere.

Questa caratteristica è impressa anche nella libertà del soggetto che percepisce in sé il desiderio di una libertà sempre più grande e un'apertura ad una libertà infinita. Questa dimensione gli permette di autoscoprirsi come un soggetto *disponibile* a poter desiderare e realizzare sia atti di libertà, sia l'atto supremo di libertà mediante il quale compie la sua autorealizzazione.

La persona è essenzialmente libertà; questa si esprime come atto supremo proprio nel momento in cui è posta davanti alla radicale scelta di accettazione di una libertà più grande che non le appartiene e che non può essere pretesa, ma solo ricevuta. È questo che caratterizza l'essere personale come colui che può compiere fino all'ultimo e in corrispondenza alla sua natura, atti che gli appartengono.

Si dirà, in altre parole, che l'autocomprensione ultima che il soggetto può avere, teologicamente, è quella di un essere creato; ciò implica comprensione di una *distinctio realis* con il creatore. L'essere creaturale è sempre posto, quindi, in una condizione di relazionalità che è visibile nella disponibilità ad accogliere. In quanto creatura non può pretendere, ma solo ricevere. Esiste pertanto a livello creaturale una disponibilità propria (potenza) ad accogliere la grazia e quindi a entrare in possesso (oboedientia) di una qualità e caratteristica che di per sé non si possiede né si può pretendere, in forza della propria natura creata, di possedere.

Il divenire cosciente di ciò che è già stato dato nella creazione, è anch'esso grazia, chiamata all'accoglienza obbedienziale che è dovuta davanti a Dio. Solo in questo modo, infatti, è possibile vedere quella radicale disponibilità del soggetto davanti alla rivelazione. Insomma, Dio creando pone il desiderio naturale dentro la creatura perché possa riconoscerlo, ma la contingenza dell'essere creato che costituisce la sua essenza, richiede che questo desiderio venga portato a livello personale per divenire in tutto atto pieno di un soggetto storico. Questo è necessario perché si realizzi pienamente il paradosso della relazione tra trascendenza di Dio e conoscenza umana. Dio infatti può essere sempre e solo il primo di questa iniziativa; ma anche la libertà dell'uomo non potrà mai essere in grado di relazionarsi personalmente a Dio, in forza di una sua struttura ontologica, senza che Dio imprima ad essa la capacità sia per coscientizzarla che per realizzarla.

La condizione creaturale, assunta all'inizio come apriori della riflessione teologica, comporta necessariamente che, anche in questo caso, sia mantenuta viva la regola dell'→ *analogia*.

Questa dimensione nulla toglie alla forza della libertà del soggetto, perché egli la realizza proprio nel momento in cui prende coscienza e quindi, come persona, realizza pienamente se stesso.

La persona, infine, si autocomprende in una realtà storica. Pensiamo di non togliere nulla alla pregnanza del concetto di «potentia oboedientialis» se lo si inserisce in una diveniente dinamica dell'essere umano. Nell'atto creativo di Dio si vede già l'atto di una «potentia oboedientialis» che viene data al soggetto in quanto creatura; eppure, nello svolgimento della sua esistenza, questi prende sempre maggior coscienza del proprio essere, fino a giungere alla completezza della visione beatifica. Ebbene, a questa dinamica, la «potentia oboedientialis» non è estranea perché il credente sa anzitutto che davanti alla trascendenza della grazia, permane lo stato di peccato e che, nonostante questo, cresce in lui il desiderio di Dio.

La pienezza di autorealizzazione sarà quindi nella visione beatifica; qui si avrà il compimento della partecipazione alla vita divina in cui la creatura scoprirà la bontà della sua scelta e verificherà il grado più alto della sua libertà, ma contemporaneamente vedrà la gratuità della chiamata con la quale le fu dato ciò che solo desiderava.

Bibl. - A. Gardeil, «Le désir naturel de voir Dieu», in RTh 31 (1926) 381-410; Id., «La vitalité de la vision divine et les actes surnaturels», in *Ibid*, 477-489; H.U. von Balthasar, «Der Begriff der Natur in der Theologie», in ZKTh 75 (1953) 452-464; Id., *Spiritus Creator*. Saggi Teologici, vol. III, Brescia 1972; Id., *Teodrammatica*, vol. II, Milano 1982; K. Rahner, *Uditori della Parola*, Torino 1967; Id., «Potentia oboedientialis», in SM VI, 406-410; Id., «Rapporto tra natura e grazia», in *Saggi di antropologia soprannaturale*, Roma 1969, 43-77; Id., «Natura e grazia», in *Ibid*, 79-122; P. Rousselot, *Gli occhi della fede*, Milano 1977 (or. 1910); H. de Lubac, *Il mistero del soprannaturale*, Milano 1979 (or. 1946).

RINO FISICHELLA

PROFETI

Due sono gli argomenti che dobbiamo trattare in questo articolo: il profeta come mediatore di rivelazione e la vocazione profetica come momento privilegiato di questa mediazione. Trattandosi di un dizionario di teologia fondamentale, ci sembra opportuno limitarci agli aspetti ermeneutici e metodologici di questi argomenti, rinviando il lettore agli appositi articoli presenti in ogni buon dizionario biblico per una elencazione esauriente dei rispettivi testi e la discussione dei dettagliati problemi esegetici che li riguardano. Una riflessione metodologica è ancora più necessaria nel caso in questione, dal momento che

se si dà un'occhiata ad alcuni manuali di teologia fondamentale pubblicati negli anni ottanta si rileva che, qualche volta, i profeti sono presentati in un'ottica che riflette le posizioni esegetiche correnti negli anni sessanta, senza che vi sia un cenno di consapevolezza che lo stato della questione è cambiato considerevolmente nei decenni successivi.

Per questo i due argomenti che abbiamo menzionato saranno inquadrati nel più ampio orizzonte di una più generale strategia di lettura dei testi profetici. Per essere più precisi, distingueremo tre modelli ideali di tale lettura: una lettura volta al futuro, una lettura volta al passato e una lettura trans-temporale volta al testo. In questo ci può essere un certo pericolo di eccessiva semplificazione, ma potrà almeno servire a portare alla luce importanti questioni metodologiche che non possono impunemente essere ignorate.

1. I PROFETI COME VEGGENTI - Secondo la prima forma di approccio, i profeti sono letti prima di tutto come preannunciatori particolareggiati della vita e missione di Gesù di Nazareth, il Messia e Signore. La loro importanza è vista nel fatto che essi, dal punto in cui si trovano, additano ciò che si cela nel futuro. Questo tipo di lettura fu assai sviluppato dagli scrittori del secondo secolo (particolarmente Giustino e Ireneo) che affondavano le loro radici negli scritti del NT; questo fu conservato nei secoli successivi e finì per cristallizzarsi nella «prova della profezia» dell'apologetica classica.

La notevole selettività è una delle caratteristiche salienti di questo tipo di lettura. L'attenzione viene concentrata, ovviamente, su quei testi (non molti per la verità) che sembra si prestino a questo genere di lettura. Vi era addirittura la tendenza non soltanto a forzare, ma anche a moltiplicare i testi messianici; alcune scelte nella traduzione della Vulgata esercitarono in questo il loro influsso. Ma, ciò nonostante, vaste sezioni di materiale nei libri profetici continuarono a non prestarsi a questa strategia di lettura (per esempio gli annunci di invasioni, di distruzioni, di esilio; la denuncia degli abusi sociali, delle mene politiche e così via). C'era la tendenza a ignorare questo materiale, oppure a portare in ballo l'aspetto imperfetto dell'AT che viene superato dal NT; altre soluzioni optavano per una lettura allegorica.

La pesante concentrazione in questa prospettiva di una lettura dei testi volta al futuro fece sentire il proprio effetto sui due argomenti che qui ci interessano. I profeti venivano visti come mediatori della rivelazione prevalentemente (o esclusivamente) in quanto preannunciavano il vertice della rivelazione in Gesù Cristo; la lettura era fatta in rapporto al Cristo. Per cui non poteva esserci che un interesse relativamente molto piccolo nei confronti della vocazione iniziale del profeta come momento privilegiato di rivelazione, per il fatto che la lettura non era primariamente fatta in riferimento al profeta, né particolarmente interessata alla personale esperienza del profeta e ai suoi diretti destinatari.

Come si dovrebbe considerare questa prima strategia di lettura? Potremmo osservare tre cose:

a. L'esistenza di un piccolo numero di testi che si possono legittimamente definire «messianici» è ammessa in pratica da tutti gli studiosi contemporanei. Tuttavia, prescindendo da quelli di indirizzo fondamentalista presenti nelle diverse confessioni cristiane, vi è un analogo accordo sul fatto che a una lettura storico-critica di quei testi risulta che nessuno di essi conteneva fin da principio una diretta e univoca previsione degli aspetti della vita e della missione di Gesù di Nazareth. Una metodologia scientifica non è in grado, a partire dai testi,

di giungere ad una identificazione personale specifica della figura del messia. Di conseguenza una prova apologetica della profezia, intesa come argomentazione razionale e storica, non è praticabile. Le cose stanno diversamente per dei lettori che già credono in Gesù come messia; per questi lettori alcuni testi profetici possono richiamare alla mente vari aspetti della vita e della missione di Gesù. Ma per essi i testi profetici hanno una funzione di anamnesi, più che una forza dimostrativa. La fede in Gesù come salvatore promesso è un presupposto, non la conclusione di questo tipo di lettura; l'effetto di simile lettura è quello di approfondire e illuminare la fede, non di fondarla.

b. Quando si usava in apologetica la «prova della profezia» in senso accentuato, vi era il pericolo di fomentare (indipendentemente dalle intenzioni personali) un atteggiamento antigiudaico o anche polemico. Così avverrebbe se l'argomentazione prendesse la forma di una dimostrazione razionale per cui i testi messianici alluderebbero con chiarezza a Gesù di Nazareth; il che implicherebbe che chiunque, fornito di normale intelligenza, accetta l'autorità scritturistica dei testi profetici, ma rifiuta di riconoscere Gesù come il Cristo, si troverebbe in stato soggettivo di malafede. Una simile conclusione può aver giocato la sua parte – insieme ad altri svariati fattori di natura socioeconomica e psicologica – nel manifestarsi di un atteggiamento diffuso di ostilità verso le comunità giudaiche, specie in Europa, nei secoli scorsi. Sono ben note le orrende, concrete conseguenze di tutto questo. Dopo Auschwitz, questi argomenti non possono essere passati sotto silenzio in una discussione teologica dell'uso dei testi profetici.

c. Infine, la drastica selettività di questo modo di leggere i profeti è un argomento decisivo a conferma della sua inadeguatezza. Una gran parte della letteratura profetica è stata in pratica ignorata o sottovalutata a causa dell'approccio centrato sulla «predizione». E questo ha l'effetto paradossale di impoverire una lettura cristiana dei testi profetici.

2. I PROFETI COME STRAORDINARIE PERSONALITÀ RELIGIOSE - Un secondo tipo di strategia di lettura fa convergere l'attenzione su quanto si trova nel passato, dietro i testi profetici, vale a dire sulle figure storiche dei profeti visti come eccezionali personalità religiose, che con le loro intuizioni ispirate condussero la religione d'Israele a un livello superiore, preparando in tal modo la fase di compimento in Gesù Cristo. Questo tipo di lettura comparve in seguito all'adozione dello studio storico-critico della bibbia e, nelle sue fasi iniziali, si sviluppò soprattutto in Germania sotto l'influsso duplice del romanticismo e dell'idealismo. L'influsso romantico promosse l'interesse per la biografia dei profeti, per le loro personali vicissitudini e le loro esperienze religiose. L'influsso idealista fece rimarcare la superiorità del pensiero profetico sulle forme inferiori di religione cultuale in voga tra i loro contemporanei, e spesso ebbe la tendenza a porre questo contrasto nel quadro di una concezione evolutiva nello sviluppo della religione d'Israele. Queste due influenze raggiunsero in vario modo diversi autori, mentre la tendenza comune fu quella di dare importanza soprattutto a ciò che vi era di personale e originale nel profeta, trascurando il lavoro successivo di discepoli, redattori, editori e glossatori che continuarono il processo di formazione dei libri profetici al di là degli stessi profeti. Questi ulteriori contributi, indicati normalmente come «inautentici», si tendeva a considerarli, in massima parte, come insignificanti e, a volte, persino come una corruzione del messaggio profetico originario.

È nell'ambito di questo secondo tipo di strategia di lettura, che i due argomenti proposti per il presente articolo trovano probabilmente il loro vero e proprio *Sitz im Leben*. Parlare di un profeta come mediatore di rivelazione sembra voler supporre che si possa elaborarne un chiaro ritratto storico sulla base del materiale «autentico» presente nel libro profetico e in altre fonti accessibili; che si possa, inoltre, ricostruire la situazione degli originari destinatari, ai quali per primi il profeta veicolò la rivelazione. Appare chiaro, inoltre, che il particolare interesse legato all'iniziale esperienza di vocazione del profeta e al suo valore ai fini della rivelazione è legato all'approccio biografico centrato sulla persona, tipico di quella linea di ricerca storico-critica influenzata dal romanticismo. Bisogna poi aggiungere, ovviamente, che le tematiche possono essere spostate, così come i generi letterari, dal loro originario *Sitz im Leben* ed essere usati in altri contesti; per cui non si può concludere che i due argomenti che stiamo trattando siano inseparabilmente legati al secondo tipo di strategia di lettura. È comunque utile renderci conto della loro collocazione originaria.

Come si dovrebbe considerare questa seconda strategia di lettura? Possiamo di nuovo fare tre osservazioni:

a. Una caratteristica indubbiamente positiva di questo tipo di lettura è che essa ricupera molto materiale profetico che veniva in pratica ignorato dall'approccio centrato sul «preannuncio di Gesù» e assegna ad esso almeno una potenziale importanza per i lettori successivi.

b. Un altro aspetto positivo consiste nell'acuta presa di coscienza della dimensione storica e del carattere contestualizzato del ministero dei profeti.

c. Tuttavia, un preciso punto debole − apparso in modo sempre più chiaro agli studiosi della seconda metà del XX secolo – sta nell'accento unilaterale posto sui personaggi profetici, a scapito dei libri. Nella sua forma peggiore, questo atteggiamento tendeva a vedere nei libri profetici degli spiacevoli ostacoli che al più presto dovevano essere criticamente smantellati al fine di arrivare all'*ipsissima vox* del profeta stesso, l'unico degno di essere oggetto di studio, l'unico depositario di valori religiosi permanentemente validi. È forse opportuno che gli studiosi di teologia fondamentale riflettano in quale misura un inconscio influsso di questa istanza sia presente nell'immagine che si fanno dei profeti.

3. I PROFETI COME TESTI PROFETICI - Il terzo tipo ideale si può indicare come lettura diretta al testo e transtemporale. È diretta al testo nel senso che prende seriamente il fatto innegabile che il dato primario a disposizione del lettore è il libro profetico e considera come suo dovere primario quello di giungere alla migliore comprensione di quel libro in tutta la sua complessità letteraria e storica. È trans-temporale nel senso che l'attenzione non viene centrata in modo unilaterale in un particolare periodo (si tratti della vita di Gesù o della vita del profeta di cui il libro porta il nome), ma comprende tutto l'arco di tempo occorso alla formazione del libro. Poste in ordine cronologico (che però non è l'ordine operativo del lavoro esegetico che normalmente viene compiuto) queste fasi temporali sono le seguenti: tutti quei fattori, anteriori al profeta, che influirono nel modo in cui il messaggio venne formulato (storia della tradizione); il ministero e il messaggio vero e proprio del profeta, in quanto storicamente ricostruibile; le varie fasi di trasmissione e di sviluppo del materiale profetico originario fino alla formazione del libro come noi adesso lo possediamo (storia della redazione); uno studio del libro integrale

inteso come unità redazionale, non di un unico autore (studio della forma definitiva). La problematica della storia della tradizione fu molto sviluppata negli anni cinquanta e sessanta (G. von Rad. con la sua *Teologia dell'Antico Testamento*, ne è un autorevole esempio). Le questioni connesse alla storia redazionale emersero e si acuirono in modo radicale negli anni settanta e ottanta (per quanto, senza dubbio, se ne possono trovare tracce anche prima). La ricerca sulla forma definitiva si è sviluppata negli ultimi due decenni anche a motivo di una serie d'influssi (lo strutturalismo, l'approccio canonico, tentativi di misurare i libri profetici con svariate teorie generali circa il testo e la letteratura).

In che misura tutto questo può influire nella formulazione dei due argomenti proposti per questo articolo? Possiamo fare tre osservazioni:

a. Sembra che, nel parlare di un profeta come mediatore di rivelazione, si debbano usare termini più sfumati. Nella misura in cui si può offrire una ricostruzione del ministero storico di un dato profeta (e su ciò si veda il commento che segue), bisognerà ammettere, alla luce di ricerche sulla storia delle tradizioni, che il messaggio del profeta non era una rivelazione del tutto nuova, che vi era dialogo e contestazione, in misura considerevole, di idee anteriori; in breve, che i profeti furono persone del loro tempo in una misura maggiore di quanto si sarebbe potuto dedurre da studi scientifici del passato. Se è così, sorge allora il problema: non è forse un po' unilaterale porre l'attenzione, in modo così specifico, sui profeti come mediatori di rivelazione nell'AT? Non dovremmo aspettarci anche di leggere studi sui teologi narrativi deuteronomistici, o sui salmisti, o sui maestri della sapienza, come mediatori di rivelazione?

b. Alla luce di studi della critica redazionale più radicale di questi ultimi anni, è diventato un compito assai più difficile la ricostruzione storica del ministero di uno qualunque dei profeti. Per esempio, le ultime edizioni del commento di O. Kaiser su Is 1-39 concludono che i contorni storici della vita di Isaia sono avvolti in una pressoché totale oscurità; analoga conclusione è stata tratta per Geremia da R. Carroll nel suo commento del 1986 a quel libro. Certamente, ci sono altri studiosi che sono più ottimisti circa la possibilità di ricuperare i dati storici relativi al ministero del profeta (per esempio, il commento a Is 1-39 di H. Wildberger e il molto ottimistico commento al libro di Geremia di W.L. Holladay); resta comunque il fatto che l'approccio biografico è oggi un argomento di notevole discussione esegetica. Sarebbe poco saggio, per dei cultori di teologia fondamentale, ignorare l'esistenza di queste discussioni e continuare a parlare «dei profeti» come se i problemi per arrivare ad un consenso sul loro ministero storico fossero pochi. Per fare soltanto un esempio, questo influisce sul modo di usare le narrazioni di vocazione nei libri profetici. Tra gli esegeti vi è una tendenza crescente a leggere i «testi vocazionali» prima di tutto (e persino esclusivamente) come affermazioni teologiche programmatiche, il cui scopo primario non è quello di offrire informazioni biografiche e psicologiche circa l'esperienza del profeta, ma di dare piuttosto una giustificazione teologica del ruolo del profeta e un sommario dei punti chiave del messaggio. In questa prospettiva, i racconti di vocazione non mettono a contatto diretto con i momenti privilegiati dell'esperienza della rivelazione fatta dal profeta; costituiscono, invece, dei testi che, per l'importanza della loro collocazione e il contenuto programmatico, svolgono un ruolo privilegiato nella struttura del libro profetico inteso come composizione redazionale.

c. Stando ad alcuni studiosi, le difficoltà di ricostruire un quadro storico del profeta comportano anche problemi di descrizione del ruolo. Consideriamo due esempi. Primo, il termine ebraico *nābî'*, tradotto con «profeta» dalla versione dei Settanta in poi, è la designazione più comune del ruolo profetico negli scritti biblici dell'esilio e post-esilici, ma non è sicuro che i profeti dell'ottavo secolo (Amos, Osea, Isaia e Michea) abbiano mai usato questo titolo per se stessi. Da un uso indiscriminato del termine «profeta» non deriva forse un'immagine eccessivamente uniforme di quello che potrebbe essere stato un insieme molto più complesso di ruoli nella storia religiosa d'Israele?

Secondo, il sintagma *děbâr Jhwh* (parola del Signore), generalmente presentato come specifica caratteristica della rivelazione profetica, è in realtà molto raro in testi profetici che con buona probabilità possono essere datati all'ottavo secolo; esso diventa frequente soltanto nel periodo dell'esilio e dopo (in Geremia, Ezechiele e nella storia deuteronomistica). Ancora una volta, non si corre forse il rischio, con una indiscriminata generalizzazione dei profeti come portatori del *děbâr Jhwh,* di un'eccessiva semplificazione di una serie più complessa di termini e ruoli nella rivelazione?

Per concludere, lo stato presente della discussione esegetica sui profeti (intendendo i libri e i personaggi) è tale da far ritenere che la teologia fondamentale dovrebbe rivedere la ragionevolezza del suo interesse tradizionale e del suo discorso sui profeti. L'approccio centrato sulla persona, di tipo ingenuamente esperienziale, dato per scontato in molti studi di teologia fondamentale fino ad oggi, ha bisogno di riflettere sul nuovo stato della questione sollevato dalla ricerca esegetica recente e dalle sue implicazioni ermeneutiche. Soltanto allora lo studioso di teologia fondamentale può sperare di restare in effettivo dialogo con la scienza biblica in questa materia.

Bibl. - TEMI GENERALI: A.G. Auld, «Prophets through the Looking Glass: Between Writings and Moses», in JSOT 27 (1983) 3-23; J. Blenkinsopp, *A History of Prophecy in Israel*, Philadelphia 1983; O. Kaiser, *Einleitung in das Alte Testament*, Gütersloh 1984[5]; S. Amsler e altri, *Les prophètes et les livres prophétiques*, Paris 1985 (ed. it. Roma 1987); B. Vawter, «Were the Prophets *nābî's*?», in *Bibl* 66 (1985) 206-220; J. Barton, *Oracles of God. Perceptions of Ancient Prophecy in Israel after the Exile*, London 1986; D.L. Petersen (ed.), *Prophecy in Israel. Search for an Identity*, Philadelphia 1987; R.P. Carroll, «Inventing the Prophets», in IBS 10 (1988) 24-36.

RACCONTI DI VOCAZIONE: B.O. Long, «Berufung, I. Altes Testament», in TRE V, 676-684; R.P. Carroll, *From Chaos to Covenant. Uses of Prophecy in the Book of Jeremiah*, London 1981, 31-58; D. Vieweger, *Die Spezifik der Berufungsberichte Jeremias und Ezechiels im Umfeld ähnlicher Einheiten des Alten Testaments*, Frankfurt a. M. 1986.

CHARLES CONROY

PROFEZIA

1. *Status quaestionis* - 2. *La profezia nella teologia veterotestamentaria* - 3. *Gesù di Nazareth e la cristologia profetica (Gesù interpreta le Scritture sacre; Gesù ha fatto profezie e ha compiuto gesti profetici; Annunci della passione e glorificazione; Gesù ha avuto visioni)* - 4. *La profezia neotestamentaria* - 5. *Valore teologico della profezia* (R. Fisichella).

Porsi oggi davanti all'argomento profetico potrebbe essere descritto come il trovarsi di fronte ad un relitto dopo il naufragio. La navicella dell'*argomentum ex prophetia* sballottato tra la tempesta di un calcolo probabilistico, operato in genere dai trattati apologetici, e un nubrifragio proveniente dalla metodologia storico-critica, si arena oggi al porto della teologia fondamentale che sembra incerta se sottoporre il relitto ad una radicale trasformazione oppure se distruggerlo completamente.

Prima però di procedere ad un definitivo affondamento, potrebbe essere utile un ulteriore tentativo che si sforzi di applicare le diverse metodologie per un uso più biblico e teologico dell'argomento.

1. STATUS QUAESTIONIS - Si deve anzitutto osservare che senza la profezia difficilmente si potrebbe comprendere la storia del cristianesimo. Essa rappresenta una realtà talmente costitutiva per il riflettere teologico che il doverne prescindere equivarrebbe ad equivocare l'oggetto stesso della fede cristiana.

La stessa storia di Israele diventa comprensibile solo se riferita all'evento della profezia che ispira e condiziona i momenti più salienti del costituirsi della vita del popolo. Sia la progressiva rivelazione della fede monoteista, come le istituzioni religioso-politiche di Israele, diventano chiare solo se poste nell'orizzonte profetico.

La storia di Gesù di Nazareth, inoltre, non può prescindere da una lettura profetica. Parlando e agendo alla stessa stregua dei profeti, Gesù fu compreso dai suoi contemporanei come un profeta. Annunciando però che il Battista era da considerare l'ultimo dei profeti (Mt 17,10-13), paradossalmente esprimeva anche la sua pretesa di non volersi confondere con essi; perché lui e il suo tempo, erano termine ultimo ed inequivocabile di ogni compimento, della Legge e dei Profeti (Mc 9,2-8; Mt 17,1-8; Lc 9,28-36).

La storia della chiesa, infine, è trasversalmente segnata dal fatto profetico. Dalla centralità di Gesù il Cristo, «profeta potente in opere e in parole» (Lc 24,19), che viene creduto come il compimento e la realizzazione della profezia antica, la comunità vive incessantemente in relazione con la profezia. La struttura della comunità primitiva anzitutto riconosce nei profeti uno dei fondamenti, perfino istituzionali, del suo esistere (cfr. Ef 4,11; 1 Cor 12,28); la chiesa poi, nel corso dei suoi venti secoli di storia, ha considerato la profezia come uno dei normali carismi che le sono forniti per realizzare il suo essere mediatrice della rivelazione nel mondo. Nonostante l'essenziale ruolo che la profezia sembra svolgere nella vita della chiesa, l'argomento profetico, come uno dei segni che mediano la rivelazione cristiana, è stato sottoposto ad un trattamento decisamente contraddittorio: il razionalismo gli sottraeva qualsiasi carattere soprannaturale; la teologia manualistica (→ Teologie, II), all'opposto, ne surclassava il valore; il metodo storico-critico, infine, ne ha limitato ogni contenuto al solo *Sitz im Leben* non permettendo quindi l'aprirsi ad una lettura teologica e impedendo di verificare gli effetti che progressivamente si venivano a realizzare in una dinamica storica.

Una ricuperata mediazione della profezia, come segno di credibilità della rivelazione, non è senza difficoltà. La prima che si incontra è nell'ordine della precomprensione teologica della categoria. La tradizione manualistica, infatti, ha lasciato in eredità una definizione di profezia che ha condizionato negativamente, per interi decenni, la teologia e conseguentemente le varie espressioni della vita di fede che si richiamano ad essa. I trattati classici del *De Revelatione*, convergono nel ritenere la profezia come «certa predictio futuri eventus qui ex principiis naturalis praesciri non potest» (per tutti si cfr. Ch. Pesch, *Compendium Theologiae dogmaticae*, I, De Legato divino, Freiburg 1913, 54).

Come si può notare, la profezia viene qui limitata e identificata con il vaticinio e la preveggenza, collegata immediatamente con la onniscienza di Dio che essendo «intelletto infinito» può conoscere ogni cosa, anche gli avvenimenti futuri e futuribili, e nella sua libertà può miracolosamente comunicarli.

Una attuale precomprensione della profezia non potrebbe prescindere dal ricupero del concetto biblico e questo, primariamente, non affida al profeta il compito di un'anticipazione del futuro; indica piuttosto la forma mediante la quale si comunica e si conserva intatta, nel corso della storia, la parola di Jhwh.

Una seconda difficoltà riguardo l'argomento profetico, è determinata dall'influenza che, a partire dalla scuola liberale, si è avuta nella comprensione della profezia neotestamentaria. Si venne a creare infatti una teoria che leggeva in contrapposizione la presenza di due chiese quasi parallele tra loro: quella istituzionale e quella carismatica. La paura per il carisma profetico − concludono questi autori − ha fatto in modo che l'Istituzione prendesse il sopravvento sul carisma, relegando quindi la profezia ad un ordine subalterno fino alla sua completa sparizione dalla scena.

Da questo ordine di idee, si è venuta a formare una visione ecclesiologica che ha contrapposto gli apostoli ai profeti, esasperando la tensione tra legge e carisma.

Una rilettura della profezia dovrà considerare la pluralità delle forme di autocomprensione delle chiese nel loro situarsi storico, ma in una lettura globale che evidenzi l'unità nella complementarità invece dell'assolutizzazione di un ministero particolare.

Le varie difficoltà possono, comunque, essere superate se la ricerca teologica *interdisciplinare*, convergerà verso un centro che sarà ricuperato attraverso un'attenta esegesi e una globale visione teologica del fenomeno.

I dati positivi che si possono ricavare da una rinnovata presentazione della profezia (si pensi ad es. ad un fondamento più contestuale del cristocentrismo, ad una più genuina teologia della storia, ad un equilibrato rapporto tra ministeri e carismi, ad un più significativo ricupero dei segni dei tempi...), spingono a guardare oltre le difficoltà per raggiungere obiettivi che più facilmente permettano una presentazione dell'evento rivelato.

I rarissimi studi che, dopo la manualistica, sono stati dedicati all'argomento profetico, hanno cercato di porre in relazione tutto l'Antico Testamento con il Nuovo, superando in questo modo la riduzionistica e meccanicista lettura che relegava l'argomentazione alla verifica circa il compimento delle singole profezie. Ne è risultato che l'AT veniva riletto alla luce di tre categorie: legge, storia, promessa, che trovavano «compimento» nel NT e nella fede cristiana.

Si costituiva così una teologia dell'AT come «profezia» del Nuovo che rileggeva l'Antico dando ad esso il «senso cristiano».

Il lodevole tentativo non andava però al di là di una teologia cristiana dell'AT; l'applicazione di un *sensus plenior* agli scritti veterotestamentari mentre forniva una lettura cristiana, non dava però ragione all'«autonomia» peculiare che, in ogni caso, l'AT deve possedere come testo sacro della religione ebraica.

La pretesa cristiana di impossessarsi dell'AT e, anzi, di vederlo orientato a Cristo, fa comprendere il carattere specifico del cristianesimo, ma ciò non toglie la componente di «pretesa» che si arroga nei confronti del mondo veterotestamentario.

Riteniamo che si possa percorrere un'altra strada che, ricuperando i tratti salienti della profezia veterotestamentaria, sappia tuttavia collocare al centro la persona di Gesù di Nazareth come *profezia* del Padre, ed evidenziando la specificità del profetismo neotestamentario, sappia dare una lettura teologica più conforme all'originalità cristiana.

2. La profezia nella teologia veterotestamentaria - A differenza dei popoli confinanti, che confondono spesso profezia con magia e possessione estatica, Israele ha avuto sempre una chiara idea religiosa del profeta. Già nella stessa differenziazione semantica è possibile vedere il netto confine tra l'idea biblica e quella delle altre religioni: il προφητής (*prophētês*) dei LXX è limitato al *nābî'*, identificato come «colui che parla con chiarezza al posto di un'altro»; mentre l'ebraico *qosem*, che indica il mago, è sempre reso con μάντις (*mántis*). La peculiarità del profeta ebraico si impone, quindi, come un fenomeno direttamente rapportabile all'economia della rivelazione.

Il profeta veterotestamentario è un *traditus*, affidato e consegnato al *dâbâr* Jhwh cui deve obbedire, ripetendo le sue parole (Is 45,6: «Sono il Signore tuo Dio che ho parlato»). Per questo fatto, il profeta diventa un «esperto» di Dio; egli sperimenta la sua «gloria» (Ez 1,26-28), la sua forza vincolante (Ger 15,16), il fascino della sua santità (Is 6,1-8).

Come uomo profondamente inserito nella storia del suo popolo, il profeta biblico vede nell'alleanza e nella Tôrāh, lo strumento più consono a vivere in pace e in fedeltà al patto stabilito. Coscienza religiosa e senso politico, indicano tuttavia un senso più profondo, quello della consapevolezza che Jhwh guida la storia e la orienta verso un futuro, il «giorno» in cui la sua manifestazione e la sua alleanza raggiungeranno il culmine, perché legate ad un profondo cambiamento interiore (Ger 31,31-37; Ez 34,11-30; 36,23-36).

Per comprendere, quindi, il profeta dell'AT, si dovrà far riferimento anzitutto alla gratuità della sua *chiamata*; egli è comprensibile infatti solo all'interno di uno schema vocazionale. La chiamata di Jhwh, per ognuno di loro, costituisce l'evento fondamentale che crea storia personale e che deve essere fissato perfino nello scritto, perché abbia a permanere invariato (Ger 1,2; Is 6,1; Ez 1,2; Os 1,1).

In questa chiamata, che si presenta come un atto di profondo amore e che implica una conoscenza avvenuta da sempre: «fin dal grembo materno» o «prima ancora della nascita», il profeta scopre la sua *missione*. Egli è l'uomo inviato a portare la parola, un comando questo che deve essere eseguito fedelmente, che richiede una disponibilità totale, capacità quindi di accettare ogni sorta di sofferenza o, perfino, di sacrificare la propria esistenza (Dt 18,15-22; 4,21-22; Is 52,13-53,12; Ger 37-40).

Se l'annuncio della parola di Jhwh è la nota predominante, non si può tuttavia nascondere che il → *silenzio* e il *segno* (→ Semeiologia, I) rimangono le forme più espressive del linguaggio profetico. Dopo il primo silenzio che costituisce l'ascolto della vocazione e del contenuto dell'annuncio del messaggio, la parola del profeta diventa di nuovo silenzio: Dio ormai ha parlato, cosa si potrà aggiungere alla sua parola? (Is 8,16-20). Questo silenzio, che esprime la profondità del linguaggio, rinvia ad un senso più profondo, quello del mistero con il quale egli si è venuto ad incontrare. Quando, poi, la parola sembra non bastare, il profeta compie segni che solo a prima vista possono sembrare illogici o insensati (cfr. Ger 1,11; 18,1-12; 19,1-15; 24,1-10; 27,2-22; 32,6-15; Ez 4,1-3; 5,1-17; 24,1-27); anzi, lui stesso sarà «segno» posto davanti a tutto il popolo (Ez 24,24; Ger 16), perché vedendo lui possa essere rinviato al mistero che significa.

In una parola, i profeti veterotestamentari vengono incontro nella loro concretezza e coerenza di vita. Sono uomini che si sono posti al servizio della «Tradizione» sacra di Israele segnando la storia del loro popolo. Ma l'esperienza di Dio che avevano compiuto e la responsabilità del messaggio che annunciavano, dovevano naturalmente superare la stretta barriera del tempo e i confini di un solo popolo per divenire patrimonio comune della storia dell'umanità in un futuro che rendeva evidente ciò che essi avevano solo promesso e simbolicamente rappresentato.

3. GESÙ DI NAZARETH E LA CRISTOLOGIA PROFETICA - «Lo spirito di profezia si è spento e consumato in Israele con Aggeo, Zaccaria e Malachia» (Yomma, 9/b); «Fino a costoro i profeti profetizzarono attraverso l'azione dello spirito, da loro in poi porgete orecchio e ascoltate le parole dei saggi» (Seder Olam Rabbah 30). Queste due espressioni del Talmûd possono facilmente introdurre nella comprensione dell'ambiente giudaico ai tempi di Gesù riguardo alla profezia. I profeti sono scomparsi e l'uso della profezia è acquisito solo in forza della dignità sacerdotale (cfr. Gv 11,5); per il resto, solo l'attesa apocalittica riesce a mantenere vivo il senso di attesa per il ritorno di «uno simile» a Mosè (Dt 18,15-18).

La presenza di Giovanni il Battista fornisce un ulteriore dato del contesto contemporaneo a Gesù. Impossibile doverne prescindere, perché i testi neotestamentari presentano il Battista come colui che appartiene alla storia del maestro di Galilea, e la sua predicazione viene interpretata esplicitamente come un «preparargli la strada» (Mt 3,1-3).

La persona del Battista richiama in termini troppo precisi quella dei profeti veterotestamentari, tanto da non poter essere considerata solo alla stregua di un predicatore vagabondo. La vita ascetica che conduceva, il richiamo al deserto, l'appello ai temi fondamentali della legge e dell'alleanza, la predicazione alla conversazione e la prassi battesimale, sono tutti elementi che, anche se teologicamente interpretati dai diversi evangelisti, orientano a vedere in lui una delle grandi figure del profetismo classico. La sua presenza pertanto ha, in qualche modo, alimentato il senso profetico di una speranza presso il popolo.

Più direttamente, nei confronti di Gesù di Nazareth come profeta, si deve osservare che i vangeli presentano una duplice forma. In alcuni casi si parla di lui come di *un* profeta (Mt 21,45), identificandolo quindi come uno dei tanti profeti nella normale tradizione giudaica; in altri casi invece lo si definisce come *il* profeta (Gv 7,40), riferendosi ovviamente al compimento di Dt 18,15-18. L'interpretazione di questi dati può fornire una lettura per una cristologia prepasquale che è determinante per la comprensione della relazione tra Gesù e i suoi contemporanei.

Dalla semplice analisi testuale, si può verificare che Gesù fu chiamato e compreso dalla gente alla stessa stregua dei profeti. L'impressione che lui forniva sia alle folle (Mt 21,11; Mc 6,15; 8,28; Lc 7,16), sia ai singoli (Lc 7,39; Mt 26,68; Gv 4,19; 9,17), era quella di trovarsi di fronte ad una delle figure classiche del profetismo.

Il sorgere di questa comprensione può essere determinata o dal fatto che Gesù stesso avesse esplicitamente detto di essere profeta o, altrimenti, perché il suo comportamento provocava questa identificazione. La prima ipotesi è difficilmente percorribile. Pur avanzando la storicità degli unici testi in cui esplicitamente Gesù parla della sua persona e la unisce a quella dei profeti (Mt 13,57; Lc 13,33), il contesto e l'orizzonte di queste pericopi sono da riferire privilegiatamente a quello della morte violenta come il destino comune agli inviati di Dio. Due soli casi, inoltre, in tutta la tradizione evangelica, non possono essere assunti come fondamento per questa linea interpretativa; soprattutto se questi vengono confrontati con l'uso esplicito e continuo di figlio dell'uomo e la determinazione del contesto della morte violenta che limita ulteriormente il campo di azione interpretativa. Non si può quindi seguire questa ipotesi; Gesù pertanto non si è definito profeta e la cosa si impone per il fatto che è conforme al suo comportamento e stile che rifugge da ogni chiara ed esplicita definizione di sé.

Resta allora la seconda ipotesi, quella per cui Gesù si è comportato e ha parlato con lo stesso stile dei profeti. I testi «profetici» che orientano a questa interpretazione, possono essere classificati come segue.

a. *Gesù interpreta le Scritture sacre* - La scena programmatica di Lc 4,16-30 assume, in questo orizzonte, un valore particolare. Richiamandosi ai testi dei padri, Gesù attualizza la parola di Dio e illumina il suo tempo presente. Molti altri riferimenti si possono addurre (cfr. Lc 10,25; 18,18; 20,42); eppure le «attualizzazioni» delle figure del *Servo di Jhwh* del Deuteroisaia e del *figlio dell'uomo* di Daniele sono quelle che maggiormente danno corpo a questo modello. Più particolarmente, si può far riferimento al modo stesso con il quale Gesù interpretava le Scritture che si discostava da quello dei rabbini e che, *qualitativamente*, lo poneva su un piano differente e superiore da costoro (Mt 8,29).

b. *Gesù ha fatto profezie* - Si intende dire anzitutto, che Gesù ha parlato con lo stile tipico dei profeti e che, in questo senso, può aver espresso anche annunci che avevano un riferimento al futuro. Si possono considerare le varie formule di *sventura* contro Gerusalemme (Mt 23,37), o contro il tempio (Mc 13,1-2), o contro «questa generazione» (Lc 11,49), o contro le «figlie di Gerusalemme» (Lc 23,28); le formule di *benedizione* verso chi lo segue (Mc 10,29), o verso chi è debole e indifeso (Lc 12,32); i diversi *macarismi* (Mt 5,3-12; Lc 7,23; Mt 11,6).

Lo stesso testo di Mc 13,1-2 che è

di chiara formulazione profetica, contiene a tutti gli effetti un messaggio profetico che è da ricondurre al Gesù storico.

c. *Gesù ha compiuto gesti profetici* - In questa classificazione si potrebbero anzitutto inserire i → *miracoli* considerati segni espressivi dell'amore e della potenza di Gesù come inviato del Padre; ci sono comunque altri tipici gesti che richiamano alla mente l'azione profetica classica. Così, ad es., Mt 21,18: la maledizione sulla pianta di fichi; Gv 8,1-11: Gesù scrive per terra mentre vengono rivolte accuse contro l'adultera e si attende che esprima il suo giudizio in proposito; Mt 18,1-3: l'accoglienza del bambino per esprimere la grandezza di chi accoglie il regno di Dio; Mc 11, 15-18: la cacciata dei venditori dal tempio e il richiamo alla sua sacralità. In tutti questi casi si è di fronte a segni che non vengono immediatamente compresi dagli interlocutori e che, pertanto, richiedono una spiegazione. Ancora una volta, sulla base di questa dialettica, si è rinviati alla stessa azione profetica per una interpretazione che risulti significativa.

d. *Annunci della passione e glorificazione* - Gesù con chiara determinazione ha avuto davanti a sé la prospettiva di una morte violenta. Di questa consapevolezza storica ne ha fatto esplicito riferimento ai discepoli. Una prospettiva questa che mentre legava il suo destino a quello dei profeti, nello stesso tempo lo staccava qualitativamente da costoro per il significato e l'interpretazione che lui stesso dava alla sua morte come espiazione vicaria. Pur avendo presente il ruolo che le diverse redazioni hanno giocato nella formulazione di questi annunci, (cfr. Mc 8,31-32; 9,30-32; 10,32-34), i testi esprimono un contenuto che è da ritenere come profondamente radicato alla persona del Gesù storico e alla coscienza cir-

ca la sua identità. Nello stesso senso, vanno considerati i testi che fanno riferimento alla risurrezione come ermeneutica ultima del mistero salvifico.

e. *Gesù ha avuto visioni* - Non è detto che in questa prospettiva si debbano leggere in senso carismatico o estatico i testi che vi fanno riferimento; basti invece la considerazione che Gesù ha un impatto immediato con i suoi interlocutori. Egli comprende subito, prima ancora che questi si esprimano, i loro pensieri e preoccupazioni (Mc 2,1; Mt 12,25; Lc 9,47); nessuno davanti a lui può nascondere qualcosa, si è trasparenti e si è conosciuti nella propria intimità. Tra i diversi testi che riferiscono di visioni (cfr. Mt 3,16. Mc 9,4; Lc 22,43), uno merita più attenzione per il suo significato profetico: «Io vedevo satana cadere dal cielo come folgore» (Lc 10,18). Contro un'interpretazione materialmente visiva di satana, si deve invece dar credito al fatto che Gesù verificava come, con il suo annuncio del regno, il potere del male veniva progressivamente distrutto fino alla definitiva vittoria su satana stesso.

Queste cinque esemplificazioni potrebbero giustificare sia l'opinione della folla, che la prima descrizione che gli evangelisti forniscono di Gesù di Nazareth. Il titolo «profeta» va pertanto classificato tra i primi e più antichi che furono riferiti al maestro di Galilea: con esso si esprimeva la primissima impressione che la predicazione e l'agire di Gesù avevano provocato nei suoi contemporanei.

Una più attenta lettura dei testi mostra tuttavia che, anche là dove ci si riferisce a Gesù come profeta, si crea immediatamente una dialettica che tende a mostrare il limite del titolo stesso e il suo necessario superamento (cfr. Mt 21-23). Pur trovandosi davanti alla figura di un profeta, si è sentita, comunque, la necessità di esprimere la sua consapevolezza come di uno che era «più di» un profeta; «più di Giona» (Mt 12,41), «più di Salomone» (Mt 12,42), «più del tempio» (Mt 12,16).

Con l'uso del titolo profeta pertanto, si è certamente davanti ad una tra le più antiche espressioni della cristologia pre-pasquale, ma nello stesso tempo si riscontra l'impossibilità di potersi fermare ad essa. Si dà un tale uso differenziato nelle fonti che obbliga a vedere la globalità di questa figura più che non il particolare. Marco, infatti, riferisce più volentieri il titolo in riferimento al destino della morte violenta; Matteo lo vede come espressione privilegiata per rivelare il compimento delle profezie; Luca ama descrivere Gesù come la realizzazione di Dt 18,15 e quindi Cristo come il nuovo Mosè; la fonte Q inserisce la connotazione della superiorità di Gesù che è da considerare «più di» un profeta; Giovanni infine, mostra che il titolo, pur essendo una prerogativa di Gesù nel suo essere rivelatore, fornisce tuttavia una lettura incompleta del suo mistero.

Tutto ciò fa concludere che i vangeli hanno conosciuto una «cristologia profetica», che questa è stata una delle modalità per esprimere il mistero di Gesù, ma che in riferimento ai profeti solo *analogicamente* il titolo gli poteva essere attribuito. Pur nella somiglianza, le discontinuità con i profeti erano troppo evidenti sia nei confronti dell'autorità con cui agiva, sia nella sua relazione con Dio. Gesù parlava e agiva sempre e solo in prima persona e questo, per un profeta, era impensabile. Dal profeta bisognava quindi passare necessariamente ai titoli di «Cristo» e «Figlio» perché meglio esprimevano la novità e originalità della sua identità (→ Cristologia: titoli cristologici).

4. LA PROFEZIA NEOTESTAMENTARIA - Per una complessiva valutazione del profetismo neotestamentario si devo-no anzitutto premettere due caratteristiche che ne costituiscono la novità in riferimento all'AT. *a.* La centralità di Gesù che ormai viene proclamato il Cristo, quindi il compimento delle promesse antiche. Questa fede in lui e nella sua parola, che già prima di Pasqua era stata determinante per i discepoli, ha permesso una memorizzazione delle sue parole e del suo comportamento. *b.* Il dono dello Spirito del Risorto, il giorno di Pentecoste, fa prendere coscienza alla comunità di Gerusalemme, particolarmente dopo il martirio di Stefano (At 6-7), del suo compito missionario universale.

Il libro di Atti dà notizia della presenza dei profeti: Barnaba, nella lista che Luca fornisce in At 13,1, risulta il primo insieme a «Simeone soprannominato Niger, Lucio di Cirene, Manaen compagno d'infanzia di Erode tetrarca e Saulo». Ma si danno altre indicazioni e nomi precisi: Agabo, che in At 11,28 fa una profezia di predizione riguardo a una carestia, suscitando così la solidarietà della comunità; mentre lo stesso, in At 21,11, compie un gesto profetico legando con la cintura i piedi e le mani di Paolo. Nella stessa pericope viene fatto sapere che le figlie di Filippo l'evangelista «avevano il dono della profezia» (21,3); e ancora che Giuda e Sila «erano anch'essi profeti» (15,32); per alcuni esegeti anche il martire Stefano apparterrebbe al gruppo dei profeti.

La teologia lucana più interessata, probabilmente, a presentare la *funzione* profetica, spiega il perché del silenzio sulla partecipazione dei profeti alla struttura ecclesiale.

Il materiale presente nelle lettere del *corpus paulinum* potrebbe da solo fornire una teologia del profetismo neotestamentario; per l'economia del presente studio, due testi particolarmente sono chiarificatori circa il ruolo dei profeti nella comunità primitiva.

1 Cor 12,28-30 ed Ef 4,11 forniscono un primo schema di ordine strutturale tra coloro che hanno un ministero nella comunità; in primo luogo gli apostoli, poi i profeti, quindi i maestri/evangelisti.

Il contesto di ambedue i brani è quello della costruzione della comunità nella fondamentale unità che deve essere mantenuta in forza dei doni e, mediante essi, della grazia (*cháris*) ricevuti da Cristo stesso.

La gerarchia dei ministeri e delle funzioni è pertanto in riferimento all'«unico corpo di Cristo», in quanto presenza e promessa escatologica della rivelazione piena di Dio. I credenti devono accogliere la diversità dei ministeri e dei doni perché necessari alla costituzione e diversificazione del «corpo» (1 Cor 12,12-25). Ai Corinti, che bramavano il dono più grande e spettacolare della glossolalia, Paolo ricorda anzitutto un principio basilare: la necessità e l'uguaglianza dei carismi. Coloro anzi che possiedono i doni più particolari, devono prestare attenzione ai doni più ordinari, perché la carità è il fondamento e la regola di tutto (1 Cor 13,2; 14,1).

Una lettura più attenta di questi testi mostra comunque che non si è solo davanti ad una lettura «carismatica» della chiesa, quanto piuttosto ad una reale descrizione istituzionale della comunità stessa.

L'apostolo infatti nella lista che fornisce, descrive i primi tre ordini con una terminologia precisa e personale: apostoli, profeti, maestri/evangelisti; in seguito, invece, la descrizione diventa generica e impersonale, non riguarda più le persone, ma le attività: miracoli, guarigioni, governo, glossolalia.

Certamente, la preoccupazione di Paolo non è quella di un insegnamento preciso sull'organizzazione della chiesa; l'interesse peculiare è che Dio in Cristo ha posto un ordine ben preciso nelle funzioni principali, per il resto i doni sono abbondanti e in conformità con la grazia del Signore.

Alla comunità cristiana quindi, vengono presentati i profeti e la profezia sia come una *funzione carismatica* cui tutti devono tendere proprio perché, in forza del loro parlare agli uomini, possono da questi essere capiti e quindi edificare la comunità (1 Cor 14,3.29-32); sia come una *funzione istituzionale* che sta alla base e al fondamento della chiesa (1 Cor 12,28), perché contribuisce a regolare la vita della comunità (1 Cor 14,22).

I testi neotestamentari letti senza una pregiudiziale precomprensione, portano pertanto a riconoscere sia i profeti come una «istituzione» (1 Cor 14,29; 14,32; 12,28; Rm 12,6, Ef 4,11; At 11,27; 21,9), sia la profezia come una normale azione liturgica, anche se momentanea e occasionale, data ad alcuni credenti (1 Ts 5,20; 1 Cor 14,1.5.24.31.39).

Il fatto, alla luce della teologia paolina, non presenta contrapposizione alcuna: i profeti e l'azione profetica specificano il corrispondente e diversificato contributo che viene dato dai singoli alla costruzione della comunità. Sia quindi il singolo profeta, sia i vari credenti che profetizzano e che devono tendere alla profezia, rivelano e significano che la chiesa, nel suo insieme, si costruisce sulla *Parola di Gesù* e cresce quando la si attualizza nelle diverse situazioni di vita.

Sulla base di questi testi, comunque, è possibile ricostruire quasi l'identità del profeta neotestamentario.

Egli è essenzialmente riconosciuto come mosso dallo Spirito del Cristo risorto. Il ruolo decisivo dello Spirito Santo nella vita della chiesa è riscontrabile a diversi livelli, perfino nelle decisioni pratiche che vengono assunte (At 15,28; 5,3.9). È in questo orizzonte che bisogna leggere il fatto per cui lo Spirito suscita e muove i profeti (At 2,18; 11,28; 19,6; 21, 11; 1 Cor 12,28; 1 Pt 1,11; 2 Pt 1,21): nessuno può profetizzare se non sotto la sua azione che è sempre diretta alla costruzione della comunità. Questo spiega perché l'apostolo senta il dovere di sollecitare i credenti al desiderio della profezia; nello stesso tempo però vede come causa ed effetto, azione pneumatica e funzione profetica: «non spegnete lo spirito, non disprezzate la profezia» (1 Ts 5, 20); senza queste due realtà non si dà crescita della chiesa.

Il profeta inoltre, appare come una persona che viene riconosciuta tale dalla chiesa. Sia che si parli di un gruppo di profeti o di un singolo, non è la chiesa che dà la profezia né essa suscita il profeta; piuttosto accoglie profezia e profeta come dono e ministero. Corrispondentemente, il profeta non può concepirsi se non in riferimento e in comunione con la comunità.

Per la comunità, poi, il profeta svolge una funzione che può sintetizzarsi in questi tre punti.

a. Trasmette le parole e i gesti di Gesù. Il profeta del NT già per questo si differenzia sostanzialmente dal profeta veterotestamentario. Egli infatti non rilegge primariamente le Scritture antiche, comunica e trasmette piuttosto la parola del Maestro. Non parla a nome di Jhwh né annuncia un suo oracolo; esprime invece le parole di Gesù e parla in suo nome. La profezia che viene annunciata è «la testimonianza di Gesù» (Ap 19,10), suo scopo sarà quello di rendere presente, viva e attuale la parola del Signore per la comunità. Ciò fa comprendere perché Paolo non tema di porre la profezia a fondamento della chiesa (Ef 2,20). Apostoli e profeti, alla fine, non fanno che esplicitare l'unico necessario della chiesa: la parola e l'azione di Gesù Cristo, «apostolo» del Padre e sua «profezia» definitiva nella storia.

b. Il profeta è «garante» dell'ortodossia della comunità. Egli infatti, riconosciuto come uomo fedele alla Parola che rende attuale sotto l'azione dello Spirito, è anche abilitato a riconoscere vera la parola che l'apostolo trasmette. Paolo espressamente utilizza questo argomento come elemento decisivo per il riconoscimento del vero profeta dal falso (1 Cor 14,37).

c. Il profeta, come espressamente ricorda Paolo, è chiamato ad «edificare, esortare e confortare» (1 Cor 14,3). Egli infatti attualizzando la parola di Gesù, *esorta* a vivere concretamente in quella e *consola* annunciando il ritorno glorioso del Signore. In questo modo, esortando e consolando, *edifica* la comunità che, tramite lui, si confronta con la parola stessa del maestro.

Il profeta pertanto si può comprendere alla luce del suo stesso carisma senza doverlo confondere con altri, anche se è evidente che un netto confine non potrà mai essere tracciato. Egli non è l'apostolo; questi infatti fonda la comunità e la dirige, mentre il profeta è un credente che accoglie l'apostolo e il suo messaggio. Il profeta non è neppure il dottore; questi riceve dagli apostoli e dai profeti la parola del Signore; mentre il dottore legge e interpreta la Scrittura, il profeta come uomo dello Spirito, pone ogni Scrittura alla luce della parola di Cristo. Il profeta, infine, non è l'evangelista, perché questi riflette con una personale esperienza di azione ispirata e formula una particolare teologia, mentre il profeta ha interesse per il bene immediato della comunità e per le circostanze particolari che si creano nelle singole comunità.

Il profeta della chiesa primitiva appare quindi come la persona che sotto l'azione dello Spirito di Cristo risorto ha il compito di riproporre, attualizzando, la parola e l'opera di Gesù. È pertanto l'uomo dallo sguardo retrospettivo perché orienta all'attuazione del presente e all'attesa del futuro facendo emergere il senso della persona di Gesù Cristo.

A pieno titolo quindi egli può essere chiamato l'uomo che appartiene e crea la tradizione, là dove per tradizione si intende il contenuto che gli apostoli, personalmente o ad opera dello Spirito, avevano ricevuto dal loro rapporto con il Signore (DV 7); in forza di questa appartenenza sono da considerare come persone dalla grande forza innovativa perché capaci di leggere attentamente il presente e di proporre il futuro.

Se confrontato con l'AT, il profetismo neotestamentario acquista delle innegabili novità. Ciò che anzitutto balza evidente è la grande differenza nell'estensione del fenomeno; mentre per Gioele l'evento universale della profezia resta un desiderio (Gl 3,1-2), qui invece si nota che, almeno virtualmente, tutti i credenti sono nella condizione di poter profetizzare.

Ciò che tuttavia colpisce maggiormente, è il fatto che nella profezia neotestamentaria è scomparsa del tutto ogni forma di *paura*, di *giudizio* e di *condanna*. Il profeta è invece colui che infonde coraggio e che porta un messaggio di salvezza. L'evento della risurrezione, come espressione più evidente della vittoria e della glorificazione di Cristo, ha ormai impresso un segno indelebile nel rapporto tra il cristiano e il Padre. Il profeta dà fiducia e sicurezza che quell'evento riguarda anche ogni credente che farà della sua vita un'«offerta gradita a Dio»; lo sguardo ormai è decisamente orientato all'evento escatologico.

A partire da Didachè, il Pastore di Erma, Ireneo e tutto il periodo patristico, il profeta acquista una fisionomia differente e si rendono necessari dei «criteri» per valutare la loro sincerità o meno. La profezia tuttavia non si conclude e, in ogni caso, non perché si ebbe uno stabilizzarsi dell'istituzione a scapito della dimensione carismatica. Si dovrà piuttosto valutare, più direttamente, che le parole del Signore avevano trovato una

forma definitiva nei vangeli e nelle lettere degli apostoli che costituivano ormai la norma e il referente privilegiato per la vita delle diverse comunità locali.

Il profeta non scompare, solo si adombra nel suo carisma peculiare e assume nuove espressioni. Il secondo e il terzo secolo presentano immagini di uomini e donne che posseggono caratteristiche simili a quelle dei profeti, ma diventano qui *martyres* e *confessores*. I secoli successivi non saranno da meno; il medioevo vedrà la profezia legata all'immagine simbolica che sarà più direttamente in grado di spiegare la Scrittura: Ugo da san Vittore e Gioacchino da Fiore saranno, in questo, dei maestri. La stessa cosa si può dire se si prendono alcuni esempi che provengono dalla mistica che, appunto, viene chiamata «profetica»; su questa linea si potrebbe comporre un elenco che raccoglie i nomi di noti e meno noti: Giuliana da Norwich, Caterina da Siena, Teresa d'Avila, Giovanni della Croce, Ignazio di Loyola, Giovanni Bosco, Adrienne von Speyer... non sono che l'inizio di una lunga serie differenziata di «profeti» che si aggiungono a quella fornitaci a più riprese dagli Atti degli Apostoli.

Tutto questo porta ad un'ulteriore conclusione: i profeti e il carisma profetico non possono essere relegati sbrigativamente al solo momento della chiesa primitiva; essi appartengono in modo costitutivo alla chiesa e per lei posseggono un significato permanente insostituibile.

5. VALORE TEOLOGICO DELLA PROFEZIA - Il ricupero del dato biblico circa la precomprensione della profezia può permettere alla teologia fondamentale di avere una prospettiva diversa per la propria argomentazione.

Tolta la cappa opprimente di una conoscenza degli eventi futuri, la profezia potrebbe essere pensata come quella *peculiare forma di rivelazione* che, tenendo unite parola e segno, permette di cogliere la dialettica tra svelamento-velamento del contenuto rivelato.

Tre elementi qui contenuti richiedono una chiarificazione.

a. La rivelazione è data come un movimento dialettico non antitetico, ma di superamento costante. Ciò che viene rivelato appare evidente, eppure rinvia ad una conoscenza ulteriore che deve essere rivelata. La persona di Cristo non si lascia definire dal ragionamento e dal linguaggio umano; rimane invece sempre aperta a quell'orizzonte di mistero che è la vita intratrinitaria di Dio.

b. La profezia è compresa come unità inscindibile di parola e segno. La parola rimanda al segno e il segno in sé è rimando ad un significato ulteriore. La parola chiarifica il segno là dove questo appare ambiguo, e il segno porta a compimento il sillabare della parola. Questo rinvio e rimando può, meglio di ogni altro, spiegare la dialettica rivelativa.

c. La profezia come tale, non è esterna alla rivelazione, ma ne è una sua espressione peculiare. Prima quindi di essere uno dei segni della rivelazione, essa è forma di rivelazione; quindi interamente assunta dalla dialettica della rivelazione come una sua forma espressiva.

Queste precisazioni mostrano che la profezia, assunta dalla teologia fondamentale come forma espressiva della rivelazione, può anche oggi favorirne la comprensione ed esserne una mediazione privilegiata.

Alcuni elementi ulteriori possono visualizzare meglio il valore teologico che l'argomento profetico possiede in una rinnovata comprensione dei segni della credibilità della rivelazione.

a. Ricuperando la centralità di Gesù di Nazaret, si può pensare la sua rivelazione alla luce di una profezia lasciata nella storia come il segno permanente della salvezza. Questo dato ha un valore non secondario; dire che

Gesù è profezia del Padre equivale infatti a far esprimere in globalità il senso dei testi neotestamentari. Si è visto che solo analogicamente e in modo riduttivo si può applicare a Gesù Cristo il titolo di profeta; ma dire che lui costituisce la profezia del Padre significa evidenziare che la sua parola e i suoi gesti, in un tutt'uno inseparabile (*gestis verbisque intrinsece inter se connexis*, DV 2), costituiscono la permanente testimonianza lasciata nella storia. Si realizza una inscindibile unità nella complementarità di parola e segno che è tipico dell'espressività del linguaggio profetico e rivelativo.

Alla stessa stregua, si afferma che all'interno della storia è stato posto un segno *storico*, permanente, che condensa in sé i tratti del compimento e del definitivo, ma contemporaneamente attende la sua piena realizzazione.

Una teologia della storia (→ Storia, III) avrà il compito di mostrare come si stabilisce, con questo dato, un principio che permette di dare orientamento alla imprevedibilità del vagare storico. La profezia, infatti, orienta tutta la storia al definitivo realizzarsi della salvezza nell'incontro escatologico con il Signore che ricapitola tutta la creazione (Col 1,15-20; Ef 1,10; 2,14.16).

La profezia, come si è stabilito precedentemente, è parola che guida il presente di una comunità, ma su un duplice fronte: alla luce dell'evento Gesù di Nazaret e nell'attesa del suo ritorno nella gloria. Rileggere pertanto la rivelazione di Gesù Cristo in questo orizzonte, come profezia del Padre, significa impegnare il credente ad un'attenta lettura del presente storico, ma in continuità con la tradizione precedente e con la consapevolezza di un compimento futuro.

b. Ne segue, che la profezia si pone nella chiesa e nella storia dell'umanità, come una permanente forma di memoria che obbliga a non assumere nessun assoluto, ma a relativizzare ogni cosa alla luce dell'unico necessario.

La parola di Dio si presenta al contemporaneo, in questo modo, come quella provocazione ultima data per l'acquisizione del senso dell'esistenza, ma abilitando ognuno, contemporaneamente, alla responsabilità personale.

L'evidenza della rivelazione, data profeticamente, obbliga il credente a porsi una domanda costante circa il senso di ciò che gli viene rivelato e nello stesso tempo, lo spinge alla suprema forma di libertà come decisione di accoglienza di un rinvio ad un senso nascosto nel mistero stesso.

c. La teologia, assumendo la nota della profezia, afferma che la rivelazione è data all'uomo perché comprenda e creda. Costituisce, in altre parole, una forma qualificante di comunicabilità della rivelazione stessa. L'esegesi di 1 Cor 14,22-25 orienta a comprendere la profezia in questo orizzonte interpretativo. Preferendola alla glossolalia, che scandalizza il non credente, Paolo afferma che la profezia invece rende manifesti «i segreti del cuore» e quindi credente e non credente vengono convinti della presenza di Dio in mezzo al suo popolo.

Un'attualizzazione di tale forma di comunicabilità del dato della rivelazione dovrebbe essere visualizzato nella testimonianza dei credenti che, sulla parola del Signore, si aprono alla lettura dei → segni dei tempi. La profezia, in questo caso, diventa *creazione* di nuovi segni che attualizzano il messaggio di salvezza per le esigenze contemporanee. Ne deriva, quindi, un'attenzione specifica di richiamo a quei valori universali che possono essere annunciati e vissuti con uno specifico cristiano.

La profezia poi come linguaggio rivolto agli uomini (1 Cor 14,1-5), stimola la ricerca teologica all'individuazione di altrettante nuove forme

di comunicazione del sapere credente, perché la rivelazione possa essere una risposta contemporanea circa il senso del credere e del vivere.

d. Porre la rivelazione alla luce della profezia significa, infine, far emergere il suo contenuto specifico che è l'amore misericordioso di Dio.

La profezia infatti non è mai data come forma di condanna, di giudizio o di paura; al contrario è sempre ed esclusivamente una parola di conforto, di fiducia e di speranza. La croce di Gesù di Nazareth è il segno profetico culminante perché là ognuno è obbligato a vedere il nesso tra la sofferenza e la morte e la gloria di Dio. Sul volto del crocifisso risplende la gloria del Padre (2 Cor 4,6), questo è l'ultimo messaggio che viene comunicato perché qui si realizza pienamente la volontà salvifica di Dio.

Una profezia post-biblica che non fosse conforme a questa tipologia si autoescluderebbe da sé come possibile messaggio di rivelazione. Dopo la morte e la risurrezione di Gesù Cristo, la chiesa può riconoscere come «profezia» solo ciò che rende più evidente l'amore trinitario di Dio; un amore che non ha rifiutato la condanna dell'innocente per la salvezza del peccatore (Rm 5,6-10). Una profezia che si presentasse sotto le vesti di condanna e che incutesse paura e angoscia, sarebbe generata più dalla rigidità di un rinnovato montanismo, mai definitivamente debellato dall'animo cristiano, che non dalla responsabile fiducia nell'amore del Padre.

e. La profezia, pertanto, abilita il credente a parlare della rivelazione come di una *speranza* che è affidata alla chiesa perché la comunichi al mondo. È la speranza biblica, quella che pur rinviando al futuro non lo prospetta come vaga attesa, ma come certezza del definitivo compimento, perché generata da una promessa che si sperimenta come vera, fatta da una persona che si rivela come fedele.

CONCLUSIONE - Sembra dover co-statare, a volte, la paura per i profe-ti. Il mondo non li vuole; la chiesa li reclama, ma solo dopo la loro mor-te. Spesso il rivolgersi alla profezia è determinato da modelli veterotesta-mentari che per molti aspetti sono og-gi improponibili.

I cristiani sono figli di una profezia attuata alla luce del Golgota; recla-mano pertanto la presenza di profeti come segni di un amore che sa arri-vare fino al dono totale di sé. Il pro-feta, alla fine, obbliga ognuno a pren-dere seriamente in considerazione la propria esistenza nell'orizzonte della vita di Gesù Cristo. Ad un uomo inabbissato sempre più in culture che a differenti livelli gli annunciano mor-te, perché anche l'indifferenza e l'ef-fimero sono una morte per la ragio-ne, la profezia richiama al senso di una vita coerentemente vissuta alla lu-ce di valori che sanno dare signi-ficato.

Ad un mondo che sempre più va alla ricerca di emozioni per sapere la verità di un futuro e, ingannando se stesso presume di conoscere ciò che non può, il profeta ricorda la fedeltà al presente senza del quale non si dà autentico futuro.

L'azione dei profeti oggi sarà tanto più efficace e salvifica quanto più si allontaneranno le forme di un eccessi-vo spiritualismo o montanismo. «Aspi-rare» alla profezia (1 Cor 14,1) diven-ta quindi per ogni credente la forma più coerente del credere alla rivela-zione, perché può testimoniare la vi-va e operante presenza dello Spirito nel cuore del mondo attraverso l'agi-re dei suoi testimoni (1 Ts 5,19).

Bibl. - P. De Broglie, *Les prophéties mes-sianiques*, Paris 1904; J. Coppens, *Les har-monies des deux Testaments*, Paris 1949; K. Rahner, *Visionen und Prophezeiungen*, Inns-bruck 1952; F. Gils, *Jésus prophète d'après les évangiles synoptiques*, Louvain 1957; P. Be-noit, *Traité de la prophétie*, Tournai 1958; M. Lods, *Confesseurs et martyrs*, Neuchâtel-Paris 1958; P. Grelot, *Sens chrétien de l'Ancien Te-stament*, Paris 1962; Id., *La Bible parole de Dieu*, Paris 1965; Id., «Rapporto tra Antico e Nuovo Testamento in Gesù Cristo», in R. Latourelle - G. O'Collins (edd.), *Problemi e prospettive di teologia fondamentale*, Brescia 1980, 235-257; E. Käsemann, «Amt und Ge-meinde im Neuen Testament», in *Exegetische Versuche und Besinnungen* I, Göttingen 1965, 109-134; H.U. von Balthasar, *Herrlichkeit*, III, 2: Alter Bund, Einsiedeln 1966; N. Lohfink, *Profeti ieri e oggi*, Brescia 1967; R.B.Y. Scott, *The Relevance of the Prophets*, London 1968; A. Dulles, «La successione dei profeti nella chiesa», in *Conc* 4 (1968) 65-75; H. Krämer e altri, «Prophētēs», in GLNT XI, 439-652; L. Ramlot - E. Cothenet, «Prophétisme», in DBSuppl, 811-1337; R. Latourelle, *Teologia della Rivelazione*, Assisi 1971; F. Schnider, *Je-sus der Prophet*, Göttingen 1973; G. von Rad, *Teologia dell'Antico Testamento*, II, Brescia 1974; E. Boismard, «Jésus prophète par ex-cellence d'après Jean 10, 24-39», in J. Gnilka (ed.), *Neues Testament und Kirche*, Freiburg 1974, 160-171; U.B. Müller, *Prophetie und Pre-digt im Neuen Testament*, Gerd Mohn 1975; B. Reiche, «Synoptic prophecies on the de-struction of Jerusalem», in D.E. Aune (ed.), *Studies in New Testament and Early Litera-ture*, Leiden 1977, 121-134; K. Kertelge, (ed.), *Das kirchliche Amt im Neuen Testament*, Darmstadt 1977; J. Panagopoulos (ed.), *Pro-phetic Vocation in the New Testament and To-day*, Leiden 1977; D. Hill, *New Testament Pro-phecy*, Atlanta 1979; R.P. Carroll, *When Pro-phecy Failed*, London 1979; P.M. Beaude, *L'accomplissement des Écritures*, Paris 1980; M.E. Boring, *Saying of the Risen Jesus*, Cam-bridge 1982; W.A. Grudem, *The Gift of Pro-phecy in 1 Corinthians*, Lanham 1982; D.E. Aune, *Prophecy in Early Christianity*, Grand Rapids 1983; D.L. Baker, *Two Testaments one Bible*, London 1986; H. Simian-Yofre, «Anti-co e Nuovo Testamento: partecipazione e ana-logia», in R. Latourelle (ed.), *Vaticano II: bi-lancio e prospettive*, vol. I, Assisi 1987, 243-269; R. Fisichella, «La profezia come segno del-la credibilità della rivelazione», in Id., *Gesù Ri-velatore*, Casale Monferrato 1988, 208-226.

RINO FISICHELLA

PROTOCATTOLICESIMO

Nel 1958 il teologo tedesco W. Marx-sen pubblicava a Neukirchen una pic-cola opera intitolata *Der «Frühkatho-lizismus» im Neuen Testament*. L'an-no successivo F. Mussner, teologo cattolico, pubblicò alcune riflessioni a questo proposito (cfr. Tr ThZ 268 (1959 237-245). Ma è l'opera di S.

Schulz, *Die Mitte der Schrift. Der Früh-katholizismus im Neuen Testament als Herausforderung an den Protestantismus*, pubblicata nel 1976, che pur non essendo la prima opera sull'argomento, ha suscitato diverse reazioni e ha quindi contribuito alla divulgazione di un tema relegato fino ad allora in oscure appendici. Fin verso il 1950, i ricercatori protestanti situavano il protocattolicesimo piuttosto nel periodo post-testamentario, ma R.Bultmann riconosceva nella sua *Teologia del Nuovo Testamento* (1953; ed. it. 1985) che «un'evoluzione verso la chiesa antica si delina già nel Nuovo Testamento». Poco tempo dopo, E. Käsemann, discepolo di Bultmann, cominciò a interrogarsi seriamente sulla possibilità di trovare nel NT livelli diversi di autenticità evangelica e la presenza di un «canone nel canone». La considerevole opera di Schulz persegue questa linea di ricerca. Il tema è davvero avvincente; se è vero, infatti, che sviluppi appartenenti alla chiesa cattolica risalgono al NT, non è più consentito alle confessioni «evangeliche» appellarvisi semplicemente per rinforzare la loro convinzione di rappresentare il cristianesimo autentico, e continuare a sostenere che la cattolicizzazione della fede segnò una «decadenza» (*Abfall*) rispetto al kêrygma primitivo. Schulz riconosce nella presenza di dati protocattolici nel NT una sfida per il protestantesimo. Nella sua opera descrive a lungo le infiltrazioni «cattoliche» nel NT e propone, per preservarsi dal pericolo che rappresentano, una riaffermazione del principio della Riforma: il «centro della Scrittura», il «canone nel canone» è l'insegnamento paolino della giustificazione mediante la fede.

Schulz enumera nel modo seguente i tratti più caratteristici del «protocattolicesimo» che la ricerca precedente alla sua opera aveva già identificato (pp. 80s): il progressivo abbandono, fino alla sua estinzione, della

Naherwartung, quell'attesa apocalittica dell'irruzione del regno di Dio; il mancato riconoscimento del vero messaggio paolino della giustificazione degli empi, sostituito ora dall'attenzione nei confronti dei giusti; il nuovo valore dato alla Legge contro l'insegnamento di Paolo (ma di quale «legge» si tratta?); nuovo modo di comprendere la fede, che diventa sempre più una virtù o una speranza, invece di essere ciò attraverso cui si realizza la salvezza (Paolo); la soddisfazione vicaria di Cristo non occupa più un posto centrale in teologia; la subordinazione dello Spirito all'istituzione ecclesiastica; l'insegnamento del magistero ecclesiale assume un'importanza sempre maggiore; gli attacchi dello gnosticismo portano a una definizione più netta dell'eresia rispetto all'ortodossia; la repressione del movimento «entusiasta» si esprime in parte nella nuova attenzione accordata all'aspetto storico di Gesù e della chiesa (Vangeli e Atti); Cristo è sempre più indicato come l'iniziatore di una nuova legge e di una morale che suppongono il concetto di merito; la grande importanza accordata al miracolo; progredisce l'idea della salvezza attraverso i sacramenti; si riconoscono sempre meglio i dati di una teologia naturale; la pericolosa riconciliazione della cristianità con lo stato: tendenza a ricondurre tutto sotto l'etichetta «apostolico», da qui deriva l'abbondanza della letteratura anonima o pseudonima durante il periodo protocattolico.

S. Schulz divide in tre sezioni il suo studio della «teologia del Frühkatholizismus».

1. La prima si intitola «la cattolicizzazione della figura, della storia e della teologia di Paolo» (pp. 86-130). Il nostro interesse verte in particolare sui rimandi che egli fa a diversi testi di Paolo.

a. Già nella lettera ai Colossesi appare la figura della chiesa «corpo di Cristo» (1,24; 2,19) e il suo ruolo nello sviluppo della fede cristiana da salvaguardare a tutti i costi, come il vangelo (1,23), nella tradizione (2,6ss). La speranza presente, fondata sulla salvezza individuale (1,5.27), prevale sull'attesa della fine. A differenza dell'insegnamento di Rm 6,4-5, si dice che il battezzato è già risuscitato (Col 2,12s; 3,1) e liberato dal potere delle forze cosmiche. Gli *Haustafeln* o codici di morale domestica (3,18-4, 1) sono rappresentati in un buon numero di scritti riconosciuti «protocattolici». Schulz scopre in Col, soprattutto in 2,8-23, allusioni all'eresia gnostica che non si accorderebbero con la presentazione di tale eresia che troviamo in 1 Cor. Sarebbe un discepolo di tendenza «protocattolica» che verso l'anno 80 avrebbe scritto la lettera ai Colossesi per coinvolgere l'autorità di Paolo nella lotta antignostica.

b. Anche nella lettera agli Efesini il vocabolario comprende molti termini che non sembrano di origine paolina, ma che si ritrovano negli scritti post-apostolici. Più ancora di Colossesi, da cui dipende, la lettera agli Efesini si colloca, per il suo contenuto, tra gli scritti protocattolici, in particolare per la menzione della chiesa «pienezza di Cristo» (1,23), suo capo e salvatore di quella che è il suo corpo (5,23). Il seguito del testo (5,24-27) suppone che la chiesa sia la sposa di Cristo, tema esplicitato in numerosi scritti protocattolici successivi come *Didachè* 11,11 e la lettera di Ignazio di Antiochia a Policarpo 5,1. Così in Ef la chiesa diventa intermediaria necessaria della salvezza, cosa che si inscrive anche nella prospettiva protocattolica. Ancor più, la chiesa tende a essere identificata con il regno di Dio sulla terra. In contrasto con passi come Rm 9-11, non troviamo in Ef riflessioni sulla salvezza del popolo ebraico. La schiavitù del peccato sembra essere cosa appartenente al passato (2,1-3) o problema dei pagani (4,17-19),

mentre Paolo in Rm 7,13-25 ne parla come di un'esperienza personale. Ef, conclude Schulz, deve essere uno scritto della fine del primo secolo e quindi post-paolino, di ispirazione protocattolica, rivolto alle comunità dell'Asia Minore per istruirle sulla natura della chiesa *una sancta catholica*.

c. Come molti autori riconoscono, è difficile attribuire allo stesso autore della prima, la seconda lettera ai Tessalonicesi, così diversa nello stile e nel contenuto, in particolare per ciò che riguarda l'escatologia: non bisogna più attendere la venuta prossima del Signore; dei segni l'annunceranno in anticipo (2 Ts 2,1-12). Inoltre, la moralizzazione della salvezza sostituisce il messaggio paolino della giustificazione mediante la fede: la ricompensa attende i cristiani fedeli e il castigo i peccatori (1,6-12). Anche la facile accettazione del potere di governo di cui è investito l'apostolo (2,15; 3,4-15) sembra rivelare l'origine protocattolica del documento (2 Ts).

d. La recente esegesi attribuisce con facilità le lettere pastorali (1-2 Tm, Tito) a un autore posteriore a Paolo, senza poter specificare oltre. Schulz, da parte sua, crede che si tratti di istruzioni rivolte agli *Amtsträger*, ai detentori dell'autorità nella chiesa, rappresentati da Timoteo e da Tito. Queste lettere testimoniano proprio la lotta antignostica e l'esegesi paolina protocattolica dell'Asia Minore all'inizio del secondo secolo. Tra gli elementi protocattolici riconoscibili in queste lettere bisogna segnalare la menzione dell'*eusébeia*, «la pietà», che compare solo qui, negli Atti e in 2 Pt; come il richiamo agli *Haustafeln* e alle liste dei vizi. Come in 2 Pt, vi si trova anche la tendenza a razionalizzare e a moralizzare la vita cristiana.

e. Si è concordi nel riconoscere che il terzo vangelo e il libro degli Atti sono opera della stessa mano. Secondo l'antica tradizione cattolica questi libri sono opera di Luca, medico e amico di Paolo, come risulta da Col 4,14. Basandosi sulla ricerca protestante in voga da un secolo, Schulz ritiene tuttavia che Luca non possa essere l'autore di Lc/At. Non si vede infatti – egli sostiene – come un amico di Paolo possa essere autore di un libro, gli Atti, che offre un quadro «protocattolico» della figura, dell'apostolato e della teologia dell'apostolo (p. 109). Del resto nel prologo al vangelo egli stesso indica di essere cristiano della seconda generazione (Lc 1,1-4). Deve aver redatto la sua opera nei primi tre decenni del secondo secolo. Essa testimonia un'epoca in cui Paolo è già diventato una figura quasi leggendaria, che si inserisce nei quadri dell'interpretazione protocattolica della «storia della salvezza».

f. Secondo Schulz (123-130), anche le lettere autentiche di Paolo hanno subìto qualche rimaneggiamento da parte dell'editore protocattolico. È vero in particolare per 1 Ts, 1-2 Cor e Rm. Limitandoci a qualche esempio, il richiamo alla vigilanza di 1 Ts 5,1-11 riflette il contenuto di passaggi «lucani» (cfr. Lc 21,25-27; At 3,20ss) e ne ricorda altri, di tenore protocattolico, come 2 Pt 3,10-13. 1 Cor 14,33b-36 sembra appartenere a una polemica antignostica contro l'emancipazione delle donne, in contrapposizione con il ruolo che Paolo concede a queste nelle assemblee liturgiche (1 Cor 11,5), ma in linea con alcuni testi delle pastorali (cfr. 1 Tm 2,11ss). Il revisore di queste lettere avrebbe riportato Paolo nell'area della tradizione protocattolica. 2 Cor 6,14-7,1 non solo impiega termini non paolini, ma in essa troviamo un concetto di «giustizia» che non è nemmeno quello dell'apostolo. Il contrasto tra «giusti» ed «empi», rappresentato in questo passaggio, appare anche in Ef 1,1; 1 Tm 4,10 e altrove negli scritti di tendenza protocattolica. Rm 7,25b sembra essere una glossa protocattolica aggiunta al testo di Paolo: «Io dunque, con la mente, servo la legge di Dio, con la carne invece la legge del peccato». È un esempio dell'accresciuta attenzione per i «giusti», ricordata sopra come uno dei tratti propri della teologia protocattolica. È anche probabile che la grande dossologia di Rm 16,25-27 sia stata aggiunta al testo di Paolo da un'altra mano. La predicazione del vangelo figura spesso anche negli scritti deuteropaolini come la rivelazione di un mistero, e 2 Pt 3,16 parla anche di «scritti profetici» nel senso di testi canonici.

2. La seconda sezione dello studio di Schulz sulla «teologia del Frühkatholizismus» si intitola «la cattolicizzazione del giudeo-cristianesimo legalista e apocalittico». Egli spiega (p. 131) che Marco, la fonte Q e il materiale proprio di Mt e Lc vengono dalle tradizioni «vita-di-Gesù», che rappresentano il giudeo-cristianesimo conservatore, legalista e apocalittico della Siria-Palestina. Tuttavia la fonte originale di questi scritti è spesso velata a motivo dell'edizione protocattolica che li ha trasformati in modo notevole. La parabola del banchetto nuziale (Mt 22,1-14), paragonata a quella dei vignaioli omicidi in cui il figlio compare (21,37-39), rappresenta un insegnamento ecclesiologico più che cristologico, un aspetto della teologia protocattolica. La conclusione di Matteo: «Perché molti sono chiamati, ma pochi eletti», suggerisce appunto, ritiene Schulz, che la chiesa protocattolica vuole essere come «l'assemblea dei giusti», mentre al v. 10 sia i cattivi che i buoni sono radunati nella sala delle nozze.

Sebbene in modo meno evidente che in Matteo, appaiono tratti di edizione protocattolica anche nel vangelo più antico, quello di Marco. In particolare vi si trovano ugualmente uno schema di storia della salvezza, una riduzione della *Naherwartung*, l'annuncio del castigo di Israele e la drammatica fine della vecchia economia (Mc 15,38). Non vi si trova, peraltro, la dottrina del merito, come Matteo l'ha affermata aggiungendo al testo di Mc 8,38 una frase che la riguarda «Il Figlio dell'Uomo... verrà nella gloria del Padre suo con gli angeli santi, e allora retribuirà ciascuno secondo la sua condotta» (l'ultima frase si ispira al Salmo 62,13: «Secondo le sue opere tu ripaghi ogni uomo»). La riserva di Marco nei confronti del merito si spiega in parte con il fatto che egli rispecchia l'insegnamento della sinagoga in territorio pagano, mentre le fonte Q delle parole di Gesù di ricollega maggiormente al giudaismo palestinese.

L'influenza di Paolo è ben poco evidente nel vangelo di Marco. Paolo per esempio parla più volentieri del peccato al singolare, come di una potenza asservitrice. Marco preferisce parlare del perdono dei peccati al plurale (1,4s; 2,5.9; 3,28; 11,25) e il suo testo contiene anche un catalogo dei peccati (7,20-23) simile a quello delle lettere pastorali (1 Tm 1,9s; 6,4s; 2 Tm 3,2-5; Tt 3,2-5; 3,3). È vero che questi elenchi di peccati possono provenire dal protocattolicesimo, che tende a moralizzare la vita cristiana. Ma le troviamo anche in Sap 14,15s; Rm 1,29s; Gal 5,19s; Ef 4,17-32.

Indubbiamente, il miracoloso riceve un'attenzione speciale negli scritti protocattolici, ma ciò in parte riflette anche l'intenzione di mostrare che Gesù non era una persona comune, ed era facilmente paragonabile al tipo di persona cui si accorda il titolo di *theios aner*, «uomo divino» (cfr. T. Tagawa, *Miracles et évangile. La pensée personnelle de l'évangeliste Marc*, Paris 1966). Il titolo del suo vangelo (1,1), l'importanza data ai racconti di miracoli e la confessione del centurione (15,39) dimostrano che Marco ha voluto sottolineare il carattere divino di Gesù. Indubbiamente non è per semplice coincidenza che la stessa tendenza appare nei discorsi di Pietro (At 2,22; 3,16; 4,9-12); infatti Mar-

co rifletterebbe proprio la sua predicazione. Per Schulz l'abbondanza dei racconti di miracoli nel vangelo di Marco rivela l'influenza protocattolica (219). Si potrebbe credere che il miracoloso fosse ben ancorato nella letteratura religiosa dell'epoca. A dire il vero è soprattutto alla fine del secolo II che i racconti di miracoli hanno cominciato a proliferare. Il genere raggiunse il suo culmine con *La vita di Apollonio* di Filostrato (cfr. L. Sabourin, *The Divine Miracle Discussed and Defended*, Roma 1977, 41-46 e G. Petzke, *Die Traditionen über Apollonius von Tyana und das Neue Testament*, Leiden 1970). Il problema dei miracoli evangelici continua a trattenere l'attenzione dei ricercatori. R. Latourelle, in uno studio recente, *Miracoli di Gesù e teologia del miracolo* (Assisi 1987), insiste sulla necessità di vedere i miracoli di Gesù per quel che sono, cioè segni che manifestano la venuta del regno. In *The Divine Miracles* abbiamo sollevato la questione «fede e guarigione» (pp. 115-117). In tre occasioni diverse Gesù dice alla persona guarita: «La tua fede ti ha salvato!» (Mc 5, 34; 10,5; Lc 17,19; cfr. D. Merli, *Fiducia e fede nei miracoli evangelici*, Genova 1973 e la nostra recensione di *Biblical Theology Bulletin* 3 [1973] 231s).

Schulz scopre anche negli scritti giovannei l'influenza del protocattolicesimo che secondo lui esprime «la cattolicizzazione dell'entusiasmo gnostico» (227-256). Facendo propria una tesi molto diffusa e spesso confutata, egli distingue il quarto vangelo che noi conosciamo, dal suo antecedente, un *Grundschrift* che era di fatto uno scritto gnosticizzante impregnato di dualismo. Questa origine si riflette, egli crede, nei contrasti, espressi da Giovanni o dal Cristo giovanneo, tra la luce e le tenebre, tra la verità e la menzogna, la vita e la morte, la libertà e la schiavitù, le realtà superiori e quelle inferiori. Inoltre, come già spiegava Bultmann, è come rivelatore che il Cristo di Giovanni salva il mondo, giacché la sua incarnazione e la sua presenza costituiscono un'interpellanza che mette a confronto ogni uomo. L'aggiunta di Gv 21, in particolare, sarebbe opera di un editore protocattolico, la cui mano appare anche in diversi versetti del prologo, così come lo conosciamo (Gv 1,1-18). Bisognerebbe spiegare allo stesso modo la «sacramentalizzazione» di diversi passaggi (3,5; 6,53-55; 19,34). L'allegoria della vigna (15,1-8) rientra nel tema della vita meritoria del giusto (cfr. 5,29), altro elemento protocattolico. Possiamo leggere nello stesso senso anche qualche passaggio della prima lettera e dell'Apocalisse di Giovanni.

3. Alcuni tratti della teologia protocattolica appaiono anche nella lettera agli Ebrei. Eb è il solo scritto del NT che presenti Cristo come sacerdote e lo designi in particolare come liturgo del santuario e della vera tenda (cfr. 8,2 e 9,11s con la spiegazione che ne abbiamo dato in NTS 18 [1971] 87-90 e in modo più elaborato in *Priesthood*, Leiden 1973 178-212). Per Eb la «fede» (cap. 11) non è la fede cristologica, paolina, ma piuttosto la speranza di arrivare allo scopo (vv. 14-16); anche in questo lo scritto si avvicina al pensiero protocattolico. Questo è vero anche per la menzione dei peccati perdonabili e imperdonabili, indicazione del possibile ricorso al sacramento della penitenza. Come altri autori di tendenza protocattolica, nella sua lettera Giuda se la prende particolarmente con i falsi dottori, descrivendoli con tratti convenzionali e rendendo così difficile la loro identificazione. Il vero autore della lettera non può essere Giuda, fratello di Giacomo (cfr. Lc 6,16; At 1,13), perché egli si situa al massimo alla fine del primo secolo, mentre l'epistola è anteriore alla 2 Pt da cui è stata riutilizzata. Fra i tratti «protocattolici» contenu-

ti in Giuda si possono indicare anche la nozione di «fede», l'appello alla tradizione e il richiamo alla ricompensa che aspetta i giusti. L'influenza della teologia protocattolica si fa sentire anche, come ci si poteva aspettare, negli scritti dei Padri Apostolici: 1 Clemente, *Didachè*, Ignazio di Antiochia, Barnaba, il Pastore di Erma, 2 Cl e la lettera di Policarpo, in ordine cronologico (257-381). La lettera di Clemente ai Corinzi, databile tra il 93 e il 96, è contemporanea a molti scritti del NT. Ciò che la caratterizza maggiormente come documento «protocattolico» è la sua concezione giudaico-ellenistica dell'ordine eterno della creazione, quale si trova nella teologia naturale della *Stoà* (Schulz 310). In questa linea di pensiero Dio viene nominato molto spesso (99 volte), anche con i titoli di «creatore», «maestro» e «signore». Non ci è possibile, nei limiti di questo articolo, fare l'elenco dettagliato dei numerosi aspetti «protocattolici» degli scritti dei Padri apostolici.

Ci siamo ispirati all'opera di Schulz, *Die Mitte der Schrift*, per la presentazione del *Frühkatholizismus*, senza tuttavia approvarne la tesi ivi sviluppata e che due teologi hanno criticato piuttosto severamente. Nella nostra opera *Protocatholicisme et ministères* si può trovare un resoconto abbastanza esteso di P.-G. Müller, «Destruktion des Kanons – Verlust der Mitte. Ein kritisches Gespräch mit Siegfried Schulz», *Theologische Revue* 73 (1977), 177-186. Secondo Müller (178), l'opera di Schulz rivela un'«avversione fanatica» nei confronti del cattolicesimo. Per Schulz non vi è dubbio che il cattolicesimo sia *Abfall* (defezione) dall'*Evangelium*, ed egli si dà da fare per dimostrarlo nella sua opera. Se si riferisce, eventualmente, ad autori cattolici, quali Schlier, Schelkle, Mussner, è per screditarli (cfr. p. 179). Tuttavia in Küng egli trova un appoggio alla sua tesi. La parte maggiore della sua opera

(86-381) egli la consacra a dimostrare che il vangelo di Paolo rappresenta il centro (*Mitte*), il cuore della Scrittura, mentre la maggior parte del NT è stato «cattolicizzato»: si veda l'utilizzazione ripetuta del termine *Katholisierung* nei titoli dei capitoli. Guidato da un *a priori* ingombrante e dominante, Schulz scopre in quasi tutto il NT tracce di decadimento protocattolico, di deturpamento protocattolico del puro *Cristusevangelium*. Leggendo l'opera di Schulz, viene da chiedersi se il «vangelo della giustificazione» non sia una chimera, una nozione introvabile allo stato puro nel NT. Cristo stesso era davvero esente da tendenze «precattoliche», lui che propose la carità fraterna come criterio di autentica pietà, un po' come Giacomo che sconfessa la pura giustificazione attraverso la fede?

Bibl. - A. Ehrhard, *Urkirche und Frühkatholizismus*, Bonn 1935; W. Marxsen, *Der «Frühkatholizismus» im Neuen Testament*, Neukirchen 1958; H. Küng, «Der Frühkatholizismus im Neuen Testament als kontroverstheologisches Problem», in ThQ 142 (1962) 385-424; Id., «"Early Catholicism" in the New Testament as a Problem in Controversial Theology», in *The Council in Action: Theological Reflections on the Second Vatican Council*, New York 1963, 159-195; E. Käsemann, «Paulus und der Frühkatholizismus», in ZThK 60 (1963) 75-89; K. Beyschlag, *Clemens Romanus und der Frühkatholizismus*, Tübingen 1966; J.M. Elliott «A Catholic Gospel: Reflections on "Early Catholicism" in the New Testament», in CBQ 31 (1969) 213-223; E. Lohse, «Die frühkatholische Kirche», in R. Kottje - B. Moeller (edd.), *Ökumenische Kirchengeschichte* I: *Alte Kirche und Ostkirche*, Mainz/ München 1970, 61-69; I. de La Potterie, «Le problème oecuménique du Canon et le protocatholicisme», in *Axes* 4 (1972) 7-19; U. Luz, «Erwägungen zur Entstehung des "Frühkatholizismus", eine Skizze», in ZNW 65 (1974) 88-111; I.H. Marshall, «"Early Catholicism" in the New Testament», in R.N. Longenecker - M.C. Tenney (edd.), *New Dimensions in New Testament Study*, Grand Rapids 1974, 217-231; H.J. Schmitz, *Frühkatholizismus bei Adolf von Harnack, Rudolf Sohm und Ernst Käsemann*, Düsseldorf 1977; F. Hahn, «Das Problem des Frühkatholizismus», in ETh 38 (1978) 340-357; G. Kretschmar, «Frühkatholizismus. Die Beurteilung theologischer Entwicklungen im späten ersten und zweiten Jahrhundert nach Christus», in J. Brantschen - P. Selvatico (edd.), *Unterwegs zur Einheit*, in on. di H. Stirnimann, Freiburg 1980, 573-587; Ch. Bartsch, *Frühkatholizismus als Kategorie historisch-kritischer Teologie. Ein methodologische und theologiegeschichtliche Untersuchung* Berlin 1980; V. Fusco, «Sul concetto di Protocattolicesimo», in RB 30 (1982) 401-434; K. Giles, «Is Luke an Exponent of "Early Protestantism"? Church Order in the Lukan Writings», in EvQ 54 (1982) 193-205; 55 (1983) 3-20; J. Rogge - G. Schille (edd.), *Frühkatholizismus im ökumenischtheologischen Arbeitskreises in der DDR*, Berlin 1983; C. Clifton Black II, «The Johannine Epistles and the Question of Early Catholicism», in NT 28 (1986) 131-158; L. Sabourin, *Protocatholicisme et ministères*, Montréal 1989.

LÉOPOLD SABOURIN

Q

«QUI PLURIBUS»

Riguardo alla teologia fondamentale l'enciclica interessa per due aspetti: i rapporti tra → ragione/fede e i motivi di credibilità.

1. L'obiettivo primo dell'enciclica (9 novembre 1846) è di esporre la dottrina della chiesa sul rapporto tra fede e ragione. In questo documento Pio IX pone alcuni principi che, venticinque anni più tardi, saranno ripresi dal Vaticano I. Egli afferma che non esiste nessun conflitto tra fede e ragione, poiché entrambe derivano dalla stessa fonte di verità eterna; al contrario, esse devono prestarsi un reciproco appoggio (DS 2776). Il razionalismo «nemico della rivelazione divina» vorrebbe ridurre la religione cristiana alla stregua di un'«opera umana» o di una «trovata filosofica», sottomessa alla legge di un incessante progresso. Pio IX si leva contro questa pretesa e dichiara che: *a.* «la nostra religione è stata *rivelata* per grazia da Dio all'umanità» e che «trae la propria forza dall'autorità di *Dio stesso che parla*» (DS 2777); *b.* che il dovere della ragione umana è, di conseguenza, «di indagare diligentemente sul fatto della rivelazione per ottenere la certezza che Dio ha parlato e quindi per rendergli un

ragionevole omaggio»; *c.* «che bisogna dare completa fiducia a Dio che parla e che niente è più conforme alla ragione stessa che acconsentire e aderire fermamente a tutto ciò che è stabilito come rivelato da Dio, che non può né sbagliare né ingannare» (DS 2778). Per tre volte il testo accosta i termini rivelazione, parola e fede e li illustra uno attraverso l'altro. Prende in considerazione la rivelazione successivamente sotto l'aspetto oggettivo, attivo e passivo. Nel primo caso si tratta di religione rivelata (cioè di dottrina secondo l'interpretazione del Vaticano I che riprende lo stesso testo [DS 3020], in opposizione a ciò che sarebbe solo dottrina umana, frutto della riflessione filosofica); nel secondo caso il testo stabilisce un'equivalenza tra l'azione di rivelare e quella di parlare; il terzo prospetta la reazione dell'uomo nei confronti di Dio che rivela: la fede è risposta a Dio che parla, è consenso a ciò che egli rivela. Essa è rivolta propriamente alla persona e aderisce a ciò che questa dice. Il motivo di questa adesione e di questo omaggio è la parola stessa di Dio: parola autorevole di colui che non può sbagliare (cosa che esclude qualunque errore), né ingannarci (cosa che esclude ogni menzogna). La fede è dunque un ragionevole omaggio fondato sulla veritiera e infallibile parola di Dio stesso. La parola di Dio è testimonianza.

2. L'enciclica interessa anche perché presenta una visione sintetica dei segni della rivelazione, correggendo quindi la tradizionale presentazione, senza tuttavia giungere alla prospettiva personalista del Vaticano II nella → *Dei Verbum* che dà un'immagine di Cristo come fonte e centro di convergenza di tutti i segni.

Enumerando e raggruppando in una vasta sintesi tutti i segni che permettono di stabilire con certezza l'origine divina del cristianesimo, l'enciclica ricollega tutti i segni della rivelazione a Cristo e al suo messaggio. La fede cristiana, dice il testo, «è stata confermata dalla nascita di Gesù Cristo, suo autore, che la porta alla perfezione con la sua vita, morte e risurrezione, con la sua saggezza, con i suoi miracoli e le sue profezie» (DS 2779). Il Vaticano II afferma anche che la vita e le opere di Cristo confermano la rivelazione (DV 4). Si osservano tuttavia importanti differenze tra i rispettivi orientamenti dei due testi. Nell'enciclica, l'attenzione è posta dapprima sull'*oggetto di fede* stesso, cioè sulla dottrina della salvezza di cui Cristo è l'autore; nel Vaticano II, Cristo Figlio e Parola del Padre è messo per primo in evidenza. Nel-

l'enciclica i segni si ricollegano a Cristo, ma non con quella intimità di rapporto che fa della persona del Verbo incarnato il centro dell'irradiarsi di tutti i segni. Il culmine del testo verte sul fatto che la *fede cristiana* (cioè la dottrina di fede) si trova *confermata* dalla vita, dalle parole e dalle opere di Cristo che ne è l'autore e il compimento. L'enciclica non esprime con la stessa pregnanza di *Dei Verbum* il fatto che Cristo, con *tutta la sua presenza, con tutto se stesso* e con le stesse realtà, *compie* e *conferma* in un solo tempo la rivelazione (DV 4). Il testo dell'enciclica tuttavia anticipa già, con la presentazione sintetica dei segni ricollegati a Cristo, la dottrina e la struttura letteraria del Vaticano II. Esso sottolinea anche che i segni della rivelazione non sono entità indipendenti. Sono legati tra loro e si chiariscono reciprocamente: si presentano come un insieme e agiscono convergendo. Somigliano a una costellazione più che a una meteorite isolata. I segni di credibilità della rivelazione emanano da Cristo e dalla chiesa come raggi usciti dalla stessa sorgente di luce. È per necessità pedagogica che separiamo ciò che è unito, pur con il rischio di falsare la realtà.

RENÉ LATOURELLE

R

RAGIONE/FEDE

1. I DIVERSI PIANI DEL RAPPORTO - Il rapporto fra ragione e fede entra in gioco su diversi piani e di conseguenza può esser fatto oggetto di una riflessione metodica in vario modo.

a. Ragione e fede si implicano a vicenda in forma affatto immediata nell'atto di fede, per cui anche il più libero dono di grazia della rivelazione può sempre venir assunto soltanto nell'orizzonte di una determinata comprensione umana. Questa conoscenza, ulteriormente approfondita dall'ermeneutica del XIX sec., connota profondamente oggigiorno tutte le discipline della teologia. Ne è soprattutto influenzata la metodica della teologia storica la quale solo mediante l'accertamento degli orizzonti sempre diversi in cui la fede si è venuta articolando riesce a trasmettere in modo conforme alla comprensione odierna le precedenti testimonianze di fede (fino alle definizioni vincolanti del magistero). Sulla base degli ultimi sviluppi dell'ermeneutica (specie in M. Heidegger, R. Bultmann, H.-G. Gadamer, P. Ricoeur, J. Habermas) si è venuto sempre più evidenziando un compito filosofico immanente alla comprensione storica: la comprensione di un orizzonte cognitivo pre-

cedente avviene sempre sulla base di una precomprensione attuale, essa pure storicamente condizionata. Nel lavoro storico è necessario tematizzare il più accuratamente possibile questa stessa precomprensione affinché non interferisca in forma irriflessa nell'interpretazione. L'interpretazione delle testimonianze di fede avviene quindi continuamente − come l'incontro della parola divina nell'immediata trasmissione interpersonale − nella contesa fra approcci cognitivi diversi circa l'unico, comune dato della rivelazione.

b. L'accoglienza della rivelazione mediante la ragione può verificarsi anche sul piano di una riflessione su quale orizzonte di comprensione appaia più adatto alla parola di Dio. E così la maggior parte dei Padri della chiesa optarono per il pensiero di Platone, la scolastica, sulla scia di Tommaso d'Aquino, per la filosofia aristotelica, R. Bultmann per l'analisi dell'esistenza del primo Heidegger come la categorialità in cui trasporre nel concetto, nella forma più adeguata, la parola dell'annuncio. Anche questa questione, risolta storicamente in maniera sempre diversa, riguardante una categorialità *valida* (non soltanto di volta in volta *vigente*) per la teologia, è oggetto della comprensione ermeneutica che porta alla luce il condizionamento storico delle dichiarazioni di cui non ci si rendeva conto nelle relative epoche storiche. Rimane comunque ancora aperta la questione se all'interno dell'attuale autocomprensione dell'ermeneutica, con la sua subordinazione alla relatività di principio di ogni verità, la ricerca della maggiore adeguatezza di determinate forme di pensiero per gli enunciati teologici possa essere ancora convenientemente perseguita; in altri termini, se l'attuale forma di comprensione ermeneutica rifletta sufficientemente le condizioni di possibilità di valide e non solo vigenti pretese di verità (cfr. il concetto «Filosofia prima»).

c. Oltre alla forma e al modo in cui la ragione traspare ed emerge *nella* fede, sia in maniera immediata (a) che riflessa (b), la fede, nella sua globalità, può venir ulteriormente considerata *al cospetto* della ragione, specie nel senso della questione relativa a una possibile giustificazione (responsabilità) della fede di fronte alla ragione. Fino a poco tempo fa la tematizzazione del rapporto inteso in questo modo fu considerata come il compito principale della teologia fondamentale e dell'apologetica che l'aveva preceduta, ed è l'unico oggetto delle considerazioni anche nelle seguenti sezioni 2 e 3.

2. Tre questioni fondamentali concernenti una giustificazione razionale della fede - Per la fede cristiana è centrale l'affermazione che in un determinato fatto storico si è verificata la definitiva autocomunicazione di Dio all'uomo. Una giustificazione razionale della fede si trova quindi di fronte a due compiti fondamentali. *a.* Nell'ambito della ragione *filosofica* bisogna render conto se abbia pienamente *senso* un'affermazione come quella di una rivelazione definitiva. *b.* Dinanzi alla ragione *storica* deve essere dimostrata la possi-

bilità e la realtà di un *fatto* che, nonostante la contingenza di tutto quanto è storico, ha carattere d'incondizionatezza. *c.* Ci si deve tuttavia domandare in forma ancor più radicale se già di per se stesso il mero tentativo di una giustificazione della fede di fronte «alla ragione» non sia inammissibile o perlomeno assurdo. Se infatti non ci si vuole riferire alla semplice verifica della concordanza interna delle affermazioni di fede bensì al passo da compiere dinanzi a una ragione secolare non (ancora) cristianamente impegnata, allora a tale passo paiono opporsi importanti affermazioni della sacra Scrittura per l'oscurità in cui è ancora immersa qualsiasi ragione non conquistata e permeata dalla fede. Può insomma la fede sottostare a tale arbitrato della ragione secolare senza rinunciare a sè stessa? Queste tre domande portanti hanno occupato la teologia fondamentale, o l'apologetica, fin dal suo sorgere anche se, chiaramente, con diversa intensità secondo le differenti situazioni storiche. Diamo ora un breve sguardo su questo sviluppo storico.

3. Lo sviluppo storico delle questioni - a. *Nuovo Testamento* - Per motivare il divieto di qualsiasi giustificazione extrateologica della fede ci si è sempre riferiti all'opposizione messa in rilievo da Paolo fra la «sapienza del mondo» e la «follia della croce» (cfr. 1 Cor 1-2). Tuttavia bisogna perlomeno considerare che secondo Paolo anche alla croce spetta un'intelligibilità (cfr. 1 Cor 1,18: *lógos toú stauroú*), tra l'altro il fatto che l'«inescusabilità» degli atei, affermata da Paolo in Rm 1,20, presuppone per principio una possibilità di comprensione da parte loro. Infine c'è da notare quanto Paolo sottolinei la necessità di una trasmissione ragionevole del discorso di fede avendo di mira proprio anche i non iniziati (cfr. 1 Cor 14,14-19. 23-25). Il

primo esauriente tentativo di una giustificazione della fede cristiana di fronte alla ragione lo si può ravvisare nella *doppia opera lucana*, il cui autore interpreta l'evento salvifico compiutosi in Gesù Cristo come il fatto storico universale e decisivo.

A ragione si ritiene che la richiesta, avanzata dai cittadini romani già al tempo delle prime persecuzioni dei cristiani, di esser sempre disponibili a rendere ragione del fondamento (lógos) della speranza cristiana (cfr. 1 Pt 3,15) sia indicativa per qualsiasi apologetica e teologia fondamentale.

b. *Patristica* - Per il primo periodo degli apologeti è *Giustino* martire a soddisfare in modo esemplare la succitata richiesta. Se la sua (prima) «apologia» (intorno al 150) è diretta agli imperatori romani, non significa che egli sottoponga semplicemente la propria opera al loro giudizio. Egli intende piuttosto riferirsi alla comune corte di giustizia del Logos divino cui anche i destinatari sono soggetti. La dimostrazione dettagliata che la parola e l'opera di Gesù Cristo sono state preannunciate dai profeti e quindi autenticate dal Logos viene condotta in modo tale da consentire a Giustino di dimostrare nel medesimo tempo sia la concordanza della rivelazione cristiana con il meglio della filosofia sia il travisamento del vero Logos nei miti degli dèi sui quali si fonda il culto romano di stato.

Di fronte alla critica radicale del filosofo Celso, *Origene*, nella sua grandiosa Apologia *Contra Celsum* (terminata nel 248), deve difendere non solo il senso della rivelazione cristiana ma anche i fatti che determinano la sua straordinarietà. Secondo Origene, la credibilità dei miracoli e della risurrezione di Gesù si dimostra in ultima analisi mediante la forza della testimonianza dei seguaci di Gesù che sono pronti a rispondere del loro annuncio fino alla morte.

c. *Scolastica* - Una caratteristica del-

la giustificazione patristica della fede di fronte alla ragione sta nel fatto che la filosofia non venne considerata come una disciplina autonoma nei confronti della teologia. A ciò contribuì il diffuso assioma che gli antichi filosofi avrebbero attinto agli scritti dell'Antico Testamento. Fra l'altro, l'antica filosofia venne concepita, soprattutto sulla scia di Platone, anche come teologia. Fu quindi ovvio per la teologia cristiana considerarsi come sostituto e rispettivamente come compimento della filosofia.

Già ai primordi della scolastica si giunse invece, a causa dello studio relativamente indipendente delle «artes liberales» (in particolare presso le scuole delle cattedrali, che dal secolo undicesimo assunsero la guida dell'istruzione), a un riconoscimento della filosofia come disciplina indipendente dalla teologia per quanto concerne il metodo. Questo riconoscimento si attuò comunque in forme molto diverse, fra cui emersero in modo particolare le impostazioni di Anselmo di Canterbury e Tommaso d'Aquino.

Anche la vasta compenetrazione razionale della fede in *Agostino* era già sottoposta al principio: «credo ut intelligam». Nello sforzo di scoprire la razionalità immanente nella fede, il Padre della chiesa cercò, per esempio di fronte allo scetticismo tardoplatonico, di presentare la ragione umana come immagine della Trinità perfino nell'atto del dubitare di tutto (cfr. specialmente *De civ. Dei* XI 26). Ora → *Anselmo di Canterbury*, di fronte alle mutate condizioni della scienza, continua questa linea della giustificazione della fede, con grande coerenza metodica e sistematica. In conformità al suo programma di una «fides quaerens intellectum» la ragione che ha peccato cela a se stessa la propria innata possibilità e realtà. Liberatasi mediante la fede, essa, con «rationes necessariae» e senza far riferimento ai dati della fede, è in grado di scoprire d'essere orientata verso il Dio della rivelazione cristiana. Formata a immagine della Trinità, essa può conseguire il proprio fine solo avvicinandosi al proprio archetipo (*Monologion*). Nel tentativo, che è proprio della ragione umana, di trascendere tutto, si manifesta l'esistenza di colui «quo nihil maius cogitari potest» (*Proslogion* 2-4; → Dio: prove dell'esistenza di Dio). La natura della libertà sta nell'affermare il bene per se stesso («rectitudo voluntatis servata propter seipsam»: *De ver.; De lib. arb.*). Se la libertà vien meno a questa sua natura allora Dio – come si deve anche poter dimostrare con cogenti motivazioni razionali – può completare il suo piano della creazione solo mediante l'autoimmolazione suppletiva di suo figlio (*Cur Deus homo*).

Tommaso d'Aquino perviene a una impostazione fondamentalmente diversa, in cui la domanda sull'intimo orientamento dell'uomo alla rivelazione, secondo una trama cognitivo-strutturale nella quale la rivelazione appare come senso-fondante per l'esistenza umana, viene quasi completamente a cadere. Tommaso, nella disputa con studiosi musulmani e giudei che nel dodicesimo secolo rivelano all'occidente l'opera di Aristotele, crede di poter desumere dalla filosofia di questo pagano quanto la ragione è naturalmente in grado di fare riguardo alla conoscenza di Dio. Però allora bisogna rigorosamente differenziare da tale «teologia naturale» la rivelazione «soprannaturale» i cui misteri centrali, quali la Trinità e l'incarnazione, eccedono per principio le possibilità di comprensione della ragione umana. Giustificare il senso di tale rivelazione di fronte alla ragione può allora significare soltanto confutare gli argomenti portati contro. La realtà dell'origine divina della rivelazione soprannaturale si può giustificare di fronte alla ragio-

ne solo mediante segni esterni, specie miracoli e profezie – come il contenuto di una lettera chiusa risulta essere vincolante mediante il sigillo reale che vi è impresso (cfr. CG I 1-9; STh I, 1; III, 43, 1).

d. *L'età moderna nel segno dell'illuminismo* - Già nell'impostazione dell'Aquinate veniva applicato un rapporto estrinsecistico fra fede e ragione, in cui alla rivelazione non viene attribuita alcuna relazione con l'orizzonte degli interrogativi della ragione e specie i → miracoli appaiono interessanti solo in vista del loro «valore probante» esteriore e non per la loro importanza come segni. La prospettiva di una rivelazione imposta dall'esterno alla ragione umana viene notevolmente rafforzata nei tempi successivi: da una parte, mediante la comprensione nominalista di un Dio volontarista il quale nella sua «potentia absoluta» non è vincolato ad alcuna norma di ragione; dall'altra, attraverso l'immagine esteriore della chiesa cristiana nelle guerre di religione e i regimi assolutisti occidentali dove si riteneva come positivamente rivelato ciò che si presentava come dottrina cristiana vincolante, sulla base delle vigenti costellazioni tra stato e chiesa.

Il risultato fu che questioni come quelle sulla possibilità di principio di una rivelazione vincolante per la ragione autonoma o sul senso e rispettivamente sulla conoscibilità dei miracoli, vennero poste con incisività diversa a seconda del diverso ambito politico. Dapprima con cautela da parte dei padri del deismo inglese (Herbert da Cherbury e John Toland), e poi con radicale ostilità nei confronti della chiesa da parte degli antesignani della rivoluzione francese (Voltaire e gli enciclopedisti), ed infine con crescente precisione concettuale in ambito linguistico tedesco dove, verso la fine del diciottesimo secolo, incominciarono a crearsi dei presupposti relativamente validi per un dialogo aperto tra teologia e filosofia (Lessing, Kant, Fichte). Il crollo della fiducia nella tradizione della chiesa ebbe come conseguenza che accanto al *senso* della rivelazione ora, col sorgere della critica storica, anche il *fatto* dell'originaria rivelazione cristiana divenne sempre più oggetto d'interrogativi, soprattutto con la *Leben - Jesu - Forschung* iniziata con H.S. Reimarus.

e. Nuove impostazioni e contraccolpi nel XIX e XX secolo - Il rapporto fra ragione e fede venne discusso in una prospettiva nuova rispetto a quella dell'età dell'illuminismo quando, con l'inizio del diciannovesimo secolo, ebbe inizio un'approfondita riflessione sulla → *storia* come luogo dell'esistenza umana e medium di ogni incontro con Dio (romanticismo, idealismo tedesco). Importanti nuovi approcci alla giustificazione razionale della fede, come per esempio nella Scuola di Tubinga (→ Drey, J.A. Moehler, J.E. v. Kuhn) e nella cerchia creatisi intorno a A. Günter e J.N. Ehrlich, accanto a J.H. Newman, e per ultimo, verso la fine del diciannovesimo secolo nella filosofia di M. Blondel (→ Immanenza: metodo), dapprima non poterono imporsi di fronte alla neoscolastica imperante a difesa del magistero della chiesa. Solo dalla metà del ventesimo secolo, soprattutto a causa del rilancio del pensiero teologico a seguito del concilio Vaticano II, importanti linee di quei nuovi approcci vennero valorizzate e recepite in ambito cattolico, per la prima volta, insieme alla vivace disputa che aveva avuto e continua ad aver luogo in seno alle chiese protestanti sul rapporto fra ragione e fede (Schleiermacher, teologia liberale, teologia dialettica, G. Ebeling, W. Pannenberg).

4. LO STATO ATTUALE DELLA QUESTIONE - Nella discussione odierna sul rapporto tra ragione e fede è generalmente riconosciuta la necessità di una mediazione antropologica della rivelazione. → Rahner, influenzato da Blondel tramite Rousselot e J. Maréchal, aveva trattato tale questione in *Uditori della Parola* anzitutto in una metafisica della conoscenza che doveva portare a una conciliazione fra Tommaso d'Aquino e Kant. Sotto l'influsso dell'ermeneutica, della filosofia del linguaggio (in particolare partendo dall'ultimo Wittgenstein) e della teoria critico-sociale del discorso (J. Habermas), la ricerca sulle strutture cognitive di una ragione concepita, partendo dal soggetto singolo, come universale-sovratemporale, venne sempre più sostituita negli ultimi anni da una concentrazione sulla costituzione trascendentale della ragione nel suo nesso storico-intersoggettivo fra lingua e comunicazione. La questione dell'apologetica e della teologia fondamentale riguardante una giustificazione della fede *di fronte* alla ragione appare, da quest'ottica, relativamente astratta e secondaria rispetto alla riflessione sulla ragione, su come essa, a causa dell'ineludibile «pre-dato» della lingua che riguarda tutte le forme dell'esistenza umana, riesca pur sempre a manifestarsi anche nella fede e nella teologia.

L'analisi di questo apriori può inoltre rivolgersi (seguendo il filo conduttore dell'ermeneutica e filosofia del linguaggio) in primo luogo alle comuni strutture linguistiche del discorso teologico («teologia narrativa», «teologia come autobiografia», la metafora come figura ineludibile delle affermazioni teologiche). D'altro canto nella tradizione della critica profetica si raccomanda inoltre (sul filo conduttore della teoria critica del discorso) d'interrogarsi sull'apriori linguistico della teologia e delle sue istituzioni nel senso di come in tali «pre-dati» si manifestino e rispettivamente si celino le strutture di potere di volta in volta vigenti («teologia politica», «teologia della liberazione», «teologia femminista»).

Questa tematizzazione critica nei riguardi del potere della mediabilità antropologica della rivelazione riconosciuta come urgente nella discussione odierna è sottoposta però essa stessa all'interrogativo su come si possano trovare dei criteri validi per la sua operazione critica. Questo interrogativo è complicato dal fatto che nell'orizzonte dell'ermeneutica e della filosofia del linguaggio la ricerca di criteri generalmente *validi* (non solo storicamente *vigenti*) appare vana. Se la critica linguistica non vuole muoversi in un circolo *vizioso* (non solo *ermeneutico*), allora si pone il problema di una «filosofia prima» che pervenga a dei criteri definitivi come orientamento per la comprensione ermeneutica. Esistono in effetti degli approcci notevoli (cfr. H. Peukert, P. Hofmann) ma, a mio modo di vedere, ancora nessuna concezione sistematica convincente.

Nell'abbozzata tematizzazione odierna del rapporto fra ragione e fede si tratta essenzialmente del→ *senso* della religione e della rivelazione. Ci s'interroga, partendo per lo più dalla forma concreta di fede, sulle strutture «secolari» che vi sono implicate (oppure anche sull'apporto dato dalla rivelazione cristiana al pensiero «postcristiano») e non si presuppone un rapporto non dialettico fra fede e «ragione naturale».

Oggi sembra ristagnare la questione sulla giustificazione di fronte alla ragione *storica* dell'affermazione di un *fatto* storico definitivo. L'approccio estrinseco a questo compito mediante «argomenti esterni della rivelazione» (cfr. DS 3008) viene, a ragione, respinto come inadeguato sulla base del concetto di rivelazione inteso nel nuovo modo espresso dal primo capitolo di → *Dei Verbum*. La teologia fondamentale, sulla scia della «nuova indagine sul Gesù storico» ripresa dopo Bultmann, crede oggigior-

no di poter fornire la giustificazione richiesta dalla ragione storica. Nel far questo tuttavia viene quasi completamente trascurato l'antico dilemma, posto in evidenza da Lessing, Kierkegaard e dalla teologia dialettica, secondo cui i risultati meramente probabili di una ricerca storico-oggettivante non forniscono alcuna base adeguata per render conto di un impegno incondizionato. Alcune vie per una trattazione metodica più adeguata dell'interrogativo riguardante il «factum christianum» vanno per il momento delineandosi solo a grandi tratti (cfr. P. Stuhlmacher, H. Verweyen).

Bibl. - W. Geerlings, «Apologetik und Fundamentaltheologie in der Väterzeit», in HFTh IV, 317-333; G. Larcher, «Modelle fundamentaltheologischer Problematik im Mittelalter», in HFTh IV, 334-346; J. Reikerstorfer, «Fundamentaltheologische Modelle der Neuzeit», in HFTh IV, 347-372; M. Seckler, «Theologie als Glaubenswissenschaft», in HFTh IV, 180-241; W. Kasper, «Die Wissenschaftspraxis der Theologie», in HFTh IV, 242-277; M. Seckler - M. Kessler, «Die Kritik der Offenbarung», in HFTh II, 29-59; H. Peukert, *Wissenschaftstheorie - Handlungstheorie - Fundamentale Theologie,* Frankfurt 1978²; J.B. Metz, *La fede nella storia e nella società*, Brescia 1978; F. Schüssler Fiorenza, *Foundational Theology.* Jesus and the Church, New York 1984; H.J. Verweyen, *Christologische Brennpunkte*, Essen 1985²; Id., «Fundamentaltheologie: zum "status quaestionis"», in ThPh 61 (1986) 321-335; P. Stuhlmacher, *Vom Verstehen des Neuen Testaments: eine Hermeneutik* Göttingen 1986²; W. Pannenberg, *Wissenschaftstheorie und Theologie*, Frankfurt a.M. 1987; E. Coreth (ed.), *Christliche Philosophie im katholischen Denken des 19. und 20. Jahrhunderts*, voll. I-III, Graz 1987-1989; P. Hofmann, *Glaubensbegründung. Die Transzendentalphilosophie der Kommunikationsgemeinschaft in fundamentaltheologischer Sicht*, Frankfurt a.M. 1988.

Hansjürgen Verweyen

RAHNER Karl

Nella sua attività di professore Karl Rahner ha insegnato dogmatica a Innsbruck, Pullach e Münster e filosofia della religione a Monaco. Tuttavia la teologia fondamentale (TF) ebbe un'importanza decisiva per il suo pensiero come pure viceversa il suo contributo influenzò in profondità lo sviluppo della TF. Il suo lavoro è stato improntato sia teologicamente che filosoficamente, il che gli assicurava già una sua qualificazione dal punto di vista teologico-fondamentale. Quando Rahner nel 1936 andò a Innsbruck, era ancora incerto quale cattedra avrebbe assunto: da un certo tempo era vacante la cattedra di TF. In suo favore deponeva anche la specificità della sua tesi di laurea in teologia, nonostante che questo riguardasse un tema patristico-speculativo. Abbinato ai suoi precedenti studi filosofici a Friburgo/Br. costituiva una base che per sua natura favoriva un impiego in TF. In questo senso Rahner, dopo l'abilitazione (1937), poté anche prepararsi direttamente occupandosi in larga misura del problema della filosofia all'interno della teologia. Le conferenze tenute nelle settimane dell'università di Salisburgo nell'estate del 1937 e pubblicate più tardi con il titolo *Hörer des Wortes* (Uditori della Parola), trattano «un aspetto di una motivazione ideale della fede» (HdW 30), che nei corsi abituali di TF è sviluppato solo pochissimo o affatto, cosicché Rahner stesso titola il suo tema «*la* parte della TF ideale» (HdW 34), «che nel suo sviluppo effettivo abitualmente viene assai trascurata»: «l'ontologia della potenzia oboedientialis per la libera rivelazione di Dio» (ivi). Perciò almeno questa sua opera conosciuta viene considerata anche teologico-fondamentale perché scopre e cerca di colmare una lacuna della TF del suo tempo. In realtà Rahner non poté sviluppare ulteriormente questo lavoro iniziale nella sua attività diretta di insegnamento, poiché nell'autunno del 1937 il maestro di TF di Rahner proveniente dall'università di Valkenburg, il p.K. Prümm, occupò a Innsbruck la

cattedra vacante di TF, mentre Rahner iniziò la sua carriera come professore di dogmatica con un corso sulla dottrina della grazia. Che per questo tipo di insegnamento fosse meno adatto risulta dalla prefazione che nel giugno del 1938 scrisse per il suo compendio *De gratia Christi*. Vi si dice che per motivi estrinseci non poté prendere quale base delle sue lezioni, come libro di testo, l'opera del suo maestro H. Lange, ma la riassunse solo per agevolare i suoi ascoltatori. Nello stesso tempo scelse un altro ordinamento, inserì il trattato sulle virtù della speranza e della carità e su una serie di problemi sostenne opinioni diverse da quelle di Lange, così come aggiunse dei supplementi bibliografici. Che in questo argomento sia stato cosciente dell'affinità ma anche della differenza con la formulazione della questione teologico-fondamentale degli *Hörer des Wortes* appare dall'osservazione che vi aggiunse espressamente, secondo cui per lui non si tratta «della potentia oboedientialis della *grazia* soprannaturale intesa come elevazione dell'essere umano, ai fini della partecipazione alla vita di Dio», «ma soltanto della potentia oboedientialis dell'ascolto di un possibile *discorso* di Dio» (HdW 34). Rahner ha strutturato e concepito la dottrina della grazia in chiave teologico-fondamentale alla luce della → «potentia oboedientialis»; il concetto basilare dell'«autocomunicazione di Dio» lo esprime inequivocabilmente.

Dopo queste constatazioni sull'inizio della sua attività di teologo ci si dovrebbe domandare come si sia sviluppato il rapporto di Rahner con la TF nell'ulteriore corso del suo insegnamento. Due settori classici della tradizionale dimostrazione teologico-fondamentale incontrano il suo particolare interesse già negli anni della guerra e del dopoguerra: la questione su Dio che affronta espressamente dal punto di vista teologico-biblico, e la questione della chiesa che tratta specialmente dal punto di vista della teologia pratico-pastorale. In ambedue i casi non sono trascurati gli intenti della «demonstratio religiosa» e della «demonstratio catholica», anche se non stanno in primo piano. Circa invece la «demonstratio christiana», Rahner nei primi anni aveva offerto solo un contributo tipicamente apologetico e finora trascurato con una relazione su «Die protestantische Christologie der Gegenwart» (1936). Solamente dopo il concilio Vaticano II questo lavoro venne portato avanti e ampliato riunendo contributi cristologici occasionali.

La più recente discussione teologica aveva richiamato molto di più la sua particolare attenzione sulla differenziazione che Rahner insieme a → Balthasar nel 1939 aveva dato al suo compendio di dogmatica (STh I 29-47) con la prima parte principale titolata «Teologia formale e fondamentale» (*formale und fundamentale Theologie*), differenziandosi dall'abituale teologia fondamentale (*Fundamentaltheologie*). Ma questo breve abbozzo non venne elaborato ulteriormente e restò fermo al progetto iniziale, e non realizzato, di stendere una teologia dogmatica. Quando negli anni cinquanta il piano venne portato a conoscenza del pubblico, altre questioni avevano già preso largamente il sopravvento. La proposta rappresenta una testimonianza storica che diede lo spunto a diverse speculazioni.

Per Rahner nel decennio prima del concilio Vaticano II era innanzitutto la questione di un riordinamento degli studi teologici e della formazione sacerdotale, che lo fece riflettere sui problemi di TF e lo portò alla proposta di un «corso fondamentale». Questa idea venne accolta dal concilio con la vincolante esigenza per una «Introductio in mysterium Christi», che indubbiamente quanto al contenuto e alla forma non realizzava sem-

plicemente le concezioni di Rahner. Tuttavia potrebbe trovarsi qui il contributo diretto e più gravido di conseguenze di Rahner per la TF. Rahner stesso però non ha mai pensato di preparare con questo una sostituzione della TF, ma un approccio a tutta la fede esistenzialmente orientato, per poter poi sviluppare in base ad esso la riflessione teologico-fondamentale che nel frattempo si era assai differenziata e specializzata. Questa riflessione non restò poi semplicemente così, ma sia complessivamente sia nei dettagli dovette essere ristrutturata in corrispondenza alla sua mutata posizione. In questo lavoro furono significativi anche gli impulsi di Rahner, per esempio quelli che per la formulazione della questione della teologia trascendentale (→ Teologie, III) e l'impostazione corrispondente furono tematizzati negli anni cinquanta e sessanta per tutta la riflessione teologica. L'attenzione alle condizioni di possibilità da parte del soggetto non permetteva più di portare avanti le riflessioni filosofiche abituali, l'osservazione positiva e la considerazione dei dati storici dell'abituale TF, per non parlare del fatto che lo scambio crescente con lavori di ricerca teologica non cattolica costringeva a tener conto della loro presa di posizione non irrilevante per la TF cattolica. Si pensi alla concezione della rivelazione di → Barth, al programma di demitizzazione di → Bultmann, alla questione nuova del Gesù storico e a molte conclusioni dell'esegesi più recente, comprese le concomitanti risoluzioni sull'ermeneutica e le condizioni per un lavoro responsabile con la S. Scrittura.

Inoltre Rahner riprese direttamente dei temi che nella TF erano stati trattati in modo tradizionale; per esempio «Sull'ispirazione della Scrittura» (1958), «Episcopato e primato» (1961, insieme a J. Ratzinger), «Rivelazione e tradizione» (1965, sempre insieme a J. Ratzinger) e altri. In questo modo stimolò la discussione e contribuì a mutamenti nell'esposizione di determinate questioni. Questo influsso riguardava normalmente un inserimento più determinante di singoli temi nel loro rispettivo contesto, cosicché si delineò un superamento del modello di verità singole positivisticamente isolato e che le metteva in fila senza relazione tra loro. A dire il vero si sapeva anche prima del «nexus mysteriorum», ma il relativo impegno non aveva avuto quasi nessun ruolo nella TF, poiché era sorto per motivi storici, innanzitutto come risposta apologetica a diverse provocazioni più o meno casuali provenienti dall'esterno. Perciò per qualcuno la TF aveva valore soltanto come raccolta occasionale di domande e risposte, quali nell'età moderna furono sollevate e messe in discussione dalla riforma, dall'illuminismo, dalla critica della religione ecc. Rimaneva incerto se la TF in genere potesse costituire una particolare disciplina articolata, anche se questa opinione si imponeva e si motivava sempre più con il cambiamento cosciente del concetto di apologetica in quello di TF. Certamente Rahner non favorì solo questo sviluppo. Il corso fondamentale della fede e l'esigenza di una teologia formale e fondamentale influirono nell'ambito della dogmatica come possibile messa-in-discussione della TF, al pari di una generale concretizzazione di una teologia trascendentale, anche se ciò poteva essere contrario all'espressa intenzione di Rahner.

La sua comprensione della rivelazione non si articolava a caso in un'analisi dell'uomo e della sua situazione spazio-temporale, quindi in una particolare considerazione della corporeità-sensibilità (chiamata mondo) e della storia come luogo di libertà condizionata. Ciò però era inteso in prima linea non dal punto di vista teologico-fondamentale ma antropologico e partiva da dati fondamentali della teologia della creazione e del-

la redenzione. Una tale visione dell'uomo fu sentita da molti come l'ultima scoperta o una nuova accentuazione; essa si ripercosse subito sugli sforzi della TF in quanto in tal modo si richiedeva e si prendeva coscienza di una nuova concezione del possibile rapporto fra Dio e uomo. Il modello determinante che si poteva ricavare dalla TF tradizionale per questo rapporto risultava insufficiente e insostenibile in considerazione di questioni più profonde. Ciò venne confermato dal concilio Vaticano II con la costituzione dogmatica sulla divina rivelazione → *Dei Verbum*, alla cui elaborazione venne impegnato direttamente anche Rahner. Però anche in questo caso non si devono semplicemente cancellare differenze esistenti, che da parte di Rahner si spiegano prima di tutto con il fatto che nel suo pensiero la rivelazione possiede molte volte un valore posizionale determinato da altri temi.

Proprio le riflessioni e i tentativi cristologici mostrano che per Rahner non si tratta di una teologia della rivelazione nel senso abituale del termine. Sempre più evidente emerge come nucleo del suo lavoro teologico la difficoltà del nostro tempo di trovare un accesso alla verità di Gesù Cristo e alla fede, una questione che dalla teologia della rivelazione non è per niente compresa in modo giusto. È l'interesse pratico-pastorale di Rahner che influisce in questa prospettiva e che ancora alla fine della sua vita lo rende aperto e pronto a considerare nuove proposte e nuovi metodi, anche se di regola non li segue incondizionatamente. È nota la sua apertura all'orientamento primario alla prassi, alle dimensioni politiche della teologia o alla prospettiva sudamericana circa la liberazione. A causa però della discutibilità ecclesiale e politico-teologica di diverse di queste proposte, non gli furono più possibili una penetrazione e una discussione oggettive nella misura desiderabile per una piena valutazione delle possibilità positive di questi spunti. Spesso, di fronte a certe limitazioni, si mostrava desideroso di spingersi avanti, soprattutto di tenere aperto il campo per nuovi contributi e di non lasciare che venissero bloccati dall'inizio nuovi tentativi.

Si potrebbe dimostrare che Rahner ha reso a lungo andare alla TF il servizio più importante con il suo impegno non di rado faticoso di condurre avanti o riaprire certi discorsi o anche nel non lasciarli interrompere. Infatti in questo impegno ha mantenuto sempre un atteggiamento preciso: ha cercato di sostenere con fermezza certe posizioni e tuttavia ha cercato di gettare dei ponti in modo tale che ogni persona, che ha la responsabilità della TF, possa trarne un insegnamento decisivo ed essenziale.

Bibl. - K. Rahner, *Uditori della parola*, Torino 1967; Id., «Einige Bemerkungen über eine neue Aufgabe der Fundamentaltheologie», in *Schriften zur Theologie* XII 198-211; Id., «Eine Theologie, mit der wir leben können», in *Schriften zur Theologie* XV, 104-116.
Per le altre opere di K. Rahner cfr. R. Bleistein - E. Klinger (edd.), *Bibliographie Karl Rahner 1924-1969*, Freiburg i. Br. 1969; R. Bleistein (ed.), *Bibliographie Karl Rahner 1969-1974*, Freiburg i. Br. 1974; P. Imhof - H. Treziak, «Bibliographie Karl Rahner 1974-1979», in *Wagnis Theologie*, H. Vorgrimler (ed.), Freiburg i. Br. 1979, 579-597; P. Imhof - E. Meuser (edd.), «Bibliographie Karl Rahner 1979-1984», in *Glaube im Prozeß*, E. Klinger - K. Wittstadt (edd.), Freiburg i. Br. 1984, 854-871.

KARL H. NEUFELD

RAZIONALISMO

1. SPIEGAZIONE DEI CONCETTI - In filosofia il termine razionalismo (dal lat. ratio = ragione, comprensione) include quelle opinioni e quelle teorie in base alle quali la realtà sarebbe comprensibile in maniera esauriente tramite la ragione e, di conseguenza, poter agire «in maniera razionale». Il razionalismo si trova contrapposto all'empirismo (sul piano conoscitivo), all'irrazionalismo (sul piano dell'uso della ragione) all'utilitarismo e all'edonismo (sul piano etico). È contrario anche ad ogni religione che si fondi su una rivelazione, per la quale, com'è noto, la radice della conoscenza non si trova nella *ragione*, ma nella *rivelazione*.

K. Popper ha introdotto la distinzione fra un razionalismo «classico» ed un razionalismo «critico» (cfr. *La società aperta e i suoi nemici*, 1961).

2. IL RAZIONALISMO NELLA STORIA DELLA FILOSOFIA - I presupposti iniziali del razionalismo occidentale si trovano già nella filosofia greca dei presocratici. Il razionalismo *classico* comincia però a svilupparsi solamente con Socrate, che opera una netta distinzione fra la conoscenza vera e le semplici opinioni e supposizioni. La conoscenza vera si distingue da queste semplici opinioni a causa dei suoi fondamenti. La sua verità è assicurata da dimostrazioni. Secondo Aristotele la conoscenza vera la si ottiene per il fatto che si riconoscono le cause per cui una cosa è così come si presenta. Egli separa la conoscenza *mediata* (conclusioni logiche a partire da premesse superiori) dalla conoscenza *immediata* (comprensione della verità di principi superiori). L'esempio classico di questo ideale conoscitivo è rappresentato dalla geometria euclidea, secondo la quale a partire da proposizioni superiori (assiomi oppure postulati), possono essere dedotte logicamente tutte le restanti proposizioni. Ogni enunciato di un tale sistema sembra essere sicuro nella sua specifica verità: i primi vengono compresi in forma immediata, tutti i rimanenti attraverso la deduzione logica. In virtù di questa concezione, Aristotele ha informato di sé la scolastica medievale (cfr. Tommaso d'Aquino) e il suo influsso è visibile fino ai tempi moderni.

Il problema basilare però è e rimane la *comprensione immediata* delle verità superiori. Il razionalismo dell'età moderna tenta di trovare una risposta a questo interrogativo. E in conformità ad esso si presenta sotto due caratterizzazioni: come *intellettualismo* (Cartesio, Pascal, Spinoza) e come *empirismo* (Bacone, Locke, Berkeley). Comunemente l'intellettualismo viene anche denominato razionalismo. Per l'intellettualismo la sorgente della conoscenza immediata sta nell'intuizione intellettuale; per l'empirismo, al contrario, essa risiede nell'esperienza. Kant tenta una sintesi fra intellettualismo ed empirismo, laddove sostituisce al realismo in auge fino ai suoi tempi l'idealismo trascendentale; esso poggia sulla domanda trascendentale relativa ai presupposti della possibilità della conoscenza. La certezza della conoscenza deve essere riferita, secondo Kant, non ad una realtà esterna, ma alle forme dell'esperienza che sono determinate dalle strutture inerenti alle facoltà conoscitive. Sulla soluzione kantiana si è comunque appuntata la critica della scienza moderna; tale critica è dovuta a due «scoperte»: da un lato alla scoperta delle geometrie non euclidee, dall'altro alla formulazione di una fisica non newtoniana (Einstein).

Dall'ideale del razionalismo classico (certezza della conoscenza) deriva il *razionalismo critico*, nella sua accezione stabilita da K. Popper negli anni trenta (cfr. *Logica della scoperta scientifica*). È inattuabile – come dimostra Popper – la pretesa di una conoscenza certa.

Conseguentemente il razionalismo critico rinuncia a questo ideale e diviene sostenitore di un *fallibilismo* conseguente: nessuna conoscenza è assolutamente sicura, perché l'essere umano può sempre sbagliare nella risoluzione dei suoi problemi conoscitivi. La *certezza* della conoscenza non è conciliabile con l'anelito verso la *verità*. L'ideale conoscitivo di Pop-

per è permeato da una tensione verso un sapere contenutistico, che in ogni caso riceve esclusivamente uno status di sapere congetturale. In questo senso ogni conoscenza è «ipotetica», il che non vuol dire che debba sfociare nel relativismo, dal momento che il conflitto delle teorie comunica un sapere quantomeno approssimativo. Per questo motivo le teorie debbono essere sottoposte ad esame ed essere criticabili. Al posto della pretesa di un *fondamento* subentra dunque, nel razionalismo critico, l'esigenza di un *esame critico*.

Nel razionalismo critico dunque non viene accantonata la ricerca della verità nel senso di una ricerca di una conoscenza contenutistica dal momento che esso (a differenza di Kant) è saldamente legato al «realismo critico». Il razionalismo critico si contrappone anche all'ambizione dell'empirismo di conseguire un'esperienza «pura» che, secondo la sua concezione, non può esistere. L'esperienza è sempre precedentemente «imbevuta di teoria».

3. RAZIONALISMO E TEOLOGIA MODERNA - Nell'ambito della teologia viene indicata con il termine «razionalismo» la concezione secondo la quale l'adesione alla fede si fonderebbe su una comprensione razionale e la verità della fede sarebbe dimostrabile con motivazioni razionali. In realtà neppure la credibilità della fede è dimostrabile in maniera positiva. Il concilio Vaticano I ha più volte condannato il razionalismo così concepito (cfr. DS 3028, 3032, 3041). Sotto il verdetto sul razionalismo cade anche l'opinione che sarebbe un dato di fatto dimostrabile l'autocomunicazione di Dio, storicamente verificatasi nella parola umana. Per contro ciò che è dimostrabile è soltanto l'esistenza di un messaggio che pretende di essere parola di Dio. Anche se tale pretesa in ultima analisi non può essere contraddetta su basi ra-

zionali, la sua *verità* è pur sempre riconosciuta solo nella *fede*.

La *responsabilità* della fede nei confronti della ragione presuppone che, prima dell'assenso della fede, si possa dimostrare che nella scelta tra la fede e la non-fede quest'ultima rimane un qualcosa di velleitario e quindi non può essere giustificata. Con ciò tuttavia non viene dimostrato il carattere non-velleitario dell'adesione della fede; ciò che è dimostrabile è soltanto la legittimità dell'accusa di velleitarismo nei confronti della non-fede e non quella contro la fede.

La conoscenza della ragione e quella della fede, in ultima analisi, non possono contraddirsi, anche se i due aspetti spesso si trovano in un rapporto vicendevolmente conflittuale. *La conoscenza razionale* si riferisce alla generale conoscenza della realtà, che può essere conseguita indipendentemente dalla fede. *La conoscenza della fede* si riferisce ad una conoscenza per la quale bisogna richiamarsi all'autocomunicazione di Dio. Fondamentalmente la conoscenza razionale si trova in un rapporto *negativo* nei confronti della conoscenza della fede. Essa non può né dimostrare, né contraddire e neppure rendere plausibile la fede. È per questo motivo che la ragione non ha alcuna funzione di *supporto* nei confronti della fede; essa piuttosto deve fungere da *filtro*. Con questo si può affermare che (esprimendosi in maniera negativa) nulla può essere creduto che contraddica la ragione nella salvaguardia della propria legittima autonomia. Una tale ragione critica preserva la fede dalla superstizione. Ed è la fede ad essere interessata di per se stessa ad una ragione di tale natura. Si può affermare senza esitazione che la fede promuove l'autonomia della ragione e si oppone ad essa (su basi razionali) quando urta contro le leggi che le sono proprie (il che d'altra parte non è una prova per la verità della fede).

Con l'espressione «una ragione illuminata dalla fede» si intende l'uso della ragione nell'ambito della fede.

Bibl. - K. Popper, *Die Logik der Forschung*, Wien 1934 (1ª ed.); Id., *The Open Society and Its Enemies*, 2 voll. (1ª ed. inglese) London 1944; H. Albert, *Traktat über kritische Vernunft*, Tübingen 1968; Id., *Traktat über rationale Praxis*, Tübingen 1978; Id., *Die Wissenschaft und die Fehlbarkeit der Vernunft*, Tübingen 1982; Id., *Freiheit und Ordnung*, Tübingen 1986; Id., *Kritik der reinen Erkenntnislehre*, Tübingen 1987; K. Hecker, art. «Razionalismo», in SM VI, 710-717; P. Knauer, *Der Glaube kommt vom Hören*, Bamberg 1968; H.J. Pottmeyer, *Der Glaube vor dem Anspruch der Wissenschaft*, Freiburg-Basel-Wien 1968.

BERND GROTH

REALISMO CRISTIANO

1. NOZIONE - Il termine *realismo* (dal latino *res* = cosa) ha numerosi significati. Nel linguaggio comune, non filosofico, designa una *forma mentis* che tiene conto prima di tutto di ciò che le cose sono «realmente» e non semplicemente o principalmente di ciò che potrebbero o dovrebbero essere, senza lasciarsi andare a sogni o a giochi di immagini o di idee. Essere realisti significa avere i piedi per terra e le mani alle prese con la durezza delle cose. Si parla di realismo anche nella letteratura, nell'arte, nella lingua in un senso molto vicino al precedente che tuttavia qui non interessa: descrivere le cose come sono, chiamarle con il loro nome. Molto più importante è l'uso filosofico della parola. Qui ancora si deve distinguere tra senso fondamentale e significati più particolari. Realismo, in senso fondamentale, si applica a ogni dottrina che ammette un in-sé delle cose (delle persone e delle cose), senza ridurle a rappresentazioni, costruzioni dello spirito, delle idee. Il realismo si oppone così in modo radicale all'idealismo (nel senso filosofico della parola). E dal momento che ci so-

no diverse forme di idealismo, una stessa dottrina può essere chiamata realismo sotto un aspetto e idealismo sotto un altro. Infatti il pensiero dove si dice che le cose sussistono come «rappresentazioni» può essere: *a.* Il pensiero del filosofo: «solipsismo» (cose e persone esistono solo in me e per me), mai professato seriamente. *b.* Il pensiero della società, dell'umanità di tutti gli esseri pensanti. *c.* Un pensiero impersonale. *d.* Il pensiero divino.

Per opposizione, l'affermazione della realtà in sé di persone distinte può ben essere chiamata realismo ed essere al tempo stesso accompagnata da una negazione idealista quanto alla realtà dell'essere sensibile. Da ciò una specificazione della parola realismo per designare una dottrina che afferma questa realtà. I marxisti, in particolare Lenin, identificano falsamente il realismo così inteso con il materialismo, vedendo in questo la sola alternativa possibile all'idealismo. Va notato del resto che nei dibattiti tra realismo e idealismo bisogna distinguere tra punto di vista ontologico e critico. Un conto è dire: «L'altro esiste solo nel mio pensiero», cosa che richiede l'intervento immediato di uno psichiatra, altro è dire: «Non posso dimostrare in modo rigido l'esistenza in sé dell'altro», di cui però sono convinto.

Un altro senso ristretto della parola realismo, storicamente anteriore, si riferisce a un problema dibattuto nel medioevo: quello degli «universali», vale a dire delle parole con significato universale, come, ad es., «uomo», che non sta a indicare un uomo in particolare. Cos'è che costituisce questa universalità e assicura che la parola conservi lo stesso significato, applicato a individui diversi? Il medioevo offre tutta una gamma di risposte che vanno dal realismo in senso forte, d'ispirazione propria, al nominalismo che nega qualsiasi valore di realtà alla idea generale e ri-

conosce solo gli individui. La dottrina di S. Tommaso e dei grandi scolastici che fonda il valore dell'idea generale sull'astrazione dell'essenza comune, resa possibile dalla composizione di materia e forma, è talvolta chiamata realismo moderato.

2. INTERESSE - Il realismo nel senso che abbiamo chiamato fondamentale (nella misura in cui si oppone all'idealismo) è senza dubbio un'esigenza della fede cristiana. Questa perde ogni significato se Dio non è che un'idea o un ideale che esiste solo nella coscienza e nelle aspirazioni dell'uomo o nelle esigenze del pensiero in generale, se non è prima di tutto in sé, indipendentemente da quanto noi pensiamo o crediamo e da tutto ciò che non è lui. In modo analogo Gesù, Maria, gli apostoli, sono per la fede cristiana degli esseri reali, che sono realmente vissuti in un mondo reale, che hanno realmente agito e realmente sofferto: dei personaggi storici, dunque, almeno in questo senso. Ma l'esistenza delle persone è inseparabile da quella delle cose in mezzo alle quali esse vivono e agiscono: anche le cose non possono essere ridotte a delle semplici «rappresentazioni». Cristo è stato realmente crocifisso su una croce che non esisteva semplicemente come «oggetto del pensiero». In particolare la dottrina sacramentale suppone che i segni, per aver valore, debbano avere essi stessi una certa realtà. La presenza «reale» di Cristo nell'eucaristia implica che le specie che lo rendono presente esistano diversamente dal pensiero e dalla fede. (Qui si vede come la parola realismo sia suscettibile di sfumature: si dice anche che Cristo è «realmente» con coloro che sono riuniti nel suo nome, ma l'avverbio in questo caso significa semplicemente che tale presenza non è illusoria e puramente soggettiva: Cristo è presente «con il suo Spirito». La presenza eucaristica significa un'altra cosa).

È fuor di dubbio che il vangelo – e tutta la Scrittura – si muove in un'atmosfera di realismo: quello del senso comune, del «mondo della vita» (*Lebenswelt*). Da qui, è vero, può nascere una possibile obiezione. La bibbia, si dirà, parla il linguaggio di tutti ma a noi lascia la cura di interpretarla. Essa attribuisce alle cose – alla croce di Cristo, all'acqua, al pane e al vino, ecc. – lo stesso grado di realtà che noi attribuiamo ordinariamente a quanto ci circonda e di cui ci serviamo. Il legno della croce era reale come lo sono i nostri mobili; il corpo di Cristo era reale come il nostro. Ma ciò lascia completamente senza risposta la domanda: «Qual è lo stato ontologico di questa realtà»? La bibbia non dice niente delle strutture fisiche e metafisiche dell'essere materiale e la fede non impone alcuna affermazione a questo proposito. Ma ciò non significa che essa possa accettarle tutte. Non può accettare l'idealismo in quanto esso nega la realtà in-sé delle cose (del resto l'idealismo contraddice il movimento spontaneo e fondamentale del pensiero che è affermazione dell'essere e di sé nell'essere, il che ci è dato negli altri esseri realmente esistenti). Non si deve peraltro concludere che nell'idealismo non vi siano anche delle verità. Non vi è niente che obblighi a legarsi a una forma di realismo che nega qualsiasi partecipazione del soggetto pensante nell'elaborazione e nella presentazione dell'oggetto. Si può ben dire che la percezione e la stessa conoscenza sono già una interpretazione. Ma anche questo suppone che vi siano delle cose da interpretare.

In un altro senso, più vicino a quello corrente, il cristianesimo si può chiamare realismo in quanto non è, né semplicemente né prima di tutto, una costruzione intellettuale, un sistema di idee, ma un rapporto vivente tra persone reali, che si sviluppa non come un discorso tenuto insieme me da relazioni logiche, ma come una storia o, se si vuole, un discorso in cui le parole sono degli avvenimenti contingenti, degli atti liberi (L. Laberthonnière: *Le réalisme chrétien et l'idéalisme grec*, Paris 1905).

Quanto al realismo come risposta alla questione degli «universali», è chiaro che una dottrina che affermasse la realtà della natura umana universale al punto da vedere negli individui e quindi nelle persone solo un accidente di questa o quanto meno una realtà minore, non sussistente in sé, sarebbe incompatibile con la fede cristiana che suppone l'esistenza di persone dotate di responsabilità propria e aperte a destini individuali. Inversamente, negare ogni comunione reale tra gli individui d'una stessa specie – la cui unità sarebbe allora puramente nominale o tutt'al più ideale – non lascerebbe sussistere tra Cristo e noi che una solidarietà del tutto estrinseca. Non ci si meraviglierà così di vedere alcuni Padri della chiesa professare a questo riguardo una sorta di realismo meno rigido, certo, di quello di Platone, ma più spinto, sembra, di quello che prevarrà con gli scolastici. Così, tenendo conto di questo realismo, si riesce a interpretare giustamente certe formule trinitarie dell'antichità che a prima vista non sembrano andare al di là di una unità specifica.

JOSEPH DE FINANCE

«REDEMPTOR HOMINIS»

Proprio come l'→ *Ecclesiam Suam* è stata l'enciclica programmatica di Paolo VI, così la *Redemptor Hominis* è il testo programmatico di Giovanni Paolo II. Ma mentre l'*Ecclesiam Suam*, apparsa in pieno concilio, è centrata sulla chiesa, la RH, pubblicata nel 1979, è centrata su Cristo e non senza ragione; infatti il contesto storico era già profondamente mutato dopo quindici anni. I problemi più aspri che la chiesa e la teologia dovevano affrontare erano quelli della cristologia. Poco dopo e sulla scia della RH, la Commissione teologica internazionale ha dedicato le tre sessioni del 1981, 1983 e 1985 ai problemi di cristologia. Gli uomini di oggi infatti si pongono il sommo problema: Cristo è veramente Dio-tra-noi nella carne e nel linguaggio di Gesù? È davvero colui che solo può dar un senso alla nostra vita e una risposta ai nostri appelli (solitudine, alterità, sofferenza, male, morte)? Può rischiarare le profondità che ci abitano e decifrare questo enigma che siamo a noi stessi? È veramente, e nel senso rigoroso del termine, «salvatore dell'uomo» e «salvezza» in persona? L'enciclica RH viene incontro a questi interrogativi dell'uomo.

Fin dalle prime parole l'enciclica propone Cristo come «centro del cosmo e della storia (1), come redentore dell'uomo e del mondo (7)». Essa è come la carta della dignità dell'*uomo nuovo*, creato dal sangue di Cristo.

Con l'*incarnazione* «Dio è entrato nella storia dell'umanità e, come uomo, è divenuto suo "soggetto", uno dei miliardi e, in pari tempo, Unico! Attraverso l'incarnazione, Dio ha dato alla vita umana quella dimensione che intendeva dare all'uomo sin dal suo primo inizio, e l'ha data in maniera definitiva» (1). Con la *redenzione* il legame di amicizia con Dio, spezzato dall'uomo-Adamo, è stato ricostituito nell'Uomo-Cristo (8). L'uomo del progresso ha bisogno più di chiunque altro di essere *salvato*. «Il mondo della nuova epoca, il mondo dei voli cosmici, il mondo delle conquiste scientifiche e tecniche, non mai prima raggiunte», è nello stesso tempo un mondo che geme e che attende anch'esso la liberazione (8). Il redentore del mondo è colui che è entrato in modo unico e singolare «nel mistero dell'uomo ed è entrato nel

suo "cuore"» (8). Giovanni Paolo II cita quindi la *Gaudium et Spes*: «In realtà, solamente nel mistero del Verbo incarnato trova vera luce il mistero dell'uomo (22)». Solo Cristo, soprattutto con la morte in croce, rivela all'uomo l'infinito amore del Padre per lui (9). «L'uomo che vuol comprendere se stesso fino in fondo deve, con la sua inquietudine e incertezza e anche con la sua debolezza e peccaminosità, con la sua vita e morte, avvicinarsi a Cristo. Egli deve, per così dire, entrare in lui con tutto se stesso, deve "appropriarsi" ed assimilare tutta la realtà dell'incarnazione e della redenzione per ritrovare se stesso» (10). Questa coscienza del valore e della dignità dell'uomo «si chiama anche cristianesimo» (10). E la chiesa che non cessa di meditare il mistero di Cristo «sa con tutta la certezza della fede che la redenzione, avvenuta per mezzo della croce, ha ridato definitivamente all'uomo la dignità e *il senso della sua esistenza* nel mondo» (10). Avvicinandosi al mistero della redenzione si raggiunge la parte più profonda dell'uomo, cioè il suo cuore, la sua coscienza, la sua vita.

La terza parte dell'enciclica non concerne solo l'uomo e la condizione umana in generale ma, più specificamente, l'uomo contemporaneo. Per Giovanni Paolo II, infatti, non vi è dubbio che Cristo sia la via dell'umanità della fine del secondo millennio, poiché «solo in lui, Figlio di Dio, c'è salvezza» (7).

L'unico obiettivo della chiesa oggi è che «ogni uomo possa ritrovare Cristo, perché Cristo possa, con ciascuno, percorrere la strada della vita, con la potenza di quella verità sull'uomo e sul mondo, contenuta nel mistero dell'incarnazione e della redenzione, con la potenza di quell'amore che da essa irradia» (13). La sollecitudine della chiesa è condurre l'uomo a Cristo. Per questo l'enciclica da una parte può affermare che

Cristo «è la via principale della chiesa... ed è anche la via a ciascun uomo» (13) e, dall'altra, che l'uomo «è *la prima fondamentale via della chiesa*, via tracciata da Cristo stesso, via che immutabilmente passa attraverso il mistero dell'incarnazione e della redenzione» (14). Il Figlio del Padre infatti è, con l'incarnazione e la redenzione, l'unica *via* dell'uomo e della chiesa verso il Padre, così come l'uomo è la *via* da cui passa necessariamente la missione della chiesa di radunare e salvare tutti gli uomini (14).

L'uomo contemporaneo ha bisogno di Cristo e del vangelo; infatti, nonostante i progressi tecnici non è evidente che sia divenuto più uomo. Egli vive nella paura: teme che i frutti della tecnica divengano gli strumenti della sua distruzione. Il progresso, dice l'enciclica, ha reso l'uomo più «umano», più spiritualmente maturo, più responsabile? Le conquiste dell'uomo vanno di pari passo con il suo progresso spirituale e morale? L'umanità progredisce nell'egoismo o nell'amore? Il concetto di progresso è molto ambiguo. La chiesa si pone questo interrogativo per essere fedele al vangelo, poiché la sua missione è farsi carico dell'uomo (15-16).

Stando alle apparenze, il mondo del progresso tecnico sembra ancora ben lontano dalle esigenze di ordine morale della giustizia, dell'amore, della «priorità dell'etica sulla tecnica, del primato della persona sulle cose, della superiorità dello spirito sulla materia». Infatti l'essenziale è «essere di più» e non «avere di più». Il mondo contemporaneo non somiglia forse a una gigantesca illustrazione della parabola del povero Lazzaro e del ricco che festeggia: contrasto scandaloso delle società opulente di fronte alle società affamate? La categoria del «progresso economico» non deve diventare l'unico criterio del «progresso umano». Si impone un cambiamento di situazione, ma questo è possibile solo sulla base della responsabilità morale dell'uomo, del rispetto «della dignità e della libertà» di ognuno (16). La Dichiarazione dei diritti dell'uomo non deve restare «lettera», ma accedere alla realizzazione nello «spirito» (17).

RENÉ LATOURELLE

REGNO DI DIO

Il dato più storico della vita di Gesù è il simbolo che ha dominato tutta la sua predicazione, la realtà che ha dato significato a tutte le sue attività, cioè il «regno di Dio». I sinottici riassumono l'insegnamento e la predicazione di Gesù nella frase lapidaria: «Il tempo è compiuto e il regno di Dio è vicino, convertitevi e credete al vangelo» (Mc 1,14-15; Mt 4,17; Lc 4,43). Questa frase ricorre centoventidue volte nel vangelo e novanta volte sulle labbra di Gesù.

Gesù ha predicato il regno di Dio, non se stesso (K. Rahner), eppure nel suo insegnamento Gesù figura come il presentatore (Lc 17,20-21), il rivelatore (Mc 4,11-12; Mt 11,25-26), il campione (Mc 3,27), l'iniziatore (Mt 11,12), lo strumento (Mt 12,28), il mediatore (Mc 2,18-19) e il portatore del regno di Dio (Beasly-Murray, *Jesus*, 296). Il regno non è soltanto il tema centrale della predicazione di Gesù, il punto di riferimento della maggior parte delle sue parabole e il soggetto di un grande numero dei suoi discorsi, esso è anche il contenuto delle sue azioni simboliche che costituiscono una così larga parte del suo ministero, cioè, la sua amicizia conviviale con i collettori di tasse e i peccatori, le sue guarigioni e i suoi esorcismi. È infatti nella comunione con gli emarginati che Gesù ha vissuto il regno, dimostrando con i fatti l'amore incondizionato di Dio per i peccatori immeritevoli (S. Prabhu, *Kingdom*, 584).

La morte e la risurrezione di Gesù (→ Mistero pasquale) hanno collocato il suo messaggio in un contesto nuovo con il risultato che in Paolo e Giovanni il regno di Dio non è più direttamente al centro della predicazione cristiana. «Gesù, il predicatore del regno di Dio, dopo la Pasqua è diventato il Cristo predicato» (R. Bultmann). Non si tratta di una iniziale falsificazione del messaggio. Nel Nuovo Testamento due temi sono i temi centrali: *il regno di Dio e Gesù il Cristo.*

Non è facile definire con precisione che cosa realmente significhi l'espressione «regno di Dio». Nel corso della storia della teologia l'interpretazione di questa frase è spesso cambiata secondo la situazione e lo spirito del tempo. La parola «regno» è espressione arcaica che non risveglia alcuna risonanza nell'attuale nostra esperienza della realtà. L'espressione ha bisogno di essere ritradotta per poter esprimere il suo significato. Il problema quindi che riguarda il messaggio di Gesù sul regno, è come superare la distanza ermeneutica tra ciò che il regno di Dio significava nell'insegnamento di Gesù e ciò che significa oggi per noi (N. Perrin, *Language*, 32-56).

Nella discussione biblica e teologica sul regno nei tempi moderni possiamo distinguere tre fulcri: il regno come *nozione*, il regno come *simbolo* e un nuovo modo di interpretarlo, il regno in rapporto alla *liberazione*. Ognuno di questi accostamenti solleva problemi differenti che dovrebbero essere visti come complementari.

a. *Regno come nozione.* Il primo accostamento può essere descritto come «incentrato sull'autore». Qui il problema è che cosa gli autori della bibbia intendevano con questa nozione. Considerare l'espressione regno di Dio come una nozione esige che dietro di essa si trovi un'idea chiara e costante; per esempio, il regno di Dio è l'intervento finale, escatologico e decisivo di Dio nella storia d'Israele per realizzare le promesse fatte ai profeti. Il problema è scoprire che cosa significava questa espressione nell'insegnamento di Gesù, benché Gesù stesso non abbia mai definito il regno con termini precisi.

b. *Regno come simbolo.* Il secondo accostamento può essere inteso come «centrato nel testo». Esso si propone di scoprire ciò che il testo significa ed esprime per se stesso oggi. Considerare il regno come un → *simbolo* aprirebbe l'espressione al richiamo di una serie di idee dal momento che un simbolo, per sua stessa definizione, offre una serie di significati che non possono essere esauriti né adeguatamente espressi soltanto da un referente (Perrin, *Language*, 33). Il regno come simbolo risvegliava in Israele il ricordo dell'attività di Dio, sia come creatore dell'universo, sia come il creatore d'Israele nella storia o in definitiva come l'attesa del suo finale intervento alla fine della storia. È Dio che agisce nella storia in favore del suo popolo e in definitiva in favore della creazione nel suo insieme che è il riferimento sottinteso al quale si riferisce tutto l'insegnamento e la predicazione di Gesù. Questa espressione esprime una ricchissima e multiforme «esperienza religiosa». Essa esprime una «relazione personale» ed è anche ancorata ad aree geografiche.

c. *Regno come liberazione.* Il terzo accostamento emerso negli ultimi tempi, può essere definito un accostamento «centrato sul lettore». I teologi della liberazione si richiamano al regno di Dio per essere aiutati nell'articolare e nell'affrontare il problema fondamentale della teologia della liberazione: il rapporto tra il regno di Dio e la prassi della liberazione nella storia. «Noi abbiamo a che fare qui con il classico problema della relazione tra fede ed esistenza umana, tra fede e realtà sociale, tra fede e azione politica o, in altre parole, tra regno di Dio e la costruzione di questo mondo» (G. Gutierrez, *Theology*, 45). Ciò che è in gioco è la dimensione del regno che trasforma il mondo. Qui il problema è che cosa ha da dire l'espressione regno di Dio alla situazione concreta nella quale ci troviamo ora, a una situazione segnata da cruda oppressione e sfruttamento. Questo accostamento, mentre non nega gli altri, mette in luce molto fortemente l'aspetto dinamico del regno. Il messaggio di Gesù tende alla trasformazione di tutta la realtà piuttosto che a darci su di essa nuove informazioni e nuove idee. Si propone di recuperare la dimensione storica del messaggio di Dio e di liberare quel messaggio da ogni astratto universalismo affinché il messaggio biblico possa dare una risposta migliore al mondo di oppressione e alle strutture di un ordine sociale ingiusto (J. Fuellenbach, *Hermeneutics*, 37-48). Possiamo concludere che mentre il primo accostamento tenta di andare «oltre il testo», il secondo sta «con il testo» mentre il terzo si pone «di fronte al testo». La discussione secondo il primo punto, cioè il regno come nozione, ebbe luogo principalmente in Europa (Germania e Gran Bretagna), il secondo, cioè il regno come simbolo, nel Nord America e il terzo, cioè regno e liberazione, è emerso nell'America Latina.

1. IL REGNO DI DIO NELL'ANTICO TESTAMENTO - L'espressione stessa «regno di Dio» non si trova nell'AT ma vi si dice per nove volte che Dio governa un regno. La maggior parte degli esegeti sostiene che il termine *malkut* è stato associato con Jhwh, il Dio d'Israele, soltanto molto tardi nell'AT e denota l'azione di Dio. L'accento è sul governo e sul dominio regale piuttosto che su un territorio o su un luogo. È perciò visto come un'idea religiosa. Nel tempo recente questa tesi è stata messa in discussione dal momento che la nozione di re-

gno è stata affrontata non soltanto con metodo storico-critico, ma anche da un punto di vista socio-politico (N. Lohfink, *Begriff des Gottesreichs*, 33-86). La → fede dell'AT si basa su due certezze. La prima è che Dio è venuto nel passato ed è intervenuto in favore del suo popolo. La seconda è la ferma speranza che Dio verrà ancora nel futuro per realizzare il suo piano per il mondo da lui creato. Come si esprime M. Buber: «La realizzazione del dominio di Dio che tutto abbraccia è il *próton* e l'*éschaton* di Israele» (Beasly-Murray, *Jesus*, 17).

Gli elementi che seguono possono essere considerati come fondamentali della nozione di regno di Dio nell'AT: 1. Dio è re su tutta la creazione e in particolare su Israele grazie all'alleanza. 2. La sovranità su Israele è sperimentata in modo particolare nella celebrazione liturgica, cioè nel culto. 3. La speranza in una venuta finale e decisiva di Jhwh in favore del suo popolo nel futuro allo scopo di adempiere le promesse fatte ai padri e ai profeti (R. Schnackenburg, *God's Rule*, 11-74).

Ciò che costituisce un fatto unico, è stata l'esperienza che Israele ha fatto di Jhwh come Signore della storia che agisce in favore del suo popolo, si prende cura di lui, lo protegge, lo perdona, lo guarisce e stringe un'alleanza con esso. Tutto questo diventa parte di ciò che significa l'espressione: Dio è re di Israele e di tutte le nazioni. L'attuale cura e presenza di Dio tra il suo popolo sono quindi espressi con simboli come: padre, madre, pastore, sposo, ecc. Le concrete funzioni di Jhwh come re che regna nel suo popolo diventano componenti di questa esperienza: egli crea un popolo, organizza la sua struttura, lo nutre, lo protegge; egli dirige, corregge, redime e conferisce giustizia ad esso. Tutto questo forma lo sfondo della «esperienza religiosa» espressa nel simbolo del regno di Dio (Cabello, *El Reino*, 16-18).

2. Il messaggio del regno nel Nuovo Testamento - Gesù non ha mai definito il regno di Dio con un linguaggio discorsivo. Ha presentato il suo messaggio del regno in parabole. Le parabole devono essere viste come «la scelta di Gesù del più adeguato veicolo per la comprensione del regno di Dio» (B. Scott, *Jesus Symbol Maker*, 11). Esse sono la stessa predicazione e non dovrebbero essere considerate esclusivamente al servizio di un insegnamento che è totalmente indipendente da esse. Qui la partecipazione precede l'informazione. Le parabole devono restare il punto di riferimento per comprendere il messaggio del regno (J.D. Crossan, *The Parables*, 51-52).

Il contenuto fondamentale del messaggio del regno può essere sintetizzato nelle seguenti caratteristiche:

a. *È «già» presente ma «ancora» da venire* - La mentalità stessa di Gesù, il suo insegnamento e la sua predicazione erano state formate molto profondamente dai grandi profeti dell'AT, particolarmente dal Deutero-Isaia. Secondo Luca (4,16-21) e Matteo (11,1-6) egli intendeva la sua missione nel contesto della tradizione giubilare che annunciava il «grande anno di grazia» come l'ultima visita di Dio a favore del suo popolo (N. Lohfink, *The Kingdom of God*, 223). Questa finale visita di Dio era annunciata da Gesù non come un qualunque semplice futuro, nemmeno come un oggetto di ansiosa attesa (Lc 3,15), ma come già arrivata con lui. Il regno era diventato una realtà presente: è «vicino» (Mc 1,14), «in mezzo a noi» (Lc 17,21), manifesta la sua effettiva presenza come forza liberante negli esorcismi (Mt 12,28), nelle guarigioni e nel perdono dei peccati. Benché la presenza storica del regno, entro e attraverso il ministero di Gesù, sia fortemente affermata, il

compimento di ciò che ora è appena sperimentato in modo anticipatorio deve ancora venire. Questo crea la tensione tra il «già» e il «non ancora». L'accento posto o sul «non ancora» o sul «già», determina il modo nel quale è visto il messaggio di Gesù sul regno nel suo influenzare questo mondo già da ora. Se l'accento è posto sul «non ancora» vengono enfatizzate le «tribolazioni del regno» nel mondo presente e la speranza della sua venuta finale diventa il fattore determinante per l'azione. Mentre nessuno nega la presenza del regno, nella teologia tradizionale l'accento è posto sul «non ancora» a scapito del «già». Nelle parole di Lohfink: «Per essere onesti verso il messaggio e la pratica di Gesù si deve, sopra ogni altra cosa, sottolineare la presenza della «basiléia» come lo stesso Gesù ha fatto» (G. Lohfink, *Exegetical Predicament*, 103).

Benché Gesú sia rimasto nella tradizione dei grandi profeti il suo messaggio è profondamente influenzato dalle attese apocalittiche del tempo. Ciononostante egli non condivise il pessimismo degli scrittori apocalittici riguardo a questo mondo, ma descrisse in modo realistico la potenza del male. Il suo messaggio del regno di Dio può essere inteso soltanto nel suo contrasto con il regno del male che in questo mondo è al lavoro pervadendo tutto. Gesù ha inteso la sua missione come un distruggere e rovesciare le potenze del male per portare una liberazione che tende alla fine di ogni male e alla trasformazione di tutta la creazione (W. Kelber, *Kingdom in Mark*, 15-18).

b. *Il regno come dono gratuito di Dio e compito per gli uomini* - Poiché il regno di Dio è Dio stesso che offre il suo amore incondizionato alla sua creatura e dà a ciascuno una partecipazione alla sua stessa vita, deve essere inteso come dono gratuito al quale non abbiamo assolutamente alcun diritto. Noi possiamo accettarlo con gratitudine e riconoscenza unicamente come un dono dell'amore di Dio. Questo è il principale insegnamento delle parabole della crescita (Mc 4 e Mt 13). Si può pregare «venga il tuo regno» (Mt 6,10), si può gridare a Dio giorno e notte (Lc 18,7), ci si può conservare pronti come le vergini sagge (Mt 25,1-13), ma è Dio che lo «dà» (Lc 12,31).

Però, il carattere donativo del regno non fa degli uomini semplici oggetti passivi. Le parabole dei talenti (Mt 25,14-30), del tesoro nel campo (Mt 13,44) mostrano che gli uomini sono anche coloro che attuano il regno. Qui il regno è un semplice dono ma esso viene solo se si corrono incredibili rischi. La venuta del regno di Dio è totalmente e completamente opera di Dio ma allo stesso tempo è anche totalmente e completamente opera degli uomini (G. Lohfink, *Exegetical Predicament*, 104-105).

c. *Le dimensioni religiose e politiche del regno* - Il carattere religioso del regno è così evidente nella Scrittura che non necessita di speciale attenzione. Il regno trascende questo mondo e tende a un nuovo cielo e a una nuova terra. Questo aspetto però è spesso sottolineato al punto che il regno non ha più spazio in questo mondo.

Di conseguenza il messaggio di Gesù diventa esclusivamente un problema privato e l'aspetto sociale del regno è completamente trascurato e ignorato. Oggi si fanno tentativi per ricuperare Gesù dall'individualismo e per riportarlo di nuovo nella vita sociale (P. Hollenbach, *The historical Jesus*, 11-22). Collocando Gesù nella situazione socio-culturale del suo tempo e considerando la sua missione primariamente nell'ambito della restaurazione di Israele e annunciando il «grande anno di grazia» al suo popolo, l'implicazione politica del messaggio di Gesù diventa ovvia come una domanda per una ristruttu-

razione radicale di tutte le attuali strutture sociali sulla base dell'alleanza.

Quanto era politicizzato Gesù? Gesù ha rapportato tutta l'autorità al Padre e al regno. Egli intraprese un'azione che aveva significati politici, il più radicale dei quali fu la negazione di autorità assoluta ad ogni potere del suo tempo. Così Gesù offre una «politica normativa», per cui ogni autorità legittima deve essere posta sotto il regno che sta per venire e che richiede la ristrutturazione e il riordinamento di tutte le relazioni umane.

Insistere nel dire che il messaggio di Gesù sul regno è stato esclusivamente religioso e non aveva nulla da dire sulle strutture socio-politiche non può essere sostenuto sulla base delle Scritture ma soltanto sulla base di una visione del mondo piuttosto dualistica che nega ogni attinenza del vangelo con le realtà intraterrestri (P. Stiedl-Meier, *Social Justice*, 15-16).

d. *Il carattere salvifico e universale del regno* - Giovanni Battista annunciò l'imminente venuta del regno e rifiutò ogni passività etica e ogni particolarismo giudaico. L'ascendenza giudaica non era garanzia di salvezza. Adottando il battesimo come un rito usato per i proseliti giudei egli dichiarava di fatto che i giudei si trovavano sullo stesso piano dei gentili di fronte alla imminente visita messianica. In contrasto con Gesù, che condivideva la maggior parte delle vedute del Battista sul regno imminente, Giovanni annunciò prima il grande giudizio che avrebbe preceduto l'avvento del regno escatologico. Nessuno potrà entrare nel regno futuro senza essere passato attraverso questo giudizio.

Per Gesù l'evento assolutamente certo che si sta realizzando in questo momento nelle sue parole e azioni è Dio che offre la sua salvezza finale a tutti, ora, in questo preciso momento. Questa offerta è assolutamente senza condizioni e ha soltanto uno scopo: la salvezza di tutti, ma specialmente dei peccatori e degli emarginati che meno speravano in essa. La sua venuta non dipende da noi e nemmeno possiamo impedirla. Il motivo per agire di fronte all'imminente regno ora non è più il giudizio incombente come nella predicazione del Battista, ma questa offerta incondizionata di salvezza. La funzione dell'imminente giudizio, che Gesù non negò, non è tanto una minaccia di condanna, quanto piuttosto un ammonimento a non rimanere sordi e chiusi alla presente offerta di salvezza (H. Merklein, *Die Gottesherrschaft*, 146-49).

Per Gesù il regno è un messaggio di pace e di gioia. Ora non è tempo di piangere e digiunare (Mc 2,18ss). Il regno di Satana sta crollando (Lc 10,18). Ora è tempo di salvezza, la separazione dei buoni dai cattivi avverrà alla fine (Mt 13,24-30). L'offerta di salvezza ora è per tutti: giudei e gentili, giusti e peccatori. Benché Gesù abbia ristretto la sua missione alla «casa di Israele» egli previde la venuta dei gentili (Mt 8,11) nell'immagine del grande pellegrinaggio delle nazioni come tratteggiato in Is 2,2-3.

e. *La sfida del regno: conversione* - All'indicativa dichiarazione che il regno di Dio era una realtà imminente Gesù aggiunge un imperativo, una chiamata alla conversione come risposta alla venuta di Dio in persona. Questa risposta al regno «vicino» è manifestata con le parole: *convertitevi* e *credete*. Dal momento che il regno è una potenza dinamica che costantemente irrompe in questo mondo, la chiamata al pentimento è continua e diretta a tutti, non soltanto ai peccatori ma anche ai giusti che non hanno commesso grandi peccati. *Convertirsi* significa «voltarsi verso», rispondere a una chiamata. Si richiede di lasciar entrare nella propria vita questo messaggio prima mai

udito, lasciarsi vincere da questa grande notizia. Simile *girarsi* verso il regno includerà un *allontanarsi da*. Ma il motivo per la conversione è l'irrompere del regno di Dio che è ormai giunto e non una qualsiasi richiesta per prepararsi ad una sua futura venuta. La → conversione è un'occasione gioiosa, non un avvenimento terribile di giudizio e di condanna. Il figlio perduto è venuto a casa (Lc 15,25), il morto è tornato in vita: «Questo mio figlio era morto ma ora è vivo, era perduto ma è stato ritrovato» (Lc 15,24-32). La conversione quindi è preceduta dall'azione di Dio alla quale siamo chiamati a rispondere. Soltanto il suo amore rende questo possibile. La conversione è la reazione di una persona ad una precedente azione di Dio (J. Fuellenbach, *Kingdom*, 58-59).

È importante che la costante imminenza del regno di Dio sia vista *sempre* come la buona notizia e mai come giudizio o condanna. Gesù non rinunciò al giudizio (la parola appare cinquanta volte nella sua predicazione) ma lo ha rimandato. Soltanto chi non dà retta al messaggio del regno *ora* dovrà affrontare il giudizio nel momento in cui si realizzerà la pienezza del regno. Perciò, dovunque il regno è predicato, il giudizio non sarà anticipato. Il vangelo deve rimanere sempre la buona notizia e come tale deve essere predicato.

f. *Impegno con la persona di Gesù* - Il simbolo «regno di Dio» in definitiva indica e rivela in un modo molto concreto l'amore incondizionato di Dio per le sue creature. Questo incomprensibile amore (Ef 3,18-19) è diventato visibile e tangibile nella persona di Gesù di Nazareth. Perciò, il regno non è soltanto un «grande disegno», un «sogno utopico divenuto realtà», il «definitivo piano di Dio verso la creazione», esso è in definitiva una persona: *Gesù Cristo*. Ciò che il regno è realmente noi lo possiamo sentire e immaginare soltanto in un incontro personale con lui «che mi ha amato e ha dato la sua vita per me» (Gal 2,20). Conversione significa volgersi verso qualcuno. Significa accogliere, accettare Gesù come il centro di tutta la nostra vita. Per lui e per il suo vangelo noi subordiniamo qualunque altra cosa (Mc 10,28), perfino la stessa vita (Mc 10, 32). Prima di domandarsi che cosa è il regno, bisogna chiedersi: «Chi è Gesù per me?» (R. Cabello, *El Reino*, 22). Conversione, in ultima analisi, è un personale impegno con Gesù, una esplicita dichiarazione per lui. La persona di Gesù diventa il fattore decisivo per la salvezza, per l'accoglienza o il rifiuto del regno di Dio. Nelle richieste di Gesù questo attaccamento personale è un elemento nuovo e senza uguali.

Per riassumere, il messaggio chiave di Gesù contiene un *indicativo* che riassume tutta la teologia cristiana e un *imperativo* che ricapitola tutta l'etica cristiana. Il suo indicativo è la proclamazione del regno cioè, la rivelazione dell'amore incondizionato di Dio verso tutti. Il suo imperativo è una chiamata a volgersi verso questo imminente regno e a lasciare entrare la sua potenza nella mia vita.

g. *Una definizione del regno* - Gesù non ha mai definito il regno di Dio. Egli ha descritto il regno con parabole e similitudini (Mt 13; Mc 4), con immagini come vita, gloria, gioia e luce. Paolo in Rm 14,17, presenta una descrizione che è vicinissima ad una definizione: *il regno di Dio infatti non è questione di cibo o di bevanda, ma è giustizia, pace e gioia.* A. Schweitzer considerava questo testo come «un credo per tutti i tempi». Alcuni studiosi hanno dedotto da questo che il simbolo «regno di Dio» non è soltanto il centro dei sinottici ma dell'intero NT. Giustizia, pace e gioia sono idee-chiave che esprimono relazione a Dio, a noi stessi, al nostro prossimo e alla natura. Dovunque i cristiani comunicano nel-

la *giustizia, pace e gioia nello Spirito Santo*, là il regno di Dio si fa presente. Il regno definito in una breve formula è nient'altro che giustizia, pace e gioia nello Spirito Santo (H. Wenz, *Theologie des Reiches Gottes*, 20-24).

3. La persona di Gesù e il regno di Dio - In che modo il regno di Dio è in relazione alla persona di Gesù?

a. *L'origine dell'esperienza del regno da parte di Gesù* - La dichiarazione che Gesù fa del regno è in ultima analisi radicata nella sua «Abba esperienza». Il messaggio del regno gli fu «inviato» durante la preghiera ed è perciò intimamente legato e determinato dalla sua personale esperienza di Dio come Abba. Nell'esperienza di Gesù Dio era colui che veniva come amore incondizionato, come colui che prendeva l'iniziativa ed entrava nella storia umana in un modo e in un grado sconosciuto ai profeti. Questa esperienza di Dio ha deciso tutta la sua vita e formato l'autentico nucleo del suo messaggio del regno (H. Schürmann, *Gottes Reich*, 21-64).

In un certo momento della sua vita Gesù si è reso conto che Jhwh voleva condurre Israele, e infine tutti gli uomini, a quella intimità con lui che egli stesso aveva sperimentato nella sua relazione personale con Dio che egli chiamava Padre. Questo è espresso molto esplicitamente nel «Padre nostro». In esso Gesù ha autorizzato i suoi discepoli a imitarlo nel rivolgersi a Dio come *Abba*. Facendo così egli li fa partecipi della sua personale comunione con Dio. Soltanto coloro che possono pronunciare questo *Abba* con la disposizione di un bambino, potranno entrare nel regno di Dio (J. Jeremias). In Gesù il Padre volle realizzare l'alleanza e renderla finalmente definitiva. Questo è ciò che Gesù concepiva essere il regno di Dio che doveva venire nel mondo tramite lui: l'amore incondizionato di

Dio che non conosce limiti quando viene a realizzare l'antica promessa di salvezza per ogni persona e per l'intera creazione. Dal momento che lo stesso Gesù è la definitiva offerta di Dio a noi, si può dire che egli è il dono del regno di Dio presente nel mondo. Gesù è il regno in persona, la «autobasiléia» o come dice Origene: «Gesù è il regno di Dio realizzato in un io».

b. *La morte di Gesù e il regno* - Qual è il rapporto tra il regno predicato da Gesù e la sua morte sulla croce? La morte di Gesù fu necessaria perché il regno potesse venire nella sua pienezza? Come Gesù ha inteso la sua morte? Come ha interpretato il suo fallimento?

A. Schweitzer ha sostenuto che l'arrivo del regno escatologico di Dio non avrebbe mai potuto essere proclamato da Gesù senza la conoscenza della sua intrinseca relazione con le prove e con le sofferenze che questa espressione apocalittica evocava. Se Gesù annunciava il regno di Dio come imminente, il pensiero della sofferenza doveva giungergli molto naturalmente. Non era possibile separare dal regno escatologico il pensiero di una prova escatologica, del messia che veniva e della sofferenza del tempo che avrebbe immediatamente preceduto l'arrivo del regno. La sofferenza doveva essere proclamata come necessaria per la finale venuta del regno di Dio. Gesù che vedeva se stesso chiaramente in rapporto al regno imminente si rendeva conto che doveva sottostare al dolore e alla morte come un necessario prerequisito affinché il regno entrasse finalmente in quest'epoca e in questo tempo. W. Kasper nel fare propria la visione di Schweitzer conclude: «Gesù con certezza vide le prove del dolore e della persecuzione come parte del carattere umile e nascosto del regno di Dio e come tali essi entrarono nel filone principale della sua predicazione. Esiste, perciò, una più o meno

diretta linea dal messaggio escatologico di Gesù della "basiléia", del regno, al mistero della sua passione» (W. Kasper, *Gesù il Cristo*, 157).

c. *L'ultima cena e il regno di Dio* - La prospettiva escatologica della morte di Gesù appare con evidenza nei testi che riguardano l'ultima cena (Mc 14,17-25 e 1 Cor 11,23-25). Il riunirsi a tavola, – che provocava scandalo perché Gesù non escludeva nessuno, nemmeno pubblici peccatori, e in questo modo esprimeva il centro del suo messaggio –, era figura della festa che doveva venire nel momento della salvezza (Mc 2,18-20). L'ultima cena, come tutti gli incontri a tavola, è un'anticipazione o «donazione anticipata» del banchetto del regno. È un «già» del «non ancora», un preludio del compimento del regno; l'avvento del perfetto regno di Dio, l'adempimento del grande banchetto, tutto questo poteva divenire completa realtà soltanto dopo la sua morte. L'incontro finale presuppone questo dare se stesso per molti.

Il riferimento escatologico in Lc 22,16 ha il seguente significato: Gesù non si siederà più a tavola con i discepoli sulla terra, ma farà questo di nuovo durante un nuovo pasto nell'imminente regno di Dio. Perché questo si realizzi la sua attesa morte è condizione necessaria. I discepoli possono prendere parte al finale banchetto escatologico soltanto se Gesù prima sacrifica la sua vita per loro (Lc 22,20; J. Jeremias, *Theology*, 299). Partecipare al regno di Dio è possibile soltanto dopo che Gesù ha adempiuto la precondizione per questo; dopo che egli «ha bevuto il calice ed è stato battezzato con un battesimo» (Mc 10,35-40; R. Schnackenburg, *God's Rule*, 193). La natura autentica del compito che Gesù doveva eseguire per portare il regno alla sua pienezza è espressa nelle parole sul pane e sul vino. Egli deve consegnare la sua vita affinché gli uomini e le donne possano partecipare alla festa del regno con lui. «La sua decisione di completare la missione che Dio gli ha affidato riguardo al regno e la fiducia di Gesù che avrebbe presto preso parte alla sua gioia risuonano come la nota principale del suo ultimo pasto con i suoi discepoli. L'ultima cena è incorniciata dall'affermazione della morte di Gesù nella prospettiva del regno di Dio» (Beasley-Murray, *Jesus and the Kingdom*, 263).

d. *La morte di Gesù: definitiva rivelazione di Dio* - Ad un certo punto della sua vita Gesù deve essersi reso conto che l'unica via possibile per realizzare la sua missione era dimostrare l'immensità dell'amore di Dio per noi fino all'estrema conseguenza (Gv 13,1). La croce e la sua morte apparivano come l'unica via rimasta per dimostrare l'amore redentore di Dio in una storia dell'umanità impregnata di peccato. In che cosa precisamente consistevano queste «sofferenze e tribolazioni escatologiche» che egli avrebbe dovuto sopportare per rendere possibile la finale venuta del regno? Una soluzione plausibile è la seguente: la vita di Gesù ritrae la tensione che esiste tra la sua vita intima con il Padre e il suo «vivere la nostra vita fino alla fine», la sua fedeltà alla missione espressa nel modo più adeguato con i due termini: identificazione e rappresentazione. Gesù percepì che più avrebbe identificato se stesso con noi tanto più avrebbe sperimentato la nostra peccaminosità, la nostra desolazione, la nostra insicurezza tipica di coloro che hanno rifiutato il dono d'amore di Dio. Egli giunse a prendere coscienza che se avesse voluto condurre la sua missione fino alle ultime conseguenze avrebbe dovuto sperimentare la completa realtà di ciò che significa per una creatura essere «abbandonata» da Dio. Per Gesù avrebbe significato sperimentare in se stesso l'essere abbandonato dal Padre che per lui era tutto, dal quale aveva ricevuto la vita e del quale era venuto a compiere

la volontà. Il pensiero che questo momento stava arrivando lo terrorizzò.

Il Padre lo avrebbe considerato come «l'umanità nella sua condizione di abbandono e di ripudio di Dio». Gesù avrebbe dovuto sperimentare questo essere totalmente *identificato* con noi nella nostra peccaminosità e nell'essere trattato come nostro *rappresentante* davanti a Dio. Il grido sulla croce deve essere visto come il momento nel quale Gesù identificò al massimo se stesso con la nostra condizione dell'abbandono di Dio (Mc 15,34). In questo momento fu come se l'amore del Padre dal quale egli riceveva la vita avesse smesso di scorrere. Le «tribolazioni escatologiche» sono proprio questa esperienza del nostro autentico stato senza Dio: abbandonati, condannati senza alcuna speranza da parte nostra. Sulla croce Gesù ha sperimentato Dio come colui che si era ritirato (Mc 15,34) per fargli provare tutta la nostra desolazione, la reale prova dell'imminente regno che doveva vincere il peccato, la condanna e la morte (J. Fuellenbach, *Kingdom*, 85-95).

Facendo in Gesù Cristo l'esperienza dell'effetto del peccato, come condanna, Dio si addossò quello che sarebbe stato il destino dell'umanità. «Discese all'inferno!». Queste sono le «tribolazioni escatologiche» che dovevano essere sopportate perché il regno potesse finalmente giungere nella sua completa gloria.

4. LO SPIRITO SANTO E IL REGNO - Lo → Spirito Santo nella Scrittura è descritto come la «causa di vita» o come il «datore di vita». Attraverso lo Spirito l'antica creazione venne all'esistenza e rimase nell'esistenza. Si crede che lo stesso Spirito realizzerà il nuovo cielo e la nuova terra alla fine del tempo. Il tempo escatologico è visto come l'«età aurea» dello Spirito. La missione di Gesù nel vangelo di Giovanni è descritta come «liberare lo Spirito dell'ultimo tempo»

che realizzerà la trasformazione del vecchio nel nuovo. La morte di Gesù, come rivelazione definitiva dell'amore incondizionato di Dio per le sue creature, libera questo amore e lo trasforma nella potenza dello Spirito Santo. La prima azione di questo amore crocifisso, liberato nello Spirito, è la risurrezione nella nuova creazione del corpo morto di Gesù. Secondo Paolo, lo Spirito Santo è la potenza con la quale il Padre ha risuscitato Gesù dai morti. E per opera dello stesso Spirito il regno, realizzato in un modo nuovo con la morte e la risurrezione di Gesù, ora diventa una forza che vivifica e trasforma il mondo. È quindi lo Spirito Santo che continua l'opera di Cristo nei secoli e guida l'umanità e la creazione come un tutto al suo finale completamento nella pienezza del regno (J. Fuellenbach, *Kingdom*, 97-107).

5. LA CHIESA E IL REGNO - Lo Spirito del Signore risorto, lo Spirito della nuova creazione dà inizio alla nuova comunità escatologica, la chiesa. La chiesa è, quindi, un'anticipazione nello spazio e nel tempo del mondo futuro. Essa è «nel mondo ma non del mondo». La sua essenza e la sua missione devono essere capite alla luce del regno presente in essa ma indirizzata alla trasformazione e alla salvezza dell'intera creazione.

Il Vaticano II descrive la chiesa come il mistero di Cristo. In essa è realizzato «l'eterno piano del Padre, manifestato in Gesù Cristo, di portare l'umanità alla sua eterna gloria». La chiesa è vista in rapporto all'«adempimento del mistero nascosto da secoli nella mente di Dio» (Col 1,16; Ef 3,3-9; 1 Cor 2,6-10) che non è altro che il regno di Dio. Il regno tende alla trasformazione della creazione intera nella sua eterna gloria e la chiesa deve essere vista e capita nel contesto di questa divina intenzionalità. La sua missione consiste nel rivelare attraverso i secoli il piano na-

scosto di Dio e nel condurre tutta l'umanità verso il suo definitivo destino. Essa deve vedere se stessa interamente al servizio di questo disegno divino mirante alla salvezza di tutta la creazione (W. Pannenberg, *Theology*, 72-75).

a. *La chiesa non è il regno di Dio sulla terra* - Contrariamente a come era presentata da molti manuali di dogmatica prima del concilio, la chiesa non è il regno di Dio ora. Il Vaticano II lo ha espresso al n. 5 di *Lumen Gentium* e di nuovo al n. 45 di *Gaudium et Spes*. «Questo sostituisce quello che forse era il più serio equivoco ecclesiologico prima del Vaticano II cioè, che la chiesa si identifica con il regno di Dio qui sulla terra. Se è così, allora essa è fuori di ogni necessità di riforma istituzionale e la sua missione è di portare tutti entro se stessa altrimenti la salvezza non li raggiunge» (R.P. Mc Brian, *Catholicism*, 686).

Il regno si fa sentire anche fuori della chiesa. La missione della chiesa è di servire il regno, non di prenderne il posto.

b. *Il regno è presente nella chiesa* - È il regno ora presente a creare la chiesa e a conservarla costantemente viva. La chiesa perciò è il risultato della venuta del regno di Dio nel mondo. La potenza dinamica dello Spirito che rende efficacemente presente l'intenzionalità salvifica e finale di Dio è vera causa della comunità chiamata chiesa. Benché il regno non possa essere identificato con la chiesa, non significa che il regno non sia presente in essa. Esso si rende presente in un modo particolare. Possiamo dire che la chiesa è una realizzazione «iniziale», «prolettica» o anticipata del piano di Dio per l'umanità. Nelle parole del Vaticano II «essa diviene sulla terra il germoglio iniziale del Regno» (LG 5). In secondo luogo la chiesa è uno *strumento* o *sacramento* attraverso il quale questo disegno di Dio nel mondo si realizza nella storia (LG 9; 48).

«Il regno crea la chiesa, lavora attraverso la Chiesa ed è annunciato al mondo dalla chiesa. Non ci può essere regno senza chiesa – coloro che hanno riconosciuto l'azione di Dio – e non ci può essere chiesa senza regno, ma essi rimangono due concetti distinguibili: il dominio di Dio e la fraternità degli uomini» (G.E. Ladd, *The presence*, 277).

c. *La missione della chiesa* - Gesù collegò il regno di Dio, che in passato era privilegio del popolo di Israele, alla comunità dei suoi discepoli. Con questa scelta di una nuova comunità, lo scopo del popolo veterotestamentario continua in questo nuovo popolo. Esso deve essere un «segno visibile dell'intenzione di Dio verso il mondo» e il portatore attivo della sua salvezza. Esso è chiamato dalle nazioni per assumere una missione per le nazioni. L'importante è che il regno rimane legato a una comunità visibile che deve mettere se stessa al servizio del definitivo disegno di Dio per la salvezza di tutti (G. Lohfink, *Jesus and Community*, 17-29).

Da questo punto di vista la chiesa è vitale affinché il regno rimanga nel mondo. «È la comunità che ha cominciato a gustare (anche solo in assaggio) la realtà del regno, la sola che assicura l'ermeneutica del messaggio... senza l'ermeneutica di tale comunità viva, il messaggio del regno può diventare soltanto una ideologia e un programma; non sarà mai un Vangelo» (L. Newbegin, *Sign of the kingdom*, 19). La missione della chiesa alla luce del regno è descritta in un triplice modo:

1. *Proclamare* nella Parola e nel Sacramento che il regno di Dio è giunto nella persona di Gesù di Nazareth.

2. *Offrire la propria vita* come un esempio che il regno è presente e operante nel mondo oggi. Questo può essere visto nella stessa vita della chie-

sa là dove sono concretamente manifestate la giustizia, la pace, la libertà e il rispetto per i diritti umani. La chiesa presenta se stessa come una «Kontrast-Gesellschaft», cioè una «società-contrasto» alla società nel suo insieme (G. Lohfink, *Jesus and Community*, 157-180).

3. *Sfidare la società nel suo insieme* a trasformarsi secondo i principi fondamentali del regno imminente: giustizia, pace, fratellanza e diritti umani. Questo è un elemento costitutivo dell'annuncio del vangelo dal momento che lo scopo definitivo del regno è la trasformazione di tutta la creazione e la chiesa deve intendere la sua missione nel servizio del regno imminente (R. McBrian, *Catholicism*, 717).

Bibl. - R. Schnackenburg, *God's Rule and Kingdom*, New York 1963; G. Gutiérrez, *Teologia della liberazione*, Brescia 1971; J. Jeremias, *Teologia del Nuovo Testamento*, Brescia 1972; J.D. Crossan, *The Parables: The Challenge of the Historical Jesus*, San Francisco 1973; L. Boff, *Gesù Cristo liberatore,* Assisi 1973; W. Kelber, *The Kingdom in Mark. A New Place and a New Time*, Philadelphia 1974; G.E. Ladd, *The Presence of the Future*, Grand Rapids, Michigan, 1974; H. Wenz, *Theologie des Reiches Gottes*, Hamburg 1975; W. Kasper, *Gesù il Cristo*, Brescia 1975; N. Perrin, *Jesus and the Language of the Kingdom*, Philadelphia 1976; H. Merklein, *Die Gottesherrschaft als Handlungsprinzip*, Würzburg 1978; L. Newbegin, *Sign of the Kingdom*, Grand Rapids 1980; R. Norsieck, *Reich Gottes Hoffnung der Welt*, Neukirchen 1980; J. Sobrino, «Jesús el Reino de Dios: significado y objectivos últimos de su vida y misión», in *Christus* 45 (1980) 17-25; R. McBrien, *Catholicism*, London 1981; B. Scott, *Jesus, Symbol-Maker for the Kingdom*, Philadelphia 1981; G.M. Soares-Prabhu, «The Kingdom of God: Jesus "Vision of a New Society"», in D.S. Amalopavadass (ed.), *The Indian Church in the Struggle for a New Society*, Bangalore 1981, 579-629; H. Schürmann, *Gottes Reich - Jesus Geschick*, Freiburg 1983; P. Steidl-Meier, *Social Justice Ministry*, New York 1984: R. Cabello, «El Reino de Dios», in *Christus* 50 (1985) 16-22; P. Hollenbach, «Liberating Jesus for Social Involvement», in BThBull 15 (1985) 151-157; Id., «The historical Jesus Question in North America Today», in BThBull 19 (1989) 12-19; G. Lohfink, *Jesus and Community*, London 1985; Id., «The Exegetical predicament concerning Jesus' kingdom of God proclamation», in ThD (1989) 103-111; W. Pannenberg, *Theology of the Kingdom*, Philadelphia 1985; Beasly-Murray, *Jesus and the Kingdom of God*, Grand Rapids 1986; N. Lohfink, «The Kingdom of God and the economy in the Bible», in *Comm* 13 (1986) 216-231; Id., «Der Begriff des Gottesreiches vom alten Testament her gesehen», in *Unterwegs zur Kirche. Alttestamentliche Konzeptionen*, Freiburg 1987, 33-86; J. Fuellenbach, *The Kingdom of God. The Heart of Jesus' message for us today*, Manila 1989; Id., *Hermeneutics Marxism and Liberation Theology*, Manila 1989.

JOHN FUELLENBACH

REGULA FIDEI

Scrittori cristiani della fine del secondo secolo affermano con una certa ricorrenza che le loro chiese posseggono un preciso «canone di verità», cioè una struttura e un contenuto di dottrina ecclesiale ben determinati, o più semplicemente una norma di fede (*regula fidei*). In alcuni di questi contesti troviamo sintetici compendi delle dottrine fondamentali espresse in termini variabili, ma con lo stesso schema di base. Questi sommari dimostrano che la norma strutturava quanto veniva trasmesso ai catecumeni dai maestri della chiesa sotto la supervisione del vescovo locale. La regola serviva alle chiese quale strumento nei suoi contatti con l'esterno per poter riconoscere come ortodossi altri fedeli e comunità. La regola fu considerata il compendio vero e proprio del significato della Scrittura e aveva il compito di fungere da regola maestra della chiesa nell'interpretazione della miriade di testi dei libri biblici in riferimento all'unica economia divina della salvezza.

Ireneo di Lione afferma che sebbene le chiese sparse nel mondo siano lontane l'una dall'altra e sebbene i loro membri parlino lingue differenti, esse tuttavia professano e conservano la stessa fede. Ogni chiesa possiede la regola ricevuta dagli apostoli di Cristo e dai loro successori, che

è quella di credere in Dio, Padre onnipotente, creatore di tutto ciò che esiste; in Gesù Cristo, il Figlio che s'incarnò per la nostra salvezza; e nello Spirito Santo che tramite i profeti parlò della nascita, passione, risurrezione e ascensione di Cristo, della risurrezione futura e della manifestazione di Cristo che verrà nella gloria come giudice giusto di tutto l'universo (*Ad. Haer.* I,10,1-2; cfr. I,9,4, III, 4,2, IV,33,7; *Demonstratio* 3).

Nell'Africa del nord, anche Tertulliano ci offre compendi simili della regola di fede e ne parla come di un possesso riconoscibile e molto prezioso nelle chiese (*De praescriptione* 13 e 36; *De virginibus velandis* 1; *Adversus Praxeas* 2,1-2).

In Oriente, Clemente Alessandrino parla della «norma ecclesiastica» della dottrina data dagli apostoli, che consiste nell'«intelligenza e nella pratica della divina tradizione» (*Stromata* VI, 24,4-5). Essa unisce la legge e i profeti nell'armoniosa unità con la nuova alleanza in Cristo (*Ibid.* 125,2-3). Il Signore stesso è l'origine e il fondamento di questa dottrina verace (VII,95,3-8), il cui oggetto è Dio (*Ibid.* 91,3), ma essa è riconosciuta ed accolta come tale a motivo della sua fedele conformità al canone ecclesiastico (*Ibid.* 90,2). I commentari di Origene contengono sporadici riferimenti alla regolatrice norma di fede ecclesiale e, cosa molto più significativa, la sua Prefazione al *De Principiis* presenta la norma di fede nella forma di una sintesi di dottrina cristiana essenziale, derivante dagli apostoli e trasmessa in termini chiari a tutti i cristiani.

La speculazione cristiana iniziata da Origine nel *De Principiis* si sarebbe sviluppata e sarebbe stata controllata dalla sua fedeltà all'universale canone delle verità trasmesse dagli apostoli e conservate dalla chiesa, riguardanti Dio creatore, Cristo, lo Spirito Santo e le Scritture, l'anima umana. La regola di fede del secondo secolo non era un credo o una professione fissata con una formulazione verbale, sebbene in quel periodo si sviluppassero simili e più brevi professioni di fede, in conformità con la regola (→ Simbolo della fede).

Tuttavia la regola era unita al battesimo come il momento in cui il fedele veniva a sottostare al suo potere e alla sua guida. Essa era essenzialmente trinitaria nella sua struttura, stabilendo in tal modo la profonda unità tra la creazione attraverso il Padre onnipotente e l'economia della redenzione, della santificazione e della rivelazione messa in atto dal Figlio e dallo Spirito Santo.

La regola era suscettibile di adattamento da parte dei maestri ortodossi, specialmente quando essi erano costretti a porre l'accento su alcuni aspetti della fede trasmessa, ma contestati dagli eretici. La regola condusse a formule che enfatizzavano, contro Marcione, l'unità tra i due Testamenti e a formule che sottolineavano, contro gli gnostici, la vera venuta del figlio di Dio nella carne della nostra umanità.

La regola è la forma e il contenuto di verità che viene trasmessa dalla dottrina autentica e che la fede abbraccia. La fede si appropria della verità di Dio e poi la fede intesa come relazione viva con lui, è la norma che regola l'autentico discorso cristiano. Mediante la fede, assunta a regola, possono essere riconosciute autentiche le formule dottrinali in base alla loro omogeneità con il corpo dottrinale trasmesso riguardante Dio e la sua opera. Inoltre la regola formulata prepara i contorni di una fede personale pienamente formata.

Nelle dispute poi la regola di fede era usata per smascherare le false dottrine dimostrando la loro discordanza dalle singole parti e dall'armonica unità di tutto il corpo normativo della dottrina ecclesiale.

In tal modo scritti quali i vangeli gnostici, che pretendevano di avere origine dal contatto col Cristo risorto, potevano essere esclusi dall'uso cristiano, dimostrando infatti la loro deviazione dal *corpus* di fede trasmesso (→ Canone). Comunque, la norma non veniva applicata ai libri profetici e apostolici autentici come una regola ecclesiastica esterna ad essi; era invece il senso delle Scritture stesse così come le chiese erano giunte a formularlo negli elementi chiave della loro comune dottrina.

Per la teologia fondamentale l'antica regola di fede rende testimonianza all'inclusiva unità della rivelazione di Dio riguardante se stesso e la sua opera salvifica. La norma quindi è un riflesso dell'unica benefica intenzione che sta a fondamento di tutte le manifestazioni storiche del Signore d'Israele e di Dio e Padre di Gesù Cristo. La regola dimostra che fin dall'inizio lo spirito della chiesa post-apostolica non si affannava a ricorrere a una quantità di sparsi frammenti di fede, ma si affidava ad un unico «modello d'insegnamento» (Rm 6,17).

Tale visione organica e unitaria s'incentrava sulle parole e sui gesti storici di Gesù, in modo particolare sulla sua croce e risurrezione; essa comprendeva però anche l'abbondante deposito di racconti, istruzioni, profezie e forme di preghiera presenti nelle Scritture ereditate da Israele. Era una norma di fede riconoscere queste ultime come intimamente collegate con la testimonianza evangelica su Gesù e con la nuova vita donata nel suo Spirito. La regola era soprattutto una fonte normativa di coerenza, tramite una visione unica di Dio, della creazione e della vita umana nel mondo storico.

La fede cristiana possiede un determinato contenuto, e la norma prova che questo era il caso anche nel periodo immediatamente successivo ai tempi del Nuovo Testamento. Questo contenuto tuttavia non consisteva in un elenco tassativo di dottrine formulate come proposizioni. La regola di fede prova che il contenuto era invece una ordinata comprensione dell'agire verso l'umanità di Dio, creatore di tutto, salvatore della creazione caduta ed effettiva fonte di illuminazione, santificazione e guida.

Un aspetto essenziale nel lavoro della teologia cristiana è quello di presentare Dio e la sua economia in maniera fedele al contenuto e al modello perennemente valido della prima regola di fede.

La teologia tende ad una sempre ulteriore penetrazione del senso degli elementi della fede e delle molteplici relazioni tra loro stessi e con la vita umana nel mondo. Essa saggia continuamente le nuove accentuazioni nella predicazione, nella catechesi e nella spiritualità richieste dalle nuove circostanze culturali. La teologia mira anche a nuove sintesi; ma tutto questo ha un certo modello e un ordine derivanti dalla fede stessa che già possiede una sintesi primordiale. La fede intesa come comunione con il Dio della creazione, della salvezza e della nuova vita, è essa stessa una regola e una guida del discorso e della riflessione cristiani.

Bibl. - D. Van den Eynde, *Les normes de l'Enseignement chrétien dans la littérature patristique des trois premiers siècles*, Gembloux-Paris 1933, 281-313; H.E.W. Turner, *The Pattern of Christian Truth*, London 1954, 307-378; B. Hägglund, «Die Bedeutung der *regula fidei* als Grundlage theologischer Aussagen», in StTh 12 (1958) 1-44; R. Trevijano Etcheverría, «Orígenes y la Regula Fidei», in H. Crouzel e altri (edd.), *Origeniana*, Bari 1975, 327-338; M. Jourjour, «La tradition apostolique chez saint Irénée», in *L'année canonique* 23 (1979) 193-202; L.W. Countryman, «Tertullian and the *regula fidei*», in *Second Century* 2 (1982) 208-222; J.N.D. Kelly, *I simboli della fede della chiesa antica*, Napoli 1987, cap. 3.
                                          JARED WICKS

REINCARNAZIONE

1. FORME DIVERSE DI UNA CREDENZA - La reincarnazione è la credenza secondo la quale l'anima, o l'elemento psichico dell'uomo, prende un corpo diverso attraverso esistenze successive, trovandosi così «reincarnata». Il concetto è affine, anche se distinto, a quello di metensomatosi o trasmigrazione e di metempsicosi. La reincarnazione è una credenza comune ad alcune tradizioni orientali come l' → induismo e il → buddhismo e, nella tradizione greca, all'orfismo, a Pitagora e a Platone. La società teosofica, le cerchie spiritistiche e occultiste ne hanno sviluppato un modello occidentale all'inizio del secolo XX; tale modello oggi è molto diffuso. Bisogna tuttavia distinguere le forme diverse della credenza e indicarne il senso. Vedremo come, mentre i modelli orientali e greci sono apparentati tra loro, l'orientamento del modello occidentale è sensibilmente diverso.

Nell'induismo, in cui la credenza della reincarnazione risale alle Upaniṣad, le successive reincarnazioni sono rette dalla legge del *karma*, accumulazione di meriti e demeriti attraverso precedenti incarnazioni. Cesseranno solo una volta spezzata la catena degli effetti e delle cause. L'anima deve liberarsi dal *saṃsāra,* scoprendo infine la verità, cioè liberandosi dal *māyā*, illusione che fa credere alla realtà del mondo. Ci sarà allora l'illuminazione, la beatitudine, il *samādhi.*

L'esperienza di Gautama Sakyamuni, divenuto Buddha (l'illuminato), si trova concentrata nelle «Quattro nobili verità». L'uomo deve liberarsi dal dolore. Per far ciò deve sopprimere la sete o il desiderio legato al piacere che inesorabilmente innesta il meccanismo delle reincarnazioni. Infatti la sete, che deriva soprattutto dall'ignoranza, genera cupidigia, odio ed errore, le «tre radici del male» da cui nascono gli atti e i frutti cattivi. La liberazione mediante l'estinzione della sete è un lungo processo di maturazione che spesso oltrepassa la durata di un'esistenza umana. Essa sfocia nel *nirvāṇa*, al riparo da ogni dolore e da ogni trasmigrazione.

Secondo gli orfici, l'anima appena uscita da un corpo si incarna in un altro; il corpo (*sôma*) è considerato come una prigione (*sêma*). Il ciclo delle reincarnazioni è senza fine per i non iniziati; la salvezza dell'uomo consiste nella cessazione di queste esistenze successive. Anche per Pitagora l'uomo deve reincarnarsi per giungere eventualmente alla completa purificazione del suo essere. Per quanto riguarda Platone, egli prospetta che alcune anime debbano perfino reincarnarsi in animali per acquisire la purezza necessaria all'ingresso nel luogo degli dei. La reincarnazione è un lento processo di purificazione del corpo e della materia in vista della progressiva ascesa verso il divino.

Il modello occidentale della reincarnazione è una ricostruzione del modello indù sincretista e composto anche di tradizioni esoteriche e occultiste. La reincarnazione è mezzo di autorealizzazione e di lenta risalita verso lo Spirito divino. Le rinascite corrispondono alla scala dei meriti; ristabiliscono così la giustizia e seguono un processo di ascensione costante.

In confronto al modello indù, buddhista o greco, il modello teosofico occidentale della reincarnazione rivela una concezione più ottimista dell'uomo. Infatti la reincarnazione non è concepita come una nuova dolorosa prigionia dell'anima, circolo infernale da cui essa deve liberarsi, ma come una nuova possibilità. Alla concezione del corpo-prigione si oppone il concetto di un'evoluzione e di uno sviluppo senza regresso, poiché la reincarnazione avviene sempre in un corpo umano.

Ciò non toglie che i diversi modelli abbiano un sostrato dottrinale comune. La filosofia indù o buddhista del *karma*, del *saṃsāra* e della *mokṣa* (liberazione) servono loro da appoggio. Gli esseri devono rinascere indefinitamente finché non abbiano trovato la loro liberazione. Secondo l'antropologia soggiacente a questa concezione, l'uomo è essenzialmente uno *spirito* (principio divino immortale) che possiede un'anima (per legare lo spirito al corpo) e un corpo (fatto di materia deperibile). È un anello della catena cosmica da cui egli deve evadere per reintegrare il suo stato primitivo e la sua vera natura. Vi si aggiunge una concezione ciclica della storia, opposta al concetto lineare veicolato dal cristianesimo. La credenza nella reincarnazione fa dunque parte di una concezione globale dell'uomo, del mondo e della storia.

2. REINCARNAZIONE O RISURREZIONE - Abbiamo appunto parlato di «credenza». Infatti la reincarnazione non è soggetta a prove scientifiche come non lo è la fede cristiana nella risurrezione dei corpi. Bisogna insistervi, date le pretese spesso avanzate dall'Occidente di fornirne prove scientifiche o sperimentali. Tali prove pretendono di fondarsi da una parte su una memoria psichica o su tracce fisiche di vite anteriori; dall'altra, sulla comunicazione sperimentale con spiriti «disincarnati» in attesa di reincarnazione. Non possiamo negare l'esistenza di «ricordi» che l'esperienza del soggetto non sembra spiegare nella sua attuale esistenza. Tuttavia l'ipotesi di una vita anteriore, formulata per rendere conto di tali ricordi, è solo un'ipotesi tra le altre. L'attribuzione di particolarità fisiologiche di nascita a una vita anteriore è ancor più dubbia. Di simili fenomeni esistono altre spiegazioni più plausibili. D'altronde, se vi sono fatti ancora inspiegabili nello stato attuale della scienza, l'ipotesi della reincarnazione come spiegazione, per quanto possa essere legittima, non si può definire scientificamente provata. Essa è oggetto di credenza, di un'adesione che è scelta personale, come lo è la fede nella risurrezione dei corpi nella prospettiva cristiana. Dobbiamo

anche ben misurare le diversità che separano la reincarnazione dalla risurrezione dei corpi, così come le prospettive globali in cui si inseriscono. Alla legge cosmica della reincarnazione, la fede cristiana oppone in realtà la promessa della risurrezione che Dio fa all'uomo.

Secondo la fede cristiana il corpo non è un elemento negativo dell'essere umano di cui questo si deve liberare; esso fa parte integrante della sua umanità. Non si può quindi trascurarlo per prenderne un altro in un'altra esistenza! La vita umana è una; è decisiva per ogni persona umana, composta di spirito, anima e corpo. Il cristianesimo mette così in evidenza la dignità, voluta da Dio, della persona e della vita umana, come anche il peso della sua libertà.

Ma questo Dio che vuole e conosce personalmente tutti gli uomini è un Dio d'amore che li risusciterà, come ha risuscitato suo Figlio. Infatti nella passione-risurrezione di Gesù Cristo la morte è stata definitivamente vinta; l'uomo ne è liberato e ciò rende la reincarnazione priva di oggetto. Con la sua passione Gesù ha preso su se stesso il *karma* dell'umanità intera e da questo l'ha liberata. Indubbiamente l'uomo che deve avvicinarsi a Dio con una vita di fedeltà resta soggetto alla morte. Ma la morte, unica, è chiamata a sfociare in una nuova forma di vita che comprende anche per il corpo una nuova esistenza. La risurrezione alla fine dei tempi porterà al suo ultimo compimento il progetto di salvezza realizzato da Dio per l'umanità intera attraverso la storia. Nella risurrezione dei morti Dio compirà per tutti gli uomini ciò che ha realizzato il mattino di Pasqua in suo Figlio Gesù. Gli eletti saranno resi conformi, anche nei loro corpi, alla vita senza fine di Cristo risorto.

La credenza nella reincarnazione e la fede cristiana nella risurrezione sono dunque inconciliabili. Vi sono in questione concezioni diverse di Dio e dell'uomo, della storia e del mondo. Tra le due si impone la scelta; tale scelta è materia di fede.

Bibl. - A. Des Georges, *La réincarnation des âmes selon les traditions orientales et occidentales*, Paris 1966; C.A. Keller, *La réincarnation: théories, raisonnements et appréciations*, Berne 1986; L.V. Thomas (ed.), *Réincarnation, immortalité, résurrection*, Bruxelles 1988; J. Vernette, *Réincarnation, résurrection, communiquer avec l'au-delà*, Mulhouse 1988; Id., «La réincarnation. Une croyance ancienne, répandue et séduisante», in *EsVie* 98 (1988) 655-662; 677-683; 694-700.

JACQUES DUPUIS

RELATIVISMO TEOLOGICO

È importante non confondere relativismo e pluralismo. Quest'ultimo è descritto nella voce → pluralismo. Il relativismo teologico riflette un cambiamento della mentalità e della coscienza nel XIX e nel XX secolo. La società moderna diffida di ogni affermazione e posizione che cerchi di aver presa sull'assoluto. Gli uomini, fino a questo momento prigionieri del loro angolo di terra e della loro tradizione specifica, improvvisamente si sono trovati immersi in una grande abbondanza di religioni e di sapienza. Da qui un'infinità di conflitti, di esclusivismi, di opposizioni. Si arriva a posizioni divergenti che vengono trattate come uguaglianze. Eccoci in pieno relativismo.

Il relativismo, in senso generale, è una «forma di pensiero secondo cui l'uomo coltiva dei pensieri che hanno valore solo in funzione di un insieme determinato e definito (ossia la totalità della sua esperienza vissuta in un dato momento), accanto al quale esistono altri insiemi altrettanto validi» (K. Rahner, H. Vorgrimler). Tale relativismo è assurdo, poiché un dato sistema può subito essere respinto come falso dal suo opposto.

Un relativismo che afferma allo

stesso tempo la validità di un'affermazione e la validità del suo contrario dà origine a teologie che non stanno fianco a fianco, ma faccia a faccia. Il relativismo ha un aspetto seducente, poiché sembra «riconciliare» le religioni e i sistemi teologici opposti: tutti hanno ragione e nessuno ha ragione in maniera esclusiva.

Il relativismo teologico si scontra però con una difficoltà di fondo, cioè che gli enunciati teologici vertono su oggetti reali: ciò che è decisivo per la fede e la salvezza sono delle realtà oggettive in rapporto con l'uomo, che non sono, né le une né l'altro, semplici testi o affermazioni astratte. Così, l'affermazione che Cristo è veramente risorto non può conciliarsi con l'affermazione che non è risorto. Al contrario, possiamo dire che conosciamo Dio «per → analogia», il che giustifica approcci e formulazioni diverse che esprimono sempre meglio la ricchezza della realtà e impediscono di aggrapparsi a una sola formulazione, come se questa fosse la realtà stessa. Il pluralismo mantiene l'identità della realtà affermata in seno alla diversità delle espressioni che hanno tutte di mira lo stesso significato.

Nel corso degli ultimi decenni si possono notare due momenti in cui il pluralismo sembra «flirtare» col relativismo. L'enciclica *Humani generis*, del 1950, percepisce in seno alla «Nouvelle théologie» segni di relativismo dogmatico radicale o moderato. Alcuni sostengono, dice l'enciclica, che «i misteri della fede... non possono mai esprimersi con concetti adeguatamente veri, ma solo con concetti approssimativi e sempre mutevoli, nei quali la verità viene in un certo qual modo manifestata, ma necessariamente anche deformata. Perciò essi ritengono non assurdo, ma del tutto necessario, che la teologia,

in conformità ai vari sistemi filosofici di cui essa nel corso dei tempi si serve come strumenti, sostituisca nuovi concetti agli antichi, cosicché in modi diversi e sotto certi aspetti anche opposti, ma – come essi dicono – equivalenti, esponga al mondo umano le medesime verità divine» (AAS, 42 [1950], 566). Nel periodo postconciliare ritroviamo una seconda forma di relativismo, più diffusa, particolarmente nell'ecclesiologia e nella cristologia. A proposito della chiesa si dirà: «Ha poca importanza la chiesa che si sceglie, perché una vale l'altra e tutte sono una risposta alla ricerca di salvezza che si trova in ogni uomo». In cristologia, ci si definirà cristiani affermando, da una parte, che il Cristo è soltanto un uomo o, dall'altra, che è il Dio incarnato.

In teologia fondamentale, l'incontro del relativismo è avvenuto soprattutto con la teologia del *kêrygma* sviluppata da → R. Bultmann. Quest'ultimo mantiene le grandi categorie del cristianesimo, come rivelazione, fede, miracolo, risurrezione, salvezza, ma attraverso la demitologizzazione le svuota del loro substrato storico e dà loro un senso tutto diverso. Bultmann ritiene necessaria questa interpretazione del cristianesimo in chiave esistenziale, per renderlo accettabile all'uomo di oggi, allergico alla visione neotestamentaria di Cristo e della sua opera.

Bibl. - J. Splett, «Relavitisme», in SM V, 242-243; K. Rahner - H. Vorgrimler, in *Petit dictionnaire de théologie catholique*, Paris 1969[7], 407-408; R. Latourelle, *Cristo e la Chiesa segni di salvezza,* Assisi 1971; Id., *A Gesù attraverso i Vangeli,* Assisi 1979; G. Langevin, «Les chances et les handicaps de la foi à notre époque», in ScE, 28 (1976) 48-68; M.B. Schepers, «Relativism (Theological Aspect)», in NCE XII, 223-224.

René Latourelle

RELIGIONE

I. DEFINIZIONE (M. Dhavamony) - II. FENOMENOLOGIA (M. Dhavamony) - III. STORIA
DELLE RELIGIONI (M. Dhavamony) - IV. RELIGIONI TRADIZIONALI (D. Visca) - V. RELI-
GIONE POPOLARE (F.A. Pastor) - VI. FILOSOFIA DELLA RELIGIONE (S. Spera) - VII. TEO-
LOGIA DELLE RELIGIONI (M. Dhavamony) - VIII. PSICOLOGIA DELLA RELIGIONE (A. Go-
din) - IX. SOCIOLOGIA DELLA RELIGIONE (G. Scarvaglieri).

I. Definizione

1. INTRODUZIONE - Il termine «Religione» richiama alla mente diverse
idee per diverse persone. Alcuni lo
considerano come fede in Dio o l'atto di pregare o di partecipare a un
rituale. Altri lo comprendono come
atto di meditazione su qualcosa di divino; altri ancora pensano che abbia
a che fare con un atteggiamento emozionale e individuale che va al di là
di questo mondo; ve ne sono alcuni
che semplicemente identificano la religione con la moralità. Certamente
il modo di studiare la vita religiosa
dell'uomo dipende soprattutto dall'e-
sperienza dell'individuo su ciò che
egli chiama «religioso». Qualsiasi studio scientifico della religione inizia
con una certa idea della religione che
aiuta l'uomo a distinguere ciò che è
religioso e ciò che non lo è; lo studioso sviluppa la sua ricerca per rendere il concetto più preciso e criticamente più accettabile.

2. UNA DEFINIZIONE DESCRITTIVA DI
RELIGIONE - Secondo la ben nota etimologia del termine di Cicerone, la
parola latina *religio* è derivata da *re-
ligere*, che significa «essere attento,
riflettere e osservare, tenere unito insieme» in contrasto con *negligere*
(«trascurare, indebolire»); cioè religione vuol significare compimento cosciente del dovere, riverente timore
del potere superiore. Lattanzio, l'apologista tardivo (circa 260-340 d.C.)
credeva che il termine derivasse da *religare* che significa «legare, tenere assieme»: una relazione stretta e duratura con il divino. L'uomo è legato
a Dio dal vincolo di religiosità. In

questa prospettiva religiosa vi è un
fattore che rientra nel campo dell'interiorità e nel sentimento umano.
Sebbene non ci sia una certezza riguardante la correttezza di queste derivazioni, la seconda fu adottata da
Agostino e dominò le visioni teologiche del medioevo. Entrambi i significati possono essere integrati nel duplice aspetto di religione; vale a dire,
la dimensione oggettiva e quella soggettiva dell'esperienza religiosa. L'e-
vento più importante che ebbe luogo
nell'ultima fase della storia del termine nella cultura occidentale fu la
trasformazione del suo significato da
un riferimento primario alla pratica
rituale di un culto specifico a un riferimento di base a un sistema totale
di credenze e pratiche attive in una
data società. La complessità e la diversità delle religioni dell'uomo, come pure i sentimenti profondi e ambivalenti che da esse nascevano, hanno prodotto un complesso eterogeneo
di definizioni di religione, molte delle quali comprendono valutazioni di
merito e accentuano indebitamente un
aspetto dei sistemi religiosi.

La parola religione ha le sue origini nel linguaggio precristiano ma è
poi entrata nell'uso linguistico cristiano sia nella versione latina della bibbia (la Volgata) sia negli scritti dei
Padri latini della chiesa. Nel cristianesimo medievale, la religione nel suo
grado più alto è identificata con la
vita monastica caratterizzata dai tre
voti di povertà, castità e obbedienza.
Quindi il religioso per eccellenza era
il monaco o la suora, e lo stato religioso era considerato lo stato della
perfezione.

La religione comprende non soltanto le credenze, le abitudini, le tradizioni e i riti che appartengono a particolari gruppi sociali; essa comprende anche le esperienze individuali. Qualsiasi concezione di religione che sottolinei l'aspetto collettivo nella religione sino al punto dell'esclusione della vita psichica dell'individuo, è difettosa visto che è proprio la percezione personale, da parte dell'individuo, del sacro o del divino che costituisce una delle più importanti caratteristiche della religione. Secondo J. Frazer, la religione è «una propiziazione o una conciliazione di poteri superiori all'uomo che si crede dirigano e controllino il corso della natura e della vita umana. Così definita, la religione consiste di due elementi, uno teorico e uno pratico, vale a dire una credenza in poteri più grandi dell'uomo e un tentativo di placarli o di piacere loro». Inoltre egli spiega che «evidentemente la fede viene prima, visto che dobbiamo credere nell'esistenza di un essere divino prima di potergli piacere. Ma a meno che la fede non porti a una pratica corrispondente, non è una religione ma una mera teologia» (*The Golden Bough*, edizione ridotta, 1925, 50; tr. it. Torino 1965[3]).

E. Durkheim enfatizza la fede e la pratica in una comunità sociale. «Una religione è un articolato sistema di credenze e pratiche relative alle cose sacre, cioè, messe da parte e proibite», credenze e pratiche che uniscono in una sola comunità morale chiamata chiesa, tutti coloro che aderiscono a esse. Il secondo elemento, che così trova posto nella nostra definizione, non è meno essenziale del primo; perché, nel dimostrare che l'idea di religione è inseparabile da quella di chiesa, questo chiarisce l'idea che la religione dovrebbe essere un fatto eminentemente collettivo» (*The Elementary Forms of the Religious Life*, 1954, 47; tr. it. Milano 1982[3]). La teoria sociologica sviluppata da Durkheim sostiene che quando gli uomini hanno la sensazione religiosa di stare davanti a un potere più alto che trascende le loro vite private e impone la sua volontà su di loro come un imperativo morale, essi sono veramente alla presenza di una più grande realtà compenetrante. Questa realtà comunque non è un essere soprannaturale; è il fatto naturale della società. Il gruppo umano circostante esercita gli attributi di deità in relazione ai suoi membri, e fa sorgere nelle loro menti l'idea di Dio, che, in effetti, è così un simbolo per la società stessa. Vi sono molte difficoltà contro questa teoria sociologica della religione. Non prende in considerazione la portata universale della coscienza religiosamente informata, che a volte va oltre i confini di qualsiasi società empirica e riconosce una relazione morale con gli esseri umani come tali. Negli insegnamenti dei grandi profeti il monoteismo viene trasmesso con molta forza: Dio ama *tutti* gli uomini e chiama tutti gli uomini a prendere cura l'uno dell'altro come fratelli. Questo oltrepassa lo scopo di una società empirica come viene usata nella teoria sociologica, perché l'umanità nel suo insieme non è una società secondo questa teoria. Omette anche di prendere in considerazione la creatività morale della mente profetica. Il profeta morale va al di là del codice etico stabilito ed egli chiama i suoi seguaci a riconoscere nuove e trascendentali rivendicazioni di moralità sulle loro vite. E ancora questa teoria non riesce a spiegare il potere della coscienza che divide socialmente. Un individuo può essere in divergenza con la sua società riguardo a molti aspetti della vita umana.

Secondo R.H. Thouless, qualsiasi corretta definizione di religione deve comprendere almeno tre fattori: un modo di comportamento, un sistema di credenze intellettuali e un sistema di sentimenti. Per poter trovare una definizione completa e soddisfacente di religione dobbiamo indagare inoltre in che cosa consistano l'aspetto caratterizzante della condotta, delle credenze e dei sentimenti in questione che li caratterizza come religiosi. La definizione seguirà questo percorso: la religione è un sentito rapporto pratico con l'oggetto della fede, visto come essere o esseri soprannaturali. Egli spiega che entrambi i termini sono importanti nello studio psicologico della religione: la coscienza religiosa e l'esperienza religiosa. La coscienza religiosa è quella parte della religione che è presente alla mente ed è aperta all'esaminazione tramite introspezione. È lo stato mentale dell'attività religiosa. L'esperienza religiosa è un termine più vago adoperato per descrivere l'elemento di sentimento nella coscienza religiosa (i sentimenti che portano alla fede religiosa o che sono gli effetti del comportamento religioso). È impossibile studiare la coscienza religiosa da sola; dobbiamo indagare anche sul comportamento religioso (*An Introduction to the Psychology of Religion* 1936, 3-4). Secondo W. James, la vita religiosa consiste nel credere che vi sia un'ordine invisibile e che il nostro bene supremo stia nell'adattarsi armoniosamente ad esso. Questa credenza e questo adattamento sono l'atteggiamento religioso dell'anima (*Varieties of Religious Experience*, 1928, 26ss).

N. Söderblom sosteneva che l'elemento essenziale nella religione non è la fede formale né il culto organizzato ma una risposta al «tabù-sacro» (*Das Werden des Gottesglaubens*, 1916, 211). La religione deve quindi significare la risposta dell'uomo a quel potere che egli considera come sacro. Il sacro generalmente è definito come l'opposto del profano. Nel momento in cui si tenta di dare una chiara asserzione della sua natura, ci si trova in difficoltà sulla modalità di questa opposizione. Nessuna formula, per quanto possa essere elemen-

tare, rivestirà la complessità labirintica dei fatti (R. Caillois, *L'Homme et le sacré*, citato da M. Eliade, *Patterns in Comparative Religion*, 1958, XXI). Fra i fattori di questa intricata complessità si trovano il tabù, il rituale, il simbolo, il mito, il demonio, Dio ecc. La religione si distingue da tutti gli altri aspetti della vita sociale come la psicologia, la sociologia, l'antropologia ecc., perché si occupa di sistemi di credenze come pure di sistemi di relazioni e azioni e perché gli stessi sistemi d'azione sono diretti al sacro. In tutte le società la gente crede che i processi della natura e il successo dell'impegno umano siano sotto il controllo di esseri soprannaturali fuori dalla sfera dell'esperienza quotidiana e che il loro intervento possa cambiare il corso degli eventi. La definizione generale di religione designa relazioni fra l'uomo e il sacro, il divino. La religione è il riconoscimento cosciente ed effettivo di una realtà assoluta (il sacro o il divino) dalla quale l'uomo sa di essere esistenzialmente dipendente, sia per la sottomissione a essa sia per la parziale o totale identificazione con essa. Questa definizione distingue la religione dalla magia che rende il divino obbediente all'uomo; essa comprende il teismo (sottomissione a Dio) e il panteismo o il panenteismo o il monismo (una certa identificazione con l'assoluto).

Siccome la religione consiste in una relazione fra l'uomo e qualcosa che è percepito da lui come «l'assoluto-altro», questo «altro» si presenta in modi diversi come potere, come persona, come Realtà Assoluta, ecc. La religione non è semplicemente un fatto umano. Nell'esperienza religiosa una forza percepita come superiore all'uomo interviene nella vita umana. L'uomo stesso si sente incapace di raggiungere ciò che vuole attraverso il proprio potere; quindi egli desidera che l'essere superumano, soprannaturale, risponda alle sue aspirazioni in qualche modo, indipendentemente da come potrà essere concepito questo intervento nelle diverse religioni. Non esiste una pura religione naturale; cioè la religione non è meramente fatta dall'uomo; la religione non è solamente l'aspirazione dell'uomo al divino ma coinvolge qualche forma di risposta alle sue aspirazioni da parte del divino; una certa rivelazione è implicita in questa risposta. L'uomo religioso o stabilisce da sé simboli e rituali per poter assicurare l'intervento divino, o storicamente egli riceve da vari tipi di mediazioni e di intermediari la risposta e l'aiuto divino e collabora per realizzare il fine della sua religione. La manifestazione e l'intervento del divino nella vita e nella storia umana sono state chiamate ierofanie (M. Eliade) dagli storici delle religioni. La più sublime ierofania nota nella storia è l'incarnazione come fu realizzata in Gesù Cristo.

3. RELIGIONE E MAGIA - Dobbiamo distinguere chiaramente la religione dalla magia. Gli studiosi hanno indicato molti punti in questa distinzione, alcuni fra i più importanti sono:

a. *L'atteggiamento dell'uomo* - La religione comporta una mente remissiva mentre la magia comporta un'atteggiamento altezzoso, d'auto-affermazione; in sostanza si contrappongono sottomissione e controllo. Una persona religiosa considera il soprannaturale come soggetto, mentre un mago lo considera come oggetto. La magia consiste nel forzare il *numen*; la religione è sottomissione al *numen*: due reazioni psicologiche totalmente diverse; due diversi comportamenti di quell'insieme più grande che è il sovrannaturalismo. L'essenza della magia è per ammissione, coercizione negli interessi riguardanti le nostre esigenze imperative e organiche; si presuppone che la magia genuina possa rendere l'uomo capace di influenzare il corso degli eventi tramite mezzi puramente psichici.

b. *Rapporto con la società* - La religione è questione che riguarda la società / la chiesa, mentre la magia è affare dell'individuo; culto organizzato contro pratica individuale. E poi c'è l'addetto non ufficiale che è la strega; nella magia l'individuo si trova in posizione preminente.

c. *Lo strumento* - La magia è una tecnica che si presuppone possa raggiungere il suo scopo attraverso l'uso delle pozioni; se vengono usate come semplici mezzi, come un dispositivo di tipo specifico, per ottenere certi fini, allora abbiamo a che fare con la magia.

d. *Scopo* - Religione significa vicinanza o unità con il divino; invece i traguardi della vita sono le mete della magia; i mezzi per arrivare al fine sono un elemento costitutivo della magia, mentre è un fine in se stesso a rappresentare la religione. Come pratica, la magia è l'utilizzazione di questi poteri per fini pubblici o privati; la magia consiste in azioni espressive di una volontà di realtà.

e. *Il fattore addizionale* - Modalità personali di uno stato d'animo contrapposte a poteri calcolabili. Il riconoscimento di un'ordine trascendentale contro il non riferimento trascendentale ai poteri esterni supramondani. Tutto ciò che si rivolge a un potere senza nome è magia. La differenza essenziale fra magia e religione sembra dipendere dal fatto se un atto ha luogo come un *opus operatum* da se stesso o se esso si rivolge a una volontà superiore, mediante la quale cerca di realizzare le proprie intenzioni. La religione è fede in un potere universale più grande di quello dell'uomo stesso. La magia è scienza occulta; è un riferimento al potere occulto.

In conclusione possiamo dire che la magia si differenzia dalla religione nel senso che la magia è essenzialmente manipolativa, sebbene tale manipolazione possa essere condotta in un'atmosfera di timore e rispetto, meraviglia e sorpresa, simile a quello che caratterizza l'atteggiamento religioso. La religione significa un'azione diretta e immediata dal punto di vista dell'agente, mentre la magia non può mai essere un metodo diretto, perché senza strumento non vi è nessuna magia; non si può mai parlare di «magia secondo natura». La magia è tutta congegni, cioè strumenti.

In questo contesto dobbiamo chiarire che sebbene troviamo fenomeni che sono religioso-magici, possiamo anche riscontrare casi nei quali i fenomeni religiosi non vengono mischiati con la magia in nessun modo. Vi sono casi in cui la sola magia è presente senza nessuna traccia di religione.

4. RELIGIONE E RIVELAZIONE - Fra le religioni, comprese quelle primitive, vi è una coscienza dell'azione divina. Fra tutte le tribù e i popoli conosciuti si riscontrano in vari gradi, sia esercizi ascetici, sia l'azione divina nella pratica della religione; ma fra i popoli primitivi l'invocazione della deità, la sua azione nelle loro vite viene riconosciuta come parte essenziale della religione. Il bisogno di Dio da parte dell'uomo si fa valere in tanti modi. Si vede particolarmente nelle religioni più elevate, in modo più diretto in ciò che chiamiamo un tipo di religione che esperimenta e dà risalto all'attività divina o alla rivelazione profetica. In queste manifestazioni vi è un intervento molto potente del divino nella sfera umana.

È Dio che va in cerca dell'uomo o è l'uomo che va in cerca di Dio? L'alternativa appare sciocca. La risposta giusta fu data dal poeta-mistico Rumi, quando scrisse che è Dio stesso che parla nell'invocazione e nella preghiera dell'uomo. Nella religione zoroastriana viene preferita la prima alternativa. Dio cercò il profeta scelto, si manifestò a lui e lo chiamò al suo lavoro. Fu piuttosto il potere divino che gli fece riconoscere l'*Ahura-mazdā*

come l'unico supremo essere. Così Zoroastro mediante la vocazione divina diventò profeta del suo popolo e il suo messaggio diventò una religione rivelata.

La religione profetica in Israele è una religione fondata, non una religione di cultura, nobilitata dall'intelletto e dal sentimento religioso. Essa inizia da una personalità storica a cui non cessa mai di riferirisi. L'importanza di Mosè come fondatore di una forma alquanto elevata d'etica religiosa è riconosciuta da tutti gli studiosi delle religioni. L'Antico Testamento presenta sublimi e ispiranti pensieri di Dio e uno zelo appassionato per l'amore e la giustizia; inoltre, la fede trova fondamento o corroborazione attraverso gli eventi storici. Questi caratteri sono stati intensificati e portati a compimento nel vangelo e nella chiesa cristiana. La verità del cristianesimo è indissolubilmente legata non solo all'evento, ma anche a una persona nella storia, Gesù di Nazareth.

La rivendicazione esclusiva del vangelo e della chiesa di possedere la verità e quella dell'uomo Gesù nel quarto vangelo d'essere egli stesso la verità, accrescono l'unicità della religione rivelata. La fratellanza stabilita da Cristo, il Redentore, fra l'anima umana persa e Dio, il suo creatore, la nuova fratellanza, vincolando gli uomini insieme attorno al Salvatore in una fraternità eterna, si realizzò con la predicazione e le opere potenti del Signore. Quando la sua opera venne portata a compimento sulla croce, liberò e unì in una nuova umanità i prigionieri del peccato, il mondo e la morte. Il suo vero centro è una personalità vivente, il Figlio incarnato, il Signore risorto, che è il fulcro del cristianesimo.

Le religioni orientali, come → l'induismo e il → buddhismo, propongono un altro tipo di rivelazione, che è la diretta e immediata esperienza di Dio, o dell'Assoluto, nel misticismo, per cui vengono chiamate mistiche per distinguerle dalle religioni profetiche. I loro scritti sacri non contengono il racconto delle azioni di Dio con l'uomo nella storia, ma sono piuttosto una graduale realizzazione da parte dell'uomo della natura di Dio e dell'uomo. Si tratta della ricerca umana del Reale, della Luce e dell'Immortale, tanto dentro di sé quanto nel mondo che lo circonda: «Dall'irreale conducimi al Reale; dall'oscurità guidami alla Luce; dalla morte conducimi all'immortalità» (*Brh. Up.* 1.3.28).

Rivelazione significa una libera apertura di Dio all'uomo; ciò è indispensabile a ogni religione, dato che l'uomo non può arrivare alla conoscenza dell'assoluta trascendenza di Dio da solo; ogni religione, così come esiste nella realtà, presume qualche intervento da parte di Dio o da parte di un'essere soprannaturale come risposta all'uomo della sua ricerca del divino. La religione rivelata è quella in cui Dio si è rivelato in un momento storico definito a un uomo che è un fondatore o uno specialista del sacro. Per esempio, il cristianesimo, → l'islam, il → giudaismo, lo zoroastrismo. Ma le religioni orientali possono essere chiamate «rivelate» nel senso mistico, cioè nella diretta e immediata esperienza di Dio o dell'Assoluto. Tutte le religioni sono fondate sulla fede, diverse soltanto nel modo in cui tale fede è giustificata. Il fondamento della fede può essere un inserimento immediato, storico di Dio che rivela i suoi poteri, la sua volontà, e la sua natura mediante i fatti e le parole; oppure la tradizione dei saggi, dei veggenti, degli antenati. La fede in queste due modalità è vissuta in piena serietà nell'assoluta disponibilità davanti a Dio.

5. RELIGIONE E FEDE - Religione e fede sono legate l'una all'altra e talvolta sono sinonime. Ogni credente è convinto dell'assoluta verità della sua fede ed è disposto a trarre le conseguenze di questa convinzione, fondandola formalmente e principalmente né sulla logica né su argomenti storici verificabili da lui, ma sulla fede trasmessa da una generazione all'altra. Questo non vuol dire che la religione sia fideista o che sia basata su una opinione insufficientemente fondata, ma che ha un senso di tradizione accettata come valida e autentica nelle materie religiose. Ed è essenziale alla fede avere un carattere di totalità dell'atto religioso; non può essere frutto di una conclusione tratta dai fenomeni fondati sul principio della causalità, oppure un prodotto del solo intelletto o della sola volontà; bensì un atteggiamento d'adorazione dell'anima; la più profonda e assoluta nell'uomo nel suo centro personale.

W. Cantwell Smith afferma che la vita religiosa dell'uomo può essere propriamente capita soltanto se la nozione di «religione» come astrazione, viene eliminata. Il concetto «religione» deve essere rimpiazzato dai due concetti separati «di una tradizione cumulativa» e «di una fede personale». Egli critica alcuni tentativi di descrivere l'esperienza religiosa di una persona in termini di un'entità impersonale chiamata religione. Sostiene, dato che i fenomeni religiosi sono espressioni umane, che si debba essere sensibili alla natura particolare del coinvolgimento dell'individuo nel modo in cui egli si esprime nella preghiera, nel rituale, o nella responsabilità sociale. Lo studioso deve distinguere fra la fede personale di un uomo religioso e la tradizione complessiva che è l'oggetto di studio dello storico e del morfologo. La fede degli uomini può essere studiata nella sensibilità di fronte alla qualità di vita degli uomini religiosi che hanno esposto questa fede in forme culturali. Ciò che Cantwell Smith dice sul concetto di religione è in parte vero. Dobbiamo adattare un'approccio personalista come correttivo per gli studi puramente oggettivi che hanno enfatizzato una metodologia empirica. Ma intendiamo con religione tutto ciò che accompagna la fede personale di una persona religiosa.

Quando la consapevolezza del divino o del sacro diventa centro della vita personale, tutte le funzioni, le doti e le decisioni sono informate dal forte influsso speciale di questa esperienza. Come termine religioso, la → fede non vuol dire ciò che il linguaggio comune vorrebbe far significare; cioè un'accettazione emozionale e intellettuale di qualcosa che una persona non può sapere con precisione e che non può provare. Questo rappresenta soltanto un carattere secondario della vita della fede; inoltre, si sposta il fuoco dalla fonte trascendentale della fede alla preoccupazione delle regole della logica e dei metodi della verifica empirica. Queste non sono altro che considerazioni secondarie quando combattiamo con gli elementi più profondi dell'esperienza umana. La fede è piuttosto un modo di vivere, non meramente un modo di pensare, che colloca l'esistenza dell'uomo nel contesto del sacro o del divino o della realtà eterna. La fede è la risposta auto-cosciente al sacro in tutti i suoi misteri, rivelazioni, poteri, terribili e affascinanti (*mysterium tremendum et fascinans*).

6. LA RELIGIONE «ORIGINALE», IL MONOTEISMO «ORIGINALE», E LA RIVELAZIONE «ORIGINALE» - W. Schmidt, criticando fortemente l'interpretazione evoluzionista dell'origine della religione e dell'idea di Dio, sosteneva che l'origine dell'idea di Dio nell'uomo non si può trovare senza adoperare un metodo storico scientificamente fondato per distinguere e chiarire i vari livelli dello sviluppo nelle stesse società primitive. Nel primo volume del suo libro: *The Origin of the Idea of God*, Schmidt dice che le tribù primitive indicano un distorto ma posi-

tivo riflesso delle prime esperienze religiose tramite le loro credenze e le loro pratiche di culto e di venerazione di un «Essere Superiore». Secondo Schmidt, il segno più eminente della religione dei popoli primitivi è il loro monoteismo fondamentale; l'essenza della loro religione consiste nella fede in un'Essere superiore, nel riconoscimento della loro dipendenza da lui e nella ubbidienza alle sue leggi. I risultati di questa nuova scoperta, cioè che il monoteismo si riscontra nelle religioni più antiche, che è al centro di esse, sono diametralmente opposti alla vecchia prospettiva evoluzionista secondo cui il monoteismo apparve soltanto nelle religioni posteriori come risultato di un lungo e complicato sviluppo. Si deve certamente ritenere che il monoteismo sia presente nelle religioni, anche se deità minori esistono a fianco dell'Essere supremo e supposto che si ritenga che l'Essere supremo abbia creato queste deità, abbia dato loro poteri, abbia loro assegnato funzioni, e che eserciti una vigilanza su di esse; anche dove una di queste note di supremazia sia assente, il monoteismo prevale comunque, sia pure in una forma più debole.

«Rivelazione primitiva» è ciò che i progenitori dell'umanità ricevettero da Dio all'inizio della creazione; dopo la caduta nel peccato l'umanità ricevette anche la rivelazione riguardante il Salvatore. Questa rivelazione è stata trasmessa alla posterità. Questo spiega come gli uomini possono avere verità comuni su Dio e sulla relazione dell'uomo con Dio in modi diversi e in gradi diversi nella storia dell'umanità. Le verità riscontrate in altre religioni sarebbero un residuo di questa «rivelazione primitiva» (Schmidt). Questa idea non è stata accettata dagli studiosi dato che è difficile rintracciare queste verità in varie religioni ed è impossibile stabilire la continuità della tradizione primitiva durante la lunga storia umana che separa Adamo da Abramo.

La «religione primordiale» è quella che si presume sia esistita alle origini dell'uomo, sia nel senso che questa religione fu considerata la più perfetta (così si parla di monoteismo originale) e poi lentamente si sia degradata in forme più basse di religione (W. Schmidt), sia nel senso dello stato minimo della religione come l'animismo o preanimismo o il totemismo che si evolve gradualmente nelle forme più alte della religione come il monoteismo (Tyler, Marrett, e Durkheim). Entrambi i sensi non sono accettati da noi a causa della mancanza di prove storiche.

Sebbene non accettiamo il monoteismo primitivo di Schmidt come una teoria dell'origine della religione, egli e i suoi seguaci hanno reso un servizio alla storia delle religioni contrastando l'influsso della teoria dell'animismo e dimostrando la possibilità dell'ipotesi non animista delle origini religiose.

Schmidt aveva anche dimostrato l'esistenza fra i primitivi di una fede nell'Essere supremo, fatto che è stato spesso trascurato o anche negato da qualche studioso. In quasi tutte le religioni primitive certamente si riscontra l'idea di un Essere supremo. Assai spesso questo Dio supremo è considerato come il creatore e come l'Essere morale che ha stabilito le regole per le giuste relazioni fra gli esseri umani. Possiamo distinguere due tipi di monoteismo: esplicito e implicito. Il monoteismo esplicito è la fede in un solo Dio escludendo tutti gli altri dèi. Il monoteismo implicito è la credenza in un solo Dio, escludendo solo indirettamente altri dèi supremi. Il monoteismo primitivo di Schmidt è implicito e può essere ammesso dato che implica la credenza in un solo Essere supremo.

7. CRITICA ATTUALE DELLA RELIGIONE - Ora passiamo in rassegna alcune critiche odierne della religione, perché queste ci aiutano a capire la vera natura della religione.

Si presume che la religione ci coinvolga in una fiducia superstiziosa in qualcosa che si chiama *deus ex machina*, in un supernaturalismo falso o in una metafisica antiquata. Questo porta alla diminuzione dello sforzo umano e del senso umano di responsabilità. Questa critica ha una certa validità se si intende che la religione guarda a Dio come a un risolutore dei problemi o come a una spiegazione conveniente per qualsiasi cosa che non vada a buon fine, per qualsiasi cosa che possa essere difficile da comprendere, per qualsiasi cosa che succede, dovuta alla irresponsabilità o alla stupidità dell'uomo. La propria fede religiosa e la propria ragione dovrebbero giocare un ruolo importante nel modo di correggere nozioni false o superstiziose riguardo a Dio o alla sua relazione con il mondo e gli esseri umani. Ma finché preghiamo, rendiamo un culto e parliamo del trascendente non siamo liberati dalla convinzione basilare della religione che, in qualsiasi modo la si esprima, implica certamente una sorta di credenza nel modo di essere delle cose. Non possiamo pregare né parlare del trascendente né esprimere un impegno definitivo senza essere preparati ad ammettere una base razionale per queste cose.

Un'altra obiezione alla religione afferma che essa ha a che fare con il fine che l'individuo si prefigge per la salvezza e quindi è inerentemente egocentrica. Questo può essere vero in qualche caso estremo ma sbaglia completamente quando dice che la salvezza personale nella religione si ottiene mediante il compimento dei doveri verso gli altri, in qualsiasi condizione ci si trovi, in nome delle credenze religiose stesse. L'uomo come essere sociale è imparentato ad altri esseri umani e il suo rapporto trova la sua ragione più profonda nelle sue relazioni personali con Dio o con l'Assoluto. L'obiezione afferma semplicemente che la ricerca di salvezza deve mirare a tutta l'umanità; mentre questo condanna alcune distorsioni delle religioni, riafferma lo scopo che sta al centro di tutta la vera religione.

Inoltre, si dice che la religione facilmente diventa idolatria, feticismo, in cui le cose destinate a servire il culto diventano l'oggetto del culto. La gente fanaticamente si attacca a formulazioni dogmatiche particolari o a istituzioni particolari. Talvolta le regole sono assolute e immutabili, ecc. Dobbiamo rispondere dicendo che la religione stessa giudica tali idoli ed effettua riforme a partire dal suo interno. Ogni comunità religiosa ha un potere per rinnovarsi e ogni tanto in effetti mette in atto un programma di rinnovamento.

8. RELIGIONE E MORALITÀ - Kant ha dimostrato convincentemente che non c'è bisogno di conoscere l'esistenza di Dio per percepire l'obbligo morale di fare del bene ed evitare il male. Nessuno può essere scusato per le sue azioni malvagie perché egli è ateo o agnostico. Da ciò non segue che non vi sia una relazione fra la moralità e Dio. «Soltanto l'esistenza di un Dio personale che è la Bontà Infinita può rendere perfetto il messaggio di valori morali, e può ulteriormente giustificare la validità di quest'obbligo» (von Hildebrand). Le leggi morali non sono una «astrazione rispettabile» ma trovano la loro forma concreta personale nel Dio vivente.

L'uomo non deve essere religioso per percepire l'assolutezza dei valori morali; ma l'uomo religioso, mettendo esplicitamente in rapporto questi valori a Dio, non soltanto afferra più profondamente la loro natura, ma può anche apprendere che nessun male puramente fisico, come la malattia, la sofferenza, l'inedia e la morte, può essere da solo paragonato in importanza a una singola offesa contro Dio. I valori morali non sono soltanto percepiti come radicati in Dio stesso, ma l'uomo religioso percepisce inoltre con chiarezza che il più supremo e sublime di tutti gli obblighi morali è la risposta a Dio. Molti studiosi hanno percepito che la serietà definitiva della moralità e la sua categorica natura richiedono l'esistenza di un Dio personale. La stessa cosa vale per il fatto che la religione necessariamente abbraccia la moralità. «Nessuna religione che venga da Dio contraddice il senso del bene e del male» (Newman). «La religione non può prosperare senza etica come pure l'etica non può fiorire senza religione» (von Hügel). Sebbene la religione e la moralità siano distinte e la religione non possa semplicemente essere identificata con la moralità, pure non sono separate ma mutuamente inclusive anche al più alto livello di misticismo.

9. RELIGIONE E MISTICISMO - L'esperienza mistica è principalmente un fatto, carico di significato per la vita religiosa del mistico, perché dobbiamo riconoscere l'esistenza psicologica degli stati caratteristici che comprendono un certo tipo di coscienza in cui i simboli sensoriali e le nozioni del pensiero astratto e discorsivo sembrano, per così dire, annientati e in cui l'anima si sente unita in contatto diretto con la realtà che possiede. Il mistico sente che ha una percezione più profonda e una luce più grande nella sua esperienza della realtà sublime qualsiasi essa sia. Questo è il fenomeno che comunemente si chiama misticismo.

La natura del misticismo può essere compresa dalla sua definizione o descrizione. Anzitutto dobbiamo osservare che il misticismo non è l'occulto né è nessuno dei fenomeni paranormali come la lettura del pensiero, la telepatia, o la levitazione. Molti mistici autentici possono aver avuto questi poteri, ma non sono essenziali al fenomeno mistico come tale. Per poter comprendere tutti i tipi di misticismo possiamo dire che l'esperienza mistica è la percezione diretta dell'essere eterno, concepito o in termini personali, oppure semplicemente come uno stato di coscienza. È un'esperienza sovrarazionale, meta-empirica, intuitiva, unitaria di un «qualcosa» senza tempo, senza spazio, immortale, eterno, e questo qualche cosa può essere un Dio personale, o un'Assoluto sovrapersonale o meramente uno stato di coscienza. È la realizzazione di questa «unicità» con o dentro qualcosa che trascende l'io empirico, sia che questa unicità venga sentita in identità totale o in unione intima. Il denominatore comune in diversi tipi d'esperienza mistica è la perdita del senso della personalità o coscienza dell'ego in un tutto più grande. Il mistico si sente trapiantato oltre il tempo e lo spazio in un eterno «presente» nel quale la morte non può avere rilevanza alcuna, e la condizione naturale dell'uomo è vista come una sicura immortalità.

Avendo dato una definizione generale del misticismo, ora possiamo procedere a esaminare la distinzione fra tre tipi d'esperienza mistica: l'*estatica*, l'*enstatica* e la *teista*.

Nell'esperienza di tipo *estatico* l'anima si sente unita alla vita incessante di tutte le cose. In questa esperienza la barriera fra l'«io» e il «non io», il soggetto che fa l'esperienza e il mondo oggettivo, sembrano svanire, e il tutto è visto come una cosa sola e l'uno come il tutto. Il nucleo dell'esperienza è che l'individualità stessa sembra dissolversi e svanire, e questo porta gioia e pace. Questa esperienza può essere fatta da gente di ogni religione e anche da gente che non ha nessuna fede, per questo talvolta è chiamata misticismo di natura. Come espressione religiosa la vediamo collegata all'illuminazione zen.

Il secondo tipo d'esperienza è quella nella quale l'anima si tuffa nella sua più profonda essenza da cui tutto ciò che è fenomenico, transiente, e condizionato scompare e vede se stessa come un tutto infrazionato e privo di tutte le dualità della vita mondana. È l'esperienza dell'unicità assoluta o dell'essenza spirituale più intima dell'io nel suo essere più profondo. Quando l'assoluta unicità dell'io spirituale è sperimentata può diventare un tipo d'esperienza monista (non dualista). Le *Upaniṣad* interpretano questo, nel senso che quando l'uomo arriva a questo stato, allora egli si rende conto d'essere veramente l'Assoluto; egli è la natura divina stessa, di cui Dio è soltanto la semi-illusoria prima emanazione. Nessuna religione ha alcuna rilevanza salvo che sia un segnale di ineffabile Uno che in realtà siamo noi tutti. Questa è la posizione dei sistemi non-dualisti.

L'esperienza *enstatica* è come quella estatica nella misura in cui in entrambe sia il tempo che lo spazio sono trascesi. Mentre nell'esperienza estatica l'«io» sembra unirsi al mondo come pure il mondo all'«io», nell'esperienza enstatica la molteplicità scompare e non rimane che l'unicità infrazionabile. Nello stato enstatico l'unità d'essere viene sentita dentro l'io, un'esperienza della presenza dell'immensità del divino nell'anima. Questa è un'esperienza dell'io spirituale nella sua universalità, totalità ed espansività dall'io stesso.

Il terzo tipo è il misticismo dell'amore per Dio *teista*. Nell'esperienza indù della suprema *bhakti* (amore di Dio) incontriamo questo tipo d'esperienza della viva participazione dell'anima all'essere di Dio. Tramite la *bhakti* l'uomo liberato sperimenta la natura di Dio per mezzo di una conoscenza intuitiva, dato che arriva a conoscere Dio perché egli è dentro di lui. Il più recondito io va oltre il tipo d'esperienza che dice «io voglio», «io desidero», «io conosco». Ha i suoi propri modi di conoscere, amare, fare esperienze, che è un modo divino, non un modo umano, una via di unione, unicità, «sposalizio» in cui non vi è più un'individualità psicologica separata che attira tutte le cose buone e vere a sé, e così ama e conosce per se stesso.

L'esperienza yoga e non dualista ha un contatto immediato e diretto con il centro intimo della spiritualità dell'anima nella sua perfetta interiorità e totalità, e con la base più profonda dell'attività dell'anima. In realtà è una discesa nella vera sorgente della bontà ontologica, nell'essere dell'anima creata. Il pericolo di questo tipo di misticismo è di resistere a, o di assolutizzare, l'esperienza dell'io. Questo infatti è stato il caso dei non dualisti in India. Questo sbaglio è facile da commettere. A meno che non si conosca Dio o per fede o per esperienza, si può facilmente scambiare l'immagine di Dio – anche se è purificata dall'ascetismo e dal totale distacco da tutte le cose temporali – con lo stesso Dio vivente, riflesso dall'immagine. Nel caso del misticismo dell'amore di Dio, i mistici attraverso un'intenso amore per Dio, fanno l'esperienza di un'unione mistica con lui. Qui vediamo agire la grazia soprannaturale di Dio, perché questo tipo di misticismo non può essere indotto dal solo potere dell'uomo. Per quanto l'uomo possa tentare tutti i tipi di tecniche e di mezzi, egli non arriverà mai a questo misticismo d'amore che è sentito come un dono puramente gratuito di Dio. Ma a riguardo di altri tipi di esperienze trascendentali, esse possono essere indotte da tecniche, come per esempio dallo yoga, e da altri mezzi.

Abbiamo esposto la natura del misticismo, i suoi vari tipi, visto il suo significato e la sua importanza nella scena religiosa contemporanea sia all'ovest che all'est, e visto l'apparire di nuove → sette e di nuovi movimenti religiosi sotto l'influenza delle religioni orientali. La cosa importante

da notare qui è che non tutti i tipi di misticismo sono religiosi; vi sono misticismi naturali e misticismi profani, che non hanno nessuna relazione con il sacro, con il divino o con Dio. Essi mirano alla perfezione di sé in vari modi per poter avere una maggiore padronanza spirituale su se stessi, per poter migliorare la propria capacità spirituale, e per poter dominare l'esperienza empirica e la vita in cui una persona viene a trovarsi. Queste possono essere pratiche legittime e possono essere utili nelle tecniche di meditazione, per esempio, e anche nelle discipline religiose, sebbene in se stesse non siano necessariamente religiose.

Bibl. - W. Schmidt, *The Origin and Growth of Religion*, London 1930; G. van der Leeuw, *Religion in Essence and Manifestation*, New York, 1936; M. Eliade, *Patterns in Comparative Religion*, London 1958; H. Smith, *The Religions of Man*, New York 1958; R. Otto, *The Idea of the Holy*, London 1959; R.C. Zaehner, *At Sundry Times*, London 1960; Id., *Concordant Discord*, Oxford 1970; J. Wach, *The Comparative Study of Religions*, New York 1963; W. Cantwell Smith, *The Meaning and End of Religion*, New York 1964; E.E. Evans-Pritchard, *Theories of Primitive Religion*, Oxford 1965; L. Newbigin, *Honest Religion for Secular Man*, London 1966 (tr. it. Assisi 1968); A. Richardson, *Religion in Contemporary Debate*, London 1966; H.D. Lewis, *Philosophy of Religion*, London 1967; S. Radhakrishnan, *Religion and Culture*, Delhi 1968; F.J. Streng, *Understanding Religious Man*, Belmont 1969; A. von Hildebrand, *Introduction to a Philosophy of Religion*, Chicago 1970; W. Richard Comstock (ed.), *Religion and Man*, New York 1971; M. Dhavamony, *Phenomenology of Religion*, Roma 1973; Id., «Self-understanding of World Religions as Religion», in *Greg* 54 (1973) 91-130.

MARIASUSAI DHAVAMONY

II. Fenomenologia

1. INTRODUZIONE - Prima di tutto dobbiamo chiarire in che senso parliamo qui di fenomenologia della religione. Non l'intendiamo nel senso della scuola filosofica rappresentata da Husserl e dai suoi seguaci, come

Heidegger, Sartre, Merleau-Ponty; questa scuola adopera il metodo fenomenologico nella trattazione di cinque concetti fondamentali: descrizione, riduzione, essenza, intenzionalità e mondo. Presa in questo senso la fenomenologia della religione è quella parte della filosofia fenomenologica che s'interessa dello studio della religione. La fenomenologia della religione non è neppure la filosofia della religione (→ Religione, VI) intesa in senso hegeliano. Hegel intese organizzare tutta l'attività umana − come l'arte, il diritto, la religione, ecc. − in un dato sistema e applicare a ciascun settore metodi d'indagine filosofica; in questo senso la filosofia della religione tratta della consistenza filosofica delle dottrine religiose e cerca di scoprire, sotto le varie forme di espressione religiosa culturalmente condizionate, i loro presupposti comuni. Nel senso in cui l'intendiamo qui, la fenomenologia della religione è la trattazione sistematica della storia delle religioni (→ Religioni, III), il cui compito è quello di classificare e raggruppare i dati numerosi e ampiamente divergenti in modo tale da ottenere un quadro globale dei loro contenuti *religiosi* e del loro significato *religioso*. È più esatto chiamarla fenomenologia storica della religione, per evitare di confonderla con la disciplina filosofica.

2. FENOMENOLOGIA STORICA DELLA RELIGIONE - C. de la Saussaye, uno dei fondatori dello studio comparato della religione, fu il primo a introdurre il termine e il concetto di fenomenologia nella scienza della religione (*Lehrbuch der Religionsgeschichte*, 1887: «Die Phenomenologie der Religion», 48ss). Ma il termine è più antico del suo manuale. Già lo usarono Kant, Fries ed Hegel nel senso di teoria filosofica circa il processo della conoscenza. Non possiamo dire con certezza se de la Saussaye prese il termine da questi filosofi, oppure no; comunque egli non lo usò nel senso

inteso da loro, ma nel contesto dello studio comparativo della religione, nella misura in cui lo storico della religione non studia soltanto i singoli fatti, ma li confronta per cogliere il loro significato. Notiamo che questo uso della fenomenologia era anteriore allo sviluppo della filosofia fenomenologica di Husserl. La fenomenologia di de la Saussaye fu un tentativo di ricercare l'essenza e il significato dei fenomeni religiosi e di raggrupparli secondo un criterio tipologico, indipendentemente dallo spazio e dal tempo. Questa iniziale fenomenologia della religione era empirica e divenne una disciplina intesa a classificare i fenomeni religiosi. Egli prese in considerazione un certo numero di forme religiose che si riscontrano universalmente e in ogni epoca: per esempio gli dèi, la magia e la divinazione, il sacrificio e la preghiera; dedicò un'intera sezione esplicitamente alla mitologia. Mise anche in guardia dai metodi dello strutturalismo e della psicologia del profondo applicati a scoprire nei miti dei supposti significati nascosti e inconsci: «Nostro compito non è di ricercare un nucleo razionale in racconti irrazionali, ma di descrivere le origini e lo sviluppo di un mito». Tuttavia, la fenomenologia della religione, come veniva studiata da E. Lehmann e dai suoi contemporanei, risentì dei generali presupposti evoluzionistici del tempo e delle deviazioni teologiche o anti-teologiche.

Il primo trattato importante sulla fenomenologia della religione fu scritto da G. van der Leeuw il quale, nel rispetto dei dati religiosi e della loro particolare intenzionalità nel descriverli, riteneva che il compito primario del fenomenologo fosse quello di far luce sull'intima struttura dei fenomeni religiosi in quanto specificamente religiosi. Tuttavia, poiché non era molto interessato alla *storia* delle strutture religiose, egli evitò di descrivere le strutture particolari di specifiche forme di vita religiosa. Sebbene fosse stato molto influenzato dalla *Gestaltpsychologie* e dalla *Strukturpsychologie*, nonché dalla *Phänomenologie* di Husserl, van der Leeuw restò un fenomenologo religioso, nel senso che in tutte le sue interpretazioni fu attento ai dati religiosi come tali e alla loro speciale intenzionalità; inoltre, egli sostenne con chiarezza la irriducibilità dei fenomeni religiosi a funzioni sociali, psicologiche o razionali. Tuttavia andò fuori strada con il ridurre la totalità dei fenomeni religiosi alle tre *Grundstrukturen*: dinamismo, animismo e deismo. Il difetto più grosso del suo metodo di studio fu il disinteresse per la storia delle strutture religiose; infatti, anche le esperienze religiose più elevate (per es. le esperienze mistiche) si presentano mediante strutture specifiche ed espressioni culturali storicamente condizionate. La sua non fu una fenomenologia storica. Ma questi limiti non diminuiscono l'importanza della sua opera.

L'interesse del *Das Heilige* di R. Otto nella storia dello studio scientifico della religione sta nel fatto che egli, invece di studiare i concetti di Dio e di religione, analizza le modalità dell'esperienza religiosa. Dotato di grande acume psicologico e ben preparato sia come teologo sia come storico delle religioni, egli riuscì a raggiungere una comprensione fenomenologica delle caratteristiche specifiche dell'esperienza religiosa. Si soffermò soprattutto sull'aspetto non-razionale dell'esperienza religiosa, andando al di là del suo aspetto razionale e speculativo, senza però negarlo.

Il grande maestro dell'odierna fenomenologia della religione è M. Eliade, i cui intenti e obiettivi sono chiaramente espressi nel suo *Traité d'Histoire des Religions*. Un fenomeno religioso può essere riconosciuto come tale soltanto se viene colto al suo proprio livello, vale a dire se è studiato come qualcosa di religioso.

Cercare di cogliere l'essenza di un simile fenomeno servendosi della psicologia, della sociologia, dell'antropologia, della linguistica o di altro genere di studi, falsifica; viene trascurato l'unico tipico e irriducibile elemento che vi è in esso, l'elemento del sacro. Ovviamente non esistono fenomeni puramente religiosi; nessun fenomeno può essere soltanto ed esclusivamente religioso. Siccome la religione è un fatto umano, per ciò stesso essa è qualcosa di sociale, qualcosa di linguistico, qualcosa di culturale; non si può pensare a un uomo prescindendo dalla società, dalla cultura, dal linguaggio. Ma sarebbe improprio voler spiegare la religione in quanto religione per mezzo di una qualunque di queste basilari funzioni che, in realtà, non sono più che un modo diverso di dire ciò che l'uomo è. I suoi libri esaminano fenomenologicamente le diverse ierofanie, prendendo il termine nel suo significato più ampio di qualunque cosa che manifesti il sacro. Studia le differenti forme espressive del sacro e mostra come esse convergano in un sistema coerente. I vari complessi religiosi non vengono spezzettati, per il fatto che ogni classe di ierofanie forma a suo modo un insieme dal punto di vista morfologico (avendo a che fare con dèi, miti, simboli, ecc.) e dal punto di vista storico (perché spesso lo studio si deve estendere a molteplici culture che si differenziano nel tempo e nello spazio).

Gli scritti di M. Eliade hanno dato un grande contributo a quella che viene chiamata morfologia religiosa, o fenomenologia genetica. Egli si rese conto della notevole inadeguatezza dell'approccio di van der Leeuw e dedicò la sua attenzione alle specifiche strutture ed espressioni culturali come storicamente si presentano e nelle quali si esprime la vita religiosa. Secondo Eliade, il compito di fenomenologo consiste nel capire e nell'esporre il valore religioso contenuto nelle differenti espressioni in cui, attraverso simboli e miti, il sacro si manifesta, in opposizione al profano. Il modello del comportamento religioso si presenta come l'imitazione degli atti e dei modelli creativi del divino. Queste strutture di coscienza sono storicamente e culturalmente condizionate. Per questo la sua fenomenologia può essere considerata genetica o storica.

È vero che Eliade offre la presentazione tematica di alcuni fenomeni religiosi, largamente desunti da concezioni arcaiche ed esotiche, e li pone a confronto sul piano del simbolismo tenendo poco conto del loro più ampio contesto storico e sociale, e questa secondo lui è «storia delle religioni»; ma il suo atteggiamento metodologico indica chiaramente la sua tendenza fenomenologica.

Nel suo *At Sundry Times*, R.C. Zaehner affronta il problema di come un cristiano dovrebbe considerare le religioni non-cristiane e come potrebbe rapportarle alla propria. Egli cerca di dimostrare che le maggiori tendenze dell'→ induismo e del → buddhismo da una parte e dello zoroastrismo dall'altra s'incontrano con la → rivelazione cristiana e in essa trovano il loro compimento. Per cui egli dice che «il cristianesimo porta a compimento sia la tradizione mistica dell'India che culmina nella *Bhagavad-gītā* e nella dottrina del Bodhisattva, sia le speranze di Zoroastro, il profeta dell'antico Iran. In Cristo le due correnti s'incontrano, si armonizzano e si riconciliano come in nessun altro accade: infatti Cristo porta a compimento non solo la Legge e i profeti d'Israele, ma anche il "Vangelo secondo i Gentili" come veniva predicato in India e in Iran». La cosa importante da notare a questo proposito è che R.C. Zaehner non vuol dire che il cristianesimo è una ricostruzione degli aspetti migliori delle religioni mondiali messi insieme a formare un complesso, ma che le aspirazioni religiose delle religioni mondiali trovano la loro perfezione e il loro compimento nel complesso della rivelazione cristiana.

G. Widengren ritiene che la fenomenologia della religione sia un metodo incontrovertibile ed è d'accordo con una trattazione complessiva di essa. Ma il suo rapporto con la storia è essenziale per evitare il pericolo di presentare soltanto un aspetto statico dei fenomeni religiosi. Per lui è scontato che a volte ci potrà essere una sovrapposizione tra storia e fenomenologia. Se la collocazione storica dei fenomeni religiosi è di particolare importanza per l'interpretazione fenomenologica, allora sarà necessario presentare i corrispondenti fenomeni nelle loro particolari strutture all'interno di una data religione particolare. Non si può semplicemente prelevare un dettaglio dalla struttura globale, considerarlo come fatto tipico e metterlo a confronto con altri fenomeni tipici, specialmente quando un particolare aspetto del fenomeno è fortemente marcato. Inoltre, l'evoluzione storica può anche venir spiegata nel quadro di una trattazione fenomenologica globale di tipo comparativo.

J. Bleeker distingue tre modi di concepire la fenomenologia della religione: *a.* la scuola descrittiva più antica che si contenta di classificare e descrivere i fenomeni religiosi; *b.* il procedimento tipologico, in cui vengono abbozzati i differenti tipi di religione e se ne rileva il significato religioso senza troppo preoccuparsi dei presupposti metodologici; *c.* l'approccio fenomenologico che coerentemente impiega i principi fenomenologici al fine di capire in profondità l'essenza e la struttura dei fenomeni religiosi. Personalmente egli opta per quest'ultimo metodo di studio. Bleeker ha proposto tre costrutti teorici per descrivere il compito dello studio fenomenologico della religione. Nei fenomeni religiosi egli distingue tre dimensioni nelle quali il fenomenologo deve indagare nella sua ricerca: *a*. la «theoria» svela il significato religioso dei fenomeni; *b*. il «lógos» dei fenomeni penetra nella struttura delle diverse forme di vita religiosa, nella quale si possono rilevare quattro differenti categorie (forme costanti, elementi irriducibili, punti di cristallizzazione e fattori tipici); *c*. «entelécheia» è il fenomeno religioso secondo il modo in cui un'essenza si manifesta nella dinamica o evoluzione visibile nella vita religiosa dell'umanità.

R. Pettazzoni concepiva la fenomenologia religiosa come intelligenza religiosa della storia. Fenomenologia religiosa e storia non sono due scienze diverse, ma aspetti complementari della scienza religiosa nella sua integralità. Giustamente egli reagì contro un tipo di fenomenologia che presumeva di fare a meno di indagare l'origine e l'evoluzione storica dei fatti religiosi. A ragione osserva che dovremmo stare attenti a dividere la scienza della religione in due differenti scienze, una storica e l'altra fenomenologica. Se il metodo storico insistesse esclusivamente sulla ricerca filologica e fosse eccessivamente interessato alle manifestazioni «culturali» della religione invece che ai valori essenziali della vita e dell'esperienza religiosa, allora perderebbe di vista il senso proprio del fatto religioso stesso. Qui, come spesso accade nella ricerca religiosa, non si tratta di scegliere «o la fenomenologia religiosa o la storia delle religioni», ma di servirsi di ambedue lavorando in accordo, in analogia e interconnessione. Molti studiosi, in questi ultimi anni, hanno tentato di mettere insieme queste due operazioni intellettuali, dal momento che tutt'e due sono ugualmente importanti per una conoscenza adeguata dell'«homo religiosus».

Tuttavia non possiamo accettare la posizione teoretica di Pettazzoni nei confronti della religione. Formatosi sotto l'influsso dello storicismo di Croce, egli sosteneva che la religione è un fenomeno di natura puramente storica e che col tempo sarebbe divenuto un fatto sorpassato e sarebbe persino scomparso del tutto, appunto come la storia o la letteratura, l'epigrafia o l'archeologia dell'antica Grecia.

Alcuni studiosi usano il termine fenomenologia della religione con un diverso significato, cioè come lo studio di una particolare religione, intesa come struttura organica in un certo arco di tempo, senza tener conto delle origini storiche delle varie idee e pratiche, limitando l'interesse al significato che hanno per il credente. Questo modo d'intendere la fenomenologia della religione non è comunemente ammesso. La nozione comunemente accolta di fenomenologia della religione è quella che comporta lo studio comparato dei fenomeni religiosi, dal momento che desume il proprio materiale dalla storia delle singole religioni; il materiale viene ordinato secondo una prospettiva sistematica, invece che storica. Per esempio, viene posta la domanda: che cosa credono le diverse religioni su Dio? Quali concezioni di Dio in realtà troviamo in esse? Oppure, che cosa credono riguardo al male, alla salvezza, alla vita dopo la morte?

3. TIPOLOGIA, STRUTTURA, MORFOLOGIA - La fenomenologia della religione non si propone di mettere le religioni a confronto tra loro come vaste unità, ma coglie i fatti e i fenomeni similari che incontra nelle diverse religioni, li mette insieme e li studia in gruppo. Lo scopo è quello di giungere a una comprensione più profonda e più precisa perché, studiati in gruppo, i dati si illuminano a vicenda. Nella fenomenologia della religione consideriamo i fenomeni religiosi non soltanto nel loro contesto storico, ma anche nel loro nesso strutturale.

La tipologia è lo studio dei tipi; un tipo è costituito da un campionario di tratti caratteristici di un individuo, di un gruppo o di una cultura che li distinguono da altri individui, gruppi, ecc. I tipi sono usati nella supposizione che forniscano uno strumento di classificazione di persone e gruppi che è utile ai fini dell'analisi. Un tipo ideale è una costruzione mentale costituita dalla configurazione di elementi caratteristici di una certa classe di fenomeni che servono all'analisi. Gli elementi vengono desunti sulla base di osservazioni di esempi concreti dei fenomeni in studio, ma il quadro mentale che ne risulta non è detto che corrisponda esattamente a ogni singola osservazione empirica. Il tipo ideale è un'importante tecnica metodologica, uno strumento di ricerca, usato per descrivere, confrontare e verificare ipotesi relative alla realtà empirica. Questi tipi artificiali sono fatti con dei criteri (elementi, tratti particolari, aspetti e così via) che hanno un riscontro costatabile nel mondo empirico, o che possono essere legittimamente desunti dall'evidenza empirica, o anche le due cose insieme. Il tipo costruito non fornisce soltanto un mezzo per ordinare i dati, ma serve anche a rendere più facile la generalizzazione.

La struttura è il rapporto di fondo e relativamente costante tra elementi, parti o modelli in un tutto unificato e organizzato. La struttura non è un collegamento direttamente sperimentato e neppure logicamente o causalmente astratto, ma intenzionale; è un tutto organico le cui parti non possono essere analizzate, ma che può essere intuito sulla base di esse. La struttura è la realtà organizzata in modo significativo, però il significato dipende sia dalla realtà, sia dal soggetto che cerca di comprenderla. Essa quindi è qualcosa di comprensibile e anche intelligenza che comprende.

La morfologia è lo studio della forma, del modello, della struttura o conformazione; è un tutto integrato, non una semplice somma di unità o parti; i processi e i comportamenti mentali non possono essere analizzati, senza un pro-memoria, e ridotti a unità elementari, dal momento che totalità e organizzazione costituiscono le caratteristiche di partenza di tali processi; la struttura è il mettere insieme, è l'ordinamento delle parti componenti e la loro organizzazione in un tutto complesso; un tutto organico che si ordina in unità di esperienza, con richiamo all'interdipendenza di posizione e di funzione delle loro parti. La funzione di struttura è una proprietà o attività che è in rapporto, o dipende dall'azione di un tutto, invece che dall'azione di qualcuna delle parti del tutto.

Nello studio scientifico delle religioni, la tipologia della religione è intesa in vari modi. Nel caso nostro il concetto di tipo indica qualcosa che è comune a diverse religioni e che è tipicamente unico e peculiare di ogni religione. Quando gli studiosi indagano sull'essenza specifica di una particolare religione, essi cercano di fare una tipologia della religione, ponendo in luce le particolarità proprie di ogni singola religione. Questa tipologia considera le religioni come dei complessi e degli organismi che studia e considera da due lati diversi: dal lato di quanto, nel loro complesso, hanno in comune di tipico e dal lato della loro tipica unicità in questo complesso.

La tipologia delle religioni può essere definita anche come divisione delle religioni secondo un determinato principio. N. Söderblom, per esempio, divideva le religioni mondiali in animistiche, dinamistiche e religioni fondate. F. Heiler distingueva tra religioni mistiche e religioni profetiche. H. Frick le divideva in religioni attive e religioni del perdono. Il principio su cui si basa la divisione non necessariamente è uno solo; ve ne possono essere molti e che dividono le religioni in molte categorie. Lo scopo della tipologia delle religioni è quello di far emergere le caratteristiche tipiche comuni che si riscontrano nel complesso di ciascuna religione; il che vuol dire che essa denota più che una semplice tipologia delle religioni. Di queste caratteristiche costitutive comuni ve ne possono essere più di due o tre nel «tipo» in questione. A volte una stessa religione può appartenere a più di un tipo. Il cristianesimo, per esempio, appartiene al tipo di religione fondata, di religione profetica e di religione del perdono; mentre → l'islam, che pure appartiene al tipo di religione fondata e profetica, non fa parte del tipo di religione del perdono. L'induismo non è né una religione fondata, né una religione profetica, ma una religione mistica. Quindi, vi possono essere molti tipi di religione e una stessa religione può appartenere a più di un tipo.

4. OBIETTIVI DELLA FENOMENOLOGIA DELLA RELIGIONE - Molte sono le discipline che s'interessano dei fenomeni religiosi. Il filologo si sforza di interpretare correttamente il significato di un testo che tratta l'argomento religioso. L'archeologo mira alla ricostruzione della pianta di un antico tempio o a spiegare l'argomento di una scena mitica. L'etnologo traccia i dettagli di certe pratiche e riti religiosi di popoli «primitivi». Il sociologo cerca di comprendere l'organizzazione e la struttura di una comunità religiosa e i suoi rapporti con la realtà del mondo. Lo psicologo analizza l'esperienza religiosa di svariate persone. Tutti questi studiosi s'interessano del dato religioso nell'ambito dello scopo e nei limiti della propria scienza, applicando i metodi specifici delle loro discipline. Questi studi e le loro conclusioni contribuiscono ad ampliare e approfondire la nostra conoscenza dei fenomeni religiosi, ma

non trattano della natura essenziale e specifica di questi fenomeni religiosi. Essendo un fatto umano, il fenomeno religioso è anche culturale, sociale, psicologico e religioso. Quindi può essere studiato sotto l'aspetto della sua manifestazione culturale, sociale, psicologica e religiosa. La fenomenologia storica delle religioni studia il fenomeno in quanto specificamente religioso, piuttosto che in quanto culturale, sociale o psicologico.

La fenomenologia della religione non si limita alla verifica e alla spiegazione analitica dei singoli dati come vengono studiati separatamente dalle varie discipline specializzate. Essa cerca di coordinare tra loro i dati religiosi per determinare rapporti e raggruppare i fatti secondo quei rapporti. Se si tratta di rapporti di forma, essa classifica i dati religiosi per tipi; se i rapporti sono di ordine cronologico, li ordina in serie. Nel primo caso la scienza delle religioni è puramente descrittiva; nel secondo caso, quando i rapporti non sono un puro fatto cronologico, ossia quando la successione degli eventi corrisponde a un'evoluzione interna, la scienza della religione diventa una scienza storica, la storia delle religioni. Non basta conoscere con esattezza i fatti e il modo in cui accaddero; ciò che soprattutto vogliamo conoscere è il significato di ciò che accade. Questa comprensione del significato dei fenomeni religiosi si può ottenere a due livelli: storico e fenomenologico. Il significato storico è comune a quello dei fenomeni anche non religiosi; mentre per rilevare il significato fenomenologico l'indagine si rivolge al fenomeno religioso non soltanto come fatto storico e socio-culturale, ma in quanto specificamente religioso. Indubbiamente, la fenomenologia rappresenta una reazione tanto legittima quanto lodevole contro una storia delle religioni che si cura esclusivamente della ricerca filologica specializzata e s'interessa soltanto delle manifestazioni culturali della religione e molto poco dei valori essenziali della vita e dell'esperienza religiosa. A nostro parere essa è insieme storia e fenomenologia. I fenomeni religiosi non cessano di essere realtà storicamente condizionate per il solo fatto che vengono raggruppati in questa o quell'altra struttura. La ricerca fenomenologica corre il rischio di dare un uguale significato a fenomeni la cui somiglianza non è che il frutto della riflessione ingannevole sulla convergenza di evoluzioni che nella loro essenza sono diverse; o, al contrario, corre il rischio di non afferrare il significato univoco di certi fenomeni la cui effettiva somiglianza nel genere è celata sotto un'apparente e solo esteriore dissomiglianza. La fenomenologia sa di dipendere dalla storia e che le conclusioni cui giunge sono sempre suscettibili di revisione a motivo del continuo progresso della ricerca storica.

La fenomenologia – scrive Pettazzoni – «fornisce alle discipline storiche quel senso del religioso che esse non sono in grado di carpire. Così intesa, la fenomenologia religiosa è la comprensione (*Verständnis*) religiosa della storia; è la storia nella sua dimensione religiosa». Per non correre rischi, bisognerebbe chiarire che il fenomenologo della religione cerca di capire a due livelli: primo, a livello del posto che occupa un aspetto religioso saliente in un determinato contesto socio-culturale; secondo, a livello dell'importanza più generale che un elemento religioso riveste in un contesto più ampio; si tratta di capire, cioè, il suo significato teoretico.

La fenomenologia storica della religione è una scienza umana empirica e si serve della ricerca storica e fenomenologica. I suoi criteri di valutazione non sono desunti da alcuna fede particolare, cristiana o non-cristiana. Essa non pronuncia giudi-

zi di valore dei fenomeni che studia dal punto di vista della verità o della forza soprannaturale; per cui essa non è una scienza normativa. Essa mette a confronto i fenomeni religiosi di religioni diverse senza l'intento di proporre alcun esclusivismo o sincretismo. Nella fenomenologia storica della religione le somiglianze fra le diverse religioni sono altrettanto importanti quanto le differenze e va mantenuto il carattere proprio e specifico di ciascuna religione. Il confronto lo fa soltanto per approfondire il senso dei fenomeni religiosi che studia.

5. IL METODO FENOMENOLOGICO - Abbiamo spiegato prima che il fenomenologo della religione studia i fenomeni religiosi in quanto specificamente religiosi e centra l'attenzione sul significato religioso di questi dati come vengono presentati dalla storia delle religioni. L'aspetto religioso è l'aspetto più vitale della vita umana nella misura in cui il fenomenologo è pienamente consapevole che la religione è la dimensione più profonda e più nobile dell'esistenza spirituale e intellettuale dell'uomo, sebbene conosca i propri limiti nell'impresa di entrare nella profonda interiorità dell'anima religiosa. Gli agnostici potrebbero presumere di essere gli unici in grado di giungere all'oggettività in questo campo di studio, con il pretesto che solo da loro ci si può aspettare che siano liberi da pregiudizi religiosi. Sembra, invece, che sia esattamente il contrario. Chi legge attentamente lo studio di Dupont-Sommer sui Rotoli del Mar Morto si accorge di quanto sia falsa questa pretesa; infatti, nella preoccupazione di ridurre il Maestro di giustizia di cui parlano i Rotoli quasi a una copia esatta di Gesù Cristo, Dupont-Sommer si permette di cambiare, correggere e «completare» il testo dei Rotoli in un modo che lascia sorpresi in quella che è ritenuta una disciplina accademica.

La religione dovrebbe certamente essere studiata razionalmente, perché «la ragione è la scala di Dio sulla terra», ma non potrà mai essere pienamente capita mediante la sola ragione. Dio – come sottolinea R. Otto – è un mistero tremendo. Quindi, se il fenomenologo della religione non conosce per esperienza personale di vita ciò che significa pregare, la sua opinione sulla preghiera non avrà alcun valore.

I fatti religiosi sono soggettivi nel senso che costituiscono la dimensione religiosa dello spirito umano, il suo modo di vedere le cose, o d'interpretarle. Nello stesso tempo questi fatti e le loro interconnessioni sono oggettivi nel senso che non sono il prodotto della mente della persona religiosa, ma verificabili da un osservatore indipendente. Mediante la convergenza di osservazioni diverse si può scoprire che una tribù pratica cerimonie di espiazione perché teme lo sdegno degli dèi; questa conclusione si riferisce a un complesso dotato di evidenza propria. Bisogna escludere quel tipo di soggettività che potrebbe viziare la ricerca scientifica. L'oggettività consiste nel lasciar parlare i fatti. Questo è ciò che significa il principio di *epochê* nella fenomenologia storica della religione.

Epochê significa la sospensione del giudizio preconcetto davanti al fenomeno, perché possa parlare da solo. Un giudizio preconcetto, o pregiudizio, può essere culturale, filosofico e persino teologico nei confronti di una religione diversa. Uno studioso si deve liberare da simili pregiudizi per assicurare oggettività ed equanimità alla sua ricerca. Egli deve mettere da parte la sua fede; in altre parole, la sua fede personale non deve interferire nella comprensione di altre fedi. Il fenomenologo dovrebbe pure avere un atteggiamento di empatia nei confronti di altre religioni. L'empatia (*Einfühlung*) è la capacità di proiettarsi nel contesto della fede di altre persone per poterla comprendere appieno. È la capacità di capire il comportamento di un'altra persona sulla base della propria esperienza.

Come studioso, il fenomenologo deve saper distinguere il compito di spiegare il significato del fenomeno religioso che la sua materia gli presenta, dalla responsabilità di valutarlo in quanto appartenente a una fede particolare. Non spetta al fenomenologo giudicare le basi sulle quali si fondano le credenze religiose e chiedersi se i giudizi religiosi sono oggettivamente validi. Questo rientra nell'ambito della filosofia o della teologia delle religioni (→ Religione, VII). Tuttavia, il fatto che le persone religiose emettono giudizi di ordine religioso che influiscono sulle loro azioni e il loro comportamento, che accettano norme e regole nella espressione delle loro convinzioni religiose, è materia di ricerca effettiva. Ciò significa che il fenomenologo deve indagare sulla loro precisa natura senza sentirsi autorizzato a decidere il valore religioso o morale del caso in oggetto.

Il secondo principio, quello della *visione eidetica* nella metodologia della fenomenologia religiosa, si propone come obiettivo la ricerca del significato essenziale dei fenomeni religiosi; la comprensione del significato dei fenomeni religiosi viene raggiunta sempre e soltanto attraverso la comprensione dei gesti espressivi. L'espressione comprende parole e segni di ogni genere, come pure comportamenti gestuali, quali la danza. È attraverso i gesti espressivi che noi capiamo altre mentalità religiose e in esse ci immedesimiamo con la riflessione, il ripeterne l'esperienza, l'empatia e l'intuizione immaginativa. Diversamente daremmo l'impressione di entrare nella mentalità di altre persone per mezzo di una sorta di scrutazione diretta. Capire significa afferrare un contenuto mentale cui allude un certo tipo di espressione. Le osservazioni sono i processi conoscitivi primari con i quali devono iniziare gli studi sull'uomo. Il che non significa che siano infallibili o che non possono essere ulteriormente analizzati. Nell'ambito della fenomenologia storica della religione vi sono svariati tipi di osservazione a livelli diversi di complessità; tuttavia questi diversi tipi trovano unità nel loro scopo, che è quello di afferrare l'intimo significato di un fenomeno religioso. Questa unità d'intento delle diverse osservazioni è ciò che conferisce a ogni disciplina il suo specifico carattere ed evita il livellamento. Capire una poesia non è la stessa cosa che capire i processi mentali del suo autore e non dipende da questi, sebbene alcuni aspetti della poesia possano essere meglio compresi se si conoscono tali processi. Quindi, capire un gesto religioso non è la stessa cosa che capire i processi mentali di esso e non dipende da questi; il che significa che non possiamo ridurre il significato del fatto religioso al processo psicologico che lo genera, sebbene la conoscenza di questo possa aiutare a comprenderlo.

Come dicevamo prima, comprendere un fenomeno religioso significa porsi in atteggiamento di empatia verso l'esperienza, i pensieri, le emozioni, le idee ecc., di un'altra persona. Questo atto d'intelligenza non significa ripetizione sperimentale dell'esperienza, dell'emozione, o del pensiero di un'altra persona. La sperimentazione imitativa o riproduttiva non è neppure una condizione per capire l'esperienza di un altro. Per esempio, uno può essere veramente calmo nel momento che dice che un altro è eccitato; una persona serena può riconoscere che un'altra persona è triste. Tuttavia uno dovrebbe aver sperimentato in antecedenza e in prima persona la tristezza per capire realmente la tristezza di un'altra persona. La sperimentazione riproduttiva conferisce certamente una più chiara e dettagliata comprensione delle esperienze di altre persone. Se uno non ha mai fatto l'esperienza, in qualche modo, di un gesto o rito religioso, non potrà mai capire, da dentro, il significato di questo gesto religioso.

Ma un approccio di questo genere alle credenze religiose di altre persone, non corre forse il rischio del soggettivismo, per il fatto che uno intraprende l'analisi dei fenomeni religiosi partendo dalla propria fede ed esperienza? Per questo motivo alcuni pensano che l'unico modo di evitare l'accusa di parzialità è affermare a priori la fondamentale uguaglianza di tutte le religioni. Questa posizione è evidentemente inammissibile, perché la loro affermazione aprioristica implica anch'essa un giudizio di valore, o meglio sposta la questione. Per sostenere a priori la fondamentale eguaglianza di tutte le religioni bisognerebbe supporre una sfera metafisica, per così dire, al di sopra delle religioni particolari; ma una simile prospettiva superiore alle religioni particolari che esistono concretamente è astratta e irreale. Inoltre, la condizione primaria per uno studio comparativo delle religioni è l'*epochê* religiosa, che non vuol dire rinuncia alle personali connaturali convinzioni religiose non ancora purificate dal ridimensionamento fenomenologico, ma soltanto «mettere da parte» le loro particolarità secondarie.

Gli studiosi che appartengono alla scuola storica hanno energicamente contestato l'affermazione della fenomenologia riguardo alla possibilità di afferrare l'essenza dei fatti religiosi. Per loro il fenomeno religioso è un fatto esclusivamente storico senza alcun significato o valore transtorico. La ricerca della natura profonda farebbe ricadere nell'errore platonico. Si tratta, comunque, di un'accusa ingiusta, perché la fenomenologia della religione non ha mai preteso di essere una scienza dell'essenza profonda della religione. Quando parliamo della natura essenziale della religione si intendono diversi tipi di essenza: quella empirica, quella filosofica e quella teologica. Tutto quello che la fenomenologia intende fare è comprendere l'essenza del fenomeno religioso, preso nel senso empirico di *struttura invariabile* di un fenomeno che sta alla base di ogni fatto religioso. D'altro canto alcuni fenomenologi della religione hanno decisamente affermato che la loro fenomenologia della religione non ha niente a che fare con l'origine e l'evoluzione storica dei fatti religiosi. Anche questa posizione non è accettabile, perché la natura di un fatto religioso è storicamente condizionata e quindi non possiamo trascurare la storia nella manifestazione di esso; inoltre, l'evoluzione storica di un fatto contribuisce all'acquisizione di nuovi significati, o anche a correggere i vecchi alla luce delle circostanze e dei contesti mutevoli; la natura stessa del fatto sebbene invariabile per certi aspetti, diventa variabile in altri; questo genere di essenza, infatti, come abbiamo già detto, è empirica e tutto ciò che è empirico può essere reso più preciso e più aderente, man mano che la ricerca porta alla luce nuovo materiale.

Legittima è l'insistenza della scuola storica sulla filologia, l'etnologia e altre discipline storiche, perché queste scienze ci danno il carattere reale e concreto dei fenomeni religiosi così come si manifestano nella vita e nell'esperienza umana. Prestare attenzione all'origine e all'evoluzione storica dei fenomeni religiosi contribuisce a evitare di imporre strutture che non esistono nei fenomeni stessi. D'altra parte, se le strutture religiose sono del tutto condizionate storicamente e se il loro significato dipende interamente da singoli eventi storici, allora si corre il rischio di cadere nello storicismo non prestando attenzione a quei significati che sono universali e comuni a molti fenomeni religiosi analoghi. Quando diciamo che questi fe-

nomeni sono analoghi, non possiamo ignorare lo spazio e l'importanza degli elementi comuni che in essi si trovano, perché ogni analogia rivela strutture simili che ovviamente sono al tempo stesso diverse nelle varie religioni in cui si manifestano. Nessuno dovrebbe temere di capire a fondo l'essenza dei fenomeni religiosi, ossia di arrivare a comprendere il senso dei fenomeni mettendoli a confronto nei differenti contesti storici. Il basarsi esclusivamente sull'evoluzione storica di questi fenomeni può fuorviare il ricercatore, inducendolo a prenderli in un senso o in più sensi come pare meglio a lui, senza rendersi conto del significato più aderente possibile, che può essere raggiunto soltanto con il metodo fenomenologico.

Le analogie sono fondate su elementi comuni e lo storico deve tener conto e degli elementi comuni e delle diversità per poter approdare a un qualche significato. Le tipologie da sole possono fornire un certo senso, ma non una presentazione abbastanza chiara e aderente del significato, per il fatto che le tipologie tendono a darci una semplice classificazione che segue le evoluzioni storiche.

6. CONCLUSIONE - Quanti studiano la fenomenologia della religione adoperano il confronto come uno strumento interpretativo di base per capire il significato di termini religiosi come: sacrificio, rito, dèi e spiriti. Essi ricercano le caratteristiche predominanti della religione nel contesto storico culturale. Gesti religiosi simili, a livello strutturale, una volta messi a confronto danno luogo a interessanti significati che spiegano il senso intimo di essi. L'ipotesi che sta alla base di questo approccio è che le forme esteriori dell'espressione umana seguono un modello organizzativo interiore o una configurazione che può essere descritta mediante l'uso del metodo fenomenologico. Questo

metodo cerca di scoprire le strutture che sottostanno ai fatti storici e di comprenderne il loro intimo significato così come si rivela attraverso queste strutture con le loro leggi e i loro specifici significati. Essa intende giungere a una visione globale delle idee e delle motivazioni che nella storia dei fenomeni religiosi sono di importanza decisiva. In breve, cerca di decifrare e interpretare ogni tipo d'incontro dell'uomo con il sacro.

Non si deve pensare che un particolare fenomeno religioso abbia un solo significato; può avvenire e di fatto avviene che abbia molti significati a seconda delle diverse persone che partecipano all'atto religioso. Mettendo a confronto quanto percepiscono i vari partecipanti, il fenomenologo arriva ad avere una comprensione superiore a quella dei diversi singoli partecipanti. Per esempio, il fuoco del sacrificio vedico può rivestire significati diversi per i partecipanti. Agni può indicare il dio che consuma il sacrificio, il sacerdote e il mediatore tra gli dèi e gli uomini che presenta il sacrificio agli dèi e l'elemento che lega insieme i tre mondi (cielo, atmosfera e terra). Mentre il singolo seguace di una religione può non conoscere i molteplici significati di un simbolo religioso, il fenomenologo studia la ricchezza e vitalità dei simboli religiosi tenendo conto dei differenti significati strutturali del simbolismo religioso. Quindi il significato religioso che un particolare fenomeno riveste per il singolo partecipante o per il gruppo di partecipanti non può essere mai esaurito dallo studio di una sola particolare religione.

Il metodo fenomenologico non approda soltanto a una semplice descrizione dei fenomeni studiati, come a volte si è sostenuto; né pretende di spiegare l'essenza filosofica dei fenomeni; la fenomenologia, infatti, come abbiamo spiegato sopra, non è né semplicemente descrittiva, né normativa. Essa invece ci dà l'intimo significato di un fenomeno religioso così come è vissuto e sperimentato dalla gente religiosa. Si può ritenere che questo intimo significato costituisca l'essenza del fenomeno; ma in questo caso il termine essenza dovrebbe essere inteso correttamente; quella di cui intendiamo parlare qui è l'essenza empirica, la quale è soggetta a cambiare in seguito all'acquisizione di ulteriore materiale e a una migliore ricerca.

La fenomenologia della religione è una scienza empirica, una scienza umana che si serve dei risultati di altre scienze umane, quali la psicologia religiosa, la sociologia religiosa e l'antropologia. Anzi, possiamo dire di più: la fenomenologia della religione si avvicina alla filosofia della religione più di qualunque altra scienza umana che s'interessa dei fenomeni religiosi, perché studia questi nel loro aspetto specifico di religiosità.

L'ermeneutica fenomenologica pratica una specie di superamento delle differenti religioni per cogliere, nella molteplicità e diversità dei fenomeni religiosi, le strutture fondamentali comuni, le forme essenziali di ogni tipo di vita religiosa e, insieme, la comprensione del loro significato profondo. Quindi essa studia la nozione del sacro, l'idea di Dio, il mito, il rito, il sacrificio e, infine, l'esperienza mistica. Attraverso la varietà dei fatti religiosi, incarnati nello spazio e nel tempo di particolari culture, essa tenta di trovare quella universalità che necessariamente sfugge allo storico di una religione particolare.

Bibl. - R. Otto, *Das Heilige*, 1924; E. Hirschmann, *Phänomenologie der Religion*, Würzburg-Anmuhle 1940; R. Pettazzoni, «History and Phenomenology in the science of religion» in Id., *Essays on the History of Religions*, Leiden 1954; G. van der Leeuw, *Phänomenologie der Religion*, Tübingen 1956; G. Mensching, *Die Religion, Erscheinungsformen, Strukturtypen und Lebensgesetze*, Stockholm 1959; B. Kristensen, *The Meaning of Religion*, Den Haag 1960; J.-A. Cuttat, *The Encounter of Religions*, New York 1960; F. Heiler, *Erscheinungsformen und Wesen der Religion*,

Stuttgart 1961; C.J. Bleeker, *The Sacred Bridge*, Leiden 1963; C. Smith, *The Meaning and End of Religion*, New York 1964; M. Eliade, *The Quest*: History and Meaning in Religion, Chicago 1969; G. Widengren, *Religionsphänomenologie*, Berlin 1969; M. Dhavamony, *Phenomenology of Religion*, Roma 1973; U. King, «Historical and Phenomenological Approaches to the Study of Religion», in F. Whaling (ed.), *Contemporary Approaches to the Study of Religion*, Berlin 1984, 29-164; F. Whaling, *Contemporary Approaches to the Study of Religion*, Berlin 1984.

MARIASUSAI DHAVAMONY

III. Storia delle religioni

1. INTRODUZIONE - Ogni studio scientifico della religione ha come contenuto religioso i fatti e le loro manifestazioni. Il materiale è preso dall'osservazione della vita e dal comportamento religioso dell'uomo, quando egli manifesta atteggiamenti religiosi come la preghiera, riti come il sacrificio e il sacramento, i suoi concetti religiosi contenuti nei simboli e nei miti, la sua credenza riguardo il sacro, riguardo agli esseri soprannaturali, dèi, Dio ecc. Vi sono molte discipline specifiche che, sebbene discutano tutte lo stesso argomento, cioè i fenomeni religiosi, li studiano sotto aspetti specifici che sono loro propri per proposito e scopo. La sociologia della religione (→ Religione, IX) studia l'interrelazione della religione e della società e le forme d'interazione che hanno luogo fra di loro. L'antropologia della religione la vede come un fenomeno culturale nelle sue molte manifestazioni. In altre parole, essa studia il fenomeno religioso non come religioso ma come socio-culturale. La psicologia della religione (→ Religione, VIII) si occupa della funzione religiosa della mente, trattando in parte il problema della funzione della mente dell'individuo nei contesti religiosi (l'aspetto individuale-psicologico) e in parte il problema dell'impatto della vita socio-religiosa sui suoi partecipanti (l'aspet-

to socio-psicologico); l'ambito del suo punto di riferimento principale è tratto dall'esperienza religiosa dell'individuo o dell'unità sociale. In breve, studia le reazioni della psiche umana, le sue risposte, collettive e individuali, al sacro o al divino. La filosofia della religione (→ Religione, VI) esamina criticamente e sistematicamente il valore di verità dell'esperienza e delle espressioni religiose nei miti, nei simboli e nei riti, scopre il loro significato, pone i loro fondamenti ontologici e la loro giustificazione razionale alla luce dei principi d'essere; quindi è una scienza normativa che formula giudizi di valore sui fenomeni religiosi. La teologia della religione (→ Religione, VII) tratta la comprensione teologica delle religioni del mondo, le loro relazioni con il cristianesimo, il loro importante significato di salvezza alla luce della rivelazione e della fede cristiana. La teologia della religione essendo normativa, giudica alla luce della fede cristiana il valore salvifico di altre religioni. La storia delle religioni non è una scienza normativa; quindi non esprime giudizi di valore sullo stato epistemologico o teologico o sul merito dei fenomeni che vengano studiati; tenta solo di capire il loro significato.

2. STORIA DELLE RELIGIONI - Vi sono molti termini attualmente usati in riferimento alla storia delle religioni: *La scienza della religione* è un termine molto vasto che comprende tutti i tipi di studi della religione; quindi è troppo generico e non indica il campo specifico della storia delle religioni. *La religione comparata* o *lo studio comparato della religione* si occupa della storia e del confronto dei fenomeni religiosi così come si manifestano in varie religioni. Questo mette in risalto l'aspetto comparativo dello studio delle religioni. Preferiamo l'espressione *storia delle religioni* che studia i fenomeni religiosi storicamen-

te e comparativamente. Talvolta *la storia delle religioni* viene identificata con *la fenomenologia della religione* così da poter esplicitare lo stretto nesso fra la storia dei fenomeni religiosi e il loro significato strutturale. Facciamo distinzione fra queste due discipline, perché «la fenomenologia e la storia si integrano. La fenomenologia non può fare a meno dell'etnologia, della filologia e di altre discipline storiche. D'altronde la fenomenologia dà alle discipline storiche quel senso del religioso che esse non riescono a captare. Concepita come tale, la fenomenologia religiosa è la comprensione religiosa della storia; è la storia nella sua dimensione religiosa. La fenomenologia e la storia religiosa non sono due scienze bensì due aspetti complementari della scienza integrale della religione» (R. Pettazzoni).

Inoltre, dobbiamo distinguere fra la storia delle religioni e la storia di una religione particolare. Molti storici delle religioni, che si specializzano in una religione particolare e, a volte, soltanto in un aspetto o un periodo di quella religione, si chiamano tali perché accettano metodi storici e lavorano su presupposti storici. Le loro opere sono di gran valore e talvolta anche indispensabili per formare una *allgemeine Religionswissenschaft*. La storia delle religioni che non si limiti a una singola religione o a un singolo aspetto della religione, ma studi, invece, almeno più religioni per poterle confrontare, tenta di capire le modalità del comportamento religioso, delle istituzioni e credenze contenute nei miti, nei rituali, nelle concezioni di dèi supremi, ecc. Evidentemente è il secondo senso della storia delle religioni che qui useremo. La materia della storia delle religioni è tratta dalla storia di religioni particolari, ma viste sistematicamente invece che da un punto di vista dello sviluppo genetico del fenomeno religioso.

Anche se distinta nello scopo dalle altre discipline come la sociologia, l'antropologia, la psicologia, che studiano lo stesso fenomeno religioso, la storia delle religioni ha tratto beneficio da queste scienze che hanno portato e continuano a fornire apporti importanti allo studio della religione e certamente i loro dati e le loro conclusioni aiutano lo storico delle religioni a capire il contesto vivo delle sue fonti, dato che non esiste niente che sia solamente un «puro» fatto religioso. Ogni fatto religioso è anche sociologico, psicologico e culturale. Comunque la confusione nello scopo e nel metodo di queste scienze porterà solo al riduzionismo; cioè, alla teoria che riduce la religione a una sorta di epifenomeno di struttura sociale, psicologica o culturale. Tali teorie riduzioniste sono state proposte da sociologi come Durkheim, da psicologi come Freud, e da qualche antropologo di tipo evoluzionista e di tipo diffusionista. Gli storici delle religioni considerano i fenomeni religiosi come specificamente *religiosi*, e non meramente sociali o psicologici o culturali; e si concentrano sul significato religioso dei fenomeni che sono in relazione al sacro.

La storia delle religioni non si esaurisce con la verifica e con la spiegazione analitica dei dati delle singole religioni che sono studiati separatamente dalle varie discipline specializzate come la filologia, l'archeologia, e l'etnologia, collegate all'investigazione storica. Essa cerca di coordinare tra loro i dati religiosi, di stabilire rapporti e di raggruppare i fatti secondo tali relazioni. Se si tratta di relazioni formali, essa classifica i dati religiosi sotto vari tipi; se le relazioni sono cronologiche, le collega in serie. Nel primo caso la scienza della religione è meramente descrittiva; nel secondo essa registra soltanto l'origine e lo sviluppo di un fenomeno religioso; ma quando la successione degli eventi nel tempo è vista nel suo sviluppo interno e lo studioso comprende la loro struttura interna, allora la scienza della religione diventa la storia delle religioni. Ciò ci porta a trattare l'argomento del metodo usato nella storia delle religioni.

3. IL METODO DELLA STORIA DELLE RELIGIONI - La metodologia è lo studio delle speciali forme di procedimento, in qualsiasi ramo della scienza, per poter ottenere conoscenza su un argomento di quella data scienza sotto l'aspetto che essa ha trattato in modo particolare. La metodologia si occupa dei processi cognitivi imposti dai problemi che emergono dalla natura dell'argomento. Possiamo dire che un metodo è la combinazione sistematica dei processi cognitivi, utilizzando tecniche specifiche. La classificazione, la concettualizzazione, l'astrazione, il giudizio, l'osservazione, la sperimentazione, la generalizzazione, l'induzione, la deduzione, l'analogia, e infine la comprensione stessa sono processi cognitivi. Metodi diversi si distinguono in conformità ai vari modi in cui il pensiero umano può essere organizzato e ai diversi compiti a cui esso si può applicare. In ogni metodo scientifico ci deve essere uno stretto e sistematico rapporto fra la teorizzazione e l'esperienza. L'osservazione e l'esperimento ci forniscono le prove per la generalizzazione e per le ipotesi che sono messe a prova (verificate o dimostrate false) facendo da esse deduzioni e poi confrontandole con i risultati di ulteriori esperimenti e osservazioni.

La storia delle religioni usa il metodo scientifico descritto sopra quando studia i fenomeni religiosi. Il suo campo di studio comprende i fatti religiosi che sono soggettivi e oggettivi: soggettivi in quanto trattano i pensieri, i sentimenti e le intenzioni delle persone religiose espresse nelle loro azioni esterne; oggettivi in quanto queste espressioni sono oggettivate nei miti, nei simboli, nei rituali, negli atteggiamenti esterni nelle diverse religioni.

La comprensione delle espressioni di questi stati soggettivi è ciò che rende i dati di fatto un atto religioso, come per esempio il culto pubblico, e non solo dei semplici fatti. Questi stati sono detti «soggettivi» poiché hanno luogo nel soggetto umano. La religione è principalmente un fenomeno che ha luogo in un soggetto umano ed è espresso in segni e in simboli. Possiamo ripetere l'atto di comprensione del fenomeno religioso e paragonarlo con gli atti di comprensione degli altri osservatori e concludere che X è un atto di culto, Y è un atto di sacrificio, e Z un atto di preghiera. Quindi questi atti assumono lo stato d'oggettività. In altre parole, i fenomeni religiosi sono oggettivamente accertabili ma soggettivamente radicati nei fatti. Ovviamente è in base alla comprensione delle parole e delle intenzioni dei partecipanti negli atti religiosi che si deduce la loro natura religiosa. Che la gente si comporti in modo religioso è un fatto. Lo storico delle religioni ha una comprensione preliminare di che cosa sia il comportamento religioso, e dalla sua esperienza personale e dall'esperienza degli altri.

Al tempo stesso i fatti religiosi sono oggettivi non nel senso che siano l'opera della mente pensante ma nel senso che gli osservatori indipendenti li possano verificare.

Alcuni studiosi pensano che l'unico modo per evitare la parzialità o il pregiudizio nello studio delle religioni, specialmente quelle degli altri e quindi diverse dalla nostra, è di affermare a priori l'uguaglianza fondamentale di tutte le religioni. Tale posizione, come vedremo, è inammissibile poiché l'affermazione a priori stessa implica un giudizio di valore, ossia rende inutile la domanda. Per poter affermare a priori l'ugualianza fondamentale di tutte le religioni sarebbe necessario porsi in una posizione metafisica, vale a dire, sopra a tutte le religioni particolari e una tale prospettiva al di sopra delle singole religioni, che esistono veramente, è astratta e irreale. Inoltre, il requisito primordiale di uno studio comparativo delle religioni è l'accantonamento di tutti i pregiudizi e di tutte le supposizioni a priori, cosa che non vuol significare assolutamente la capitolazione delle proprie convinzioni religiose.

Inoltre, l'atto di discernimento dei fenomeni religiosi non è un'atto derivante da un misterioso, se così si può dire, acume mistico, basato su qualche capacità soprannaturale di penetrare l'esperienza religiosa degli altri. La conoscenza della fede religiosa degli altri è una deduzione indiretta degli stati religiosi degli altri ed è basata sulle loro affermazioni, i loro gesti, i prodotti del loro lavoro, e su altri dati osservabili. La comprensione della fede degli altri è basata sull'osservazione del comportamento religioso umano e sui prodotti dell'attività religiosa umana. Tale processo di conoscenza può avvenire a causa di due fattori: il primo, consiste nell'avere accesso alle nostre esperienze intime religiose, alle nostre emozioni, e ai nostri pensieri e idee in varie situazioni; il secondo è che le persone religiose sono psicologicamente strutturate in modo simile. C'è quindi una questione di deduzione da analogia. Possiamo afferrare solo gli stati mentali degli altri che in qualche forma, in qualche grado, in qualche modo siano stati inclusi nella nostra esperienza intima. Ciò che è totalmente estraneo alla nostra esperienza intima resta al di fuori dello scopo della nostra comprensione delle menti altrui. Questo vale ancora di più riguardo alla comprensione del comportamento religioso di altre persone. Dobbiamo inoltre considerare che i vari stati mentali sono sempre sperimentati in un contesto, un contesto d'ambiente socio-culturale nel quale la persona vive. Mediante l'empatia lo storico delle religioni cerca di situarsi nella posizione di adesione a un'altra fede in modo da poter capire la sua fede intima. Come si vede, la storia delle religioni tratta l'aspetto più vitale della vita umana al punto che essa è pienamente consapevole che la religione è la cosa più profonda e nobile nel regno dell'esistenza spirituale e intellettuale dell'uomo, sebbene conosca i suoi limiti nel compito di penetrare nel profondo dell'intima natura di un'anima religiosa. Se uno studioso di religione non sa dall'esperienza personale della propria vita che cosa significhi pregare, la sua visione della preghiera sarà priva di valore.

4. IL METODO STORICO - La → storia come scienza umana è lo studio di sequenze particolari, irreversibili degli eventi, in cui gli ultimi sono influenzati cumulativamente dai primi. L'approccio storico consiste nel tentare di capire gli eventi collegandoli al loro contesto storico e di capire il contesto complessivo spostandosi da un evento a quello successivo. Il processo di capire gli eventi nel loro contesto e il processo di capire il contesto stesso mediante questi eventi sono interdipendenti. I nessi fra i contesti degli eventi sono anch'essi oggetto di esperienza e questa esperienza deve essere ripresa dalla comprensione. Per poter capire questa esperienza collochiamo gli eventi in contesti diversi da quelli in cui si svolsero. Vediamo che essi sono di un certo tipo e possiamo collocarli in un contesto classificatorio. La storia compone un tutto significativo delle sequenze degli eventi o delle espressioni oppure dei gruppi di eventi o di espressioni. Ogni sequenza è unica perché è il risultato di un processo cumulativo e allo stesso tempo è simile ad altre; quindi può essere collocata in contesti classificatori.

Ci sono vari tipi di storici, a seconda di come si vuol fare storia. Qui non parliamo degli storici che scrivono la storia narrativa (*histoire-historisante*), la storia di battaglie, la storia dei grandi avvenimenti. Non ci occupiamo nemmeno dei filosofi della storia come Vico, Bossuet, Hegel, Dilthey e Toynbee. Qui trattiamo degli storici che cercano principalmente le regolarità, le tendenze, i tipi, le sequenze tipiche, le strutture; sempre nel contesto storico e culturale. Tali storici si interessano agli organismi, agli schemi, ai complessi, alla rete di rapporti, agli insiemi intelligibili (*Zusammenhang*), ai principi di coerenza, ecc. Questo tipo di storico ha il suo modello e i suoi schemi-ideali per aiutarlo a rappresentare la natura di ciò che è reale. L'intelligibilità d'un evento deriva da una generalizzazione. Per esempio, la battaglia di Hastings fu combattuta solo una volta ma appartiene alla classe di «battaglie» ed è comprensibile soltanto quando la consideriamo tale. Qualsiasi evento religioso ha sia le caratteristiche di unicità che di generalità; in una sua interpretazione entrambi gli aspetti debbono essere presi in considerazione. Se la specificità del fatto religioso andasse persa, la sua generalizzazione diventerebbe così generale da essere senza valore. D'altronde gli eventi religiosi perderebbero molto, forse tutto il loro significato, se non fossero visti come aventi qualche grado di regolarità e costanza, se non appartenessero a un certo tipo di evento, e tutti questi elementi non avessero molte caratteristiche in comune.

Per poter avere una comprensione intelligente di un fenomeno complesso, «dobbiamo sapere non soltanto che cosa sia, ma anche come si è verificato» (F. Boas). Come C. Levi-Strauss fa notare: «Quando si limita completamente lo studio al periodo attuale della vita di una società, si diventa innanzitutto vittima di un'illusione. Perché tutto è storia; ciò che abbiamo detto ieri è storia; ciò che abbiamo detto un minuto fa è storia. Innanzitutto una persona è portata a giudicare male il presente perché soltanto lo studio dello sviluppo storico permette di pesare e di valutare le interrelazioni fra le componenti della società odierna... Come possiamo correttamente valutare il ruolo, così sorprendente per gli stranieri, dell'aperitivo nella vita sociale francese se ignoriamo il tradizionale valore di prestigio attribuito ai vini cotti e speziati fin dal medioevo?» (*Antropologia Strutturale*). La storia tradizionale di un popolo non può essere ignorata, perché essa fa parte del pensiero religioso del popolo vivente. Dobbiamo distinguere fra gli effetti di un evento e la parte giocata nella vita di un popolo dalla memoria di tale evento, la sua rappresentazione nella tradizione orale e/o scritta. In questo contesto dobbiamo chiarire i due aspetti dell'analisi della struttura. L'analisi strutturale, confrontata con un dato fenomeno religioso, tenta d'isolare in se stessi i fattori che sono rimasti costanti. Questi sono visti come fuori del tempo, dati, come perpetuamente presenti; quindi sincronici: elementi che costituiscono l'essenza del fenomeno. Allora l'analista studia i fattori temporali, in cerca di elementi che cambiano con il tempo, che sono esposti a pressioni storiche e quindi diacronici. Questi aspetti diacronici possono essere di due tipi: quelli che si muovono in una sola direzione nel corso del tempo e che sono considerati irreversibili; e quelli che sembrano spostarsi da un polo all'altro, poi all'altro ancora e quindi sono considerati reversibili. Tale analisi rappresenta una semplificazione radicale ma anche rivelatrice della vasta quantità di materiale che riguarda lo stesso fenomeno religioso. Questi temi sono organizzati in modo tale che sia i loro mutamenti sia le loro continuità possano essere viste subito: alcuni rimangono immutati, altri oscillano in importanza, e altri ancora aumentano o calano continuamente durante un dato periodo.

Nello storicismo l'enfasi viene data all'unicità di ogni periodo storico piuttosto che a schemi ricorrenti di generalizzazione del comportamento umano. Secondo l'approccio storicista, nello studio di un aspetto dell'organizzazione sociale o culturale di un popolo in una data epoca, lo storico deve tracciare la sua storia per poter dimostrare come la forma particolare si sviluppò e deve rapportarla ad altri aspetti del sistema socioculturale dentro il quale si è svolta. Una storia della religione che faccia sua l'ottica in cui un fenomeno religioso è capito meglio solamente mediante l'analisi del suo sviluppo storico, senza badare allo sviluppo dei principi generalizzati del comportamento religioso e senza rapportare gli eventi specifici e particolari agli schemi degli eventi, aderendo così a tali principi, deve essere collocata nell'approccio storicistico dello studio delle religioni. Non possiamo ritenere che la storia si occupi soltanto dello studio degli eventi che sono specifici e unici solamente per se stessi. Ammettiamo pienamente che lo storico non possa imporre a priori strutture o teorie per spiegare il significato della storia; gli schemi e le strutture hanno le loro origini dallo studio dei fenomeni storici stessi attraverso i quali egli può dare un significato generalizzato agli eventi specifici.

5. IL METODO COMPARATIVO - Parlando in generale, il metodo comparativo è lo studio di diversi tipi di gruppi di fenomeni, atto a determinare analiticamente i fattori che portano alle similarità e alle differenze in schemi specifici di comportamento. Normalmente, esso comprende sia il metodo storico che il metodo culturale incrociato. Questo metodo impiega procedure che, mentre chiariscono le somiglianze e le differenze dimostrate dal fenomeno, suscitano e classificano non soltanto i fattori causali nell'apparizione e negli sviluppi di tali fenomeni ma anche gli schemi di interrelazione all'interno di tali fenomeni e fra loro.

È necessario prendere atto delle difficoltà implicite nell'uso del metodo comparativo per ottenere un resoconto *storico* della crescita distinto dalle morfologie basate sui dati *contemporanei*. Come M. Ginsberg segnala, l'uso di questo metodo non prova, né implica l'esistenza d'affinità genetiche o di sequenze cronologiche. Tali limitazioni non erano sempre prese in considerazione nelle applicazioni del diciannovesimo secolo di tali metodi ai fenomeni religiosi; e questo ebbe come risultato le concezioni pseudo-storiche ed evoluzioniste di tali fenomeni. Il metodo comparativo non è altro che un'applicazione del principio generale della variazione delle circostanze in modo da scoprire meglio le cause dei fenomeni.

Il metodo comparativo colloca analoghi fenomeni religiosi, per es. certe forme dell'idea di Dio, fianco a fianco, e tenta di definire la loro struttura mediante il confronto. Simili fatti e fenomeni riscontrati in diverse religioni si assommano e si studiano insieme per poter arrivare al significato del fenomeno. Lo scopo di tale metodo è di familiarizzarsi con il pensiero, l'idea o l'esigenza religiosa che è sottostante al gruppo di dati corrispondenti. Lo studio comparativo dei dati corrispondenti sovente dà un senso o una comprensione più profonda e più esatta di essi, più che la considerazione di ogni dato preso separatamente, perché considerandoli come gruppo, i dati fanno luce gli uni sugli altri. È importante notare che il paragone non si fa per dimostrare che una religione è superiore o inferiore a un'altra. Il paragone è quindi legittimamente adoperato per rapportare e per distinguere, per trovare sia parallelismi che distinzioni. Sarebbe impossibile capire l'importanza di un fatto religioso, diciamo per esempio dell'Albero Cosmico, senza considerare molte delle sue varianti, perché ogni tipo o varietà rivela con particolare intensità solo certi aspetti del simbolismo dell'Albero Cosmico; per es. *imago mundi, axis mundi,* il centro del mondo, la rigenerazione periodica dell'universo, ecc. La natura del simbolismo religioso può essere completamente decifrata soltanto quando un certo numero di esempi nelle varie religioni sono stati esaminati. Allo stesso tempo, solo quando un numero di varianti sono state considerate, emerge chiaramente la differenza del loro significato. Qui nasce un'altra domanda riguardante i motivi interni che causano l'effetto per cui lo stesso fatto religioso possiede diversi significati; infatti si osserva come tale o tal'altra religione conservi un significato particolare mentre un'altra religione l'abbia rifiutato o modificato (M. Eliade).

Il problema metodologico di base è se si possa ottenere uno studio oggettivo di un fenomeno religioso, interpretandolo nella sua relazione a un contesto storico e culturale e allo stesso tempo conservando qualche elemento di «religiosità» unica che non possa essere ridotto a un altro fattore d'esistenza. Gli studiosi dello studio comparato delle religioni, come si è già spiegato in precedenza, giustamente insistono sul fatto che gli studi religiosi richiedono una sensibilità all'aspetto particolare della vita umana qual è la religione in quanto tale, o del fenomeno religioso in quanto tale che non può essere ridotto a uno dei vari aspetti della cultura umana diversa da quella religiosa. Lo studio comparato della religione fa un confronto imparziale dei dati religiosi che abbiano elementi in comune quali le forme sacrificali, le idee teistiche o la preghiera. Il principio

è che vi sono alcuni elementi definibili nella vita umana che possono essere classificati in termini di strutture fondamentali e che ogni classificazione ha caratteristiche che determinano precisamente il senso del fenomeno. Il metodo comparativo cerca schemi di base o strutture fondamentali viste in un confronto di fenomeni religiosi e lo ritiene un aspetto centrale mediante il quale l'espressione religiosa viene compresa.

La ricerca comparata del complesso mito-rito ci ha portato al problema dell'interpretazione delle similarità che appaiono in diverse culture. In questo contesto dobbiamo ricordare il dibattito metodologico molto animato che è sorto sulla «scuola mito e rito» o «Patternismo» che insisteva enfaticamente sugli elementi comuni in culture e religioni dell'antico Medio Oriente. Gli psicologi della *Gestalt* hanno dimostrato la tendenza della mente ad afferrare forme e schemi composti selezionati tanto più facilmente quanto più le forme sono semplici, come pure l'abitudine mentale significativa d'imprimere schemi familiari su gruppi di sensazioni e di ideazioni. Ciò rende più facile per i religionisti comparativi afferrare il meccanismo della trasmissione dei miti. Il seguente principio psicologico della *Gestalt* è implicito nella spiegazione dei miti e delle pratiche di culto: «Il comportamento di un elemento in uno schema non è determinato tanto dalla classe a cui l'elemento appartiene quanto dalla struttura o dallo schema di cui esso fa parte». S.H. Hooke, per esempio, fa notare che il centro della cultura nell'antico Medio Oriente era il re, rappresentante del dio, e che il re come tale era responsabile per il raccolto e la prosperità delle città e infine per il benessere del cosmo stesso. Widengren riteneva che questa ultima concezione avesse dato luogo più tardi all'ideologia iraniana del salvatore e al messianismo ebraico. Il «patternismo» è stato trattato effettivamente da molti studiosi. H. Frankfort ha dimostrato che le differenze sono importanti più delle somiglianze. Egli ha posto l'attenzione sul fatto che il faraone è considerato un dio o diventa un dio mentre in Mesopotamia il re era soltanto il rappresentante di un dio. Da questo dibattito metodologico possiamo concludere che le differenze e le similarità sono ugualmente importanti ogni volta che dobbiamo trattare con le culture storicamente rapportate. Il fatto che lo spagnolo è diverso dal francese e dall'italiano non impedisce ai filologi di paragonare queste lingue e di rintracciare la loro fonte comune, cioè il latino. Quindi la valutazione della «scuola mito e rito» rivela una metodologia confusa.

Le seguenti raccomandazioni metodologiche sono essenziali per valutare l'importanza dei presunti paralleli fra il cristianesimo e le altre religioni:

a. Uno studioso deve accertare se i presunti paralleli siano diventati credibili in base a una descrizione selettiva come risultato dell'amalgama degli elementi eterogenei tratti da varie fonti; e se è così, allora tali paralleli sarebbero immaginari.

b. Se i paralleli sono veramente reali, allora egli deve scoprire se sono mere analogie che derivano dalla somiglianza in esperienze religiose più o meno uguali e dall'uguaglianza di condizioni esterne o se prendano a prestito una dall'altra.

c. Anche quando si tratta di presa in prestito si deve criticamente verificare quale religione è quella che prende in prestito.

d. Infine, si devono considerare le profonde modificazioni che un fenomeno preso in prestito subisce nel nuovo contesto della vita e dell'insegnamento religioso.

6. RELIGIONSGESCHICHTLICHE SCHULE (SCUOLA STORICO-RELIGIOSA) - La prima tappa inizia con Max Müller,

il fondatore dello studio comparato delle religioni, che ha formulato il principio: *nihil in fide quod non ante fuerit in sensu*; egli riteneva che tutta la conoscenza, anche quella religiosa, si basasse sulla percezione dei sensi. L'uomo non ha iniziato con la deificazione di grandi oggetti o fenomeni naturali ma questi hanno spinto l'uomo verso il sentimento dell'infinito e sono serviti come simboli. Gli dèi delle antiche religioni indo-europee, e implicitamente gli dèi ovunque e in tutti tempi, sono mere personificazioni di fenomeni naturali. L'unico modo di ricostruire un'antica religione sarebbe attraverso la filologia.

Poco dopo il Müller venne il periodo in cui gli interessi folcloristici, archeologici e filosofici si aggiunsero a quello filologico. Il diciannovesimo secolo è caratterizzato da un'espansione tremenda delle frontiere della nostra conoscenza delle religioni straniere. In particolare uscivano molti studi sul giudaismo, sullo gnosticismo, sulle religioni misteriche e sulle altre correnti di pensiero ed espressioni contemporanee al cristianesimo. Metodi filologici, storici e antropologici, che davano risultati sorprendenti in altri campi, sono stati applicati da teologi professionisti e dilettanti nello studio della religione cristiana. Sono stati scoperti e studiati molti paralleli e doppioni fra religioni cristiane e non cristiane. Per la prima volta, un comprensivo studio comparativo della religione era diventato possibile. Sorse anche la possibilità di vedere e interpretare il cristianesimo non come un fatto isolato, ma nel più ampio contesto di una storia religiosa e culturale dell'umanità. Alcuni teologi rivendicavano la sostituzione della teologia cristiana con la storia delle religioni. La teoria dell'isostenia (uguale validità) delle religioni cristiane e non cristiane diventò predominante fra alcuni studiosi di religione.

Fu all'incirca in questo periodo che

la *Religionsgeschichtliche Schule* entrò formalmente in scena e suoi maggiori rappresentanti furono W. Bousset, W. Heitmüller e R. Reitzenstein. Questa scuola cercò di capire il cristianesimo in relazione ad altri movimenti religiosi e all'interno della storia stessa delle religioni nel suo insieme. Questi studiosi avevano messo in luce i presunti apporti alla formazione del cristianesimo da parte delle religioni ebraica, ellenistica, egiziana, mesopotamica, siriana e iraniana e propugnavano la tesi che il messaggio cristiano poteva essere spiegato puramente come una ricostruzione di elementi e influenze straniere.

O. Pfleiderer (1836-1900), il «padre della teologia storico-religiosa in Germania» iniziò questa linea dichiarando: «Possiamo dire con sicurezza che la teologia di Paolo non sarebbe stata quella che è stata, se egli non avesse preso molto dalla saggezza greca disponibile a lui attraverso il giudaismo ellenizzato di Alessandria». Prendiamo per esempio la teologia paolina del battesimo. Questo è quanto afferma Pfleiderer al riguardo: «Possiamo prenderci la libertà di chiedere se Paolo, quando da Corinto scrisse la lettera ai Romani (il capitolo 6) non fosse al corrente del rito dei misteri eleusini, del "bagno della nuova nascita" e se non abbia descritto l'importanza sacramentale del rito cristiano del battesimo secondo questo modello. Come in relazione alla cena del Signore egli usò l'analogia del pasto sacrificale pagano, così la sua comprensione mistica del battesimo potrebbe essere stata collegata direttamente con i misteri greci».

A. Eichhorn era convinto che la lacuna, come egli la definì, fra ciò che supponiamo fosse successo nell'ultima cena e le idee sacramentali che sembrano inconfondibilmente presenti in Paolo, debba essere colmata mediante l'investigazione storico-religiosa.

W. Heitmüller dà per scontato il fatto che le origini della prospettiva di Paolo riguardanti il sacramento non si riscontrano nel vangelo cristiano bensì lo contrastino. «L'interpretazione del battesimo e della Cena del Signore rimane quindi di un'incongruenza irriconciliata e irriconciliabile con il significato centrale della fede nel cristianesimo paolino, vale a dire con la comprensione puramente spirituale e personale della relazione religiosa, che giocò un ruolo principale nella religione di Paolo e nel mondo delle sue idee».

Lo studioso più noto di questa scuola è R. Reitzenstein (1861-1931) che prese per certo il fatto che Paolo sarebbe stato profondamente influenzato dalla letteratura religiosa del mondo ellenistico quando egli si mise a proclamare la fede ebraica fra i gentili. Più specificamente, dovendo affrontare il problema di trovare una fede pre-cristiana in un divino redentore gnostico, Reitzenstein credeva d'averla trovata nel presunto mito iraniano della redenzione e di poter rintracciare le origini di molto di ciò che è cristiano in tale fede. R.C. Zaehner, famoso iranologo, commenta questa interpretazione dicendo che «l'*Erlösungsmysterium* iraniano è largamente invenzione di Reitzenstein». Inoltre, M. Lidzbarski produsse serie traduzioni della letteratura mandaica, specialmente la Ginza (tesoro). Qui troviamo il redentore del cielo *Manda da Hayye* (la «conoscenza della vita») che scende sulla terra per redimere dai poteri delle tenebre le anime perse e per riportarle al regno della luce a cui appartenevano. Ma è ammesso da tutti gli studiosi che gli scritti mandaici così come li possediamo appartengono al settimo o all'ottavo secolo d.C. sebbene possano contenere materiale più antico.

W. Bousset, uno di coloro che hanno contribuito allo sviluppo della scuola storico-religiosa dell'interpretazione, considerava il primo cristianesimo puramente e semplicemente

Menschensohn-Dogmatik; cioè una fede che, benché identificasse Gesù con l'atteso «Figlio dell'Uomo», riteneva che egli, essendo asceso al cielo, da allora fosse assente dalla sua chiesa fino alla parusia. La credenza nell'attuale possibilità di comunione e fraternità diretta con il Signore esaltato, da parte dei cristiani, nasce da un falso misticismo che è il prodotto illegittimo della devozione religiosa ellenistica invece che di quella ebraica, o più propriamente di quella cristiana. Quindi egli nega fermamente l'esistenza di qualsiasi *cultus* di Gesù fra i suoi primi discepoli o di qualsiasi idea di comunione diretta con Cristo nella comunità ebraico-cristiana originaria.

C.H. Dodd ha valutato in questo modo le conclusioni di questa scuola: «Troppo spesso i documenti che vengono citati sono di date incerte, e vaghiamo in un mondo quasi senza tempo quanto quello del mito stesso. Quando una cronologia più precisa è possibile, sempre, o quasi sempre, succede che il documento in discussione appartiene al quarto secolo o a epoche successive, o appartiene a un ambiente in cui l'influenza cristiana o almeno quella del pensiero ebraico è probabile, e che quindi sia rischioso usare il documento per stabilire un mistero pre-cristiano non-ebraico». Questo basta per affermare che l'esegesi filologica e storica è incompleta. Lo storico delle religioni deve sforzarsi di capire la sua materia nel contesto delle idee sviluppate all'interno e attraverso i vari metodi d'interpretazione. Per l'esegeta e il teologo cristiano il metodo è chiaramente diverso. Il Corano, il Veda, le Upaniṣad, il Tripiṭaka, o il Lun Yü non sono scritti normativi per lui, mentre la Bibbia indubbiamente lo è. Inoltre la comprensione della Bibbia avviene con l'autorità che la sua appartenenza alla tradizione e alla comunità religiosa cattolica le fornisce. In conclusione, la storia odierna del-

le religioni non ammette più l'errore storicistico riscontrato nella *Religionsgeschichtliche Schule*, cioè che le norme si possano desumere dalla storia stessa.

Bibl. - R. Pettazzoni, *Essays on the History of Religions*, Leiden 1954; M. Eliade - J. Kitagawa (edd.), *The History of Religions*, Essays in Methodology, Chicago 1959; R. Bastide (ed.), *Sens et Usages du Terme Structure dans les Sciences humaines et sociales*, S'Gravenhage 1962; J. Wach, *The Comparative Study of Religions*, New York 1963; J. Kitagawa - M. Eliade - Ch.H. Long, *The History of Religions*, Chicago 1967; H.P. Rickman, *Understanding and the Human Studies*, London 1967; H. Ringgren - A.V. Ström, *Religions of Mankind*, Philadelphia 1967; R.C. Zaehner, *The comparison of Religions*, Boston 1968; M. Dhavamony, «The History of Religions and Theology», in *Greg* 50 (1969) 805-837; M. Eliade, *The Quest*. History and Meaning in Religion, Chicago 1969; Id., *Cosmos and History*. The Myth of the Eternal Return, New York 1960; Autori vari, *Problèmes et méthodes d'histoire des religions*, Paris 1969; C.J. Bleeker - G. Widengren, (edd.), *Historia Religionum*, voll. I e II, Leiden 1969; U. Bianchi, *La Storia delle Religioni*, Torino 1970; U. Bianchi - C.J. Bleeker - A. Bausani (edd.), *Problems and Methods of the History of Religions*, Leiden 1972; J. Waardenburg, *Classical Approaches to the Study of Religion*, voll. I - II, Den Haag, 1973; E. Sharpe, *Comparative Religion. A History*, London 1975; Autori vari, *Le Scienze della Religione oggi*, Bologna 1983; F. Whaling (ed.), *Contemporary Approaches to the Study of Religion*, I: The Humanities, Berlin 1984.

MARIASUSAI DHAVAMONY

IV. Religioni tradizionali

Col termine «religioni tradizionali» si definiscono oggi, convenzionalmente, le religioni che caratterizzarono e/o caratterizzano tuttora le popolazioni illetterate del Terzo mondo: quelle che un tempo, nell'errato presupposto evoluzionistico di una loro primordialità o inferiorità rispetto alle grandi religioni classiche, storiche o universalistiche, venivano definite «religioni primitive».
Tipiche di popolazioni, gruppi etnici o comunità a struttura prevalentemente tribale e a economia prein-

dustriale viventi in condizioni di oggettiva arretratezza tecnologica, sottoposte a plurisecolare e massiccia pressione da parte delle religioni storiche e missionarie (specie islam e cristianesimo), che si propongono con una riconosciuta superiorità dottrinaria e veicolano progresso socioculturale, le religioni tradizionali hanno tuttavia dimostrato e continuano a dimostrare nei vari contesti regionali sorprendente vitalità e creatività, assurgendo spesso a simbolo di identità nazionale e di resistenza in situazioni di forzato mutamento culturale e assumendo, in alcuni casi, un ruolo di consapevole critica nei confronti dell'Occidente. Si pensi, a titolo d'esempio, alla reviviscenza della religione degli indiani nordamericani in funzione contestativa nei confronti della politica predatoria e assimilatrice di Stati Uniti e Canada; ai tanti sincretismi afro-indo-americani che di fatto rappresentano altrettante religioni nuove in America Latina; alle prese di posizione che qualificano in senso moderno culti d'Africa e Oceania. E si pensi, d'altro canto, agli influssi esercitati sull'Occidente e alle sfide lanciate alla stessa modernità da parte delle religioni tradizionali: per restare nell'ambito degli esempi già prodotti, alla risonanza in campo ecologico del religioso rispetto che gli amerindiani nutrono per la natura; alla capacità di coagulo interrazziale e di edificazione nazionale manifestata dai sincretismi latino-americani; alla messa in discussione della medicina occidentale da parte dei guaritori tradizionali africani, la cui pratica terapeutica non è mai disgiunta da valenze spirituali e religiose rispettose della totalità dell'uomo; alle rivendicazioni territoriali avanzate su base religiosa – ma in nome di diritti civili, legali e politici di matrice occidentale – delle popolazioni australiane e melanesiane.

A voler qualificare globalmente le religioni tradizionali, travalicando le singole specificità regionali, risaltano immediate alcune peculiarità che le distinguono, in situazioni originarie, dalla religione cristiana. Va premesso in primo luogo che in nessun caso il complesso di credenze, atti, costumi che la nostra cultura cristiano-occidentale intende come religiosi, viene distinto categorialmente nelle culture tradizionali che ne sono portatrici dal concomitante complesso di credenze, atti, costumi che noi qualificheremmo come non-religiosi: civici o profani, a seconda che si scelga la dialettica (storica) civico/religioso o la dialettica (religiosa) sacro/profano. E ciò sta a significare da un lato l'assenza nelle culture extra-occidentali di una nozione esplicita e oggettiva di «religione» (concetto peraltro assai complesso ed elaborato anche in Occidente, come dimostra la sua storia), dall'altro – a seconda delle opzioni di chi giudica – che tutto nelle culture tradizionali può essere letto *sub specie religionis* (è, ad esempio, la posizione della fenomenologia religiosa), ovvero che di religione come categoria concettuale autonoma si può parlare solo nella cultura occidentale che ha storicamente contrapposto il campo d'azione religioso al campo d'azione non-religioso (posizione che qualifica, in sede scientifica, la Scuola romana di storia delle religioni fondata da R. Pettazzoni).

Parzialmente conseguente a questa premessa è una prima considerazione: le religioni tradizionali, diversamente dal cristianesimo (e da alcune altre grandi religioni universali nella loro maturità storica: ebraismo (→ giudaismo), → islam, → buddhismo, ecc.), si configurano come strettamente interconnesse a (e inscindibili da) tutti gli altri aspetti delle culture che singolarmente le esprimono, e in modo particolare ai rispettivi sistemi economici. Pertanto laddove si tratti di popolazioni agricole (con sistemi di coltivazione più o meno sviluppati: è la situazione globalmente più diffusa), troveremo un tipo di religione incentrato sulla Terra, variamente divinizzata o sacralizzata, e sul culto dei morti, mentre tra i popoli cacciatori-raccoglitori e pescatori prevale un complesso di credenze che ipostatizza la aleatorietà del sistema di sussistenza nella figura di un qualche signore degli animali (terrestri o marini), e tra i popoli allevatori nomadi un sistema religioso imperniato su un essere supremo di tipo uranico.

Non minore influenza esercita sulle credenze religiose la struttura sociale e politica: la struttura clanica che caratterizza la maggior parte delle società tradizionali ha la sua sanzione sul piano religioso attraverso la mitizzazione dell'antenato capostipite e la ritualizzazione della solidarietà e del controllo sociale, mentre tutta la vita individuale è scandita da pratiche *lato sensu* religiose. A sua volta la struttura politica si riflette sul sistema delle credenze mediante la ratifica mitico-rituale della gerarchia sociale e politica nelle società gerarchizzate (Africa, Polinesia), fino alla «divinizzazione» del re presso le culture a struttura monarchica (Africa occidentale, America precolombiana), e alla comparsa di forme religiose di tipo politeistico (sia originali, sia per diffusione da civiltà superiori) nelle società tradizionali di organizzazione socio-politica più complessa, articolata e diversificata.

Un altro importante elemento distintivo delle religioni tradizionali rispetto alle religioni storiche e in particolare al cristianesimo, è la loro totale assenza di proselitismo, in quanto religioni strettamente etniche, spesso nazionali, regionali o addirittura di comunità, che non costituiscono né intendono costituire un corpus di dottrine universali ma, come ormai risulterà chiaro, altrettanti sistemi simbolici rispondenti a specifiche e geograficamente circoscritte esigenze culturali e sociali, oltreché intellettuali e affettive.

Per concludere questo confronto differenziante tra religioni tradizionali e religione cristiana è opportuno porre l'accento sull'elemento che precipuamente qualifica le culture e quindi le religioni extra-occidentali in contrapposizione alla cultura e quindi alla religione occidentale, elemento individuabile nel diverso approccio che le une e l'altra utilizzano per comprendere il mondo: mitico o cosmologizzante il primo, storico o antropologizzante il secondo. Le culture tradizionali demandano al mito e a soggetti, in quanto mitici, inattuali la funzione di fondare quella parte della realtà che si riconosce o si vuole immutabile e quindi non passibile di intervento umano, azzerando con ciò l'operatività umana e occultando il divenire in funzione rassicurativa e protettiva, mentre la cultura occidentale, sviluppandosi lungo le direttrici indicate dall'attualismo romano, e dal libero arbitrio cristiano, ha progressivamente considerato passibili di mutamento attraverso l'agire storico porzioni sempre più ampie della realtà: il che equivale a dire che mentre le culture tradizionali danno dimensione cosmica al reale, la cultura occidentale tende a dargli dimensione umana. Si potrebbe per iperbole esemplificare quanto sopra, affermando che laddove a livello tradizionale si «divinizza» il reale, la cultura occidentale ha «realizzato» Dio: il Verbo si è fatto uomo e perciò stesso la metastoria si è calata nella storia: la verità di fede della rivelazione acquista fondamenti storici attraverso l'agire storico − la vita, passione e morte − del Cristo.

Fatte queste premesse, che saranno servite a illustrare la specificità del cristianesimo rispetto alle tradizioni religiose delle culture extra-occidentali, entriamo ora più direttamente nello specifico morfologico delle credenze e delle attività rituali che caratterizzano queste ultime.

La credenza in entità sovrumane dotate di poteri diversi da e superiori a quelli degli uomini sembra essere alla base di molte, se non tutte, le religioni in oggetto: la cautela è dettata dalla crescente esigenza di una revisione critica delle fonti documentarie più antiche, cioè dei resoconti etnografici non specialistici ad opera di esploratori, viaggiatori o missionari che, ciascuno per i suoi propri condizionamenti, possono aver miscompreso le culture con le quali venivano in contatto. Né va dimenticato che presso alcune culture il soprannaturale assumerebbe anche forme assolutamente impersonali, come nel caso del mana melanesiano. Comunque sia, alcune di queste entità sono rappresentate dai protagonisti dei miti, o storie sacre, che universalmente a livello tradizionale (e non solo a livello tradizionale) fondano la realtà, conferendole senso e valore. Questi esseri mitici sono tipicamente inattuali, cioè inattivi nel presente, e pertanto privi di culto. Gli studiosi, sia per analogia con fenomeni riscontrati nelle religioni superiori, sia per la necessità pratica di una categorizzazione, hanno distinto tipologicamente questi protagonisti mitici in varie figure: creatore, *trickster*, primo uomo, eroe culturale, antenato mitico o totemico, dema. Se la distinzione può rispondere ad esigenze funzionali, essa non trova tuttavia riscontro nella realtà del dettato mitico. Di fatto tutti questi protagonisti di miti compiono azioni fondanti − nelle quali si esaurisce la loro funzione − largamente sovrapponibili e sono scarsissimamente caratterizzati in senso personale: una corretta lettura della documentazione etnografica evidenzia un'operazione di assimilazione a pre-concepite personalità «mitologiche» o «divine» da parte di studiosi occidentali condizionati dal

proprio bagaglio di conoscenze. Si pensi, a titolo esemplificativo, all'influsso esercitato dal mito osirico sulla concettualizzazione del dema (l'essere mitico melanesiano che ucciso, smembrato e seppellito, dà origine ad alimenti) o, su altro versante, a quello del mito prometeico sulla concettualizzazione del *trickster* (v. oltre), anche se poi l'una e l'altra concettualizzazione sono servite proprio a spiegare il mito egiziano e quello greco.

Funzione più complessa rispetto a quella dei protagonisti mitici svolgono altre entità sovrumane che seppure, come questi, possono agire a livello mitico fondando realtà, sono tuttavia considerate esistenti e attive anche nel presente, e pertanto destinatarie di culto. Anche in questo caso gli studiosi hanno elaborato una tipologia, distinguendo tra essere supremo, signore degli animali, Terra madre, spiriti (della natura, dei morti, spiriti tutelari), antenati, divinità.

Per quanto riguarda le attività rituali, le religioni tradizionali presentano due tipi fondamentali di riti: quelli *autonomi*, che non hanno alcun destinatario specifico, e quelli *cultuali*, cioè i riti inseriti nel culto degli esseri sovrumani considerati in grado di intervenire attivamente nelle faccende umane. Tra i primi vanno annoverati sia i riti magici, sia la vasta categoria dei riti di passaggio (cioè quei riti che segnano, a livello individuale e/o collettivo le più significative transizioni da uno stato o condizione a un altro, tra cui vanno specialmente menzionati i riti di iniziazione tribale e i riti di capodanno); mentre i secondi sono rappresentati dalla preghiera, dal sacrificio e dall'offerta.

Poiché, come s'è già detto, nelle culture tradizionali la sfera d'azione religiosa non è concettualmente distinta dagli altri campi operativi dell'esistenza, spesso ai livelli più «primitivi» non si riscontra alcuna specializzazione «professionale» di tipo religioso: è il capofamiglia o il capotribù ad occuparsi delle cose «sacre», parallelamente a quelle «profane». La specializzazione religiosa coincide con la maggiore specializzazione di tutte le altre attività umane: pertanto è nelle culture a struttura sociale più complessa che possiamo trovare operatori rituali propriamente detti i quali, a seconda dei casi, coprono il loro ruolo per delega o per vocazione personale. Divinatori, fattucchieri, guaritori e stregoni sono i più diffusi «specialisti» di cose religiose riscontrabili a livello tradizionale, e una menzione particolare merita lo sciamano, un tipo di operatore rituale che con mezzi psichici o artificiali raggiunge uno stato di *trance* attraverso il quale entra in comunicazione con gli spiriti e ne ottiene facoltà divinatorie e terapeutiche straordinarie. Classi sacerdotali vere e proprie si trovano invece solo presso le culture tradizionali più complesse ed evolute, perlopiù caratterizzate da forme religiose di tipo politeistico più o meno rudimentali (Africa occidentale, Polinesia, America precolombiana).

Presso numerose società tradizionali (America settentrionale e meridionale, Africa, Oceania) in epoca coloniale e post-coloniale particolare rilievo ha assunto la figura del profeta, assurto spesso a leader di movimenti social-religiosi di tipo emancipazionista, sia in senso politico sia in senso culturale. Il fenomeno del profetismo riveste tuttora grande importanza, dacché ad opera di personalità carismatiche fioriscono ovunque nel Terzo mondo nuove sette o religioni, perlopiù di tipo sincretico (che cioè coniugano elementi della religione tradizionale a elementi di derivazione cristiana, fino a superare a volte la loro semplice giustapposizione per assumere connotati totalmente originali), di grande presa sulle popolazioni native e non di rado carat-

terizzate da intenti proselitistici derivanti proprio dall'assimilazione dello spirito ecumenico e missionario del cristianesimo. Queste nuove religioni, convenzionalmente dette «spirituali», «carismatiche» o «di guarigione», sono sintomo e indice del disagio culturale di masse tradizionali sottoposte a un sempre più traumatico impatto con la modernità e le sue contraddizioni e, nei casi di contrapposizione aperta alle chiese missionarie, di consapevole critica al tradimento perpetrato da parte dell'Occidente ai danni del dettato evangelico.

Delineeremo ora a grandi tratti le caratteristiche fondamentali delle religioni tradizionali seguendo un criterio di tipo geografico, pur avvertendo che la varietà delle culture presenti nelle diverse aree rende questo genere di ripartizione oltreché riduttivo, estremamente artificioso e omologante. Di fatto, se in alcune aree relativamente isolate o circoscritte (per motivi storici e/o geografici: Australia, Melanesia, Polinesia, zone subartiche dell'Asia e dell'America) le rispettive culture si presentano abbastanza omogenee dal punto di vista della struttura socio-economica (della cui rilevanza nella determinazione del tipo di religione si è già detto), altri continenti (America settentrionale e meridionale, Africa) offrono una tale varietà di situazioni da rendere pressoché impossibile qualsiasi generalizzazione se non appiattendo, livellando, astraendo e quindi sostanzialmente mistificando dati e problemi.

Le varie credenze dei molteplici gruppi aborigeni di cacciatori-raccoglitori australiani trovano una qualche unità nell'enorme rilevanza assunta dai protagonisti mitici metà umani e metà animali che nel «Tempo del sogno» fondarono i lineamenti della natura e della cultura nativa, dettarono le norme del vivere sociale e lasciarono sulla terra luoghi e oggetti sacri ricettacolo del loro potere, e dai complessi rituali che ne commemorano e riattualizzano le azioni. Non sembra invece rispondere alla realtà la originariamente individuata presenza del culto di un essere supremo di tipo uranico. A livello rituale le iniziazioni tribali sono tra le cerimonie più complesse, drammatiche e culturalmente significative, assieme ai riti di incremento delle specie animali e vegetali collegati – come molti altri aspetti della vita sociale e religiosa degli australiani – al discusso fenomeno del totemismo. Lo stregone e il guaritore – l'uno ritenuto causa di sventure, malattia e morte, l'altro dispensatore di rimedi, ma spesso coincidenti nella stessa persona – sono operatori rituali riconosciuti, ma manca qualsiasi organizzazione religiosa e la gestione del «sacro» è diffusa tra tutti gli uomini anziani, secondo un iter progressivo scandito dalle varie tappe iniziatiche.

Le religioni delle isole della Melanesia presentano tratti assimilabili per un verso alle credenze australiane e per l'altro a quelle polinesiane ma, generalizzando, la loro originalità risiede nel pragmatismo che le caratterizza: sono meno «mistiche» delle religioni australiane e meno «vincolanti» di quelle polinesiane, conferendo un largo margine all'intraprendenza dell'uomo. Orticoltori e pescatori, i melanesiani hanno elaborato una nutrita mitologia, riconoscono una molteplicità di spiriti e praticano il culto degli antenati mediante complessi riti che coinvolgono i singoli clan e/o interi villaggi, come nel caso delle grandi feste di rinnovamento o capodanno, nel corso delle quali si fanno offerte primiziali agli spiriti dei morti. Anche i riti iniziatici sia tribali sia a società segrete, rivestono particolare importanza e i primi confluiscono spesso, cronologicamente e ideologicamente, nel culto degli antenati, a garanzia della continuità delle generazioni. Tra i gruppi che praticano l'allevamento del maiale selvatico si celebra a scadenza pluriennale una grande festa a carattere competitivo nel corso della quale un *big-man*, per ricavarne prestigio socio-politico, sacrifica ostentativamente a spiriti o entità mitiche enormi quantità di animali, consumati poi orgiasticamente dai partecipanti alla festa. La stregoneria, nella sua accezione ambivalente, ha largo spazio e tutti i melanesiani ricorrono con frequenza a incantesimi magici per conseguire i loro obiettivi: il successo o l'efficacia di uno stregone o di un incantesimo si ritiene determinato dal rispettivo mana, una sorta di oscuro potere attribuito indifferentemente a ogni genere di spiriti, persone e cose che dimostrino di avere o portare fortuna.

A causa della precoce e pressoché generale conversione al cristianesimo da parte della popolazione nativa, di religione tradizionale polinesiana, si deve largamente parlare al passato, e gli elementi che originariamente la costituivano sono ormai ridotti a reminiscenze di un tempo che i polinesiani stessi riconoscono tanto lontano quanto quello del mito. In origine la Polinesia presentava una notevole omogeneità culturale: orticoltori, allevatori di maiali e pescatori, le società polinesiane erano estremamente gerarchizzate e alcuni capi, per le dimensioni del loro potere, erano dei veri e propri re. L'organizzazione religiosa faceva capo a un corpo sacerdotale che godeva di enorme prestigio. Le credenze religiose rispecchiavano l'ordinamento sociale: le numerose divinità, molte delle quali legate genealogicamente fra loro, erano organizzate in una sorta di pantheon a struttura gerarchica, a monte del quale si trovavano tre incerte figure di creatori mitici. Tutti questi esseri extra-umani avevano ciascuno una sfera d'azione sua propria, rappresentando una specifica porzione del reale. Essi potevano nuocere agli uomini e favorirli e perciò, come i vari capi, dovevano essere gratificati di continue offerte in occasione delle numerose cerimonie officiate dai sacerdoti in appositi luoghi sacri. Inoltre potevano possedere gli individui mediante la *trance* e proteggevano gli stregoni. Un ruolo non indifferente era ricoperto anche dalle anime dei morti, dagli attributi ambivalenti. Valenze oltreché religiose, politicosociali, avevano sia il mana, inteso come una qualità in qualche modo promanante dalle divinità che conferiva successo e prestigio alle persone, sia il tabù, un concetto che si applicava a tutto quanto fosse sacro o proibito, e la cui violazione comportava conseguenze di ordine mistico e/o sociale. Una menzione particolare merita la società arioi, cui i polinesiani, uomini e donne, potevano accedere per possessione divina e per iniziazione: anch'essa a struttura rigidamente gerarchica, era adibita all'esecuzione di giochi, riti e spettacoli sacri, e i suoi membri godevano di privilegi e poteri eccezionali anche nei confronti dell'autorità politica, conducendo la loro esistenza in una dimensione rituale totalmente altra da quella degli uomini comuni.

Le religioni degli indiani nord-sudamericani risentono considerevolmente della eterogeneità di situazione ecologica, economica e culturale riscontrabile, data la vastità dell'area considerata: alcuni gruppi vivono tuttora (e hanno vissuto per millenni) della sola caccia e raccolta, altri vivono di agricoltura, altri ancora prevalentemente di pesca, sì che parrebbe impossibile anche la più astratta delle generalizzazioni. Ciò nonostante possiamo individuare nello stretto rapporto con la natura religiosamente intesa e sacralizzata l'elemento che unifica e caratterizza tutte le pur diverse credenze. Altrettanto universale è la presenza di una complessa mitologia e quindi di una congerie di protagonisti mitici tra cui spicca (specie, ma non esclusivamente, in Nordamerica)

il *trickster*, un eroe culturale teriomorfo, spesso antagonista del creatore, qualificato da un comportamento particolarmente ambiguo: fondatore e datore di importanti elementi culturali, è tuttavia un imbroglione, astuto e sciocco al tempo stesso, attore di avventure perlopiù comiche o grossolane. Accanto ai protagonisti mitici troviamo, a seconda dei tipi di cultura, esseri supremi (Terra del Fuoco), signori degli animali (presso tutti i gruppi cacciatori e tra gli Eschimesi), dee della terra e della vegetazione (in entrambe le Americhe, presso i popoli coltivatori ed eccezionalmente anche presso alcuni gruppi di cacciatori), spiriti connessi ad elementi o eventi cosmici ed atmosferici (di diffusione pressoché universale), spiriti tutelari di vario genere. Questi ultimi, presenti in entrambe le Americhe, rivestono estrema importanza in America settentrionale (ad eccezione del Sud-ovest), essendo al centro di rituali iniziatici e di pratiche visionarie individuali volte all'acquisizione di un rapporto privilegiato con uno spirito. L'acquisizione di uno spirito tutelare è alla base anche dello sciamanesimo, presente in varie forme dalle zone artiche (dove compare nel suo aspetto più puro e prototipico) all'estremità opposta del continente. Un sacerdozio, più o meno propriamente detto, è riscontrabile solo nella zona andina forse per antico influsso della civiltà incaica, e tra i Navajo e i Pueblo del Sud-ovest degli Stati Uniti. La vita rituale e cerimoniale è ovunque assai densa di eventi sia a livello individuale che a livello collettivo. Le feste di maggior rilievo sono quelle di rinnovamento legate al capodanno agricolo o all'inizio della stagione della caccia o della pesca. Le iniziazioni tribali e quelle a società segrete e di medicina (queste ultime esclusivamente tra gli Indiani nordamericani) sono tra i momenti religiosi più forti dell'esistenza individuale e comunitaria dei nativi.

I popoli artici e subartici euro-asiatici ci offrono una certa omogeneità di credenze − ormai largamente soppiantate dalla cristianizzazione − con accentuazione dell'una o dell'altra componente particolare a seconda che si tratti di gruppi ecologicamente determinati a uno stile di vita basato su un'economia venatoria o, rispettivamente, sull'allevamento. Per quanto riguarda i popoli cacciatori e pescatori (oltre agli Eschimesi, numerosi gruppi asiatici tra cui i Siberiani e gli Ainu dell'isola giapponese di Hokkaido) le credenze religiose, sostenute da una complessa mitologia, si incentrano prevedibilmente su un qualche signore degli animali, spesso compresente con una figura di essere supremo e con una congerie di spiriti della natura e di spiriti tutelari. Le attività rituali si concentrano nella stagione di stasi della caccia per culminare al momento del suo avvio; l'operatore rituale è tipicamente lo sciamano. I gruppi di allevatori, specie di renne (sovente lo stesso gruppo etnico pratica un diverso regime economico, venatorio o pastorale, a seconda dell'habitat: è il caso di numerosi popoli siberiani, ad es. Jucaghiri, Ciukci, Tungusi; mentre l'allevamento trova sempre il suo presupposto in una precedente fase venatoria: Lapponi, Jakuti, Samoiedi, ecc.) venerano principalmente un essere supremo di tipo uranico destinatario di sacrifici in occasione di grandi feste annuali legate al ciclo stagionale dell'allevamento, ma il loro orizzonte religioso è popolato anche da numerose altre entità extra-umane tra cui primeggiano vari spiriti tutelari degli animali selvatici. Anche qui il complesso sciamanico è preponderante.

Il continente africano ci confronta con una estrema varietà di credenze religiose, dacché ci offre esempi di quasi tutti gli ambienti ecologici e conseguenti regimi socio-economici, quindi anche di diversi tipi di cultura. Nell'Africa nera la gamma spazia dalla cultura della caccia e raccolta dei Pigmei della foresta equatoriale e dei Boscimani del Kalahari, alla cultura agricola dei grandi regni dell'Africa occidentale, passando attraverso la miriade di società di coltivatori più o meno primitivi e di allevatori su piccola e grande scala (Ottentotti, Nilotici, Etiopici). In ragione di ciò preferiamo astenerci dall'operare qualsiasi tipizzazione generalizzante e mettere piuttosto l'accento su quell'elemento di diffusa e intensa spiritualità e di integralismo che qualifica e unifica le pur tante e diverse espressioni religiose africane, che è parso contrapponibile ed è stato contrapposto al materialismo e all'individualismo dell'Occidente. Il compito che s'impone oggi agli studiosi è quello di riesaminare in chiave storica le religioni tradizionali africane, sia perché sono state erroneamente considerate inerti, statiche e impermeabili al divenire − laddove in molti casi la loro capacità di adeguamento e di risposta creativa sia a crisi endogene sia alle nuove condizioni imposte dal colonialismo prima e dalla modernizzazione poi testimoniano una plasticità che deve necessariamente avere presupposti storici −, sia perché troppo spesso sulla descrizione e sul giudizio hanno inciso i preconcetti, negativi e positivi, di informatori, etnografi e teorici che in un modo o nell'altro hanno letto il diverso con propri codici, riconducendolo a propri codici.

Il che, se dobbiamo finalmente comprendere il tesoro di spiritualità riposto nell'uomo a qualsiasi latitudine geografica, cronologica e culturale appartenga, vale per qualsiasi complesso di credenze.

Bibl. - V. Lanternari, *Movimenti religiosi di libertà e di salvezza dei popoli oppressi*, Milano 1960; A. Brelich, *Introduzione alla storia delle religioni*, Roma 1966; H.C. Puech (ed.), *Storia delle religioni*, vol. 18: *I popoli senza scrittura* (2 tomi), Bari 1978 (or. *Histoire des Religions*, Paris 1970); D. Sabbatucci, *Sommario di storia delle religioni*, Roma 1987; S.

Sutherland - L. Houlden - P. Clarke - F. Hardy (edd.), *The World's Religions*; parte V; P. Clarke (ed.), *Traditional Religions*, London 1988.

Danila Visca

V. Religione popolare

1. Lo studio della religione popolare - *a*. La ricerca, l'analisi e l'interpretazione del *fenomeno religioso* suscitano un ampio interesse nell'ambito delle scienze umane, preoccupate della problematica culturale e sociale, strettamente legata al fatto religioso. Per questo della religione e della fenomenologia della religiosità popolare si occupano intensamente l'antropologia culturale e l'etnologia religiosa, la psicologia e la sociologia della religione, la storia delle istituzioni e pratiche religiose, la fenomenologia e la filosofia della religione, la teologia delle religioni, la teoria della missione e la teologia pastorale. Il campo di osservazione e analisi è esteso e differenziato: il folclore religioso e le tradizioni popolari, le pratiche magiche o superstiziose, le feste e i culti popolari, gli elementi di sincretismo religioso e di mescolanza culturale presenti nelle diverse manifestazioni dell'esperienza sociale del religioso, soprattutto tra le classi popolari, e in special modo tra i contadini, nei loro riti e celebrazioni, nei loro miti e leggende, nei loro proverbi e detti, nel loro *éthos* vitale e sociale.

Tanto la *metodologia* specifica, quanto i *criteri* d'interpretazione delle pratiche religiose divergono notevolmente. In questo modo i fatti, realmente e ipoteticamente religiosi, possono essere osservati con un interesse puramente antropologico o culturale, o essere oggetto di una ricerca comparativa, sia di carattere storico ed evolutivo, sia di carattere morfologico e strutturale. Infine, tali fenomeni, caratteristici della religiosità umana, possono essere interpretati nella pro-

spettiva di determinati postulati naturalisti o positivisti, spiritualisti o materialisti, ideologici o teologici. In tal modo, la fenomenologia della religione popolare può essere vista semplicemente come l'espressione della ricerca di sicurezza esistenziale, da parte delle classi popolari, di fronte a una situazione culturale e sociale di miseria e arretratezza, di oppressione o di speciale fragilità. In altri casi il fatto religioso è interpretato semplicemente come una ricerca di maggior potere, consenso o legittimazione sociale e storica. Altre volte, infine, il fatto religioso è giustamente interpretato come espressione della fede popolare.

b. Alla diversità di presupposti metodologici e di criteri ermeneutici si aggiunge una *differenza concettuale* nel modo di intendere il popolare. Alcune volte il popolare è inteso come l'aspetto tipico della idiosincrasia nazionale di un popolo, considerato come soggetto collettivo di una storia e di una cultura, di una società e di uno stato, in rapporto all'esperienza della propria religiosità. Altre volte, il popolare è inteso come la realtà propria degli strati popolari, classi, razze o culture, in quanto subalterne e oppresse da altre culture, classi o razze. O, infine, il popolare può essere considerato come contrario all'ufficiale. In tal caso, la religiosità popolare indica l'esperienza religiosa e le credenze di determinati gruppi umani, prevalentemente negli strati subalterni della società, che si ostinano in una certa resistenza o divergenza alle forme ortodosse ufficiali. Perciò si può parlare, in modo molto diversificato, della religiosità del popolo argentino, della devozione mariana del popolo messicano o del popolo dell'Andalusia, delle leggende o culto dei morti nella religiosità popolare galiziana o centroamericana, o dei diversi fenomeni di religiosità popolare amerinda o afroamericana.

c. Il modo popolare di vivere la religione è condizionato particolarmente dalla cultura, sia della classe dominante, come delle classi subalterne. Il rapporto tra fede popolare e cultura popolare può essere considerato un caso particolare del rapporto tra *religione e cultura*, nella loro mutua interazione dialettica (→ Inculturazione). In tutte le culture in cui si registra una situazione teonoma, cioè, dove l'irruzione del sacro assume una particolare intensità, la religione offre alla cultura la sua dimensione di profondità vitale. Ciò accade nelle grandi aree culturali ispirate dalle grandi religioni dell'Oriente, dall'induismo o dal buddhismo, dalla religione d'Israele o da quella dell'islam. La stessa cosa avviene nelle nazioni segnate dal contatto profondo con il cristianesimo. A sua volta, la cultura offre le forme espressive, che rendono presente nella vita familiare e sociale i grandi ideali e i valori religiosi: la verità assoluta, la bellezza sublime, la giustizia incondizionata, la bontà misericordiosa.

Anche la cultura popolare o le sottoculture delle classi o razze subalterne, in un determinato spazio, possono offrire forme espressive della fede o della speranza religiosa, dell'*êthos* di solidarietà e fraternità, della ricerca di riconciliazione e pace, alla stessa religiosità o pietà. In tal modo sono sempre coesistite con la vita della comunità ecclesiale come istituzione, molteplici espressioni della fede e dell'esperienza religiosa popolare, dotate molte volte di grande sincerità religiosa e autenticità umana, nella loro espressione della fiducia credente (*fides qua*), così come dei contenuti oggettivi della fede (*fides quae*). Spesso, l'esperienza religiosa si è mescolata profondamente con le realtà culturali e sociali.

2. LA QUESTIONE DELLA RELIGIOSITÀ POPOLARE - *a.* Si è soliti parlare di *religiosità popolare*, quando la forma e il modo di vivere la religione assumono un carattere più diretto e semplice nella sua esperienza, cercando una maggiore funzionalità e una modalità più accessibile all'individuo o al gruppo concreto. In tal modo, la religiosità popolare può facilmente superare la barriera rappresentata dalla forma erudita e concettuale, dogmatica e astratta, di vivere la pietà o di pensare la fede. Adottando forme più spontanee di vivere il sentimento religioso o almeno più accessibili al livello culturale degli interessati, la religiosità popolare tende a scartare la mediazione della figura sacerdotale, percepita come assente o distante, o anche come un ostacolo alla comunicazione religiosa. Nella religiosità popolare si coltiva una forma di preghiera, molto spesso con l'intercessione di un santo protettore, percepita come più efficace per ottenere lo scopo desiderato nella supplica religiosa a favore delle urgenti e angoscianti necessità umane, soprattutto quelle che riguardano i settori più poveri e meno favoriti della società.

Non è facile chiarire il problema dei rapporti esistenti tra la forma popolare e la forma ufficiale di vivere la religione. In molti casi si può costatare una certa priorità del popolare e spontaneo sull'erudito ed elaborato. In numerose situazioni e circostanze sono solite coesistere storicamente entrambe le forme di vivere la religiosità, stabilendosi tra loro un rapporto dialettico: la forma normativa ed erudita di vivere la religione è solita nutrisi dell'esperienza popolare del sentimento religioso, che cerca di inserire in un sistema teologico e normativo. A volte, la fede popolare si limita a divulgare i concetti teologici in una forma più vicina alla cultura popolare delle classi subalterne. Nel linguaggio o nel gesto, nella pietà o nella devozione, la religiosità popolare spesso si caratterizza per diverse *note*, come una certa spontaneità e ricchezza di comunicazione, dal punto di vista dell'intuitivo e del simbolico, così come dell'emotivo e del fantastico, dell'esperienziale e del festivo, del celebrativo e del teatrale.

b. La religiosità popolare tocca un'*ampia gamma di fenomeni* vitali e sociali, culturali e religiosi. A livello popolare, la religione è vissuta, non di rado, in rapporto con il ciclo vitale o con la realtà sociale. Troviamo, così, una celebrazione religiosa della nascita o dell'uscita dall'adolescenza, del fidanzamento o del matrimonio, della malattia o della morte. C'imbattiamo pure in una consacrazione festiva o celebrativa del lavoro agricolo o industriale, soprattutto durante le feste patronali o regionali. Il cristianesimo, come religione universale, assume la dialettica fondamentale della religione biblica, come religione della creazione e dell'alleanza, che consacra, critica e benedice la natura e la storia. Quando → l'evangelizzazione ha assunto positivamente la vita umana e storica di un popolo nel suo cammino verso Cristo, signore della creazione e mediatore dell'alleanza, nascono nuove forme di cristianesimo popolare.

Con tutto ciò, la fenomenologia della religiosità copre un arco così vasto da non essere esente da un alto grado di *equivocità*, dato che per religiosità popolare s'intende, anche nel caso del cristianesimo o del cattolicesimo popolare, delle forme magiche o superstizioni di pietà arcaica pre-cristiana, vissute in sincretismo con devozioni tipiche della fede dell'universo rurale, fino ad altre forme di riviviscenza di tradizioni del cattolicesimo popolare, che servono per conservare la coscienza di una identità religiosa e sociale. Si può così parlare di influssi amerindi o afroamericani in determinati tratti del cattolicesimo latinoamericano nella sua esperienza popolare; o si possono analizzare anche certi culti popolari, come pellegrinaggi o altre feste e de-

vozioni, tipiche della venerazione popolare dei santi cristiani o espressione della devozione mariana.

c. Nella religiosità popolare acquistano nuova importanza i movimenti di rinnovamento nella pastorale popolare o laicale, come i circoli biblici e le comunità ecclesiali di base, i gruppi neocatecumenali o neopentecostali, che spesso assumono il ruolo di educare e alimentare una sana religiosità popolare, vissuta pienamente nella comunione ecclesiale. Nel suo rapporto con i gruppi popolari e con il loro caratteristico modo di vivere la fede e la pietà, l'*autorità ecclesiale* ha oscillato tra diversi tipi di reazione, in parte dovuta alla natura degli stessi fenomeni religiosi, in parte condizionata dalle circostanze storiche: dal rifiuto di forme considerate superstiziose o magiche, fino alla riabilitazione di forme di legittima devozione; dalla tolleranza di forme imperfette di esperienza credente, fino alla proposizione di pratiche accettabili e conciliabili con l'ortodossia e la liturgia canonica. A loro volta, anche i gruppi popolari hanno oscillato nel loro rapporto con le istanze autoritarie e ufficiali, nelle diverse comunità religiose, sia accettando sinceramente gli orientamenti dell'autorità, sia rifiutandoli o anche mimetizzando la loro reazione sotto forme diverse di *sincretismo* religioso. Ebbene, le forme di religiosità popolare non devono essere giudicate necessariamente come negative; a volte costituiscono splendide manifestazioni di *inculturazione della fede* e di adattamento di una religione universale ad ambienti nazionali, sociali o culturali, caratterizzati da enormi diversità.

Bibl. - B. Lacroix - P. Bogioni, *Les Religions populaires,* Quebec 1972; J.M.R. Tillard e altri, *Foi populaire - Foi savante,* Paris 1976; L. Maldonado, *Religiosidad popular,* Madrid 1976; Autori vari, *Religiosità popolare e cammino di liberazione.* (Atti, Verona 1978), Bologna s.d.; C. Ginsburg (ed.), *Religioni delle classi popolari,* Bologna 1979; Autori vari, *Ricerca sulla religiosità popolare: nella Bibbia,* *nella liturgia, nella pastorale*, Bologna 1979; F.A. Pastor e altri, *Inculturazione*, Roma 1979; C. Dubosq - B. Plongeron - D. Robert, *La Religion populaire*, Paris 1979; V. Bo, *La religiosità popolare*, Assisi 1979; D. Pizzuti - P. Giannoni, *Fede popolare*, Torino 1979; S. Galilea, *Religiosidad popular y Pastoral*, Madrid 1980; B. Adoukonou, *Jalons pour une théologie africaine*, Paris-Namur 1980; F.A. Isambert, *Le sens du sacré. Fête et religion populaire*, Paris 1982; K. Rahner, «Zum Verhältnis von Theologie und Volksreligion», in *Schriften zur Theologie* XVI, Einsiedeln 1984, 185-195; F.A. Pastor, «Ministerios laicales y comunidades de base», in *Greg* 68 (1987) 267-305.

Félix-Alejandro Pastor

VI. Filosofia della religione

1. Una realtà complessa - Tra le molte discipline che a vario titolo, con diverso approccio e strumenti di indagine specifici, si occupano della realtà della religione: esperienze, emozioni, culto e tradizioni, vissuto individuale e comunitario, ispirazioni, predicazione e diffusione, non escluse polemiche e divisioni, alla filosofia della religione (f.d.r.) compete, certo, la riflessione critica ma questo non la separa dalle altre scienze che si occupano dello stesso oggetto (psicologia, sociologia della religione, storia delle religioni e religioni comparate...) né delimita, in modo assoluto e definitivo, un criterio epistemologico univoco. Si pensi alla *Scienza* della religione, empirica, non normativa, analisi «obiettiva» e, per quanto possibile, completa di forme storiche, relazioni reciproche e con la cultura, la politica, la società, l'economia, l'ambiente. Si pensi alla *fenomenologia* della religione che dà uno sguardo d'insieme e ordina la complessità dei fenomeni, delle convinzioni, delle esperienze religiose. L'esemplificazione non è casuale, poiché lo stesso termine è usato, in sensi diversi e differente metodologia, in ambito filosofico e non; la rapida incursione può avere una giustificazione comparativa. Sul rifiuto di presupposti di tipo ermeneutico, che stanno alla base di rilevanti modelli di f.d.r. (da Schleiermacher a I. Mancini), con atteggiamento diverso rispetto all'evoluzionismo storico, la f.d.r. affronta una massa enorme di dati archeologici, etnologici, storici, psicologici di tutte le religioni, un'area sacrale vasta e difficilmente definibile rispetto alla magia e ai tabù. Mito, rito, sacrificio, culto dei santi e dei defunti, escatologia, apocalittica, libri sacri e rivelazione sono nuclei tematici proiettati su un quadro monoteismo-politeismo-panteismo difficilmente componibile su un piano diacronico. C'è un tipo di fenomenologia che, per definizione, vuole essere equidistante sia dall'oggettivismo scientifico astratto che dal soggettivismo facilmente schiavo di pregiudizi e ideologia e ritenendo ineludibile il riferimento, sia pure indiretto alla questione soggiacente della «essenza della religione» (e della «assolutezza del cristianesimo»), vuole mediarli (e superarli) nella *intenzionalità*. Senza approfondire questo statuto filosofico della fenomenologia (non solo Husserl ma, più precisamente, M. Scheler), per il cristiano si ripropone la ricca presenza dei *semina verbi* e la lunga, lenta e contraddittoria *praeparatio evangelica* (si pensi ai sacrifici umani, omofagia, manducazione di cadaveri, prostituzione sacra e altro ancora), con mezzi a volte sorprendenti.

L'intelligenza della fenomenologia (si pensi alla fondamentale *Phänomenologie der Religion*, 1933, di Van der Leeuw) è individuazione della *specificità* che determina le varianti su una *costante*. Si pensi al monumentale *Der Ursprung der Gottesidee*, 12 voll., 1912-1955, di W. Schmidt, alla ricognizione della presenza costante, sia pure con forme e intensità diverse, del concetto monoteistico di Essere supremo (metodo storico-culturale). Si tratta di individuare l'architettura del tutto (la foresta di alberi) attraverso il linguaggio, i simboli, i riti, i miti. Bisogna evitare l'ideolo-gizzazione (è capitato a certo moder-nismo); bisogna circoscrivere e leg-gere i fenomeni religiosi senza stra-volgerli e strumentalizzarli. Con *Das Heilige* (1917), R. Otto inaugurò la svolta fenomenologica intaccando l'inveterato stereotipo culturale della spiegazione genetica della religione fi-glia del razionalismo, del positivismo, dell'evoluzionismo. La «scuola di Marburgo» da lui fondata, avrebbe continuato a studiare l'apriori com-plesso, gli elementi numinosi e irra-zionali, morali e razionali (si ricordi il sottotitolo «Sull'irrazionale nell'i-dea del divino e il suo rapporto con il razionale») che rendono il sacro («mysterium tremendum et fasci-nans») altro da qualsiasi struttura umana naturalistica. Decisivo il con-tributo di R. Pettazzoni, fondatore della scuola italiana di «Storia delle Religioni» differenziantesi sia dalla tradizione di *Comparative Religion* inglese che dalla *Religionsgeschicht-liche Schule* tedesca.

Le permanenti *questioni* «filosofi-che» sono, fondamentalmente e, per il loro verso, problemi di filosofia della religione, massimamente quella di Dio: esistenza, attributi, possibili-tà e condizioni di una sua comunica-zione all'uomo. Non ci riferiamo, na-turalmente, solo a titoli espliciti di «Filosofia della Rivelazione». Anzi, l'orizzonte delle discipline è così va-sto e variegato (bisogna anche pen-sare alla storia della chiesa, dell'ese-gesi, dei dogmi, alla spiritualità, al-l'ecumenismo) che il concetto stesso di *religione*, fondamentale nell'epo-ca moderna, non ha un significato preciso. A partire dalla tradizione greco-romana, il termine oscilla, è usato in senso generico, è sinonimo di fede, ordine, legge, setta. Attra-verso il contributo dei Padri, la gran-de tradizione scolastica, l'umanesimo, ci affacciamo alla Riforma e alla ri-formulazione del classico (medieva-le) binomio fede-ragione, nella tria-

de fede-religione-ragione privilegian-do il primo termine, anche se da Ago-stino a Calvino il secondo termine ricorre più frequentemente. Attraver-so la religione-sentimento (dal pieti-smo a Schleiermacher) cui si contrap-pone la religione di ragione (Kant, specificatamente), emergerà il *concet-to* di religione e il passaggio dalla teo-logia della religione alla filosofia della religione in senso moderno. Ma a noi interessa molto la storia (gli antefat-ti) e il passaggio. Anche perché ri-maniamo convinti che rimane inelu-dibile la lezione kierkegaardiana del-la fede come modello atipico di filo-sofia della religione.

La religione ha origine propria nel-l'esperienza religiosa e la riflessione sull'esperienza religiosa è dal punto di vista dell'esperienza religiosa stes-sa. Ma la rivelazione non è di per sé persuasiva per il pensiero: è neces-saria una fede, mentre al pensiero compete la libertà (un'opzione fon-damentale) di interpretarla, affermar-la o negarla. Da una parte la fede filosofica, per es. di Jacobi: ogni co-noscenza umana procede dalla rive-lazione e dalla fede perché ogni pro-cedimento di dimostrazione porta al fatalismo e noi possiamo dimostrare solo somiglianze; per fede conoscia-mo il finito e l'infinito, l'esistenza del nostro corpo (*Lettere sulla dottrina di Spinoza*, 1785). Dall'altra, l'espe-rienza mistica, per es. di Teresa d'A-vila o Giovanni della Croce per i qua-li il linguaggio è inadeguato a espri-mere l'esperienza interiore e l'unione con Dio non può essere mediata né da cosa creata, né da cosa pensata. Socrate giunge alle soglie della realtà religiosa, cioè della trascendenza; dal-l'altra parte Guglielmo di Auvergne (1180 c. - 1249) scrive che deve es-serci un'unica fede perché la razza umana ha origine comune e un solo fine: la fede cristiana è la migliore garanzia, l'unica, vera religione. Les-sing dichiara, impenitente, di essere incapace del salto della trascendenza; Hegel ha la presunzione speculativa di accettare, spiegare, «andare oltre» la fede con il concetto. L'ontologismo (di Gioberti e, forse, di Rosmini) predica che la prima realtà conosciuta non è l'essere finito, ma l'essere infinito e divino; al contrario, i tradizionalisti (o fideisti) ritengono che l'idea di Dio e la sua esistenza possano essere solo rivelate e quindi conoscibili solo per fede. Condannato il → razionalismo con la *Dei Filius* al → Vaticano I, il problema si è riproposto con la chiusura immanentista dei modernisti (cfr. *Lamentabili* e *Pascendi* del 1907). Suggestivo è quanto dice Jaspers dalla fine psicologia moderna: dichiarandosi estraneo a una fede religiosa, parla di una fede filosofica, respiro della libertà che riempie e muove l'uomo nel suo fondamento, rendendolo capace di superare se stesso e attingere l'origine dell'essere (cfr. *Vom Ursprung und Ziel der Geschichte*, 269). Vorremmo definirlo «praeambulum fidei».

2. FILOSOFIA DELLA RELIGIONE: UNA DIMENSIONE PERENNE DEL PENSIERO - Si può anche cercare di individuare in Spinoza (*Trattato teologico-politico*, 1670) l'inizio, nella varia stagione illuministica, la faticosa, e a volte confusa, messa a punto strumentistica e nella fioritura romantico-idealista (tedesca, naturalmente) la *definizione* della f.d.r. in senso moderno. Ma, senza attardarci sulla problematicità di una tale «definizione» (spazio-temporale, con tutti i rischi), possiamo cogliere in tutto l'ambito filosofico gli elementi di una riflessione specifica che questa «voce» abbraccia. Dall'interno stesso di un *mýthos*, fecondo e incontrollato, emerge l'esigenza di un *lógos* che punta a una divinità «uno... grandissimo» ma al di là di ogni antropomorfismo «di aspetto» o «di pensiero», una sostanza immutabile. Nel VI sec. a.C. Senofane (riduttivo parlare di scetticismo in chi,

attraverso la spiritualità sofista, anticipa la critica della *Città di Dio*) parla di una «sapienza buona» allo stesso tempo etica, teologica e politica e che, parafrasando un testo biblico, potremmo dire «viene dall'alto». Ma gli dèi non hanno rivelato tutto dall'inizio ai mortali, ci vuol tempo: discorso ripreso dalla *Educazione del genere umano* (1780) di Lessing. Chi sente in sé il *demone*, non è «artefice di nuovi dèi» in contrapposizione a quelli antichi che assicurano la stabilità della *pólis* (Socrate nell'*Apologia* di Platone) ma ben riflette su un dio creatore e provvido e, attraverso un concetto della divinità liberata dalla fisicità spaziale, tiene lontano gli amici dall'empietà e dall'ingiustizia (lo stesso nei *Memorabili* di Senofonte).

Attraverso l'*allegoria* (che si spinge fino ad attribuire agli dèi bassezze umane che non possono loro competere così come a loro non può essere attribuito il male) è la *realtà* degli dèi che bisogna riguadagnare. Mai come in questo caso è evidente, in Platone, la reciprocabilità di *ideale* e *reale*. La *Summa theologiae Platonis* (*Leggi* X) che sarà il fondamento della «Teologia dei Padri» e dell'ininterrotto influsso su tutto un filone di interpretazione del cristianesimo spirituale-interioristico, parte dalla «universale» fede in Dio che tutti gli uomini possono raggiungere dalla esistenza, dalla bellezza, dall'ordine delle cose (cfr. Rm 1). Se l'anima è il principio del movimento, gli dèi conoscono, sentono e vedono tutto e di tutto e di tutti si prendono cura. Non possono essere corrotti dagli uomini; l'empietà di questi è attribuibile solo a se stessi.

C'è anche una «Teologia di Aristotele», (*Metafisica* XII) basata sulla sua cosmologia che parte dalla continuità del movimento e dal suo principio «tale che la sua sostanza sia atto», «qualcuno che, senza essere mosso, muove». Principio immobile che

imprime un movimento eterno e uniforme, motore immobile e, con una
progressione squisitamente metafisica, «pensiero di pensiero... pensiero
che pensa se stesso». Puntuale il commento di Tommaso d'Aquino: il primo motore deve essere «substantia
per se existens» e la sua sostanza atto; in lui c'è un riferimento essenziale dell'*intellectus* all'*intelligere*, come
dell'*essentia* all'*esse*. Ma molti secoli
non sono passati invano e se la riflessione acuta e dolorosa della tragedia greca ha dato una dimensione
esistenziale e drammatica alla riflessione religiosa (incentrata sul conflitto
insanabile tra fato e provvidenza, necessità e libertà, colpa e pena e, in
definitiva, dio e uomo) il cristianesimo ha, da una parte portato la luce
della rivelazione, dall'altra stimolato
a reimpostare con maggiore precisione i problemi. Non è più possibile
l'identificazione aristotelica filosofia-
prima-metafisica-teologia.

Ma non è senza conseguenze, linguistiche e concettuali, il passaggio
operato dalla *sostanza* alla *sostanza
divina*. La sostanza, la «prima categoria» aristotelica, concetto fondamentale della metafisica, comprende,
da Aristotele, attraverso i Padri e la
Scolastica, fino a Cartesio, Spinoza
e Leibniz, una sostanza particolare,
unica, assoluta e suprema che è la
sostanza divina. Piattaforma filosofica e della discussione teologica sulla natura di Dio (e della Trinità), nella sua varietà linguistica che compor-
terà malintesi e confusioni: *hypósta-
sis, hypárxis, phýsis, essentia, substantia, natura*... sarà messa in crisi
solo dall'empirismo che obietterà al-
l'idea di una sostanza *nuda* di caratteri, salva la critica di rimando che
un fascio di proprietà possa definire
qualcosa.

È la diversa concezione di sostanza
che qualifica «teologicamente» Platone rispetto a Socrate (e Aristotele
rispetto a Platone): la *ousía* è veramente tale sul piano eterno, astratto
dalla realtà, per cui la sostanza «fenomenica» assume un significato ambiguo. L'approfondimento relativo al
fatto che solo le sostanze hanno idee
corrispondenti, che queste sono gerarchizzate e ordinate dal Demiurgo
e che l'Unità rappresenta il vertice
della realtà, prepara, non senza la
mediazione delle categorie aristoteli-
che e del neoplatonismo, la prima
speculazione, filosofica e teologica,
cristiana.

Per Aristotele, mediante l'analogia,
il concetto di sostanza può riferirsi al-
l'individuo concretizzato dalla sua materialità e a Dio. Anche se *ho theós*
non ha necessariamente una precisa
accezione monoteista, è stato il fondamento di una concezione monoteista nel senso sviluppato poi da commentatori neo-platonici e che ha esercitato, indubbiamente, un grande influsso sugli scrittori cristiani. Questi
hanno affrontato il problema dell'u-
nità (essere puro, unico) e generalità
di Dio (primo di tutti gli altri) della
«teologia» aristotelica, con il sostegno platonico che il dio supremo è
assolutamente uno, semplice e inqua-
lificato, è il secondo dio a essere rappresentato come polimorfo. Questa
interpretazione della gerarchia divina, fondata su una lettura del *Parmenide* diventa familiare ai cristiani
attraverso Eudoro di Alessandria ed
è testimoniata, ad es., nel *Vangelo
di Filippo* e in Basilide. Non solo la
prótē ousía sarà il Padre e la *déutera
ousía*, il Logos, ma si parlerà del sangue come sostanza dell'anima (Clemente Alessandrino) e del miracolo
dell'acqua mutata in vino come cambiamento di sostanza (Origene). Ma,
soprattutto: il Logos è *ousía ousiôn*
mentre il Padre è dietro ogni cosa
(cfr. *Rep.* 509 b: *epékeina tês ousías*).

A Platone si ispira Origene che commenta Gv 14,6 («Io sono... la verità») e chiama Gesù «sostanza della
verità» (*Contra Celsum* VIII, 12). In
Filone, Clemente, Origene, l'«idea di
Dio» corrisponde al Logos «luogo del-

le idee», «idea delle idee». Tutto questo è mediato, naturalmente, dall'esperienza che i cristiani fanno di Dio, con diverse sfumature e sottolineature (mistiche e pedagogiche), fino alla *Theologia negativa*.

3. RAGIONE E SAPIENZA - Nasce il problema se le altre categorie si possono applicare a Dio e si arriva alla conclusione che Dio non è nel tempo e nello spazio ma tempo e spazio sono in Dio. Atanasio rivendica che Dio è totalmente semplice, non ha accidenti, non ha bisogno di nulla per completare la sua sostanza che pure è *akatálēptos*: se «lo chiamiamo Dio e Padre e Signore» è perché cerchiamo di definirlo. Fecondo il confronto con la concezione biblica di Dio: essere, uno, fonte, fuoco, spirito, luce, vita, amore, bene, padre, signore, immanente e trascendente, provvido e onnisciente. Su questa base, per es., sono purificati, spiritualizzati, i concetti di *noētón phôs* e *pnéuma*. Se Tertulliano, nel suo latino peculiare, dice Dio *corpus*, comune diventa l'accezione *spiritus* e la definizione *unus*. Tutto questo non sarà senza conseguenze sulle controversie e le definizioni cristologiche e trinitarie: i malintesi sull'*homooúsios* nascono dalla polisemia della *ousía* e dal timore (per es. in Eusebio) di quello che noi diremmo (teologicamente) *modernismo*, mentre Atanasio riuscì a convincere che il termine non fa altro che contenere *pressius* quanto diffusamente contenuto nella rivelazione.

Sull'asse portante del rapporto federagione (di volta in volta dialettico, ancillare, reciprocamente autonomo o inevitabilmente implicantesi) si sviluppa una precisazione concettuale e disciplinare evidente, per es., negli Apologeti e negli Alessandrini e nelle espressioni «semina verbi» o «anima naturaliter christiana».

Dopo la fase polemica, apologetica o antieretica, si pone l'esigenza di uno studio «scientifico» della rivelazione, e questo significa esposizione dottrinale organica, completa e precisa, tale da non dispiacere agli «intellettuali». Non è un caso che la prima, più celebre scuola teologica sia quella di Alessandria, la città fondata da Alessandro Magno nel 331 a.C., culla dell'ellenismo, luminoso centro di intensa vita culturale, crocevia di civiltà. Allo studio del testo sacro si accompagna la preoccupazione del confronto non solo con le dottrine religiose orientali ma, soprattutto, con la filosofia classica greca. Perciò, l'analisi filosofica dei contenuti della fede e, sull'influenza soprattutto di Platone, l'interpretazione allegorica dei testi sacri, usata da Filone di Alessandria e ancor più da Clemente, fu eretta a sistema da Origene. Per Filone l'interpretazione allegorica è quella più vera, il senso letterale è come l'ombra rispetto al corpo. L'allegoresi diventa strumento ermeneutico di un discorso etico religioso che attinge principi metafisici, epocale operazione di inculturazione del ricco e colto rabbino di Alessandria la cui amorosa frequentazione delle Scritture è accompagnata da una preoccupazione teoretica: «Per me è sempre tempo di filosofare» (*De Providentia* II, 215). Per portare agli uomini la parola di Dio si preoccupa di conciliare il messaggio biblico con le idee filosofiche. L'inizio è apoditico: «Dio è, dunque, la fonte prima e certo a giusta ragione, perché fu lui a far scaturire questo mondo tutto intero» (*De fuga*, 198). Ma c'è un dualismo metafisico: di fronte a Dio assoluto, creatore, luce e misura di tutte le cose (come in Platone, *Leggi* IV, 716c e contro Protagora) c'è il mondo molteplice, corruttibile, materiale e, di mezzo, il mondo delle idee (per primo, Filone parla di «mondo intelligibile») ordinate, con al sommo, il logos divino, sapienza di Dio, progetto-architetto del mondo. Anche l'uomo è esemplato sul logos:

«Al confine tra la natura mortale e la natura immortale, in quanto partecipa necessariamente dell'una e dell'altra ed è stato creato insieme mortale e immortale: mortale nel corpo, immortale nella mente» (*De opificio mundi*, 135). È questa la base per la tematizzazione, nel clima ellenistico di incertezza e insoddisfazione per la razionalità, di nuovi rapporti tra la ragione e la fede, per nuove prospettive di salvezza ricuperate dalla rivelazione. È il clima in cui rinasce e vigoreggia l'antichissima *gnosi* con una sua concezione globale dell'essere: cosmologica, antropologica, soteriologica e la stessa, anzi accentuata concezione manichea di un dualismo esasperato tra dolorosa esperienza del male e anelito insoddisfatto alla salvezza totale in una appagante vita beata. Anche qui l'interpretazione allegorica della rivelazione per una operazione sincretistica di ricupero dei miti religiosi orientali e delle categorie filosofiche greche.

Per divenire perfetto, l'uomo deve percorrere, dice Filone, un itinerario che da un sapere filosofico enciclopedico («enciclico») lo porti alla sapienza (teologica): «In verità, come le discipline encicliche contribuiscono all'acquisizione della filosofia, così contribuisce la filosofia all'acquisizione della sapienza. La filosofia è ricerca della sapienza e la sapienza è la scienza delle cose divine e umane, e delle loro cause. Dunque, come la cultura acquisita mediante gli studi enciclici è schiava della filosofia, così anche la filosofia dovrebbe essere schiava della sapienza» (*De Congressu*, 79). Di fronte ai personaggi biblici impallidisce la mitica figura di Socrate: «Mosè... l'uomo che esplorò la natura immateriale... indirizzò la sua ricerca in ogni possibile direzione; tentava di vedere chiaramente Colui cui è rivolto il nostro più ardente desiderio e che è l'unico Bene» (*De mutatione*, 25-26).

Sono i presupposti dell'esegesi pa-

tristica che sulla fondamentale distinzione morale-spirituale-mistico svilupperà una pluralità di sensi: anagogico, tropologico, parabolico. Non solo lo spiritualismo platonizzante, ma l'antropologia paolina corpo-anima-spirito è alla base della tripartizione origeniana dei sensi della Scrittura letterale-morale-spirituale che con gli stimoli di Agostino e Gregorio, sarà fissata scolasticamente da Agostino di Dacia: «Littera gesta docet, quid credas allegoria. Moralis quid agas, quo tendas anagogia». E Agostino (*De doctrina christiana* 2,15) ammonisce a non perdersi fra letteralisti e allegoristi: per due motivi si fraintendono le Scritture, quando si sovrappongono segni ignoti o ambigui. Ma il quadro è più complicato: ci sono le eresie (per es. lo gnosticismo), un aspetto della reazione virulenta della filosofia classica pagana. Dopo il lento e largo tornante del primo Millennio (tra Scoto Eriugena e Anselmo di Canterbury) bisogna aspettare l'Umanesimo e il Rinascimento per una nuova impostazione metodologica in termini problematici, certo, ma vivaci e fecondi.

4. DALLA TEOLOGIA NATURALE ALLA FILOSOFIA DELLA RELIGIONE - «Stolti» chiama la *Sapienza* (cap. 13) coloro che dalle opere non hanno saputo riconoscere l'artefice e Rm 1 rincara la dose accusandoli di cecità e depravazione. Poi, Paolo (nella 1 Cor 13) riconosce che la visione è «come in uno specchio», di quelli metallici di allora che, per quanto tirati a lucido, rimandavano una immagine non proprio nitida. I più illuminati degli apostoli non solo riprenderanno il dialogo con gli autori della cultura classica, ma nel loro pensiero filosofico e religioso riconosceranno i fertili «semina Verbi». Il *logos* umano è partecipazione del Logos divino; ma nella formulazione successiva la → apologetica (dimostrazione, per gradi, religiosa, cristiana, cattolica) segnerà il

passaggio dalla teologia naturale alla filosofia della religione. Anche se la «sola fide» della Riforma escluderebbe il ricorso all'apologetica, *Apologia e Confessione di fede* suona la protesta di fede in Dio e nel Figlio Gesù Cristo presentata dai Valdesi al duca Emanuele Filiberto nel 1560. La «Teologia dei primi pensatori greci», giusta comprensione della divinità attraverso la ragione o «filosofia prima» che attinge l'Essere (supremo), trova la sua sistemazione nei tre *generi*: *mitico* (favolistico, dei poeti), *fisico* (naturale, dei filosofi), *civile* (dei popoli) di Varrone (*Antiquitates*) che saranno ripresi nella *Città di Dio* (6,5,1). Anche Cicerone aveva affermato, molto prima del cartesiano *Discorso sul metodo* che la vera legge è la retta ragione, conforme alla natura, diffusa tra tutti, costante, eterna.

Se → Ireneo (*Adversus Haereses* 40, 20, 7) aveva affermato che «la gloria di Dio è l'uomo vivente» (si aprono spazi alla *Filosofia della liberazione* con l'esegesi attualizzata: «Gloria di Dio è il povero vivente»), traendone l'immediata conseguenza teorico-pratica che «la vita dell'uomo è la visione di Dio», → Agostino rovescia le accuse dei pagani contro i cristiani criticando violentemente il politeismo (*De Civitate Dei*) e affermando nella religione cristiana la realizzazione storica della vera religione (*Epistolae* 102,12.5). Ma l'inveramento è solo il presupposto di una realtà superiore che trova il suo coronamento nella dottrina della Trinità (*De Trinitate*) esposta mediante la categoria della relazione che, se impedisce ad Agostino di familiarizzarsi maggiormente con il concetto di persona, gli dà modo di sviluppare ampiamente il riflesso antropologico dei *vestigia* (*esse-nosse-velle; mens, notitia, amor; memoria, intelligentia, voluntas*). Non una spiegazione della Trinità a partire dall'uomo, naturalmente; ma un tentativo di capire l'uomo a partire

dalla rivelazione trinitaria. E l'uomo si trova lontano da Dio «in regione dissimilitudinis» (*Confessiones* 7,10), rimembranza platonica (tra il non-essere del nulla e l'essere immutabile di Dio) e anticipazione della descrizione che S. Bernardo fa dello status naturae lapsae: «Nobilis illa creatura in regione similitudinis fabricata... de similitudine ad dissimilitudinem descendit» (*De diversis*, Sermo XLII, 2). La polemica, vivacissima, di Bernardo contro il dialettico Abelardo, non vuole condannare la dialettica ma mettere in guardia contro lo svuotamento del mistero cristiano e riaffermare il primato della carità sulla logica. La regione del peccato e della somiglianza deformata è quella nella quale nasciamo nella concupiscenza e viviamo nella carne, la volontà è *obliqua* e il sapere filosofico conduce nelle tenebre (S. Bonaventura, *De donis Spiritus Sancti* IV,12).

Ma è l'unico modo per sottrarsi a un solipsismo teologico (S. Pier Damiani, *De divina omnipotentia*) e alla seduzione della dialettica che portano, per diverse vie, a un pericoloso disprezzo di sé e del mondo (Innocenzo III, *De contemptu mundi sive de miseria conditionis humanae*).

L'odio della materia, il disprezzo della corporeità sotto il peso della esperienza del male, il desiderio di evadere da un mondo di disgusto e il desiderio ardente di una vita vera, piena, quieta, avevano opposto a una *pístis* una *gnôsis* in una reviviscenza, nel cristianesimo, di un fenomeno religioso antichissimo. Tocca al francescanesimo, con la sua carica di umanità e di senso della natura, di amor di Dio e del prossimo, di gioia nella sofferenza, vincere le nuove forme di gnosticismo.

Già Agostino aveva avvertito: «Aliud est esse rationalem, aliud esse sapientem» e Bonaventura chiamerà rivelazione una illuminazione interiore certa (*Com. in Sent.* II,4,2,2). Ma si avverte la necessità che la ragione renda più intelligibile la fede, la confermi, interpreti le Scritture, essa che è fonte autonoma di conoscenze filosofiche (Giovanni Scoto Eriugena). La dialettica è chiamata a rinnovare lo studio della teologia: lo fa Fulberto, direttore della scuola episcopale di Chartres, con la cautela richiesta dai dogmi della fede. Ma il suo discepolo Berengario di Tours (*De sacra cena adversus Lanfrancum*) sarà condannato per la sua negazione della presenza reale e il libello di Lessing (*Berengarius Turonensis...*, 1770) vorrà essere l'apologia di una illuministica libertà di pensiero.

Con il *Monologium* («Exemplum meditandi de ratione fidei») e il *Proslogium* («Fides quaerens intellectum») Anselmo di Canterbury (1033-1109) articola la prova ontologica nella quale l'esistenza di Dio creduta viene presentata in modo razionalmente ineludibile («noi crediamo che tu sei tale che nulla di maggiore di te può essere pensato») perché è l'unico essere la cui esistenza *in intellectu* si identifica con l'esistenza *in re*. Una prova classicissima sulla quale si divideranno i massimi pensatori: subito contro Tommaso d'Aquino e poi Kant che riterranno invalicabile la distinzione *in intellectu - in re*; a favore Cartesio e Leibniz (con la modificazione: «se è possibile»).

A evitare confusioni di tipo panteistico, il concilio Lateranense IV (1215) ammonirà: «Inter creatorem et creaturam non potest tanta similitudo notari, quin inter eos maior sit dissimilitudo notanda».

5. VERSO L'«ETÀ DELLA RAGIONE» - La Scolastica, inaugurata da Anselmo, attinge il suo apice con Tommaso d'Aquino (1225-74): il presupposto è che il sapiente (colui che fa uso della ragione) è in grado di dimostrare l'esistenza di Dio. Su questo *praeambulum fidei* può innalzarsi la conoscenza del Dio della fede, uno

e trino. Perciò Tommaso, per il quale la natura umana fa riferimento a Dio, causa e fine, può dire, con la sua semplicità profondissima: «Religio proprie importat ordinem ad Deum» (STh II,II,81,1) che categorizza l'affermazione paolina: «Quello che voi adorate senza conoscerlo, quello io annunzio a voi» (At 17,23). Dio è l'oggetto materiale di tutta la ricerca: conosciuto con la luce naturale della ragione umana (*Summa contra Gentiles*) o con il lume soprannaturale della rivelazione divina (*Summa Theologica*). Ma la perfetta armonia fede-ragione fa sì che il proposito della prima sia esporre «la verità professata dalla fede cattolica... eliminando gli errori contrari» (1,2). È opera teologica, anche se nel dialogo con i non cristiani usa argomenti razionali: ufficio del sapiente è la considerazione delle cause supreme, della Verità fonte di ogni verità. L'esposizione procede bene articolata e in modo apodittico: Dio, esistenza e natura (1,1); la creazione e le creature (1,2); Dio, fine ultimo e supremo governatore (1,3); misteri divini ed escatologia (1,4). Insomma: Dio in sé, Dio creatore, Dio fine, Dio soprannaturale. Cambia solo il metodo pedagogico, ma si tratta sempre di una ragione *manuducta fide*. Infatti è nella *Summa Theologica* che, definita la natura e l'ambito della «Sacra doctrina», si affronta il problema dell'esistenza di Dio e l'asserto biblico viene provato nelle famose cinque vie che riformulano il pensiero aristotelico: movimento, causa efficiente, contingente e necessario, gradi delle cose, governo delle cose.

(L'argomento *ex gubernatione*, che ci riporta agli Stoici e al *noûs* anassagoreo, nella *Contra Gentiles* fa riferimento a S. Giovanni Damasceno: impossibile separare i criteri epistemologici delle due *Somme*). Al culmine di un lungo processo di assimilazione, la filosofia classica consoli-

da il dogma cristiano e, nello stesso
tempo, la ragione umana afferma i
suoi diritti.

Perché l'albero della scienza non se-
duca («Eritis sicut dei») e la «libido
sciendi» non si accompagni alla «con-
cupiscentia carnis» e non porti alla
«desperatio salutis», la sapientia deve essere «sapida scientia», altrimenti diventa «ars diaboli». La *spiritualis intelligentia* è presupposto del filosofare cristiano e la *charitas* del-
l'uomo redento, mentre lo riconcilia
con Dio e il prossimo, gli rende possibile l'intuizione generale della bellezza dell'ordine cosmico. Rimane costantemente sottinteso il riferimento
alla rivelazione non come dimostrazione incontrovertibile (il rischio del-
l'ideologia) ma grazia, dono gratuito
che sollecita la fede dell'uomo. La seduzione della gnosi, nonostante che
la polemica medievale (dialettica del
peccato - peccato della dialettica) abbia avuto una risposta acquietante
nella scuola francescana e un equilibrio, non più raggiunto, nel sistema
tomista, porterà alla riduzione dell'essere al pensiero (Cartesio) e poi alla
percezione («esse est percipi», Berkeley) e, infine, all'idea.

Ruggero Bacone (1214 c.-1292), mentre suggerisce l'attenzione al consiglio
degli altri, libri e autori, perché la
scienza cresce con i contributi successivi ed è un progressivo venire alla
luce, ammonisce che l'attenzione dei
teologi alle *quaestiones* non li distol-
ga dallo studio del testo (*Comp. stu-
dii Theol.*). L'entusiasmo cristiano e
lo zelo missionario si accompagnano
in Raimondo Lullo a un atteggiamento irenico ed ecumenico inteso al disvelamento delle fedi e della frammentazione delle religioni. Questo
«Doctor illuminatus» con la sua «Ars
Magna» vagheggia una «Ars inventiva», una saggezza organica e universale, che si possa raggiungere con un
intelletto rivestito di fede, illuminato
dalla fede. Una convinta esposizione, non apologetica dimostrazione,

del monoteismo e della immortalità
ci viene offerta nel *Libro del Gentile
e dei tre Savi*. Dall'angoscia della foresta, dalle tenebre dell'errore, il Gentile è tratto alla realtà spirituale beatificante dell'ebreo, del cristiano, del
musulmano – a loro volta illuminati sul significato di cinque alberi (virtù divine) circondanti una fontana (la
vera dottrina – da «Intelligenza»,
misteriosa e affascinante damigella
depositaria dell'unica verità contenuta
nelle tre fedi. E come i tre, dopo la
presentazione serena e convinta della
propria fede, non aspettano che il
Gentile ne scelga una, Lullo si interrompe sulla promessa che i tre si fanno di continuare a incontrarsi e dialogare per cercare ancora la vera fede. Questa formulazione dell'antica
«Parabola dei tre anelli», variamente ripresa fino a *Nathan il Saggio* di
Lessing, se presenta dei problemi, è
anche indubbiamente alta espressione di civiltà e vera religione in un'e-
poca in cui si predicavano appassionatamente le crociate e si combattevano sanguinarie guerre di religione.

Si annuncia un'epoca nuova, uno
spirito nuovo. Ma la novità è contenuta nella sapienza antica di cui sono imbevuti la bibbia e il vangelo e
che ritorna in contesti diversi. «Se
uno che vive in mezzo al cristianesimo si reca nella casa di Dio, nella
vera casa di Dio, avendo di Dio una
esatta rappresentazione concettuale,
e lo prega ma non prega nella verità,
e un altro che vive in terra pagana
ma prega con tutta la passione del-
l'infinitezza, anche se il suo occhio
si posa sull'immagine di un idolo: chi
è più vicino alla verità? Uno prega
Dio nella verità, anche se si rivolge
a un idolo; l'altro non prega il vero
Dio nella verità, e quindi in verità
adora un idolo» (S. Kierkegaard, *Postilla conclusiva non scientifica*, del
1846, SV VII, 168). Analogamente si
era espresso con estrema concisione
Spinoza nel *Tractatus theologico-politicus* del 1670: «Si quis vera creden-

do fiat contumax is revera impiam, et si contra falsa credendo oboediens, piam habet fidem», (in *Opera*, ed. Gebhardt, III, Heidelberg 1925, 158). E Agostino: «Gaudeat etiam sic et amet non inveniendo invenire, potius quam inveniendo non invenire te» (*Confessioni* I,6,10). Ma le avventure dello spirito comportano i loro rischi.

6. UMANESIMO E ANTIUMANESIMO - Una parte significativa dell'Umanesimo sta nel porre maggiormente l'uomo al centro dell'attenzione, dello studio, della cura; nel superare i rigidi schemi dell'incontrovertibile logico. Più che un'aperta rivolta contro il pensiero medievale (che non aveva trascurato né gli *Studia humanitatis* né l'uomo), è una sua continuazione con uno spostamento di interessi, una maggiore interiorità religiosa, più morale e meno codificata, meno definita e più aperta e tollerante.

Negli stessi anni in cui opera il Divino Poeta, Albertino Mussato (1251-1329) parla della poesia come *divina ars, altera philosophia, theologia mundi*: il poeta ha la funzione di rivelare gli esseri. Fin dall'antichità i divini poeti ci hanno parlato di Dio in cielo, anche se quello che per noi è Dio, altri l'hanno chiamato Giove e altri ancora identificato in qualche realtà corporea.

Filosofia e religione, entrambe amore e studio della verità e della sapienza, che è Dio, sono autonome senza che vengano in conflitto, in reciproca relazione ma su un piano di parità. È il pensiero di Marsilio Ficino che nella ricerca filosofica libera e pluralistica vede, attraverso il ritorno al passato, lo svincolarsi da una filosofia religiosa (cristiana, araba o ebraica) per una concezione del mondo aperta e varia. Su un piano più religioso, la Riforma porterà alle estreme conseguenze, in conflitto con gli stessi valori umanistici, la ricerca della verità e della dignità dell'uomo,

negando il «possesso» della verità e il libero arbitrio e facendo prevalere la realtà della fede su quella della religione. Citazioni, traduzioni e imitazioni di moralisti o del pensiero morale classico (da Platone e Aristotele a Cicerone, Plutarco, Seneca, Epicuro...), non contrappongono ma armonizzano una salvezza ultima, un paradiso (cristiano) con la virtuosa attività di una vita morale nella *Città*. Da Cicerone a Erasmo, la linea di un eclettismo tollerante («Ipsa natura ratio, quae est lex divina et humana», *De Officiis* III, V) che non si discosta sostanzialmente dal «seguire la natura... vivere secondo la natura», da Aristotele e dagli Stoici, giunge fino a Tommaso. Certo, esiste il pericolo di un ritorno al paganesimo, come denuncia il Savonarola, o l'equilibrio instabile, come nel Cusano, tra una irenistica «pace della fede» e la riaffermazione della vera religione cristiana. Ma, più che le *Conclusioni filosofiche, cabalistiche e teologiche* (del 1486), utopia prometeica destinata al fallimento, di Pico della Mirandola ci rimane l'«Orazione» *Della dignità dell'uomo* e, il tralucere, tra opinioni e discussioni, del «fulgore della verità». E ancora: il platonismo cristiano di Ficino, (ma non va trascurata una certa interpretazione aristotelica che, attraverso Alessandro di Afrodisia, emerge in *De immortalitate animae*, 1516, di Pomponazzi per il quale non a torto si è parlato di «doppia verità»); lo sforzo di identificazione del fato e della fortuna pagana con il concetto biblico e cristiano di Provvidenza in Coluccio Salutati e Leon Battista Alberti.

Meticolosità filologica, brillantezza di esposizione, vigore polemico, insieme a una acuta libertà di coscienza (non senza qualche ambiguità), danno credito all'affermazione erasmiana di aver fatto sì che l'umanesimo si volgesse alla celebrazione di Cristo. La critica corrosiva dell'*Elogio della follia* (1509) è sulla linea del-

Religione (filosofia della)

la riforma del cristianesimo (senza risparmiare i Riformatori) e della vanità delle scienze e delle dottrine, ripresa dagli antichi, presente in Pico, tematizzata da Agrippa di Nettesheim (*De incertitudine et vanitate scientiarum et artium atque excellentia verbi dei declamatio*, 1530). Al complesso fenomeno umanistico va anche ascritto il magma dell'aspirazione religiosa tra magia, occultismo ed ermetismo, che vede in varia misura coinvolti molti degli autori citati e, poi, soprattutto Giordano Bruno. Atipico ma significativo il fenomeno Machiavelli (*Il Principe*, 1513), contrapposto alla componente malinconica (mirabilmente «descritta» da Dürer nell'omonima incisione) e utopica (Thomas More, *Utopia*, 1516).

Un quadro che gradualmente si complicherà ancor più fino a vedere anche la vanità di ogni dottrinalismo teologico, scientifico, letterario, morale (Agrippa, Montaigne, Erasmo); la corrosione-distruzione di una legge naturale universale (Montaigne-Machiavelli); la revoca degli ideali classico-cristiani-umanistici di limite, gerarchia, equilibrio, euritmia (Telesio, Bruno e soprattutto la *Riforma*) fino al passaggio dallo scientismo cabalistico o aristotelico all'empirismo puro che con Bacone e Galileo segna l'inizio di una nuova epoca.

Bisogna, insomma, evitare un discorso rotondo di facile identificazione di un certo umanesimo con un certo cristianesimo, in una serena atmosfera di *anima naturaliter christiana*. C'è anche una prospettiva cristiana che non minimizza affatto gli aspetti precari, ambigui, drammatici, irrazionali dell'esistenza, dove un'esistenza di dis-agio, uno *status naturae lapsae*, uno *status deviationis*, non vede nella salvezza un esito facile e tanto meno ovvio. La follia diffusa trova una risposta nella follia della croce e nella pretesa paradossale di salvarsi dalla follia attraverso la follia della croce. Anche l'uomo cristiano è immerso nel mistero della storia: tra una risposta *già* data e un significato *non ancora* capito. La «theologia negativa», la «theologia crucis», la «theologia dialettica» sono espressioni radicali non solo della incommensurabilità del divino con l'umano, ma anche della ineludibilità del mistero del male e della tentazione che dalla suggestiva (anche se discutibile) lettura di Giobbe: «temptatio vita hominis super terram» (7,1), giunge all'esperienza mistica «Maxima temptatio est non temptari» (G. Groote) e all'inquietante e disincantato: «Qui non est temptatus, quid scit?».

Il mondo, prosegue Groote, è luogo di reato e trasgressione, fatica e dolore, vanità e malignità, delusione e disperazione. La dura «militia Christi», delineata nella *Vita di Antonio* di Atanasio, attraverso tentazioni, apparizioni demoniache terrificanti e trasformazioni allucinanti della natura stessa, viene ripresa e aggiornata, per le Fiandre saccheggiate e messe a ferro e fuoco dalle guerre di religione da J. Bosch, P. Bruegel e altri pittori fiamminghi. Un umanesimo nordico della «insecuritas» e della «indignitas hominis» di pittori che E. Castelli (*Il demoniaco nell'arte*, Milano 1952) ha chiamato *teologi*. Follia della razionalità (albero del sapere) ma anche della religione e della Riforma religiosa e la prospettiva della perdita dell'identità, dell'anonimato (*Nessuno, Niemand*), demitizzazione radicale della *dignitas hominis* già esplicita nel citato *De contemptu mundi* e ripresa, su basi e con esiti diversi, da Kierkegaard. Mentre da una parte si riprendono temi stoici (Giusto Lipsio, *De Constantia*, 1584) così come continua la fortuna dell'epicureismo (dal *De voluptate* di L. Valla, 1431, al *De vita, moribus et placitis Epicurei* in 8 libri, 1647, del «doux prêtre» [Gassendi]) e dall'altra Agostino Steuco sostiene che tutte le correnti filosofiche si possono riportare alla filosofia cristiana (*De perenni philosophia*, 1540), Melchior Cano sostiene che la ragione naturale è un «locus theologicus» (*De locis theologicis*, 1563).

7. ACCEZIONE MODERNA - Francis Bacon distingue la filosofia divina (teologia) dalla filosofia della natura (teoretica e pratica) e auspica che empirici (falcoltà sperimentale) e dogmatici (facoltà razionale) lavorino di comune accordo (*Novum Organon*): Galilei ammonisce che la fisica dice come va il cielo non come si va in cielo. Ma si ripresenta il problema della sostanza.

Se la sostanza aristotelica si definisce nel rapporto con gli accidenti, quella cartesiana si definisce in rapporto a un'altra sostanza e alla distinzione tra «pensiero» e «natura» che portano a sviluppare il concetto di sostanza dell'autonomia del pensiero: «Per sostanza, null'altro possiamo intendere che la cosa che esiste in modo tale da non avere bisogno di nessun'altra per esistere» (*Princ.* I,51). Di qui l'eteronomia della sostanzialità delle creature e l'autonomia della sostanza divina come autentica autonomia del pensiero. Anche se il pensiero risponde a certi requisiti della definizione, dice pur sempre riferimento a un corpo e, con questo, a un terzo (primo, ontologicamente; abbiamo detto della ripresa cartesiana della «prova ontologica») che è Dio. «Col nome di Dio intendo una certa sostanza infinita, indipendentemente, sommamente intelligente, sommamente potente... (da lui) sia io stesso, sia ogni altro, se qualcosa esiste, è creato» (*Med.* III, 11-14). Con sicurezza, Cartesio conclude che la sostanza non può essere predicata *univoce* di Dio e degli altri e che la loro relazione è una *creatio continua*: «Dio è causa delle cose create, non solo *secundum fieri*, ma anche *secundum esse*», (così scrive a Gassendi).

Spinoza ha definito la sostanza «quod in se est et per se concipitur» (*Ethica*, def. III) cioè ciò il cui concetto non ha bisogno, per formarsi, del concetto di un'altra cosa; con la definizione degli *attributi* e dei *modi* dell'essere, si completa l'intreccio del concetto di *sostanza* con il concetto di *mondo* con tutte le implicazioni panteistiche emerse nello *Spinozastreit*, documentato nel carteggio Jacobi-Mendelssohn *Sulla dottrina di Spinoza*, 1785. Il *Tractatus theologico-politicus*, 1670, viene considerato da alcuni l'inizio della filosofia della religione in senso moderno: ermeneutica del fatto religioso, della religione storica, della tradizione di una religione che si dice rivelata (ebraico-cristiana) sulla base del «lumen naturale». L'universale biblico: Dio unico, onnipotente, provvido, remuneratore, fonda la definizione del vero culto: obbedienza a Dio nella pratica della giustizia e della carità, senza che, per altro, abbia senso cercare rapporti o affinità tra fede e teologia (obbedienza) da una parte, e filosofia (vero) dall'altra. La Scrittura viene esaminata dal lume naturale come la natura stessa, evitando di attribuirle ciò che non risulti evidentemente dalla sua storia. Salvo il diritto di ciascuno alla libertà di pensiero, il risultato non saranno i «dogmi di verità» ma i «dogmi di pietà» (fede obbedienziale) nell'accoglienza dei principi che emergono con chiarezza e che possono costituire la base di una pacifica convivenza religiosa: esiste Dio, cioè un ente supremo, unico, onnipresente, che governa tutto; nel culto di Dio, nell'ubbidienza, nella giustizia, nella carità c'è la salvezza; Dio perdona i peccati di coloro che si pentono. Leibniz deve partire dalla critica di Spinoza per affermare la pluralità delle sostanze, l'infinita molteplicità delle sostanze semplici. Ma anche critica della sostanza aristotelica con la definizione di sostanza singolare che definisca il soggetto: con tutti i suoi predicati, passati, presenti e futuri. E critica della sostanza cartesiana: «Perché se non c'è nessun "vere unum", ogni "vera res" sarà tolta» (A.Volder, 20-6-1703). Costruisce così un concetto di sostanza, unità che si definisce sistematicamente: la monade, l'infinita molteplicità delle monadi.

Ed è il loro ordine, non il fatto che esistono le creature, che prova l'esistenza di Dio. Perciò la sostanza si determina come espressione del concetto originario del divino. Sostanza che fonda l'armonia dell'universo, natura originaria costante e assoluta, senza limiti, contenente tutta la realtà possibile. L'argomento ontologico viene completato con la dimostrazione della possibilità dell'essere perfetto (tutte le qualità semplici puramente positive possono coesistere senza contraddizione).

Se è possibile, esiste (senz'altro) ed è «esistentificante». Ecco allora il nuovo rapporto della sostanza con il mondo: non possiamo derivare dei concetti se non in forza del concetto primitivo, sì che nulla sia nelle cose se non con l'influsso di Dio e niente possiamo pensare nella mente se non con l'idea di Dio. E nel rapporto con il mondo, la sostanza trova il rapporto con Dio: «Tutte le singole sostanze create sono diverse espressioni dello stesso universo e della stessa causa universale, cioè Dio» (*Pr.Ver.*). Sulla distinzione verità di ragione (assoluta) e verità di fatto (contingenti) nei *Nouveaux Essais sur l'entendement humain*, 1704, si innesterà la polemica Lessing-Kierkegaard. Con *Essais de Théodicée sur la bonté de Dieu, la liberté de l'homme et l'origine du mal*, 1710, Leibniz, mentre risponde al *Dictionnaire historique et critique*, 1695-1697 di Bayle, fonda la moderna teodicea.

Contro il razionalismo cartesiano, → Pascal, estraneo alla tradizione scolastica, nelle *Pensées* riprende la linea interioristica, spirituale che tra Scilla e Cariddi di dogmatismo e pir-

ronismo, insoddisfatto delle risposte scientifiche (anche la metafisica è una scienza, le prove metafisiche dell'esistenza di Dio lasciano insoddisfatto e indifferente l'uomo), deve cogliere le vestigia di Dio che sono in lui e fuori di lui, nella natura. Ma tutto questo non può avvenire senza giocare la propria esistenza in un *pari* che dà significato all'esistenza dell'uomo perché gli fa raggiungere Dio. Il Dio di Gesù Cristo, non dei filosofi, al quale nel *Mémorial* Pascal si rivolge in modo personale e colloquiale.

8. UN CRISTIANESIMO SENZA MISTERI - Una religione senza misteri per una vita senza enigmi è il programma del vasto e indefinibile movimento del *deismo* che affonda le sue radici nella cultura rinascimentale: rifiuta la speculazione classica e scolastica, assume un atteggiamento particolarmente polemico nei confronti del cristianesimo, avvia all'illuminismo e al razionalismo. Contrario all'ateismo ma riluttante a imbarcarsi in questioni metafisiche su Dio; inutile aggiungere che la rivelazione divina − e l'istituzione divina della chiesa − sono per il deismo questioni senza senso. Si ammettono soltanto principi religiosi e morali che l'uomo può raggiungere con la sua ragione; il mito, in ambito culturale cristiano-europeo e segnatamente inglese, è appunto un cristianesimo «ragionevole», senza misteri. Si può pensare al Campanella della *religio innata* più che al Bruno ermetico, magico e panteista, ma si deve cominciare con Herbert di Cherbury e il suo programmatico *De veritate prout distinguitur a revelatione, a verisimili, a possibili et a falso* (1624). Shaftesbury approfondirà il *Sensus Communis* (1709), base di ogni estetica e morale, ma anche di un sentimento religioso impostato illuministicamente e critico del cristianesimo. *Christianity not Misterious* (1696) di J. Toland esclude che pos-

sano esserci contenuti di rivelazione superiori alla ragione. Il vangelo può essere interpretato liberamente e indipendentemente dall'autorità ecclesiastica; tutte le religioni sono manifestazioni della religione naturale (altra anticipazione dell'illuminismo). Immediatamente prima J. Locke aveva pubblicato *Essay on the Reasonableness of Christianity as Delivered in the Scriptures*, un manifesto del deismo che prospetta una fede immanente in una rivelazione naturale ampliata, una ragione che è la facoltà orientatrice, che ordina le idee, uno stato mondano-politico separato da una chiesa religioso-trascendente. Ciò che importa a Locke è la libertà della coscienza religiosa tra uno stato che deve occuparsi del benessere civile e una chiesa che non deve avere la facoltà di lanciare sanzioni e riservare alla ragione il compito di giudicare se c'è una rivelazione e qual è il significato delle parole che la contengono (cfr. *Saggio sull'intelletto umano* IV, XVIII, 8). La necessità della conformazione della rivelazione alla religione naturale è per A. Collins la base del libero esame in fatto di religione e del libero pensiero: sarebbe indegno di un essere razionale accettare le imposizioni dell'autorità. Sulla coincidenza del cristianesimo (come di ogni religione) con la religione naturale si espresse anche M. Tindal (*Christianism as old as Creation*, 1730).

Alla tradizione deistica si ricollega D. Hume nella critica alla superstizione e al fanatismo intollerante, ma lo combatte criticando radicalmente il suo fondamento, la ragione, nell'adesione assoluta all'empiria, con esiti scettici. I *Dialogues Concerning Natural Religion*, 1779, e la *Storia naturale della religione*, 1757, rispecchiano il rifiuto di trascendere l'empiria, l'impossibilità di definire una realtà religiosa che nella sua contingenza storica viene rappresentata soprattutto negli eccessi e nelle degene-

razioni: così come nasce dalla paura e dall'ignoranza, la religione rimane avvolta da ipocrisia e fanatismo, superstizione e intolleranza. Significativa l'assimilazione humeana del *natural belief* a una naturale credulità, superstizione, fanatismo. La religione pura, *filosofica*, indirettamente e remotamente ipotizzata, anticipa il mitico *noumeno* kantiano, mentre assolutamente dogmatica è la sua assolutizzazione della empiria come della immoralità della religione. Hume respinge il «design argument» con il rifiuto della analogia e del principio di causalità (*post hoc* non *propter hoc*), chiama «sophistry and illusion» la metafisica e la teologia scolastica, ritiene assolutamente inintelligibile la questione della sostanza dell'anima, come ogni questione sulla sostanza, attribuisce ai miracoli una «weak probability», mentre la certezza è solo dell'esperienza. Insomma, se la «popular religion» ha origine nella natura umana, il «natural belief» è inconciliabile con la fede in Dio, non ha alcun significato religioso.

In Germania, sugli influssi deistici si sviluppò l'illuminismo, sulla base del razionalismo di Wolff che trovava una perfetta concordanza tra religione naturale e ragione. Nella *Theologia naturalis*, 2 voll., 1736-37, Wolff sosteneva che le verità della Scrittura possono essere conosciute anche col solo retto uso della ragione. Si rafforzò l'equivoco della religione naturale, in realtà artificiale e letteraria, un pallido riflesso del monoteismo filosofico, con poche eccezioni (Herder, Hamann) fino a quando Schleiermacher la ridicolizzò nei *Discorsi sulla Religione*, 1799.

Un apporto decisivo a una religione cristiana, *vernünftig* (dal deismo si sta andando decisamente verso il razionalismo kantiano), è dato dalla esegesi liberale di J.S. Semler (*Apparatus ad liberalem N. Testamenti interpretationem*, 1769) che in una prospettiva storico-evolutiva distingue tra parola di Dio (assoluta) e parola della bibbia (con il suo rivestimento psicologico, sociologico, culturale); religione privata (ispirata agli atti buoni, invisibili di Cristo) e religione pubblica (costituita); esperienza religiosa e concettualizzazione teologica. Il canone biblico viene visto nelle sue vicissitudini storiche come ogni testo letterario: nessuna figura è ritenuta compiuta, normativa; i vari libri non hanno tutti lo stesso valore; altro è il messaggio cristiano originario, altro il rivestimento storico e l'accomodamento psicologico. Le stesse formule dogmatiche vanno viste nella evoluzione storica della vita ecclesiastica.

Molto di tutto questo, con una accentuazione escatologica del messaggio di Cristo che esclude l'idea di fondare la chiesa, è nella *Apologie oder Schutzschrift der vernünftigen Verehrer Gottes* di H.S. Reimarus (1694-1768) che Lessing pubblicherà nel 1778. Non a caso Lessing è tipico esponente dell'illuminismo razionalistico, apologeta della religione naturale dalla quale la religione rivelata o positiva dovrebbe allontanarsi il meno possibile. La storia stessa è il *luogo* naturale della rivelazione che è per il genere umano ciò che per i singoli è l'educazione. Il cristianesimo è l'ultima delle religioni positive, prodromo di una futura, razionale religione dell'umanità, preludio di un nuovo vangelo eterno (*L'educazione del genere umano*, 1780). La riduzione del messaggio di Gesù a una generica filantropia è un aspetto della «storicizzazione» compiuta nello scritto *Sulla dimostrazione dello spirito e della forza* (1777) dove, con riferimento alla citata distinzione leibniziana si afferma: «Verità storiche contingenti non possono mai diventare la prova di verità di ragione incondizionate». E in *Una replica* (1778), una delle più celebri definizioni plastiche dello spirito illuministico: «Se Dio tenesse stretta nella sua destra

tutta la verità e nella sua sinistra soltanto l'aspirazione inquieta alla verità, anche a condizione di errare eternamente smarrito e mi dicesse: «Scegli!», umilmente mi getterei alla sua sinistra e direi: «Questa, Padre; la pura verità appartiene solo a te».

9. L'OPZIONE FONDAMENTALE - Nel frontespizio delle *Briciole filosofiche* (1844), Kierkegaard ripropone il quesito: «Ci può essere nella storia un punto di partenza di una coscienza eterna? Come può interessarci l'al di là della storia? Si può costruire su una conoscenza storica una beatitudine eterna?». Come è noto, attraverso il paradosso di Dio nel tempo, l'ipotesi della salvezza cristiana, mediante la dialettica della fede nella contemporaneità con Cristo, la filosofia della verità diventa teologia della salvezza, come enuncia la «Morale» conclusiva: «Qui è stato assunto un nuovo organo: la fede, un nuovo presupposto: la coscienza del peccato, una nuova decisione: il momento, un nuovo maestro: Dio nel tempo» (tr.it. Brescia 1987, 51 e 182). Questo comporta il rovesciamento dello hegeliano «la filosofia deve guardarsi assolutamente dall'essere edificante» («Prefazione» alla *Fenomenologia dello spirito*) in un programma altrettanto assoluto e costante: «Per edificazione e risveglio». Il problema della salvezza personale in termini di beatitudine eterna viene ripreso da Kierkegaard nella *Postilla conclusiva non scientifica* (1846) dove nella sezione dedicata a Lessing, insieme con l'omaggio alla consapevolezza socratica dei propri limiti nel rifiuto di compiere il *salto* della fede e onestà intellettuale rispetto alle pretese del «superamento» hegeliano, c'è la denuncia del sottile orgoglio di chi rifiuta la possibilità di salvezza. Socrate e l'«edificante» sono mediati a Kierkegaard da Hamann (*Sokratische Denkwürdigkeiten*, 1759) che rappresenta un altro aspetto dell'illumini-

smo non razionalista e quindi refrattario al razionalismo kantiano e alle «chiacchiere trascendentali» dello «Hume prussiano». Con spirito pascaliano, Hamann denuncia la pericolosa frattura tra ragione e natura, idealismo e realismo, così come non si deve disgiungere l'anima dal corpo. La ragione può anche generare errori e ha bisogno di sentimento, di fede, della rivelazione (l'uomo è immagine di Dio) presente nella natura e nella Scrittura: l'una e l'altra da interpretare, materiali dello spirito bello, creatore, imitatore. Rivelazione che si compie nel Figlio. La religione è così profeta del Dio sconosciuto nella natura, del Dio nascosto nella grazia, che con miracoli e misteri educa la ragione a una più alta sapienza ed eleva il nostro animo a più grandi speranze.

La consapevolezza dei limiti della ragione e la coscienza del peccato schiudono all'uomo l'incontro con Cristo; la soggettività non è la fondazione della verità nel proprio essere ma il rapporto personale con la verità eterna che si manifesta «in persona Christi» nella storia. Non una ostinata identità di pensiero ed essere ma un conoscere etico ed eticoreligioso. Una ricerca che per Kierkegaard data da sempre: «Trovare una verità che è verità *per me*, trovare *l'idea per la quale devo vivere e morire*» (*Papirer*, 1835), nella delusione dell'armonia fittizia, di un falso rapporto idilliaco del cristianesimo con la ragione speculativa in Hegel e con la *teologia speculativa* negli hegeliani. Ugualmente diffidente della «ragion pura» kantiana e del *sentimento* schleiermacheriano, della speculazione hegeliana e della «filosofia positiva» schellingiana che pretenderebbe partire dall'esistenza per fondare l'esistenza, Kierkegaard attraverso la «scuola dei Greci» e di Socrate, Agostino, di Pascal e Hamann, cerca Dio in Cristo, senza perdere tempo nelle prove, nei *praeam-*

bula: «Infatti, se Dio non esiste, è impossibile dimostrarlo, ma se esiste, allora è una pazzia volerlo dimostrare» fino al provocatorio «questo NB della storia universale» (*Briciole filosofiche*, 173). Ma, per non addebitare a Kierkegaard un irrazionalismo che non gli compete, si tenga ben presente una chiara distinzione da lui stabilita: «Il *paradosso assoluto* sarebbe che il figlio di Dio diventasse uomo, venisse al mondo e vi circolasse in modo tale che nessuno lo riconoscerebbe... Il *paradosso divino* è che egli si fa notare, se non altro, per il fatto che compie miracoli; è lì che si riconosce la sua divina onnipotenza, anche se esige la fede per risolvere il suo paradosso» (*Papirer*, 1842-43). Nulla da spartire con la dialettica hegeliana e il disconoscimento del principio di non contraddizione, ma una ripresa della teologia cristiana che esalta l'opzione fondamentale personale, il salto della fede di pari passo con l'incapacità della «dimostrazione» a portare Dio nell'esistenza dell'uomo. Nella *contemporaneità* con Cristo, con la risposta alla difficoltà di Lessing, una filosofia della storia che dà una nuova prospettiva al riferimento della «imitatio Christi» alla cristologia, sia pure con tutte le difficoltà (di ordine storico e caratteriale) ecclesiologiche. Di una realtà sottesa a tutto il discorso che andiamo svolgendo, la libertà, Kierkegaard dà una delle definizioni più belle: «Il massimo che, in ogni caso, si può fare per un essere è di renderlo libero. Ci vuole precisamente l'onnipotenza per poter fare ciò» (*Papirer*, del 1846). Dall'ipotesi ideale siamo giunti alle soglie della fede; il circolo (aperto) di una filosofia della verità che diventa teologia della salvezza. Né prolegomeni a una filosofia cristiana, né un capitolo dell'apologetica (per K. l'apologetica è di attacco); né derivata dal sentimento scheiermacheriano (e tanto meno dalla «filosofia positiva» di Schelling) né disponibile a un equivoco riutilizzo nella «teologia dialettica».

Illuminismo e *Populärphilosophie* vanno insieme per M. Mendelssohn e sono la chiave di lettura e il criterio espositivo del pensiero filosofico e della tradizione religiosa (ebraica). Il *Fedone*, sull'immortalità dell'anima, 1767, riprende l'argomentazione platonica della spiritualità dell'anima, risponde all'obiezione pitagorica di carattere psicologistico, descrive la realizzazione compiuta dell'uomo nell'altra vita. Con *Gerusalemme. Potere religioso e giudaismo*, 1782, ricollegandosi al *Tractatus* spinoziano, presenta la religione ebraica non come religione dogmatica ma codice di leggi cultuali e norme di vita per il conseguimento di una ragionevole felicità e ridimensiona il mito (illuministico) di progresso. In polemica con *L'educazione* di Lessing, sostiene che il singolo uomo progredisce ma l'umanità vacilla continuamente entro certi limiti. Accolto con entusiasmo da Kant come espressione di libertà di coscienza, fu attaccato violentemente da Hamann, *Golgatha und Scheblimini*, che nella lettura razionalistica della religione vedeva minata la possibilità della fede. Il suo saggio *Sulla domanda: che significa illuminismo*, 1784, ci vede un aspetto della cultura, una missione dell'uomo, come individuo e cittadino, una lotta contro il pregiudizio, la barbarie e la superstizione. La risposta di Kant, con la celebre definizione di avvio: «L'illuminismo è l'uscita dell'uomo dallo stato di minorità che egli deve imputare a se stesso», con l'esortazione: «Sapere aude!», sottolinea che proprio nelle cose della ragione c'è il bisogno maggiore di fare chiarezza. Lo *Spinozastreit* che lo vide opposto a Jacobi sull'interpretazione di Spinoza, oppone il dovere di rimuovere i dubbi soltanto con motivi razionali, non conosce fede in verità eterne di contro allo jacobiano: «Tutti nasciamo nella fede e dobbia-mo rimanere nella fede, come tutti nasciamo nella società e dobbiamo rimanere nella società... Mediante la fede noi sappiamo che abbiamo un corpo e che fuori di noi esistono altri corpi ed altri esseri pensanti» (*La dottrina di Spinoza*).

Mendelssohn ha completato il suo pensiero in *Morgenstunden*, compiuta espressione del teismo filosofico, contro il materialismo, il panteismo spinozista, ma anche contro il criticismo kantiano. Si riafferma la capacità della ragione di conoscere il vero e giungere ai concetti «scientifici» dell'esistenza di Dio, esistenza *evidente* sia a posteriori (sensi esterni e interni) che a priori (Dio è pensabile, quindi realmente esiste). Si può immaginare la reazione di Kant che vide nell'opera mendelssohniana un classico esempio dell'illusione della ragione («metafisica dogmatizzante») quando confonde le condizioni soggettive della pensabilità con le condizioni della possibilità ontologica degli oggetti. In *Cosa significa orientarsi nel pensiero*, 1786, Kant aveva fatto il punto sulla polemica Jacobi-Mendelssohn richiamando ancora una volta il rischio di un pensiero che, non tenendo conto dei limiti della ragione, finiva in fantasie e chimere. Ne *L'unico argomento possibile per una dimostrazione dell'esistenza di Dio*, 1763, l'essere necessario risultava dall'analisi dei concetti di «possibilità» ed «esistenza»: il fondamento della possibilità non si trova nell'esistenza delle cose, poiché questa presuppone la possibilità. Svegliatosi dal «sonno dogmatico» con la *Critica della ragion pura*, 1781, Kant esclude le prove dell'esistenza di Dio ontologica, cosmologica, fisico-teologica. Ma riflettendo sugli interessi della ragione («Che cosa posso sapere? Che cosa devo fare? Che cosa posso sperare?») giunge all'«Ideale del Sommo Bene come principio determinante del fine ultimo della ragion pura». Dio è un «postulato». Nella prefazione alla 2ª ed., del 1787 scrive: «Io dunque non posso ammettere mai *Dio*, la *libertà*, l'*immortalità* per l'uso pratico necessario della mia ragione, senza togliere a un tempo alla ragione speculativa le sue pretese a vedute *trascendenti*». Da cui la conclusione: «Ho dovuto sopprimere il *sapere* per sostituirvi la *fede*», dopo aver parlato ampiamente «Dell'impossibilità di una prova ontologica dell'esistenza di Dio» (*ivi*, 477-484), «Dell'impossibilità di una prova cosmologica» (484-496), «Dell'impossibilità della prova fisico-teologica» (496-503).

Ne *La religione nei limiti della sola ragione*, 1793, dal Sommo Bene, postulato per la fondazione della legge morale si giunge a una fede razionale pura e, mediante questa, all'esistenza di Dio in quanto causa adeguata del Sommo Bene. Il concetto di religione non ha nulla a che fare con i dati dell'esperienza religiosa che fonda una dogmatica ecclesiale legata a una rivelazione positiva e realizza i doveri verso Dio in una comunità di fedeli in forme particolari di culto. Importa soltanto la funzione della religione all'interno della ragione umana, il suo ruolo nell'avvento del vero regno universale di Dio che vinca il male radicale. La religione razionale è messa sullo stesso piano dell'esegesi: «Così la religione razionale e la scienza scritturale sono le competenti interpreti e depositarie di un documento sacro» (tr.it. Bari 1980, 122). Nel 1811, scrivendo *Le cose divine e la loro rivelazione*, Jacobi riprendeva un pensiero di Pascal («Bisogna amare le cose divine per poterle conoscere») e attribuiva a Kant il merito «di aver fatto posto ad una fede che non può essere violata dal dogmatismo della metafisica».

Jacobi aveva parlato per primo di *nichilismo* al quale porta l'idealismo. Nei *Discorsi sulla religione* (1799) Schleiermacher si chiede: «Come andrà a finire il trionfo della specula-zione, l'idealismo perfetto e arrotondato se la religione non lo equilibra e non gli lascia presentir un realismo più alto?» (tr.it. Brescia 1989, 75) e, pur consapevole della pericolosità della citazione, esclama: «Sacrificate riverentemente con me una ciocca di capelli ai Mani del santo scomunicato Spinoza!».

È la risposta a sollecitazioni di un ambiente culturale insoddisfatto di soluzioni soprannaturalistiche come di una fredda impostazione razionalistica e che, per essere meglio compresa, ha bisogno del riferimento non solo alla successiva *Dottrina della fede,* ma al *Nachlass* della *Ermeneutica* e della *Dialettica*. Attraverso queste opere si precisa il senso non psicologistico o soggettivistico del sentimento, il rapporto tra un rigoroso individualismo e una dimensione comunitaria-ecclesiale, del rapporto con Dio e il mondo. La definizione della religione «sentimento e gusto dell'infinito», è contro i teorici-metafisici e i pragmatisti-moralisti, il frivolo indifferentismo, ogni specie di follia umana, «dalle insulse favole dei popoli selvaggi al deismo più raffinato, dalla rozza superstizione del nostro popolo ai frammenti cuciti insieme alla peggio di metafisica e morale che si chiamano cristianesimo razionale».

L'immagine che meglio ne rende l'idea è il caos, pluralità e diversità dei riflessi dell'infinito nel finito dove, tra le espressioni storiche della religione, emerge il cristianesimo perché Cristo, il suo fondatore, ha avuto l'intuizione più limpida e più profonda.

Dio che «non è tutto nella religione, ma solo una parte, l'Universo è di più» e nei *Discorsi* è variamente definito con universo, eterno, infinito, sarà definito successivamente nella *Dottrina della fede*. Nella maturità Schleiermacher ha sempre rifiutato la filosofia dell'identità: Dio, il Dio vivente, è fondamento originario dell'essere, metafisicamente distinto, non identificabile con la totalità del finito e del molteplice. Attraverso la mediazione della *Dialettica*, l'intuizione e sentimento... sentimento e gusto dell'infinito, nella *Dottrina della fede* è diventato «sentimento di dipendenza assoluta». Schleiermacher evitò, a partire dalla 1ª ed. dei *Discorsi*, il termine di intuizione nella defizione di religione per evitare confusioni con l'intuizione dell'Assoluto che definiva per Schelling l'essenza della filosofia. D'accordo con Fichte prese le distanze da una concezione dell'intuizione intellettuale, contemplazione dell'Eterno in noi dove l'anima, in un rapporto immediato, diventa tutt'uno con l'Assoluto pur senza perdere la sua individualità.

A Fichte è verosimilmente rivolta l'apostrofe nelle prime pagine del secondo Discorso: «Cosa fa la vostra metafisica... la vostra filosofia trascendentale? Essa classifica l'Universo e lo suddivide in tante specie di essenze...» (68). Come si ricorderà, Fichte fu pesantemente coinvolto nell'*Atheismusstreit* (anche se Jacobi in *Idealismo e realismo* scrisse che la filosofia trascendentale di Fichte non è né teista né atea) e tuttavia nelle opere *Sul fondamento della nostra fede in un governo divino del mondo*, 1798, e *Missione dell'uomo*, 1800, riteneva indubitabile l'esistenza di Dio come fondamento dell'ordine morale del mondo.

Herder non era stato estraneo alla formulazione del sentimento schleiermacheriano. Per lui la religione è una determinazione esistenziale, tocca immediatamente l'animo dell'uomo, la sua coscienza più intima (*Von Religionen, Lehrmeinungen und Gebraüche*, 1789). Così, soprattutto nelle *Idee per la filosofia della storia dell'umanità*, 1784-1791, «soprattutto la religione, insieme alla metafisica, alla morale, alla fisica e alla storia naturale, contribuisce alla storia dell'umanità. Dappertutto la grande analogia della natura mi ha condotto a

verità della religione... La natura non è un essere indipendente, ma *Dio è tutto nelle sue opere*» (tr.it. Bologna 1971, pp. 66-68). Al cap. VI del l. IV, p. I «L'uomo è formato per l'umanità e la religione», e ancora: «La religione è la suprema umanità dell'uomo... la prima e ultima filosofia è sempre stata la religione» (*ivi*, 124).

Hegel fu sempre critico nei confronti dei *Discorsi* che esasperano il principio jacobiano della soggettività (*Fede e sapere*).

Nella *Fenomenologia dello spirito*, delineando il sistema scientifico del vero sapere, sulla premessa che «solo nel *concetto* la verità trova l'elemento della sua esistenza», fa la critica più radicale della filosofia romantica e del «magro sentimento del divino». Senza appello vuol essere il giudizio finale: «Se nell'uomo la religione si fonda soltanto su un sentimento... allora il cane sarebbe il migliore cristiano» («Prefazione» alla *Filosofia della religione* di Hinrichs, tr.it. Napoli 1975, 43).

Ma proprio la «compiutezza» del sistema hegeliano fa problema, come ripetutamente accennato attraverso la critica kierkegaardiana e come ancora si vedrà attraverso gli esiti della *destra* e della *sinistra* hegeliana. I cosiddetti *Scritti teologici giovanili* segnano il travagliato e a volte contraddittorio distacco dalla pesante eredità kantiana. *La positività della religione cristiana* descrive il passaggio dal messaggio d'amore di Cristo alla nuova positività di un cristianesimo etico e *Lo spirito del cristianesimo e il suo destino* vede nelle due nature, umana e divina, di Gesù la connessione del finito con l'infinito. Fino al *Frammento di sistema* del 1800 che con chiarezza afferma che la filosofia deve terminare nella religione la quale, sola, sa innalzare la vita finita all'infinito.

Le *Lezioni sulla filosofia della religione* passano dal concetto di religione, attraverso le religioni storiche, al cristianesimo religione assoluta. Né il sentimento, né la speculazione filosofica sono gli elementi costitutivi della religione. Superato il rischio illuministico-razionalistico della riduzione della religione nei limiti della sola ragione, la religione è coscienza della relazione con Dio, del rapporto dello spirito limitato dell'uomo con lo spirito assoluto di Dio. Il sentimento innalzato a coscienza è la stessa dottrina religiosa espressa in immagini, ed è ciò che propriamente chiamiamo *fede*. «Ciò che è assolutamente vero, la verità stessa, la ragione nella quale sono risolti tutti gli enigmi del mondo, tutte le contraddizioni del più profondo pensiero, tutti i dolori del sentimento, la ragione della verità eterna e della pace eterna, la stessa verità assoluta, l'assoluto appagamento... il centrale e ultimo punto, in quel pensiero che è unico, coscienza, sentimento di Dio» (tr.it. Bologna 1973,I,60) è l'oggetto della religione.

Filosofia e religione coincidono: la prima è rappresentazione, la seconda è concetto dello spirito assoluto (l'arte ne è intuizione). Hanno in comune contenuto, esigenze, interessi.

«La filosofia è perciò teologia e l'occupazione con Dio, o piuttosto, in Dio, è per se stesso servizio divino» (*ivi*, 87). Dopo la «morte di Dio» e il «venerdì santo speculativo» questo rappresenta una nuova possibilità di teologia filosofica.

Emblematico il caso di Schelling. L'attenzione sincera ai problemi religiosi, segnatamente in *Filosofia e religione* del 1804 e nelle *Ricerche filosofiche sull'essenza della libertà umana*, 1809, attraverso la *Filosofia della mitologia* approda alla *Filosofia della Rivelazione*: felice realizzazione di una teologia speculativa, comprensione filosofica della rivelazione cristiana o, piuttosto, nella speculazione, la *Vollendung* idealistica che comporta inevitabilmente lo svuotamento della rivelazione dei suoi con-

tenuti soprannaturali, dei caratteri specifici? «Non si ha a che fare con una dogmatica speculativa, ma con una spiegazione del cristianesimo a partire dal suo carattere più alto, storico. Questo carattere più alto, che risale fino all'inizio delle cose, è completamente spiegato» (tr.it. Bologna 1972, I, 268). Sottoposto alla teoria delle «potenze» Cristo è una persona singola ma simbolica, finitizzazione dell'infinito vertice dell'antico mondo degli dei, tanto che, «l'incarnazione di Dio è dunque una incarnazione dall'eternità» (*ivi*, 319-320). Affermata la continuità tra paganesimo e cristianesimo l'esegesi di *én morphê theoú* (Fil 2,6) è l'inevitabile esito «speculativo»: «Non è vero Dio, ma *in forma* di Dio... non si poteva parlare del Figlio in quello stato intermedio... Egli nella sua umanità non si spoglia della sua divinità, ma di quella falsa... Il Logos infatti si era sdivinizzato quando si era fatto potenza extradivina... si è fatto uomo con tutto ciò che in lui non era dal Padre» (*ivi* II, 144, 146, 280, 281).

La Destra interpretò la *Aufhebung* hegeliana come conservazione della religione nella filosofia. Significativo e programmatico il titolo della *Zeitschrift für Philosophie und spekulative Theologie* fondata nel 1837 e diretta da I.H. Fichte e alla quale collaborarono Weisse, Krabbe, Vorländer. Per la Sinistra hegeliana la *Aufhebung* della religione doveva essere la sua eliminazione definitiva nella filosofia. Feuerbach, che aveva irriso alla «filosofia positiva» e alla filosofia della rivelazione (feroce anche la stroncatura di Engels, *Schelling und die Offenbarung*, Leipzig 1842) di Schelling, al sentimento schleiermacheriano e alla teologia speculativa, con *L'essenza del cristianesimo*, 1841, e *L'essenza della religione*, 1845 riduce la teologia ad antropologia prima, e a filosofia poi. Il materialismo dialettico di Marx intende demitizzare tutte le superstrutture e quindi anche quella della religione: basta togliere le condizioni del sorgere di esse, il capitalismo (*Manoscritti economico-filosofici* del 1844; *Ideologia tedesca*, del 1846). Vale la pena ricordare che la famosa definizione di religione «oppio del popolo» («Introduzione» alla *Critica della filosofia del diritto di Hegel*, 1843) è in un contesto in cui «la miseria religiosa è da una parte espressione della miseria reale e, dall'altra, protesta contro la miseria reale. La religione è sospiro della creatura oppressa, sentimento di un mondo senza cuore, spirito di una situazione in cui lo spirito è assente».

Ma, al di là di queste nobili espressioni, come si sa, qui il discorso si è fatto ideologico: di una ideologia che oggi vediamo crollare.

Bibl. - Si indicano solo alcune opere di carattere generale: E. Miegge, «Religione», in *Storia antologica dei problemi filosofici*, Firenze 1965, 1309ss; M.M. Olivetti, *Filosofia della religione come problema storico*, Padova 1974; A. Babolin (ed.), *Il metodo della filosofia della religione*, voll. I-II, Padova 1975; G. Ferretti, «Filosofia della religione», in DTI, I, Torino 1977 151-158; Autori vari, *L'ermeneutica della filosofia della religione*. Atti del XVII Colloquio internazionale sulla problematica della demitizzazione, Roma 1977; I. Mancini, *Filosofia della religione*, Casale Monferrato 1986³; E. Feil, *Religio. Die Geschichte eines neuzeitlichen Grundbegriffs vom Früchristentum bis zur Reformation*, Göttingen 1986; P.G. Grassi (ed.), *Filosofia della religione. Storia e problemi*, Brescia 1988; J. Schmitz, *Filosofia della religione*, Brescia 1988; Autori vari, *In lotta con l'angelo*. La filosofia degli ultimi due secoli di fronte al cristianesimo, Torino 1989.

SALVATORE SPERA

VII. Teologia delle religioni

1. - INTRODUZIONE - La teologia della religione è un nuovo campo di studio che comincia a interessare gli studiosi cristiani i quali desiderano stabilire un fruttuoso dialogo con i membri di religioni non cristiane e contribuire a una migliore comprensione delle religioni mondiali. In che rapporto sta il cristianesimo con le altre religioni del mondo? Può il cristianesimo pretendere ancora di essere l'unica vera religione, di fronte al fatto che altre religioni si presentano come mezzo di salvezza finale dell'uomo? Qual è la base teologica del rapporto del cristianesimo con le altre grandi tradizioni religiose? È possibile professare la fede nel vangelo ed essere anche completamente aperti a quello che K. Jaspers chiama «comunicazione senza limiti» con → l'induismo, il → buddhismo, → l'islam?

Noi cristiani diventiamo sempre più coscienti della rapida crescita del pluralismo religioso in mezzo al quale ci troviamo a vivere giorno dopo giorno, assieme a musulmani, indù, buddhisti e membri di altre tradizioni religiose. Tutte queste fedi proclamano il loro proprio messaggio di verità e di salvezza eterna. Anche il cristiano si trova a fronteggiare il problema di comprendere altre fedi alla luce della propria fede e del proprio impegno. Egli deve far fronte al problema teologico di conciliare le diverse forme di vita religiosa con la pretesa della verità da parte di ognuna. Il cristianesimo è in assoluto l'unica vera religione per tutta l'umanità? Allo stesso tempo, può il cristianesimo riconoscere autentici valori religiosi nelle altre fedi? Se Cristo è l'unica vera via per giungere a Dio ed è il mediatore universale tra Dio e l'uomo, che cosa dobbiamo dire delle altre religioni in quanto vie di salvezza, degli altri fondatori religiosi e profeti in quanto rivelatori della via di salvezza? C'è salvezza per i seguaci di altre fedi? Qual è il loro valore salvifico nell'ottica cristiana? Vi è qualche tipo di rivelazione soprannaturale nelle altre religioni?

2. - LA TEOLOGIA CRISTIANA DELLE RELIGIONI - La teologia cristiana delle religioni è la disciplina che mira a ri-

solvere i problemi derivanti dalle implicazioni teologiche del vivere in un mondo religiosamente pluralista. Essa riflette su queste implicazioni alla luce della fede cristiana. La teologia, in quanto scienza normativa, giudica della validità delle rivendicazioni religiose di altre religioni alla luce della fede cristiana. Il teologo delle religioni si pronuncia sulla validità di altre religioni alla luce della verità e della efficacia soprannaturale; i suoi criteri di giudizio sono desunti dai principi della fede e della rivelazione cristiana. La teologia della religione si differenzia dalla filosofia della religione (→ Religione VI) perché questa − sebbene sia essa pure una scienza normativa − esprime giudizi di valore alla luce della ragione naturale, invece che della rivelazione.

Vi può essere una teologia della religione secondo l'ottica indù, buddhista e islamica, nella misura in cui seguaci di queste varie religioni riflettono sull'incontro con altre religioni del mondo, oppure sul rapporto della loro particolare religione con le altre religioni alla luce della loro fede. È per questo che indichiamo la nostra disciplina come la teologia cristiana delle religioni, benché consapevoli della specificità del cristianesimo.

A questo punto sorge una questione interessante. Vi può essere una teologia universale delle religioni? Questa espressione «teologia universale delle religioni» a volte viene intesa come la riflessione sistematica sulla religione che include tutte le religioni e che non s'indirizza ad alcuna comunità particolare, ma a tutte le comunità religiose. Il che vorrebbe dire che i «teologi» dovrebbero pensare ed esprimersi in un modo che fosse comprensibile da tutti, con un linguaggio inteso da tutti, pur senza ignorare i particolari linguaggi religiosi (L. Swidler). Ma una simile teologia delle religioni, a mio modo di vedere, è piuttosto una filosofia della religione che una teologia della religione, perché la teologia è sempre una riflessione sistematica sulla propria fede in tutta la sua specificità e unicità, invece che nei suoi soli elementi comuni con altre fedi.

Sebbene siano differenti nello scopo e nel metodo, la storia e la fenomenologia della religione e la teologia delle religioni, hanno tuttavia uno stretto rapporto tra loro. Il teologo può e deve far uso dei risultati della storia e della fenomenologia delle religioni. L'importanza di questo uso è dimostrata dal fatto che non soltanto fa evitare al teologo il relativismo e il sincretismo religioso, ma anche perché positivamente gli permette di approfondire e di ampliare l'intelligenza dei modi di vedere, delle esperienze e delle norme sulle quali si fonda la teologia. Si ha una teologia viva quando nella spiegazione e nella elucidazione della verità rivelata, del culto e della pratica si tien conto della concreta esperienza religiosa e della pratica delle persone religiose.

3. - Atteggiamenti odierni verso le altre religioni - Possiamo offrire una presentazione sintetica dei principali itinerari seguiti dalla teologia cristiana moderna nel suo sforzo di comprendere il rapporto tra cristianesimo e le altre religioni. Per risolvere il conflitto tra i due assiomi fondamentali: che la salvezza si ha soltanto attraverso Gesù Cristo; che Dio vuole la salvezza di tutti gli uomini, sono state proposte tre posizioni principali: quella *esclusivista*, quella *inclusiva* e quella *pluralista*, che sembrano originate dall'accento posto sull'uno o sull'altro dei due assiomi.

La posizione *esclusivista* ritiene che la conoscenza e l'esperienza autentica di Dio è limitata alla fede cristiana; nelle altre religioni si riscontra soltanto un'immagine sfocata di Dio e un valore salvifico poco significativo. Essa sostiene che ogni salvezza viene da Dio soltanto mediante Gesù Cristo.

La posizione *inclusiva* ammette che nelle altre tradizioni religiose si può trovare un'autentica conoscenza ed esperienza di Dio, ma ritiene che la pienezza di questa conoscenza ed esperienza si può trovare soltanto nel cristianesimo. Questa posizione riconcilia e ricompone insieme i due assiomi, quello della universale volontà salvifica di Dio e quello secondo il quale la salvezza proviene da Dio soltanto e mediante il Cristo e la chiesa. Quindi afferma allo stesso tempo il valore delle altre religioni e la portata decisiva di Cristo.

La posizione *pluralista*, che si presenta come la «rivoluzione copernicana» nell'approccio alle altre religioni, sostiene che le altre religioni sono esse pure vie di salvezza verso l'unico Dio. Essa considera le diverse tradizioni religiose come espressioni differenti di una conoscenza ed esperienza di Dio che è comune a molte tradizioni.

4. LA POSIZIONE ESCLUSIVISTA - In questa concezione soltanto la fede cristiana è vera, mentre le altre religioni sono false. E. Brunner, per esempio, dice che, mentre le religioni primitive, politeistiche e mistiche non fanno alcun riferimento a una rivelazione universalmente valida, tre religioni mondiali la vantano. Tra queste, lo zoroastrismo e l'islam in realtà si riducono a un teismo razionale e moralistico, senza alcun mistero redentivo. Il giudaismo, o attende il messia e quindi non afferma una rivelazione finale, oppure si riduce anch'esso allo stesso tipo di teismo. Così Brunner conclude che la pretesa di una rivelazione universalmente valida è in realtà del tutto rara e che nella sua pienezza si manifesta soltanto nella fede cristiana. Egli sostiene la tesi che le altre religioni sono il prodotto della religione divina delle origini al tempo della creazione e del peccato dell'uomo. E conclude: «Mentre la teoria relativa della religione considera l'elemento fondamentale presente in tutte le religioni come l'essenza della religione e ritiene non essenziale tutto ciò che le differenzia l'una dall'altra, esattamente il contrario avviene invece per la fede biblica. È l'elemento distintivo che è essenziale, mentre tutto quello che la fede cristiana può avere di comune con le altre religioni è non essenziale» (*Revelation and Reason*).

La stessa idea è stata proposta da H. Kraemer. Riferendosi a quello che egli chiama «realismo biblico», dice che la rivelazione in cui Dio manifesta se stesso in Cristo è assolutamente *sui generis*. Se al vangelo deve essere applicato il concetto di compimento, ciò può essere soltanto in ordine alla premessa di Dio espressa in antecedenti interventi rivelatori e non in ordine a punti di somiglianza con le fedi non cristiane (*The Christian Message in a non-christian World*). Le differenze e le antitesi sono più marcate delle somiglianze e dei punti di contatto. Alla luce della rivelazione avvenuta in Gesù Cristo, nelle religioni non cristiane scorgiamo soltanto una fondamentale deviazione dell'uomo e un ricercare a tentoni Dio, che trova un'inattesa divina soluzione in Cristo (*Ibid.*).

→ K. Barth nella sua *Kirchliche Dogmatik* ha una lunga sezione intitolata: *La divina rivelazione come abolizione della religione*. Egli distingue tra fede cristiana che si fonda soltanto sulla rivelazione di Dio stesso in Gesù Cristo, e la religione che è la vana ricerca della verità e del significato definitivo da parte dell'uomo. Questa ricerca è destinata al fallimento perché Dio è il totalmente Altro, e se non fosse per suo dono l'uomo non potrebbe conoscere niente di lui. La religione è il tentativo dell'ipocrisia umana di esibire la propria verità, di giustificare se stessa mediante le proprie opere, la propria devozione e la personale pretesa di scoprire Dio senza l'aiuto della grazia divina. In tal senso la religione è una miscredenza peccaminosa. Questo atteggiamento nei confronti delle altre religioni spesso viene definito dialettico, perché tutta la teologia che ne è il presupposto è dialettica; vale a dire che essa respinge la concezione che considera Dio come un «oggetto» del ragionamento teologico (via positiva) e anche la via mistica secondo la quale di Dio si può pensare soltanto ciò che non è (via negativa), e trascende il «sì» e il «no» di queste vie per mezzo di una terza via di approccio (via dialettica), secondo la quale Dio non è conosciuto né come oggetto, né semplicemente in modo negativo, ma come soggetto, come il «Tu» che in modo misterioso e miracoloso rivela se stesso all'uomo in assoluta libertà. Il cristiano può dire «sì» alle altre religioni perché, in qualche modo, rappresentano una risposta al Dio che egli riconosce e che viene incontro all'uomo; ma egli deve anche dire «no» perché sono una risposta confusa e distorta. Quindi, il rapporto del vangelo cristiano con le altre religioni è un rapporto di giudizio e di compimento; di giudizio del peccato che è in esse, di compimento della loro nascosta dipendenza dalla divina rivelazione.

5. LA POSIZIONE PLURALISTA - Questa è anche chiamata atteggiamento di relatività. Ci troviamo di fronte a un relativismo culturale, secondo il quale ogni religione è l'espressione adeguata della propria cultura. Quindi il cristianesimo è la religione dell'Occidente, l'induismo è la religione dell'India e il buddhismo è la religione del sud-est dell'Asia. Secondo la posizione del relativismo culturale si ritiene che la religione sia un'espressione della cultura. C'è anche un relativismo epistemologico, secondo il quale non possiamo conoscere la verità assoluta, ma soltanto ciò che è vero per noi. Noi crediamo che il cristianesimo sia vero per noi, ma non

possiamo andare oltre e affermare che esso è la verità per tutti i popoli, perché spetta a loro giudicare. Questo tipo di relativismo si risolve nel sincretismo; questo rappresenta lo sforzo di conciliare le varie religioni in modo da far emergere un comune denominatore. Infine, si arriva a quello che viene chiamato «relativismo teologico», secondo il quale ogni religione rappresenta semplicemente una via diversa per giungere al medesimo fine. Per cui la via che ognuno sceglie è una questione di preferenza personale. Però accurate ricerche hanno dimostrato che le religioni mondiali hanno concezioni notevolmente diverse del finale compimento dell'uomo.

L'approccio pluralistico assume, a volte, un aspetto evoluzionistico. Alcuni esponenti del pensiero cristiano ritengono che al fondo di tutte le religioni vi sia un'unica essenza, identica per tutte come loro natura profonda, che rimane celata sotto tutte le svariate forme religiose. Questa essenza della religione è intesa in vari modi a seconda delle concezioni dottrinali, morali o dell'esperienza. Per alcuni si tratta del misticismo (Hocking), o del sentimento di dipendenza assoluta (Schleiermacher); per altri è il senso numinoso del sacro (R. Otto), o il riconoscere che tutti i nostri doveri sono comandamenti di Dio (Kant), o l'incontro personale con Dio (Farmer). In tal caso l'interpretazione cristiana delle altre religioni dirà che esse contengono l'essenza della religione in gradi diversi di imperfezione e di parziale realizzazione, mentre il cristianesimo costituisce la piena manifestazione di essa.

6. LA POSIZIONE INCLUSIVA - I cristiani proclamano che Cristo occupa una posizione unica e ritengono che il cristianesimo non è soltanto una delle tante religioni, ma la religione per tutti in senso assoluto. La pretesa di unicità si può prendere in due

sensi: esclusivo e inclusivo. La posizione esclusivista, che abbiamo abbozzato sopra, si proclama apertamente esclusiva; il che significa che il Cristo va considerato come la verità, in modo esclusivo; le altre religioni e le loro figure centrali devono ritenersi false. La posizione inclusiva, al contrario, ritiene che quanto di vero e di buono si trova nelle altre religioni va considerato incluso e superato in Cristo e nel cristianesimo. Questa posizione inclusiva è senza dubbio cattolica. Il vangelo di Giovanni presenta Gesù che dice: «Nessuno viene al Padre se non per mezzo di me» (14,6). Ma lo stesso vangelo riconosce nell'uomo di Nazareth il Logos eterno, la parola di Dio, che illumina ogni uomo che viene alla vita. Ora questo comporta una illimitata inclusività, e ciò vuol dire che, se ovunque Dio parla, ha parlato o parlerà attraverso grandi leaders religiosi, quali Mosè, Buddha, Maometto, in Gesù abbiamo l'incarnazione di questa parola. Questa affermazione, da parte del NT, di eccezionale inclusività a favore di Gesù Cristo, include, in linea di principio, tutto ciò che, comunque e dovunque, può essere chiamato parola (Logos) di Dio. Questa affermazione non significa che i cristiani non hanno niente da imparare dalle altre religioni. Per quanto credano che tutto, quanto a intensità, si riassume nel Cristo, resta tuttavia molto, in senso estensivo, da imparare dai seguaci di altre religioni. Questa pretesa di unicità a favore del Cristo non è di tipo esclusivo, ma di totale inclusione. Ma la vera pietra d'inciampo consiste nella identificazione di questa universale inclusività con una figura storica particolare che patì sotto Ponzio Pilato. S. Agostino scriveva: «Che in principio era il Verbo, che il Verbo era presso Dio e che il Verbo era Dio, tutto questo io l'ho letto [non – come egli spiega – con queste precise parole, ma nella sostanza] nei libri dei neo-platonici; ... ma che il Verbo si fece carne e abitò tra noi, questo non ce l'ho trovato» (*Conf.* VII.IX. 13s). È in Gesù che la volontà salvifica di Dio si trova espressa e realizzata in modo perfetto. Il Cristo risorto e glorificato, viene proclamato, nel NT, Signore dell'universo, Cristo cosmico. L'affermazione che in Gesù il Logos (la parola di Dio) si è fatto carne, significa che Gesù esprime, in una persona umana, tutto quello che Dio in senso assoluto può esprimere. Gesù rappresenta la parola definitiva di Dio nell'uomo. Questo non toglie che lo stesso Logos possa essere espresso, nella massima completezza possibile, in qualunque altro uomo nel quale si voglia un domani esprimere, oppure a un qualunque altro livello della creazione.

La chiesa rimane il mezzo per accedere a Cristo. È l'organizzazione per mezzo della quale e nella quale Cristo stesso mantiene il contatto con coloro che credono in lui. Il cristianesimo non è un corpo dottrinale; né un fatto individuale, in cui ognuno segue un grande esempio; la chiesa non è una società di volontari cui interessa Cristo. La chiesa è il corpo di Cristo; vale a dire, l'organismo, piuttosto che l'organizzazione, nel quale e attraverso il quale Dio viene riconosciuto e adorato in Cristo.

7. INSEGNAMENTO DEL CONCILIO VATICANO II SULLE RELIGIONI - Possiamo distinguere tra l'esperienza religiosa fondamentale e l'esperienza religiosa caratterizzata a livello socio-culturale, così come si trovano nelle religioni. Con il termine «fondamentale» intendiamo la coscienza e l'esperienza religiosa che si ritiene sia innata nell'essere umano: quel sentimento religioso primario che si manifesa in interrogativi fondamentali, nelle aspirazioni e negli sforzi dell'uomo. Esso allude alla capacità religiosa, alle attitudini religiose e alle loro espressioni primarie che si riscontrano in

ogni creatura umana, prescindendo dai contenuti socio-culturali che ogni struttura culturale vi può imprimere. Questa esperienza religiosa fondamentale è stata delineata dal concilio in termini significativi come un fenomeno comune a tutta l'umanità e che sta alla base di tutte le religioni. Si potrebbe indicare come l'humus dal quale scaturiscono le religioni della terra. «Gli uomini delle varie religioni attendono la risposta ai reconditi enigmi della condizione umana che ieri come oggi turbano profondamente il cuore dell'uomo: la natura dell'uomo, il senso e il fine della nostra vita, il bene e il peccato, l'origine e il fine del dolore, la via per raggiungere la vera felicità, la morte, il giudizio e la sanzione dopo la morte, infine l'ultimo e ineffabile mistero che circonda la nostra esistenza, donde noi traiamo la nostra origine e verso cui tendiamo» (NA 1).

Come interpreta il teologo questa fondamentale esperienza religiosa alla luce della parola di Dio? Questo dato universale dell'esperienza umana evoca il fatto primario che l'uomo è una creatura e che egli trova in Cristo il suo destino, perché in Cristo tutto è stato creato, in lui tutto sussiste e tutto è proteso verso di lui.

Il concilio insegna che la salvezza eterna la raggiungono anche coloro che senza loro colpa ignorano il vangelo di Cristo e la sua chiesa; che cercano sinceramente Dio e, mossi dalla sua grazia, si sforzano mediante le loro opere di compiere la sua volontà così come a loro è nota attraverso il dettame della coscienza (LG 16). Il mistero pasquale di Cristo resta vero non soltanto per i cristiani, ma per tutti gli uomini di buona volontà nel cuore dei quali la grazia opera in modo invisibile. Infatti, poiché Cristo è morto per tutti gli uomini, e la vocazione finale dell'uomo è di fatto una sola, dobbiamo credere che lo Spirito Santo offre a ogni uomo – in un modo noto soltanto

a Dio – la possibilità di essere associato a questo mistero pasquale (GS 22). Il concilio parla delle vie e dei modi in cui l'azione salvifica di Dio raggiunge i non cristiani: cioè mediante le realtà create (GS 36), attraverso la legge interiore (GS 16) e attraverso la coscienza (DH 3). Esso parla degli elementi di verità e di grazia che già si trovano in tutti i popoli in virtù di una nascosta presenza di Dio (AG 9). Lo stile di vita e gli insegnamenti proposti dalle religioni non cristiane spesso riflettono quel raggio di verità che illumina ogni uomo (NA 2). Il concilio non respinge niente di quanto in queste religioni è vero e santo (NA 2), e riconosce le tradizioni ascetiche e contemplative i cui germi talvolta Dio ha immesso nelle antiche civiltà ancor prima della predicazione del vangelo (AG 18). Esso sottolinea che gli sforzi religiosi con i quali gli uomini cercano Dio possono costituire, in qualche caso, un avviamento pedagogicamente valido verso il vero Dio o una preparazione al vangelo (AG 3). Tutto ciò che di buono e di vero si trova in loro è ritenuto dalla chiesa come una preparazione ad accogliere il vangelo (LG 16). Esso insegna ancora che coloro i quali non hanno ricevuto il vangelo, in modi diversi sono collegati al popolo di Dio (AG 16). Nomina in primo luogo gli ebrei, poi i musulmani e coloro che in ombre e immagini cercano il Dio ignoto; coloro che senza negligenza da parte loro non sono ancora arrivati a una conoscenza esplicita di Dio, e tuttavia si sforzano di vivere rettamente aiutati dalla sua grazia.

Questi gli elementi forniti dal concilio; su di essi il teologo delle religioni deve riflettere per costruire una vera teologia delle religioni. Che valore hanno le religioni non cristiane nell'economia della salvezza? Che valore hanno agli occhi di Dio? Sono anch'esse depositarie della divina rivelazione e possono essere considerate vie e mezzi efficaci di salvezza per i loro aderenti? Le religioni rappresentano l'oggettivazione sociale e strutturale del fondamentale sentimento religioso innato nell'uomo. L'interiore sentimento religioso dell'uomo viene espresso spontaneamente in forme e strutture sociali oggettive. Anche in questa espressione esterna e sociale dell'esperienza religiosa si riflette l'intima azione di Dio nell'uomo. È da questo punto di vista che possiamo aspettarci di trovare nelle religioni la presenza, o il riflesso di quella «luce che illumina ogni uomo» (Gv 1,9). Possiamo anche dire che nelle religioni vi è l'oggettivazione di quell'*instinctus Dei invitantis* grazie al quale – come dice Tommaso d'Aquino – Dio invita l'uomo alla salvezza. D'altra parte, dalla rivelazione sappiamo che l'uomo porta in se stesso l'immagine di Dio oscurata dal peccato e dai condizionamenti psicologici che produce. L'uomo è ferito dal peccato e si porta dietro un'inclinazione al male, ad andare contro la volontà di Dio. Per questo motivo non possiamo semplicemente considerare le religioni come delle realtà totalmente luminose, depositarie dello Spirito di Dio e oggettivazione della via di salvezza soprannaturale. Esse possono essere considerate depositarie di autentici valori salvifici, oggettivazioni di profondi impulsi umani sostenuti dalla grazia di Dio, nella misura in cui questi sono l'espressione della creaturalità dell'uomo soggetta all'azione salvifica di Dio. Ma siccome l'uomo è ferito dal peccato, dobbiamo ritenere che le religioni sono inevitabilmente segnate dalla negatività umana, con tutte le ambiguità che comporta. È quindi necessario un chiaro discernimento del patrimonio delle religioni e bisogna distinguere i diversi livelli di ogni singola religione.

Il rapporto tra le religioni e l'economia cristiana della salvezza costituisce un problema complesso. Che rapporto c'è tra l'auto-comunicazione di Dio che si riscontra nella chiesa e quella che si verifica nell'ambito delle religioni non cristiane? Esiste una rivelazione divina tra i non cristiani? E se esiste, di che natura è? Che valore dovremmo assegnare ai libri sacri delle tradizioni religiose non cristiane? Quale è lo statuto teologico dei loro fondatori e delle loro guide spirituali del passato e del presente?

In ordine alla questione del rapporto di vitale partecipazione nella comunicazione divina tra le religioni e l'economia cristiana, bisogna prima di tutto notare che questa divina auto-comunicazione è chiamata, nella bibbia, «regno di Dio», giustificazione, salvezza, rinascita, nuova vita, comunione con Cristo. Essa apporta luce e vita, per cui è chiamata pure rivelazione, illuminazione, vita, spirito, energia. Questa è una terminologia tipicamente cristiana usata per esprimere la novità della rivelazione e dell'esperienza cristiana. Non possiamo dire che la realtà indicata da questi termini si ritrovi in modo identico al di fuori del cristianesimo, perché ciò sarebbe un misconoscere l'insistenza con la quale le fonti cristiane descrivono la nuova esperienza in Cristo. D'altra parte non possiamo semplicemente dire che questa esperienza non ha nulla in comune con quella che la precede, l'anticipa e la prepara: questo non si accorderebbe con il piano divino delineato nelle stesse fonti e che sta alla base degli sforzi missionari degli apostoli. La soluzione autentica che rispetterebbe la tradizione biblica e le conclusioni della fenomenologia delle religioni è quella di ammettere «gradi diversi di partecipazione», grazie ai quali agli uomini è resa nota la divina economia. Questa partecipazione a gradi, nell'arco di un grande progetto unitario, sta alla base del prologo al vangelo di Giovanni e dei primi due capitoli della lettera ai Romani, nella quale chiaramente si mostra il rapporto tra l'economia salvi- fica offerta in Cristo e quella dell'An- tico Testamento e dell'umanità che non ha ricevuto la Tôrāh (P. Ros- sano).

Psicologicamente, l'auto-comunica- zione divina può essere spiegata dal fatto che l'esperienza religiosa fon- damentale, anteriore a ogni espres- sione culturale, è il luogo e il punto di contatto normale e privilegiato del- la divina auto-comunicazione con l'uomo. Se l'esperienza religiosa è to- talmente assente, o deformata, la fe- de cristiana non può mettere radici, né tantomeno germogliare. Il seme della parola divina cade in tipi diver- si di terreno e produce frutto pro- porzionato alla profondità e fertilità del terreno religioso stesso.

Anche dal punto di vista storico e fenomenologico, pare che le forme e le strutture dell'esperienza religiosa dell'umanità siano il normale e co- stante mezzo di espressione dell'eco- nomia cristiana nella storia. Nei testi biblici appare assai chiaro il modo in cui la rivelazione è stata resa accessi- bile agli uomini attraverso le catego- rie religiose di coloro ai quali era in- dirizzata. La storia della teologia, del- la liturgia, della spiritualità cristiana deve prendere in seria considerazio- ne la → inculturazione della fede nel contesto spirituale e religioso dei popoli.

8. PUNTO DI VISTA BIBLICO E PATRI- STICO SULLE RELIGIONI - La bibbia ri- conosce e loda come positivo e do- nato da Dio per la salvezza, il patri- monio religioso dell'umanità, sia de- gli individui, sia dei popoli. Certo, la bibbia respinge energicamente le sue aberrazioni e i suoi errori. Essa annuncia un intervento storico di Dio mediante il suo popolo per tutta l'u- manità, che viene raggiunta, elevata e trasformata nel suo spirito religio- so. Per cui le religioni appaiono, nei loro elementi autentici e genuini, co- me provvidenziale preparazione a Cri-

sto, «in cui gli uomini devono trova- re la pienezza della vita religiosa e in cui Dio ha riconciliato a se stesso tutte le cose» (NA 2).

In tutta la bibbia la storia della sal- vezza e la rivelazione s'intrecciano con la religione e le sue forme, rag- giungono l'uomo e reagiscono in lui attraverso le forme e le categorie in- site nell'uomo religioso. Dal NT ap- pare evidente che il dono divino del- la fede è concesso ai gradi iniziali del «timore di Dio» e della sottomissio- ne a lui; e che la fraternità e la co- munità cristiana realizza le aspirazioni alla socialità e all'associazionismo co- mune alle religioni; e che la stessa sa- cramentalità dei gesti sacri (battesi- mo ed eucaristia) risponde all'univer- sale ricerca di mezzi efficaci per sta- bilire il contatto con il divino.

I tempi dei Padri della chiesa erano molto diversi dai nostri ed è in que- sta luce che dobbiamo interpretare il loro approccio alle altre religioni; il dialogo, cioè, non era il loro intento primario. Il loro atteggiamento di fondo era di lotta e di contrapposi- zione. Dio è presente in tutte le crea- ture; ogni particella di verità provie- ne da lui. È per questo che Giustino parla dei «semi del Verbo» e Clemen- te di Alessandria di un Testamento ellenistico. Giustino partiva dal prin- cipio che la ragione (il germe del *ló- gos*) era quella che univa gli uomini a Dio e dava loro la conoscenza di lui. Prima della venuta del Cristo gli uomini erano in possesso, per così di- re, dei germi del *Logos* e avevano po- tuto giungere a dei frammenti di ve- rità. Per cui i pagani che vivevano «secondo ragione» erano, in certo senso, cristiani prima del cristianesi- mo. Ma ora il *Logos* aveva preso for- ma e si era fatto uomo in Gesù Cri- sto. In lui il *Logos* aveva preso car- ne in tutta la sua interezza. Giustino era molto ottimista riguardo all'ar- monizzazione del cristianesimo con la filosofia greca. Il vangelo e i conte- nuti migliori di Platone e degli stoici erano ritenuti vie quasi identiche di apprendimento della medesima verità, pur tenendo conto del fatto che i filosofi greci erano caduti in gravi errori. Egli adottò invece un atteggiamento fortemente negativo verso il culto e i miti religiosi del paganesimo. Il politeismo è rozzo, superstizioso e spesso immorale, è una demoniaca contraffazione e caricatura della vera religione, seminato da forze malvage al fine di ingannare gli uomini e dare l'impressione che il vangelo non sia che un ulteriore mito religioso accanto a quelli pagani, per impedire all'uomo di liberarsi dall'idolatria.

Punti di somiglianza tra il cristianesimo e il paganesimo nel culto e nei miti sono spiegati come delle imitazioni della verità, imitazioni ispirate dal demonio, il quale con previdenza e sagacia ha cercato di predisporre gli uomini in modo contrario al vangelo mediante caricature dell'incarnazione, ecc. Non si può essere concilianti verso concezioni contraffatte del culto e bisogna rifiutare ogni sincretismo che mescola la storia cristiana con le leggende greche. Tuttavia, le verità filosofiche più elevate su Dio furono acquisite dai filosofi pagani, o dietro influsso degli scritti di Mosè, o attraverso l'esercizio del dono divino della ragione.

Tutti gli scrittori cristiani antichi si preoccupano di sottolineare l'assurdità e l'immoralità del politeismo. Il paganesimo ha fatto il suo tempo come la civiltà che aveva costruito; il suo posto è stato preso dalla nuova economia cristiana. Dal tempo di Cristo l'umanità si sta rinnovando ed è destinata a unirsi a lui. Tuttavia i Padri avevano un atteggiamento di stima e rispetto per ogni pagano in buona fede (Agostino, Giustino, Clemente, Basilio). La verità è che per i Padri l'umanità appartiene a Dio e nello stesso tempo è assolutamente una. Essi affermano anche che Dio non ha mai abbandonato le nazioni pagane, neppure nei momenti più bui della loro storia.

Qual è la loro opinione circa la costatazione dei valori religiosi presenti nelle filosofie e nelle religioni pagane? La risposta è complessa e delicata. Ai filosofi era riservato un certo favore; ma nessuna, o quasi nessuna simpatia per le diverse religioni. Le religioni pagane venivano identificate con il politeismo del popolo ed erano ritenute semplicemente opera del diavolo. Esse sono una riprova del fallimento dell'attività umana allorché viene lasciata a se stessa e ha bisogno della venuta di Gesù Cristo.

Ai nostri giorni, la teologia cattolica delle religioni mondiali ha imboccato due linee ben nette, rappresentate da J. Daniélou e da K. Rahner.

9. LA LINEA DI DANIÉLOU NELLA TEOLOGIA DELLE RELIGIONI - Le religioni non cristiane esprimono una dimensione della natura umana. L'uomo è fondamentalmente religioso; vale a dire, è capace di percepire con l'intelligenza e di ratificare con l'amore il suo rapporto con la divinità. Questo è vero a livello individuale, perché l'amore di Dio è una condizione della perfetta realizzazione dell'uomo e della sua felicità; ciò è vero anche sul piano sociale, perché il gesto religioso fa parte del bene temporale comune. La caratteristica tipica delle religioni è che esse percepiscono il divino attraverso le sue manifestazioni. I fenomeni cosmici sono segni attraverso i quali l'uomo di tutti i tempi ha percepito la presenza divina. Questa è percepita in modo ancora più forte attraverso gli eventi umani. Nascita, inizio dell'età adulta, matrimonio e morte sono sempre accompagnati da riti religiosi. I ritmi stagionali del cosmo e della vita umana sono celebrati con riti liturgici. I riti riproducono gli eventi esemplari delle entità divine nella sfera degli archetipi. Quindi i riti e i miti esprimono un'esperienza fondamentale

con la quale l'uomo entra in comunione con il divino che lo trascende.

Ciò che è essenzialmente un segno non può essere identificato con l'essenza stessa della religione. Non era il sole come oggetto materiale che l'uomo religioso adorava, ma attraverso il sole egli adorava la forza benefica che è la sorgente della luce e della vita. Il fatto che la religione viene espressa attraverso le strutture socio-culturali, non significa che sia riducibile a esse. Mediante le relazioni umane fondamentali l'uomo entra in comunione con la realtà che lo trascende. Infine, l'uomo percepisce il divino nella propria interiorità come distinto da sé e come uno che agisce in lui. Egli percepisce i propri limiti e quanto in sé appartiene all'assoluto; percepisce il divino in quella luce della propria mente che abita nella profondità del suo essere e che lo spinge a cercare Dio. Le grandi religioni costituiscono l'espressione storica dell'atteggiamento religioso dell'umanità. Una e diverse sono le religioni. Una, perché esse appartengono al medesimo livello di esperienza del divino; ogni religione ci fa conoscere le vie per le quali l'uomo ha riconosciuto Dio attraverso le realtà mondane e lo ha cercato al di là di queste; la diversità fa parte dell'essenza delle religioni; all'interno stesso delle religioni vi sono divergenze radicali. Le differenze che riscontriamo nel cristianesimo riflettono, nell'unità della medesima fede che necessariamente è una, i diversi tipi di mentalità religiosa che accolgono, ognuna a modo suo, la stessa fede.

L'evento giudeo-cristiano si presenta come qualcosa di assolutamente diverso, perché non è semplicemente un complesso di forme di culto, ma la testimonianza di un evento che costituisce la storia sacra. La bibbia è una storia che testimonia gli interventi di Dio, l'ingresso della Parola nella storia. Le religioni testimoniano il cammino dell'uomo verso Dio; la rivela-

zione testimonia il cammino di Dio incontro all'uomo. Scopo di tutte le religioni è quello di manifestare la presenza di Dio attraverso la ripetizione dei cicli della natura e della vita umana. Oggetto della rivelazione è un Evento unico, cioè l'evento-Cristo. Se questo evento è unico, allora anche la rivelazione dovrebbe essere necessariamente unica, consistente nel credere alla realtà di questo evento unico. Invece le religioni, create dal genio umano, attestano il valore di personaggi importanti quali Buddha, Zoroastro, Confucio, ecc., ma sono segnate dai difetti di tutto ciò che è umano. La rivelazione è opera di Dio solo. L'uomo non può avanzare pretese nei confronti di essa, perché non vi ha alcun diritto. Essendo un puro dono di Dio, è la verità infallibile che in certo senso è riferita a Dio soltanto. La religione attesta il desiderio dell'uomo per Dio, che egli afferma continuamente nella propria vita; mentre la rivelazione testimonia la risposta a questo desiderio da parte di Dio, il quale conduce l'uomo alla salvezza che soltanto Gesù Cristo rende sicura. La rivelazione è profetica ed escatologica, e supera le possibilità dell'uomo. Però la rivelazione non distrugge la religione, ma le dà compimento.

Mentre la religione è nell'ambito dell'esperienza spirituale, ossia l'esperienza del divino, la rivelazione è nell'ambito della fede, la quale esige che l'uomo affidi se stesso all'esperienza di un Altro che viene dall'alto. Questa antinomia tra il cristianesimo e le altre religioni non significa una incompatibilità tra loro; esprime piuttosto una relazione reciproca. L'enciclica → *Ecclesiam Suam* riconosce la vitalità e i valori che le religioni custodiscono. Il cristianesimo fa propri i valori delle religioni, li purifica, li trasforma senza distruggerli, perché il Cristo è venuto a prendere possesso di ogni uomo; il valore più grande è l'*homo religiosus*. La salvezza che Cristo ha portato non consiste nel sostituire una nuova realtà a quella naturale. È l'uomo che la Parola è venuta a salvare, e l'uomo che essa ha creato è un uomo religioso. Quindi la Parola si è manifestata anche per trasformare i valori religiosi. Se i gesti religiosi dell'uomo sono stati il punto di inserzione del divino, essi stessi esprimono ora il compimento del desiderio che hanno suscitato. Ciò comporta una nuova nascita nello spirito che dà origine alla vita divina. Il rapporto tra cristianesimo e le altre religioni è reciproco. Il cristianesimo è necessariamente finalizzato ad attualizzare la rivelazione; ma l'effettiva qualità di questa attualizzazione dipende dalla qualità dell'uomo religioso trasformato dalla rivelazione. Il dialogo della rivelazione con le religioni non cristiane passa attraverso il problema della religione, ossia il problema dell'uomo religioso.

Il cristianesimo non consiste nella conoscenza di Dio; per questo è sufficiente la religione. In effetti, però, senza il cristianesimo le altre religioni non conoscono il vero Dio o, meglio, non conoscono Dio in modo vero; il cristianesimo non è semplicemente una religione; esso è qualcosa di più: è l'intervento salvifico di Dio.

Le religioni non cristiane appartengono alla sfera della creazione; quindi a una sfera diversa da quella della salvezza. Il sentimento religioso è presente fin dall'atto della creazione. Siccome la creazione è ferita dal peccato, le religioni sono ambigue e creano ostacolo alla salvezza. Le religioni non hanno mezzi di salvezza. Esse non sono vie di salvezza perché soltanto Dio salva l'uomo per mezzo di Cristo, che continua la sua opera mediante la chiesa. Questo non impedisce che nelle religioni vi siano degli elementi umani, i più importanti dei quali sono quelli religiosi, che restano buoni, anche se sono più o meno deformati. Questi elementi hanno un ruolo preparatorio e costituiscono quelle «realtà in attesa» che aspettano di essere assunte nella cattolicità della chiesa, trasformate e salvate. Sebbene l'appartenenza alla chiesa sia necessaria per la salvezza, esistono delle alternative a questa appartenenza che rimangono sempre misteriose.

Questa posizione è intermedia tra il sincretismo della teologia liberale e la teologia dialettica di K. Barth. Essa concede un certo valore alle religioni, corretto però dall'affermazione della trascendenza del dominio della fede nei confronti di quello della religione. Questa teologia si regge su due pilastri: l'esperienza missionaria e la visione ecclesiocentrica della salvezza. La prospettiva missionaria riconosce quanto di buono e di vero c'è nelle religioni, ma anche la loro ambiguità e l'ostacolo che pongono alla conversione. La visione ecclesiocentrica considera la chiesa come l'unico strumento di salvezza nella storia. E quindi le religioni non contengono alcun mezzo di salvezza, ma soltanto i valori che potrebbero e dovrebbero essere salvati, trasformati e integrati nella cattolicità della chiesa. Questa linea teologica viene generalmente attribuita anche a De Lubac, Maurier, Bruls, Cornelis con leggere differenze tra loro.

10. LA LINEA DI RAHNER NELLA TEOLOGIA DELLE RELIGIONI - Il cristianesimo considera se stesso come la religione assoluta, valida per tutti gli uomini; esso non può riconoscere gli stessi diritti a nessun'altra religione. Questa convinzione è basata sul fatto centrale del cristianesimo: Gesù Cristo, la parola di Dio resasi concretamente presente tra gli uomini, con la sua morte e risurrezione egli ha ricongiunto il mondo a Dio, non in senso allegorico o simbolico, ma realmente, in senso oggettivo. Cristo, che ha operato la salvezza di tutti gli uomini nella realtà storica ha voluto che la sua opera fosse continuata e

attualizzata in modo permanente nella storia mediante l'istituzione della chiesa. Questa attualizzazione storica permanente è precisamente la religione che unisce gli uomini a Dio.

Perciò il cristianesimo trova in Cristo un punto di partenza intrastorico. Questo implica che esso dovrebbe essere accolto dagli uomini come loro religione legittima e obbligatoria. Prima che questo incontro con il cristianesimo avvenga, una religione non cristiana contiene gli elementi di una conoscenza «naturale» di Dio, frammista alla debolezza umana dovuta al peccato originale; vi si riscontrano, però, anche dei momenti soprannaturali di grazia e, a motivo di questi, essa può essere riconosciuta come religione «legittima». Questa posizione si basa sull'affermazione teologica della universale ed efficace volontà salvifica di Dio nei confronti di tutti gli uomini. Per un verso la salvezza è qualcosa di specificamente cristiano e non vi è salvezza al di fuori di Cristo; d'altra parte, in modo reale e vero Dio ha destinato questa salvezza a tutti gli uomini. Da questi due fatti consegue che l'uomo è aperto all'influsso della grazia divina soprannaturale, con la quale gli viene offerta un'intima comunione con Dio e una partecipazione alla sua vita. Inoltre, le religioni non cristiane possono avere un significato positivo; esse non dovrebbero essere aprioristicamente considerate come illegittime, anche se contengono molti errori. Per il fatto che un seguace di una religione non cristiana è sotto l'influsso della grazia, si deduce che questa soprannaturale realtà della grazia dovrebbe trovarsi in questa particolare religione, nella quale il rapporto con l'assoluto è l'elemento specifico e determinante. Ogni uomo dovrebbe avere la possibilità di prendere parte a un autentico e salvifico rapporto con Dio. Stante la natura sociale dell'uomo, la persona concreta non può realizzare questo rappor-to con Dio in un intimismo del tutto individuale e al di fuori della religione del suo ambiente, perché l'inserimento della professione religiosa individuale in un ordinamento sociale e religioso fa parte degli elementi essenziali della vera e concreta religione. Per divina volontà e permissione, la volontà salvifica di Dio raggiunge l'uomo nel contesto della sua religione concreta e nella sua concreta situazione esistenziale con tutti i suoi condizionamenti storico-culturali. Questo non esclude da parte dell'uomo il diritto e la possibilità di atteggiamenti critici e di assecondare gli impulsi religiosi di riforma all'interno della propria religione.

In questa prospettiva il cristianesimo non considera gli appartenenti a un'altra religione semplicemente come dei non cristiani, ma piuttosto come dei → «cristiani anonimi». Così Rahner spiega il senso di questa espressione: «Se è vero che l'uomo al quale il cristianesimo propone il suo messaggio è già in origine, o almeno potrebbe esserlo, un uomo sospinto verso la salvezza; se è vero che quest'uomo, in determinate circostanze, trova la propria salvezza prima di essere raggiunto dalla proclamazione della salvezza cristiana; e se è vero, che questa salvezza è la salvezza di Cristo, dal momento che al di fuori di lui non vi è salvezza, allora quest'uomo può non soltanto dirsi un teista anonimo, ma può essere chiamato un "cristiano anonimo"». Facciamo notare ancora una volta che questo è visto nella prospettiva teologica cristiana, nello sforzo di attribuire a ogni vera esperienza religiosa il suo intrinseco significato positivo, senza offendere in alcun modo la fede cristiana che considera questo come proprio soltanto del cristianesimo.

La proclamazione del vangelo non trasforma in cristiano una persona totalmente aliena da Dio e da Cristo, ma trasforma un «cristiano anonimo» in una persona che sa riconoscere obiettivamente e in modo riflessivo il proprio cristianesimo nella profondità della sua essenza di grazia, attraverso la mediazione di una identificazione sociale nella chiesa. Questa esplicita testimonianza di un cristiano, prima anonimo, costituisce una fase di sviluppo del cristianesimo stesso, lo sviluppo più elevato e necessario della sua essenza. Ma l'annuncio esplicito del cristianesimo è necessario perché senza di esso l'uomo rimane, in senso negativo, un «cristiano anonimo». Questo è necessario non soltanto a motivo della dimensione sociale dell'incarnazione della grazia e del cristianesimo, ma anche perché questa concezione più chiara e più consapevole offre agli uomini una maggiore possibilità di salvezza di quella che avrebbero se rimanessero soltanto dei cristiani anonimi. Per questo la chiesa dovrebbe considerare se stessa come l'unica depositaria della salvezza per tutti gli altri popoli, in senso esclusivo.

La storia della salvezza si realizza concretamente nella storia del mondo. Storia della salvezza (→ Storia, V) e storia profana sono distinte. La storia della salvezza dà senso alla storia profana; mediante il cristianesimo la storia del mondo assume un senso cristocentrico. Il mondo è stato creato dal *Logos* eterno, da lui deriva e a lui dovrebbe ritornare. Il mondo è stato creato in vista del *Logos* del Dio incarnato. La storia della salvezza non si limita alla storia d'Israele e alla chiesa. A tutti gli uomini appartiene la storia della salvezza universale o generale. La storia dell'umanità è intimamente trasformata in storia della salvezza dal dinamismo della grazia redentrice di Cristo. La storia di salvezza che riguarda Israele e la chiesa si distingue da quella dell'umanità e ha un carattere speciale. Dovremmo capire la storia universale di salvezza dal punto di vista della storia speciale di salvezza. La storia della salvezza non

riguarda soltanto le decisioni personali dell'uomo; essa segna tutta l'azione dell'uomo nella storia. È perciò possibile vedere la religione come l'espressione sociale della universale storia della salvezza. In tal senso le religioni sono vie di salvezza offerte da Dio ai loro seguaci. In quanto vie di salvezza, sono legittime e conservano il loro valore finché tali seguaci non saranno chiamati a superarle nel loro incontro con la chiesa. Non tutti i sostenitori della posizione di Rahner prendono nel medesimo senso l'espressione «vie di salvezza». Rahner fonda il valore delle religioni nella teologia della grazia e nel fatto che esistono dei «cristiani anonimi».

Vera e reale è la volontà salvifica di Dio; per questa ragione l'azione di Dio dovrebbe essere presente anche quando essa lo è in modo nascosto. L'intero arco dell'esistenza umana è di per sé compenetrato dall'attiva presenza di Dio. Nel modo di concepire il rapporto tra natura e grazia va evitato ogni estrinsecismo. La grazia entra a far parte degli elementi essenziali costitutivi dell'uomo, ponendo in essi l'esistenziale soprannaturale come elemento storico costitutivo, prima che all'uomo sia concesso il dono divino della grazia attuale o abituale. Questo esistenziale è soprannaturale perché trascende gli elementi costitutivi dell'uomo, la possibilità e le esigenze della natura umana. Viene escluso ogni legalismo, perché l'universale volontà salvifica di Dio è vera e reale; e quindi è efficace e concreta. Anche ogni estrinsecismo è escluso, perché la grazia non viene data come un corredo estrinseco senza alcuna predisposizione per essa da parte dell'uomo. La linea di Rahner è seguita da Schoonenberg, Schlette, Thils, Heislbetz, Schillebeeckx, Fransen, Küng, Masson, Neuner, Nys.

11. CONCLUSIONE - Alcuni autori contemporanei sostengono mutamenti

paradigmatici nella teologia delle religioni mondiali. Questo vuol dire che ogni tanto l'interesse di fondo e principale di ogni valutazione storica delle altre religioni cambia; dal porle in relazione con la chiesa (ecclesiocentrismo), si passa al loro rapporto con il Cristo (cristocentrismo); da questo, al loro rapporto con Dio (teocentrismo); dovremmo superare anche questo teocentrismo verso il soteriocentrismo, nel senso che il primo interesse della teologia delle religioni non dovrebbe essere una «corretta credenza» nell'unicità del Cristo, ma una «corretta pratica», con le altre religioni, della promozione del regno di Dio e della sua «soteria», della liberazione, del benessere dell'umanità. A questo punto è importante l'accentuazione del cambiamento paradigmatico. Il termine «paradigma» viene usato in un senso analogo a quello proposto originariamente da Kuhn, vale a dire un sistema di metodi e di procedure dettate da un modello di soluzione centrale. C'è da dire, però, che Kuhn faceva molte riserve sull'uso di questo concetto di paradigma al di fuori del campo specifico delle rivoluzioni scientifiche in cui si era sviluppato; inoltre, egli ha spiegato più precisamente il modo in cui un «analogo» uso di questo termine centrale è diverso da quello originario. Per usare il mutamento paradigmatico come strumento metodologico nell'ambito della scienza teologica bisogna osservare e verificare certe condizioni. Un modello centrale di soluzione non dovrebbe sacrificare gli elementi essenziali della fede cristiana per una indebita accentuazione di un elemento a scapito di un altro con l'intento di compiacere tutti, non credenti e non cristiani. Quando in teologia viene introdotto un modello sociologico o antropologico, deve essere vagliato alla luce della rivelazione e della tradizione. In questa prospettiva la teologia delle religioni si trova ai suoi primi passi; per valutare questi metodi è necessaria una ulteriore ricerca.

Bibl. - K. Barth, *Church Dogmatics*, II, Edinburgh 1956; H. Kraemer, *The Christian Message in a non-christian World*, London 1938; Id., *Religion and the Christian Faith*, London 1956; J. Daniélou, *Essai sur le Mystère de l'Histoire*, Paris 1960; Id., «Christianity and non-christian Religions», in T.P. Burke (ed.), *The Word in History*, London 1968; R. Panikkar, *Religione e Religioni*, Brescia, 1964; Id., *Il Cristo sconosciuto dell'Induismo*, Milano 1976; H.R. Schlette, *Towards a Theology of Religions*, London 1965; G. Thils, *Propos et Problèmes de la théologie des religions non chrétiennes*, Tournai 1966; Id., *Présence et Salut de Dieu chez les non-chrétiens*, Louvain-la-Neuve 1987; Heislbetz, *Theologische Gründe der nichtchristlichen Religionen*, Freiburg 1967; K. Rahner, «I cristiani anonimi», in *Nuovi Saggi*, Roma 1968, 759-772; Id., «Storia del mondo e storia della salvezza», in *Saggi di antropologia soprannaturale*, Roma 1969, 497-532; Id., «Cristianesimo e religioni non cristiane», in *Ibid.*, 533-571; Id., *Valore salvifico delle Religioni non cristiane*, Roma 1975, 3-11; V. Boublik, *Teologia delle Religioni*, Roma 1973; P. Rossano, *Il Problema teologico delle religioni*, Roma 1975; J. Hick, *God has many names*, London 1980; Id., *Problems of Religious Pluralism*, New York 1985; C. Smith, *Towards a World Theology*, London 1980; A. Race, *Christians and Religious Pluralism*, New York 1982; P. Knitter, *No other Name?*, A critical survey of christian attitudes towards the world religions, New York 1985; G. D'Costa, *Theology and Religious Pluralism*, Oxford 1986; M. Dhavamony, *Teologia delle Religioni* (dispense), Roma 1986; Id. (ed.), *Evangelization, Dialogue and Development*, Roma 1972; H. Küng, *Christianity and World Religions*, New York 1986; J. Hick - P. Knitter (edd.), *The Myth of Christian Uniqueness*: Toward a Pluralistic Theology of Religions, New York 1987.

Mariasusai Dhavamony

VIII. Psicologia della religione

1. PRELIMINARI - a. *Definizioni* - Esiste una scienza psicologica dei fenomeni religiosi? Qual è il suo oggetto e come lo affronta?

La psicologia, definita come una scienza del comportamento, comprende lo studio dei comportamenti e dei loro significati. I significati non sono che parzialmente coscienti (motivazioni) e nello studiarli si è spesso portati a dar loro un senso in base a dinamismi affettivi parzialmente inconsci. Che si tratti di individui, o di gruppi, spiegare i significati, escludendo interpretazioni arbitrarie, è il compito più difficile della psicologia. Da una parte, il linguaggio esplicativo o espressivo di un soggetto dipende molto dai discorsi che predominano nei gruppi di cui fa parte, da quelli del suo ambiente sociale e della sua cultura. Dall'altra parte, tutto il lavoro psicologico è di tipo relazionale. Esso deve procedere di pari passo con una autocritica costante delle ipotesi, mai totalmente neutrali, e delle interpretazioni del ricercatore, sia nella messa a punto di un dispositivo di ricerca, che nel suo personale modo di recepire il linguaggio dei soggetti, dei gruppi e dei documenti studiati. Malgrado la diversità dei suoi approcci metodologici – di cui parleremo nelle pagine seguenti – la psicologia, definita come «scienza del comportamento», sia essa descrittiva, sperimentale, o clinica, vi trova anche la sua «unità» (D. Lagache, 1949).

La religione, considerata come un complesso di comportamenti osservabili, vale a dire misurabili, socialmente e culturalmente situati, i cui significati non sono che parzialmente legati al linguaggio, costituisce un oggetto o un ambito psicologicamente definibile? Apparentemente, no. La diversità e l'eterogeneità dei comportamenti religiosamente motivati sono immense: castità nel celibato, ma anche prostituzione sacra; meditazione silenziosa, ma anche preghiera continuata; ortodossia e profetismo; fuga dal mondo e inserimento nel mondo nell'intento di trasformarlo; iniziative di pace e guerre sante. Tutti gli autori di manuali – da P. Johnson (1959) a R. Paloutzian (1983), da G. Milanesi e M. Aletti (1973) a B. Spilka, R. Hood e R. Gorsuche (1985), da P. Pruyser (1968) ad A. Vergote

(1983) – si trovano a fronteggiare il carattere disparato dei fenomeni religiosi, e persino delle definizioni che tentano di raggrupparli in una categoria, come quella del «sacro» (R. Otto), che serve da ossatura (discutibile) all'opera storica di M. Eliade. Una filosofia della trascendenza, di tipo occidentale, con o senza riferimento al termine «dio», finisce per nascondere non soltanto la diversità dei *funzionamenti* psico-sociologici che queste due scienze umane potrebbero circoscrivere in modo più verosimile, ma nasconde pure l'innegabile diversità della «loro» sostanza positiva, oggettivamente stabilita: tradizioni, costruzioni verbali, scritture, discorsi, riti e... teologie. Una soluzione strettamente psicologica, in ambienti socio-culturali limitati, sarebbe quella di considerare come «religioso» ogni comportamento osservabile dichiarato tale, da parte di individui o di gruppi, sia per confermarlo, sia per contestarlo. La psicologia della religione avrebbe, in tal modo, come oggetto non solo i fenomeni di credenza (per esempio), ma anche quelli di non-credenza (cfr. A. Vergote, 1983). Ogni ricerca comporterebbe l'esame dei comportamenti generati dall'intreccio di un sistema simbolico, di una istituzione sociale e di una vita soggettiva. A questo punto essa si dovrebbe procurare gli strumenti necessari per giungere allo scopo (osservazioni cliniche, questionari, svariate correlazioni, prove sperimentali in senso stretto), secondo i metodi psicologici applicati in qualunque altro campo. È probabile che in ogni cultura, insieme a questa polarità (credenza, non-credenza), esista una fascia intermedia che include anche il dubbio, generalizzato, casomai, nell' → agnosticismo religioso.

In psicologia scientifica della religione, l'assenza di una definizione relativa al suo oggetto proprio, non costituisce un impedimento o un ostacolo al suo sviluppo. La biologia, in quanto scienza degli esseri viventi, ha fatto grandi passi lasciando da parte le discussioni speculative sull'essenza della vita e sviluppando i suoi parametri partendo dall'ipotesi paradossale secondo la quale ogni manifestazione del vivente sarebbe spiegabile, misurabile, cioè riproducibile, sulla base dei componenti fisico-chimici. Così potrebbe essere dello *psichismo*: quella parte della psicologia umana che risente di condizionamenti scientificamente stabiliti. Questa prospettiva è stata adottata e sviluppata con coerenza da J.F. Catalan (1986) in «Psichismo e vita spirituale», DSp 12 (2) al quale noi rinviamo per evitare, in questo articolo, la ripetizione di riferimenti alla psicologia delle spiritualità, della vocazione al celibato consacrato, o alle sue applicazioni in psicologia pastorale, che J.F. Catalan tratta molto bene. Per quanto riguarda la psicologia delle diverse famiglie spirituali si potrà completare con B. Secondin (1987), o con A. Godin (1986, capp. 4 e 5); per quanto riguarda la psicologia della vocazione si può completare con A. Godin (1975) e L. Rulla (1978); per le applicazioni alle relazioni pastorali, con A. Godin (1983), J. Scharfenberg (1980), oppure R.P. Vaughan (1987) e, per una prassi sociale in pastorale, con Nadeau (1987).

Per situare e rispettare la frontiera epistemologica che distingue le scienze speculative (filosofia, teologia) dalle scienze empiriche (psicologia, sociologia) della religione, con P. Ricoeur si può fare uso della categoria (tomista) della «causalità materiale dispositiva» (1949), oppure usufruire di una riflessione originale sulle articolazioni del linguaggio religioso (cristiano) proposta da J. Ladrière (1984, ·vol. II).

Attingendo alla pubblicazione recente di opere scientifiche di psicologia (sia sperimentale che clinica), questo articolo suggerisce che il loro contributo non è principalmente quello di offrire alla teologia delle risposte precise ad alcune delle *sue questioni* (così a proposito della crisi di fede sui «novissimi»), ma, *sulla base dei propri metodi*, d'invitare la teologia a dare *una forma nuova* ai problemi che pone. Si veda un saggio, in questo senso, in A. Godin (1988) e la trattazione generale di questo problema proposta da J.-P. Deconchy (1967). Ecco la conclusione di quest'ultimo: «Un credente deve poter ammettere che una teologia regoli parzialmente il suo pensiero, la sua credenza e la sua fede. Ma quando si occupa di epistemologia deve fare attenzione a che questa teologia non venga a regolare anche la sua epistemologia» (p. 148).

b. *Dati storici di riferimento: Gli inizi* - All'inizio di questo secolo, sui due versanti Nord-Atlantici e proprio nello stesso anno, due ricercatori tentano l'approccio psicologico dei fenomeni religiosi. Presso Harvard, W. James raccoglie in modo sistematico l'indefinita varietà di linguaggio con cui alcuni soggetti esprimono le loro «esperienze religiose» (1902). Questo inizio brillante viene progressivamente segnato da strane limitazioni, confermate da altri scritti teorici di W. James. L'essenza della religione consiste in una esperienza interiore, intensa, gioiosa e virtualmente mistica. Certo, ogni linguaggio espressivo s'inscrive in una storia, ma è prima di tutto la storia di una emozione (*Erlebnis*). La lingua inglese, come la francese e l'italiana, non dispone che di una sola parola, mentre in tedesco ne esiste una seconda (*Erfahrung*). Si finisce così in una impasse, inconsapevole, ma ben espressa più tardi da W.L. Brandt (1982). Teologicamente imbarazzante per il pensiero cristiano che si muove su una «rivelazione» (recepita in modo comunitario e attestata dalle Scritture), l'opzione che prende in considerazione e privilegia l'esperienza interiore (*Erlebnis*) rischia di sterilizzare il progresso della psicologia come scienza, dove i fatti religiosi s'inscrivono necessariamente in una sintesi attiva (*Erfahrung*) effettuata e confrontata con delle realtà d'ordine sociale e istituzionale. Malgrado alcuni tentativi di costruire una specie di tipologia delle diverse esperienze interiori, soprattutto da parte di R.W. Hood (1975: presentazione di 32 brevi racconti a diversi gruppi, le risposte dei quali vengono analizzate in modo fattoriale), la composizione di questi racconti (influenzati sia da W. James, che da W.T. Stace) pone svariati problemi. La scoperta di un fattore *M* (misticismo generico), distinto da un fattore *m* (gioia sperimentata in conseguenza di conoscenze provenienti da una religione istituzionale), conferma l'atteggiamento che ricercatori più recenti hanno verso James: «*Rispetto* per un uomo che, con raro vigore, ha voluto dare alla nostra scienza un oggetto e uno statuto proprio e *rammarico* per il fatto di aver condotto la psicologia della religione a un impasse. Per questo James resta − secondo l'espressione di E.R. Goodenough − il nostro gigante e la nostra disperazione» (J.-P. Deconchy, 1969).

A Ginevra, T. Flournoy (1902) enuncia i limiti metodologici che s'impongono alla ricerca scientifica in psicologia della religione: si tratta di rinunciare non soltanto a ogni questione circa l'esistenza o la verità (in sé) di una realtà transfenomenale, ma anche a ogni valutazione della relazione formalmente religiosa, attivamente accertata, tra dei soggetti e una realtà che essi considerano come trascendente o divina. La psicologia, invitando così a «mettere tra parentesi» (*Aufhebung*) un processo di ontologizzazione, presente in modo evidente in filosofia della religione e in teologia, adotta una posizione che è classica in molte scienze umane (l'economia, per esempio), le quali rivendicano la loro autonomia soprattutto nei confronti delle ingerenze del potere politico o religioso. Essa, tuttavia, non rinuncia allo studio dei *significati* che assumono, presso dei soggetti o dei gruppi − religiosi o no − le credenze, i riti, i miti ai quali essi aderiscono o che rifiutano. Come non rinuncia a studiare i significati della parola «dio» e a utilizzarli per scoprirne le connotazioni (linguistiche, conoscitive, affettive) che assume nell'ambiente socio-culturale − in questo caso giudeo-cristiano − in cui essa si svilupperà secondo i principi di Flournoy. La psicologia si salva affermando come scientificamente non pertinente una «conoscenza assoluta» che dei credenti collegano, legittimamente, a una fede in un Dio che ha parlato in modo diretto; oppure a una «modificazione» (altrimenti inspiegabile) che le loro preghiere avrebbero direttamente prodotto nei loro corpi o nella loro psiche. Si tratta della condizione stessa del suo progresso come scienza psicologica.

Ritardi e difficoltà. La via era ormai aperta, ma non fu seguita che mezzo secolo più tardi. Soprattutto perché alcuni eccellenti psicologi rimasero affascinati dalle ricerche sull'eccezionale nella religione, come le conversioni improvvise, gli stati estatici o mistici (così Leuba, Maréchal, Pacheu, Janet). In Germania invalse per molto tempo il metodo introspettivo di stati di coscienza a volte provocati in modo sistematico (Girgensohn, Gruehn e la sua scuola, W. Keilbach e la rivista *Archiv*, 1962-1976). Alcuni studi comparativi sulla deriva, religiosa o no, della meditazione, con gruppi sperimentali e di controllo (gruppi Zen con intento terapeutico), verranno in seguito ripresi, ma con un approccio scientifico diverso (Jan van der Lans, 1978, 1980), dimostrando l'importanza della cornice di riferimento nella genesi di esperienze (*ervaringen*) religiose o meno.

Prima del 1950, alcuni rari pionieri

furono convinti che le tecniche di osservazione (questionari collaudati, misurazioni ripetute, scale attitudinali, correlazioni significative, immagini proiettive, associazioni libere, metodi di sperimentazione, ecc.), avendo dimostrato la loro fecondità in psicologia umana, sarebbero *le stesse* che si potrebbero adoperare per studiare i comportamenti religiosi secondo parametri o dimensioni da ricercare. Si può citare, in questo senso, G.W. Allport, desideroso, fin dal 1935 (forse senza rendersene conto), di accentuare le differenze tra orientamento estrinseco e intrinseco di una religiosità individuale (1950); G. Castiglioni, che fin dal 1928 calcolava l'evoluzione del vocabolario dei fanciulli, poi degli adolescenti a proposito di Dio; L. Thurstone, che dopo il 1929 costruì delle scale di attitudini sociali che finivano ben presto nell'ambito morale o religioso (1954); A. Welford, il primo che designò come «sperimentale» un approccio che rilevava alcune forme di preghiera più semplici preferite da coloro che non vanno alla chiesa e non molto apprezzate da quelli che ci vanno.

Teoricamente fu necessario rendersi conto che la varietà sovrabbondante dei linguaggi religiosi e dei comportamenti di cui essi sono il supporto, rendeva vana l'ipotesi pseudoesplicativa di un «bisogno religioso» nel senso stretto di uno stato di tensione intima che richiedeva di essere soddisfatta in un oggetto o un'azione specifica. In ogni caso, la psicologia, scienza dell'osservazione, non è in grado di stabilire l'esistenza di un simile bisogno, si tratti di Dio (quale?) o dell'immortalità (da non confondere con un desiderio di evitare la morte).

Ultima causa di ritardo: lo sviluppo considerevole della psicologia clinica, della sua concettualizzazione (riguardo soprattutto al «desiderio» parzialmente inconscio) che designava i dinamismi psichici e le teorizzazioni

che le corredarono nelle diverse scuole psicanalitiche (soprattutto Freud e Jung) furono l'oggetto di una profonda incomprensione da parte delle chiese. Non soltanto la psicoanalisi (terapeuti, clienti, teorici), soprattutto freudiana, venne condannata nel 1950 sulla base di un fatto stereotipo come il «pansessualismo», ma tutto il complesso simbolico delle culture religiose e delle persone che vi sono dentro per viverle o per contestarle, dovette aspettare, perché la psicologia della religione potesse beneficiare, senza troppa confusione, dei propri notevoli progressi sia sul piano individuale (psicologia clinica) che in antropologia culturale. Soltanto dopo il 1965 si moltiplicarono le ricerche e le pubblicazioni, in seguito, tra l'altro, alla *rilettura di testi scritturistici*. Per scoprirli ci si può riferire all'articolo ben documentato di A. Vergote (1972), poi ai libri di D. Stein (1985) e di L. Beirnaert (1988). In A. Vergote (1975) si può trovare una discussione approfondita del contributo psicanalitico all'antropologia, all'esegesi storico-critica e ad alcuni fenomeni particolari «bisognosi di una interpretazione psicologica» (visioni, glossolalie).

Sulla difficoltà di affermazione della psicologia della religione e sull'evoluzione recente dei metodi, disponiamo di una insostituibile documentazione critica (per quanto riguarda le pubblicazioni in inglese e francese) grazie a J.-P. Deconchy (1970 e 1987). Per la lingua inglese, D.M. Wulff (1985) e L. Brown (1987). Per l'italiano e per la produzione italiana, A. Godin (1983, 245-49), G. Milanesi (1973), L.S. Filippi e A.M. Lanza (1981).

2. QUESTIONI VECCHIE, POSTE IN MODO DIVERSO - Nel 1965, per fare un po' d'ordine nel campo coperto dallo studio psico-sociologico dei fenomeni religiosi, due psicologi, C.Y. Glock e R. Stark, proposero di ri-

partirli in più dimensioni. Alcune analisi fattoriali hanno mostrato, a volte, l'opportunità di accostarsi alla religione come fenomeno «a più dimensioni» e presentare queste in modo differente: dimensione *conoscitiva* (distinguendo conoscenza e credenza), *rituale* (distinguendo pratiche private e liturgie istituite), *esperienziale* («Erlebnis», sensazione interiore o «Erfahrung», reazione di sintesi effettuata in relazione con delle realtà sociali o istituzionali), *conseguenziale* (effetto d'impegno o di ricaduta modificatrice in altri campi: fisiologico, morale, ideologico). Diversi studi, sulla base di questionari, hanno rivelato numerose notevoli correlazioni tra il conoscitivo (*credenza*) e il rituale (*liturgie* partecipate): il che non sorprende per nulla; una correlazione molto debole, invece, tra l'esperienziale (*Erlebnis*) e il conseguenziale (*impegno* nel campo profano). Ciò permette di capire la polarizzazione tra due tipi di credenti praticanti: quelli che ricercano la linea mistica, *o* quelli che ricercano la linea etica nella religione.

In questo articolo raccoglieremo, degli ultimi venti anni, un piccolo numero di fatti religiosi, metodologicamente ben selezionati, che permettono al teologo di scorgere temi familiari offerti in una prospettiva nuova.

a. *Credenza: Dio-Provvidenza* - Perché un avvenimento, felice o doloroso, accade? Nel 1966 J.B. Rotter sviluppò diversi strumenti di misura e scoprì una suddivisione curiosa, ma molto precisa, tra due modi di pensare. Alcuni soggetti fanno dipendere successi o progresso dai propri comportamenti, dalle proprie capacità, o dalle caratteristiche personali: in breve, da fattori che possono dipendere dal controllo personale detto «interno». Il controllo «esterno» richiama, invece, dei tipi che collocano certi avvenimenti positivi o negativi fuori del raggio del loro con-

trollo personale, sia che si riferiscano a qualcosa d'ineluttabile (condizionamenti, determinismo), o a «potenti interferenze d'altri» (Rotter), o a interventi imprevedibili, con riferimento al caso (fortuna o sfortuna). L'interesse psicologico del *locus of control* consiste nel collocare subito in un complesso più ampio la varietà delle credenze religiose. Così prese il via, negli Stati Uniti, *la teoria dell'attribuzione*, sulla base di ricerche precise (così P. Benson e B. Spilka che misero in rapporto l'immagine di Dio, esterna o interiorizzata, con il grado di stima di sé, 1973) e sulla base di una pianificazione assiomatizzata (B. Spilka, P. Shaver e L.A. Kirkpatrick, 1985) di studi che includevano le diverse variabili in gioco: l'evento (gravità, vicinanza) e il suo contesto, il soggetto, le sue disposizioni e motivazioni (coscienti, inconsce). Di tutti questi lavori, qui considereremo come accertato un solo fatto.

Svariati gruppi religiosi (cristiani adulti) posti, per mezzo di questionari o di racconti evocatori, davanti a delle situazioni concrete, attribuiscono alla «Provvidenza» avvenimenti che altri gruppi meno religiosi (criterio: senso della vicinanza di Dio) attribuiscono al «caso» (fortuna). Si tratta di avvenimenti gravi, quali l'ondata di una piena che spazza via la casa del vicino e lascia intatta quella del narratore della storia in qualità di testimone impotente. Si veda anche R.L. Gorsuch (1983).

L'incredibile successo devozionale del concetto di *Provvidenza* (uno degli attributi divini secondo la riflessione filosofica di Tommaso d'Aquino) adoperato a scapito di quello di *Caso* (avvenimento fortuito risultante dall'incrocio di determinismi ciechi o di questi con delle intenzioni umane), fatto di cui assai tardi prende coscienza la mentalità infantile, si spiega con un desiderio di dare un certo conforto all'ansia umana inevitabilmente scontratasi con simili congiunture. Forza che allevia l'angoscia, la nozione di Provvidenza è «funzionale» dal punto di vista psicologico, soprattutto se associata ad altri attributi divini (onnipotenza, bontà, onniscienza). Per cui, non potrebbero, questi concetti poco coerenti con la rivelazione neo-testamentaria e la sua posizione nei confronti del male, essere riesaminati alla luce di questa? (Vecchia proposta di L. Malevez, 1960). Rivoluzionamento del concetto di Provvidenza? Oppure semplice riconoscimento del suo valore funzionale che le fonti cristiane invitano a superare? Non sta alla psicologia giudicarlo.

b. *Credenza: Dio-Padre* - Perché non Dio-Madre? L'appellativo assunto dogmaticamente nella fede dei cristiani, non include forse, sul piano psicologico, delle componenti della figura materna? Venti anni di ricerca rigorosa e abbondante (più di quindici applicazioni in ambienti culturalmente diversificati) portano a questo problema delle precisazioni non trascurabili (A. Vergote e associati, 1981). L'équipe del professor A. Vergote ha costruito una scala di semantica differenziale (associazioni libere sulla base di parole induttrici, Osgood): strumento già sperimentato in altri settori. Prima di tutto è necessario far luce su una questione non religiosa: la figura del padre ideale e la figura della madre ideale («non quella che i tuoi genitori hanno rappresentato per te, ma l'immagine del buon padre e della buona madre come tu te la rappresenti») includono, ciascuna, le (36) qualità proposte? e in quale grado d'intensità? (7 gradi). Risultati: alcune qualità ideali sono riservate principalmente alla madre e si raggruppano intorno al concetto di *disponibilità* (*accoglienza, rassicurazione, pazienza, rifugio, sicurezza*); alcune caratteristiche si adattano meglio al padre e si costellano intorno al tema della *legge* (*autorità, giudi-*

zio, potere, principio). Inoltre, alcune qualità si accordano più debolmente con l'immagine della madre (*femminilità, protezione*) o del padre (*sapere, forza, ordine*). Queste qualità periferiche variano considerevolmente secondo i paesi (Belgio, Colombia), o le culture (Indonesia, Filippine). Infine, il fatto che numerose qualità (soprattutto centrali) vengano attribuite ai due genitori, ma in modo più debole ora alla madre, ora al padre, rivela che vi è effettivamente una struttura nel concetto di genitore (ideale), in cui, ciascuna delle due figure, d'altronde ben differenziate, si lega all'altra nella rappresentazione ideale che ce ne facciamo. Psicologicamente, come a ragione sottolinea Vergote, è la rappresentazione ideale, culturalmente basata, che si adatta ad essere metaforizzata o simboleggiata nel suo «trans-fert» (nella sua «meta-fora») verso la divinità (A. Vergote, 1983, *Religion, foi, incroyance,* soprattutto 206-211). In effetti, una utilizzazione delle qualità genitoriali, ben strutturate intorno ai concetti di *disponibilità* e di *legge*, si ritrova nella semantica che esprime la rappresentazione di Dio in tutti i gruppi di cultura cristiana. I tratti materni sono quantitativamente più numerosi presso i credenti, i quali professano la loro fede in una Trinità in cui Dio è Padre; i tratti paterni, invece, meno numerosi, sono attribuiti alla divinità con una intensità più grande di quella espressa per il padre (secondo la carne): il che avviene raramente per quanto riguarda i tratti materni. Infine, l'attribuzione alla divinità dei tratti materni o paterni che sopra abbiamo definito «periferici» avviene in molti casi *a seconda dei condizionamenti culturali.* Queste osservazioni mettono la teologia davanti ad alcune opzioni allorché evoca il Nome del Padre. Assume esso il suo significato totale nell'analogia di un rapporto di *generante-generato* (così come viene definito nei confronti della vita intra-Trinitaria)? Bisogna forse conservare una differenza a motivo della diversità empirica dei termini *paterno-materno*? O è forse il caso di attenersi al significato ebraico di Padre in quanto capo del clan, della tribù o del popolo, del nuovo popolo di coloro che rispondono all'offerta di una figliolanza adottiva per mezzo di una «libera affiliazione» (fratelli e sorelle del Signore sono coloro che ascoltano la Parola e la mettono in pratica)? Allora, in questa linea, non è forse importante che la teologia pastorale si costruisca un discorso non ambiguo che indichi in che modo certi tratti della figura materna (*rassicurazione, protezione, rifugio, sicurezza, tenerezza*) e paterna (*autorità, giudizio, legge, potere, forza*) debbano *tutti* quanti essere in qualche modo modificati – cosa imbarazzante per il desiderio, che è sempre portato a sognare una madre meravigliosa, un padre splendido – se essi devono esprimere la novità di un regno annunciato e atteso secondo lo Spirito? La ricerca psicologica è stata in grado di conferire una densità nuova ai termini di questa opzione, psico-pastoralmente aperta. Non sta ad essa scegliere.

c. *Pratica: Riti e preghiere* - La dimensione dei comportamenti religiosi è quella più accessibile a dei sondaggi psico-sociometrici di qualunque genere. Da essi risulta, come ormai si sa, nella cosiddetta cultura «occidentale», una flessione considerevole delle pratiche liturgiche o rituali tradizionali (presenza alla messa, numero di confessioni) e, contemporaneamente, un brulichio di rinnovamenti più o meno selvaggi (ivi compreso l'afflusso a nuovi luoghi di pellegrinaggio in conseguenza di apparizioni). Dal punto di vista psicologico, una certa *onnipotenza del desiderio* – tipica della prima infanzia («Che si faccia come voglio io, sen-

nò strillo!») – trova un supporto in oggetti sacralizzati, in pratiche a volte onerose e dolorose, in personaggi più o meno idealizzati che diverse religioni del mondo gli hanno sempre offerti («Che si faccia come voglio io con l'aiuto di...»). Religione funzionale, certamente, dal momento che il desiderio attende di essere soddisfatto appoggiandosi su una onnipotenza (aspetto religioso del desiderio) dotata del potere di modificare il corso delle cose nella loro dura realtà, o addirittura facendo anche affidamento su degli effetti benefici risultanti dalla materialità degli oggetti utilizzati, dei riti scrupolosamente compiuti (aspetto ludico-magico). Numerose sono le inchieste, i sondaggi, le osservazioni a questo riguardo. Sono in particolare degni di nota, per la diversità comparata dei gruppi studiati, i risultati pubblicati da L.B. Brown (1967, 1968) circa le «Preghiere per chiedere delle grazie». Da notare il rapido declino – tra i 12 e i 20 anni – di una idea secondo la quale esisterebbe un rapporto di causalità esterna (senza spiegazione psicologica) tra svariate preghiere e certi risultati scontati o attesi da queste preghiere. Per contro, in alcune situazioni descritte, molti interlocutori di ogni età ritengono che è opportuno («it's all right») pregare, però in modo diverso. Il linguaggio dell'amore comporta numerose espressioni del desiderio senza che l'esaudimento sia l'intento principale della richiesta. Una religione «rivelatrice» dei desideri e del progetto divino non introduce forse, nell'azione e nella preghiera, una specie di spazio spirituale dove s'incontrano desideri mai totalmente convergenti?... Ma – forse si dirà – le «richieste di grazie» (di quasi miracoli modificanti il corso delle cose) sono tipiche di *una → religione popolare*. Si sa quanto sia difficile definire il «popolare». È meglio, senza dubbio, richiamare i due modi di pensiero (locus of control) segnalati più sopra a proposito delle credenze in un controllo *esterno* o in un controllo *interno*. Questi due modi di pensare si ritrovano in tutti gli ambienti. Ma la particolarità di un certo misticismo sembra sia quella d'attirare l'esteriorità del controllo fin nella sfera del controllo interno che si tratta di ristrutturare, rinforzare, addirittura di modificare in modo prodigioso, quasi miracoloso. Il caso della *glossolalia*, «di cui si discute come di un dono miracoloso derivante da un intervento diretto dello Spirito Santo» non può più, ormai dopo quindici anni di ricerche negli Stati Uniti, essere affrontato in questo modo. Mai, nessuna registrazione, ha confermato un parlare in una lingua straniera non imparata dal/la glossolalo/a. Le analisi fonetiche e linguistiche hanno concluso che le glossolalie sono prive di alcune di quelle caratteristiche che sono proprie di ogni lingua costituita o anche inventata per gioco. Esse, invece, manifestano delle particolarità che rivelano una certa rassomiglianza tra i fonemi espressivi – non orientati verso la comunicazione – dei glossolali anche quando essi/e appartengono a lingue diverse. Si pensa a una capacità partecipata in modo ineguale, come potrebbe essere, anche, la capacità taumaturgica dei guaritori. «Sarebbe equivoco... tirare in ballo un "dono" che la tal persona riceve e l'altra no, come una gratuità riservata a qualche eletto/a» (Card. L.J. Suenens, 1984). Niente impedisce di coltivare la preghiera in forma glossolalica; essa fu praticata in molte religioni non cristiane. Può arricchirsi di significati e di simbolismi (inversione della confusione delle lingue a Babele, per esempio). Eccellente opera di sintesi psicologica è quella di H.L. Malony e A.A. Lovekin (1985). La teologia e la pastorale devono forse optare tra i significati «funzionali» o «rivelatori» dei riti e delle preghiere? In quanto psicologo cristia-

no, ritengo che tra i desideri dell'uomo (religioso) e i desideri secondo lo Spirito trinitario si tratterà *sempre* di un compromesso, peraltro necessario se il Verbo è apparso nella realtà della storia umana con un progetto nuovo sul mondo (A. Godin, 1986, cap. 7). Nuovo: vale a dire diverso dalle attese che l'uomo religioso può proiettare su Dio o sugli dèi (S. Freud).

d. *Linguaggio mitico, discorso ortodosso e parola profetica* - La storia delle religioni mostra che esse si trasmettono oralmente o per iscritto, non però con dei discorsi (come la maggioranza delle ideologie) ma per mezzo di *racconti* la cui portata simbolica viene rappresentata con dei riti gestuali o con dei giochi d'improvvisazione svolti in una cornice o contesto liturgico tradizionale e ordinato. Ogni religione che, risalendo alle proprie origini, allega dei racconti in forma mitica – per esempio a proposito delle «origini», oppure espressivi della personalità del suo o dei suoi fondatori – si trova inevitabilmente di fronte al problema del passaggio dei *miti* – culturalmente integrati e passivamente ricevuti (per esempio nell'immaginazione dei fanciulli) – alla loro trasformazione attiva in *simboli* (→ Semeiologia, II) a significato religioso. In una catechesi cristiana si ritiene generalmente che diverse credenze dovrebbero sganciarsi progressivamente dalla loro forma imaginosa per aprirsi ad una fede libera e attiva. Il lavoro di R. Goldman (1964) – malgrado la sua cornice operativa troppo esclusivamente conoscitiva – ha reso dei servizi importanti, avendo fatto prendere coscienza dell'età media prima della quale, nella maggioranza dei casi, il significato di certi racconti non è accessibile. D'altra parte, un certo fondamentalismo (letteralismo) nell'interpretazione delle Scritture si è sviluppato come un «anti-modernismo» – assai presto negli Stati Uniti (1910) – in gruppi caratterizzati da un autoritarismo dagli effetti psicologici disastrosi. Il fondamentalismo influenza attualmente alcune correnti di pensiero, soprattutto in Francia (D. Hervieu, 1986; Léger, 1988), senza offrire durevoli prospettive d'influsso su una società profondamente segnata dalla → secolarizzazione (J.D. Hunter, 1983). Le modalità in cui si esprime la fede nella Scrittura (letteralità, anti-religiosità, mitosimbolismo) hanno ispirato un questionario: il LAM di R.A. Hunt (1972), che è stato usato soltanto su campioni molto modesti di popolazione. Adattato un po' agli ambienti socioculturali, esso renderebbe dei grandi servizi alla pastorale e anche alla teologia fondamentale. Più di 45 anni dopo la *Divino afflante Spiritu* (Pio XII, 1943), esso permetterebbe ai credenti che ripensano, per esempio, al racconto della pesca miracolosa, di professare la loro fede in conformità *al senso* del racconto (la promessa, fatta ai discepoli, di divenire «pescatori di uomini»), pronunciandosi, oppure no, sul *carattere* miracoloso di questa pesca, e anche ai non credenti di rifiutare tanto l'uno che l'altro. È meglio sapere a che punto si è nelle chiese e nelle loro diverse famiglie spirituali.

Di tutt'altro genere è il servizio reso da J.-P. Deconchy con i suoi due volumi di ricerche sull'*ortodossia* (1971, 1980). Non si tratta tanto di descrivere e di valutare una mentalità di fede, ma di procedere a delle sperimentazioni suscettibili di rivelare la struttura e il ruolo di un dinamismo essenziale a ogni istituzione che vigila al mantenimento di un tipo di pensiero (ideologia) o di assenso conoscitivo (fede). È assai curioso, che prima del 1971 la parola → «ortodossia» non compariva affatto in sei grandi dizionari classici di teologia pubblicati dopo il 1932. Dizionari più modesti o recenti esitavano tra «opinione retta» e «opinione con-

forme a un insegnamento rivelato». Le sperimentazioni si sono dirette in primo luogo al lessico religioso disponibile a proposito di «Dio» messo a confronto con altri termini induttori (casa, padre, ecc.): il numero di termini diversi indotti dal termine «Dio» è più povero; ma soprattutto s'impoverisce allorché la situazione di ortodossia è (inconsciamente) rinforzata (inchiesta presentata da un sedicente Centro diocesano di ricerca) e più ancora se si trova minacciata (inchiesta di un sedicente Centro di pensiero razionalista). Le altre procedure sperimentali utilizzano degli «assiomi», o brevi proposizioni di fede da classificare come vere o false, assolutamente obbligatorie o proibite, per poter far parte del «mio gruppo ecclesiale». Omettendo qui i dettagli circa le procedure (presentate criticamente da A. Godin, 1972, 1983), possiamo adesso affermare che la struttura della dinamica d'ortodossia comporta tre dimensioni: il regolamento psico-sociale dell'appartenenza (A), lo scarto percepito di certi enunciati rispetto alla Ragione (eR) o al Corpus biblico (eC). Dopo una prima misurazione dell'ortodossia in un gruppo, se la sperimentazione fa vacillare una di queste componenti, la misurazione successiva rivela un rinforzo compensatorio delle due altre. Complessivamente, il contenuto dell'informazione è meno importante, per esempio, del significato degli enunciati (eR). Per quanto concerne il rapporto con le citazioni bibliche (eC), esso viene adoperato soprattutto per sostenere delle proposizioni accettate dagli interlocutori, ma non serve affatto per delle proposizioni «dogmaticamente» rifiutate. Studiata così, l'*ortodossia funzionale* rivela che i soggetti utilizzano *meno* la fonte biblica per *prospettare* nuove proposizioni possibili, che per *proteggere* delle informazioni «assolutamente» certe perché già regolate dal gruppo ecclesiale. In questo si troverebbe psicologicamente confermato un detto secondo il quale la Tradizione ha la meglio sulla Scrittura. Ma si tratta davvero di un adagio teologico, una volta riconosciuto che la Scrittura è già il prodotto di una Tradizione? Indagini sperimentali ulteriori (Deconchy, 1982) hanno portato alla luce altre componenti che servono da supporto a degli enunciati assiomatici la cui sicurezza vien fatta vacillare da un'informazione scientifica: la *Utopizzazione* («In seguito, quelli che avranno fede, capiranno meglio la proposizione affermata»); l'*Escatologizzazione* («Alla fine dei tempi si rivelerà pienamente il senso di questa o quella proposizione») e la *Misticizzazione* («Con il tempo... diverse istanze religiose − il magistero, i teologi, i mistici − contribuiranno a far vedere la loro verità»). Anche nel caso di proposizioni che si distanziano maggiormente dalla struttura del sistema ortodosso, questa «futura» conferma viene più frequentemente attribuita ai mistici che non ai teologi o al magistero. Questa tendenza ha caratterizzato gli anni 1975-1980. Essa può congiunturalmente darsi un nuovo orientamento...

L'opera considerevole di J.-P. Deconchy solo ora comincia a essere conosciuta, commentata, sfruttata. Apprezzata, o ignorata, essa comunque si apre e si chiude con delle allusioni a *un altro dinamismo*, quello della *Parola* (messianica, profetica) che insieme all'ortodossia rientra «in un modello diacronico a movimento oscillatorio» conferendole, tra le ideologie, la sua vera specificità. «Essa, probabilmente, risiede altrove... nell'iniziatore prestigioso, nel "messia" nel quale già si trovava la pienezza dell'informazione... Il gruppo ecclesiale si troverebbe così in conflitto tra l'affermazione delle sue attuali strutture e la volontà di ritornare alle proprie fonti, alle proprie origini fino a quel momento privilegiato in cui non costituiva ancora una chiesa...» (*op.*

cit., 1971, 345). Il momento in cui − possiamo aggiungere − non c'era ancora la rifrazione in quattro vangeli di quell'epoca privilegiata quando l'affettività e l'*immaginario* si rimettevano in movimento nei confronti del Profeta. Con il suo solo dinamismo, una ortodossia consolidata tenderebbe a ridurre, funzionalmente, la rivelazione a un'ideologia, a un insieme di proposizioni assiomatiche imponibili come dogmi. Ancora una volta dovremmo annunciarle interpretandole. E così, di nuovo si apre lo spazio spirituale in cui la Scrittura ritorna a essere Parola viva, proclamata nelle mutevoli culture, opera del secondo Soffio: quello che non parla più nella persona del Figlio, ma che fa parlare quanti si riuniscono nel suo Nome.

«Se per dogmatica s'intende la comprensione della fede» − aveva scritto un teologo − «bisognerebbe forse smettere di ritenere come valido soltanto il linguaggio formalizzato. Idealmente, *una teologia simbolica dovrebbe raccogliere in un discorso unitario i testi biblici, la riflessione speculativa e l'attualità della discussione contemporanea*» (C. Geffré, 1969). Raccogliere *in un discorso unitario*: si tratta di un progetto, o di un sogno? Resta il fatto che questo teologo indicava tre tipi di linguaggio la cui differenza è grande. Lo psicologo sociale ha presentato un lavoro complesso, ma perfetto, difficilmente contestabile sul suo terreno. L'ambivalenza dei simboli non potrà mai risparmiare laboriosi accertamenti collegati al terreno del «dibattito contemporaneo». La teologia fondamentale non può restare indifferente di fronte a una migliore comprensione della struttura e del dinamismo dell'ortodossia.

Bibl. - T. Flournoy, «Les principes de la psychologie religieuse», in *Archives de Psychologie* II (1902) 33-57; W. James, *The Varieties of Religious Experience,* New York 1902; D. Lagache, *L'unité de la psychologie*, Paris 1949;

P. Ricoeur, *Philosophie de la volonté* I. Le volontaire et l'involontaire, Paris 1949; G.W. Allport, *The Individual and His Religion*, New York 1950; L.L. Thurstone, «The Measurement of Values», in *Psychological Review* 61 (1954) 47-58; L. Malevez, «Nouveau Testament et Théologie fonctionnelle», in RSR 48 (1958) 258-290; C.Y. Glock-R. Stark, *Religion and Society in Tension*, Chicago 1965; J.P. Deconchy, «Peut-on parler de "magie" chez l'enfant?», in MSR 23 (1966) 217-236; Id., «Une tentative d'épistémologie de la pensée religieuse», in *Arch. de Sociol. des Religions* 24 (1967) 141-148; Id., «La psychologie des faits religieux», in H. Desroche-J. Seguy (edd.), *Introduction aux sciences humaines des religions*, Paris 1970, 145-174; Id., *L'orthodoxie religieuse*, Paris 1971; Id., *Orthodoxie religieuse et sciences humaines*, Den Haag-Paris-New York 1980; Id., «Un vieux stéréotype idéologique: les "deux" religions», in ASSR 55 (1983) 175-181; Id., «Les méthodes en psychologie de la religion: évolution récente», in ASSR 63 (1987) 33-83; J.B. Rotter, «Expectancies for Internal versus External Control of Reinforcement», in *Psychological Monographs* 80 (1966) 1-28; J.-M. Pohier, *Psychologie et théologie*, Paris 1967; L.B. Brown, «Attitudes sous-jacentes dans les prières pour demander des faveurs», in A. Godin (ed.), *Du Cri à la parole*, Bruxelles 1967, 67-86; P. Pruyser, *A Dynamic Psychology of Religion*, New York 1968; C. Geffré, «Le Langage théologique comme langage symbolique», in Autori vari, *Science et théologie*, Paris 1969, 93-100; R.A. Hunt, «Mythological Symbolism Religious Commitment», in *J. for the Scient. Study of Religion* 10 (1972) 42-52; J. Scharfenberg, *Seelsorge als Gespräch*, Göttingen 1972; A. Vergote, «Religion et psychanalyse», in *Encyclopaedia Universalis* 14 (1972) 38-39; Id., «Psychanalyse et interprétation biblique», in DBSuppl 48-49 (1975) 252-260; Id., *Religion, foi, incroyance*, Bruxelles 1983; P. Benson-B. Spilka, «God Images as a Function of self-esteem and Locus of Control», in *J. for the Scient. Study of Religion* 12 (1973) 297-310; G. Milanesi-M. Aletti, *Psicologia della religione*, Torino 1973; L.J. Suenens, *Une nouvelle Pentecôte*, Bruxelles-Paris 1974, 119-125; A. Godin, *Psychologie de la vocation: un bilan*, Paris 1975; Id., *Psicologia delle esperienza religiose*, Brescia 1983; Id., «Ecoute et Conseil» in *Initiation à la Pratique de la Théologie*, vol. V (1983) 47-76; Id., *Psychologie des expériences religieuses*, Paris 1986²; Id., «Espérer en faisant mémoire: la crise des fins "dernières" dans les croyances chrétiennes», in Autori vari, *Réincarnation, immortalité et résurrection*, Bruxelles 1988; R.W. Hood Jr., «The Construction and Preliminary Validation of a Measure of Reported Mystical Experience», in *J. for the Scient. Study of Religion* 14 (1975) 29-41; L.M. Rulla-F. Imoda-J. Ridick, *Struttura psicologica e vocazione*, Torino 1977; J.M. Van der Lans, *Religieuze ervaring en meditatie*, Nijmegen 1978 - Deventer 1980²; L.S. Filippi-A.M. Lanza, *Psicoterapia e valori umani*, Bologna 1981; A. Vergote-A. Tamayo, *The Parental Figures and the Representation of God*, Paris-New York 1981; W.L. Brandt, *Psychologists Caught*, Toronto 1982; R. Paloutzian, *Invitation to the Psychology of Religion*, Glenview 1983; J.D. Hunter, *American Evangelicalism*: Conservative Religion and the Quandary of Modernity, New Brunswick 1983; R.L. Gorsuch-C.S. Smith, «Attribution to God: an Interaction of Religious Beliefs and Outcomes», in *J. for the Scient. Study of Religion* 22 (1983) 340-352; L. Ladrière, *L'articulation du sens*, II, Les langages de la foi, Paris 1984; H.N. Malony-A.A. Lovekins, *Glossolalia*, New York 1985; B. Spilka-R. Hood-R. Gorsuch, *The psychology of Religion*: an Empirical Approach, Englewood Cliffs 1985; B. Spilka-P. Shaver-L.A. Kirkpatrick, «A General Attribution Theory for the Psychology of Religion», in *J. for the Scient. Study of Religion* 24 (1985) 1-20; D.W. Wulff, «Psychological Approaches», in F. Whaling (ed.), *Contemporary Approaches to the Study of Religion*, Berlin-New York-Amsterdam 1985; J.F. Catalan, «Psychisme et vie spirituelle», in DSp 12 (1986) 2570-2605; D. Hervieu-Léger, *Vers un nouveau christianisme*, Paris 1986; Id., «Les fondamentalistes», in *LumVie* 186 (1988) 19-30; J.-G. Nadeau, *La prostitution: une affaire de sens*, Montréal 1987; B. Secondin, *Segni di profezia nella Chiesa*, Milano 1987; R.P. Vaughan, *Basic Skills for Christian Counselors*, New York 1987.

ANDRÉ GODIN

IX. Sociologia della religione

La sociologia della religione, come le altre branche della sociologia, presenta un suo specifico oggetto e un suo metodo particolare. Da una parte, infatti, essa studia il fenomeno religioso nei suoi aspetti attitudinali, comportamentali, e nella sua struttura e dinamica derivanti dalla natura sociale dell'uomo. Dall'altra, poi, si accosta a tali suoi contenuti con il metodo proprio delle scienze dell'osservazione e quindi avvalendosi, fondamentalmente, di una impostazione induttiva.

Questa affermazione, piuttosto generica, necessita di una più dettagliata messa a punto sia dell'oggetto pro-

prio che delle implicazioni metodologiche. A tal fine è interessante presentare una panoramica breve, ma
sufficiente, dell'impostazione dell'approccio sociologico alla religione. Per
essere completi infine aggiungiamo alcune considerazioni circa i problemi
attualmente aperti.

In tale ottica e nell'intento di limitarci agli aspetti più importanti, i
punti fondamentali della nostra presentazione potrebbero essere prospet-
tati nel modo seguente: 1. delimitazione del suo contenuto dal punto di
vista sociologico; 2. esposizione dei
principali contributi offerti dai diversi
autori; 3. descrizione multidimensionale del fenomeno religioso; 4. situazione epistemologica attuale della sociologia della religione.

1. Puntualizzazione dell'oggetto - La delimitazione iniziale del
contenuto della sociologia della religione registra due orientamenti fondamentali: una concezione essenziale
di religione che coglie il nucleo centrale e specifico di essa (delimitazione sostantivista ed esclusivista); una
visione basata sulle funzioni che la
religione svolge come risposta alle attese ed aspettative fondamentali del-
l'uomo (delimitazione funzionalista
ed inclusivista).

L'uno o l'altro procedimento, preso isolatamente, è da considerare limitato e quindi non adatto a fornire
una base per una corretta concezione dell'oggetto della sociologia della
religione. Occorre pertanto volgersi
a una impostazione che concili i due
orientamenti e garantisca un approccio nuovo che, mentre evita gli svantaggi di ciascuno di essi, ne potenzi
invece gli aspetti positivi. Questo ci
sembra possibile attraverso una serie
di passaggi che eludono ogni scelta
pregiudiziale e manifestano una capacità euristica adeguata. Un primo
momento è costituito da una raccolta, empirica ed ampiamente comprensiva, di indicazioni proposte prove-

nienti dalle diverse fonti. Segue un
successivo momento critico e discriminante sulla base di criteri di natura storica, dottrinale, socio-culturale.
Un terzo momento enuclea da tali
passi una delimitazione del concetto
di religione ampio e selettivo, contenutisticamente ricco e metodologicamente operativo.

Questo procedimento individua
l'approccio sociologico alla religione
ed evidenzia la giustificazione e la
plausibilità di fondo dell'oggetto, colto nel suo contenuto diretto, nella sua
portata relazionale. Esso pertanto è
basato sulla partecipazione dei fenomeni religiosi al concetto e alla dinamica della cultura e della struttura sociale. Ne consegue che la sociologia
della religione ha per oggetto i fenomeni sociali e culturali con carattere
religioso (ad es. azioni, ruoli, gruppi, organizzazioni culturali e sociali
originate e modellate da istanze religiose) e i fenomeni religiosi (ad es.
conoscenza ed esperienza religiosa,
fenomeni di rivelazione, rapporto con
realtà sovra-empiriche...) con caratteristiche culturali e sociali.

Di questi aspetti e articolazioni interne la sociologia studia e interpreta
la presenza, la struttura, la dinamica, le funzioni personali e sociali, sia
singolarmente che nel loro intreccio
e interdipendenza. Esplora inoltre le
condizioni e i fattori di continuità nel
tempo (trasmissione tradizionale), di
trapasso generazionale (processo di
socializzazione), di assimilazione e di
identificazione (personale e/o collettiva). Analizza infine il processo di
istituzionalizzazione sia in genere che
in relazione alle singole dimensioni.

Accanto a queste componenti costitutive la sociologia osserva la collocazione culturale e interculturale di
una data religione e la complessa problematica che ne deriva nel rapporto
religione e contesto socio-culturale.
Attualmente infatti viene superata, o
meglio, completata, l'impostazione
tradizionale della variabile «dipenden-

te» o «indipendente», e si coglie una relazione più complessa e realistica che si esprime in termini di variabile «autonoma». Quest'ultima teoria afferma che tra religione e società esiste una molteplicità di rapporti attivi e passivi, per cui è possibile l'applicazione del «modello cibernetico», come già da tempo noi stessi andiamo attuando. Così essa spiega sia la persistenza del fenomeno religioso che la sua trasformazione, e anche il suo diverso configurarsi in un singolo contesto con il passar del tempo.

Questo complesso di aspetti viene affrontato dalla sociologia della religione con una sua particolare metodologia. Si tratta di un approccio induttivo come attuato dalle altre branche della sociologia. Tale studio empirico peraltro vien fatto in riferimento alle modalità di percepire, vivere i singoli aspetti del fenomeno religioso da parte sia dei singoli che dei gruppi. L'impostazione può avere carattere orizzontale (con forme di confronto dei livelli raggiunti dai componenti dei vari strati e delle diverse categorie sociali), oppure longitudinale (in relazione alla evoluzione delle singole dimensioni lungo la storia di un popolo, di una comunità locale, come anche nelle diverse età di una singola persona). Ovviamente quelle elencate sono possibilità teoriche; esse pertanto non sempre possono e devono essere attuate nelle singole ricerche, ma prospettano i diversi oggetti che specifiche ricerche possono assumere come propri.

2. SVILUPPO DELLA SOCIOLOGIA DELLA RELIGIONE - Per la sociologia della religione si attua una evoluzione parallela a quella della sociologia generale. Gli inizi si perdono lontani nel tempo costituendo quella che solitamente viene chiamata la fase protostorica. Essa è caratterizzata dalla presenza di approcci da parte di altre scienze, che possiamo chiamare matrici rispetto alla sociologia della

religione, i cui contributi sono però non specifici e non organici, ma frammentari ed occasionali. Lo studio sistematico dei fenomeni religiosi invece è cominciato da quando la sociologia s'è andata organizzando come scienza distinta ed autonoma. Da allora si sono moltiplicati i tentativi di approccio sociologico alla religione, ma con evidenti condizionamenti derivanti dal clima filosofico e scientifico del secolo scorso.

Nel complesso lo sviluppo della sociologia della religione può suddividersi in tre grandi periodi, anche se con contorni non molto netti, e quindi con varie sovrapposizioni tra le diverse tappe. Fondamentalmente possiamo distinguere: a. un primo periodo con prevalente orientamento teorico e globale; b. un secondo periodo con prevalente orientamento empirico, specialmente limitato allo studio della pratica religiosa; c. un terzo periodo in cui prevale un orientamento che bilancia l'aspetto empirico e quello teorico.

a. L'orientamento teorico - È un periodo molto importante che va dai primi tentativi sistematici fino agli apporti decisivi e fondanti di Durkheim e Weber. Come sottolinea la stessa espressione che connota questo orientamento, esso affronta i problemi di carattere globale del fatto religioso e specialmente del suo rapporto con la società. Tra i temi più rilevanti si possono notare: il problema della origine della religione, la dinamica del fenomeno religioso in sé è in rapporto agli altri fenomeni sociali. Vi si possono distinguere due correnti specie in relazione al modo come è impostato il rapporto con la società. Una prima corrente con linguaggio tecnico è denominata *teoria della variabile dipendente*, mentre una seconda corrente, che riproduce invece l'impostazione opposta, è denominata *teoria della variabile indipendente*.

1. La religione come *variabile di-*

pendente. In questo orientamento si sostiene che la religione sia essenzialmente un prodotto delle condizioni sociali. La religione esiste e permane come fenomeno prodotto dalla società e subisce le influenze della sua evoluzione. Vi rientrano i primi autori che si sono occupati del fenomeno religioso nel clima positivista del secolo scorso: da A. Comte a C. Marx, da H. Spencer a E. Durkheim.

Particolarmente importante è l'apporto di Durkheim. Egli rimane sostanzialmente nell'alveo del pensiero antropologico-culturale del tempo, ma ne potenzia il carattere più specificamente sociologico, tentando di arrivare a una teoria generale sull'origine e la permanenza della religione. I punti principali della concezione durkheimiana, esposti nell'opera *Le forme elementari della vita religiosa*, possono essere così sintetizzate.

Secondo Durkheim, la religione è un fatto sociale perché nasce, si afferma e si sviluppa in funzione del gruppo (o clan), il quale per premunirsi contro il pericolo di disgregamento, proietta al di fuori di sé la «coscienza di gruppo» (quasi una ipostatizzazione ideale di se stesso) come qualcosa di superiore, di intangibile, di diverso, di *sacro*, simboleggiato dal *totem*. Accanto quindi al simbolismo statico (il *totem*), si collocano il simbolismo narrativo (i miti), il simbolismo operativo (il culto) che rendono presente alla psiche individuale la coscienza di gruppo. Tutto questo ha bisogno di essere vissuto e sviluppato ulteriormente, di essere tramesso alle altre generazioni. Ne deriva l'esigenza di un sistema fisso di regole e strutture, cioè «un complesso di credenze e pratiche relative a cose sacre che uniscono in una sola comunità, chiamata chiesa, tutti coloro che vi aderiscono».

2. La religione come *variabile indipendente*. Ugualmente significativo e consistente è l'apporto di coloro che impostano il rapporto religione-società capovolgendo lo schema di fondo e attribuendo alla religione la funzione di variabile indipendente. Secondo questa corrente, è importante studiare la dinamica delle religioni, la loro presenza e il ruolo che esse hanno nella vita sociale. Tale ruolo infatti può essere meglio configurato come ruolo capace di imprimere alla società orientamenti culturali tali da condizionarne effettivamente lo sviluppo. Vi rientrano diversi autori come Hobhouse, Twaney, Troeltch, e altri più recenti.

Ma l'autore più importante è certamente M. Weber. Egli afferma che la religione ha un ruolo rilevante nel processo di razionalizzazione del mondo inteso come processo di chiarificazione, sistemazione di idee viste nella loro forza obbligante (normatività) per cui diventano motivazioni efficienti dell'agire sociale. In questo senso la religione svolge un ruolo innovatore ed è fattore di cambiamento sociale e anche economico.

Questa capacità di influsso è però differenziata e dipende dalla metafisica (immanentistica o trascendentalista) su cui poggia una data religione e dall'etica (mondana o extramondana) che da essa deriva. La concezione *immanentistica* risolve il problema della discrepanza tra mondo reale e ideale con concetti passivi e di acquiescenza che portano alla contemplazione della divinità e a una concezione di evoluzione del mondo automatica e meccanica. La concezione *trascendentalista* è basata sul concetto di creazione e di proiezione finalistica della creazione e impegna in un ruolo attivo nella trasformazione del mondo. Ciascuno di tali due orientamenti particolari a sua volta si distingue in mistico e ascetico, connotando così una maggiore accentuazione in un senso o nell'altro, dando alla fine origine a quattro tipi fondamentali. Secondo Weber l'incidenza della religione sulla realtà sociale consiste principalmente nel maggior impegno e coscienza di rapporto con il mondo. Questo è dato principalmente da quello che egli chiama ascetismo mondano che sostanzialmente consiste nella forte identificazione tra professione e concetto di vocazione (in tedesco espressi dallo stesso termine: *Beruf*) in senso religioso. Weber espone questa impostazione in diverse parti della sua opera, e specialmente in *Etica protestante e spirito del capitalismo*.

b. *L'orientamento sociografico* - Dopo diversi altri tentativi di sintesi prevale l'orientamento sociografico. Ne è iniziatore G. Le Bras, che vuol ricostruire e analizzare il comportamento religioso specie in relazione all'osservanza della pratica religiosa. Nel 1931 pubblicava un questionario per un esame dettagliato e una spiegazione storica delle condizioni del cattolicesimo nelle diverse regioni della Francia. L'impostazione a poco a poco fu seguita da altri studiosi, tanto che fino agli anni sessanta essa divenne l'orientamento dominante. Questo approccio infatti si presta per una presa di contatto della situazione comportamentale e aggregativa della religione, specie in funzione di una loro utilizzazione pastorale.

Sostanzialmente si tratta di un approccio di tipo descrittivo, centrato sullo studio quantitativo della partecipazione alla messa domenicale e alle altre forme di devozione, e della ricezione dei sacramenti. Le varie rilevazioni sono poi articolate secondo vari parametri demografici e territoriali, per cui ne derivano forme di classificazioni che mostrano come e in quale gruppo o categoria di persone un dato tipo di pratica è più o meno diffuso. Successivamente sono stati considerati altri parametri di confronto quali: il rapporto tra religione e industrialismo, l'incidenza dell'urbanizzazione, l'influsso derivante dalla struttura organizzativa sociale ed ecclesiale, lo sviluppo dell'appartenenza religiosa, l'incidenza del fenomeno della secolarizzazione.

Lo sviluppo di ricerche secondo questa impostazione non ha avuto il dovuto impegno contenutistico e metodologico. È stata notata la mancanza di collegamento della ricerca con la teoria sociologica generale, come anche l'insufficienza applicativa e metodologica dovuta al fatto di aver privilegiato specialmente la pratica religiosa come indicatore, spesso esclusivo, di analisi. Tali limiti rendono indebite e sproporzionate le illazioni verso una comprensione del comportamento religioso.

c. *L'orientamento attuale* - In questi ultimi anni, si è costatata una svolta nelle ricerche applicate al fenomeno religioso. S'è tentato da una parte di evitare i difetti dell'impostazione dei primi sociologi, come anche quelli insiti nell'orientamento sociografico, realizzando un tipo di approccio più ampio e comprensivo e, nello stesso tempo, scientificamente più valido.

Particolare rilievo acquista in questo contesto l'ampliamento delle dimensioni da studiare e analizzare, pervenendo alla impostazione multidimensionale che abbraccia nello stesso tempo i diversi aspetti fondamentali del fenomeno religioso. Tale approccio infatti tien conto, oltre che della pratica religiosa, anche della componente cognitiva e delle sue espressioni simboliche. Insiste anche sulla componente comunitaria e quindi sui processi di appartenenza e di identificazione con la propria religione. Infine sottolinea la presenza di una componente etica, come derivante dalla religione, che consiste in un particolare complesso di norme che regolano il comportamento dei fedeli.

In questo orientamento ha avuto un notevole sviluppo l'impostazione metodologica. L'applicazione del metodo sociologico è diventata più seria e rigorosa e ha richiesto una più attenta operazionalizzazione dei concetti e un conseguente affinamento delle tecniche o strumenti usati. Un significativo contributo alla ricerca concreta è derivato dal crescente uso dei computers che ha reso possibile una maggiore complessità e «sofisticazione» della elaborazione dei dati e un conseguente miglioramento delle prospettive di interpretazione.

3. LA RELIGIONE COME FENOMENO MULTIDIMENSIONALE - È intuitivo che un fenomeno così complesso e articolato risulti composto da molte dimensioni. Questa affermazione è generalmente condivisa, ma esige, per un'attuazione adeguata, l'uso di criteri oggettivi e plausibili. In particolare si sottolineano i seguenti: omogeneità interna, autonomia concettuale, fondamento antropologico, operazionalità dei concetti. Rimane tuttavia il fatto che nel passaggio alla concreta individuazione delle dimensioni si notano delle differenze. Queste fanno riferimento sia alla quantità di dimensioni che alla descrizione di ciascuna di esse. Prevalente comunque è l'orientamento secondo il quale si possono individuare quattro dimensioni fondamentali: credenze, pratica religiosa, aspetto comunitario, implicazioni etiche.

a. *Le credenze* - Esse sono intese comunemente come il complesso di elementi intuitivi e cognitivi percepiti e sentiti non solo come fatto intellettuale, ma anche esperienziale e volontario, relativi ad una realtà metaempirica e quindi per sua natura non verificabile. In concreto fanno riferimento ai contenuti del credo di ciascuna religione e alle relative dottrine circa Dio, il mondo, l'uomo, nei loro aspetti di «realtà ultime» e nei loro rapporti reciproci. Le credenze costituiscono la dimensione di base della vita religiosa. Esse danno valore e significato ai riti, giustificano l'aspetto organizzativo, non solo come fatto di gruppo ma di *comunione*,

danno contenuto e valenza religiosi alle norme morali.

b. *La pratica religiosa* - Con l'espressione «pratica religiosa» si intende l'insieme di riti organizzati e proposti dalla comunità (gesti, parole, simboli) partecipando ai quali l'uomo manifesta il suo rapporto con Dio e trova in essi il potenziamento della sua stessa religiosità. Si possono distinguere tre funzioni principali dei riti religiosi: espressiva, strumentale, comunitaria. Il complesso dei riti registra inoltre una serie di distinzioni interne che sono diventate più o meno notorie e ricorrenti nella letteratura. Si hanno riti ripetitivi e non ripetitivi secondo la loro intima natura e gli effetti che producono; riti che possono essere attuati comunitariamente ed altri eseguibili a livello individuale, ecc...

c. *L'aspetto comunitario* - Il fenomeno religioso ha come caratteristica costante quella di essere attuato in forma comunitaria. L'adesione infatti e il coinvolgimento dell'individuo nella comunità che si costituisce in base ai vincoli religiosi deriva sia dalla natura sociale dell'uomo, che dalla esigenza e impostazione comunitaria degli atti religiosi. Tale aspetto comunitario può essere colto a vari livelli. Sul piano interreligioso si fa riferimento alla strutturazione globale interna (chiesa o setta). Sul piano organizzativo interno, invece, si coglie la distinzione qualitativa e funzionale dei membri (clero o fedeli) e la divisione territoriale (diocesi, parrocchia...). Sul piano personale si puntualizza l'adesione, l'identificazione con la propria organizzazione religiosa e la partecipazione alle responsabilità comuni.

d. *La dimensione etica* - Ogni religione offre sempre valori e mete che costituiscono un progetto globale di uomo e di società presentato come risposta alle istanze ultime dell'esistenza. Ne derivano pertanto norme ed obblighi che regolano i rapporti tra gli uomini e tra questi e la Divinità. In rapporto all'etica le varie religioni possono presentare concezioni diverse. Un primo tipo insiste sulla definizione dei ruoli, la gerarchizzazione e l'esecuzione formale ed esteriore degli atti prescritti e presenta un orientamento socialmente conservatore (religione precettistica). Il secondo tipo invece sottolinea il miglioramento, sia personale che sociale, la coerenza con i valori, il superamento del ritualismo e propone forme di innovazione e di trasformazione sociale (religione profetica).

Prima di chiudere la breve esposizione circa le quattro dimensioni del fenomeno religioso vanno evidenziate due osservazioni importanti. Una prima osservazione fa riferimento alla presenza di una relativa interdipendenza tra le diverse dimensioni e quindi alla influenza, sotto forma di stimolo, di motivazione o di conseguenza o implicazione dell'una nei confronti delle altre. Una seconda osservazione invece ribadisce l'esistenza di una certa autonomia non solo concettuale ma anche operativa tra le singole dimensioni. Può quindi verificarsi che una persona (o gruppo) eccella in una dimensione, ma non in un'altra, con prospettiva di trovarsi di fronte a forme di religiosità incompleta e/o incoerente.

4. TEMI ATTUALI E PROBLEMI APERTI - Nonostante quanto detto, lo sviluppo della sociologia della religione è ancora alle prime fasi di crescita. Pertanto non mancano problemi e difficoltà contenutistiche o metodologiche che essa deve affrontare e approfondire. Il numero e la qualità di tali problemi dipendono da vari fattori di natura sia storico-culturale che epistemologica. È bene accennare almeno ai più importanti temi attuali e problemi aperti che la sociologia della religione come scienza oggi deve inquadrare in modo corretto te-

nuto conto sia dell'oggetto che le è proprio che del metodo che caratterizza il suo approccio.

Un primo tema è costituito dalla nascita di nuovi culti che si è presentata sia come genesi di nuovi movimenti religiosi derivati da religioni esistenti, sia in forme del tutto autonome ed indipendenti, sia infine con modalità sincretistiche. Tali nuovi culti comunque hanno mostrato grande capacità di presa, specie tra i giovani. Impressionante pertanto è stata la rapidità di diffusione e la radicalità della loro impostazione. La valutazione globale di questi tuttavia va attuata sottolineando che in realtà si tratta di semplici tendenze e che nel complesso non ha registrato né grande sviluppo di massa né notevole e duratura consistenza.

Un altro tema interessante fa riferimento al rapporto tra religione e società. Tra le tante modalità concrete di tale rapporto va sottolineato quello tra religione e liberazione. Esso ha avuto un notevole sviluppo non solo in America Latina, ma anche altrove. Sul piano interpretativo può essere ricondotto a una versione aggiornata del perenne problema del rapporto tra religione e sviluppo visto in un'ottica socio-politica. Ne è derivato un fenomeno interessante e vitale, anche se spesso è stato interpretato prevalentemente in modo ideologico più che propriamente scientifico.

Molto importante è anche il tema della religiosità popolare. È piuttosto noto il revival di questo fenomeno registrato in questi ultimi anni, seguito, come era ovvio, da un vivace dibattito riguardante sia la sua concezione e definizione che le sue prospettive analitiche e interpretative. La questione principale rimane il problema di fondo, se cioè interpretare le componenti popolari solo come sinonimo di arcaico o sottosviluppato o folcloristico o classista oppure come manifestazione di qualcosa di antropologicamente perenne, ma tipico di una certa esecuzione degli atti religiosi vissuti in modo massivo.

Un tema importante è anche quello della religione nella società moderna. Considerando superata la teoria della secolarizzazione, fondamentalmente si presentano tre teorie principali: la teoria della privatizzazione (la religione invisibile), la teoria dell'esteriorizzazione folclorica (religione civile), la teoria della persistenza della domanda religiosa nella ricerca del significato, in condizioni nuove e secondo prospettive originali (religione trasformata).

In riferimento ai temi di natura metodologica va fatto un accenno innanzitutto al problema della delimitazione del fenomeno religioso. Questa difficoltà inficia lo status della sociologia della religione sul piano delle varie branche della sociologia generale riducendo la sociologia della religione a un aspetto della sociologia della conoscenza.

D'altra parte non sono mancati coloro che hanno accentuato la difficoltà di operazionalizzazione dell'oggetto della sociologia della religione fino alla negazione della prospettiva di trovare e usare empiricamente gli indicatori adatti a mantenerne uno statuto accademico e scientifico soddisfacente. Ne conseguono, per costoro, grossi problemi nella attuazione di ricerche empiriche all'interno di un dato contesto socio-culturale e nella valutazione della plausibilità e oggettività dei risultati (crisi dello statuto epistemologico). In questa impostazione tuttavia non è esclusa una certa tendenza indotta da una concezione ideologicamente sfavorevole alla religione in sé o a una singola religione storica.

Concludendo questa breve esposizione del significato, della portata e dello studio e analisi della religione dal punto di vista sociologico appare evidente la plausibilità dei suoi assunti teoretici di fondo come anche la giustificazione del suo contributo metodologico. Ovviamente questo suo modo di accostarsi alla religione non è né unico né esaustivo per cui esso suppone e postula, specie oggi, altri diversi approcci che si occupano della religione come teologia, filosofia, storia, ecc... Ciò ribadisce l'utilità di un approccio interdisciplinare, e la prospettiva di apporti e contributi di varie scienze per una maggiore comprensione dello stesso fenomeno religioso.

Bibl. - E. Durkheim, *Les formes élémentaires de la vie religeuse*, Paris 1912; M. Weber, *Die protestantische Ethik und der Geist des Kapitalismus*, Tübingen 1922; J. Fichter, *Social Relations in urban Parish*, Chicago 1954; J. Wach, *Sociologie de la religion*, Paris 1955; G. Le Bras, *Études de sociologie religieuse*, Paris 1956; J.M. Yinger, *Religion, Society and The Individual*, New York 1957; T. O'Dea, *The Sociology of Religion*, New Jersey 1966; T. Luckmann, *The Invisible Religion*, New York 1968; P.L. Berger, *The Social Reality of Religion*, London 1969; R. Robertson, *Sociological Interpretation of Religion*, Oxford 1970; C. Cambell, *The Sociology of Religion*, London 1971; G. Scarvaglieri, *L'istituto religioso come fatto sociale*, Padova 1973; Id., *Sociologia della religione*, Roma 1980; Id., *Religione e società a confronto*, Reggio Emilia 1982; G. Milanesi, *Sociologia religiosa*, Torino 1974; Autori vari, *Religion and Social Change*, Acts of 13th CIRS, Lille 1975; C.Y. Glock - R.N. Bellah, *The new Religious Consciousness*, Berkeley 1976; H. Carrier, *Psicosociologia dell'appartenenza religiosa*, Torino 1988.

Giuseppe Scarvaglieri

RIVELAZIONE

I. *Introduzione* - II. *Premesse metodologiche* - III. *Rivelazione veterotestamentaria* - IV. *La rivelazione nel Nuovo Testamento* - V. *Il tema della rivelazione nei Padri della chiesa* - VI. *Dichiarazioni del magistero* - VII. *Riflessione sistematica: singolarità della rivelazione cristiana* - VIII. *Tratti specifici della rivelazione cristiana* (R. Latourelle).

I. INTRODUZIONE - Nel contesto del pensiero contemporaneo, il tema della rivelazione è al crocevia di tutti i problemi e di tutte le contestazioni. L'uomo occidentale, infatti, contesta la pretesa del cristianesimo di presentarsi come *la* rivelazione assoluta. D'altra parte l'ebraismo, l'islam e l'induismo hanno la stessa pretesa. L'uomo post-cristiano, soprattutto occidentale, ateo o indifferente, deluso, amareggiato o ribelle, che proviene da una civiltà modellata dal cristianesimo, ma ormai divenuta esangue e incapace di generare qualcosa di diverso dal vuoto e dal non senso, non vede più che cosa il cristianesimo potrebbe portargli ancora, tanto più che si scopre in un'ignoranza abissale.

Una crisi di questa dimensione non può essere superata con palliativi ma con una riscoperta di questo intervento sconvolgente e inaudito di Dio nella carne e nel linguaggio di Cristo. Al tempo dell'impero romano il cristianesimo ha dovuto affrontare il paganesimo; questa volta deve riallacciare i rapporti con l'uomo post-cristiano che ha abbandonato o tradito Cristo. Prima l'uomo andava verso Cristo; ora deve convertirsi e ritornare a lui. Come è stato detto nel Sinodo del 1985 e nell'esortazione *Christifideles Laici*, l'uomo occidentale ha bisogno di una «seconda evangelizzazione».

Di fatto il cristianesimo ha qualcosa da dire all'uomo contemporaneo e in particolare all'uomo occidentale, qualcosa di decisivo. Se non fosse in grado di dirlo, nessun'altra potenza, ideologia o religione sulla terra sarebbe in grado di sostituirlo. Poiché Cristo è la teofania suprema, il Dio che rivela ed è rivelato, l'«universale concreto», il cristianesimo occupa una posizione unica che lo distingue da tutte le religioni che si dicono rivelate e che gli contestano la sua pretesa fondamentale. Esso è l'unica religione la cui rivelazione si incarna in una persona che si presenta come la verità viva e assoluta, accogliente e unificante in sé tutti gli aspetti della verità di cui è costellata la storia dell'umanità: trascendenza della verità che caratterizza le correnti platoniche, storicità della verità che caratterizza il pensiero moderno e contemporaneo, interiorità della verità messa in luce dalle diverse forme dell'esistenzialismo. Cristo non è semplicemente un fondatore di religione: egli è contemporaneamente immanente alla storia degli uomini e assolutamente trascendente ad essa. È anche l'unico mediatore di senso, il solo esegeta dell'uomo e dei suoi problemi.

Aiutare l'uomo contemporaneo a riscoprire in tutta la sua freschezza questa realtà prima del cristianesimo qual è la rivelazione, a coglierne la specificità, non è questione di libera scelta ma di necessità di natura, da parte di una → teologia che vuole essere a un tempo contestuale e sistematica.

II. PREMESSE METODOLOGICHE - Il compito, che pure sembra necessario, non è per questo facile. La prima difficoltà viene dal diverso angolo di approccio scelto dagli stessi teologi. Infatti un certo numero di teologi, cattolici o protestanti, hanno così «ottenebrato» la riflessione teologica a furia di «problematicizzare», da riuscire a «velare» questa realtà che paradossalmente si definisce «rivelazione» o «svelamento». Il problema è che essi hanno scelto come punto di partenza l'*inspiegato* per chiarire lo *spiegante*. Invece di lasciarsi trasportare dalla corrente stessa della rivelazione, per ascoltare ciò che essa dice di sé, sono partiti da presupposti teologici.

1. È questo il caso dei teologi protestanti come K. Barth, R. Bultmann, W. Pannenberg. Fin dall'inizio, la loro riflessione è condizionata da una teologia della fede, dell'esistenza umana, della storia. Alcuni teologi cattolici, eccessivamente influenzati da questa recente teologia, hanno elaborato la loro riflessione sulla rivelazione all'interno delle prospettive della teologia dialettica, dell'ermeneutica esistenziale, della teologia della prassi, invece di poggiare sulle tradizioni bibliche e patristiche, indubbiamente meno sistematiche, ma più vicine alla fonte nel suo originale sgorgare.

2. Altri teologi hanno scelto come punto di partenza il fenomeno universale delle religioni. Osservando che tutte si definiscono religioni rivelate, con modelli che si assomigliano tra loro (mediatori, riti, istituzioni), ne concludono che la rivelazione cristiana è la forma superiore di un'esperienza comune. Questo comparatismo religioso rischia di giungere alle posizioni riduttive di Schleiermacher e di Sabatier, o alle posizioni più spinte del modernismo. La fede cristiana ha dei «luoghi» normativi − come il dono di Cristo − che sfidano ogni attesa ed esperienza comune.

3. Altri, invece di partire dall'«universale concreto», cioè da Cristo, preferiscono svolgere dapprima una tela di fondo, cioè la «rivelazione trascendentale», la grazia universale della salvezza data a ogni uomo che viene in questo mondo. La rivelazione cristica o «speciale» appare allora come un episodio più importante, un momento più intenso di questa rivelazione universale. Invece di partire dall'universale concreto e conosciuto, si parte dall'universale nascosto e indeterminato, sfuggendo alle prese della coscienza umana. Tale prospettiva non viene adottata né dalle Scritture né dai documenti del magistero.

4. Altri, infine, si lasciano guidare dai termini, soprattutto dalla parola *rivelare* (apokalýptein). I termini sono a loro volta un terreno minato. Sebbene il termine «rivelazione» sia divenuto il termine tecnico per designare l'automanifestazione e l'autodonazione di Dio in Gesù Cristo, non è così nelle fonti bibliche. Infatti, nell'Antico Testamento, *rivelare-rivelazione* ha un'incontestabile risonanza apocalittica e ricopre solo in parte una realtà molto più ampia. Nel Nuovo Testamento, la rivelazione viene descritta da una trentina di parole, nel suo aspetto attivo o passivo. Nell'AT, il termine *Parola* prevale immediatamente su quello di rivelazione e nel NT si amplia fino a divenire il *Logos* di san Giovanni. A dire il vero è la parola *vangelo* che più si avvicina all'attuale senso di rivelazione. Non deve essere solo la diversità dei termini presenti a tenerci allerta.

5. Siamo forse di fronte a un problema senza uscita? È dunque impossibile definire quella realtà polivalente che chiamiamo *rivelazione*? Riteniamo di poterci richiamare a due criteri di discernimento:

a. Possiamo trovare nella tradizione cristiana ciò che oggi viene *inteso* dal termine preciso e tecnico di rivelazione proposto, ad esempio, nella *Dei Verbum*? Non si tratta di forzare i testi per far loro dire ciò che oggi comprendiamo, ma di vedere se, fin dall'origine, non esiste un solco luminoso, dapprima lontano e appena percettibile come una serie di punti chiaro-scuri e disgiunti, di cui l'occhio non percepisce ancora bene l'unità, ma che finiscono per costituire dei ponti e una linea sempre più salda, sempre più brillante, fino a diventare quell'abbagliante luce che è Cristo, mediatore e pienezza della rivelazione (DV 2). La → *Dei Verbum*, che rappresenta un punto di arrivo, assomiglia a un faro che evita all'esploratore di imboccare strade senza uscita: essa pone dei segnali alla sua ricerca.

b. Il secondo criterio richiama l'attenzione sulla realtà che corrisponde a ciò che chiamiamo rivelazione. Costatiamo allora la sorprendente diversità dei termini che hanno come confronto la *fede*. Così Gesù *proclama il vangelo* e dice: «Credete al vangelo» (Mc 1,15); egli *predica, insegna* e invita alla fede (Mc 6,2.5); *testimonia*, sebbene non si creda alla sua testimonianza (Gv 1,1; 3,32); *parla* e *dice la verità*, ma i contemporanei non credono (Gv 8,46-47). A loro volta gli apostoli *testimoniano, predicano, insegnano* e invitano alla fede in Cristo risorto (At 2,41). S. Paolo dice: «Così predichiamo e così avete creduto» (1 Cor 15,11). Il *mistero* nascosto e poi rivelato è manifestato e reso noto a tutti i popoli «perché obbediscano alla fede» (Rm 16,25-26). Nell'AT come nel NT Dio *parla* per essere ascoltato (Eb 12,25) e creduto (Eb 4,2). Un solo termine designa la risposta dell'uomo: la *fede* che risponde all'azione rivelatrice di Dio esprimentesi in molteplici concetti; di fronte al mistero di Dio infatti l'uomo non può che moltiplicare i tentativi di avvicinamento e balbettare ciò che riesce a coglierne.

Per definire la rivelazione useremo il duplice criterio che abbiamo proposto. Non si tratta evidentemente di riprendere all'interno di un articolo le ricerche bibliche, patristiche, teologiche, già compiute nel GLNT, nel DBSuppl, nei due fascicoli dell'*Handbuch der Dogmengeschichte* o nelle monografie elaborate sulla *teologia della rivelazione*. D'altra parte, una

sistematica della rivelazione senza una prospettiva diacronica sarebbe molto povera. Inoltre i lettori di un dizionario non hanno sempre accesso a queste opere di ampio respiro e nemmeno il tempo di scorrerle. Scegliamo una soluzione di mezzo: sottolineare i punti di continuità e di discontinuità, indicare le angolature di approccio, gli elementi di rilievo, i capisaldi responsabili di nuovi orientamenti. Sebbene sia il primo oggetto delle richieste del lettore, questo genere di operazione non viene sempre effettuato: dunque sincronia e diacronia a un tempo, priorità accordata alla sistematica, ma a partire da fonti seriamente passate in rassegna.

III. RIVELAZIONE VETEROTESTAMENTARIA - L'AT non ha un termine tecnico per designare ciò che chiamiamo «rivelazione»; ma usa un linguaggio variato. Presa nella sua totalità, in quanto fenomeno complesso e includente una molteplicità di forme, di mezzi, di vocaboli, questa rivelazione si presenta come l'esperienza dell'agire di una potenza inattesa ma sovrana, che modifica il corso della storia dei popoli e degli individui. Tale azione tuttavia non è una bruta manifestazione di potenza: si presenta come un incontro tra qualcuno che comunica e qualcuno che riceve. In senso ampio si tratta di un processo di *dialogo* tra esseri intelligenti, tra persone.

1. *Tappe e forme della rivelazione* - a. *Terminologia*. L'ambiente orientale si serviva di determinate tecniche per cercare di conoscere i segreti degli dèi: divinazione, sogni, consultazione del destino, presagi, ecc. L'AT conservò a lungo qualcosa di queste tecniche purificandole dai loro legami politeisti o magici (Lv 19,26; Dt 18,10ss; 1 Sam 15,23.28), attribuendo loro un determinato valore. È ugualmente significativo che Israele si sia sempre rifiutato di accettare certe forme classiche di tecniche destinate a

far conoscere il pensiero divino, soprattutto l'epatoscopia, dovunque in uso nella mantica sacrificale dell'antico Oriente. Come la maggior parte dei popoli antichi, gli ebrei hanno ammesso che Dio poteva servirsi dei sogni per far conoscere la sua volontà (Gn 20,3; 28,12-15; 37,5-10; 1 Sam 28,6). Giuseppe possiede una coppa per la divinazione ed eccelle nell'interpretazione dei sogni (Gn 40-41). Ma progressivamente vengono distinti i sogni che Dio invia ai profeti autentici (Nm 12,6; Dt 13,2), da quelli dei divinatori di professione che spacciano sogni menzogneri (Ger 23,25-32; Is 28,7-13). L'AT è molto riservato per ciò che riguarda le visioni di Dio dirette o indirette. Nelle teofanie ciò che conta non è il fatto di vedere Dio, ma quello di ascoltare la sua parola.

La chiamata di Abramo da parte di Dio si presenta come un puro parlare divino (Gn 15,1ss). È anche significativo che Mosè, sebbene potesse conversare con Dio come un amico (Es 33,11), non poteva vederne il volto (Es 33,21-23). Nei profeti, anche nelle visioni, le parole sono l'essenziale. La rivelazione concessa a Samuele è un'audizione (1 Sam 3). Nel linguaggio rivelatore dell'AT le radici usate più frequentemente sono in rapporto con l'azione di comunicare, dire, parlare, raccontare, anche se l'espressione *parola di Dio* resta l'espressione privilegiata per significare la comunicazione divina. È con la sua parola che Dio introduce progressivamente l'uomo nella conoscenza del suo intimo essere, fino al dono supremo della sua Parola fatta carne.

b. *Rivelazione patriarcale.* La rivelazione comincia a delinearsi con Abramo e i → patriarchi. Tuttavia i racconti patriarcali non sono «storici» nel senso moderno del termine: non sono biografie, miti, racconti popolari, leggende, ma sono «racconti popolari religiosi»; vogliono far condividere l'esperienza di un Dio particolare, l'esperienza che fonda quella

di Israele come popolo credente. Si sarebbe potuto concepire questa esperienza come un'illuminazione e una conoscenza di Dio, simile a quella di Buddha. Ma non vi è niente del genere nella vita di Abramo; vi sono piuttosto una serie di avvenimenti e di decisioni provocate da Dio e dalla sua chiamata: «Questa parola del Signore fu rivolta ad Abramo» (Gn 15,1).

Questo Dio è un Dio «sconvolgente» che «disturba»: «Vattene verso il paese che io ti indicherò» (Gn 12,1; 22,1-2). Abramo vive l'esperienza di una partenza verso l'ignoto con una sola garanzia: la promessa di Dio. Egli sa che Dio lo guida, ma in una direzione insospettabile (Gn 15,5.6.12.17). Nel profondo di questa notte della fede sorge una promessa gratuita, unilaterale, incondizionata, quella di una discendenza innumerevole (Gn 17) a cui segue un cambiamento di nome. *Abram* diventa *Abraham*, «padre di una moltitudine». Questa stessa promessa sembra contraddetta dai fatti, poiché Abraham e Sara non hanno discendenza. Ma Dio è fedele al di là dell'improbabile, anzi dell'impossibile. Sara genera un figlio. Ma appena nato Dio ne chiede il sacrificio (Gn 22,1-19). Nelle tenebre Abraham si rimette a Dio «che vede» (Gn 22,1-14). A Dio che si è manifestato come signore della storia e della vita e come il Dio della promessa, Abraham risponde con una disponibilità totale: la sua reazione è quella della *fede* e dell'*obbedienza*. Abraham è quindi il «padre dei credenti» (Rm 4,16). In questa prima tappa della rivelazione, prototipo di tutta la rivelazione futura, Dio si manifesta con la sua azione nella storia: un'azione che è promessa e compimento, parola efficace che opera la salvezza che promette. Di conseguenza la promessa non corrisponde a una «gnosi di Dio» ma a una fede obbediente.

c. *Rivelazione mosaica.* La seconda tappa decisiva della rivelazione si compie nell'evento vissuto dell'esodo: un evento di salvezza che libera Israele dalla schiavitù degli egiziani e che si unisce all'autopresentazione del suo autore. Rivelando il suo *nome* a Israele per mezzo di Mosè suo mediatore, Dio non rivela solo di esistere, ma di essere l'unico Dio e l'unico salvatore: «Io sono colui che sono» (Es 3,14). Jhwh è sempre presente, sempre attivo, pronto a salvare; egli è unico. Rivelando il suo nome, Dio prende le parti di Israele che diventa il suo eletto e il suo alleato. Liberazione, → elezione, alleanza, legge, formano un tutto indivisibile. L'alleanza e la legge si comprendono infatti solo alla luce di tutto il processo di liberazione di cui sono il compimento. Con l'alleanza Jhwh, che ha provato a Israele la sua potenza e la sua fedeltà, fa di questo popolo una sua proprietà e diventa il capo della nazione. Le «parole dell'alleanza» (Es 20,1-17) o le «dieci parole» (le *děbârim*: Es 34,28) esprimono l'esclusivismo del Dio di Israele e le esigenze morali del Dio «santo» che stringe alleanza con un «popolo santo». Accettando l'alleanza, Israele accetta lo stile di vita che corrisponde alla sua vocazione. Ma la salvezza precede l'elezione, l'alleanza la legge. D'ora in poi il destino di Israele è legato alla volontà di Dio storicamente espressa e fondata sull'evento della liberazione. Nell'esodo Israele ha fatto esperienza di un incontro, ma Jhwh non è riducibile all'evento. Attraverso Mosè egli ha rivelato il proprio Nome e il *senso* dell'evento. Israele si impegna in un'esistenza di dialogo, situata in un contesto di chiamata e di risposta. Fin dall'origine la rivelazione possiede già la sua struttura di *evento-significante*. La dialettica della promessa e del compimento prosegue. Rivelandosi prima ai patriarchi e poi a Israele come il Dio della storia, egli conferisce già alla rivelazione storica la sua dimensione universale.

d. *Rivelazione profetica*. La parola non viene rivolta al popolo direttamente ma attraverso «mediatori» (Es 20,18). Mosè, mediatore dell'alleanza e del decalogo, è il prototipo dei profeti (Dt 34,10-12; 18,15-18). Anche se Giosuè appare già come il confidente e il porta parola di Jhwh, è solo a partire da Samuele (1 Sam 3,1-21) che il profetismo si impone per diventare quasi permanente, sotto una forma carismatica più che istituzionale, fino al secolo V.

I → profeti precedenti al periodo dell'esilio (Amos, Osea, Michea, Isaia) sono i guardiani e i difensori dell'alleanza e della legge. La loro predicazione è un richiamo alla giustizia, alla fedeltà verso il Dio tre volte santo; e poiché Israele è infedele alle condizioni dell'alleanza, il *dâbâr* divino pronuncia per lo più condanne e annuncia castighi (Am 4,1; 5,1; Os 8,7-14; Mic 6-7; Is 1,10-20; 16,13; 28,13-14; 30,12-14). Tali castighi non saranno revocati. Questo tema dell'irreversibilità e dell'efficacia della parola di Dio viene nettamente affermato in Is 9,7: «Una parola mandò il Signore contro Giacobbe, essa cadde su Israele». Puro dinamismo, la parola si abbatte come una freccia e sviluppa i suoi effetti in tappe successive.

Nella riflessione teologica sulla rivelazione, Geremia occupa un posto importante, in quanto ha tentato di determinare i criteri dell'autenticità della parola di Dio. Tali criteri sono: il compiersi della parola del profeta (Ger 28,9; 32,6-8), la fedeltà a Jhwh e alla religione tradizionale (Ger 23,13-32), la testimonianza spesso eroica del profeta stesso nella sua vocazione (Ger 1,4-6; 26,12-15).

Il Deuteronomio, che deriva dagli ambienti del nord influenzati dalla predizione profetica del IX e VIII secolo, si trova al confluire di due correnti: la corrente legalista, espressione del sacerdozio e la corrente profetica. Sotto questa duplice influenza la teologia della legge si approfondisce.

Il Deuteronomio unisce più che mai la legge al tema dell'alleanza. Se Israele vuole vivere, deve mettere in pratica tutte le parole della legge (Dt 29,28); infatti questa legge, uscita dalla bocca di Jhwh, è fonte di vita (Dt 32,47). Ma il Deuteronomio include anche nella legge mosaica tutte le clausole dell'alleanza (Dt 28,69), cioè tutto il *corpus* delle leggi morali, civili, religiose, penali. Infine la parola della legge si «interiorizza»: «Questa parola è molto vicina a te, è nella tua bocca e nel tuo cuore, perché tu la metta in pratica» (Dt 30,11-14). La legge consiste nell'amare Dio con tutto il cuore e con tutta l'anima (Dt 4,29).

Parallelamente alle correnti profetica e deuteronomica, si elabora una letteratura storica (Giudici, Samuele, Re), che di fatto è una storia della salvezza e una teologia della storia. L'alleanza conclusa da Jhwh e le condizioni da lui poste suppongono che il corso degli avvenimenti sia regolato dalla volontà divina in funzione degli atteggiamenti del popolo scelto. Israele da quel momento non ha cessato di pensare la sua religione nelle categorie della storia. In definitiva è la parola di Dio che fa la storia e la rende intelligibile. Un testo importante di questa letteratura storica è la profezia di Natan (2 Sam 7) che «regalizza» l'alleanza e fonda il → messianismo regale. Con questa profezia, la dinastia di David diventa direttamente e per sempre l'alleata di Jhwh (2 Sam 7,16; 23,5), l'asse della salvezza. D'ora in poi la speranza di Israele riposerà sul re; il re attuale, prima, e poi un re futuro, escatologico, nella misura in cui le infedeltà del re storico allontanano la speranza di un re secondo l'ideale davidico. Questa profezia è il punto di partenza di una teologia elaborata dai profeti che è eminentemente promessa volta al futuro, diversamente dalla teologia dell'alleanza la cui esigenza è prima di tutto quotidiana.

Al tempo dell'esilio la parola profe-tica, senza cessare di essere parola viva, diventa sempre più parola scritta. A questo proposito è significativo come la parola confidata a Ezechiele sia scritta su un rotolo che il profeta deve assimilare per predicarne il contenuto (Ez 3,1ss). Una caratteristica importante della profezia di Ezechiele è il tono pastorale. Dopo la caduta di Gerusalemme (Ez 33,1-21), Israele non esiste più come nazione. La parola di Jhwh diventa allora parola di conforto e di speranza per gli esuli scoraggiati. Ezechiele tenta di formare il nuovo Israele alla maniera di un direttore spirituale (Ez 33,1-9). Lasciando intravedere che la parola che ha decretato e realizzato il castigo resta sempre promessa fedele, Ezechiele tuttavia vigila perché non ci si sbagli sulla sua natura: non basta ascoltare la parola, bisogna viverla (Ez 33,31).

Il Deuteroisaia (Is 40-55), che va letto nel quadro dell'esilio, considera il *dâbâr* divino nella sua dinamica contemporaneamente cosmica e storica. La sua sovranità assoluta sulla creazione è il fondamento e la garanzia della sua azione onnipotente nella storia; poiché Jhwh ha suscitato dal niente ogni cosa con la sua parola, egli è signore delle nazioni come delle forze della natura. Egli è all'inizio e alla fine degli avvenimenti; la sua parola predice, suscita, compie. Dio tiene i poli estremi della storia (Is 41,4; 44,6; 48,12). E quest'ultima è intelligibile perché si svolge seguendo un piano che la parola rivela progressivamente agli uomini e che non torna mai senza risultato (Is 55,10-12).

Vediamo che soprattutto grazie al profetismo, la rivelazione del Sinai resta sempre il blocco centrale della rivelazione, perdura attraverso l'AT, soprattutto in epoca regale e durante l'esilio, e si approfondisce. Ora ciò che costituisce l'originalità del profeta è il fatto di essere stato l'oggetto di un'esperienza privilegiata, la maggior parte delle volte nel momento della sua *vocazione*: egli conosce Jhwh, perché questi gli ha parlato e gli ha affidato la sua parola. È stato chiamato a un'intimità speciale con Dio, a conoscere i suoi segreti (Nm 24,16-17), i suoi disegni (Am 3,7) per divenirne l'interprete presso gli uomini.

Questa esperienza è l'espressione fondamentale del profeta: la parola di Jhwh è in lui (Ger 5,13). Il profeta ha coscienza di non aver cercato questa parola, che essa non viene da lui ma da Dio. Se egli ha ricevuto questa parola è per trasmetterla, per renderla pubblica, per annunciarla. Egli è la *bocca* di Jhwh (Ger 15,19; Ez 7,1-2), *l'uomo della parola* (Ger 18,18). È fra gli uomini l'interprete autorizzato di Dio per tutto ciò che succede nell'universo (tempeste, cataclismi, carestie, prosperità), tra gli uomini (peccati, morti, indurimenti) e nella storia (disfatte, successi, successioni di imperi). È importante sottolineare il carattere oggettivo e dinamico di questa parola. Il suo primo effetto si verifica nel profeta stesso che la riceve. Essa agisce in lui come fuoco divoratore (Ger 20,8-9), come potenza irreprimibile (Ger 20,8-9), come luce abbagliante. Jhwh ha *parlato*: il profeta deve *testimoniare*. Questa è l'esperienza di Amos (Am 3,8), di Geremia (Ger 7-8), di Isaia (Is 8,11), di Ezechiele (Ez 3,14), di Elia (1 Re 18,46), di Eliseo (2 Re 3,15). Parola di Dio in una parola umana, la parola profetica partecipa della sua efficacia. Non è mai sterile. Dio tuttavia ne è sempre il signore e la sua parola agisce secondo il disegno che egli scopre a poco a poco e che è disegno di salvezza e di vita. Per questo, Dio – dovunque nell'AT – pazienta, esaudisce, si lascia piegare, perdona.

Il campo d'azione della parola profetica è la storia: questa parola è *creatrice* e *interprete* della storia. Infatti è nella storia, attraverso gli interventi di Dio, che il popolo ebreo ha fatto l'esperienza dell'azione divina in suo favore. La fede di Israele si basa su questi eventi fondatori e il suo credo consiste nel raccontarli (Dt 26,5-10). L'azione di Dio annunciata dai profeti è doppiamente opera della parola. Prima di tutto perché è la parola di Jhwh che suscita e dirige gli eventi: «Il Signore non fa cosa alcuna senza aver rivelato il suo consiglio ai suoi servitori» (Am 3,7). Per Israele la storia è un processo diretto da Jhwh verso un termine da lui voluto. Il profeta non solo annuncia la storia, ma la interpreta. Egli percepisce il senso divino degli avvenimenti e lo rende noto agli uomini: interpreta la storia dal punto di vista di Dio. Eventi e interpretazione sono come due dimensioni dell'unica parola di Dio. La storia della salvezza è un succedersi di interventi divini interpretati dal profeta. Quindi, attraverso gli eventi dell'Esodo, interpretati da Mosè, il popolo ebreo ha conosciuto Jhwh come Dio vivente, personale, unico, onnipotente, fedele, che salva il suo popolo e stringe alleanza con esso in vista di una comune opera di salvezza (Dt 6,20-24). Ne consegue che Dio, i suoi attributi e il suo disegno, si rivelano non astrattamente ma nella storia e attraverso la storia. C'è progresso nella conoscenza di Dio, ma tale progresso è legato ad eventi che la parola di Dio annuncia, realizza e interpreta per mezzo dei profeti: è una *storia-significante*.

e. *Rivelazione sapienziale*. Sebbene la letteratura sapienziale dell'AT appartenga a una corrente di pensiero internazionale (Grecia, Egitto, Babilonia, Fenicia), attestata fin dal secondo millennio, tale corrente di pensiero è stata ben presto trasformata da Israele in strumento di rivelazione. Lo stesso Dio che illumina i profeti si è servito dell'esperienza umana per rivelare l'uomo a se stesso (Prv 2,6; 20,27). Israele assume l'esperienza umana, ma la interpreta e l'approfondisce alla luce della sua fede in Jhwh. Ancor più, i dati su cui si esercita la riflessione sapienziale appartengono spesso alla rivelazione: storia, legge e profeti. La Sapienza, come la parola, è uscita dalla bocca dell'Altissimo. Alla fine anch'essa si identifica con la parola di Dio. Il salterio che si forma a poco a poco lungo il corso della storia, è principalmente risposta alla rivelazione; ma è anche rivelazione, poiché la preghiera degli uomini dà alla rivelazione tutta la sua dimensione mediante i sentimenti che esprime. La maestà, la potenza, la fedeltà, la santità di Jhwh rivelate dai profeti, si riflettono negli atteggiamenti del credente e nell'intensità della sua preghiera. Specchio della rivelazione, i salmi ne sono anche l'attualizzazione quotidiana nel culto del tempio.

Alla rivelazione sapienziale si ricollega il tema della rivelazione cosmica − cioè attraverso la creazione − che rappresenta uno stadio abbastanza tardivo della rivelazione ispirata. Infatti è soprattutto nella storia che Israele ha conosciuto Jhwh, quando in Egitto ha fatto l'esperienza della sua potenza liberatrice. L'incessante meditazione operata su questa illimitata potenza di Jhwh, che usa a suo piacimento gli elementi della natura per salvare il popolo, ha avuto come esito, attraverso una maturazione organica e omogenea, la credenza nella creazione. Israele ha compreso che lo stesso Dio che ha suscitato il popolo dal niente della schiavitù, ha anche suscitato dal niente il cosmo. La sua sovranità è universale: «Dalla parola del Signore furono fatti i cieli, dal soffio della sua bocca ogni loro schiera... perché egli parla e tutto è fatto» (Sal 33,6.9). Quando la parola si impone alle cose, essa crea; quando si impone agli uomini diventa legge. Poiché la creazione è ciò che Dio ha detto, è anch'essa rivelazione (Gb, Prv, Sir, Sap, Sal, Rm 1,16).

2. *Oggetto e carattere della rivelazione veterotestamentaria* - La rivelazione nell'AT ha tratti ben specifici che la distinguono da ogni altro tipo di conoscenza:

a. La rivelazione è essenzialmente *interpersonale*. È manifestazione di Qualcuno a qualcun'altro. Jhwh è contemporaneamente Dio rivelatore e Dio rivelato, che *si dà* a conoscere e che *si fa* conoscere. Stringe alleanza con l'uomo, dapprima come un padrone con il servo e poi, progressivamente, come un padre con il figlio, come un amico con l'amico, come lo sposo con la sposa. La rivelazione introduce in una comunione con Dio per la salvezza dell'uomo.

b. La rivelazione veterotestamentaria deriva dall'*iniziativa* di Dio. Non è l'uomo a scoprire Dio: è Jhwh che si manifesta quando vuole e a chi vuole, perché vuole. Jhwh è libertà assoluta. Per primo ha scelto, ha promesso, ha stretto alleanza. E la sua parola, che contraddice le prospettive umane e carnali di Israele, fa ancor più esplodere la libertà del suo disegno. Questa libertà si manifesta ancora nella varietà dei mezzi scelti da lui per rivelarsi: la natura, la storia, l'esperienza umana; per la varietà delle personalità elette (sacerdoti, saggi, profeti, re e aristocratici, contadini e pastori); nella diversità dei modi di comunicazione (teofanie, sogni, consulti, visioni, estasi, rapimenti, ecc.); nella diversità dei generi letterari (oracoli, esortazioni, autobiografie, descrizioni, inni, poesia, riflessione sapienziale, ecc.).

c. Ciò che dona unità all'economia rivelatrice è la *parola*. I filosofi greci e le religioni del periodo ellenistico tendono alla visione della divinità. La religione dell'AT, al contrario, è la religione della parola ascoltata. Questa prevalenza dell'ascoltare rispetto al vedere esprime uno dei tratti essenziali della rivelazione biblica. Dio parla al profeta e lo invia a parlare: questo comunica il disegno di Dio e invita l'uomo all'obbedienza della fede. Questa parola tuttavia introduce alla visione. Se gli uomini ancora non penetrano fino alle profondità del mistero, ne hanno comunque un primo approccio e una prima percezione attraverso la parola. Notiamo ancora che la parola manifesta un maggiore rispetto da parte di Dio della libertà dell'uomo. Dio si rivolge all'uomo, lo interpella, ma quest'ultimo resta libero di acconsentire o di rifiutare. Infine la parola, che rimane tra gli uomini il più spirituale degli scambi, è anche il mezzo per eccellenza della comunicazione spirituale tra Dio e l'uomo. Il peccato consiste nell'indurire il cuore per non ascoltare la parola. A seconda che essa venga accolta o no, la rivelazione diventa per l'uomo vita o morte.

d. Ma lo scopo della rivelazione è *la vita e la salvezza* dell'uomo, l'alleanza in vista della comunione. La rivelazione dell'AT prende slancio dalla promessa fatta ad Abramo e tende al compimento. Per il profeta il presente non è che la parziale realizzazione del futuro annunciato, atteso, preparato, ma ancora nascosto. Ciò che è presente acquisisce tutta la sua importanza solo grazie alla promessa nel passato di ciò che sarà l'avvenire. Ogni rivelazione profetica segna un compimento della parola, ma nello stesso tempo lascia sperare in un compimento ancora più decisivo. La storia tende quindi alla pienezza dei tempi che sarà il compimento del disegno di salvezza in Cristo e per mezzo di Cristo.

3. *Nozione veterotestamentaria della rivelazione* - Nell'AT la rivelazione appare come l'intervento gratuito e libero con cui Dio santo e nascosto − nell'ambito della storia e in relazione con gli avvenimenti della storia, autenticamente interpretati dalla parola di Jhwh rivolta ai profeti secondo modi di comunicazione molto diversi − fa progressivamente conoscere se stesso e il disegno di salvezza dell'alleanza con Israele e, in esso, con tutte le nazioni, per realizza-

re nella persona del suo Unto o Messia, la promessa un tempo fatta ad Abramo di benedire nella sua discendenza tutte le nazioni della terra. Quest'azione è concepita come parola di Dio che invita l'uomo alla fede e all'obbedienza: una parola essenzialmente dinamica che opera la salvezza nello stesso tempo in cui l'annuncia e la promette.

IV. La rivelazione nel Nuovo Testamento - L'intuizione centrale del NT è che si sia verificato un evento di capitale importanza tra le due alleanze: «Dio, che aveva già parlato nei tempi antichi molte volte e in diversi modi ai padri per mezzo dei profeti, ultimamente, in questi giorni, ha parlato a noi per mezzo del Figlio» (Eb 1,1-2). In Gesù Cristo, la parola interiore in cui Dio conosce tutte le cose e in cui si esprime totalmente, assume la carne e il linguaggio dell'uomo, diventa vangelo, parola di salvezza, per chiamare l'uomo alla vita che non finisce. In Gesù Cristo, Verbo incarnato, il Figlio è presente tra noi e parla, predica, insegna, attesta ciò che ha visto e sentito in seno al Padre con termini umani che possiamo comprendere e assimilare. Cristo è il culmine e la pienezza della rivelazione, colui che rivela Dio e che rivela l'uomo a se stesso: questa è la grande novità, il mistero inesauribile di cui gli scrittori sacri manifestano lo splendore, ognuno insistendo su un aspetto. Bisogna poi ricomporre in unità queste differenti prospettive per coglierne la complessità e la ricchezza, un po' come le complementari angolature di un'unica cattedrale.

1. *La tradizione sinottica* - In Marco le parole chiave del vocabolario della rivelazione (per esempio *apokalýptō, apokalýpsis*) sono assenti. Più che altrove, un'attenzione esclusiva al loghion di Mt 11,25-27, Lc 10,21-22 e ai binomi nascondere-rivelare, conoscere-rivelare, può essere occasio-

ne di equivoco. Raccontando la storia di Gesù, gli evangelisti non fanno altro che raccontare la manifestazione di Dio in Gesù Cristo; infatti Cristo è il luogo più importante di questa epifania di Dio. Il vangelo di Marco, soprattutto, è la progressiva manifestazione di Gesù messia e Figlio del Padre che si rivela e rivela il Padre con le parole, le parabole, le opere, e in particolar modo i miracoli, gli esempi, la passione, la morte. Ma si scontra con il rifiuto dei suoi.

I termini che descrivono l'azione rivelatrice di Cristo sono: predicare (kērýssein) e insegnare (didáskein). Cristo predica la buona notizia del regno e la conversione come mezzo per entrarvi: «Il tempo è compiuto e il regno di Dio è vicino; convertitevi e credete al vangelo» (Mc 1,15; Mt 4,17). Questa notizia decisiva punta così direttamente su Gesù da designarlo come l'inaugurazione in persona del regno: è «oggi» (Lc 4,21) che inizia l'era della grazia annunciata dai profeti. All'oggi dell'annuncio del regno corrisponde l'ecco: il rabbi, il maestro che insegna con autorità: il suo insegnamento è nuovo, la sua autorità è unica (Mt 7,29), un'autorità che lo pone allo stesso livello di Dio: «Amen», «Ma io vi dico» (Mt 5,22.28.32). Sulla base di Dt 18,18 le folle designano Gesù come il profeta atteso per la fine dei tempi (Mc 6,14s; 8,28; Mt 21,11). Gesù tuttavia non rivendica mai questo titolo di profeta (→ Profezia) quando parla di se stesso, poiché, in quanto rivelatore, egli supera i profeti (Mt 12,40; Mc 9,2-10; Mt 17,1-13; Lc 7,18-23; 9,28-36). Egli predica, insegna, ma a titolo di Figlio del Padre (Mt 7,21; 10,32-33; 11,25-27). «Nessuno conosce il Padre se non il Figlio e colui al quale il Figlio lo voglia rivelare» (Mt 11,27). Nessuno, se non il Padre, conosce (Lc: ghignôskein; Mt: epighignôskein) questa esperienza, il carattere e la vita intima e profonda del Figlio; e nessuno se non il Figlio conosce la vita intima e profonda del Padre. Entrambi si conoscono, semplicemente perché sono uno davanti all'altro come grandezze uguali, dello stesso ordine. E nessuno può partecipare a questo mistero di reciproca conoscenza senza una rivelazione gratuita. Cristo, che è Figlio, è il perfetto rivelatore del Padre. Ai discepoli che ha scelto è stato dato, come grazia, di conoscere i misteri del regno dei cieli. Anche il Padre rivela il mistero della persona di Cristo ai «piccoli» che riconoscono la loro indigenza davanti a Dio; ma anche questa rivelazione è suo dono, luce interiore accordata dal Padre e rifiutata all'orgoglio dei «sapienti». Questo annuncio del regno, così come la rivelazione dell'identità di Cristo come figlio del Padre, si compie con «gesti e parole», in parabole e con miracoli, secondo una rigorosa economia di incarnazione.

Quindi nella tradizione sinottica Cristo è rivelatore in quanto proclama la buona notizia del regno dei cieli e insegna con autorità la parola di Dio. In definitiva egli rivela perché è Figlio che conosce la vita intima del Padre. Il contenuto essenziale della rivelazione è la salvezza offerta agli uomini nell'immagine del regno di Dio annunciato e instaurato da Cristo. Cristo è a un tempo colui (ecco) che annuncia il regno e colui nel quale il regno si realizza (oggi).

2. *Gli Atti degli apostoli* - Gli *Atti*, in continuità con la tradizione sinottica, presentano gli apostoli come *testimoni* di Gesù che *proclamano* la buona notizia e che *insegnano* ciò che hanno ricevuto dal Maestro. Testimoniare, proclamare il vangelo, insegnare spetta alla funzione apostolica.

Testimoniare designa gli apostoli ed essi soli, poiché soltanto loro sono stati associati al Cristo durante tutta la sua vita e dopo la risurrezione. Hanno seguito il Cristo dappertutto; sono stati suoi commensali prima e dopo la risurrezione. Essi soli possiedono un'esperienza diretta e viva del Cristo, della sua persona, del suo messaggio e della sua opera. Essi sono prima di tutto i testimoni della sua risurrezione (At 1,22; 2,32; 3,13-16; 4,2.33; 5,30-31; 10,39.41.42; 13, 31), ma, in generale, di tutto il suo cammino (At 1,21), dal battesimo alla risurrezione; di tutta la sua opera che va verso la passione-risurrezione e di quella che è inaugurata dalla risurrezione. La testimonianza degli apostoli si compie nella potenza dello Spirito (At 1,8) che dà loro coraggio e costanza, che agisce nel cuore di chi li ascolta allo scopo di rendere la parola di Dio solubile nell'anima e accolta dalla fede (At 16,14). Come il Cristo stesso, gli apostoli proclamano la buona notizia della salvezza (At 2,14; 8,5; 10,42); essi non cessano di insegnare e di proclamare la buona notizia di Gesù (At 15,35; 18,25). La loro funzione è dunque quella di *testimoni* e di *araldi*. La loro parola è dinamica ed esplosiva: non possono tacere la salvezza data in Cristo, poiché è l'unica notizia valida, la sola in grado di trasformare i cuori, di incendiare il mondo per accendervi l'amore.

La deposizione degli apostoli-testimoni costituisce l'oggetto della nostra fede: una deposizione fatta non di sole parole ma anche di esempi di vita, di atteggiamenti e di riti. Questa testimonianza concreta, inglobante, opera la crescita della chiesa sotto l'azione dello Spirito.

3. *Il «corpus» paolino* - Il binomio *mistero-vangelo* ci situa al centro del pensiero di S. Paolo sulla rivelazione. Questo mistero, prima nascosto, è poi svelato, predicato, reso noto in vista della fede. Tale vocabolario evoca la letteratura sapienziale e apocalittica; inoltre sottolinea *più il contenuto* della rivelazione che l'azione rivelatrice stessa.

Il *mistero*, come intuizione fondamentale di Paolo, conosce nelle let-

tere un ampliamento di senso chiaramente percepibile. In 1 Cor 2,6-10, il mistero è già il disegno di salvezza realizzato in Cristo, ma appare come «sapienza» che ha per oggetto i beni destinati da Dio agli eletti e che solo gli uomini animati dallo Spirito possono comprendere, poiché questa sapienza ha la propria fonte nello Spirito di Dio (1 Cor 2,10-16).

In Col 1,26 il mistero, un tempo nascosto, è ora svelato e realizzato. Esso diventa evento della storia: concerne la partecipazione sia dei gentili che degli ebrei ai beni della salvezza (Rm 16,25). La lettera agli Efesini amplia ancor più questa visione (Ef 1,9-10). Il mistero è la riunificazione di tutte le cose in Gesù Cristo, l'unione di tutti gli esseri terreni e celesti sotto un unico Signore, Cristo. Il mistero di cui parla Paolo è il piano divino della salvezza, nascosta in Dio da tutta l'eternità, ma ora svelata e attraverso la quale Dio stabilisce Cristo come centro della nuova economia e lo costituisce, con la morte e la risurrezione, unico principio di salvezza, sia per i gentili che per gli ebrei, capo di tutti gli esseri, degli angeli e degli uomini. È il totale piano divino (incarnazione, redenzione, partecipazione alla gloria) che in definitiva è riconducibile a Cristo con le sue insondabili ricchezze (Ef 3,8). Concretamente il *mistero è Cristo* (Rm 16,25; Col 1,26-27; 1 Tm 3,16). Nel descrivere il mistero, S. Paolo pone all'inizio l'accento sulla vocazione dei gentili di cui è «ministro per speciale vocazione» (Ef 3,8-9; 1 Tm 2,7; Rm 15,6); poi, nelle lettere della prigionia, il mistero diventa principalmente Cristo e la partecipazione a Cristo: tutto si «ricapitola» in lui. Creato nella unità, il mondo ritorna all'unità tramite Cristo, Salvatore e Signore universale.

Una volta rivelato ai testimoni scelti (Ef 3,5; Col 1,25-26), il mistero è reso noto a tutti gli uomini. Paolo stabilisce un'equivalenza pratica tra *vange-*

lo e *mistero* (Rm 16,25; Col 1,25-26; Ef 1,9-13; 3,5-6). In entrambi i casi si tratta di un'unica realtà, cioè del disegno divino di salvezza, ma vista da prospettive diverse. Si tratta di una buona notizia, di un messaggio annunciato, proclamato. Piano divino nascosto e rivelato, piano divino proclamato: vangelo e mistero hanno lo stesso oggetto o contenuto. Questo oggetto è duplice: *soteriologia*, cioè tutta l'economia della salvezza in Cristo (Ef 1,1-10), ed *escatologia*, cioè promessa della gloria e di tutti i beni della salvezza destinati sia ai gentili che agli ebrei (Col 1,28; 1 Cor 2,7; Ef 1,18). Il mistero reso noto agli uomini con la predicazione del vangelo diventa il piano di salvezza giunto allo stadio dell'evento personale. Invece del termine vangelo Paolo impiega, ma con lo stesso senso, anche il termine *parola* (Col 1,25-26; 1 Ts 1,6) o *parola di Dio* (1 Ts 2,13; Rm 9,6; 1 Cor 14,36) o *parola del Cristo* (Rm 10,17). Con questa parola, che è messaggio di Dio per bocca umana, è sempre Dio che parla e interpella l'umanità (Rm 10,14), invitandola all'«obbedienza della fede» (Rm 16,26; 2 Cor 10,5). «Così predichiamo e così avete creduto» (1 Cor 15,11).

Poiché il mistero è la riunione in Cristo degli ebrei e dei gentili, la chiesa appare come il termine definitivo del mistero, la realizzazione meravigliosa dell'economia divina, la sua espressione visibile e stabile. Il disegno di salvezza non è solo rivelato e proclamato dal vangelo, ma è anche effettivamente realizzato nella chiesa «corpo di Cristo» (Ef 4,13). Lo stabilirsi della chiesa significa che il tempo della sottomissione di tutte le cose a Cristo è giunto (Col 1,16). Proprio come Cristo è il mistero di Dio reso visibile, così la chiesa è il mistero di Cristo reso visibile. I tempi sono compiuti; la salvezza annunciata è data.

Tuttavia per Paolo sussite sempre una tensione tra la rivelazione storica e la rivelazione escatologica, tra la prima e l'ultima epifania di Cristo, tra quella velata e quella gloriosa (Fil 2,5-11). Indubbiamente è «ora» che il mistero, un tempo nascosto, è rivelato (Rm 16,25) ed è «ora» che si compie la predicazione del vangelo. Tuttavia Paolo desidera ancor più vivamente la rivelazione escatologica, quando si realizzerà nella sua pienezza la «manifestazione del Signore nostro Gesù Cristo» (1 Cor 1,7; 2 Ts 1,7), quando apparirà anche la gloria di tutti quelli che si sono configurati in Cristo (Rm 8,17-19). Questa tensione tra storia ed escatologia, tra fede e visione, tra umiltà e gloria, è caratteristica di S. Paolo.

La rivelazione è concepita dall'apostolo come l'azione libera e di grazia con cui Dio, in Cristo e con Cristo, manifesta al mondo l'economia della salvezza, il suo disegno eterno di riunire tutte le cose in Cristo, salvatore e capo della nuova creazione.

La comunicazione di questo disegno si compie con la predicazione del vangelo affidata agli apostoli e ai profeti del NT. L'obbedienza della fede è la risposta dell'uomo alla predicazione evangelica sotto l'azione illuminante dello Spirito. Questa fede inaugura un processo di conoscenza sempre crescente del mistero che si compirà solo nella rivelazione della visione.

4. *La lettera agli Ebrei* - Il termine che prevale nel designare la rivelazione è quello di *parola*. In un accostamento delle due fasi dell'economia della salvezza, la lettera sottolinea la continuità tra le due alleanze e, nello stesso tempo, l'eccellere della nuova rivelazione inaugurata dal Figlio. La novità della lettera agli Ebrei per la storia della rivelazione concerne due aspetti: paragone tra l'antica e la nuova alleanza, grandezza delle esigenze della parola di Dio.

Fin dai primi due versetti, la lettera mette in evidenza l'autorità della rivelazione del NT, pur mantenendo la relazione storica tra le due fasi della storia della salvezza: tra le due economie vi è *continuità* (Dio ha parlato), *differenza* (tempi, modi, mediatori, destinatari), *eccellenza* (superiorità della nuova economia).

L'elemento di continuità è Dio e la sua parola. L'assenza di complemento oggetto del verbo *laléin* sottolinea che Dio con la sua parola vuole prima di tutto entrare in comunicazione, in dialogo personale con l'uomo, per una comunione con lui. La lettera non indica il contenuto di questa comunicazione; piuttosto i destinatari: i padri, i profeti, noi. Questa parola è tuttavia segnata dalla storicità: c'è *differenza* nelle epoche (i tempi passati e i giorni di oggi), nei *modi di espressione* (parola successiva, parziale, frammentaria, multiforme dell'AT), nei *mediatori* (molteplicità degli ispirati nell'AT paragonata all'unità del NT in cui tutto si risolve nella persona del Figlio, erede di tutte le cose, irradiazione della gloria del Padre, unico mediatore sul piano della rivelazione e su quello del sacerdozio). In ultima analisi è la parola che costituisce l'unità tra le due alleanze ed è la persona del Figlio che comporta la superiorità della nuova rivelazione rispetto all'antica.

Il secondo tema su cui insiste la lettera agli Ebrei è quello dell'entità delle esigenze della parola di Dio, sempre in una prospettiva di confronto delle due alleanze. Dobbiamo obbedire al vangelo ancor più che alla legge (Eb 2,1), in ragione dell'assoluta superiorità di Cristo. La parola di Dio viene presentata nella lettera agli Ebrei con tratti che evocano quelli dell'AT, ma con un accresciuto carattere di urgenza a causa della presenza del Figlio tra noi. Attiva, efficace, più tagliente di qualunque spada a doppio taglio (Eb 4,12-13), sempre attuale (Eb 3,7.15; 4,7), fa risuonare all'orecchio dei cristiani, in un oggi permanente, l'invito a entrare nella pace del Signore (Eb 3.7.15; 4,11). La parola

del NT esige una fedeltà e un'obbedienza proporzionate all'origine e all'autorità del suo mediatore, il Figlio.

5. *Il «corpus» giovanneo* - Giovanni, come Marco, ignora i termini di rivelazione come *apokalýptō, apokalýpsis*, così come il binomio *nascosto-svelato*. Non usa il vocabolario di Paolo circa il *mystêrion*; usa piuttosto il linguaggio degli ambienti ellenistici: *zōê, lógos, phôs, alêtheia, dóxa*, tutti sostantivati in Gesù Cristo. Si incontra *phaneróō* e soprattutto un insieme di termini che richiamano la stessa reazione di fede: comandamento (11 volte), testimonianza (14 volte), testimoniare (33 volte), parlare (59 volte), gloria (18 volte), verità (25 volte), parola (40 volte) e parole che sottolineano l'accoglienza della rivelazione come ascoltare (58 volte), credere (98 volte). Se Giovanni opera una riclassificazione dei vocaboli di rivelazione è in ragione della novità portata da Cristo che è *già* Dio-tra-noi. Egli è in persona la Verità, il Logos, la Luce, la Vita. Si tratta di un salto qualitativo. Cristo manifesta il Dio invisibile. L'incarnazione è la rivelazione realizzata.

Per Giovanni, Cristo è il Figlio che racconta il Padre: «Egli attesta ciò che ha visto e udito» (Gv 3,32; 8,38). A sua volta il Padre testimonia il Figlio con le *opere* di potenza che gli ha concesso di attuare (Gv 5,36) e con l'*attrazione* che esercita nelle anime dando loro la possibilità di acconsentire alla testimonianza di Cristo (Gv 6,44-45).

Già dal prologo, Giovanni stabilisce un'equazione tra Cristo, Figlio del Padre, e il Logos. Il Cristo è la parola eterna e sussistente; la rivelazione si compie perché questa Parola si è fatta carne per raccontarci il Padre. Il prologo si presenta come le gesta del Logos, come un riassunto di tutta la storia della rivelazione in un testo di densità nucleare. Anche se queste gesta cominciano con l'azione creatrice del Logos, ciò che è primo e spiegante è il *dramma del Logos che si è fatto carne*, che abita tra gli uomini, che manifesta la sua gloria e si scontra con il rifiuto dei suoi. In una visione retrospettiva, il prologo vede nella creazione una prima manifestazione di Dio e del Logos e un primo rifiuto degli uomini. La luce brillò nelle tenebre (Gn 1,3), ma gli uomini non hanno compreso e hanno offuscato questa prima manifestazione del Verbo (Gv 1,10; Rm 1,19-23; Sap 13,1-9). Dio ha poi scelto un popolo e gli si è manifestato con la legge e i profeti; ma questa manifestazione si è conclusa, come la prima, con uno scacco. Il Verbo è venuto tra i suoi, «ma i suoi non l'hanno accolto» (Gn 1,11). Infine il Logos si è fatto carne e ha piantato la sua tenda in mezzo a noi. «Dio nessuno l'ha mai visto: proprio il Figlio unigenito, che è nel seno del Padre, lui lo ha rivelato» (Gv 1,18). Nessuno può vedere l'invisibile: se conosciamo Dio è perché in Cristo la *Parola si fa carne*, diventa *evento storico* e nello stesso tempo *esegeta* del Padre e del suo disegno d'amore.

Tre elementi costituiscono il Cristo perfetto rivelatore del Padre: la preesistenza come Logos in Dio (Gv 1,1-2), la discesa nella carne e nella storia (Gv 1,14), l'intimità costante di vita con il Padre, sia prima che dopo l'incarnazione (Gv 1,18). S. Giovanni conferisce quindi alla rivelazione il massimo di significato e di estensione.

In virtù della sua missione rivelatrice che si radica nella sua vita stessa in seno alla Trinità, il Cristo parla e testimonia: egli è il Figlio che racconta il Padre (Gv 1,18), il testimone che dichiara ciò che ha visto e sentito, un testimone fedele (Ap 1,5; 3,14). Nella tradizione sinottica Gesù è il messia che insegna, predica e annuncia la buona notizia del regno. In Giovanni il messia è pienamente identificato come figlio del Padre. Ciò che il Figlio racconta è la

vita intima, il reciproco amore del Padre e del Figlio: un amore che il Padre vuole comunicare a tutti gli uomini perché tutti siano una cosa sola. La finalità della rivelazione è che gli uomini «siano perfetti nell'unità» e che così sappiano che il Padre ha inviato il Figlio e che li ama come ama il Figlio (Gv 17,23-25).

Giovanni ci elargisce l'ultima parola sulla rivelazione: opera d'amore, di salvezza che ha origine nella Trinità. Ma se si presenta come evento storico del Verbo che assume la carne, la rivelazione appare uno scandalo. Sconcerta le prospettive umane, anche quelle dell'AT. Il tragico della rivelazione è che gli uomini si chiudono alla luce, si rinchiudono nel loro Dio idolo e preferiscono correre incontro alla loro rovina. Dramma, questo, descritto nel prologo, poi ripreso e illustrato nel miracolo del cieco nato (Gv 9).

Dopo questa ricerca possiamo descrivere la rivelazione neotestamentaria come l'azione sovranamente amante e libera con cui Dio, attraverso un'economia di incarnazione, si fa conoscere nella sua vita intima, e fa conoscere anche il disegno d'amore che ha eternamente concepito di salvare e ricondurre tutti gli uomini a sé in Cristo. Azione che egli realizza per mezzo della testimonianza esteriore di Cristo e degli apostoli e con la testimonianza interiore dello Spirito che opera dal di dentro la conversione degli uomini a Cristo. Quindi, mediante l'azione congiunta del Figlio e dello Spirito, il Padre dichiara e realizza il suo disegno di salvezza.

V. IL TEMA DELLA RIVELAZIONE NEI PADRI DELLA CHIESA - Sarebbe inutile cercare nei Padri della chiesa dei primi secoli l'equivalente di un moderno trattato sulla rivelazione; essi infatti non vedono nella rivelazione un fatto da definirsi, né un problema da approfondire. Le prime generazioni cristiane sono ancora sotto l'effetto della grande epifania di Dio in Gesù Cristo. La rivelazione è una realtà che va da sé. La riflessione è perciò più preoccupata di proclamare al mondo intero l'evento sconvolgente e inaudito dell'irruzione di Dio nella carne e il messaggio di Cristo, piuttosto che di «dimostrare» che la rivelazione è possibile. Il primo problema che si pone è dunque quello dell'→inculturazione della rivelazione cristiana nel mondo greco. La riflessione che ne deriva non è ancora sistematizzata, ma è direttamente legata alle esigenze delle comunità evangelizzate o da evangelizzare: è essenzialmente una teologia «contestuale», in rapporto con le correnti di pensiero dell'epoca: obiezioni ebraiche, gnosi, ecc. Non si mette in dubbio la realtà della rivelazione; anzi si fa riferimento ad essa come all'unico criterio d'interpretazione.

In questa riflessione contestuale e occasionale dei primi Padri della chiesa vi è contemporaneamente qualcosa di *meno* e qualcosa di *più* rispetto all'attuale riflessione sulla rivelazione. Indubbiamente molti problemi di oggi non avrebbero nemmeno potuto sfiorare la coscienza di quei cristiani. D'altra parte, nel pensiero patristico vi sono principi di fecondità inesauribile da cui può trarre vantaggio l'attuale sistematica: 1. Del tutto vicino all'evento, il pensiero patristico si evolve in seno a una visione d'insieme del mistero cristiano. Esso si ispira alla Scrittura e resta in contatto con i primi testimoni. Si abbevera e si elabora alla fonte. Ogni discorso è discorso su Dio che crea, che salva e che rivela. In ogni riflessione vi è sempre una teologia implicita della rivelazione. 2. Per rispondere alle obiezioni, alle eresie e alle visioni riduttive, i Padri della chiesa sono indotti a comporre «grandi mappe» per illustrare meglio i punti di incontro con le culture e le religioni, ma anche la singolarità e la specificità del fenomeno cristiano: è così che si sviluppano con una particolare intensi-

tà i temi del rapporto tra AT e NT nella differenza e nell'unità, della gradualità delle tappe della rivelazione, dell'economia e della pedagogia del piano divino, della centralità di Cristo, della tensione nel mistero di Dio rivelato ma sempre nascosto, della necessaria azione dello Spirito sia per accedere alla rivelazione che per comprenderla. Questi «primi piani» periodicamente ripresentati, finiscono con l'imporre un'immagine della rivelazione cristiana nella sua totalità: un *paesaggio* di cui ogni dettaglio è illuminato da un *flash* in un momento della storia. L'impatto sugli spiriti è più intenso di quello di una punteggiatura uniforme. Facendo un'altro paragone, si potrebbe dire che la riflessione patristica, facendo sorgere nel corso dei secoli alcuni blocchi di pensiero come isole emergenti nella coscienza cristiana, ha finito per costituire arcipelaghi e poi continenti dai contorni e dai rilievi ben definiti. La contestualità di questa riflessione ci porta spesso, con tutti i suoi imprevisti, a prese di coscienza più forti rispetto a quelle di un pensiero teologico lineare e troppo ben allestito. Quindi riteniamo più utile indicare alcuni degli aspetti della rivelazione che i Padri della chiesa hanno illuminato, invece che passare in rassegna gli autori. La chiesa postapostolica ha vissuto in un primo tempo l'attesa dell'immediato ritorno del Signore. Di qui la rivelazione ha preso una colorazione escatologica. Ma ben presto fu il problema dell'articolazione dei due Testamenti a mobilitare l'attenzione.

1. *I due Testamenti: unità e progresso* - Mentre i giudaizzanti vogliono conservare il primato della rivelazione profetica, i marcioniti oppongono fra loro i due Testamenti. Rappresentano Cristo come rivelatore di un Dio assolutamente nuovo, sconosciuto al mondo ebraico. Stabiliscono una radicale opposizione tra il Dio

dell'AT e quello del NT. Tra i due atteggiamenti – non cogliere abbastanza la novità del vangelo (tentazione degli ambienti ebraici tradizionali), o sottovalutare l'AT e rompere con esso (al modo di Marcione) – Giustino, Ireneo, Clemente d'Alessandria e Origene sottolineano la continuità e l'unità profonda dei due Testamenti. Un unico Dio è l'autore della rivelazione nel Verbo o Logos: la creazione, le teofanie, la legge, i profeti, l'incarnazione, sono le tappe di questa manifestazione unica e continua di Dio attraverso la storia umana. D'altra parte, essi sottolineano altrettanto chiaramente il *progresso* verificatosi da un'economia all'altra. Progresso visto in modo un po' diverso da ognuno. Per *Giustino* si tratta di una manifestazione parziale e oscura del Logos nell'AT; chiara e in pienezza nel NT. Secondo → *Ireneo*, nell'AT si trova una preparazione, un'educazione dell'umanità, abbozzi e promesse dell'incarnazione; poi, compimento e dono di Cristo nel NT. Secondo *Clemente d'Alessandria*, si tratta di enigmi e misteri nell'AT, di esplicazione della profezia nel NT. Secondo *Origene*, conoscenza del mistero nell'AT; realizzazione e possesso del NT; passaggio dalle ombre e dalle immagini alla verità, dalla lettera e dalla storia allo Spirito.

2. *La teologia del Logos: punto di incontro tra le culture* - La predicazione ai pagani significava confrontare il messaggio cristiano con una corrente di pensiero segnata da categorie non bibliche ma filosofiche. Per rendere il vangelo accessibile ai pagani la riflessione cristiana adottò una filosofia elaborata dal → platonismo e dallo stoicismo, con il rischio di inflettere il concetto di rivelazione nel senso di una conoscenza, di una gnosi superiore a svantaggio del carattere storico. Per Platone, Dio è ineffabile e dunque non interviene nella storia. Per costituire un aggancio tra l'idea della

trascendenza radicale di Dio e la sua rivelazione nella storia, *Giustino* attira l'attenzione sulla funzione mediatrice di Cristo. Infatti il Gesù della storia si identifica con il Logos, con il Verbo di Dio apparso dapprima a Mosè e ai profeti, fattosi carne in seguito per la salvezza di tutti gli uomini. Giustino concepisce la rivelazione come un processo soteriologico, ma tende ad attribuire a Cristo-Logos un valore universale. Dottrina questa che si fa spazio nel tema del *Lógos spermatikós*. Prima di Cristo esistevano *spérmata toú Lógou*: tali germi sono la partecipazione a una conoscenza infima, parziale, di cui solo Cristo, Logos incarnato, darà la perfezione. In virtù di questa partecipazione, i pensatori pagani hanno potuto percepire qualche raggio di verità e meritare il titolo di cristiani (I *Apol.* 46,2-3). Situando quindi il Logos come centro di prospettiva, Giustino pone la rivelazione sotto il segno della conoscenza.

Questa stima e ricorso alla filosofia greca, già presente prima di Giustino, è ancor più visibile in *Clemente d'Alessandria* (morto prima del 215), il cui sistema di pensiero si fonda sulla teologia del Logos salvatore e rivelatore. Clemente non esita a dare la priorità alla conoscenza di Dio sulla salvezza (*Str.* IV, 136, 5). Optando per un Logos fonte di luce e di verità, Clemente propone la rivelazione come «gnosi» cristiana, corrispondente quindi al desiderio di conoscenza che animava il suo ambiente culturale. «Il volto del Padre è il Logos in cui Dio è messo in luce e rivelato» (*Paed.* I, 57, 2: *Str.* VII, 58, 3-4). Luce del Padre, il Logos rivela tutto ciò che è al mondo, tutto ciò che rende l'uomo capace di comprendere se stesso e di partecipare alla vita di Dio. Questa conoscenza offerta da Dio in pienezza, e che procura la salvezza all'uomo, costituisce il contesto della rivelazione. Solo il Logos incarnato conferisce «l'iniziazione rivelatrice di Cristo» e non i misteri gnostici. Indubbiamente per Clemente la conoscenza di Dio è al primo posto nella riflessione, più ancora della storia della salvezza. Di conseguenza il nostro unico pedagogo è il Logos. Siamo «scolari di Dio: è il suo stesso Figlio che ci dà un'istruzione davvero santa» (*Str.* 1, 98, 4; *Prot.* 112, 2). L'incomparabile superiorità del cristianesimo deriva dal fatto di avere il Logos per maestro (*Str.* II, 9, 4-6), da cui esso riceve un insegnamento superiore. Prima di Cristo la filosofia venne data ai greci come un terzo testamento per condurli a Cristo. Ormai la filosofia è al servizio della fede. Ora è il Logos incarnato che ci insegna come l'uomo possa diventare figlio di Dio; è lui il Pedagogo universale che riunisce legge, profeti e vangelo. La dimensione della storia della salvezza viene mantenuta nelle sue tappe, ma subordinata al principio della gnosi totale. Non c'è vera gnosi se non nel cristianesimo, ma la fonte è Dio che, con tale gnosi, conduce alla salvezza indissolubilmente legata a Cristo.

Origene (morto nel 253-254) elabora anch'egli una riflessione sulla rivelazione a partire dal Logos, immagine fedele del Padre. «Vediamo nel Verbo, che è Dio e immagine di Dio invisibile, il Padre che l'ha generato» (*Com. Jo.* 32, 29). La rivelazione si compie perché il Verbo si incarna e, attraverso l'incarnazione, cioè nella carne del corpo e della Scrittura, ci permette di capire il Padre invisibile e spirituale. Il Logos è mediatore di una rivelazione che va dalla creazione alla legge, ai profeti e al vangelo. La rivelazione raggiunge un primo apice nell'incarnazione del Logos. Agli occhi di Origene, l'incarnazione, tuttavia, non è tanto una brusca discesa del Logos nella storia quanto una promozione di tutte le cose allo Spirito. L'incarnazione del Logos inaugura una conoscenza processo che segue la triade: ombre-imma-

gine-verità. Origene sottolinea, più ancora che il passaggio dalle preparazioni al compimento, il passaggio dai segni alla realtà: dalla carne allo spirito, dalle ombre e dalle immagini alla verità, dalla lettera allo spirito, dal vangelo temporale al vangelo eterno. Ciò che è importante non è tanto il fatto dell'incarnazione, quanto il captare e il riconoscere la venuta di Dio sotto l'azione della grazia. Anche Origene, e più di Clemente d'Alessandria, sottolinea la soggettività della rivelazione. L'illuminazione inaugurata dalla fede innesca un processo di progressi nell'intelligenza della rivelazione: tensione del vangelo temporale, sempre meglio compreso, verso il vangelo eterno, realtà dei misteri abbozzata nel vangelo temporale. Non è il contenuto che cambia ma il suo svelamento progressivo, la sua spiritualizzazione, fino al compimento definitivo nella visione. Origene, come Clemente, accoglie lo sforzo di inculturazione della filosofia greca, ma non arriva al punto di parlare di un Testamento dei Gentili.

La riflessione degli alessandrini, volta a far uscire la chiesa dal suo isolamento e ad andare incontro alla cultura ellenistica, rappresenta uno sforzo positivo di riconciliazione con il mondo antico, ma anche un pericolo di «intellettualizzazione» eccessiva della rivelazione biblica, concepita come gnosi, insegnamento, dottrina superiore. Questa corrente, che rischia di sganciare la rivelazione dai suoi legami storici, ha avuto ripercussioni in tutta la successiva teologia e anche fino al recente concilio. Già nel periodo post-tridentino, con Suarez, De Lugo, la rivelazione viene compresa sempre più come una dottrina, come un insieme di verità su Dio. Le lamentele espresse alla vigilia del Vaticano II sottolineano tutto l'impoverimento della nozione di rivelazione, afflitta da intellettualismo e ridotta alla comunicazione di un sistema di idee, piuttosto che essere la manifestazione e la donazione di una persona che è Verità in persona.

3. *Economia e pedagogia della rivelazione* - Se il pensiero patristico dei primi secoli ha saputo evitare questi pericoli, è perché non ha mai perso i contatti con le categorie bibliche; e soprattutto non ha mai smesso di riflettere sulla storia della salvezza. Questo legame con la storia è servito da contrappeso a una rivelazione concepita come pura conoscenza. Perciò la teologia di Ireneo in reazione agli gnostici costituisce un punto di riferimento incontrovertibile.

In un certo senso gli gnostici portano all'apogeo l'idea di rivelazione, poiché per loro la conoscenza o gnosi viene dall'alto, per illuminazione. La gnosi entra quindi in concorrenza con il cristianesimo, in quanto si distacca dalla storia. Essa si distoglie dal Gesù storico per legarsi al Cristo pneumatico. Il Cristo conserva il suo ruolo di mediatore, ma sfigurato; la chiesa ha dovuto ridefinire e precisare tale ruolo nella storia della salvezza.

Nel contesto antignostico, che oppone AT e NT, Ireneo sottolinea l'unità della storia della salvezza. Di conseguenza, il tema della rivelazione si ricollega al tema più ampio dell'azione del Verbo di Dio, a un tempo creatore e salvatore. Con il suo concetto di «economia» o di «disposizione», Ireneo insiste sull'unità organica della storia della salvezza. Lo stesso Dio realizza, nel suo unico Verbo, un solo piano di salvezza dalla creazione alla visione. Sotto la guida del Verbo l'umanità nasce, cresce e muore fino alla pienezza dei tempi (*Adv. Haer.* IV, 38, 3).

Agli gnostici, che distinguono il Cristo dal Gesù secondo la carne, Ireneo oppone il tema dell'economia e propone l'incarnazione come culmine di questa economia iniziata nell'AT. Anzi, poiché il Verbo è presente alla totalità del tempo, è fin dal-l'inizio, fin dalla creazione, che rivela il Dio creatore (*Ibid.* IV, 6, 6; II, 6, 1; 27, 2). «Anche con la legge e i profeti il Verbo proclamava se stesso e proclamava il Padre» (*Ibid.* IV, 6, 6; 9, 3). Infine, il Figlio con la sua venuta «ci ha dato tutta la novità donando se stesso» (*Ibid.* IV, 34, 1). La novità del cristianesimo è la vita umana del Verbo: non c'è nuovo Dio, ma nuova manifestazione di Dio in Gesù Cristo. L'incarnazione è una teofania del Verbo di Dio e il progresso consiste nella presenza umana e carnale del Verbo, divenuto visibile e palpabile tra gli uomini, per manifestare il Padre che resta invisibile (*Ibid.* IV, 24, 2). L'AT è il tempo della promessa; il NT è la realizzazione della promessa e il dono del Verbo incarnato. I due Testamenti formano un tessuto non lacerabile. Ireneo pone in evidenza gli avvenimenti della storia della salvezza e lega strettamente l'AT e il «vangelo tetramorfo». Gli apostoli sono l'anello della catena tra Cristo e la chiesa (*Ibid.*, I, 27, 2; IV, 37, 7), ma Cristo è la chiave di volta di tutto l'edificio.

Quasi tutti i Padri, soprattutto Giustino, Clemente, Origene, Basilio, Gregorio di Nissa, Agostino, insistono come Ireneo su questo carattere di «economia» della rivelazione. Essa si presenta come piano di salvezza infinitamente saggio, concepito da Dio da tutta l'eternità e pazientemente realizzato secondo vie da lui previste, preparando ed educando l'umanità, facendola maturare e rivelandole progressivamente ciò che è in grado di accogliere. I Padri, soprattutto Ireneo, si compiacciono di ricostruire la storia delle iniziative di Dio per «abituare» l'uomo alla sua presenza.

A questa idea si ricollega quella delle dilazioni della venuta di Cristo. La lettera a Diogneto afferma che gli uomini dovevano fare l'esperienza della loro impotenza prima di conoscere la pienezza della salvezza (prospettiva drammatica). Ireneo, Clemente,

Origene (in alcuni testi) sviluppano la tesi della pedagogia divina. Dio educa l'umanità a ricevere la pienezza dei doni divini dell'incarnazione (prospettiva ottimista). Per Agostino e per Origene (in altri testi), il problema si pone appena, poiché la chiesa è coestensiva all'umanità. Essa è iniziata con i patriarchi. La verità di Cristo era già conosciuta dai profeti dell'AT.

Evocando costantemente le tappe di questa economia e di questa pedagogia, i Padri non cessano di affermare il carattere storico della rivelazione: il suo legame profondo con la storia nella preparazione e nell'annuncio, nella pienezza in Gesù Cristo, nell'estensione al mondo per mezzo degli apostoli e della chiesa. Questo schema conosce alcune varianti, riguardanti soprattutto il posto lasciato ai profeti e agli apostoli, così come l'importanza accordata alla filosofia. Ma per tutti la rivelazione culmina in Cristo, Figlio del Padre, Verbo o Logos incarnato e, di conseguenza, perfetto rivelatore.

4. *Centralità del Cristo* - Tutti i Padri della chiesa vedono nel Cristo il culmine, il compimento della storia della salvezza. Verbo di Dio, Figlio del Padre, egli assume tutte le vie dell'incarnazione, sia la parola che l'azione, per farci conoscere il Padre e il suo disegno di salvezza. Tuttavia, per lo più, attribuiscono il ruolo principale alla parola umana di Cristo. Priorità che si esprime nell'uso dei vocaboli: parola di Dio, parola di Cristo, buona notizia o vangelo, insegnamento, dottrina della fede, dottrina della salvezza, prescrizioni, comandamenti, ordini di Dio o di Cristo, regola di verità, regola di fede, ecc. Per Ignazio di Antiochia, per Ireneo e Atanasio, incarnazione e rivelazione sono strettamente legate.

Ignazio di Antiochia vede nella persona di Cristo la totalità della rivelazione e la totalità della salvezza: «Vi

è un solo Dio, il quale si manifesta in Gesù Cristo suo Figlio, che è il Verbo uscito dal silenzio» (*Magn.* 8, 2; 6, 1-2). Tutte le manifestazioni dell'AT si orientano verso la manifestazione definitiva dell'incarnazione: «La conoscenza di Dio è Gesù Cristo» (*Eph.* 15, 1; *Magn.* 9, 1). Ai giudaizzanti che oppongono vangelo e profeti e che subordinano il vangelo agli archivi dell'AT, Ignazio oppone la persona di Cristo in cui tutto si risolve nell'unità, nella speranza e nel compimento: «Per me gli archivi sono Gesù Cristo; i miei archivi inviolabili sono la sua croce, la sua morte e risurrezione e la fede che viene da lui» (*Phil.* 8, 1-2). Cristo è «la porta per la quale entrano Abramo, Isacco e Giacobbe, i profeti e gli apostoli della chiesa. Tutto ciò porta all'unità con Dio» (*Philad.* 9, 1). Cristo è l'unico salvatore e rivelatore.

Ireneo polarizza ugualmente tutto l'evento della rivelazione nell'incarnazione del Figlio: «Il Padre appariva nel Verbo reso visibile e palpabile» (*Adv. Haer.* IV, 6, 6). Il Figlio incarnato non procura solo una conoscenza astratta del Padre: egli ne è la manifestazione viva. Non che il Figlio sia naturalmente visibile: egli è di natura invisibile, come il Padre, ma l'incarnazione lo rende visibile, e attraverso le sue molteplici vie, gli permette di manifestare il Padre (*Ibid.* IV, 6, 6). La rivelazione appare dunque agli occhi di Ireneo come l'epifania del Padre attraverso il Verbo incarnato. Cristo o il Verbo incarnato è il visibile che manifesta il Padre, mentre il Padre è l'invisibile manifestato dal Figlio incarnato e visibile. Ireneo stabilisce dunque un'equivalenza pratica tra l'incarnazione concretamente considerata e la rivelazione: entrambe sono interscambiabili.

Atanasio distingue due aspetti nella manifestazione del Verbo per mezzo dell'incarnazione: la manifestazione di Cristo come persona divina, immagine del Padre, e la comunicazione per suo mezzo della dottrina di salvezza. Nonostante la Legge e i profeti, gli uomini hanno dimenticato Dio: hanno peccato. Per «condiscendenza», per «filantropia» e per restaurare nell'uomo l'immagine del Padre, il Verbo di Dio si è incarnato (*De Inc.* 8), «divina epifania agli uomini» (*De Inc.* 1). Egli coglie gli uomini al loro livello: così essi potranno riconoscere «dalle sue opere compiute con il corpo il Verbo di Dio e in lui il Padre» (*De Inc.* 14). Proprio come il Verbo invisibile si manifesta nell'opera della sua creazione, il Verbo incarnato si fa riconoscere nelle sue opere di potenza, i miracoli (*De Inc.* 16). Atanasio afferma come Origene: «Il Verbo ha reso visibili sé e il suo corpo perché ci facessimo un'idea del Padre invisibile» (*De Inc.* 54). In secondo luogo, l'incarnazione ha permesso a Cristo di far conoscere all'uomo la dottrina della salvezza (*De Inc.* 52) e di invitarlo alla fede.

Pur riconoscendo il ruolo centrale di Cristo, la teologia greca è meno sensibile al ruolo dell'assunzione della carne. Quindi Giustino e Clemente vedono in Cristo soprattutto il maestro, fonte di ogni verità, e nella rivelazione la comunicazione della verità assoluta, della vera filosofia. Nel punto di incontro di queste due teologie si situa Origene. Per lui Cristo è rivelatore in quanto, attraverso la carne, possiamo farci un'idea del Verbo e nel Verbo, immagine del Padre, un'idea di Dio stesso. Gli alessandrini vedono in Cristo colui che porta la luce alle intelligenze immerse nelle tenebre. Nostalgia platonica del mondo della luce e della sua contemplazione da parte dell'intelligenza.

5. *Inaccessibilità e conoscenza di Dio* - L'eresia di Eunomio, nel secolo IV, porta i cappadoci a riprendere il problema della centralità di Cristo in una prospettiva diversa. Eunomio infatti pretendeva di affermare che l'essenza divina, una volta rivelata,

non presentasse alcun mistero. Di fronte a questo errore, *Gregorio di Nazianzio, Basilio e Gregorio di Nissa*, confessano che Dio resta ineffabile, inaccessibile anche dopo essersi rivelato: è la Tenebra misteriosa che nessuno può penetrare interamente. Anche i grandi confidenti di Dio come Mosè, David, Isaia, Paolo, dichiarano che l'essenza di Dio resta mistero. Ciò che sappiamo dei segreti di Dio ci viene da Cristo. Solo lui attraversa l'opacità delle tenebre della nostra ignoranza. La nostra fede, dice Gregorio di Nissa, viene «da nostro signore Gesù Cristo che è il Verbo di Dio, vita, luce e verità, Dio è sapienza, ed è tutto ciò per sua natura». «Persuasi che Dio è apparso nella carne, crediamo questo solo vero mistero di pietà che ci è stato trasmesso dal Verbo stesso, che ha parlato personalmente agli apostoli» (*C. Eunom.* II: 45, 466-467).

Come i cappadoci, Giovanni Crisostomo insiste sul fatto che Dio, sebbene rivelato, resta invisibile, inenarrabile, inscrutabile, inaccessibile, incircoscrivibile, irrappresentabile: egli rimane sempre l'Abisso, la Tenebra. Ciò che sappiamo di Dio ci è stato rivelato da Cristo e dal suo Spirito (*Jo. Hom.* 15;1).

I cappadoci, come gli alessandrini, sono particolarmente attenti all'appropriazione soggettiva della verità e alla sua fruttificazione nell'anima mediante la fede e i doni dello Spirito. Sotto l'azione illuminatrice di quest'ultimo, l'anima penetra sempre più i misteri del Figlio e del Padre: ricerca di verità mai compiuta e sempre più ardente. Lo Spirito irradia la sua luce nell'anima che, sotto l'effetto di questa irradiazione, diventa sempre più trasparente e spirituale. Solo lo Spirito, osserva S. Basilio, «conosce le profondità di Dio e da lui la creatura riceve la rivelazione dei suoi misteri» (*De Sp. S.* 24).

6. *Duplice dimensione della rivela-*

zione - Questa insistenza sull'azione
illuminatrice del credente ad opera
dello Spirito ci introduce a un ultimo aspetto della rivelazione sottolineato dalla maggior parte dei Padri
della chiesa: un tema particolarmente illustrato da → Agostino, ispirato
a S. Giovanni e anche alla filosofia
platonica e neoplatonica. All'azione
esteriore di Cristo che parla, predica, insegna, corrisponde un'azione interiore della grazia che i Padri, secondo le Scritture, chiamano rivelazione, attrazione, adesione interiore,
illuminazione, unzione, testimonianza. Nello stesso tempo in cui la chiesa proclama la buona notizia della
salvezza, lo Spirito opera dal di dentro per rendere assimilabile e feconda la parola ascoltata.

Gli alessandrini insistono su questa
seconda dimensione della rivelazione,
ma è Agostino che ne spiega maggiormente la funzione e il meccanismo. La parola di Cristo non è una
parola umana: essa è dotata di una
duplice dimensione, esteriore e interiore, a motivo della grazia che la vivifica e l'accompagna. Agostino sviluppa questo pensiero soprattutto nel
suo commento a Giovanni 6,44: «Nessuno può venire a me se non l'attira
il Padre» e nel *De Gratia Christi* rivolto contro Pelagio. «Venire a Cristo» significa subire l'attrazione del
Padre e credere. Se Pietro ha potuto
confessare Cristo come messia, è in
virtù di questa attrazione che è dono.
Cristo fa sentire la sua parola, ma è
il Padre che concede all'uomo di accoglierla in virtù dell'attrazione verso
il Figlio che egli provoca nell'anima.
Ricevere le parole di Cristo, osserva
ancora Agostino, non vuole dire solo
ascoltare esteriormente «con le orecchie del corpo, ma dal profondo del
cuore» come gli apostoli (*Jo. tr.* 106,
6). Ascoltare con le orecchie interiori, obbedire alla voce di Cristo, credere: si tratta di un'unica cosa (*Jo.
tr.* 115, 4). Agostino insiste: la parola
ascoltata esteriormente non è niente

se lo Spirito di Cristo non agisce interiormente per farci riconoscere, come parola a noi personalmente rivolta, la parola ascoltata: «Gesù Cristo
è nostro maestro e la sua unzione ci
istruisce. Se questa ispirazione e questa unzione fanno difetto, invano le
parole risuonano alle nostre orecchie»
(*Ep. Jo. tr.* 3, 13). Questa grazia è
a un tempo attrazione e luce. Attrazione che sollecita le facoltà del desiderio, luce che fa vedere in Cristo la
verità in persona. Il concilio di Orange, esprimendosi secondo la prospettiva di Agostino, dirà che nessuno può
aderire all'insegnamento del vangelo
e porre un atto salvifico senza «un'illuminazione e un'ispirazione dello Spirito Santo che dà a tutti la soavità
dell'adesione e della credenza nella verità» (DS 377). L'uomo riceve da Dio
un duplice dono: quello del vangelo
e quello della grazia per aderirvi nella
fede (*De gr. Christi*, I, 10, 11; 26, 27;
31, 34). In modo più universale, Cristo come Verbo di Dio, è l'unica luce
dell'uomo, il principio di ogni conoscenza, sia naturale che sovrannaturale. In termini giovannei Agostino si
compiace di definire Cristo come la
Via, la Verità, la Luce e la Vita.

Concludiamo: la tematica sviluppata
dai Padri della chiesa sui punti che
abbiamo indicato è troppo importante per non essere accolta da una teologia della rivelazione. In numerosi
punti essa dissipa le tenebre accumu-
late da una filosofia costruita al di
fuori delle categorie bibliche o tribu-
taria di una filosofia di ispirazione
razionalista.

Per il periodo medievale cfr., in
questo Dizionario, S. Tommaso d'A-
quino (pp. 1337-1341).

VI. - Dichiarazioni del magistero - In una prospettiva diacronica,
le dichiarazioni del magistero succedono naturalmente alla riflessione
dell'età patristica e medievale. Durante i primi secoli e per tutto il medioevo, l'esistenza della rivelazione non

è mai stata contestata. In ogni caso, mai si è verificato anatema o condanna che lasciasse credere a una negazione del fatto o a una contaminazione del concetto. Le controversie che attirano l'attenzione della chiesa vertono principalmente sulla Trinità, sull'incarnazione, sui misteri di Cristo. Nessuno immagina di negare o di mettere in dubbio che Dio abbia parlato agli uomini per mezzo di Mosè e dei profeti, e poi per mezzo di Cristo e degli apostoli.

L'espressione più completa in epoca medievale del concetto di rivelazione è indubbiamente quella fornita dal quarto concilio Lateranense del 1215: «Questa Santa Trinità dapprima per mezzo di Mosè, dei santi profeti e dei suoi altri servitori, secondo una sapientissima disposizione delle circostanze, ha dato al genere umano una dottrina della salvezza. Infine il Figlio unigenito di Dio, Gesù Cristo ha reso visibile e in modo più manifesto la via della vita» (DS 800-801). Il concilio, come i Padri della chiesa, sottolinea i temi dell'economia e del progresso della rivelazione che culmina in Gesù Cristo. Come S. Bonaventura e S. Tommaso, parla di dottrina della salvezza. La rivelazione è l'azione-fonte da cui procede questa dottrina, ma è la dottrina che qui conserva l'attenzione. Lo stesso termine di rivelazione non appare ancora.

1. *Il concilio di Trento e il protestantesimo* - Il protestantesimo del primo periodo, sebbene non metta direttamente in causa la nozione di rivelazione, tuttavia la minaccia. Così Calvino (→ Calvinismo), nella sua *Istituzione della religione cristiana* (I,5,2), ammette che Dio si manifesta agli uomini nelle opere della creazione, ma aggiunge subito che la ragione umana è stata così gravemente toccata dalla colpa di Adamo che questa manifestazione di se stesso resta vana per noi. Per questo Dio ha fatto dono all'umanità non solo di

«maestri muti» ma anche della sua divina Parola (*Ibid.* I,6,1). Dunque, dei due tipi di conoscenza di Dio tradizionalmente riconosciuti, cioè mediante la creazione e la rivelazione storica, il primo si trova svalutato a beneficio del secondo. Ben presto il protestantesimo tende a svalutare qualsiasi conoscenza di Dio che non sia rivelazione in Gesù Cristo. Inoltre, nello stesso tempo in cui afferma il principio della salvezza mediante la grazia e la sola fede, il protestantesimo pone il principio dell'autorità sovrana della Scrittura. La → *regula fidei* è la sola Scrittura con l'assistenza individuale dello Spirito, che permette di cogliere ciò che è rivelato e quindi ciò che bisogna credere. Testimonianza dello Spirito nelle anime e parola di Dio nella Scrittura sono inseparabili. Solo lo Spirito illumina la Parola.

Al primo approccio il protestantesimo sembra dunque esaltare il carattere trascendente della rivelazione, poiché sopprime qualunque intervento mediatore tra la parola di Dio e l'anima che la percepisce. Di fatto esso compromette tale carattere, poiché nello stesso tempo in cui pone il principio dell'autorità sovrana della Scrittura, si irrigidisce contro l'autorità della chiesa (DS 1477), sia nella sua tradizione che nelle attuali decisioni del magistero. Esso rischia di cadere in una ispirazione incontrollabile, avviandosi all'individualismo e al razionalismo. Processo questo che appare nella sua luce più cruda con il protestantesimo liberale, ma che era già iniziato fin dal secolo XVII. Da parte sua, il concilio di → Trento si è dedicato ad allontanare il pericolo più immediato, costituito da un'attenzione troppo esclusiva alla Scrittura a detrimento della chiesa e della sua viva tradizione. Il decreto sull'argomento, pubblicato il 15 aprile 1547, si esprime così:

«Il Santo Concilio di Trento avendo sempre davanti agli occhi l'intenzione di conservare nella chiesa, eliminando gli errori, la stessa purezza del vangelo che, dopo essere stato precedentemente promesso dai profeti nelle Sacre Scritture, è stato reso noto dapprima per bocca di Nostro Signore Gesù Cristo, Figlio di Dio, e poi dai suoi apostoli cui egli ha affidato la missione di annunciarlo a ogni creatura quale fonte di ogni verità salutare e di ogni regola dei costumi; e considerando che questa verità e questa regola morale sono contenute nei libri scritti e nelle tradizioni non scritte che sono giunte fino a noi, o ricevute dagli apostoli per bocca di Cristo o trasmesse come di mano in mano dagli apostoli a cui lo Spirito Santo le aveva dettate; il concilio dunque, secondo l'esempio dei Padri ortodossi, riceve tutti i libri sia dell'Antico che del Nuovo Testamento, poiché lo stesso Dio è autore dell'uno e dell'altro, così come le tradizioni che concernono sia la fede che i costumi, in quanto provenienti dalla stessa bocca di Cristo o dettati dallo Spirito Santo e conservati nella chiesa cattolica con una continua successione: il concilio li riceve e li venera con lo stesso rispetto e la stessa pietà» (DS 1501).

Notiamo prima di tutto che in questo paragrafo il termine *rivelazione* non compare: quello che è al primo posto è il termine *vangelo* che rappresenta un uso neotestamentario largamente diffuso, cioè la buona notizia o messaggio di salvezza portata e realizzata da Cristo, predicata a ogni creatura (Mc 16,15-16). Il concilio si allinea dunque con l'uso medievale e con il concilio lateranense. Il *vangelo*, la dottrina della salvezza, è l'oggetto proposto alla nostra fede. In modo più sistematico il testo comporta una triplice affermazione: 1. il vangelo ci è stato dato progressivamente: dapprima *annunciato* dai profeti, poi *promulgato* da Cristo, infine *predicato* dagli apostoli per ordine di Cristo a ogni creatura. In esso è «la fonte di ogni verità salutare e di ogni regola dei costumi». 2. Questa verità della salvezza e questa legge del nostro agire morale, di cui il vangelo è l'unica fonte, sono contenute nei libri ispirati della Scrittura e nelle tradizioni non scritte. 3. Il concilio accoglie con uguale pietà e rispetto la Scrittura (AT e NT) e «le tradizioni che provengono dalla bocca di Cristo o dettate dallo Spirito Santo e conservate nella Chiesa cattolica con una continua successione». Per questo bisogna credere tutto ciò che è contenuto nella parola di Dio, scritta o trasmessa (DS 3011). L'unico messaggio evangelico, l'unica buona notizia si trova espressa in forme diverse: scritta e orale. Nel decreto sulla giustificazione, l'oggetto della fede è nuovamente presentato come una dottrina insegnata da Cristo, trasmessa dagli apostoli, conservata dalla chiesa e difesa da essa contro ogni errore (DS 1520). Indubbiamente ciò che è in primo piano nella rivelazione è il *messaggio* di salvezza, la *dottrina* insegnata da Cristo. La centralità di Cristo come persona, fonte, mediatore, pienezza della rivelazione, passa in secondo piano.

2. *Il primo concilio Vaticano e il razionalismo* - Per la prima volta un concilio usa esplicitamente il termine *rivelazione*. Ma ciò che viene messo in questione non è ancora la natura e i tratti specifici di questa rivelazione, come sarà nel Vaticano II, ma il *fatto* della sua esistenza, della sua possibilità, del suo oggetto. Come nel concilio di Trento, ciò che merita l'attenzione non è tanto *l'azione rivelatrice originale* quanto il *risultato*, l'*oggetto* di questa azione, la dottrina di fede e il suo contenuto: Dio e i suoi decreti, i suoi misteri.

Per comprendere il → Vaticano I bisogna richiamarsi al contesto storico antecedente. Con l'illuminismo europeo dei secoli XVII e XVIII, le esigenze del soggetto pensante sono venute a occupare il primo posto nella coscienza occidentale. Inevitabilmente doveva porsi il problema di un intervento divino di tipo trascendente.

Oltre alla posizione cattolica si potevano teoricamente concepire tre risposte diverse che di fatto sono esistite. Rifiutare l'ipotesi di una rivelazione e di un'azione trascendente di Dio nella storia umana, come fanno il deismo e il progressismo (DS 3027-3028) che reclamano un'autonomia assoluta della ragione. La fede in una religione rivelata comporta un disprezzo della ragione umana; l'uomo deve cessare di comportarsi come un «minorenne», sempre asservito, sempre a rimorchio della chiesa. Oppure ridurre la rivelazione a una forma particolarmente intensa del sentimento religioso universale: risposta questa del protestantesimo liberale e delle estreme posizioni del modernismo. Infine, sopprimere uno dei termini: Dio. Così i partigiani dell'evoluzionismo assoluto, come gli hegeliani, conservano ancora il termine rivelazione, ma svuotato di ogni senso tradizionale. Il cristianesimo rappresenta solo un momento, ormai superato, dell'evoluzione della ragione verso il suo totale divenire.

Di fronte al panteismo e al deismo, il Vaticano I dichiara il *fatto* di una rivelazione soprannaturale, la sua possibilità, la sua convenienza, la sua finalità e discernibilità e il suo oggetto. Per cogliere la portata del suo intervento bisogna tenere presenti i nomi che da secoli dominano il pensiero occidentale, per la maggior parte protestanti, che a poco a poco sono andati alla deriva verso le diverse forme del razionalismo e del materialismo. In *Germania*, Wolf (1679-1754), Kant (1724-1804), Fichte (1762-1814), Schelling (1775-1854), Hegel (1770-1831), Schopenhauer (1788-1860), Schleiermacher (1768-1834), Strauss (1808-1874), Baur (1792-1860). Il razionalismo *inglese* si ricollega alla filosofia di Bacone (1561-1626), al materialismo di Hobbes (1588-1679), al

sensismo di Locke (1631-1704). In questo incessante processo di deriva sono comparsi il positivismo di Stuart Mill (1773-1836), l'evoluzionismo colto di Spencer (1820-1903) e di Darwin (1809-1882). In *Francia*, Voltaire (1694-1778) e Rousseau (1712-1778) sono stati con l'Enciclopedia i maestri del laicismo moderno. Le teorie di Locke vi si sono infiltrate attraverso Condillac (1715-1780), mentre il positivismo inglese, con Hume, Spencer e Darwin, venne introdotto da Comte (1798-1857), Taine (1828-1893) e Littré (1801-1880).

Per limitarci all'immediato contesto del concilio, ricordiamo che il secolo XIX, tranne un breve periodo di religiosità romantica, ha subìto soprattutto l'influenza dei deisti inglesi e degli enciclopedisti francesi. I concetti di soprannaturale, di rivelazione, di mistero, di miracolo e i titoli del cristianesimo vengono messi in causa e discussi negli ambienti colti, in nome della critica storica e della filosofia. La scienza delle religioni, ancora giovane, contesta lo stesso suo carattere di trascendenza. La sinistra hegeliana, con Feuerbach, prepara la strada all'ateismo di Marx, mentre le spiegazioni materialiste del mondo e della vita guadagnano rapidamente il favore del pubblico sotto l'influenza di Spencer e di Darwin.

La costituzione *Dei Filius* del Vaticano I espone in quattro capitoli la dottrina della chiesa su Dio, sulla rivelazione, sulla fede e sui rapporti tra fede e ragione. Ricorderemo soprattutto il contributo del secondo capitolo che riguarda la rivelazione: non tanto la sua natura quanto il *fatto della sua esistenza*, della sua possibilità, del suo oggetto.

a. Nel primo paragrafo di questo capitolo il concilio distingue due vie per le quali l'uomo può accedere alla conoscenza di Dio: la via ascendente che parte dalla creazione (*per ea quae facta sunt*) ha per strumento la luce della ragione e non raggiunge Dio nella sua vita intima ma nella relazione causale con il mondo. La seconda via ha per autore *Dio che parla*, autore dell'ordine soprannaturale, che si fa conoscere, così come fa conoscere i decreti della sua volontà. Parlando della prima via d'accesso alla conoscenza di Dio attraverso tutto il creato, il concilio non dice se questa conoscenza si operi, di fatto, con o senza l'aiuto della grazia. Se il concilio afferma che la ragione umana può accedere alla conoscenza di Dio attraverso il contingente è prima di tutto perché esso vede affermata questa verità dalla Scrittura (Rm 1,18-32; Sap 13,1-9) e da tutta la tradizione patristica; poi perché la negazione di questa verità condurrebbe allo scetticismo religioso.

La seconda via di accesso a Dio è la via soprannaturale della rivelazione: «Tuttavia è piaciuto alla sapienza e alla bontà di Dio rivelare al genere umano per un'altra via, e soprannaturale, se stesso e gli eterni decreti della sua volontà; è ciò che dice l'Apostolo: dopo aver a più riprese e in numerose forme già parlato un tempo ai Padri e ai profeti, Dio in questi ultimi giorni, ci ha parlato nel Figlio» (DS 3004). Sebbene sommario, questo testo fornisce numerosi importanti dati sulla rivelazione: 1. Il testo stabilisce il *fatto* della rivelazione soprannaturale e positiva, così come è proposta dall'AT e dal NT. 2. Questa operazione è essenzialmente grazia, dono dell'amore, effetto del «compiacersi» di Dio (*placuisse*). 3. Iniziativa di Dio, la rivelazione tuttavia non è stata data senza motivo: essa conveniva alla sapienza e alla bontà di Dio. Alla *sapienza* di Dio, creatore e provvidenza (DS 3001-3003), affinché le verità religiose di ordine naturale «potessero essere conosciute da tutti senza difficoltà, con una ferma certezza e senza possibilità di errore» (DS 3005); alla sua sapienza di autore anche dell'ordine naturale, poiché se Dio avesse elevato l'uomo

a tale ordine, avrebbe dovuto fargliene conoscere il fine e i mezzi. La rivelazione conveniva anche alla *bontà* di Dio. Già l'iniziativa con cui Dio esce dal proprio mistero, si rivolge all'uomo, lo interpella ed entra in comunicazione personale con lui, è un segno della sua infinita benevolenza. Ciò che conviene all'amore infinito è che questa comunicazione non solo renda più facile il cammino naturale dell'uomo verso Dio, ma anche lo associ ai segreti della sua vita intima, alla «partecipazione dei beni divini» (DS 3005). 4. L'oggetto materiale della rivelazione è *Dio stesso* e i *decreti eterni* del suo libero volere. I paragrafi successivi (DS 3004, 3005) indicano che questo oggetto comprende sia verità accessibili alla ragione sia misteri che la superano. Per *Dio* bisogna intendere la sua esistenza, i suoi attributi e anche la vita intima delle tre persone. E per *decreti* tutto ciò che concerne la creazione e il governo naturale del mondo, come anche tutto ciò che concerne la nostra elevazione all'ordine soprannaturale, l'incarnazione, la redenzione, la vocazione degli eletti. 5. L'intero genere umano è beneficiario della rivelazione: essa è universale come la salvezza stessa. 6. Il testo della lettera agli Ebrei viene a confermare questa dottrina del fatto della rivelazione e ne segna il progresso da un'alleanza all'altra. La citazione, strettamente legata al testo, lascia intendere che la rivelazione è concepita come parola di Dio all'umanità: *Deus loquens locutus est*. Ciò che costituisce l'unità e la continuità delle due alleanze è la parola di Dio: quella del Figlio è infatti il seguito e il compimento di quella dei profeti.

b. 1. Il secondo paragrafo apporta a questi elementi di definizione nuove determinazioni concernenti la necessità, la finalità e l'oggetto della rivelazione. Se la rivelazione è *assolutamente necessaria*, dice il concilio, è perché «Dio nella sua infinita bontà ha ordinato l'uomo a un fine soprannaturale, cioè alla partecipazione ai beni divini» (DS 3005). È dunque in definitiva l'intenzione salvifica di Dio che spiega il carattere necessario della rivelazione dell'ordine soprannaturale. In rapporto alle verità religiose dell'ordine naturale, il concilio, riprendendo gli stessi termini di → S. Tommaso, le descrive con i tratti della necessità morale: questa necessità non riguarda né l'oggetto, né la potenza attiva della ragione, ma la condizione attuale dell'umanità. Senza la rivelazione queste verità «non possono essere conosciute da tutti senza difficoltà, con una ferma certezza, senza possibilità di errore» (STh I,1,1; II-II; 2, 4c). L'enciclica *Humani generis* del 1950 parla esplicitamente di «necessità morale». Si tratta dello stesso oggetto di cui si parlava nel paragrafo precedente, ma questa volta considerato sotto un aspetto di proporzione o di sproporzione rispetto alle forze della ragione. 2. Un vocabolo come rivelazione evoca anche sia l'azione che il suo esito, cioè il dono ricevuto, la verità rivelata. Anche il concilio è portato da una normale transizione a considerare la rivelazione nel suo aspetto oggettivo di parola detta o espressa. Il contenente di questa rivelazione, dice il concilio, riprendendo i termini stessi del concilio di Trento, sono i libri scritti o le tradizioni che «sono giunte fino a noi, o ricevute dagli apostoli per bocca di Cristo, o trasmesse come di mano in mano dagli apostoli a cui lo Spirito Santo le aveva dettate» (DS 3006). Ma, con una nuova precisazione che non compariva nel concilio di Trento, il Vaticano I usa espressamente il termine di «rivelazione» per designare il contenuto della parola divina: *haec porro supernaturalis revelatio*. Questa parola detta da Dio, contenuta nella Scrittura e nelle tradizioni, è l'oggetto della nostra fede. Per questo il concilio dichiara nel terzo capitolo

che dobbiamo credere «tutto ciò che è contenuto nella parola di Dio scritta o trasmessa» (DS 3011).

c. Alla rivelazione da parte di Dio risponde la fede da parte dell'uomo. Il motivo di questa fede è l'autorità di Dio che parla. La fede, dice il concilio, aderisce alle cose rivelate «non a causa della loro verità intrinseca percepita alla luce naturale della ragione, ma a causa dell'autorità di Dio stesso che non può né sbagliare né far sbagliare» (DS 3008). La dichiarazione è evidentemente diretta contro il razionalismo. Distinguendo così scienza e fede, evidenza naturale e assenso di fede, il concilio dice in modo equivalente − ma il termine non compare − che la parola di Dio appartiene all'ordine della *testimonianza*. Una parola infatti che suscita una reazione di fede, cioè che invita ad ammetterla sulla sola autorità di colui che parla, è propriamente una «testimonianza». Ma la fede stessa è un dono di Dio. Riprendendo il testo del concilio di Orange (DS 377) e le affermazioni più volte ripetute della Scrittura, della tradizione patristica e medievale, il concilio dichiara: nessuno può aderire all'insegnamento del vangelo, come è necessario per arrivare alla salvezza, senza un'illuminazione e un'ispirazione dello Spirito Santo che dà a tutti la soavità dell'adesione e della credenza alla verità» (DS 3010). Il *sì* della fede alla predicazione del vangelo è nello stesso tempo libero abbandono alla mozione dello Spirito.

Così il Vaticano I vede la rivelazione in senso attivo, come azione di Dio in vista della salvezza dell'uomo, attraverso la quale egli fa conoscere se stesso e i decreti della sua volontà. Tuttavia è manifestamente la rivelazione in senso oggettivo che attira l'attenzione del concilio. Nella costituzione sulla chiesa, il Vaticano I stabilisce un'equazione tra rivelazione e → *deposito della fede*: «Lo Spirito Santo è stato promesso ai successori di Pietro perché conservino santamente ed espongano fedelmente la *rivelazione* trasmessa dagli apostoli, ossia il *deposito della fede*» (DS 3070).

Il contributo del Vaticano I si riconduce ai seguenti punti: *a*. Affermazione dell'esistenza della rivelazione soprannaturale, della sua possibilità, della sua necessità, della sua finalità; *b*. Determinazione del suo principale oggetto materiale: Dio stesso e i decreti della sua volontà salvifica; *c*. L'adozione del termine «rivelazione» in senso attivo e oggettivo, che diventa così un termine ufficiale e tecnico; *d*. Il ricorso alle analogie della parola e della testimonianza (implicitamente) per descrivere questa realtà inedita; *e*. La fede, libera adesione alla predicazione del vangelo, è sostenuta da un'azione interiore dello Spirito che feconda la parola ascoltata. Questo contributo, se paragonato a quello del Vaticano II, sembra ancora limitato, ma se inserito nel suo contesto storico va giudicato con apprezzamento per le prospettive che delinea.

3. *La crisi modernista* - Il modernismo è nel suo più profondo intento la manifestazione «contestuale» di uno sforzo sempre da riproporre per armonizzare i dati della rivelazione con la storia, con le scienze e con le culture. Problema troppo grave per essere risolto in un solo momento. Lo sforzo del modernismo si comprende solo alla luce dei cambiamenti che la chiesa del tempo doveva affrontare di fronte a un mondo in mutamento a tutti i livelli. Il progetto dei modernisti si situa a livello religioso e intellettuale, ma ha avuto la sfortuna di arrivare in un momento in cui la chiesa, mal preparata, inquieta di fronte a un pensiero sempre più frondista, si è sentita attaccata da tutti i lati. Invece di aprirsi «al mondo del suo tempo», come nel Vaticano II, essa non ha pensato ad altro che a difendersi e a condannare: ha prodotto la

Pascendi invece della *Gaudium et Spes*. Che contrasto c'è tra questi due momenti della storia della chiesa?

I fattori in gioco in questa presa di coscienza di una nuova cultura in gestazione erano troppo complessi per essere tutti rappresentati da coloro che sono stati definiti *modernisti*. Come raggruppare sotto un'unica etichetta e accostare pensatori così diversi tra loro come M. Blondel, mons. Mignot, L. Laberthonnière, G. Tyrrel, il barone von Hügel e A. Loisy? Certamente nessun modernista si sarebbe riconosciuto nel corpo dottrinale fortemente strutturato presentato dalla *Pascendi*. Non esiste un modernismo comune, ma esistono delle tendenze che all'epoca sembravano portare a gravi e sicure deviazioni.

Nel movimento di riflessione sulla rivelazione i documenti antimodernisti rappresentano un momento della crisi di una chiesa ancora presa nel «labirinto della modernità» (E. Poulat) e che deve avventurarsi su piste inesplorate. I documenti dell'epoca «testimoniano» una *transizione*: si è più preoccupati di proteggere, di difendere, che di creare e rinnovare. Per di più non possiamo accordare alle decisioni della Commissione biblica, al decreto *Lamentabili*, all'enciclica *Pascendi*, al motu proprio *Sacrorum antistitum* la stessa autorità di un concilio dell'ampiezza del Vaticano II.

Essenzialmente ciò che la chiesa temeva nelle tendenze spinte all'estremo del modernismo era vedere la rivelazione storica dissolversi in un sentimento religioso cieco, sorto dalle profondità dell'inconscio, sotto la pressione del cuore e l'impulso della volontà. A questo punto si raggiungono le posizioni di A. Sabatier. La rivelazione si riduce a una vaga esperienza religiosa, di cui le diverse religioni sono punti di uscita nella coscienza di ognuno. Si può capire come il magistero, di fronte a simili deviazioni, abbia difeso con vigore il carattere contemporaneamente storico e trascendente della rivelazione e il contenuto dottrinale. Senza negarne gli elementi di immanenza, esso rifiutava di ridurla a una pura immanenza. Contro gli eccessi del modernismo – che non accettava la nozione di rivelazione come «deposito divino» o «insieme di verità definite», volendo sostituirvi una rivelazione come creazione umana, uscita dalle profondità dell'inconscio – il discorso antimodernista, elaborandosi a poco a poco dall'oscurità alla chiarezza, dall'informulato al formulato, dichiara che l'oggetto della fede è «tutto ciò che Dio ha detto, attestato e rivelato» (DS 3542). La rivelazione è il contenuto di una parola, di una testimonianza. Questo contenuto è chiamato altrove dottrina, parola rivelata, vangelo (DS 3538-3550). Per la prima volta in un documento ufficiale si trovano riuniti i tre termini: parola (*dicta*), testimonianza (*testata*), rivelazione (*revelata*). Ognuno di questi termini raccoglie e precisa il precedente. *Parola*, la rivelazione si rivolge all'uomo e gli comunica il disegno di Dio; *testimonianza*, richiama la reazione specifica della fede. La rivelazione è parola di attestazione: di qui la definizione di *locutio Dei attestans* che avrà fortuna per molti decenni e che condensa in una formula dichiarazioni della Scrittura e della tradizione patristica e teologica. Ciò che Dio ha detto, attestato, rivelato è definito dalla chiesa: parola rivelata, dottrina di fede, deposito divino affidato alla sua custodia per essere conservato senza aggiunte, alterazioni, mutamenti di senso o di interpretazione. Questa dottrina non è dell'uomo ma di Dio.

Sul tema della rivelazione i documenti antimodernisti presentano una terminologia più precisa nello stesso tempo in cui si caratterizzano per un'evidente inflazione del carattere dottrinale della rivelazione, a detrimento del carattere storico e personale. Si comprende meglio allora l'allergia per la teologia preconciliare, rappresentata da uomini come de Lubac, Daniélou, Bouillard, von Balthasar, Chenu, che si elevava contro un certo intellettualismo tendente a fare della rivelazione la comunicazione di un sistema di idee piuttosto che la manifestazione di una persona che è verità in persona, punto di arrivo di una storia che culmina in Gesù Cristo. Gli eccessi dei teologi antimodernisti hanno provocato una reazione manifestatasi nella → *Dei Verbum*. Le rimostranze della teologia preconciliare si riconducono a due: timore di ridurre il cristianesimo a un intellettualismo esagerato; e, in positivo, desiderio di una maggiore fedeltà ai dati della Scrittura e della Tradizione.

VII. RIFLESSIONE SISTEMATICA: SINGOLARITÀ DELLA RIVELAZIONE CRISTIANA - 1. *Contesto* - L'attuale teologia della rivelazione conciliare e post-conciliare non è il frutto di una germinazione spontanea; è piuttosto il risultato di un cammino laboriosamente effettuato in numerosi anni in mezzo a drammatiche tensioni. Questa riflessione è nata in un contesto di mutamento accelerato descritto molto bene dalla *Gaudium et Spes* (nn. 4-10). Lo spirito scientifico ha esteso il suo dominio su tutto il mondo della conoscenza: sulle scienze fisiche, biologiche, psicologiche, economiche e sociali. Le filosofie di moda sono quelle dell'esistenza, della persona, della storia, del linguaggio, della prassi (R. Winling, *La théologie contemporaine, 1945-1980*, Paris 1983).

L'interesse per la teologia della rivelazione nel mondo cattolico è stato stimolato dal rinnovamento biblico e patristico. Il rifiorire biblico ha avuto come corollario il primato della parola e dell'azione rivelatrice. In effetti, nei recenti dizionari ed enciclopedie gli articoli contenuti nelle rubriche parola, linguaggio, rivelazione, fede, costituiscono spesso, per ampiezza e ricchezza di informazione, vere e proprie monografie. Inoltre si sono moltiplicati i lavori su nozioni fondamentali, necessarie all'intelligenza della rivelazione (per esempio: gnosi, mistero, epifania, testimone, testimonianza, parola, verità). Anche se la teologia patristica sul tema della rivelazione non è progredita con lo stesso ritmo, la teologia della rivelazione invece, ha già beneficiato del rinnovamento degli studi patristici, sia a livello delle grandi collezioni come *Sources chrétiennes, Handbuch der Dogmengeschichte*, sia a livello di monografie (per esempio su Origene, su Ireneo, sulla scuola di Alessandria, su Gregorio di Nissa, su Ilario di Poitiers, su Agostino, ecc.). Dal canto suo, la teologia protestante ha potuto contribuire, con abbondanza e qualità, al rinnovamento della teologia cattolica. Basti elencare alcuni dei nomi più importanti: → K. Barth, → R. Bultmann, E. Brunner, H.W. Robinson, → P. Tillich, H.R. Niebuhr, G. Kittel, J. Baillie. Azione, evento, storia, incontro, significatività, sono tutti aspetti che la teologia protestante si compiace di sottolineare. Nel mondo cattolico troviamo le riflessioni che servono da catalizzatori, sullo statuto della teologia, sul senso della predicazione (teologia kerigmatica, teologia della predicazione), sullo sviluppo del dogma, sulla fede. In seguito, nel dopo-guerra, sono apparsi i primi saggi di sistematizzazione: punto di partenza di una prodigiosa proliferazione di monografie sulla rivelazione stessa, sulla DV e sulla teologia fondamentale.

Questa presa di coscienza circa l'importanza del tema della rivelazione non si è prodotta senza sofferenze e senza vittime. La teologia della rivelazione si è infatti costruita in un clima di tensione tra l'insegnamento ufficiale e una ricerca segnata dalle nuove correnti di pensiero. La teologia dei manuali non era abbastanza sensibile al movimento della storia, al carattere interpersonale della rivelazione e della fede. La sua attenzione verteva più sul lato oggettivo della rivelazione che sull'azione rivelatrice stessa. Era più preoccupata per la dottrina da conservare che per il tesoro da far fruttificare. La libertà di ricerca era severamente controllata dal Sant'Uffizio. Tipico è a questo proposito il dibattito che ha coinvolto la «nuova teologia», sviluppatosi in mezzo a sospetti, denunce, sospensioni dall'insegnamento.

2. *Tipologia della rivelazione* - A dire il vero, un buon numero di queste posizioni, in apparenza irriducibili, deriva dalla complessità stessa della rivelazione, dai suoi paradossi, dalla molteplicità dei suoi aspetti. La verità è che la rivelazione è di una ricchezza inesauribile: contemporaneamente azione, storia, conoscenza, incontro, comunione, trascendenza e immanenza, progresso, economia e compimento definitivo. La polivalenza stessa della realtà espone costantemente il teologo a valorizzare un aspetto a danno dell'altro e dunque a falsarne l'equilibrio. Chi potrebbe pretendere di esprimere lo splendore di una cattedrale per mezzo di una sola prospettiva? È questa diversità di approccio che legittima saggi come quello di A. Dulles (*Models of Revelation*, New York 1983).

In uno studio diacronico abbiamo già costatato come la riflessione contestuale di ogni epoca abbia privilegiato questo o quell'aspetto, senza pertanto escludere o rinnegare gli altri. Così, sotto l'influenza greca, si è sviluppata una riflessione che ha sottolineato soprattutto il carattere di conoscenza, di gnosi superiore della rivelazione, a danno di una rivelazione centrata sulla manifestazione della persona. In seguito, il periodo gregoriano, che culmina con Melchiore Cano, ha stabilito una differenza, che quasi diventa rottura, tra il periodo costitutivo della rivelazione e il periodo successivo che si dedica a esporre, spiegare e interpretare il dato rivelato concepito in modo statico e giuridico. Così si stempera la contemporaneità della rivelazione e della fede attuale. Con l'illuminismo, la ragione diventa l'assoluta capace di conoscere tutto: l'uomo non ha più nulla da ricevere da Dio. La reazione del Vaticano I è stata quella di affermare il dono soprannaturale della rivelazione, senza tuttavia liberarsi da una certa estrinsecità che separa azione e contenuto della rivelazione, segni di una rivelazione concepita soprattutto come dottrina. Con il Vaticano II la rivelazione ritrova il proprio centro in Gesù Cristo: Dio rivelante, Dio rivelato, segno della rivelazione. Il Cristo è l'universale concreto che siamo invitati ad accogliere nella fede.

A. Dulles, in una prospettiva a un tempo diacronica e sincronica, propone cinque modelli fondamentali della rivelazione che raggruppano tutti gli altri: *a.* Il primo modello è quello della rivelazione concepita principalmente come *dottrina* formulata in proposizioni che la chiesa offre alla nostra fede. Questo modello mette in evidenza il versante oggettivo della rivelazione, identificata con il deposito della fede affidato alla chiesa. L'origine divina di questo insegnamento è attestata da segni esterni. Tale modello è condiviso dai conservatori della chiesa evangelica e dalla neo-scolastica. Si ritrova anche nell'attuale ala integrista della chiesa cattolica. *b.* In contrasto con il primo modello, il secondo pone in primo piano, nella rivelazione, i grandi eventi della storia della salvezza che culminano nella morte e risurrezione di Gesù che permettono di interpretare la storia passata e futura. Questa rivelazione richiede una risposta di indefettibile speranza nel Dio della promessa e della salvezza. Con accentuazioni molto diverse, questo modello è rap-

presentato da O. Cullmann, W. Pannenberg, G.E. Wright. *c.* In un terzo modello – rappresentato da F. Schleiermacher, A. Sabatier, G. Tyrrel – la rivelazione è concepita prima di tutto come un'esperienza interiore di grazia e di comunione con Dio che si effettua in un incontro diretto e immediato di ciascuno con il divino. Dio comunica se stesso spontaneamente all'anima che si abbandona alla sua azione: questa esperienza è portatrice di salvezza e di vita eterna. Per alcuni Cristo resta mediatore di questa esperienza. In ogni ipotesi la risposta dell'uomo a questa esperienza mistica è quella della pia devozione, della preghiera del cuore. *d.* Un quarto modello, rappresentato da K. Barth, R. Bultmann, E. Brunner, G. Ebeling, concepisce la rivelazione come «manifestazione dialettica». Poiché Dio è il Trascendente, il totalmente Altro, egli stesso va incontro all'uomo che lo riconosce nella fede. La parola di Dio rivela e a un tempo nasconde la manifestazione di Dio. Il primato di Dio è assoluto. I bultmanniani tuttavia sottolineano che lo svelamento di Dio è nello stesso tempo svelamento all'uomo della sua condizione di peccatore. *e.* Secondo un quinto modello, la rivelazione trova il suo luogo privilegiato in un cambiamento dell'orizzonte ultimo dell'uomo. Si tratta di una nuova presa di coscienza dell'uomo di fronte all'azione trascendente di Dio che si rivela e all'impegno dell'uomo nella storia umana. Gli avvenimenti del passato hanno interesse solo in quanto interpretano il presente. La rivelazione ha un potere salvifico in quanto contribuisce a ristrutturare continuamente la nostra esperienza e il mondo stesso. La fede è la presa di coscienza di questo processo trasformatore della rivelazione. Tale modello è rappresentato, con diversi accenti, da M. Blondel, P. Tillich, K. Rahner, G. Baum, G. Moran, D. Tracy, A. Darlap e dalla teologia della liberazione sotto l'influenza di G. Gutiérrez e L. Boff.

A. Dulles cerca di ricuperare i valori di ogni modello, non con la scelta privilegiata di un modello, né per raggruppamento selettivo di modelli e neppure per via di armonizzazione, ma con un «superamento» che egli scopre nella mediazione simbolica: concretamente, nel Cristo-Simbolo che integra tutti i modelli e li perfeziona. Anche noi pensiamo che Cristo è la sola via di approccio alla rivelazione: è la sua persona di Verbo incarnato che assume, riclassifica, interpreta e decifra tutto. Optiamo per un approccio totalizzante della rivelazione cristiana che permetta di esprimerne la «singolarità», i tratti «specifici», offrendo così la possibilità di identificarla come tale e nello stesso tempo di distinguerla dalle altre religioni che hanno la pretesa di essere «rivelate». Proponiamo ora tratti che ci sembrano appartenere alla specificità della rivelazione cristiana.

VIII. TRATTI SPECIFICI DELLA RIVELAZIONE CRISTIANA - 1. *Principio di storicità* - Il primo tratto specifico della rivelazione cristiana è il legame organico con la *storia*. In senso molto generale, tutte le religioni sono storiche, cioè coesistenti con la storia, ma ciò che caratterizza la rivelazione cristiana non è solo il fatto di essere data nella storia e di possedere essa stessa una storia, ma di dispiegarsi a partire da eventi storici il cui senso profondo è reso noto da testimoni autorevoli, e di compiersi in un evento per eccellenza qual è l'incarnazione del Figlio di Dio: evento cronologicamente definito, puntuale, in situazione e in contesto rispetto alla storia universale. Dunque, al contrario della filosofia orientale, del pensiero greco e dei misteri ellenici che non accordano nessun posto alla storia o lo fanno solo in qualche caso, la fede cristiana è essenzialmente confrontata con «eventi» che sono «successi». La Scrittura ritraccia fatti, presenta persone, descrive istituzioni. In altri termini, il Dio della rivelazione cristiana non è solo il Dio del cosmo, ma il Dio di interventi, di irruzioni inattese nella storia umana; è un Dio che viene, che interviene, che agisce e che salva. Non si potrebbe parlare di rivelazione, né nell'AT né nel NT, di promessa o di compimento, senza una serie di eventi situati nel tempo in un ambiente culturale determinato e senza mediatori che rendono nota da parte di Dio la «significatività» di questa storia, tesa verso un compimento definitivo in Gesù Cristo.

Questo legame organico della rivelazione con la storia non è mai stato rinnegato o dimenticato, anche se nel corso dei secoli è stato talvolta poco sottolineato. Così il Vaticano I, l'abbiamo visto, presenta la rivelazione come un agire divino con il quale ci è comunicata la dottrina rivelata o il deposito della fede. Esso cita Eb 1,1, ma le implicazioni di questo testo non entrano in modo significativo nella descrizione della rivelazione: quest'ultima appare come un'azione verticale il cui esito è una dottrina su Dio, però tale azione tocca appena la storia. La coscienza cristiana, comunque, non ha mai dimenticato questo tratto fondamentale della rivelazione: ne è prova che la chiesa ha costantemente rifiutato tutte le forme di gnosi sempre rinascenti: da Marcione a Bultmann. Il Vaticano II ha ritenuto opportuno riaffermare con fermezza il carattere storico della rivelazione.

2. *Struttura sacramentale* - La DV sottolinea altrettanto fermamente che la rivelazione non si identifica con il tessuto opaco degli avvenimenti della storia. Essa afferma che si tratta insieme di una storia e della sua autentica interpretazione, che includono a un tempo l'orizzontalità del *fatto* e la verticalità del *senso salvifico* voluto da Dio e reso noto per mezzo dei suoi testimoni autorevoli: i pro-

feti, Cristo, gli apostoli. La rivelazione è contemporaneamente evento e commento. Dire che Dio si rivela *verbis gestisque* significa affermare che Dio interviene nella storia, ma con mediazioni: mediazione degli eventi, delle opere, dei gesti e mediazione di qualche eletto che li interpreta. Dio entra veramente in comunicazione con l'uomo, gli parla, ma con la mediazione di una storia significante e autenticamente interpretata. L'evento non elargisce tutto il suo senso se non con la mediazione della parola. Senza Mosè, l'abbiamo già notato, l'esodo sarebbe solo una migrazione tra le tante. Questa struttura sacramentale della rivelazione distingue la rivelazione cristiana da ogni altra forma di rivelazione, come anche da ogni apparenza di gnosi o di ideologia. L'affermazione di questa struttura, chiaramente espressa dalla DV, costituisce una rivoluzione le cui implicanze si fanno sentire a tutti i livelli. Per esempio, se è vero che la rivelazione cristiana si opera con *verba* e *gesta* di Cristo, ne segue che la trasmissione di questa rivelazione non si può ridurre alla comunicazione di un corpo dottrinale. La rivelazione diventerebbe allora discorso su Dio e sulla salvezza, ma senza impatto sulla vita.

3. *Progresso dialettico dell'AT* - La dimensione storica permea la rivelazione anche nel suo *progresso*, oltre che nella sua *struttura*. Tale progresso si effettua seguendo un duplice movimento dialettico: promessa e compimento (→ Testamento Antico/Nuovo, I) da parte di Dio; attenzione meditativa e fiduciosa da parte di Israele.

a. Agli occhi di Israele ciò che conta non è tanto il ciclo annuale in cui tutto ricomincia, quanto ciò che Dio *ha fatto, fa,* e *farà* secondo le sue promesse. Promessa e compimento costituiscono il dinamismo di questo tempo a tre dimensioni. Il presente abbozza il futuro annunciato e promesso nel passato. Ma ciò che dà impulso a questa storia e che mantiene il suo slancio è l'intervento del Dio della promessa. È la promessa infatti che rende sensibili alla storia, mediante la speranza che suscita nell'evento che la compirà. Poiché Dio è fedele alle sue promesse, ogni nuovo compiersi fa sperare in un compimento ancora più decisivo, e costituisce quasi un collegamento nel continuo svolgersi della storia verso il suo fine ultimo. Per questo il passato in Israele non è solo commemorato, ma visto come promessa per l'avvenire. La salvezza escatologica stessa è descritta nella categoria della promessa, ma di una promessa ampliata, di un compimento che sarà la trasfigurazione del passato. L'evento decisivo sarà un nuovo esodo, una nuova alleanza, una salvezza universale. Così, grazie alla promessa, tutta la storia è in cammino verso l'avvenire, verso un compimento definitivo di questa storia, che tuttavia non si può anticipare o definire chiaramente. Anche se, dal punto di vista fenomenico, la storia di Israele sembra in declino e incamminata verso la sconfitta, in realtà, al livello più profondo della promessa e della storia della salvezza, la rivelazione si avvia al tempo della pienezza che è il tempo di Cristo.

b. Alla dialettica della promessa e del compiersi della parola di Dio, corrisponde da parte di Israele un atteggiamento di attenzione meditativa e di fiducia nella promessa. Infatti, poiché la storia è il luogo della rivelazione di Jhwh, Israele non cessa di meditare sugli eventi che hanno segnato la sua nascita e il suo sviluppo come popolo. In particolare gli eventi dell'esodo, dell'elezione, dell'alleanza e della legge costituiscono una sorta di prototipo delle relazioni di Jhwh con il suo popolo, chiave di tutte le ulteriori interpretazioni. L'AT, nella sua forma attuale, è il frutto di questa continua riflessione multisecolare del popolo di Dio sotto la guida dei profeti e degli scrittori ispirati, a partire però dagli avvenimenti stessi. Le grandi compilazioni che chiamiamo jahvista, eloista, sacerdotale, il Deuteronomio, le Cronache, sono nate da questa riflessione: rappresentano riletture della storia della salvezza. L'unificazione dell'AT è dunque avvenuta non sulla base di una sistematizzazione logica, ma a partire dalla successione degli avvenimenti promessi e compiuti da Dio. Il principio di unificazione è prima di tutto l'agire di Dio nella storia secondo una concezione del tempo non semplicemente lineare, ma a *spirale*, fatta di cerchi sempre più ampi e ricchi di intelligibilità. Infine, poiché la rivelazione è soprattutto promessa e compimento, il tempo presente appare come un tempo di vigilante attesa, di speranza e di fiducia. Per Israele credere significa obbedire e fidarsi; riconoscere Jhwh come il solo Dio salvatore e fidarsi delle sue promesse. Nella misura in cui Israele cammina nel tempo, facendo la dolorosa esperienza della sua sconfitta e del suo peccato, vive nell'attesa di Colui che viene e della salvezza decisiva che egli porta. La speranza cresce al ritmo della sua miseria.

4. *Principio incarnazionale* - Se è vero che la rivelazione cristiana è storica, bisogna aggiungere subito un'altra caratteristica ancora più specifica della prima, cioè quella dell'incarnazione del Figlio di Dio tra gli uomini. L'incarnazione è il tempo della pienezza, il momento in cui il ritmo della storia precipita e si concentra nella persona del Verbo fatto carne. La novità è radicale e assoluta. Non solo Dio entra nella storia, ma assume per manifestarsi, ciò che vi è di più dissimile rispetto a lui: il corpo e la carne dell'uomo con tutti i rischi e i limiti del linguaggio, della cultura, dell'istituzione. Non solo Cristo porta la rivelazione: egli è *la* rivelazione, l'epifania di Dio. E tuttavia questa oscurità della carne diventa il mezzo privilegiato con il quale Dio vuole manifestarsi e donarsi definitivamente a noi in una rivelazione che non passerà. La grazia di Dio, dice Paolo, «è stata rivelata solo ora con l'apparizione del salvatore nostro Cristo Gesù» (2 Tm 1,10). In Gesù Cristo l'agape di Dio, cioè «la bontà di Dio, salvatore nostro e il suo amore per gli uomini» ci sono «manifestati» (Tt 3,4). In Gesù Cristo la vita che era in Dio «noi l'abbiamo veduta» (1 Gv 1,2-3). Grazie al segno dell'umanità di Cristo, Giovanni ha potuto vedere, ascoltare e toccare il Verbo incarnato. Nei termini della Scrittura, dunque, l'incarnazione è nella sua realizzazione concreta, la rivelazione di Dio stesso in persona.

Cristo è la parola epifanica di Dio. L'umanità di Cristo è l'espressione di Dio. In Cristo il segno raggiunge il suo massimo di espressività, poiché è presente e rivolto dalla pienezza del significato, cioè da Dio stesso. Cristo è il Sacramento di Dio, il Segno di Dio. È proprio questo principio incarnazionale che DV ha espresso in un testo di rara intensità e concisione: «Perciò egli (Gesù Cristo, Verbo fatto carne) con tutta la sua presenza e con la manifestazione di sé compie e completa la rivelazione e la corrobora con la testimonianza divina, che cioè Dio è con noi» (DV 4). Questo principio incarnazionale ha molteplici conseguenze per l'intelligenza della rivelazione:

a. Bisogna prima di tutto sottolineare che la funzione rivelatrice di Cristo risulta immediatamente dall'incarnazione. La rivelazione e l'incarnazione appartengono allo stesso mistero dell'elevazione della natura umana e del linguaggio umano. L'incarnazione sottolinea l'assunzione della carne da parte del Figlio con l'unione ipostatica, mentre la rivelazione sottolinea la manifestazione di Dio attraverso le vie della carne e del linguaggio. Ma sia l'incarnazione che la rivelazione sono automanifestazione e autodonazione di Dio. Rivelandosi, Dio si dona; e donandosi nell'incarnazione, Dio si rivela.

b. In secondo luogo, se con l'incarnazione vi è vera «umanizzazione» di Dio, ne segue che tutte le dimensioni dell'uomo sono assunte e utilizzate per servire da espressione alla persona divina. Non solo le parole e la predicazione di Cristo, ma anche le azioni, gli esempi, gli atteggiamenti, il comportamento nei confronti dei piccoli, dei poveri, degli emarginati, di tutti coloro che l'umanità ignora, disprezza o rifiuta, la passione e la morte, tutta la sua esistenza, sono un modo perfetto di rivelarci il suo mistero, il mistero della vita trinitaria e il nostro mistero di figli. Cristo si coinvolge interamente nella rivelazione del Padre e del suo amore. Bisogna dunque dire che l'amore di Cristo è l'amore di Dio reso visibile e che le azioni e le parole di Cristo sono le azioni e le parole umane di Dio.

c. Allargando l'applicazione di questo principio incarnazionale, possiamo dire che il Verbo di Dio assume, incarnandosi, le diverse culture dell'umanità per esprimere la salvezza cristiana a ogni popolo e per portare queste culture al loro compimento (→ Inculturazione). D'altra parte, sebbene Cristo appartenga a una cultura determinata, è a motivo della sua trascendenza come assoluto che salva le culture, compresa la propria, dalle loro deviazioni e scorie, purificandole, raddrizzandole, elevandole e rendendole perfette.

d. Comprendiamo meglio il senso di questa economia dell'incarnazione se osserviamo ciò che Cristo ha rivelato agli uomini: la condizione di figli e un *nuovo stile di vita*, una *prassi*. Ora, la rivelazione di questo nuovo stile di vita mediante il solo insegnamento orale sarebbe stata ben poco efficace e senza vero impatto; bisognava «illustrare», «esemplificare», *vivere questo nuovo stile di vita*. Per questo Cristo, Figlio del Pa-

dre all'interno della Trinità, è venuto tra gli uomini per rivelare loro la condizione di figli assumendo egli stesso la condizione di figlio. È ascoltando, contemplando e vedendo agire Cristo che ci è rivelata la nostra condizione di figli e che apprendiamo di quale amore il Padre ama il Figlio e gli uomini suoi fratelli adottivi.

5. *Centralità assoluta di Cristo* - Poiché Cristo è a un tempo il mistero rivelatore e il mistero rivelato, il mediatore e la pienezza della rivelazione (DV 2 e 4), ne segue che egli occupa nella fede cristiana una posizione assolutamente unica che distingue il cristianesimo da tutte le religioni, compreso l'ebraismo. Il cristianesimo è l'unica religione la cui rivelazione si incarna in una persona che si presenta come la verità viva e assoluta. Altre religioni hanno fondatori, ma nessuno di questi (Buddha, Confucio, Zoroastro, Maometto) si è proposto come oggetto della fede dei suoi discepoli. Credere in Cristo significa credere in Dio. Cristo non è un semplice fondatore di religione: egli è contemporaneamente immanente alla storia e suo Trascendente assoluto, non uno fra mille, ma l'Unico, il totalmente Altro.

Se Cristo è tra noi come il Verbo incarnato, i segni che permettono di identificarlo come tale non gli sono esterni, come un passaporto o un sigillo diplomatico, ma emanano da questo centro personale di irradiazione che è Cristo stesso. Poiché egli è in persona, nel suo essere interiore, luce e fonte di luce, Gesù pone gesti, proclama un messaggio, introduce nel mondo una qualità di vita e di amore mai viste, mai immaginate, mai vissute e fa sorgere il problema della sua reale identità. Infatti le opere, il messaggio e il comportamento di Gesù sono di un ordine diverso; manifestano nel nostro mondo la presenza del totalmente Altro. Colui che è vicino e in realtà il Trascendente, uno tra miliardi, eppure l'Unico; il predicatore itinerante e l'Onnipotente; il condannato a morte e il tre volte Santo. Questa presenza simultanea mette in allerta e ci interpella. Vi sono in lui i segni della debolezza, ma anche segni di gloria sufficienti per aiutarci a penetrare fino al mistero della sua reale identità. Gesù è in sé il segno che va decifrato, e tutti i segni particolari portano a lui come un fascio convergente. Questo mistero del discernimento dell'epifania del Figlio tra gli uomini, con la mediazione dei segni della sua gloria, è un altro tratto distintivo e nello stesso tempo scandaloso della rivelazione cristiana.

6. *Principio dell'«economia»* - Uno dei principali meriti della DV è stato quello di presentare la rivelazione cristiana non come mistero isolato, ma (secondo la tradizione patristica) come una vasta «economia», un disegno infinitamente sapiente che Dio scopre e realizza seguendo vie da lui previste. Iniziativa del Padre, questa economia raggiunge la storia e il suo culmine in Gesù Cristo, pienezza della rivelazione; poi si perpetua sotto l'azione dello Spirito Santo nella comunità ecclesiale mediante la tradizione e la Scrittura, nell'attesa della consumazione escatologica. Tutti gli elementi di questa economia si sostengono e si chiariscono reciprocamente; si organizzano in una sintesi di cui Cristo e lo Spirito sono il principio di unificazione e di irradiazione. Illustriamo brevemente quest'altro tratto della rivelazione cristiana.

In questa economia l'AT esercita una triplice funzione di preparazione, di profezia e di prefigurazione, dal momento che il Verbo di Dio, assumendo la carne e il tempo, qualifica tutto il tempo dell'economia della salvezza. Tutto ciò che è anteriore alla sua venuta è *preparazione*: preparazione di una famiglia secondo la carne, preparazione di un ambiente sociale, preparazione di un linguaggio come mezzo di espressione, pre-

parazione delle istituzioni (alleanza, legge, tempio, sacrifici, ecc.) e dei grandi eventi (esodo, conquista, monarchia, esilio, restaurazione) che hanno fatto della comparsa di Cristo una rivelazione situata, «in contesto».

In secondo luogo, l'AT come totalità è una *profezia* dell'evento di Cristo, cioè un abbozzo dell'evento escatologico che si costituisce nel corso dei secoli e che suscita l'attesa e il desiderio dell'evento stesso, imprevedibile e inaudito nella sua concreta determinazione. Solo quando l'evento sia dato, la profezia acquisisce tutto il suo senso e il suo peso. Infine, l'AT esercita una funzione di *prefigurazione* o di rappresentazione simbolica dell'*éschaton*: rappresentazione nella quale il fatto antico (avvenimenti, istituzioni, personaggi), conserva tutta la sua consistenza di fatto storico, ma nello stesso tempo si trova ampliato, superato, trasceso dalla presenza di Cristo tra noi, l'Emanuele.

Infatti quando il Figlio è presente tra noi ci è data tutta la novità. L'evento colma e supera l'attesa.

E tuttavia sebbene sia certo che l'AT, compreso alla luce del vangelo, acquisisce un senso nuovo, esso a sua volta, conferisce al NT una densità e uno spessore temporale quale non potrebbe avere da solo. Non si potrebbe comprendere il NT senza il discorso, sempre presente in trasparenza, dell'AT. Senza la chiave ermeneutica dell'AT, alcuni passaggi del NT, come la cena pasquale, il calice del sangue dell'alleanza nuova ed eterna, resterebbero ancora nella penombra. Camminando insieme ai discepoli di Emmaus, Cristo ha inaugurato un'era nuova dell'esegesi: egli è in persona l'esegeta dell'AT di cui è l'esito e il compimento.

Con Cristo la rivelazione fondatrice raggiunge il suo apogeo e il suo carattere definitivo. Essa tuttavia deve trasmettersi e perpetuarsi attraverso i secoli, tanto presente e attuale come il primo giorno. Con il tempo della chiesa la rivelazione entra nella sua fase di espansione, di sviluppo spazio-temporale. Sotto il suo aspetto di «economia», questa nuova fase di assimilazione e di inculturazione della rivelazione è altrettanto ricca di saggezza quanto la fase costituente.

Così come, infatti, la pienezza della rivelazione in Gesù Cristo è stata preparata dall'elezione di un popolo, con una sua lunga, paziente e progressiva formazione, con una preparazione del linguaggio e delle categorie atte a esprimere il vangelo, nello stesso modo la trasmissione della rivelazione non è stata consegnata al caso fortuito della storia e dell'interpretazione individuale. Bisogna già notare che la pienezza della rivelazione non ci è stata data per il tramite relativamente ordinario di un profeta, ma per il mezzo straordinario del Verbo incarnato. Nello stesso modo, la rivelazione è protetta da un insieme di carismi (→ Carisma) che sono opera dello Spirito: carisma dell'origine apostolica della tradizione, carisma dell'ispirazione della Scrittura, carisma dell'infallibilità conferito al magistero della chiesa. Questi carismi non solo sono al servizio della rivelazione per assicurarne la fedele trasmissione, ma sono essi stessi legati tra loro e in reciproco servizio (DV cap. II).

Indubbiamente una simile «economia» è qualcosa di inaudito, di unico nella storia; ma Cristo e il cristianesimo non sono altrettanto unici? Sebbene dunque sia vero che una rivelazione non può, come sembra, sfuggire alle vicissitudini del divenire storico, non bisogna tuttavia mai perdere di vista la singolarità della rivelazione cristiana e la specificità della sua «economia»: la sua preparazione (elezione), il suo progresso (profetismo), la comunicazione definitiva (Cristo, Verbo incarnato), la trasmissione (tradizione e Scrittura ispirata), la sua conservazione e interpre-

tazione (chiesa e carisma di infallibilità). In definitiva, proprio come Cristo presiede alla fase costituente della rivelazione, lo Spirito di Cristo presiede alla fase di espansione attraverso i secoli. Questa economia, tanto singolare quanto specifica, impedisce di assimilare la rivelazione cristiana a qualunque gnosi umana e alle altre religioni che si dicono ugualmente «rivelate».

7. Unicità e gratuità - Se la rivelazione si presenta come un intervento dell'azione di Dio nella storia umana, culminante nell'incarnazione del Figlio, è facile comprendere il suo carattere di gratuità e di unicità.

La rivelazione infatti non si presenta in una forma di conoscenza da scoprire, comunicata da un essere più intelligente, ma come novità assoluta. Il suo punto di partenza è un'iniziativa del Dio vivente, il cui atto creatore del cosmo non ne esaurisce l'infinita libertà. Questa volta si tratta di un evento creatore, di una creazione nuova, di un uomo nuovo, di una nuova vocazione e di un nuovo stile di vita. Si tratta di un nuovo statuto dell'umanità che fa dell'uomo un figlio di Dio e dell'umanità il corpo di Cristo. Una simile iniziativa sfugge a ogni esigenza e costrizione da parte dell'uomo.

Se ammettiamo che la → storia è un elemento costitutivo dell'uomo in quanto spirito incarnato, ne consegue che la storia è il luogo di un'eventuale manifestazione di Dio e che l'uomo deve interrogare la storia per scoprirvi il tempo e il luogo in cui la salvezza ha forse toccato l'umanità. Ma che Dio *effettivamente* esca dal suo mistero per invitare l'uomo a condividere la sua vita e che intervenga nel campo della storia umana, qui piuttosto che altrove, ora e non poi, questo deriva dal mistero della sua libertà.

Questo è già uno dei tratti più vigorosamente sottolineati dalla rivelazione vetero-testamentaria. Non è l'uomo che scopre Dio; è Jhwh che si manifesta quando vuole, a chi vuole e come vuole. Jhwh è libertà assoluta. Per primo egli ha scelto, promesso e stretto alleanza. E la sua parola contraddice le vie umane e carnali di Israele, fa risplendere ancor più la libertà e la continuità del suo disegno. Questa libertà si manifesta anche nella verità e nella molteplicità dei mezzi scelti da lui per rivelarsi. Ma soprattutto esplode nell'intervento decisivo dell'incarnazione. Appartiene al mistero insondabile dell'amore il fatto che Dio abbia deciso di rivelarsi e di salvare l'uomo assumendo la sua carne e il suo linguaggio e che abbia decretato di prolungare questa economia con un'economia omogenea di segni. La rivelazione è altrettanto gratuita e soprannaturale dell'incarnazione e della redenzione: tutte appartengono al mistero dell'elevazione gratuita della natura umana.

Infine, l'iniziativa di Dio di rivelare all'uomo le dimensioni dell'amore divino (cui invita a partecipare) con l'economia della *croce*, non può che apparire agli occhi dell'uomo come follia e delirio. E tuttavia è gettandosi nel più profondo e incredibile abisso di questa morte in croce, che l'amore di Dio si rivela in Gesù Cristo come amore del totalmente Altro. In nessun caso più di qui appare l'assoluta libertà e gratuità della rivelazione.

Epifania di Dio in Gesù Cristo, la rivelazione cristiana è luce verticale del mistero di Dio sul mistero dell'uomo. Non è l'uomo a rappresentare il parametro di Dio e a dettargli le forme più accettabili della sua azione, ma è Dio che misura l'uomo e lo invita all'obbedienza della fede. Questa è la costante prospettiva della Scrittura. Quindi, qualunque concezione della rivelazione che tendesse a ridurre quest'ultima al senso che l'uomo vuole riconoscerle, nella comprensione di se stesso, sarebbe un per-

vertire uno dei tratti più nettamente affermati dall'AT e dal NT. La rivelazione è *grazia* del Dio assolutamente libero. S. Paolo, quando vuole parlarne, non riesce a far altro che balbettare e renderle gloria (Eb 1). Solo rinunciando alle proprie prospettive e lasciandosi condurre dallo Spirito che sussurra in lui, l'uomo può cogliere qualcosa di questo mistero di grazia e di libertà.

A questo carattere di gratuità e di libertà possiamo collegare quello dell'*unicità*. Infatti se Cristo è la parola di Dio fatta carne, il figlio del Padre presente tra noi, colui in cui si esprime e si esaurisce l'amore di Dio per l'umanità, dobbiamo concluderne, insieme al Vaticano I e al Vaticano II, che l'economia apportata in lui e da lui non può essere considerata come un semplice episodio della storia della rivelazione (DV 4). La rivelazione del Cristo elimina la possibilità di un terzo testamento. Siamo entrati negli ultimi tempi. In Gesù Cristo Dio ci ha detto la sua unica parola e ci ha dato il suo unico Figlio. Tutto ciò che Dio voleva esprimere all'uomo circa il mistero di Dio e dell'uomo è stato detto e consumato nella parola totale e definitiva del Verbo di Dio.

8. *Carattere dialogico* - Per designare questo rapporto unico che la rivelazione stabilisce tra Dio e l'uomo con la mediazione degli eventi e la loro interpretazione, il Vaticano II, seguendo la Scrittura e tutta la tradizione patristica e teologica, mantiene l'analogia della parola: Dio ha parlato all'umanità. Parola, dialogo, rapporto d'amicizia con gli uomini, sono tutte forme che l'analogia della parola include e sono mezzi di comunicazione attestati dalla Scrittura. Ma quale profondità rivela questa analogia quando, applicata a Dio e purificata da tutte le imperfezioni, serve a descrivere questo incontro inaudito del Dio vivente con la sua creatura per mezzo di Mosè e dei pro-

feti e poi nella carne, nel volto e nella voce di Cristo, parola interiore del Padre fatta carne per chiamare tutti gli uomini e invitarli alla «comunione» con lui! Parola articolata divenuta vangelo, parola data, elargita, immolata fino al silenzio della croce in cui viene detta la suprema parola con le braccia stese e il cuore trafitto: Dio è amore. Questa struttura dialogica caratterizza tutta la rivelazione dell'AT e del NT.

Ma parlare di → *analogia* significa anche parlare di dissimilitudine, altrettanto e più che di similitudine. Da una parte è vero che la rivelazione, come la fede, si apre al mistero di una persona e non di qualcosa: di un io che si rivolge a un tu; di un io che, scoprendo il mistero della sua vita, fa scoprire all'uomo che tutto il senso dell'esistenza umana risiede nell'incontro di questo io e nell'accoglienza amorosa del dono che egli fa di se stesso. È anche vero che il vangelo non è semplicemente incontro «ineffabile» del Dio vivente, senza volto e contenuto, ma è annuncio della salvezza in Gesù Cristo. Con questo duplice aspetto di messaggio e di interpellanza, all'interno di uno svelamento personale di Dio per una comunione di vita, la parola di Dio evidentemente evoca ciò che gli uomini definiscono parola, cioè quella forma superiore di scambio con la quale una persona si esprime e si rivolge a un'altra per comunicare.

Ma d'altra parte, che abisso c'è tra questa parola d'uomo e la parola della rivelazione! Colui che in Gesù Cristo si rivolge all'uomo non è un semplice profeta, ma il Trascendente che si fa vicino, l'intangibile che si rende palpabile, l'eterno che invade il tempo, il tre volte Santo che si rivolge con amicizia alla sua creatura diventata, a causa del peccato, infelice e ribelle. Questo peccatore, Dio lo incontra al suo livello, come uomo tra gli uomini, e si rivolge a lui con gesti e parole che l'uomo può cogliere. Cristo inizia questo peccatore a ciò che vi è di più intimo in lui, cioè al mistero della sua intimità con il Padre e con lo Spirito. Tutto il vangelo infatti si presenta come una *confidenza* d'amore (Gv 13,1). Questa confidenza è cercata da Dio fino all'*estremo* dell'amore. Quando Cristo ha esaurito tutte le risorse della parola, del gesto e del comportamento, porta la sua testimonianza fino al compimento del → martirio, testimonianza suprema. Tutto ciò che vi è di ineffabile nell'amore del Padre per gli uomini si esprime allora nel dono del Figlio. All'uomo non resta altro che guardare e comprendere. Giovanni che ha visto le braccia stese sulla croce, che ha visto colare acqua e sangue, che ha visto il cuore trafitto dalla lancia, testimonia che Dio è amore. In Gesù Cristo l'amore si esprime e si dona nello stesso tempo.

L'uomo peccatore non potrebbe aprirsi a questo abisso dell'amore senza un'azione interiore che *rigenera* l'uomo dal di dentro e che gli permette di accogliere il totalmente Altro (Gv 6,44: 2 Cor 4,4-6; At 16,14). L'uomo non può rispondere alla rivelazione e assimilarla nella fede, se non gli viene dato un nuovo principio di conoscenza e di amore. Messaggio del vangelo e azione interiore dello Spirito costituiscono dunque le due facce, le due dimensioni dell'unica rivelazione cristiana: due dimensioni complementari che talvolta le circostanze storiche separano, ma che sono destinate a incontrarsi e a vivificarsi reciprocamente nell'economia della salvezza. Senza il messaggio, infatti, l'uomo non potrebbe sapere che la salvezza viene a lui e conoscere ciò che Dio realizza nel profondo dell'uomo in Cristo e con il suo Spirito; e, d'altra parte, senza la parola interiore a lui personalmente rivolta, l'uomo non potrebbe abbandonarsi al Dio invisibile e fondare su di lui tutta la sua vita. Infatti, un abisso separa sempre Dio e l'uomo. L'uomo ha bisogno di sicurezza che trova in ciò che vede e tocca, nella comprensione dell'universo in cui abita e nel soggiogarne le forze.

Ora, con la rivelazione l'uomo è invitato a fondare la propria vita non sulla sicurezza che gli procurano i sensi, ma sulla parola del Dio invisibile. Senza l'azione interiore dello Spirito l'uomo non sarebbe in grado di «convertirsi»; di rinunciare ad appoggiarsi a ciò che vede per abbandonarsi, *sulla parola*, a ciò che non vede. Quindi la rivelazione è oggettivamente data in Gesù Cristo come realtà, ma è assimilata dall'uomo solo grazie allo Spirito. La rivelazione cristiana è contemporaneamente automanifestazione e autodonazione di Dio in Gesù Cristo sotto l'azione interiorizzante dello Spirito.

La rivelazione cristiana come parola di Dio, per la sua struttura dialogica che la rende simile alla parola degli uomini e nello stesso tempo la distingue, costituisce una realtà assolutamente originale e specifica.

9. *Rivelazione di Dio, rivelazione dell'uomo* - L'uomo è enigma e mistero a se stesso. Infatti ciò che vi è di più profondo in lui, ciò che costituisce l'orizzonte primo in cui si staglia tutto il suo essere e il suo divenire è lo stesso mistero di Dio che si china verso l'uomo, che lo copre del suo amore e lo invita a un'intimità di vita con le persone divine. «In realtà», dice la *Gaudium et Spes*, «solamente nel mistero del Verbo incarnato trova vera luce il mistero dell'uomo. Cristo, che è il nuovo Adamo, proprio rivelando il mistero del Padre e del suo amore, svela anche pienamente l'uomo all'uomo e gli fa nota la sua altissima vocazione». (GS 22). «Chiunque segue Cristo, l'uomo perfetto, si fa lui pure più uomo» (GS 41).

Secondo Bultmann, la rivelazione non fa che rendere noto il senso della nostra esistenza di peccatori salvati dalla fede. Parlare di rivelazione significa parlare dell'uomo nel suo rapporto con Dio: è prima di tutto un discorso sull'uomo. È esatto che la rivelazione ci fa scoprire il senso della condizione umana, ma bisogna subito aggiungere che ciò avviene prima di tutto rivelandoci il mistero di Dio e della sua vita trinitaria. Cristo è la Luce che illumina ogni uomo, e non con una illuminazione che gli sarebbe estranea, ma con l'atto stesso con cui ci svela il mistero dell'unione del Figlio con il Padre nello Spirito. Infatti Dio può così rivelare il segreto della sua vita intima, solo se è per una comunione e una condivisione di vita.

Senza essere prima di tutto antropologia, la rivelazione ha una destinazione antropologica nella misura in cui è luce sgorgata dal mistero divino proiettata sul mistero dell'uomo. La grandezza dell'uomo è quella di essere chiamato a conoscere Dio e a condividere la sua vita. Per discernere la *specificità* della rivelazione cristiana nel suo rapporto con l'uomo bisogna dunque partire dalla fonte di luce, cioè Cristo, e non dalle tenebre che vanno rischiarate.

In questo caos e queste tenebre, il Cristo appare come *mediatore di senso*: colui in cui l'uomo giunge a situarsi, a decifrarsi, a comprendersi, a realizzarsi, e anche a superarsi. Quando l'uomo ascolta il Cristo, apprende qualcosa della ragione per cui si sente isolato, disorientato, ansioso, disperato. Un cammino di luce si apre di fronte a lui e illumina la vita, la sofferenza, la morte. Il messaggio del Cristo è misterioso, ma è fonte di senso sempre zampillante.

L'essenziale di questo messaggio è che l'uomo, se lasciato a se stesso, è solo odio e peccato, egoismo e morte, ma che, per grazia, l'amore assoluto si è introdotto nel cuore dell'uomo per conferirgli, se vi consente, la sua vita e il suo amore. Cristo è colui nel quale e per mezzo del quale ci è fatto questo dono. Figlio del Padre all'interno della Trinità, Dio nella carne tra gli uomini, egli fa di noi i figli del Padre che hanno in sé lo Spirito del Padre e del Figlio, che è Spirito d'amore e che raduna tutti gli uomini in questo amore. È ancora in Cristo che il «mistero degli altri» affiora nella sua verità profonda. Gli «altri» sono Cristo, chiamata del Padre all'amore per tutti gli uomini. «Gli altri» sono il Figlio dell'uomo, servo sofferente che ha fame e sete, che è nudo, malato, abbandonato, ma destinato alla gloria del Figlio prediletto. In Cristo non vi è più «straniero», ma vi sono figli dello stesso Padre e fratelli dello stesso Cristo. Non vi è altro che l'amore del Padre e del Figlio e l'amore degli uomini tutti uniti dallo stesso Spirito. La libertà è a sua volta consenso all'amore che invade l'uomo, apertura all'amicizia divina che invita alla condivisione della sua vita. La morte stessa non è tanto una rottura quanto un compimento e una maturazione, un passaggio del figlio alla casa del Padre, l'incontro definitivo dell'Amore accolto nella fede. In ciò sta la *salvezza*.

La presenza del Cristo nel mondo appare quindi come pienezza d'amore. Questo è il suo senso e il senso che conferisce alla condizione umana. Se Dio è Amore (1 Gv 4,8-10), l'amore di Dio, in Cristo, non è mai stato più simile a quell'Amore; mai l'ha evocato in modo più sconvolgente. In un mondo di interesse e di egoismo, Cristo appare come l'amore puro e senza macchia, ardente e fedele, *donato, consegnato* fino al sacrificio della vita per la salvezza di tutti: *dilexit, tradidit se ipsum*. In Cristo gli uomini scoprono l'esistenza di un Amore assoluto che ama l'uomo per se stesso e in se stesso, senza ombra di repulsione, e scoprono la possibilità di un dialogo e di una comunione con questo Amore. Hanno immediatamente la rivelazione che il *vero senso dell'uomo* è quello di entrare liberamente nella corrente della vita trinitaria; entrarvi «liberamente» come una persona, senza dissolversi o perdersi nell'Assoluto. Il *senso ultimo* dell'uomo è rispondere al dono di Dio, accogliere questa incomprensibile e sconvolgente amicizia, rispondere a questa offerta di alleanza tra l'infinito e la nostra miseria. Nell'ottica cristiana l'uomo realizza davvero se stesso solo nell'attesa e nell'accoglienza del dono di Dio, dell'Amore.

10. *Tensione presente-passato* - Il messaggio della fede è stato definitivamente costituito dalla deposizione dei testimoni e dei confidenti di Cristo, gli apostoli. E tuttavia, se non vuole diventare parola senza risonanza, questo messaggio deve restare vivo come nel giorno della sua proclamazione. L'uomo del secolo XX deve sentirsi raggiunto dalla parola di Cristo in modo altrettanto vivo quanto il giudeo, il greco o il romano del primo secolo; infatti il progetto del vangelo è di suscitare nell'umanità un dialogo che finirà solo con la storia. Parola rivolta a un ambiente determinato e in un momento preciso del tempo, deve tuttavia incontrare gli uomini di tutti i tempi nella loro situazione storica, ogni volta unica, e deve rispondere alle loro domande, alle loro inquietudini per avviarli a Dio. La chiesa trasmette il messaggio, ma nello stesso tempo deve anche riesprimerlo in funzione della cultura, del linguaggio e delle esigenze di ogni generazione.

Ne deriva dunque una tensione inevitabile tra il *presente* e il *passato*. Da una parte, infatti, la chiesa non deve legarsi alla lettera del passato al punto da cadere in una sorta di primivitismo o di romanticismo delle fonti. E dall'altra, non deve nemmeno, con il pretesto di rispondere alle aspirazioni del mondo contemporaneo, sacrificare Cristo e il suo messaggio, come fa Bultmann o il protestantesimo liberale dell'ultimo secolo.

In questo lavoro di interpretazione

e di attualizzazione indefinita del messaggio, la chiesa è costantemente esposta a questo duplice pericolo: mancare del necessario adattamento in nome della fedeltà al passato o compromettere il messaggio stesso con il pretesto di revisionismo spirituale. Essa può essere vittima del ristagno, dell'immobilismo o delle forme passeggere della moda del tempo. Sicuramente resta inevitabile la tensione tra il passato, dato e pacificamente posseduto, e l'adattamento ancora oscuro e incerto al presente e all'imminente futuro. La chiesa è condannata a vivere nella precarietà.

I binomi di tradizione e interpretazione (a livello del messaggio), di vangelo e inculturazione (nella presentazione del messaggio), di tradizione e sviluppo (a livello dell'intelligenza e della formulazione) esprimono ognuno a suo modo questa singolare condizione della rivelazione cristiana.

Di fatto la chiesa manifesta nella predicazione la volontà di non lasciar cadere niente del messaggio ricevuto, di non alterarlo e di non introdurvi alcuna novità, ma di conservarlo intatto e di proporlo secondo il suo vero senso. D'altra parte riconosce di avere l'obbligo di comprendere il vangelo con una freschezza sempre nuova per attingervi risposte inedite a problemi inediti. Essa deve predicare il vangelo come buona notizia per l'*oggi*. Deve, come dichiara → l'*Ecclesiam Suam*, «inserire il messaggio cristiano nella circolazione di pensiero, di espressione, di cultura, di usanze, di tendenze dell'umanità, così come vive e si agita oggi sulla faccia della terra» (AAS 1964, 640-641). Dal canto suo la *Gaudium et Spes* riconosce che la chiesa attraversa una nuova era della storia e che deve in ogni momento «scrutare i segni dei tempi e interpretarli alla luce del vangelo» per rispondere agli interrogativi degli uomini di ogni generazione (GS 4). E aggiunge: «La ricerca teologica non trascuri il contatto con il proprio tempo». Essa aiuterà così i pastori «che potranno presentare ai nostri contemporanei la dottrina della chiesa intorno a Dio, all'uomo e al mondo in maniera più adatta, così che quella parola sia da loro accettata ancor più volentieri» (GS 62). Questo lavoro di attualizzazione e di presentazione della parola di Dio si articola con una tradizione iniziata alle origini della chiesa e mai interrotta. Così il Vaticano II ha confrontato il vangelo su molti punti con i problemi che le epoche precedenti non potevano nemmeno porsi, poiché sorti in un contesto differente.

Questa fedeltà al passato senza esserne schiavi e questa fedeltà nell'attualizzazione, costituisce a un tempo un paradosso e un tratto specifico della rivelazione cristiana. Per apprezzare la gravità di questa tensione basti pensare alle difficoltà di molte comunità protestanti: alcune ferocemente attaccate alla lettera del vangelo ma senza vera creatività (comunità protestanti di tipo fondamentalista); altre, al contrario, troppo preoccupate dell'uomo contemporaneo e della sua filosofia, pronte a sacrificargli punti essenziali del messaggio. La chiesa vuole essere custode di un passato che non è un museo, ma è fonte sempre zampillante e vivificante. Essa poggia sul passato per comprendere il presente; resta fedele alla rivelazione senza edulcorarla; fedele a Cristo senza svuotarlo di senso e, d'altra parte, non cessa di ripetere: *oggi* Cristo è presente e vivo.

11. *Tensione storia-escatologia* - Così come esiste una tensione tra passato e presente, esiste anche una tensione tra rivelazione della storia e rivelazione della parusia. L'interesse di molti teologi contemporanei si dirige volentieri su questo atto finale della rivelazione, al punto talvolta da falsare il difficile equilibrio tra i due termini di questa nuova tensione.

Non c'è alcun dubbio che agli occhi della Scrittura, l'evento decisivo della rivelazione sia stato dato in Cristo. In lui la salvezza è resa nota e compiuta, l'avvenire è iniziato. Dire infatti che la rivelazione culmina e si compie in Gesù Cristo significa dire che, poiché Cristo è Dio-tra-noi come parola del Padre, il dialogo di Dio è giunto al culmine; in questo dialogo infatti Dio non ha voluto comunicare all'uomo una certa quantità di verità, ma comunicare *se stesso* con la sua Parola. Lo scopo della rivelazione è dunque raggiunto quando, attraverso la Parola, l'Amore *appare* e quando, in questa Parola, Dio e l'uomo si incontrano e comunicano. Ora, in Gesù Cristo, Dio si è storicamente dato e comunicato interamente. Dunque la rivelazione, storicamente data in Gesù Cristo, è la rivelazione decisiva, quella che nutre la nostra fede, la speranza e la carità.

Ciò che caratterizza la rivelazione storica è la categoria dell'*ora* (nunc) e dell'*oggi* (hodie). Con la presenza di Cristo «il tempo è compiuto» (Mc 1,15), la «pienezza dei tempi» è giunta (Gal 4,4). Paolo, che desidera con forza la manifestazione finale di Cristo, non cessa tuttavia di ripetere: «ora» il mistero, un tempo nascosto, è rivelato (Rm 16,25); «ora» la giustizia di Dio si manifesta (Rm 3,21); «ora» si compie la predicazione del vangelo «per rendere ciascuno perfetto in Cristo» (Col 1,25-28). La rivelazione del NT si presenta anche, sopratutto in Giovanni, come *l'ecco* (ecce) di una persona, cioè di Cristo, con la salvezza che egli porta e manifesta. A questo *ecco* corrisponde l'*Io sono* di Cristo. In lui la rivelazione è divenuta una persona presente in mezzo a noi.

Questo carattere decisivo della rivelazione storica non esclude comunque la speranza e l'attesa del Cristo glorioso. Il compimento include anch'esso un *già* e un *non ancora*. S. Paolo, che predica con tanto zelo la rivelazione portata da Cristo, desidera

nello stesso modo la rivelazione escatologica (1 Cor 1,7; 2 Ts 1,7). Avendo beneficiato, nel momento della sua conversione, di un'«apocalisse» del figlio di Dio, attende la piena manifestazione della *gloria* del suo Signore e della *gloria* di tutti coloro che si sono configurati in Cristo (Rm 8, 17-19). Infatti «ciò che sarebbe non è stato ancora rivelato» (1 Gv 3,2). Infine la chiesa annuncia sempre che il Signore viene, che deve venire. Attende il ritorno dello Sposo e la manifestazione gloriosa di ciò che già esiste sotto il velo della fede.

Dobbiamo tuttavia sottolineare che esiste una differenza essenziale tra la prima e l'ultima attesa di Cristo, tra la rivelazione della storia e quella della parusia. Nell'AT la promessa trova il suo compimento in un futuro che non si è ancora verificato. Con il Cristo, al contrario, ciò che vi è di decisivo, rispetto sia al passato che al futuro, è *accaduto*. Con Cristo l'avvenire è già dato e iniziato. In Cristo, vita eterna tra noi, la storia conosce una soglia, uno stadio inatteso. La rivelazione non definisce semplicemente Dio e l'uomo come «non-mondo», ma annuncia che Dio è *nel* mondo, affinché gli uomini vivano nel mondo, ma orientati a Dio in un *qui* che è *già* la vita eterna, che inaugura, nel tempo, la vita al di fuori dei limiti del tempo, ma passando, come il Cristo, attraverso la morte temporale e la risurrezione alla vita eterna. Il cristiano ha il proprio futuro dietro di sé, poiché con il battesimo è passato dalla morte alla vita. Se la speranza e l'attesa del Signore è così viva in S. Paolo e nella chiesa è proprio perché l'evento decisivo è sopraggiunto e garantisce ciò che verrà. Se speriamo nel *ritorno* di Cristo è perché egli è *già venuto*. Non è la parusia che illumina il NT, ma piuttosto l'evento-Cristo che, con tutto ciò che include, illumina il futuro. Il futuro è *certo*, poiché l'evento-Cristo ha *illuminato, irradiato* il prima e il dopo, fino a quel momento ancora nelle tenebre. È l'epifania nella storia che garantisce l'apocalisse; ed è essa che rilancia costantemente la chiesa sulla strada della conversione, del ringiovanimento e della santità, per essere degna di incontrare il suo Signore. Ogni futuro, quello di Cristo, come quello dei cristiani, sarà il *futuro* di questo *ora*. Ogni avvenire è l'avvenire della rivelazione compiuta in Gesù Cristo.

Ci sembra quindi eccessivo presentare la rivelazione come se non fosse altro che promessa, attesa, escatologia, apocalisse. A questo proposito la teologia di J. Moltmann ci sembra troppo influenzata dal *pattern* della rivelazione vetero-testamentaria. Non arriveremo mai certamente a sopprimere la reale tensione esistente tra ciò che è successo e ciò che accadrà. La rivelazione storica stessa attesta nello stesso modo tanto l'apocalisse finale di Cristo quanto la sua epifania nella storia. Ridurre o svuotare l'una delle due sarebbe dunque un'infedeltà al dato rivelato.

Per il Vaticano II la rivelazione che corrisponde alla nostra reale condizione di *viatores*, di pellegrini, è quella che ci è accessibile e assimilabile in Cristo: «con tutta la sua presenza e la manifestazione di sé» egli «compie e completa la rivelazione e la corrobora con la testimonianza divina» (DV 4). Il concilio usa il termine *rivelazione* per designare prima di tutto la manifestazione storica di Dio nel Verbo fatto carne. Per designare la manifestazione di Dio nella creazione, il concilio parla della «perenne testimonianza di sé nelle cose create» (DV 3); e per designare l'evento finale della parusia, parla di «manifestazione gloriosa del Signore nostro Gesù Cristo» (DV 4). *Rivelazione* è un termine riservato alla manifestazione e alla comunicazione storica di Dio in Gesù Cristo. Creazione e parusia sono chiamate anche «manifestazione» di Dio. Ma solo la manife-

stazione storica di Dio nell'incarnazione del Verbo incarnato, riceve il nome di *rivelazione* che resta il termine tecnico consacrato. La fede e la speranza tendono al ritorno glorioso di Cristo ma, in Cristo, l'avvenire già ci appartiene. Scopriremo allora con rapito stupore Colui che nella fede è già il compagno di tutti i nostri giorni.

12. *Il Cristo, norma di ogni interpretazione della salvezza* - Il punto di partenza di qualunque considerazione teologica sulla salvezza e sulla rivelazione è Cristo. Egli è l'unico punto di riferimento e di intelligibilità della storia della salvezza e della storia della rivelazione. *Archê* e *télos*, egli è colui che dà a ogni cosa il suo senso ultimo e non equivoco. È la chiave d'interpretazione dei tempi che precedono e seguono la sua venuta, come anche di tutte le forme della salvezza anteriori, contemporanee e successive alla sua venuta storica. Prendere quindi la rivelazione cristica come criterio universale in materia di salvezza e di rivelazione non è segno di disprezzo o di diffidenza nei confronti delle altre religioni, ma è al contrario l'unico mezzo per situarle e valorizzarle. Procedere nel modo contrario, equivarrebbe a sostituire le tenebre alla luce piena e a chiedere all'inspiegato di chiarire lo spiegante. È quindi a partire da Cristo, considerato come «universale concreto» che tenteremo di precisare il rapporto della rivelazione nel senso «tecnico» che le viene riconosciuto dal Vaticano II e dalla DV in poi, con realtà che le sono strettamente imparentate e chiamate troppo spesso abusivamente «rivelazione». Qui come altrove le confusioni terminologiche conducono presto alla confusione sul piano delle realtà.

13. *Rivelazione e storia della salvezza* - La storia della salvezza è coestensiva alla storia dell'umanità. Dio «ebbe costante cura del genere umano, per dare la vita eterna a tutti co-

loro i quali cercano la salvezza con la perseveranza nella pratica del bene» (DV 3). Il concilio non identifica pertanto rivelazione e salvezza. Ogni fase della storia precedente a Cristo è storia della salvezza (→ Storia, V) ma non è *in senso stretto* storia della rivelazione; poiché essa si ignora come storia della salvezza. Senza la rivelazione cristiana non possiamo sapere con certezza ciò che succede nel cuore della storia profana. Ripetiamo, la migrazione di Israele senza l'interpretazione di Mosè in nome di Dio non apparterrebbe alla storia della rivelazione, ma si confonderebbe con la moltitudine delle migrazioni della storia universale. La salvezza è presente dovunque ma non è «pienamente rivelata» se non in Gesù Cristo. Cristo infatti, insieme all'AT, l'annuncia e la prepara, dà alla storia della salvezza coscienza di se stessa e della sua specificità rispetto alla storia profana (politica, giuridica, sociale, economica, militare, culturale). Se è così, non è forse meglio, seguendo in questo la tradizione della chiesa, riservare il termine *rivelazione* e *storia della rivelazione* per designare prima di tutto la rivelazione in Gesù Cristo e per mezzo di Gesù Cristo?

14. *Rivelazione trascendentale e rivelazione speciale* - Allora come designare la grazia della salvezza accordata a tutti gli uomini (che alcuni autori chiamano anche rivelazione trascendentale o universale) e come precisare il suo rapporto con la rivelazione cristiana chiamata, anche in questo contesto, speciale o categoriale?

Cominciamo con il descrivere e identificare la realtà di cui stiamo trattando. Per «rivelazione trascendentale o universale» si intende l'autocomunicazione diretta o gratuita che Dio fa di se stesso a ogni uomo che viene al mondo (nell'attuale economia). Questa azione «elevante» di Dio si inserisce misteriosamente nel dinamismo cognitivo e volitivo dell'uomo. Sebbene non sia oggetto di coscienza riflessa e discorsiva, essa è tuttavia come il primo orizzonte dato insieme con l'esistenza, su cui si inscrive l'agire umano. Quando l'uomo si abbandona nel profondo della sua coscienza a questa grazia, anche se ne ignora l'esistenza, il nome e l'autore, egli opera la propria salvezza. Ma una cosa è riconoscere questa azione interiore della grazia e un'altra è qualificarla come «rivelazione».

La Scrittura da parte sua attesta che la rivelazione storica data in Gesù Cristo può essere accolta solo nel contesto di una soggettività toccata dalla grazia. Essa richiede quest'azione interiore: un'«attrazione» (Gv 6,44), un'«illuminazione» paragonabile alla luce della creazione del primo mattino (2 Cor 4,4-6), un'«unzione» di Dio (2 Cor 1,22), una «testimonianza» dello Spirito (1 Gv 5,6) e, una volta soltanto, una «rivelazione» interiore (Mt 11,25; 16,17). Nel movimento verso il Cristo, che è l'accoglienza della rivelazione per mezzo della fede, vi è Qualcuno che opera per primo. Questa azione interiore tuttavia mantiene l'incognito: tanto che in Mt 16,17 si osserva che Cristo stesso deve rendere nota a Pietro questa azione della grazia in lui. Questa azione interiore di Dio, che è in modo identico la grazia della salvezza e della fede, è come la *dimensione interiore* della rivelazione cristiana, poiché non vi sono due rivelazioni, due vangeli, ma due facce o dimensioni di un'unica rivelazione, di un'unica parola di Dio. Ora la grazia interiore è la salvezza offerta ma non identificata. È solo con la rivelazione storica, categoriale, che l'azione salvifica di Dio diventa cosciente e nota in categorie umane. È solo per mezzo del vangelo che conosciamo la volontà salvifica universale di Dio e i mezzi di salvezza messi a disposizione di tutti gli uomini. Ora spetta all'economia della salvezza far sì che il disegno di Dio in Gesù Cristo sia riconosciuto, reso noto e portato a conoscenza delle nazioni. Ma spetta alla natura umana, alla creatura razionale, far sì che l'opzione di fede, che coinvolge tutta la vita, sorga all'interno di una coscienza pienamente illuminata sulla serietà e la rettitudine di questa opzione.

Dunque la rivelazione raggiunge la maturità solo quando la storia della salvezza sa positivamente e con sicurezza di essere voluta da Dio. Ora solo l'evento-Cristo è l'evento pieno e definitivo che sfugge non solo all'anonimato ma anche a ogni falsa interpretazione della storia della salvezza e a ogni ambiguità. La rivelazione trascendentale resta fondamentalmente ambigua senza la luce della rivelazione storica e categoriale. L'orizzonte dell'uomo verso il futuro è apertura su un orizzonte indefinito che può ricevere un'interpretazione di tipo panteista, teista o ateo. Solo la rivelazione di Dio nella storia può dissolvere l'ambiguità di fondo che circonda la rivelazione trascendentale.

Di conseguenza ci sembra abusivo, a livello di linguaggio *teologico*, confondere semplicemente storia della salvezza, grazia della salvezza e storia della rivelazione, creando così l'impressione che *la* rivelazione sia prima di tutto la grazia della salvezza dispensata agli uomini di tutti i tempi; mentre la rivelazione cristiana, storica, categoriale, sarebbe solo un episodio più importante, un momento più intenso della rivelazione universale, una sorta di rivelazione settoriale o una filiale della rivelazione trascendentale. La verità è che questa distinzione tra rivelazione universale (grazia della salvezza) e rivelazione speciale (in Gesù Cristo) travisa la realtà. La rivelazione universale autentica non è anonima: è quella che si compie in Gesù Cristo e che conferisce all'uomo la grazia della salvezza prima e dopo di lui. Ciò che è *speciale* non è il cristianesimo, che

è l'*universale concreto*, in Gesù Cristo, l'universale assoluto. Questo universalismo cristiano include l'AT, che è svolgimento progressivo della rivelazione piena, germinazione della rivelazione totale fino a Gesù Cristo. Rovesciare le prospettive vuol dire oscurare la luce, prolungare una confusione che non trova alcun sostegno nella Scrittura e nel magistero, per i quali la rivelazione si presenta come un'irruzione storica, inaudita, da parte di Dio in mezzo a noi. Confondere questa irruzione puntuale con la grazia salvifica, anonima e universale che invade l'uomo a sua insaputa, significa aumentare il numero già troppo elevato delle ambiguità che ingombrano la teologia. La DV si tiene con cura a distanza da questi equivoci. Se cerchiamo un termine adatto a discernere l'azione di questa grazia della salvezza, possiamo parlare, seguendo la Scrittura, di attrazione, di illuminazione, di testimonianza o, come Tommaso, di istinto interiore, parola interiore. Inoltre se vogliamo sottolineare che la rivelazione cristiana è a un tempo vangelo esteriore e grazia interiore, azione congiunta di Cristo e del suo Spirito, possiamo parlare della dimensione interiore dell'unica rivelazione, dell'unica parola di Dio.

15. *Rivelazione e storia delle religioni* - Se il Cristo è la pienezza della rivelazione, Dio-tra-noi, ne segue che egli è l'unica interpretazione autentica di tutte le forme della salvezza, anteriori, contemporanee e successive alla sua venuta storica. È vero che la grazia della salvezza, in quanto opera in uno spirito segnato dalla storicità, tende a oggettivarsi nei riti, nelle pratiche, in un linguaggio. Sotto l'azione di questa grazia gli uomini cercano a tastoni, vagamente presentendo un mistero si salvano. Le grandi religioni (per esempio → l'induismo e il → buddhismo), la cui intenzione principale è la liberazione dell'uomo, sono tentativi di interpre-

tazione di questa grazia che agisce a loro insaputa e senza che ne abbiano una conoscenza riflessa; ma poiché mancano di un criterio di discernimento, l'interpretazione che danno dell'incognito della salvezza, comporta insieme a elementi validi, ingredienti umani, ambiguità, devianze ed errori. Le grandi religioni della storia hanno un rapporto positivo con la rivelazione cristiana, ma la qualità e l'esattezza del loro contenuto devono essere precisate. Ora, solo Cristo è la «pienezza della vita religiosa» (NA 2). Anche l'AT, preso isolatamente, non dà della propria rivelazione un'interpretazione assoluta e infallibile, poiché non conosce ancora la Parola definitiva che dissolve le sue ambiguità, che illumina le figure e dissipa le ombre. Solo Cristo rende possibile la perfetta intelligenza dell'AT cosí come di tutte le esperienze religiose dell'umanità.

Unicamente il vangelo di Cristo, proclamato dalla chiesa, costituisce un evento che si interpreta da solo infallibilmente; infatti qui il principio di interpretazione è Dio stesso in Gesù Cristo. Ora il Verbo illumina in modo diverso le diverse religioni che si presentano come raggi di questa Verità che illumina ogni uomo che viene al mondo (NA 2). Possiamo parlare a loro riguardo di *illuminazione* o di *manifestazione* che Dio fa di se stesso attraverso il cosmo, attraverso le vie della conoscenza o altre esperienze, per esprimere così l'azione del Verbo sull'umanità: niente sfugge a questa azione che è fonte e norma di ogni verità. Ma la rivelazione cristiana è una realtà molto specifica da non confondersi con realtà connesse o che presentano elementi parzialmente simili.

16. *Rivelazione ed esperienza* - In questi ultimi tempi la teologia della rivelazione è stata spesso confrontata con il concetto di *esperienza*, anch'esso molto ambiguo quando lo si

applica alla rivelazione. All'origine di questo rapporto rivelazione-esperienza bisogna porre il protestantesimo liberale di F. Schleiermacher e di A. Sabatier. In reazione a Kant, Schleiermacher (1768-1834) si è dedicato a rivalorizzare il sentimento e l'esperienza religiosa. Per lui la rivelazione si confonde con l'esperienza religiosa e immanente dell'uomo. Ciò che avviene nel credente è la ripetizione personale e imperfetta della coscienza di Dio che Gesù aveva in modo perfetto. Per A. Sabatier, come per Schleiermacher da cui dipende, l'essenza del cristianesimo si trova in un'esperienza religiosa, in una rivelazione interiore di Dio che avviene per la prima volta nell'anima di Gesù di Nazareth, ma che si verifica e si ripete, in modo indubbiamente meno luminoso ma non misconoscibile, nell'anima di tutti i suoi veri discepoli (*Esquisse d'une philosophie de la religion*, Paris 1897, 187-188). La rivelazione è un'«esperienza religiosa» che «deve potersí ripetere e continuare come rivelazione attuale ed esperienza individuale» nella conoscenza di tutti gli uomini di tutte le generazioni (*Ibid.*, 58-59). Più recentemente G. Moran (in *The present Revelation, the Search of religious Foundations*, New York 1972) ha ripreso come sue, consapevolmente o meno, le posizioni di Schleiermacher e di Sabatier, identificando rivelazione ed esperienza interiore personale. Questa esperienza personale non è sottomessa a nessuna norma. La Scrittura merita rispetto ma la guida suprema è l'esperienza. La rivelazione è un'esperienza che si compie tra due persone, da soggetto a soggetto. Dal momento in cui si privilegia il versante oggettivo del termine, si ritrova, secondo Moran, l'idea di «rivelazione cristiana», ostacolo insormontabile. La rivelazione si compie nell'esperienza quotidiana.

In queste posizioni sul rapporto rivelazione-esperienza appare nuovamente un'ambiguità di fondo. Si dimentica che la rivelazione comporta sempre un duplice dono: Dio *si manifesta e si dona*, ma vi è anche *ciò grazie a cui* possiamo ricevere questo dono, cioè l'esperienza *originale e fondatrice* che è l'autocoscienza di Gesù, l'illuminazione del profeta, l'esperienza di Gesù vissuta dagli apostoli. D'altra parte, vi è l'accoglienza della rivelazione fondatrice per mezzo della *fede* nei testimoni che sono all'origine della rivelazione. Nelle posizioni che abbiamo appena descritto si confonde la fede nei testimoni con l'esperienza della rivelazione fondatrice. Prima di essere esperienza della parola di Dio, sempre attuale nella nostra coscienza e nella vita di oggi, la rivelazione è stata, nel suo sorgere originale, esperienza di questa Parola nella coscienza di Gesù, dei profeti e degli apostoli. La nostra esperienza è vissuta interiormente sotto il regime della fede: la fede e la mediazione dell'esperienza dei testimoni della rivelazione costituente. La rivelazione cristiana non è solo passaggio da un'esperienza comune a un'esperienza più intensa, ma è un salto di qualità, una novità assoluta realizzata dalla presenza personale di Dio tra noi nel Figlio. La categoria di esperienza non basta a spiegare la rivelazione: bisogna aggiungervi la mediazione storica di Cristo, dei profeti, degli apostoli e la mediazione della fede in questi testimoni autorizzati. Non si può confondere e assimilare questi due tipi di esperienza. Una giusta concezione della rivelazione cristiana evita entrambi gli estremi: un immanentismo che elimina praticamente la rivelazione in Cristo; un estrinsecismo che ne farebbe l'oggetto di un puro consenso dello spirito a verità che gli sono inaccessibili.

Se possiamo parlare propriamente di esperienza vissuta e cosciente è prima di tutto a livello della rivelazione fondatrice. Quindi l'autocoscienza di Gesù come Figlio del Padre è la rivelazione *alla fonte*. La profondità di questa autocoscienza ci sfugge. Vi è in Gesù un «sancta sanctorum», un santuario, poiché ha origne dalla vita trinitaria stessa esprimendosi nella umanità di Gesù e attraverso di essa.

Questa autocoscienza ci è tuttavia accessibile nei segni e nelle irradiazioni che ce ne danno i vangeli attraverso termini come → *Abba*, che indica un'intimità unica ed esclusiva con il Padre, nelle parabole sul rapporto Padre-Figlio come quella dei vignaioli omicidi o nel *lóghion* di Mt 11,27; Lc 10,21-22, che manifesta tra Padre e Figlio una conoscenza reciproca che è anche comunione di vita (→ Cristologia). Anche il profeta gode di un'esperienza privilegiata, grazie alla luce che lo invade, che eleva il suo spirito e gli permette di discernere ciò che sarebbe incapace di scoprire da solo. Questo è l'esplodere della luce che il profeta coglie senza esplicito ragionamento: Dio è l'autore della luce ricevuta e della verità che scopre. Il profeta non è solo ricettore, come noi, della rivelazione per mezzo della fede, egli è anche l'organo della rivelazione e fonte della sua crescita. Tuttavia non possiamo comprendere come si articolino nella coscienza del profeta questi due piani della rivelazione costituente e della rivelazione accolta con la fede. Gli apostoli infine hanno un'esperienza unica e privilegiata di Cristo (1 Gv 1,1-3). Partecipiamo alla loro esperienza del Verbo di vita solo con la mediazione della loro testimonianza e con la fede in tale testimonianza. L'esperienza che testimoniano è di una ricchezza inesauribile. Nessuno può rivaleggiare con gli apostoli nella conoscenza di Cristo. Momento unico della storia della rivelazione, alba della nuova creazione. Di questa pienezza di esperienza gli apostoli non hanno trasmesso tutto, né lo potevano fare. La loro predicazione e anche il loro stile di vita non potevano esaurire la parte ineffabile di questa esperienza personale, unica. A noi è proposto di credere nella testimonianza apostolica, cioè nella deposizione di coloro che hanno visto e sentito e che attestano ciò che hanno visto e sentito. La fede nella testimonianza di Cristo e degli apostoli non è tuttavia semplice consenso dello Spirito, ma è il frutto congiunto della predicazione e della grazia interiore. Questa grazia tuttavia non è, nell'economia abituale, oggetto di una *esperienza cosciente e riflessa* e non può definirsi «rivelazione» in senso stretto.

17. *Rivelazione e luce della fede* - Seguendo la Scrittura, la tradizione patristica e la riflessione teologica hanno sempre sottolineato come la rivelazione raggiunga la soggettività dell'uomo, la elevi, la trasformi affinché l'uomo percepisca il messaggio del vangelo come Parola viva a lui personalmente rivolta. Non cessa mai di far notare l'azione congiunta della parola esteriore e della parola interiore. Questa grazia interiore che fa eco alla parola esteriore e la rende solubile nell'anima, può dunque ricevere per questo l'appellativo di «rivelazione»? La Scrittura, come abbiamo visto, parla di attrazione, di testimonianza, di insegnamento, di illuminazione, di unzione, di apertura del cuore e talvolta di rivelazione. Tommaso parla di istinto interiore (STh II-II,2, 9 ad 3) e di parola interiore.

Attrazione interiore e buona notizia del vangelo sono in stretto rapporto, ma questa attrazione non è rivelazione in senso stretto: inoltre ne conosciamo l'esistenza solo dalle fonti della rivelazione e non da una riflessione psicologica sull'esperienza vissuta della nostra fede. L'attrazione del Vero e del vero personale sono a tal punto legate nel dinamismo intellettuale che, al di fuori dei casi di mistica straordinaria, non è possibile distinguerli con una conoscenza riflessa. L'influenza di questa attrazione è reale e decisiva nell'adesione di fe-

de; infatti concede al credente di aderire al vangelo e al Dio del vangelo. È prima nell'ordine dell'efficienza, ma non è vangelo o parola nuova. In un discorso teologico rigoroso, non si potrebbe designarla col nome di rivelazione; essa spinge a credere, permette di credere, ma senza perdere l'anonimato: si tratta piuttosto di ispirazione o illuminazione dello Spirito (DS 3010). Possiamo tuttavia darle il nome di → *testimonianza* (in senso ampio ma non improprio) di Dio che agisce dal di dentro, con la garanzia della Verità increata. Questa testimonianza tuttavia resta indistinta.

Precisiamo ora il rapporto che lega le due realtà. Si tratta di due realtà complementari, ordinate l'una all'altra e costituenti come due *dimensioni* dell'unica parola di Dio, che interpella e invita a credere con il vangelo di Cristo, con la predicazione degli apostoli e della chiesa e, in modo complementare, con l'inclinazione e l'attrazione interiore che provoca nell'anima. Vi è azione combinata dell'annuncio esterno e dell'attrazione interiore. L'attrazione, adattandosi alla testimonianza esterna, la sottende, la sussume, la vivifica e la feconda. Cristo e gli apostoli dichiarano ciò che lo Spirito insinua e fissa nelle anime. L'attrazione interiore è data per connaturalizzare l'uomo con questo mondo nuovo, inconcepibile, che è il regno: essa è al servizio del vangelo. Nell'ordine della rivelazione, la missione dello Spirito completa e compie la missione di Cristo. La manifestazione di Cristo e del suo disegno di salvezza viene dal vangelo; l'efficienza (disposizione all'ascolto e capacità di cogliere) viene dall'attrazione. A motivo di questa dimensione interiore, la rivelazione costituisce una parola di specie unica. Alla sua efficacia di parola esterna si aggiunge un'efficacia particolare che raggiunge l'uomo nell'intimo della sua soggettività, nel cuore della sua azione cognitiva e volitiva, per suscitare la risposta della fede. Questa grazia che muove, eccita, chiama, previene, solleva, sebbene sia dell'ordine dell'illuminazione, non può tuttavia rivendicare per sé il titolo di rivelazione.

18. *Scandalo e sovrabbondanza* - Sono tutti questi elementi che abbiamo descritto, quantitativamente e qualitativamente contrastanti, molteplici e complessi, che compongono il volto della rivelazione cristiana e ne costituiscono la *specificità*. La rivelazione cristiana non è dunque senza volto o rilievo, così poco distinta dalle altre forme di religione da doversi accontentare di un vago pan-rivelazionismo. Al contrario, è reperibile nel tempo e riconoscibile nei suoi tratti ben definiti. Diciamo di più. L'insieme dei tratti menzionati fa scoprire, nella rivelazione cristiana, due caratteri nuovi che risultano dalla considerazione della loro *totalità* stessa: sono il carattere di scandalo e di sovrabbondanza.

a. La rivelazione cristiana infatti si presenta, agli occhi dei contemporanei in particolare, come qualche cosa di *scandaloso*, se non di inintelligibile. Questo carattere coinvolge la rivelazione a tutti i suoi livelli. Prima di tutto scandalo di una rivelazione che viene dalla fragilità e dalla caducità dell'evento esposto a tutte le fluttuazioni della storia; scandalo poi di una rivelazione che viene attraverso la carne e il linguaggio del Verbo incarnato, figura tenue, punto sperduto nella storia di una cultura, di una nazione che è a sua volta un niente in mezzo alle potenze del mondo. Scandalo infine di una rivelazione affidata, nel suo espandersi attraverso i secoli, alle mani di una chiesa fatta di miserabili peccatori. La kenosi di Dio nella storia di Israele, la kenosi del Figlio nella carne di Cristo, la kenosi dello Spirito nell'infermità degli uomini e della chiesa: questi successivi annientamenti di

Dio, consumati nella forma scandalosa della rivelazione suprema dell'amore, nella forma visibile e tangibile di un crocifisso, sconvolgono ogni concezione umana. In realtà non è il genere di *singolarità* che ci saremmo aspettati dall'assoluto e dal trascendente; e tuttavia vi è in questo rovesciamento stesso delle nostre concezioni umane, in questo scandalo, un tratto fondamentale della rivelazione di Dio come totalmente Altro. L'uomo non giungerà mai a superare questo scandalo se non eliminerà la propria autosufficienza per aprirsi all'amore che si offre a lui.

b. Un secondo carattere della rivelazione nella totalità dei suoi elementi è la *sovrabbondanza* della salvezza che manifesta: sovrabbondanza dei mezzi di comunicazione e di espressione; sovrabbondanza delle vie che annunciano e preparano l'evento culminante dell'incarnazione del Figlio; sovrabbondanza dei carismi che accompagnano e proteggono l'espandersi della rivelazione attraverso le epoche (tradizione, ispirazione, infallibilità); sovrabbondanza infine dei doni e dei mezzi di salvezza. Tale sovrabbondanza, che è già il segno di Dio nell'universo, è anche una caratteristica della storia della salvezza. Ciò che sorprende non è la salvezza offerta a tutti gli uomini; è piuttosto la sovrabbondanza della salvezza che accompagna la rivelazione cristiana. Questa rappresenta, rispetto alla salvezza universale e alle religioni storiche, un surplus, una sovrabbondanza nei doni della salvezza, che manifesta la prodigalità di Dio nella nuova creazione. Ciò che sorprende è la *sovrabbondanza dell'amore* di Dio per l'uomo peccatore. Si può concepire che Dio esca dal suo silenzio e che dichiari il suo amore; ma che esprime questo amore fino all'esaurimento dell'espressione, cioè fino al dono di se stesso e fino all'abisso della croce, questa è una manifestazione di un amore che abbonda e sovrabbonda. Di fronte a questa «so-vrabbondanza» che «segnala» la rivelazione cristiana all'attenzione di tutti gli uomini, non vi è altra risposta di quella dell'amore: «Noi abbiamo riconosciuto e creduto all'amore che Dio ha per noi» (1 Gv 4,16).

19. *Rivelazione e Trinità* - La chiave ermeneutica che spiega la rivelazione si trova in ultima analisi nel mistero dei misteri, la → Trinità, e in particolare nella teologia delle missioni trinitarie e dell'appropriazione.

La rivelazione è l'opera della Trinità tutta: Padre, Figlio e Spirito. La fecondità spirituale della Trinità si dispiega seguendo la duplice linea del pensiero e dell'amore: di qui la dizione del Verbo e la spirazione dello Spirito. La dizione *ad intra* si prolunga in una dizione *ad extra* ed è la rivelazione. La parola di Cristo ha origine nella comunione di vita del Padre e del Figlio e per questo è parola di Dio. Lo Spirito prolunga la missione di Cristo, ma non lo fa parlando di se stesso: egli chiarisce la parola del Cristo in comunione di vita con il Figlio, che è anche in comunione con il Padre. La rivelazione non è la verità di una persona, ma la verità delle tre persone. Essa si radica nella comunione di vita delle tre persone e traduce tale comunione.

Sebbene il Padre, il Figlio e lo Spirito siano un solo e unico principio della rivelazione, ciò non vuol dire che la Trinità come tale non influisca affatto sulla rivelazione. Ogni persona agisce e secondo modi che rispondono misteriosamente a ciò che sono rispettivamente il Padre, il Figlio e lo Spirito all'interno della Trinità.

Come in ogni cosa, è il Padre che ha l'iniziativa, poiché il Figlio riceve tutto dal Padre, natura e missione. È il Padre che invia il Figlio come rivelatore del suo disegno d'amore (1 Gv 4,9-10; Gv 3,16); è il Padre che rende testimonianza al Figlio e alla sua missione rivelatrice, per mezzo delle opere che fa compiere al Figlio (Gv 10,25; 5,36-37; 15,24; 9,41); è ancora il Padre che attira gli uomini al Figlio con l'attrazione interiore che produce nei cuori (Gv 6,44).

Poiché il Figlio è già all'interno della Trinità la parola eterna del Padre nella quale il Padre si esprime adeguatamente, è ontologicamente qualificato per essere tra gli uomini la rivelazione suprema del Padre e per iniziarli alla vita di figli. Cristo è il perfetto rivelatore del Padre e del suo disegno. Ora il disegno del Padre è di estendere all'umanità la stessa vita della Trinità. Il Padre vuole rigenerare il proprio Figlio in ogni uomo, infondere negli uomini il suo Spirito e associarli nella comunione più intima affinché tutti siano uno, come il Padre e il Figlio sono uno in un unico Spirito d'amore. Se accogliamo la testimonianza che il Padre rivolge per mezzo del Figlio, il Padre fa di noi i suoi propri figli (Gv 1,12). Di conseguenza riceviamo in noi uno spirito di figli, uno spirito d'amore: «Dio ha mandato nei nostri cuori lo Spirito del suo Figlio che grida: «Abba, Padre» (Gal 4,6).

Mentre il Figlio «fa conoscere», lo Spirito «ispira». È il soffio e il calore del pensiero divino. Egli dà potenza ed efficacia alla parola. Cristo propone la parola di Dio: lo Spirito la pone e la interiorizza affinché resti in noi. Rende la parola solubile nell'anima con l'unzione che vi diffonde. Rende effettivo il dono della rivelazione. È così che lo Spirito attualizza la rivelazione per ogni generazione attraverso i secoli. Lo Spirito risponde agli interrogativi di ogni epoca con il suggerimento di quel momento.

È così che il Padre con l'azione congiunta del Verbo e dello Spirito, come fossero le sue due braccia d'amore, si rivela all'umanità e l'attrae a sé. Il movimento d'amore con il quale il Padre si fa scoprire dagli uomini in Cristo e la risposta degli uomini a questo amore con la fede e la carità, appaiono come immersi nel flusso e riflusso d'amore che unisce il Padre e il Figlio nello Spirito. La rivelazione è un'azione che coinvolge contemporaneamente la Trinità e l'umanità, che intreccia un dialogo ininterrotto tra il Padre e i suoi figli acquisiti con il sangue di Cristo. Essa si sviluppa a un tempo sul piano dell'evento storico e sul piano dell'eternità. Si inaugura con la parola e la fede e si compie nell'incontro faccia a faccia della visione.

CONCLUSIONI - Le limitiamo a tre.

1. *Nozione di rivelazione* - La prima concerne evidentemente la nozione stessa di rivelazione. La rivelazione cristiana è l'automanifestazione e l'autodonazione di Dio in Gesù Cristo nella storia, come storia, con la mediazione della storia, cioè con la mediazione di avvenimenti o gesti interpretati dai testimoni autorizzati da Dio. Questa manifestazione ha tratti assolutamente specifici che fanno della rivelazione cristiana una realtà unica e senza precedenti: storicità, struttura sacramentale, progetto dialettico a spirale, principio incarnazionale, centralità assoluta di Cristo, Verbo fatto carne, «economia» e pedagogia, dialogo d'amore, rivelazione a un tempo di Dio e dell'uomo a se stesso, realtà sempre in tensione (presente-passato, storia-escatologia). La singolarità di questa rivelazione fa di Cristo la chiave di interpretazione di tutte le realtà che le sono connesse o le assomigliano: grazia universale della salvezza, esperienza delle religioni storiche, illuminazione della fede. Questa singolarità della rivelazione cristiana permette di identificarla e contemporaneamente di distinguerla da tutte le religioni che si dicono ugualmente «rivelate».

2. *Implicazioni nell'ambito della «comunicazione»* - Dopo ciò che abbiamo detto sulla rivelazione e sui suoi tratti specifici, è del tutto evidente come la sua → «comunicazione» differisca da quella di un sistema filosofico, di una scoperta scientifica o di una tecnica artigianale. La comunicazione della rivelazione è dell'ordine della *testimonianza*. Proprio come la testimonianza di Cristo è stata indissolubilmente un *docere* e un *facere*, anche la comunicazione del vangelo include nello stesso modo la prassi di uno stile di vita filiale e la proclamazione della fede. Di fatto è con la testimonianza congiunta dell'insegnamento e della vita che gli apostoli hanno trasmesso ciò che avevano appreso da Cristo, «dal vivere insieme [con lui] e dalle opere di Cristo» (DV 7). A sua volta la chiesa «perpetua e trasmette a tutte le generazioni tutto ciò che essa è e tutto ciò che essa crede» (DV 8 e 10). *Comunicare* la rivelazione significa che colui che «comunica», che proclama la salvezza, è nello stesso tempo il testimone vivente di una fede che ha prima di tutto illuminato e trasformato la sua vita. Altrimenti il vangelo rischia di diventare un'ideologia, un sistema, una gnosi, un'etica.

In regime cristiano la «comunicazione» partecipa all'elevazione dell'uomo per mezzo dell'incarnazione e della grazia. I mass-media sono in qualche modo «gratificati» di una nuova dimensione che deriva dalla specificità della rivelazione cristiana. Infatti: *a.* ciò che è comunicato è il vangelo, parola rivelata e ispirata, parola efficace; *b.* colui che la comunica e invita alla fede è egli stesso testimone vivo del vangelo che propone; *c.* l'uditore della parola è un uomo in cui opera lo Spirito di Cristo. Le tecniche sono le stesse (radio, TV, cinema, stampa), ma la realtà comunicata, chi la comunica e chi l'«ascolta», costituiscono una condizione unica.

3. *L'«oggi» della rivelazione* - L'«oggi» della parola della salvezza proclamata da Cristo resta attuale e

si rivolge a ogni uomo. *Oggi* viene la salvezza; *oggi* viene il tempo della conversione. La salvezza non è al termine del cammino, ma è in ogni istante della nostra vita: oggi, ora. Le attuali ingiustizie, la guerra onnipresente, il terrorismo, il genocidio, dovrebbero contribuire a riattivare in ognuno il senso dell'oggi della salvezza resa nota dalla rivelazione. L'uomo non è meno «orrendo» di ieri. L'ingiustiza e l'odio sono un richiamo disperato del Servo sofferente verso un regno di giustizia e di amore. Come all'epoca dei patriarchi e dei profeti, Dio dirige la storia. Quando siamo soffocati, oppressi da tanta violenza, il silenzio di Dio ci proietta verso la rivelazione. Gli uomini di oggi assomigliano a quelli dell'AT: attendono la pace, la giustizia, la verità, la vita, l'amore, la salvezza. Nel segreto del loro cuore cercano un senso per ogni cosa in un mondo apparentemente privo di senso. A questi smarriti, a questi uomini che camminano nelle tenebre, Cristo, pienezza della rivelazione risponde: Io sono la via, la verità, la luce, la vita, l'amore. A tutti egli dice: «*Io sono*». A Dio niente è impossibile, a condizione di incontrare la nostra «buona volontà».

Bibl. - ENCICLOPEDIE, DIZIONARI, COLLEZIONI - E. Rolland, «Révélation», in M. Brillant-M. Nédoncelle (edd.), *Apologétique*, Paris 1937, 197-229; J. Didiot, «Révélation divine», in DAFC IV: 1004-1009; J. Guillet-H. Haag, «Révélation», in DBSuppl X, 586-618; K. Prümm, «Mystères», in DBSuppl VI, 1-225; J.R. Geiselmann, «Rivelazione», in H. Fries (ed.), *Dizionario teologico*, III, 162-173; N. Jung, «Révélation», in DThC XIII/2, 2580-2618; G. Ruggieri, «Rivelazione», in NDT, 1332-1352; Id., «Rivelazione», in DTI III, 148-166; C. Colombo, «Rivelazione», in *EncCatt* 10, 1018-1025; M. Seybold-P.R. Cren-U. Horst-A. Sand-P. Stockmeier, «La révélation dans l'Écriture, la patristique, la scolastique», Paris 1974; H. Waldenfels-L. Scheffczyk *Die Offenbarung von der Reformation bis zur Gegenwart*, in HDG I, 1b; HFTh II: Traktat Offenbarung; C. Duquoc, «Alliance et Révélation», in *Initiation pratique à la théologie*, II, 5-75; R. Schnackenburg-H. Vorgrim-ler, «Offenbarung», in LThk VII, 1104-1116; J. Jensen, «Concept of Revelation in the Bible», in *New Catholic Encyclopedia* XII, 436-438; A. Dulles, «Theology of Revelation», in *Ibid.*, 441-444; B. Maggioni, «Rivelazione», in NDTB, 1361-1376; G. Gloege, «Offenbarung», in RGG, 1597-1613; W. Eichrodt, «Offenbarung im AT», RGG IV, 1599-1601; N. Schiffers-K. Rahner, «Rivelazione», in SM VII, 121-216; A. Oepke, «Apokalýptô», in GLNT V, 82-161; O. Procksch, «Wort Gottes im AT», in GLNT, 89-100.

MONOGRAFIE E ARTICOLI - J. Baierl, *The Theory of Revelation*, New York 1927; R. Bultmann, *Der Begriff der Offenbarung im Neuen Testament*, Tübingen 1929; H. Huber, *Der Begriff der Offenbarung im Johannes Evangelium*, Göttingen 1934; E.F. Scott, *The New Testament Idea of Revelation*, New York-London 1935; D. Deden, «Le Mystère paulinien», in ETL 13 (1936) 403-442; H.W. Robinson, *Record and Revelation*, Oxford 1938; Id., *Inspiration and Revelation in the Old Testament*, Oxford 1946; Id., *Redemption and Revelation*, London 1947; J. Fehr, *Das Offenbarungsproblem in dialektischer und thomistischer Theologie*, Leipzig, Freiburg 1939; R. Guardini, *Die Offenbarung, ihr Wesen und ihre Formen*, Würzburg 1940; E. Brunner, *Offenbarung und Vernunft*, Zürich 1941; S. Mowinckel, «La connaissance de Dieu chez les prophètes de l'A. Testament», in RMPhR 22 (1942) 69-106; J. Brinktrine, «Der Begriff der Offenbarung im Neuen Testament», in ThG 1942, 76-83; L.-M. Dewailly, *Jésus-Christ, Parole de Dieu*, Paris 1945; H.-H. Schrey, *Existenz und Offenbarung*, Tübingen 1946; C.A. Simpson, *Revelation and Response in the Old Testament*, New York 1947; K. Barth, *Das Christliche Verständnis der Offenbarung*, München 1948; Id., *Dogmatica ecclesiale*, Bologna 1969; H. Schulte, *Der Begriff der Offenbarung im Neuen Testament*, München 1949; J. Wolff, *Der Begriff der Offenbarung*, Bonn 1949; G.E. Wright, *God Who Acts*, London 1952; S. Van Mierlo, *La Révélation divine*, Neuchâtel 1952; A. Marc, «L'idée de Révélation», in *Greg* 34 (1953) 390-420; J.K. Jewett, *Emil Brunner's Concept of Revelation*, London 1954; H.R. Niebuhr, *The Meaning of Revelation*, New York 1955; A. Neher, *L'essence du prophétisme*, Paris 1955; H.M. Féret, *Connaissance biblique de Dieu*, Paris 1955; E. Fülling, *Geschichte als Offenbarung*, Berlin 1956; J. Baillie, *The Idea of Revelation in Recent Thought*, London 1956; P. Tillich, *Systematic Theology*, Chicago 1956[5]; P. Gils, *Jésus Prophète d'après les Synoptiques*, Louvain 1957; J. Daniélou-L. Bouyer e altri, *Parole de Dieu et liturgie*, Paris 1958; M. Harl, *Origène et la fonction révélatrice du Verbe incarné*, Paris 1958; H. Schlier, *Wort Gottes*, Würzburg 1958; J. Alfaro, «Cristo glorioso, Revelador del Padre», in *Greg* 39 (1958) 222-271; Id., «Encarnación y Revelación», in *Greg* 49 (1968)

431-459; Id., *Rivelazione cristiana, fede e teologia*, Brescia 1986; S. Caiazzo, *Il concetto di rivelazione. Idea centrale della teologia di E. Brunner*, Roma 1959; H. Holstein, «La Révélation du Dieu vivant», in *Et* 81 (1959) 157-168; C.F.H. Henry (ed.), *Revelation and the Bible*, London 1959; W. Bulst, *Offenbarung, biblischer und theologischer Begriff*, Düsseldorf 1960; J.G.S.S. Thomson, *The Old Testament View of Revelation*, Grand Rapids, Michigan 1960; H.U. von Balthasar, *Verbum Caro*, Einsiedeln 1960; Id. *Gloria. Un'estetica teologica*, vol. I: Percezione della Forma, Milano 1975; A. Torres Capellán «Palabra y Revelación», in *Burgense* 1 (1960) 143-190; H. Noack, *Sprache und Offenbarung*, Gütersloh 1960; A. Léonard-A. Larcher-C. Dupont, e altri, *La Parole de Dieu en Jésus-Christ*, Paris 1961; P.S. Bulgakow, *Dialog zwischen Gott und Mensch. Ein Beitrag zum christlichen Offenbarungsbegriff*, Marburg 1961; W. Zimmerli, *Gottes Offenbarung*, München 1961; H. González Morfin, *Jesu Cristo - Palabra y palabra de Jesu Cristo*, Mexico 1962; J. Blank, «Der Johanneische Wahrheitsbegriff», in *BZ*, 7 (1962) 163-173; J. Cahill, «Rudolf Bultmann's Concept of Revelation», in CBQR, 24 (1962) 297-306; A.-C. De Veir, «Revelare-revelatio», in *Recherches Augustiniennes*, 2 (1962) 331-357; R. Schnackenburg, «Zum Offenbarungsgedanken in der Bibel», in BZ, 7 (1963) 2-23; K. Rahner-R. Latourelle e altri, *The Word*, New York 1964; J. Ochagavía, *Visibile Patris Filius*, Romae 1964; A. Dulles, «The Theology of Revelation», in ThS 25 (1964) 45-58; Id., *Models of Revelation*, New York 1983; Id., «Revelation in Recent Catholic Theology», in *Theology Today*, 1967, 350-365; Id., *Was ist Offenbarung*, Freiburg i. Br. 1970; E. Schillebeeckx, *Révélation et théologie*, Bruxelles 1965; G. Moran, *Theology of Revelation*, New York 1966; G. O'Collins, «Revelation as History», in HeJ, 7 (1966) 394-406; Id., *Theology and Revelation*, Dublin 1968; H.R. Schlette, *Epiphanie als Geschichte*, München 1966; G. Segalla, «Gesù Rivelatore del Padre nella tradizione sinottica», in RB, 14 (1966) 467-508; E. Guttwenger, «Offenbarung und Geschichte», in ZKTh, 88 (1966) 223-246; E. Simons, *Philosophie der Offenbarung*, Stuttgart 1966; R. Latourelle, *Teologia della Rivelazione*, Assisi 1967 (or. 1962); K. McNamara, «Divine Revelation», in IThQ, 34 (1967) 3-19; E. Klinger, *Offenbarung im Horizont der Heilsgeschichte*, Zürich 1969; H. Waldenfels, *Offenbarung*, München 1969; H. Verweyen, *Frage nach der Möglichkeit von Offenbarung*, Düsseldorf 1969; T. Citrini, *Gesù Cristo, Rivelazione di Dio*, Venegono 1969; Id., «La Rivelazione, centro della Teologia fondamentale», in R. Fisichella (ed.), *Gesù Rivelatore*, Casale Monferrato 1988, 87-99; C. Tresmontant, *Le problème de la Révélation*, Paris 1969; W. Pannenberg, *Rivelazione come storia*, Bologna 1969; K. Rahner, «Annotazioni sul concetto di Rivelazione», in K. Rahner-J. Ratzinger, *Rivelazione e Tradizione*, Brescia 1970, 11-25; Id., *Uditori della Parola*, Roma 1977[2]; E. Castelli (ed.), *Rivelazione e Storia*, Roma 1971; H. Bouillard, «Le Concept de Révélation de Vatican I à Vatican II», in Autori vari, *Révélation de Dieu et langage des hommes*, Paris 1972; J. Walgrave, *Unfolding Revelation*, London 1972; G. Ebeling, *Wort und Glaube*, Tübingen 1975; P. Fruchon, *Existence humaine et Révélation*, Paris, 1976; P. Eicher, *Offenbarung. Prinzip neuzeitlicher Theologie*, München 1977; P. Ricoeur-E. Levinas-C. Geffré e altri, *La Révélation*, Bruxelles 1977; I. de la Potterie, *La Vérité dans S. Jean*, voll. I-II, Roma 1977; P. Knauer, *Der Glaube kommt vom Hören*, Köln 1978; G. Volta, «La nozione di Rivelazione dal Vaticano I al Vaticano II», in Autori vari, *La teologia italiana oggi*, Brescia 1979, 195-244; S. Breton, *Écriture et Révélation*, Paris 1979; E.C. Rust, *Religion, Revelation and Reason*, Macon 1981; B. Testa, *Rivelazione e Storia*, Roma 1981; H. Pfeiffer, *Offenbarung und Offenbarungswahrheit*, Trier 1982; Id., *Gott offenbart sich. Das Reifen und Entstehen des Offenbarungsverständnisses in ersten und zweiten Vatikanischen Konzil*, Frankfurt, 1982; P. Helm, *The Divine Revelation. The Basic Issues*, London 1982; J.W. Abraham, *Divine Revelation and the Limits of Historical Criticism*, Oxford 1982; H. de Lubac, *La Révélation divine*, Paris 1983; A. Shorter, *Revelation and Its Interpretation*, London 1983; R. Fisichella, *La Rivelazione: evento e credibilità*, Bologna 1985; Id. (ed.), *Gesù Rivelatore*, Casale Monferrato 1988; A. Dartigues, *La révélation: du sens au salut*, Paris 1985; A. Torres Queiruga, *La Revelación de Dios en la realización del hombre*, Madrid 1987; C. Geffré, «La Rivelazione e l'esperienza storica degli uomini», in R. Fisichella (ed.), *Gesù Rivelatore*, Casale Monferrato 1988, 87-99;

TRATTATI E MANUALI DI TEOLOGIA FONDAMENTALE - La maggior parte di queste opere contengono uno o più capitoli sul tema della rivelazione. Indichiamo le più recenti: A. Kolping, *Fundamentaltheologie*, vol. I-III, (1968, 1974, 1981) Münster; J. Aleu, *Teología Fundamental*, Madrid 1973; W. Joest, *Fundamentaltheologie. Theologische Grundlagen und Methodenproblem*, Stuttgart 1974; G. Caviglia, *Le ragioni della speranza*, Torino 1979; C. Skalicky, *Teologia fondamentale*, Roma 1979; A. Beni, *Teologia fondamentale*, Firenze 1980; H. Wagner, *Einführung in die Fundamentaltheologie*, Darmstadt 1981; G. O'Collins, *Teologia fondamentale*, Brescia 1982; G. Bof, *Teologia fondamentale*, Roma 1984; F. Schussler Fiorenza, *Foundational Theology, Jesus and the Church*, New York 1985; H. Waldenfels, *Kontextuelle Fundamentaltheologie*, Paderborn 1985; H. Fries, *Fundamentaltheologie*, Graz

1985; S. Pié-Ninot, *Tratado di Teologia fundamental*, Salamanca 1989; L. Elders (ed.), *La doctrine de la révélation divine de saint Thomas d'Aquin*, Città del Vaticano 1990.

RENÉ LATOURELLE

RIVELAZIONI PRIVATE

Dopo la venuta di Cristo non ci si deve più attendere una nuova rivelazione relativa alla situazione fondamentale dell'umanità in rapporto alla salvezza. In lui e per mezzo di lui Dio ha infatti rivelato pienamente il suo disegno universale d'amore. Questa rivelazione si ritiene conclusa dopo la morte dell'ultimo apostolo. Tuttavia vi è ancora posto, nella presente fase dell'economia salvifica, per rivelazioni di Dio destinate a illuminare i credenti sul modo in cui devono comportarsi nelle circostanze in cui vivono, e a dirigerne l'azione pratica, morale, spirituale e religiosa. Qualificarle «private» per distinguerle dalla precedente rivelazione, che talvolta si chiama «pubblica», poiché per opera della chiesa si rivolge agli uomini di tutti i tempi e di tutti i luoghi senza distinzione, non significa che tali rivelazioni siano necessariamente riservate a una sola persona. Spesso, in realtà, riguardano tutto un gruppo, tutto un ambiente, e anche la chiesa nel suo insieme in un dato momento della sua storia. Il concilio di Trento, dal canto suo, parla di rivelazioni «speciali» o «particolari» (DS 1540; 1566).

1. *Sacra Scrittura* e rivelazioni particolari non si escludono. Le rivelazioni di questo genere non si definiscono mediante l'esclusione della loro appartenenza a qualunque contesto biblico, ma per i loro oggetti, i loro obiettivi e i loro destinatari. Se tali elementi sono particolari, le rivelazioni sono particolari e restano tali anche garantite dall'ispirazione scritturale che non cambia le loro caratteristiche, ma assicura la loro auten-

ticità. Il libro degli *Atti degli Apostoli* è pieno di esempi. Il giorno di Pentecoste Pietro annuncia l'èra dello Spirito che opera mediante visioni, sogni, profezie (2,16-21), Lui stesso è informato poi da una rivelazione particolare circa il modo in cui deve agire nei confronti del centurione Cornelio (10,3-8). Paolo si converte in seguito a una rivelazione ricevuta sulla strada di Damasco (9,3-9) e sarà continuamente guidato nella sua azione missionaria da rivelazioni speciali (16,9; 18,9; 20,23; 27,23-24), a cui si aggiungono rivelazioni di ordine strettamente personale e mistico, che egli confida ai Corinzi (2 Cor 12,1-6). L'*Apocalisse*, prima di proporre le sue visioni simboliche riguardanti la teologia della storia, comunica a diverse chiese rivelazioni particolari in rapporto più alla vita di una comunità precisa o a quella di una persona, che alla dottrina (1,4-3, 22). Infine i profeti cristiani (→ Profezia), che le lettere paoline pongono immediatamente dopo gli apostoli (1 Cor 12,28; Ef 2,20; 4,11), non si limitano a esortare, edificare e intepretare; hanno talvolta una vera rivelazione di Dio da comunicare (1 Cor 14,29-30). Questa rivelazione appare come l'atto in cui si esprime per eccellenza la funzione profetica.

2. *In epoca patristica* è opportuno segnalare, tra gli altri, due scritti tipici: la *Didaché*, che riconosce un grande posto ai profeti nella comunità, ma stabilisce regole per discernere i veri dai falsi profeti (11,7-12; SC 248, 184-188) e il *Pastore* di Erma le cui numerose rivelazioni di carattere apocalittico sono principalmente un appello alla conversione dei costumi e alla penitenza. Un uomo di chiesa come san Cipriano dà molta importanza alle rivelazioni particolari, che si tratti delle sue o di quelle del suo ambiente, e vi fonda il suo ministero pastorale (*Epist.* 11,3-4; CSEL 3, 497-498), cosa che del resto non sembra essere stata gradita a tutti

(*Epist.* 66,10; CSEL 3, 174). Sant'Agostino è più riservato. Certamente egli crede all'esistenza delle rivelazioni private, ma pensa sia molto difficile distinguere tra vere e false (*De genesi ad litteram*, XII, 13, 28; PL 34, 465).

3. *In epoca medievale* notevoli sono le opere spirituali che si presentano come la raccolta delle comunicazioni fatte da Dio a sante donne. La più conosciuta è Brigitta di Svezia († 1373). Il concilio di Basilea aveva in programma l'esame delle sue rivelazioni e da qui nacquero i primi esposti sistematici sul discernimento delle rivelazioni particolari, dovute da una parte a Jean Gerson († 1429), la cui opera *De probatione spirituum* raccomanda soprattutto la prudenza, e dall'altra a Giovanni di Torquemada o Turrecremata († 1468) il cui *Defensorium super revelationes S. Birgittae* formula i principi più tardi ripresi dai teologi e dagli spirituali.

4. *In epoca moderna* il tipo di teologia mistica che prevale con la scuola spagnola del secolo XVI preconizza, nei confronti delle rivelazioni private, un atteggiamento di completo disinteresse e di perfetto distacco. Almeno nel suo modo di esprimersi S. Giovanni della Croce è molto severo. Il desiderio dei doni divini e il compiacimento che ne deriva costituiscono uno tra i maggiori ostacoli all'unione con Dio che si realizza solo nella fede pura. La parola d'ordine sarà dunque chiara: è necessario «non ammettere» le rivelazioni particolari quando si manifestano, anzi si deve loro «resistere» come a pericolose tentazioni (*La salita del monte Carmelo* II, 27, 6). Se sono davvero soprannaturali, otterranno comunque il loro effetto di grazia e se sono illusioni, l'anima non subirà alcun danno dalla sua resistenza. Santa Teresa d'Avila dà un giudizio più sfumato. Visioni, rivelazioni hanno un posto importante nella sua esistenza e nella sua opera. Ella non si limita a indicarne i rischi e i pericoli; sa anche sempre apprezzarne i possibili frutti (*Vita*, cap. 25). Ormai i teorici della spiritualità classificheranno le rivelazioni particolari tra gli epifenomeni, cioè tra i fatti accessori e accidentali dell'esperienza mistica che consiste essenzialmente nella contemplazione infusa e nei suoi diversi gradi.

Ma per un singolare contrasto, ecco che sorge una serie impressionante di grandi apparizioni, caratteristiche di quest'epoca. Il loro messaggio è rivolto per mezzo di umili veggenti (donne o bambini) ad ampi settori della chiesa, se non alla chiesa intera. Abbiamo così nel secolo XVII le apparizioni del Sacro Cuore a Paray-le-Monial e poi nei secoli XIX e XX quelle mariane della Rue du Bac a Parigi, della Salette, di Lourdes, Pontmain, Fatima, Beauraing, Banneux... Impossibile elencarle tutte. Oggi non si può trattare delle rivelazioni private senza fare riferimento a queste apparizioni. Infatti esse parlano, comandano, istruiscono, confidano segreti.

5. *I criteri di discernimento* per riconoscere l'autenticità o l'origine divina di questa categoria di fenomeni si sono codificati a poco a poco. Il primo è di ordine dottrinale e concerne l'oggetto della rivelazione particolare, la sua ortodossia. È escluso che Dio possa contraddire la propria Parola, di cui la chiesa è l'interprete qualificata. Si considererà dunque falsa ogni rivelazione in contraddizione con una verità della fede o della morale. Il secondo è di ordine psicologico e verte sul soggetto. È una persona ben equilibrata o ha tendenze patologiche? Il terzo riguarda gli effetti o i frutti spirituali prodotti sia nel soggetto stesso che nel suo ambiente. E quando si tratta di rivelazioni che hanno larga risonanza ecclesiale, il giudizio della chiesa prende in considerazione la veridicità e l'ampiezza del movimento collettivo

di preghiera, di conversioni, di vero fervore che ne deriva; infine, i miracoli che abbiano un manifesto legame con la rivelazione in questione.

6. *Nel meccanismo* – se così si può dire – delle rivelazioni particolari, psichismo naturale e causalità divina non si oppongono necessariamente. Fino a poco tempo fa generalmente si accettava la tesi che, finché resta possibile una spiegazione naturale, bisogna escludere il ricorso a una causa soprannaturale. Ma le rivelazioni particolari non sono miracoli in senso stretto. Non suppongono necessariamente uno speciale intervento di Dio che sospenda le leggi della psiche umana. Dio si può servire delle possibilità latenti nell'immaginazione, nell'intelligenza, nel subconscio del soggetto come di un mezzo di comunicazione. Sebbene naturale dal punto di vista delle sue componenti psichiche, il fenomeno può benissimo essere soprannaturale per l'impulso della grazia operante, che mette in azione e in movimento vari processi analizzabili, descrivibili e ricomponibili fenomenologicamente dalle scienze psicologiche, senza che questo impulso sia esso stesso scientificamente constatabile, perché è di un altro ordine, trascendente, assolutamente spirituale; cosicché la pura psicologia, trovandosi di fronte a un evento che passa per rivelazione, non potrà mai affermare che è solo un semplice fatto psichico.

7. *L'assenso* da dare alle rivelazioni particolari divide i teologi. Suarez è il principale rappresentante della prima opinione («De fide», disp. III, sect. 10 in *Opera omnia*, ed. Vivès, t. 12, 90-94). Se l'origine di una rivelazione è certa, tale rivelazione richiede un'adesione di fede divina almeno da parte del beneficiario. Il motivo della fede è infatti l'autorità della parola di Dio. Quando questa autorità è presente, qualunque sia l'oggetto che attesta, ciò basta a generare un assenso di fede divina. La differenza tra la fede divina rivolta alla rivelazione pubblica e quella riguardante le rivelazioni private è puramente accidentale. Nel primo caso la rivelazione è proposta dalla chiesa, nel secondo è proposta da Dio in modo diretto, ma il motivo dell'assenso è lo stesso in entrambi i casi: l'autorità che viene da Dio che si rivela. Per quanto riguarda le persone che non siano beneficiarie della rivelazione privata, anche queste possono e devono dare un assenso di fede divina, se hanno le prove e le garanzie necessarie dell'origine divina di questa rivelazione. L'opinione suareziana è stata ripresa ai nostri giorni da K. Rahner, «Les révélations privées. Quelques remarques théologiques», in RAM 25 (1949) 509.

La seconda opinione non è quella di S. Tommaso, che non ha mai esplicitamente trattato la questione, ma quella della scuola tomista moderna. Essa non nega che una rivelazione privata possa dare origine a un atto di fede divina, ma ciò avverrebbe solo nel caso in cui Dio riveli a qualcuno qualcosa del mistero soprannaturale della sua vita intima. La fede divina infatti non ha soltanto come motivo la parola di Dio, ma ha anche come oggetto il mistero stesso di Dio. Essa è adesione a Dio che parla di Dio. Là dove vi fosse testimonianza da parte di Dio su un oggetto estraneo al suo mistero, la fede divina non potrebbe realizzarsi. La scuola tomista tende così a sottrarre le rivelazioni private all'ambito della fede divina, poiché generalmente tali rivelazioni non hanno come oggetto verità che non sarebbero già contenute nella rivelazione pubblica, ma il loro oggetto concerne la pratica della vita cristiana, sia personale che sociale. L'assenso che richiedono è dunque un assenso di fede umana. Non si designa così una qualsiasi forma di adesione, ma un'adesione ferma perché basata su prove acquisite dall'esercizio del nostro senso critico e che rientra nel campo non certo dell'evidenza scientifica, ma della certezza morale. È l'opinione di Y. Congar, «La crédibilité des révélations privées», VS Suppl 53 (1937) 29-43.

8. Spetta al *magistero*, specialmente pontificio, esprimere un giudizio qualificato sulle rivelazioni private nella misura in cui queste hanno, come capita spesso, una notevole ripercussione nella chiesa. Quando tale giudizio è di approvazione, si tratta normalmente di un'approvazione in senso lato. Il magistero non intende impegnare la sua autorità nell'affermazione positiva del fatto stesso della rivelazione. Si limita a permettere, poiché non vi è stato trovato niente di dottrinalmente repressibile o concretamente inopportuno, la divulgazione di racconti che riportano rivelazioni o si dicono tali. Questa approvazione ha solo il valore negativo di una specie di *nihil obstat*. Non è obbligatorio credere a questi racconti. Ciò risulta dalle dichiarazioni stesse del magistero, la cui pratica è stata spiegata nel secolo XVIII da Benedetto XIV: «L'approvazione data dalla chiesa a una rivelazione privata non è altro che il permesso accordato, dopo un attento esame, di far conoscere questa rivelazione per l'istruzione e il bene dei fedeli. A simili rivelazioni, anche approvate dalla chiesa... si può non accordare il proprio assenso... purché lo si faccia per buone ragioni e senza intenzione di disprezzo» (*De servorum Dei beatificatione* II, 32,11).

In alcuni casi eccezionali – per esempio Paray-le-Monial e Lourdes – sembra tuttavia che le approvazioni pontificie, per il loro ripetersi massivo e senza restrizioni, non possano essere ridotte alla dimensione di un semplice permesso o di un puro *nihil obstat*, ma hanno finito per acquisire un carattere positivo. Ci si è quindi chiesti se in tali approvazioni il magistero non potrebbe aver impegnato la propria infallibilità o almeno l'esercizio di qualche forma irrecusabile della sua autorità. Le risposte sono diverse. Purtroppo non sono prive di ambiguità. Infatti, che cosa è garantito in tali casi dal magistero? Solo il valore intrinseco di queste rivelazioni, considerate dal punto di vista del messaggio di cui sono portatrici, cosa che non crea difficoltà, o è anche garantita, e questo sembra meno in rapporto con la funzione del magistero, la realtà oggettiva del fenomeno (visione, apparizione, locuzione), attraverso il quale sono sorte e hanno preso forma?

9. *La finalità* delle rivelazioni private nella chiesa non è la manifestazione di nuove verità dottrinali, ma un orientamento pratico dato all'attività umana in situazioni concrete particolari della vita delle persone, prese individualmente o collettivamente. Esse mirano a «guidare la nostra condotta» (Giovanni XXIII in occasione del centenario di Lourdes, AAS 51, 1959, 144). Quando tuttavia attirano l'attenzione su alcune verità della dottrina cristiana, non è per aumentare il deposito della fede, ma per farne penetrare il contenuto nel modo più conveniente alla vita di carità, o per mettere in luce e proporre alla devozione dei fedeli qualche aspetto troppo poco conosciuto o troppo trascurato di questo deposito. Generalmente non sono tanto affermazioni quanto imperativi morali, avvertimenti o inviti. Spesso si esprimono in un richiamo alla conversione e alla penitenza. Costituiscono sempre un impulso e uno stimolo a una vita spirituale più seria, più intensa, più fervente, che tenda a far crescere nella fede e nell'amore di Dio o a spingere verso imprese apostoliche e caritatevoli. Sebbene irregolari e sporadici, tali interventi costituiscono nella vita della chiesa una funzione stabile, nella misura in cui appartengono all'ambito del profetismo, il cui scopo secondo S. Tommaso è di diri-

gere le azioni umane (STh II-II, 174, 6 ad 3).

Alcuni si precipitano su questo tipo di avvenimenti con un'avidità febbrile, che si può del resto giustificare per un legittimo bisogno di incontro vissuto con il divino. Altri, invocando le lezioni dell'esperienza che dimostra come sia questo un ambito facilmente soggetto a illusioni, deviazioni, contraffazioni, manifestano per reazione un eccesso di diffidenza e di ostilità. Il buon uso delle rivelazioni private sta nel superamento di questi due atteggiamenti opposti.

Bibl. - L. Volken, *Le rivelazioni nella Chiesa*, Roma 1963; R. Laurentin, «Fonction et statut des apparitions», in Autori vari, *Vraies et fausses apparitions dans l'Église*, Paris 1973, 149-201; E. Ancilli, «Le visioni e le rivelazioni», in Autori vari, *La mistica, fenomenologia e riflessione teologica*, II, Roma 1984, 473-481; P. Adnès, «Révélations privées», in DS XIII, 482-492.

Pierre Adnès

ROSMINI

Antonio Rosmini (1797-1855) è noto comunemente come «filosofo», ma molto poco conosciuto come «teologo». La sua estromissione dalla storiografia teologica pare riconducibile a due motivi fondamentali. Da una parte l'ombra pregiudiziale della condanna: il *Post Obitum* (DS 3201-3241) è un decreto pronunciato il 14 dicembre 1887, con cui la SRU Inquisizione riprova, condanna e prescrive ben quaranta proposizioni estratte dall'opera omnia rosminiana, senza apporre alcuna nota teologica, e in *proprio auctoris sensu*, contro un suo eventuale svuotamento per l'obiezione di chi non volesse rilevare e vedere nelle proposizioni condannate il senso autentico di R., ma solo un senso travisato.

Dall'altra, *il ricupero idealistico* del R. alla storia della filosofia, attraverso una scorretta ermeneutica attuali-

stica che scompone per separare il «Rosmini filosofo» dal «Rosmini teologo e credente». Per G. Gentile, infatti, era necessario epurare R. da «quei motivi alieni dalla scienza», referenti significativi della sua convinzione religiosa, della sua fede cattolica, dell'aspetto missionario e apologetico del suo pensiero, che lo avrebbero indotto a correggere ed emendare Kant, «mascherandolo» (G. Gentile, *Rosmini e Gioberti*, Pisa 1898, 73).

La critica dominante stima così R. vero filosofo (forse minore) sottacendo la strutturale teologicità della sua riflessione. Anzi, sotto questo profilo, la stessa letteratura rosminista, tutta interessata ad evidenziare la grandezza filosofica del Roveretano, allo scopo di immunizzare R. dall'accusa di misticismo, (è l'idea di una «genesi religiosa» della filosofia rosminiana), promuove un approccio ermeneutico al pensiero rosminiano che insiste nel dichiarare e mostrare la *verità filosofica* senza, tuttavia, porre il problema critico (anzi scartandolo pregiudizialmente a priori) della eventuale affermazione di una *vera* filosofia dentro le coordinate esistenziali ed epistemologiche della fede religiosa. Pensando possibile e doverosa la ricognizione critica del filosofare rosminiano senza alcun riferimento alla teologia e alla fede del R., tale letteratura perviene alla condivisione degli esiti interpretativi dell'ermeneutica attualistica, avallando surrettiziamente la separazione di filosofia e teologia da R. espressamente aborrita, e indicata come la causa principale della crisi della teologia dell'epoca e del suo ineludibile oscillare tra fideismo e razionalismo.

Diversamente dall'attuale valutazione storiografica, pare possibile un giudizio criticamente più avvertito: R. è anzitutto teologo, ed è filosofo in un movimento di pensiero teologicamente determinato. Per introdurre al senso di questa affermazione basterà, sinteticamente, menzionare: 1. il suo progetto giovanile di restaurazione della teologia dell'epoca; 2. la centralità di Cristo nel tema teologico; 3. la rilevanza cristologica mantenuta in ambito filosofico; 4. la novità della sua figura di teologo, che per il particolare modo di far funzionare il rapporto tra ragione e fede, tra filosofia e teologia, appare foriera di feconde stimolazioni relativamente ai problemi epistemologici del dibattito contemporaneo e dell'attuale autocomprensione della teologia fondamentale.

1. LA TEOLOGIA CONTESTUALE E LA RIFORMA ROSMINIANA - Pur riconoscendo e stimando la presenza di buoni teologi, come il gesuita G. Perrone (1794-1876), le cui *Praelectiones theologicae* frequentemente ricorda, Rosmini rimproverava alla teologia di erigersi su una prospettiva documentativo-controversistica, tralasciando il meglio della elaborazione teologica che è la penetrazione intellettiva del dogma, positivamente accertato attraverso le *auctoritates*. Egli focalizza la causa principale della decadenza nella carenza di «un solido sistema di filosofia» funzionale alla esposizione scientifica della dottrina rivelata: è una crisi filosofica istituita direttamente dal movimento di separazione tra filosofia e teologia, consumatosi nella modernità, e a cui non poco contribuì il protestantesimo.

Ai suoi tempi, tuttavia, il problema della teologia non poteva essere isolato dal contesto della vita ecclesiale nella sua totalità. L'opera *Delle cinque piaghe della santa Chiesa* (1848) è una lettura appassionata della crisi che la chiesa attraversava, di cui la crisi della teologia era solo *un* segno. La via rosminiana per la restaurazione della teologia si identificava, così, col compito di *risanare e rifondare* la filosofia, ripristinando il metodo scolastico dell'età dell'oro, al fine di ridare alla teologia la propria

capacità speculativa e la sua visione unitaria, prostrata com'era nelle sue disgregate specializzazioni. Già gli *Inediti giovanili* del 1819-22 sembrano documentare l'approfondirsi, in questo preciso senso, della sua nozione di teologia, diversa da quella praticata e ricevuta all'università di Padova negli anni della sua prima formazione teologica (1817-1819).

La *Summa theologiae*, che R. negli anni 1819-1821 cominciò a tradurre, mentre già nel 1820 commentava alla sera in conferenze teologiche, si poneva come paradigma di riferimento per quella esigenza di rigore e sistematicità, di organizzazione unitaria che era la connotazione più singolare della cultura del tempo, l'illuminismo. Il riferimento alla *Summa* permetteva al R. di tentare una ricompaginazione unitaria della teologia senza abdicare all'istanza razionalistica wolffiana e illuministica, ma ricuperando la *filosofia cristiana* proveniente dalla tradizione cattolica, emblematicamente espressa da Tommaso e dai Padri. La mancata esecuzione dell'opera *De Divi Thomae Aquinatis Studio apud recentiores theologos instaurando* può legittimamente essere giustificata con l'approfondirsi in lui dell'esigenza di una penetrazione del pensiero tomistico in un linguaggio corrente, al fine di *aggiornare la filosofia*: la filosofia sana, pensata per restaurare la teologia, avrebbe dovuto essere nuova, in continuità con la filosofia perennis della tradizione cristiana, ma nell'ascolto dell'istanza critica della filosofia moderna.

Il *Nuovo Saggio sull'origine delle idee* (1830) pretende essere programmaticamente il primo passo di questa rinnovata filosofia cristiana, che avrebbe ridotto la verità a sistema, costituito l'unificazione metodologica di tutte le scienze, ristabilito la teologia nella sua regalità, attraverso la conciliazione delle sentenze e la libertà del filosofare.

In R. l'impresa assumeva la portata di un vero e proprio progetto enciclopedico, in opposizione all'enciclopedia francese, al fine di ricondurre la ragione alle proprie capacità veritative contro il sensismo e il soggettivismo delle correnti filosofiche contestuali, che ne decretavano l'inevitabile conclusione scettica. L'apologia di R. è una apologia della ragione, al servizio concreto della religione cristiana. La ragione, infatti, che non perviene all'oggetto, alla verità per sé oggetto, è una ragione che distrugge la morale, la scienza del diritto, con effetti deleteri per l'ordine sociale, culturale e politico; è una ragione che nega il soprannaturale, avversa la religione, e allontana dalla chiesa. Il risanamento della filosofia ha, per questo, anche una connotazione di missionarietà ecclesiale.

La situazione culturale europea tra la fine del '700 e gli inizi dell'800 registrava il proprio assestamento sul conflitto tra illuminismo e tradizionalismo: correnti diametralmente opposte, ma accomunate dalla stessa *avversità* per la ragione speculativa. Allo scopo di restituire la mente alla propria razionalità, R. pensa a una enciclopedia cristiana. Tale progetto giustifica ampiamente l'iter storico che lo portò di fatto a tenere sullo sfondo la pubblicazione della produzione teologica per dedicarsi a quella filosofica e politica.

2. LA CENTRALITÀ DI CRISTO NEL TEMA TEOLOGICO - Le opere teologiche restarono incompiute e inedite. L'edizione critica in corso così le raccoglie: I. Il linguaggio teologico; II. Antropologia soprannaturale; III. L'introduzione al Vangelo secondo Giovanni; IV. Scritti teologici minori; V. Il razionalismo che tenta di insinuarsi nelle scuole teologiche.

Da prospettive diverse, esse puntualizzano il tema del soprannaturale, considerato da Rosmini la «questione religiosa del tempo», a causa del-lo spirito razionalistico che, penetrato in teologia tramite il protestantesimo, irretendo anche alcuni teologi cattolici, misconosce l'azione reale di Dio nell'essenza dell'anima umana, estenua il soprannaturale, promuovendo il naturalismo.

Antropologia soprannaturale (1884), ponendo nel concetto di soprannaturale il proprio punto di partenza teologico, si aggancia immediatamente al mistero cristologico e trinitario: il soprannaturale è, infatti, per identità, la grazia di Cristo che agisce nell'uomo. Con Cristo e per suo mezzo, essa è l'azione di tutta la Trinità. Così, l'Adamo innocente, l'uomo peccatore, l'uomo santificato, avranno rosminianamente riferimento a Cristo. La grazia di Cristo − ma la «grazia di Cristo è Cristo stesso» − dà unitarietà a tutta la riflessione. Dall'inizio, Cristo come «Verbo occulto» opera nelle vicende storiche della creazione, e poi, nelle tappe che scandiscono la storia di salvezza, dal peccato d'origine alla venuta di Cristo, nel cui evento il Verbo è «manifesto» e opera per lo Spirito Santo la sua redenzione, in quell'avvenimento radicale dell'incontro con Dio che è la chiesa, nella quale l'uomo riceve la grazia dei sacramenti. La grazia, cristicamente determinata, è quell'elemento unitario che impedisce una tematizzazione separata e assolutamente autonoma dell'uomo e di Dio. L'uomo è l'uomo inabitato da Dio-Trinità (la grazia è triniforme, verbiforme, spiritiforme: linguaggio che intende rispettare l'economia storica della rivelazione) e Dio è l'inabitatore dell'uomo. Al di là dell'opposizione tra antropocentrismo e teocentrismo, qui è ampiamente documentata la struttura cristocentrica del tema teologico che stabilisce la centralità dell'azione di Gesù Cristo, Verbo di Dio incarnato, a cui tutto viene riferito, dalla protologia all'escatologia.

L'antropocentrismo di R. è strettamente metodologico, la sua antropologia non è antropocentrica. Il tema di Dio trova, infatti, nell'uomo il costante punto di riferimento, non tanto perché di Dio non si potrebbe discorrere se non partendo dall'uomo e dalla sua capacità linguistica, ma più profondamente perché, in definitiva, il Dio di cui si tratta è il Dio che si è automanifestato a un *partner* creandolo e redimendolo, cioè costituendolo come uomo e santificandolo con la sua opera salvifica storicamente data in Gesù Cristo. Cristo morto e risorto è il «primo noto» della dottrina cristiana, il «fonte della sapienza soprannaturale»: con queste espressioni l'*Introduzione al Vangelo secondo Giovanni* (1882) pone in Cristo la condizione ultima per ogni ulteriore acquisizione di verità teologiche. Nel contesto trinitario, anche l'affermazione del Padre dipende da quella del Verbo, nonostante che nell'ordine delle processioni delle persone divine il Padre sia «principio» del Verbo. Da qui il guadagno metodologico che immunizza dal rischio della trattazione in campo teologico di un Dio *uno*, sganciato dal Dio *trino*, affermando risolutamente la Trinità come propria del monoteismo cristiano. L'approfondimento tematico del discorso rosminiano, tra le processioni intratrinitarie e la creazione del mondo, mostrerebbe senz'altro la sua attualità contenutistica.

Da Cristo deriva, ovviamente, la qualificazione «cristiana» della teologia in generale, in quanto in Cristo, manifestazione personale del Verbo agli uomini, essa trova un «nuovo lume» per interpretare tutte le Scritture, poiché la sua risurrezione ne apre compiutamente il senso. Così, solo la teologia cristiana è *stricto sensu* teologia. Con l'incarnazione si ha il massimo di soprannaturale concreto, il termine di una progressività storica dell'azione della grazia nel mondo, correlata alla progressività delle capacità cognitive dell'uomo

quanto alla verità: R. può stabilire una «gradazione» di conoscenza, e conseguenzialmente di capacità operativa, tra AT e NT, un divenire in crescendo di cognizioni soprannaturali, prima della venuta di Cristo, per concludere, puntualizzandola, con la novità reale inaugurata dalla presenza del Verbo stesso. Da qui la centralità di Cristo *nella storia della rivelazione*.

Cristo in persona è il Rivelatore. Egli ci rivela i «misteri», e le «verità necessarie», distinte da R. dalle «verità contingenti», come la creazione, l'incarnazione e le altre storie sacre. Queste ultime costituiscono anche la rivelazione materiale, ma ad un titolo diverso rispetto ai «misteri». Sono verità non razionali, ma positive, cioè storiche: nella loro fatticità non sono necessarie perché condizionate dall'arbitrio divino. Certamente le verità necessarie non sono ricavate dalle verità contingenti come loro pregnanza di senso, sicché il fatto si precisi come evento e la rivelazione sia pensata come storia, in quanto e perché la storia è divenuta luogo o «forma» della rivelazione. E tuttavia, l'uso abbondante dei Padri greci e delle Scritture conferisce al discorso rosminiano su Cristo rivelatore una densità non riducibile all'intellettualismo della comunicazione verbale. Cristo rivela il Padre non solo a parole, ma con «miracoli» e «operazioni». Alla rivelazione esterna e verbale, R. lega strutturalmente una rivelazione interna-interiore «verbiforme» che si contenutizza come «unione sostanziale» per la quale Cristo «abita formalmente nelle anime dei suoi Santi». D'altra parte, la rivelazione di Cristo riguarda tutte quelle cose che il Figlio udì, nel seno del Padre, e la loro comunicazione, per questo, non poteva avvenire se non tramite la comunicazione della propria persona agli apostoli, con la conseguente percezione che ne deriva. Queste indicazioni e altre ancora – come, per esempio, la sottolineatura soteriologica della dottrina di Cristo: Cristo ci salva istruendo e dunque la sua dottrina può essere definita «dottrina della salute», «cognizione della salute» –, verificano in parte la capacità di R. di mantenere la consistenza soteriologica delle verità in quanto legate all'evento rivelatore di Cristo, pur entro un contesto mentale «strutturale», tendenzialmente proclive a pensare in termini noetici la rivelazione come verità proposizionali.

3. Evento cristologico e razionalità filosofica - Data la singolarità dell'evento Cristo – Dio stesso nella storia umana – l'intelligenza soprannaturale apportata non poteva, per Rosmini, non far sentire i suoi benefici influssi a ogni livello del sapere umano. Anzi, il sapere filosofico – referente sintetico, al tempo di R., della totalità dello scibile – appare determinato dall'evento rivelatore cristiano.

L'effettivo rilievo dell'evento cristologico per i destini della razionalità umana è abbondantemente documentabile nel pensiero di R. ad un duplice livello: quello della sua interpretazione storica, per la quale la storia umana alla conquista del senso viene come catalizzata da questo evento – è una storia che progredisce in riferimento alla «cognizione positiva e personale del Verbo» che si avrà solo con l'incarnazione –, e quello della sua sistemazione teorica: partendo, infatti, dalla convinzione di fondo, espressa nella *Introduzione alla filosofia* (1850), che «l'effetto della fede cristiana introdotta nel mondo fu quello di dare un inaspettato, meraviglioso, infinito sviluppo alla ragione umana», era necessario esibirne le condizioni di possibilità attraverso la presentazione di un sistema filosofico che dichiaratamente annunciasse il proprio esplicito e intrinseco rapporto con la verità di Cristo, o meglio con la Verità che è Cristo, pro-

ponendosi senza indugi, senza complessi di inferiorità, e senza dubbi sulla propria autenticità – o sanità filosofica – come la «teoria dell'Evangelio e perciò la filosofia del Cristianesimo», secondo le note affermazioni della Prefazione al *Nuovo Saggio*. Poiché, «unico dunque è il principio del Cristianesimo, la Verità: e la Verità pure è il principio della filosofia».

A dispetto, però, di ogni cristomonistica attrazione del filosofare nella fede, R. adeguatamente distingue: nella filosofia, infatti, la verità si mostra solo come «regola della mente»; nella fede, essa è persona divina. Eppure è una sola Verità. È la stessa e unica Verità. Evitato un pancristismo generalizzato attraverso l'opportuna distinzione tra Idea, presente alla mente, e Gesù Cristo-Verbo, risulterà intollerabile però perché deviante, una assoluta separazione, poiché la naturale verità nell'uomo è già in atto «natural Cristianesimo», in quanto essa è «un crepuscolo, sarei per chiamarlo, del Verbo divino». È questo lo «spirito della filosofia» professata da R.: è lo spirito istituito dalla ravvisata relazione profonda tra la sua filosofia e il Cristo; relazione chiara e non camuffabile. Le reali coordinate teoriche per declinare in modo più oggettivo il rapporto intrinseco tra *Verbo di Dio* e *Idea nell'uomo* rimandano alla teoria rosminiana della «astrazione teosofica» nel processo creativo (Teosofia). Qui interessa solo sottolineare che al Verbo conviene in modo assoluto il carattere di «principio oggettivo» di ogni sapere e di ogni intelligenza, anche della scienza naturale, perché egli è «l'essere per sé noto» e, dunque, quale idea dell'essere nell'uomo è «l'intelligibilità stessa».

L'idea dell'essere è, rosminianamente, il primo vero a cui l'uomo per natura aderisce, perché è pura luce che splende alla mente. La razionalità umana, in sviluppo nella storia individuale e collettiva, forgia la verità di diverse forme, a seconda del progresso e della maturazione intellettuale. Ma, nell'*Introduzione alla Filosofia*, R. è risoluto: «Prima di tutte queste forme v'ha la stessa verità, ed ella è quell'essere ideale nel quale tutte le entità sono conoscibili». Ora chi ha somministrato quella verità pura anteriore a tutte le forme? All'origine, dunque, esiste un *magistero* divino «al quale l'uomo crede per natura e non per raziocinio, di maniera che anche nell'ordine naturale, non solo nel soprannaturale, la fede precede la ragione». R. individua così un'analogia di struttura tra razionalità umana e razionalità soprannaturale: l'attività umana di intelligenza, protesa verso la verità, è sempre riferita, sia a livello naturale che soprannaturale, all'illuminazione di uno stesso e unico Maestro. Da qui la convinzione profonda di R.: la fede cattolica è «amica intima» della ragione e della filosofia, e perciò ad essa la ragione non può sottrarsi senza distruggere la propria interiorità. La purezza della ragione non è inquinata dalla presenza della fede, ma assicurata e fatta risplendere: questa è la tesi sintetica che R. pretende verificata sul piano storico. L'incontro tra filosofia e cristianesimo costituì una rinascita singolare della filosofia.

La rilevanza cristologica della filosofia dice la *singolarità della posizione rosminiana nella teologia dell'800*. L'attitudine rosminiana a mostrare la «convenienza metafisica» delle verità rivelate da Gesù Cristo, non è assolutamente tendenza riduttrice del mistero, o tentativo di una sua deduzione trascendentale. Essa è, piuttosto, tensione a enucleare il massimo di razionale possibile, sulla base della convinzione indiscussa di una relazione di armonia e perfezionamento-compimento della verità soprannaturale con quella creaturale. Tale relazione appare compiutamente nell'u-

nione ipostatica del Verbo nella carne. L'esecuzione del compito, palesemente indicato in *Antropologia soprannaturale*, di enucleare la filosofia, «che giace occulta nelle viscere della cristiana teologia», ed è «supposta» e «accennata dalla divina Rivelazione», diventa lo spazio concreto per il rinnovamento della teologia dell'epoca infranta e resa sterile dal positivismo teologico. In questo senso l'originalità della posizione rosminiana nella teologia dell'800 è tutta da riscoprire e da affermare anche rispetto a quei grandi, diffusamente accomunati nel rinnovamento teologico dell'epoca, cioè Moehler e Newman.

4. L'ATTUALITÀ DELLA «TEOLOGIA» ROSMINIANA - Nel quadro delle considerazioni già svolte, la teologia è, per Rosmini, riflessione rigorosamente critica della fede sulla fede, perciò scienza, teoria, la cui possibilità ultima rimanda all'acquisizione di una filosofia autentica, vera e sana, come strumento metodico di esplicazione e di ricerca dell'intelligenza dogmatica. Da qui l'interazione dinamica di due movimenti propri del suo teologizzare: la tradizione della fede è letta da R. attraverso la sua filosofia, ma la sua filosofia è accreditata dalla tradizione, perché su di essa puntualmente verificata. È in gioco la filosofia della tradizione cristiana, che solo in quanto tale, può servire la tradizione della fede, ponendosi in e come «funzione» della sua autocomprensione, secondo il rigore critico e metodologico esigito dal carattere scientifico della teologia. La teologia è lógos della fede. Poiché è lógos, essa appella alla filosofia. Poiché è lógos permanentemente informato dall'intenzionalità della fede, essa richiede che l'appello alla filosofia venga, logicamente, preceduto dall'appello della filosofia alla fede: solo il lógos nella fede può coerentemente determinare il lógos della fede, cioè la

teologia. Ora, poiché la teologia è, per R., questa filosofia applicata al dogma, la consistenza della sua *figura* è legata alla soluzione del problema che essa pone: la possibilità reale, criticamente argomentata, di questa filosofia, nella sua verità, autenticità e autonomia filosofica.

La proposta soggiacente resta comunque paradigmatica per l'attuale problematica epistemologica contemporanea, che, nell'orizzonte variegato delle posizioni, esprime l'urgenza del ricupero ad intra della razionalità della fede. Questa razionalità nella fede offre, rosminianamente, la possibilità alla teologia di esistere, garantendone la ricchezza. È il ricupero corretto del filosofare in teologia: quello che sviluppa la riflessione filosofica immanente nella teologia, perché interna alla fede, la quale dandosi intelligibilità umana suppone e implica la ragione come tale.

Ebbene, si può indicare nella teologia fondamentale il luogo dove istituire l'incontro, l'unione, la feconda collaborazione di filosofia e teologia: in questo ambito, il teologo da teologo deve potere essere filosofo, senza che il suo teologare sia a detrimento del pensare critico e intensivo del filosofare. Il passaggio contemporaneo dell'apologetica alla teologia fondamentale ha acquisito il carattere propriamente *teologico* della indagine sulla credibilità e sulla ragionevolezza della fede: essa è appello della fede e nella fede alla razionalità globale dell'uomo. In questo contesto si inserisce il contributo teoretico di Rosmini alla determinazione dell'identità di tale disciplina teologica. Il suo tentativo di enciclopedia cristiana avrebbe dovuto essere, secondo Menke, la prima figura di Apologetica capace di superare l'alternativa tra teologia fondamentale oggettiva e soggettiva. Essa, infatti, al di là della preoccupazione di mostrare attraverso un intervento di razionalità pura la plausibilità della rivelazione stori-

ca con l'aiuto di segni certi o di ridurre la rivelazione al compimento della trascendentalità umana, svolge il tentativo di sviluppare, con i principi della fede, una concezione della realtà più alta, più coerente rispetto a qualsiasi altra. Si tratta di testimoniare, attraverso il filosofare, la fecondità della fede in ordine ai problemi tipici dell'uomo, sicché veramente Cristo possa risultare la chiave del criptogramma umano. *Cristocentrismo rosminiano*, dunque: ovvero, per R. la filosofia è domanda sulla totalità, ma questa totalità non può essere autonomamente pensata in separazione dalla totalità reale che, per un credente, è Gesù Cristo.

La teologia fondamentale, dunque, mentre legittima il sapere teologico come modalità specifica di sapere la realtà rispetto alle condizioni universali del sapere, *deve assumersi anche il compito* di mostrare come l'intelligenza della fede possa espandersi in una concezione globale della realtà che svolga coerentemente i motivi propri della filosofia, istituendo nel proprio seno il rapporto fecondo tra teologia e filosofia credente. Nel settore teologico fondamentale, attraverso l'elaborazione della filosofia nella fede, si raggiunge il livello massimo di esibizione all'«altro» della credibilità dell'evento rivelatore cristiano, che la teologia fondamentale con proprietà investigativa gestisce.

Bibl. - Per la completa informazione bibliografica delle opere di Rosmini e su Rosmini cfr. C. Bergamaschi, *Bibliografia rosminiana*, voll. I-VI, Milano 1967-1982. L'edizione critica dell'*opera omnia* è ancora in corso. G. Ferrarese, *Ricerche sulle riflessioni teologiche di A. Rosmini negli anni 1819-28,* Milano 1967; M.F. Sciacca, *Interpretazioni rosminiane,* Milano 1971; G. Di Napoli - R. Bessero Belti, *Problemi teologici ed ecclesiologici in A. Rosmini,* Stresa 1972; F. Conigliaro, *Immanenza e trascendenza del soprannaturale in Rosmini,* Palermo 1973; G. Cristaldi, *A. Rosmini e il pensare cristiano,* Milano 1977; K.H. Menke, *Vernunft und Offenbarung nach A. Rosmini,* Innsbruck-Wien-München 1980; F. Evain, *Être et personne chez A. Rosmini,* Paris-Roma 1981;

G. Giannini, *Esame delle quaranta proposizioni rosminiane*, Genova 1985; G. Taverna Patron, *Antropologia e religione in Rosmini*, Stresa 1987; G. Lorizio, *Eschaton e storia nel pensiero di A. Rosmini*, Roma-Brescia 1988;

A. Staglianò, *La «teologia» secondo Antonio Rosmini*. Sistematica-critica-interpretazione del rapporto fede e ragione, Brescia 1988.

ANTONIO STAGLIANÒ

S

SCETTICISMO

1. SPIEGAZIONE DEI CONCETTI - Il concetto di «scetticismo» risale direttamente alla parola francese «sceptique» (scettico), nella quale si cela tuttavia anche la radice del verbo greco «sképtomai» (osservare esaminando). Con il termine filosofico si designa abitualmente quell'orientamento speculativo oppure quell'atteggiamento spirituale che si astiene dal valutare, poiché non sarebbe possibile giudicare con adeguata sicurezza sulla verità o sulla falsità delle affermazioni. Uno scetticismo *radicale* si contraddice da se stesso, perché l'affermazione «ogni cosa deve essere dubitata» contravviene alla pretesa di verità che essa stessa contiene. Uno scetticismo *relativo* o *circoscritto* può comparire in riferimento a particolari campi (religione, etica, estetica o altri). Da Descartes in poi si parla di uno scetticismo «di metodo». Ogni cosa è certamente dubitabile tranne l'io pensante di colui che dubita. Colui che dubita di ogni cosa non può evidentemente dubitare del fatto che egli stesso è colui che dubita. In questo modo Descartes sperava di superare lo scetticismo.

2. LO SCETTICISMO NELLA STORIA DELLA FILOSOFIA OCCIDENTALE - Dal punto di vista storico lo scetticismo móstra un aspetto bifronte: da un lato è il *sintomo della decadenza* delle civiltà in crisi, dall'altro lo *strumento* del pensiero illuminista.

Nel pensiero filosofico occidentale, lo scetticismo compare come scuola di filosofia nella Grecia antica, soprattutto fra il 300 e il 200 a.C. Si distinguono tre fasi di sviluppo: lo scetticismo antico (Pirrone, Timone), quello di mezzo o accademico (Archesilao, Carneade), il recente o nuovo scetticismo (Enesidemo, Sesto Empirico). Lo scetticismo greco antico ha in comune con altre scuole (per esempio quella stoica o quella epicurea) la tensione verso la felicità. Anch'esso ne individua il fondamento nella serenità d'animo (ataraxía). A differenza delle altre scuole che tentano di conseguirla attraverso la conoscenza del mondo, lo scetticismo rinuncia invece integralmente a tale conoscenza. Lo scettico senza conoscenza non dovrebbe essere toccato dal mondo esterno e riuscirebbe in tal modo a conseguire la serenità d'animo, che sarebbe il presupposto della vera felicità. La rinuncia alla conoscenza viene motivata dall'impossibilità di conoscere la verità ovverosia il mondo. La filosofia antica elabora un particolare concetto di «sképsis»: l'analisi critica del pensiero non conduce ad un giudizio equilibrato, ma sfocia nell'aporia. Lo scettico non arriva a formulare né un'affermazione positiva né una negativa, ma si arresta astenendosi di fronte a qualsiasi valutazione (epochê) come il famoso asino (trapiantato in ambito filosofico) che davanti a due balle di fieno, identiche ed equidistanti muore di fame perché non sa evidentemente decidersi per l'una o per l'altra.

Ben presto il cristianesimo si pone in contrasto con lo scetticismo. Il punto di partenza sta nel domandarsi se esista un passaggio dal dubbio, relativo al pensiero, alla certezza della fede, oppure anche una giustificata giustapposizione dei due aspetti. Uno scetticismo di principio è comunque escluso fin dall'inizio. In Tertulliano «Atene» e «Gerusalemme» si fronteggiano inconciliabilmente. La fede cristiana esclude il dubbio e la ricerca. Non ha senso un dialogo fra fede e scetticismo. Anche → Agostino (nel *Contra Academicos*) oppone al dubbio la certezza della fede, ma tenta di confutare lo scetticismo su basi filosofiche.

Nella scolastica medievale non sono riconoscibili correnti scettiche. Solo in Duns Scotus ed Ockham tornano a comparire i primi inizi. Il «cogito-ergo-sum» di Descartes intende superare per principio ogni scetticismo. La sképsis di Hume nei confronti dell'etica razionale e del principio di causalità come fonte di conoscenza hanno effetti determinanti sullo sviluppo successivo del pensiero filosofico. Per Hegel la sképsis è un momento nella verità del tutto. Lo scetticismo di Nietzsche sfocia nel nichilismo.

Attualmente lo scetticismo è più un aspetto di fondo dell'attività filosofica moderna che un preciso orientamento nella filosofia. Come tale esso difende la libertà dello spirito nei confronti di una ricerca della verità priva di riserve contro ogni tentativo di dogmatizzazione del pensiero.

3. VALUTAZIONE TEOLOGICA - Lo scetticismo non è mai stato espressamente condannato da un documento ecclesiastico. Comunque tutto ciò che è stato detto riguardo all'→ agnosticismo potrebbe essere pertinente anche per questo caso.

Ciononostante uno scetticismo circoscritto o metodico nel senso di una «ricerca radicale» può essere assai legittimo e dimostrare l'ambivalenza di molti ambiti, laddove esso affronta criticamente ed investiga ciò che apparentemente è ovvio. La giustificazione di un tale scetticismo sta nella contingenza della conoscenza umana.

Il rapporto fra fede e dubbio (nel senso della ricerca e della domanda) è il problema teologico centrale. Infatti la fede in ultima analisi non costituisce davvero un possesso privo di dubbi. La fede cristiana è assolutamente consapevole di una compresenza fra fede e dubbio ricca di tensioni (cfr. Mc 9,24). Paolo invita il credente ad una verifica critica della propria fede (cfr. 2 Cor 13,5).

La certezza della fede può consistere nel lasciarla affrontare serenamente ogni interrogativo.

Lo scetticismo diviene teologicamente rilevante anche laddove l'attività conoscitiva umana cerca di fare derivare una pretesa di assolutezza dal rapporto con la rivelazione della fede cristiana. La fede stessa rimane sostanzialmente scettica nei confronti delle promesse salvifiche della conoscenza scientifica. Anche la teologia come scienza (→ Teologia, IV) è sottomessa alle limitazioni della conoscenza umana e per questo uno scetticismo circoscritto trova anche in essa un vasto campo di applicazione.

W. Weischedel (1905-1975) si è occupato molto approfonditamente del rapporto fra pensiero scettico e questione di Dio. Per sképsis egli intende una «ricerca radicale», che come tale è il tratto fondamentale della filosofia moderna. A differenza di Descartes egli scorge nel *processo* stes-

so della ricerca e della domanda radicali il dato indubitabile, la «prima
certezza». Il pensiero scettico, per arrivare alla questione di Dio, deve dal
canto suo essere colpito da una realtà che in se stessa non può più essere
messa in dubbio e «che anzi nella ricerca radicale si afferma ed ha consistenza come realtà» (Weischedel,
p. 20). Allora la realtà problematica
appare, di per sé, come *mistero*, nella problematicità. Problematicità fondamentale e mistero si condizionano
reciprocamente. Weischedel cita a riguardo tre esempi: 1. nella *contingenza* di tutto l'esistente qualcosa esiste
di fatto; 2. l'*esperienza della morte*
e della *caducità*; 3. il mondo *come
totalità*. Il carattere misterioso della
realtà non viene inventato o provocato, ma è già esistente ed è essa che
si impone apertamente al pensiero
scettico che inevitabilmente ci si scontra. La ricerca radicale non sarebbe
possibile se prima non esistesse il mistero che offre l'occasione della ricerca. Così il mistero è presupposto
e possibilità d'attuazione della ricerca.
Weischedel tuttavia vorrebbe identificare, non senza ulteriori sviluppi,
il mistero, come realtà resistente ad
ogni domanda, con il Dio cristiano.
Secondo lui però la fede cristiana intende in ultima analisi ciò che dal
punto di vista filosofico si presenta
come mistero. Fede e filosofia parlano quindi della stessa cosa in differenti lingue: la fede in termini figu-
rati, la filosofia direttamente.

Bibl. - R. Richter, *Der Skeptizismus in der
Philosophie und seine Überwindung*, voll. I-
II, Leipzig 1904-05; G. Schnurr, *Skeptizismus
als theologisches Problem*, Göttingen 1964;
R.H. Popkin, «Skepticism», in *The Encyclopedia of Philosophy*, vol. VII, New York 1967,
449-461; W. Post, «Skeptizismus», in SM VII,
393-397; H.R. Schlette, *Skeptische Religionsphilosophie. Zur Kritik der Pietät*, Freiburg
1972; W. Weischedel, *Die Frage nach Gott im
skeptischen Denken*, Berlin-New York 1976.

BERND GROTH

SCHEEBEN Matthias Joseph

Scheeben nacque nel 1835 a Mec-
kenheim presso Bonn (Germania occidentale) e morì nel 1888 a Colonia.
Per la sua preparazione al sacerdozio da Colonia si recò a Roma e come studente del Collegium Germani-
cum et Hungaricum frequentò la Pontificia Università Gregoriana (1852-
1859). Gli anni romani furono determinanti per la sua attività di teologo. Acquistò una buona conoscenza
dei padri greci e latini come pure dei
più importanti teologi della scolastica. I suoi maestri (Perrone, Passa-
glia, Franzelin, Schrader) appartenevano alla «scuola romana». Nel 1858
fu ordinato sacerdote e dopo una breve attività pastorale (1860) venne
chiamato a Colonia come professore
del seminario. Divenne uno dei più
stimati teologi cattolici del XIX sec.
e con le sue grandi opere (cfr. Bibliografia) esercitò un influsso anche
nel XX secolo.
Scheeben è anzitutto un dogmatico.
Per questo gli interessava più il contenuto che il fatto e la credibilità della
rivelazione cristiana, che era la tematica dell'apologetica classica, così come
si era sviluppata a partire dal XVIII
sec. Il contenuto della rivelazione forma un sistema organico di verità soprannaturali nel quale non c'è contraddizione. Il compito del dogmatico è di mettere in evidenza l'intimo
accordo della rivelazione. Scheeben
è pure meno interessato alle dispute
con la filosofia del suo tempo, e con
gli esterni. Per lui il fondamento della fede sta nell'introspezione teologica della fede, nel rendiconto della fede a se stessa. Veramente questo è
già teologia fondamentale in senso
moderno. Scheeben non l'ha vista, né
tematizzata in questo modo. Ma il
suo tentativo di tematizzare la razionalità immanente nella fede cristiana
favorisce quella tendenza già presente nella teologia dell'inizio del XX
sec. che cerca di argomentare in base

alla rivelazione e alla fede («teologia della rivelazione»). Fondamentalmente Scheeben con la sua immanente giustificazione della fede opera soprattutto all'interno del mondo cattolico, il che non vuol dire che nella disputa intorno al → Vaticano I non abbia operato in modo apologetico anche verso l'esterno. Nel cosidetto «Kulturkampf» egli difese la chiesa cattolica contro il razionalismo e il naturalismo, come pure contro il liberalismo del suo tempo.

Un posto di grande importanza nelle riflessioni di Scheeben spetta alla dottrina teologica della conoscenza e dei principi; in particolare essa concerne il rapporto tra fede e scienza, il cosiddetto «apostolato dell'insegnamento» e la sua infallibilità, come pure l'analisi teologica dell'atto di fede. L'oggetto della dottrina teologica della conoscenza è la trasmissione della rivelazione per mezzo della chiesa, la definizione della verità di fede e la sua trattazione scientifica, come pure i presupposti e la metodica della teologia. Scheeben distingue fra i principi oggettivi della conoscenza teologica (rivelazione e sua trasmissione, apostolato dell'insegnamento, tradizione) e la conoscenza teologica in sé (fede, atto di fede, fede e scienza). È sintomatico che la dottrina della conoscenza teologica inizi nell'incontro con la chiesa visibile, che si presenta con il diritto di essere colei che trasmette autenticamente la rivelazione di Dio.

Nella teologia di Scheeben viene data un'importanza centrale alla categoria del *soprannaturale*. Di fronte alle correnti razionalistiche del suo tempo egli mette in rilievo il carattere *soprannaturale* delle *verità rivelate*. Lo scopo prioritario dei suoi sforzi teologici è di tematizzare l'unità organica del naturale e del soprannaturale. Le sue riflessioni sul rapporto fra natura e grazia, scienza e fede, ragione e rivelazione mirano a questo intento. Egli delimita chiaramen-

te la teologia dalla filosofia, che per lui è scienza razionale che segue i principi naturali della ragione. Come scienza di fede la teologia è un sistema di cognizioni che si costruisce con proposizioni ritenute certe per fede. La teologia ha un proprio principio di conoscenza (la parola di Dio) e un proprio oggetto (Dio).

Scheeben comincia la sua attività teologica nell'epoca precedente il concilio Vaticano I. Dopo la liberazione dell'uomo dalla sua «minorità imputabile a sé» (Kant), si pongono con nuova urgenza alcune questioni teoriche di conoscenza e di scienza: teologia/filosofia, natura/grazia, fede/scienza, ragione/fede ecc. sono coppie di concetti dalle quali emergono domande che esigono una risposta (E. Paul 1975). Ma né il modello di pensiero *razionalistico* né quello *fideistico* rappresentano delle risposte effettive. Il primo modello elimina completamente la fede, la rivelazione e la teologia; il secondo trasferisce nella fede la ragione, fa sfumare i limiti con la superstizione ed espone il contenuto della fede all'arbitrarietà. La *separazione* tra fede e ragione porta a un «pensiero a due piani» (cfr. la teoria della doppia verità); la *mescolanza* di entrambe invece si trova all'inizio di ogni pan(en)teismo, come s'incontra innanzitutto nel romanticismo di quel tempo.

Scheeben nei *Mysterien des Christentums* (1ª ed. 1865) dedica l'ultima parte principale (§§ 104-110) alle questioni teorico-conoscitive e teorico-scientifiche della teologia. Nella successiva opera in più volumi *Handbuch der katholischen Dogmatik* la «dottrina teologica della conoscenza» compare nel primo volume (1873-1875). Nei *Mysterien* Scheeben al § 109 si occupa espressamente del rapporto fra fede e ragione. Per lui sono due «principi (soggettivi) di conoscenza», due «lumi» che veramente derivano da un'unica fonte (Dio), e che tuttavia devono essere distinti riguardo all'*ambito del loro oggetto*. La ragione si riferisce alla natura, la fede al soprannaturale. Riguardo ai misteri del cristianesimo esiste fra le due un «rapporto di servizio», che però non deve significare una sottomissione o un subordinamento della ragione alla fede. Non è un rapporto di *schiavitù*. La ragione ha un ruolo del tutto autonomo e insostituibile. Scheeben usa l'immagine delle nozze fra sposa e sposo, del rapporto tra uomo e donna. Le due nature in Cristo offrono l'*análogon* per il rapporto tra ragione e fede, tra filosofia e teologia. La ragione non può generare da sé la conoscenza teologica dei misteri di Dio «senza il germe fecondato della fede», mentre la fede senza la ragione non può esporre e sviluppare il suo contenuto.

Scheeben non appartiene ad alcuna scuola teologica e non si lascia inquadrare in nessuna. Le sue esposizioni non sono sempre chiare, specialmente quando ricorre a immagini. Tutto ciò invece di facilitare la recezione della sua opera l'ha resa più difficile. Le tendenze più diverse hanno cercato volentieri di valersi di Scheeben per il proprio intento. Le sue esposizioni riguardanti il carattere proprio della teologia sembrano talvolta avvicinarsi a un «pensiero a due piani». Lo sforzo di Scheeben per un «matrimonio» tra filosofia e teologia, in un tempo in cui sono falliti i grandi sistemi filosofici, porta ad un certo punto a un idealismo teologico tardivo (così si è parlato di un «Hegel della teologia cattolica»), che tiene in poco conto la storicità del pensiero e (prima di tutto nell'opera tardiva) cerca di subordinare le realtà al sistema. Secondo E. Paul, Scheeben, con la mediazione di Möhler (1796-1838), sviluppa una «teologia romantica» di impronta romana, che però con l'aiuto dei grandi esponenti della tradizione teologica si sviluppa in un progetto autonomo.

Bibl. - OPERE DI SCHEEBEN: *Natur und Gnade. Versuch einer systematischen, wissenschaftlichen Darstellung der natürlichen und übernatürlichen Lebensordnung im Menschen*, Mainz 1861; *I Misteri del cristianesimo*, Brescia 1960[3]; *Handbuch der katholischen Dogmatik*, voll. I-III, Freiburg i. Br. 1873-1887.
LETTERATURA SU SCHEEBEN: E. Paul, *Denkweg und Denkform der Theologie von Matthias Joseph Scheeben*, München 1970 (con ampia Bibliografia); Id., «Matthias Joseph Scheeben (1835-1888)» (con ampia Bibliografia), in *Katholische Theologen Deutschlands im 19. Jahrhundert*, H. Fries - G. Schwaiger (edd.), vol. II, München 1975, 386-408; Autori vari, *M. J. Scheeben: teologo cattolico d'ispirazione tomista*, Città del Vaticano 1988.

BERND GROTH

SCRITTURE SACRE

1. SCRITTURE SACRE E PAROLA DI DIO - Il concilio Vaticano II ha fatto propria l'espressione «i germi del Verbo» (AG 11) che avevano usato alcuni tra i primi Padri della chiesa in rapporto alle tradizioni religiose dei popoli a cui cercavano di portare il messaggio cristiano. Qui l'espressione è applicata direttamente ai libri sacri delle diverse tradizioni religiose dell'umanità e più specificamente agli scritti che esse considerano «Scrittura sacra». In alcune di queste tradizioni – tra cui → l'induismo – il concetto di «Scrittura sacra» è più fluido che nel cristianesimo. Un certo libro sacro, come per esempio la *Bhagavad Gītā*, può essere riconosciuto come Scrittura sacra (*śruti*) da alcune branche dell'induismo religioso, senza che lo stesso valore gli sia necessariamente attribuito da altre correnti secondo le quali essa fa parte della «tradizione» (*smṛti*) piuttosto che della Scrittura. Ricordiamo tuttavia che nemmeno tra le diverse branche del cristianesimo vi è completo accordo sulla «canonicità» dei libri sacri (→ Canone); la tradizione cattolica stessa distingue tra libri canonici e «deuterocanonici». Il proble-

ma della canonicità è quello dell'identificazione fatta da una comunità religiosa degli scritti sacri cui riconosce valore di Scrittura sacra. C'è tuttavia una questione più fondamentale: che cosa fa di un libro sacro una Scrittura sacra? Forse i problemi sono spesso confusi, così da non favorire la chiarezza teologica. Comunque sia, ciò di cui prima di tutto si tratta dovrà essere enunciato in questo modo: tenuto conto di ciò che nella teologia cristiana costituisce la Scrittura sacra, il teologo può riconoscere le «scritture sacre» delle altre tradizioni religiose come tali? E se sì, in che misura e in che modo?

Dobbiamo richiamare le necessarie distinzioni tra rivelazione divina, profetismo e Scrittura sacra, anche se i diversi termini ricoprono realtà legate tra loro da molteplici relazioni. Per ammettere che Dio si sia rivelato personalmente nella storia delle nazioni in modo tale che la teologia possa parlare di «rivelazione divina», anche se questa rivelazione è ancora solo una tappa preliminare nella storia della salvezza (→ Storia, V), orientata verso la rivelazione ebraico-cristiana, è sufficiente ricordare i santi «pagani» dell'Antico Testamento e le alleanze divine con l'umanità e con le nazioni (Gn 1,3; 9). D'altra parte, oggi viene sempre più ammesso che il carisma profetico ha conosciuto degli antecedenti al di fuori di Israele, sia prima di Cristo che dopo. Infatti il carisma profetico deve essere ben compreso. Non consiste prima di tutto nella predizione del futuro, quanto piuttosto nell'interpretazione ad opera di un popolo della storia sacra da questo vissuta, degli interventi divini nella sua storia. Non possiamo nemmeno opporre in modo fittizio religione «profetica» e religione «mistica». Infatti la fonte del carisma profetico è proprio un'esperienza mistica.

Il carisma profetico non è un privilegio esclusivo di Israele. L'AT stesso ha riconosciuto come autentica profezia, che veniva da Dio, quattro oracoli di Balaam di cui parla il libro dei Numeri (Nm 22-24). Per quanto riguarda l'antichità cristiana, essa ha talvolta considerato gli oracoli sibillini come profetici.

A dire il vero, l'autentico problema non è quello della rivelazione, nemmeno quello del profetismo, ma delle Scritture sacre in quanto concernenti la parola di Dio detta agli uomini nel corso della storia della salvezza. Dal punto di vista cristiano la Scrittura sacra contiene la raccolta, la memoria, di una rivelazione divina in modo tale che Dio ne sia l'autore. Non che gli autori umani dei libri sacri o i compilatori che hanno usato tradizioni orali o scritte siano privati del pieno esercizio delle loro facoltà umane e cessino di essere gli autori delle loro opere. Bisogna riconoscere il titolo di autore contemporaneamente a Dio e all'uomo, sebbene a differenti livelli. La Scrittura sacra è «parola di Dio in parole di uomini». Poiché Dio ne è l'autore, non si riduce a essere una parola umana su Dio, ma è parola di Dio stesso; poiché l'uomo ne è l'autore, questa parola di Dio rivolta agli uomini è davvero una parola umana, la sola che sia loro intelligibile. Per chiarire il mistero «Dio e l'uomo coautori», così come si realizza in modo unico nella Scrittura sacra, la teologia cristiana ha fatto ricorso al concetto di → ispirazione. Tradizionalmente per ispirazione divina si intende il fatto che Dio, pur rispettando l'attività dell'autore umano, la guida e la assume in modo tale da far sì che ciò che viene scritto sia, nella sua totalità, parola di Dio all'uomo.

Indubbiamente è una mancanza della teologia tradizionale della Scrittura sacra il fatto che il ruolo proprio dello Spirito Santo sembri passato in gran parte sotto silenzio. Il termine «ispirazione» continuamente usato non cambia affatto questa situazione, poiché la sua origine e il suo senso profondo sembrano la maggior parte delle volte cadere nell'oblio o trattenere poco l'attenzione. Nonostante la professione di fede della chiesa secondo la quale lo Spirito Santo «ha parlato per mezzo dei profeti» (Costantinopoli I), malgrado anche il titolo dell'enciclica *Divino Afflante*, e inoltre la costituzione *Dei Verbum* del Vaticano II (11), la teologia corrente della Scrittura sacra continua ad affermare che Dio è l'autore in modo assai indeterminato, che non rende giustizia all'influenza che lo Spirito vi esercita personalmente. Per «ispirazione divina» si intende un'azione divina *ad extra* comune alle tre persone, attraverso la quale Dio stesso è l'autore della Scrittura. Non sembra rinviare a una presenza attiva dello Spirito di Dio che, ispirando gli autori sacri, imprime il suo personale sigillo su quanto viene scritto. La teologia della Scrittura sacra dovrebbe nuovamente, e più che in passato, mettere in evidenza l'influenza personale esercitata dallo Spirito. Solo allora si avrà una teologia della Scrittura sacra che permetta un atteggiamento più aperto nei confronti delle Scritture sacre delle altre tradizioni religiose.

Rahner ha messo l'accento sul carattere comunitario delle Scritture sacre: la bibbia è il libro della chiesa; contiene la parola di Dio rivolta alla comunione ecclesiale. Ciò significa che nei libri sacri che la compongono, e specialmente in quelli del NT, la chiesa ha riconosciuto l'espressione autentica della propria fede e la parola di Dio che la fonda. La Scrittura sacra è infatti un elemento costitutivo del mistero della chiesa riunita dalla parola di Dio. Ma ciò non richiede, d'altra parte, che l'autore sacro sia cosciente di essere mosso a scrivere dallo Spirito Santo. Sappiamo che il carisma di ispirazione scritturale si estende ben al di là del gruppo degli autori sacri cui sono attri-

buiti i diversi libri. Questi «autori» hanno spesso, di fatto, funzione di «redattori» o di «editori» delle tradizioni orali o scritte che li precedono. È possibile che anche i vangeli apocrifi abbiano conservato alcune autentiche parole di Gesù.

Se è così, il problema è quello di sapere se la teologia cristiana possa riconoscere nelle altre Scritture sacre una parola di Dio ispirata dallo Spirito Santo e rivolta da Dio ad altre comunità religiose; e se sì, come questa parola sia parola di Dio. Bisogna riconoscere una parola iniziale di Dio all'uomo, ispirata dallo Spirito Santo o invece vedervi solo una parola umana su Dio, o anche una parola dell'uomo a Dio in attesa di una risposta divina? Se si tratta proprio di un'iniziale parola di Dio, bisogna ancora domandarsi: come si ricollega questa parola iniziale detta da Dio agli uomini, così come è contenuta nelle Scritture sacre delle diverse tradizioni religiose, alla parola decisiva che egli ha detto agli uomini in Gesù Cristo e di cui il NT rappresenta la raccolta ufficiale?

Dobbiamo affermare che l'esperienza religiosa dei saggi delle nazioni è guidata e diretta dallo Spirito. La loro esperienza di Dio è esperienza del suo Spirito. Bisogna indubbiamente ammettere anche che questa esperienza non è destinata solo a loro. Nella sua provvidenza Dio, cui spetta l'iniziativa di ogni incontro divino-umano, ha voluto parlare alle nazioni stesse attraverso l'esperienza religiosa dei loro profeti. Rivolgendosi personalmente a loro nel segreto del loro cuore, Dio ha voluto manifestarsi alle nazioni e rivelarsi nel suo Spirito. In questo modo egli entrava segretamente nella storia dei popoli e la dirigeva verso il compimento finale del suo disegno. Il carattere sociale delle «Scritture sacre» delle nazioni può dunque essere detto voluto da Dio. Queste Scritture rappresentano il patrimonio sacro di una tradizione religiosa in via di realizzazione, non senza l'intervento della provvidenza divina. Esse contengono parole di Dio agli uomini nelle parole dei saggi, in quanto riportano parole segrete dette dallo Spirito nel cuore degli uomini, ma destinate dalla provvidenza divina a condurre altri uomini all'esperienza dello stesso Spirito. Affermare di meno sarebbe, come sembra, sottovalutare il realismo della manifestazione di Dio alle nazioni.

Ciò che qui viene suggerito non equivale a dire che *tutto* il contenuto delle Scritture sacre delle nazioni sia parola di Dio in parole di uomini; possono essere stati introdotti molti elementi nella compilazione dei libri sacri che rappresentano solo parole umane su Dio. Ancor meno si tratta di dire che le parole di Dio contenute nelle Scritture sacre delle nazioni rappresentino la parola decisiva che Dio rivolge loro come se non avesse più niente da dire di ciò che già aveva detto loro attraverso la mediazione dei loro profeti. L'affermazione fatta sopra torna a dire che l'esperienza personale dello Spirito fatta dai saggi, in quanto è, secondo la divina provvidenza, una prima *avance* personale di Dio verso le nazioni e in quanto è stata autenticamente raccolta nelle loro Scritture sacre, è una parola personale che Dio rivolge loro attraverso gli intermediari da lui scelti. In un senso vero, ma indubbiamente difficile da specificare maggiormente, questa parola può essere detta «parola ispirata da Dio», purché non si abbia dei concetti un'accezione troppo ristretta e si tenga sufficientemente conto dell'influenza cosmica dello Spirito Santo.

2. RIVELAZIONE PROGRESSIVA E DIVERSIFICATA - La lettera agli Ebrei afferma chiaramente (1,1) che la parola detta da Dio in Gesù Cristo − nel Figlio − è la sua parola decisiva e in questo senso definitiva. In che senso e come Gesù Cristo è la pie-

nezza della rivelazione? Dove si trova esattamente questa pienezza? Per evitare qualunque confusione, bisogna dire che la pienezza della rivelazione non è, propriamente parlando, la parola scritta del NT. Questo ne è la raccolta ufficiale, la memoria autentica. Tradizionalmente è stato detto che, dal punto di vista cronologico, questa raccolta ha fine con la morte dell'ultimo apostolo; è preferibile osservare che, dal punto di vista testuale, essa termina con la composizione dell'ultimo libro incluso nel NT. Questa memoria autentica − che fa parte della tradizione costitutiva − deve tuttavia essere distinta dall'evento Gesù Cristo stesso, cui rendono testimonianza i testimoni autentici e autorevoli. È la persona stessa di Gesù Cristo, le sue opere, le sue parole, la sua vita, la sua morte e la sua risurrezione, in una parola, l'evento Gesù Cristo, che costituisce la pienezza della rivelazione. In lui Dio ha detto al mondo la sua parola decisiva a cui niente può essere aggiunto come rivelazione divina. Questo intende la costituzione *Dei Verbum* del Vaticano II quando distingue la rivelazione piena nell'evento Gesù Cristo (4) dalla sua «trasmissione» nel NT che fa parte della tradizione apostolica (7). La memoria autentica dell'evento elargita dal NT è senza dubbio normativa (*norma normans*) per la fede della chiesa di tutti i tempi; essa non costituisce per questo la pienezza della parola di Dio agli uomini. Lo stesso NT dà fede del fatto che questa memoria riporta l'evento solo in modo incompleto (Gv 21,25).

Se dunque bisogna attribuire al NT un carisma speciale e unico di ispirazione scritturale, la ragione è che esso contiene la raccolta ufficiale della rivelazione definitiva che in Gesù Cristo Dio rivolge a tutti gli uomini. Per quanto incompleta possa essere tale raccolta, essa porta, mediante l'ispirazione dello Spirito Santo, un sigillo di autenticità che permette alla comunità ecclesiale di riconoscervi l'espressione ufficiale della propria fede, cioè il senso vero di ciò che Dio ha fatto per gli uomini in Gesù Cristo. Per essere compresa correttamente, la speciale influenza esercitata dallo Spirito Santo sulla composizione del NT deve essere vista come parte integrante della sua azione creatrice della chiesa.

La chiesa è nata a Pentecoste dall'effusione dello Spirito di Cristo risorto. La presenza dello Spirito tra i primi credenti e la sua continua *paráclēsis* fanno della chiesa la comunità escatologica incaricata di rendere testimonianza all'evento rivelatore di Dio che ha avuto luogo negli ultimi tempi. La composizione del NT è parte essenziale di questa creazione della chiesa, poiché senza di questo la comunità ecclesiale non potrebbe portare la sua testimonianza autentica. Sotto una speciale influenza dello Spirito Santo la chiesa primitiva ha raccolto per se stessa e per le generazioni future il senso dell'evento Gesù Cristo. La raccolta che ne fece non è solo una parola che Dio rivolge agli uomini attraverso l'esperienza personale dello Spirito che fecero i veggenti individuali; è la parola definitiva di Dio agli uomini, scritta sotto la guida speciale dello Spirito Santo da membri della comunità escatologica che egli riempie della sua presenza. È in questo senso che il NT è elemento costitutivo del mistero della chiesa.

Ma una volta riconosciuto il carattere unico dell'evento Gesù Cristo e affermato senza ambiguità il posto unico che la raccolta ufficiale di questo evento, da parte della comunità escatologica della chiesa, occupa nel mistero della rivelazione di Dio al mondo, vi è ancora spazio per una teologia aperta della rivelazione e delle Scritture sacre. Una simile teologia prospetterà che Dio, prima di dire l'ultima parola in Gesù Cristo, prima anche di parlare per mezzo dei profeti dell'AT, aveva già detto una parola iniziale agli uomini attraverso i profeti delle nazioni, parola di cui possiamo trovare alcune tracce nelle Scritture sacre delle tradizioni religiose del mondo. La parola finale non esclude una prima parola; piuttosto la suppone. Nemmeno possiamo dire che la parola iniziale di Dio sia quella riportata dall'AT, poiché anche l'AT stesso testimonia del fatto che Dio parlò alle nazioni prima di parlare a Israele. Le Scritture sacre delle nazioni, l'AT e il NT, rappresentano dunque i diversi modi e le diverse forme con le quali Dio si rivolge agli uomini attraverso il continuo processo della rivelazione che fa loro di se stesso. Nella prima tappa fa intendere al cuore dei veggenti una parola segreta di cui le Scritture sacre delle tradizioni religiose del mondo possono almeno contenere alcune tracce. Nella seconda tappa parla ufficialmente a Israele per bocca dei suoi profeti e tutto l'AT raccoglie questa parola. In queste due prime tappe la parola di Dio è orientata, anche se in modo diverso in ognuna, alla piena rivelazione che avrà luogo in Gesù Cristo. In questa terza e ultima tappa Dio dice la sua parola decisiva nel Figlio ed è a questa che tutto il NT rende una testimonianza ufficiale.

Le Scritture sacre delle nazioni possono contenere solo parole di Dio iniziali e nascoste; tali parole non hanno il carattere ufficiale che va riconosciuto all'AT e meno ancora il valore definitivo del NT. Si può tuttavia chiamarle parole divine in quanto Dio le dice attraverso il suo Spirito. Dal punto di vista teologico, i libri sacri che le contengono meritano in un certo senso il termine di Scritture sacre. In ultima analisi, siamo di fronte a un problema di terminologia, a ciò che bisogna intendere per *parola di Dio, Scrittura sacra* e *ispirazione*.

Si può come avvenne tradizionalmente dare una definizione teologica stretta di questi termini. Si è allora costretti a limitarne l'applicazione solo alle Scritture della tradizione ebraico-cristiana. Ma si può anche dare loro un significato più ampio, non senza valido fondamento teologico, secondo il quale i termini possono essere applicati alle Scritture delle altre tradizioni religiose. I termini *parola di Dio, Scrittura sacra, ispirazione* non esprimono dunque esattamente la stessa realtà nelle diverse tappe della storia della rivelazione e della salvezza; ma in ogni tappa questi termini rappresentano una vera realtà e possono quindi essere utilizzati per ognuna, purché ci si ricordi delle necessarie distinzioni. Infatti, per quanto sia importante conservare intatto il significato unico della parola di Dio riportata dalla rivelazione ebraico-cristiana, non è meno importante riconoscere pienamente il valore e il senso delle parole di Dio contenute nella rivelazione cosmica. *Parola di Dio, Scrittura sacra, ispirazione* sono dunque concetti analoghi che si applicano in modo diverso alle diverse tappe di una progressiva rivelazione «differenziata» (cfr. Cl. Geffré).

La storia della salvezza e della rivelazione è una sola; nelle sue diverse tappe, cosmica, israelita e cristiana, porta in modo diverso il sigillo dell'influenza dello Spirito Santo. Con ciò si intende affermare che attraverso le tappe della propria rivelazione Dio dirige personalmente, nella sua provvidenza, l'umanità verso il fine che le ha assegnato. Il positivo volere divino della rivelazione cosmica come rivelazione personale di Dio alle nazioni comprende le loro Scritture sacre in quanto «preparazione evangelica». I «germi del Verbo» contenuti in queste Scritture sono parole di Dio in germe, in cui non è assente l'influenza dello Spirito. Infatti l'influenza dello Spirito è universale; essa si estende alle parole dette da Dio all'umanità in tutte le tappe della rivelazione di se stesso che Dio elargisce all'umanità.

Bibl. - K. Rahner, *Sull'ispirazione della sacra Scrittura*, Brescia 1967 (or. 1959); K. Rahner - J. Ratzinger, *Rivelazione e Tradizione*, Brescia 1970 (or. 1965); M. Dhavamony (ed.), *Révélation dans le christianisme et les autres religions*, Roma 1971; Id., *Founders of Religions*, Roma 1984; I. Vempeny, *Inspiration in the non-Biblical Scriptures*, Bangalore 1973; D.S. Amalorpavadass (ed.), *Research Seminar on non-Biblical Scriptures*, Bangalore 1975; Cl. Geffré, «Le Coran, une parole de Dieu différente?», in *LumVie* 32 (1983) 21-32; GRIC, *Ces Écritures qui nous questionnent: la Bible et le Coran*, Paris 1987.

JACQUES DUPUIS

SECOLARITÀ

Quando si usa il concetto di secolarità si incontrano sicuramente dei problemi. Uno studio approfondito deve necessariamente tener conto dei suoi correlativi, → secolarizzazione e secolarismo. Questi due termini indicano fenomeni socio-culturali di grande complessità, e la riflessione sulla secolarità, sia essa di ordine giuridico-canonico, filosofico, sociologico o teologico, deve essere elaborata in rapporto stretto con questi fenomeni, oltre che essere aperta a una pluralità di esperienze. In pratica, è impossibile usare il singolare quando si parla *del* cristianesimo, *della* secolarizzazione o *della* religione, fenomeni considerati nei loro contesti storici e socio-culturali diversificati. Questi concetti infatti fanno riferimento a vettori fondamentali dell'esperienza umana.

Ci si può domandare se in teologia una riflessione sulla secolarizzazione sia sempre pertinente. Soprattutto negli anni Sessanta, questo problema preoccupava tutte le scienze umane. Dagli anni Settanta si svolge un processo contro la secolarizzazione, sotto il duplice segno politico e religioso (per es., le teologie della liberazione e il fondamentalismo politico). Eppure, né il ritorno massiccio del religioso né il movimento di liberazione dei poveri possono sostituirsi in modo puro e semplice al processo della secolarizzazione.

Per cogliere il rapporto che la chiesa ha attualmente con la secolarità, è importante innanzitutto analizzare l'uso di questo concetto nei documenti del magistero. Anche un ambiente di vita, quello degli istituti secolari approvati da Pio XII nel 1947 nella costituzione apostolica *Provida Mater Ecclesia*, ferma l'attenzione, poiché la secolarità costituisce la sua missione primaria attraverso la professione dei consigli evangelici. In un secondo tempo, il dibattito sulla secolarizzazione, nel suo rapporto con la fede cristiana, viene tracciato e prepara l'esame della domanda successiva: la cultura detta secolarizzata interroga la testimonianza cristiana?

1. NASCITA DEL CONCETTO DI SECOLARITÀ - Se la parola «secolarità» rimanda al latino *saeculum*, questo termine non è il solo che traduce «mondo»; c'è anche *mundus*. *Mundus* è riferito all'idea di spazio, al termine greco *cósmos* che indica l'universo in cui tutti gli elementi sono ordinati gli uni in rapporto agli altri in una logica interna e chiusa su se stessa. *Saeculum* trasmette l'idea di tempo espressa in greco da *aiôn*, età, epoca (il termine sanscrito *àyus* e i suoi composti hanno lo stesso significato). *Mundus* mantiene la concezione greca del mondo come luogo; *saeculum* mantiene la concezione ebraica del mondo come storia. La parola ebraica *'olam* indica insieme tempo e mondo, cioè il mondo temporale. Il significato greco ha dominato nella tradizione teologica, dal tempo degli apologeti del II secolo. Nel corso della storia, per il termine «secolarità» viene rifiutato il senso ebraico orientato verso le dimensioni di temporalità e storicità. L'esegesi dell'Antico Testamento ha messo in evidenza questa variazione di significato. Non si sottolinea mai troppo l'importan-

za del ricupero, da parte della teologia, della sua natura storica e temporale (cfr. H. Cox, *La città secolare*, Firenze 1968).

L'uso tradizionale del termine «secolare» ignora la dimensione della storicità. L'aggettivo «secolare» fa la sua comparsa nel XII secolo. Si ricollega al «secolo», alla laicità e al temporale, e si contrappone all'ambito ecclesiastico o regolare. Nella prospettiva giuridico-canonica, il secolare è colui che vive nel mondo, vale a dire nel secolo, in opposizione allo stato di vita detto regolare. Nel medioevo, il sostantivo «secolarità», per indicare la condizione del prete secolare, è usato raramente. Al di là dell'apparente neutralità della terminologia giuridico-canonica, il tempo è subordinato a ciò che è considerato l'ambito del sacro e dell'eternità. Questo porta con sé una svalutazione del secolare rispetto al sacro, allo spirituale religioso o ecclesiastico. La temporalità del secolare è relativa e limitata, le attività «temporali» hanno un'importanza inferiore a quella delle attività «sacre». Del resto, il secolare come luogo è contrapposto agli spazi sacri e al mondo dell'aldilà.

Se è rischioso delineare la concezione dello spazio e del tempo di un'epoca, rimane possibile tenerne presente l'aspetto dominante. Soprattutto a partire dall'introduzione, da parte di Gregorio Magno (540-604; Gregorio Magno, *Moralia* I, 14.20; V, 13.30; XXXII, 20.35 in PL 75; 535; 695; 76; 657), di una gerarchia delle vocazioni fondata sull'ideale della vita monastica, la «perfezione» cristiana appartiene pienamente a coloro che «rinunziano alle cose del mondo». Nell'ambito degli stati di vita, questo, verso il XII secolo, si traduce in una concezione bipartita della chiesa: i monaci o chierici e i laici, gli uomini del culto o del divino e i secolari. Il rapporto delle persone umane col mondo e con i fini ultimi si trova orientato in modo specifico.

Un'attenzione maggiormente rivolta verso i fini ultimi oscura il significato escatologico della storia: da lì il primato del monachesimo.

Il medioevo tiene insieme i due termini: *mundus*/spazio e *saeculum*/tempo. Ma rimane ugualmente un problema; esso sta nell'associazione dell'ambito religioso e ultimo al concetto *mundus* e nell'associazione dell'ambito profano e di importanza minore al concetto *saeculum*. Il rapporto della fede col secolare sembra oggi trovare la sua esplicitazione nel concetto di secolarità nel senso giuridico-canonico e teologico, sebbene fino al concilio Vaticano II questa riflessione sia determinata dall'atteggiamento antimodernista.

All'inizio del secolo, il cattolicesimo pone il problema del rapporto col mondo in termini di apostolato e di partecipazione all'apostolato della gerarchia. Alcuni teologi o movimenti cercano di sganciarsi dal «ghetto cattolico» e pongono il problema della secolarità cristiana. L'apostolato laico è visto sotto tre forme: la ricristianizzazione delle strutture della vita sociale, l'evangelizzazione diretta e la testimonianza di vita silenziosa e nascosta.

Fino al concilio Vaticano II, l'effervescenza dei movimenti d'azione laici non si accompagna ad aperture verso le problematiche teologiche. La teologia detta delle «realtà terrestri» (G. Thils), se esaminata a fondo, appare più basata su una separazione pratica fra natura e soprannatura che elaborata sotto l'ispirazione di una pertinenza essenziale del secolare per la fede. La riflessione si arena sul dualismo tra escatologia e incarnazione, tra umanizzazione ed evangelizzazione. L'uso dei concetti di secolarità nel suo significato sociologico e teologico riguarda quasi esclusivamente gli stati di vita.

Il concilio Vaticano II fonda la secolarità sul mistero dell'incarnazione di Cristo: «Il Verbo di Dio, per mezzo del quale tutto è stato creato, fattosi carne lui stesso e venuto ad abitare sulla terra degli uomini, entrò nella storia del mondo come l'Uomo Perfetto, assumendo questa e ricapitolandola in sé» (GS 38). I discepoli di Cristo condividono questa condizione secolare e «nulla vi è di genuinamente umano che non trovi eco nel loro cuore» (GS 1), come ricorda Filippesi 4,8: «Tutto quello che è vero, nobile, giusto, puro, amabile, onorato, quello che è virtù e merita lode, tutto questo sia oggetto dei vostri pensieri». Il concilio non elabora il significato della secolarità di Cristo per la chiesa. Si limita a delineare, su questa base, la secolarità dei membri della chiesa: se tutti partecipano in modo diverso alla natura secolare della chiesa, la determinazione secolare appartiene in modo speciale al laicato (LG 31) e ai membri degli istituti secolari (PC 11) secondo un triplice dovere: «cercare il regno di Dio», «trattare le cose temporali» e «ordinarle secondo Dio» (LG 31). Questi tre elementi condizionano insieme la secolarità cristiana. Sebbene essi partecipino alla secolarità della chiesa, i ministri ordinati «per la loro speciale vocazione sono destinati principalmente e propriamente al sacro ministero» (LG 31). Infine, il ritiro dal mondo riguarda solo gli istituti di vita contemplativa (*a mundu secessu* - PC 7).

I documenti del sinodo del 1987 riguardanti i laici e l'esortazione apostolica postsinodale di Giovanni Paolo II *Christifideles Laici* (1989) permettono di situare lo stato attuale della riflessione magisteriale sulla secolarità. Il dibattito che sta alla base di questi documenti può essere riassunto in questa domanda: la secolarità del laico è una realtà unicamente sociologica o è anch'essa teologica ed ecclesiale? Nel suo aspetto sociologico, la secolarità è il contesto di vita sociale, con le sue variazioni culturali, alle quali il laico prende parte attiva. Ma non c'è azione trasformatrice dell'ambiente. Le «Proposizioni» finali del sinodo affermano che tutta la chiesa ha una dimensione secolare, sebbene la secolarità sia un carattere specifico della missione dei laici. Il carattere secolare del laico comporta non solo un senso sociologico, ma prima di tutto teologico, secondo una triplice missione: partecipare all'opera della creazione, liberare la creazione dall'influenza del peccato e santificarsi nel mondo (n. 4). L'esortazione postsinodale di Giovanni Paolo II insiste maggiormente sulla secolarità della chiesa. Riprendendo un passo del discorso di Paolo VI ai superiori e ai membri degli istituti secolari (1972), essa afferma: «La chiesa ha un'autentica dimensione secolare, inerente alla sua natura intima e missione, la cui radice affonda nel mistero del Verbo incarnato, e che è realizzata in forme diverse per i suoi membri» (*Christifideles Laici* n. 15). Tuttavia, come dichiarava il concilio Vaticano II, si tratta di una caratteristica propria soprattutto del laicato. Il battesimo conferisce a tutti una dignità fondamentale comune e la secolarità ne costituisce una «modalità». Infine l'esortazione apostolica dice chiaramente: «Il concilio considera la loro condizione non semplicemente come un dato esteriore e ambientale, bensì come una realtà destinata a trovare in Gesù Cristo la pienezza del suo significato» (n. 15). Queste formulazioni lasciano il sospetto che la secolarità sia considerata da un punto di vista spaziale e che la dimensione storica che la muove non determini la natura della chiesa. Come il laicato è mandato al mondo dall'interno del mondo, la secolarità è un vettore piuttosto esterno alla vita della chiesa. Il discorso degli istituti secolari permetterebbe senza dubbio di chiarire maggiormente questa costatazione. Questi istituti fanno e sono chiamati a fare in modo ufficiale l'esperienza della secolarità che

riguarda tutta la chiesa. Nei loro dibattiti, essi radicalizzano i problemi che agitano gli ambienti cristiani sul rapporto tra la fede e il secolare.

Nati dalla determinazione di realizzare il radicalismo evangelico nel mondo, gli istituti secolari affrontano la problematica della secolarità e delle situazioni di vita nella chiesa. Essi pongono in primo luogo il delicato problema della vita consacrata *in saeculo et ex saeculo* (S. Lefèbvre, *Sécularité et instituts séculiers*, Montréal 1989). Tradizionalmente la consacrazione equivale a una separazione dal mondo e si compie nella vita religiosa. Come allora unire consacrazione e condizione secolare? Nel corso della storia degli istituti secolari (nel XVI secolo Angela Merici ebbe la prima intuizione di tale forma di vita), compare una tensione fra una visione sempre più pragmatica della loro identità e la visione ufficiale della natura ontologica dell'impegno al radicalismo evangelico. Ciò dà luogo a dibattiti di questo genere: I loro membri sono veri laici? Hanno un legame specifico con la secolarità? Quanto agli istituti secolari sacerdotali, la domanda diventa ancora più cruciale: il sacerdote, uomo del sacro, può essere animato da una volontà di radicamento veramente secolare? Il discorso degli istituti secolari è attraversato da problematiche secondo cui la chiesa definisce ancora la sua natura attraverso le categorie chierici-laici, ecclesialità-secolarità, escatologia-storia. Essa si applica a chiarire gli stati nella chiesa facendo ricorso alla secolarità, invece di illuminare questa in sé e nel suo rapporto con la fede. In tale prospettiva, l'anteriorità dell'essere nel mondo sull'essere nella chiesa secondo il punto di vista di un'ontologia della cultura, rimane un principio astratto. Sul piano apostolico, una riflessione che tratta la secolarità in base a un rapporto di esteriorità al vangelo, consiglia problematiche tanto di «penetrazione» (*perfundere*) quanto di avvicinamento, di intervento e di inserimento nel mondo. La formula chiave degli istituti secolari: vivere e agire «nel mondo e dall'interno del mondo» (PC 11), non fa altro che invertire il problema senza veramente risolverlo. Infatti, che lo si consideri venuto da fuori o dall'interno, il cristiano continua a essere colui che è reso partecipe per poi infondere qualcosa al mondo, «penetrarlo». Secondo questa prospettiva di «penetrazione», la secolarità è concepita come una situazione o *fuori* della chiesa o *dentro* la chiesa, ma non *della* chiesa. Per riorientare la problematica, bisognerebbe integrare nella discussione la letteratura teologica degli ultimi trentacinque anni, sul problema della secolarizzazione e dello spostamento del religioso al centro della secolarità.

2. SECOLARIZZAZIONE E SECOLARISMO - Il concetto che si ha di secolarizzazione dipende dalla posizione che si prende rispetto al secolare e al sacro. Inizialmente il concetto di secolarizzazione comporta un significato giuridico-canonico: il passaggio dallo stato ecclesiastico allo stato secolare, l'alienazione dei beni ecclesiastici a profitto di istanze civili. Sul piano storico-politico, esso riguarda la cessione di poteri religiosi all'autorità civile. Sul piano culturale, significa l'abolizione di elementi o simboli culturali di natura esplicitamente religiosa. Secondo questa concezione tradizionale, la secolarizzazione è compresa in seno alla chiesa come una diminuzione (per quanto riguarda lo stato di vita), una perdita (politica) e un insuccesso (culturale). È ciò che H. Lübbe mostra nel suo studio storico-politico della storia del concetto di secolarizzazione (*Säkularisierung, Geschichte eines ideenpolitischen Begriffs,* München-Freiburg i. Br. 1965).

La parola «secolarizzazione» è usa-

ta per la prima volta nel 1803 a Münster, dall'inviato francese delegato a negoziare il trattato di pace di Westfalia. Si tratta di definire le condizioni di liquidazione del dominio socio-politico della chiesa. Esiste una neutralità di partenza, poiché la chiesa ammette la fondatezza di certe secolarizzazioni di beni. Tuttavia, la possibilità di un giudizio di legittimità o di illegittimità connota il processo al cui interno giocano forze politiche.

Il codice di diritto canonico riprende il termine a partire da questo uso storico-politico di partenza. Da un punto di vista del tutto neutrale, secolarizzazione significa uscita autorizzata di una persona da un ordine religioso per ritrovare lo stato laicale. Tuttavia, il secolarizzato perde certi privilegi, specialmente quello di insegnare teologia e questo implica un discredito.

Sul piano storico-politico, la secolarizzazione crea partiti opposti: il giudizio di illegittimità posto dalla gente di chiesa o la convinzione di un processo socio-culturale agli occhi di quelli di fuori. Per lo storico H. von Treitschke, c'è una perversione sia dall'una che dall'altra parte. Se ci sono stati abusi di proprietà da parte della chiesa, la presa di possesso dei beni da parte dell'istanza civile è segnata dall'avidità (H.v. Treitschke, *Deutsche Geschichte im 19. Jahrhundert.* I. Bis zum zweiten Pariser Frieden, 186ss). Al di là di una certa perversità dei due partiti, la secolarizzazione rivela un processo necessario: l'abolizione di un teocratismo divenuto insostenibile. Col tempo, la chiesa finisce col vedere i vantaggi spirituali della secolarizzazione che la riporta a una maggiore autenticità. Sebbene i conflitti si attenuino, i dizionari normali degli anni cinquanta considerano la secolarizzazione non solo come una scelta di società non aggirabile, ma talvolta anche come una minaccia per la cultura cristiana.

La lingua tedesca distingue due livelli di secolarizzazione: il livello storico-politico, indicato dalla parola *Säkularisation*, e il livello filosofico e culturale, espresso dalla parola *Säkularisierung*. Il significato filosofico e culturale appare per la prima volta nelle filosofie della storia di ispirazione hegeliana. Tuttavia, Hegel parla della «mondanizzazione» (*Verweltlichung*) della fede cristiana: la società mondanizzata costituisce il compimento storico per eccellenza del cristianesimo, specialmente attraverso il principio di autonomia e libertà dell'individuo su cui si fonda la Rivoluzione francese. Il concetto di *Säkularisierung* sembra indicare la tesi che lega cristianesimo e secolarizzazione. Se Hegel non se ne serve, è perché non ammette le lotte ideologiche che connotano il termine. La sua visione della storia si pone al di là dei conflitti di questo tipo.

L'idea di una secolarizzazione culturale, espressa dal termine *Säkularisierung* (ormai indicato con «secolarizzazione») nasce per analogia col significato giuridico e storico-politico, ma in riferimento a una filosofia e a un'etica secolari, cioè sottratte all'influenza teologica ed ecclesiastica. I principali promotori di questo movimento sono, in Francia, V. Cousin (1844) e, in Germania, E. Laas (1882) e F. Jodl (1889). La secolarizzazione culturale concerne soprattutto e prima di tutto il settore dell'educazione. Nell'Europa del XIX secolo, le attività della Società tedesca per la Cultura etica (*Die deutsche Gesellschaft für ethische Kultur*), di cui E. Laas e F. Jodl sono i membri dirigenti, testimoniano questo orientamento: oltre alla separazione della chiesa e dello stato, essa raccomanda scuole neutrali, con l'insegnamento di una morale pubblica autonoma, secondo un pensiero positivista tecnocratico; promuove un principio di tolleranza, sebbene alcuni dei suoi membri si dichiarino chiaramente o-

stili alla religione e alle chiese. In Inghilterra, la Società secolare (*Secular Society*), fondata nel 1846 da G. Holyoake, persegue gli stessi obiettivi. È qui che fa la sua apparizione il termine «secolarismo», per segnare il carattere innovatore di questa associazione di libero pensiero. Il contesto antireligioso della metà del XIX secolo favorisce il suo emergere. Tuttavia Holyoake incoraggia la coesistenza del secolare col cristianesimo, nella misura in cui questo favorisce il bene di tutti. Il secolarismo trova il suo fondamento filosofico nella scuola «associazionista» di J. Mill e J. Bentham, nella posizione antiteista di Th. Paine e R. Carlile, così come nella teoria positivista. Propone un progetto etico valutato unicamente in base alle condizioni materiali, indipendentemente da qualsiasi riferimento alla trascendenza. Secondo la volontà di coesistenza di Holyoake, la deconfessionalizzazione delle istituzioni civili significa l'autonomia rispetto al carattere trascendente del cristianesimo nella società. La teologia riguarda l'altro mondo. Sotto la presidenza di Ch. Bradlaugh (1866), la *Secular Society* si apre sul libero pensiero materialista e ateo del movimento di L. Büchner (1881). Il «secolarismo» come progetto sociale comporta, rispetto al religioso, due tendenze: tolleranza od ostilità.

All'inizio del secolo, il concetto di secolarizzazione indica anche il processo di autonomizzazione della scienza rispetto alla religione e ai poteri religiosi. R. Fester, nel 1908, propone una secolarizzazione della scienza storica, della visione biblica e di quella teologica del mondo. Non si pone a fianco delle lotte storico-politiche o culturali, ma si confronta direttamente con l'antimodernismo cattolico che si oppone precisamente all'autonomia della scienza. Ma i legami di Fester col libero pensiero della *Secular Society* sono un ostacolo a un uso strettamente scientifico e neutrale del concetto di secolarizzazione. La sociologia tedesca opera una svolta nella comprensione di questo concetto con F. Tönnies e M. Weber. Sebbene non parli mai di secolarizzazione, Tönnies comincia a pensare le condizioni di passaggio dalla «comunità» (*Gemeinschaft*) alla «società» (*Gesellschaft*) (F. Tönnies, *Gemeinschaft und Gesellschaft*, Berlin 1887; *Community and Association*, London 1955). Si tratta qui di categorie antiche, usate particolarmente da Confucio, Platone, Aristotele e Agostino. A un mondo fondato sulla concordia, sulla morale e sulla religione succede un mondo fondato sulla convenzione, sulla politica e sull'opinione pubblica. Per Tönnies questo è un progetto nuovo, senza referente religioso. Ciò che Tönnies chiama «società» significa in realtà comunità secolarizzata. Alla distinzione fra «comunità» e «società» Tönnies associa la distinzione, peraltro usuale, tra «cultura» e «civiltà». Questa distinzione non è neutrale, ma nella maggior parte dei casi è messa al servizio di una critica della civiltà. Se Tönnies sa riconoscere gli aspetti positivi della civiltà, teme tuttavia per la cultura. Egli formula la speranza che «il seme disperso della cultura continui a vivere e riconduca l'essenza e l'idea di comunità (*Gemeinschaft*), favorendo così segretamente l'emergenza di una nuova cultura in mezzo all'altra decadente» (F. Tönnies, *Gemeinschaft und Gesellschaft*, 246).

Da parte sua, M. Weber elabora una visione neutrale della secolarizzazione, in termini di «disincanto del mondo» (*Entzauberung*; *Wirtschaft und Gesellschaft*, 1. Halbband, Tübingen 1956). Weber esamina il legame fra calvinismo e capitalismo nell'Europa occidentale, poiché il capitalismo è lo sbocco secolare dell'atteggiamento di fede cristiana di carattere puritano. Egli considera il capitalismo come un prodotto della secolarizzazione. La razionalità che domina questo stile di società implica un «disincanto» del mondo. Weber non dà alcun giudizio di valore su questo processo, ma lo considera ineluttabile. Contro i partiti ideologici sorti dalla prima guerra mondiale, Weber obietta che essi non sono compatibili con una razionalità autentica; rappresentano quegli antichi dèi che vogliono regolare dall'inizio i comportamenti della vita. Weber propone una moralità della libertà esistenziale. Se essa non procura la salvezza, la libertà della ragione permette almeno di dare scacco matto alle dottrine ideologiche di salvezza.

E. Troeltsch raccoglie i frutti dell'apporto sociologico al problema della secolarizzazione. La sua opera considera l'aspetto teologico (*Die Bedeutung des Protestantismus für die Entstehung der moderne Welt*, München-Berlin 1911). Prendendo atto del rapporto fra la teologia liberale e il mondo moderno, egli fa vedere che il protestantesimo ha contribuito notevolmente al processo di «disincanto» del mondo. Egli vede dunque una continuità fra la cultura secolarizzata e la fede cristiana. Secondo lui, la cultura moderna è il protestantesimo secolarizzato. Egli fa luce sul problema dell'avvenire della fede cristiana. Il processo di secolarizzazione costituisce un processo di disgregazione della fede tradizionale. Di fronte alla situazione di crisi della fede in questo nuovo contesto, Troeltsch opta per uno storicismo teologico secondo cui il concetto di secolarizzazione è una categoria storica. Non ammette su questo processo né un giudizio negativo né un giudizio positivo. Si limita a riconoscere, come apporti inestimabili, i principi della libertà e dell'individualità, caratteristici del mondo moderno e inerenti alla fede cristiana. Teme tuttavia che non venga riconosciuto il fondamento metafisico e religioso di questi principi e l'autosufficienza umana che ne consegue.

Tra le posizioni venute in seguito, l'ultima e la più importante è quella di F. Gogarten, iniziatore delle teologie della secolarizzazione. Egli legittima la secolarizzazione e introduce una nuova distinzione mediante il secolarismo. Dopo il significato dato dalla *Secular Society,* il concetto di secolarismo si è visto definire come la negazione della continuità tra fede e mondo moderno, fino alla disgregazione della fede. Gogarten ne propone una interpretazione teologica più approfondita e che s'impone ancora oggi in *Destino e speranza dell'epoca moderna.* La secolarizzazione come problema teologico (Brescia 1972; or. 1953).

Per Gogarten, la secolarizzazione è il prodotto della fede cristiana. Essa consiste nella liberazione dell'uomo dalle forze del mondo, liberazione provocata dalla fede, che modifica il rapporto dell'uomo con la storia. In senso inverso essa significa una mondanizzazione del mondo, la fine dell'era mitica. Per capire questo nuovo rapporto, Gogarten riprende i due concetti biblici di filiazione e identità.

La salvezza instaura un rapporto inedito con Dio, attraverso il quale l'uomo si vede costituito dal figlio nel suo essere. Prima, nello stadio infantile della sua storia, era sottomesso alle forze del mondo, in senso biblico, costituito dalla legge. La fede consiste nell'accettazione di una nuova dipendenza, radicale e fondamentale rispetto a Dio, come padre, creatore e giustificatore. A un livello secondario, Gogarten esplicita le conseguenze di questa filiazione per l'esistenza terrena dell'uomo: egli acquisisce una libertà totale rispetto al mondo, nel senso che, in quanto erede della creazione, egli esercita su questa una sovranità piena (Gal 4,1-7). Questo dominio ipotizza che la dipendenza fondamentale rispetto a Dio sbocci attraverso un'autonomizzazione nell'operare: l'essere ricevuto da Dio si compie nell'essere per se stesso.

Questi due poli presi insieme mantengono la condizione di creature nel suo equilibrio. La secolarizzazione, per Gogarten, nasce precisamente da questa costituzione dell'essere umano per se stesso.

In che modo Gogarten vede la secolarizzazione scadere in secolarismo? Per lui, si opera una perversione della storicità per cui la direzione presa dal divenire del mondo rimane sempre avvolta nel mistero. La secolarità è l'accettazione della storicità umana. Il modo in cui l'uomo, credente o no, si situa in rapporto al futuro come un essere in perpetuo divenire e ricerca, lo mantiene nella secolarità. Se l'uomo pretende di determinare lui stesso la direzione della storia e per questo stesso fatto cessa di relativizzare i suoi progetti attuali, affonda nel secolarismo.

Inoltre Gogarten rimprovera il secolarismo cristiano che confonde fede e cristianesimo, quando quest'ultimo pretende di rendere la salvezza operante nella storia invece di lasciarne la decisione e l'operazione assolute a Dio, appoggiandosi unicamente sulla fede. Gogarten riconsidera su questa base la concezione abituale dell'escatologia neotestamentaria concepita come la realizzazione ultima della salvezza di Dio alla quale è orientata tutta la tappa del tempo della chiesa. Per Gogarten, il «tutto passa» assume un significato storico e indica il carattere relativo di tutto ciò che costituisce l'esistenza umana, comprese le forme storiche di esistenza della fede. L'avvenire è sempre davanti all'uomo che non può coglierlo nel suo progetto presente. Il criterio che salvaguarda dal secolarismo cristiano è precisamente la fede, per la quale la storia umana e la storia divina sono chiaramente differenziate. Lübbe crede di riconoscere nella teologia della secolarizzazione un uso più strettamente scientifico del termine *Säkularisierung.*

Il concilio Vaticano II non si serve

del concetto di secolarizzazione. Vi fa un riferimento indiretto quando legittima «l'autonomia delle realtà terrene» (GS 36); precisa il senso di questa autonomia dissociandola da un atteggiamento di separazione a profitto di una sintesi vitale tra fede e vita (GS 43). Il concilio segna la fine del principio della secolarizzazione, per l'orientamento decisivo che dà ai rapporti fra la chiesa e il mondo, nella dichiarazione sulla libertà religiosa *Dignitatis Humanae*. Questa dichiarazione comporta tre revisioni principali: la chiesa rinuncia a definire il suo rapporto con lo stato secondo una logica di potere; abbandona le sue posizioni controrivoluzionarie ratificando i diritti dell'uomo; abbandona il progetto di cristianità. Ormai stato e religione coesistono in modo autonomo. Quanto al secolarismo, esso costituisce un processo di eliminazione deliberata di qualsiasi referente religioso. Osserviamo che le «Proposizioni» del sinodo del 1985 sui laici evocano la secolarizzazione per poi scivolare subito verso il concetto di secolarismo definito in questi termini: «Visione autonomista dell'uomo e del mondo che fa astrazione dalla dimensione del mistero; ancor più non ne tiene conto o lo nega» (*La Documentation Catholique*, n. 1909, col. 37). Questa definizione presenta qualche difficoltà: come può l'approccio scientifico della realtà subordinarsi al mistero? Si possono semplicemente identificare finalità umane e avvenire assoluto di Dio? L'aggiornamento del concilio libera le forze critiche e profetiche della chiesa. La riflessione sui rapporti chiesa-mondo si apre a una «nuova» teologia politica che prende atto della modernità e identifica le sue conseguenze per la fede cristiana (cfr. J.B. Metz, *Sulla teologia del mondo*, Brescia 1969) e accorda un'attenzione crescente alle posizioni di pensatori protestanti come R. Bultmann, P. Tillich, D. Bonhoeffer, J. A.T. Robin-

son, e alle teologie della città secolare proposte da H. Cox e G. Winter. Critiche profonde della religione vengono formulate in occasione di considerazioni sulla demitizzazione, sulla desacralizzazione e sulla secolarizzazione.

Dobbiamo soffermarci su due posizioni teologiche particolarmente importanti sulla secolarizzazione: quella di J.B. Metz e quella di H. Cox. Esse prendono l'avvio dalla teologia di F. Gogarten, sviluppando rispettivamente una tesi secondo cui la modernizzazione (Metz) o la secolarizzazione (Cox) del mondo ha origine dal cristianesimo, dal suo potere che agisce nella storia umana. Questo processo riconduce a un rapporto della fede col mondo molto lontano dalla dicotomia tradizionale tra il sacro e il profano, peraltro estranea al mondo biblico. Metz contesta le teologie trascendentali e personaliste, anche quelle elaborate dal suo maestro → Rahner. Cox prende le sue distanze dai teologi detti della morte di Dio (W. Hamilton, Th. I. Altizer, P. van Buren). Entrambi cominciano a ricollegarsi con l'*Aufklärung* soprattutto a partire da K. Marx compreso attraverso il filosofo E. Bloch che ha rinnovato l'approccio al marxismo con la sua opera fondamentale *Das Prinzip Hoffnung* (Frankfurt 1968). Con la sua riflessione sulla «coscienza anticipante», sui «sogni in avanti», nati dallo strato precosciente dell'uomo, Bloch fornisce al marxismo una «futurologia». Ma allo stesso tempo, mette in evidenza il progetto utopistico dei popoli della bibbia e le energie riformatrici e politiche all'opera nella loro storia, troppo a lungo nascoste dalla chiesa. Più in generale, Cox e Metz proclamano a gran voce «la fine della metafisica». La metafisica, che considera il reale da un punto di vista statico, realista e sostanzialista, non permette di pensare in termini di storia, divenire e tempo, poiché concepisce il cambiamento come un dato accidentale in un universo immutabile.

In *Sulla teologia del mondo*, J.B. Metz situa la fede nella nuova coscienza del mondo sorta dal processo di mondanizzazione. La fede deve esporsi alle nuove situazioni e autoriflettersi partendo da queste. La mondanizzazione ha il suo fondamento teologico e biblico nell'incarnazione e nell'adozione del mondo da parte di Dio. Assumendo l'umanità attraverso suo Figlio, Dio ha adottato il mondo, il che significa che lo ha assunto nella mondanità che gli spettava. Per conciliare mondanizzazione e adozione, Metz fa ricorso al concetto di alterità. Dio instaura col mondo un rapporto di reciprocità, assumendolo come altro. La restaurazione salvifica del mondo vuole farlo giungere a questa alterità. In una tensione vitale e incessante verso il Dio altro, il mondo approfondisce la propria mondanità-alterità. Dio, che avvolgeva il cosmo e lo predeterminava (cosmocentrismo), sembra ritirarsi dalla sfera mondana (antropocentrismo). Questa esperienza della sparizione di Dio dalla visione greca del mondo è vissuto da molti come uno stato di → ateismo. In verità, se l'ateismo si è imposto come interpretazione corrente di questo fenomeno, è perché la fede ha mancato l'appuntamento con la mondanizzazione del mondo. Il nuovo rapporto religioso con il mondo comporta molti aspetti inediti. L'autonomia della gestione del mondo, anche nell'intersoggettività, porta con sé un pluralismo molto accentuato delle coscienze. Una presa unitaria dell'esistenza diventa difficile. In questo movimento antropocentrico moderno, le categorie in cui si è espressa finora l'esperienza della divinità sono sconvolte. La missione cristiana deve spiegarsi in una storia a triplice dimensione: la perdizione, la salvezza e la mondanizzazione-alterità come luogo in cui si esercita la libertà umana.

Con il suo contributo all'autonomizzazione del mondo, il cristianesimo rende possibile la libera presa di posizione a favore o meno della salvezza. Un ultimo tratto da sottolineare è il primato moderno dell'avvenire. Responsabile del divenire storico del mondo, l'uomo moderno è orientato verso l'avvenire; non con l'atteggiamento contemplativo che segnava il suo rapporto col mondo come natura, ma in una volontà costante di trasformazione col mondo come storia. Ecco perché Metz opta per una teologia politica (→ Teologie, V), escatologica e critica.

Questa preoccupazione dell'azione sulla storia rivela in Metz un capovolgimento radicale. Denunzia il carattere astratto delle diverse tesi sulla secolarizzazione. La sua opera *La fede nella storia e nella società* (Brescia 1978) costituisce il punto di arrivo di questa svolta. Egli restringe la sua lettura della modernità. Concepita da principio soprattutto come fenomeno globale di *mondanizzazione*, egli ora la intende come processo di *emancipazione*. Metz vuole correggere gli effetti privatizzanti della tesi della secolarizzazione sulla fede. Ai suoi occhi, questa teologia neutralizza la potenza critica e trasformatrice della fede. Ugualmente non ammette l'identificazione tra cristianesimo e secolarizzazione. Tuttavia il fatto che la *Aufklärung* si riveli un solido *locus theologicus* lo rallegra. Le teologie liberali presentano il vantaggio di auspicare una visione più democratica della chiesa, la libertà di coscienza e di opinione. Ma questo liberalismo e neoliberalismo porta in sé anche dei vicoli ciechi dell'*Aufklärung*, in particolare il tipo di cittadino che ne è il soggetto principale, cioè il borghese. Nella sua teologia fondamentale pratica, Metz vuole riorientare la teologia verso la condizione del soggetto storico e concreto. Il cristianesimo è una prassi, ecco il senso della radicalità evangelica.

In *La città secolare* (Firenze 1968; or. amer. 1965), H. Cox intende mostrare la natura giudaico-cristiana della secolarizzazione. Questa rappresenta una possibilità per il cristianesimo. Dopo Bonhoeffer, egli proclama «la fine della religione». La secolarizzazione invita a discorrere su Dio e a reinterpretare la bibbia, partendo dalla secolarità. Le Scritture riportano tre avvenimenti che costituiscono il principio della secolarizzazione: la creazione genera il *disincanto* della natura, l'Esodo provoca la *desacralizzazione* della politica, l'alleanza del Sinai porta con sé la *sconsacrazione* dei valori. Egli inoltre rileva alcune caratteristiche della civiltà tecnica e urbana. Consideriamo in primo luogo l'aspetto della mobilità. La sedentarietà fa nascere l'*homo religiosus*, l'uomo delle tradizioni rigide che non accoglie l'inedito delle vie di Dio. Tutta la storia della salvezza rappresenta lo sforzo incessante di togliere la divinità dallo spazio (Esodo) per pensare il mondo come storia e divenire. In secondo luogo, l'atteggiamento pragmatico moderno riguarda il rapporto del soggetto con la verità. L'uomo moderno si interroga più sul funzionamento delle cose che sulla loro identità sostanziale, come avveniva sotto l'era metafisica. L'unità fondamentale nel Cristo (Col 1,1-20) non equivale a una sorgente predeterminante dell'orientamento storico, ma lascia all'uomo la cura di identificare il suo mondo in una prospettiva di collaborazione con Dio.

Dove si trova il limite della secolarizzazione? Se essa rappresenta una sana emancipazione dell'umanità, la secolarizzazione può, ciononondimeno, degradarsi e diventare secolarismo. Si arriva al secolarismo quando la secolarizzazione diventa un'ideologia che oscura la libera espressione dei soggetti e dell'esperienza. Se si fa riferimento al secolarismo secondo Gogarten, il luogo comune dei due autori indicherebbe una radicalizzazio-ne dell'istituzione, nell'elaborazione di un modo di vedere e di essere nel più assoluto isolamento. Ugualmente, il sistema si richiude sulla sua propria logica e diventa ideologia; cessa di esprimersi attraverso i soggetti. Così si può costituire anche un secolarismo cristiano, chiuso agli spazi della storicità e dell'avvenire di Dio e quindi situato fuori della secolarità. Il processo di secolarizzazione si colloca in reazione a questo secolarismo cristiano. Ma se a sua volta la secolarizzazione diventa ideologia, cioè si chiude ai soggetti e alle esperienze, anch'essa si degrada e diventa secolarismo. Il materialismo ateo e il neoliberalismo cieco appaiono come esempi di secolarismo. Il primo ha la pretesa di occultare la persistenza del religioso presso i soggetti e il secondo ignora i diseredati del liberalismo economico. Contestando quest'ultimo atteggiamento, i teologi latinoamericani della liberazione muovono una critica globale alla secolarizzazione e non si aspettano nulla dalla distinzione tra secolarizzazione e secolarismo.

Lo sviluppo del pensiero di H. Cox permette di situare la secolarità nella prospettiva dell'autocritica della modernità. Nel 1973, in *La seduzione dello Spirito* (Brescia 1974; or. amer. 1973), egli precisa l'oggetto della sua critica della religione. Bonhoeffer rifiutava la religione clericalizzante che confinava con una politica reazionaria e non assumeva pienamente la dimensione umana della vita. Sulla sua scia, i teologi dell'inizio degli anni sessanta, spazzando via con leggerezza l'idea stessa di religione si aprivano senza una sufficiente distanza critica alle visioni di Marx, Freud e anche Nietzsche e disconoscevano la complessità del problema. Anzi, si impone in modo massiccio il fatto delle esperienze a carattere religioso, specialmente nei paesi dell'Europa dell'Est, e il fenomeno sempre presente della preghiera. La nuova questione teologica deve smettere di contrapporre vangelo e religione e cercare di capire le nuove manifestazioni del religioso. Undici anni più tardi, in *Religion in the Secular City* (New York 1984), Cox situa maggiormente la sua posizione dal '65 sull'orizzonte del ritorno del religioso che si va accentuando. Egli analizza il fenomeno del religioso nel suo inatteso ricollegamento con la politica, soprattutto attraverso il fondamentalismo politico americano e le teologie latino americane della liberazione. Ma non abbandona tuttavia la convinzione secondo cui una teologia deve collocarsi nella secolarità e portare avanti l'impresa di critica della religione che appartiene all'essenza del giudeo-cristianesimo. La funzione fondamentale della teologia cristiana è quella di assicurare lo svolgimento della storia umana sotto il segno della liberazione. Venti anni fa, questa coscienza lo portava a fare, sulla scia dei profeti e di Gesù, una vigorosa critica della religione attraverso la secolarizzazione. Ora, dopo l'abuso di potere della ragione e del totalitarismo politico, si deve passare a una critica della secolarizzazione attraverso la religione, con una preoccupazione centrale per i poveri.

Due critiche delle teologie della secolarizzazione da parte di F. Gogarten, J.B. Metz e H. Cox devono essere mantenute. In primo luogo, l'affermazione del cristianesimo come fonte della società secolarizzata, come religione della «fine della religione» sembra idealista, perché nasconde la difficoltà che le forme storiche laiche hanno di ottenere il riconoscimento dell'autonomia delle sfere del secolare. Dopo il cristianesimo di Costantino, la secolarizzazione segna incontestabilmente una rottura con il cristianesimo. Così, agli occhi di H. Blumenberg, le tesi della secolarizzazione sembrano uno sforzo di ricupero a carattere opportunista, secondo il «modello familiare di ogni rap-

presentazione» (H. Blumenberg, *The Legitimacy of the Modern Age*, Cambridge-London 1983, 6). Questo rinvia alla distinzione tra la secolarizzazione come fatto e come interpretazione. Qualsiasi interpretazione di questo processo comporta una presa di posizione ideologica.

Seconda critica: le tesi della secolarizzazione dimenticano gli emarginati. Nel 1976, nel colloquio sull'*Ermeneutica della secolarizzazione*, sotto la direzione di E. Castelli, M. Boutin osserva che F. Gogarten privilegia il problema del senso della secolarizzazione (che cosa), ma dimentica di porre il problema degli emarginati in questo processo di emancipazione (per chi). E questo i teologi della liberazione lo hanno capito molto bene. La riflessione dovrebbe non solo esaminare le poste in gioco del rapporto tra «fede e incredulità», ma anche le implicazioni del rapporto tra «fede e non-umanità» (M. Boutin, «L'espace de sécularité», in *Prospettive sulla secolarizzazione*, Roma 1976, 43-68).

Detto questo, le teologie e le ermeneutiche della secolarizzazione non offrono forse delle intuizioni fondamentali per reinterpretare il cristianesimo nel mondo secolarizzato? Non indicano forse la via in direzione di una teologia della secolarità adatta a chiarire la natura stessa della chiesa e della testimonianza cristiana?

3. VERSO UNA TEOLOGIA DELLA SECOLARITÀ - Nel 1976, M. Boutin definisce la secolarità «spazio potenziale» della secolarizzazione come della fede. La visione eteronoma del mondo, secondo la posizione geocentrica dell'uomo nell'universo (cosmocentrismo) si è riversata nella visione autonoma propria dell'eliocentrismo (antropocentrismo). Ora l'umano spinge lo sguardo alla «periferia» della sua esperienza, identificandola come sacra o secolarizzata. Intravedendo così il suo orizzonte verso l'esterno,

egli costruisce le dualità divino/mondo, sacro/profano, trascendenza/immanenza. Di conseguenza, dopo il rovesciamento provocato dall'eliocentrismo, è tutta la visione religiosa che viene contestata. Tuttavia Boutin ricorda che, qualunque sia il modo in cui l'uomo intende la sua posizione nell'universo, egli non deve considerarne solo la «periferia», ma anche il «centro», il luogo dal quale si mette in posizione. In questo modo, può andare al di là sia della visione puramente religiosa, sia di quella puramente mondanizzata del mondo. Boutin chiama questo luogo «spazio di secolarità»: esso rende possibile la religione e la secolarizzazione. Si tratta di capire come quel centro potenziale si ristrutturi in regime eliocentrico.

Alla luce di queste riflessioni sulla duplice possibilità della religione e della secolarizzazione, bisogna osservare quanto segue: parlare della fase attuale della storia – soprattutto occidentale – in termini di postmodernità o di ritorno del religioso può mantenere l'illusione di un possibile ritorno indietro. Mentre la vita della società diventa sempre più complessa, ci sono individui e gruppi che si ripropongono discorsi e ambienti tradizionali. Ma non sarà che questo «ritorno» dissimuli una fuga in avanti, quando diventa evidente la crisi della modernità? Dobbiamo dunque giungere alla costatazione più profonda di una metamorfosi del religioso.

Un'altra osservazione riguarda il fondamento della costituzione dell'identità cristiana. La secolarità ecclesiale implica che si riconosca che il luogo della missione cristiana è il cuore dell'uomo, illuminato dal mistero di Cristo (GS 22). Il punto focale della chiesa è ancora in qualche modo fuori di essa: il cuore di Cristo, fonte della salvezza, e il cuore dell'uomo, destinatario dell'annuncio della salvezza. La secolarità indica dunque un continuo distacco da se stessi, in

direzione del mondo e dell'avvenire di Dio, in Cristo. Questo ricorda in modo cruciale che un'identità si spiega solo nell'alterità. Il mondo secolarizzato rappresenta la terra di nessuno dove la libertà di Dio è salvaguardata. A questo titolo, questo processo rimanda alla funzione critica dei pagani nella bibbia. È un luogo che permette l'annuncio della fede come dialogo, cioè insieme assenso e critica della cultura. Questa dimensione ecclesiale della secolarità ecclesiale le conferisce il suo tenore teologico. P. Valadier sostiene la necessità di una contestazione che il mondo secolarizzato e la chiesa si rivolgono reciprocamente: «A incontrare il proprio altro, anche ostile, a sentire la sua critica, la fede scopre in sé virtualità nascoste... La fede vive e si rafforza nel confronto con un altro: per questo bisogna lottare contro i ripiegamenti della chiesa su se stessa e diffidare delle voci che invitano a ritrovare da soli la propria identità... Che i cristiani imparino piuttosto a perdersi e si ritroveranno in ciò che hanno in divenire, aiutando il mondo a rispondere al suo fine» (P. Valadier, *L'Eglise en procès*, Paris 1987, 237-238). Di conseguenza, ponendo la secolarità solo in termini di ambiente di vita o di missione, la visione della testimonianza cristiana non prende effettivamente coscienza degli aspetti di secolarità costitutivi dell'esperienza stessa della fede e della sua espressione. Giovanni Paolo II evoca questo nella sua prima enciclica *Redemptor Hominis* (marzo 1979) quando dice che la persona umana nelle sue condizioni socio-culturali concrete è la prima via e la via fondamentale (n. 14). Questo dovrebbe determinare la testimonianza cristiana nella secolarità. Dalla religiosità all'opera nel mondo attuale, dagli schemi della cultura dipende la riflessione sulle strutture della chiesa e su tutto il suo modo di essere e di agire. G. Vahanian parla di una chiesa all'avanguardia della società, il che esige la co-partecipazione alla vita ecclesiale di secolari specializzati nelle discipline più diverse (*Dieu et l'utopie*, Paris 1976).

Alla luce di ciò che precede, ci si può interrogare sulla pertinenza del concetto di «consacrazione secolare» usato negli istituti secolari (S. Lefèbvre, *Sécularité et instituts séculiers*, Montréal 1989). Questo concetto è portatore di un significato ontologico di separazione. Eppure, l'incarnazione non significa affatto l'alienazione della natura umana da parte di Dio, ma il suo reinserimento nella propria integrità. Santificato, il mondo rimane mondo, è affermato nella sua mondanità. Consacrato, in senso stretto, è distinto dal profano (S. Lefèbvre, *op. cit.*, 88-91; vedi anche M.-D. Chenu, «La *consecratio mundi*» in J. Beyer, ed., *Etudes sur les instituts séculiers*, III, Paris 1966). La sacramentalità ecclesiale consiste nel convertire il mondo in regno di Dio, non nel penetrarvi dall'esterno, dopo averlo separato nello spazio, ma discernendo in esso gli appelli e la presenza di Dio. Le teologie della secolarizzazione sanno capire l'intuizione dei moderni nella loro critica della religione. Il Dio biblico è creatore relazionale e storico; rifiuta qualsiasi spazializzazione. Assoggettando la storia, egli si oppone al Dio di una religione. Così il movimento moderno viene ad avere profondi punti in comune con la desacralizzazione biblica. Non si rivela forse movimento legittimo di secolarizzazione del Dio dei cristiani troppo a lungo sacralizzato?

Una cosa è certa, la presa di coscienza di uno svolgimento storico verso un avvenire aperto e misterioso costituisce un'esperienza non aggirabile della modernità. La scienza stessa rivoluziona la nostra visione del reale mostrando che esso non si svolge secondo una traiettoria continua e prevedibile (per es. il movimento di Brown e la teoria delle catastrofi). La considerazione dell'autonomia delle realtà terrene non può accontentarsi di considerarle come realtà emergenti in se stesse, ma come luoghi in perpetuo mutamento e differenziazione in se stessi e nel loro rapporto reciproco. È la stessa cosa per la sfera religiosa. Limitando la secolarità a un'attività e a una missione, il cristianesimo ignora i mutamenti profondi che avvengono nelle società odierne e che richiedono una reinterpretazione radicale della fede e delle sue espressioni. Questa reinterpretazione va di pari passo con il riconoscimento dei luoghi in cui convergono psicologia individuale e organizzazione socio-culturale, in cui cultura e vita sono in perpetua interazione. Dopo un periodo di uniformità dove ortodossia e prassi si confondevano, la fede e la pratica religiosa si rivelano in generale dissociate, il che porta con sé l'emergenza di sottoculture cattoliche (cfr. J.M. Donegani - G. Lescanne, *Catholicisme de France*, Paris 1982). Dopo l'industrializzazione, l'era tecnologica e l'urbanizzazione provocano la frammentazione delle adesioni religiose. Le indagini sul campo permettono di accedere ai meandri della cultura secolarizzata, produttrice insieme di una visione non religiosa del mondo e di una visione religiosa trasformata dal mondo. La secolarità si rivela a questo titolo una dimensione emergente *nella* vita della chiesa, un *locus theologicus* di complessità estrema che esige una teologia fondamentale che attinge alla fonte stessa dell'esperienza.

Bibl. - H. Lubbe, *Säkularisierung*. Geschichte eines ideenpolitischen Begriffs, München - Freiburg i. Br. 1965; H. Cox, *La città secolare*, Firenze 1968; Id., *Religion in the Secular City*. Toward A Post-modern Theology, New York 1984; F. Gogarten, *Destin et espoir du monde moderne*, Paris 1970; E. Castelli (ed.), *Prospettive sulla secolarizzazione,* Roma 1976; J. Metz, *La fede nella storia e nella società*, Brescia 1978; P. Valadier, *L'Église en procès*. Catholicisme et société moderne, Paris 1987;

S. Lefebvre, *Sécularité et instituts séculiers*. Bilan et perspectives, Montréal 1989.

SOLANGE LEFEBVRE

SECOLARIZZAZIONE E SECOLARISMO

1. LA QUESTIONE DELLA SECOLARIZZAZIONE - *a*. La secolarità è un fenomeno tipico dell'epoca moderna. Nella nostra epoca, almeno nel mondo occidentale, l'uomo si presenta come veramente autonomo e responsabile della sua situazione complessiva. Questo fenomeno culturale è il risultato di un lungo e complesso processo storico, le cui radici ultime sono numerose e di natura molto diversa. Non solamente la cultura greca, ma anche la stessa religione biblica, costituiscono delle forze storiche di grande efficacia in quanto agenti di secolarizzazione nel demitizzare la natura cosmica e responsabilizzare eticamente l'uomo circa la sua esistenza e il suo destino.

La *secolarità* coincide con un processo di reale emancipazione della vita umana e della ragione storica, in rapporto a un certo modo di concepire il sapere rigoroso e anche in rapporto al modo di vivere la religione, nell'ambito personale e sociale. Il processo secolarizzante cerca di intendere i diversi settori vitali in modo immanente alla stessa realtà umana, sempre più differenziata, indipendentemente dagli assiomi metafisici e anche da certe norme religiose del passato. Ciò che conta per una ipotesi scientifica non è la sua concordanza con tali sistemi metascientifici, ma la sua verificabilità o falsificabilità, la sua utilità o la sua efficacia. Si è giunti addirittura a parlare di una «maturità culturale» per descrivere il fenomeno della emancipazione del sapere scientifico e dell'autonomia della cultura umana.

Un'altra caratteristica dell'uomo secolare è costituita dal suo interesse per la vita presente, nella sua concretezza e storicità, mettendo da parte la nostalgia dell'eterno e rifiutando un modo puramente contemplativo di vivere la religione. Allo stesso modo l'uomo secolare perde l'interesse per l'universo delle «idee eterne», concentrando la sua attenzione nella fenomenologia e dinamica di ciò che è verificabile e controllabile. Perciò l'uomo secolare aderisce facilmente a una forma di empirismo pragmatico, che gli fa apprezzare più i fatti che le grandi teorie metafisiche, politiche o religiose. Nella cultura moderna la vita perde alcune caratteristiche fondamentali del mondo arcaico, passando attraverso un processo di eclissi per ciò che riguarda le forme tradizionali di esperienza del sacro. La vita individuale e sociale diventa più razionale e più profana, accentuando la sua separazione o, anche, la sua rottura con numerose credenze del passato religioso o culturale. Così pure, numerose funzioni vitali si emancipano dalla tutela delle istituzioni religiose, dando luogo a una certa desacralizzazione della realtà culturale o sociale. Ciò può significare sia una forma di decadenza religiosa, che una forma di purificazione profetica della stessa esperienza credente.

b. Nella nostra epoca e contesto storico, l'affermazione religiosa deve essere vissuta nell'ambito del processo di *secolarizzazione*, tipico della modernità, caratterizzato dalla ricerca di un nuovo umanesimo, centrato sull'autonomia responsabile dell'individuo come massimo valore. La secolarità significa non solamente il crepuscolo dell'universo magico e superstizioso della cultura arcaica, ma anche una minaccia per l'attitudine contemplativa, propria dell'ontologia greca o della teonomia medievale.

Il processo di secolarizzazione rompe con la tradizione culturale, che vorrebbe fondare il tempo nell'eternità e ciò che è finito nell'infinito.

Nell'etica e nella politica, nell'estetica e nella filosofia, la cultura della cristianità antica o medievale era teocentrica; invece la cultura della modernità è chiaramente antropocentrica e particolarmente preoccupata per la realtà contingente e storica, singolare e concreta.

Per rendersi conto della distanza culturale che separa l'antichità e il medioevo dalla modernità e dall'attualità, è sufficiente confrontare il *Gorgia* di Platone o l'*Organo* di Aristotele con il *Discorso del Metodo* di Cartesio o *La Critica della ragion pura* di Kant. La stessa cosa accade nel campo religioso, confrontando le *Confessioni* di Agostino, il *Monologio* di Anselmo o l'*Itinerario* di Bonaventura con i discorsi *Sulla religione* di Schleiermacher, il *Concetto dell'angoscia* di Kierkegaard o l'*Agonia del Cristianesimo* di Unamuno. I filosofi e i teologi sono incapaci di pensare la realtà umana o di parlare di Dio allo stesso modo o utilizzando le stesse categorie con le quali era possibile farlo anticamente.

La situazione secolare si caratterizza pure per la perdita di un certo linguaggio filosofico e teologico. Secondo alcuni filosofi della cultura, starebbe iniziando una nuova epoca storica, caratterizzata dal pensiero funzionale, tecnico e positivo dell'*homo urbanus* della megalopoli postmoderna, lasciandosi alle spalle non solo la fase mitica del mondo arcaico, ma anche la fase ontologica della *pólis* greca. Come il mondo arcaico, infarcito dei miti omerici o babilonici, cedette il passo alla civiltà greco-romana, così la cultura cristiana occidentale sta vivendo una transizione verso una civiltà planetaria, attraverso il processo della modernità culturale, dal rinascimento all'illuminismo, dall'idealismo romantico al primo esistenzialismo e al positivismo e pragmatismo, alla ricerca di una nuova razionalità e di un nuovo umanesimo.

c. Come dev'essere giudicato, da un punto di vista religioso, il fenomeno storico della secolarizzazione? Come un evento deplorevolmente negativo, o come un processo religiosamente neutrale, o addirittura come una realtà teologicamente positiva?

Per una visione rigidamente integralista o fondamentalista, la secolarizzazione rappresenta un fenomeno essenzialmente antireligioso. Per un certo ecletticismo teologico, la secolarizzazione è un fenomeno religiosamente neutrale, consistente nel superamento culturale di modelli di pensiero propri di un'epoca prescientifica. L'uomo secolare non è né più e né meno distante dalla religione e dalla fede dell'uomo antico o medievale. Però il cristianesimo deve costatare che oggi il mandato di annunciare il vangelo ha come destinatario un uomo culturalmente differente, cioè segnato dal processo secolarizzante. Infine, per l'ottimismo religioso di un certo progressismo teologico, dietro il processo secolarizzante si scopre l'azione di Dio, giacché la secolarità che ne deriva permette all'uomo di raggiungere la propria autonomia e maturità, liberando l'annuncio evangelico da una falsa interpretazione. Tutto il processo secolarizzante è la logica conseguenza della coscienza dell'*autonomia creaturale*. La coscienza della creaturalità spoglia il mondo da ogni aureola divinizzante. L'annuncio del messaggio religioso sull'azione di Dio nella storia della salvezza e la coscienza della religione dell'alleanza danno all'uomo un senso etico nel suo progetto vitale e una responsabilità sociale nel suo progetto storico. L'uomo si scopre come realtà autonoma e personale, spirituale e responsabile. La fede biblica ha subìto un impatto religiosamente rivoluzionario. La teologia della creazione, dell'esodo e dell'alleanza, ha «desacralizzato» l'universo umano, come mondo, come storia e come religione.

d. La stessa ostilità della cultura secolare contro certe forme carenti di vivere la religiosità può coincidere con una affermazione appassionata della verità, in polemica con ogni deformazione religiosa, che sia frutto del fanatismo o delle superstizioni. In tal modo, la cultura della modernità secolare può esercitare una funzione correttiva di certe linee contraddittorie di una falsa religiosità. Paradossalmente, la critica secolare nei confronti di una intolleranza fanatica o di una crudele tirannia, derivate da una falsa idea dell'imperativo religioso, come esigenza etica o politica, può rappresentare un momento di purificazione profetica della stessa religione.

Considerata in una prospettiva religiosa, la stessa autonomia secolare, in quanto espressione di una libertà umana responsabile, sia nell'impegno dell'azione morale, come nel processo di ricerca instancabile della verità, ha un senso positivo anche per il credente. Una teologia della creazione e dell'alleanza non può far altro che legittimare l'autonomia umana, in quanto creatura libera e responsabile e in quanto possibilità concreta di costruire un futuro storico segnato dalla solidarietà e fraternità. Questa tesi del significato «religioso» della secolarità deve essere equilibrata con l'affermazione del valore «secolare» della religiosità. In quanto affermazione esatta del polarismo dialettico del divino e dell'umano, fuggendo ogni schema di rivalità, la religione è in grado di offrire una garanzia di legittima secolarità, come ricerca autonoma e libera della giustizia e della verità, della solidarietà e della pace. L'istanza religiosa è capace di correggere ogni pretesa di assolutizzare il relativo nei diversi settori della vita culturale o sociale dell'uomo.

Come esperienza incondizionata del sacro, sia nella contemplazione mistica come nell'opzione etica, la religione offre alla cultura umana una dimensione di profondità. In nome dei grandi ideali religiosi, la fede può e deve esercitare una funzione critica, denunciando ogni forma di contraddizione o alienazione presente nella vita umana, come espressione dell'iniquità etica o dell'ingiustizia sociale. Quindi, non si può essere d'accordo con la tesi di una irriconciliabilità tra il secolare e il religioso. Il conflitto può nascere dalla diversa fede che anima il credente e l'ateo, però può anche succedere che l'ateo semplicemente neghi una falsa immagine di Dio che nemmeno il cristiano può accettare in quanto non coincidente con il «Dio del vangelo» (GS 19).

2. IL PROBLEMA DEL SECOLARISMO - a. La secolarità della cultura moderna e lo stesso processo della secolarizzazione diventano problematici, quando l'*autonomia* secolare si scontra non solo con una forma illegittima di *eteronomia*, politica, culturale o religiosa, ma con la stessa *teonomia* in quanto tale, cioè con l'irruzione stessa dell'incondizionato nel sacro, trasformandosi in una ideologia programmatica della negazione dell'assoluto e del divino. Non si può negare che un settore dell'umanesimo secolare faccia del *secolarismo* il suo programma, nutrendo sentimenti di scetticismo o di avversione alla possibilità di una affermazione di Dio. Per il secolarismo la stessa idea di Dio risulta come alienante, inutile o impossibile. Vista in uno schema di rivalità, l'idea di Dio risulta alienante in quanto ipoteticamente priverebbe l'uomo della sua autonomia e libertà, della sua autodeterminazione e responsabilità per spingerlo fuori dal mondo, verso un rifugio escatologico. Invece di pensare a cambiare il mondo per renderlo migliore e più umano, l'uomo religioso sembra limitarsi a trascorrere la vita in una mera contemplazione dell'eternità. A sua volta, la religione sembra servire solamente per legittimare un sistema di strutture storiche o sociali, di ca-

rattere conservatore e patriarcale. Unendosi all'esperienza religiosa la politica si sacralizza. In questo universo sacro e gerarchico, manca uno spazio per l'immaginazione e la fantasia creative. Sentendosi legittimate da una specie di diritto divino, strutture sociali storicamente anacronistiche diventano resistenti al cambiamento. Inoltre, non di rado anche l'idea di Dio sembra inutile per il miglioramento della vita umana, in quanto le scelte politiche concrete vengono viste in un orizzonte meramente intraterrestre; anche se in seguito, nel caso del credente, tali scelte politiche possano essere legittimate da una ragione di tipo religioso. Infine, ipotizzato il crepuscolo della metafisica e la impossibilità di una verifica strettamente empirica degli enunciati religiosi, l'idea di Dio sembra improponibile al pensiero, giacché risulta incredibile per una considerazione filosofica intesa come pura fenomenologia del sociale o come mera analisi strutturale dei giochi linguistici nelle diverse situazioni umane. Di conseguenza, l'idea di Dio viene considerata come una specie di fantasma o come un miraggio illusorio, senza che la sua eclissi nella coscienza risvegli un particolare sentimento di nostalgia.

b. La critica della ragione storica denuncia innumerevoli intolleranze e fanatismi, commessi in nome della diversità religiosa. Lo stesso *problema del male*, costante obiezione di ogni teodicea, ritorna con rinnovata incisività, anche nella nostra epoca secolare, come grido di protesta di fronte a tanti crimini commessi, genocidi e guerre di sterminio, ad atti di neocolonialismo economico e di tirannia politica, senza che si manifestasse, durante il trionfo demoniaco del terrore, la gloria della potenza punitiva divina. L'odierna meditazione teologica critica pure un'immagine falsa e ideologica di Dio, considerato come dispensatore arbitrario e dispoti-

co di beni e di mali, povertà e ricchezza, salute o malattia. Oltre ad essere mitologica o idolatrica, tale immagine appare come mitica e alienante, in quanto converte la realtà di Dio in un discutibile prolungamento del mondo.

Certamente, se si vuole dare il nome di «teismo» al sistema ipoteticamente religioso, che identifica l'immagine del *deus otiosus* della religione mistica con il *motor immobilis* della macchina dell'universo fisico, o che trasforma l'immagine del *deus activus* della religione profetica nel totem del nazionalismo religioso, si potrà proporre legittimamente una forma di «a-teismo», come negazione di una falsa immagine del Dio della rivelazione biblica. Però l'ateismo inteso come programma e il secolarismo come ideologia potranno rappresentare per il credente solo una grande sfida. Ad ogni modo, la critica religiosa del secolarismo potrà purificare il linguaggio teologico del cristianesimo, correggendo le sue deformazioni e rinnovandolo in profondità. In tal senso, l'attuale teologia ha proposto diverse alternative che potranno essere riviste sotto diversi aspetti, ma che offrono alcuni orientamenti che sembrano essere delle scelte irreversibili dell'attuale compito teologico.

c. Innanzi tutto può essere considerata irreversibile l'attenzione teologica alla rivelazione divina e alla consapevolezza che, attraverso di essa, realmente conosciamo il Dio vivente e libero. Questa convinzione teologica si rende esplicita in ciò che è stata denominata la concentrazione cristocentrica della rivelazione. La parola di Dio assume in Gesù Cristo la sua definitività escatologica concreta. La rivelazione divina non ci presenta una frammentata molteplicità di astrazioni, ma Dio stesso, come creatore onnipotente e Padre misericordioso e fedele. Però il messaggio biblico costituisce anche l'oggettivazione letteraria di un'esperienza religiosa fondante e, così, diventa pure una testimonianza umana alla parola divina. Perciò, può anche essere considerata irreversibile l'intenzione ermeneutica e l'incidenza esistenziale. Infatti, il *kêrygma* ci rivela la nostra autenticità e sincerità o, al contrario, la nostra mancanza di speranza e di fede. Il cammino percorso da Gesù fu di un'autenticità radicale e costituisce per noi una possibilità di verifica concreta della nostra accettazione incondizionata di Dio.

Può pure essere considerato irreversibile il superamento dell'idealismo teologico come sistema, attraverso un'attenzione agli aspetti drammatici dell'esistenza umana e della realtà vitale e storica. Soggetto e destinatario della teologia, l'uomo appare anche in tutta la sua limitatezza e fragilità, minacciato dalla morte come tragico destino; dalla colpa come possibilità di alienazione esistenziale; dall'assurdo e dal vuoto, nel suo angosciante itinerario spirituale; dal male sociale e dall'iniquità storica, nel suo desiderio di realizzazione comunitaria. Questa condizione umana minacciata costituisce lo scenario concreto della rivelazione divina, il cui messaggio diventa importante proprio nel confronto dialettico con la limitazione e l'alienazione, con l'ambiguità e il male, come proclamazione di fede e speranza nella potenza salvifica divina, che coinvolge il destino umano.

d. Anche la necessità di accettare la condizione di secolarità della nostra epoca, può essere considerata una scelta irreversibile del lavoro teologico attuale. Questo suppone accettare l'impossibilità di pensare a Dio e di parlare della realtà divina come di un *deus ex machina*, al quale appellarsi in situazioni d'impotenza umana. Suppone pure accettare la condizione di non credenza e di scetticismo, propria della nostra epoca, nella quale il credente deve affermare la propria fede, vivendola nell'am-

biente profano della secolarità, senza possibilità di una verifica empirica immediata. In un mondo secolarizzato, che stabilisce la sua consistenza e la sua logica, *etsi deus non daretur*, il credente soffre la provocazione dell'eclissi del sacro e del crepuscolo delle forme convenzionali di vivere la religione.

Perciò appare pure irreversibile l'attenzione pratica della riflessione teologica, in risposta al malessere di numerosi cristiani che si trovano a vivere con difficoltà la propria fede nella forma tradizionale. Durante il periodo del «silenzio di Dio», la teologia ha bisogno di trovare un significato più profondo per la fede personale nel suo itinerario vitale, attraverso la ricerca di un nuovo linguaggio per la problematica di fondo e nel far rivivere la tensione della speranza nell'esercizio della libertà e nell'impegno per l'amore al prossimo, visto come «vicario di Cristo».

Alla ricerca di un nuovo rapporto tra storicità e trascendenza, può considerarsi irreversibile anche un'attenzione della teologia verso i problemi della prassi, unendo un'etica della solidarietà a una cultura della secolarità. Solamente nella immanenza della storia avviene l'incontro con la trascendenza, sia nella rivelazione e nella grazia, come nell'esperienza di fede e nell'opzione per la giustizia. Ma il primato della prassi non deve connotare, per il credente, un illogico «ateismo cristiano», né l'immanentismo storico di un improprio «vangelo terrestre». L'argomentazione dell'«incarnazione» come crisi della trascendenza sarebbe valida se si accettasse un «patripassianesimo», già condannato dalla tradizione antica. Perciò il postulato della prassi e dell'impegno politico nell'immanenza della storia, non può legittimare, per il credente, un'autentica e sincera *fuga dei*. Neppure il fatto di ammettere la possibile esistenza di un «cristianesimo anonimo», o di una forma non colpevole di ateismo puramente teorico, può giustificare un'accettazione del nichilismo come erede legittimo dell'esperienza cristiana. Per cui una riflessione teologica sulle implicazioni pratiche dell'accettazione del *kêrygma* cristiano non può costituire una ragione di rottura con la tradizione dogmatica, anche in rapporto con il linguaggio teologico del «teismo cristiano», in quanto affermazione della realtà divina, come assoluta e unica, come trascendente e personale. Se tale affermazione fosse eliminata, come struttura di comprensione della stessa religione biblica, la rivelazione cristiana rimarrebbe inintelligibile e perderebbe la sua forza di convinzione e la sua ragion d'essere. Solamente il Dio *in se* può essere il fondamento del Dio *quoad nos*. Perciò un linguaggio teologico di un «teismo cristiano», come esplicitazione linguistica dell'affermazione cristiana di Dio, esprime una legittima implicanza della fede, costituisce una struttura logica necessaria per la sua comprensione teorica e un presupposto indispensabile per la sua libera accettazione pratica. Quindi, una teologia radicale della «morte di Dio», intesa come accettazione dell'ateismo come proposta e del secolarismo come programma, deve essere giudicata come incompatibile con il cristianesimo in quanto tale.

Bibl. - P. Tillich, *Die religiöse Lage der Gegenwart*, Berlin 1926; D. Bonhoeffer, *Widerstand und Ergebung*, München 1951; F. Gogarten, *Venhängnis und Hoffnung der Neuzeit*, Stuttgart 1953; M. Stallmann, *Was ist Säkularisierung?*, Tübingen 1960; S. Acquaviva, *L'Eclissi del sacro nella civiltà industriale*, Milano 1961; G. Vahanian, *The Death of God*, New York 1961; P.M. Van Buren, *The Secular Meaning of the Gospel*, London 1963; A.T. van Leeuwen, *Christianity in World History*, London 1964; J.A.T. Robinson, *Dio non è così*, Firenze 1965 (or. 1963); D. Sölle, *Stellvertretung*, Stuttgart 1965; Th. J.J. Altizer - W. Hamilton, *Radical Theology and the Death of God*, Indianapolis-New York 1966; T. Luckmann, *The Invisible Religion*, New York 1967; K. Rahner, «Theologische Reflexionen zur Säkularisation», in *Schriften zur Theologie* VIII, Einsiedeln 1967, 637-666; H.E. Cox, *La città secolare*, Firenze 1968 (or. 1965); J.B. Metz, *Zur Theologie der Welt*, Mainz-München 1968; S. Acquaviva - G. Guizzardi, *La Secolarizzazione*, Bologna 1973; P. Glasner, *The Sociology of Secularization*, London 1977; D. Martin, *A General Theory of Secularization*, Oxford 1978.

Félix-Alejandro Pastor

SEGNI DEI TEMPI

1. *Ricupero di un termine «antico»* - 2. *Novità prospettica del Vaticano II* - 3. *Lineamenti per una teologia dei «signa temporum» (Criteri specifici per l'interpretazione dei segni: glorificare Cristo, edificare la chiesa, ricapitolare tutto in Cristo)* (R. Fisichella).

L'attenzione costante alla storia e il relazionarsi ad essa del vangelo fanno nascere, teologicamente, il tema dei segni dei tempi.

«Segni dei tempi» è un'espressione antica, la sua origine evangelica riporta alla necessità che il credente deve avere di scrutare costantemente il mondo in cui vive per poterne comprendere anzitutto le espressioni positive o meno che in esso si danno, per verificarne poi gli orientamenti che questo assume e quindi, per poter incidere in esso la forza provocatrice e rinnovatrice del vangelo.

1. RICUPERO DI UN TERMINE «ANTICO» - L'espressione ricorre per la prima volta in Mt 16,3 (Lc 12,54-56). Al di là dell'autenticità o meno del testo, che con molta probabilità risente di un'interpolazione posteriore, si

è di fronte alla dialettica che costantemente oppone Gesù alle richieste dei suoi interlocutori: la necessità di vedere un segno come prova della sua divinità. Come già in 12,38-39, Gesù rimanda al «segno di Giona» che sarà l'unico a far comprendere la realtà del suo mistero. Qui, tuttavia, facendo ricorso ad un semplice fenomeno metereologico, l'evangelista sembra inserire una spiegazione ulteriore che vorrebbe far emergere sia l'assurdità della richiesta rivolta a Gesù dai «farisei e sadducei», come la loro incapacità a saper riconoscere in lui il messia: «Quando si fa sera voi dite: Bel tempo, perché il cielo rosseggia; e al mattino: Oggi burrasca, perché il cielo è rosso cupo. Sapete dunque interpretare l'aspetto del cielo e non sapete distinguere i *segni dei tempi?*».

Come si nota, è l'invito ad essere perspicaci, a saper cioè essere in grado di guardare in profondità, nell'intimo, la realtà per poter così riconoscere l'essenziale.

Si deve all'azione profetica di Giovanni XXIII la riscoperta del valore e del significato di questa categoria per la vita della chiesa e per la riflessione teologica. Il senso originario del versetto matteano venne con insistenza adoperato dal pontefice con l'intento di provocare i cristiani a saper guardare ai mutamenti del mondo contemporaneo per poter annunciare di nuovo, in modo da poter essere compreso, il vangelo di Cristo.

Nel documento di indizione del concilio Vaticano II, *Humanae Salutis,* simbolicamente datato 25 dicembre 1961, si dice testualmente: «Facendo nostra la raccomandazione di Gesù di saper distinguere i segni dei tempi, crediamo di scoprire, in mezzo a tante tenebre, numerosi segnali che ci infondono speranza sui destini della chiesa e dell'umanità» (AAS 54[1962], 5-13).

Contro i «profeti di sventura», sempre pronti ad annunciare eventi ne-fasti come se la fine del mondo incombesse di continuo (cfr. Discorso di apertura del concilio 11 ottobre 1962), Giovanni XXIII proponeva l'ottimismo evangelico per sapere corrispondere ai momenti di crisi della chiesa e della società, con una rinnovata forza spirituale che sapesse riconoscere le potenzialità presenti negli uomini di buona volontà e la costante azione dello Spirito.

Lo stesso *pathos* è ancora rinvenibile nell'ultima enciclica di questo papa, la *Pacem in terris,* scritta pochi mesi prima della morte. Alla fine di ogni capitolo, Giovanni XXIII proponeva la lettura di alcuni segni dei tempi. Si noti che il testo ufficiale latino, per chissà quale mistero redazionale, non porta questa dicitura che è invece riscontrabile in tutte le traduzioni ufficiali dell'enciclica.

Anche Paolo VI utilizzò l'espressione nella sua prima lettera enciclica → *Ecclesiam Suam*. Si fa notare, nel testo, che si deve «stimolare nella chiesa l'attenzione costantemente vigile ai segni dei tempi e l'apertura continuamente giovane che sappia verificare tutto e ritenere ciò che è buono» (AAS 56[1964], 609-610).

Il concilio, con il nuovo clima che si stava venendo a instaurare particolarmente nei rapporti chiesa-mondo, non poteva trovare, con questi precedenti, solidarietà più grande. A più riprese il termine ritorna nei diversi documenti conciliari fino a trovare in *Gaudium et Spes* la sua formulazione ufficiale. «Segni dei tempi» può essere considerata, in questo orizzonte, come una delle formulazioni più originali del concilio nel suo intento pastorale.

È utile, a questo punto, far menzione di alcuni testi *espliciti* in cui si ritrova l'espressione, perché fondamentali per la comprensione di questa categoria e utili punti di riferimento per una sua interpretazione teologica.

In ordine cronologico, è facile individuare il cammino dei testi conciliari:

a. «Poiché oggi, per impulso della grazia dello Spirito Santo, in più parti del mondo con la preghiera, la parola e l'opera si fanno molti sforzi per avvicinarsi a quella pienezza di unità, che Gesù Cristo vuole, questo santo concilio esorta tutti i fedeli cattolici, perché riconoscendo i *segni dei tempi,* partecipino con slancio all'opera ecumenica» (UR 4).

b. «Il sacro sinodo mentre saluta con lieto animo quei *segni* propizi di questo *tempo* e denuncia con amarezza questi fatti deplorevoli, esorta i cattolici e invita tutti gli esseri umani a considerare con la più grande attenzione quanto la libertà religiosa sia necessaria soprattutto nella presente situazione della famiglia umana» (DH 15).

c. «I presbiteri siano pronti ad ascoltare i pareri dei laici, considerando con interesse fraterno le loro aspirazioni e giovandosi della loro esperienza e competenza nei diversi campi dell'attività umana, in modo da poter insieme riconoscere i *segni dei tempi*» (PO 9).

d. «Per svolgere questo compito è dovere permanente della chiesa di scrutare i *segni dei tempi* e di interpretarli alla luce del vangelo, così che, in un modo adatto a ciascuna generazione, possa rispondere ai perenni interrogativi degli uomini sul senso della vita presente e futura e sul loro reciproco rapporto. Bisogna infatti conoscere e comprendere il mondo in cui viviamo nonché le sue attese, le sue aspirazioni e la sua indole spesso drammatiche» (GS 4).

Da questi testi è già possibile vedere un continuo crescendo nell'insegnamento conciliare; partendo da una prospettiva di vita *interna* alla comunità cristiana, mediante la quale si invitano i credenti all'impegno per l'unità, si passa progressivamente a riconoscere la presenza di segni *esterni*

che provocano la chiesa su due fronti: il primo, nell'ambito della libertà religiosa; il secondo, nel riconoscimento delle conquiste del sapere così da poter annunciare in modo comprensibile il vangelo.

A questi testi espliciti, fanno seguito molti altri testi del concilio in cui il riferimento ai segni dei tempi, pur essendo *implicito,* è del tutto chiaro. Una veloce carrellata in proposito potrà aiutare successivamente nell'elaborazione di una «teologia dei segni dei tempi» compiuta dal Vaticano II.

Due paragrafi di GS sono particolarmente importanti nel contesto del nostro discorso: «Il popolo di Dio mosso dalla fede per cui crede di essere condotto dallo Spirito del Signore che riempie l'universo, cerca di discernere negli avvenimenti, nelle richieste e nelle aspirazioni, cui prende parte con gli uomini del nostro tempo, quali siano i veri segni della presenza e del disegno di Dio. La fede infatti tutto rischiara di una luce nuova, e svela le intenzioni di Dio sulla vocazione integrale dell'uomo e perciò guida l'intelligenza verso soluzioni pienamente umane» (GS 11).

Al n. 44 così continua: «È dovere di tutto il popolo di Dio, soprattutto dei pastori e dei teologi, con l'aiuto dello Spirito Santo, di ascoltare attentamente, di discernere e interpretare i vari modi di parlare del nostro tempo, e di saperli giudicare alla luce della parola di Dio, perché la verità rivelata sia capita sempre più a fondo, sia meglio compresa e possa venire presentata in forma più adatta».

2. NOVITÀ PROSPETTICA DEL VATICANO II - Pur ribadendo l'insegnamento di sempre, è facile costatare come questi testi inseriscano, anzitutto nella riflessione teologica, alcuni principi che sono basilari per la verifica dell'intento conciliare, circa le nuove relazioni che la chiesa deve assumere nei confronti della storia umana, e

dell'agire degli uomini nelle diverse situazioni socio-culturali.

Le osservazioni seguenti possono permettere un quadro più globale della teologia dei segni dei tempi operata dal Vaticano II.

a. È da notare, come primo dato, il cambiamento di *linguaggio* che rivela una prospettiva differente in cui la chiesa si inserisce. La comunità cristiana infatti si autocomprende come serva della Parola che le è stata affidata e che ha la responsabilità di mediare nella storia.

La chiesa è insieme con il suo contemporaneo, in cammino costante e permanente nella ricerca e acquisizione della verità tutta intera (Gv 16,13). Per ognuno, essa si offre come accompagnatrice nella ricerca della reale volontà di Dio e quindi, del bene dell'umanità. Per gli uomini e le donne di questo tempo che sono in ricerca di Dio, essa offre la sua «compagnia della fede», ben sapendo che l'azione dello Spirito che la guida, agisce e spazia anche al di fuori dei suoi confini istituzionali (LG 8).

b. Per compiere la missione ricevuta da Gesù Cristo, la chiesa chiede aiuto agli uomini del suo tempo per essere capace di leggere attentamente i fenomeni umani e le tensioni che si vengono a creare nella storia. È una chiesa «povera» quella che emerge da questi testi, una chiesa che ha perso ogni forma di presunzione e arroganza, e che è consapevole che la verità è ricerca comune e che essa la possiede solo nella prospettiva di una dinamica escatologica. Ne emerge forte pertanto, la responsabilità di una solidarietà con tutti e la coscienza di un impegno universale per il raggiungimento della salvezza, per cui o ci si salva insieme o non si corrisponde alla missione ricevuta.

È una chiesa che dalla precedente prospettiva di essere *maestra* nei confronti del mondo, ricupera la categoria di discepolato sapendo che uno solo è il maestro, il Cristo (Mt 23,10): «La chiesa non ignora quanto essa abbia ricevuto dalla storia e dallo sviluppo del genere umano... la chiesa ha un bisogno particolare dell'aiuto di coloro che vivendo nel mondo, sono esperti delle varie situazioni e discipline, e ne capiscono la mentalità, si tratti di credenti o non credenti» (GS 44). Mai si erano udite in questi ultimi secoli parole così chiare ed esplicite da parte del magistero nei confronti del mondo e dell'aiuto che la comunità credente chiede a tutti, in forza della loro appartenenza all'umanità e della loro competenza nell'ambito scientifico. Quanto queste parole siano distanti anni luce dalle formule di perplessità e condanna del secolo scorso nei confronti del «mondo» e del progresso, non ha bisogno di dimostrazione. La chiesa, in questo modo, ha riscoperto coraggiosamente un nuovo modo di porsi davanti alle culture e alle società; il negarlo equivarrebbe a dimenticare gli sforzi onesti che sono stati compiuti in tal senso; il dimenticarlo invece, significherebbe tradire lo spirito del Vaticano II.

c. L'assunzione dei segni dei tempi obbliga la chiesa, nel suo insegnamento, all'attenzione permanente nei confronti delle diverse situazioni di vita e delle differenti culture che sottendono ai modelli delle società. Il mondo e la sua storia si modificano e variano nel giro di pochi anni; forme di progresso e di tecnica si impongono sempre più e l'informazione raggiunge in contemporanea popoli distanti tra loro; il vangelo deve tuttavia essere annunciato e compreso anche in queste situazioni perché ad ognuno giunga il messaggio di salvezza.

I segni dei tempi possono allora orientare ad un'interpretazione più universale e globale del messaggio salvifico, perché cercano di proporre aspirazioni e concretizzazioni di ideali che sono patrimonio comune dell'umanità. In qualche modo, essi appartengono alla pedagogia della rivelazione perché possono identificarsi con quei germi di vita – i *lógoi spermathikói* così cari ai Padri – che sono posti nel mondo e nel cuore di ogni persona, per rendere abili a percepire più facilmente l'azione di Dio, che costantemente suscita forze nuove per la realizzazione piena del creato.

d. Davanti ai segni dei tempi, la chiesa è provocata a svolgere la sua azione profetica, perché è chiamata a compromettersi nel dover leggere i segni ed emettere il giudizio di Dio su di essi. Nell'orizzonte della → profezia, che caratterizza la comunità cristiana, il giudizio sarà sempre nella prospettiva della salvezza in quanto proviene dal centro stesso della rivelazione che presenta il crocifisso come luogo definitivo della salvezza perché espressione ultima dell'amore del Padre.

Emettendo questo giudizio, la comunità credente si discosta dai vari «profeti di sventura» e riconosce, finalmente, la bontà della creazione in tutte le sue espressioni, e le positive conquiste dell'uomo quando sono finalizzate al bene di tutti. Essa quindi, riporta ognuna di queste espressioni nello scenario più onnicomprensivo della parola di Dio, perché possano essere pienamente illuminate e finalizzate (GS 40-90).

e. I segni dei tempi infine, spingono a considerare seriamente l'orizzonte escatologico che caratterizza la fede cristiana. Con questi segni infatti, tutti, credenti e non credenti, sono relazionati ad un futuro come spazio e tempo definitivo del compimento di sé e dell'intera storia umana.

I segni dei tempi rappresentano quindi quelle tappe necessarie, per coloro che ancora vivono la condizione peregrinante, mediante le quali è possibile vivere con vigilanza e spirito attento nell'attesa dello sposo che deve venire. Se la condizione di vigilanza è un dovere evangelico per la comunità, è ugualmente obbligo per il non credente perché solo così può essere capace di percepire l'evolversi della storia e della cultura e quindi essere pronto a dare risposta agli interrogativi che da questa dovessero eventualmente sorgere.

Attraverso l'assunzione di questa categoria, ci sembra che il concilio abbia favorito ulteriormente quel procedimento di personalizzazione di una apologetica del segno che era già iniziato con *Dei Verbum* e *Lumen Gentium*.

Volendo riassumere la novità dell'insegnamento conciliare in proposito, si può dire che due dati emergono come determinanti: 1. Gesù Cristo è il segno fontale della rivelazione e, nella fedeltà a lui, la chiesa ne è segno sinonimo; questi sono i segni permanenti della presenza di Dio e quindi, fondamentalmente, i veri segni dei tempi. Questi segni di rivelazione orientano la storia escatologicamente e permettono la finalizzazione del divenire storico. Sono segni del tempo per questo tempo, perché hanno impresso in sé la nota della universalità che li rende pienamente accessibili in ogni tempo e normativi per ognuno. 2. Segni dei tempi sono ugualmente tutte quelle aspirazioni dell'umanità che determinano il progresso e orientano all'acquisizione di forme di vita più umane.

3. LINEAMENTI PER UNA TEOLOGIA DEI «SIGNA TEMPORUM» - Se si volessero raccogliere i vari dati descritti, in vista di una «definizione» dei segni dei tempi, che aiuti la comprensione del fenomeno, si potrebbe dire che questi sono *eventi storici che creano consenso universale, per cui il* credente *è confermato nel verificare l'immutato drammatico agire di Dio nella storia* e il *non* credente *è orientato a individuare scelte sempre più vere, coerenti e fondamentali a favore di una promozione globale dell'umanità.*

Questa «definizione» cerca di sintetizzare alcune idee costitutive per l'identificazione dei segni dei tempi. Anzitutto si parla di *eventi storici*; ciò significa che non tutti i fatti possono essere considerati segni dei tempi, ma solo quelli che hanno la caratteristica di essere eventi. Evento è ciò che costituisce una tappa fondante della storia di tutti; esso è talmente qualificante che segna una pietra miliare nel percorso dell'umanità. È un punto di riferimento talmente necessario per cui non si avrebbe piena comprensione della storia di un periodo, di un popolo o di una cultura, senza di esso. Dire quindi che i segni dei tempi sono eventi, equivale a dar loro una dimensione epocale.

Si dice inoltre che è richiesto il *consenso universale*, per cui questi segni devono essere in qualche modo catalizzatori. Essi devono esprimere la caratteristica di universalità; da ogni parte infatti, il loro significato deve essere recepito nel suo senso più genuino. I segni dei tempi pertanto, sono chiamati ad esprimere il progressivo segno di unità delle varie componenti umane che, prescindendo da proprie analisi di interessi privati, tendono verso il bene dell'umanità.

Nella «definizione» data si distingue volutamente tra la lettura del credente e del non credente sia per evidenziare maggiormente la nota dell'universalità dei segni che, in quanto tali, non devono possedere pregiudiziale alcuna; sia per favorire l'incontro sul rilevamento dei segni prima di una loro interpretazione; infine, per permettere al credente di svolgere una vera campagna della fede senza pretesa alcuna nei confronti dell'«altro» (→ Teologia fondamentale: destinatario).

Per *credente* quindi, intendiamo colui che è inserito nella comunità cristiana e che in forza di questo è chiamato a leggere i segni dei tempi alla luce della parola di Dio (GS 11; 44), e a vedere in essi una presenza peculiare del creatore. Il credente, in forza della fede, sarà portato ad identificare ogni segno con le diverse manifestazioni dell'amore trinitario di Dio rivelato in Cristo. Nella rilevanza e identificazione dei segni tuttavia, egli sarà chiamato a compiere lo stesso cammino del non credente e dovrà accompagnarsi a lui fino alla fine; eppure, sarà chiamato poi a compiere un passo ulteriore, perché dovrà giungere all'interpretazione cristologica ed ecclesiale del segno.

Per il *non credente*, i segni dei tempi potranno esprimere le tensioni, le aspirazioni, degli uomini verso una forma di vita più umana. Se i segni devono tuttavia creare consenso, ciò significa che abilitano anche il non credente a quell'impegno coerente perché l'unica verità sull'uomo e sulla creazione possa finalmente vedere la pienezza di luce. Agendo però in compagnia con il credente, anche il non credente potrà essere provocato ad una domanda ulteriore che potrà sfociare nella questione su Dio e sulla scelta di fede cristiana.

Ciò che è stato finora esposto tocca principalmente la descrizione della natura dei segni dei tempi. Per una visione globale del fenomeno è opportuno aggiungere qualche osservazione circa il discernimento dei segni.

In quanto i segni partecipano della natura del segno (→ Semeiologia, I), sono quindi relazione tra un significante e un significato, la lettura e l'interpretazione spesso è sottoposta all'ambiguità. Come possono essere individuati i segni dei tempi e a chi compete la loro interpretazione?

Il concilio aveva già rilevato alcuni fenomeni particolari che, per le loro caratteristiche, sembrano attestare la presenza di Dio nel mondo e possono essere identificati come segni dei tempi; tra questi si riconoscono: la *santità* personale del credente che testimonia la novità del vangelo (LG 39-42), le aspirazioni profonde verso la *libertà religiosa* (DH 15) e il rispetto per la *dignità dell'uomo* (GS 63-72), il *martirio* come segno supremo dell'amore e della coerenza per l'ideale di vita (LG 42), la tensione verso *forme di cultura* più umane e universali (GS 53-62), la ricerca e la dinamica verso la *pace internazionale* (GS 77-90). Tutti questi segni, nella prospettiva dei padri conciliari, quasi intuitivamente rimandano a Dio e creano consenso universale.

Come procedere però nell'individuazione e nella interpretazione di altri segni che la storia di volta in volta propone?

Poiché, come si è detto, i segni dei tempi sono anzitutto eventi storici, è necessario che la loro rilevanza venga affidata primariamente alle scienze umane. A più riprese ed esplicitamente oramai, la chiesa e l'insegnamento del magistero, hanno manifestato la loro fiducia nella scienza e negli uomini di scienza (GS 15;44); a costoro viene chiesta una individuazione preliminare dei fenomeni che creano consenso e che, di per sé, tendono ad imprimere nelle società forme di vita più umane. Una volta rilevati i segni, questi vanno interpretati.

Riteniamo che, come principio teologico, l'interprete qualificato dei segni dei tempi debba essere la *comunità credente*. Il concilio dice che, il soggetto dell'interpretazione è la «chiesa» (GS 4), ma esplicita subito questa affermazione dicendo «tutto il popolo di Dio», specialmente «i pastori e i teologi» (GS 44). Come si può notare, si dà un'interpretazione che, da una parte, fa riferimento alla comunità intera, dall'altra privilegia i pastori e i teologi probabilmente in forza del ministero e della competenza.

Più conformemente alla descrizione dei segni dei tempi che si è precedentemente offerta, si potrebbe applicare qui per la loro interpretazione, ciò che Paolo VI sosteneva nella *Octogesima Adveniens* come metodo di lettura per i fenomeni sociali, in quanto maggiormente si privilegia la comunità particolare. Si legge infatti: «Spetta alle comunità cristiane analizzare obiettivamente le soluzioni del loro paese, chiarirle alla luce delle parole immutabili del vangelo, attingere i principi di riflessione, criteri di giudizio, direttive di azione» (OA 3).

In poche battute, si ritrovano in questo testo i principi fondamentali che determinano il modo di porsi davanti ai segni dei tempi: individuazione, lettura, interpretazione, giudizio, ma all'interno della comunità e con le competenze specifiche di ognuno.

Tutta la chiesa locale pertanto si fa interprete dei segni dei tempi rispettando i ruoli e i carismi di ognuno, ma in un cammino «insieme con tutta l'umanità» (GS 40), perché con lei forma l'unica famiglia di Dio.

Nello stesso modo con cui la comunità rileva i segni dei tempi, che come tali hanno sempre la componente della positività, perché tendono al progresso dell'umanità e della comprensione della verità rivelata, così pure la stessa è chiamata alla rilevanza di *anti*-segni che, a causa del peccato di tutti, impediscono il vero progresso e ritardano l'azione di liberazione globale.

Il secondo momento che si deve porre in atto è quello dell'interpretazione dei segni. Poiché credenti e non credenti sono uniti nell'individuazione, è opportuno che una criteriologia ermeneutica non precluda questa componente.

Pensiamo pertanto, che si possano assumere dei criteri *generali* in quanto esprimono l'intento di condivisione comune, e criteri *specifici* che caratterizzano la lettura cristologica ed ecclesiale dei credenti.

Due criteri possono essere assunti come *generali*: quello della *dignità umana*, che favorisce il riconoscimento di tutte le forme che comportano la libertà e la promozione di ogni persona. Quello della *giustizia*, che è da considerare come il punto minimale e indispensabile dell'amore; con essa infatti, ognuno è messo nella condizione di vivere una vita degnamente umana.

Sotto i criteri *specifici* è evidente che il richiamo teologico sia maggiormente determinante perché tocca la comunità che, di per sé, già vive la realtà che annuncia. Pensiamo a tre criteri che esprimiamo con il linguaggio biblico di:

a. *Glorificare Cristo* (Gv 16,14): i segni dei tempi infatti, in quanto irradiazione della gloria del Signore, devono trovare piena significazione solo in lui. Per questo ogni segno deve ritornare a Cristo e tendere alla sua gloria, per annunziare ulteriormente la vittoria della sua morte su ogni forma di ingiustizia e di peccato. I veri segni dei tempi quindi, sono riconoscibili perché portano in loro questa dinamica di superamento del limite e abilitano al riconoscimento della vera libertà.

b. *Edificare la chiesa* (Ef 2,22): in quanto la comunità credente è mediazione della rivelazione, essa ne costituisce pure il segno storico permanente che viene percepito da ognuno. I segni dei tempi devono sollecitare i credenti alla costruzione escatologica della chiesa, perché attraverso le diverse forme di partecipazione alla vita dell'umanità essa si realizzi nella sua missione. Se da una parte i segni dei tempi abilitano l'umanità a forme di vita più umane, dall'altra devono sostenere la chiesa nel suo cammino verso l'incontro con lo Sposo. La presenza dei vari carismi e ministeri che sono dati per la costruzione della chiesa trovano, in questo orizzonte, il loro ambiente più vitale. In quanto espressione dell'amore e dell'agire di Dio, i segni dei tempi sono compresi come tali, perché riconosciuti come forme che permet-

tono alla chiesa di saper corrispondere alle esigenze della storia con la forza del vangelo.

c. *Ricapitolare tutto in Cristo* (Ef 1,10): i segni dei tempi devono orientare i credenti a saper guardare permanentemente verso i «cieli nuovi e la terra nuova» dove sarà definitivamente tolta ogni sorta di morte. I veri segni dei tempi pertanto, aprono alla pienezza della realizzazione cosmica dove tutto il creato, la storia e l'umanità in essa, troveranno il loro compimento. Se i segni dei tempi dovessero fermarsi al solo richiamo immediato o alla sola realizzazione temporale, mancherebbero pertanto, per i credenti, di tutta la loro forza propulsiva verso la costruzione del futuro.

Con la lettura presentata, i segni dei tempi possono essere ricondotti al loro nucleo essenziale costituito dall'evento stesso della rivelazione: l'amore trinitario di Dio. Dalla forma culminante di questo amore, costituito dalla morte del Figlio, sorgono altre espressioni e forme di amore perché quell'unico segno permanga come normativo e sempre riconoscibile.

L'attenzione ai segni dei tempi è un compito irrinunciabile per la chiesa e una responsabilità per ognuno. Con essi diventa più immediata la riscoperta di quanto di bello, buono e vero è presente nella nostra storia e nel mondo che noi formiamo. Ma per i credenti, essi esprimono un significato ulteriore: la permanente presenza di un Dio che, anche dopo l'evento dell'incarnazione, continua ad abitare in mezzo a noi e a vivere con noi.

L'attenzione ai segni dei tempi, con la componente di individuazione, lettura e interpretazione, non può tuttavia esaurire il compito dei credenti che devono creare sempre nuovi segni attraverso i quali rendere visibile l'attualità della rivelazione. Una teologia dei segni che si fermasse alla sola lettura senza saper proseguire nella volontà di suscitare nuovi segni, rimarrebbe privata di qualcosa di essenziale. I criteri sopra adottati esigono che i credenti siano in grado di prospettare sempre nuovi segni perché costantemente attenti alle diverse situazioni di vita.

I segni dei tempi pertanto, costituiscono una sfida che la chiesa lancia al mondo; con questi, infatti, essa invita a vivere il presente storico con tutta l'intensità che possiede, pur senza dimenticare che lo sguardo va sempre orientato al futuro che sta innanzi.

La capacità di percepire e porre nuovi segni dei tempi sarà proporzionata alla capacità di saper far rivivere anche per l'oggi i tempi messianici della presenza di Dio in mezzo a noi. È la parola del Signore che invita a questo: «Perché vi dico: chi crede in me compirà le opere che io compio, e ne farà di più grandi, perché io vado al Padre» (Gv 14,12). Questo per ogni credente implica che non si può rimanere nel mondo come spettatori passivi; la fede è testimonianza di un lavoro coerente e continuo che dura tutta la vita, senza conoscere il riposo del sabato.

Bibl. - D.M. Chenu, «Signes des temps», in NRTh 87 (1965) 29-39; R. Latourelle, *Cristo e la Chiesa segni di salvezza*, Assisi 1971; G.O'Collins, *Teologia Fondamentale*, Brescia 1982; C. Boff, *Segni dei tempi*, Roma 1983; K. Füssel, «Die Zeichen der Zeit als locus theologicus», in FrZPhTh 31 (1984) 259-274; R. Fisichella, *La rivelazione: evento e credibilità*, Bologna 1985; L. González Carvaijal, *Los signos de los tiempos. El reino de Dios está entre nosotros*, Santander 1987; H.J. Pottmeyer, «Zeichen und Kriterien der Glaubwürdigkeit des Christentums», in HFTh IV, 373-413; S. Pié-Ninot, *Tratado de teología fundamental*, Salamanca 1989.

RINO FISICHELLA

SEMEIOLOGIA

I. SEGNO: - 1. *Dai segni al segno* - 2. *Epistemologia del segno (dimensione storica; componente di mediazione; mezzo di comunicazione)* - 3. *Valore apologetico* (R. Fisichella) - II. SIMBOLO: - 1. *Simbolo nell'orizzonte interdisciplinare* - 2. *Simbolo in teologia* - 3. *Simbolo in teologia fondamentale* (R. Fisichella).

I. Segno

È peculiare dell'uomo ricercare il senso e il significato della realtà oltre la parola pronunciata. C'è una globalità del → linguaggio umano che si specifica poi in forme differenziate che evidenziano ulteriormente il mistero e il miracolo del parlare stesso.

Quando la realtà e il suo rimandare oltre, verso un significato ulteriore, si uniscono in un tutt'uno, allora il linguaggio umano diventa segno.

L'Apologetica ha sempre fatto dei segni uno degli argomenti costitutivi del suo esistere. I segni davano corpo alla credibilità del cristianesimo e confermavano la sua origine divina.

È in questo orizzonte che diventano comprensibili i diversi e ripetuti interventi del magistero di questi ultimi 150 anni. Dall'enciclica → *Qui Pluribus*, passando per la *Dei Filius* del Vaticano I, fino a → *Dei Verbum* e *Lumen Gentium* del Vaticano II, sembra quasi di assistere a un'evoluzione nell'uso e identificazione dei segni. Da un riconoscimento puramente esterno ed estrinseco del loro valore, si è giunti a verificare la loro intrinseca validità particolarmente quando Cristo e la chiesa vengono riconosciuti e identificati come i segni principali della rivelazione cristiana.

La teologia sottostante questi interventi, almeno fino al Vaticano II, sempre ancorata ad un'esclusiva lettura oggettivista del dato rivelato, non poteva e non sapeva cogliere la pregnanza e il valore del segno nel suo relazionarsi al soggetto.

1. DAI SEGNI AL SEGNO - Il Vaticano II ha certamente avuto il merito di presentare una triplice innovazione riguardo alla comprensione e all'uso dei segni.

a. Un dato che emerge in modo chiaro è la lettura *personalista* dei segni. Questi non sono primariamente individuati nella loro fatticità, come cose a se stanti; piuttosto sono identificati nella persona di Cristo e della chiesa (DV 2.4; LG 1.15). Si può pensare a questo cambiamento come ad un significativo passaggio dai segni al segno. La persona di Gesù di Nazareth infatti, è il segno posto davanti agli uomini perché comprendano il mistero di Dio. La chiesa è il segno che permane nella storia per mediare e trasmettere la parola del Signore.

Anche un semplice sguardo sinottico all'evoluzione delle redazioni di DV 4 fa emergere che nel testo *denuo emendatum*, si ha un prevalere della persona di Cristo, nella globalità della sua esistenza storica (*tota suiipsius presentia ac manifestatione*), sulla frammentarietà dei diversi momenti del suo agire. L'unità e unicità della persona, diventano fonte per altri segni e criterio di discernimento per la completa comprensione di essi.

b. Valorizzando la persona di Cristo e della chiesa, DV inevitabilmente confluisce verso una visione *storica* dei segni. Il segno totale della rivelazione è posto come culmine della storia della salvezza (DV 2), e rimane come principio di intelligibilità della storia successiva (LG 48.52).

A partire da questo *evento* si concretizzano, nella storia, i vari interventi di Dio che sono *segni* della sua volontà salvifica (la creazione: LG 16; la scelta di un popolo: DV 14; la finalizzazione della storia: LG 9).

c. In quanto storici, i segni sono *fi-*nalizzati per provocare l'uomo nella sua ricerca di senso (→ Senso, II). Ognuno infatti posto davanti alla concretezza del segno è chiamato a ricercarne il significato profondo e a decidersi per esso. I segni pertanto, fanno comprendere sia l'inarrestabile cammino verso l'intelligenza della verità che ognuno deve compiere, sia la volontà nel creare nuovi segni, perché nel mondo permanga visibile la parola di salvezza.

Personalizzazione, storicizzazione e finalizzazione possono caratterizzare il rinnovamento conciliare nei confronti della teologia dei segni. Il primo dato che risulta ormai acquisito dalla teologia del post concilio, è l'identificazione di Cristo come *il* segno della rivelazione e in lui, la chiesa come *sacramento* o segno dell'unione tra Dio e l'umanità (LG 1).

Se il Vaticano II ha portato all'identificazione del segno principale e fondante della rivelazione, è però compito della teologia fondamentale post-conciliare il fornire un'intelligenza critica del segno.

2. EPISTEMOLOGIA DEL SEGNO - È necessario che *teologicamente* si indichi anzitutto cosa sia segno e, successivamente, si identifichi il suo valore apologetico.

Ciò che balza evidente nella definizione di segno è la pluralità delle risposte che vengono date. A partire dagli *Stoici*, i primi che nella storia del pensiero hanno lasciato una definizione, esso viene detto semplicemente «ciò che sembra rivelare qualcosa». *Tommaso d'Aquino* parlerà di segno come causa sensibile di un effetto nascosto: «per causam sensibilem quandoque ducimur in cognitionem effectus occulti» (STh I,70,2). Più recentemente, *De Saussure* ha definito il segno «unione di significato e significante»; *Peirce* «qualcosa, conoscendo il quale conosciamo qualcosa altro». In una parola, si può pensare al segno come è stato da sempre tramandato con una formula classica: *id quod inducit in cognitionem alterius.*

Più specificamente, diciamo che è segno «*tutto ciò che, fondandosi storicamente, permette la conoscenza del mistero, creando le condizioni per la comunicazione interpersonale*».

Questa nostra definizione permette di vedere unificate alcune caratteristiche essenziali che compongono il segno:

a. La *dimensione storica* - Il segno, per essere tale, deve possedere una realtà che sia conoscibile attraverso le normali vie sensibili. Esso deve essere quindi una realtà posta nell'orizzonte conoscitivo umano immediatamente percepibile come un rinvio verso un significato ulteriore.

b. La componente di *mediazione* - Il segno è un'arbitraria unione di un significato e di un significante. Per definizione, quest'ultimo non potrà mai esaurire in sé il significato, pena la distruzione del segno stesso. L'arbitrarietà dell'unione può subire, nel corso del tempo, una modifica di rapporti, per cui al significato possono essere attribuiti significanti differenti; tuttavia in forza di una «inerzia collettiva» (De Saussure), il significato originario che ha dato vita al segno, non potrà mai essere completamente estraniato o modificato.

c. In quanto relazione tra significato e significante, è possibile creare una pluriforme serie di terminologie che si accompagnano al termine generale del segno. Si avrà quindi: segno-indice, segno-simbolo, segno-icona, segno-estetico e altri; questi sono valori semantici che si riferiscono a una differente relazione tra le due componenti del segno, che non modificano però la realtà fondante il segno stesso.

d. Il segno, inoltre, crea → *comunicazione* - Esso anzi, è creato per la comunicazione. Risulta infatti trattenuto tra una fonte che lo emette e un destinatario che lo riceve. Il segno pertanto, è mezzo di comunicazione che trova il suo spazio significativo in un *contesto* che favorisce la sua esatta comprensione.

Si può quindi già vedere realizzata una prima serie di elementi che sono indispensabili per l'identificazione del segno. Anzitutto, si deve trovare un *consenso*; ciò significa che il segno esce dalla sfera del soggettivo; non può essere un segno solo per l'individuo perché cesserebbe la componente della comunicazione. Il segno, inoltre, *provoca* alla riflessione, in quanto stimola il ricevente a compiere il passaggio tra la realtà significata e ciò che è significato. Infine, spinge verso una *decisione*, che comporta l'accettazione o il rifiuto del segno; non si dà infatti neutralità davanti al segno, perché si richiede la scelta nell'identificazione del significato.

In una parola, per avere un segno, è necessario che esso si presenti *sensibile*, quindi percepibile; *storico*, vale a dire inserito in un contesto socio-culturale; *significante*, che immetta pertanto nella comprensione di un significato ulteriore espresso, ma non contenuto completamente; *universale*, che crea cioè consenso fuori della sfera individuale.

Nella Scrittura è possibile vedere realizzata una semeiologia che sa accogliere le caratteristiche appena descritte e che privilegia il segno come linguaggio di rivelazione atto ad esprimere il mistero stesso di Dio.

Per l'uomo biblico, il segno ha essenzialmente un valore religioso.

È un mezzo mediante il quale il mistero diventa chiaro; non a caso l'ebraico «ôt» verrà reso anzitutto nel greco dei LXX con σημεῖον (*sēméion*) poi con μυστήριον (*mystêrion*) prima che la Vulgata lo traducesse con *signum*.

Poiché Dio abita in una luce inaccessibile, e di lui non ci si può fare immagine alcuna (Es 20,4), allora il mezzo più vicino per esprimere la sua relazione con il popolo sarà il segno; realtà che si esprime ma che non può esaurire il contenuto del messaggio. Si dà quasi una «teologia del segno» che può essere descritta come una spirale che si muove verso un centro. Progressivamente, la riflessione di Israele è spinta a identificare i segni della presenza rivelativa di Jhwh anzitutto nella *natura*: l'arcobaleno è segno dell'alleanza universale (Gn 9,12-17), le stelle del cielo e la sabbia del mare (Gn 15, 5; Dt 10,22) sono segni che richiamano la numerosa discendenza che, in forza della fede, farà capo ad Abramo; la circoncisione indicherà per tutte le generazioni future che l'uomo appartiene a Dio e al popolo a lui consacrato (Gn 17,10-11).

Ma anche nella *storia* si possono ritrovare segni che più direttamente rinviano al rapporto misterioso tra Jhwh e il suo popolo. La liberazione dalla schiavitù dell'Egitto (Es 13,11-16), la permanenza nel deserto e l'alleanza compiuta al Sinai (Es 13,18; Dt 4,6), le diverse feste liturgiche (Es 12,21-28), tutti questi avvenimenti sono considerati segni che rimarranno per la storia ebraica come pietre miliari e permetteranno di vedere concretizzato anche nel futuro l'agire di Jhwh a favore del suo popolo.

Questi segni dovranno essere memorizzati e attualizzati di volta in volta perché mai venga meno il senso di appartenenza e di consacrazione a Jhwh.

La letteratura profetica identifica nel profeta stesso, il segno personale dato al popolo per rivelare la volontà di Dio e il suo piano salvifico. Il profeta in quanto lui stesso *segno* (Ger 16; Ez 24,24; Os 2), moltiplica i segni perché il popolo si converta e rinnovi la sua fede (cfr. Ger 1,18; 19; 24; 27; 32; Ez 4; 5; 24). C'è, per così dire, una pedagogia divina dei segni che progressivamente apre alla visione culminante del segno definitivo: Gesù di Nazareth.

È sulla definitività di questo segno

infatti, che i testi neotestamentari costruiscono la loro teologia. Anche se non del tutto confermata, la tesi di Bultmann circa la presenza in Giovanni di una «Semeionquelle», è indice di una forte tradizione che ha visto nei *sēméia* ed *érga* di Cristo un momento prettamente rivelativo.

Alla differenziata e non organica presentazione dei segni che viene fornita dai sinottici, corrisponde invece in Giovanni una chiara teologia del segno. Dal «primo dei segni» (Gv 2, 11), fino ai «molti altri segni» di Gv 20,30, l'evangelista sembra quasi identificare con questi il filo-rosso del suo scritto. Segno è per lui anzitutto una realtà visiva che si impone all'uomo; anzi, è ciò che permette di riconoscere la definitiva presenza di Dio in mezzo al suo popolo.

Segno è Gesù di Nazareth nel suo mistero pasquale; a coloro che chiedono *segni*, per poter capire la sua origine divina, egli propone solo il *segno* di Giona (Mt 12,39-41; 16,1-4; Lc 11,29-32), per abilitarli a compiere l'atto di fede e di abbandono nella sua persona.

In quanto segno ultimo e definitivo del Padre, Cristo può anche moltiplicare i segni, per rendere evidente la presenza del regno messianico a partire dalla sua persona (Gv 11,47). Non solo lui, ma anche coloro che in lui crederanno compiranno dei segni, anche più grandi, perché ormai nella sua persona tutto trova compimento (Gv 11,12).

C'è pertanto una *dialettica* che è fondamentale per comprendere il valore dei segni all'interno della teologia neotestamentaria. La prima, si realizza a partire da Cristo: in lui il segno è dato come rimando al mistero più grande che è il Padre e lo Spirito nel loro amarsi trinitario. Il segno «Gesù di Nazareth» non permette quindi che ci si abbia a fermare su di lui, ma da lui si è rinviati al mistero trinitario. Una seconda nota di questa dialettica, è data dal rinvio verso la gloria che è paradossalmente presente nella miseria della sofferenza e della morte. Un'ulteriore forma è quella che provoca il credente ad andare oltre l'aspetto tipicamente eclatante e meraviglioso del significante, per riconoscere invece la presenza della misericordia e del perdono (cfr. Gv 6).

I segni quindi, da una parte provocano la fede ad essere più genuina, perché rinviano al contenuto fondante che è il mistero di Dio; dall'altra parte, stimolano i non credenti a saper percepire, attraverso questi, la presenza del mistero che può dare senso.

Per una semeiologia teologica pertanto, rimane fondamentale la centralità dell'evento storico di Gesù come segno fontale, estetico, della rivelazione di Dio. Il principio ermeneutico, costituito dal suo → mistero pasquale, abilita alla comprensione e al discernimento di tutti gli altri segni (Gv 5,22; 6,30; 8,15; 12,48). Ancora una volta, il credente è posto nella condizione di dover scegliere se fermarsi al miracolistico o raggiungere il significato più profondo del contenuto della fede.

3. VALORE APOLOGETICO - Dal punto di vista *apologetico*, la teologia fondamentale una volta presentata la fondazione epistemologica dovrà essere capace di distinguere l'uso di questa categoria da altri differenti usi di discipline teologiche (per es. sacramentaria, fenomenologia della religione).

Riteniamo che un uso peculiare sia quello di una acquisizione del segno all'interno della problematica circa il linguaggio teologico. Più di altre espressioni linguistiche, il segno favorisce l'elaborazione di un → linguaggio teologico teso tra presentazione del mistero e intelligenza critica di esso. Il segno favorisce infatti, la dimensione del *rinvio* al significato e lascia comprendere quanto ancora limitato sia il linguaggio umano quando deve descrivere il mistero divino. E tuttavia, questo procedimento non ha luogo assolutizzando o privando il linguaggio umano di una sua espressione. Il segno infatti, rinvia necessariamente alla parola per essere tolto dalla sfera dell'interpretazione soggettiva o dall'equivocità e essere da questa chiarificato.

In forza della sua struttura tuttavia, il segno non impedisce che si abbia a raggiungere il significato che è oltre la sfera del soggettivo. Il segno infatti non può essere ridotto né ad una esclusiva analisi linguistica, che sarebbe incapace di lasciare il significato nel suo spazio di trascendenza; né ad una mera verifica empirica, a cui sfuggirebbe il valore costitutivo del significato.

Il segno, paradossalmente, implica l'analisi metafisica perché obbliga a vedere presenti nella realtà significante anche la realtà significata; il suo esprimere è il tipico linguaggio dell'«andare oltre» ciò che viene rappresentato per raggiungere, in definitiva, l'essere stesso.

Il segno non esula dal linguaggio; è linguaggio umano, perché peculiare attività della persona, e come tale, favorisce la comunicazione e mediazione dei contenuti teologici anche con il non credente. Si è quindi in presenza di un linguaggio universale che può creare maggiori consensi e favorire lo scambio interdisciplinare. La sua analisi quindi garantisce la possibilità di motivare l'atto del credere come un atto libero perché rafforzato dalla dimensione di intelligenza critica.

A differenza dell'immagine, che rimane relegata alla fantasia e al pensiero del singolo, il segno favorisce l'oggettività del suo esprimersi e la comunicazione interpersonale.

Il segno diventa pertanto una sfida per l'uomo perché rappresenta ciò che non si sa o non si osa pronunciare e che tuttavia si percepisce come reale.

Bibl. - D. Mollat, «Le sêmeion joannique», in *Sacra Pagina* II, Paris 1958, 209-218; G. De Broglie, *Les signes de crédibilité de la Révélation chrétienne*, Paris 1964; R. Latourelle, *Cristo e la Chiesa segni della salvezza*, Assisi 1971; F. de Saussure, *Corso di linguistica generale*, Bari 1979; U. Eco, *Il segno*, Milano 1980; R. Fisichella, *La rivelazione: evento e credibilità*, Bologna 1985; H.J. Pottmeyer, «Zeichen und Kriterien der Glaubwürdigkeit des Christentums», in HFTh IV, 373-413; S. Pié-Ninot, *Tratado de Teología fundamental*, Salamanca 1989.

RINO FISICHELLA

II. Simbolo

L'uso indiscriminato delle parole non è senza conseguenze. Esso crea impossibilità di comunicazione ed è fonte di equivoci.

Accade spesso di assistere in teologia alla interscambiabilità nell'uso di segno e simbolo.

L'identificazione, per alcuni versi ammissibile se si rimane nella specificazione generica, non permette tuttavia di avere sempre una chiara comprensione dei concetti teologici. È necessario che ogni autore, nella sua trattazione, chiarifichi l'uso semantico che vuole affidare a segno-simbolo per permettere al destinatario di avere chiara comprensione dell'orizzonte semantico in cui si è inserito.

1. SIMBOLO NELL'ORIZZONTE INTERDISCIPLINARE - Cosa sia simbolo e funzione simbolica è, particolarmente oggi, oggetto di grande dibattito. L'argomento infatti, è oggetto di diverse discipline e scienze che, accentuando alcuni elementi in riferimento ad altri, danno una significazione diversa dell'unica realtà. Così Durkheim, studiando il valore sociale del simbolo religioso, lo identifica come significante di una «coscienza collettiva» che permette il perpetuarsi nel tempo della rappresentazione religiosa. Il significato simbolico quindi non è contenuto nella realtà intrinseca, ma è ad esso aggiunto dalla coscienza collettiva.

Di altro parere sono le scuole psicoanaliste che identificano il simbolo come espressione privilegiata su cui porre, in prima istanza, l'interpretazione onirica. Le diverse scuole poi lo interpretano a seconda dei principi loro propri: Jung, ad esempio, lo vede come rivelazione di una situazione concreta archetipa, collettiva o individuale. Più il simbolo sarà in grado di esprimere questa credenza atavica, più diventerà universale e significativo. Diversamente, oggi, Klein e Lacan fanno ricorso al simbolo per esprimere il linguaggio traslato delle parole.

Sul piano più filosofico, per una gnoseologia del linguaggio, gli studi di E. Cassirer a riguardo sono fondamentali e determinanti. Il simbolo e la funzione simbolica, stanno a significare ogni attività formatrice dello spirito. Il mito, la logica e l'arte sono, indifferentemente, forme simboliche in cui il significante e il significato non sono separabili e distinguibili; tutto ciò che è pensato infatti, è pensabile soltanto attraverso i simboli mitici, logici o estetici: «Il simbolo non è un rivestimento meramente accidentale del pensiero, ma il suo strumento necessario ed essenziale» (*Filosofia delle forme simboliche*, I: Il linguaggio, Firenze 1961, 20 ss.).

Per la semantica, può valere la definizione del Morris, che colloca il simbolo come «un segno prodotto dal suo interprete che agisce come sostituto di altri segni di cui è sinonimo» (*Segni, linguaggio e comportamento*, Milano 1948). Esso pertanto, partecipa di una larga autonomia, ma è anche più convenzionale in quanto prodotto da agenti umano-sociali.

Nella prospettiva estetica, infine, il simbolo viene assunto come ciò che permette di esprimere artisticamente la realtà trascendente.

2. SIMBOLO IN TEOLOGIA - Anche nell'orizzonte teologico, è possibile verificare diverse interpretazioni ri-

guardo alla comprensione del simbolo.

La scuola Alessandrina, in tal senso, è ricordata nella storia dell'esegesi biblica come la protagonista di una lettura simbolica della rivelazione.

All'interno della Scrittura è facile il riconoscimento di una simbologia che, attraverso simboli desunti dalla natura o dalla convenzione umana, cerca di mediare un particolare contenuto di rivelazione.

L'*Antico Testamento* è ricco di azioni simboliche che sono riferite ai profeti; come esemplificazione, si può pensare a Geremia che compera una brocca di terracotta e alla presenza degli anziani del popolo e dei sacerdoti la riduce in mille pezzi (Ger 19, 1-15); la simbologia diventa evidente attraverso la parola del profeta: «Spezzerò questo popolo e questa città così come si spezza questo vaso di terracotta che non si può riaggiustare» (19,10).

Altre forme di simboli sono rinvenibili sia a livello dei *nomi propri di persona* (Jzreel: «Dio semina», in Os 1,4; Seariasub, il figlio di Isaia, che significa «un resto ritornerà», in Is 7,3; oppure Cefa applicato a Pietro per indicare la sua funzione nella chiesa in Mt 16,18); sia a livello di *cifre numeriche* di cui particolarmente l'Apocalisse è testimone.

La teologia dogmatica contemporanea è debitrice al saggio di K. Rahner *Zur Theologie des Symbols* (*Schriften zur Theologie* IV, Einsiedeln 1960, 275-311), per ciò che riguarda una ontologia del simbolo. Partendo dalla determinazione epistemologica generale, che intende l'ente simbolico di per se stesso, in quanto necessariamente si «esprime per trovare la propria essenza» (tr. it., p. 57), Rahner estende questo principio a tutta la teologia, per cui dirà: «Tutta la teologia non potrebbe essere capita se essenzialmente non fosse anche una teologia del simbolo» (p. 76). Anche i diversi trattati quali trini-

tà, cristologia, ecclesiologia, sacramentaria saranno investiti da questa lettura ontologica del simbolo. Mantenendo come centrale il mistero della Trinità, Rahner individua un *Simbolo essenziale* o *Simbolo reale interno* che «è l'apparizione e percettibilità spaziale, temporale e storica, in cui un'essenza apparendo si mostra e mostrandosi diventa presente, mentre forma questa apparizione da sé realmente distinta» (*Kirche und Sakrament*, Freiburg 1960, 34). Simbolo essenziale è il momento interno della realtà stessa che si dona e che si completa mediante il segno, rimanendo tuttavia distinto da esso. L'ente quindi è simbolico per se stesso e si esprime per possedersi; si dà all'altro uscendo da sé e ritrova così se stesso per conoscenza e amore. In una parola, «simbolo è il modo dell'autoconoscenza e del ritrovamento in genere di sé» (p. 67).

In questa prospettiva, Rahner può pensare al simbolo in un triplice modo: 1. come proprietà dell'ente che raggiunge la propria perfezione; 2. come relazione tra due enti; 3. come espressione mediante la quale si realizza la conoscenza e l'amore di sé.

Il simbolo, in questa prospettiva teologica, è ciò che rende presente con una sua peculiare modalità la realtà della salvezza: Dio.

3. SIMBOLO IN TEOLOGIA FONDAMENTALE - Nella prospettiva teologico-fondamentale, un primo compito da assumere potrebbe essere quello, per dirla con Cassirer, di produrre una «grammatica simbolica» che sappia individuare gli elementi comuni e le differenze tra i vari usi e applicazioni del simbolo, in modo da permettere alla scienza teologica un orizzonte epistemologico più coerente.

Come apologetica, che entra in contatto con le diverse filosofie, la fondamentale potrebbe costituire quasi un ponte tra la nuova accezione di simbolo, con il suo valore ermeneutico, e l'uso teologico. Il simbolo infatti, più che «dire» qualcosa, «evoca» la realtà simbolizzata. Questo permetterebbe allora una espressività del teologare che, senza cadere in riduzionismi di sorta o in mode passeggere, sa ricuperare anzitutto i dati peculiari della Scrittura che ripone nel simbolo una fiducia quasi cieca; narrando ed evocando simboli, infatti, l'autore sacro afferma contemporaneamente la presenza vitale e operante di Dio e l'impronunciabilità del suo nome. Inoltre, si potrebbero riproporre i contenuti della tradizione patristica e medievale, che ha fatto dell'interpretazione simbolica quasi una *via eminentiae* per la comunicazione del messaggio rivelato.

Per un'ermeneutica del linguaggio teologico, la teologia fondamentale riferendosi al simbolo, assume un principio che non permette l'indifferenza o l'interscambiabilità dei segni. Il simbolo infatti, pur appartenendo al segno, si distingue da questo perché nel momento del rinvio dal simbolizzato al simbolizzante, porta già con sé una determinante rappresentazione del simbolizzato (v.g. non si può sostituire facilmente il muso della volpe con quello dell'asino per esprimere la furbizia; che invece si dica «volpe», «Fuchs», «zorro», «fox»,

«renard», è indifferente purché vi sia un accordo sociale). Ciò permette alla teologia nel suo esprimersi, di far sempre riferimento a un linguaggio simbolico di per sé già dato come immediato e intuitivamente recepibile.

Alla teologia, in ogni caso, il simbolo ricorda l'irriducibilità del linguaggio della rivelazione a solo linguaggio «scientifico». Esso obbliga invece a prendere in seria considerazione la presenza del → mistero e del → silenzio come espressioni che non tollerano riduzionismi di sorta. Il simbolo, una volta dato e assunto, comunica quella autonomia che possiede davanti alle determinazioni della lingua e invita ad andare sempre oltre, verso quello spazio di apertura infinita che solo l'immaginazione del poeta, del mistico e dello spirito libero può raggiungere.

Bibl. - E. Cassirer, *Filosofia delle forme simboliche*, I, Firenze 1961; K. Rahner, «Teologia del simbolo», in *Saggi sui sacramenti e sulla escatologia*, Roma 1965, 51-107; A.M. Di Nola «Simbolo», in *Enciclopedia delle Religioni* V, 644-651; U. Eco, *Trattato di semiotica generale*, Milano 1975; P. Ricoeur, *Il conflitto delle interpretazioni*, Milano 1977; Id., *La metafora viva*, Milano 1981; V. Melchiorre, *Essere e parola*, Milano 1984; S. Babolin, *Sulla funzione comunicativa del simbolo*, Roma 1985; V. Melchiorre, *Simbolo e conoscenza*, Milano 1988.

Rino Fisichella

SENSO

I. Della rivelazione

1. Rinvenimento del senso oggettivo - La presentazione rinnovata della rivelazione, ad opera del Vaticano II, ha riportato un equilibrio tra i due elementi che costituiscono l'e-

vento rivelativo: la rivelazione di Dio e il soggetto credente.

La storia della teologia può facilmente mostrare che c'era un periodo in cui la dimenticanza del destinatario della rivelazione ha fatto perdere di vista la realtà stessa dell'evento, contraendo tutta la rivelazione al solo contenuto oggettivo la cui verità era confermata dai segni esterni che ne comprovavano l'origine divina.

Dal punto di vista teologico, la Fondamentale deve essere in grado di proporre una lettura critica della duplice accezione di senso della rivelazione: da una parte, il senso dell'evento stesso; dall'altra, la risposta alla domanda sul senso dell'esistenza che giunge dall'umanità.

Se la rivelazione si pone anche oggi con la sua pretesa di poter dare l'ultima risposta alla domanda di senso che sorge nell'uomo, questo è perché già in sé, come evento, essa si presenta carica di senso; anzi, è senso essa stessa senza più possibilità di rimando ulteriore.

Si parla, pertanto, di senso della rivelazione, come di quel senso originario, quello primo perché ultimo di ogni fondazione. Senso che si distingue da un generico senso ereditato che ognuno possiede in quanto parte di questa umanità; questo è invece il senso fontale e fondante che permette la possibilità della domanda di senso e che, in quanto tale, è possibile riproporre intatto in ogni epoca e in ogni cultura.

Intendiamo per senso, ciò che permette di vedere realizzata quella trasparenza genuina tra l'essenza e l'esistenza, per cui la prima si esaurisce nella seconda e la seconda è capienza ed espressione della prima. Senso è coerenza perfetta, conforme, tra ciò che si esprime e ciò che costituisce il suo significato definitivo. Senso è il fine ultimo che esiste da sé, trovando le ragioni di tale finalità nella dinamica interna del proprio significare. In una parola, senso è ciò che appare e si impone con evidenza; è l'evidenza stessa che si dona a conoscere.

2. NELLO SPAZIO DELLA GNOSEOLOGIA - L'esistenza di tale senso è ciò che intuitivamente viene colto, dal-

l'attività epistemica del soggetto, come ovvio. Esiste, c'è, viene percepito come quel *quid* che da sempre è dato e senza del quale non si dà percezione alcuna.

Il soggetto, mediante la «meraviglia» che lo abilita ad una conoscenza sempre più completa del reale, scopre che qualcosa viene data come esistente. C'è un presentarsi sic et simpliciter di un oggetto al soggetto ed è ciò che costituisce l'evidenza.

Nel suo aprirsi intenzionale verso l'esterno da sé, il soggetto viene investito dalle determinazioni dell'oggetto che si impongono alla sua coscienza come evidenza.

L'evidenza quindi, come il darsi dell'oggetto al soggetto, è ciò che permette di vedere concretizzata la prima relazione gnoseologica oggetto-soggetto.

Il soggetto infatti, si caratterizza per il suo «poter disporre di sé»; egli è libero di uscire da sé e di rientrare in se stesso (*reditio in se ipsum*), di comunicare i dati di questo suo divagare conoscitivo o di rimanere solo con l'oggetto conosciuto; in ogni caso, questa dimensione rende evidente una realtà: la presenza dell'altro da sé.

Nella sua attività gnoseologica infatti, egli è sempre pronto ad accogliere in sé l'oggetto di conoscenza; eppure egli stesso non sa né può sapere cosa accadrà una volta che lo ha accolto in sé. Si è sempre dinanzi all'imprevedibilità di ciò che potrà accadere. Potrà essere trasformato o potrà rifiutarsi di cambiare, come potrà pensare di aver ricevuto un dono...; si sarà sempre, comunque, di fronte al fatto che il soggetto potrà scoprire una dimensione di sé che è appunto quella del nuovo con cui si viene ad incontrare, e quindi della sua possibilità di essere recettivo di una nuova manifestazione.

Ciò gli fa comprendere, ugualmente, che la sua realizzazione piena, vale a dire la sua possibilità di percepirsi come soggetto che è in grado di conoscere e di disporre di sé, è possibile solo nello spazio dell'oggetto che gli si fa incontro. La sua autorealizzazione necessita di una conoscenza che è fuori di lui; la sua essenza lo porta ad incontrarsi con ciò che lui prima non conosceva, ma che tuttavia è necessario per la sua esplicitazione e il suo realizzarsi.

In una parola, la presenza dell'oggetto porta un equilibrio alla smisurata pretesa del sapere umano. Perché se da una parte è vero che la conoscenza personale è illimitata, e quindi infinita nel suo relazionarsi, è ugualmente vero che questa illimitatezza è data dal fatto che ogni volta si presenta un oggetto da conoscere. C'è pertanto un potere illimitato di conoscenza, ma un potere che è dato dal *ricevere* la conoscenza attraverso la presentazione dell'oggetto. Quindi, lo sguardo del soggetto è illimitato, ma questo perché qualcosa gli viene sempre offerto.

3. NELLO SPAZIO DELLA RIVELAZIONE - Teologicamente, nell'atto di rivelazione, si devono manifestare i tratti di piena libertà e trascendenza che caratterizzano Dio. Ne segue, che la forma di rivelazione che viene data all'uomo va accolta come espressione della libertà di Dio nella sua decisione di comunicare se stesso.

Il credente quindi, non potrà mai «giudicare» le forme in cui la rivelazione gli viene data. Essa dovrà essere accolta con le determinazioni che porta con sé e nelle forme che esprimono la libertà di Dio nel suo comunicarsi.

L'identificazione della rivelazione con la persona di Gesù di Nazareth, in quanto espressione ultima e definitiva della manifestazione di Dio, è ciò che costituisce lo specifico della fede cristiana. Questa identificazione afferma che la figura della rivelazione si ha nel mistero dell'incarnazione in cui, nella storicità di un soggetto, la natura divina trova piena condivisione.

La forma della rivelazione quindi, viene data al conoscere umano attraverso il mistero che impone, per la sua comprensione, la dialettica di un costante e reciproco «velamento e svelamento» della figura stessa.

La persona di Gesù di Nazareth, pertanto, è questa comunicazione ultima e definitiva di Dio all'umanità dopo la quale non c'è da aspettarsi nessuna ulteriore rivelazione di Dio (DV 4). La sua persona si rivela come una ininterrotta relazione al mistero trinitario; egli infatti rivela una consapevolezza di essere in dipendenza dal Padre e di essere ripieno dello Spirito; questo fa di lui il *lógos*, cioè la prima effettiva espressione «pubblica» del mistero di Dio.

4. RIVELATORE E RIVELAZIONE - Affermare che Gesù Cristo esprime l'evidenza, il senso della rivelazione, significa conseguentemente vedere realizzato in lui quel perfetto accordo e quella piena conformità tra il rivelatore e la rivelazione. Non solo quindi non esiste rivelatore più grande, ma neppure può essere comunicato e rivelato niente di nuovo che lui non abbia già espresso.

L'identità rivelatore-rivelazione si fonda nella consapevolezza di Gesù che non invoca altra testimonianza che quella del Padre (Gv 5,31.36-37). Le parole che lui pronuncia sono le parole del Padre (Gv 3,34), i segni che lui pone in atto sono quelli che ha visto compiere dal Padre (Gv 5,19.36): per questo lui è il Figlio e possiede ogni cosa, a tal punto da divenire luogo estremo del giudizio ormai definitivamente compiuto (Gv 3,35).

Proprio questo «rinviare» al Padre permette di affermare che, umanamente, è stato detto tutto di Dio in Gesù Cristo e che lui è il contenuto del mistero rivelato.

Lo esprime ancora chiaramente la teologia giovannea quando riporta l'espressione di Gesù che dice: «la *mia* dottrina *non è mia*, ma di colui che mi ha mandato» (Gv 7,16). Per διδαχή (*didachê*), l'evangelista intende la rivelazione pubblica che Gesù compie in obbedienza alla volontà del Padre; qui tuttavia, c'è un'accezione peculiare del termine perché non è detto che il richiamo alla conoscenza della volontà di Dio venga fornito dalla Scrittura o dalla Tôrāh. Ci si incontra, invece, con la costante pretesa di Gesù di voler annunciare direttamente, senza mediazione alcuna, le parole e i segni di Dio nello stesso modo di come lui li ha appresi dal Padre (Gv 8,28).

Nello stesso tempo però, si è in presenza di un ulteriore dato rivelato: ciò che egli rivela è *suo*, e tuttavia non è *suo* perché appartiene al Padre. Il rinvio che viene compiuto verso l'Altro, è comunque un rinvio che non può prescindere dalla sua persona perché è presente e operante proprio in lui: «chi vede me, vede il Padre» (Gv 8,9).

5. LA MORTE DI GESÙ COME PIENEZZA DI SENSO - La dimensione paradossale della pienezza di senso è verificabile nella morte in croce di Gesù di Nazareth. In un unico evento si incontrano infatti, la domanda ultima che l'uomo pone da sé sul proprio destino, e la natura stessa di Dio che si rivela come amore che arriva fino alla donazione totale di sé.

Nella morte di croce, la rivelazione che Gesù fa del Padre è totale perché in questa morte l'obbedienza alla sua volontà raggiunge il culmine (Fil 2,8), e il contenuto rivelato diventa, conseguentemente, trasparente.

L'essere del Figlio è totale obbedienza e totale ricezione dal Padre. In questo consiste la sua libertà, per cui egli può affermare che dà «la sua vita per poi riprenderla di nuovo» (Gv 10,17-18); perché tra lui e il Padre c'è identità di natura. Questo è l'amore trinitario che costituisce la relazionalità personale che li fa essere

Padre e Figlio nell'infinito e ininterrotto donare e ricevere testificato dalla spirazione dell'Amore come terza persona.

Questo donare e ricevere *totale*, diventa umanamente esprimibile nella morte di croce perché nella morte del Figlio, e solo in essa, Dio rivela il culmine del suo movimento, quello dell'andare fino alla fine. Certamente, non un culmine plotiniano, per cui giunti alla fine si è al punto estremo e opposto del movimento iniziale, ma punto in cui il concludersi esprime la forza propulsiva dell'inizio, perché evidenzia e dà maggior consistenza alla sorgente stessa che mai perde di intensità.

Ciò tuttavia che diventa «umanamente» sensato è che questo amore non è fine a se stesso; piuttosto è dato «per coloro che ancora erano nel peccato» (Rm 5,6). Dio non si dà alla morte per gli innocenti, ma prende l'Innocente perché i colpevoli possano essere riscattati.

Questo evento di morte, ognuno nella propria singola esistenza, lo vede realizzato e indirizzato a sé, proprio nel momento in cui, concretamente, vede e sperimenta il proprio peccato.

Nella morte di Gesù di Nazareth pertanto, il senso è dato come trasparenza della natura divina e come assunzione, in essa, della natura umana, perché Dio crocifisso per l'umanità porta la carne martoriata nella vita di risurrezione dell'amore trinitario.

6. CONSEGUENZE PER UNA GNOSEOLOGIA TEOLOGICA - La presenza di un senso originario e gratuito che viene dato al credente, non è senza conseguenze per il sapere teologico.

Si potrebbero così enucleare dei «principi» teologici che diventano basilari per una teologia fondamentale intesa come epistemologia (→ Teologia, II) del sapere teologico come tale; li schematizziamo come segue:

a. Il credere è una forma peculiare

del sapere umano quando è posto davanti alla rivelazione di Dio.

Credere, infatti, non significa rinunziare alla dimensione gnoseologica; implica piuttosto riconoscere che già all'interno dell'atto di fede si danno delle componenti che rendono il soggetto capace di pensare se stesso come libero e in grado di percepire la verità.

Il credere inoltre, in questo orizzonte, non è primariamente un'adesione ad un sistema astratto di pensiero tale da essere tacciato di ideologia; ma è essenzialmente una relazione interpersonale che si viene a creare con la persona di Gesù di Nazareth mediata da una comunità vivente. Credendo, il soggetto si pone in quella situazione antropologica che rende il suo atto tra i più significativi, perché in esso la forma di rischio e di donazione di sé all'altro è tra le più alte. Davanti alla frammentarietà del conoscere umano, il credere si pone come quella forma di conoscenza globale che accoglie in sé l'altro per poter iniziare e progredire nella conoscenza di se stesso.

b. La «novità» radicale per l'esistenza umana è costituita dall'evento rivelato.

La rivelazione, riteniamo, deve portare con sé anzitutto la componente di un «radicalmente nuovo» che viene dato. Questa novità non è del soggetto e non proviene da lui; è invece percepita in forza di un movimento esterno che gli si fa incontro e che è in grado di condurlo alla coscienza di un'esistenza percepita come debitrice verso l'altro.

La possibilità di conoscenza è fornita dall'atto kenotico di Dio che si rivela e che chiaramente si incontra con una creatura, che come tale, è chiamata alla consapevolezza della sua apertura alla ricezione della rivelazione (→ potentia oboedientialis).

Questa radicale novità si verifica sia a livello di contenuti che di comprensione ed esplicitazione di essi. L'even-

to pasquale fornisce il principio ermeneutico di tale novità perché ormai è posta nella storia dell'umanità la vittoria definitiva sull'«ultimo nemico da dover essere sconfitto», la morte (1 Cor 15,24-26).

A partire da questa novità, ognuno è spinto a guardare al futuro come nelle parole del profeta: «Non ricordate più le cose antiche, non preoccupatevi più delle cose passate. Non ve ne accorgete? Io sto facendo nuove tutte le cose» (Is 43,18). Qui l'«accorgersi» è carico di quella «meraviglia» che permette di vedere il veramente nuovo che non esisteva nel passato, ma che ora è dato e reso visibile.

c. La storicità di Gesù di Nazareth è principio essenziale e costitutivo del sapere della fede.

La storicità di Gesù non è confinabile solo al suo essere esistito; indica qualcosa di più, vale a dire il suo autocomprendersi e l'esplicitazione della sua coscienza personale (→ Cristologia fondamentale). Il Maestro di Galilea ha determinato con la sua presenza e il suo comportamento la vita dei suoi contemporanei; tra costoro, più direttamente, alcuni uomini e donne hanno lasciato tutto e lo hanno seguito perché in lui e nella sua parola hanno creduto, vedendo compiersi le promesse in cui avevano sperato.

Questa loro fede iniziale ha permesso di trasmettere fino ai nostri giorni, anche se in modo mediato, la più genuina consapevolezza di Gesù circa la sua missione, il suo relazionarsi con Dio e il senso della sua morte salvifica. La teologia neotestamentaria che riferisce di Gesù di Nazareth nel suo autointerpretarsi non tradisce la parola del maestro («überwinden besagt nicht abstossen» Heidegger); piuttosto evidenzia come la fede conosce e sa esprimere.

d. L'ecclesialità è la dimensione formale del sapere della fede (→ Teologia: ecclesialità e libertà).

Se il fare teologia non provenisse da una coscienza ecclesiale e come contributo per la crescita della comunità, si ridurrebbe ad una forma di sapere esoterico e si isterilirebbe.

La chiesa non è estranea alla rivelazione, essa ne è depositaria e mediazione per il corso dei secoli. Nella rispettiva consapevolezza dell'essere soggetto ministeriale, il vescovo e il teologo devono far riferimento a questa matrice comune per permettere un reale aggiornamento del dato rivelato.

Ritrovare la dimensione del senso oggettivo della rivelazione, non significa privare il credente dal sentirsi interpellato da Dio e dal considerare se stesso come destinatario del suo comunicarsi. Al contrario, questo equivale a far scoprire e sottolineare una componente di antropologia biblica che considera l'uomo sempre come un «chiamato», «assunto» da Dio e da questi amato per primo.

Questa prospettiva, però, fa scoprire che il conoscere umano è sempre frammentario; la rivelazione non è determinata dal soggetto, ma è data ad ognuno perché «comprenda» e «creda» (Gv 20,31); quindi è dono gratuito del libero agire di Dio. Se di senso della rivelazione si deve parlare, pertanto, è perché il credente comprenda in modo evidente che Dio e il suo mistero spingono sempre verso il *semper maior*.

Bibl. - H.U. von Balthasar, *Gloria. Un'estetica teologica*, vol. I: Percezione della Forma, Milano 1975; Id., *Theologik*, vol. I: Wahrheit der Welt, Einsiedeln 1985; V. Melchiorre, *Essere e parola*, Milano 1982.

Rino Fisichella

II. Ricerca e dono di senso

Tutti gli uomini si ritrovano intorno alla questione fondamentale del senso della vita. Ma fin dall'inizio il problema assume due aspetti: l'uno si pone come ricerca del senso o di un senso della condizione umana; l'altro piuttosto come quello di un senso rivelato e offerto come dono, cioè la rivelazione di Dio all'uomo in Gesù Cristo. Il presente articolo insiste sul primo aspetto, abbozza solo il secondo, più ampiamente sviluppato a proposito della rivelazione e della sua credibilità.

1. Ricerca del senso - L'uomo è prima di tutto un interrogativo a se stesso, sul senso ultimo della vita. Egli non può sfuggire a questo problema, così come non può sfuggire a se stesso. Che lo vogliamo o meno, osserva Pascal nella *Scommessa*, siamo tutti «imbarcati»: chi siamo? perché esistiamo? dove andiamo? L'uomo non potrebbe eliminare questi interrogativi senza rinunciare ad essere. L'uomo è un enigma a se stesso e non può fare nulla di valido, fino a che non avrà svelato questo mistero. Romanzieri, teologi e filosofi contemporanei non cessano di dichiarare che il sommo problema è l'uomo. L'uomo sa che deve morire, ma non può rinunciare al problema del prima e del dopo la sua scomparsa. Animale «razionale», è assetato di senso. E se la crisi del senso raggiunge il parossismo senza risolversi, sfocia nella tragedia del suicidio: dramma che ogni anno riguarda milioni di esseri umani, soprattutto giovani dai dodici ai venticinque anni.

Nella maggior parte dei casi il senso della vita ci è consegnato come un'*eredità* dall'ambiente familiare, sociale e religioso che ci ha visto nascere. Possiamo allora dire che ci sono migliaia di sensi, dai primi balbettamenti dell'umanità fino a oggi. Per conoscerli si dovrà ripercorrere il panorama dei modelli elaborati nel corso dei secoli dalle filosofie, dalle religioni e dalle civiltà. Incontreremo allora l'*Egitto* antico che, dopo aver tentato di dominare la morte con le proprie forze (successo, potere), è sprofondato nella rassegnazione e nel fatalismo di fronte all'imprevedibile svolgersi della storia e all'indecifrabile mistero della morte; quindi la *Mesopotamia*, che ha come unica risposta lo scetticismo impotente di fronte alla vita e alla morte; poi il *mondo greco,* prigioniero del ritorno ciclico di una storia che si ripete senza essere orientata, abbandonata alle cieche forze del Destino; l'*Oriente*, legato alla ruota della vita, in cui nascere, crescere e morire sono partecipazioni a un unico atto della vita a cui sempre si ritorna dopo esserne stati momentaneamente staccati dalla morte; l'*Occidente moderno*, che con Nietzsche sostituisce l'uomo a Dio, per veder ben presto esplodere questo stesso superuomo, rimpiazzato dallo Spirito (Hegel) o dalla società (Marx). Per sfuggire a queste, l'uomo si è gettato con furia in nuove schiavitù: tecnologia, lotta di classe, produzione e consumo, droga, manipolazione genetica, guerra atomica, ecc.

Davanti a questa marea di sensi che si contraddicono reciprocamente, si arriva a chiedersi in un secondo tempo: non ci sarà un «vero senso» che finirà per imporsi e trionfare? Volendo fare una sintesi, si può allora tentare di raggruppare tutte le prese di posizione nei confronti della vita. Sistematizzando alquanto possiamo ricondurle a quattro:

a. Una prima posizione consiste nel gettarsi nella vita con «golosità», attendendo da essa la risposta a tutte le aspirazioni dell'uomo. Ma questa posizione è, a dir vero, solo frutto di ingenuità e superficialità. La decisione infatti di accettare la vita senza metterla in questione, implica già una scelta: quella di liberarsi da tutto ciò che potrebbe presentarsi nella vita come una costrizione. Un simile atteggiamento implica che l'uomo scelga come modello se stesso e niente altro. Egli cerca di realizzarsi come soggetto interamente libero, ma un si-

mile progetto non può che fallire, poiché l'uomo urta da ogni parte contro la propria finitezza e contro costrizioni incontrollabili. Sperare di raggiungere da solo una definitiva realizzazione è l'illusione suprema. Alla fine incontra la barriera della morte. Non si potrebbe tuttavia concludere che il desiderio di una realizzazione che dimora nel cuore dell'uomo sia falsa e senza risonanza. La verità è che vi è di più nella volontà *volente* dell'uomo (→ Blondel) che nella volontà voluta, espressa dall'immediatezza delle scelte. Ammettere di non potersi realizzare da soli quaggiù, potrebbe benissimo essere soltanto il desiderio rovesciato di realizzarsi pienamente altrove e in un Altro.

b. Una seconda posizione è quella del pessimismo, del nichilismo. I sostenitori di questa posizione preferiscono al gioco degli «amanti» della vita una soluzione radicale. «A che giovano tanti sforzi per scacciare un problema chimerico? Una franca e brutale negazione vale più di tutte le scappatoie ipocrite e di tutte le sofisticazioni di pensiero. Assaggiare la morte in tutto ciò che vi è di effimero prima di esserne noi stessi sepolti, sapere che si sarà annientati e volerlo essere: ecco qual è per gli spiriti lucidi, liberi e forti la parola definitiva della liberazione, del coraggio e della certezza esperienziale: con la morte, tutto è morto» (Blondel, *L'Action*, 1893, 23). Ciò che bisogna uccidere non è l'essere, che non è, ma la chimerica volontà di essere. Non bisogna attendere niente dalla vita perché essa non può dare niente. «Smascherare la furbizia di qualunque istinto di conservazione e di sopravvivenza, vuol dire procurare all'umanità e al mondo la salvezza nel nulla, questo nulla che dobbiamo definire come l'assenza della volontà» (*Ibid.*, 29). A questa soluzione del pessimismo e del nichilismo Blondel risponde: non si può concepire né volere il nulla se non affermando un'altra cosa. Si afferma il nulla solo perché si ha bisogno di una realtà più solida di quella che si fugge. «Si può pure spronare il pensiero e il desiderio: nel *voler essere*, nel *voler non essere*, nel *voler non volere* sussiste sempre questo comune termine: *volere*, che domina con la sua inevitabile presenza tutte le forme dell'esistenza e dispone in modo sovrano degli opposti» (*Ibid., 37*). In realtà la volontà del nulla deriva da un amore assoluto dell'essere deluso dall'insufficienza del fenomeno, dell'«apparenza» (*Ibid.*, 38-39). La volontà del nulla è pura contraddizione. In realtà ciò che si vuole è che ci sia qualcosa, ma che questo qualcosa basti davvero a se stesso. Si vuole qualche cosa di *consistente*. Da questo desiderio inconfessato che *ci sia qualche cosa* sorgerà forse un desiderio più profondo: che *ci sia Qualcuno*. Si tratta di sapere se la volontà superficiale dell'uomo che proclama il nulla dell'esistenza è in accordo con la sua volontà profonda, assetata di un *essere vero*.

c. Un terzo atteggiamento è quello dell'esistenza *ribelle*. Dal secolo XIX l'uomo ha scoperto di non essere più libero, di non essere più padrone a casa sua né nel suo ambiente: è asservito da ogni parte. Di qui l'atteggiamento dell'uomo ribelle (A. Camus). «Io mi ribello e quindi noi siamo». Anche prima di Nietzsche troviamo in Max Stirner (1806-1856) una virulenta ribellione. *Stirner* fa piazza pulita di tutto ciò che potrebbe negare o toccare l'individuo. La verità consiste per ognuno nel sentirsi padrone di sé. Da quel momento l'ondata della rivolta non ha mai cessato di espandersi, passando dal piano del pensiero a quello della storia. *Nietzsche*, considerando la morte di Dio come fatto acquisito, si volge contro tutto ciò che miri a sostituire falsamente la divinità scomparsa. La salvezza è senza Dio e sulla terra; la di-

vinità è lo spirito individuale. *Marx*, da parte sua, vuole liberare l'uomo dallo sfruttamento economico soggiogando la natura e sostituendo il dominio dei padroni con quello degli schiavi. Per obbedire alla storia, l'umanità si avvia verso una tale schiavitù di cui non si era mai visto nulla di simile. *Freud* vuole liberare gli individui dai determinismi e dalle catene di determinismi inconsci. Per *J.P. Sartre* come per *A. Camus*, la vita e la morte sono assurde. Per Sartre si nasce senza motivo e quasi non bastasse si muore per caso. La morte toglie all'uomo la libertà e annienta tutte le possibilità di realizzazione. Partendo dallo stesso orizzonte, Camus conclude diversamente. La vita è assurda, priva di senso: perciò la sola grandezza dell'uomo è quella di accettare la vita nella sua assurdità e quindi di esercitare la propria libertà per creare un senso persino nell'assurdità. L'atteggiamento ribelle rifiuta la possibilità di una realizzazione nell'attuale condizione, come anche in un Assoluto fuori dell'uomo. È una nuova edizione dello stoicismo. L'uomo cerca la propria grandezza nella protesta, aggrappandovisi. Ma una protesta basata su un'esigenza di assoluto, che viene poi dichiarato inesistente, è orientata verso il nulla; anzi, è il nulla della protesta. L'errore dell'uomo in rivolta non è nella pretesa di una realizzazione suprema — infatti è a questo culmine che Dio ci invita — ma nel pretendere di conquistare la deificazione o la libertà perfetta a cui aspira con le proprie risorse naturali.

d. Un'ultima posizione consiste nel riconoscere che l'uomo è abitato da un'esigenza di assoluto che, di fatto, non si realizza in questa vita, senza che con ciò si debba negare di diritto che si possa realizzare. Di fronte alla morte che radicalizza il problema dell'uomo, quest'ultimo prende coscienza di portare in sé un'aspirazione invincibile a realizzarsi definitivamente; d'altra parte, la → morte rivela all'uomo la sua impotenza totale ad assicurarsi da solo la sopravvivenza e la realizzazione. La morte pone l'uomo di fronte a una ineluttabile scelta: o egli riconosce che l'esistenza, in quanto progetto e aspirazione a essere di più, possiede un senso, e allora vi è la speranza di un avvenire trascendente, di una sopravvivenza dopo la morte; oppure accetta che l'esistenza sia priva di senso ed è la disperazione totale. Colui che riconosce un senso all'esistenza, legato al senso della morte, ammette che la vita è precaria e indelebilmente segnata dalla finitezza, ma che essa è tuttavia un dato iniziale su cui costruisce a poco a poco e in cui sperimenta se stesso come desiderio di un assoluto in cui spera. Riconosce che la libertà può compiersi solo grazie a una libertà superiore che lo trascende. Si riconosce come «persona», cioè come soggetto cosciente e libero che si stabilisce in una relazione di *consenso* con il mondo, con gli altri e con l'Assoluto; e si costituisce «definitivamente» come persona aprendosi al soprannaturale che fonda la presa di coscienza di essere finito ma attraversato da una volontà di infinito. L'uomo tuttavia non può dir nulla sulla decisione salvifica di questa libertà superiore che lo trascende. Infatti entriamo così nel mondo delle proposte di salvezza storicamente offerte all'uomo. D'altra parte, se una religione si presentasse come capace di rispondere ai desideri più profondi dell'uomo, di colmare questa sete di infinito che lo divora e, ancor più, di superare tutto ciò che può concepire, non sarebbe ragionevole scartare questa ipotesi di un senso rivelato, offerto, donato. L'uomo deve almeno aprirsi all'ipotesi di un'eventuale parola di Dio rivolta all'uomo nella storia. Nella sua realtà storica, la rivelazione cristiana sembra rispondere a questa attesa indeterminata, ma incoercibile, del volere umano.

2. IL DONO DEL SENSO - Alla richiesta del senso il cristianesimo risponde con il dono del senso: un senso rivelato e offerto in Gesù Cristo. «In realtà solamente nel mistero del Verbo incarnato trova vera luce il mistero dell'uomo» (GS 22). Cristo appare come la grande presenza che illumina tutto e tutto interpreta. Verbo di Dio incarnato tra noi, egli rappresenta la *pienezza del senso* in un mondo che è alla ricerca del *senso perduto*.

Cristo non è solo irruzione di Dio nella storia dell'uomo, ma irruzione «massiva» del senso. Il messaggio di Cristo raggiunge l'uomo nella più profonda intimità del suo essere, inaccessibile alla psicologia e alla psicanalisi, là dove la scienza e il discorso tacciono e spariscono come davanti a una galassia che ci sfugge costantemente. Cristo è la chiave dell'enigma umano, la ripresa e il superamento di ogni antropologia. A dire il vero, il mistero di Cristo e il mistero dell'uomo formano un solo mistero. Ma se l'uomo deve essere rivelato a se stesso da Cristo, sarà attraverso la rivelazione di ciò che vi è di intimo e di più profondo nel mistero di Cristo, cioè il mistero della filiazione. Il segreto dell'uomo, che questi lo sappia o meno, è che l'amore di Dio lo protegge; che l'uomo è amato e salvato dal Padre in Cristo e nello Spirito. Ed è solo quando l'uomo ha scoperto questo mistero che può essere pienamente rivelato a se stesso nella sua grandezza: oggetto del compiacimento di Dio, destinato ad accogliere l'amore del Padre che si rivela in Gesù Cristo. In questa partecipazione e in questa comunione al mistero trinitario l'uomo «si realizza». La chiave del mistero dell'uomo è che Dio vuole in Gesù Cristo *rigenerare* in ogni uomo un figlio e *in-spirargli* lo Spirito d'amore che è uno spirito filiale. L'incarnazione del Figlio mette in luce la dignità dell'uomo, mentre con la redenzione ci è rivelato il prezzo di ogni uomo. Quindi la rivelazione, per nulla estranea all'uomo, è invece così legata al suo mistero che senza di essa l'uomo non potrebbe trovare la propria identità.

I problemi che sono al centro dell'uomo sono anche al centro della rivelazione. Potremmo tentare tutti gli approcci possibili al cristianesimo: non potremmo mai fare a meno del *senso* che Cristo rappresenta per l'uomo e per i problemi della sua condizione. Cristo resta un mistero ma un mistero illuminante, fonte di senso sempre zampillante. Quando l'uomo prende coscienza che il mistero di Cristo fa da eco al suo stesso mistero e lo raggiunge nella parte intima del suo essere, per illuminarla e riscaldarla fino al punto di fusione e di fissione, allora la rivelazione non è più solo «plausibile», perché mette armonia nell'uomo, ma si presenta come «credibile». In altri termini, se è vero che Cristo, con la sua vita e il suo messaggio, è mediatore del senso, unico esegeta dell'uomo e dei suoi problemi; se è vero che in lui l'uomo giunge a situarsi, a comprendersi, a realizzarsi e anche a superarsi; se infine la luce che egli proietta sulla condizione umana è così penetrante, allora si pone il problema della sua identità: egli dunque sarà, come dichiara di essere, Figlio del Padre, Dio-tra-noi, senso di Dio e dell'uomo, *dono del senso*, poiché è in se stesso Parola di Dio.

Bibl. - M. Blondel, *L'Action*, Paris 1893; P. Tillich, *Le courage d'être*, Paris 1967; M. Légaut, *L'uomo alla ricerca della sua umanità*, Assisi 1972; M. Zundel, *Quel homme et quel Dieu*, Paris 1976; E. Levinas, *Totalità e infinito*, Milano 1980; R. Latourelle, *L'uomo e i suoi problemi alla luce di Cristo*, Assisi 1982; Id., «La vie a-t-elle un sens?» in *Nouveau Dialogue*, novembre 1988; R. Fisichella, *La Révélation et sa crédibilité*, Montréal-Paris 1989.

RENÉ LATOURELLE

SENSUS FIDEI

Il «sensus fidei» è stato oggetto della riflessione teologica in questi ultimi decenni cominciando dai dogmi mariani e allargandosi fino alla teologia della rivelazione e all'ecclesiologia. La sua formulazione esplicita è stata consacrata dal Vaticano II, specialmente nel testo paradigmatico di LG 12, come pure in diverse nozioni affini presenti in tutto il concilio («sensus fidei»: PO 9; «sensus catholicus»: AA 30; «sensus christianus fidelium»: GS 52; «sensus christianus»: GS 62; «sensus religiosus»: NA 2; DH 4; GS 59; «sensus Dei»: DV 15; GS 7; «sensus Christi et Ecclesiae»: AG 19; «instinctus»: SC 24; PC 12; GS 18). Inoltre lo si suppone implicitamente nel testo sulla criteriologia dell'evoluzione del dogma di DV 8.

Il «sensus fidei» include due realtà rapportate tra loro, ma non sovrapposte. Da un lato c'è il «sensus fidei», propriamente detto, che è una qualità del *soggetto*, al quale la grazia della fede, della carità e dei doni dello Spirito Santo conferisce una capacità di percepire la verità della fede e di discernere quello che le è contrario. Si tratta di una espressione coniata dalla grande scolastica del secolo XIII (Guglielmo di Auxerre, Alberto Magno, Tommaso d'Aquino) e sorge dall'analisi delle facoltà della fede nel soggetto credente. Dall'altro lato incontriamo un'altra realtà, il «sensus fidelium», che è ciò che si può captare *oggettivamente* di quanto credono e professano i fedeli, concetto che appartiene ai teologi della seconda metà del secolo XVI (Melchior Cano, Roberto Bellarmino, Suarez) e nasce da uno studio della criteriologia dottrinale. Come sviluppo di quest'ultimo c'è il «consensus fidelium», o l'«universus ecclesiae sensus» di Trento (DS 1637), che aggiunge il consenso universale e si riferisce a quella situazione nella quale tutto il corpo dei credenti «dai Vescovi fino all'ultimo dei laici» – seguendo l'espressione di S. Agostino citata dalla stessa LG – afferma la stessa fede. È in questa situazione che il Vaticano II dichiara che tutto il popolo di Dio non può sbagliare e si serve della formula «in credendo falli nequit» che ricorda la famosa espressione «infallibilitas in credendo» – usata nel dibattito conciliare (AS III/1:198) – molto classica a partire dai teologi post-tridentini e divulgata dai manuali anteriori al Vaticano II (N. Dieckman, T. Zapelena, A. Lang...). Pertanto la legittimità di questa infallibilità è presente quando sono adempiute queste quattro condizioni: esprime il consenso universale, si riferisce alla rivelazione, è opera dello Spirito Santo ed è riconosciuta dal magistero (cfr. DV 8.10; LG 12.25). La sua retta interpretazione è stata precisata dalla Dichiarazione della Congregazione per la Dottrina della Fede «Mysterium Ecclesiae» al n. 2 (AAS 63, 1973, 398 = EV 4: nn. 2567-2569).

Il concetto di «sensus fidei» nella LG 12 comporta i seguenti elementi teologici. In primo luogo è un sentimento «soprannaturale» che «lo Spirito della verità suscita e sostiene», nella linea fondamentale di dono gratuito della fede. In secondo luogo si tratta di «una caratteristica peculiare... di tutto il Popolo di Dio» e pertanto non è qualcosa di settoriale ma di proprio di tutti i suoi membri. Infine il testo descrive gli effetti di questo dono, visto che per mezzo di questo senso della fede il Popolo di Dio *a.* «riceve non una parola degli uomini, ma la vera parola di Dio»; *b.* «aderisce indefettibilmente alla fede trasmessa ai santi una volta per sempre»; *c.* «penetra più profondamente in questa fede»; e *d.* «la applica più pienamente nella vita».

Oltre a questo testo ecclesiologico esplicito, il Vaticano II cita implicitamente questa categoria nel contesto della trasmissione della rivelazione allorché enumera la criteriologia dell'evoluzione del dogma cattolico in DV 8. In effetti, tra i quattro fattori del suddetto progresso («l'assistenza dello Spirito Santo», «la contemplazione e lo studio dei credenti», «l'intelligenza interiore delle cose spirituali», «l'annuncio di coloro che con la successione dell'episcopato ricevettero il carisma certo della verità»), comprendono il «sensus fidei» soprattutto il terzo fattore e, in parte anche, il secondo. In definitiva si tratta del prolungamento dell'azione con la quale lo Spirito Santo genera la fede, dato che di fatto, lo sviluppo del dogma non è altro che un approfondimento della fede se si tiene presente la descrizione che il Vaticano II – in linea con la tradizione cattolica – ci dà di essa in DV 5, quando sottolinea che «affinché l'intelligenza della rivelazione sia ogni volta più profonda, lo stesso Spirito Santo perfeziona costantemente la fede per mezzo dei suoi doni» (Concilio II di Orange: DS 377; Trento: DS 1525; Vaticano I: DS 3010).

Il fondamento teologico del «sensus fidei» incontra nel Nuovo Testamento chiare testimonianze là dove riferisce che esiste, in ognuno dei battezzati e in tutta la chiesa, un organo della fede e della sua comprensione, che è opera dello Spirito. Infatti in diversi testi si parla del «senso di Cristo» (1 Cor 2,16), dell'«intelligenza spirituale» (Col 1,9) e degli «occhi illuminati del cuore» (Ef 1,18; cfr. anche Gv 14,17; 16,13; Fil 1,9). A partire da qui la tradizione patristica e teologica parla frequentemente degli «occhi del cuore», degli «occhi dello spirito» o degli «occhi della fede». Basta ricordare l'espressione agostiniana: «Habet namque fides oculos suos» (*Ep.* 120,2.8; PL 33,458), o quelle dell'Aquinate: «Per lumen fidei vident esse credenda» (STh III-II 1, 5, ad 1), e «oculata fide», riferita alla risurrezione di Gesù (STh III, 55, 2, ad 1). D'altro canto, vengono divulgati gli assiomi come «ekklesiastikón phrónēma» o «sensus ecclesiasticus et catholicus» (Eusebio, Girolamo, Cassiano), «sentire cum Ecclesia» (Basilio, Agostino, Leone Magno) e finalmente «sensus fidei», che appare per primo in S. Vincenzo da Lerino († 450; *Commonitorium*, c. 23; PL 50,669), come sintesi del suo celebre criterio di crescita dogmatica: «Quod ubique, quod semper, quod ab omnibus, creditum est» (*Com.*, c.2; PL 50,640).

La prima riflessione teologica più significativa sul valore epistemologico e fondamentale del «sensus fidei» la dobbiamo a Melchior Cano che lo colloca sia nel contesto della tradizione, sia in quello dell'autorità della chiesa cattolica (*De Locis theologicis*, 3,3 «Communi fidelium consensione»; 4,4: «Ecclesia in credendo errare non potest»). Successivamente tale questione venne affrontata da due grandi apologeti del secolo passato: J. Balmes († 1848) che si riferisce al provvidenziale «istinto di fede» che il Creatore ha dato ai credenti (*El Protestantesimo comparado con el Catolicismo*, I, c. IV), e → J.H. Newman († 1890) che parla del «senso illativo» che rende possibile il consenso reale in materia di fede e di coscienza, e propone le condizioni per il «consensus fidelium» (*On consulting the Faithful in matters of Doctrine*, par. 3). Nello stesso secolo approfondirono la comprensione del «sensus fidei» nella linea della Tradizione come «senso globale» i teologi J.A. Möhler († 1838) e come «corpo di fede» → M.J. Scheeben († 1888).

Anche nel secolo XX due correnti principali hanno dato una spinta dinamica al suo approfondimento. La prima è stata il movimento mariologico che culminò con la definizione dell'assunzione della Vergine nel 1950 (DS 3900) e che diede un rinnovato impulso al «sensus fidei-fidelium» nello sviluppo dogmatico. In questo modo si è messo in risalto il fatto che tale sviluppo proviene in modo preminente dalla fede del popolo cristiano che riconosce nei privilegi mariani una verità rivelata.

La seconda corrente trainante è frutto del rinnovamento dell'ecclesiologia, specialmente della teologia del laicato, che sottolinea il rapporto tra «sensus fidei» e la funzione profetica del battezzato, già prima del Vaticano II (Y. Congar), aspetto ben riconosciuto da questo concilio e che ha sperimentato un nuovo impulso per merito del sinodo dei Vescovi sul Laicato del 1987 e dell'esortazione apostolica «Christifideles Laici» (30. XII.1988), la quale trattando della partecipazione dei laici all'ufficio profetico di Cristo, nomina esplicitamente il «sensus fidei» (cfr. LG 12) assieme alla grazia della parola (n. 14).

Anche gli studi postconciliari si sono concentrati sulla sua dimensione epistemologica, tipica della teologia fondamentale, che a sua volta è alla ricerca di criteri teorici e pratici per richiamare al suo uso.

In sintesi, dunque, per comprendere la natura propria del «sensus fidei» bisogna considerarlo in primo luogo nel contesto dell'esistenza cristiana, che, a partire dal «maestro interiore», cioè dal dono della fede, rende possibile un «giudizio secondo connaturalità in questioni della fede» (STh II-II, 45, 2; la *Humani Generis* si riferisce a questa «connaturalitas»: DB 2324), che in questo modo manifesta la «logica connaturale dell'esistenza cristiana». In secondo luogo il «sensus fidei» deve essere collocato nel contesto della comunione ecclesiale che rende possibile la vasta articolazione tra il magistero «esteriore», proprio del collegio apostolico con il suo capo e i suoi successori, che ha la «missione di interpretare autenticamente la Parola di Dio scritta o trasmessa» (DV 10; cfr. LG 25) e il magistero «interiore» dello Spirito, presente in tutti i battezzati che si manifesta nella partecipazione alla funzione profetica di Cristo e della chiesa (cfr. LG 12.35.37; DV 8), come via empirica della tradizione vivente della chiesa. Specialmente nella tappa successiva al Vaticano II, l'esercizio più concreto del «sensus fidei» suscita la ricerca di strade pratiche. Tra l'altro, nella realizzazione della complementarità tra chiesa docente e chiesa discente nel contesto della comunione ecclesiale; in quella del valore epistemologico esatto della «religiosità popolare» (→ Religione, V) e della «prassi» come «luogo teologico» ed espressione del «sensus fidei-fidelium»; in quella dell'esercizio della corresponsabilità ecclesiale, specialmente dei laici, rivalorizzando le forme di sinodalità e di consulta nella chiesa.

Bibl. - L.M. Fernández de Trocóniz, «Sensus fidei»: logica connatural de la existencia cristiana, Vitoria 1976; J. Sancho, Infalibilidad del Pueblo de Dios, Pamplona 1979; Z. Alszeghy, «Il senso della fede e lo sviluppo dogmatico», in R. Latourelle (ed.), Vaticano II: bilancio e prospettive, Assisi 1987, I, 136-151; W. Beinert, «Glaubenssinn der Gläubigen», in LKD, 200s; S. Pié-Ninot, «Aportaciones del Sínodo 1987 a la teología del laicado», in RET 48 (1988) 321-370: 330.362-364.

SALVADOR PIÉ-NINOT

SETTE CRISTIANE

Il vocabolo «setta» è generalmente usato in senso tanto vago quanto peggiorativo. Evoca, secondo l'etimologia, sia l'idea di secessione (secare: tagliare) sia l'idea di sequela (sequi: seguire).

Nell'uso corrente designa anche sia un piccolo gruppo di adepti separato da un gruppo più grande, sia l'insieme dei discepoli di un maestro eretico. In un caso o nell'altro il vocabolo è usato solo per designare gruppi che rifiutano questo appellativo perché è carico di disprezzo e di normatività. In regime cristiano, è utilizzato in riferimento al vocabolo chiesa che ha, invece, sempre una connotazione positiva; in questo contesto ogni setta si pone essa stessa come chiesa.

SCHEMA TEORICO - La sociologia religiosa è tentata, dopo M. Weber, di separare il contenuto dei vocaboli antitetici di setta e di chiesa. Per Weber, la setta si presenta come un gruppo di volontari mentre la chiesa è una istituzione di salvezza. E.Troeltsch riprende le categorie weberiane arricchendole.

La chiesa, come archetipo sociologico, è un corpo sociale stabilito e una istituzione universale dotata di un potere sacerdotale e sacramentale; la setta è un gruppo consensuale che si oppone al sistema ecclesiastico e rifiuta ogni compromesso con il mondo.

La dicotomia setta-chiesa è stata ripresa, sviluppata e affinata da vari autori, come J.Wach, L.van Weise, H.Becker e soprattutto J. Milton Yinger che sviluppa la tipologia chiesa-setta secondo il principio di allontanamento in rapporto al cristianesimo universale. All'estremo del tipo settario si trova il culto, che si sviluppa in setta e poi in setta costituita. Segue poi la denominazione, quindi l'ecclesia e infine la chiesa universale che attua l'universalismo più compiuto realizzando l'unità della società (chiesa medievale).

In teologia, il vocabolo setta è usato per indicare un tipo ecclesiologico. Il tipo della setta è inseparabile dal tipo chiesa: i due tipi si comprendono soltanto l'uno in rapporto all'altro. L'intelligenza teologica che noi abbiamo della setta dipende strettamente dalla comprensione che abbiamo della chiesa. La setta è essenzialmente diversa dalla chiesa. Non è un'espressione sottosviluppata di chiesa; rappresenta un tipo teologico specifico nella storia del cristianesimo.

Lo specifico della setta non va cercato nella sua dinamica di dissidenza e di secessione, né nella sua protesta veemente contro la chiesa costituita. Lo specifico della setta risiede nella congiunzione del radicalismo escatologico con l'illuminismo. Isolando il principio escatologico dal principio d'incarnazione, la setta scivola verso una forma esacerbata dell'escatologia: l'escatologismo. E isolando il principio pneumatico dal principio magisteriale e sacramentale, essa finisce nell'ipertrofia del principio pneumatico che è l'illuminismo. La setta nasce dall'unione, in una determinata congiunzione storica, dell'escatologia con l'illuminismo. Il suo specifico sta nell'essere l'incarnazione storica di questa unione.

L'aspetto poliforme della setta deriva sia dalla maniera in cui si articola l'alleanza dell'escatologismo con l'illuminismo, sia dalle forme di espressione concreta di questi due principi fondamentali che ne determinano lo spazio spirituale e ne definiscono il campo ermeneutico. L'escatologismo può assumere l'aspetto del millenarismo, della futurologia apocalittica o dell'utopismo socio-politico. Quanto all'illuminismo, esso può assumere l'aspetto di una ricerca eccessiva di carismi o di rivelazioni, di un entusiasmo religioso sbrigliato, di uno spiritualismo disincarnato o ancora di un pietismo sereno, di un pentecostalismo moderato e di un fideismo tranquillo. Sotto i suoi diversi aspetti, la setta è sempre la stessa: essa aspira sempre a un'uscita dalla storia verso l'alto (illuminismo) e in avanti (escatologismo).

La setta presenta caratteristiche secondarie che derivano direttamente dalla sua nota specifica. Va menzionato in primo luogo il *dualismo* della setta che inscrive rotture a tutti i livelli: presente-futuro; materia-spirito; corpo-anima; cultura-vangelo; ragione-fede; mondo-chiesa; uomo-Dio. Il primo polo di questi dualismi è

sempre cattivo mentre l'altro è sempre buono. Ne deriva l'insistenza sulla corruzione del tempo presente che è nelle mani di satana e delle sue anime dannate che hanno la loro sede in tutte le istituzioni, anche religiose.

Di conseguenza, sul piano socio-politico, «contemptus mundi» (rigetto della società) e rifiuto d'impegno nelle strutture di questo mondo; e sul piano ecclesiale, rifiuto del dialogo ecumenico, zelo missionario e denuncia delle grandi chiese (soprattutto del sistema clericale e della razionalità teologica).

Ancora di più, la setta è caratterizzata dal suo *radicalismo* etico. In rottura con la società e in dissenso con le chiese, la setta vive in un radicalismo che si fonda sull'assenza di dialogo con la storia, la scienza e la cultura. Radicalismo che garantisce la purezza dottrinale e il rigorismo morale respingendo ogni tipo di corruzione: lassismo, compromessi, adattamenti, considerazione delle situazioni e del progredire delle persone. Radicalismo che interpreta le esigenze evangeliche senza fare appello al principio teologico dell'economia. La setta è per i puri, per i perfetti.

Al livello dell'esperienza spirituale, la setta è improntata al *fideismo*. La setta propone un'esperienza immediata di Dio, di Cristo o dello Spirito. Rifiuta il principio sacramentale e tende a superare ogni mediazione e ogni immagine. La fede che, per la setta, è essenzialmente un atto di fiducia e di abbandono, non deve sondare i suoi propri fondamenti né darsi una razionalità teologica. La setta non si interessa né dell'ermeneutica delle origini né dell'ermeneutica dei significati. Si rivolge al cuore e alla volontà, ed esige la conversione radicale.

Tesa in avanti e verso l'alto, in dissenso con le chiese stabilite e in rottura con il mondo, la setta s'incontra direttamente con la Parola di Dio consegnata nella bibbia (e a volte anche in altre «rivelazioni»), interpretata, soprattutto nelle sette contemporanee, in maniera fondamentalistica. Scavalcando completamente la storia, la setta rifiuta la tradizione e pretende di collegarsi alla comunità primitiva di cui vuole essere la riproduzione.

Riassumendo, la setta è un gruppo laico di persone che credono in Gesù e/o nello Spirito, riunite volontariamente intorno alla bibbia (e a volte a una rivelazione complementare), per formare in questo mondo corrotto la comunità autentica dei veri cristiani che vivono nel rifiuto del compromesso e nel «contemptus mundi», e aspettano la venuta imminente della fine o del ritorno di Cristo.

STORIA - Tutta la storia della chiesa è segnata dalla nascita di sette che hanno generato il loro proprio sistema ecclesiale e si sono sviluppate come rivali delle chiese costituite. Nella chiesa antica, i gruppi di protesta di tipo settario appaiono molto di più come scismi derivanti dalla negazione di questa o quella verità decisiva. Questi dissensi protestatari, tra i quali i più conosciuti sono il marcionismo, il montanismo, il novazionismo e il donatismo rientrano molto più nel campo del tipo chiesa che della setta. Tuttavia, allontanandosi dalla chiesa imperiale di Costantino e facendo dipendere la santità della chiesa dalla santità dei suoi ministri e dei suoi membri, il donatismo si avvicina maggiormente al tipo della setta.

Nel medioevo i movimenti pauperistici e penitenziali, come i Valdesi, i Poveri di Lione, gli Umiliati, i proseliti di Arnaldo da Brescia, i «poveri cattolici», i poveri di Lombardia, i discepoli di Henri de Lauzanne sembrano più confraternite dissidenti che sette. Il loro programma ascetico, modellato sulla povertà evangelica e apostolica, voleva essere una protesta veemente contro la ricchezza e il lusso della mondanità del papa, dei

cardinali, dell'alto-clero in generale, e contro la perdita di vigore dell'attesa escatologica in un tempo in cui la chiesa si identificava di fatto con il regno. Peraltro i Bogomili e i Catari sono religioni di tipo gnostico che hanno tuttavia dei tratti settari. I Fratelli del Libero Spirito, i Fraticelli e gli Spirituali francescani, i Gioachimiti, i Beghini, i Begardi − come più tardi gli Alumbrados spagnoli e i Quietisti − sono manifestazioni tipiche della spiritualità illuministica che rispondono solo molto imperfettamente al tipo teologico della setta.

È con l'avvento delle chiese protestanti al tempo della Riforma che il tipo della setta raggiunge la sua pienezza. D'ora in poi la setta si svilupperà soltanto ai margini del protestantesimo. La maggior parte delle sette moderne e contemporanee sono espressioni dissidenti di movimenti di risveglio e di protesta esplosi all'interno delle chiese protestanti e anglicane negli ultimi secoli: il risveglio pietista (XVII sec.), evangelico (XVIII sec.), escatologico (XIX sec.), pentecostale (XX sec.). Gli Stati Uniti non solo diventeranno rapidamente la terra di elezione delle sette europee, ma offriranno anche un terreno fertile per il fiorire e per il moltiplicarsi di nuove sette.

Il pietismo doveva dare «vita a numerose dissidenze settarie le più conosciute delle quali sono i Quaccheri o Società degli amici, le assemblee dei Fratelli di Plymouth comunemente chiamati Darbisti e la società dei Fratelli dell'Unità, conosciuta sotto il nome dei Fratelli Moravi. Erede del pietismo luterano, l'evangelismo anglicano stava per diventare un potente fermento di dissidenza. Da esso nascerà il metodismo che ebbe un'influenza determinante sull'insieme dei movimenti settari e in particolar modo sul fiorire di sette di tipo evangelico, tanto numerose ancora oggi. L'evangelismo contemporaneo prolifera in una moltitudine di piccole chiese autonome sotto l'autorità di diverse associazioni indipendenti, e in una pleiade di sette fortemente improntate al fondamentalismo.

Nato dall'evangelismo e dai «movimenti di santità», il pentecostalismo moderno appare innanzitutto come un insieme di movimenti di risveglio all'interno del protestantesimo. Caratterizzato dalla ricerca dell'esperienza immediata dello Spirito e dalla manifestazione di carismi, il pentecostalismo conteneva un potente fermento di dissidenza che doveva in breve tempo portare i suoi frutti. Si vedrà sorgere, a fianco delle Assemblee di Pentecoste, una moltitudine di sette pentecostaliste e neo-pentecostaliste dai nomi più vari: Tabernacolo cristiano del Vangelo degli ultimi tempi; Tempio miracoloso dello Spirito Santo; Missione dello Spirito Santo. Tutte queste sette sono sotto l'autorità incontestata di un leader carismatico.

Quanto al risveglio escatologico o «risveglio del secondo avvento» (inizio del XII sec.), esso è all'origine dell'avventismo sbocciato in numerose sette, dei Testimoni di Geova e della Chiesa universale di Dio (H. Amstrong), quest'ultima caratterizzata dal suo anglo-israelismo del quale i Mormoni rappresentano, anche essi, un caso tutto particolare.

A partire dagli anni '60, il movimento settario ha conosciuto uno sviluppo straordinario. Esplosione dell'evangelismo e del pentecostalismo in tutte le direzioni, recrudescenza delle sette antiche, apparizione di sette nuove. Il Movimento per Gesù si è espresso non solo con il canto e con la musica, ma anche con l'organizzazione di una quantità immensa di comuni marginali, alcune delle quali – come i Bambini di Dio – sarebbero divenute sette molto conosciute.

Pur conservando le caratteristiche tradizionali del tipo settario, le sette contemporanee sono profondamente segnate, da una parte da uno zelo missionario tanto fertile quanto tenace che sa utilizzare la stampa scritta ed elettronica per diffondere il proprio messaggio e guadagnare proseliti; dall'altra parte da un fondamentalismo che si esprime sia nel rifiuto del modernismo, dell'evoluzionismo, del liberalismo teologico, del comunismo e dell'umanesimo secolare, sia nel supporto alla struttura capitalistica e all'ideologia economica in vigore nell'America del Nord e nell'Europa occidentale. La chiesa dell'Unificazione (Moon) è un bell'esempio di questa posizione teologica e socio-politica. Sarebbe troppo affermare che le sette contemporanee sono, in generale, socialmente reazionarie, politicamente smobilizzanti e culturalmente conservatrici? Non è a questo che inevitabilmente le conduce la loro posizione escatologica formale, il loro concetto privatizzante della fede e la loro attesa della venuta imminente della fine?

SETTE E CRISTIANESIMO - Nel corso della storia, l'atteggiamento generale della chiesa di fronte al movimento settario è stato il rifiuto completo. Le sette erano considerate come scismi ed eresie che mettevano in pericolo non solo l'unità della chiesa e l'ortodossia cristiana, ma anche tutto il sistema socio-politico. Proprio nella loro qualità di eretici i gruppi settari sono stati perseguitati dalla chiesa istituzionale che, dopo Teodosio il Grande (395), non esitò a fare uso della violenza e a ricorrere al braccio secolare.

Oggi questo atteggiamento di rifiuto globale non s'impone più. Prima di essere secessione ed eresia, la setta appare essenzialmente come un modello specifico di cristianesimo, come una maniera parallela di seguire Gesù e di vivere il vangelo. Le sette moderne sono più interpretazioni globali del cristianesimo che eresie, cioè negazioni di questa o quella dottrina cristiana. Considerate come espressio-

ne di un tipo specifico di cristianesimo, le sette non possono più costituire l'oggetto di un rifiuto globale
da parte delle grandi chiese.

Nella misura in cui esse aderiscono
a verità essenziali della rivelazione cristiana, le sette sono coinvolte in un
movimento che tende alla pienezza
del cristianesimo. Certo, è difficile
identificare le verità essenziali della
fede cristiana e il nucleo specifico del
cristianesimo, e dire con esattezza
quello che va mantenuto del sistema
e del corpo dottrinale del cristianesimo per dare a un individuo la qualifica di cristiano e a un gruppo quella
di chiesa. Per esempio, per fare parte del Consiglio ecumenico delle chiese, ogni gruppo deve professare esplicitamente Gesù come figlio di Dio e
salvatore.

Senza entrare in tutte le distinzioni
teologiche, si può complessivamente
affermare che molte sette contemporanee possono, a buon diritto, portare il titolo di «cristiane» nella misura in cui professano un corpo di
dottrina cristiana capace di garantire
un atteggiamento di fede autentico e
di permettere così, nella grazia, la
percezione della salvezza in Gesù.

Se le sette sono gruppi cristiani, non
si deve comprenderle alla luce dei
principi dell'ecumenismo cristiano secondo il quale tutte le chiese sono soltanto abbozzi più o meno riusciti, anticipazioni più o meno insufficienti
dell'essenza escatologica della chiesa?
La «vestigia ecclesiale», gli elementi
di chiesa che si trovano nelle sette appartengono di diritto alla sola chiesa
di Cristo. Passando da una ecclesiologia degli elementi a una ecclesiologia della totalità, si è portati a riconoscere in un buon numero di sette
contemporanee, non solo gli elementi di chiesa ma anche l'anima della
chiesa, lo Spirito Santo che costruisce laboriosamente il corpo di Cristo.

Bibl. - E. Troeltsch: *Die Soziallehren der chri-
stlichen Kirchen und Gruppen*, Tübingen 1912;
H. Becker-L. Von Weise, *Systematic Socio-
logy*, New York 1932; E.T. Klark, *The Small
Sects in America*, Nashville 1937; J. Wash,
*Types of Religious Experience, Christian and
Non-christian*, Chicago 1951; E.-U. Hoff, *L'É-
glise et les sectes*, Paris 1951; M.-B. Lavaud,
Sectes modernes et foi catholique, Paris, 1954;
J. Seguy, *Le phénomène des sectes dans la
France contemporaine*, Paris 1956; Id., «Egli-
ses et sectes», in *Encyclopedia universalis*, V,
1974; J.M. Yinger, *Religion, Society and the
Individual*, New York 1957; M. Colinon, *Le
phénomène des sectes au XX siècle*, Paris 1959;
K. Hutten, *Le monde spirituel des sectaires*,
Neuchâtel 1965; E.R. Sandeen, *The Roots of
Fundamentalism*, Chicago 1970; V. Synan, *The
Holiness. - Pentecostal Mouvement in the United States*, Grand Rapids 1971; J. Vernette,
*Sectes et réveil religieux... Quand l'occident
s'éveille*, Mulhouse 1976; J. Barr, *Fundamentalism*, London 1977; W.R. Martin, *The Kingdom of the Cults*, Minneapolis 1977; R. Bergeron, *Le cortège des Fous de Dieu*, Montréal
1982; J. Le Bar, *Cults, Sects, and the New-
Age*, Huntington 1989.

RICHARD BERGERON

SILENZIO

La teologia ha dimenticato il silenzio. Presa dall'ansia di divenire scienza, ha relegato alla mistica e alla spiritualità la realtà essenziale del suo
riflettere, correndo costantemente il
pericolo di divenire inesperta del suo
oggetto di indagine.

Paradossale è la situazione di chi
deve parlare o scrivere del silenzio.
Da una parte, non se ne vorrebbe mai
parlare perché sembra rimanere sospe-
sa, come la spada di Damocle, la sentenza di Heidegger: «Non c'è chiac-
chiera peggiore di quella che prende
origine dal discorrere o dallo scrivere sul silenzio» (*In cammino verso il
linguaggio*, 123); dall'altra, si sente
forte il desiderio di parlarne per permettere che una riflessione su di esso
favorisca il ricupero di una coscienza circa la sua essenzialità per l'uomo contemporaneo.

Tentativo quasi contraddittorio, quello del parlare del silenzio, sapendo
che per doverlo esprimere lo si deve
rompere o almeno sospendere. Eppu-

re, questa è l'unica strada da percorrere, perché il silenzio diventi significativo e il suo relazionarsi al soggetto crei spazi di senso.

La teologia fondamentale può ricuperare lo studio del silenzio almeno su un duplice piano. Anzitutto, come epistemologia teologica, dovrà mostrare che il silenzio è metodo in teologia in quanto espressione ultima che relaziona l'oggetto di indagine con il soggetto epistemico. Inoltre, facendolo divenire un *locus theologicus*, perché al credente e al contemporaneo sia data la possibilità di incontrarsi con un segno che esprime e rinvia alla presenza di Dio.

1. FENOMENOLOGIA DEL SILENZIO - Cos'è il silenzio? Ognuno ne ha esperienza. Sappiamo di un silenzio che divide e di uno che nega; di uno che crea angoscia e di un altro che esprime amore; di uno che rende sospettosi e di un altro che fonda amicizia e comprensione. Conosciamo attimi di silenzio che sono freddi e glaciali, ed altri che vorremmo non finissero mai tanto generano serenità e pace. Eppure queste esperienze sono solo frammenti di un silenzio più grande che li ingloba e significa; un silenzio che garantisce all'uomo di essere se stesso e di autocomprendersi come persona libera.

È necessario quindi risalire dai *silenzi* al *silenzio* originario, quello che, come tale, è ancora privo di ogni determinazione emotiva, e che tuttavia costituisce la condizione stessa di possibilità di ciò che si sta scrivendo.

Esiste primariamente il silenzio che crea la riflessione e che la sostiene. Questo silenzio non è solo oggetto di speculazione teorica, è invece ciò che fa essere la riflessione tale. È la condizione previa perché la mente possa riflettere; è l'intuizione originaria che si presenta visivamente all'intelligenza e che pertanto è già posta in esistenza, anche se ancora impossibilitata a divenire parola parlata.

Il silenzio è una realtà, è un fatto che esiste così, semplicemente, che permette di riflettere e di esprimersi e di far ritorno su se stessi per dare significato pieno alla propria riflessione ed espressione. Potremmo dire, quindi, che il silenzio è un evento originario, che esiste come la vita, la morte, la fede, l'amore... forse, in qualche modo, li contiene tutti perché si identifica con il mistero stesso del proprio essere. Immettendoci infatti fuori del tempo e dello spazio, ci inserisce in quell'atto creativo originario per cui si è relazionati immediatamente al creatore.

Il silenzio non è una pausa dovuta alla stanchezza del parlare, e non subentra quando la parola cessa di esistere; costituisce al contrario, l'essenza di ogni linguaggio umano perché rappresenta la sua fonte originaria e il suo fine ultimo.

Parola e silenzio quindi non possono essere considerati termini opposti, come se la presenza di uno determinasse l'esclusione e la fuga dell'altro; sono piuttosto due aspetti che formano il linguaggio umano come elemento costitutivo dell'essere uomo. Non esiste quindi conflittualità tra silenzio e parola, ma unità e integrazione dove però il silenzio ha una priorità temporale e ontologica. Non si darebbe parola senza silenzio, eppure non si darebbe silenzio vero se non come sospensione di parola.

Primo compito che si è chiamati a svolgere è quello di una epistemologia del silenzio. Non è sufficiente infatti, mostrare la sua esistenza, e neppure reclamarne il valore; prima di tutto è necessario evidenziare che il silenzio appartiene costitutivamente al soggetto umano e che senza di esso non si dà umanità.

Se si accetta l'espressione di Heidegger che «l'uomo è uomo in quanto parla» (*In cammino verso il linguaggio*, 27), si deve però essere in grado di non fermarsi solo a questo stadio della riflessione, ma sentirsi obbligati a procedere nella ricerca di un principio ancora più basilare: il linguaggio è sostenuto dal silenzio.

Bisogna quindi riportare il silenzio al silenzio per essere in grado di comprendere cosa sia in sé e in che modo il soggetto si relaziona ad esso.

2. SILENZIO E PAROLA - Un primo atto di riconoscimento del silenzio è il suo relazionarsi alla parola. Come si è detto, parola e silenzio costituiscono un binomio inseparabile per la costituzione del linguaggio umano e dell'uomo stesso. La parola viene a trovare nel silenzio il suo *Sitz im Leben* genuino.

L'atto mediante il quale si pone la parola di per sé mette fine al silenzio, eppure la parola pronunciata, quasi per incanto, ritorna e rimane nel silenzio perché è questo che le conferisce *senso*. Proprio nel momento in cui dal silenzio della mente riflessa sorge la parola e nel momento in cui questa termina per riproporre un nuovo silenzio, essa acquista il senso pieno del suo essere. Una parola non completa, quindi interrotta o sovrapposta ad un'altra, non potrebbe mai essere sensata; si troverebbe costantemente sotto diverse interpretazioni e diverrebbe inevitabilmente equivoca. Si sarebbe in presenza solo del «rumore», quindi di una parola anonima e impersonale, priva di un referente e, pertanto, irresponsabile.

Una parola completa, cioè in relazione al silenzio che la origina e che la contiene, è pienamente significativa perché evoca il silenzio che la origina e che le imprime sempre nuove forme.

La parola interviene, a sua volta, per togliere il silenzio dal vago, dal vuoto e dall'indefinito, anche se di nuovo il silenzio restituisce alla parola detta la sua precisione. La parola quindi senza il suo referente silenzio sarebbe orfana, mancherebbe di profondità e quindi si disperderebbe

nel superficiale, nell'indicativo, ma non potrebbe mai caratterizzare il rapporto interpersonale. C'è, insomma, un senso originario in ogni parola ed è quello che rimanda immediatamente al pensiero che la genera. È qui, crediamo, che la parola acquista il suo significato vero, perché qui si costituisce quel rapporto con il silenzio che diventa «spazio», «luogo» in cui si relazionano il pensiero che genera, la parola che viene espressa e il significato che è assunto.

3. SILENZIO E PERSONA - La relazione silenzio-parola rinvia necessariamente a colui che sembra creare l'una e l'altra. «Sembra» creare, perché in fondo, proprio in questa relazione con il linguaggio ognuno scopre sia il limite di sé che la propria trascendenza.

Certamente l'uomo crea la sua parola; eppure mai come in questo caso egli compie l'esperienza della gratuità. Non lui crea; lui piuttosto appartiene al linguaggio. In ogni caso, egli è debitore a un altro perché dall'altro riceve la parola. Se parla è solo perché *naturalmente* è stato obbligato al silenzio; se vuole comprendere, lo potrà solo se creerà il silenzio.

Nel silenzio l'uomo attende la parola e la accoglie, per alcuni versi la crea perché la fa diventare «sua». Eppure nello stesso silenzio, che gli permette l'intuizione e la riflessione, scopre anche l'impossibilità a poter pronunciare tutto. Una gran parte di sé rimane nel silenzio perché l'intimo del pensiero e del cuore non si esprime con le parole.

Il silenzio costituisce per l'uomo anche la condizione per esprimere la propria libertà e per sperimentarsi come persona libera. Il silenzio infatti suscita nel soggetto reazioni contrastanti: egli non sa il perché del silenzio e neppure cosa ci sarà dopo il silenzio. Il suo essere sospeso nel silenzio lo obbliga a dover scegliere. Situazione drammatica, perché egli potrebbe realizzare o annientare se stesso. È solo la sua libertà che permette al silenzio di divenire movimento verso la parola o staticità ferma in se stessa. Se è vero che il silenzio realizza l'uomo nella parola è anche vero che lo può annientare se permane sempre e solo con esso.

Questi elementi permettono di verificare che il linguaggio costituisce l'uomo, ma solo quando il silenzio è preso come una sua componente costitutiva, ma non assoluta.

Diventa significativo, in questo contesto, il richiamo di Qoelet 3,7 (Sir 20,1-8): «C'è un tempo per parlare e un tempo per tacere»; perché nella sapienza umana, illuminata dalla grazia, si viene a creare equilibrio tra i due, in vista dell'unità.

4. SILENZIO NELLA SCRITTURA - La bibbia ha fatto del silenzio un leitmotiv del suo parlare di Dio. «Il silenzio costituisce il paesaggio della bibbia», ha detto con acutezza il teologo ebraico A. Neher nel suo suggestivo studio su *L'éxil de la Parole*; ma forse si potrebbe portare oltre il paradosso, dicendo che la bibbia è il libro del silenzio di Dio.

Si è troppo ellenizzato il «logos» per comprendere ciò che esso esprime veramente. In modo chiaro lo ricorda Ignazio di Antiochia nella sua lettera *Ad Ephesios*: «Una parola pronunciò il Padre e fu suo Figlio ed essa parla sempre in eterno silenzio e nel silenzio deve essere ascoltata dall'anima».

La Scrittura esprime il silenzio originario, quello che costituisce la prima espressione di amore del Padre, che diventa poi Parola obbedienziale del Figlio e, quindi, Spirito di Amore come nuovo silenzio che giunge «al di là del Verbo» e che rinchiude in sé il mistero trinitario.

Da questo silenzio nasce la rivelazione che diviene poi parola storica e profetica e quindi parola definitiva nell'incarnazione del Figlio, ma che a sua volta sfocia in un nuovo silenzio come contemplazione e risposta di fede.

La bibbia è la prima grande testimone della grandezza del silenzio, perché non lo qualifica solo come realtà per l'uomo e il creato, ma lo fa diventare l'orizzonte privilegiato su cui porre il mistero della rivelazione di Dio.

L'*Antico Testamento*, nella pluralità delle forme terminologiche, esprime preferibilmente gli stati che si relazionano al silenzio più che la realtà in sé. I termini «dāmāh», «sākat», «hāsāh/hāshāh», «hārāsh», «'ēlem», «hastēr pānîm», coprono una vasta gamma di significati che vanno dal silenzio inteso come espressione della notte, del sonno e della morte, a quello del caos o dello She'ôl fino ad indicare l'uomo muto o pigro. Ma per almeno 25 volte «hastēr panîm» indica il nascondimento-silenzio di Dio.

Dal punto di vista storico emerge infatti il tema del silenzio di Dio collegato con il suo nascondimento. Il popolo chiede che Dio non si nasconda, non si allontani da lui perché altrimenti finirebbe la storia e non sarebbe più un popolo (cfr. Dt 31,17-18; Ger 33,5-6; Is 54,7; Ez 24,23); i salmi indicano la stessa realtà e fanno divenire questo senso di timore, una preghiera di invocazione (cfr. Sal 30,8; 104,28; 143,7; 27,9; 102,3; 69,18).

Un testo di Isaia tuttavia, può essere considerato come il tentativo per dare corpo al tema del silenzio dell'uomo davanti al mistero di Dio. «Davvero tu sei un Dio nascosto» (Is 45,15; 8,17), indica contemporaneamente la realtà del mistero e la speranza che esso suscita nel credente.

Il silenzio viene anche individuato come il luogo privilegiato della rivelazione di Dio. La permanenza nel deserto e il silenzio che è naturalmente richiamato da questa immagine, segnano tutto il rapporto tra Israele e Jhwh come un rapporto che si realizza nel silenzio. Ma è la stessa esperienza dei profeti che orienta a leggere nello stesso orizzonte. In modo più diretto, il racconto teofanico di

Elia in 1 Re 19,11-12: il profeta nella grotta sentì il vento impetuoso, ma Dio non era nel vento, e neppure nel terremoto né nel fuoco; solo quando venne il «mormorio di un vento leggero» o, come più plasticamente leggono alcune dizioni, «nella voce del silenzio», solo allora Elia si coprì il volto sapendo di essere alla presenza di Dio.

Ugualmente, Ezechiele propone una espressiva simbologia a riguardo: il suo silenzio diventa segno del rimprovero di Jhwh verso un popolo che non vuole ascoltare. Chi vorrà ascoltare, come colui che non vorrà, dovrà far riferimento al silenzio del profeta perché questo diventa contenuto di rivelazione e segno di discernimento (cfr. Ez 3,26-27).

Differente dal silenzio umano, che spesso è confuso con la quiete e con l'assenza di movimento, il silenzio di Dio è invece fonte dinamica di diverse reazioni. Davanti a lui che si rivela si è prostrati nel silenzio dell'adorazione: «A te si deve il silenzio della lode» (Sal 65,2).

In *Gesù di Nazareth* il silenzio di Dio si schiude ad una definitiva parola sulla sua vita. Lui è la Parola di Dio, il silenzio sembra cessare; eppure più espressioni nei vangeli mostrano che in questa parola c'è ancora il silenzio di rivelazione.

Il parlare di Gesù è anche il suo silenzio; in esso si scopre, forse, la dimensione più profonda del suo rivelare. È ancora un testo di Ignazio di Antiochia a illuminare in proposito: «Meglio è tacere ed essere, piuttosto che parlando non essere. Buona cosa è l'insegnare se colui che insegna agisce. Vi è dunque un solo maestro il quale parlò e ciò che disse fu fatto; ma le cose che egli fece tacendo sono degne del Padre. Chi possiede la parola di Gesù può ascoltare anche il suo silenzio, affinché sia perfetto, affinché operi attraverso le cose che dice e venga conosciuto per mezzo delle cose che tace» (PG V, 657-658).

Per essere Parola definitiva del Padre, Gesù deve poter esprimere anzitutto il suo silenzio; quello che dà avvio all'amore trinitario. Il silenzio di Cristo è fondato in quel silenzio dell'obbedienza intratrinitaria che accetta di essere primariamente pronunciato dal Padre. In questa prospettiva possiamo leggere i differenti momenti della vita di Gesù in cui la componente del silenzio sembra essere quella più autentica per esprimere il suo rapporto con il Padre: «E passò la notte, solo, in preghiera» (Mc 1,35; Mt 14,23).

Notte e solitudine evocano da sé il concetto e la realtà del silenzio, e la preghiera tra Gesù e il Padre, in questa intimità, poteva essere solo quella del silenzio dell'adorazione amorosa.

Altri testi, comunque, permettono di vedere l'attitudine di Gesù al silenzio. La teologia di Marco ha preferito proprio questa attitudine storica di Gesù. A più riprese viene detto che egli chiedeva, anche in modo energico (cfr. Mc 1,43), il silenzio ai suoi discepoli e agli interlocutori, particolarmente per i fatti che maggiormente esprimevano il suo messianismo (cfr. segreto messianico → Cristologia: titoli). Alla stessa stregua, ritroviamo un silenzio di fondo nei racconti lucani dell'infanzia, oppure il silenzio dei processi; per non dimenticare il silenzio del giudizio che nello stesso tempo mette fine alle accuse dei malvagi e rivela la misericordia del perdono (Gv 8,1-11).

Ma più di ogni altro silenzio, quello che è indice di rivelazione rimane il silenzio che inizia dopo il «grido» sulla croce e che si protrae per tutto il sabato santo. Questo silenzio, in cui solo apparentemente sembra che Dio non parli più attraverso la Parola del Figlio, è invece il silenzio che diventa linguaggio di rivelazione tra i più alti e qualificanti l'evento stesso.

Il silenzio della morte e della sepoltura parla e rivela la profondità dell'amore trinitario. La condivisione della condizione umana da parte del Figlio giunge fino all'estremo momento nel silenzio dello She'ôl.

Il Dio che tace è in effetti il Dio che grida il suo canto di vittoria sul peccato e sulla morte. L'amore trinitario che era sorto dal silenzio del dinamismo tra Padre, Figlio e Spirito, si esprime ora come silenzio di condivisione della condizione di morte. Il Dio che in Gesù muore è il Dio che ama, ma quel suo silenzio indica fino a che punto egli ama: fino a dare *tutto*, perfino a divenire morto tra i morti, perché si abbia a esprimere così il limite, il punto estremo, che è poi quello originante, del suo amore.

Dopo quel silenzio, assoluto perché l'unico posto da Dio nel mondo, ogni altro silenzio di sofferenza, anche quello estremo di Auschwitz e dei campi di sterminio, dovrà riferirsi, per essere pienamente comprensibile, al silenzio del Golgota e del Sabato santo perché solo qui il silenzio di Dio su se stesso diventa parola chiarificatrice sul dolore, la sofferenza e il dramma dell'esistenza umana.

Anche il silenzio quindi, ma è il caso di dire *soprattutto* il silenzio, parla ed esprime la rivelazione di Dio. Qui non si è di fronte a una lettura apofatica che tende alla inesprimibilità di Dio; si è piuttosto nella positiva assunzione del silenzio, perché questo diviene strumento e linguaggio che più esprime la rivelazione. Non pertanto il silenzio come mancanza di parola, quasi fosse una imposizione al silenzio per obbedire al comando di non farsi immagine alcuna di Dio; piuttosto il silenzio come linguaggio che viene assunto per far comprendere in pienezza i segni e le parole espresse. In una parola, si vede realizzata la dialettica espressa da Agostino: «Verbo crescente, verba deficiunt».

5. SILENZIO COME UN SEGNO DEI TEMPI - Il silenzio può essere ricuperato dalla teologia fondamentale anche come un segno dei tempi, capace di esprimere una tensione dell'umanità verso forme di vita umanamente più degne. Se da una parte è vero che le società e culture contemporanee stanno sempre più creando margini ristretti per relazionarsi al silenzio, è vero anche, dall'altra parte, che si sta realizzando una coscienza che spinge al ricupero del silenzio.

Il difficile rapporto uomo-silenzio tuttavia non è da esasperare come fosse un prodotto negativo solo dei nostri ultimi decenni. Da sempre l'uomo ha avuto timore del silenzio e ha cercato di fuggire da esso. Pascal, a più riprese, ricorda che il suo contemporaneo per non pensare ai grandi problemi preferiva la caccia (cfr. *Pensées* 194; 168;171); Kierkegaard in un prezioso frammento dice che «l'odierno stato del mondo, la vita intera è malata. Se fossi medico e uno mi domandasse un consiglio risponderei: crea il silenzio. Porta l'uomo al silenzio». E ancora R. Guardini, agli inizi di questo secolo osservava: «Non abbiamo che da guardarci intorno nel mondo che ci circonda per vedere in quale terribile misura il silenzio sia scomparso e scomparirà sempre più per quanto sopravvento abbiano le chiacchiere»; così pure Jung sembra fare eco a Pascal: «Il rumore è benvenuto perché sovrasta l'istintivo avvertimento del pericolo che è in noi. Chi ha paura di se stesso ricerca compagnie chiassose e rumori strepitosi. Il rumore infonde un senso di sicurezza, come la folla, per questo lo si ama. Il rumore ci protegge da penose riflessioni, distrugge i sogni inquietanti... è così immediato, così prepotentemente reale che tutto il resto diventa un pallido fantasma».

La mancanza del silenzio appare oggi più drammatica in quanto è cresciuta la coscienza di presenza di forme di vita disumane. La contestazione dei rumori, la difesa del verde e della natura in genere non sono che il punto di una coscienza critica più grande che è dentro di noi e che progressivamente è stata messa a tacere per il sopravvento del benessere. L'uomo di oggi, particolarmente quello immerso nelle metropoli, è costantemente sotto gli inputs di parole e rumori vuoti e vari che lo distruggono: rumori di macchine, urla di passanti, disordine di un turismo di massa sempre più frenetico, fretta per il sopraggiungere di scadenze e di appuntamenti, segnali stradali, pubblicità ovunque, scritte sui muri... in una parola un'orgia di rumori.

Un ricuperato senso di rispetto per la natura e la vita nelle sue differenti forme, sembra estendersi a macchia d'olio; eppure questo movimento è destinato al fallimento se non si relaziona in modo fondante con il silenzio.

La creazione di spazi di silenzio può permettere un incontro nuovo con se stessi e con ciò che ci circonda; è questa una condizione necessaria perché si abbia a uscire dal tunnel del rumore in cui ci si trova con la conseguente perdita di identità.

Gesù di Nazareth, − dopo che erano tornati dal primo lavoro di evangelizzazione, e non avevano avuto la possibilità di parlare con lui e neppure il tempo di mangiare dato il via vai della folla − invita i suoi discepoli ad andare «in disparte, in un luogo solitario» per stare insieme con lui e riposarsi e con lui discorrere (Mc 6,30-32); questo comportamento dovrebbe essere preso in seria considerazione soprattutto dal credente contemporaneo.

Non è solo il monaco il segno concreto di colui che ama il silenzio. È tipico dell'uomo maturo, che ha compreso il valore della vita, il dover lasciare per un attimo le parole e ricuperare il silenzio. La ripresa di autentiche relazioni interpersonali che superino lo scoglio dell'individualismo, e un nuovo modo di porsi nei confronti del reale, passa attraverso il silenzio.

Non si invoca un permanere nel silenzio, esso dovrà sempre rimanere come «momento», «spazio» da cui uscire per riprendere a comunicare. Nel deserto infatti si può rimanere solo 40 anni o 40 giorni, comunque non l'intero arco della vita, perché l'uomo è stato creato per essere in relazione.

L'autoconsapevolezza di una perdita e di un ricupero del silenzio diventa una forma di maturazione che sarà in grado di produrre una coscienza di appartenenza e di solidarietà molto più efficace per un umanesimo nuovo oltre gli steccati ideologici o le differenze dei linguaggi.

Il silenzio sembra così costituire quasi quella zona di confine per il ricupero del → senso e del significato della grandezza del linguaggio umano. Questo appare più evidente oggi per il moltiplicarsi e il differenziarsi dei linguaggi, tra quello umano e quello informatico che ormai è di dominio comune. Quando si sarà giunti, tra breve, ai computers della «quinta generazione», capaci cioè di autoprogrammarsi, allora proprio davanti alla meraviglia del linguaggio della macchina, l'uomo sarà finalmente in grado di comprendere il valore del silenzio. Scoprirà infatti che, in ogni caso, il linguaggio umano sarà l'unico a poter creare il silenzio e a dargli senso. La macchina produrrà linguaggi e formule, frutto della precisione e dell'intelligenza artificiale, ma l'uomo produrrà ancora *senso* perché capace di scegliere e pronunciare il silenzio.

Bibl. - M. Picard, *Il mondo del silenzio*, Milano 1951; K. Rahner, *Tu sei il silenzio*, Brescia 1967; F. Ulrich, «L'uomo e la parola», in MystSal IV, 333-408, Brescia 1970; H.U. von Balthasar, «Parola e silenzio», in *Verbum Caro*, Brescia 1970, 141-162; Id., *Il tutto nel frammento*, Milano 1972; J. Rassam, *Le silence comme introduction à la méthaphysique*, Toulouse 1980; A. Neher, *L'esilio della parola*, Casale Monferrato 1983; M. Heidegger, *In* *cammino verso il linguaggio*, Milano 1984 (or. 1959); M. Baldini, *Le parole del silenzio*, Torino 1986; Id., *Le dimensioni del silenzio: nella poesia, nella filosofia, nella musica, nella linguistica, nella psicanalisi, nella pedagogia e nella mistica*, Roma 1988.

RINO FISICHELLA

SIMBOLISMO

Il simbolo (→ Semeiologia, II) appare prevalentemente in alcuni campi dell'esperienza umana; esso sorge del tutto naturalmente nell'attività psichica, poetica e religiosa. Metteremo in evidenza alcuni caratteri comuni ai diversi tipi di simboli prima di incentrare più direttamente la nostra attenzione sul significato del linguaggio simbolico presente nella sacra Scrittura.

Il tratto più generale dell'espressione simbolica è l'incontro in essa della rappresentazione e del dinamismo; il simbolo è un'immagine carica di fenomeni emotivi. Il significato veicolato nel simbolo si situa quindi a un livello preconcettuale, nella penombra della sensibilità e dell'affettività. L'immagine può essere la rappresentazione di una cosa percepita o inventata dal soggetto: il liocorno quanto il lupo, il mostro quanto la balena. I fenomeni emotivi legati alle immagini danno loro peso, qualità e diversità: sia un fenomeno emotivo massivo e indifferenziato come l'angoscia, sia l'uno o l'altro dei sentimenti che costituiscono la gamma dell'affettività umana; sia infine un misto di sentimenti, talvolta contraddittori e talvolta complementari.

Queste immagini cariche di fenomeni emotivi danno spessore e gravità alla vita umana: ne indicano la direzione, l'entusiasmo e le reticenze, l'apertura e i blocchi. Si comprende come siano l'oggetto privilegiato dell'interesse e dell'azione psicoterapeutica. È forse nella psicanalisi che si manifesta con più evidenza la carica emotiva che anima alcune immagini: l'angoscia compulsiva, evocata ogni volta che il piccolo Hans percepisce un certo tipo di cavallo, illustra bene l'aspetto dinamico di alcune immagini. Ugualmente l'opera di un poeta cela immagini gravide di sentimenti dominanti dell'autore; sono, come dice G.Bachelard, temi che lo *interessano*. Infine è noto che l'esperienza religiosa si esprime in immagini fortemente investite da fenomeni emotivi come quelli che R.Otto ha esplicitato nella sua opera classica *Il Sacro*.

Immagini e fenomeni emotivi non sono fissati una volta per tutte in un individuo; si modificano nella misura in cui quest'ultimo si sviluppa o regredisce. Così C.Jung valuta il progresso psichico di un essere umano secondo le figure che emergono regolarmente nel corso del processo di individuazione. Per C.Rogers il successo di una terapia è in funzione dell'emergere di sentimenti nuovi e differenziati che succedono a sentimenti globali, appena presenti nel campo della coscienza; inversamente, una regressione si accompagna a figure che fanno nascere angoscia. Ugualmente un progresso nell'esperienza religiosa sarà unito, per esempio, a una trasformazione dell'immagine di Dio e dei sentimenti che vi sono legati: il padre sostituisce il tiranno e l'amore succede alla paura; il sentimento di estraneità fa spazio alla certezza della presenza familiare.

I simboli non esprimono solo l'esperienza di individui considerati isolatamente; possono anche essere condivisi da una collettività: nazione, gruppo linguistico, cultura, religione. Alcuni simboli hanno dunque una storia e danno origine a una tradizione. In un certo platonismo il corpo può essere considerato come la prigione dell'anima, il luogo dove questa deve pagare il suo debito. Nelle religioni teiste la divinità suprema è paterna, legata ai cieli e intrattiene con l'uomo una relazione di parola e di ascolto. Al contrario, in una religione cosmologica l'uomo è legato al cosmo da tutta una serie di corrispondenze vitali. Come gli individui, i gruppi possono svilupparsi o regredire. P.Ricoeur in *La symbolique du mal* ha dimostrato come i simboli del male si siano trasformati nella tradizione ebraica dell'Antico Testamento, passando successivamente dalla macchia unita al cieco terrore, dal peccato cui si aggiunge il timore della collera di Dio, alla colpevolezza differenziata del rimorso di coscienza; nello stesso tempo ogni nuova figura reinterpreta e conserva in sé le figure passate. In senso inverso Nietzsche considera come un regresso il fatto che la figura di Dioniso, centrale nella Grecia che ha dato origine alle tragedie di Eschilo e di Sofocle, sia sostituita dalla figura del socratismo nelle opere di Euripide e nell'insegnamento di Socrate e che sussista solo in modo sotterraneo nei misteri greci.

Più ancora alcune esperienze sembrano condivise da tutti gli individui, qualunque sia la lingua, la cultura o la religione; di conseguenza i simboli che le esprimono sono universali e possono ricevere il nome di archetipi. Jung e la sua scuola hanno particolarmente insistito sulla presenza di immagini primordiali che si comportano come centri energetici e che trascendono i limiti degli individui e delle collettività.

I simboli non significano al modo dei concetti, ma obbediscono alle leggi dell'immagine del fenomeno emotivo. Non esprimono un significato univoco. Al contrario significano nella misura in cui formano relazioni, «costellazioni»: immagini che hanno una certa parentela e che evocano fenomeni emotivi simili, puntano a un significato che suggeriscono senza esplicitare. Così è possibile studiare i simboli di un paziente che segue una cura psicanalitica, di un poeta o di un capo religioso. Dall'analisi di *Hom-me aux rats*, delle opere di Hugo o degli scritti di Giovanni della Croce si sono potuti liberare «universi» simbolici che presentano in ogni caso un'organizzazione originale e coerente. Questo studio può proseguire a un livello più elevato e prendere come oggetto la configurazione immaginaria di movimenti culturali o religiosi come il romanticismo, il cristianesimo o l'*Aufklärung*. Infine si può tentare un'impresa ancora più inglobante: raggruppare i materiali simbolici, qualunque sia la loro origine, all'interno di certe strutture ben determinate. È il progetto sviluppato da G.Durand nel suo volume *Le strutture antropologiche dell'immaginario*. Egli prende il via dalle tre dominanti riflesse, improntate alla riflessiologia betcheveriana: la dominante *verticale* (posturale), la dominante *nutritiva* (deglutizione) e la dominante *sessuale* (ritmica). La sua tesi consiste nel costituire tre grandi universi simbolici come prolungamento delle tre dominanti riflesse. Il primo gesto è in correlazione con l'altezza, la luce e la vista, con le tecniche di separazione e di purificazione, frequentemente simbolizzate dalle armi, dalle frecce e dalle spade. Il secondo gesto è in correlazione con la discesa digestiva ed evoca le materie profonde come l'acqua e la terra o anche alcuni contenitori come le coppe e i cofani. Infine i gesti ritmici sono in correlazione con i ritmi stagionali e con i movimenti astrali ed evocano i molteplici sostituti del ciclo: la ruota, la puleggia, la zangola e l'accendino. In questo modo egli ripartisce l'intero campo del simbolico in due regimi di cui uno, quello diurno, è legato al gesto posturale, l'altro, quello notturno, è legato ai riflessi digestivo e sessuale.

Come si dispongono a costellazione i simboli per formare una rete la cui diramazione e complessità possa estendersi al punto da determinare una visione globale del mondo? Prendiamo come esempio un simbolo che l'uomo ha sempre considerato come espressivo della sua vita, dei suoi cicli e delle sue crisi, delle sue sofferenze e delle sue speranze e che M. Eliade studia nel capitolo IV del suo *Trattato di storia delle religioni*.

L'uomo ha riconosciuto nei fenomeni lunari un modello del proprio comportamento: ha compreso ed espresso la modalità della sua esistenza nel modo di essere lunare. La luna è l'astro che «misura» il tempo con la propria rotazione. Ha una «vita» drammatica e patetica: nasce, cresce, decresce, muore. Incarna il tempo nella misura in cui questo è divenire, soggetto alla trasformazione e alla morte. Tuttavia la morte della luna non è definitiva, infatti dopo tre giorni risuscita. Questa intuizione è il punto di partenza di un'immensa sintesi in cui l'uomo esprime la sua visione del mondo e il suo inserimento nel cosmo. Come la luna, l'uomo nasce, cresce, deperisce e muore; ma questa morte non potrebbe essere definitiva. La sua speranza di sopravvivenza in e al di là della morte trova a un tempo la sua espressione e la sua conferma nella nuova luna che rinasce dalla morte della vecchia luna.

La «legge» lunare non regge solo il comportamento umano; il cosmo intero vi è sottomesso come a un principio unificatore e organizzatore. Ogni forma è sottomessa al divenire e deve ritornare allo stato caotico; la morte è un regresso, un rientro nell'informe. Ma il regresso e la morte non segnano che una tappa nel processo ciclico: la tappa del riposo delle forme, della loro ibernazione in vista di una nuova nascita. La morte e le tenebre possiedono un valore positivo: è l'epoca della *Notte cosmica* in cui tutto riposa, in cui tutte le forme sono possibili, in cui tutte le speranze sono permesse; la morte costituisce uno stato in cui il tempo è abolito e «ucciso» a vantaggio di un ingresso nel transtorico.

Il simbolismo lunare può arrivare a estendere il suo impero su tutte le sfere cosmiche e a formare un «sistema» perfettamente coerente. È così che tutta la vita vegetale si sottomette al divenire lunare. La pianta compie un ciclo che si rinnova senza posa; essa ritorna allo stato di germe e di ibernazione durante il quale la potenza vegetale si rigenera per dare a primavera una nuova vegetazione. Considerate dal punto di vista simbolico, la terra e la luna sono perfettamente interscambiabili; entrambe sono il luogo da cui partono tutte le forme e in cui tutte le forme si riassorbono in vista della loro rinascita. La terra è la luna e la luna è la terra. Anche le acque si integrano nella sintesi lunare. Oltre a essere sottomesse a un ritmo periodico, esse sono, come la luna e la terra, germinative: hanno per funzione quella di dare origine a tutto ciò che ha forma nel cosmo e anche di riassorbire in sé tutte le forme che hanno «fatto il loro tempo». La catastrofe acquatica ha un carattere lunare e l'eroe che sopravvive per inaugurare una umanità rigenerata è come la luna nuova che ha superato la morte. Anche altre serie di rapporti importanti si stabiliscono tra la luna e la donna e tra la luna e i morti.

La «parentela» di queste immagini ci mostra come un simbolo quale quello rappresentato dalla luna può divenire il nodo di un'immensa rete in cui ogni cosa prende un senso, nella misura in cui partecipa di un aspetto rivelato dalla luna. Una moltitudine di oggetti diventano così simboli lunari: la lumaca, il serpente, la rana, il cane, l'orso e il ragno; piante, erbe e conchiglie; le perle e la rugiada; la spirale e il lampo; la conocchia e il fuso.

Questo esempio ci permette di capire come funziona la legge dell'immagine. Gli oggetti elencati sopra non valgono prima di tutto per il loro senso letterale e univoco. Sono tutti intercambiabili tra loro e identici alla luna, poiché esprimono tutti lo stesso schema fondamentale. Quest'ultimo unifica dunque tutto l'universo e forma il legame di una sintesi in cui tutti gli oggetti del mondo «si tengono» sottomessi a una stessa legge. L'uomo stesso fa parte di questa sintesi cosmica, poiché vi si è riconosciuto nella propria condizione. La sua condizione fatta di sofferenza e di grandezza, di minaccia di morte e di desiderio di vivere per sempre, viene da lui accettata e valorizzata, sottomettendola a una legge che lo supera. Egli partecipa così allo stesso modo di esistenza del resto dell'universo. L'uomo e le sue attività prendono così una dimensione cosmica. La realtà per eccellenza si manifesta in loro; sono portatori di una realtà che fa esplodere i limiti della loro individualità e che conferisce loro un «senso di universo». Di questo «sovrappiù di senso» o di questo «senso di universo» che caratterizza i simboli cosmici possiamo ritrovare traccia a livello dei simboli personali. Immagini cariche di emotività, i simboli esprimono sul piano della sensibilità il modo generale di essere del soggetto umano. Ciò significa che il significato veicolato dal simbolo precede ogni differenziazione in facoltà o in potenze particolari, cognitive o affettive, intellettuali o sensibili. Precisamente l'immaginazione è questo luogo intermedio attraverso cui il significato circola liberamente tra le diverse funzioni umane: le esigenze corporali si integrano nei livelli più elevati della psiche e dello spirito; lo spirito riceve il suo complemento sensibile necessario e infine l'immagine e il sentimento emotivo si aggiustano reciprocamente. Questo significato preconcettuale presente nel simbolo rivela dunque l'insieme del soggetto umano nella misura in cui esso si situa nel mondo con le sue opzioni fondamentali in rapporto a se stesso, agli altri e a Dio.

I simboli riflettono la condizione esistenziale del soggetto che vive le sue scelte fondamentali nella gioia o nella tristezza, nella pace o nella lotta, nell'ammirazione o nella disillusione, nella speranza o nella disperazione, o in un misto di sentimenti che si rinforzano o che si contraddicono reciprocamente. Ogni simbolo possiede dunque un sovrappiù di senso, nella misura in cui evoca l'apertura del soggetto alla totalità del suo mondo, all'interno del quale esso suggerisce l'aspetto assoluto delle sue opzioni più essenziali. Quindi il simbolo è in corrispondenza con l'assoluto a cui è aperto il soggetto umano; ne è, per così dire, la risonanza nella sua sensibilità e nella sua affettività. È atto a far presentire, più che il concetto, le infinite sfumature che modulano il modo in cui qualcuno si situa nella totalità dell'universo.

Quando un simbolo è familiare a qualcuno, la sua comprensione consiste nel seguire il movimento dell'immagine che spontaneamente conduce a ciò che essa suggerisce. Ma quando qualcuno è introdotto in un insieme simbolico che comporta una distanza nel tempo o nello spazio culturale, è necessario che faccia una lunga deviazione dell'interpretazione; aiutandosi con diversi metodi di lettura può raggiungere ciò che è prospettato dal testo, cioè il tipo di mondo che gli viene proposto dal testo stesso.

L'uomo attuale incontra il testo biblico in una distanza che l'esegesi ha il compito di colmare. Vi trova simboli che sono radicati nella tradizione ebraica ma non sono estranei ad altre unità culturali e forse a ogni essere umano. Tuttavia, anche riguardo a questi simboli, la loro comprensione esige che si tenga conto del loro inserimento in un contesto di altri simboli dai quali prendono senso. Per esempio nella Scrittura l'acqua è simbolo importante. Accoglie una serie di valenze che sembrano quasi universali: le acque aboliscono le forme, cancellano i peccati, purificano e rigenerano; contengono i germi di tutte le possibilità di esistenza. Tuttavia, mentre altre culture hanno sviluppato una cosmogonia acquatica, nella bibbia il simbolo dell'acqua è reinterpretato in funzione di un contesto teista e nel NT, in funzione di un contesto cristologico. Così l'acqua, fonte di vita e di fecondità universali, viene essa stessa da Dio o da Cristo come fosse di un'origine più profonda. L'acqua è in relazione con altri simboli di vita come il vino o la terra; ma questi ultimi vengono ripresi a loro volta da un insieme di simboli propriamente teisti come la luce, l'altezza, la parola, lo spirito, il padre, il giudice, ecc. Il simbolo dell'acqua, reinterpretato in un contesto teista, inflette di ritorno il divino che integra in esso i ritmi e i cicli vitali.

Il significato del divino non è dunque univoco. Il divino si rivela nella misura in cui si esplorano i molteplici simboli nei quali un popolo ha deposto, nel corso dei secoli, la ricchezza e la diversità della sua esperienza, nella complessità delle sue situazioni particolari. La sua esperienza del divino viene inscritta dal popolo ebraico nel suo vocabolario con molteplici sfumature, rappresentative e affettive, che parlano del suo incontro con Dio. Questi simboli sono radicati nel mondo dell'altezza (Dio è luce, risiede nei cieli e si manifesta agli uomini sulla montagna); nel mondo della vita (Dio è fonte delle acque, della vita e della fecondità); nel mondo delle relazioni interpersonali (Dio è padre, sposo, re). Queste rappresentazioni evocano sentimenti vari e contraddittori: la trascendenza e la presenza familiare, lo spavento e la tenerezza, la gelosia e la misericordia...

Inoltre nel NT i simboli non solo tendono al divino ma si identificano con Gesù come se trovassero la loro ricapitolazione in questo unico simbolo portatore del divino quale è Gesù nella sua umanità. Gesù è contemporaneamente la luce del mondo, la parola del Padre, la fonte d'acqua viva, il vero tempio, il giudice escatologico, il servo sofferente, ecc.

La rivelazione di Dio in Gesù Cristo richiama una cristologia, nella misura in cui sia fissata in un linguaggio ricco di simboli, che si faccia ermeneutica, che raccolga ed esplori i molteplici significati del divino, incarnati nel tempo e nello spazio e assunti in Cristo morto e risorto. È attraverso l'infinito processo dell'interpretazione che il credente può, sulla base della sua esperienza religiosa inserita nella chiesa e con l'aiuto di diversi metodi di lettura, comprendere il tipo di mondo che gli è aperto dal testo evangelico, spesso designato come regno di Dio o nuova nascita.

Bibl. - M. Eliade. *Traité d'histoire des religions*, Paris 1968[2]; B.J.F. Lonergan, *Il metodo in teologia*, Brescia 1975; P. Ricoeur, *Interpretation Theory: Discourse and the Surplus of Meaning*, Texas 1976[4]; G. Durand, *Le strutture antropologiche dell'immaginario*, Bari 1987[4].

JULIEN NAUD

SIMBOLO DELLA FEDE

Si conoscono fin dalla prima metà del quarto secolo testi concisi, ma completi, usati per professare formalmente la propria adesione alla fede della chiesa. Nel suo appello al papa Giulio I nel 340 d.C. Marcello di Ancira espone la propria fede citando il testo conosciuto come l'antico credo romano (*vetus Romanum*, DS 11). Al concilio di Nicea Eusebio di Cesarea cercò di dissipare i sospetti che gravavano sulla sua ortodossia presentando la confessione di fede, trasmessagli durante le istruzioni catechetiche, che professava di aver creduto e insegnato fino ad allora nella sua veste di presbitero e vescovo (in greco *Athanasius Werke* [H.G. Opitz, ed.], vol. III/2, 29; in latino, PG 20, 1538).

I PRIMI SVILUPPI - Le formule confessionali fisse conosciute sin dai tempi della controversia ariana gettano profonde radici al tempo del primo cristianesimo. Un modo iniziale con cui si professava la fede in Cristo era quello di proclamare: «Gesù è Signore» (1 Cor 12,3) oppure di «confessare con la tua bocca che Gesù è il Signore e credere con il tuo cuore che Dio lo ha risuscitato dai morti» (Rm 10,9; cfr. Fil 2,10; At 2,36). In altre chiese dei tempi neotestamentari la confessione centrale era che Gesù è in modo unico «Figlio di Dio» (1 Gv 4,15; Mt 16,16).

Verso la fine del primo secolo, come viene riportato dal vangelo di Matteo, il battesimo di un nuovo discepolo era una consacrazione solenne «nel nome del Padre, del Figlio e dello Spirito Santo» (28,19). Un secolo dopo, in Africa settentrionale, secondo quanto afferma occasionalmente Tertulliano, chi veniva battezzato prima rinunciava a Satana e poi professava la sua adesione alla fede cristiana in risposta a tre domande fisse sulla propria fede in Dio in quanto Padre, Figlio e Spirito Santo.

Intorno al 215 d.C. Ippolito descrive il rito battesimale della chiesa romana riportando il testo fisso del rito stesso. Nell'acqua, prima di ciascuna immersione, il ministro rivolgeva queste domande: «Credi in Dio Padre onnipotente? Credi in Gesù Cristo, figlio di Dio, che nacque di Spirito Santo dalla vergine Maria, fu crocifisso sotto Ponzio Pilato, morì e fu sepolto e il terzo giorno risorse vivo dai morti e ascese al cielo e si assise alla destra del Padre e verrà a giudicare i vivi e i morti? Credi nello Spirito Santo, nella santa chiesa e la risurrezione della carne?» (*Traditio apostolica*, 21; SC 11 bis, 80-93; solo il credo in DS 10). Così l'origi-

nale professione di fede della chiesa aveva una struttura interrogativa oppure dialogica. La fede prendeva forma rispondendo «io credo» alle domande su Dio e la sua economia di salvezza che il ministro della chiesa poneva nel momento centrale dell'atto liturgico del battesimo e dell'ingresso del credente nella comunità cristiana.

Le formule *dichiarative* del quarto secolo, come il *vetus Romanum* e il simbolo di Cesarea avevano il loro principale *Sitz im Leben* nel catecumenato. Mentre il formato domanda-risposta rimaneva centrale nel battesimo, la consegna del credo (*traditio symboli*) ai catecumeni segnava il loro passaggio a uno stadio più avanzato della preparazione per il battesimo. Si comunicava loro la formula in uso nella chiesa in cui stavano per entrare e si chiedeva che la imparassero a memoria, mentre generalmente il vescovo impartiva loro delle istruzioni sul significato di ogni parte del testo. Il migliore esempio di tali istruzioni sono le lezioni catechetiche di S. Cirillo di Gerusalemme (PG 33).

Poco prima di essere battezzati i candidati completavano le istruzioni prebattesimali con il rito della *redditio symboli*. S. Agostino racconta nelle *Confessioni* come ciò avveniva a Roma intorno al 355 d.C., quando il noto studioso Mario Vittorino entrò nella chiesa. «A Roma quelli che stanno per entrare nella tua grazia di norma fanno la professione della fede con una formula che imparano a memoria e che poi recitano su un podio davanti ai fedeli». I sacerdoti potevano offrire l'opzione di una professione privata. «Ma Vittorino preferì proclamare la propria salvezza davanti a tutti i fedeli riuniti... E quando salì sul podio per fare la professione tutti coloro che lo conoscevano ne sussurrarono con gioia il nome ai loro vicini... Fece la sua professione della vera fede con fiducia immensa e tutti lo avrebbero voluto avere tra le braccia e stringerselo al cuore» (*Conf.* VIII,2,5).

Questi simboli della fede dichiarativi, ampliano in qualche modo quelli interrogativi del battesimo in linea con la «regola della fede» (→ Regula fidei) delle varie chiese locali allo scopo di esprimere in modo conciso quella fede in cui i candidati sono iniziati. Si conosce un'intera serie di simboli occidentali dal quarto al sesto secolo (DS 13-26) che differiscono in qualche modo dal *vetus Romanum* e da cui trae origine il *textus receptus* del «credo apostolico» della chiesa occidentale (DS 30). Tali testi non avevano lo scopo di enunciare la completa regola della fede, ma di formulare piuttosto l'essenza evangelica della rivelazione che Dio ha fatto di sé e della sua opera di salvezza in Cristo.

Ma il concilio di Nicea nel 325 d.C. dette vita a un nuovo movimento promulgando un simbolo dichiarativo per tutta la chiesa avente lo scopo di esprimere una parte della comune regola della fede in termini che escludessero un errore specifico (→ Dogma). Questo credo più che ai singoli credenti per una loro professione personale doveva servire a stabilire una comune norma di ortodossia per cui si potessero riconoscere i legittimi vescovi e altri pastori potessero mantenere con loro legami di comunione ecclesiale.

Il credo niceno (DS 125) mette fuori causa alcune tesi sostenute da Ario di Alessandria, in particolare specificando che il figlio di Dio è generato dall'essere o dalla sostanza (*ousía*) del Padre ed è «consustanziale» (*homooúsios*) con il Padre. L'intenzione qui non era quella di imporre una metafisica alla chiesa quanto piuttosto di controbattere i modi specifici con cui Ario si era espresso sulla monarchia divina e sull'origine del Figlio in quanto «primogenito delle sue vie» (Prv 8,21). Ario interpretò il Nuovo Testamento secondo la prospettiva di alcuni testi come Gv 14,28, «Il Padre è più grande di me». La definizione nicena dichiara innanzi tutto che è Dio stesso a rivelarsi in Gesù di Nazareth. Il senso di *ousía* e di *homooúsios* non venne elaborato dai vescovi riuniti in concilio. L'intenzione del loro intervento nel simbolo da essi promulgato è chiarito meglio dall'aggiunta di una breve lista di formulazioni ariane che negano la divinità del Figlio; esse dicono ad esempio «ci fu un tempo quando egli non era»; queste formule ora sono proibite sotto pena di scomunica (DS 126).

SIGNIFICATO TEOLOGICO - Dopo Nicea il credo della chiesa assunse chiaramente una nuova funzione divenendo espressione puntuale dell'ortodossia e condizione di *communio* tra le chiese. Sarebbe tuttavia riduttivo perdere di vista il ruolo primordiale del simbolo con cui i credenti esprimevano la loro adesione a Cristo in quanto figlio di Dio, risorto e Signore. La struttura trinitaria dei più antichi simboli battesimali mette bene in evidenza che tali testi appartengono all'azione con cui l'individuo affida la propria vita al piano salvifico del Dio trino. Il credo è uno degli elementi dell'espressione liturgica ed ecclesiale della conversione. Il contesto, vale a dire l'iniziazione alla comunità di fede, chiarisce che il simbolo appartiene a un rito di passaggio dal peccato e dall'alienazione alla «famiglia di Dio» (Ef 2,19) nel momento in cui la persona si allontana «dagli idoli per servire il Dio vivo e vero e attendere dai cieli il suo Figlio, che egli ha risuscitato dai morti, Gesù, che ci libera dall'ira ventura» (1 Ts 1,9-10).

All'antica pratica della *traditio / redditio symboli* è stata restituita importanza nel rito cattolico della «iniziazione cristiana degli adulti». Questo posto riservato al credo evidenzia un secondo elemento essenziale del suo significato. Infatti il simbolo non è una invenzione del candidato ma una parte preziosa di ciò che la chiesa possiede e trasmette fedelmente in quanto amministratrice fiduciaria (→ Deposito della fede). Il credo in ultima analisi proviene dalla predicazione e dal ministero dell'insegnamento degli apostoli di Cristo ed è professato sotto la guida di chi ha assunto la responsabilità di insegnare, preservare ed esporre la Parola trasmessa (DV 10). Il soggetto ultimo però della dichiarazione cristiana «io credo in Dio...» è la persona corporativa della chiesa stessa. L'«io» del credo è la comunità di quanti sono uniti nella stessa fede come comunità di testimoni e di credenti che condividono la vita tra loro e con Dio (cfr. 1 Gv 1,1-3). Il dialogo del simbolo battesimale è anzitutto l'offerta della fede della chiesa al nuovo membro e poi la volontaria appropriazione che questi fa della sua partecipazione alla fede. E nella fede, in cui la rivelazione raggiunge il proprio termine, si riceve vita nuova e accesso al Padre, attraverso il Figlio, nello Spirito Santo.

Un'ultimo approfondimento sul senso del credo è stato formulato da Tommaso d'Aquino. Sulla molteplicità dei diversi «articoli» del contenuto del simbolo, Tommaso sostiene che essi dovrebbero essere considerati come implicitamente contenuti nelle tesi fondamentali che Dio esiste e che ha una cura provvidenziale per la nostra salvezza. Il credo presenta un'ulteriore articolazione dell'essere di Dio che noi conosceremo come ultima beatitudine e della sua economia di mezzi storici per il raggiungimento di quella beatitudine. È vero che il numero degli articoli aumenta ma solo perché essi servono ad esplicitare quanto è già presente nelle più fondamentali convinzioni della fede (STh II-II,1,7). L'oggetto ultimo della fede non è la moltitudine degli articoli che professiamo. Ne abbiamo bisogno per il nostro modo di conoscere che è storico, e sempre parziale, ma ciò cui Dio ci conduce attraverso la fede è la semplicità di se stesso in quanto *prima Veritas* (*De Veritate* 14,8, ad 5 e ad 12).

Dal punto di vista della fede stessa Tommaso enuncia un principio da applicare tanto a ogni articolo di fede quanto al simbolo nella sua interezza: «Actus autem credentis non terminatur ad enuntiabilem sed ad rem» (STh II-II,1,2,ad 2). La fede è un movimento dello spirito umano sorretto dalla grazia che non raggiunge l'obiettivo nell'articolo del simbolo che professa, ma nella realtà che vi è rivelata. Un articolo del simbolo formula una verità della rivelazione divina, ma l'articolo non costituisce l'oggetto ultimo del movimento dinamico della fede. «Articulus est perceptio divinae veritatis tendens in ipsam» (STh II-II,1,6). L'accettazione e la professione di un articolo del credo perciò non è che un momento nel movimento che trascende l'articolo stesso. La fede porta la persona all'unione con Dio, *prima Veritas* che ancor oggi rivelandosi irradia la luce della sua presenza nei cuori umani.

Bibl. - H. de Lubac, *La foi chrétienne. Essai sur la structure du Symbole des Apôtres*, Paris 1969; J.N.D. Kelly, *Early Christian Creeds*, London 1976[3], (tr. it., Napoli 1987); F.E. Vokes e altri, «Apostolisches Glaubensbekenntnis» in TRE 3 (1978) 528-571; G. Lanczkowski e altri, «Glaubensbekenntnis(se)», in TRE 13 (1984) 384-446; A. de Halleux, «La réception du Symbole oecuménique de Nicée et Chalcédoine», in EThL 61 (1985) 5-47; J. Ratzinger, *Elementi di teologia fondamentale*, Brescia 1986; S. Sabugal, *Credo. La fe de la iglesia*, Zamora 1986; M.-T. Nadeau, *Foi de l'Église. Evolution et sens d'une formule*, Paris 1988; T. Schneider, *La nostra fede. Una spiegazione del Simbolo apostolico*, Brescia 1989.

JARED WICKS

SINOTTICO, il problema

I primi tre vangeli presentano una tale somiglianza tra loro da poter essere riprodotti in tre colonne parallele: da qui il nome di *sinossi*, di vangeli *sinottici*. Se si parla di *problema* sinottico, è in ragione delle divergenze che affiancano queste affinità. Non si tratta di «armonizzare» i tre vangeli, ma di spiegare questa *concordia discors* con un'indagine storica e letteraria sulle reciproche relazioni dei primi tre vangeli.

Marco, il più corto dei tre vangeli, conta soltanto 661 versetti. Il materiale di Mc si ritrova quasi integralmente in Mt o in Lc o in entrambi. Mc ha di suo solo 30 versetti: due miracoli, tre brevi racconti, una parabola, qualche *lóghion* di Gesù e un commento sul costume giudaico delle abluzioni. *Matteo*, che conta 1608 versetti, contiene il materiale di Mc tranne 40 versetti; 330 versetti sono suoi. *Luca* conta 1149 versetti di cui 350 presi da Mc, cioè più della metà dei versetti di quest'ultimo. Lc ha omesso i passaggi che gli sembravano ripetizioni o espressioni troppo dure per i suoi lettori pagani. Il racconto della passione evidenzia in lui una grande libertà. Sottolineiamo soprattutto che 548 versetti su 1149 sono suoi: in particolare i racconti dell'infanzia (132 versetti), cinque racconti di miracoli, sedici parabole. Mt e Lc hanno in comune 235 versetti che non si trovano in Mc. I rappresentanti della teoria delle *due Fonti* pensano che questo materiale provenga da un'altra fonte scritta.

Una considerevole parte «narrativa» è comune ai tre sinottici. Sebbene questo materiale non costituisca propriamente parlando una «biografia» di Gesù, rappresenta tuttavia una visione coerente della sua attività. È Mc che riproduce più fedelmente questa visione d'insieme. Una parte importante dei discorsi si ritrova nei tre vangeli, ma 235 versetti che appartengono ai *lóghia* di Gesù sono comuni a Lc e a Mt. L'accordo sostanziale dei tre vangeli a livello della struttura, se non della formulazione,

coesiste con notevoli divergenze. Così, i 235 versetti comuni a Lc e a Mt sono raggruppati in sei grandi discorsi in Mt, mentre sono sparsi e in unità più brevi in Lc. Le divergenze si ritrovano a livello di importanti pericopi come il Padre Nostro, le Beatitudini, la triplice tentazione.

Prima del secolo XIX il problema sinottico non si è posto. Si cercava semplicemente di «armonizzare» i quattro vangeli: mentalità che si manifesta nel *De consensu Evangelistarum* di sant'Agostino e che si è imposto fino alla fine del Medio Evo. A dire il vero, è solo con J.C.L. Giesler (1818) che la ricerca considera come *problema* storico la *concordia discors*. L'ipotesi universalmente ammessa tra i non cattolici, e «praticamente» accettata dalla maggioranza degli esegeti cattolici, pur con qualche sfumatura, è la teoria delle *due Fonti*.

Essa si riassume così. Mt e Lc dipendono da Mc per la parte «narrativa», e dalla *Quelle* o Fonte (collezione delle sentenze di Gesù) per i detti: fonte ricostruita a partire dai *lóghia* comuni a Mt e a Lc. Mc è il più antico dei vangeli: è responsabile del genere letterario «vangelo» e ha fornito il quadro generale che è servito ai suoi successori. Ma la Fonte (Quelle) precede il vangelo di Mc. Questa teoria evidentemente non spiega tutto il contenuto dei sinottici. Anche la *Quellenkritik* si è interessata alle parti di Mt (più di un quinto) e di Lc (più di un terzo) che non si spiegano con la teoria delle *due Fonti*. Lc soprattutto ha indagato e disposto di fonti che gli sono proprie.

A livello delle fonti scritte nessuna ipotesi è riuscita a soppiantare o a superare la teoria delle *due Fonti*. Precisiamo che molti esegeti cattolici, seguendo la testimonianza di Papia, attribuiscono all'apostolo Mt un vangelo, redatto in ebraico, che raggruppa le sentenze del Signore. L'opera dell'apostolo conferirebbe dunque «autorità» al vangelo greco conosciuto al suo tempo con i ritocchi e le interpretazioni che ne sono state fatte.

Non vi è nessuna dipendenza letteraria tra Mt e Lc. A livello della formulazione letteraria, Mt è più fedele di Lc alla Quelle, cosa che favorisce l'accostamento tra il vangelo canonico e l'opera aramaica attribuita all'apostolo Mt da Papia, successivamente tradotto in greco e ormai conosciuto con il nome di Quelle. Lc è più fedele di Mt a livello della sistemazione del materiale. Mc non ha conosciuto la Quelle.

La teoria delle due Fonti resta la più soddisfacente sul piano pratico, ma non potrebbe rispondere adeguatamente al problema sinottico solo sulla base delle dipendenze letterarie. Mt e Lc hanno le loro fonti. Inoltre, bisognerà sempre tener conto dell'azione della tradizione orale durante tutta la formazione dei vangeli scritti. È difficile determinare esattamente l'influenza di questa azione orale, ma essa opera sempre.

Bibl. - L. Vaganay, *La Question synoptique;* Une hypothèse de travail, Paris 1954; F.J. Mc Cool, «Synoptic Problem», in NCE 13, 886-891; X. Léon-Dufour, «Autour de la question synoptique», in RSR 42 (1954) 549-584; A. Robert-A. Feuillet, *Introduction à la Bible*, vol. II, Paris 1959, 258-295; A. Wikenhauser, *Introduzione al Nuovo Testamento*, Brescia 1966, 220-255.

RENÉ LATOURELLE

SITZ IM LEBEN

L'espressione, entrata nel vocabolario corrente grazie alla Scuola delle forme (*Formgeschichte*), si rifà al progetto di ricostituire la preistoria dei vangeli, cioè a quel periodo che va dalla tradizione orale alla redazione scritta dei primi raggruppamenti letterari. In una prima tappa di ricostruzione della tradizione orale, ci si dedica a isolare e a identificare le uni-

tà letterarie che compongono i vangeli; quindi si cerca di riconoscere il *Sitz im leben* o contesto di vita o contesto socio-religioso che spiega il loro apparire e il loro formarsi nella vita ecclesiale primitiva. Questi contesti di vita, associati alle diverse attività della chiesa, sono: l'annuncio missionario, la catechesi, il culto, la polemica.

RENÉ LATOURELLE

SOFFERENZA

La sofferenza consiste in un senso di perdita, di danno o di mancanza tanto fisica che spirituale. A tutti i livelli di esistenza umana essa costituisce un problema religioso in quanto impone a chi soffre diverse domande: come evitare la sofferenza? Perché esiste la sofferenza? Quest'ultima domanda tenta di prevenire una ripetizione della sofferenza e, allo stesso tempo, apre prospettive più ampie sul significato di una vita di sofferenza. Alcune religioni, come → l'induismo e → il buddhismo, sono sorte dallo sforzo di superare la sofferenza e dal momento che essa ha le sue radici nel desiderio è il desiderio che deve essere annullato. La felicità, o nirvāna, consiste nella soppressione della coscienza individuale o, in alternativa, nella sua espansione nella coscienza universale, dal momento che tanto l'individualità che l'opposizione, che scaturisce dall'individualità, sono causa di desiderio. Di solito la coscienza individuale è relegata al campo delle apparenze, o *mayā*, e deve essere superata in una visione interiore che la trasforma nella definitiva realtà dell'essere e nel conseguente annullamento della coscienza individuale. In occidente, lo stoicismo ha enfatizzato, in modo analogo, l'unità del cosmo − senza postulare un monismo radicale − e ha tentato di superare il dolore con la «più vasta visione» dell'equilibrata armonia dell'universo, la cui unità-nella-pluralità potrebbe essere identificata con la divinità. Si supponeva che tale visione sopprimesse il desiderio individuale e desse vita a un piacevole sentimento di gioia. In un modo più radicale la setta americana Christian Science nega la realtà del dolore e della malattia, considerandoli niente altro che illusioni da vincere con la meditazione. Simili soluzioni, comunque, non riescono a spiegare l'esistenza della sofferenza concreta. Anche se lo status ontologico della sofferenza è la non-esistenza, la coscienza limitata soffre realmente la sua illusione e non si spiega come sorga e continui a esistere una tale apparenza dolorosa, variazione del *non-essere* metafisico.

Sia per il politeismo che per i dualismi etico-metafisici, per es., lo zoroastrismo e il manicheismo, la tensione e la sofferenza strutturano la realtà. Benché gli uomini siano incoraggiati a lottare per la virtù − spesso i riti di iniziazione impongono di sopportare il dolore virilmente − il politeismo porta in sé il pericolo di sottomettere l'esistenza umana alle arbitrarietà di divinità in conflitto, mentre né questo né altro dualismo spiegano in modo adeguato l'unità metafisica dell'esistenza; nella misura in cui la moralità è fondata nell'essere, questa mancanza di unità porta in sé la minaccia del caos morale.

Di pari passo con l'avanzamento di Israele dall'enoteismo al meraviglioso monoteismo del deutero-Isaia, il problema della sofferenza umana è diventato sempre più acuto. Israele ha riconosciuto la sua elezione nell'alleanza che prometteva benedizioni materiali o maledizioni come giuste ricompense per la fedeltà o l'infedeltà ai comandamenti (Dt 28-30). Ma per quanto la semplice misura del bene premiato e del male punito (per es. Sal 1; 23; Prv 22,4) possa essere

valida per comunità piccole e stabili, l'esperienza mostrò che simile semplice norma di giustizia non poteva sempre essere sufficiente. E così il premio e la punizione furono spesso proiettati nel futuro (Sal 10; 14; 22; 37) e per la sofferenza furono presentati altri motivi. Dio usava la sofferenza come una medicina per portare Israele e i singoli alla saggezza e all'obbedienza (Am 4; Os 6,1-6; 11; Is 63,9-16). Dopo la conversione la sofferenza poteva purificare il peccatore convertito (Sal 39; Zc 13,8ss). Inoltre si sapeva che Dio aveva provato Abramo e gli ebrei per poter ricompensare la loro fedeltà (Gn 22; Dt 8,16; Es 20,20; Sal 81). A volte la ricompensa promessa sembrava troppo a lungo ritardata e la somma delle sofferenze sproporzionata al peccato commesso (Sal 13,1ss; 35,17; Ger 12,4). Qualche giusto si richiamava ad una quasi mistica esperienza della presenza di Dio (Sal 73; 16,5-11) e *Giobbe* riferiva la sofferenza innocente al mistero di Dio, che non soltanto ha creato le meraviglie dell'universo (38ss) ma dominava anche su Behemot e Leviatan, simboli del male cosmico (40s). Ciononondimeno, appellarsi al mistero non dà una risposta razionale e lo stupore poetico di Giobbe comporta soltanto molta monotonia prima di trasformarsi nella saggezza pia ma scettica di Qoèlet. Sofferenze apparentemente non meritate furono spiegate con l'antico senso dell'unione comunitaria o della «personalità collettiva», una percezione della realtà sociale attraverso la quale l'individuo era visto come membro rappresentativo e costitutivo del suo gruppo. Poiché gli uomini nella buona e nella cattiva sorte condividono reciprocamente il destino, le maledizioni di Dio si estendevano per tre o quattro generazioni per il proprio peccato, mentre le sue benedizioni continuano per mille generazioni (Es 20,5; Dt 5,9). È in tale prospettiva che il peccato di Adamo e di Eva ha toccato tutti i loro discendenti (Gn 3,16-19). Ma se tutti devono soffrire per il peccato di uno, al contrario uno può soffrire per i peccati di tutti, come testimoniano i Canti del Servo (spec. Is 53,4-12). Trascendendo la responsabilità collettiva, il servo di Jhwh ha ottenuto l'immortalità personale come premio della sua sofferenza innocente e vicaria (Is 53,10-12). Questa soluzione di una vita dopo la morte è stata sviluppata nella tarda letteratura profetica e sapienziale (Dn 12,2ss; Sap 3,1-12; 5).

Il pericolo insito nell'attesa di un premio è stato rivelato, d'altra parte, nella posteriore teologia rabbinica che spiegava le sofferenze dei giusti nei termini di una purificazione divina dei loro peccatucci di modo che il loro premio dopo morte non ne sarebbe stato condizionato: al contrario i peccatori hanno trionfato in questo mondo altrimenti i meriti delle loro poche buone azioni avrebbero richiesto una mitigazione del loro castigo futuro. A questo modo la norma fondamentale dell'alleanza, il bene premiato e il male punito in questa vita, era stata rovesciata. Ma allora, se ogni giustizia e se i valori duraturi sono rimandati da questo al prossimo mondo, la creazione non può più a lungo mediare la conoscenza di Dio e siamo minacciati dall'ateismo o dallo gnosticismo.

La protesta ateistica contro Dio è diventata più forte ai nostri tempi proprio perché il cristianesimo ha proclamato un Dio che si prende cura di ogni individuo (Mt 10,28-31) e nel suo amore benefico «fa sorgere il suo sole sopra i malvagi e sopra i buoni e fa piovere sopra i giusti e sopra gli ingiusti» (Mt 5,45). Ma molti si chiedono, come può Dio essere un padre amoroso se permette che tanti bambini innocenti soffrano così orribilmente?

Di fronte alla condizione di chi soffre innocentemente i teologi protestanti hanno sottolineato l'impossibi-lità di ogni teologia naturale e la necessità assoluta della fede come dono di Dio per dare un senso alla vita. Alcuni hanno sviluppato una teologia dinamica per la quale Dio è coinvolto nel divenire dell'universo e soffre con esso. J. Moltmann vede Dio che soffre la morte di Gesù in conseguenza della loro amorosa unione di volontà; E. Jüngel ha interpretato la morte di Gesù come una parte integrante dell'evento Dio, il quale, rimanendo Dio, è entrato nel divenire storico per vincere, soffrendoli, la morte e il peccato. Per quanto possano essere commoventi, questi tentativi di rendere Dio meno estraneo alla sofferenza dell'uomo non riescono a spiegare il significato della sofferenza umana e oltrepassano il mistero di *Giobbe*, soltanto aumentando la nostra meraviglia e riproiettando ancora le sofferenze in Dio. Il fatto che Dio soffra non diminuisce la sofferenza degli uomini; di fatto la sua sofferenza può aumentare quella di coloro che lo amano.

Prima di esaminare la risposta più adatta al dilemma della sofferenza presentata nel NT e interpretata dalla tradizione cattolica, alcune riflessioni preliminari possono meglio circoscrivere l'argomento. Come già notato, la sofferenza deve essere riconosciuta come una realtà, anche se come la «realtà di una apparenza», e ogni immediato ricorso a Dio per un premio celeste rischia di distruggere la conoscenza di Dio tramite il mondo. La sofferenza sembra quasi inevitabile per un essere materiale nella misura in cui la materialità implica divisione, limitazione e possibili contrasti. Per precludere completamente la possibilità della sofferenza fisica l'uomo dovrebbe essere stato creato senza corpo. Ma il dolore rimane possibile anche per i puri spiriti, dal momento che essi sono limitati e quindi soggetti, in un grado o nell'altro, alla libertà degli altri. «La personalità collettiva» segna l'esisten-

Sofferenza

Sofferenza

Sofferenza

Sofferenza

za limitata, e questo ancor più nella visione cristiana, secondo la quale gli uomini, creati a immagine di Dio che è amore, sono chiamati ad amare i loro simili; rifiutare di riconoscere quel legame implica un peccato e anche la negazione della realtà finita nella sua interrelazione. Infatti, se gli uomini fossero considerati soltanto individui, ognuno responsabile unicamente per se stesso, non ci sarebbe solidarietà che permette agli atei di protestare contro Dio in nome dei «sofferenti innocenti». Inoltre la percezione della limitazione implica il riconoscimento di una certa mancanza di pienezza, generando desiderio e la sofferenza dell'insoddisfazione. Di fatto per ovviare ad ogni possibilità di sofferenza l'individuo dovrebbe almeno ridurre tutti gli altri esseri liberi allo stato di autonomi o diventare Dio infinito. Così, dietro il desiderio di evitare ogni sofferenza può celarsi il peccato originale di desiderare di essere come Dio (Gn 3,5. 22).

Ammessa la sofferenza e la finitezza dell'uomo, questo mondo non può essere il migliore o il peggiore di tutti i mondi possibili. Infatti ciò che è limitato può essere superato. In quanto finite, le sofferenze umane non possono essere mali assoluti; al contrario, possono essere relativizzate non soltanto da chi le prova, il cui atteggiamento influenza la sua percezione, ma anche facendo riferimento ad una realtà più vasta o ad uno scopo più ampio. In questo modo soffrire spesso serve come un avvertimento contro mali maggiori o è incluso in una necessaria disciplina del corpo e dell'anima che consente di crescere. Si stirano i muscoli e si distruggono le cellule per irrobustire. Al contrario una facile vita sotto l'albero di mango snerva e indebolisce. L'assioma greco: «Giove aggiunge saggezza alla sofferenza» (Eschilo, *Agamennone*, 177s), è stato ampliato da L. Bloy: «Ci sono spazi nei nostri cuori che ancora non esistono e

nei quali entra la sofferenza perché essi siano». Inoltre, le sofferenze servono come giusto castigo del peccato, chiamano gli uomini alla conversione, aiutano a distruggere l'egoismo e aprono gli uomini alla compassione e alla collaborazione. Soffrire per la giustizia può anche rivelare all'uomo il senso della sua esistenza e contribuire ad una giusta valutazione del suo valore. Infatti dove non è possibile soffrire, la vita sarebbe privata di ogni sfida e di ogni avventura. Fare una piroetta sulla punta dell'Empire State Building (grattacielo di New York, n.d.r.) diventerebbe rischioso quanto soffiarsi il naso. Se qualcuno tentasse di sottrarsi alla noia di tale esistenza il suo tentativo di suicidio rimarrebbe frustrato dal momento che non potrebbe far del male a se stesso.

Nemmeno la morte, anticipata nella sofferenza, è un male assoluto. Infatti la morte sarebbe liberazione da un mondo di tremenda sofferenza o di assoluta monotonia. In qualunque mondo di piacere e di gioia, la vita senza la morte in definitiva risulterebbe nella scomparsa dello stupore, nella perdita di poteri spirituali e nella monotonia. Come ha riconosciuto Shakespeare, l'umana mortalità rende spesso i valori sempre più preziosi: «Questo comprendi: ciò che rende il tuo amore più forte è amare bene ciò che tu devi lasciare» (sonetto 73).

Per quanto ineluttabilmente legata all'umana esistenza e per quanto possa causare tanti vantaggi, la sofferenza non può mai essere pienamente spiegata. Chiedere tale spiegazione significherebbe chiedere l'irrazionale e l'impossibile per diversi motivi. Primo perché la sofferenza è sempre individuale – la «massa delle sofferenze umane» è una astrazione – e l'individuale come tale non può essere spiegato (*individuum est ineffabile*). Secondo, poiché le sofferenze sono sentite come ingiuste – e questo è il fulcro del «problema della sofferenza» – ogni spiegazione è impossibile. Infatti una spiegazione richiede una causa che a sua volta implica una necessità; di qui se l'ingiustizia fosse spiegata, sarebbe necessaria, e un universo immorale sarebbe un'assurdità. Allo stesso modo la moralità, poiché si appella alla libertà, non può essere ridotta ad una necessità razionale. Anche la moralità sembra contenere la sofferenza. Non soltanto nel nostro mondo decaduto c'è spesso tensione fra il piacere e il dovere, ma anche la stessa sete di giustizia, quando ci si rende conto della sua mancanza, implica dolore. Forse il dolore del sacrificio di sé deve essere incluso nella moralità a meno che una immediata ricompensa per le buone azioni riduca la moralità a una più alta forma di egoismo. I valori morali sono adeguatamente apprezzati soltanto quando è richiesto un sacrificio.

Queste riflessioni preliminari dovrebbero impedire ogni facile rifiuto dell'esistenza di Dio per il fatto che esiste la sofferenza. Infatti, negare l'esistenza di Dio non risolverebbe né allevierebbe il problema della sofferenza. Le sofferenze rimangono. Se Dio non esistesse, l'uomo perderebbe ogni speranza di una soluzione dei suoi enigmi sia concreti che teorici. Inoltre se esistesse solo questo mondo ingiusto, non ci sarebbe ricompensa per tutte le azioni buone e cattive e la giustizia non diventerebbe altro che una costruzione umana e una illusione. Infine la giustizia non può essere impersonale poiché sia le intenzioni che le azioni degli uomini devono essere giudicate e ricompensate; soltanto un essere onnisciente e onnipotente può realizzare simile giustizia.

Una osservazione finale riguarda la dichiarata innocenza dei bambini. Come molti, da Agostino a Freud, hanno osservato, i bambini sono egoisti, spesso vendicativi, piccoli bruti le cui abitudini devono essere corret-te mentre crescono. Inoltre, la teologia cattolica sostiene che dopo il peccato di Adamo, soltanto Cristo e sua Madre furono assolutamente senza peccato, e che ambedue si sono liberamente sacrificati per i peccatori. Di fatto, soltanto Cristo è Figlio di Dio per natura, tutti gli altri diventano figli adottivi di Dio per la fede in Gesù (Gal 4,1-7; Gv 1,14s). Dio ha mandato lo Spirito di suo Figlio nel cuore dei cristiani perché essi potessero gridare: «Abba, Padre» (Gal 4,6; Rm 8,15). Dal momento che Gesù ha insegnato ai suoi discepoli a chiamare Dio Padre, i cristiani devono usare quell'appellativo nel senso inteso da Gesù. Ma Gesù ha esplicitamente consegnato se stesso al suo Abba e Padre nel Getsemani e sulla croce (Mc 14,36; Lc 23,46). San Paolo ha visto in questo la rivelazione dell'amore paterno di Dio, che non ha risparmiato il proprio Figlio ma lo ha consegnato per tutti; perciò nulla, per quanto forte o tremendo, può separare i credenti dall'amore di Dio in Cristo (Rm 8,28-39).

Da quando il peccato ha spezzato la originale unità del genere umano il mondo è diventato un luogo ambiguo nel quale si può dubitare dell'esistenza di un Dio di amore. E così per dare un segno d'amore e ricostituire l'unità del genere umano, il Figlio eterno si fece uomo. Questo ingresso dell'Amore in un mondo di peccato ha dato inizio ad una lotta che ha portato alla morte di Gesù. Quella morte ha pienamente rivelato il significato dell'amore auto-sacrificale della sua vita. Perciò benché messo a morte dai peccatori, Gesù ha offerto se stesso liberamente a suo Padre e contemporaneamente per gli uomini. La morte di Gesù, nello stesso momento in cui rappresentava il totale coinvolgimento della sua divina libertà personale nella natura umana che aveva assunto, fu il segno della vittoria dell'Amore sulla morte e sul peccato, una vittoria che si manifestò escatologicamente nella risurrezione. Per questo le ferite delle sofferenze di Cristo servono come trofei della sua vittoria e i cristiani devono essere trasformati nella sua morte, crocifissi al mondo, per condividere la sua vita che è salvezza (Rm 6, 1-11; Gal 2,19; 6,14; Gv 3,3-8; 5,24; 1Gv 3,14). Nell'AT, la giustizia di Dio regna sovrana, ma ora l'accento è stato spostato sulla sua giustificante gratuità. Dio rimunererà il giusto e punirà il cattivo nell'eternità, ma la norma del giudizio è Cristo (Mt 25, 32ss). Inoltre, dal momento che il tempo escatologico è già iniziato (Mc 1,15; Gv 5,24ss; Gal 4,4), la salvezza è già presente nel mondo, nell'unione di amore che è il Corpo di Cristo.

L'incorporazione dell'individuo nella *koinōnía* della chiesa dà nuovo significato alla sua sofferenza. Essa è una partecipazione alle sofferenze di Cristo che si riversano su di lui (2 Cor 1,5; Fil 3,10); esse servono anche a «completare ciò che manca ai patimenti di Cristo, a favore del suo corpo che è la Chiesa», (Col 1,24). Come l'infinità di Dio non esclude le sue creature né la sua onnipotenza distrugge la libertà umana ma ambedue costituiscono la loro condizione di possibilità, allo stesso modo le sofferenze di Cristo, per se stesse sufficienti a salvare tutti, aprono la via al contributo di amore dell'uomo nell'opera della salvezza. La personalità collettiva si rivitalizza nella chiesa e la sofferenza vi trova il suo più profondo significato. Oltre a contenere un richiamo alla conversione, una purificazione da abitudini peccaminose o una prova di fedeltà, che è implicita proprio nell'esercizio della libertà, la sofferenza a questo punto diventa un invito a unirsi all'opera redentrice di Cristo e una possibilità di condividere più profondamente il suo amore auto-sacrificale. In questo amore il credente partecipa anche alla vittoria di Cristo sul peccato e sulla

morte, cioè alla vita eterna. La presenza continua di Dio nella storia ha rivelato il mistero dell'amore che, in modi nemmeno immaginati da Giobbe, ha dominato le forze del male vincendole mentre le subiva. L'amore auto-sacrificale di Dio distrugge anche l'autogiustificazione umana e la protesta contro il peccato di Adamo. Una volta accettato il sovrabbondante amore di Cristo, l'originale disegno di amore di Dio, che abbraccia tutti e ciascuno nella buona e nella cattiva sorte, può essere accettato senza recriminazione, perché dove ha abbondato il peccato ha sovrabbondato la grazia (Rm 5,12-21); la legge della solidarietà, che oltrepassa la giustizia retributiva, ora agisce per la salvezza dell'uomo. Così attraverso il mistero dell'amore redentore di Cristo non soltanto sono sintetizzate tutte le spiegazioni della sofferenza presentate nell'AT ma perfino la sofferenza stessa, la scoria dell'esperienza umana, che le altre religioni tentano di evitare o di mitigare, è stata trasformata in uno strumento per accrescere l'amore. La vittoria di Cristo sulla croce ha concesso al cristiano il potere di affermare l'esistenza di Dio, di ringraziarlo per i dolori e le prove che realizzano la sua sempre maggiore uguaglianza con Cristo come pure per le gioie e per le cose piacevoli della vita. In Cristo la scossa unità dell'esistenza è restaurata e riconosciuta come cosa molto buona (cfr. Gn 1,31).

Benché questa comprensione redentrice della sofferenza sia stata per lungo tempo radicata nella tradizione cattolica, essa ha trovato una espressione particolarmente adatta nella teologia del Sacro Cuore di Gesù. Questa attenzione al Cuore trafitto di Cristo come simbolo del suo amore, che invita gli uomini a unirsi nella sua opera di redenzione, è stata raccomandata ai fedeli da molti papi, dopo le rivelazioni mistiche fatte a S. Margherita Maria Alacoque a

Paray-le-Monyal in Francia durante il XVII secolo.

Bibl. - J. de Fraine, *Adam et son lignage*, Paris 1959; C. Journet, *Le Mal*, Paris 1961; J. Moltmann, *Il Dio crocifisso*, Brescia 1973 (or. 1972); J.M. McDermott, «The Biblical Doctrine of Koinonia», in BZ 19 (1975) 66-77, 219-233; Id., «Il senso della sofferenza», in *CivCatt* 137 (1986) 112-126; Id., *Sofferenza umana nella Bibbia*, Roma 1990; M. Flick - Z. Alszeghy, *Il Mistero della Croce*, Brescia 1978; E. Jüngel, *Dio mistero del mondo*, Brescia 1982 (or. 1977).

JOHN M. MCDERMOTT

SOLITUDINE

Un'indagine in un grande paese europeo rivela che per il 65% delle persone interrogate la solitudine è la prova più pesante da sopportare. In un'indagine parallela, condotta questa volta in ambiente ecclesiastico, gli studenti hanno dichiarato di temere nove volte di più la solitudine della morte.

Paradosso del secolo XX che non parla d'altro che di comunicazione, di dialogo, di condivisione, e tuttavia prova più che mai il sentimento della solitudine. L'uomo vive in gruppo, lavora e pensa in gruppo e, d'altra parte, si sente incompreso, abbandonato, rifiutato, respinto. La solitudine è vissuta come la più opprimente delle povertà. Essa distrugge il cuore e lo spirito come se l'organismo non avesse più anticorpi per lottare contro il vuoto che lo divora. L'uomo si sente scacciato da se stesso senza che nessuno possa o voglia raggiungerlo.

La solitudine sembra proprio uno degli aspetti del non senso della nostra società. Ma se ne parliamo in questi termini è prima di tutto perché è inseparabile dalla condizione umana. Da questo punto di vista essa appartiene al mistero dell'uomo, della sua condizione di creatura «finita» di fronte a Dio. A modo suo, essa pone il problema del → *senso*:

un senso parzialmente accessibile per le risorse umane e mai pienamente scoperto senza un'illuminazione dall'alto ad opera di Cristo.

Ma quando parliamo di solitudine, usiamo un termine ambiguo. Vi sono infatti molti tipi di solitudine: la solitudine sofferta e subita, imposta dagli avvenimenti; la solitudine cattiva e aggressiva, cioè il mutismo e l'isolamento; infine la solitudine feconda, accettata, aperta e accogliente (per esempio quella dei santi e di Cristo stesso). A dire il vero l'unica distinzione valida è quella tra la solitudine negativa o isolamento e la solitudine feconda, l'unica autentica. Il problema sta nel passare dall'isolamento alla solitudine-raccoglimento, dalla vita fallimentare alla vita realizzata.

1. FORME DI SOLITUDINE - Una *prima* forma di solitudine ci è imposta dallo stile di vita del mondo moderno, soprattutto nelle grandi città. Nei piccoli paesi ci si conosce troppo perché accada. Al contrario, nella grande città che riunisce tanta gente, che dovrebbe sviluppare il senso della comunità, si vive parallelamente e in cellule isolate, come convogli di metropolitana, nel perfetto anonimato. Si rasentano gli altri come si rasentano i muri. Possiamo incrociare il nostro vicino per anni, senza mai identificarlo né identificarci. Possiamo morire senza che lo si sappia e senza che nessuno se ne preoccupi. Il vicino è raramente il *prossimo*. La vita delle grandi aziende, con tutti i loro uffici e le loro macchine, non migliora affatto la situazione. A furia di vivere con le macchine si rischia di trattare tutto e tutti come fossero macchine. Si atrofizza l'attitudine all'incontro umano. Le stanze della televisione, con le confortevoli poltrone, ma isolate, sono il simbolo di un'indifferenza che finisce col generare la rinuncia e poi l'isolamento aggressivo.

Una *seconda* forma di solitudine subita è quella che nasce dalla mancanza di comprensione da parte di chi ci è vicino: genitori, amici, compagni di lavoro. Solitudine tanto più dolorosa quanto più ci viene da coloro su cui, normalmente, dovremmo poter più contare. Questo tipo di solitudine si incontra nelle famiglie in cui gli sposi vivono fianco a fianco, ma chiusi l'uno all'altro: solitudine «a due» di coppie in disaccordo, in guerra aperta o nascosta, in attesa di «mollare» per coinvolgersi poi nell'avventura dei partners occasionali e delle sventure «a catena». Di conseguenza, solitudine del giovane «monoparentale» che non sa più a chi appartiene, preda designata di tutte le tentazioni. Questo fenomeno di incomprensione e di conseguente solitudine si ritrova, non meno violentemente, tra le diverse classi della società (operai e padroni, sindacati e governanti) e tra le diverse generazioni: dramma dell'incomprensione tra genitori e figli (genitori sprovveduti o snaturati, figli che disertano la casa sbattendo la porta per andare a raggiungere gruppi clandestini: disoccupati, disadattati, tossicodipendenti).

Una *terza* forma di solitudine subita, involontaria, ma in assoluto più dolorosa, più lacerante, è quella dell'abbandono e del rifiuto. Chiunque l'abbia conosciuta non vuole nemmeno più ricordarsene, poiché è l'esperienza di una disintegrazione di tutto l'essere. Esperienza di giovani sacerdoti, ardenti, pieni di zelo, ma abbandonati a se stessi in ambienti scristianizzati, glaciali e agghiaccianti, senza la possibilità di rifare «il pieno» spiritualmente e intellettualmente. Questa è la sorte dei profughi e dei «rifugiati». All'inizio vengono ben accolti, ma la luna di miele dura poco nel paese di adozione. Nel metrò, sulle strade e in autobus il loro accento, il loro colore e i loro lineamenti rivelano presto «lo straniero». Rare sono le case e ancor più rari

i cuori che li accolgono con il calore di un'amicizia fidata.

Veniamo alle persone della terza o quarta età: condizione ora ordinaria nei nostri paesi occidentali in cui la longevità è notevolmente cresciuta. Le persone anziane si sentono spesso come morti cui sia stato concesso un rinvio: passano la maggior parte del tempo a letto o davanti alla televisione, oppure seduti alla finestra, mentre contemplano un mondo che non le riguarda più perché non portano più nulla alla società. Ci si ricorda appena di loro nel periodo elettorale! In certi paesi l'ingresso in un *ospizio* è come l'anticamera della morte dove viene gettato l'irrecuperabile. Non deve sorprenderci che un tale abbandono generi l'amarezza, se non l'isolamento aggressivo.

I più colpiti dalla solitudine-abbandono sono i malati gravi, i malati «cronici». Essi si sentono sminuiti fisicamente e socialmente messi in disparte. Non appartengono più al mondo dei vivi. Esseri decaduti, ingombranti, insignificanti, ispirano spesso disprezzo, e la ripugnanza fisica che si prova di fronte a un oggetto destinato alla corruzione della tomba e del carnaio. Si aspetta la loro morte per impadronirsi della loro eredità. Il malato cronico può uscire da questa crisi purificato e cresciuto, ma può anche sprofondare nella «cattiva solitudine» che lo separa da se stesso e dagli altri.

Vi è infine l'abbandono-rifiuto di tutti gli sprovveduti di fronte al brutale potere dei regimi di oppressione: politici, militari ed economici. Ogni ingiustizia nel mondo lascia la vittima «sola» di fronte alla tentazione del suicidio. Questa condizione è proprio quella dei popoli che da secoli vivono in una solitudine «collettiva»: dominati, oppressi, asserviti, calpestati, senza nemmeno la speranza di uscirne, come il naufrago che, dopo tutti i tentativi per emergere, si sentisse afferrato per la nuca e «risprofondato» senza pietà.

Notiamo che l'esperienza di questa solitudine subita è sì una prova, ma non necessariamente il fallimento dell'esistenza. Al contrario, se viene vissuta in comunione con colui che è a un tempo Solitudine e Pienezza, con Cristo, può diventare come la solitudine dei contemplativi e dei sofferenti: la più potente energia spirituale del mondo. Altrimenti può volgere all'isolamento e alla cattiva solitudine.

2. LA SOLITUDINE NEGATIVA O ISOLAMENTO - L'isolamento è una solitudine che si è *inacidita* invece di *maturare*. Si incontra in persone che hanno conosciuto presto la sconfitta nella vita, ma che non l'hanno mai accettata o superata. L'isolato diventa amaro, aggressivo, astioso nei confronti di tutto e di tutti. L'incompreso, il mal-amato, diventa un malamante e un disprezzato che risponde con il disprezzo. Egli trascina la propria vita e getta su tutto e su tutti uno sguardo disilluso. Questa tentazione incombe su colui che invecchia e vede le sue possibilità di successo diminuire e poi scomparire. «Ho dato ciò che avevo da dare: che si arrangino!» Una vita che poteva essere feconda, diventa sterile.

Gli ambienti cristiani non sono esenti da queste tensioni non meno feroci di quelle delle colonie animali. Se non si appartiene a una determinata collettività, ideologia o tendenza, si è esclusi da tutto, non solo dal potere e dai favori, ma anche dall'ossigeno necessario per respirare. Tali ambienti, invece di svilupparsi nella carità, diventano inferni in cui ognuno si rinchiude, si protegge, si difende o attacca. Se si incontrano gli altri è per scontrarli o stritolarli. La paura è onnipresente come una ghigliottina sempre pronta a tagliare teste. In realtà l'uomo *isolato* è *ripugnante*: ha bisogno di essere *salvato*.

3. LE SOLUZIONI ALLA SOLITUDINE - Vi è una sola vera soluzione alla solitudine: quella che viene dall'alto e con un superamento. Ma questa solitudine feconda è essa stessa una *conquista*. Esige che ci si raccolga interiormente per trovare se stessi, come Cristo che si ritira in disparte per pregare e per ritrovare se stesso come Figlio nell'intimità del Padre. Senza il raccoglimento, il ritiro diventa aridità, deserto intollerabile. Se si lascia il turbine, il vortice, deve essere per ritrovare se stessi in acque tranquille. Si torna a sé per ritornare agli altri più ricchi, con qualcosa in più da offrire.

Un altro elemento della vera solitudine è l'apertura agli altri. Raccoglimento e apertura costituiscono un'unica azione. La solitudine rivela l'uomo a se stesso riportandolo al centro, nella libertà, nel mistero della sua insostituibile unicità e anche nella sua finitezza con il suo bisogno di conoscere, di amare, di agire per realizzarsi. Altrimenti si atrofizza e muore. La solitudine insegna così a guardare gli altri con uno stesso sguardo, non come un'ombra indifferente o un oggetto da possedere e da sfruttare, ma come un uguale mistero di libertà e di unicità che si scopre solo attraverso la fiducia, la libera testimonianza. Esclusivismo e totalitarismo sono nemici della vera solitudine. Solo la solitudine vera porta all'amicizia e all'amore autentico. La solitudine assomiglia allora alla Solitudine divina che è nello stesso tempo Pienezza infinita e povertà infinita. La vera solitudine conduce infine a un rinnovamento di sé. Colui che si immerge nel cuore di sé si apre agli altri e si crea un nuovo essere. La vera solitudine è fonte di progresso, di creatività, di integrazione. La dialettica della vita è quella della solitudine e della comunione: un ritmo a due tempi. Non vi è fecondità intellettuale e spirituale senza solitudine.

4. INEVITABILE SOLITUDINE RADICALE - Il discorso sulla solitudine non

è ancora completo. Infatti, anche nelle condizioni più favorevoli e negli ambienti più protetti, rimane sempre dentro di noi una solitudine radicale e inevitabile: quella che deriva dal nostro mistero personale. Percepire ciò che *siamo*, significa prendere coscienza di essere tutti e ognuno «cellule segrete», ritiri misteriosi. In certi momenti questa presa di coscienza provoca uno stato di sconforto. Ma può essere benefica o divenire un richiamo a colui che si trova là dove niente può arrivare, nel più profondo di noi stessi; un richiamo anche a solitudini simili alla nostra, quelle di coloro che ci circondano che hanno bisogno di noi e con cui noi proviamo il bisogno di comunicare in un ininterrotto circuito di simpatia e di amore.

Questa solitudine radicale deriva dal mistero della nostra unicità (siamo tutti un campione unico e inimitabile), che ci «rende affini» al mistero dell'unicità di Dio. Chiunque non abbia mai provato questa solitudine, non è sceso molto nelle profondità del cuore umano. Questa solitudine deriva anche dalla nostra indigenza. Fatti per Dio, possiamo essere colmati solo da lui. Infatti, che lo sappia o meno, l'uomo porta in sé un'invincibile nostalgia di Dio, una sete d'infinito che si sazierà solo in lui. Gli appigli umani sono tutti fragili: finiranno o col mancarci o col deluderci. Un giorno in ogni caso, l'ultimo giorno, ci troveremo soli senza protezione e senza schermo davanti a Dio. Questa è la solitudine fondamentale e inevitabile. Prima ne prendiamo coscienza e prima la nostra solitudine sarà colmata, poiché allora la Pienezza ci coprirà col suo amore e verrà a colmare la nostra indigenza.

Questo incontro della nostra solitudine con la Pienezza non potrebbe avvenire nel fracasso, nel baccano, ma nel raccoglimento e nel → silenzio che permettono all'anima di ascoltare e di aprire la porta alla grande Presenza. Quando ci si raccoglie così, la voce di Dio che è brezza leggera, si amplifica e si lascia intendere. La solitudine viene allora abitata dalla presenza dell'Altro che è luce, nuovo amore e nuova forza, nuova gioia e armonia tra Dio e noi. Una malata di cancro in fase terminale a cui dicevo: «Dovrà sentirsi molto sola in certi momenti!», mi rispose con un sorriso illuminato di luce interiore: «Oh no! Quando sono sola siamo sempre in due!». Non si potrebbe dire meglio. La morte infatti è l'incontro della nostra solitudine radicale e originaria con il Tu divino che infine svela il suo volto. La morte è la solitudine giunta alla piena maturità: la solitudine colmata dalla Pienezza.

5. CRISTO E LE NOSTRE SOLITUDINI - Nella vita vi sono momenti di solitudine che derivano dalla fatica, da una passeggera depressione fisica. Ricorriamo allora all'aiuto di un medico e di esperti... Anche un amico può aiutarci a superare i brutti momenti. Ma anche quando la nostra «performance» fisica è normale non riusciamo mai a eliminare quelle forme di umana solitudine che segnano inevitabilmente ogni esistenza. Ci sono momenti in cui gli appoggi umani non possono fare più niente. Allora bisogna *guardare a Lui*. Infatti Cristo non ha fatto discorsi sulla solitudine come invece, per esempio, ne ha fatti sul prossimo. Ma ha detto: «Non vi lascerò orfani» (Gv 14,18), senza aggiungere altro. Più che mai bisogna ricordare che la rivelazione si è compiuta tanto attraverso le parole formali di Cristo, quanto con gli esempi e i suoi atteggiamenti. Di fatto, la risposta di Cristo al problema delle nostre solitudini *non è un discorso*, ma *un atteggiamento*.

Se Cristo non avesse conosciuto le nostre solitudini, le incomprensioni, gli abbandoni, i rifiuti, potremmo mormorare e argomentare contro di lui come Giobbe con Dio. Ma Cristo ci ha preceduti sulla strada della solitudine fino all'abisso: egli ha letteralmente conosciuto tutte le forme della solitudine.

Ha conosciuto *l'amicizia tradita.* «Venne tra la sua gente, ma i suoi non l'hanno accolto» (Gv 1,11). Egli ha amato il suo popolo e l'ha consolato in tutte le sue miserie con tenerezza di madre, l'ha illuminato ed esortato. Ha amato soprattutto i Dodici che ha fatto suoi compagni di viaggio e di mensa. Fino alla fine li chiama «suoi amici». Ma si ritrova solo. Tutti lo lasciano, anche i più fedeli. Egli è diventato un «separato», un «isolato». Pietro lo rinnega, Giuda lo tradisce. Gli uomini lo abbandonano, ma lui non abbandona loro. Rifiutato da tutti, egli non rifiuta nessuno.

Al momento della passione, arrestato come un criminale, Gesù cade nelle mani dei *nemici.* Il dramma della solitudine di Gesù è anche il dramma dell'amore odiato, ridicolizzato, condannato e crocifisso. Cristo è solo senza difesa di fronte all'opposizione congiunta dei suoi avversari. I deboli, i gelosi, gli invidiosi, quelli pieni d'odio: tutti sono presenti e uniti contro di lui. Il passato è qui, crudo, freddo, crudele, brutale contro l'innocente. Una sola voce unanime: «A morte, crocifiggilo, che sparisca!» Viene *consegnato*: lo si passa di mano in mano come un oggetto di scambio fino al boia, fino alla croce. Cristo ha vinto tutto ciò che l'odio, la crudeltà, la paura, l'invidia e la debolezza possono fare di noi. Egli sperimenta l'accanimento dell'uomo nel mentire, nel far soffrire, nel degradare, nello svilire e nel fare sparire tutti coloro che non pensano come lui. Gesù prova il sentimento che noi conosciamo nei momenti più neri dell'esistenza: non può veramente aspettarsi niente da nessuno! E tuttavia egli *resta fedele* a questa umanità capace di tutto. Non una parola di rimprovero, di repulsione, di rifiuto. Ge-

sù ci prende dove siamo, prigionieri dei nostri rifiuti ostinati, nel nostro inferno. Tutto il peccato del mondo non riesce a separarlo dal mondo, da noi, dal Padre.

Infatti Cristo ha conosciuto nel Getzemani un abisso di solitudine che resta un mistero. I testi evangelici lasciano tuttavia intravedere qualcosa di questa lacerante solitudine. Marco parla di terrore e di angoscia. Gesù è stritolato. Lui che è venuto per riunire, radunare, giunge al risultato opposto: la divisione. Colui che riunisce è diventato fonte di divisione. Lui che è venuto a predicare il regno si scontra con il rifiuto del regno da parte di Israele. È la sconfitta, la peggiore delle solitudini. Il silenzio di Dio risponde al silenzio degli uomini. Ma Gesù continua a proclamare la presenza di colui che sembra assente: *Abba, Padre*; resta fedele al mistero del suo essere Figlio. Fattosi carico dei peccati del mondo, divenuto lebbroso, Cristo vive la spaventosa solitudine, la lacerante assenza creata dal peccato tra l'uomo e Dio. Se qualcuno meritava di riuscire questo era proprio Cristo. E tuttavia egli ha conosciuto la sconfitta, l'odio e il rifiuto. Nell'orrore di questa solitudine, in queste tenebre più dense della notte, egli dice comunque *sì* alla volontà del Padre: «La tua volontà e non la mia». In questo *sì* egli rimane volto al Padre, come una mano che stringe la mano che salva, ma che non lascia scorgere il volto di chi salva. La solitudine di Cristo, per quanto smisurata e atroce sia come esperienza umana, non può separarlo dal Padre. L'abisso della solitudine coincide con l'abbandono totale al Padre. Ecco il *discorso* sulla solitudine: *un atteggiamento, un comportamento.*

6. LA SOLITUDINE CREATRICE NELLO SPIRITO - La solitudine radicale e originaria, che portiamo insieme al nostro essere creature, non ci lascerà

mai se non quando sarà colmata da colui che è solo Pienezza. Ma vi è una forma di solitudine che incombe ogni giorno su di noi per distruggerci: è la solitudine dell'abbandono, dell'incomprensione, dell'oblio, della sconfitta immeritata. Nessuna esistenza può sfuggire a questa solitudine che è simile a quella di Cristo. Essa può divenire atroce come un martirio del cuore. Essa può incontrarci e noi possiamo incontrarla intorno a noi, vissuta dagli altri, talvolta senza poterla immaginare. Allora è la notte, la parete fredda, dura e ripida della falesia. Non vediamo più niente: nient'altro che la notte! È ora che la solitudine può diventare cattiva e volgersi contro di noi, contro gli altri e contro Dio. Ma questo è anche il momento in cui la solitudine, assunta nella fede e nell'amore, può divenire possibilità di superamento, di salto verso l'alto! Dobbiamo infatti credere che Gesù, fedele al Padre fino all'abisso dell'abbandono e del silenzio di Dio, ci ha meritato la forza di dire con lui e dopo di lui nell'orrore della notte: «*Sì*, Padre, non vedo, non capisco (infatti umanamente non c'è niente da comprendere), ma scelgo te, la tua volontà; l'accetto, l'abbraccio dovunque mi porti. Sono tuo figlio, tuo figlio per sempre». Adesione che crocifigge ma che è resa possibile dalla grazia della solitudine agonizzante e crocifissa.

Questa solitudine, accettata dolorosamente e amorevolmente, è la solitudine feconda che ci fa uscire dall'isolamento. Chiunque abbia riconosciuto e accettato una simile solitudine non sarà più solo. Egli sfugge al vuoto e al disgusto della vita e a tutte le forme di scetticismo, di disincanto, di amarezza, di astio e di odio. Quando la solitudine assume una tale sublimità di *senso*, rende credibile la rivelazione che propone di essa una simile visione. Questa solitudine feconda e colmante è quella del curato

d'Ars, di Francesco d'Assisi, di P. de Foucauld, di Isaac Jogues, di padre Kolbe. Ma non dobbiamo cercare troppo lontano. Ricordiamo piuttosto le persone conosciute, che hanno vissuto questa pienezza di gioia e di serenità nella solitudine, persone che hanno trascorso la vita con la loro parte di prove, talvolta più pesanti di quel che era necessario, ma che hanno conservato tuttavia la freschezza dell'anima, la capacità di commuoversi, di compatire, di ascoltare, di dimenticare se stessi, di confortare le persone cui erano vicine, con quell'indimenticabile sorriso di dolcezza, di bontà, rischiarato dall'interno dalla luce dell'unica Presenza che colma ogni solitudine. Così vissuta, questa solitudine si avvicina a quella dei «sofferenti», degli «oranti»; essa è la più potente energia spirituale del mondo. È supplica perpetua al Figlio e al Padre nello Spirito. A questo punto non si parla più di «fallimento», ma di «riuscita» della vita.

Bibl. - L. Lavelle, «Tous les êtres séparés et unis», in *Le mal et la souffrance*, Paris 1940, 133-216; J.B. Lotz, *De la solitude humaine*, Paris 1964; Autori vari, «Soledad» in *Christus*, 19 (1966); J. Guillet, «Rejeté des hommes, abandonné de Dieu», in M. de Certeau-F. Roustang (edd.), *La solitude*, Paris 1967; D. Vasse, «De l'isolement à la solitude», in *Ibid.*, 173-185; J. Merton, *Thoughts on Solitude*, New York 1968; S. De Beauvoir, *La vieillesse*, voll. I-II, Paris 1970; R. Latourelle, «Cristo e le nostre solitudini», in *L'uomo e i suoi problemi alla luce di Cristo*, Assisi 1982, 271-290; C. Mesters, *La Missione del popolo che soffre*, Assisi 1982; P. Talec, *L'annonce du Bonheur. Vie et Béatitudes*, Paris 1988, 151-175; J.M. dos Santos Ferreira, *Jesus Cristo, Luz e Sentido da Solidão do homen*, Lisboa 1989.

RENÉ LATOURELLE

SOPRANNATURALE

Il termine designa ciò che supera la natura, ma è proprio il concetto di natura che teologicamente non è determinato in modo univoco, in quanto serve anche a designare la natura divina. Più precisamente si intende ciò che non è stato creato e come increato ha delle ripercussioni sulla natura in quanto creata. Quindi solo dove tali effetti sono percettibili ci si può interrogare circa il soprannaturale a partire da ciò che è creato. La formazione del termine e quindi anche del concetto sta in preciso parallelo con il termine «metafisica» (= dopo, dietro, al di là e in questo senso: al di sopra della natura), anche quando, in base al dato di fatto, si tratta di un concetto che vuole accentuare la direzione dall'alto in basso. In ogni caso questi concetti presuppongono una visione della realtà con diversi piani. L'espressione cristiana «soprannaturale» ha inteso la parte della realtà che non è sottoposta alle condizioni della creazione, che tuttavia è necessaria ad essa ed è ritenuta necessaria dal suo punto di vista, senza che la creazione la possa determinare in un modo qualsiasi.

Partendo dalla rivelazione giudeo-cristiana una distinzione in questo senso appare inevitabile; il problema però della formazione di un concetto corrispondente porta a quelle aporie che nella storia della teologia accompagnano e spesso segnano il cammino del concetto «soprannaturale». → De Lubac in *Surnaturel* (1946) e in *Augustinisme et Théologie moderne* (1965) come pure in *Le Mystère du Surnaturel* (1965) ha tracciato questa storia nelle sue tappe più importanti. La prova storica che la parola esisteva già nel tardo medioevo non modifica per nulla la scoperta reale di H. de Lubac, vale a dire che il concetto, come è stato usato, deriva dalla controversia riguardante M. Baius e C. Jansen e in tale contesto è in relazione con la concezione più o meno autonoma e completa degli ordini del soprannaturale e del naturale come elemento decisivo di un sistema.

L'uomo può difficilmente concepire un ordine soprannaturale in quanto tale, o anche un sistema, poiché egli non ha un accesso a queste realtà oltre il creato o fuori di esso. La trascendenza di un tale ordine deve essere perciò scoperta e dimostrata immanente, senza che per il soprannaturale sia affermato un legame necessario con ciò che è creato. Come dimostra de Lubac, è ancor più scabroso e azzardato progettare un ordine o un sistema della pura natura come concetto contrapposto. Così non verrebbe assicurata la completa autonomia, la gratuità e la libertà del soprannaturale, come affermano i suoi patrocinatori; il tentativo porterebbe piuttosto alla conseguenza che il soprannaturale sarebbe superfluo e dopo tutto sarebbe solo un doppione assurdo di ciò che sperimentiamo come natura e creaturalità.

Questa concezione del soprannaturale, infatti, riceve il suo contenuto anche da ciò che è conosciuto, cioè da quanto è creato e naturale e si presenta poi, su un presupposto livello superiore e astraendo dai limiti della creazione, come riunione di elementi noti da sempre. Ma l'immagine così delineata non può esprimere esattamente la peculiarità del soprannaturale; il suo essere è incerto. Per giungere a un'altra formulazione si dovrà includere dall'inizio il concetto di Dio della tradizione giudeo-cristiana, come è già stato tentato più sopra con la precisazione della natura come qualcosa che riguarda la realtà creata. Dio come creatore si manifesta pienamente là dove raggiunge il fine più alto del suo agire: la comunicazione di se stesso a ciò che non è Dio. Sotto questo punto di vista sarebbe «soprannaturale» ciò che direttamente o indirettamente costituisce tale comunicazione di sé; lo stesso vale per tutto ciò che in una certa misura viene toccato da questa comunicazione come nel nostro caso. L'uomo può conoscerla in base alla rivelazione; anche se essa lo riguarda fin nelle profondità del suo essere, l'uomo da parte sua però non è in grado di immaginarla.

La caratteristica cristiana del soprannaturale esige certamente una concezione che includa la piena e definitiva rivelazione di Dio in Gesù Cristo. Solamente in questa luce anche il concetto di creazione riceve quei contorni che permettono di conoscerlo e di giudicarlo non solo come denominazione di un neutrale stato di cose, ma anche come espressione di un volere e di un agire personale e con ciò stesso quindi caratterizzato come qualcosa di fondamentalmente personale. La vocazione a divenire figli di Dio esprime il rapporto di ciò che è creato con il soprannaturale e pertanto il suo orientamento soprannaturale in un modo più pieno e profondo di quanto avvenga tramite il discutibile «desiderium videndi Deum». Tuttavia sorge la difficoltà che in tal modo a un avvenimento storico limitato nello spazio e nel tempo, venga attribuita un'importanza che di per sé non può spettare a nessun dato storico concreto. Per superare questa difficoltà sembra indispensabile scoprire nella comune condizione umana la corrispondenza della manifestazione di Cristo, cioè quei presupposti di conoscenza, comprensione e assenso che permettono all'uomo di riconoscere e apprezzare in Gesù Cristo la mediazione e il punto di riferimento del soprannaturale. In questo senso → Rahner parla di «esistenziale soprannaturale» e di una cristologia caratterizzata dalla ricerca e dallo sviluppo, a sua volta condizionato dall'esperienza, dell'idea di un salvatore assoluto. H. de Lubac rimanda alla comune concezione degli scolastici del XIII secolo quando dice: «La creatura spirituale non ha il suo fine in se stessa, ma in Dio» (*Le Mystère du Surnaturel*, Paris 1965, 132), senza porre minimamente in questione il carattere gratuito della grazia o la libe-

ra responsabilità dell'uomo. Un ulteriore sviluppo di queste posizioni fondamentali è avvenuto dove la grazia è stata precisata soprattutto dalla conoscenza o dalla libertà o dalla bellezza. Gli accenti sul vero, sul buono o sul dilettevole condizionano diversi orientamenti che si possono realizzare anche in modo tra loro contrario. Tuttavia per sapere se con questo non si favoriscano unilateralità che vanno di volta in volta a spese di altri accenti – i quali hanno senz'altro il diritto a un loro spazio – bisogna studiare le realizzazioni e le loro conseguenze. Anche di fronte all'oggetto la scelta di una prospettiva teologica non è solo una possibilità indifferente.

Il significato del soprannaturale nelle teologie diversamente accentuate ha delle conseguenze soprattutto sull'atteggiamento di fronte al mondo e sul modo di agire nei suoi confronti. Non a caso la teologia politica e la teologia della liberazione (→ Teologie, V e VI) si sono orientate contro la vita di fede che vive di rendita o contro un cristianesimo che tratta il mondo senza prendere posizione o la prende in modo sfavorevole. L'orientamento alla meta finale – intesa individualmente o comunitariamente – non deve ignorare che l'attuazione di questa finalità viene raggiunta o fallisce nel comportamento pratico nei confronti della realtà terrena. La grazia è data affinché si porti frutto e dai frutti si può riconoscere se è stata accolta e impiegata adeguatamente. Pertanto si deve ritenere che Dio, come fine dell'uomo, non è presentato esclusivamente come una meta finale attesa, ma egli è tale per il momento presente, per influire sul suo comportamento e sulla sua vita attuale di cristiano. Il soprannaturale e ciò che è creato non si mescolano e tuttavia formano un'unità, anzi il loro operare congiunto obbliga a prendere posizione e impegno, e per il cristiano diventa un dovere. Con le sue esigenze il soprannaturale conferisce all'esistenza della creatura quella tensione che costituisce la sua vita.

Mediante questi effetti sensibili si può sperimentare indirettamente il soprannaturale, anche se qui non si possono esaminare più da vicino le possibili forme di tale esperienza. Naturalmente in questo processo il soprannaturale esiste solo in modo indicativo e perché si possa spiegare chiaramente ha bisogno di un nome che gli dia la parola rivelante di Dio, cioè di Gesù Cristo e del suo messaggio, per diventare comprensibile per l'uomo nel suo vero significato. In questo senso è interpretato il carattere cristologico del soprannaturale. Soltanto da quando è apparso Cristo la comunicazione di Dio nel mondo ha un nome e un volto. Quindi bisogna continuamente fare riferimento al tema del soprannaturale per garantire sia il contenuto, sia la forma del concetto, ma questo è necessario per evitare malintesi e abusi. Innanzitutto questo riferimento non permette alcuna divisione e isolamento degli ordini, che invece stavano alla base della concezione della «teoria dei due piani». Consiglia piuttosto una concezione analoga alla formula cristologica del concilio di Calcedonia cioè analoga alla verità dell'incarnazione. Così offre pure lo spunto per una visione storico-salvifica del soprannaturale e della sua tipica dinamica. Questo aspetto, come pure alcuni altri, era troppo limitato nella trattazione usuale del tema, il che aveva per conseguenza una visione unilaterale e non equilibrata del problema. Però anche la quasi completa astrazione dall'uomo determinato dal soprannaturale, come pure lo spostamento del modo di osservarlo verso la spiritualità e la devozione, ha accresciuto questa unilateralità. Perciò da una consapevole accentuazione del carattere cristologico del soprannaturale ci si deve aspettare una nuova

immagine che stimoli la riflessione teologica e faccia diventare feconda questa verità anche per altre riflessioni teologiche; in ogni caso, comunque, libera questo argomento dall'isolamento nel quale è finito.

La storia del termine è di aiuto solo in quanto questo è sconosciuto nella chiesa antica, per il fatto che si trova dal medioevo in poi e a partire dalla teologia post-tridentina si è rapidamente sviluppato in un concetto tecnico speciale, penalizzato per le unilateralità menzionate e per il fatto di essere usato in un sistema. L'uso aggettivale è più antico e assai più diffuso di quello sostantivato, che fondamentalmente è prevalso solo nel secolo scorso. Come sostantivo a sé stante il concetto si è dimostrato particolarmente infelice, poiché insinuava una veduta e una concezione che pensavano di poter fare completamente a meno dei riferimenti necessari.

Bibl. - H. Bouillard, *Fede o paradosso? Per una critica della ragione teologica*, Fossano 1973; H. de Lubac, *Il mistero del soprannaturale*, Milano 1979; Id., *Agostinismo e teologia moderna*, Milano 1979; Id., *Petite catéchèse sur Nature et Grâce*, Paris 1980.

KARL H. NEUFELD

SPIRITO SANTO

Quale posto compete allo Spirito Santo nella teologia fondamentale? Se si consulta il *Dictionnaire apologétique de la foi catholique* (ed. D'Alès, Paris 1909-31), si resta sorpresi nel costatare come la voce «Esprit Saint» sia del tutto assente. La cosa non va vista come una dimenticanza, perché scorrendo l'indice analitico di quel dizionario − esemplare significativo dell'apologetica classica − si riscontrano non pochi rimandi allo Spirito Santo, come per esempio alle voci: infallibilità pontificia, grazia ecc. Di tutta l'ampia opera dello

Spirito, quale ci è attestata dalla rivelazione e dalla liturgia, la teologia preconciliare si limitava generalmente a sottolineare due aspetti: lo Spirito Santo veniva presentato come il garante e conservatore fedele che mantiene inalterata l'istituzione fondata da Cristo (tradizionalismo) e, riguardo ai fedeli, lo si considerava come il «dulcis hospes animae», dando per lo più a questo tema dell'inabitazione una piega devozionale e un'inflessione di intimismo.

La svolta si avrà con il → Vaticano II, ma non senza travaglio; ancora nel primo schema *De Ecclesia* si dovevano registrare tre grossi difetti presenti nel testo: trionfalismo, clericalismo, giuridismo. Si tratta di veri peccati contro lo Spirito Santo: il trionfalismo nella sua identificazione della chiesa con Cristo e con il regno di Dio, trascura il fatto che, mentre nella redenzione il Verbo ha agito attraverso una natura umana libera dal peccato, ora, nel tempo della chiesa, opera con il suo Spirito attraverso uomini segnati e soggetti al peccato. Anche il clericalismo pone in primo piano l'uomo preposto ad un ufficio, come protagonista della salvezza, e non il Cristo glorioso e presente nello Spirito. Infine il giuridismo sottolinea talmente l'istituzione ecclesiastica da mettere in ombra l'interiore azione dello Spirito che, solo, può fare di un atto posto dalla chiesa un evento di salvezza.

Di fatto il concilio non solo ha superato questi rischi, ma grazie alle ampie prospettive aperte dal rinnovamento biblico, patristico e liturgico, ha offerto interessanti apporti di notevole spessore pneumatologico che, opportunamente valorizzati, vanno a incidere in modo significativo sui principali nodi della teologia fondamentale.

Poiché il tratto specifico che definisce questa disciplina è la verifica della → credibilità della *rivelazione* di Dio operata in Gesù Cristo e resa attuale dallo Spirito attraverso la *chiesa* nell'oggi della *storia*, pare opportuno organizzare la presente ricerca attorno a tre poli principali: *Spirito e rivelazione, Spirito e chiesa, Spirito e storia*.

1. SPIRITO E RIVELAZIONE - La prospettiva storico-salvifica privilegiata dal Vaticano II ha portato a una riconsiderazione della rivelazione in chiave di evento trinitario, un evento che si dispiega nella storia e tende alla comunione beatifica. L'apologetica precedente preferiva individuare il soggetto della rivelazione in «Dio», cioè nell'unica natura divina, prescindendo dal suo essere Trinità di persone («monoteismo pretrinitario»). In questi termini si esprimeva anche il Vaticano I: «È piaciuto alla sua [di Dio] sapienza e bontà... rivelare se stesso» (DS 3004). Si confronti questo passo dal forte carattere teocentrico con quello simile, ma marcatamente triadocentrico, della *Dei Verbum*: «È piaciuto a Dio nella sua bontà e sapienza rivelare se stesso e manifestare il mistero della sua volontà (cfr. Ef 1,9), mediante il quale gli uomini per mezzo di Gesù Cristo, Verbo fatto carne, nello Spirito Santo hanno accesso al Padre e sono resi partecipi della divina natura» (DV 2).

Tutta la rivelazione è dunque una storia d'amore che viene «a Patre per Filium in Spiritu Sancto ad Patrem». La visione del concilio è chiaramente cristocentrica, ma non cristomonista: il Padre si rivela all'umanità e l'attira a sé mediante «le due mani» (cfr. Ireneo, *Adv. Haer.* V,6,1), ossia mediante l'azione congiunta del Verbo e dello Spirito: il Cristo pone la realtà oggettiva di salvezza e di rivelazione, lo Spirito la ispira e interiorizza. Questi non emette parole nuove, ma fa nuove le parole di Cristo. Secondo Giovanni, è l'altro Paraclito rispetto a Cristo, ma non Paraclito altro, cioè diverso, da Cristo (Gv 14, 16: *állos*, non *héteros*). Come Spirito di verità, egli dovrà «insegnare e ricordare» tutto ciò che Gesù ha detto (Gv 14,26), ma «non parlerà da sé» e guiderà alla pienezza della verità, attingendo continuamente alla rivelazione di Gesù (Gv 16,13-14).

Sulla linea della riflessione patristica e specialmente di quella agostiniano-tomista, il concilio aiuta a cogliere l'opera rivelatrice dello Spirito mediante le due categorie della *universalizzazione* e della *interiorizzazione*. «Quanto il Signore ha una volta (*semel*) predicato o in lui si è compiuto per la salvezza del genere umano, deve essere proclamato e diffuso fino all'estremità della terra (cfr. At 1,8), a cominciare da Gerusalemme, così che quanto una volta è stato operato per la comune salvezza (*pro omnibus*), si realizzi compiutamente in tutti (*in universis*) nel corso dei secoli» (AG 3). Se quindi è il Figlio che si incarna nella storia, lo Spirito apre la storia all'escatologia, facendo di Cristo l'essere escatologico, l'ultimo Adamo. Così, per opera dello Spirito, l'evento unico del Cristo acquista una attualità permanente, la sua salvezza incrocia ogni latitudine e si estende ad ogni ora della storia. Ma il «compimento» operato dallo Spirito nei confronti del Cristo va rettamente inteso; non è un'aggiunta dall'esterno, poiché all'opera di Cristo niente è mancato e tutto in lui si è compiuto alla perfezione (cfr. Gv 19,30); lo Spirito universalizza la redenzione compiendola dal *di dentro*, cioè interiorizzandola: «Per realizzare questo [la diffusione universale della salvezza fino all'estremità della terra e fino alla fine dei secoli], Cristo inviò da parte del Padre lo Spirito Santo, perché compisse dal di dentro (*intus*) la sua opera di salvezza» (AG 4).

Così le due braccia d'amore del Padre, Cristo e lo Spirito, operano in modo unito, ma non confuso: l'uno esprimendo, l'altro imprimendo, l'uno come parola, l'altro come soffio che l'accompagna e la introduce nel cuore dei credenti: «Nessuno infatti può accogliere la predicazione evangelica senza l'illuminazione e l'ispirazione dello Spirito Santo che dà a tutti dolcezza nel consentire e nel credere alla verità» (DS 377; 3010; DV 5).

Una rilettura dell'evento rivelativo, pneumatologicamente più attenta, quale è operata dal Vaticano II, comporta il superamento dei diversi rischi in cui era incappata l'apologetica preconciliare.

a. Innanzitutto il rischio di *intellettualismo*. Per definire la rivelazione, l'apologetica classica aveva privilegiato la categoria della «parola»: la rivelazione è «locutio Dei attestantis». È, questa, l'analogia onnipresente nell'Antico come nel Nuovo Testamento (Eb 1,1), ma per proteggere il concetto di rivelazione dalle negazioni del razionalismo e dalle contaminazioni del protestantesimo liberale, si descriveva formalmente la parola rivelante in termini di insegnamento, ricondotto a rapporti da maestro ad allievo. Si finiva così per insistere sull'aspetto concettuale della rivelazione, tendendo a fare di questa la manifestazione di un sistema di idee anziché la comunicazione di una persona, il Cristo, la Verità in persona. In tale concezione venivano privilegiate le parole rispetto ai fatti, e questi apparivano solo come garanzia di rivelazione e non anche come mezzo di essa.

Concependo la rivelazione non soltanto nel contesto del *Logos* ma anche in quello del *Pneuma*, il concilio recupera la dimensione storica dell'autocomunicazione trinitaria mostrando come questa avvenga *nella* storia e *per mezzo* della storia: «Questa economia della rivelazione avviene con eventi e parole intimamente connessi, in modo che le opere, compiute da Dio nella storia della salvezza, manifestano e rafforzano la dottrina e le realtà significate dalle parole, e le parole dichiarano e chiari-

scono il mistero in esse contenuto»
(DV 2). Senza sottacere il carattere
dottrinale della rivelazione, la DV
sottolinea come la parola-storia del
Dio che si rivela, nasce dall'amore e
tende all'amore: «Con questa rivelazione infatti Dio invisibile nel suo
grande amore parla agli uomini come ad amici e si intrattiene con essi,
per invitarli e ammetterli alla comunione con sé» (DV 2). L'alleanza include l'insegnamento, ma per arrivare alla comunione.

b. Questo difetto dell'intellettualismo
si rifletteva in particolare sulla concezione della sacra Scrittura. All'attacco aggressivo del razionalismo che
negava la divinità della bibbia pretendendo di metterne in risalto svariati errori logici, l'apologetica reagiva difendendone l'inerranza, ma
sempre sul piano della verità logica,
ossia proposizionale (*proposizionali-
smo*). Partendo dalla concezione del
linguaggio, visto come una serie di
proposizioni, sia la polemica razionalista come la controffensiva apologetica identificavano la Parola con
la proposizione; si finiva così per se-
zionare la bibbia in varie migliaia di
enunciati, ciascuno dei quali conterrebbe una verità oggettiva di fede.
Come si vede, veniva preso in considerazione solo l'aspetto conoscitivo
della Scrittura e si ricorreva ad essa
come ad un *locus argumentorum*. Nel
manuale la bibbia era citata in funzione della prova delle tesi e nessuna
di queste prendeva in considerazione
il valore salvifico della parola. Ad
esempio, del testo classico di 2 Tm
3,16 si citava solo l'aspetto dell'ispirazione (che serviva come base per
l'inerranza), passando sotto silenzio
l'altro – più sottolineato nel testo
– dell'efficacia salvifica della Scrittura, «utile per insegnare, convincere, correggere e formare alla giustizia». Di fatto nella Scrittura è più
facile incontrare delle affermazioni
sul dinamismo salvifico della parola
che sulla sua verità: carica dell'ener-

gia dello Spirito, la parola ispirata
viene vista come parola che opera
(*energhéitai*: 1 Ts 2,13), cioè non solo insegna ma produce efficacemente
la salvezza, facendo risuonare la voce potente dello Spirito (DV 21; cfr.
Rm 1,16; Gc 1,21; 1 Cor 1,18; 2 Tm
2,9 ecc.).

c. L'apologetica tradizionale si limitava a trattare la messianicità del
Cristo, presentandolo come «legato
divino», venuto a parlare in nome di
Dio, e rinviava alla dogmatica le altre testimonianze di Gesù su di sé,
come Figlio del Padre. Una tale presentazione, operando una dicotomia
artificiosa tra legato divino e Figlio
del Padre, rischia di farci trovare davanti ad un Gesù decurtato (*gesuani-
smo*), che solo in parte combacia con
il Cristo dei vangeli.
Una sana → cristologia fondamentale, invece, non può non svilupparsi
alla luce di una comprensione pneumatica dell'evento Cristo; «Cristo»
infatti significa «consacrato con lo
Spirito Santo»; ora «tutta la vita di
Cristo si svolse in presenza dello Spirito» (Basilio, *De Spir. S.* 16), dalla
nascita («incarnatus est de Spiritu
Sancto»: DS 150), al battesimo («dopo il battesimo predicato da Giovanni... Dio unse – *échrisen* – di Spirito Santo e potenza Gesù di Nazareth»: At 10,38) fino alla pasqua
(«costituito Figlio di Dio con potenza secondo lo Spirito di santificazione mediante la risurrezione dai morti»: Rm 1,14).
Una cristologia veramente «fondamentale» perciò non è quella che si
limita a considerare una parte del Cristo (la sua funzione di legato divino)
pretendendo di fondare su di essa la
successiva costruzione dogmatica;
proibendosi ogni conoscenza di Cristo secondo lo Spirito, una tale cristologia finirebbe per scivolare prima o poi sul piano inclinato di una
«gesuologia» più o meno larvata, ossia di una conoscenza di Gesù Cristo
«secondo la carne», giustamente ri-

fiutata dalla rivelazione (cfr. 2 Cor 5,16).

d. Una comprensione adeguata della realtà e dell'opera del Rivelatore pertanto non potrà dipendere solo dalla logica e dalla dialettica, armi preferite dall'apologetica classica. Certo, in sede di fondazione teologica della fede cristiana, valida per credenti e non credenti, non si può rinunciare ai dati dell'esperienza umana e della ragione; purtuttavia, non si dovrà chiedere al teologo fondamentale di sospendere deliberatamente la sua fede o di porre in questione le sue certezze basilari. Una tale «apologetica della soglia» cadrebbe inevitabilmente nelle secche del *razionalismo*, che pretende di camminare verso la fede eliminando con il dubbio cartesiano ogni genere di presupposto, per iniziare da presunti fondamenti neutrali. Una vera teologia fondamentale, invece, rinuncia alla pretesa artificiosa di una neutralità metodologica, nella convinzione che l'autentica obiettività scientifica non si raggiunge in teologia illudendosi di partire senza presupposti – questa pretesa costituirebbe in realtà il più colossale dei pregiudizi! – ma riconoscendo onestamente quei presupposti di fede e riflettendo criticamente su di essi.

L'apologetica non può mai scadere al livello di sapienza umana né può poggiare su «discorsi persuasivi di sapienza, ma sulla manifestazione dello Spirito» perché «l'uomo naturale non può comprendere le cose dello Spirito di Dio» (1 Cor 2,4.14). Anche la teologia fondamentale è «fides quaerens intellectum» e perciò non si costruirà mai in opposizione alla dogmatica: poiché la rivelazione – come evento cristologico-pneumatico – è insieme mistero di fede ed evento della storia, il suo procedimento sarà, necessariamente, insieme apologetico e dogmatico.

2. SPIRITO E CHIESA - «Poiché lo Spirito Santo procede come amore, egli procede come primo dono» (STh I, 38, 2): primo nell'apertura eccedente di Dio a noi, lo Spirito è anche il primo nel suscitare l'accoglienza adorante e la fede obbediente dell'uomo al dono che viene dall'alto. Questo incontro d'amore tra Dio e l'uomo si realizza «per opera dello Spirito Santo» in modo ipostatico in Gesù per compiersi in modo mistico in noi: «Il Verbo e Figlio del Padre unito alla carne, è divenuto carne, uomo completo, perché gli uomini uniti allo Spirito, diventassero un solo Spirito. Egli è Dio portatore della carne (*sarkóphoros*) e noi uomini portatori dello Spirito» (*pneumatóphoroi*: Atanasio, *De Inc. Ver.* 8). Il ritorno obbediente al Padre, inaugurato da Gesù, prende «corpo» nella chiesa in cui tutti i figli, rinati dall'acqua e dallo Spirito, rivivono la preghiera del Figlio: «Abba, Padre» (Rm 8,15).

Fin dagli inizi della sua autoriflessione, la comunità cristiana si è sempre concepita come popolo di Dio, corpo di Cristo e perciò anche come tempio dello Spirito (1 Cor 3,16; 6,19; 2 Cor 6,16), e ha esplicitamente collegato la sua esistenza alla fede nella terza persona della Trinità: lo dimostra anche il simbolo costantinopolitano in cui all'articolo «Credo nello Spirito Santo» segue immediatamente quello sulla chiesa «una, santa, cattolica, apostolica» (DS 150).

Di fatto, fin dai primi passi del suo cammino nella storia, la comunità cristiana ha dovuto misurarsi con una duplice tentazione: da una parte, quella di sognare una chiesa tutta spirituale senza più bisogno di segni e di strutture visibili (*Spirito senza chiesa*), dall'altra, quella di configurarsi come società tutta centrata sull'istituzione gerarchica (*chiesa senza Spirito*). Sviluppatosi nel clima polemico antiprotestante e antirazionalista, l'apologetica classica era naturalmente esposta al rischio di una pesante accentuazione della componente giuridico-sociale della realtà-chiesa e di una preoccupante riduzione della ecclesiologia alla sola dimensione gerarchica. La massiccia dimenticanza dello Spirito si radicalizzò nell'illuminismo, da cui risultò contagiata certa manualistica deteriore, secondo la quale la chiesa sarebbe come una macchina avviata all'inizio da Gesù e poi affidata una volta per tutte alle mani della gerarchia. Il rinnovamento teologico della scuola di Tubinga, ad opera soprattutto di J.A. Möhler (†1838), reagiva all'intisichimento del razionalismo, accentuando il primato dello Spirito sull'elemento istituzionale, e concepiva la chiesa come «incarnazione continuata» del Cristo. Il Vaticano I non ebbe modo di raccogliere questi stimoli così promettenti e dovette restringere la prevista costituzione sulla chiesa alla sola questione del romano pontefice: la *Pastor Aeternus* del 18.7.1870 definiva il primato e l'infallibilità del papa, mentre lo Spirito Santo vi veniva menzionato solo come garanzia di assistenza al magistero petrino (DS 3060).

Il ricupero dell'elemento spirituale e carismatico, avvenuto ad opera della *Mystici Corporis* di Pio XII (1943) – anche se ancora strettamente inquadrato nella prospettiva della ecclesiologia giuridica – sfociò nella sintesi equilibrata e dinamica della *Lumen Gentium*: «La società costituita di organismi gerarchici e il corpo mistico di Cristo, la comunità visibile e quella spirituale, la Chiesa terrestre e la Chiesa ormai in possesso dei beni celesti, non si devono considerare come due cose diverse, ma formano una sola complessa realtà risultante di un duplice elemento, umano e divino» (LG 8). Come si vede, il concilio vuole opportunamente evitare i due errori ecclesiologici più pericolosi: quello del *naturalismo* che vede la chiesa come semplice istituzione umana fornita di regole disciplinari e di riti esterni; quello opposto del *misticismo* che sottolinea talmente la sua componente soprannaturale e interiore, da considerarla come realtà nascosta e del tutto invisibile. Sono due errori che la *Mystici Corporis* (AAS 35, 1943, 220-224) e prima ancora la *Satis Cognitum* di Leone XIII (AAS 28, 1896, 710) avevano avvicinato alle due più gravi eresie cristologiche, quella del nestorianesimo che considerava in Cristo solo la sua natura visibile, e quella del monofisismo che considerava solo la sua natura divina invisibile. In realtà nessuna vera opposizione può esistere tra la missione invisibile dello Spirito Santo, che ha come effetto la formazione e l'animazione del Corpo mistico, e l'ufficio giuridico che i pastori hanno ricevuto da Cristo, in base al quale la chiesa è una comunità gerarchica: «per una non debole analogia (la chiesa) è paragonata al mistero del Verbo incarnato. Infatti, come la natura assunta serve al Verbo divino da vivo organo di salvezza, a lui indissolubilmente unito, in modo non dissimile l'organismo sociale della chiesa serve allo Spirito di Cristo che la vivifica, per la crescita del corpo (cfr. Ef 4,16)» (LG 8).

Il Vaticano II ha mantenuto l'essenziale riferimento cristologico, ma integrando tale riferimento in un'ampia prospettiva pneumatologica, permette di focalizzare aspetti essenziali della chiesa, a cui non sempre la teologia latina, e in particolare certa trattatistica «De Ecclesia», aveva dedicato la dovuta attenzione.

a. La → chiesa non può essere considerata come pura riedizione della storia di Gesù, ma deve essere vista come *evento* del suo Spirito. In altre parole, il rapporto tra Gesù e la chiesa non può essere ridotto al rapporto tra un fondatore e la sua istituzione (rapporto di successione: prima Gesù, poi la chiesa); è piuttosto un rapporto di sacramentalità: prima Gesù che prepara la chiesa, poi Gesù nello Spirito che vive nella chiesa. Senza il dono dello Spirito non si dà il «noi ecclesiale» (cfr. At 15,28). Non c'è dunque chiesa senza Spirito: «Là dove è la chiesa, là è anche lo Spirito di Dio; e là dove è lo Spirito di Dio, là è la chiesa e ogni grazia», (Ireneo, *Adv. Haer.* III, 24, 1).

Di conseguenza, la memoria di Gesù o anamnesi non potrà mai bloccare la chiesa in un ritorno all'indietro, ma la metterà in movimento verso l'epiclesi, proiettandola in avanti. È per questo che la chiesa è sempre la stessa e sempre nuova: identica a se stessa, non dell'identità del sasso, ma del vivente. L'evento della salvezza è grazia che non si ripete mai, nel tempo e nello spazio, tale e quale, ma è sempre segno della visita libera e improgrammabile dello Spirito. È vero, lo Spirito non si smentisce: anche quando il suo passaggio obbedisce alle leggi costanti – che egli stesso si è dato – della storia della salvezza, anche quando si consegna liberamente attraverso segni da lui stesso precostituiti, come i sacramenti o la successione apostolica, lo Spirito è sempre inedito; nelle celebrazioni sacramentali come nel grande sacramento-chiesa, l'evento irripetibile del Cristo viene riproposto non solo con modalità nuove, legate a situazioni umane sempre diverse, ma anche con virtualità crescenti, dovute alla fecondità inesauribile dello Spirito.

b. Frutto della duplice missione della seconda e della terza persona della Trinità, la chiesa si pone come *sacramento* del Cristo e *luogo* dello Spirito. Secondo l'insegnamento patristico, la chiesa è *organum* dello Spirito, come, analogamente, l'umanità del Logos è l'organo in cui scorre la *dýnamis*, l'*enérgheia* della seconda persona divina. Infatti lo Spirito «unico e identico nel capo e nelle membra, dà a tutto il corpo vita, unità e moto, così che i santi Padri poterono paragonare la sua funzione con quella che esercita il principio vitale, cioè l'anima, nel corpo umano» (LG 7). Come si vede, siamo nel contesto del modello «somatico» dell'ecclesiologia, molto caro a S. Agostino e a S. Tommaso. Il concilio però sfuma la formula tradizionale del magistero precedente, secondo cui nel Corpo mistico, Cristo è la testa, lo Spirito Santo è la sua anima (DS 3328; 3808); la LG si colloca sul piano funzionale; infatti, a livello ontologico, l'anima forma un solo essere con il corpo, ma lo Spirito non forma un solo essere con la chiesa. L'unione dello Spirito con la chiesa è diversa anche dall'unione del Verbo con l'umanità in Gesù (unione «ipostatica»): questa fa sì che tutti gli atti dell'Uomo-Dio abbiano il Verbo divino per soggetto e siano quindi coperti da garanzia assoluta. L'unione dello Spirito con la chiesa è in realtà una unione «di alleanza», che non annulla le personalità dei soggetti umani con le loro fedeltà e tradimenti. La chiesa è vero sacramento dello Spirito, cioè segno indicativo ed efficace della sua presenza, ma soltanto sacramento: non è essa stessa la realtà in questione.

La prospettiva della chiesa-sacramento permette di impostare in modo corretto il problema del discernimento della vera chiesa. L'apologetica tradizionale, strutturata sulla base di un paradigma istituzionale e non sacramentale, si impegnava a dimostrare come solo la chiesa di Roma fosse la vera chiesa di Cristo, mentre le altre erano «sinagoghe di Satana» (Ap 2,9) e non potevano chiamarsi chiese. Se è vero che solo la Trinità è la chiesa assoluta dei Tre, nessuna rappresentanza terrestre e storica può pretendere di identificarsi in modo puro e semplice con la chiesa di Cristo. Il concilio afferma testualmente: «Questa chiesa... sussiste nella [non dice: «è la»] chiesa cattolica, governata dal successore di Pietro e dai vescovi in comunione con lui, ancorché al di fuori del suo organismo si trovino parecchi elementi di santificazione e di verità, che, quali doni propri della chiesa di Cristo, spingono verso l'unità cattolica» (LG 7). Analoga risposta, anche se più complessa e articolata, si dovrà dare all'interrogativo circa il rapporto tra fede cristiana e religioni (cfr. AG 3; 11; NA 2; LG 16).

c. Vivificata dalla «*koinōnía* dello Spirito Santo» (2 Cor 13,13), la chiesa è molto di più che una società definita da rapporti giuridici: è un mistero di *comunione,* di cui la Trinità è fonte, forma e meta. In questa comunione ecclesiale, il vincolo personale che unisce i cristiani tra di loro e con Dio è lo Spirito Santo, «il quale per tutta la Chiesa e per tutti i singoli credenti è il principio dell'unione e dell'unità nell'insegnamento degli apostoli e nella comunione, nella frazione del pane e nelle orazioni (cfr. At 2,42)» (LG 13; cfr. UR 2).

«Battezzati in un solo Spirito per formare un solo corpo» (1 Cor 12,13), i credenti sono sostenuti e vivificati nella loro comunione attraverso la parola, l'eucaristia — fonte e vertice di ogni sacramento — i ministeri e i carismi, tra i quali eccelle la carità.

In una prospettiva di teologia fondamentale, due doni dello Spirito chiedono in particolare di essere focalizzati: la santa tradizione, il ministero ordinato.

Lo Spirito, «qui locutus est per prophetas» e ha presieduto con la sua ispirazione alla formazione della Scrittura, presiede anche alla sua conservazione e interpretazione con il dinamismo della tradizione: «Gli apostoli, affinché l'evangelo si conservasse sempre integro e vivo nella chiesa, lasciarono come loro successori i vescovi, affidando ad essi il loro proprio posto di magistero» (DV 7). Questa tradizione, che «progredisce nella chiesa *con l'assistenza dello Spirito Santo*» (DV 8), fa della comunità cristiana l'ambiente vitale in cui si

mantiene viva e attiva la parola di Dio. Infatti anche al di fuori della chiesa si possono avere materialmente i volumi delle Scritture, ma non si può avere il vangelo vivo, ossia la vera comprensione delle Scritture. È nella chiesa che si ha lo Spirito vivente, anzi è essa stessa il vangelo vivente. Alla chiesa intera è stato affidato l'unico deposito della sacra tradizione e della sacra Scrittura perché tutta la chiesa ne viva, ma «l'ufficio di interpretare autenticamente la parola di Dio scritta o trasmessa è affidato al solo magistero vivo della chiesa, la cui autorità è esercitata nel nome di Cristo» (DV 10).

Attorno alla parola di Dio lo Spirito opera la «co-spirazione» di tutti i fedeli nell'incessante crescita verso la pienezza della verità divina: ogni battezzato riceve dallo Spirito Santo il *sensus fidei,* cioè il dono di discernere la vera fede, e la *gratia verbi,* il dono di annunciarla fedelmente (LG 12; 35); così facendo, lo Spirito non apre ad un anarchismo arbitrario, ma si fa principio attivo di comunione donando a tutti di «consentire» alla Verità: in questo modo la chiesa, guidata dal magistero, stimolata dallo studio e dalla riflessione dei credenti, sostenuta dalla loro testimonianza di vita, si pone sotto la parola di Dio: il → *sensus fidei* si traduce in *consensus fidelium.*

3. SPIRITO E STORIA - Impegnata nel dare risposta a quanti chiedono ragione della speranza che è nei cristiani (cfr. 1 Pt 3,15), la teologia fondamentale non può limitarsi a verificare le tracce dell'intervento di Dio nella storia di Gesù di Nazareth, ma cosciente delle sue responsabilità di fronte al mondo, si fa carico degli interrogativi di quanti domandano di vedere segni della presenza dello Spirito di Cristo nella storia di oggi. È, questo, il tema del discernimento dello Spirito.

Se torniamo alla bibbia, vediamo

come dalla creazione alla consumazione finale lo Spirito è come calamitato da ciò che è corporeo e storico: egli fa vivere il cosmo, abita in un popolo fino a «riposarsi» in un corpo umano concreto, quello del Cristo; con la Pentecoste viene effuso «su ogni carne» (At 2,17), e alla fine sarà l'agente della «redenzione del corpo» (Rm 8,23). Egli è davvero il potere di Dio di fare storia; sotto il suo soffio tutto si trasfigura: il corpo straziato del crocifisso diventa il corpo glorioso del risorto, la parola umana «traduce» la parola di Dio, il pane diventa il corpo di Cristo, la chiesa l'anticipazione del regno, il mondo la trasparenza restaurata della patria.

Ma se è vero che egli continua a «dirigere il corso dei tempi» (GS 26), c'è da domandarsi: quali sono i criteri per decifrare la sua presenza nella storia? «Il popolo di Dio, mosso dalla fede, per cui crede di essere *condotto dallo Spirito del Signore*, che riempie l'universo, cerca di discernere negli avvenimenti, nelle richieste e nelle aspirazioni, cui prende parte con gli uomini del nostro tempo, quali siano i veri segni della presenza o del disegno di Dio» (GS 11).

In parziale analogia con i criteri di autenticità storica dei vangeli, si può tracciare la seguente gamma di criteri di discernimento dell'autenticità dell'azione dello Spirito nella storia.

a. Un primo criterio può essere definito di *continuità*. Lo Spirito, fedele alla nuova ed eterna alleanza, è presente là dove si è condotti al Cristo; lo Spirito infatti non porta una nuova rivelazione, ma «ricorderà» quanto Gesù ha già detto (Gv 14,26; 16,14), non porterà perciò oltre e sopra Cristo. Quello che lo Spirito ha detto e realizzato in Gesù, resta normativo per sempre: ogni novità che non si integri con quel passato, non viene dallo Spirito, ma dall'antispirito. C'è però da dire che questo ritorno alla storia già compiuta non

è una fuga all'indietro, ma una spinta in avanti, un andare verso il Padre. Segno dello Spirito quindi è ciò che manda in avanti la chiesa verso il futuro di Dio: ogni vera riforma, ogni autentico progresso dell'umanità deve essere in continuità con la perfezione escatologica della Gerusalemme celeste. Ciò significa per la chiesa valorizzare la *memoria Jesu* per aprirsi continuamente al soffio libero e forte dello Spirito; solo così essa riuscirà ad essere fedele al Cristo di ieri, di oggi, di sempre; solo così la «memoria» non scadrà in «nostalgia», ma si aprirà alla «escatologia».

b. Un secondo criterio può essere chiamato criterio della *discontinuità*. Segno della presenza dello Spirito è ciò che non è riconducibile alla carne e al mondo: «La carne infatti ha desideri contrari allo Spirito e lo Spirito desideri contrari alla carne» (Gal 5,16-25). Due, in particolare, saranno i segni anticarnali e perciò «spirituali» più certi: la libertà e l'amore. «Dove c'è lo Spirito del Signore c'è *libertà*» (2 Cor 3,17); «A ciascuno è data una manifestazione particolare dello Spirito per l'utilità comune... ma il carisma più grande è la *carità*» (1 Cor 13,13). Il segno dello Spirito si dà soprattutto nella libertà che si fa carità, nella carità che fiorisce nella libertà; questa libertà-carità regna solo nell'anti-Babele, la «Ecclesia ab Abel» che lo Spirito si va preparando in ogni piega della storia.

c. Un terzo criterio si può denominare criterio del *paradosso*. Lo Spirito è presente là dove si verificano quelle sintesi superiori in cui un aspetto è non solo equilibrato, ma sostenuto dall'opposto; è in queste sintesi paradossali che si riflette il «proprio» dello Spirito. Come nella Trinità egli è l'unità nella distinzione, così nella storia della salvezza la sua azione è sempre diversificante e unificante, con un processo in cui unità e distinzione non si annullano né si dissolvono, ma si implicano l'una nell'altra. Lo Spirito unisce, non massifica, fonde senza confondere; distingue, ma non separa.

L'altra grande antinomia che nella storia della salvezza porta sempre il marchio dello Spirito, è quella della croce e della gloria, della morte e della vita. Egli, che ha portato Gesù all'obbedienza totale al Padre sulla croce e dalla morte lo ha risuscitato facendolo vivente e vivificante, porta anche la chiesa e l'umanità a perdersi per ritrovarsi, perché egli è in se stesso la «debolezza onnipotente», la potenza dell'amore infinito che si fa povero e disarmato per suscitare la risposta dell'amore finito e assumerlo alla comunione con sé. Lo Spirito soffia là dove si dà la vita per amore, dove si sperimenta la consolazione nella tribolazione, la franchezza nella persecuzione, il perdono nell'odio e nell'abbandono: questa vita

nuova è la «caparra dello Spirito» (2 Cor 5,5), il pegno della chiesa celeste in cui tutti saranno «l'uno nell'altro, uno nella Colomba perfetta» (Gregorio Niss., *Homil. 15 in Cant.*).

Bibl. - Autori vari, «Pneuma», in GLNT, 767-1107; H. Mühlen, *Una mystica Persona*, Roma 1968; W. Kasper, «Spirito, Cristo, Chiesa», in Autori vari, *L'esperienza dello Spirito*, Brescia 1974; J.D. Zizioulas, «Cristologia, pneumatologia e istituzioni ecclesiali: un punto di vista ortodosso», in G. Alberigo (ed.), *L'ecclesiologia del Vaticano II: dinamismi e prospettive*, Bologna 1981, 111-127; M. Bordoni, «Cristologia e pneumatologia. L'evento pasquale come atto del Cristo e dello Spirito», in *Lat* 47 (1981) 432-492; Autori vari, *Credo in Spiritum Sanctum*, voll. I-II, Città del Vaticano 1983; L. Bouyer, *Il Consolatore*, Roma 1983; P. Evdokimov, *Lo Spirito Santo nella tradizione ortodossa*, Roma 1983 [3]; A. Milano, «Spirito Santo», in NDT, 1533-1558; S. Bulgakov, *Il Paraclito*, Bologna 1987 [2]; F. Lambiasi, *Lo Spirito Santo: mistero e presenza. Per una sintesi di pneumatologia*, Bologna 1987.

Francesco Lambiasi

STORIA

I. Coscienza storica

«L'apparizione di una presa di coscienza storica è, verosimilmente, la più importante fra le rivoluzioni da noi subite dopo l'avvento dell'epoca moderna». Questa espressione di H.G. Gadamer (*Il problema della coscienza storica*, 27) può, meglio di ogni altra, inserire nella problematica e far comprendere la portata che essa possiede nell'orizzonte del pensiero contemporaneo.

Niente, forse, come la coscienza storica è ciò che caratterizza originalmente il nostro secolo, portando con

sé, contemporaneamente, sia uno scenario sempre più profondo ed esteso su cui porre la conquista del sapere umano, sia la responsabilità per il progresso del futuro.

A partire dal «padre» della coscienza storica, W. Dilthey, che si prefiggeva di far sfociare il pensiero umano da una critica della ragion pura ad una critica della ragion storica, il fatto della coscienza storica ha caratterizzato sempre più progressivamente le diverse scienze (e non solo la storia e la storiografia, ma anche la filosofia, la teologia e tutte le *Geisteswissenschaften*), fino a imporsi come forma normativa per un corretto sapere.

È possibile ricondurre ad almeno tre letture complementari l'unico concetto di coscienza storica:

1. Con coscienza storica si intende anzitutto, il porsi del soggetto davanti al semplice divenire. Un divenire caratterizzato dalla dinamica dei fatti che si ergono ad eventi nella prospettiva in cui il soggetto li inserisce e che, pertanto, costituiscono «storia».

Interessante, in proposito, può essere un raffronto con la concezione di storia presso i greci. Per costoro si poteva solo *narrare* ciò che accadeva; perché i fatti, di volta in volta, venivano compresi come mutevoli. La transitorietà delle cose umane è ciò che fa da sfondo alle grandi «storie» dell'antichità; una concezione, questa, tanto sorprendente quanto più si pensa alla comprensione che i greci possedevano circa la stabilità e la permanenza dei corpi celesti e dell'ordine immutabile dell'universo.

La narrazione dei fatti è ciò che permette il loro mantenimento nel tempo; in questo modo non cadono nell'oblio e possono essere ricordati nel futuro.

Differente la comprensione agostiniana, forse la prima grande intuizione nella storia del pensiero, che vede nel tempo una provocazione che impone l'*attentio animi*. Lo spirito dell'uomo è costantemente teso in un triplice moto, *memoria, contuitus, expectatio*, che permette la classificazione del tempo in passato, presente e futuro.

Coscienza storica quindi è, a questo primo livello, l'autocoscienza del movimento temporale che determina la natura umana in quanto capacità di saper percepire e comprendere il tempo stesso.

Si potrebbe così dire che, coscienza storica, è l'auto-consapevolezza del soggetto di essere lui stesso un essere temporale e quindi creatore di storia. Il tempo diventa scoperta del personale affacciarsi alla realtà; la temporalità del soggetto, invece, permette che si comprenda l'individuazione dell'altro da sé.

È, in altre parole, il riconoscersi inabissato nei limiti del tempo e contemporaneamente capace di poterlo trascendere. Si ha coscienza storica, in questa interpretazione, perché si è in presenza di un rapporto riflessivo che il soggetto ha con sé; è modalità di conoscenza di sé come essere inserito, «gettato» nella storia (la *Geworfenheit* heideggeriana), ma contemporaneamente come uno che «pro-getta» se stesso (*Entwurf*).

Senza la coscienza storica pertanto, il soggetto non avrebbe una piena consapevolezza di sé, rimarrebbe incapace di vedersi realizzato sui due orizzonti della propria essenza: la gratuità del proprio essere e la libertà del proprio voler essere.

Il soggetto infatti, con questa coscienza, compie l'esperienza originaria che si contestualizza nella meraviglia della scoperta dell'essere donato. Io non mi appartengo; giungo in un momento di questo tempo e di questa storia, deciso da altri e ricevo ciò che altri hanno preparato. Tuttavia, nessuno nella storia è solo. Al contrario, si scopre qui la paradossalità del proprio essere. Le aspirazioni personali, le esigenze e gli ideali di vita sono condivisi con altri. Quasi improvvisamente, si scopre che ciò che si desidera, anche l'altro lo desidera. Coscienza che fa giungere alla scoperta dell'altro come «altro» da me, eppure a me profondamente unito. Mentre quindi si scopre un'aspirazione e un ideale comune, si individua pure la prospettiva peculiare e l'originalità personale del soggetto.

2. Coscienza storica è, ad un secondo livello, percezione di un senso storico. Non tanto come una connessione e interdipendenza degli eventi, quanto piuttosto come un *vedere* e un *sapere* immediato di una costante tensione verso una realizzazione.

Questa coscienza non permette l'assunzione di un assoluto che si ponga come unico possibile compimento della storia, e che possegga esclusivamente le caratteristiche della storia: temporalità e contingenza.

Il senso della storia è ciò che permette di vedere realizzato un primo equilibrio tra il frammentario degli avvenimenti e un tutto che lo sa inglobare dando loro senso. È pertanto percezione e comprensione di una universalità che sfugge ai limiti dell'individuo per estenderli al personale, al sociale e al trascendente.

3. Coscienza storica, infine, è ciò che permette una conoscenza storica. Qui la filosofia della storia e la storiografia fanno da riferimento per la fondazione ed elaborazione dell'oggettività del sapere storico.

Carico del presente e impossibilitato a potersene disfare, lo storico va verso il passato cercando di conoscere, ricostruire e interpretare ciò che ha costituito storia. Ma la coscienza storica impone, a questo livello, la consapevolezza di un orizzonte più vasto su cui porre lo studio del fatto storico. Il passato infatti non può mai essere oggettivato come fosse un corpo estraneo o un fattore neutrale. Nell'interpretazione di esso entra tutta la problematicità del presente, tanto da dover imporre di parlare quasi di una contemporaneità.

La storia passata, come ogni storia, è contemporanea perché è ciò che permette questo presente e perché è letta in esso. Con quel passato si è coinvolti e, *volens nolens*, compromessi. Passato e presente, pertanto, tendono verso una sintesi superiore che è, nello stesso tempo, comprensione nuova degli eventi e fondazione del futuro.

Con ragione, H.I. Marrou parlava di «simpatia teorica» che è necessario porre in atto da parte dello storico. Conoscere il passato, ma più direttamente, conoscere l'altro da me, è sempre ciò che deve provocare una

«commozione», un *Einfühlung* per dirla con M. Weber, un compartecipare per penetrare nell'evento sempre più in profondità.

C'è una coscienza storica che spinge all'accettazione di una *Wirkungsgeschichte* (H.G. Gadamer, *Verità e Metodo*, 350-357), che obbliga a comprendersi come inseriti in un orizzonte sempre più vasto in cui l'accoglienza della tradizione è condizione di sopravvivenza per il presente.

La coscienza storica invita pertanto a prendere in seria considerazione il nostro essere costantemente inseriti nella storia a tal punto da non potersi comprendere senza il qualificarsi come «persona *storica*». Si è quindi nell'orizzonte di poter avere chiaro il presente e progettarlo nel futuro, perché si ha coscienza di un passato di cui ci si fa carico, assumendo di esso la verità che ha rappresentato e che permane inevitabilmente tale anche per l'azione presente, unitamente ai limiti e alle contingenze nelle quali quella verità si è rivelata.

Bibl. - H.I. Marrou, *De la connaissance historique*, Paris 1954; W. Dilthey, *Gesammelte Schriften*, vol. XI: Vom Aufgang des geschichtlichen Bewusstseins, Göttingen 1960; H.G. Gadamer, *Wahrheit und Methode*, Tübingen 1960 (tr.it. Milano 1983); Id., *Le problème de la conscience historique*, Louvain 1963 (tr.it. Napoli 1969); R. Aron, *Dimensions de la conscience historique*, Paris 1961; R. Latourelle, *A Gesù attraverso i vangeli*, Assisi 1979.

RINO FISICHELLA

II. Filosofia della storia

Siamo, oggi, eredi di illusioni e delusioni e testimoni, tuttavia, di un mondo in fermento e di una umanità che continua a oscillare tra speranze e timori, paure e voglia di vivere («Le gioie e le speranze, le tristezze e le angosce...» è l'avvio della *Gaudium et Spes*). Il *mysterium iniquitatis* (2 Ts 2,7), caduta iniziale che ci ha messo in uno «status deviationis» o male radicale (cfr. Kant, *La religione nei limiti della sola ragione*, 1793) o peccato originale causa di una «natura lapsa», hanno sempre alimentato, con un sentimento doloroso dell'esistenza, la tendenza millenaristica e una visione apocalittica. La rivelazione ha aggiunto un sostanziale «et reparata», in una storia la cui continuità è rappresentata dalla fedeltà di Dio e la cui crescita dinamica spezza nella novità della grazia, del mistero (e del peccato) ogni linearità e ogni circolarità.

1. SINGOLO - COMUNITÀ - AMBIENTE - Singolo e comunità (e oggi, giustamente, la componente ambientale, «Le milieu divin», 1926-27, di cui ha parlato T. de Chardin) diventano il luogo di una salvezza che trova superficiale l'attualismo (passato!) di una identificazione con il soggetto universale della storia nella convinzione di risolvere, nell'unico atto spirituale, presente e passato. Ma bisogna anche guardarsi, nel fluire dei corsi e ricorsi storici, da una apocalittica ritornante che, nel sentimento acuto dell'ambiguità dell'esistenza e della precarietà della salvezza, vede improbabile una salvezza. Senza negare esplicitamente la possibilità della salvezza, anzi, in una paradossale assolutizzazione, è la riproposizione dell'antico «Fiat justitia et pereat mundus». Il pensiero paolino, letto da S. Agostino e interpretato da Lutero ha, in qualche modo, alimentato un motivo caro allo gnosticismo perenne che arriva alle stesse conclusioni del solipsismo teologico. Nella disillusione di un regno non venuto (subito) e non realizzato (manifestamente), il rinnegamento della vita («vanitas vanitatum...») per santificare il mondo attraverso l'annientamento. Gli antichi cinici avevano anticipato ciò che si riproporrà nel *De contemptu mundi* di Innocenzo III, o nel *De divina omnipotentia* di San Pier Damiani, o nel *De servo arbitrio* di Lutero, o

in certa ossessiva apocalittica contemporanea. Anche l'umanesimo accanto a una «dignitas hominis» (fin troppo esaltata), con i «pittori teologi» e i mistici fiamminghi e renani, sottolinea fortemente una «indignitas hominis», folle, travagliato da ogni afflizione, che anche della religione fa oggetto di contesa (Riforma o Controriforma) e di guerre. L'«ars moriendi» ha il compito di illustrare efficacemente (cioè, in modo da incutere terrore) che, se «talis vita finis ita», avarizia, gola, lussuria, potere, ricchezza sono una morte anticipata sotto parvenze di vita. La vita è un «Carro di fieno» (Bosch), dove ognuno arraffa senza scrupolo; unico rimedio, il colloquio amoroso, lontano dalla zuffa o la «fuga mundi» del pellegrino (Bosch, *Il pellegrino del mondo*). Intanto, nell'indifferenza e nell'ottusità generale, il pittore guarda, perplesso e preoccupato, oltre le apparenze, nel mistero del mondo e della storia (P. Bruegel il Vecchio, *Autoritratto*). Anomalo, rispetto allo spirito umanistico italiano, è anche Machiavelli con il suo «realismo» politico di cui non si può dimenticare la propaggine «Ad maiorem Dei gloriam», fino al barocco controriformistico.

2. TEMPO E STORIA - Se all'interno stesso dell'illuminismo (e, soprattutto, col severo Kant) si è messo in crisi l'entusiasmo progressista (già Mendelssohn e poi Hamann), l'ottimismo razionalista-idealista è stato rovesciato sul piano socio-economico dalla «lotta di classe» e su quello spirituale-interiore da Kierkegaard e dall'esistenzialismo. Con il tramonto delle ideologie, nonostante la pesante eredità di guerre, genocidi, distruzioni e l'incombente minaccia nucleare e del degrado ecologico, oggi, forse, si può ricominciare a sperare e ripensare in termini non univoci la storia. Tutti i modelli sono stati ormai escogitati per cercare un fine e un

senso a una storia non frammentaria e parcellizzata, ma neppure totalizzante a scapito della persona singola. Modello circolare (eterno ritorno), lineare (continuità progressiva), puntuale (assolutizzazione della contingenza), pendolare (apocalittico-antagonistico) fino a quello spiroidale che vorrebbe raccogliere tutti gli elementi positivi e dove forse, comunque, la decisione personale non trova ancora la sua giusta collocazione.

Agostino ha alle spalle l'esperienza storiografica greca e latina, il pianto dei tragediografi sulle infinite sciagure umane e la riflessione filosofica. Per Platone non c'è una liberazione della storia, ma dalla storia; bisogna uscire dal tempo (*krónos*) per raggiungere il paradigma del tempo che è l'eterno (*aiòn*). Per Plotino (*Enneadi* III), il tempo è la vita dell'anima, il suo movimento da uno stato all'altro. Di qui la «distensio animae» agostiniana: «Non ci sono propriamente parlando tre tempi: il passato, il presente, il futuro. Ma ci sono tre presenti: il presente del passato, il presente del presente, il presente del futuro» (*Confessioni* XI, 20, 26). Il *De Civitate Dei*, composto sotto l'emozione del Sacco di Roma del 410, è una critica decisa e violenta del politeismo pagano, istigatore di sfrenato edonismo nella vita privata e violenza incontrollata nella vita pubblica. Il culto degli dèi e l'importazione di nuovi riti e misteri non hanno sottratto Roma alle vicende sciagurate del mondo; anzi, proprio dall'attento esame della mitologia poetica e popolare, mediante l'interpretazione naturalistica e le differenti teorie filosofiche, si riscopre il monoteismo, se non si vuole andare incontro a un assurdo panteismo e immanentismo.

La visione agostiniana si illumina della luce della rivelazione; la sua filosofia della storia non può non diventare teologia della storia: «Due amori hanno dato vita, dunque, a due città: quella terrena, cioè l'amore di

sé fino al disprezzo di Dio; quella celeste, invece, l'amore di Dio fino al disprezzo di se stesso» (XIV, 28). La Provvidenza guida il genere umano come un sol uomo; ma gli uomini si dividono in empi e popolo di Dio. «Due città, una degli iniqui, l'altra dei giusti continuano il loro cammino dal principio del genere umano fino alla fine del mondo: al presente sono mescolate secondo il corpo, ma distinte secondo lo spirito; in futuro, nel giorno del giudizio, saranno separate anche secondo il corpo» (*De cat. rud.* XX, 31). Dalla visione della storia scaturisce la concezione agostiniana della perennità della religione cristiana: «Quella stessa, che oggi chiamiamo religione cristiana, esisteva già presso gli antichi e non mancava neppure fin dagli inizi del genere umano, sino a quando apparve Cristo nella carne. La vera religione, che era esistita prima e sempre, ha cominciato da allora a chiamarsi religione cristiana» (*Ep.* CII, 12.5). Un tema, questo della connessione e reciprocabilità di filosofia della storia e filosofia della religione, suggestivo: da Lessing e Schleiermacher, a Herder, Schelling e Hegel, fino a Troeltsch, una riflessione sulla «assolutezza del cristianesimo» che cerca di «comporre» singolarità e universalità, carattere polemico e carattere ecumenico, visibilità e invisibilità, storia ed ecclesiologia filosofica (cfr. M.M. Olivetti, *Filosofia della religione come problema storico. Romanticismo e idealismo romantico*, Padova 1974).

3. AGOSTINISMO POLITICO E TOLLERANZA CIVILE E RELIGIOSA - L'agostinismo politico, che comincia subito con gli *Historiarum adversus paganos libri septem* di Orosio, (una teologia della storia che si ispira, oltre che ad Agostino, alla *Vita di Antonio* di Atanasio) conosce esplicite affermazioni teocratiche: «Difendere, dappertutto all'esterno, con le armi la santa Chiesa del Cristo contro le

incursioni dei pagani e le devastazioni degli infedeli, e di fortificarla all'interno nella conoscenza della fede cattolica» (*Epistula Caroli*, 10). La visione universale della storia si concretizza nell'*imperium christianum*: «A Dio onnipotente piacesse che, sotto un solo piissimo re, tutti gli uomini fossero governati da un'unica legge: ciò tornerebbe a grande vantaggio della concordia della città di Dio e della equità fra i popoli» (Agobardo, *Liber adversus legem Gundobaldi*). Agostinismo edulcorato da servilismo è la *Politique tirée des propres paroles de l'Ecriture sainte* che nel 1709 J.B. Bossuet dedica al suo re «Sole» giustificando pregiudizi, stragi e ogni sorta di tirannide. Che sia stata preceduta da un *Discours sur l'histoire universelle* nel 1681, dice che neppure una teodicea garantisce dai discorsi tortuosi. Gli *Essais de Théodicée sur la bonté de Dieu, la liberté de l'homme et l'origine du mal* (1710) di Leibniz hanno, almeno, rigore teoretico quando, anche con il contributo di S. Tommaso, riprendono la riflessione biblica.

Il *Tractatus theologico-politicus* (1670) di Spinoza, non solo è una difesa delle libertà religiose, civili e politiche, difende l'autonomia del potere politico e del potere religioso (indicando nelle lotte fra papato e Lutero il danno che l'unità di quei poteri nello Stato ha arrecato alla religione e alla pietà) ma nel rifiuto dell'autore di dedicarlo al re Sole (dietro compenso a volontà) riceve un sigillo di dignità sconosciuto ai cortigiani. Al *Leviathan* (1651) di Hobbes che fonda l'assolutismo politico sull'amara costatazione dell'«homo homini lupus» e legge la storia in termini di «bellum omnium contra omnes», Spinoza risponde con l'evoluzione «iuxta propria principia» della legge naturale, dallo stato di natura allo stato di diritto, dallo schiavo al suddito e al cittadino.

Memore del senechiano: «Ducunt volentem fata, nolentem trahunt», Spinoza ammonisce che è inevitabile leggere la storia con realismo a evitare le astrattezze di quelli che «concepiscono gli uomini, non come sono, ma come vorrebbero che fossero». Una concezione dell'uomo e della storia che caratterizzano l'antiumanesimo di Machiavelli che cerca la «verità effettuale della cosa», senza immaginarsi «repubbliche e principati che non si sono mai visti, né conosciuti essere in vero» e non lasciando «quello che si fa per quello che si dovrebbe fare» (*Il principe*, 1513). Una lettura che diventa base di un programma politico: «Mentre che gli uomini cercano di non temere, cominciano a far temere altrui; e quella ingiuria che gli scacciano da loro, la pongono sopra un altro, come se fosse necessario offendere o essere offeso» (*Discorsi sopra la prima Deca di Tito Livio*, 1514).

4. Una scienza nuova - Progetto sistematico di una filosofia della storia in antitesi con il razionalismo cartesiano, progetto ignorato dall'illuminismo (Montesquieu, *Esprit des lois*, 1748), ma rivalutato da Herder sono i *Principi di una scienza nuova d'intorno alla natura delle nazioni* del 1725 (in *Opere*, Milano-Napoli 1953, sulla 3ª ed. del 1744) di G.B. Vico, con l'assioma «verum ipsum factum» nodo di una filosofia della storia concepita come una scienza storica. Un'arte «critica» intesa a «sceverare il vero», per ravvisare, tra intendimenti e opere degli uomini la guida della Provvidenza: «la storia ideale eterna sopra la quale corron in tempo le storie di tutte le nazioni» (§ 349). Se la *Scienza Nuova* dimostra la verità della bibbia, la Provvidenza è una «List der Vernunft» *ante litteram*: «Egli è questo mondo, senza dubbio, uscito da una mente spesso diversa e alle volte tutta contraria e sempre superiore ad essi fini particolari ch'essi uomini si avevan propo-

sti» (§ 310). Vico stesso traduce la sua filosofia della storia in «teologia civile ragionata della provvidenza divina» (§ 342). Del tutto naturale, in una visione della storia che non trascura il libero arbitrio umano «fabbro del mondo delle nazioni» in sinergia con la «divina architetta» che è la Provvidenza, che le nazioni civili siano cominciate dappertutto con le religioni, «ma con l'ateismo non se ne fondò al mondo niuna» (§ 518).

Un nuovo modello di storia dell'umanità esemplato sull'uomo «illuminato», fuori della Scrittura, proponeva Voltaire con l'*Essai sur les moeurs et l'esprit des nations*, 7 voll., 1754-58, ripresa critica dei *Discours* di Bossuet (concezione provvidenzialistica della storia universale) ai quali contrappone l'affermazione progressiva della ragione sul pregiudizio e sull'arbitrio, della civiltà sulla barbarie.

Il terremoto di Lisbona (1755) fu epocale non tanto per le distruzioni materiali, quanto per le discussioni che suscitò, mettendo in crisi concezioni ottimistiche e un superficiale provvidenzialismo (ne è eco anche il *Candide, ou l'optimisme*, 1759, dello stesso Voltaire). Anche Kant intervenne ripetutamente mettendo in guardia dal fare un discorso devozionistico o moralistico (*Sulle cause dei terremoti in occasione del sinistro che ha colpito le regioni occidentali dell'Europa verso la fine dello scorso anno* e *Storia e descrizione naturale degli eventi più singolari che alla fine dell'anno 1755 sconvolsero una gran parte della terra*). Le «umane sorti e progressive», analogamente al mito illuministico del progresso di una ragione astratta, ricevettero un duro colpo.

5. FILOSOFIA DELLA STORIA E FILOSOFIA DELLA RELIGIONE - La concezione della rivelazione come un momento della storia nell'*Educazione del genere umano* (1780) di Lessing, mentre proietta un cristianesimo di ragione sulla prospettiva di un vangelo eterno, rimanda indefinitamente il senso della storia oltre il tempo: «Verrà un tempo...!». Nella storia, invece, c'è l'impossibilità di verità assolute (*Sulla prova dello spirito e della forza*, 1777) e la ricerca errabonda (*Eine Duplik*, 1778). Nelle *Briciole Filosofiche* (1844) e nella *Postilla conclusiva non scientifica* (1846) attraverso l'ipotesi e il paradosso del cristianesimo, Kierkegaard ha individuato nel «momento» il punto d'incontro dell'eterno col tempo, di Dio con l'uomo, il luogo della decisione nella fede che fonda la salvezza. Anche Schleiermacher (*Sulla religione. Discorsi a quegli intellettuali che la disprezzano*, 1799, tr. it. Brescia 1989) guardando alla «connessione generale» della storia e a un destino eterno che sembra schiacciare «l'impegno isolato del singolo», vede nello spirito del mondo un Uno, Tutto, Infinito che penetra l'uomo e lo conduce dolcemente.

Per J.G. Herder la vita terrena dell'uomo è preludio di uno stato ulteriore dell'umanità; di umanità, di genere umano si può parlare come la tradizione viva del linguaggio attesta. Nel rapporto individuo-genere umano si realizza concretamente il piano della Provvidenza (elemento di non identificazione con l'illuminismo). Con entusiasmo identifica «filosofia dell'umanità e vera storia della medesima!» (*Lettere provinciali*, 1774). Un «sacerdote di Dio» deve scrivere una tale storia che è «ordinamento divino del genere umano! Economia di Dio sulla terra!». Una premessa all'identificazione di filosofia della storia e filosofia della religione è posta con l'affermazione: «L'intera religione è, in fondo ed essenzialmente, fatto! storia!». Anche per Herder ragione e rivelazione vanno insieme, la bibbia illumina la storia del genere umano, dando il senso generale dei «frammenti delle storie delle filosofie pagane». «Quanto poco il genere umano poteva divenire senza creazione, tanto poco esso avrebbe potuto perdurare senza aiuto divino e capire ciò che sa senza educazione divina» (*Annotazioni al Nuovo Testamento*, 1775). Le *Idee per la filosofia della storia dell'umanità*, 1784-91 (tr. it. Bologna 1971) esordiscono con la necessità di «una filosofia e una scienza di ciò che ci riguarda più da vicino, cioè della storia dell'umanità nel suo insieme», per trovare nei tempi lo stesso ordine degli spazi. Si prova gioia «di fronte alla sapienza e alla bontà del Creatore» che si manifestano in tutte le sue opere. L'uomo è formato per l'umanità e la religione: «Tutti sono permeati da una sola e medesima Umanità... Studiare questa Umanità è il compito dell'autentica *filosofia umana*... La religione è la suprema Umanità dell'uomo... è compito dell'intelletto rintracciare il rapporto tra causa ed effetto... La prima e ultima filosofia è sempre stata religione...» (p. 124). Nel coacervo filosofia-storia-religione c'è un'aspirazione a dare un senso, e un senso religioso, alla storia, dove gli uomini sono l'umanità.

Intanto, non solo Mendelssohn (*Sulla domanda, che significa illuminismo*, 1784) ma soprattutto Kant metteva in crisi l'idea illuministica di un progresso continuo e irreversibile. Si poneva anche lui l'*Idea di una storia universale dal punto di vista cosmopolitico* (1784) e, sia pure in termini diversi da Mendelssohn (*Jerusalem*, 1783) e da Herder (*Idee...* 1784-91), guardava a un progresso «assolutamente irrevocabile, verso il meglio», una progressiva attuazione del diritto, con una Natura-Provvidenza garante dell'equilibrio dei conflitti per il trionfo della Ragione (*Fondazione della metafisica dei costumi*, 1785). Ma questo anelito non può essere fondato teoricamente (*Sul fallimento di ogni tentativo filosofico in Teodicea*, 1791). L'impostazione filosofica della storia-filosofia della religione viene approfondita con il saggio *Sul male radicale nella natura umana* (1792) che confluirà nell'opera *La religione nei limiti della pura ragione* (1793): l'originaria disposizione al bene e la tendenza al male sono alla base della lotta storica tra il principio buono e quello cattivo e della rappresentazione storica della graduale fondazione del buon principio sulla Terra.

La *Filosofia della Rivelazione* di Schelling collegata alla *Filosofia della mitologia* e preparata dalle *Età del mondo* è una lettura romantica e speculativa della storia del mondo che si intreccia con la storia di Dio: anche Dio «diviene», come il mondo e come l'uomo. In Hegel il singolo (anche gli uomini storici) è al servizio del *Volksgeist*; i *Volksgeister* sono, a loro volta, manifestazione (Selbstauslegung) dello Spirito assoluto. Lo spirito assoluto si dispiega e si realizza nella storia per realizzare la libertà del sapere assoluto nel quale quello individuale viene liberato. «Lo spirito pensante della storia universale, poiché insieme ha cancellato quelle limitatezze degli spiriti dei popoli particolari e il suo proprio carattere terreno, conquista la sua universalità concreta e si eleva al sapere dello Spirito assoluto, come della verità, eternamente reale, nella quale la ragione conoscitrice è libera per sé, e la necessità, la natura e la storia sono gli strumenti della rivelazione e dell'onore dello spirito» (*Enciclopedia delle scienze filosofiche* del 1817, § 552, tr. it. Bari 1963). Kierkegaard in nome della insopprimibile autenticità del singolo che si fonda in Dio, e Marx sul realizzarsi dialettico della libertà come lotta contro la natura e lotta di classe, contestarono e rovesciarono il pensiero hegeliano. Epigoni come Heidegger e Bloch hanno dato giusto rilievo alla dimensione storica dell'essere: il primo, con l'esistenza autentica che è progettazione del soggetto che si dispiega nel *Dasein*; il secondo con il «principio speranza» che sostiene l'esistenza dialettica dell'uomo nel mondo e nella storia.

Dopo le *Considerazioni inattuali* (2a: «Sull'utilità e il danno della storia per la vita») di Nietzsche che ha stigmatizzato il dissidio di una certa cultura storica con la vita, W. Dilthey, con la *Critica della ragione storica* è arrivato alla conclusione che la vita va capita attraverso la vita. Di contro a uno storicismo naturalistico che ripropone un fatalismo stanco e rassegnato (O. Spengler, *Il tramonto dell'Occidente*, 1918-22) o un positivismo dal vago concetto di provvidenza naturale (A. Toynbee, *Uno studio di storia*, 1934 e *La civiltà posta alla prova*, 1948) riaffermiamo la nostra fede e la nostra certezza: «Crux probat omnia. Stat crux dum volvitur orbis».

Bibl. - Oltre alle opere citate nel testo: J.G. Droysen, *Historik*, 1960[4]; J. Daniélou, *Saggio sul mistero della storia*, Brescia 1963; N. Berdijaev, *Il senso della storia*, Milano 1971; K. Löwith, *Significato e fine della storia*. I presupposti teologici della filosofia della storia, Milano 1975[2]; P. Miccoli (ed.), *Filosofia della storia*, Roma 1985.

SALVATORE SPERA

III. Teologia della storia

Nel momento in cui la fede si incontra con la storia, non solo come suo spazio vitale, ma essenzialmente come una questione di senso, nasce la teologia della storia.

A più riprese, la storia della teologia mostra come il senso del tempo e della storia sia stato oggetto di riflessione peculiare.

1. UNA RIFLESSIONE PERMANENTE - Giustino, Ireneo, Clemente d'Alessandria e Tertulliano costruirono una prima teologia della storia che prendeva le mosse dalla difesa di una comprensione dell'antica alleanza fatta con il popolo di Israele come una

preparazione della nuova ed eterna realizzata in Cristo. Alla stessa stregua, contro gli attacchi di Celso, Origene e Atanasio formularono le tesi circa la centralità di Cristo nella storia. In genere poi, gli → apologeti presentarono il cristianesimo come quella verità che si poneva nella storia non per umiliarla, ma per portarla ad una sintesi di completezza.

Il primo vero teoreta di una teologia della storia resta, comunque, → Agostino il cui pensiero in proposito rimane fino ad oggi come il più organico e completo. La storia viene da lui letta come un progresso costante che prende avvio dall'atto libero e gratuito di Dio di volere creare ed entrare nel tempo, e che trova il suo compimento nella persona di Gesù Cristo. Centro della storia è l'evento salvifico della morte e risurrezione di Gesù di Nazareth che apre ormai alla promessa escatologica. In questa attesa, Caino e Abele rappresentano i due simboli di un'umanità ambiziosa e obbediente. Il *De civitate Dei* esprime la sintesi di questa unione, mostrando la storia come il luogo del continuo conflitto tra fede e peccato.

Il medioevo, pur rimanendo legato allo schema cosmologico e metafisico, presenta pure degli elementi che lasciano intravvedere un abbozzo di teologia della storia: Bonaventura e Tommaso rileggono e vitalizzano le tesi agostiniana. La lettura di Gioacchino da Fiore, con la sua visione storico-profetica e la divisione delle tre epoche corrispondenti alla realizzazione della rivelazione delle tre persone divine, rimane comunque lo schema più suggestivo e originale di quel periodo.

Nell'epoca moderna, avrà fortuna lo scritto di J.B. Bossuet, primo sistematico tentativo di una teologia della storia che provocherà perfino Voltaire a scrivere, per la prima volta, una filosofia della storia (→ Storia, II). Nel suo *Discours sur l'Histoire universelle* del 1681, il precettore del Delfino vuole mostrare che «le storie profane narrano solo favole o, al massimo, fatti confusi che, per la metà di essi, rimangono sepolti nell'oblio. La Scrittura, invece, riconduce con tanti precisi avvenimenti e con la stessa successione delle cose al loro vero principio, cioè Dio che ha creato tutto» (ed. 1707, 135-136). Le tre parti dell'opera riproducono la concezione del vescovo di Meaux: all'inizio una classificazione della storia in 12 epoche che vanno da Adamo fino alla fondazione del nuovo impero con Carlo Magno; la seconda parte, mostra l'agire di Dio verso il suo popolo; la terza parte infine, descrive i cambiamenti che si realizzano nella storia che sono determinati e seguiti dalla Provvidenza.

Come facilmente si può costatare, il principio apologetico che si nasconde dietro la teoria di Bossuet, è quello di un amorevole, ma altrettanto dispotico comando di Dio sulla storia; egli è eterno e immutabile, quindi senza alcuna possibilità di un reale coinvolgimento con i fatti comuni. La storia e la riflessione su di essa, rimangono proprietà degli uomini; anzi qualora costoro non ne avessero più interesse, apparterrebbero solo ai prìncipi e ai re (cfr. pp. 1-2), Dio però ne è completamente estraneo.

A partire dagli anni '50 la teologia contemporanea, sia in ambito cattolico che protestante, ha mostrato un rinnovato interesse per questa tematica. Gli studi di Barth, Brunner, Culmann, von Balthasar, Daniélou, Marrou, Pannenberg, Rahner e Ratzinger rivelano sensibilità differenti e approcci complementari. Si deve tuttavia distinguere in costoro una concezione storico-salvifica, come componente di una lettura della rivelazione, da una teologia della storia ex professo, che non sempre viene assunta come oggetto di studio.

2. PROPOSTA DI LETTURA SISTEMATICA - L'espressione teologia della sto-

ria ha vari significati; qui viene assunta come studio che concerne il senso della storia a partire dalle premesse e dal metodo teologico.

Per la fede cristiana, la condizione di possibilità di una teologia della storia è data dall'autoconsapevolezza di Gesù di Nazareth che intende il suo tempo come pienezza e compimento della storia precedente.

In termini inequivocabili, Marco riporta i primi tratti della predicazione di Gesù: «Il tempo è compiuto, il regno di Dio è vicino» (Mc 1,15). A partire da qui la teologia vede la possibilità di comprendere criticamente la storia alla luce di un principio che le viene dato: la salvezza che si realizza nella storicità di Gesù Cristo.

I vari modelli che si sono ripetutamente dati per descrivere la concezione biblica del tempo (v.g. ciclica, rettilinea, parabolica, punto, spirale e pendolo...) non rendono sempre giustizia di una sua lettura globale; l'insistenza su un aspetto infatti, non fa giustizia di altri elementi che sono ugualmente veri e determinanti. È preferibile pertanto, vedere la concezione del tempo e della storia biblica, attraverso delle note peculiari che solo nel loro insieme forniscono una visione meno unilaterale del fatto.

Si può pensare quindi alla storia come a quello spazio che ha inizio nell'agire creativo di Dio e che si apre all'accoglienza della sua rivelazione; in esso l'uomo è chiamato a compiere scelte definitive verso Jhwh per permettere la realizzazione della sua naturale completezza e finalità, quella del ricongiungimento finale con Dio.

Dio è all'origine del tempo, ma contemporaneamente entra in esso facendosi lui stesso storia. Le varie mediazioni di rivelazione sono comunque caratterizzate dall'orizzonte storico. La storia appare come lo scenario naturale su cui si pone l'evento della rivelazione.

Per questo motivo, la storia diviene manifestazione e luogo dell'autopresentazione di Dio, unitamente alla decisione dell'uomo a volerlo seguire. Quando una di queste due componenti viene a mancare non si è più dinnanzi ad un evento storico; il tempo diventa solo «giorni che passano».

Solo gli interventi di Dio che diventano «memoria» nella coscienza del popolo, costituiscono «storia»; questa viene mantenuta viva tramite la celebrazione. Il «ricorda Israele» diventa imperativo costante perché il trascorrere del tempo non faccia cadere nell'oblio i fatti del passato (Dt 4,9-10; 11,18-21). La storia biblica quindi, può essere considerata come quel tempo che scorre tra l'inizio di una promessa e l'attesa per il suo compimento.

La fede cristiana nasce, però, dalla centralità e novità di Cristo, il quale, accompagnandosi ai suoi discepoli in cammino verso Emmaus, spiega loro che lui è il compimento di ogni storia: «e cominciando da Mosè e da tutti i profeti spiegò loro in tutta la Scrittura ciò che si riferiva a lui» (Lc 24,27).

Si dà qui un principio ermeneutico di incalcolabile portata per una teologia della storia. La comunità primitiva infatti, vede che la comprensione della Scrittura antica, quindi di tutta la storia, è possibile solo se riferita al Maestro. Lui ormai è la chiave interpretativa di tutta la storia; perché se è vero che la legge e i profeti si riferiscono a lui, è anche vero che se lui *ora* non si accompagna con loro, mentre il sole è ormai al tramonto, la loro storia personale e comunitaria diventa priva di senso.

La centralità dell'evento Gesù Cristo costituisce pertanto il perno su cui costruire una teologia della storia.

Da questo principio derivano tre ulteriori modalità di comprensione:

a. In Gesù di Nazareth, Dio stesso interviene nella storia in forma diretta. Ciò significa che una comprensione cristiana del tempo e della storia, non può sottostare ad una mera interpretazione filosofica della temporalità. Una lettura che vedesse Dio relegato al di fuori di ogni tempo, immobile nella sua eternità non sarebbe fedele alla dinamica biblica che concepisce primariamente l'eternità non negativamente, come assenza di tempo, ma più positivamente, come «signoria» sul tempo e nel tempo.

Il Dio eterno è il Dio che è sempre presente negli avvenimenti della storia del suo popolo, perché lui è appunto «Jhwh» (Es 3,14), cioè Signore del tempo. Dio manifesta quindi la sua libertà quando, entrando nella storia e sottomettendosi alla sua dinamica, ne resta ugualmente libero di poterla trascendere, perché il mistero della sua vita trinitaria consiste proprio nell'essere *semper maior* di fronte ad ogni umana limitazione.

Il fatto quindi che in Gesù di Nazareth, Dio stesso intervenga nella storia non limita né la storia umana, né se stesso; perché lui rimane eterno, e la storia sempre libera di una sua propria decisione davanti a Dio.

→ L'universale concretum può essere assunto, in questa prospettiva, come quel tentativo di interpretazione che meglio di ogni altro armonizza i due estremi del discorso: la presenza del *tutto*, che rimane tale, nel frammento, e la *frammentarietà* che trova nell'universale il suo centro di sintesi.

b. Da qui proviene la seconda determinazione. Una teologia della storia non può dimenticare che essenza del credente è la sua storicità (→ Storia). Mediante questo, ognuno si realizza come essere storico attraverso atti e scelte che esprimono la sua personale libertà.

Con la venuta di Cristo, il giudizio è ormai posto nel mondo, ma ognuno deve porsi davanti ad esso con la sua personale capacità di scelta (Mc 16,16; Gv 5,24).

La salvezza, realizzata nell'evento pasquale, richiede che ognuno la riconosca come finalizzata a sé; scegliendo quindi di porsi nella *sequela Christi* e creando pertanto, con quella scelta, l'inizio di una storia personale come decisione libera e radicale di finalizzazione del proprio esistere.

La storia, per il credente, è il luogo in cui può vedere realizzato il dono di salvezza e in cui, come chiamato, può scegliere per essa. In questo orizzonte, una teologia della storia dovrà formulare espressioni che concernono la comprensione sia del rapporto → storia della salvezza e storia universale, sia del rapporto storia della rivelazione cristiana e storia delle altre religioni, in modo tale da evidenziare la peculiarità della fede cristiana (→ Dialogo interreligioso).

Poiché la storia è anche il luogo in cui il credente vive concretamente la propria decisione della *sequela Christi*, egli pone in atto anche situazioni e condizioni di vita che determinano il progredire o meno della storia. La rivelazione e creazione dei → segni dei tempi diventano oggetto peculiare di una teologia della storia che deve criticamente rendere intelligibile il contributo alla trasformazione della realtà mondana e sociale da parte dei credenti (GS 4.11.44).

c. Se l'inizio della storia è dato dall'intervento gratuito di Dio in essa, suo fine ultimo sarà l'attesa che «Dio sia tutto in tutti» (1 Cor 15,28). La centralità di Cristo nella storia dell'umanità non elimina il suo movimento verso un completamento; anzi lo qualifica e lo evidenzia come già posto in essa e anticipato.

La storia, come l'uomo, è alla ricerca di un → senso che sia in grado di permettere quel salto qualitativo verso il superamento della propria contraddizione.

Non conoscibilità e imprevedibilità del futuro determinano il limite della storia e ne segnano il suo fine. L'evento pasquale, inserito in essa e vissuto da Gesù di Nazareth, permette di dare alla storia intera la forza per compiere il superamento del proprio limite.

Con la morte e la risurrezione di Cristo viene dato alla storia un colpo orientativo che le permette di vedersi finalizzata verso il suo compimento.

La crocifissione del Figlio di Dio, dà senso al limite imposto ad ogni storia; perché la morte viene accolta nella «storia» della vita trinitaria come movimento per la risurrezione.

La storia quindi vede compiuta, già in se stessa, una promessa senza dover nulla distruggere della sua natura; dovrà invece solo inglobarla e superarla in una prospettiva più grande.

Una teologia della storia vede pertanto un camminare costante della storia intera verso il proprio compimento; questo è già realizzato nella storia particolare e personale di Gesù Cristo e reso attuale nella vita di fede della chiesa che, sacramentalmente, perpetua lo stesso evento.

Tra l'anticipazione e il pieno compimento, si snoda quindi un' → escatologia che attesta il già realizzato e il non ancora definitivamente dato. La storia della chiesa, in questo orizzonte, diventa *segno* di una possibilità di trasformazione costante verso il definitivo. Come coscienza critica, il senso escatologico stimola la storia e la chiesa in essa, ad una memoria costante sia del proprio passato salvifico, sia dei valori essenziali per il suo totale completamento.

Una teologia della storia si differenzia sostanzialmente da una filosofia della storia (→ Storia, II). Mentre quest'ultima deve rimanere legata alla struttura esistenziale del soggetto che nell'atto del suo autotrascendersi domanda senso, la teologia della storia si presenta, invece, con la sua pretesa di senso già compiuto, perché carica dell'evento pasquale.

Solo una profonda coscienza storico-salvifica potrà permettere allora ad una teologia della storia di esprimere il meglio di sé.

La coscienza storico-salvifica infatti, mentre da una parte, come semplice coscienza storica, ricupera l'autoconsapevolezza del divenire, dall'altra, in quanto salvifica, inserisce il *novum* della rivelazione.

Una coscienza storico-salvifica, permette al presente di essere autenticamente azione profetica perché, attualizzando il passato e mantenendo *viva* (DV 10) la tradizione di fede ecclesiale, imprime alla storia di oggi le caratterizzazioni originali dell'umanità di sempre, ma ponendo in essa contemporaneamente le premesse per una reale esistenza del futuro.

Bibl. - Agostino, *Confessioni*; Id., *De Civitate Dei*; J.B. Bossuet, *Discours sur l'Histoire universelle*, Paris 1707; K. Barth, «Der christliche Glaube und die Geschichte», in SThZ 1-2 (1912); R. Niebuhr, *Faith and History*, New York 1949 (tr. it. 1966); K. Löwith, *Weltgeschichte und Heilsgeschehen*, Stuttgart 1953; H. Schlier, *Die Zeit der Kirche*, Freiburg 1955 (tr. it. 1965); E. Biser, *Erkenne dich in Mir*, Einsiedeln 1955; J. Daniélou, *Essai sur le mystère de l'histoire*, Paris 1963; Id., *L'entrée de l'histoire du salut*, Paris 1967; O. Cullmann, *Cristo e il tempo*, Bologna 1965 (or. 1946); H.U. Balthasar, *Teologia della storia*, Brescia 1964; Id., *Il tutto nel frammento*, Milano 1973; H.I. Marrou, *Théologie de l'histoire*, Paris 1968; W. Pannenberg, *Rivelazione come storia*, Bologna 1969 (or. 1965); Id., *Questioni fondamentali di teologia sistematica*, 1972 (or. 1967); K. Rahner, «Storia del mondo e storia della salvezza», in *Saggi di antropologia soprannaturale*, Roma 1969, 497-532; E. Castelli (ed.), *Rivelazione e storia*, Roma 1971; J. Alfaro, *Antropologia e cristologia*, Assisi 1973; Id., *Speranza cristiana e liberazione dell'uomo*, Brescia 1972; W. Kasper, «Linee fondamentali di una teologia della storia», in *Fede e storia*, Brescia 1975, 62-96; J. Ratzinger, *Theologische Prinzipienlehre*, München 1982, 159-199.

RINO FISICHELLA

IV. Storicità della rivelazione

Si può convenientemente sviluppare questo tema in quattro momenti: la storicità dell'uomo, la storicità della rivelazione, la storicità di Dio e la storicità della teologia. Cominceremo con l'uomo.

1. LA STORICITÀ DELL'UOMO - Il fatto che cominciamo con l'uomo non è accidentale. In filosofia il cambiamento più significativo dal medioevo al periodo moderno consiste nel passaggio da una visione cosmologica ad una antropologica. Nella filosofia moderna, specialmente nella tradizione dell'idealismo tedesco, l'uomo è pensato non in termini cosmologici, ma in termini di libertà. Il mondo è interpretato alla luce del soggetto umano e della sua libertà, non viceversa.

Un'analisi della libertà umana rivela che l'uomo è sospeso tra il finito e l'infinito. In ogni atto umano di scelta il soggetto cerca di realizzare se stesso. Nello scegliere oggetti finiti nel mondo, egli sceglie realmente se stesso. Nello stesso tempo, scegliendo oggetti categoriali, comincia a rendersi conto che nessun oggetto finito può soddisfare il dinamismo della sua trascendenza. La libertà finita è così necessariamente in relazione con l'orizzonte infinito che fonda la libertà umana, che l'uomo è, e rende tale libertà possibile. Senza questo orizzonte infinito l'uomo sarebbe determinato da qualche oggetto finito. Perciò la libertà finita e la libertà infinita sono correlative. Un'ulteriore riflessione ci fa attenti al fatto che non si può concepire la relazione tra libertà finita e libertà infinita in maniera statica. La trascendenza umana è dinamica. Ogni scelta di un bene finito apre la possibilità di ulteriori scelte. Ma nessuna scelta può soddisfare mai il dinamismo della trascendenza umana. Il fine della libertà umana si sottrae a ogni sforzo di afferrarlo e possederlo. Il carattere dinamico della libertà umana rivela che la libertà è temporale o storica. La libertà è precisamente la sfera della possibilità. La libertà umana è apertura al futuro.

Nel nostro secolo è stato M. Heidegger che, partendo dalla ricerca di Dilthey, ha approfondito in modo molto significativo la dimensione storica dell'esistenza umana. Egli ha sottolineato il carattere temporale dell'esistenza, indicando che l'uomo è l'unico essere che può dirsi che esista in senso stretto. Cioè l'uomo esiste fuori di se stesso (ex-sistere). L'uomo non possiede il proprio essere, che è piuttosto qualcosa che deve essere realizzato. Naturalmente le possibilità che l'uomo possiede non sono infinite. L'uomo scopre se stesso come una datità, egli e-siste in una situazione. All'esistenza del carattere finito dell'essere umano, Heidegger ha destinato il termine *Dasein* (esserci). In *Essere e tempo* Heidegger ha fatto un'analisi fenomenologica del *Dasein* e ha descritto la sua unità come cura (*Sorge*). Nello stesso tempo ha mostrato che la cura ha una struttura temporale. La cura consiste di tre dimensioni: fatticità (passato), possibilità (futuro), caducità (presente). Per caducità Heidegger intende che c'è una tendenza per il *Dasein* a essere trascinato nella preoccupazione con gli esseri nel mondo e a dimenticare la sua propria trascendenza e apertura all'essere (questa apertura è il suo autentico futuro).

L'importanza dell'analisi che Heidegger fa del *Dasein* è che l'uomo non esiste nella storia come un oggetto in una scatola. Piuttosto lo stesso essere del *Dasein* è radicalmente storico. Heidegger esprime questo fatto chiamando la storicità un *esistenziale* o una struttura concernente l'essere dell'uomo. La storia non è qualcosa di oggettivo separato dall'uomo. Piuttosto lo storico originario è l'uomo stesso. J. Macquarrie esprime ciò riassumendo la posizione di Heidegger: «La storia è possibile per l'uomo perché la sua temporalità non è quella di un essere all'interno della temporalità (*Innerzeitigkeit*), quanto piuttosto un essere costituito da passato, presente e futuro, in modo che, in ogni momento dato, non solo il presente, ma anche il passato e il fu-

turo gli sono svelati e sono reali per lui» (J. Macquarrie, *An Existentialist Theology*, Pelican Book, 151).

L'apertura dell'uomo al futuro pone immediatamente una domanda teologica: qual è il definitivo futuro al quale l'uomo è aperto? Nella filosofia di Heidegger questo futuro può essere solo la morte, dal momento che le possibilità del *Dasein* sono strettamente circoscritte dalla finitudine. Ancora, se il futuro non è principalmente lo svelarsi di ciò che si situa nel passato, ma l'avvicinarsi di ciò che non è ancora deciso (*Zu-kunft*), allora è possibile vedere Dio come il futuro definitivo che si svela all'uomo e si offre come il fine della libertà umana, un fine che apre alla possibilità di trascendere la morte nella risurrezione. A questo punto possiamo unire questa riflessione con le nostre precedenti analisi della fondamentale apertura della libertà finita alla libertà infinita. All'inizio dell'illuminismo Kant ha mostrato che la libertà umana può essere intelligibile solo se esiste all'interno di un universo libero. La libertà umana presuppone un regno di libertà. Altrimenti questa è condannata alla frustrazione e non può realizzare se stessa. Quest'analisi ha portato Kant a postulare Dio come libertà assoluta. Seguendo il contemporaneo teologo tedesco W. Kasper (*Il Dio di Gesù Cristo*, Brescia 1984, 139-141; 147-149) possiamo reinterpretare Kant nel modo seguente: Un'analisi della libertà umana suscita la domanda a proposito di Dio. Ma dal momento che la libertà è sempre un evento di autodonazione, la relazione della trascendenza umana con la libertà assoluta non può mai essere un fatto di necessità. L'uomo sta di fronte al fondamento della sua libertà in povertà e attesa. A livello filosofico la sua libertà umana rimane un punto interrogativo. Se la sua libertà ha un senso, deve attenderlo da una libera autorivelazione da parte di Dio. Questa autorivelazione di Dio nella libertà è ciò che il cristiano sperimenta nella rivelazione che Dio fa di se stesso in Gesù Cristo.

In questo evento di rivelazione, noi vediamo l'incontro di due libertà, quella umana e quella divina. Proprio come la libertà umana esprime se stessa nella storia, così Dio manifesta se stesso nella storia. Questa storia è il luogo dell'incontro tra Dio e l'uomo nella libertà. Con tale affermazione siamo arrivati alla storicità della rivelazione.

2. LA STORICITÀ DELLA RIVELAZIONE - La teologia contemporanea parla della storicità della rivelazione in due sensi. Primo, c'è la rivelazione categoriale di Dio, cioè quegli eventi oggettivi nella storia del mondo nei quali Dio manifesta se stesso. Ovviamente per un cristiano l'evento storico *per eccellenza*, in cui Dio rivela se stesso, è Gesù Cristo. Questo evento, tuttavia, non può essere isolato, ma porta con sé l'intera storia preparatoria della rivelazione di Dio a Israele. Se Gesù Cristo è la rivelazione di Dio, allora la rivelazione stessa è temporale e storica. Barth nella sua originale interpretazione della rivelazione ha espresso ciò con la formula: la rivelazione esige predicati storici. Dio esprime se stesso nel tempo. Il Dio eterno diventa temporale.

L'altro senso nel quale la teologia contemporanea parla della storicità della rivelazione è in riferimento all'essere umano in quanto tale. Qui la teologia parla della rivelazione trascendentale, cioè della rivelazione che avviene nella soggettività umana come tale. Il punto di partenza è il desiderio di Dio di comunicarsi a ogni uomo e donna e il suo desiderio che tutti gli uomini siano salvati. Dal momento che il desiderio di Dio è universale e che ogni uomo può essere salvato solo mediante la grazia, da ciò segue che la grazia è offerta ad ogni persona. Ma se quanto noi ab-

biamo detto prima circa l'uomo è vero, cioè che l'essenza dell'uomo in quanto tale è storica, e se l'offerta che Dio fa di se stesso è universale, allora dobbiamo concepire una storia universale dell'autocomunicazione di Dio. Questo implica che Dio rivela se stesso a ogni uomo implicitamente nella profondità del suo essere (livello trascendentale). Perciò non solo a livello categoriale, ma anche a livello trascendentale la rivelazione che Dio fa di se stesso è storica.

Oggi ci si pone come domanda teologico-critica, in che modo questi due aspetti della rivelazione siano correlati l'uno all'altro. Tutti sembrano ammettere che la trascendentale offerta universale di Dio raggiunga il suo compimento nell'evento categoriale di Gesù Cristo. Nonostante questo fondamentale accordo, però, significative differenze emergono a proposito del come debba essere concepita la relazione tra rivelazione trascendentale e categoriale. A questo punto possiamo citare di passaggio due significative linee di interpretazione nella teologia cattolica.

K. Rahner pone una grande enfasi sulla rivelazione trascendentale e concepisce la rivelazione categoriale come espressione a livello oggettivo dell'offerta che Dio fa di se stesso a livello trascendentale. Nell'interpretazione di Rahner la rivelazione categoriale interpreta quella trascendentale.

Un'altra linea di interpretazione è perseguita da W. Kasper. Questi mostra che la libertà trascendentale dell'uomo rimane fondamentalmente ambigua senza l'aiuto della rivelazione categoriale che Dio fa di se stesso nella storia. Per Kasper, l'apertura dell'uomo al futuro è apertura ad un orizzonte infinito che può essere interpretato in un senso panteistico, teistico o ateistico. Solo la rivelazione che Dio fa di se stesso categorialmente nella storia, risolve il dilemma della libertà umana e della storicità. Per Kasper è la storia che interpreta la trascendentalità dell'uomo, non viceversa.

3. LA STORICITÀ DI DIO - Le riflessioni che abbiamo condotto fino a questo punto indicano la sbalorditiva tesi che Dio rivela se stesso nella storia e perciò che Dio diventa temporale a nostro favore. Come si è indicato prima, la rivelazione esige predicati storici. Ma partendo da questa asserzione possiamo andare ancora più lontano e parlare non solo della storicità della rivelazione, ma della storicità di Dio stesso. A questo punto i teologi contemporanei si sforzano di evitare due estremi, ciascuno dei quali potrebbe falsare l'esperienza cristiana di Dio in Gesù. Un estremo potrebbe essere costituito da un deismo o da una debole forma di teismo secondo il quale Dio non può in alcun modo essere influenzato dal mondo. Secondo un tale teismo Dio è assolutamente indifferente nei confronti del mondo. Questo teismo facilmente conduce all'ateismo, dal momento che un Dio a cui gli eventi del mondo non suscitano alcun interesse è sicuramente un dio morto e non il Dio vivente della bibbia. L'altro estremo è costituito da un Dio che diviene, così come è proposto dall'hegelismo o dalla teologia del divenire (*process theology*), un Dio che ha bisogno del mondo per realizzarsi. Al di là di questi due estremi, sulla base dell'identificazione che Dio fa di se stesso col tempo nell'incarnazione di suo Figlio, la fede cristiana cerca di riflettere sulla storicità di Dio. In breve, dal momento che Dio è venuto nel tempo, ha la capacità di farsi temporale. Questa capacità possiamo definirla come storicità di Dio (*Geschichtlichkeit*). Un certo numero di teologi contemporanei come → Rahner e → Balthasar, Jüngel e Moltmann, evidenziano questo punto. L'essere di Dio non è statico. Piuttosto l'essere di Dio include qualcosa di analogo al divenire. In definitiva questo divenire, che non è il divenire di una creatura finita, può essere compreso solo in termini trinitari. Jüngel parla dell'essere di Dio come di una triplice venuta. Dio viene da se stesso (Padre), Dio viene a se stesso (Figlio), Dio viene come Dio (Spirito Santo). C'è un movimento in Dio, dal Padre al Figlio nello Spirito Santo. Lo Spirito Santo è il garante dell'unità dell'amore trinitario e della sua infinita pienezza. L'amore del Padre per il Figlio e la risposta del Figlio al Padre è così ricco che l'essere della Trinità è sempre un essere di più, un essere sempre nuovo, sempre giovane. Balthasar parla in termini simili, usando la categoria di evento per spiegare il carattere dinamico dell'essere eterno di Dio. Per Balthasar l'essere di Dio è costituito dall'evento dell'autodonazione del Padre e dalla risposta obbediente del Figlio che contiene una fecondità traboccante: lo Spirito Santo. Per questi autori l'evento che Dio è, è così dinamico, fertile e altruistico che si apre verso il mondo. L'essere di Dio è un essere di movimento estatico. Lo Spirito Santo completa ad un tempo il circolo dell'amore ed è la fecondità infinita dell'amore per il mondo e così può essere descritto come l'estasi di Dio. L'amore di Dio non è conservato per se stesso, ma è libero dono per il mondo. In tali termini trinitari la storicità di Dio è il fondamento della sua storia con il mondo che raggiunge il suo culmine nell'evento Cristo.

4. LA STORICITÀ DELLA TEOLOGIA - Si è continuamente parlato dell'evento Cristo come della pienezza della rivelazione di Dio. Per tutti gli autori del Nuovo Testamento Gesù Cristo rappresenta l'atto escatologico di Dio. Non possono esserci ulteriori rivelazioni, perché Dio ha espresso se stesso completamente nel suo Figlio. Per questa ragione la chiesa ha insegnato che la rivelazione è chiusa con la morte dell'ultimo apostolo. Non-

dimeno deve essere ugualmente evidenziato che precisamente a causa della storicità dell'uomo, l'evento della rivelazione non può essere afferrato una volta per tutte nella sua totalità, ma è sempre percepito prospetticamente secondo le limitazioni della situazione culturale nella quale il vangelo è predicato. Così da una parte Gesù rimane sempre l'assoluta verità circa Dio e l'uomo (cfr. DV 2); e d'altra parte, questa verità è sempre afferrata in modo frammentario. Perciò c'è una genuina storicità della dottrina e della teologia. La rivelazione non giunge mai a noi in modo puro e incontaminato, ma è sempre incarnata in qualche forma storica. La verità che Gesù Cristo è, è espressa nei balbettii concettuali delle culture con tutte le loro ricchezze e con tutte le loro limitazioni. Questo implica che la teologia, che è fede che ricerca la comprensione e che costituisce una parte intrinseca della fede stessa, è un processo ermeneutico nel quale ogni generazione cerca di tradurre la fede delle generazioni precedenti e delle culture precedenti nell'auto-espressione del suo proprio tempo e mentalità. Tali tentativi di tradurre presuppongono da una parte che ogni generazione cerca di ritrovare l'unica e insuperabile origine della fede, che è Gesù Cristo. D'altra parte la storicità dell'uomo implica che nessuna traduzione sarà mai definitiva. Non c'è alcuna possibilità di creare un sistema teologico assoluto, perché come abbiamo visto, tutte le affermazioni teologiche partecipano del carattere temporalmente limitato dell'esistenza umana. L'oggetto della richiesta è piuttosto quello che Gadamer chiama un dialogo con la tradizione (cfr. A. Louth, *Discerning the Mistery*, Oxford 1983, 39-44). La tradizione non è qualcosa di oggettivo fuori di me. Piuttosto io «abito» nella mia tradizione. C'è una connaturalità tra il soggetto che cerca di comprendere e la sua tradizione. Un dialogo del genere implica un circolo ermeneutico nel quale io interrogo la tradizione e la tradizione interroga me. Se non avessi qualche orizzonte di interrogazione, io non potrei domandare niente alla tradizione. Io non conoscerei ciò che sto cercando. Ma ponendo l'interrogativo nel mio orizzonte di comprensione, io sono in grado di comprendere di nuovo. L'atto della comprensione avviene. Io sono in grado di ascoltare il significato dell'evento passato della storia della salvezza nel mio presente. Alternativamente questo atto di comprensione apre il mio orizzonte di comprensione e mi permette di porre nuove domande. Tale è il circolo ermeneutico della teologia. Entrando in dialogo con il passato, il teologo entra in contatto con l'insuperabile origine della sua fede e rende questa origine attuale per una fede intelligibile oggi.

Sia la storicità dell'uomo, sia la storicità della rivelazione implicano che tali tentativi di traduzione e tali dialoghi con il passato non cesseranno mai. La teologia è una scienza storica che lotterà continuamente con il passato e tenterà di tradurre l'unica definitiva verità di Cristo sempre di nuovo fino a che egli venga nuovamente in gloria.

Bibl. - K. Rahner, «Sulla storicità della teologia», in *Nuovi Saggi* III, Roma 1969, 99-125; J. Jüngel, «God's Being is in Becoming», in *The Doctrine of the Trinity*, Edinburgh-London 1976, 61-108; Id., «Gesù Cristo crocifisso come Vestigium Trinitatis», in *Dio, mistero del mondo*, Brescia 1982, 447-478; A. Louth, «The Legacy of the Enlightenment», in *Discerning the Mystery*. An Essay on the Nature of Theology, Oxford 1983, 17-44.

JOHN O'DONNELL

V. Storia universale e storia della salvezza

Il contrasto tra questi due tipi di storia sembra essere a prima vista un'espressione della classica opposizione filosofica tra universale e particolare, tra forma e materia. Eppure, se accostata in questi termini, la nozione stessa di storia universale sembra un paradosso. Infatti la storia è il campo dei particolari, mentre l'universale filosofico si riferisce o all'astrazione concettuale da tutti i particolari o alla più vasta estensione dell'essere, Dio, che trascende la storia. Per questo la storia universale deve riguardare tutti i particolari di tempo e spazio, scoprire il loro significato, mentre la storia della salvezza apparentemente sostiene che alcuni momenti della storia godono di una priorità di significato che sola permette l'interpretazione della storia universale; in vista di quel «plus» di significato la salvezza è resa disponibile agli uomini in luoghi e tempi particolari. Questa «élitaria» visione della storia non si adatta bene all'egualitarismo democratico radicale e nemmeno a quanti sono decisi a trovare con la ragione un significato universale nella storia. Questo particolare ha spesso causato scandalo, eppure resta inestirpabile dal cristianesimo.

Diversamente da molte religioni «naturali» il cristianesimo non alimenta miti che si suppone avvengano in qualche tempo e spazio indeterminato mentre forniscono la base per la regolarità dei processi e delle feste stagionali. E neppure si fonda su speculazioni filosofiche disponibili per principio ad ogni individuo come nell'induismo, nel buddhismo theravada, nello stoicismo, nella scientology ecc. Al contrario, come il giudaismo e l'islam, il cristianesimo si basa sulla ricezione di una rivelazione divina realizzata in tempi e spazi storicamente definiti. Il fatto che Dio parli nella storia implica un Dio personale preoccupato della felicità e del comportamento degli uomini. Questo stabilisce anche l'importanza della memoria e la necessità della tradizione per conservare le sue parole presenti ai credenti. Infine la stessa preoccupazione di Dio per l'azione storica implica il suo dominio onnipotente sulla storia, la sua potenza nel condurla là ove egli vuole pur permettendo la libertà umana. Questo tema è stato specialmente caro ai profeti maggiori e all'intera tradizione apocalittica. Cosicché il cristiano vive nella continua tensione tra passato e futuro, in un presente nel quale è chiesta la sua risposta alla rivelazione di Dio.

Nel cristianesimo la particolarità delle religioni storiche ha avuto il suo insuperabile apice nell'incarnazione. Qui è stato concluso il dialogo tra Dio e Israele ed una nuova, eterna alleanza è stata stabilita. La *Lettera agli Ebrei* enfatizza che «una volta per tutte» Cristo ha sacrificato se stesso, conquistato una salvezza eterna e santificato i credenti (7,27; 9,12; 10,10). Quella storica unione di tempo ed eternità, di iniziativa divina e di risposta umana, costituisce il momento centrale della storia al quale tutto il seguente cristianesimo è legato. Resta un problema fondamentale per la teologia cristiana: in che modo la storia, regno del finito e del relativo, possa contenere qualcosa di insuperabile e di definitivo nel suo divenire. Parallelamente a questa tensione tra il definitivo e il relativo, il cristianesimo pone, accanto e insieme, un'altra fondamentale coppia di apparenti opposti. Sebbene l'uomo Gesù Cristo sia l'unico mediatore tra Dio e gli uomini, Dio desidera che tutti gli uomini siano salvati e giungano alla conoscenza della verità (1 Tm 2,3-6). Se la volontà di Dio non è ridotta a una mera velleità, come possono tutti gli uomini, così distanti nel tempo e nello spazio, mettersi in contatto con la storicamente limitata umanità di Cristo? Come può lo storicamente definito diventare definitivo?

1. UNO SGUARDO STORICO - Senza

dubbio i primi cristiani esaltavano la novità e la particolarità di Cristo. Quando Celso protestò contro l'idea che un semplice falegname galileo avrebbe reso superflue tutte le grandi conquiste culturali del paganesimo, Origene non esitò a ripetere con Pietro che soltanto nel nome di Cristo era offerta salvezza agli uomini (At 4,12). La frase di Cipriano «fuori della chiesa non c'è salvezza» rispecchia fedelmente la tradizione cristiana, per la quale solo la chiesa ha il carisma di insegnare correttamente il messaggio di Cristo. Non che questa dottrina fosse interpretata troppo strettamente. I patriarchi e i profeti dell'AT venivano considerati uomini di fede (Eb 11) che avevano accettato la rivelazione di Dio sul Cristo, la cui venuta avevano preannunciato. Uno dei primi apologisti, Giustino, ha mutato dalla filosofia greca la nozione di *lógoi spermatikói*, semi razionali (logici), che pervadono l'universo che rifletteva il Logos, suo creatore, e permettevano perfino ai pagani di percepire e seguirne l'insegnamento. La tradizione alessandrina, della quale Origene fa parte, era ugualmente generosa nello scoprire tracce della rivelazione e della fede al di fuori della tradizione giudaica.

La forte influenza platonica sui Padri (→ Platonismo cristiano) li portò a concepire la rivelazione principalmente nei termini di verità rivelata da Cristo nel tempo eppure eternamente valide. Agostino vedeva il Cristo come il maestro interiore che illuminava l'anima dall'interno e attribuiva la necessità della chiesa all'offuscamento causato dal peccato originale e dalla concupiscenza che richiedevano un'autorità esterna per garantire la verità esteriormente insegnata da Cristo nella storia. La storia diventava principalmente la lotta tra la città di Dio, coloro che da Adamo in poi amavano la verità di Dio e la città dell'uomo, quanti a Dio preferivano se stessi e il male. Anche la

scoperta della positiva infinità di Dio e della teologia negativa non sostituirono nei Padri l'enfasi platonica sull'illuminazione interiore e sulle verità eterne. La rivoluzione aristotelica in occidente collocò di nuovo nella materia le forme platoniche come i principi dinamici ed essenziali del cambiamento, ma la nozione aristotelica di scienza come pure quella dell'universale condusse gli scolastici a concepire la teologia primariamente come la spiegazione di verità essenziali trasmesse dalla Scrittura e dalla ininterrotta tradizione della chiesa.

La prima grande rottura con questa visione della verità storica giunse nel rinascimento con l'amore dell'antico. Non soltanto i testi classici dovettero essere editi criticamente e gli antichi storici confrontati, ma anche la differenza tra il presente cristiano e il passato pagano risvegliò un senso di periodi storici che non dovevano essere visti puramente nei termini della falsità sconfitta dalla verità cristiana. Anche la Riforma contribuì a questa presa di coscienza storica nella misura in cui Lutero e Calvino si richiamavano alla purezza di vita e di dottrina della chiesa primitiva nel rigetto della decadenza dei secoli posteriori. Così la continuità ecclesiale con Cristo presupposta dai pensatori medievali fu messa radicalmente in questione e dovette essere criticamente dimostrata. L'epoca barocca vide il dominio dell'apologetica storica sulle linee stabilite dal Bellarmino e dal Baronio, ma l'espansione dei suoi orizzonti geografici portò contemporaneamente ad una reinterpretazione della peculiarità cristiana. Mentre Tommaso d'Aquino presupponeva che l'intero mondo abitato avesse sentito parlare del Cristo e che Dio avrebbe mandato un angelo ad annunciare il messaggio cristiano a qualunque uomo onesto che vivesse in isolamento in una foresta e non l'avesse mai udito, l'epoca delle scoperte incontrò nelle Indie milioni di persone rimaste nell'ignoranza di Cristo. Convinti che non c'è salvezza fuori della chiesa, zelanti missionari come san Francesco Saverio traversarono gli oceani, le giungle e i deserti con grande rischio e sofferenza personale per portare la salvezza di Cristo a tutti gli uomini. Il pensiero di così tanti pagani che morivano nel peccato e il riconoscimento da parte dei missionari che molti pagani conducevano vite di elevata virtù naturale condussero a un ripensamento dell'antico dogma «fuori della Chiesa non c'è salvezza», solennemente affermato dal concilio di Firenze (DS 1351).

Il Bellarmino allargò la nozione di battesimo di desiderio per includere molti buoni pagani che facevano tutto ciò che era in loro potere per seguire la volontà di Dio nella misura in cui essa era da loro conosciuta attraverso la natura e che senza dubbio avrebbero accettato la fede cristiana una volta che fosse stata annunciata loro. Nonostante la rigidità giansenista che limitava il numero dei salvati, i gesuiti e altri teologi si rifiutavano di negare a chiunque la misericordia di Dio. Le loro argomentazioni erano sostenute dalla insistenza cattolica sulla fondamentale bontà della natura e la sua affidabilità nel trasmettere la conoscenza di Dio in opposizione alle dottrine protestanti della totale corruzione della natura e la necessità della fede nella sola parola di Dio.

L'inutilità delle guerre di religione in Europa, i resoconti dei missionari sulle culture non-cristiane altamente morali, specialmente nell'oriente, e il grande successo della scienza galileiana hanno potentemente contribuito all'Illuminismo e alla sua radicale critica della tradizione come sorgente di verità. Dal momento che il Dio delle battaglie non aveva espressamente favorito una tradizione religiosa su un'altra nell'interpretare la Scrittura, per risolvere i conflitti si doveva tro-

vare un altro principio di verità: la ragione umana, comune a tutti gli avversari. Nelle civiltà pagane la stessa ragione umana aveva sviluppato grandi dottrine morali che avevano molto in comune con la supposta superiorità dell'insegnamento cristiano. Non era forse la ragione umana capace di fornire una base ad una teologia e ad una morale «naturali» applicabili a tutti i tempi e a tutti i luoghi, proprio come erano universalmente valide le leggi scientifiche? Il clero e la tradizione furono condannati per aver introdotto nella religione inutili superfluità che non potevano reggere davanti alla critica della ragione. Non soltanto le differenze di dottrina tra le diverse confessioni cristiane furono scartate o schernite, ma anche la stessa tradizione fu severamente attaccata quando furono messe in rilievo le sue contraddizioni e assurdità. Nella battaglia condotta attraverso la stampa l'osservazione illuminata, la scoperta scientifica e il genio corrente dovevano vincere contro il ricordo, la ripetizione e i tradizionali modelli di superiorità. Le verità eternamente valide fondate sull'umana natura resero superfluo lo stretto bisogno di cercare nel passato frammenti di saggezza. G.E. Lessing presentò la più eloquente critica illuministica sul cristianesimo sostenendo che: «verità storiche contingenti non possono mai diventare la prova di necessarie verità razionali».

Il distacco tra la necessità e l'universalità della verità e la contingenza delle personalità e degli avvenimenti storici portò il pensiero protestante tedesco, in diversi tentativi, a classificare la seconda sotto la prima. Kant vide nell'insegnamento di Gesù una religione ed una moralità razionale e pura e interpretò Gesù come la loro ideale esemplificazione. Hegel considerò Gesù, l'unione di Dio e dell'uomo, come la rivelazione storica e l'anticipazione dell'ineluttabile traguardo del processo storico. Schleiermacher ha interpretato Gesù come la suprema realizzazione della coscienza di Dio, del senso religioso dell'assoluta dipendenza da Dio. Il protestantesimo liberale, erede del criticismo storico illuministico, tentò di ricostruire la vita storica di Gesù purificata dalla sovrastruttura «soprannaturale» aggiunta dagli evangelisti e dalla tradizione. Gesù venne presentato come l'ideale maestro morale e religioso che corrispondeva ai più alti ideali della natura umana e trasmetteva un puro messaggio all'età presente.

I ritratti di Gesù presentati dalla «ricerca critica» degli studiosi tedeschi erano tanto diversi e contraddittori che verso la fine del XIX secolo la ricerca del Gesù storico si era resa sospetta. La prima guerra mondiale pose fine alle teorie liberali protestanti di una natura umana universale, fondamentalmente sana e in progresso verso una sempre maggiore realizzazione del regno di Dio. Inoltre, A. Schweitzer sostenne che Gesù aspettava realmente una imminente e apocalittica fine del mondo (Mt 10,23; Mc 9,1). Non lo sviluppo di un mondo interiore ma un soprannaturalismo radicale hanno caratterizzato il messaggio di Gesù; nonostante l'errore di Gesù, Schweitzer pensava che il protestantesimo liberale, cioè non-dogmatico, avrebbe potuto sopravvivere perché confutando l'escatologia di Gesù la storia aveva aperto il cammino per accettare, senza ostacoli dogmatici, la pura moralità del sermone della montagna. Ma lo scetticismo sulle ricostruzioni storiche si era sviluppato a tal punto che M. Kähler, W. Wrede e R. Bultmann negarono la nostra capacità di conoscere il Gesù storico (→ Ermeneutica). Dal momento che i «fatti» storici non esistono isolati da un ricevente e il destinatario necessariamente ha le sue categorie di interpretazione della realtà, non si può sperare in nessuna pura oggettività del fatto; di conseguenza la risurrezione di Gesù non poteva essere basata sull'evidenza storica, ma dipendeva dalla fede dei testimoni. La cristianità doveva vivere sul *kêrygma*, l'evento della proclamazione della parola che ha chiamato gli uomini ad una decisione esistenziale verso Dio e il suo amore di fronte alla mancanza di significato del mondo. I vari schemi di pensiero usati dagli autori neotestamentari per trasmettere l'evento di Cristo furono considerati miti dal momento che le parole umane non potevano adeguatamente afferrare l'ineffabile, infinito mistero di Dio nella sua presenza salvatrice. Per questo le interpretazioni del Nuovo Testamento che sembravano sorpassate, dovettero essere demitizzate e reinterpretate in vista della richiesta esistenziale di Gesù per un'esistenza autentica. E. Käsemann ha sottolineato l'irriducibile pluralismo delle teologie neotestamentarie che soltanto lo Spirito poteva unificare. Benché Käsemann abbia chiesto un rinnovamento della ricerca del Gesù storico, l'effetto del suo criticismo, e anche di quello di → Bultmann, fu di negare alla storia passata una validità durevole. La storia era diventata la semplice occasione di salvezza, non la sua portatrice.

Tra i protestanti, numerose furono le reazioni contro l'interpretazione esistenziale e radicale di Bultmann del messaggio evangelico. C.E. Dodd sostenne di trovare in Gesù e nella maggioranza degli autori neotestamentari una escatologia realizzata, dal momento che il regno di Dio era già presente nella predicazione di Gesù; ma il cammino della storia ha costretto la chiesa ad abbandonare questa visione per far posto a un regno di Dio che trascendeva la storia mentre garantiva l'ordine morale dell'universo. E così gli avvenimenti particolari tesero a perdere il loro significato salvifico. K. Barth rigettò tutti i tentativi di ricostruire il Gesù storico e la stesura del NT come colpevoli tentativi umani di dominare l'onnipotente parola di Dio. Al contrario gli uomini erano stati chiamati ad accettare la parola di Dio nella sua completezza, come realtà che li giudicava e a credere in Gesù Cristo, Dio e uomo, come il contenuto della Scrittura. Mentre accetta seriamente il contenuto letterale della Scrittura, Barth ha drasticamente ridotto tutta la storia intelligibile all'unico evento di Gesù Cristo, così come è conosciuto nella Scrittura. O. Cullmann ha sviluppato il concetto della storia della salvezza nella misura in cui Gesù Cristo era inteso come il culmine della preparazione vetero-testamentaria e il criterio di tutta la storia seguente; il tempo che intercorre tra Cristo e la fine era inteso come la differenza tra il D-Day, giorno della decisiva vittoria, e il V-Day, giorno della manifestazione finale di quella vittoria. E. Jüngel ha sviluppato una critica radicale della filosofia umana la cui assoluta mancanza di successo nel tentativo di assolutizzare se stessa, indirizzava gli uomini verso la storia nella quale Dio ha parlato e dato se stesso agli uomini nell'evento di Gesù Cristo. Che Dio abbia unito se stesso all'uomo Gesù, ha dato un senso alla storia, permettendo al non-divino la più intima unione con Dio. Infine la storia era intesa, attraverso la vita, la morte e la risurrezione di Gesù, come entrante nella vita trinitaria dell'amore di Dio. Infatti Dio non soltanto ha fissato la distinzione tra vita e morte, essere e non-essere, ma è anche entrato in quella lotta in favore della vita. In Dio il passato rimane sempre presente, infatti Dio resta il soggetto della sua propria storia, ma noi siamo indirizzati ad essa con il racconto della storia di Cristo. Il cristocentrismo di tutti questi punti di vista, però, priva tutta la storia seguente, anche la storia della chiesa, del suo significato. Se con Barth gli uomini devono sovrapporre nella fede ogni tempo successivo per essere uniti a Cristo o se con Jüngel Dio

ha assunto tutta la storia in se stesso con Gesù, la storia staccata da Cristo, non ha più significato per se stessa. Senza un suo proprio significato, la storia universale non può comprensibilmente essere distinta dalla storia della salvezza. Fuori di Cristo tutto è tenebra.

Per evitare una svalutazione cristocentrica della storia seguente, alcuni protestanti hanno guardato alla fine della storia come elemento normativo e decisivo. J. Moltmann ha visto il regno di Dio come l'ideale escatologico da essere realizzato dalla prassi cristiana nella storia. Questa prassi era basata sulle promesse di Dio, che divennero definitive alla risurrezione di Gesù, fondamento di ogni speranza cristiana. Sfortunatamente egli non ha mai spiegato come la risurrezione potesse essere considerata definitiva, specialmente se intesa puramente come l'assunzione del Gesù crocifisso nella gloria di Dio, notizia giunta attraverso testimoni passivi che da essa trassero le conclusioni per la loro chiamata e missione. Per questo, nonostante il suo desiderio di conservare la definitività di Gesù e anche di interpretare la sua morte come una morte in Dio, Moltmann tende a relativizzare Gesù di fronte alla fine del mondo. W. Pannenberg sostiene che l'ambiguità di tutta la storia sarebbe stata superata soltanto alla fine del tempo, quando si sarebbe realizzato pienamente il piano di Dio. Infatti, la realtà di un essere si ha soltanto con la sua realizzazione. Ma, per evitare la relativizzazione di Gesù, Pannenberg ha visto la fine della storia come anticipatamente realizzata nella risurrezione di Gesù Cristo che era stata proletticamente attiva attraverso tutta la vita terrena di Gesù. Per questo, benché si potesse dire che Gesù era diventato divino con la risurrezione, la risurrezione aveva reso divina la sua vita precedente. Chiaramente Pannenberg desiderava rispettare la piena umanità della vita di

Gesù in tutta la sua contingenza nello stesso momento in cui la considerava definitiva (divina) e, nonostante la sua definitività, preservare il significato della storia seguente che la fine del tempo avrebbe portato a compimento. Sfortunatamente, trascurando di spiegare come una cosa possa essere contemporaneamente relativa (storica) e definitiva, ha dato l'impressione di desiderare la botte piena e la moglie ubriaca. La strana dialettica di essere ambedue e nessuno dei due richiede una metafisica che la dottrina della corruzione della natura umana sembra negare al pensiero protestante.

La teologia cattolica rimase a lungo immune dal dilemma protestante circa la storia. In primo luogo, essa era profondamente scettica riguardo a ogni presunta scienza che sostenesse di trovare nei vangeli, che sono le uniche sostanziali testimonianze sulla vita di Gesù, una comprensione di Gesù in contrasto con la chiara testimonianza degli evangelisti. Inoltre, presupporre, anche per ipotesi, che la fede della chiesa non è in continuità con la realtà del Gesù storico avrebbe implicato una resa ai protestanti, un suicidio intellettuale che un teologo cattolico non avrebbe mai potuto perdonare. Infine, la chiara distinzione, fondamentale per la teologia cattolica, tra natura e grazia soprannaturale evitò molti problemi di eccessivo cristocentrismo.

La distinzione tra naturale e soprannaturale era storicamente fondata sulla nuova iniziativa di Dio di una rivelazione speciale culminata nell'incarnazione, nella vita, morte e risurrezione di Gesù Cristo come redenzione divina dell'umanità dal peccato. Quanto gli uomini erano incapaci, per se stessi, di realizzare nella storia, era liberamente concesso da Dio: la salvezza e la piena condivisione nella sua vita divina per mezzo del Cristo. Questa distinzione salvava la libertà di Dio nel dare inizio alla salvezza come una seconda gratuità dopo la creazione. Essa garantiva anche la libertà dell'uomo nella risposta all'iniziativa soprannaturale di Dio; infatti, finché l'uomo avesse potuto scoprire un senso nella realtà e giungere ad una conoscenza di Dio con la sua intelligenza naturale, la sua volontà avrebbe avuto motivi per una libera scelta. Per questa ragione, presentandosi la rivelazione, l'uomo avrebbe avuto qualche previa comprensione del suo significato e sarebbe stato capace di accettarla liberamente. Infatti, era proprio nel negare la cooperazione della libertà umana nella risposta alla rivelazione che i protestanti avevano negato ogni possibilità di una conoscenza naturale di Dio, cioè di una conoscenza separata dalla rivelazione.

Gli scolastici avevano sottilmente trasferito la base della distinzione naturale-soprannaturale dalla novità storica a tutto ciò che superava i naturali poteri della volontà e dell'intelletto umani. L'epistemologia scolastica presupponeva che l'uomo raggiungesse la conoscenza della realtà (l'essere) attraverso concetti astratti dalla esperienza sensibile. La conoscenza concettuale di Dio, per quanto analoga, costituiva una conoscenza naturale. La visione beatifica, la diretta intuizione di Dio sorpassava tutte le astrazioni; perciò, quanto e tutto ciò che conduceva ad essa, la fede e i corrispondenti doni all'intelletto e alla volontà, potevano essere considerati propriamente soprannaturali. Inoltre, la rivelazione, in quanto adattata all'intelletto umano, era intesa come formulata in proposizioni concettuali. Queste proposizioni, in quanto soprannaturali, superavano la capacità dell'intelletto naturale dell'uomo di affermare la loro verità. La volontà dell'uomo doveva essere attratta dalle promesse di perdono dei peccati e di vita eterna ma, escluso che questa accettazione fosse irrazionale quindi né libera né umana, i motivi esterni di credibilità nei miracoli di Gesù e nella realizzazione delle profezie erano sufficienti per garantire la veracità della sua testimonianza. Dal momento che Gesù ha affidato la rivelazione ai suoi discepoli, alla chiesa, con autorità di annunciare e interpretare il suo messaggio, era essenziale il ruolo di autorità per una fede predicata dall'esterno. Da tale schema interpretativo derivò una chiara distinzione tra storia universale e storia salvifica. Gli avvenimenti storici, conosciuti dall'intelletto umano, appartenevano alla prima; mentre ciò che apparteneva alla conoscenza della fede e all'amore soprannaturale costituiva la storia della salvezza.

Il primato dei concetti prodotti dall'intelletto passivo sotto la costante illuminazione dell'intelletto attivo, garantiva l'oggettività della conoscenza universale e astratta. I «fatti» storici potevano essere riconosciuti attraverso la passività della conoscenza sensitiva e interpretati, per quanto necessario, dalle astrazioni oggettive risultate dall'evidenza sensibile. Per questo la fede poteva basarsi sugli avvenimenti della vita di Gesù, specialmente sulla risurrezione che era un miracolo divino per eccellenza e realizzava le profezie. Questi scolastici elusero il dilemma di Lessing: non soltanto le verità della rivelazione non sono «necessarie» all'uomo, visto che sono liberamente rivelate da Dio, ma anche la conoscenza sicura dei fatti pone la base all'autorità di Gesù e della chiesa nel proclamare le verità soprannaturali.

Difficoltà notevoli accompagnarono questa posizione. Se i fatti che sostengono l'autorità di Cristo erano storicamente e naturalmente verificabili, come poteva la fede rimanere sia soprannaturale che libera? Al contrario, se essi erano storicamente indimostrabili, come poteva essere certo l'assenso della fede? Inoltre sembrava messa in pericolo l'universalità o l'efficacia della volontà salvifica di Dio. Se l'atto di fede dà il suo assenso a insegnamenti espliciti accettati per autorità, come può essere reso soprannaturale il desiderio naturale e implicito di obbedire a Dio da parte di un buon pagano che mai ha udito l'insegnamento dell'autorità della chiesa? Una difficoltà finale riguardava il tipo delle verità soprannaturali in questione. Esse includevano sia fatti che proposizioni concettuali. I «fatti» sono ciò che sono, una volta per tutte, nel tempo e nello spazio. I concetti che astraggono da una individualità materiale nel tempo e nello spazio, forniscono un «assoluto» essenziale e senza tempo. Nella misura in cui l'evidenza sulla formazione dei dogmi della chiesa veniva sempre più alla luce, grazie alla ricerca storica, diventava sempre più difficile spiegare l'evoluzione dei dogmi come la successiva, chiara interpretazione di un tesoro di verità proposte e concluse con la morte dell'ultimo apostolo.

2. TENTATIVI MODERNI DI SOLUZIONE - Il tomismo trascendentale, rappresentato da pensatori come P. Rousselot, K. Rahner e B. Lonergan, in un primo momento sembrò offrire una soluzione a questi problemi. Poiché il giudizio afferma la verità e raggiunge la realtà, il concetto, che anche nel migliore dei casi è soltanto parte di un giudizio, non afferra nel modo adeguato la realtà. Come la *conversio ad phantasma*, il giudizio riferisce questo phantasma a un orizzonte trascendente di intelligibilità. Dal momento che il giudizio comprende un'attività di sintesi che riguarda l'intelletto, questo è concepito primariamente come una facoltà dinamica e l'oggettività è conosciuta soltanto attraverso la soggettività. Poiché il dinamismo dell'intelletto è orientato al vero in quanto suo bene, la tradizionale distinzione tra intelletto e volontà nei termini dei loro oggetti formali, il vero e il bene, è elevata al movimento fondamentale

del conoscere e dell'amare. Il definitivo fondamento del desiderio spirituale, rivelato nel dinamismo, non può essere finito dal momento che ogni percezione di limitazione comprende la sua trascendenza. Di qui né una idea, né un'utopia sociale marxista possono soddisfare il fondamentale desiderio dell'uomo. In più, questo dinamismo deve essere capace di realizzazione; altrimenti il giudizio originale, che implica l'intelligibilità, la bontà e la consistenza della realtà, diverrebbe impossibile. Soltanto Dio può soddisfare le condizioni di possibilità per l'attualità del giudizio. Dal momento che Dio, il solo che può soddisfare il dinamismo spirituale dell'uomo, sarebbe conosciuto in un modo che supera i concetti, si può parlare, con Tommaso, di un «desiderio naturale» della visione beatifica. Ammessa la volontà salvifica universale, Dio darebbe la sua grazia a tutti gli uomini.

La fede non riguarda più il consenso a proposizioni sulla base di un'autorità esterna, ma la risposta di conoscenza e di amore all'autorivelazione di Dio la quale, come grazia, influisce sulla sua stessa accettazione nell'anima. Non si tratta di semplice interiorità poiché la struttura fondamentale del pensiero e dell'amore, rivelata nella *conversio ad phantasma*, concerne un riferimento alla realtà storica concreta. Non esiste trascendenza verso l'infinito se non attraverso il finito. Dal momento che non esiste opposizione tra infinito e finito, l'infinito può usare il finito come simbolo della sua autorivelazione nel tempo. Per questo gli uomini devono mantenersi aperti alla possibile autorivelazione di Dio nella storia. Di fatto questa rivelazione si è realizzata e ha raggiunto il suo culmine in Gesù Cristo che è contemporaneamente la perfetta manifestazione di Dio e la perfetta risposta umana a Dio. Poiché il grado più alto in un genere è la causa di tutti gli altri che

appartengono allo stesso genere si può dire che nell'ordine della grazia Cristo è la causa della fede in tutti gli altri, perfino nei → «cristiani anonimi» che mai hanno sentito parlare di lui espressamente. Nella tradizione cristiana lo sviluppo del dogma gode di grande flessibilità dal momento che Dio, l'ineffabile, che si rende presente nella grazia alla quale risponde la fede, non può essere mai esaurito da qualunque formula finita e razionale. È per questo che nelle varie epoche la chiesa può usare differenti categorie concettuali per avvicinare l'originale e mai pienamente tematizzato oggetto della fede offerto in Cristo.

Su questo sfondo Rahner ha tracciato una distinzione tra storia secolare e storia della salvezza. Quest'ultima si realizza entro la prima, mentre le dà il suo significato, proprio come il soprannaturale presuppone la natura mentre la guida al suo completamento. Poiché la storia secolare non può emettere alcun giudizio sul suo significato finale può essere identificata soltanto come una storia senza salvezza. Non è possibile nessun'altra definizione più precisa dal momento che le libertà umane, che rispondono alla grazia, non possono essere pienamente oggettivate. Di fatto, dal momento che la grazia è offerta a tutti gli uomini, la distinzione tra storia secolare e storia della salvezza è solo formale, non materiale. In contrapposizione a questa storia universale e salvifica, materialmente identica alla storia secolare, si scopre una particolare storia della salvezza nella quale l'autocomunicazione di Dio tramite la grazia è giunta alla sua necessaria espressione tematica sotto una speciale guida di Dio in una tradizione sufficientemente continua e «ufficiale» che conduce a Gesù Cristo, il quale da quel momento provvede il criterio definitivo sul quale vengono misurate tutte le precedenti rivelazioni.

La grande flessibilità che rese capace il tomismo trascendentale di rispondere alle difficoltà di uno scolasticismo concettuale condusse, a sua volta, a nuove difficoltà. Come può giungere ad una adeguata espressione tematica l'ineffabile mistero di Dio esperimentato nella grazia? Rahner anzi ha ammesso che Gesù abbia «sbagliato» riguardo l'imminente arrivo del regno di Dio, ma ha spiegato questo «errore» come una espressione tematica inadeguata della vicinanza di Dio sperimentata nella sua consapevolezza umana. Se simili espressioni inadeguate furono possibili per Gesù, come può la chiesa pretendere una sicurezza maggiore nei suoi dogmi? Se ogni formula dogmatica è fondamentalmente inadeguata all'infinito mistero di Dio, quale valore permanente mantengono le formule dogmatiche? Che cosa rende una formula preferibile ad un'altra se le stesse formule sono rivedibili con il cambiare della terminologia filosofica delle diverse epoche o entro il pluralismo di una stessa epoca? Benché Rahner abbia insistito sulla necessità di un magistero infallibile per garantire la presenza continuata della definitiva rivelazione di Dio in Cristo, su quale base il magistero preferisce una formula ad un'altra e con quale autorità richiede l'adesione del fedele ad essa? Dato che Dio comunica se stesso a tutti e, questo è assiomatico per Rahner, l'essere è autoconsapevole; ognuno gode un'immediatezza con Dio che supera le imperfezioni del dogma. Qui si vede come per qualche incauto discepolo di Rahner ci sia il pericolo di una caduta nel protestantesimo liberale.

A causa della sua incerta distinzione tra il naturale e il soprannaturale e per la sua enfasi sull'unità del piano salvifico di Dio che culmina in Cristo, potrebbe sembrare che Rahner sia portato a un eccessivo cristocentrismo. Inoltre altri passaggi dei suoi scritti sostengono che l'evento di Cristo e la sua risurrezione non sono semplici fatti ma devono essere interpretati alla luce del più vasto orizzonte dell'attesa e dell'intelligibilità fornita dal desiderio dell'uomo per l'infinito orizzonte dell'essere. Questa oscillazione illustra la difficoltà che sta sotto la spiegazione del come un assoluto può essere riscontrato nella relatività della storia, l'Infinito nel finito. In questo consiste l'attuale problema ermeneutico del come trovare un significato quando tutte le dichiarazioni finite possono essere relativizzate da un altro punto di vista, quando l'essere nasconde se stesso anche mentre si rivela. Benché una particolare tradizione possa fornire un bagaglio linguistico di significati che aiutano i seguaci di quella tradizione ad agire entro di essa in modo relativamente efficace e perfino a provarla e a fare delle indagini oltre il già conosciuto, quando le tradizioni si incontrano ed entrano in conflitto, cos'è che fa sì che una tradizione sia da preferire ad un'altra se non l'abitudine, la comodità o il potere? La relativizzazione delle pretese di verità e dei valori ad esse relativi, sostenuta da Nietzsche, Heidegger e Sartre, è sfociata nell'attuale relativismo e nel disimpegno che dominano gran parte del pensiero moderno. Perfino la scienza moderna, dopo la relatività e la meccanica dei quantum, è divenuta molto consapevole della natura discutibile e parziale delle sue ipotesi.

In realtà il problema ermeneutico non è altro che una nuova variante del fondamentale dilemma epistemologico-metafisico, come cioè il finito possa conoscere l'infinito, come il finito possa esistere «a fianco» dell'infinito. Se esiste una opposizione fondamentale tra il finito e l'infinito, non soltanto l'incarnazione è impossibile, ma anche Dio non può essere conosciuto entro o attraverso un qualunque segno finito, sia esso il mondo o la Scrittura. Infatti la difficoltà va più a fondo, dato che Dio non è l'unico infinito che l'uomo incontra. Ciò che gli antichi e gli scolastici definivano «materia prima», cioè il principio della individualità, rappresenta anch'esso un infinito dal momento che nessuna astrazione o serie di astrazioni può esaurire l'individualità di qualunque essere. Se l'individuo, comunque, costituisce una realtà, le astrazioni concettuali non raggiungono la realtà e la loro validità è posta radicalmente in questione. Senza un sistema fisso e coordinato di concetti, i «fatti» individuali della storia perdono il loro significato; dal momento che un fatto non può mai essere percepito senza una interpretazione e nessuna interpretazione può rivendicare l'oggettività per se stessa, un mondo di punti di vista particolari minaccia di dissolversi nella incomunicabilità, nella inintelligibilità e nel caos morale, in poche parole, in un totale relativismo del pensiero e dell'azione. Di fatto se l'infinità progressiva o divisibile della materia deve essere del tutto intelligibile, soltanto la pura infinità di Dio può comprenderla. Ma come fa il finito a conoscere l'infinito o l'Infinito?

Proprio come il totale → scetticismo contraddice se stesso, allo stesso modo il totale → relativismo implica un assoluto. Infatti affermare che tutto è relativo stabilisce quella dichiarazione come una indiscutibile verità. Proprio come ogni comunicazione contiene una oggettività comune alle soggettività, ogni pensiero implica che la mente, al di là di se stessa, può conoscere una verità oggettiva. Di fatto ogni conoscenza implica tanto l'oggettività che la soggettività, sia l'assoluto che il relativo, tanto il conosciuto che il conoscente. Ogni giudizio di fondo unisce un elemento finito e uno infinito e ogni concetto implica una forma finita astratta dall'infinità della materia e in relazione ad essa (per esempio: «uomo» è una forma astratta, ma

l'uomo implica corporeità). Per questo l'infinito e il finito non soltanto non possono essere giustapposti né, molto meno, collocati in opposizione esclusiva, come potrebbero esserlo due realtà finite, ma anche ogni pensiero implica la loro congiunzione. Potenza e atto, forma e materia, essere e non-essere, conoscenza e ignoranza, tutto sembra essere unito nell'uomo, quell'essere paradossale che deve affidarsi alla sua ragione finita pur riconoscendo di non poterla assolutizzare. Facendo riferimento costantemente al di là di se stesso nello spazio e nel tempo, l'uomo nondimeno sembra incapace di esaurire perfino la realtà che lo comprende. A questo punto, dov'è che l'uomo trova un senso?

Certamente la finita ragione umana non può pienamente spiegare né giustificare se stessa. Il senso di valore dell'uomo è primariamente derivato non dalle discussioni con un filosofo ma dall'amore sperimentato attraverso i suoi genitori. Un'analisi del senso di obbligo morale che è nell'uomo lo rivela essere: *a.* assoluto, nel fatto che egli dovrebbe conservarsi fedele fino alla morte, relativizzando così l'attrazione di tutto il mondo, passato, presente e futuro; *b.* soprarazionale, in quanto in ogni argomento razionale per persuadere qualcuno a dare la sua vita si può far sempre qualche distinzione collocando l'individuo contro l'universale o viceversa; *c.* personale, in quanto si muore non per un'astrazione né per qualcosa di subumano ma per un essere capace di conoscere e di amare; *d.* libero e liberante, in quanto egli non è obbligato né fisicamente né psicologicamente a rispondere ma supera tutte le attrazioni finite rispondendo positivamente al suo dovere. Questa caratterizzazione dell'esperienza morale rivela che in definitiva essa è amore.

Ma non è impossibile per l'uomo finito percepire qualcosa di assoluto?

La risposta è chiara: dal momento che la ragione umana non può assolutizzare se stessa, la sua critica che l'amore sia irrazionale non può distruggere l'amore. Di fatto, le strutture dell'amore e della ragione sono identiche perché includono la congiunzione del finito e dell'infinito. La ragione, lasciata a se stessa, cade in contraddizioni, ma se è vista come riflesso della struttura dell'amore e l'amore è realtà, allora è giustificata. Chi ama, rimanendo fedele alle richieste di amore, può riconoscere il rapporto tra ragione e realtà, che è la verità. È a questo modo che è raggiunta una coscienza naturale di Dio, cioè al di fuori della rivelazione storica in Cristo. L'onnipotenza di Dio, che chiama l'uomo a rinunciare alla sua vita ed alle attrazioni del mondo intero, è vista come la condizione della libertà umana. Per questo, se l'uomo non potesse raggiungere l'assoluto, ogni ragione relativa presentata alle sue scelte potrebbe essere messa in questione e le sue scelte sarebbero private di una base razionale, il che le renderebbe arbitrarie, non libere. Inoltre, se Dio chiama una persona al sacrificio libero e totale di se stesso, si può essere sicuri che il Dio che ha realizzato il più alto stato di autocomprensione in quella persona, non distruggerà ciò che ha creato. Egli rimane fedele all'amore creativo, quale egli è, un amore creativo che concede immortalità.

La struttura della realtà finora espressa è sacramentale: entro e attraverso una realtà finita Dio, l'Infinito, si rende presente in una richiesta di risposta totale di amore ed è dalla risposta dell'uomo che dipende il suo destino eterno. Dio sarebbe presente nell'autentica amicizia e il matrimonio spicca come il sacramento naturale più elevato. Ma il peccato ha distrutto l'unità primordiale tra gli uomini e tra Dio e l'uomo. L'ordine mondiale attuale con tutti i suoi egoi-

smi e le sue sofferenze non riflette chiaramente l'amore. Dal momento che nessun uomo è un'isola ma ognuno è costituito dalle relazioni con gli altri, la divisione esterna del genere umano si ripete nell'interno dell'individuo e nella sua unità infranta. Nessun uomo, se esamina il suo cuore, può assicurare un altro che l'amore è una realtà e nemmeno pretendere una totale fiducia verso se stesso. Se dovrà esserci una qualunque ulteriore comunicazione tra Dio e l'uomo o una qualunque ricostituzione dell'unità del genere umano, l'iniziativa dovrà venire da Dio. Poiché il mondo da lungo tempo non ha più svolto il suo servizio come chiaro segno dell'amore di Dio, Dio si è fatto uomo e ha dato la sua vita come il segno più evidente di amore. Nella morte la divina persona, come segno di amore, ha fatto totalmente propria la natura umana che non fu abbandonata alla morte ma risorse. A questo modo, la prova dell'onnipotenza dell'Amore, che ora ha vinto peccato e morte, come pure la prova della vita dopo morte, è stata dimostrata dall'avvenimento pasquale. La naturale fede dell'uomo nell'amore, senza la quale la ragione è distrutta, è stata rafforzata nonostante l'evidenza del peccato; per questo la fede soprannaturale è più certa di ogni altra fede naturale e ragionamento in questo mondo. Paradossalmente la risurrezione diventa l'avvenimento più sicuro della storia dal momento che è solo alla sua luce che può essere confermata la validità della ragione. Se la ragione è messa in dubbio, nessun fatto è più sicuro. Poiché ogni fatto si basa su una interpretazione e l'interpretazione è valida soltanto nella misura in cui le più ampie presupposizioni filosofiche possono essere giustificate. La Pasqua, la concreta testimonianza a sostegno dell'amore, diventa la pietra di paragone dell'amore vero e di ogni significato.

L'amore divino di Cristo chiaramente manifestato nel → mistero pasquale è causa di una risposta amorosa nei cuori umani o provoca il loro indurimento. Quanti rispondono a Cristo con amore diventano uno con lui nell'amore personale e formano così il corpo di Cristo. Questa chiesa, sposa di Cristo, continua attraverso i tempi conservando nella parola e nel sacramento la vita di amore che la anima e offre agli uomini il centro cruciale e concreto per la conversione e la crescita nell'amore. A meno che la rivelazione definitiva di Dio, cioè il suo personale ingresso nel tempo non sia frustrato nel suo scopo salvifico, alla chiesa è stata assicurata vita continua fino al giudizio universale. Ognuno dei suoi dogmi può essere mostrato come riflesso della stessa struttura sacramentale realizzata nell'incarnazione, annunciata da Cristo e dagli apostoli, difesa da Agostino e giunta alla sua più adeguata espressione a Calcedonia come è stata interpretata da Massimo il Confessore. Proprio come l'infinita realtà e l'onnipotenza di Dio lasciano spazio alla creazione e alla libertà umana, allo stesso modo il regno di Dio già storicamente presente nella richiesta di Gesù per una totale conversione, lascia spazio alla venuta finale del regno; anche il Figlio dell'uomo è presente e allo stesso tempo deve venire nel giudizio. Il «già» di Paolo deve essere bilanciato con il «non ancora», il suo indicativo con l'imperativo che ne segue, la pienezza del tempo in Cristo con la sovrabbondanza di grazia che si riversa nel presente e nel futuro. Sia che l'accento sia posto sul «non ancora» come fanno Luca e Matteo, o sul «già», come appare nella realizzata escatologia di Giovanni, la tensione fra la pienezza presente e il completamento futuro nella struttura sacramentale dell'onnipotenza divina e della libertà umana è fortemente conservata attraverso tutto il NT. Cristo ha realizzato la salvezza umana una volta per tutte ma gli uomini devono ancora rispondergli, e la fine del tempo manifesterà il giudizio di Dio sulla libertà umana. Per questo Cristo è la norma della realtà ma il tempo successivo non è superfluo; è il campo di battaglia della sua grazia per la conquista degli uomini; in esso la sua vittoria si realizza sempre più pienamente.

3. COME CONCLUSIONE - Entro questo contesto la storia universale sarebbe il mondo senza la grazia soprannaturale di Cristo. Ma dal momento che Dio vuole che tutti gli uomini siano salvi in e attraverso il Cristo, unico mediatore, questa storia universale è effettivamente la storia della salvezza. In quale modo la salvezza si realizzi in coloro che non hanno mai udito parlare di Cristo resta un mistero della grazia e della libertà, ma poiché ogni epoca è presente a Dio, i risultati dell'offerta di amore di Cristo possono essere resi retroattivi o proletticamente presenti in ogni rapporto di amore umano; infatti la struttura intellettiva fondamentale del finito-Infinito rimarrebbe presente negli uomini anche se non fosse sacramentalmente completata nell'amore e sta a Dio intervenire quando e dove egli vuole. Se questa chiamata all'amore attraverso altri uomini, al di fuori dell'area della rivelazione verbale, sia continua o no, non può essere giudicato dagli uomini. Parallelamente a questa storia salvifica universale si colloca la storia particolare della salvezza che conduce a Gesù Cristo. Come in lui il segno esplicito e umano-divino dell'amore costituisce e allo stesso tempo annuncia la salvezza umana, così la particolarità del segno dà un posto privilegiato a coloro che sono benedetti dall'incontro con esso. Non soltanto essi posseggono una maggiore sicurezza intellettuale sul senso della vita ma questa sicurezza permette loro di agire anche con maggiore deci-

sione. La gioia di essere infinitamente amati da Dio spontaneamente si riversa nella missione poiché essi desiderano dividere i benefici dell'amore con gli altri. I non-cristiani sono chiamati alla conversione, ad una salvezza al di fuori di loro, fuori dalle tenebre o, meglio, da un crepuscolo alla piena gloria della grazia. Benché nessuno possa esprimere un giudizio infallibile sulla dannazione di un altro, e si può sperare la salvezza di tutti i non-cattolici che si incontrano, ciò nondimeno, sapendo quanto è difficile vivere l'amore sacrificale di Cristo, pur con tutti gli aiuti della chiesa, e conoscendo la potenza del male che è sfociata nella crocifissione di Cristo, è chiaramente affermata l'assoluta necessità della conversione. I credenti, ricevuto da Cristo l'esplicito comando di fare discepoli da tutte le nazioni, ammettono senza esitazione che l'accento del vangelo è posto sulla necessità della missione. La tensione tra l'universale volontà salvifica di Dio e la particolarità dell'unico mediatore non portò S. Paolo ad apostolica indolenza e a un falso ottimismo sulla salvezza dei pagani. Al contrario, quella tensione animò la sua predicazione (1 Tm 2,7). Se la verità cristiana fosse puramente particolarista non ci sarebbe bisogno di predicare agli altri; se fosse esclusivamente universale, sarebbe già a disposizione di tutti e non ci sarebbe bisogno di predicazione. Ma la predicazione è necessaria per rendere il particolare della salvezza accessibile a tutti gli uomini per i quali fu intesa. La sua proprietà di particolarità è dovuta al peccato e alla successiva necessità di conversione; la sua proprietà di universalità è dovuta all'amore divino che non conosce confini. Nel compiere la sua missione Paolo non fece altro che continuare il lavoro del suo Maestro, →

l'universale concretum, che richiedeva conversione e fede nel vangelo perché il tempo era compiuto e il regno di Dio era vicino (Mc 1,15).

Bibl. - A. Gardeil, *La crédibilité et l'apologétique*, Paris 1908; Id., *Le Donné révélé et la théologie*, Paris 1910; K. Barth, *Der Römerbrief*, 1919 (nuova ed. Zürich 1988); Id., *Kirchliche Dogmatik*, I-1, Zürich 1958, 46-310; R. Bultmann, *Der Begriff der Offenbarung im Neuen Testament*, Tübingen 1929; Id., *Jesus Christ and Mythology*, New York 1958; Id., *Kerigma and Mythology*, New York 1961; A. Schweitzer, *Das Messianitäts- und Leidensgeheimnis*, Tübingen 1950[3]; E. Käsemann, «Begründet der neutestamentliche Kanon die Einheit der Kirche?», in EvTh 11 (1951/52) 13-21; Id., «Einheit und Vielheit in der neutestamentlichen Lehre von der Kirche», in *Exegetische Versuche und Besinnungen*, Göttingen 1964, II, 262-267; C.E. Dodd, *The Apostolic Preaching and Its Development*, New York 1951; Id., *Le parabole del Regno*, Brescia 1970; Y. Congar, «Ecclesia ab Abel», in M. Reding-H. Helfers-E. Hofmann (edd.), *Abhandlungen über Theologie und Kirche*, (in on. di K. Adam), Düsseldorf 1952, 79-108; Id., «Vaste Monde, ma paroisse», in *Témoignage Chrétien* (1959) 100-177; W. Pannenberg, *Grundzüge der Christologie*, Gütersloh 1964; Id., *Theology and the Kingdom of God*, Philadelphia 1969; K. Rahner, *Uditori della Parola*, Torino 1967; Id., «Storia del mondo e storia della salvezza», in *Saggi di antropologia soprannaturale*, Roma 1969, 497-532; Id., «Die anonymen Christen», *Schriften*, VI, 545-554; Id., *Corso fondamentale sulla fede*, Roma 1977; H.U. von Balthasar, *Cordula, ovverosia il caso serio*, Brescia 1968; J. Moltmann, *Teologia della speranza*, Brescia 1968; Id., *Il Dio crocifisso*, Brescia 1974; J. Ratzinger, *Das neue Volk Gottes*, Düsseldorf 1969, 325-403; O. Cullmann, *Cristo e il tempo*, Bologna 1972 (or. 1948); Id., *Heil als Geschichte*, Tübingen 1965; P. Rousselot, *Gli occhi della fede*, Milano 1977 (or. 1910); H. de Lubac, *Paradosso e mistero della chiesa*, Milano 1979; J.M. McDermott, «A New Approach to God's Existence», in *The Thom* 44 (1980) 219-250; Id., «Proof for Existence of God», in J. Komonchak e altri (edd.), *New Dictionary of Theology*, Wilmington 1987, 804-808; E. Jüngel, *Dio mistero del mondo*, Brescia 1982; Id., «Jesus and the Kingdom of God in the Synoptics, Paul and John», in *Église et Théologie* 19 (1988) 69-91; G. Angelini, «Storia-Storicità», in DTI III, 337-364.

JOHN M. McDERMOTT

T

TEILHARD DE CHARDIN

Come Pascal, Teilhard (1881-1955) si interessa all'uomo, ma all'uomo come fenomeno e nella sua totalità; all'uomo inserito nell'universo e nella collettività umana, trascinato nel turbine dell'evoluzione attraverso l'infinita durata dei secoli. Egli si interessa al mondo, ma nella sua integralità che include il naturale, il religioso, il cristiano e il soprannaturale. La sua visione del mondo è unitaria e questa unità è fondata su Cristo. Teilhard è l'uomo della *sintesi* totale. Per lui vi è Dio nell'universo, l'universo in Dio e vi è l'Uomo-Dio, Cristo, nell'universo che egli assume e ricapitola in sé. Vi è in Teilhard un duplice senso innato: un senso *cosmico* e un senso *cristico*. Entrambi sono cresciuti in lui, dapprima parallelamente e in apparenza indipendenti, poi uniti fino a coincidere in Cristo, centro unico di convergenza universale.

1. INTUIZIONE FONDAMENTALE DI TEILHARD - Secondo Bergson all'origine di ogni opera, di ogni pensiero, vi è un'intuizione centrale, qualcosa di semplice, di infinitamente semplice, che il linguaggio esprime solo nei dettagli, ma che è il fermento dell'intera opera. Per Teilhard questa intuizione concerne il senso del dramma contemporaneo: Teilhard ha la certezza che il cristianesimo e l'uomo moderno, la fede e la scienza attualmente dissociate, sono indispensabili l'una all'altra e complementari.

Profondamente inserito nel mondo mediante il suo impegno scientifico, Teilhard ne ha provato le aspirazioni come anche lo smarrimento. Da una parte infatti importanti scoperte (pensiamo a Galileo, a Darwin, a Freud) hanno sconvolto la coscienza moderna. Precedentemente l'uomo ignorava le dimensioni indefinite dello spazio e della durata; viveva in un mondo statico, senza evoluzione, rassicurante. Inoltre la speranza del cielo offriva una felice risposta alle miserie, alle sofferenze, alle ineguaglianze della terra. Ora ecco che questo scenario da Eden è stato turbato. Tra Dio e l'uomo si inserisce ormai un altro personaggio: il *Mondo*. Non solo come realtà fisica ma anche come realtà da costruire, capace di mobilitare e di dinamicizzare le energie dei popoli. Il cosmo statico si rivela cosmo in movimento. Vi è ora un passato e un futuro, una genesi e una crescita del mondo, un abisso del passato in cui tutto sprofonda e un abisso del futuro, altrettanto indefinito, verso cui tutto si slancia. Il mondo moderno è segnato dalla scoperta dell'immensità dello spazio e del tempo, del mondo in evoluzione. Più ancora di quanto Pascal potesse immaginare, l'uomo si sente perduto e privo di senso in questa immensità spaziale e temporale. Al cuore dei suoi trionfi, l'uomo moderno sente l'impotenza di usare per la sua realizzazione gli stessi valori che pretende di padroneggiare e monopolizzare.

L'intuizione e la vocazione di Teilhard si situano esattamente in questo contesto. Teilhard è convinto che il cristianesimo resti, malgrado tutto, la sola salvezza del mondo moderno, del progresso, dell'evoluzione: a condizione tuttavia di ritrovare il suo potere di seduzione mediante una riflessione personale sul suo mistero, un adattamento del linguaggio; a condizione di ringiovanirsi nel contatto con il mondo e nell'azione su di esso; a condizione, infine, di cristificare i legittimi valori della coscienza moderna.

Studioso, cristiano e sacerdote, Teilhard ha scoperto in sé una *vocazione*. Appassionato del mondo e di Dio, si è sentito chiamato a ristabilire un legame tra il mondo della scienza del suo tempo e il cristianesimo; tra gli adoratori di Cristo e gli adoratori del mondo, tra la passione della terra da costruire e la passione del cielo da guadagnare. Questa duplice vocazione di figlio della terra e figlio del cielo, percepita come propria, insieme al messaggio che implica per gli uomini del suo secolo, è l'anima di tutta la sua opera. Semplice come un'intuizione, ma dinamica come una vocazione.

2. INTENTO APOLOGETICO - Se vogliamo definire l'opera di Teilhard, possiamo dire con lui che è un'*apologetica*, cioè la riflessione di un uomo di scienza sulla propria fede, allo scopo di vedere se e come, scienza e fede possano armonizzarsi. In *Esquisse d'une Dialectique de l'Esprit* (*Oeuvres* 7, 1946), Teilhard propone egli stesso la sua opera come un'«apologetica». Espone anche i successivi tempi di questa apologetica o, se si preferisce, di questa «dialettica». Il suo primo obiettivo è di rovesciare la barriera che da quattro secoli si è innalzata tra scienza e rivelazione, tra chiesa e scienza. In un mondo dominato dalla scienza, Teilhard si dedica a riconciliare visione religiosa e visione scientifica dell'universo. A questo proposito, scrive mons. de Solages, egli «appare come il più grande apologeta del cristianesimo dopo Pascal». C. Cuénot aggiunge: Teilhard «ha elaborato un'apologia del cristianesimo, il cui potere dimostrativo è paragonabile e forse superiore al pensiero di Pascal, di Newman, di Blondel».

Teilhard vuole condurre gli uomini di scienza a riconoscere che l'unità convergente dell'evoluzione ha senso solo se si ammette oltre allo slancio «in avanti» del progresso anche quello verso l'«alto» che lo dirige fin dall'inizio. Teilhard introduce così l'idea di trascendenza come anche l'idea di finalità che gli scienziati gli rimprovereranno. Inoltre, pensa Teilhard, senza la fede in un senso e in un esito della vita, l'uomo non può continuare a vivere e ad agire. Teilhard prepara quindi la strada all'accettazione di Cristo come il solo in grado di garantire il futuro dell'uomo. Anche il cristianesimo è l'unico capace di dare un senso all'universo in via di evoluzione. Teilhard vuole giungere a «cristificare» l'evoluzione. Il suo progetto in definitiva è dimostrare all'uomo di scienza che l'evoluzione dell'universo trova in Dio, e dunque nel cristianesimo, una *coerenza* che costituisce un criterio di verità. Tuttavia Teilhard non si accontenta di una conclusione «appiccicata» dall'esterno. Egli concepisce la rivelazione e la fede come una risposta inattesa e colmante a un misterioso appello venuto dalle profondità del cosmo e dell'uomo: in ciò si avvicina a → Pascal e a → Blondel.

Lo sforzo di avvicinamento e di comprensione che egli chiede ai cristiani non è da meno. Per riconquistare alcune posizioni perdute nei confronti della mentalità moderna, ci vuole più di una revisione; è necessaria una *conversione* totale. Non senza ragione il cristianesimo è stato accusato di lesa umanità, di antiumanesimo. Troppi cristiani hanno dato l'impressione che per essere cristiani bisognava opporsi al progresso. La chiesa «accettando verbalmente alcuni risultati e prospettive del progresso... sembra non credervi. Talvolta benedice ma non con il cuore» (*Oeuvres* 9, 165-166). Per riconciliare scienza e cristianesimo bisogna ripensare il senso cristiano del lavoro, del progresso, della ricerca, dello sforzo umano. Infatti il Dio salvatore è anche il Dio creatore. La chiesa deve accettare con magnanimità il mondo del progresso e credervi veramente. «Immergersi per emergere ed elevare. È la legge stessa dell'incarnazione. Penso che il mondo moderno si convertirà alle esperienze celesti del cristianesimo, solo se prima il cristianesimo si convertirà (per divinizzarle) alle speranze della terra» (*Ibid.*, 165). Fin dal 1923 diceva: «Credo in un Assoluto che *hic et nunc* non si manifesta a noi in altro modo che attraverso Cristo... È qui tutta la mia *apologetica* e non ne concepisco altra» (*Lettres à Léontine Zanta*, Paris 1965, 53). All'uomo del secolo XX, appassionato di un universo di cui ha scoperto la durata e lo spazio infinito, egli propone la figura di Cristo cosmico, abisso di grandezza in tutte le direzioni. Nel 1943 scrive: «Con Super-Cristo non intendo assolutamente un altro Cristo, un secondo Cristo diverso dal primo e più grande di lui; ma intendo lo stesso Cristo, quello di sempre, che si svela a noi in una figura e in dimensioni ingrandite» (*Oeuvres* 9, 208).

3. PROSPETTIVA DI APPROCCIO: TUT-TO L'UNIVERSO E TUTTO L'UOMO A PARTIRE DA UNA FENOMENOLOGIA - L'interpretazione teilhardiana dell'universo si fonda su due premesse: un approccio fenomenologico al fenomeno umano visto nella sua globalità; quindi una visione evolutiva dell'universo.

Prima di tutto, una visione *totalizzante* dell'universo. Adottando questo tipo di approccio, Teilhard è perfettamente consapevole di esporsi al rischio di avere contro di sé gli studiosi puri così come i filosofi e i teologi. Ma egli pensa che in vicinanza del Tutto, fisica, metafisica e religione stranamente convergano.

Bisogna prendere come oggetto di scienza la «totalità» del fenomeno. Ora il centro di coerenza del reale non va cercato in basso, nell'elemento, ma *in alto* nell'*uomo*, centro di prospettiva e di costruzione dell'universo. Il mondo non cade in basso ma *in avanti* e *in alto*. Teilhard rovescia i dati del problema: siamo in presenza di un mondo orientato e finalizzato.

Un approccio totalizzante al reale suppone che si dia un posto preminente all'uomo nell'universo. Teilhard è convinto che non si possa penetrare profondamente il senso dell'universo se lo si separa dal «fenomeno umano»; infatti il senso di ogni cosa risiede nell'uomo. Sottolineiamo tuttavia che Teilhard, nello studiare l'uomo, non lo considera prima di tutto nel suo aspetto psicologico, come fa Pascal, o nella sua natura di animale razionale, come fa il filosofo, ma dal di fuori, come fa lo scienziato. Non studia l'individuo né la natura umana astratta, ma la massa degli uomini, la collettività umana, la «carovana umana», il fenomeno umano, così come potrebbe essere osservato da un telescopio gigante attraverso i secoli. Insomma egli studia l'uomo e l'universo come un solo blocco. In passato è stata costruita una scienza dell'universo senza l'uomo e una scienza dell'uomo ai margini dell'universo. Bisogna ora costruire una scienza dell'universo che abbracci contemporaneamente l'uomo e l'universo.

La sua fenomenologia non va dunque confusa con quella di Husserl, di Merleau-Ponty o di Sartre, che vuole essere un'analisi rigorosa dell'atto cosciente. Non è una fenomenologia della coscienza ma della natura. Teilhard ha conservato il senso elementare della parola «fenomeno», quello pre-filosofico: cioè tutto ciò che si presenta come un dato oggettivo alla conoscenza e alla sperimentazione. La sua fenomenologia è volta alle realtà del mondo esterno ed è simile alle scienze naturali. Per i «fenomenologi» è la coscienza umana che conferisce alle cose senso e valore; per Teilhard l'uomo è centro dell'universo perché costituisce oggettivamente il coronamento e lo scopo dell'evoluzione. La sua fenomenologia è una prima riflessione scientifica il cui oggetto è l'«osservabile»: nient'altro che il fenomeno, ma *tutto* il fenomeno.

Sebbene questa fenomenologia abbia per oggetto i fenomeni quali si presentano alla scienza, non si identifica semplicemente con questa; non è nemmeno pura metafisica. Il suo ideale è quello di essere una riflessione scientifica che ingloba tuttavia la totalità dei fenomeni per scoprirne la struttura e l'unità. È una sorta di iperfisica o di ultrafisica che corona i due abissi di Pascal con un terzo abisso, quello della complessità. Questa nuova scienza integra i dati delle scienze particolari, ne supera i limiti e abbraccia la totalità della realtà terrena: dalla materia all'uomo. Essa ha l'ambizione di riunire tutti i dati dell'esperienza umana in un'unica visione che vada dalla fisica e dalla chimica alla storia e alla religione. Insomma essa ingloba il fenomeno umano nella sua totalità. «Come accade per i meridiani in vicinanza del polo, scienza, filosofia e religione conver-

gono necessariamente in vicinanza del Tutto... Impossibile tentare un'interpretazione scientifica generale dell'universo senza voler dar l'impressione di arrivare a spiegare tutto fino alla fine» (*Oeuvres* 1, 22). Se il fenomeno umano è completato dal fenomeno cristiano, è perché Teilhard ha sempre pensato il fenomeno umano nella sua totalità e nel suo compimento in Gesù Cristo. Il pensiero di Teilhard è affascinante perché supera i limiti della specializzazione e mira a una visione che vede l'uomo nella sua totalità. Questo ideale può lasciare scettico l'uomo di scienza, stupire il filosofo, disorientare il teologo. Ma esercita un'incontestabile seduzione sull'uomo «alla ricerca di senso», che getta uno sguardo d'insieme sulla complessità del reale.

4. IL MOVIMENTO GENERALE DELL'UNIVERSO: UN'EVOLUZIONE - La seconda premessa per capire l'interpretazione teilhardiana dell'universo riguarda la sua intuizione di base: l'evoluzione.

Nelle sue linee essenziali questa visione si ricollega ai seguenti punti. L'universo forma un tutto omogeneo, ma è sottoposto a un movimento: quello dell'evoluzione. L'universo non è statico, ma in via di genesi, di formazione: è una cosmogenesi. Inoltre questo movimento segue una direzione determinata: è sottomesso alla legge della complessità crescente. Il mondo si sviluppa nel tempo da semplicissimo a estremamente complesso. Inoltre questo movimento di complessità è legato a un correlativo aumento di interiorizzazione, cioè di coscienza.

In seno all'evoluzione vi sono degli stadi, dei salti qualitativi. Teilhard parla di punto critico, di crisi, di soglia critica, di mutamento, di convergenza, di ordine nuovo e di discontinuità. Ma attraverso queste discontinuità permane un unico movimento. Vi è discontinuità ma non rottura.

Due di queste maggiori discontinuità sono l'apparizione della vita e del pensiero. Se la scienza conosce solo due punti critici (la biogenesi e la noogenesi), il cristianesimo da parte sua parla di un altro passaggio inatteso, di un salto decisivo con il quale lo slancio vitale realizzerà la perfezione. Questo punto è il Cristo-Omega. Cristo è l'avvenire dell'uomo non solo come l'uomo è l'avvenire dell'universo materiale (il termine naturale di evoluzione), ma come colui che rappresenta un nuovo tipo di vita, un nuovo statuto dell'umanità e che supera le attese precedenti, le colma e dà loro un inatteso compimento. Pascal direbbe che si passa a un altro Ordine. Indubbiamente è per mezzo della fede che Teilhard sa questo, ma egli pensa che il fenomeno cristiano possa attirare e ritenere l'attenzione dell'uomo di scienza.

Prima di Teilhard il fenomeno dell'evoluzione era considerato in modo materialista. Tutto si spiegava dal basso con gli elementi primi della materia: si cercava negli atomi la solidità dell'universo. Teilhard, al contrario, cerca l'asse dell'evoluzione più in alto, nell'uomo, chiave dell'evoluzione. Egli si dedica a situare l'uomo nel cuore del mondo, senza deformare né l'uno né l'altro. La posizione dell'uomo nell'universo come suo involucro pensante dà all'evoluzione senso e singolarità. Non solo l'uomo rappresenta uno stato di vita assolutamente nuovo nel mondo, ma in lui l'universo diventa capace di riflessione. L'uomo opera un legame organico tra il cosmo e l'essere personale.

5. L'ASCESA VERSO L'OMEGA - Dal punto di vista fenomenologico l'umanità sembra avviarsi verso una coscienza collettiva, verso un'unità di specie, verso un polo superiore di concentrazione e di riflessione. Questo polo, dice Teilhard, non può essere solo la collettività umana come tale, fosse anche unita nella concor-

dia. La forza di attrazione che incentra l'umanità su se stessa deve essere a sua volta una *persona*: una persona cui gli uomini possano rivolgere il loro amore e in cui possano amare i loro simili.

Questo centro personale, questo polo ultimo che Teilhard chiama Omega è necessario per assicurare all'evoluzione lo slancio e il successo. È necessario per ragioni d'amore e di sopravvivenza o, equivalentemente, per ragioni di irreversibilità (o di sopravvivenza e di immortalità), di polarità (o di concentrazione) e di umanità (o di amore).

I termini qui sono leggermente fluttuanti, ma i due motivi essenziali, che esigono agli occhi di Teilhard un polo personale e trascendente dell'evoluzione, sono ragioni di *umanizzazione* (amore) e di *irreversibilità* dell'evoluzione.

Dapprima un motivo di unificazione, di umanizzazione dell'umanità. Lo slancio dell'umanità infatti non potrebbe avere esito, se non accettando al vertice del mondo e sopra le nostre teste un Amante e un Amabile. «La collettività in quanto tale, è essenzialmente in-amabile. È impossibile darsi al mondo anonimo» (*Oeuvres* 1, 297). Teilhard scrive nel 1941: «Non è di un testa a testa, né di un corpo a corpo, ma è di un cuore a cuore che abbiamo bisogno. In queste condizioni, più scruto la questione fondamentale dell'avvenire della terra, più credo di capire che il *principio generatore di unificazione* non è, alla fine, da cercare né nella sola contemplazione di un'unica verità, né nel solo desiderio suscitato da *Qualche cosa*, ma nella comune attrazione esercitata da un unico *Qualcuno*» (*Oeuvres* 5, 99). L'amore non può nascere né stabilirsi, a meno di non incontrare un cuore, un volto. L'Omega deve essere il punto in cui tutti si amano perché tutti amano il Punto centrale.

Una seconda ragione per postulare

un Omega personale e trascendente è una ragione di *irreversibilità* (o di immortalità, o di sopravvivenza). Infatti senza un Motore personale e trascendente l'evoluzione non è garantita, perché non è garantita *l'azione umana*. In breve, il ragionamento di Teilhard è questo. La vita ha impiegato miliardi di anni per arrivare all'uomo. Sarebbe assurdo pensare che questo sforzo sia vano e votato all'autodistruzione. L'essere di un certo livello non potrebbe negare se stesso radicalmente. La vita non sarebbe più vivibile se non avesse coscienza, almeno nella sua parte superiore, nell'uomo, di essere irreversibile e immortale. Credere nell'universo vuol dire credere nella sua coerenza. Ora un'evoluzione «diretta» verso l'uomo sarebbe incoerente, assurda, se la persona umana (individuale e collettiva), frutto superiore dell'evoluzione, dovesse alla fine perire. L'abolizione degli *ego* dopo la morte costituirebbe la più grave regressione, contraria all'essenza stessa dell'evoluzione che è ascesa verso lo spirito e, mediante lo spirito, verso la persona umana. Gli uomini non si piegheranno al compito del progresso e dell'unificazione dell'umanità, che percepiscono come sempre più dolorosa, se non hanno la convinzione che lo sforzo richiesto ha possibilità di successo. La prospettiva di una morte totale contro cui si infrangesse la coscienza individuale e collettiva, spezzerebbe nello stesso tempo ogni ascesa evolutiva.

Quindi l'evoluzione appare come un gigantesco movimento di unificazione e di personalizzazione che sale verso Dio. In un primo tempo l'ascesa umana verso l'«Omega» appare come una «ricerca», uno sforzo dell'umanità per arrivare a una realizzazione pienamente cosciente e voluta della comunità come tale. Ma l'umanità non può tendere efficacemente ed effettivamente all'unità di reciproco amore se non tende all'unione di amore con Dio Omega. L'evoluzione, ascesa verso l'uomo, poi dall'uomo all'unione d'amore con i suoi simili, infine ascesa verso l'unione di tutti mediante l'unione con un Dio personale e trascendente. Dopo la biosfera e la noosfera, la presa di coscienza di un Omega personale al centro della noosfera fa nascere a poco a poco la *Teosfera*. Insomma l'Omega deve essere *personale* per personalizzare e permeare di amore l'evoluzione; deve essere *trascendente* per consolidare e rendere immortale l'evoluzione.

6. DAL DIO OMEGA AL DIO RIVELATORE - Nell'*Introduction à la vie chrétienne* del 1944 Teilhard dice esplicitamente: «Una volta ammessa la personalità di Dio, la possibilità e anche la probabilità di una rivelazione, cioè di un riflesso di Dio nella nostra coscienza, non solo non fa difficoltà, ma è eminentemente conforme alla natura delle cose. Nell'universo le relazioni tra elementi sono dovunque proporzionali alla loro natura: materiali tra oggetti materiali, viventi tra viventi, personali tra esseri che riflettono. Dal momento che l'uomo è personale, Dio deve influire a un grado e in una forma personale, cioè intellettualmente e sentimentalmente: in altri termini, deve *parlargli*. Tra intelligenze, una presenza non potrebbe essere muta» (*Oeuvres* 10, 187-188). Altra cosa, evidentemente, è stabilire l'evento storico di questa parola.

«Con la parte più critica e più positivista del mio essere», dice Teilhard, «comincio a pensare che il fenomeno cristiano potrebbe essere davvero ciò che pretende di rappresentare... una rivelazione» (*Oeuvres* 6, 114). Chiunque sia attento a una visione evolutiva e convergente dell'universo, che si compie grazie a un punto di superpersonalizzazione delle coscienze, non può non essere attento al fatto cristiano che si presenta come una delle realtà di questo mondo. Il fenomeno cristiano infatti presenta, per il suo credo, per il suo valore di esistenza, per la sua straordinaria vitalità, una notevole somiglianza con tutto ciò che sappiamo sulla convergenza di un universo in un Omega trascendente e superpersonale.

Il cristianesimo è caratterizzato dall'affermazione di un Dio personale che dirige l'universo con sapienza, e da un Dio rivelatore che si comunica all'uomo tramite le vie dell'intelligenza. In Gesù Cristo questo Dio si immerge parzialmente nella materia e prende la guida dell'evoluzione. Uomo tra gli uomini, Cristo dirige, affina e anima maggiormente l'ascesa generale delle coscienze in cui è inserito. Con un'azione di comunione e di elevazione aggrega a sé il totale psichismo della terra. E quando avrà tutto radunato, tutto unificato, tutto trasformato, raggiungerà il focolare divino da cui non è mai uscito e si richiuderà su di sé e sulla sua conquista. Allora Dio sarà Tutto in tutti e ogni elemento troverà insieme all'universo la sua consumazione. Il cristianesimo si impone inoltre per il suo valore di esistenza e di vita. Rivolgendosi a ogni uomo e a tutto l'uomo, s'impone tra le correnti più vigorose e più feconde registrate nella storia nella noosfera. Vale quantitativamente e soprattutto qualitativamente per l'apparire di uno stato di coscienza assolutamente nuovo: *l'amore cristiano*. Per venti secoli questo amore cristiano ha elevato e animato fino all'eroismo migliaia di uomini che ne hanno fatto l'assoluto della loro vita. In un mondo sottomesso alla legge dell'evoluzione e della convergenza, la cristogenesi appare come il prolungamento della noogenesi in cui culmina la cosmogenesi. Il cristianesimo appare come la sola corrente di pensiero in grado di abbracciare con un gesto completo il Tutto dell'universo e il tutto della persona.

Agli occhi dell'uomo contemporaneo è la capacità di dare un'interpretazione significativa del mondo che fa la *verità* di una religione. Per Teilhard la religione che si armonizza meglio con la visione di un universo che progredisce per via di complessità e di crescente coscienza verso un Centro di convergenza e di trascendenza, sarà la religione più vera, quella che dà alla vita e all'azione dell'uomo il suo massimo senso. Ora, tra tutte le correnti umanitarie e religiose, solo il cristianesimo appare capace di operare questa sintesi in Gesù Cristo. Questa *coerenza* dei due fenomeni dovrebbe essere di natura atta a ritenere l'attenzione anche dei non credenti. La riflessione fenomenologica e la filosofia religiosa di Teilhard si fermano qui.

7. IL CRISTO-OMEGA - La grande scoperta, la grande gioia di Teilhard è stata la graduale identificazione del punto Omega con il Cristo della rivelazione. Il grande evento della mia vita, egli dice, sarà la graduale identificazione dei due soli, poiché uno di questi astri è il vertice cosmico postulato da una evoluzione generalizzata di tipo convergente, e l'altro si trova costituito dal Cristo risorto della fede cristiana. Teilhard non confonde scienza e rivelazione. Ma, confrontando la sua visione del mondo derivante dall'evoluzione cosmica e organica, nella sua spinta ascendente, con i dati della rivelazione sull'universo e sull'umanità, percepisce tra le due visioni una *coerenza*, un'*armonia* che lo stupisce. Un unico movimento sembra portarle una incontro all'altra: movimento dal basso verso l'alto e poi dall'alto verso il basso. Cambiando dunque prospettiva, passo dopo passo, Teilhard parla ora da credente: si situa di colpo in un regime di fede. Alla luce della rivelazione l'Omega si «cristifica». «Cristo possiede tutti gli attributi sovra-umani del Punto Omega»

(*Oeuvres* 9, 209). «Sotto l'influenza illuminante della grazia il nostro spirito riconosce nelle proprietà unitive del fenomeno cristiano una manifestazione (riflesso) dell'Omega nella coscienza umana e identifica l'Omega della ragione con il Cristo universale della rivelazione» (*Oeuvres* 13, 174). La cosmogenesi e l'antropogenesi sono in vista della cristogenesi. Comprendere l'evoluzione significa comprendere la misteriosa figura di Cristo risorto come il fine e il punto di convergenza dell'evoluzione. Ma passiamo allora dall'ipotesi filosofica al fatto storico, dall'analisi fenomenologica e filosofica al piano della fede e della cristologia. Infatti finché restiamo sul piano dell'analisi scientifica o dell'interpretazione filosofica dell'evoluzione, il volto dell'Omega resta vago. È la rivelazione che ci svela la vera identità dell'Omega: si chiama Cristo. Allora «al posto di un vago punto di convergenza, richiesto come termine di questa evoluzione, compare e si stabilisce la realtà personale e definita del Verbo incarnato in cui tutto prende consistenza. La Vita per l'uomo. L'Uomo per Cristo. Cristo per Dio» (*Oeuvres* 5, 51). Se accettiamo «l'evidenza che il Cristo della rivelazione non è altro che l'Omega dell'evoluzione... una via d'uscita comincia a brillare positivamente alla sommità dell'avvenire. In un mondo certamente aperto al suo vertice *in Christo Jesu*, non rischiamo più di morire soffocati» (*Oeuvres* 13, 106).

Per Teilhard questa identificazione di Cristo con l'Omega, questa coerenza e questa armonia tra una religione di tipo cristico e un'evoluzione di tipo convergente, trovano il loro appoggio e fondamento nella cristologia stessa di S. Paolo e di S. Giovanni. Se il mondo è convergente e se Cristo ne occupa il centro, allora la cristologia di Paolo e di Giovanni non è altro, e niente di meno, che il prolungamento a un tempo atteso

e insperato della noogenesi, in cui per nostra esperienza culmina la cosmogenesi» (*Oeuvres* 1, 131). Nel 1934, in *Comment je crois* Teilhard propone dunque gli articoli del suo credo: «Io credo che l'universo sia un'evoluzione. Credo che l'evoluzione vada verso lo spirito. Penso che lo spirito, nell'uomo, si compia nel personale. Credo che il Personale supremo sia Cristo universale» (*Oeuvres* 10, 117).

8. IL CRISTO UNIVERSALE - Il Cristo universale è il Cristo totale e totalizzante, il «centro organico dell'universo intero... colui che i vangeli, e più esattamente Paolo e Giovanni, ci presentano» (*Oeuvres* 9, 3). Con l'incarnazione Dio «si cristifica» e con lo stesso movimento «cristifica l'universo e l'umanità». «L'universo cristificato» o il «Cristo universale» sono tutt'uno. Il Cristo universale è colui che «con la sua nascita e il suo sangue porta ogni creatura al Padre; è il Cristo dell'eucaristia e della parusia, il Cristo consumatore e cosmico di S. Paolo... polo fisico di sintesi universale» (*Oeuvres* 10, 210).

L'opera di Teilhard rappresenta certamente uno dei più grandi sforzi contemporanei di allargare e rinnovare la → cristologia. Il problema per lui è questo: che cosa ne è di Cristo in un mondo in cui la complessità e l'immensità dell'universo esplodono da tutte le parti? Bisogna esplicitare, sviluppare una cristologia che sia proporzionata alle dimensioni dell'universo, cioè bisogna riconoscere che Cristo possiede, in virtù dell'incarnazione e della risurrezione, attributi universali e cosmici che fanno di lui il centro personale dell'evoluzione. «*Universalizzare* Cristo è il solo modo di conservare i suoi attributi essenziali in una creazione prodigiosamente accresciuta» (*Oeuvres* 9, 163): è anche il modo di captare, correggendoli, tutti i tentativi del panteismo moderno.

S. Bruno è stato sedotto dal Cristo

solitario; S. Francesco dal Cristo povero; S. Domenico dal Cristo verità;
S. Ignazio dal Cristo capo e re. Teilhard, da parte sua, è affascinato dal
Cristo universale, centro e capo del-
l'universo presente in ogni momento
dell'avventura cosmica e umana che
egli regge dall'alto. Per Teilhard il
Cristo universale è il suo modo di
comprendere l'incarnazione in tutta
la sua pienezza e con tutte le implicazioni concrete; è il Verbo incarnato con il suo prolungamento e compimento nel Cristo risorto e nel Cristo eucaristico.

La funzione del Cristo universale riposa quindi nell'incarnazione e nella
risurrezione. Sottolineiamo qui che
per Teilhard creazione, incarnazione
e risurrezione sono tre misteri intimamente legati. In questa impresa di
assembramento universale dell'universo, l'*eucaristia* ha una funzione importante. Con l'eucaristia che prolunga l'incarnazione, l'onnipresenza di
Cristo raggiunge la totalità dell'universo e della sua durata. In realtà,
dalla creazione del mondo, si attua
un solo evento decisivo, cioè la divinizzazione del mondo mediante l'incarnazione e mediante l'eucaristia suo
prolungamento. L'opera sacerdotale
di Cristo si estende al mondo intero.
Vi è una sola messa al mondo in tutti i tempi: la vera ostia, l'ostia totale
è l'universo che sempre più intimamente viene penetrato e vivificato da
Cristo. Dalla remota origine delle cose alla loro imprevedibile consumazione... la Natura intera subisce, lentamente e irresistibilmente, la grande
consacrazione. Un'unica cosa in fondo si crea da sempre e per sempre
nella creazione: il corpo di Cristo
(*Oeuvres* 10, 90).

Il Cristo universale è una sintesi di
Cristo e dell'universo. Teilhard ha scoperto nel Cristo universale ciò che sognava: Cristo, capo del mondo cosmico e umano, ricapitolatore che deve
rimettere tutto al Padre; il Cristo totale con la realtà del suo corpo misti-

co; il Cristo tutto in tutti. Il Cristo
totale e totalizzante: ecco il vero punto Omega. Fin dall'origine, tutto sa-
liva verso lo spirito nell'attrazione del
Cristo universale. Verso la fine dei
suoi giorni nel 1953, Teilhard scrive
da New York: l'unica cosa chiara riguardante l'avvenire è «che vorrei impiegare il più intensamente possibile
gli ultimi anni che mi restano per *cristificare* l'evoluzione... Questo e poi
finire bene, cioè morire testimoniando questo vangelo» (*Nouvelles lettres
de voyage*, Paris 1957, 171-172).

9. Impatto dell'apologetica di
Teilhard - La forza di Teilhard,
nella sua visione del mondo, è la sua
forza *integrativa*: egli non lascia nessun elemento da parte, ma li unisce
tutti in una visione dinamica. Giunge a manifestare la coerenza dell'u-
niverso naturale e soprannaturale in
Gesù Cristo. In questa visione vengono assunti e unificati in e da Cristo l'ambito fisico, morale, sociale e
religioso.

Riprendiamo brevemente gli elementi
di questa coerenza risultante dall'incontro di due convergenze o meglio
di una «convergenza» e di una «emergenza» (Cristo). Da una parte, convergenza cosmica di un universo sottomesso a un'evoluzione guidata che
progredisce, nel senso di un adattamento sempre più complesso e cosciente, fino allo spirito, e nel senso
di una co-riflessione sempre più ardente. Il mondo converge su se stesso con un movimento incoercibile e
irreversibile di unificazione. L'umanità è in cammino verso una sempre
maggiore libertà e personalità. Dal-
l'altra parte, sotto l'azione del Verbo incarnato, la cui presenza storica
è stata preparata da millenni di evoluzione, un dinamismo sempre più
potente di unificazione, di personalizzazione e di «amorizzazione» opera l'unificazione di tutti gli uomini
in Cristo, capo del corpo mistico. Fisico e cosmico, cosmico e cristico, si

vengono reciprocamente incontro. Nell'universo che *converge*, Cristo *emerge* per assumere e portare a compimento la convergenza cosmica. L'evoluzione salva Cristo (rendendolo possibile), e nello stesso tempo Cristo salva l'evoluzione (rendendola concreta e realizzabile). Solo il cristianesimo è fatto per votarsi al successo di un'evoluzione personalizzata e personalizzante, poiché può mettere *Qualcuno* all'apice dello spazio-tempo.

Questa sintesi (o meglio, questo affresco gigantesco e prodigioso) viene espresso da Teilhard contemporaneamente in termini scientifici, filosofici, sociologici, teologici, mistici e artistici. Questo tentativo titanico di sintesi poteva difficilmente sfuggire all'incomprensione di alcuni spiriti chiusi in un universo unidimensionale e monolitico. Ma Teilhard si rivolge prima di tutto agli scienziati del suo tempo. Egli spera che la contemplazione di questa armonia universale, di questa coerenza sovranamente intelligibile, trovata nel Cristo universale, sia tale da suscitare nell'uomo di scienza interesse, attrazione e forse anche, sotto l'influenza dello Spirito, adesione e consenso.

Bibl. - P. Teilhard de Chardin, *Oeuvres*, voll. I-XIII, Paris; G. Crespy, *La pensée théologique de Teilhard de Chardin*, Paris 1961; C. D'Armagnac, «La pensée du Père Teilhard de Chardin, comme apologétique moderne», in NRTh 84 (1962) 598-621; P. Smulders, *La vision de Teilhard de Chardin*, Paris 1964; E. Rideau, *La pensée de Pierre Teilhard de Chardin*, Paris 1964; M. Barthelemy-Madaule, *La personne et le drame humain chez Teilhard de Chardin*, Paris 1967; B. de Solages, *Teilhard de Chardin*, Lyon 1967; R. Faricy, *Teilhard de Chardin's Theology. of the Christian World*, New York 1967; C. Mooney, *Teilhard de Chardin et le Mystère du Christ*, Paris 1968; M. Pontet, *Pascal et Teilhard, témoins de Jésus-Christ*, Paris 1968; R. D'Ouince, *Un prophète en procès: Teilhard de Chardin dans l'Eglise de son Temps*, Paris 1970; L. Barjon, *Le combat de Pierre Teilhard de Chardin*, Québec 1971; P. Schellenbaum, *Le Christ dans l'énergétique teilhardienne,* Paris 1971; R. Latourelle, «Teilhard de Chardin: al centro universale di convergenza», in R. Latourelle, *L'uo-*

mo e i suoi problemi alla luce di Cristo, Assisi 1982, 115-201; H. de Lubac, *Il pensiero religioso del p. Teilhard de Chardin*, Milano 1983 (or. 1962).

RENÉ LATOURELLE

TEMPO/TEMPORALITÀ

Il tempo è un valore teologico o, in altri termini, può apportare un contributo specifico allo sforzo comune di tutte le discipline in vista della conoscenza di Dio e della sua opera? Sembra che, fino a un'epoca recentissima, la risposta a una simile domanda sia rimasta decisamente negativa: l'eredità di Parmenide avrebbe quasi soppiantato l'intuizione di Eraclito. Ma adesso le posizioni sembrano invertirsi, a volte senza molto discernimento e discrezione, in favore del tempo. Si deve quindi abbozzare molto brevemente una storia del pensiero sul tempo prima di indicare un possibile orientamento riguardo al tema «tempo e teologia».

1. IL TEMPO RIFIUTATO DALLE CULTURE - Senza dubbio per il fatto di essere la misura del movimento, l'orologio del cambiamento, il tempo non è amato dal pensiero; questo cerca infatti la stabilità del concetto e, se deve far posto a un divenire, preferisce la solidità dei punti di riferimento che lo delimitano, pur sfuggendogli. Nella cultura greco-latina, sia cristiana che pagana, il nonmovimento non ha bisogno di giustificazione, mentre il movimento si comprende bene solo quando viene situato in rapporto a ciò che lo nega. Due punti essenzialmente fissi consentono di sopportare l'instabilità, aspettando che questa si esaurisca: il punto, al di là del firmamento, in cui sta il Dio immobile ed eterno, e il centro (dell'anima, del mondo...) la cui profondità insondabile è al riparo da ogni fluttuazione. Tra questi due poli, che forse ne forma-

no uno solo, gli inevitabili movimenti e tempi si gerarchizzano in funzione della loro più o meno grande fantasia: così, in Aristotele, i movimenti circolari e permanenti della volta celeste sono i più degni, i più vicini al divino immobile, poiché si riproducono imperturbabilmente e sono suscettibili di misure esatte, mentre nel *Timeo* di Platone i gesti insensati dei neonati sono il segno evidente della finitudine, addirittura della malizia della materialità in movimento.

È il primato riconosciuto alla stabilità e al riposo che spiega l'aspetto catastrofico delle storie che si raccontano? In parte, senza dubbio, ma non totalmente. M. Eliade ha messo in risalto il riferimento spontaneo dei racconti che si credono universali e pretendono di definire la situazione attuale dell'uomo: *in illo tempore, in illa pulchra insula deserta*, cioè in una qualche parte senza spazio né tempo, perché questi appaiono sempre intrinsecamente segnati non solo dal limite e dalla finitudine del divenire che contengono, ma anche dalla malizia e dalla morte che li abitano; di conseguenza, la ripugnanza nei confronti del tempo è una maniera di rifiutare le sofferenze che esso comporta. Allora, se non si può risalire nel tempo e uscire dallo spazio, si cerca almeno di scongiurarne il male con la salmodia incantatrice dei racconti d'origine, con la delimitazione di luoghi sacri, strappati alla profanità colpevole dello spazio, con il compimento di riti che iscrivono sul corpo segni di non-appartenenza a questo tempo e a questo spazio e al loro male.

Se poi si tratta di etica per il comportamento in questo mondo, essa verrà definita partendo dal passato, dai costumi degli antenati, da ciò che si è sempre fatto e che, proprio per la sua ripetizione, annulla ogni novità del movimento, ogni cambiamento nello spazio-tempo. La mistica, infine, sarà sempre trasgressione del tempo e del movimento, mediante

percezione indicibile dell'«aldilà» (dello spazio-tempo, appunto) o ritorno ineffabile verso il centro. Sarebbe d'altra parte ingiustificato ritenere che certi pensieri moderni ritrovano, sotto il loro apparente rigore intellettuale, la stessa nostalgia dell'*in illo tempore*? Penso, per esempio, alla periodizzazione catastrofica della storia sociale in Marx o in Engels, attraverso la quale in fondo la rivoluzione appare, senza che lo si dica, come la liturgia cruenta di un rinnovamento delle origini; ma qualcosa del genere si trova anche nell'abbozzo di storia della metafisica, secondo Heidegger, in cui tutto non cessa di pervertirsi dopo i presocratici, accreditati di una «verità» perduta per sempre che si ritroverà solo in qualche radura, alla curva di strade che non portano in nessun luogo.

Per quanto sommarie siano, le riflessioni appena esposte permettono almeno di delineare alcune condizioni necessarie a un pensiero teologico sul tempo: si dovrebbe trovare il modo di dissociare la sofferenza e il male dal tempo che certamente li propaga, ma che non si potrebbe ridurre ad essi. Il tempo non fa che distruggere, allora come costruisce? O, in altri termini, come superare la deriva verso il passato della considerazione del tempo, a vantaggio di una speranza dell'avvenire che giustifica il presente? A un livello più filosofico, bisognerebbe trovare le chiavi che permettessero di apprezzare il divenire in se stesso e non soltanto nella misura in cui, attraverso la circolarità o l'eterno ritorno, lo si riporta alla stabilità.

2. CRISTIANESIMO E TEMPO: LE AMBIGUITÀ - Si potrebbe pensare che il cristianesimo, per il fatto che proclama la risurrezione di Gesù Cristo e l'incarnazione del Figlio di Dio, dia gli elementi di una valorizzazione del tempo. E certamente lo fa: nella Scrittura è messo in rilievo un solco

molto concreto della storia, da Abramo fino a Gesù Cristo, e gli autori ispirati si prendono la briga di ricollegarlo, con indicazioni cronologiche, naturalmente fittizie ma che definiscono il valore del tempo, ai primi istanti del mondo. Questo solco giudeo-cristiano si estende dalla risurrezione all'insieme concreto delle nazioni e alla successione effettiva delle generazioni; la dimensione più profonda del tempo è allora forse quella della missione, con le sue lotte, sotto l'influenza dello Spirito di Cristo e con la presenza invisibile di Cristo stesso. Quanto al ritorno di Cristo, è in questo tempo che noi lo aspettiamo, e questo implica, per questo tempo, non una sparizione totale ma una trasfigurazione.

Tuttavia, anche se il cristianesimo aveva in sé di che perseguire una riflessione sul tempo, questa non si è sviluppata subito. Infatti, nella misura in cui l'avvento di Gesù e la sua risurrezione erano sentiti come elementi che segnavano la *pienezza* (e quindi, in un certo senso, la «fine») dei tempi, era naturale aspettare l'imminenza del ritorno di Cristo; il tempo allora, nella misura in cui continuava a trascorrere, poteva essere avvertito solo negativamente, come contrario all'imminenza e sotto la categoria del *ritardo*. Un'altra conseguenza del tema della pienezza dei tempi si aggiungeva alla precedente per smorzare il valore del tempo: se, con il Cristo che manda il suo Spirito, tutto è dato, allora il passato assume un senso solo come annuncio e figura del compimento ottenuto in Cristo, mentre l'avvenire è meno considerato sotto il segno del tempo come durata e novità che sotto quello della perfezione, al di là del tempo, dell'unione con Dio. L'esegesi spirituale della Scrittura, pur avendo radici nel tempo, sia nel passato di Israele sia nell'umanità di Cristo, non si sofferma tuttavia su questo, ma sui significati «mistici» che lo trascendono e svelano la vera portata, allegorica o anagogica, della Scrittura.

È rimasto senza dubbio qualcosa di questi temi del tempo come ritardo o come fondamento – da trasgredire – dell'allegoria, nelle cronologie mistiche, addirittura millenarie, che si affacciano periodicamente, specie nei momenti di crisi, e secondo le quali l'epoca presente sarebbe la «sesta età», la «sera del mondo», l'«autunno della civiltà», valutazioni che non mancano di provocare una certa presa di distanza in rapporto alla congiuntura per la quale l'interesse è evidentemente smussato, se la fine è tanto vicina. Ma è possibile che queste cronologie siano state e siano ancora legate a residui molto profondi della mentalità ostile al tempo della quale, nel paragrafo precedente, abbiamo abbozzato alcune caratteristiche. Infatti un legame molto forte, quasi essenziale, tra il peccato e il tempo, si trova messo molto in risalto, sia in Oriente con le teorie della «doppia creazione», da Origene a Gregorio di Nissa e senza dubbio anche oltre, sia in Occidente con i riflussi eccessivamente pessimistici e tuttavia continuamente rinascenti della teoria agostiniana del peccato originale. Che il tempo sia segnato dal peccato è cosa che nessuno negherà, ma che sia un fiore del male destinato a sparire insieme a quello che lo provoca è un'altra prospettiva con la quale la teologia è stata spesso tentata di andare troppo d'accordo. Per di più, in questa prospettiva, il valore redentore del mistero cristiano rischia di essere solamente sottolineato, a scapito del suo valore di mediazione e di trasfigurazione: gli eventi dell'incarnazione e della croce non sono più allora promozione di un tempo valorizzato, ma rimedio a un tempo pervertito; quanto al presente, la sola speranza di fronte al colmo del male sarebbe l'«apocalisse» a più o meno breve scadenza.

In questo modo l'ambiguità di una

certa valutazione cristiana del tempo risiede nel fatto che, positivamente, il cristianesimo conferisce una portata reale alle coordinate fondamentali del tempo, che sono l'origine e la fine e il mistero pasquale, mentre, dall'altra parte, questo realismo rischia di essere un po' cancellato da altre considerazioni: così una certa interpretazione del tema della pienezza dei tempi (che negherebbe ogni valore a un tempo ulteriore), combinata con una valutazione pessimistica del peso del male (che comporta un certo allentamento della speranza e quindi effettivamente una reale crescita del male) in questo mondo sia pure salvato, può contribuire a svalutare i mezzi intellettuali che potrebbero essere messi in opera per stabilire l'esatto valore teologico del tempo.

3. ELEMENTI DELLA COSCIENZA DEL TEMPO - Una coscienza nuova del tempo come struttura costitutiva del mondo e dell'uomo si è andata via via formando, dalla fine del medioevo ai nostri giorni; l'importante è discernerne gli elementi per comprendere meglio i nuovi dati del problema «tempo e teologia». Semplificando molto, ridurremo gli elementi a tre: cosmologia, scienza e tecnica, storia.

a. L'immagine del mondo si è progressivamente modificata, da un geocentrismo statico, in cui l'uomo è principe, e intorno al quale si organizzano i movimenti circolari perfetti delle sfere celesti, a un universo in espansione in cui né lo spazio né il tempo presentano un centro, ma si manifestano piuttosto insieme come dimensione relativamente (e non assolutamente) misurabile di un universo in cui il significato dell'uomo è meno immediatamente evidente. Per di più, il principio di indeterminazione di Heisenberg, pur non parlando certo di un caso puramente disordinato, sottolinea tuttavia il limite di una modalità strettamente logica della

conoscenza e reintroduce nella cosmologia la categoria del *probabile*, espulsa da Platone da ogni epistemologia e conservata da Aristotele nel solo campo etico.

Anche l'apparizione dell'uomo su questa terra dipende dal tempo, nella misura in cui si colloca in una storia della vita in generale e delle specie animali in particolare, storia che fa luce in parte sul significato della statura corporea dell'uomo, ma pone di nuovo forse il problema della morte e interroga in ogni caso sul senso che si deve riconoscere all'evoluzione.

b. La tecnica, che conosce una svolta creatrice nei momenti salienti del medioevo, e progredisce in maniera più o meno lineare fino alla rivoluzione industriale del XVIII e XIX secolo, e oltre, modifica il rapporto dell'uomo con il suo mondo e, correlativamente, i rapporti degli uomini tra loro. Da una parte, i progressi divengono scansione del tempo: *prima* e *dopo* i mulini ad acqua, la macchina a vapore, l'energia elettrica..., e dall'altra, l'esperienza e la memoria dei progressi determinano una mentalità di *anticipazione* e di *ricerca* (che capovolgono in un certo senso la percezione religiosa del tempo come *ritardo*, di cui parlavamo precedentemente): «attualmente, non si sa e non si può ancora, in un determinato campo, ma si cerca e si finirà col trovare». Il tempo, anche qui, è pensato come espansione infinita. Questo è vero almeno a livello di una mentalità spontanea, perché un'analisi più sottile della storia della tecnica e una proiezione sul futuro meno ingenuamente progressista portano a sfumare il discorso. Le sfumature verranno anche dall'interpretazione della storia delle forme sociali generate dallo sviluppo economico e industriale; fin dal medioevo si pone già il problema di una nuova forma della povertà; di conseguenza si trova posto il problema dell'etica e delle sue perversioni, nella storia di un mondo che continua a svilupparsi tecnicamente: nuova angolazione per affrontare il problema di sempre sul male e sul tempo.

c. L'idea della storia, già presente come sfondo dell'evoluzione tecnica e sociale, nasce da diversi altri fattori; qui ne ricorderemo due: uno spostamento dell'uso della memoria e una esperienza irreversibile del cambiamento *politico*.

In un mondo segnato dall'urgenza dell'anagogia abbinata alla pesantezza del male, la memoria è da una parte memoria profonda di Dio e di sé e, dall'altra, ricordo e confessione del Peccato e dei peccati. Una svolta, forse decisiva, si riconosce nel Rinascimento, quando tutta una civiltà tende a staccarsi dal suo passato immediato, ritenuto *via moderna*, per inventare un nuovo modello che rivendica riferimenti più antichi, *via antiqua*. Questa sostituzione ha agito a volte in maniera immaginaria e mitica, ma si è anche tradotta (ed è questo che importa, per quanto riguarda la coscienza del tempo) in un doppio nuovo orientamento della memoria: ricerca dell'immagine bella di un certo passato, che si tratti per esempio della figura dell'uomo antico ma anche dei testi originali della sacra Scrittura; critica dei falsi o delle semplificazioni di ogni tipo attraverso i quali la *via moderna* ha a volte cercato di costruirsi. Comincia a delinearsi una scienza storica, prospettiva e critica, fondata su un progetto umanistico, che rinnova l'interpretazione dell'immagine del tempo umano.

Due avvenimenti fondamentali segnano senza dubbio l'evoluzione del campo politico e hanno significativamente marcato la coscienza umana del tempo: la Bolla di papa Bonifacio VIII *Unam Sanctam* (1302) che, contrariamente al desiderio del suo autore, segna la fine, al tempo stesso, della cristianità unita e dell'Im-

pero, mettendo un termine alla vitalità di un'idea, nella sua radice platonica, del potere e della politica; e la Rivoluzione francese (1789) che pone il principio di una organizzazione politica diversa in cui società civile, stato e potere cercano di articolarsi non partendo più da un principio strettamente gerarchico.

L'elenco, che precede, di certi elementi della coscienza del tempo non è certamente esaustivo, ma deve bastare per suggerire un cambiamento di mentalità in rapporto al tempo e alla storia, che vorrei cercare di sintetizzare a conclusione di questo paragrafo.

Il tempo si manifesta forse innanzitutto come una dimensione propriamente umana: si rivela nella doppia esperienza del *fare* e del *rapporto*. In sé è quindi disgiunto dal male, poiché tanto l'agire quanto la comunicazione sono in se stessi valori puri.

Del fare, innanzitutto: un determinato stato della produzione (e del consumo che vi corrisponde) manifesta, in quanto viene collegato dalla memoria agli stati precedenti e futuri, una certa coscienza del tempo, legata di conseguenza all'esperienza che l'uomo fa del suo *potere*. Più sottilmente (e ciò vale soprattutto per quel tipo di «fare» che è la ricerca pura), l'uomo intuisce che la sua attività scientifica mette la sua impronta sul risultato: l'azione e il suo prodotto non sono del tutto separabili in modo che il tempo dell'uomo fa in un certo senso parte della verità che il lavoro mette in luce.

Ma più definitivo del rapporto con la natura, il rapporto uomo/uomo è determinante per la coscienza del tempo: se si «fa», è con altri e, d'altronde, molti campi dell'attività umana hanno come oggetto l'istituzione della stessa esistenza sociale. Ora, su questo piano, è la categoria dell'*alterità* che si sovrappone a quella del tempo; *gli avvenimenti fondamentali sono gli avvenimenti di parola*, attraverso cui gli uomini creano situazioni nuove di collaborazione, di convivialità o di oppressione; nella successione di questi avvenimenti di parola, c'è storia, memoria e interpretazione. A questo livello, il tempo si definisce come storia delle libertà e delle strutture più o meno irreversibili che esse hanno creato. Si vede subito che la percezione e l'interpretazione del tempo sarà legata qui a criteri etici, dei quali si dovrà determinare la provenienza. Il tempo può essere solo morale, immorale, o un misto dei due, ed è qui che noi ritroviamo il rapporto bene/male/tempo di cui abbiamo già parlato. Anche qui, nella misura in cui il male è penetrato nel tempo, si pone il problema della *salvezza*.

Tuttavia, al di qua del fare e del rapporto, in cui il tempo è colto nelle sue dimensioni umane, sorge il problema degli *estremi* del tempo: per ogni uomo, la sua nascita e la sua morte; per l'umanità, in prospettiva di evoluzione, la sua origine e la sua eventuale sparizione; per la terra e, in senso più lato, per l'universo, la sua origine e il suo destino. Un certo numero di elementi riguardanti questi problemi possono essere ricostituiti, con maggiore o minore probabilità scientifica, a partire dal tempo umano; per di più, sono possibili alcune estrapolazioni. Il limite del sapere non può tuttavia retrocedere all'infinito, così che, in contesti culturali diversi, noi non possiamo non ritrovare certi problemi essenziali di ogni teologia: quelli dell'origine prima di ogni uomo (che gli antichi consideravano sotto l'ottica dell'origine dell'anima), quello dell'inizio effettivo dell'umanità, quello dell'inizio del mondo, ma anche quello dell'attuale dipendenza di tutto ciò che è e si muove in rapporto a un Principio che sarebbe origine pura di esistenza; resta infine urgente il problema della fine: che cosa è la morte, al triplice livello della persona, della specie e

dell'universo? Vedremo brevemente, nel paragrafo seguente, che noi affrontiamo qui un luogo del problema di Dio e del significato del cristianesimo. Fin d'ora si intuisce che lo statuto epistemologico di tali problemi non è quello che caratterizza il tempo come misura del fare e del rapporto: in questo caso, si è *nel* tempo e si dispone del linguaggio per dirlo; in quello, si è ai punti limite in cui il tempo come l'essere sono ricevuti e non prodotti.

4. PROSPETTIVE TEOLOGICHE - A partire da quello che è stato finora proposto, si possono adesso indicare quelle che potrebbero essere le linee di forza di una ricerca sul problema «tempo e teologia». Bisognerebbe studiare in seguito il rapporto del tempo con l'alleanza, ciò che questo rapporto ci rivela sull'uomo e su Dio, gli eventuali punti di articolazione con la ricerca scientifica sullo spazio-tempo, infine l'impatto del peccato e del male. Naturalmente daremo qui solo brevi indicazioni.

a. Se gli avvenimenti fondamentali che scandiscono il tempo sono avvenimenti di parola, allora la categoria del tempo, in teologia, deve essere intrinsecamente collegata a quella dell'alleanza, poiché questa è definita come Parola di Dio proposta alla libertà dell'uomo. Tutte le dimensioni del tempo dovrebbero trovare la loro giusta articolazione in questo rapporto libero con la Parola di Dio.

La *liturgia* non è uno spazio-tempo sacro disgiunto dallo spazio-tempo reale, considerato come intrinsecamente pervertito dal male; è il luogo di una sempre nuova proposta dell'alleanza conclusa in Gesù Cristo; essa stabilisce uno statuto della memoria («memoriale») che riporta al presente l'alleanza compiuta affinché questa sia di nuovo ascoltata e accolta, e dà così il suo senso ultimo al tempo che scorre. Avvenimento di parola con Dio, essa apre un cammino etico per il giusto incontro tra gli uomini e un lavoro equilibrato di e su questa terra.

Abbiamo forse qui una chiave di intelligenza del fatto a prima vista strano che il mistero pasquale si trova nel mezzo e non alla fine dei tempi: il suo momento è quello in cui l'alleanza contratta con il popolo ebreo è estesa alle nazioni; ma occorre appunto che questa alleanza giunga e indirizzi a poco a poco il senso dei rapporti umani e del lavoro della terra.

b. È possibile allora risalire da questo discorso e da questa effettività dell'alleanza creatrice del tempo a *Dio stesso* che fa alleanza e all'*uomo* che la riceve. Forse la parola *comunione* dice il significato ultimo del tempo, poiché dice ciò che è preso in considerazione nella triplice relazione dell'uomo (uomo/Dio, uomo/uomo, uomo/natura) della quale il tempo vero presuppone la giusta integrazione; proprio questa parola può introdurre una sfumatura nuova alla concezione escatologica dell'uomo: al tema oggettivo, visuale e statico della «visione di Dio» aggiunge quello personale, affettivo, dinamico dell'«essere-con» Dio e il suo Cristo, di cui parla Paolo.

In ciò che riguarda Dio che offre la Parola, stabilisce l'alleanza e compie la comunione, è possibile, a partire dal memoriale di Gesù Cristo, risalire alla sua vita interiore («Trinità immanente») e cercare, nella circumincessione del Padre, del Figlio e dello Spirito, il paradigma del processo dell'alleanza e quindi l'ultimo fondamento del tempo. In questo senso il tempo, considerato sotto la modalità dell'alleanza è una categoria quasi necessaria alla conoscenza stessa di Dio. È in questa linea, mi sembra, che bisognerebbe interpretare le recenti ricerche sulla «mutabilità» di Dio: non, come ci si è molto spesso sforzati di fare, mettere Dio in continuità con il nostro proprio movimento, ma cercare in Dio l'origine

non soltanto del nostro essere ma del nostro tempo, sotto il controllo dell'→analogia e, reciprocamente, valersi in maniera analogica della categoria del tempo, soprattutto partendo dall'evento della parola per comprendere la Trinità di Dio.

c. L'articolazione tra il tema del tempo come alleanza e quello dello spazio-tempo come dimensione dell'universo potrebbe essere cercata in una meditazione sull'idea dell'*inizio del mondo* e su quella di *trasfigurazione escatologica*. Questi temi hanno un doppio statuto epistemologico, che andrebbe stabilito con cura. Inizio del mondo e fine dei tempi sono innanzitutto dati teologici, conosciuti attraverso la rivelazione; stanno a significare che, se esiste il mondo, è proprio perché esiste l'alleanza, e ciò spiega che questo mondo non è destinato a un futuro nero e glaciale, ma finirà così come è cominciato, nell'orbita della generosità divina. Ma questa convinzione teologica dovrebbe poter articolarsi su una realtà fisica: a questo punto dovrebbe intervenire la seconda riflessione epistemologica sulla natura di un discorso che parli dell'origine e della fine. Diciamo brevemente che si tratta di una parola al tempo stesso omogenea alla nostra esistenza, poiché parla dell'inizio del *tempo* in cui noi siamo, ed eterogenea, poiché parla dell'*inizio* in quanto tale, che è comunque un concetto limite. Una volta determinata la natura propria di questo tipo di linguaggio, si deve lasciare la parola agli scienziati, dando loro il tempo di cercare e scartando ogni concordismo (con la teoria del Big Bang, per esempio).

Proprio come la questione dell'inizio, quella dell'*esistenza* del mondo temporale ha valore teologico; la scienza può determinare in maniera sempre migliore le equazioni fisiche che spiegano *come* si presentano la realtà e le vicissitudini dello spazio-tempo; può anche, fino a un certo punto, ricostituire la storia delle galassie, quella della terra, quella della vita e quella dell'uomo; ma che questa storia *esista*, che queste formule e questi racconti corrispondano a una esistenza reale, se ne può solo prendere atto, e se il desiderio di conoscere spinge il ricercatore a chiedersi il *perché*, allora la questione della *creazione* assume tutto il suo significato, non qui sotto l'aspetto dell'inizio, ma sotto quello della permanente comunicazione d'essere. A questo livello, il tempo e l'essere non si oppongono, perché non si situano allo stesso livello dell'investigazione scientifica e filosofica.

d. Può essere preso allora in considerazione il problema del male, partendo dalla sua origine che è la *rottura con l'alleanza*, misteriosamente perpetrata fin dall'origine e sempre rinascente. Questo problema del male non è un problema originario, perché l'alleanza lo precede nella sua proposta originaria e nella sua costante ripresa, liturgicamente celebrata. Tuttavia non si potrebbe valutare con precisione il tempo concreto se non si situassero le conseguenze della rottura d'alleanza nel corpo e nel mondo dell'uomo, come nella sua capacità di conoscere e di amare sia Dio sia gli altri. In questo senso, la figura del tempo presenta effettivamente molte perversioni al duplice livello dell'azione e della saggezza. Eppure tutto questo negativo non potrebbe essere considerato come originario, a rischio di reinterpretare la temporalità sotto l'angolo sterile del Paradiso perduto, sotto tutte le sue forme e tutte le sue nostalgie.

Bibl. - O. Cullmann, *Cristo e il tempo*, Bologna 1972 (or. 1947); P. Ricoeur, *Temps et récit*, voll. I-III, Paris 1983-1985; Ghislain Lafont, *Dieu, le temps et l'être*, Paris 1986; S. W. Hawking, *A Brief History of Time*, Bantam Books, 1988.

GHISLAIN LAFONT

TEOLOGIA

I. DEFINIZIONE (R. Fisichella) - II. EPISTEMOLOGIA (R. Fisichella) - III. ECCLESIALITÀ E LIBERTÀ (M. Seckler) - IV. TEOLOGIA E SCIENZE (M. Seckler) - V. TEOLOGIA E FILOSOFIA (R. Fisichella).

I. Definizione

Fondamento e centro della teologia è la rivelazione di Dio in Gesù Cristo. Suo obiettivo peculiare è l'intelligenza critica del contenuto della fede perché la vita credente possa essere pienamente significativa.

Le coordinate che sono state poste per la comprensione del concetto di teologia non sono state sempre le stesse nel corso della storia. In quanto riflessione *storica* sulla fede e i suoi contenuti, la teologia ha subìto una costante evoluzione nel suo tentativo di autodefinirsi; evoluzione che può essere identificata con la stessa storia del pensiero cristiano.

Il termine «theologhía» / «theologhéin» è di origine non cristiana; i primi dati che si possono ricuperare sono quelli che vedono la «theologhía» legata al mito. Omero ed Esiodo sono chiamati «theológhoi» per la loro peculiare attività a comporre e cantare i miti. Aristotele, dividendo la filosofia teoretica in: matematica, fisica e *teologia*, la identificherà con la metafisica in quanto *philosophia perennis* (*Met.*VI,I,1025). Gli stoici, come ricorda Agostino, sono tra i primi che utilizzano il termine con una connotazione religiosa perché lo identificano come «ratio quae de diis explicatur» (PL XLI,180).

Solo progressivamente, sia in Oriente che in Occidente, si impone l'uso cristiano del termine. Per Clemente d'Alessandria, «theologhía» sarà la «conoscenza delle cose divine»; per Origene, essa indica la vera dottrina su Dio e su Gesù Cristo come salvatore; spetta tuttavia ad Eusebio il primato per aver attribuito all'evangelista Giovanni il titolo di «theológos» perché nel suo vangelo ha scritto un'eminente dottrina su Dio.

A partire da Eusebio, quindi, «theologhía» indicherà la vera dottrina, quella cristiana, che verrà opposta alla falsa dottrina insegnata dai pagani. Dionigi, in seguito, porrà una distinzione che rimarrà valida fino ai nostri giorni, tra una teologia mistica, simbolica, nascosta che unisce a Dio, e un'altra teologia più manifesta, più filosofica che tende alla dimostrazione razionale.

Un'ultima connotazione degna di interesse che proviene dai Padri greci, è quella che identifica «theologhía» con la dottrina circa la Trinità, per distinguerla dalla dottrina sull'incarnazione che sarà chiamata «economia». Il periodo monastico, si pensi ai nomi di Evagrio Pontico e Massimo il Confessore, parlerà, infine, di «theologhía» come culmine della conoscenza e pienezza della gnosi, perché realizzata sotto la guida dello Spirito.

Per l'Occidente, è particolarmente Agostino che inserisce di forza l'uso religioso del termine nella cultura e nel linguaggio comune. L'intelletto che interviene nella comprensione di fede, è contemplazione di uno spirito credente che, poiché ama, desidera raggiungere la completezza della realtà amata.

In una parola, *theologia* per il pensiero patristico segna lo sforzo per pe-

netrare sempre più nell'intelligenza della Scrittura e della parola di Dio; per questo diverrà normale l'interscambio tra *theologia* e «sacra pagina» o «sacra dottrina», terminologia che rimarrà felicemente intatta fino a tutto il XII secolo.

Un primo segno di cambiamento si verifica con Boezio che fa conoscere la distinzione delle «scienze» di Aristotele; Alcuino inizia la riforma carolingia con la divisione delle arti del trivio e del quadrivio; la dialettica, come metodo di indagine, inizia a farsi sempre più strada...; si giunge così alla formulazione delle prime *Sententiae*, prese dalla collezione degli scritti dei Padri e all'utilizzo della *grammatica*.

Un crescendo in qualità è certamente dato dalla precomprensione anselmiana di *theologia*. Cercando di mettere equilibrio tra l'impostazione «monastica», che alimentava maggiormente la comprensione di un'autosufficienza della fede, e l'impostazione «dialettica», che tendeva ad assolutizzare l'esigenza della ragione, → Anselmo crea il principio del *quaero intelligere ut credam sed credo ut intellegam*. La fede che ama vuole conoscere di più; la *ratio* quindi, si fonda sulla *fides*, ma non per questo è meno autonoma nel suo ricercare.

Sarà tuttavia Abelardo ad essere ricordato come il primo ad aver compiuto il passaggio da una *sacra pagina* ad una *theologia* intesa come *scientia* perché divenuta ormai *quaestio*. A poco serviranno le resistenze di S. Bernardo per mantenere relegata la *theologia* alla prospettiva del «non quasi scrutans, sed admirans». Tommaso non potrà che ratificare l'impostazione del Magister sententiarum, pensando la *theologia* come forma di conoscenza razionale dell'insegnamento cristiano; ciò che la fede accoglie come dono, la *theologia* lo esplicita e spiega alla luce della comprensione umana con le sue proprie leggi.

Bonaventura, rimanendo fedele alla corrente monastica, manterrà l'accentuazione circa il ruolo e la presenza della grazia; Duns Scoto, dopo di lui, ne sarà il maggiore rappresentante.

Contemporaneamente, Guglielmo di Occam, favorirà l'ingresso della critica e del nominalismo. L'umanista Erasmo da Rotterdam, accentuerà a tal punto la critica da sostituirla ormai alla «questio» medievale. Melchior Cano segnerà l'epoca del rinvenimento delle auctoritates attraverso i → luoghi teologici, e il Tridentino culminerà con le speculazioni del sapere teologico. Il secolo XVIII vedrà accentuare le forme dei «sistemi» e l'organizzazione del sapere teologico nelle enciclopedie. L'*Aeterni Patris*, infine, registra un ulteriore cambiamento con il tentativo di un ritorno al pensiero di Tommaso interpretato comunque alla luce di nuovi principi filosofici.

Dal punto di vista storico, uno studio completo, tanto da divenire un classico della letteratura teologica, è fornito dall'articolo «Théologie» di Y. Congar in DThC. Ciò che invece rimane da osservare è che la comprensione di teologia si rapporta e «adatta» di volta in volta alle differenti epoche storiche con cui si viene a incontrare. Questo è segno di una caratteristica determinante del sapere teologico: la *storicità* del riflettere della fede che permette, contemporaneamente, di mantenere sempre viva la domanda sull'intelligibilità del mistero e di trovare una risposta che sia conforme alle varie conquiste del sapere umano.

Il cambiamento di orizzonte che si è venuto a creare con il Vaticano II, ha posto la teologia lontana ormai dal contesto controversista-apologetico che aveva caratterizzato i quattro secoli precedenti, per riportarla in sereno dialogo con le culture e le scienze in modo da rendere evidente la complementarità di ognuna in vista della globalità del sapere per un'esistenza umana sempre più degna (cfr. GS 53-62).

Venuto ormai a mancare un unico referente filosofico, sostituito da una pluralità di referenti con diversi sistemi filosofici, e avendo acquistato una comprensione ermeneutica più globale e profonda del dato biblico, la teologia si caratterizza meglio, oggi, alla luce di una pluralità di teologie che lasciano trasparire le diverse metodologie acquisite.

Nuovi problemi che richiedono riflessione, possono tuttavia caratterizzare l'oggi teologico nel momento in cui, ancora una volta, cerca di autocomprendersi; se ne possono evidenziare almeno tre: 1. la determinazione dello statuto epistemologico che, di volta in volta, si rapporta al nuovo sapere scientifico; 2. l'ecclesialità della teologia che comporta la responsabilità pubblica della intelligenza di fede e il superamento di una contrapposizione tra sapere teologico in quanto tale e sapere teologico regionale o contestuale; 3. il rapporto magistero-teologia che comporta l'individuazione delle mediazioni proprie di una teologia come intelligenza ecclesiale di una fede comunitaria e la libertà del soggetto epistemico nel suo ricercare scientifico.

RINO FISICHELLA

II. Epistemologia

La teologia fondamentale, in quanto epistemologia teologica, deve rispondere preliminarmente ad almeno tre questioni basilari che si impongono per il sapere teologico: 1. il sorgere della teologia; 2. la determinazione del suo contenuto; 3. il suo autogiustificarsi come conoscenza critica della fede.

1. IL SORGERE DELLA TEOLOGIA - Punto di partenza della teologia, come autocoscienza riflessa della fede,

è ciò che chiamiamo la *meraviglia coscientizzata* del credente nel suo atto di porsi la domanda del «perché io credo?».

Con la categoria della meraviglia coscientizzata, si vuole ricuperare anzitutto un dato comune a tutta la storia del pensiero critico che trova appunto nella «meraviglia» l'inizio di ogni coscienza che sa percepire l'esistente. È quella meraviglia che sorge nel soggetto nel momento in cui è presente a se stesso nell'atto di riflettere e di scoprire se stesso come un soggetto pensante, presente nella storia, nel mondo, come progettatore di sé e del mondo. È quella meraviglia che permette di autocomprendersi come soggetto attivo della storia, perché capace di ritornare su se stesso una volta uscito da sé per l'individuazione e la conoscenza del reale (*reditio in se ipsum*).

In una parola, la meraviglia è ciò che sta all'origine del ricercare umano e del comprendere; è ciò che può permettere il ricupero di quanto ci ha preceduto, ci determina e ciò che costituirà il futuro. Senza la meraviglia si diventerebbe estranei a se stessi e alla storia, perché incapaci di realizzare un nuovo sapere.

Questa realtà è possibile vederla realizzata anche all'interno del sapere teologico come quel momento in cui il credente ha coscienza della gratuità dell'essere chiamato alla comunione di vita con Dio. È la meraviglia di scoprire se stesso come soggetto capace di un atto che antropologicamente qualifica l'esistenza e che si comprende come realtà che, in quanto tale, non può essere pretesa, ma solo accolta come dono. In una parola, è la coscienza dell'essere mistero e del partecipare all'infinità del mistero.

Questa meraviglia non è frutto dell'emotività, ma è peculiare attività del soggetto epistemico. Nel momento in cui la domanda del «perché io credo?» viene posta, infatti, si può constatare che essa sorge all'interno della fede ma contemporaneamente fa sorgere la teologia come domanda critica che investiga sulla intelligenza della stessa fede.

Questo permette di comprendere che l'orizzonte in cui si pone la domanda è determinato fin dall'inizio dall'essere già credente. C'è infatti un atto fondamentale che precede la conoscenza riflessa del soggetto credente, ed è quella che provoca il sorgere della meraviglia, vale a dire, l'atto di grazia mediante il quale Dio chiama ognuno alla fede.

Prima quindi che il credente si possa porre davanti a Dio nell'atto di pronunciare categorialmente il suo nome, come espressione di una personale attività intellettiva che dà contenuto alla fede, esiste la realtà dell'essere conosciuti da Dio e da lui chiamati in Cristo alla salvezza (cfr. 1 Gv 4,10).

Meraviglia coscientizzata e certezza della chiamata alla salvezza, costituiscono pertanto il contesto necessario perché la fede del credente possa costituirsi come elemento riflesso. La condizione poi del realizzarsi della teologia, particolarmente nei confronti delle altre scienze (→ Teologia, IV), deve necessariamente far ricorso al suo peculiare carattere di *paradosso*.

Il primo dato paradossale che emerge in questo orizzonte, investe sia l'oggetto della teologia che il suo soggetto epistemico. La fede infatti, come punto basilare entro cui nasce la riflessione, determina il contenuto della ricerca a tal punto che questo viene già compreso e accolto come verità fondante e non come verità da dover dimostrare. Il contenuto rivelato che fa sorgere la teologia è già da questa considerato e creduto come *verità* che non va dimostrata, ma solo intellettivamente compresa e resa comunicabile.

La paradossalità di questa espressione aumenta quando si considera che la verità data non è frutto dell'astrazione speculativa, ma è una persona storica, nella concretezza del suo esistere. La verità di un soggetto storico, diventa qui pretesa di verità su tutta l'umanità e centro propulsore di verità per la comprensione di tutta la storia. Ma soprattutto è una verità che esprime tutta la sua evidenza di paradosso nel momento in cui assume la morte di Gesù di Nazareth come il criterio per esprimere la verità ultima su Dio. Nella morte, che antropologicamente costituisce il punto più impenetrabile del sapere umano e quello più difficile da dover essere accolto, perché in essa la contraddittorietà dell'esistenza raggiunge il culmine (GS 18), viene incontro invece la forma che esprime il darsi totale di Dio all'umanità.

In Gesù di Nazareth, la teologia riceve contemporaneamente l'oggetto del suo indagare e la verità sull'uomo e il suo destino. Passione, morte e risurrezione costituiscono il «pegno» della salvezza che è dato nell'attesa del compimento escatologico.

In questo orizzonte, infine, la teologia comprende che le vengono fornite delle *mediazioni* che vanno oltre le categorie del sapere umano. Esse sono date perché appartengono all'economia rivelativa che comprende: la costante presenza dello Spirito nell'orientare la chiesa nel suo comprendere il senso della Parola fino a quando la verità non sarà completamente raggiunta nella sua totalità (Gv 16, 13); i carismi che abilitano i diversi credenti, nella reciproca responsabilità, alla costruzione della comunità intera (1 Cor 12-14); l'infallibilità nell'interpretazione della fede autentica (LG 25); il *sensus fidei* come patrimonio dell'intero popolo di Dio per il discernimento della vera tradizione (LG 12.35).

Da questa situazione paradossale derivano almeno tre principi da cui non si potrà prescindere per un corretto sapere teologico:

a. In quanto la fede pone in atto la teologia, è la fede stessa che mostra alla teologia le ragioni circa la necessità dell'intelligenza della fede. L'intelligibilità del dato rivelato non è quindi un principio estrinseco alla rivelazione, ma interno ad essa e quindi principio che pone in atto la teologia.

b. Ogni riflessione teologica, tranne quella neotestamentaria che per sua natura si pone come norma normans per ogni teologia, è storica e relativizzata dal proprio oggetto. La libertà quindi della ricerca scientifica non può essere a danno dell'ortodossia del contenuto della fede, ma dovrà confrontarsi con quello e obbedienzialmente accoglierlo.

c. La fede darà alla teologia le vie maestre per il raggiungimento reale del suo contenuto. Con Anselmo, potremmo identificarle come: *delectatio*, quindi gioia per aver scoperto l'oggetto della ricerca e il ringraziamento per averlo ricevuto; *adoratio* per cui viene percepita e compresa la fine del percorso che sfocia nella professione del *rationabiliter comprehendit incomprehensibile esse.*

2. Il contenuto della teologia - Contenuto della teologia è la rivelazione di Dio in Gesù Cristo o, in altri termini, il mistero globale dell'incarnazione. La teologia infatti è la «concretizzazione del logos» (E. Peterson), che comporta la globalità del dogma cristiano che si estende a partire dall'insondabile mistero di Dio fino a raggiungere il mistero dell'uomo.

La rivelazione pertanto, costituisce il *fondamento* e il *centro* della teologia, ne è il suo contenuto peculiare. Tuttavia, primo contenuto che dovrà essere reso intelligibile dal procedere teologico, sarà proprio quello delle categorie appena accennate.

Dire *fondamento* è ciò che, a livello teoretico e temporale, è condizione di possibilità del sapere. Teoreticamente, parlare di rivelazione come fondamento della teologia, comporta l'attenzione ad aver presente un triplice elemento: ciò che si costata come già fondato, ciò che si sta fondando e ciò che non è ancora stato fondato, ma lo sarà (cfr. per questa terminologia R.L. Hart, *Unfinished Man and Immagination*, New York 1968, 83-97).

La rivelazione quindi, costituisce per la teologia una realtà dinamica: da un evento iniziale, si sviluppa un movimento ulteriore che permette una sua comprensione storica, passata e attuale, ma senza dover precludere il futuro. La comprensione che si ha dell'evento deve riferirsi ad esso come al suo principio formale e causale, perché non vi è altra possibilità di conoscenza del fondamento al di fuori del fondamento stesso.

In altre parole, affermare che la rivelazione costituisce il fondamento della teologia, equivale a ricuperare la componente preriflessiva che comporta il riconoscimento di un contenuto completamente e radicalmente nuovo che può essere dato solo per rivelazione. C'è, pertanto, la presentazione di un *novum* che viene dato e che si impone con la sua evidente verità, come una realtà che il soggetto credente non può darsi, ma solo ricevere per rivelazione.

La conoscenza più adeguata che si può avere di questo *novum*, è data dalla fede come la forma di conoscenza propria e corrispondente all'oggetto del conoscere. La triplice strutturazione del fondamento riveste la ricerca teologica perché essa accetta ciò che è già fondato, comprende ciò che si sta fondando mediante l'ininterrotta fede della chiesa e prepara ciò che ancora non è stato fondato attraverso la sua costante tensione verso l'evento escatologico.

Parlando di rivelazione come *centro* della teologia, si fa più diretto riferimento alla sistematica dell'indagine. Ciò significa che tutto il sapere teologico necessita di strutturarsi intorno alla rivelazione; anzitutto per

evidenziare che il principio formale delle diverse discipline è uno solo, ma che ugualmente il mistero della rivelazione, dal punto di vista scientifico, è sottoposto alla complementarità delle prospettive che solo nel loro insieme e nella reciproca interdipendenza possono fornire la dimensione globale (cfr. OT 16; *Sapientia christiana*).

3. LA CONOSCENZA CRITICA DELLA FEDE - Un ultimo elemento da giustificare è il fatto che la teologia costituisce il sapere critico della fede; detto in parole classiche, si è davanti al primo rapporto di → ragione / fede.

Porsi la domanda circa il sapere critico della fede è già di per sé un dato teologico, perché all'interno della fede il credente, in quanto soggetto epistemico, possiede una conoscenza che gli dà certezza.

È ciò che si percepisce nella comune esperienza del conoscere umano; il sapere infatti è un'esperienza originaria nel soggetto, mediante il quale si scopre la propria realtà come attività pensante. Questo primo e fondante sapere è certezza esso stesso, perché ognuno *sa* di *sapere*; un sapere immediato che è costituito dalla propria esistenza e dall'incontro con il reale. Nel suo movimento verso l'esterno, il sapere è intaccato dal dubbio che pone in crisi il sapere stesso: «scio me nescire». Eppure, questo «non sapere» è orientato verso nuove acquisizioni di un sapere prima non conosciuto. Si ha, pertanto, un movimento con una duplice caratteristica: il soggetto esprime la volontà di sapere perché sa di non sapere, ma questo corrisponde ad un primo sapere che fonda la certezza del sapere stesso.

L'esistenza credente è anch'essa inserita in quella certezza della salvezza che permette ad ognuno di pensarsi come un chiamato alla comunione di vita con Dio tramite la grazia. La meraviglia di questa realtà, che suscita nel soggetto la domanda del «perché io credo?», corrisponde a quella prima positiva questione che fa sorgere contemporaneamente la certezza di una prima esistenza di fede e la necessità di progredire perché si scopre che il mistero rimane ancora aperto e non del tutto conosciuto.

Già la domanda sulla necessità di un sapere, pertanto, conferisce al credente una prima e basilare certezza perché domandando, egli afferma, anche se il suo domandare si orienta a un senso e un sapere sempre più grande.

La teologia, però, costituisce il sapere *critico*, vale a dire un sapere che analizza la relazione tra il contenuto del sapere personale e quello del nuovo oggetto conosciuto. Critico, quindi, è un conoscere che giunge alla conclusione di un procedimento mediante il quale si arriva al giudizio. Ma giudicare significa aver trovato conformità tra la certezza originaria e il contenuto dell'oggetto; quindi si avrà un giudizio critico solo quando si sarà raggiunta l'essenza dell'oggetto conosciuto e non una sua personale rappresentazione.

La → fede costituisce la piena e libera risposta del credente alla rivelazione di Dio (DV 5); essa corrisponde al dono di grazia con un atto totalmente umano in cui «intelletto e volontà», sinonimo di globalità della persona, sono pienamente coinvolti in un'inscindibile unità. La verità che viene accolta dalla fede è frutto della conoscenza del sapere del credente che, con lo stesso atto di fede, indica la corrispondenza che dovrà porsi, sul piano gnoseologico, tra il suo conoscere e l'oggetto da conoscere. La fede quindi, esprime la forma di conoscenza corrispondente alla natura dell'oggetto conosciuto; per essere conosciuto insomma, questo oggetto necessita della conoscenza di fede.

Il credente, pertanto, credendo conosce, conoscendo crede e ciò significa che in un solo atto, quello della fe-

de, è presente, in modo pienamente umano, la forma di conoscenza che è quella espressa dal credere. Il conoscere, in relazione alla rivelazione di Dio, non è altro dal credere perché è l'unica espressione che può corrispondere all'oggetto da conoscere.

La verità che viene presentata, tuttavia, non è una conoscenza astratta ma verte, al contrario, sulla storicità di Gesù Cristo (→ Cristologia fondamentale) come verità ultima e definitiva che viene consegnata all'umanità per trovare il senso dell'esistenza. La teologia, come sapere critico della fede che già conosce e sa questo contenuto essere vero, deve mostrare, seguendo maggiormente le linee di un sapere e sviluppo scientifico, che vi è piena corrispondenza tra ciò che la fede presenta come vero e ciò che il soggetto comprende come tale. In altre parole, dalla rivelazione, accolta nel sapere della fede, proviene al credente il contenuto del suo conoscere; dalla teologia in quanto sapere critico, questo contenuto viene analizzato e conosciuto attraverso gli elementi che lo compongono, quindi: storicità, linguaggio, comportamento e annuncio di Gesù di Nazareth devono essere relazionati criticamente a ciò che la fede già conosce come verità perché si possa creare quella circolarità tra fede e ragione che imprima all'atto di fede la sua piena forma umana.

Ciò che la fede accoglie nel suo credere, non è precluso alla ragione, quindi, ma in sé è aperto, è dato alla ragione perché questa nell'atto stesso di credere già sta realizzando una forma peculiare di conoscenza.

Solo una distorta visione di razionalità e fede ha potuto separare i due elementi e vederli come estranei l'uno all'altro. La fede non è un surrogato della volontà all'impossibilità della ragione di andare oltre; e la ragione critica non è l'unica forma di conoscenza del sapere umano. Solo un ricuperato rapporto, alla luce di un'autonoma anche se complementare ricerca, tra filosofia e teologia potrà evidenziare maggiormente la legittimità di un sapere della fede e la necessità di una fede conosciuta.

Bibl. - D.M. Chenu, *La théologie comme science au XIII siècle*, Paris 1945; Y. Congar, «Théologie», in DThC XV, 341-502; Id., *La fede e la teologia*, Roma 1967; A. Kolping, *Einführung in die katholische Theologie*, Münster 1960; E. Schillebeeckx, *Rivelazione e teologia*, Roma 1965; K. Rahner, «Teologia nel Nuovo Testamento», in *Saggi teologici*, Roma 1965, 167-204; Id., «Sul concetto di mistero nella teologia cattolica», in *Ibid.*, 391-465; Id., «Sulla storicità della teologia», in *Nuovi Saggi* III, Roma 1969, 99-125; Id., «La promozione della teologia ad opera del Vaticano II», in *Ibid.*, 11-44; Id., *Corso fondamentale sulla fede*, Roma 1977; R. Latourelle, *Teologia scienza della salvezza*, Assisi 1968; G. Söhngen, «La sapienza della teologia sulla via della scienza», in *MystSal*, II, Brescia 1968, 511-608; H.U. von Balthasar, *Einfaltungen*, München 1969 (tr. it. 1970); Id., «La sede della teologia», in *Verbum Caro*, Saggi teologici, vol I, Brescia 1970, 165-177; Id., «Teologia e santità», in *Ibid.*, 200-229; G. Sauter (ed.), *Theologie als Wissenschaft*, München 1971; Z. Alzeghy - M. Flick, *Come si fa la teologia*, Roma 1974; M. Gatzmeier, *Theologie als Wissenschaft*, Stuttgart 1974; A. Grabner-Haider (ed.), *Theorie der Theologie als Wissenschaft*, München 1974; B. Casper, *L'ermeneutica e la teologia*, Brescia 1974; W. Pannenberg, *Epistemologia e teologia*, Brescia 1975; Id., *Questioni fondamentali di teologia sistematica*, Brescia 1975; B. Lonergan, *Il metodo in teologia*, Brescia 1975; W. Kasper, *Fede e storia*, Brescia 1975; C. Vagaggini, «Teologia», in NDT Roma 1977, 1597-1711; P. Eicher, *Theologie. Einführung in das Studium*, München 1980; T. Tshibangu, *La théologie comme science au XX siècle*, Kinshasa 1980; W. Kern (ed.), *Die Theologie und Lehramt*, Freiburg 1982; Autori vari, *Initiation à la pratique de la théologie*, I, Paris 1982; J. Ratzinger, *Theologische Prinzipienlehre*, München 1982; C. Colombo, *Il compito della teologia*, Milano 1983; A. Louth, *Discerning the Mystery*, Oxford 1983; G. Thils, *Pour une théologie de structure planétaire*, Louvain 1983; M. Michel (ed.), *La théologie à l'épreuve de la vérité*, Paris 1984; W. Kern - FJ. Niemann, *Gnoseologia teologica*, Brescia 1984; R. Fisichella, «Cos'è la teologia?», in C. Rocchetta - R. Fisichella - G. Pozzo, *La teologia tra rivelazione e storia*, Bologna 1985, 163-252; J. Alfaro, *Rivelazione fede e teologia*, Brescia 1986; B. Forte, *La teologia come compagnia, memoria e profezia*, Roma 1987; M. Seckler, *Teologia, Scienza, Chiesa*, Brescia 1988.

RINO FISICHELLA

III. Ecclesialità e libertà

1. A differenza della *scienza della religione* e della *filosofia della religione* (Religione, VI) in quanto scienze razionali autonome, ogni *teologia* deve considerarsi come *funzione vitale della religione* (fa eccezione la teologia «*filosofica*» per la quale, come disciplina particolare della filosofia, valgono le condizioni della filosofia). E così la teologia cristiana è una funzione della religione cristiana, come altre religioni hanno o possono avere le loro rispettive teologie. Quindi il concetto di teologia include l'intrinsecità della religione, ma comprende anche il suo concreto riconoscimento e il proprio vincolo con essa. Se questi elementi mancano, allora, *concettualmente*, non si tratta di teologia, bensì di filosofia (della religione) o di scienza (della religione), branche «libere», cioè «fluttuanti» a seconda delle posizioni. Il requisito dell'intrinsecità alla religione con il relativo riconoscimento della religione e il proprio vincolo con essa, sono una *caratteristica oggettiva nel concetto di teologia* e non solo un'esigenza morale riguardante l'atteggiamento dei teologi. Determinante quindi per il concetto di teologia non è la *religiosità dell'individuo*, bensì *l'intrinsecità della religione per la disciplina* in questione. Ciò significa che nella teologia ha luogo *l'autoriflessione e l'autoarticolazione della religione che le sostiene*; significa pure che il lavoro teologico è vincolato ai contenuti, alle norme, alle regole e alle finalità della stessa religione. Di conseguenza la *teologia cattolica* è quella funzione vitale della chiesa in cui la sua comprensione della fede e la sua universale missione vengono indagate e teoreticamente descritte in tutte le loro dimensioni.

La teologia non è, per sua natura (*theo-loghia* come discorso religioso su Dio, *sermo de Deo*), necessariamente scientifica, tuttavia la teologia cristiana si concepisce e si organizza tradizionalmente in prevalenza nella forma di una *scienza* (aderendo a diversi concetti di scienza, sebbene con competenza teorico-scientifica propria). Essa però non è una scienza basata su principi razionali (*secundum rationem*), bensì una scienza fondata sui principi della rivelazione biblico-cristiana (*secundum revelationem*) e quindi una *scienza della fede*. Essa ha la fede cristiana (e principalmente la *parola di Dio* nella fede cristiana) come fondamento, oggetto e fine del suo discorso scientifico, che nei *suoi metodi* deve seguire le regole di un discorso razionale, se vuole assumere il carattere di scienza. Il concetto «scienza della fede» (*scientia fidei*) come denominazione della teologia cristiana non riguarda in primo luogo il rapporto della fede cristiana con le scienze e non si riferisce all'influsso esercitato dalla fede sulle scienze, ma concerne *il carattere originariamente* scientifico, *scientificiforme* dell'autoriflessione e dell'autoarticolazione della fede cristiana. Nel concetto della fede cristiana si *condensano* perciò le questioni irriducibili ma oltremodo produttive fra rivelazione e ragione, fede e sapere, religione e scienza (fra verità religiosa e metodo scientifico) e quindi anche fra *ecclesialità* e *libertà* della ricerca teologica, ambedue essenziali per la teologia, anche se in un senso molto preciso.

2. L'ECCLESIALITÀ DELLA TEOLOGIA - Nel linguaggio corrente la parola «ecclesialità» che molto spesso è gravata da connotazioni negative, può significare parecchie cose: in senso negativo servilismo, partigianeria e conformismo; in senso positivo la partecipazione responsabile e solidale alla vita e alla missione della chiesa in simpatia critica e in uno schietto *sentire cum ecclesia*. Dall'ecclesialità dei *cristiani* e dei *teologi*, che va positivamente presupposta, si deve assolu-

tamente distinguere l'ecclesialità della *teologia*. Là si tratta di un *atteggiamento degli uomini*, qui di una *caratteristica scientifico-teorica della teologia*, là di *disposizioni d'animo*, qui di *strutture*. In effetti vanno ambedue congiuntamente, però sarebbe un malinteso se si riducesse il carattere ecclesiale della teologia sotto l'aspetto teorico-scientifico agli atteggiamenti dei teologi e se, in casi di conflitto, si assumessero questi atteggiamenti come criterio decisivo per la teologia.

A differenza della *scienza della religione* e della *filosofia della religione* quali scienze autonome, la *teologia*, scientia fidei, è fondamentalmente da concepirsi come lo stesso *realizzarsi* della vita della chiesa. Sotto il profilo teorico-scientifico l'«ecclesialità» quindi è una determinazione *interna* di luogo e di funzione della teologia. Per questo è stata definita a ragione come progetto del pensiero e del linguaggio della fede cristiana. Dal punto di vista teorico-scientifico la chiesa, per la propria teologia, non è un'istanza esterna, quanto piuttosto soggetto portante. Con ciò s'intende in primo luogo un *interno rapporto condizionante* e solo in secondo luogo *una titolarità esterna* in senso giuridico-istituzionale.

Se la teologia viene fondamentalmente definita una funzione della chiesa, allora bisogna prestare soprattutto attenzione al significato del termine «chiesa». C'è un uso linguistico in cui «chiesa» significa semplicemente solo l'ufficio ecclesiastico o la gerarchia o una istituzione di tipo confessionale. Questo può condurre a definire verbalmente la teologia come funzione della chiesa; in realtà però porta ad intenderla solo come una funzione o subfunzione dell'ufficio ecclesiastico così che l'ecclesialità della teologia consisterebbe solo nell'essere una strumentalizzata disciplina ausiliaria di uffici ecclesiastici. In questo modo l'ecclesialità della teologia non verrebbe definita in forma appropriata. Il vero e proprio soggetto portante della teologia è piuttosto la chiesa in senso lato come popolo neotestamentario di Dio, che è in sé una realtà vitale complessa e molto articolata. In seguito alle divisioni della chiesa la teologia è di fatto tesa tra l'universalità di *un'unica* chiesa come entità di fede e le dimensioni dell'ecumene da un lato; e le varie confessioni che essa contiene dall'altro. Come l'intima vocazione della teologia cristiana è quella di essere veramente *cristiana* secondo i criteri contenutistici del cristianesimo, così essa è radicalmente *ecclesiale* come funzione vitale del popolo di Dio neotestamentario e nel contempo inevitabilmente *confessionale* in riferimento alle chiese realmente esistenti, le sole che possono sorreggere una teologia cristiana. In ogni concretizzazione del nesso ecclesiale-confessionale quindi l'ecclesialità della teologia è pluridimensionale.

La caratteristica dell'ecclesialità sotto il profilo teorico-scientifico non si contrappone per principio alla scientificità o alla capacità scientifica della teologia. Ogni scienza opera sulla base di presupposti costituiti prescientificamente e condizionati dal contesto vitale. Per il carattere scientifico è determinante la razionalità metodologica e la trasparenza dei nessi del discorso. In effetti la teologia, per la caratteristica dell'ecclesialità, è vincolata sia contestualmente che criteriologicamente al credo della chiesa, ma per questo non si può avanzare per principio, in modo fondato, il sospetto di una manipolazione ideologica o di parte. Infatti per essa l'ultimo vero criterio non è né la fede né la comunità di fede (come «popolo di Dio» e «istituzione») bensì la *parola di Dio*. Per il concetto di scienza della fede cristiana c'è una differenza teologica essenziale fra *parola di Dio* e *fede*. Quella è il criterio di questa, non viceversa, anche se quel-la perviene a noi solo in questa. Perciò il vero e supremo criterio della teologia (*norma suprema*) non è né la fede né la chiesa, ma la parola di Dio (cfr. DV 10; 21-25; LG 25). La testimonianza di fede della chiesa non è una norma suprema, bensì solo la norma concretamente esistente e quindi immediatamente vincolante, cioè «prossima» (*norma proxima*). Il principio dell'assoluta priorità e superiorità della parola di Dio non viene abolito anche se praticamente e di norma la parola di Dio, obiettivamente e anche criteriologicamente, si presenta e vien posta in risalto per la teologia, in modo vincolante, nel «medium» della testimonianza della chiesa. Per questo motivo non si può imputare per principio all'ecclesialità della teologia che sia essa a fondare la mera condizione subalterna che la teologia riveste in una chiesa che ruota autonomamente intorno a se stessa o che dispone della parola di Dio.

La teologia quindi è effettivamente una funzione della chiesa, o della vita di fede della chiesa e in tutta la sua attività deve orientarsi tenendo conto di questo fatto. Dal punto di vista della dottrina teologica dei princìpi ciò significa che compete al magistero gerarchico giudicare in forma autorevole il lavoro della teologia secondo i criteri della fede cristiana, senza che tali provvedimenti siano per principio da considerarsi come ingerenze o soprusi illegittimi di un'istanza esterna alla scienza. Poiché la teologia è costitutivamente chiamata ad articolare nel proprio discorso la fede della chiesa, spetta alla chiesa giudicare il risultato di questo sforzo.

D'altro canto, poiché il criterio *supremo* della teologia non è di volta in volta la dottrina attuale della chiesa, bensì la parola di Dio, ne consegue che non sono illegittimi aprioristicamente anche la percezione di compiti profetici, l'obbligo di una critica trascendente e le possibilità di dissenso. Il criterio supremo della teologia e della chiesa è la parola di Dio; tutti debbono aderire ad essa e conformarvisi (cfr. LG 25), piaccia o no.

Per «ecclesialità della teologia» non si deve solo intendere la sua interna costituzione di scienza ecclesiale della fede, ma anche il suo essere ancorata *sotto il profilo organologico-funzionale e pratico-vitale* alla vita e alla missione della chiesa. In quest'ottica la destinazione strumentale della teologia è fondamentalmente il servizio in chiave di scienza della fede alla parola di Dio nell'ambito della missione della chiesa. I suoi compiti sono di natura teorica e pratica: la spiegazione cognitiva e la mediazione della parola di Dio come verità salvifica, orientatrice e beatificante; il lavoro per la fondazione costruttiva e la pratica delle attività della chiesa; la riflessione critico-formale e oggettiva dei generi linguistici ed espressivi della fede; la giustificazione e la difesa della verità della fede; l'autoesame scientifico della chiesa e l'accompagnamento critico della sua vita. In tal modo essa fornisce un contributo autonomo e attivo alla missione della chiesa.

Fa parte dell'ecclesialità della teologia anche il suo *essere istituzionalmente ancorata e giuridicamente vincolata* alla chiesa. Per quanto concerne le università e le istituzioni ecclesiastiche è chiaro fin da principio che esse stanno sotto la titolarità della chiesa e sono immediatamente soggette al diritto canonico. Per gli istituti teologici nelle università statali vi sono dei regolamenti giuridici statali ed ecclesiastici con lo scopo di garantire l'ecclesialità di quella teologia che deve tutelare funzioni ufficiali della chiesa. Poiché questi rapporti giuridici si debbono concepire come conseguenza ed espressione dell'ecclesialità teorico-scientifica e pratico-vitale di cui si parlava in precedenza, non si può pensare che si tratti

sostanzialmente di un mero vincolo esterno con la chiesa.

3. LA LIBERTÀ DELLA TEOLOGIA - Alla domanda sulla *libertà della teologia* si può rispondere solo sulla base di quanto si è detto finora. Come l'ecclesialità della teologia anche la sua problematica della libertà presenta due facce (se si accantonano gli aspetti che si riferiscono alle persone): una scientifico-teorica e l'altra scientifico-pratica.

In conformità alla sua costituzione, che si fonda sul principio dell'*ecclesialità*, alla teologia sono essenziali quei legami e quelle funzioni secondo cui essa si costituisce come scienza ecclesiale della fede. Per questo alla sua *libertà* sono posti dei limiti costitutivi, scientificamente e teoreticamente fondati e definiti perché, col venir meno dei presupposti e dei principi che la sorreggono, si dissolverebbe essa stessa, cioè si trasformerebbe in scienza della religione o qualcosa di simile. In conformità alla sua struttura di scienza essa stessa e il singolo teologo possono avvalersi della libertà della teologia non come *libertà di scelta nell'orientamento dei principi*, ma al contrario come *libertà per uno sviluppo autonomo sulla base dello specifico fondamento scientifico-teorico della teologia*. Quello che spesso viene ritenuto il punto nodale della libertà teologica, cioè la «liberazione» della teologia dalla «tutela» ecclesiale è quindi, se si considera nella sua essenza, non meno contraddittorio in sé di quanto sarebbe una teologia cristiana «liberata» dalla fede cristiana. Una concezione della scienza della fede che considerasse la sua ecclesialità *fondamentalmente* come vincolo o impedimento per il libero sviluppo della teologia sarebbe quindi una *contradictio in adjecto*. In questa maniera si pagherebbe l'indipendenza conseguita con la perdita dell'identità teologica vera e propria. Nel contempo una simile «teologia» perderebbe il peso specifico che ad essa spetta e deve spettare per il fatto che essa influisce sulla comunità che la sostiene non dall'esterno (come le altre scienze) ma *all'interno e dall'interno.*

Nel mondo delle libere scienze la teologia è l'unica scienza a non essere ritenuta, perlomeno teoreticamente, come assolutamente libera. In questo contesto è esatto dire che il vincolo assiomatico ed ecclesiale, connotato nel concetto di ecclesialità, è *espressamente* da annoverare fra i suoi principi costitutivi. Comunque anche nelle altre scienze esistono dei vincoli assiomatici societariamente ancorati, anche se in modo meno esplicito. Da un punto di vista teorico-scientifico questo non è un impedimento di principio per la scientificità, cioè per la relativa libertà d'indagine e d'insegnamento.

Come il Vaticano II (GS 62; cfr. LG 37), anche il diritto canonico (CIC can. 218) riconosce alla scienza teologica e alle persone che vi si dedicano la dovuta libertà (*iusta libertas*) di *ricerca* e di *manifestazione delle proprie opinioni* sulla base di una *oggettiva competenza.* Questo diritto alla *libertà d'indagine scientifica e di manifestazione delle proprie opinioni* presuppone la *generale* libertà di manifestare le proprie opinioni descritta nel CIC can. 212 par. 3 con riferimento a LG 38 come diritto degli uomini – e rispettivamente dei cristiani – ma non si deve limitare a questo né per i compiti particolari che la teologia deve svolgere, né per le condizioni peculiari che valgono per essa in quanto scienza.

Il discorso di scienza della fede deve poter seguire, autonomamente (anche se non incondizionatamente) e senza impedimenti, il metodo e la razionalità essenziali per una scienza se non vuole degenerare in una mera caricatura della scienza stessa. Sul piano della *prassi scientifica*, la teologia è stata molto spesso soggetta, nel corso della sua storia, a ostacoli alla sua libertà di sviluppo – che non erano affatto necessari – proprio da parte dell'autorità ecclesiastica piuttosto che da parte di fattori scientifico-teorici, sebbene ci siano state anche qui delle esagerazioni. Il problema della libertà della teologia si presenta in modo unilaterale se viene visto esclusivamente sotto l'aspetto della (ingiusta) *libertà «da»* vincoli senza aver di mira invece la *libertà «per»* un autosviluppo oggettivamente e metodologicamente corretto che è vitale per una scienza.

Accanto alla libertà sotto l'aspetto dello sviluppo della scienza tout court è necessaria anche la *libertà della manifestazione delle proprie opinioni* per la vita della teologia e anche per l'espletamento dei suoi compiti ecclesiali. I risultati di una ricerca teologica competente vanno presentati come «dottrina scientifica» (oppure come «opinione dottrinale»). Tale «dottrina» ha un suo *status particolare.* E questo non solo perché in essa si deve esprimere la dottrina della fede della chiesa stessa in conformità alla destinazione della teologia e alla vocazione del teologo (che insegna in nome della chiesa in conformità ad un *mandatum* (cfr. CIC cann. 812; 818), anche se in maniera formalmente non autentica, per cui la dottrina teologica è in sospeso fra una manifestazione meramente privata delle proprie opinioni e la dottrina ufficiale della chiesa, bensì anche perché una «dottrina *scientifica*» esprime sempre nel contempo anche delle convinzioni oggettive scientificamente fondate e, in certo senso, alcuni *vincoli intellettuali* che il teologo non può modificare. La «libertà di manifestare le proprie idee» *sul piano della scienza della fede* travalica quindi sotto molteplici aspetti il piano dei diritti di libertà personale. I suoi contenuti sono sottratti alla libera discrezione personale; la possibilità di operare liberamente però è importante tanto per gli sviluppi della ricerca scientifica e della formazione del consenso che per il servizio della teologia per tutta la chiesa. Solo così la teologia può svolgere il suo compito che in realtà non è indipendente, seppure relativamente autonomo nei confronti del magistero autoritativo della chiesa. Non di rado anche il dissenso, che ha una base nella scienza della fede, è un passo importante per un approfondimento della conoscenza della verità in teologia e nella chiesa e un impulso per sviluppi magisteriali.

È problematico fino a che punto il dovere all'obbedienza di tutti i fedeli, graduato secondo il CIC cann. 750-754, si riferisca anche alla scienza della fede nella sua interna autorealizzazione. I vincoli dovuti alla caratteristica della sua ecclesialità scientifico-teoretica restano naturalmente stabiliti e fissati e possono essere fatti valere. Inoltre l'autorità della chiesa può dare delle disposizioni finalizzate all'«obbedienza religiosa» anche in questioni secondarie di prassi scientifica. Limiti interni al riguardo derivano da quanto si è detto in precedenza da un lato sulla normatività della parola di Dio e dall'altro sulla natura della scienza.

Bibl. - W. Von Loewenich, *Glaube, Kirche, Theologie. Freiheit und Bindung im Christsein*, Witten 1958; P. Brunner, «Gebundenheit und Freiheit der theologischen Wissenschaft», in Id., *Pro Ecclesia. Gesammelte Aufsätze zur dogmatischen Theologie I*, Berlin 1962, 13-22; H.J. Pottmeyer, *Der Glaube vor dem Anspruch der Wissenschaft*, Freiburg 1968; H. Krings, *Freiheit als Chance. Kirche und Theologie unter dem Anspruch der Neuzeit*, München 1972; W. Pannenberg, *Wissenschaftstheorie und Theologie*, Frankfurt 1973; M. Gatzemeier, *Theologie als Wissenschaft*, voll. I-II, Bad Cannstatt 1974; E. Jüngel, «Die Freiheit der Theologie», in Id., *Entsprechungen*, München 1980, 11-36; H.M. Müller, «Bindung und Freiheit kirchlicher Lehre», in ZThK 77 (1980) 479-501; R. Schaeffler, *Glaubensreflexion und Wissenschaftslehre*, Freiburg 1980; M. Seckler, *Im Spannungsfeld von Wissenschaft und Kirche*, Freiburg 1980; Id., *Die schiefen Wände des Lehrhauses*, Freiburg 1988; Id., «Theologie als Glaubenswissenschaft», in HFTh IV, 180-241; Id., «Ecclesialità e libertà della teologia», in R. Fisichella (ed.), *Gesù Rivelatore*, Casale Monferrato 1988, 53-70; J. Simon, «Zum wissenschafts-philosophischen Ort der Theologie», in ZThK 77 (1980) 435-452; K. Rahner - H. Fries, *Theologie in Freiheit und Verantwortung*, München 1981; W. Kasper, «Wissenschaftliche Freiheit und lehramtliche Bindung der katholischen Theologie», in *Essener Gespräche zum Thema Staat und Kirche 16*, Münster 1982, 12-44; 45-68; Id., «Die Wissenschaftspraxis der Theologie», in HFTh IV, 242-247; J. Ratzinger, *Theologische Prinzipienlehre*, München 1982; Id., «Theologie und Kirche», in IKaZ 15 (1986) 515-533; H. Pree, «Freie Meinungsäußerung - Recht und Pflicht des Christen», in *Anzeiger für die Seelsorge* 98 (1989) 3-5; 35-36.

MAX SECKLER

IV. Teologia e scienze

Il conflitto tra il cristianesimo e le scienze ha ininterrottamente appesantito e avvelenato i rapporti vicendevoli dei due partners. Retrospettivamente questo dato fa parte delle costanti ma anche dolorose caratteristiche dell'era moderna. Oggi esso viene considerato, per lo più, solo come una conseguenza di malintesi e di altre carenze umane; è ritenuto in parte come qualcosa di assurdo, essendo oggettivamente ingiustificato, in parte chiarito o almeno fondamentalmente e completamente superabile. A questo scopo sono stati sviluppati modelli di distinzione e di coordinamento che dovrebbero sottrarre il terreno al conflitto seguendo la via dell'armonizzazione oppure la forma dello sganciamento di tipo funzional-giustificatore. Da un lato la crescente crisi di legittimità della scienza e dall'altro la ripresa della religione, per lo meno delle mentalità religiose orientate in senso irrazionale, ha generato nel frattempo una diffusa coscienza di crisi, che svuota la mentalità concordante che si era appena consolidata. Alla fede cristiana si pone l'interrogativo di come debba determinare e impostare, in questa situazione mutante, il suo atteggiamento verso la scienza e le scienze. Se si affronta seriamente la questione nell'ottica dell'attuale stato del problema, si nota immediatamente e in modo urgente, che qui c'è veramente in gioco molto di più di quanto abbia finora fatto supporre il modo corrente di vedere le cose. Le seguenti riflessioni vogliono delineare lo stato del problema nelle sue dimensioni essenziali e, partendo allo stesso tempo dall'autocomprensione della fede cristiana, introdurre nella discussione dei punti di aggancio.

1. Un rapporto di elementare e positiva correlazione - La questione sul rapporto tra teologia e scienza non riguarda solo il problema delle *relazioni esterne* tra la teologia e le altre scienze ma tocca anzitutto e a fondo la definizione del *rapporto interno*. Determinante è a tale scopo quella *opzione fondamentale* che il cristianesimo ha già fatto *in statu nascendi* e che era chiamato a fare sulla base della natura della fede cristiana. Nell'autocomprensione del cristianesimo predomina chiaramente l'accentuazione della specifica natura e autonomia dell'atto religioso o della fede cristiana e quindi della *definizione che la distingue* dal sapere e dalla scienza; nel contempo è stata ed è caratteristica del cristianesimo la *fondamentale affermazione della ragione e un atteggiamento fondamentale positivo nei confronti delle scienze razionali*. Questa opzione non fu del tutto pacifica nel corso della storia del cristianesimo; tutto sommato però ha avuto il valore di una opzione fondamentale.

Questo atteggiamento non è soltanto una questione di sentimenti aperti al mondo ma è una oggettiva conseguenza della comprensione cristiana della creazione e dell'intima costituzione della realtà della fede che, in sé e per sé, è relazionale e assertrice del logos. Da ciò nasce un *rapporto di correlazione elementare-positiva* che va oltre la mera indifferenza o

la non-ripugnanza. L'esatta comprensione e formulazione di questa correlazione è difficile e porta ad antinomie ma, almeno nella teologia cattolica, vige in genere (nonostante i diversi modelli teorici) l'accordo circa i tratti fondamentali. Quindi gli effettivi conflitti riguardanti il rapporto esistente tra teologia-scienza, come quelli che comparvero soprattutto in epoca moderna, vanno visti in linea di massima come condizionati dalle umane carenze. A questo bisogna aggiungere nuovi aspetti che aggravano e acuiscono lo stato del problema.

2. Combinazioni di problematiche storiche fondamentalmente rilevanti - Storicamente la teologia venne a trovarsi due volte di fronte al compito fondamentale di fare delle scelte di principio a causa dell'opzione postulata dalla comprensione cristiana della creazione e della fede. In ambedue i casi si trattò di sviluppare l'atteggiamento necessario quando una idea o un movimento scientifico entravano nel suo orizzonte. Si trattò di combinazioni derivanti dalla *storia* che però rappresentano in modo *oggettivo* quei due punti del problema con i quali la teologia si vede costantemente e in linea di principio chiamata a rispondere sulla nostra questione. La teologia cattolica, in ambedue i casi, si mosse e si muove nel senso di una fondamentale (anche se non incondizionata e priva di inconvenienti) affermazione della scienza.

a. *Rapporto interno con la scienza* - Il primo caso si verificò quando l'idea di scienza elaborata dalla filosofia greca entrò nell'orizzonte del cristianesimo e si presentò *alla stessa prassi teologica*. Lo si può osservare già all'epoca dei Padri, *in genere* nell'ampia accoglienza del logos greco anche nella riflessione cristiana sulla fede a partire dai primi → apologeti della chiesa delle origini e *specificamente* nella elaborazione della teologia sul modello di una *epistēmē* (per es. in Origene). Nel corso della recezione medievale di Aristotele avvenne una *fondamentale* – sia in senso teologico-religioso che teorico-scientifico – e fondata trasformazione *della teologia stessa* in scienza, e la sua strutturazione sul modello scientifico nel senso postulato dal concetto aristotelico di scienza. Questa teologia, scienza tra le scienze, trovò in pari tempo accoglienza nell'università, intesa come sede delle scienze, e si sottomise alla normatività dell'organizzazione istituzionale della scienza e ai rituali dell'indagine e dell'insegnamento accademico. In seguito alla sua interna «scientizzazione» e assieme alla sua integrazione sociale e istituzionale nel mondo delle scienze, la teologia da allora partecipò direttamente, in forza della sua potenzialità e conformazione scientifica, al processo scientifico.

Qui il rapporto tra teologia e scienza si presenta in modo del tutto diverso da quello, per esempio, del caso in cui la teologia fosse pre-scientifica e coscientemente a-scientifica. Un'istanza scientifica esterna potrebbe mantenere soltanto delle «relazioni periferiche» con la scienza mentre la struttura relazionale delle scienze tra di loro sottostà molto più marcatamente alle caratteristiche dei rapporti interni. Mentre la teologia si conforma ai postulati della scientificità e agisce come scienza, partecipa in modo genuino non soltanto delle caratteristiche della coscienza scientifica e delle buone o cattive sorti della scienza, ma acquista pure idoneità a rapportarsi, in qualità di partner, con le altre scienze.

Ciò vale anche quando la teologia, come *scienza della fede*, assume nel mondo delle scienze una particolare posizione che scaturisce dal suo vincolo con la religione che la regge. A differenza delle scienze delle religioni che hanno come esclusivo *oggetto* scientifico le religioni come fenome-

ni storici, la teologia cristiana è vincolata alla *riflessione scientifica su se stessa* e all'*auto-articolazione* della fede cristiana e, per questo aspetto, rappresenta un perfezionamento vitale e funzionale *della religione stessa*. Questo aspetto assume qui importanza per il fatto che il rapporto della stessa religione con la scienza acquista un carattere particolare. Infatti mentre la teologia cristiana è una funzione vitale del cristianesimo e *in pari tempo* un parziale perfezionamento della scienza, ne deriva per ambedue un rapporto di immediatezza – almeno nella visione del cristianesimo – che ora non sta più nell'esclusivo porsi di fronte (in modo amichevole, ostile e indifferente) alla scienza; anzi questa scienza, attraverso la teologia scientifica della fede, deve considerare la teologia come una delle sue *vere e proprie* funzioni vitali e come uno dei modi di autorealizzazione con tutto ciò che da tale apertura e assunzione può derivare quanto a compiti, possibilità e rischi che caratterizzano anche la recente storia del cristianesimo.

In sintesi, occorre quindi evidenziare che il rapporto tra *teologia* e scienza, che in seguito alla «scientizzazione» della teologia ha assunto fondamentalmente il carattere di relazione interna tra scienze, appare in pari tempo come un parziale problema del rapporto tra *religione* e scienza al punto che anch'esso non ha più il carattere del rapporto esterno. Questa complessa articolazione relazionale spiega sia l'interesse vitale proprio del cristianesimo moderno per la scienza e per le scienze sia l'alta densità delle implicazioni dolorose della chiesa con la scienza moderna.

b. *Rapporto esterno con la scienza* - Il secondo caso in cui *storicamente* e in pari tempo *in linea di principio* si pose al cristianesimo e alla teologia il compito di sviluppare nei confronti delle scienze un adeguato atteggiamento si verificò all'inizio dell'epoca moderna con l'incipiente *emancipazione delle scienze* e specialmente con lo sviluppo delle scienze naturali esatte ed empiriche avviato da Descartes e da Bacone. La storia dell'emancipazione e dello sviluppo fu contraddistinta da aspri e continui conflitti che hanno avvelenato in modo duraturo il rapporto della chiesa e della teologia ecclesiastica con la scienza secolare.

Le cause di tutto ciò erano rinvenibili in parte nel conflitto tra forze conservatrici e forze innovatrici, in parte in concezioni insufficientemente chiarite circa i diversi modi e ambiti della conoscenza, in parte nelle premesse circa la concezione universale e nei contesti d'interesse ideologico che, coscienti o meno, erano in gioco; ma soprattutto nelle opposte concezioni sul carattere vincolante dei rispettivi contenuti conoscitivi in lizza tra conoscenza mediata dalla fede e conoscenza mediata dalla ragione.

In campo teologico si rivelarono poi un grave handicap le false interpretazioni, aggravate dal principio protestante della «sola Scriptura», sulla natura e sull'ampiezza dell'autorità della Scrittura, sugli elementi presenti nei libri biblici condizionati da una visione del mondo apparentemente convalidata dall'ispirazione della Scrittura, a causa dei quali ci si lasciò invischiare in affermazioni insostenibili. Ne risultò per la teologia una vera e propria *historia calamitatum* segnata da una infinita serie di sconfitte e di definitive ritirate una dopo l'altra dai campi della cosmologia, della geologia, della biologia, dell'evoluzione, della storia, dell'antropologia, della psicologia ecc. In tutto ciò la teologia, condizionata dal suo duplice carattere di scienza della fede e di scienza in quanto tale, non di rado si è trovata tra due fronti o è diventata il capro espiatorio dilaniato da opposti lealismi. Obiettivamente sarebbe comunque errato voler cercare la colpa di tali conflitti soltanto da

una parte. La questione non è ovunque così evidente come nel caso di Galileo che è assurto a troppo facile paradigma.

Il trattamento di significato simbolico riservato al caso Galileo nella recentissima storia della chiesa (riabilitazione di Galileo compiuta da Giovanni Paolo II il 10 novembre 1979 davanti alla Pontificia Accademia delle Scienze in seguito al concilio Vaticano II), può senz'altro essere interpretato come un gesto di pace avente valenza di principio; tuttavia i pesi della storia non sono tanto facilmente eliminabili. Nonostante un'atmosfera complessivamente conciliante, ancor oggi non si possono considerare affatto superati l'estraniamento e la diffidenza. Occorre tuttavia notare che i conflitti rimasti aperti non poggiavano affatto soltanto su equivoci o sulla mancanza di riflessione ma nascevano dallo scontro di *alternative totali*, la cui conciliabilità o inconciliabilità *oggettiva* a tutt'oggi non ha ancora trovato un chiarimento soddisfacente come spesso vogliono far credere tentativi mediatori di accordo.

3. Alternative radicali inconciliabili? - Una pace tra religione e teologia da un lato e scienza moderna dall'altro che poggi soltanto su condizioni di atmosfera o che, mediante l'artificio della distinzione dell'ambito di competenza o della separazione delle funzioni, porti soltanto all'avvicinamento, privo di relazioni e per questo esente da conflitti, va ritenuta non genuina fino a quando il problema principale non avrà trovato una convincente soluzione teorica. Esso riguarda soprattutto la questione su come sia possibile conciliare tra loro la coscienza scientifica e quella religiosa quando tutte e due, oggettivamente e radicalmente, rappresentano, in questioni inerenti alla conoscenza della realtà e al dominio dell'esistenza, opposte totalità. Diver-

genze come quelle tra spiegazione della natura e interpretazione dell'esistenza o quelle tra sapere dominante strumentale e sapienza teonomico-salvifica non rendono sufficientemente ragione alla radicalità delle alternative pur potendo senz'altro sdrammatizzare alcuni problemi di minore importanza. Distinguere tra il piano dei mezzi e la dimensione dei fini non conduce a nulla, trattandosi di *alternative totali* che si escludono a vicenda.

Questi nessi si possono illustrare in due punti. Il primo riguarda il *problema dell'ateismo*, il secondo la questione della *competenza cognitiva*.

a. *Il problema dell'ateismo* - È noto che i grandi scienziati (della natura) erano persone credenti e, per molti aspetti, religiose. Tuttavia la marginalizzazione del *problema di Dio* si addice sia alla logica interna della scienza moderna, sia ai fini preposti e per i quali essa lavora. Oggi si accetta come inattaccabile il principio metodologico secondo il quale *i nessi scientifici chiarificatori* devono per principio operare senza ricorrere al «fattore chiarificatore Dio» e quindi, nella formazione scientifica delle teorie, occorre astrarre *a priori* da Dio. Non è ammesso né per la correzione delle traiettorie dei pianeti né per i processi evolutivi – tanto per citare due esempi – superare i vuoti della conoscenza ricorrendo al fattore «Dio». Questo ateismo metodologico appare tanto cogente in ambito teorico-scientifico quanto gravido di conseguenze per la concezione universale. Di fatto porta alla eliminazione di Dio dai giochi del linguaggio, dai campi tematici e dalle funzioni della scienza e quindi dalla sfera vitale dell'uomo moderno che da essa è improntata.

Ha inoltre effetti più gravi il traguardo sotto le cui linee direttive opera la scienza moderna; nel tentativo di raggiungerlo elimina il fattore «Dio» anche dai *contesti pragmatici* dell'esistenza umana quando, con le sue forze, mira a raggiungere, attraverso tecniche operativamente atee, tutti i fini ragionevolmente desiderabili. Sbagli, insuccessi e limiti provvisori lasciano a una teologia, che qui scopre le sue chances, innanzitutto – e in un certo modo per sempre a causa della situazione di contingenza fondamentalmente insuperabile della nostra esistenza – ancora un campo d'azione; occorre tuttavia vedere come proprio in tal modo venga a essere confermato e rafforzato il *radicale carattere alternativo* della teologia e della scienza e come quindi ritorni l'antico motivo del tappabuchi. La scienza da un lato e la religione (cioè la teologia) dall'altro appaiono quindi come opposte, anzi come fondamentalmente contrarie attività di dominio del contingente. Una teologia (e rispettivamente una religione) che nella «prassi umana di dominio del contingente» (H. Lübbe) fosse ridotta soltanto a quel residuo ambito di contingenze che minacciano l'esistenza e che (provvisoriamente?) si sottraggono al controllo delle tecniche scientifiche e che quindi, *nolens volens,* devono essere vinte «religiosamente», vale a dire accettate dalla mano di Dio, verrebbe simultaneamente limitata nella sua competenza alle «malattie incurabili» e quindi *fondamentalmente circoscritta* ai lati oscuri dell'esistenza, impermeabili alla scienza.

b. *La questione della competenza cognitiva* - Lo stesso pericolo di una *diastasi che si va radicalizzando* e di una *mortale perdita di sostanza* è illustrabile in merito alla *competenza cognitiva*. Un modo di vedere predominante, nella moderna critica e teoria della religione, afferma che la religione rappresenterebbe, almeno *di fatto*, una forma pre-scientifica di acquisizione della conoscenza, della spiegazione dell'esistenza ecc. (per mezzo della fantasia, del mito e della «rivelazione») fino a quando non verrà sostituita dalla scienza e rimossa, uno dopo l'altro, da tutti i campi della conoscenza verificabile. Le scienze, che a questo riguardo danno sempre più il cambio alla religione e alla sua teologia e gareggiano in efficienza, affidabilità, verificabilità e attitudine al progresso, strappano di mano alla teologia, in questo modo, la vera e propria competenza cognitiva. Anche qui, in analogia con quanto detto sulle succitate combinazioni della prassi di dominio del contingente, la teologia si vede ridotta a funzioni residue provvisorie di prestazioni «conoscitive» umanamente, forse più benefiche, ma scientificamente più dubbie.

Questa riduzione a modi conoscitivi alternativi a quelli scientifici e a settori conoscitivi impermeabili alla scienza può senz'altro comparire anche in un contesto favorevole alla religione. La conoscenza religiosa intesa come *alternativa integrante* della conoscenza scientifica sembra creare spazio a una pacifica e forse persino costruttivo-complementare vicinanza dei mezzi e dei modi della conoscenza. Nelle più recenti teorie sulla religione il confinamento della stessa al di fuori dei campi di competenza conoscitiva della scienza e la sua assegnazione al linguaggio primordiale dei miti, dei simboli e della «poesia» è sovente accettata in modo positivo e quindi sembra essersi creato comunque uno spazio per «verità» religiose e una solida pace sembra possibile tra i portatori delle varie funzioni. Occorre tuttavia rilevare che in tal modo il rapporto tra teologia e scienza viene letteralmente risospinto in una situazione pre-cristiana. Le verità religiose e le interpretazioni teologiche dell'esistenza che con una autonomia conoscitiva in linea di principio ineliminabile si allontanano dal logos della ragione e dalla sua responsabilità nei confronti della verità, sono in ultima istanza condannate a rinunciare al reale valore della verità. La direzione che inevitabilmente imboc-

cheranno si può descrivere ricorrendo a slogans quali → fondamentalismo, mistica della → New-Age o → indifferenza verso la verità delle cosiddette vie religiose della salvezza.

c. La rivendicazione della verità da parte della fede cristiana - Sia per la natura veridica della parola di Dio e per il postulato alla verità della fede cristiana sia per l'unità della verità è necessario che la teologia fondamentale si opponga decisamente alla riduzione della religione e della teologia a settori che, nel migliore dei casi, possono essere soltanto *oggetto* di una scienza che li valuta; questa scienza però, per parte *sua*, non potrebbe più essere in grado di difendere la verità (cui si dedicano la religione e la teologia), con autonoma competenza conoscitiva scientifica e scientificamente rilevante. In proposito le opzioni teologiche protocristiane nel corso della storia sono chiare e nette. Come è certo che la religione può attingere il proprio messaggio da risorse diverse da quelle della scienza e come è certo che la verità del vangelo è diversa dalla scienza e dalla sapienza di «questo mondo», altrettanto sarebbe fatale se essa cercasse la propria identità dimentica del logos razionale e del discorso sulla verità fatto dalle altre scienze rinunciando quindi a una competenza cui fare fronte «ponendosi in relazione con il logos» (cfr. Rm 12,1).

In concreto ciò significa che la teologia, *oltre* a essere principalmente ancorata all'evento pre- ed extrascientifico della verità, deve tuttavia prendere parte in modo assai determinante, genuino e partecipativo, nelle altre attuazioni vere e proprie della scienza, al processo conoscitivo e al discorso sulla verità delle scienze razionali. E ciò non soltanto nel senso di una partecipazione, possibilmente esperta e competente, tipica di una istanza esterna come fanno gli altri, ma come dovere inerente alla teologia; questa partecipazione, basata sulla sua competenza conoscitiva scientifica e intersoggettivamente rilevante sotto il profilo scientifico, riguarda la rielaborazione e la progettazione di ciò che deve essere detto sulla fede e nella fede cristiana ma anche sulle sue conseguenze. Soltanto così essa può presentare e mettere in evidenza con coscienza scientifica i messaggi della fede cristiana. Contribuendo per quanto le è possibile con una sua partecipazione specifica al discorso sulla verità delle scienze razionali e procurandogli plausibilità e accettabilità, essa si pone in linea con quella massima della conoscenza moderna che dice: «si può pretendere una attenzione vera» soltanto se si «è potuto sostenere un esame pubblico e libero» (Kant).

d. *Collaborazione e lotta* - Per il rapporto pratico della teologia con le scienze è di estrema importanza *l'apertura, la solidarietà partecipativa, il dialogo e l'interdisciplinarità*. Una teologia isolata e, in questo senso, «pura» finisce nell'isolamento conoscitivo e si trova a essere vuota di realtà, lontana dal mondo, incapace di comunicare e settaria. Essa quindi deve cercare, non solo per quello che può dare alle scienze ma anche nell'interesse del proprio bene, lo scambio intensivo ed estensivo. E ciò risponde all'attitudine alla verità del messaggio cristiano, alla missione della fede cristiana nel mondo, all'intreccio della materia, alle condizioni e ai compiti della mediazione interpretativa. Il dialogo, il lavoro interdisciplinare e lo scambio si estendono ai tre settori della mutua trasmissione dei metodi e dei contenuti dell'indagine, alla discussione degli interessi trainanti e degli specifici presupposti e alla percezione della comune responsabilità nei confronti della scienza e delle sue conseguenze. Vanno innanzitutto affrontati gli aspetti etici dell'allarmante progresso tecnico-scientifico antiecologico ed esistenzialmente pregiudiziale. Non si pos-

sono superare le crisi inerenti agli obiettivi e alla direzione della civiltà tecnico-scientifica senza una riflessione sui dati orientativi metafisici, antropologici ed escatologici. In merito la teologia dispone sì di principi ausiliari ma non di pronte ricette. Il contributo che essa deve apportare anche in modo critico e scientifico – nell'interesse dell'uomo – deve sì nascere dall'intimo delle sue vere e proprie risorse ma può vedere la luce soltanto mediante lo sforzo solidale. Da ciò proviene la necessità, in ogni caso, della collaborazione, dell'interdisciplinarità, del dialogo e della solidarietà paritaria. Ne fanno parte anche i conflitti e non solo quelli tra la scienza e la non-scienza, ma anche quelli esistenti nell'ambito di una competenza cognitiva individuale. In questo ambito anche *l'alternativa totale*, di cui si è parlato prima, è un tema di discussione, inevitabile e allo stesso tempo significativo.

Bibl. - F. Dessauer, *Begegnung zwischen Naturwissenschaft und Theologie*, Frankfurt 1952; A.D. White, *A History of Warfare of Science with Theology in Christendom*, New York 1960 (or. 1896); A. Dempf, *Die Einheit der Wissenschaft*, Stuttgart 1962[2]; J. Moltmann, «La teologia nel mondo delle scienze moderne», in Id., *Prospettive della teologia*, Brescia 1973, (or. 1958) 319-340; W. Heisenberg, *Schritte über die Grenze*, München 1973[2]; Id., *Der Teil und das Ganze*, München 1981[3]; W. Pannenberg, *Wissenschaftstheorie und Theologie*, Frankfurt 1973; J.B. Metz - T. Rendtorff (edd.), *La teologia nella ricerca interdisciplinare*, Brescia 1974; H. Aichelin - G. Liedke (edd.), *Naturwissenschaft und Theologie. Texte und Kommentare*, Neukirchen-Vluyn 1974; G. Ebeling, «Überlegungen zur Theologie in der interdisziplinären Forschung», in Id., *Wort und Glaube*, vol. III, Tübingen 1975, 150-163; W.H. Austin, *The Relevance of Natural Science to Theology*, London 1976; L. Scheffczyk, *Die Theologie und die Wissenschaften*, Aschaffenburg 1979; M. Seckler, «Theologie - Wissenschaft unter Wissenschaften?», in Id., *Im Spannungsfeld von Wissenschaft und Kirche*, Freiburg 1980, 15-25; Id., «Theologie - Religionsphilosophie Religionswissenschaft», in *Ibid.*, 26-41; Id., *Teologia, scienza, Chiesa*, Brescia 1988; W. Oelmüller (ed.), *Wahrheitsansprüche der Religion heute*, Paderborn 1982; S.N. Bosshard, «Über die dialogfähigkeit der Theologie», in StZ 203 (1985) 704-712; J. Hübner (ed.), *Der Dialog zwischen Theologie und Naturwissenschaft*. Ein bibliographischer Bericht, München 1987; P. Jordan, *Der Naturwissenschaftler vor der religiösen Frage. Abbruch einer Mauer,* Stuttgart 1987 (or. 1961); J. Splett, «Wissenschaft - Grenzen zur Religion», in StZ 205 (1987) 330-338; R. Bergold, *Der Glaube vor dem Anspruch der Wissenschaft.* Der Dialog zwischen Naturwissenschaft und Theologie am Beispiel von Schöpfungsglaube und Evolutionstheorie, Münster 1988; K. Rahner, «Zum Verhältnis zwischen Theologie und heutigen Wissenschaften», in Id., *Schriften zur Theologie*, X, 104-112; Id., «Zum Verhältnis von Naturwissenschaft und Theologie», in *Ibid.*, XIV, 63-87.

MAX SECKLER

V. Teologia e filosofia

«L'idea della filosofia è la mediazione, quella del cristianesimo il paradosso». Questa lapidaria espressione di Kierkegaard può far comprendere la difficoltà che si nasconde dietro il rapporto teologia-filosofia.

Lo stesso Paolo era ben cosciente del paradosso quando, scrivendo ai cristiani di Corinto, il centro della cultura greca dell'epoca, diceva che: «Dio ha scelto ciò che nel mondo è stolto per confondere i sapienti... mentre i greci cercano la sapienza, noi predichiamo Cristo crocifisso, stoltezza per i pagani» (1 Cor 1,27. 22).

Nell'epoca moderna nessuno meglio di F. Nieztsche, forse, ha intravisto cosa comportava per la filosofia la presenza del paradosso cristiano. Si legge in *Al di là del bene e del male*, III: «Gli uomini dei tempi moderni, la cui intelligenza è tanto ottusa da non capire più il senso del linguaggio cristiano, non avvertono neppure più che cosa c'era di spaventevole per uno spirito antico nell'espressione paradossale: Dio crocifisso. In nessuna conversione mai vi fu qualcosa di così audace, di così terribile, qualcosa che mettesse, in ugual modo, tutto in discussione, qualcosa che ponesse tanti problemi. Quell'espressio-

ne annunciava una trasmutazione di tutti i valori antichi».

Una prima difficoltà, che nasce dalla prospettiva teologica nel dover stabilire il rapporto, è determinata dal fatto che il teologo non può definire la filosofia. La teologia infatti, è sempre nella condizione di dover ricevere dal filosofo la determinazione di cosa sia la filosofia. Ma, a questo livello, anche la risposta al cosa sia la filosofia determina una particolare riflessione filosofica per cui, già nella risposta che gli viene fornita, il teologo si incontra con *una* delle filosofie.

Se di rapporto si deve parlare, è necessario allora che il teologo si arresti ad una definizione di filosofia che raccolga le note più universali di essa, lasciando poi alle determinazioni storiche e culturali, proprie ad ogni scuola, le particolarità di identificazione.

A questo livello di accezione «universale», si può allora pensare alla filosofia come a quella scienza che si attua filosofando. La filosofia è far filosofia, si dirà *sic et simpliciter*; appartiene quindi all'essenza della filosofia il sapere che la risposta ad una sua autodefinizione è ciò che la costituisce come scienza. La critica circa il proprio presupposto e fondamento, è ciò che fa divenire la semplice riflessione, filosofia.

Fare filosofia sarà, pertanto, pensare filosoficamente; vale a dire, indagare la realtà per ricercarne la verità prima.

Nel momento in cui il pensiero ricerca la verità, inizia a differenziare l'essenziale dal superfluo, l'autentico dal non autentico e si apre, per questo, ad ogni possibile risposta. Il pensare filosofico è quindi caratterizzato dall'apertura dinamica che, di per sé, preclude ogni conclusione che pretenda di porsi come definitiva.

Unitamente all'apertura verso una forma di conoscenza sempre più ampia, la filosofia è caratterizzata dall'universalità circa il suo oggetto di indagine. L'uomo e la sua esistenza costituiscono l'oggetto peculiare del ricercare filosofico perché, in un tutt'uno, si coglie l'identità tra soggetto pensante e oggetto pensato. In quanto *homo religiosus*, anche l'esperienza del sacro e del tendere verso l'assoluto, appartengono alla sfera della ricerca filosofica. Due dati quindi, possono caratterizzare la filosofia come scienza nel suo relazionarsi alla teologia: il costituirsi come un sapere tendente ai principi universali del pensare, e quindi un sapere che trascende il momento particolare; il porsi contemporaneamente come un sapere storico, quindi un pensiero soggetto alle determinazioni culturali delle diverse epoche.

1. ELEMENTI EMERGENTI DA UNA STORIA DEL RAPPORTO - La storia del rapporto tra teologia e filosofia, che molte volte si è frettolosamente identificato con la relazione del binomio → ragione/fede – può essere *magistra vitae* per il presente storico; almeno per far evitare quelle forme di estrinsecismo e assolutizzazione che hanno spesso sacrificato una scienza sull'altare dell'altra.

All'inizio del suo autocomprendersi, il cristianesimo non fu una filosofia. La dimensione di un sapere critico fu estranea ai primi credenti. Il tema fondamentale dell'annuncio per la metanoia era ciò che aveva segnato la scoperta di una nuova comprensione di vita. Il convertito, particolarmente se questi era retore o giurista o filosofo, vedeva nel cristianesimo quel senso di vita che invano aveva cercato nella filosofia. Un testo di Basilio è chiara testimonianza di questo fatto: «Ho sprecato molto tempo al servizio della vanità e ho perso tutta la mia giovinezza in lavori inutili; l'ho consacrata infatti all'acquisto di dottrine e di una sapienza che Dio aveva tacciato di follia (1 Cor 1,20). D'un tratto, un giorno,

come se uscissi da un profondo sonno, alzati gli occhi verso la meravigliosa luce della verità del vangelo, scorsi l'inutilità della sapienza dei prìncipi di questo mondo che sono destinati al nulla (1 Cor 2,6), rimpiansi amaramente la mia miserabile vita e pregai perché mi fosse concessa una guida che mi orientasse verso i prìncipi della pietà» (*Epistula* 223, 2).

Alla priorità dell'interesse verso la conversione di vita, si deve aggiungere che, all'epoca, i cristiani erano estranei alle Scuole; questo può ulteriormente far comprendere l'accusa che veniva loro rivolta come gente senza «lógos» e «nómos», rozza, priva di cultura e di ogni possibilità di riflessione, capaci solo a fare proseliti tra i più ignoranti e ai livelli più bassi della società (cfr. Celso nell'*Alēthês Lógos*).

La chiesa dei primi secoli quindi, non ha avuto diretto interesse ad un rapporto tra i due «saperi». Ciò che veniva considerato determinante era la condotta di vita; il vivere morale pertanto segnava il confine tra il mondo pagano e quello cristiano.

Tra i due, comunque, è ugualmente possibile vedere realizzato un duplice piano di relazioni che può essere descritto o come un netto rifiuto del sapere filosofico, davanti alla scoperta della sapienza divina (Taziano, Tertulliano), oppure come una grande apertura e un dialogo critico-costruttivo (Giustino, Minucio Felice). Non si può negare tuttavia, che il relazionarsi della teologia alla filosofia fu di tipo strumentale, o per rendere comprensibile ai pagani il contenuto del kêrygma, o per rafforzare la fede dei credenti. Precursore di Anselmo, Origene afferma che: «Bisogna rafforzare la fede con il ragionamento... partendo dalle nozioni comuni elaborate dalla filosofia greca» (*De Principibus* I,7,1; IV,1,1).

Una parola privilegiata merita → Agostino; in lui vengono quasi a confluire le correnti orientali e occidentali a tal punto da costituire la prima propedeutica alla sintesi medievale. Nei *Soliloquia*, è possibile intravedere il centro della problematica agostiniana in proposito. Alla Ragione che chiede: «cosa vuoi conoscere?», Agostino risponde: «Cupio Deum et animam scire». «Niente altro?», «niente altro».

E qui, ci sembra, che si può ritrovare il nucleo del rapporto tra fede e ragione in Agostino. Si realizza infatti quasi una messa tra parentesi della fede perché il suo oggetto possa essere assimilato «umanamente» in modo responsabile. È intorno al problema dell'uomo, meglio della conoscenza di sé, che Agostino vede realizzato il problema del rapporto tra il sapere umano e quello del credente. Porre il problema dell'uomo infatti, equivale a porre il problema di Dio; perché non si può cogliere l'uomo nella sua realtà più profonda e ontologica, se non lo si relaziona a Dio.

La «filosofia» di Agostino diventa un dialogo costante tra creatura e creatore che si svolge all'ombra dell'amore: «intellectus valde amat». Ricerca della verità e tensione verso di essa non sono per Agostino una mera ricerca intellettuale, come si potrebbe pensare nelle categorie moderne. Verità, per lui, è la vita stessa della mente umana; è interiorità del soggetto umano che la ritrova andando sempre più nel profondo di sé, nell'intimo: «noli foras ire, in te ipsum redi, in interiore homine habitat veritas, et si naturam tuam mutabilem inveneris, trascende te ipsum».

Filosofare pertanto, non consiste in altro che nell'approfondire, stimolare e ricercare quella verità che porterà poi alla verità tutta intera; questa quindi è pensata come «donata» e come dono deve essere accolta anche dall'intelletto: «non la ragione crea la verità, solo la scopre; la verità esiste in sé prima che venga scoperta; una volta scoperta ci rinnova» (*De Vera Religione* 39).

Si può parlare quindi di equilibrio tra fede e ragione, perché sia la verità rivelata che quella razionale convergono l'una verso l'altra; inoltre, e soprattutto, perché sono presenti nel concreto atto del pensare del credente. Egli è uomo, soggetto pensante, parte costitutiva dell'ordine naturale che indaga in che misura la verità razionale sia fondamento della verità di fede. C'è un'autonomia tra i due campi, ma ci sono problemi (si pensi a quello del male o a quello della storia) la cui soluzione è data solo dal sapere credente. Insomma, la filosofia indica il fine dell'uomo attraverso la verità naturale, punto di partenza quindi è l'autocoscienza dell'anima, ma la rivelazione dà i mezzi per poterlo raggiungere.

Parola-chiave di questa sintesi agostiniana, sembra essere quella di verità che è in Dio, ma che è incarnata nel Logos-Cristo. L'anima umana ha fame e sete di questa verità, ma è una verità più come «sapienza» che non come speculazione intellettuale; è quindi il mistero dell'uomo nel mistero di Dio. In Agostino pertanto, fede e ragione sono due valori distinti, ma presenti e realizzati nella storicità del soggetto credente.

L'equilibrio difficilmente raggiunto dal medioevo, particolarmente nelle felici intuizioni di → Anselmo e → Tommaso, che compresero l'una all'interno dell'altra, venne compromesso con il sorgere di una lettura parziale e prospettica della ratio filosofica che progressivamente, con l'Illuminismo, diventava l'unico criterio del sapere e l'unica fonte di certezza, relegando la fede o ad una non conoscenza, o ad un sapere alternativo a quello filosofico.

Le differenti forme di «ricupero» del rapporto, particolarmente nel tentativo della Neoscolastica, furono rivolte alla ricerca di una *mediazione* che consentisse alla filosofia e alla teologia di poter reciprocamente rapportarsi. La mediazione individuata divenne quella della → *filosofia cristiana* che veniva abilitata a muoversi sui due versanti: quello filosofico, perché pienamente filosofia in quanto si realizzava attraverso i principi della speculazione; quello teologico, perché era concepita alla luce dei principi della rivelazione.

In questo contesto, si comprende perché l'enciclica *Aeterni Patris* di Leone XIII, affermava che «requiritur philosophiae usus, ut sacra theologia naturam, habitum, ingeniumque verae scientiae suscipiat atque induat» (DS 3137).

Non si può negare tuttavia che una simile prospettiva, se positivamente cercava di ricuperare un dialogo andato perduto, si poneva però con una metodologia estrinseca al dato teologico e non gli forniva il suo reale valore. La teologia infatti, se vuole conseguire uno statuto epistemologico, deve essere in grado di autogiustificarsi e all'interno del credere stesso deve ritrovare primariamente e proporre quei principi che fanno della fede una forma del sapere umano.

La problematica moderna è ancora, per alcuni versi, sotto il residuo di una comprensione totalizzante dei due saperi. La filosofia infatti, pretende di possedere il sapere globale perché è in grado di esprimere e spiegare la realtà in modo definitivo e quindi unica capace di dare senso. La teologia, da parte sua, rivendica la stessa pretesa in forza di un conoscere che proviene dalla rivelazione.

Quando due saperi si pongono su questa lunghezza d'onda, il risultato è solo quello di uno scontro che tende a escludere l'altro o ad integrarlo in sé. Il pensiero di Spinoza e di Hegel esprime il venir fagocitato della teologia ad opera della filosofia, quello di Lamennais e del tradizionalismo di fine '800 rivelano il contrario.

La prospettiva di Heidegger ha influenzato non poco la relazione tra le due scienze fino ad oggi. La sua critica è conosciuta: filosofia e teologia sono tra loro inconciliabili per il loro rispettivo *Ansatz*. La filosofia è caratterizzata dall'«interrogare»; deve infatti il suo essere all'*esistenza*, luogo originario in cui sorge la domanda e in cui si sviluppa la riflessione circa il senso. Essa sarà costantemente caratterizzata dall'apertura e quindi dalla meraviglia che fa sorgere l'interesse per l'esistente al posto del nulla. La teologia invece, si pone come un *Aufhebung* dell'esistenza che accoglie il *positum* dell'evento della morte dell'innocente in forza della fede. La teologia quindi, non nasce dalla domanda, ma dal «credere» e questo non può mai diventare un questionarsi pena l'autodistruggersi: «Chi si mantiene sul terreno di una tal fede (nel contesto si parla di quella biblica) può certo in qualche modo seguire il nostro domandare e anche parteciparvi, ma non può autenticamente interrogare senza cessare di essere credente... si può solo comportare «come se»...; quanto viene propriamente richiesto nella nostra domanda è, per la fede, una follia. È in tale follia che consiste la filosofia... ma per una fede genuinamente cristiana, la filosofia è follia» (*Introduzione alla metafisica*, Milano 1986, pp. 13-19).

2. COME UNA PROPOSTA - Per quanto riguarda l'economia di questo articolo, si individua il rapporto teologia-filosofia alla luce del principio: *oportet philosophari in theologia*.

Si vuole anzitutto richiamare, con questa espressione, un duplice dato: *a.* l'*oportet philosophari* è una *necessità* per la teologia, perché mediante l'atto della speculazione i suoi concetti e il suo linguaggio acquistano valore universale in vista dell'intelligibilità e della comunicazione.
b. Dire oportet philosophari *in theologia*, significa ammettere che il procedimento critico-riflesso non avviene prima o dopo il sapere teologico, ma nel momento stesso in cui lo si

sta ponendo in atto perché, appunto, è un *sapere* della fede.

L'*oportet philosophari in theologia* è possibile se si tengono presenti anzitutto le seguenti premesse:

a. La rivelazione si presenta al soggetto credente come una realtà completamente e radicalmente nuova che viene incontro come portatrice di senso ultimo e definitivo per l'esistenza che non lo ritrova in se stessa (→ Senso della rivelazione). Il nucleo essenziale di questa rivelazione si condensa nell'evento Gesù di Nazareth che, in linguaggio umano, esprime la verità di e su Dio.

b. La comprensione dell'evento non avviene con elementi estrinseci alla rivelazione, ma proviene dal rivelatore stesso. La sua persona, la sua vita, il suo agire e parlare, manifestano la realtà divina che lui stesso è. Questo suo esprimersi è normativo per la comprensione dell'evento stesso in quanto si lascia comprendere come un «rinvio» ad un mistero ulteriore, quello trinitario, e come un «affidarsi» ad esso.

c. Conoscere Gesù di Nazareth pertanto, equivale ad entrare in contatto con una persona la cui coscienza personale è quella di un «rinvio» verso il mistero trinitario. Contemporaneamente la forma più alta di conoscenza è quella dell'«affidarsi», per la comprensione di sé, ad una spiegazione che si accoglie già come mistero.

d. Il teologare non è un esclusivo riflettere sul *positum* della rivelazione; piuttosto è avere un'intelligenza della pienezza del mistero dell'incarnazione che trova i suoi principi gnoseologici all'interno dell'evento stesso. Il credente è quindi inserito in un movimento di esistenza più completo che gli permette di avere anche la conoscenza del mistero di Dio, ma a partire dal mistero stesso.

Un testo del vangelo di Giovanni è estremamente significativo per chiarificare questa tesi; si legge: «Perché non comprendete il mio linguaggio? Perché non potete dare ascolto alle mie parole, voi che avete per padre il diavolo e volete compiere i desideri del padre vostro... a me invece voi non credete perché dico la verità. Chi è da Dio ascolta le parole di Dio: per questo voi non le ascoltate, perché non siete da Dio» (Gv 8, 43-47).

Questa pericope segna un punto centrale della predicazione di Gesù circa l'identità del suo essere rivelatore. Non i figli di Abramo né quelli del demonio possono riconoscerlo, ma solo coloro che sono nati da Dio. Più direttamente, in questo passo, Gesù riprende la polemica con i suoi interlocutori riproponendo quanto aveva detto: «chi non è da Dio» non può conoscere né lui né la sua rivelazione (cfr. Gv 3,6.31; 8,23). «Essere da Dio» equivale ad avere la figliolanza divina e, contemporaneamente, «essere nella verità» (Gv 18,37). Colui quindi, che pretende di possedere un'autocomprensione di sé o che confida solo sulla propria verità, non può conoscere Dio né udire la sua voce, e tantomeno pretendere di conoscere se stesso perché non è nella verità. «Essere da Dio» però equivale anche ad essere *in* lui, non più in se stessi. Credendo, ognuno si pone in un orizzonte di comprensione che non è più il proprio, prospettico e frammentario, ma quello di Dio. L'atto con il quale riconosce il proprio inserimento in Dio comporta pertanto l'assunzione della prospettiva dell'Altro e quindi della sua validità e universalità che precede e autentifica la propria.

e. L'atto di fede è un atto che pienamente segue l'attività conoscitiva del soggetto. Credere quindi è già conoscere (→ Teologia: epistemologia) e non solo conoscere un contenuto di fede, ma fondamentalmente la propria realtà personale come quella di un soggetto posto davanti alla libera scelta dell'affidarsi o non affidarsi all'Altro come proposta di senso e significato per la vita.

Una possibile via di soluzione, per una corretta relazione tra teologia e filosofia, potrebbe essere quella che vede appunto l'*oportet philosophari in theologia* come una forma che garantisce sia la presenza della componente riflessa in teologia, sia la reale autonomia che le due scienze devono avere in forza del proprio contenuto e metodo di indagine. C'è una forma di circolarità di rapporto che parte dalla teologia, ricupera necessariamente la filosofia per ritornare nuovamente alla teologia.

Il fondarsi della teologia sulla parola di Dio, infatti, come «norma normans et non normata», rivela la coscienza di un popolo che scopre e per questo sceglie, in quella Parola, la presenza di un senso ultimo e definitivo che gli viene rivolto. La teologia quindi, «rinvia» il proprio sapere ad una parola ricevuta che ha in sé sia l'intelligibilità che i principi che ne permettono la comprensione.

Questo senso della rivelazione e la sua evidenza oggettiva, è ciò che costituisce il fondamento della teologia stessa. Ma l'evento rivelato è dato nel mistero dell'incarnazione; ciò significa in un evento storico che consente alla natura umana di poter esprimere il mistero trinitario di Dio. Il Dio che si lascia esprimere dalla natura umana è il Dio che kenoticamente si fa comprendere sempre all'interno di questa struttura, anche se la globalità del suo mistero potrà essere data solo nell'evento escatologico e nella contemplazione finale.

In Gesù di Nazareth quindi, Dio diventa pronunciabile anche da parte umana che in questo modo, e solo in questo modo, può avere adeguato accesso al mistero di Dio.

La risurrezione costituisce per il cristiano la novità definitiva posta nel mondo e nella storia come principio di salvezza e di vita nuova. La teologia *sa* della risurrezione, perché è nell'accoglienza di questo evento che essa può iniziare a riflettere; eppure di questo evento conosce solo la realtà, il fatto che Gesù di Nazareth morto e sepolto torna di nuovo a vivere nella pienezza della sua esistenza. La fede dei testimoni oculari consente pure alla teologia di «verificare» l'esattezza delle loro affermazioni e soprattutto di *sapere* che c'è piena identità tra il crocifisso e il risorto.

A partire da questo evento, la teologia deve assumere la dimensione critica per elaborare concetti e linguaggi corrispondenti perché il fondamento e contenuto della fede possano essere espressi e universalmente accolti. Nel momento in cui criticamente indaga, essa individua le categorie di pensiero che più da vicino possono aiutare la comprensione del mistero credente. Eppure, nonostante questo momento, il pensare teologico della riflessione critica deve ritornare al sapere più ampio della fede per avere una lettura sempre più globale dell'evento stesso.

La stessa cosa avviene quando la teologia cerca di esprimere il nome di Dio. Punto di partenza resterà la Scrittura che obbliga a non farsi alcuna immagine di Dio (Es 20,4); eppure, a partire da questo comando la Scrittura dice di Dio che è «pastore», «padre», «sposo», «roccia»... Nessuno di questi nomi esprime Dio; eppure ognuno di essi e tutti insieme possono *dire* chi egli sia perché *analogicamente* la mente umana esprime così ciò che già coglie nella fede. Ma la stessa dimensione critica farà dire al teologo che Dio non è «padre», «pastore», «sposo», «roccia» né altro perché il suo nome rimarrà sempre quello che lui si è dato: Jhwh (Es 3,14).

Il riflettere filosofico enuclea così, universalizzando, il contenuto della fede; ma questo rinvia ad un sapere teologico che si conclude nel *rationa-*

biliter comprehendit incomprehensibile esse. Se il rapporto teologia-filosofia viene visto con questa circolarità, più facilmente si può pensare alla non strumentalizzazione delle due e alla loro rispettiva autonomia.

La teologia si autofonda sulla parola di Dio e per questo motivo può determinare il suo fondamento epistemologico a partire dalla rivelazione. La filosofia rimane nella sua identità di questionare il reale che le viene dato e di universalizzarlo attraverso i metodi e le mediazioni sue proprie. Entrambi percorrono sentieri differenti, però confluiscono sulla necessità di dare significato ai rispettivi contenuti. La filosofia, accostandosi alla teologia, potrà avere da questa la novità radicale dell'essere, perché proveniente dall'essere stesso; la teologia, viceversa, troverà il modo di rendere universale, concettualmente, il contenuto della rivelazione.

Una separazione tra le due scienze potrà solo sfociare in una reciproca perdita del senso della realtà. Un rinnovato incontro, nell'equilibrio delle diverse autonomie, sarà possibile solo se teologia e filosofia resteranno una aperta all'altra e se reciprocamente saranno coscienti dei limiti imposti ad ambedue in quanto riflessione umana. Se la filosofia infatti, sa che il suo costante rapportarsi alla realtà è quello della meraviglia che

le permette di formulare sempre nuove questioni, la teologia, da parte sua, sa che il suo porsi davanti alla rivelazione è determinato sempre dalla certezza di un futuro che porterà con sé, nella fede comune, il pieno evento della rivelazione e la sua completa rivelazione (Gv 16,13; Rm 8,19).

Bibl. - M. Heidegger, *Cos'è la metafisica?*, Milano 1946; Id., *Introduzione alla metafisica*, Milano 1986; K. Jaspers, *Der philosophische Glaube*, München 1963; B. Welte, *Auf der Spur des Ewigen*, Freiburg 1965; K. Rahner, «Filosofia e teologia», in *Nuovi Saggi*, I Roma 1967, 137-161; Id., «Filosofia e procedimento filosofico in teologia», in *Nuovi Saggi* III, Roma 1973, 73-97; Id., «Filosofia e teologia», in SM IV, 2-10; J. Ratzinger, *Introduzione al cristianesimo*, Brescia 1969; Id., *Theologische Prinzipienlehre*, München 1982; V. Melchiorre, *L'immaginazione simbolica*, Bologna 1972; Id., *Essere e parola*, Milano 1984; J. Moltmann, *Prospettive della teologia*, Brescia 1973; B. Lonergan, *Philosophy of God and Theology*, New York 1973; Id., *Metodo in Teologia*, Brescia 1975; I. Mancini, *Teologia, Ideologia, Utopia*, Brescia 1974; W. Pannenberg, *Questioni fondamentali di teologia sistematica*, Brescia 1975; G. Ebeling, *Introduzione allo studio del linguaggio teologico*, Brescia 1981; G. O'Collins, *Teologia fondamentale*, Brescia 1982; H.U. von Balthasar, «Régagner une philosophie à partir de la théologie», in Autori vari, *Pour une philosophie chrétienne*, Paris 1983, 175-187; J. Alfaro, *Rivelazione cristiana fede e teologia*, Brescia 1986; E. Coreth (ed.), *Christliche Philosophie im katholischen Denken des XIX und XX Jahrhunderts*, voll I-II, Graz 1987; G. Colombo (ed.), *L'evidenza e la fede*, Milano 1988; M. Seckler, *Teologia Scienza Chiesa*, Brescia 1988.

RINO FISICHELLA

——— TEOLOGIA FONDAMENTALE ———

> I. STORIA E SPECIFICITÀ: 1. *Dall'apologetica alla fondamentale* - 2. *Reazioni all'apologetica classica* - 3. *Fase di ampliamento* - 4. *Fase di concentrazione* - 5. *Una disciplina teologica distinta* - 6. *Una disciplina strutturata* (R. Latourelle) - II. DESTINATARIO: 1. *Elementi positivi* - 2. *Difficoltà* (R. Fisichella).

I. Storia e specificità

1. DALL'APOLOGETICA ALLA FONDAMENTALE - La teologia fondamentale attuale è nata dall'→ apologetica

classica e da una riflessione, da parte di questa, sulla necessità di riformarsi, pena la sparizione, per rispondere a una mentalità nuova, a tecniche rinnovate, a richieste nuove. L'apologetica era abituata ai cambiamenti, alle svolte improvvise. Ma nel dopoguerra il cambiamento è stato così profondo, così spettacolare che l'apologetica, dopo un periodo benefico di silenzio e di riflessione sui mutamenti del mondo contemporaneo, si è «convertita» e ha creduto opportuno cambiare nome: è divenuta la teologia *fondamentale*.

Questo cambiamento di nome non è che l'affioramento e il segno di una mutazione molto più profonda che colpisce lo statuto stesso di questa scienza. Per essere fedeli alla realtà, si dovrebbe parlare di un nuovo passaporto dell'apologetica, poiché i cambiamenti operati colpiscono il suo nome, il suo contenuto, il suo metodo, la sua identità. D'altra parte, poiché i problemi affrontati dalla fondamentale attuale rimangono sostanzialmente gli stessi (→ Rivelazione e → Credibilità), sarebbe ingiusto considerare il presente come un inizio assoluto.

La formazione della nuova immagine dell'apologetica, chiamata ormai teologia fondamentale, risale agli anni del dopoguerra. Copre un periodo di tre decenni che corrisponde a un triplice movimento della riflessione teologica: una fase di reazione all'apologetica classica; una fase di ampliamento che coincide con l'adozione definitiva del termine *teologia fondamentale*; infine, una fase di riflessione sulla sua identità e sulla gerarchizzazione dei suoi compiti. Schematizzando e prendendo il Vaticano II come punto di riferimento, si può parlare di fasi preconciliare, conciliare, postconciliare. Parliamo di tre fasi più che di tre tappe cronologiche poiché, a dire il vero, si tratta di tre ondate che si ricoprono mentre si succedono. Quando la seconda si solleva, il movimento della prima si fa ancora sentire; e mentre la seconda si appiana, la terza è già pronta.

2. REAZIONI ALL'APOLOGETICA CLASSICA - Ciò che noi definiamo apologetica «tradizionale» o apologetica «classica», con il suo procedimento tripodico di dimostrazione religiosa, di dimostrazione cristiana, di dimostrazione cattolica, non risulta da una riflessione critica sul suo oggetto, sulla sua finalità, sul suo metodo, ma da una esigenza storica, ossia la lotta contro i protestanti del XVI secolo, contro i libertini e gli atei pratici del XVII secolo, contro i deisti e gli enciclopedisti del XVIII secolo. Agli atei e ai libertini si doveva opporre una rigorosa teodicea (→ Teologia naturale) e mostrare la necessità della religione. Contro i deisti, che si accontentavano di una religione naturale e rifiutavano ogni idea di rivelazione storica, bisognava dimostrare che il cristianesimo è la vera religione, sulla base di prove convincenti che stabiliscono che Gesù Cristo è colui che parla in nome di Dio. Contro i protestanti, infine, si doveva dimostrare che la chiesa cattolica, tra le diverse confessioni cristiane, è la sola e vera → chiesa. Mentre il protestantesimo sottolineava, nella fede, gli elementi di soggettività, in particolare l'azione dello Spirito che ci fa aderire alla parola di Dio e ci dà la certezza della sua origine, l'apologetica cattolica insisteva sui criteri oggettivi. Nel contesto del Vaticano I, questi criteri sono innanzitutto i → miracoli e le → profezie. E, soggiacente a questo procedimento in tre tempi, la convinzione che la fede è il termine necessario della dimostrazione cristiana, mentre l'entrata nella chiesa risulta dalla dimostrazione cattolica. Questo schema tripartito esiste già nel XVI secolo. Il termine di «apologetica» entra nell'uso corrente verso il 1830. Comunque solo all'inizio di questo secolo appaiono opere che non solo si applicano a una giustificazione razionale e sistematica della decisione di fede, ma si sfor-

zano, al tempo stesso, di definire lo statuto epistemologico dell'apologetica come scienza distinta dalla filosofia e dalla dogmatica. Citiamo, come punto di riferimento, le opere classiche di A. Gardeil, di R. Garrigou-Lagrange e di S. Tromp.

Il contesto del dopoguerra è molto diverso da quello che ha visto nascere l'apologetica classica. Un prodigioso rinnovamento dà più ampio respiro alla teologia, proprio nei settori che toccano più da vicino l'apologetica. Pensiamo, in particolare, al rinnovamento degli studi biblici e patristici, che hanno fatto scoprire, nella rivelazione e nella fede, una realtà molto più ricca, più concreta, più personale, più flessibile; al rinnovamento dei metodi e delle tecniche dell'esegesi; al progresso multiforme realizzato nelle scienze del linguaggio; al contributo delle filosofie dell'uomo; infine, al rinnovamento ecumenico che ha cambiato l'atteggiamento aggressivo e polemico nei confronti dei protestanti in atteggiamento di apertura e di dialogo. Non c'è dubbio, il clima teologico è cambiato. Questo contesto culturale e religioso inedito ha ben presto messo in evidenza le debolezze e i limiti dell'antica apologetica. Rileviamo alcune delle critiche sollevate contro di essa:

a. L'apologetica classica vuole manifestare la credibilità della rivelazione, ma ancor prima di avere intrapreso uno studio serio della realtà sulla quale essa intende esprimere un giudizio critico. Ora non è superfluo sottolineare che la rivelazione di cui qui si parla non è una rivelazione di tipo filosofico, di cui si potrebbe tracciare il modello in anticipo, ma una realtà ben specifica che ci viene dalle vie della storia e dell'incarnazione. Soltanto la rivelazione può dirci che cosa è la rivelazione. La prima urgenza dell'apologetica è quindi di studiare questo intervento di Dio in Gesù Cristo, in tutta la sua ricchezza e in tutte le sue dimensioni. Allo stes-

so modo, il solo trattamento valido dei segni è quello che effettua la loro sintesi nella persona di Cristo. Questa rivelazione ben specifica è il dato fondamentale sul quale si esercita la riflessione del teologo per affermare sia la consistenza storica sia il → senso.

b. Proprio su questa questione del senso si articola la seconda critica fatta all'apologetica classica. Questa infatti dopo aver stabilito, sulla base di argomenti esterni, che Gesù è l'inviato di Dio e che ha fondato una chiesa, ne concludeva che si doveva ricevere da questa chiesa tutto quello che noi dobbiamo credere. Essa disconosceva così (almeno in pratica) che il messaggio cristiano è estremamente intelligibile e che questa pienezza di senso costituisce già un motivo di credibilità. La rivelazione è «credibile» non solo a causa dei segni esterni, ma anche perché rivela l'uomo a se stesso: essa è anche la sola chiave di comprensione del mistero dell'uomo. Non si potrebbe quindi isolare l'una dall'altra la fattualità storica e il senso della rivelazione. L'apologetica non osava affrontare questo problema, senza dubbio per non dare l'impressione di sconfinare in un campo riservato alla dogmatica.

c. Molti rappresentanti dell'apologetica tradizionale trattavano solo la messianicità di Gesù. Era sufficiente, pensavano, dimostrare che Gesù si era presentato come legato divino che parlava in nome di Dio. Le altre testimonianze di Gesù su se stesso riguardavano la dogmatica. Anche questa volta, una simile posizione è insufficiente. Innanzitutto, perché costringe a continue e illegittime riduzioni nella presentazione di Gesù, proposto e confessato dai vangeli, come il Cristo, il figlio dell'uomo, il figlio del Padre (→ Cristologia: titoli cristologici). Poi, perché fa pesare sulle spalle di un semplice legato le esigenze radicali di un Giudice supremo di tutti gli uomini. Infine, perché rende incomprensibile il miracolo assolutamente unico nella storia della salvezza di una risurrezione gloriosa. Questa dicotomia tra legato divino e figlio del Padre è artificiale; contraria alla testimonianza di Gesù su se stesso e ancora di più alla presentazione del kêrygma su Gesù.

d. Una quarta critica riguarda la poca attenzione, o meglio la mancanza di attenzione dell'apologetica classica verso le condizioni di accoglienza della rivelazione e dei segni da parte dell'uomo al quale sono rivolti. Col pretesto di obiettività scientifica l'apologetica ha trascurato tutto un versante della credibilità. Se l'apologetica, infatti, ha come oggetto non una credibilità astratta ma la credibilità umana della rivelazione, essa non può limitarsi a studiare «l'in-sé» della rivelazione e dei segni di questa rivelazione. Deve preoccuparsi, con una uguale attenzione, delle condizioni che determinano, da parte del soggetto (→ Teologia fondamentale: destinatario), la loro ricezione efficace. Questo prendere in considerazione la soggettività umana, messa in risalto da → Blondel, è ormai un fatto acquisito.

e. Fino al XX secolo inoltrato, l'apologetica non ha smesso di scagliarsi contro i suoi avversari protestanti, deisti e razionalisti. Nel contesto ecumenico attuale, questo atteggiamento non è più «sostenibile». Non si tratta innanzitutto di rifiutare, ma piuttosto di creare condizioni di approccio e di ascolto. Cercando di difendersi, l'antica apologetica si chiudeva in se stessa e si chiudeva agli altri. Fortunatamente ha perduto quel tono polemico. Invece di esprimersi in termini di polemica, lo fa assumendo posizioni e formulando proposte. D'altronde, l'avversario di oggi è nel cuore del credente non meno che del non credente. L'uomo del XX seco-

lo non vuole tanto le confutazioni quanto la presa in considerazione dei suoi problemi, che si accompagni a un'esposizione seria dei titoli del cristianesimo. Ora l'apologetica dovrebbe assumersi questo compito anche se non esistesse alcun avversario.

Più che una requisitoria venuta dall'esterno, le difficoltà enumerate rappresentano un'autocritica esercitata da quegli stessi che avevano la missione d'insegnare l'apologetica all'indomani della guerra. Cercando di determinare lo statuto della loro disciplina in un contesto di vita e di pensiero completamente diverso, i docenti hanno dovuto fare un certo numero di messe a punto che costituiscono altrettante opzioni liberatrici.

3. FASE DI AMPLIAMENTO - La seconda fase della storia della fondamentale del dopoguerra comincia intorno agli anni '60 e culmina con la promulgazione della *Dei Verbum*. Dopo aver esorcizzato il fantasma dell'antica apologetica ed essersi dissociata dal termine con il quale si identificava, l'apologetica «nuovo stile» conosce il tripudio di una seconda primavera. Si moltiplicano le opere e gli articoli sulla rivelazione. Quello che caratterizza questo periodo è un fenomeno di ampliamento della disciplina, che si manifesta a tutti i livelli: estensione del suo compito, arricchimento dei suoi temi privilegiati, dialogo con nuovi partners. Il tutto concretizzato dall'adozione definitiva del termine *fondamentale* per designare la sua nuova immagine e la sua nuova identità.

Si può dire che proprio partendo da questi due termini privilegiati, cioè la rivelazione e la sua credibilità, la teologia fondamentale si è arricchita e approfondita.

Dal 1940, gli studi sul tema della rivelazione non hanno smesso di proliferare, stimolati dalla produzione protestante particolarmente abbondante in questo campo, favorita anche, negli ambienti cattolici, dal rinnovamento biblico e patristico, dallo sviluppo della teologia della fede, della predicazione, della missione, che hanno agito come catalizzatori. Si può dire che questo rinnovamento della teologia della rivelazione, iniziato con le opere di H. Niebecker (1940), R. Guardini (1940), K. Rahner (1941), L.-M. Dewailly (1945), e pazientemente continuato per due decenni nelle monografie sempre più numerose, trova il suo punto di arrivo e in un certo senso la sua canonizzazione nella costituzione → *Dei Verbum* del 18 novembre 1965.

La rivelazione, infatti, vi è presentata non solo sotto il suo aspetto obiettivo di dottrina, di messaggio, ma come atto di Dio, ossia l'automanifestazione e l'autodonazione di Dio stesso in Gesù Cristo. Cristo è la parola epifanica di Dio: è *la* rivelazione. Uno dei meriti della costituzione è stato anche quello di presentare la rivelazione cristiana, non come un fenomeno isolato, ma come una «economia», ossia quel vasto e misterioso disegno che Dio persegue e realizza per secoli attraverso vie previste da lui. La costituzione sottolinea anche la dimensione storica, interpersonale, dialogale, cristologica ed ecclesiale della rivelazione. Ampliando così la nozione di rivelazione, per fedeltà ai dati stessi della rivelazione, la costituzione ha compiuto un'opera liberatrice. Ha anche reso un servizio prezioso alla fondamentale proponendo, in una visione unitaria, temi un tempo dispersi o artificialmente raggruppati: per esempio, un *De Inspiratione*, che appartiene al *De Sacra Scriptura*; un *De Traditione*, che appartiene sia al *De Ecclesia*, sia al *De Locis*.

Il tema della credibilità è stato l'oggetto di un ampliamento non meno spettacolare. Senza negare quello che c'è di legittimo nel trattamento tradizionale della credibilità a partire dai segni storici della rivelazione (mira-coli, profezie, messaggio, risurrezione), la fondamentale del periodo conciliare non può impedirsi di notare i limiti di questo trattamento: conoscenza insufficiente dei metodi e delle tecniche dell'esegesi moderna, utilizzazione semplicistica di alcuni argomenti (per esempio, quello del compimento delle promesse messianiche), visione puramente apologetica dei segni, inflazione dei segni particolari (miracoli, profezie) a danno dei segni maggiori rappresentati da Cristo stesso e dalla sua chiesa, discordanza tra i segni e la persona che li invia, tra i segni e il messaggio che dà ad essi pieno significato, insufficiente considerazione della → testimonianza della vita o dell'accordo tra il vangelo e la vita, attenzione debole o quasi nulla alle condizioni di accoglienza dei segni da parte dell'uomo e, correlativamente, tendenza ad aumentare il loro potere di persuasione sul soggetto.

Ma, ben al di là di queste rimostranze, la fondamentale del periodo conciliare prende coscienza che il tema della credibilità per essere trattato correttamente, deve abbracciare orizzonti più vasti. Si possono distinguere, in questo fenomeno di ampliamento, tre orientamenti maggiori.

Il primo riguarda i problemi di *storia ed ermeneutica*. Ci si è presto reso conto, infatti, che la conoscenza di Gesù attraverso i vangeli, punto di concentrazione massimale della rivelazione, non è un'impresa che va da sé. Se è vero che Dio si è rivelato in Gesù, attraverso le sue parole e le sue opere, e con tutta la sua presenza nel mondo, è estremamente importante sapere se, come e in quale misura noi possiamo raggiungere questa epifania di Dio, almeno nella sua consistenza storica. Ne consegue che il problema dell'accesso a Gesù attraverso i vangeli è primordiale in una riflessione sulla credibilità cristiana.

Il secondo orientamento, di tipo *antropologico*, risponde al rimprovero fatto all'apologetica antica, di aver creato uno iato tra il fatto e il contenuto della rivelazione, di informarsi sull'Evento senza preoccuparsi del *senso* che esso ha per l'uomo. Una ermeneutica della sola origine del cristianesimo in Gesù sarebbe sterile, poiché Gesù non è solo un'irruzione di Dio nella storia dell'uomo: è un'irruzione che rivela l'uomo a se stesso, che lo decifra e lo trasfigura. Non basta quindi dimostrare che, attraverso i vangeli, noi abbiamo accesso a Gesù di Nazareth; si deve anche dimostrare che il messaggio cristiano riguarda l'uomo e le questioni fondamentali che egli si pone. Questa richiesta dell'uomo è netta e insistente: egli aspetta che gli si dimostri che Cristo è la sola chiave del crittogramma umano. Questo aspetto antropologico della credibilità, già sottolineato da Blondel, ne *L'Action*, è stato largamente sviluppato da → Guardini, → Rahner, H. Bouillard, → von Balthasar, M. Zundel, G. Marcel, J. Mouroux, M. Légaut, J. Ladrière, partendo da orizzonti filosofici del resto molto diversi.

Il terzo orientamento riguarda i *segni* della rivelazione. Il problema è quello della identificazione di Gesù come Dio-tra-noi. Poiché Gesù è la forma umana, corporea, attraverso la quale Dio incontra l'uomo e si manifesta a lui, la presenza salvifica di Dio nel mondo è esattamente verificabile soltanto attraverso la mediazione dell'uomo Gesù. È lui l'enigma, il mistero che si deve decifrare. La fondamentale ritorna quindi allo studio dei segni, ma questa volta con un senso critico più vigilante, meglio preparata sul piano esegetico e storico, più consapevole della complessità dei problemi che affronta e, di conseguenza, meno categorica nelle sue affermazioni. Questo studio dei segni è affetto, anche esso, dal problema ermeneutico, nell'interpretazione dei testi che li riportano. Ciò che lo caratterizza, tuttavia, è la preoccupa-

zione di collegare i segni alla Persona che li invia. I segni sono Gesù Cristo stesso, vivo e completo, nell'irradiazione multiforme della sua epifania al mondo.

Infine, è la cerchia stessa dei *destinatari* che si è allargata. La teologia fondamentale vuole essere infatti una teologia in dialogo: non solo con i credenti, ma con tutte le forme di religione e di non credenza. Il partner del dialogo è anche il credente stesso: non solo perché ognuno porta in sé i dubbi del non credente, ma anche perché il credente di oggi, vivendo in un mondo di non credenza e di indifferenza, ne è inevitabilmente influenzato. Dialogando con i non credenti, dialoghiamo con noi stessi. In un simile contesto, una decisione sulle basi razionali della decisione di fede non è uno sport da intellettuali, ma una esigenza di vita.

4. FASE DI CONCENTRAZIONE - All'indomani del concilio, ossia nel momento stesso in cui si opera la riforma degli studi ecclesiastici, la fondamentale si trova minacciata da due pericoli ugualmente mortali. Da una parte, uno smembramento e una dispersione dei suoi temi tradizionali; dall'altra, un ampliamento eccessivo che ne fa una specie di «pantologia sacra» e rischia di farle perdere la sua specificità.

Il Vaticano II, in *Optatam totius*, come anche le *Normae Quaedam*, non segnalano neppure la teologia fondamentale. La storia non può fare altro che registrare questa mancanza totale di discernimento, nel momento in cui i problemi più scottanti della teologia si concentravano nel campo della fondamentale. Privati dell'appoggio del concilio, seminari e facoltà hanno ceduto alla tentazione di sacrificare una disciplina della quale il concilio stesso non sembrava tener conto. In molti luoghi, essa è stata smembrata e ridotta allo stato di frammenti inseriti alla meno peggio nelle altre discipline: storicità dei vangeli in esegesi; rivelazione-tradizione-ispirazione, nell'introduzione alla teologia. Il tema dei segni di credibilità è stato semplicemente eluso o trattato parzialmente in occasione dell'esegesi (per esempio, il tema dei miracoli di Gesù). In altri luoghi, la fondamentale non esiste neanche più. Distruggendo la fondamentale, trasmettendo i suoi problemi alle altre discipline come i resti di un'eredità ipotecata, la si è privata del suo compito specifico; per di più, la teologia ha fallito in parte la sua missione (confermare i suoi fratelli nella fede) e portato al naufragio migliaia di fedeli, che si sono sentiti perduti di fronte a problemi inquietanti e troppo difficili per essere affrontati senza l'appoggio di specialisti.

Il periodo postconciliare è stato caratterizzato, d'altra parte, da un ampliamento sempre crescente del campo della fondamentale. Questo ampliamento, reso necessario dal rinnovamento degli studi biblici e storici, dall'apertura ecumenica, dallo sviluppo delle scienze umane, è stato tuttavia funesto. La fondamentale ha sviluppato uno spirito annessionista che rischia di farne una enciclopedia delle scienze. A forza di voler includere tutto, abbracciare tutto, la fondamentale arriva a perdere il suo centro di unità e il suo carattere specifico. A forza di lavorare alla periferia, arriva a dimenticare il cuore delle sue preoccupazioni, ossia la rivelazione e la sua credibilità.

Di fronte a queste due minacce, si sente un po' dappertutto un bisogno di *concentrazione*, di *identità*, di *gerarchizzazione* dei temi da trattare. È tipico, in ogni caso, che negli articoli recenti che trattano dei problemi di fondamentale, si parli sempre più di una «ricerca di identità», di un «centro di unità», di un «punto focale», di «struttura», di «struttura di base». Tipico anche di questa urgenza sentita di unità e di struttura, il

fatto che gli articoli menzionati propongano a volte abbozzi di un trattato rinnovato della rivelazione o di una teologia fondamentale. Questo articolo è proprio il luogo indicato per presentare la fondamentale come disciplina distinta e strutturata.

5. UNA DISCIPLINA TEOLOGICA DISTINTA - La teologia fondamentale attuale, come si pratica a partire dal Vaticano II, è una disciplina teologica distinta, non solo perché figura al primo posto (come nella *Deus scientiarum Dominus*) nella costituzione *Sapientia christiana*, del 29 aprile 1979, come disciplina principale e obbligatoria, ma perché ha il suo oggetto, il suo metodo, la sua struttura.

Non è quindi una specie di teodicea, né una semplice introduzione alla teologia, né una semplice funzione della teologia. Come disciplina specifica, possiede un oggetto materiale e formale che le è proprio, e che la dogmatica in quanto tale non tratta, ossia l'*auto*manifestazione di Dio in Gesù Cristo, e l'*auto*credibilità di questa manifestazione che egli costituisce con la sua presenza nel mondo. L'oggetto e il centro di unità della teologia fondamentale è l'intervento inaudito di Dio nella storia, nella carne e nel linguaggio di Gesù Cristo. Dio-tra-noi-in-Gesù-Cristo: questo è il mistero primo, l'evento primo, la realtà prima che costruisce ogni discorso teologico. Se mettiamo insieme *auto*manifestazione e *auto*credibilità di questa manifestazione, è per sottolineare che il segno, in Gesù Cristo, è inseparabile dalla persona. Incarnandosi, Dio si manifesta come rivelatore e come rivelato, e si attesta al tempo stesso come tale. Gesù Cristo è al tempo stesso mediatore, pienezza e segno della rivelazione. In modo conciso, DV dichiara che Cristo completa e compie la rivelazione e attesta che egli è Dio tra noi (DV 4). La teologia fondamentale fa della rivelazione cristiana, intesa come *auto*manifestazione e *auto*credibilità di questa manifestazione, l'oggetto essenziale del suo studio. Non separa Cristo dai segni particolari che lo identificano, poiché egli è al tempo stesso segno di Dio e centro d'irradiazione di tutti i segni che emanano dalla sua persona. Epifania di Dio, egli si identifica con tutta la sua presenza e con tutta la manifestazione di se stesso. Il segno e il significato, il credibile e il creduto sono inseparabili.

La specificità dell'oggetto della fondamentale ha come corollario la specificità del suo → *metodo*, che noi chiamiamo metodo di *integrazione*, non arbitrariamente, ma perché la realtà studiata impone essa stessa questa integrazione di due metodi.

Da una parte, infatti, la rivelazione in quanto mistero primordiale, portatore di tutti gli altri, deve parlare dogmaticamente del mistero, come fa per ogni mistero particolare. Procede allora dalla fede all'intelligenza della fede, basandosi sulla Scrittura come fonte ispirata, e sulla chiesa, come istituzione divina. Dall'altra parte, come irruzione storica, puntuale, di Dio in Gesù Cristo, essa sottopone la rivelazione-evento alla problematica e ai metodi delle scienze umane: in particolare critica letteraria e storica. A questo punto, essa considera i testi della Scrittura come documenti di storia, il cui valore va stabilito partendo dai criteri della storia. Allo stesso modo, gli argomenti che essa trae dalla filosofia devono imporsi agli occhi della critica, in ragione del loro valore intrinseco e non a causa dell'autorità della chiesa.

Questa integrazione dei metodi è un aspetto della kenosi del Verbo incarnato. È tanto impossibile rifiutare questa integrazione dei due metodi, quanto è impossibile separare la rivelazione-mistero dalla rivelazione-evento, la chiesa-mistero dalla chiesa-istituzione, la risurrezione-mistero dalla risurrezione-evento. Per molto tempo, l'apologetica ha ridotto la rivelazione a un evento, lasciando il mistero alle cure della dogmatica. Non si potrebbe dissociare così, con una decisione arbitraria, quello che è inseparabile sul piano della realtà. → de Lubac e → von Balthasar hanno già fatto osservare che solo dei pregiudizi sterili, una immagine mozzata della realtà, hanno potuto rifiutare l'integrazione dei due metodi: dogmatico e apologetico (in senso antico). In genere, il trattamento dogmatico precede quello apologetico, non per deprezzare un metodo a vantaggio dell'altro, ma semplicemente perché la rivelazione è innanzitutto mistero, e conviene descrivere correttamente la realtà, sulla quale la teologia volge in seguito il suo sguardo critico, nel suo affioramento storico. Questo metodo di *integrazione* è il solo che renda giustizia a una realtà che, essendo al tempo stesso mistero ed evento della storia, richiede due vie di approccio complementari. Il metodo è al servizio della realtà; se esso deve adattarvisi, è perché la realtà è bicefala. La teologia fondamentale, come ogni teologia, è sempre la fede alla ricerca di intelligenza di una sola e stessa realtà: essa tiene un discorso dogmatico per parlare del suo aspetto di mistero; un discorso apologetico, o di scienza umana, per parlare del suo aspetto di evento.

6. UNA DISCIPLINA STRUTTURATA - L'esame dei diversi trattati della fondamentale dà un'impressione più di caos che di unità strutturata. Ecco il risultato di osservazioni fatte partendo da una trentina di opere.

Dappertutto si scopre un *nucleo solido*, ossia lo studio della rivelazione di Dio in Gesù Cristo e della sua credibilità per mezzo dei segni. Dopo questa sequenza universalmente riconosciuta, cominciano subito le divergenze. Il pensiero tedesco rimane fedele alla divisione tripartita dell'apologetica classica (dimostrazione religiosa, dimostrazione cristiana, dimostrazione cattolica. Per esempio: «Handbuch der Fundamentaltheologie», in *Mysterium salutis*, contributi di Kolping, Fries, Waldenfels). Il pensiero latino, visibilmente influenzato dal Vaticano II, è biblico, cristocentrico, legato alla storia della salvezza, sensibile ai problemi di ermeneutica e di senso. Il pensiero anglosassone riflette l'influenza tedesca, ma con un accento sull'esperienza e il linguaggio (segno, simbolo).

Come nei vangeli, dove si trovano dei lóghia *erranti* o nomadi (per esempio: «gli ultimi saranno i primi, e i primi saranno gli ultimi») inseriti in contesti diversi, anche le opere di teologia fondamentale hanno i loro temi «erranti» o nomadi. Così, gli uni parlano della religione e delle religioni all'inizio (Waldenfels, HFTh), mentre gli altri conservano questo tema per la fine. I temi di teologia e di fondamentale sono trattati come introduzione o come conclusione. L'ecumenismo è considerato sia come una dimensione coestensiva a tutta la fondamentale, sia come un capitolo particolare. Il tema della fede è legato a quello della teologia, o anche a quello della rivelazione. Il tema della chiesa viene generalmente alla fine, con un'ampiezza variabile, fino a includere (in HFTh) tutto il tema della conoscenza di fede e delle forme di questa conoscenza (Scrittura, tradizione, magistero, teologia).

A nostro avviso, in questo *mare magnum*, manca un principio di discernimento che consenta di situare e di gerarchizzare i problemi, per arrivare a una struttura motivata. A questo riguardo, il Vaticano II può ispirarci. Il concilio non comincia con dichiarazioni o decreti sulla religione e sulle religioni, sull'ecumenismo, sulla cultura e le scienze. Il *documento-radice*, che è la chiave ermeneutica di tutti gli altri, è la *Dei Verbum* e in questo documento-radice il «primo grosso piano» è quello della rivelazione di Dio in Gesù Cristo, Verbo incarnato, mediatore, pienezza e segno della rivelazione che egli è in persona. Il primo capitolo descrive questa realtà, con i suoi tratti specifici: struttura sacramentale (*gesta et verba*), progresso, economia, pedagogia, principio incarnazionale, luce di Dio sul mistero dell'uomo, tensione passato-presente, tensione presente-escatologia. La realtà prima, che illumina tutte le altre, è la rivelazione di Dio nella sua specificità di automanifestazione e di autocredibilità. Gli altri problemi appaiono come *implicazioni* di una rivelazione ben *specifica*.

Se ci si attiene a questo principio di discernimento, i temi *nomadi* riescono a inquadrarsi, e la struttura della fondamentale prende corpo e si fa luce in maniera più precisa.

La sequenza di base è: la rivelazione concepita come *auto*manifestazione, *auto*donazione e *auto*credibilità di Dio in Gesù Cristo, Verbo incarnato, mediatore, pienezza e segno della rivelazione. Le *implicazioni* di questo principio di base possono gerarchizzarsi nella maniera seguente:

a. Questa rivelazione specifica genera una fede e un sapere non meno specifici: la teologia.

b. In quanto evento e mistero la rivelazione è in rapporto con la storia. Ne derivano i problemi sulle origini storiche del cristianesimo, sulla realtà e identità di Gesù, sul valore dei vangeli come accesso a Gesù, sulla realtà del suo messaggio e delle sue opere, sul suo progetto ecclesiale.

c. Il principio incarnazionale della rivelazione cristiana obbliga la fondamentale a studiare le correnti di pensiero che eliminano l'incarnazione: illuminismo, teologia esistenziale di → Bultmann.

d. La continuità tra il progetto ecclesiale di Gesù e la pluralità delle comunità cristiane attuali pone il problema dell'ecumenismo.

e. La pretesa del giudaismo, dell'islam, dell'induismo di essere anche esse religioni «rivelate», pone il problema del rapporto tra la specificità della rivelazione cristiana e le altre → religioni.

f. Legata a una cultura, a una lingua, a un popolo, la rivelazione cristiana incontra i problemi inevitabili dell'→ ermeneutica e dell'→ inculturazione.

La fondamentale si trova quindi strutturata da: 1. *Un principio di base,* ossia la rivelazione cristiana con i suoi tratti specifici; 2. *La sequenza delle «implicazioni» che ne derivano:* *a.* Un sapere specifico; *b.* rapporto con la storia; *c.* rapporto con le filosofie non incarnazionali; *d.* rapporto con le altre comunioni cristiane; *e.* rapporto con le religioni che dicono di essere anch'esse «rivelate»; *f.* rapporto con il linguaggio e la cultura.

7. COORDINAMENTO PEDAGOGICO - Stando a quanto abbiamo appena detto sulla fondamentale attuale, allargata alle dimensioni che abbiamo descritto, ogni centro di teologia dovrebbe essere provvisto di un corpo insegnante al corrente delle scoperte più recenti dell'esegesi e della storia, perfetto conoscitore delle filosofie moderne, dei problemi di ecumenismo delle altre religioni, della scienza del linguaggio. A questi professori prodigiosi dovrebbero corrispondere studenti non meno eccezionali.

Distinguiamo subito tra la fondamentale come funzione ecclesiale, come parte distinta del sapere teologico, e il problema pedagogico del suo coordinamento in una facoltà o in un seminario. Come scienza specializzata, e in tutta la sua vastità, la fondamentale riguarda la chiesa intera: è un fatto collegiale.

Detto questo, ci sono problemi che richiedono di essere trattati fin dall'inizio del curriculum di teologia: sono quelli che riguardano il nucleo essenziale della fondamentale, ossia la rivelazione e la sua credibilità, come anche alcune sue implicazioni, per esempio la teologia come scienza, i rapporti della rivelazione con la storia. Altri problemi, che riguardano le filosofie, le religioni, l'ermeneutica, l'inculturazione, possono essere riservati al secondo o al terzo ciclo, o trattati per sommi capi al primo ciclo, poi ripresi e approfonditi sotto forma di monografie nei cicli superiori. L'antico curriculum, regolato dalla *Deus scientiarum Dominus,* che raggruppava gli studi teologici in quattro anni, rendeva difficile il trattamento di una materia così vasta, e semplicemente impossibile classificare e gerarchizzare i problemi. Quello che era impossibile, è oggi realizzabile dopo la nuova costituzione *Sapientia Christiana.* La fondamentale rinnovata, meglio identificata, meglio unificata e strutturata, può dare libero slancio a una disciplina che, più delle altre, ha bisogno di ossigeno, di spazio, di libertà creatrice. L'essenziale è che sia pienamente cosciente della sua identità di disciplina distinta, del suo oggetto, del suo metodo, della sua struttura.

Bibl. - H. Bouillard, «L'esperienza umana e il punto di partenza della teologia fondamentale», in *Conc* 3 (1965) 106-118; R. Latourelle, «Apologétique et Fondamentale», in *Sal* 27 (1965) 255-274; Id., *Teologia scienza della salvezza,* Assisi 1968; Id., «Smembramento o rinnovamento della Teologia fondamentale», in *Conc* 6 (1969) 48-60; Id., *A Gesù attraverso i Vangeli,* Assisi 1979; Id., «Nuova immagine della teologia fondamentale», in R. Latourelle - G. O'Collins (edd.), *Problemi e prospettive di teologia fondamentale,* Brescia 1980, 59-91; Id., «L'istanza storica in teologia fondamentale», in Autori vari, *Istanze della Teologia fondamentale,* Bologna 1982, 55-94; Id., «Das II Vaticanum. Eine Herausforderung an die Fundamentaltheologie», in E. Klinger - K. Wittstadt (edd.), *Glaube im Prozess.* Christsein nach den II Vaticanum. Für Karl Rahner, Fr. i. Br. 1984, 597-614; Id., «Assenza e presenza della teologia fondamentale», in R. Latourelle (ed.), *Vaticano II: bilancio e prospettive,* II, 1381-1411, Assisi 1987; A. Locatelli, «L'insegnamento della teologia fondamentale nel rinnovamento degli studi ecclesiastici», in *ScCatt* 96 (1967) 95-123; F. Ardusso, «Teologia fondamentale», in DTI I, 182-202; A. Kolping, *Fundamentaltheologie,* voll. I-III,

Freiburg i. B. 1968, 1974, 1981; J. Alfaro - H. Bouillard - H. Carrier - G. Dejaifve - R. Latourelle - G. Martelet, «La théologie fondamentale à la recherche de son identité», in *Greg* 50 (1969) 756-776; H. Fries, «Dall'apologetica alla teologia fondamentale» in *Conc* 6 (1969) 75-90; H. Bouillard, «La tâche actuelle de la théologie fondamentale», in *Le Point théologique* 2 (1972) 7-43; Id., «De l'apologétique à la Fondamentale», in *Les Quatre Fleuves*, Paris 1974, 57-70; J. Schmitz, «Fundamentaltheologie im 20 Jahrhundert», in H. Vorgrimler - R.V. Gucht (edd.), *Bilancio della Teologia del XX secolo*, Paris 1972, I, 233-272; W. Joest, *Fundamentaltheologie. Theologisches Grundlagen und Methodenproblem*, Stuttgart 1974; J.-P. Torrell, «Questions de théologie fondamentale» in RTh, 79 (1979) 273-286; S. Pié-Ninot, «La teologia fondamental hoy», in RCT (1980) 479-502; C. Colombo, «Dall'apologetica alla teologia fondamentale», in *Teol* 1981 (3) 232-242; D. Tracy, «Necessità e insufficienza della teologia fondamentale», in R. Latourelle - G. O'Collins, *Problemi e prospettive di teologia fondamentale*, Brescia 1980, 41-58; G. O'Collins, *Teologia fondamentale*, Brescia 1982; Id., «Problemi e Prospettive di teologia fondamentale», in R. Fisichella (ed.) *Gesù Rivelatore*, Casale Monferrato 1988, 46-52; W. Waldenfels, *Teologia fondamentale nel contesto del mondo contemporaneo*, Milano 1988, 94-105; R. Fisichella, «Il contributo di René Latourelle alla teologia fondamentale», in Id. (ed.), *Gesù Rivelatore*, Casale Monferrato 1988, 11-22; Id., *La Révélation*, Montréal-Paris 1989, 25-51; M. Chappin, «Dalla difesa al Dialogo. L'insegnamento della teologia fondamentale alla PUG», in R. Fisichella (ed.), *Gesù Rivelatore*, 33-45: Salvador Pié-Ninot, *Tratado de Teología fundamental*, Salamanca 1989, 17-54.

RENÉ LATOURELLE

II. Destinatario

Se la teologia non avesse un destinatario sarebbe ridotta a solipsistica speculazione teorica del teologo e a nulla servirebbe. Il destinatario non può essere una scelta a proprio piacimento; in qualche modo si impone nel sorgere stesso del teologare e dalle differenti condizioni storico-culturali in cui la riflessione è compiuta. Anche la teologia fondamentale ha un suo destinatario. In quanto disciplina teologica che si costruisce sul «perché?» (Dt 6,20) della fede, è chiamata a dare risposta, sempre e

responsabilmente, dell'evento della fede nella rivelazione. Questo soprattutto in sintonia con 1 Pt 3, 15, dove l'apostolo invita a non cessare mai di rispondere alle provocazioni che vengono fatte e soprattutto ad essere in grado di fornire sempre delle ragioni all'altro che interroga sulla speranza che è in noi (→ Apologia).

Si è tentati, in alcuni momenti, di determinare l'identità del destinatario a partire dall'analisi socio-culturale in cui la disciplina si viene a porre. Certamente questa indagine è basilare; la fondamentale tuttavia non può dimenticare, neppure per un istante, che essa è primariamente una disciplina teologica e, in quanto tale, la prima analisi da compiere è già all'interno dell'intelligenza della fede.

In questo orizzonte, si scopre che se la rivelazione ha un destinatario universale, la fede invece crea una forma di discernimento. All'interno della fede infatti, il teologo scopre chi crede e chi ancora non crede, ma a cui bisogna dare delle ragioni per credere.

L'esperienza di Paolo che attraversa le vie di Atene e il suo discorso all'areopago (At 17, 16-23), sono la condizione normale per la teologia fondamentale di oggi. Anch'essa, come soggetto credente, passando per le strade della città si incontra con l'altare dedicato al «Deo ignoto». C'è un uomo concreto che è oggetto della riflessione credente; questo porta alla pretesa della fede di andare incontro a lui per rivelargli che la sua esistenza non è ancora completa fino a quando non si incontra con Cristo.

All'interno quindi delle ragioni della fede e della responsabilità verso di essa, si è chiamati ad andare all'«altro» per dare risposta definitiva alla sua domanda di → senso.

Ricuperando in questo modo l'orizzonte stesso della rivelazione, che invita ognuno a credere e ad aderire a Cristo, si può già identificare, in modo generico, come destinatario della fondamentale, l'uomo nostro contemporaneo.

Una simile affermazione richiede delle distinzioni chiarificatrici.

Nella storia della fondamentale è facile scorgere differenti destinatari che sono determinati dai diversi soggetti di epoche storiche. Si nota così che i primi → *apologeti* si indirizzavano ai pagani per convincerli della bontà della fede in Gesù di Nazareth e della verità dei testi sacri.

Tommaso d'Aquino scriverà il *Contra Gentiles* avendo presente maggiormente i seguaci dell'islam; per costoro esprimerà le ragioni della fede o «le verità della dottrina cattolica», come suggerisce il sottotitolo dell'opera: «Contra Gentiles seu de veritate catholicae fidei».

Nel periodo dell'Umanesimo, *Raimondo di Sabunde* (†1436) si rivolgerà con preferenza al credente divenuto alquanto scettico; farà leva sulla dimensione dell'umanità che accomuna tutti («Ista scientia docet *omnem hominem* cognoscere realitates, infallibiliter, sine difficultate et labore»), con lo scopo di mostrare che la verità della rivelazione è necessaria all'uomo come tale per conoscere se stesso oltre che il mistero di Dio «omnem veritatem necessariam homini cognoscerem tam de homine, quam de Deo, et omnia quae sunt necessaria homini ad salutem et ad suam perfectionem, et ut perveniat ad vitam aeternam» (*Theologia naturalis seu Liber creaturarum*, 27-30): la teologia sembra identificarsi con l'antropologia.

Pierre Charron (1541-1601), come primo ispiratore della triplice *demonstratio* che avrà poi nel *Tractatus* dello Hook la codificazione definitiva, scriverà il volume «Les trois vérités contre les athées, idolâtres, juifs, mahométans, hérétiques et schismatiques»; un insieme di nemici per nascondere, forse, il vero destinatario del suo volume: i protestanti in genere e qui, più direttamente, il nemico Duplessy-Mornay.

Il deista, l'illuminista e il razionalista in genere saranno i destinatari delle teologie fondamentali realizzate tra il XVI e il XVIII secolo. *Pierre Daniel Huet*, scriverà una «Demonstratio evangelica»; *Vitus Pichler*, che per primo introdurrà il termine di «teologia fondamentale», scriverà una Theologia polemica e *René de Chateaubriand* produrrà *Le Génie du Christianisme*.

Il tema principale da dover difendere contro il razionalismo rimane, in questo periodo, la religione soprannaturale contro ogni forma di riduzionismo e quindi la difesa del valore della Scrittura come testo sacro ispirato contro ogni forma di storicismo o positivismo.

L'«ateo» sarà, infine, il destinatario dei trattati prodotti nel XIX secolo prima di giungere alla → teologia manualistica che, avendo rispolverato la necessità della speculazione sui principi primi, avrà come partner del suo discorso l'uomo metafisico, astratto da ogni contesto sociale, privo quindi di un referente specifico.

Come si nota da questa rapida lettura di pochi autori e opere scelte tra le più significative, tre caratteristiche sembrano emergere per il nostro tema:

a. La prima impressione è determinata dal fatto che si è sempre davanti a dei «nemici». La responsabilità per la fede che aveva caratterizzato il sorgere di 1 Pt 3,15 e dei primi apologeti, slitta progressivamente verso forme devianti di polemica fino a raggiungere come destinatario non più persone a cui, positivamente, *presentare* la ricchezza della fede, ma nemici ed eretici da cui *difendere* la dottrina.

b. Una seconda caratteristica è determinata dalla preponderante attività di «rilevanza degli errori». Mentre nei primi secoli il tentativo era quello di trovare forme comuni, tra credenti e non credenti, per una solida base di discussione, ora ci si incontra invece con una forte caratterizzazione che pretende l'appropriamento della verità definitiva e in forza di questo si trasforma in critica e giudizio verso ogni differente forma di comprensione della realtà.

Certamente vi erano errori oggettivi e forme eretiche, ma *metodologicamente* si crea una situazione differente; non si fa più né ricerca comune, né tentativo alcuno di maieutica. La soluzione è solo la difesa della propria verità contrapponendosi, polemicamente, con qualsiasi altro che avesse pensato in modo diverso.

c. Un ultimo elemento che si nota e che appare paradossale, è la progressiva scomparsa del destinatario stesso. Al destinatario cui rivolgersi subentra unicamente lo studio della dottrina o, al massimo, i principi che regolano il procedere dimostrativo. Il destinatario diventa solo causa strumentale da cui si prende avvio, ma obiettivo centrale e fondante è la rilevazione degli errori presenti nella dottrina altrui.

Non più quindi un partner concreto, con i suoi riferimenti storici, politici, culturali e religiosi, ma la dottrina, le tesi o le ideologie.

→ Pascal, nel suo progetto rinvenibile nei *Pensées*, aveva con forza ribadito il primato del soggetto concreto; lo stesso desiderio era sotteso alla *Grammar of Assent* di → Newman, ma sarà essenzialmente → Blondel che con *L'Action* farà sintesi delle due esigenze producendo sì una metafisica, ma con diretto riferimento alla storicità del soggetto.

La teologia fondamentale contemporanea non può dimenticare la storia passata, né sottrarsi ai cambiamenti che oggi si sono instaurati. Con la prima è, *volens nolens*, compromessa; con la seconda deve confrontarsi in nome della *responsabilità* della fede che la fa esistere.

Nell'individuazione del nostro destinatario giocano, ci sembra, due ordini di fattori, alcuni positivi, altri che provocano difficoltà.

1. ELEMENTI POSITIVI - Un primo fattore positivo da addurre, è certamente quello di un rinnovato senso ecumenico che ha permesso di aprirsi ai fratelli nello stesso battesimo. Ricercare dei «nemici», pertanto, sarebbe non solo anacronistico, ma profondamente contraddittorio per una disciplina che ha riscoperto nella fede i fondamenti del proprio essere.

La coscienza storica (→ Storia, I) che caratterizza il nostro secolo, fa prendere in seria considerazione la storicità del nostro teologare e delle tipiche condizioni in cui il destinatario e il teologo si vengono a trovare. Questo ricuperato senso della storia è ugualmente un elemento positivo che permette alla teologia fondamentale, superata ormai la sicurezza dei principi sull'uomo metafisico, di incontrare oggi un soggetto profondamente radicato nella sua storia e nella sua cultura, e che di questo radicamento è fortemente geloso.

Questo permette di ricuperare una iniziale base comune. Anzitutto, più facilmente si può presentare la persona di Gesù di Nazareth come un soggetto profondamente inserito nella storia del suo popolo, creduto come compimento della storia della salvezza e annunciato fino ad oggi come principio ermeneutico per una globale comprensione della storia universale. Inoltre, si presenta al destinatario un ruolo da protagonista nella trasformazione di questa storia. Il vivere concreto, in un'autentica testimonianza di liberazione, è memoria della costante presenza del male e del peccato che devono essere vinti, e dei semi di salvezza e speranza che già sono stati seminati e che vengono a maturazione.

In questo contesto, particolare importanza assume il tema dell'annuncio del vangelo nelle diverse culture e una forma di contestualità della teologia (→ Teologie, VII) che evidenzia la ricchezza dell'integrazione e dell'apporto dei differenti modelli culturali.

2. DIFFICOLTÀ - Unitamente ai dati positivi sorgono fatti e valutazioni che provocano non poche difficoltà alla fondamentale.

Un primo dato da osservare è che, venendo a mancare l'unità del referente filosofico, oggi l'individuazione del destinatario è soggetta a diverse referenze filosofiche e ideologiche. Un simile pluralismo crea, a sua volta, una pluriformità di espressioni e linguaggi che non consentono di avere ben chiaro il partner del discorso.

Davanti a simili problemi può sorgere frequentemente la tentazione di seguire la via più facile di un rinnovato neo-astrattismo nell'individuazione del destinatario, con conseguenze più nefaste di quelle del periodo manualistico.

Si dovrebbe pertanto avere ben chiara la prospettiva che non sarà possibile una presentazione apologetica dell'evento cristiano avendo come interlocutore un unico destinatario. Anche la prospettiva dell'«altro», come ipotetico partner, sarebbe una esemplificazione troppo facile che bisognerebbe evitare. Le forme dell' → ateismo appaiono oggi talmente diversificate (da quello metodologico a quello filosofico, psicologico o linguistico e pragmatico), da non poter essere ridotte ad un unico fattore.

D'altra parte, una grande difficoltà è data dal permanere a tutt'oggi di una profonda crisi della razionalità. Una ingiustificata sopravvalutazione è data alla emotività e ad una troppo parziale lettura di «pastoralità», a tal punto che non si vede più con chiarezza l'importanza costitutiva di una coscienza critica per il contenuto della fede. Sembra che lo «stare insieme» o il «pregare insieme» sia divenuta la soluzione per risolvere ogni difficoltà. Ma al teologo, che ha l'obbligo di mantenere viva la responsabili-

tà per l'*intelligenza* della fede, queste espressioni creano più preoccupazioni e problemi che non appianamento di difficoltà.

Una vera unione e una serena conversione, perché possano essere pienamente umane e autenticamente cristiane, passano attraverso la mediazione dell'intelligenza: *fides si non intelligitur nulla est*. La volontà di incontrarsi nella «prassi» e la sfida perché questa diventi un *locus theologicus* su cui giudicare la verità della fede non è meno parziale di una fede che volesse giudicarsi ortodossa solo con la componente dell'intelligenza.

L'unità dell'agire personale, le tipiche mediazioni che sono date alla chiesa per il suo permanere nella verità e le ragioni che la teologia porta nella storicità del suo riflettere, sono tutte espressioni che devono essere differenzialmente considerate per il valore che assumono nella ricerca della pienezza della verità, ma in ogni caso non possono essere misconosciute.

Chi sarà dunque il «contemporaneo», destinatario della fondamentale?

Certamente il *credente*, perché egli è sempre il destinatario primo del riflettere teologico; poi l'«altro» dalla nostra fede, perché questi è colui che caratterizza in modo peculiare la fondamentale all'interno della scienza teologica.

La realtà attuale, tuttavia, se permette di vedere un duplice destinatario in forza della fede, non consente però di vedere il credente come «altro» dal suo contemporaneo. Tornano inevitabilmente alla memoria le parole della *Lettera a Diogneto*: «I cristiani non si differenziano dal resto degli uomini né per territorio, né per lingua né per consuetudini di vita. Infatti non abitano città particolari né usano qualche strano linguaggio, né conducono uno speciale genere di vita. Abitano in città sia greche che barbare, come capita, pur seguendo nel vestito, nel vitto e nel resto della vita le usanze del luogo, si propongono una forma di vita meravigliosa e, per ammissione di tutti, paradossale» (cap. 5).

Oggi come ieri, la fede crea uno specifico, ma la realtà di caratteristiche propriamente umane rimane inalterata per tutti.

Il contemporaneo appare nella sua espressione più positiva, come un soggetto pieno di *speranza*. La speranza sembra essere la caratteristica che maggiormente qualifica la fine del nostro secolo. Uscito da due guerre mondiali che hanno visto la carneficina e gli effetti dell'odio, con la *Shoah* che permane come l'espressione culminante di dove può giungere la follia dell'uomo, il contemporaneo vive ancora sotto il ricatto della paura di un qualcosa che può annientarlo. Cresce in lui la speranza per una convivenza umana tra le nazioni in modo che nessuno abbia a prevalere sull'altro e la giustizia finalmente possa abbracciare la pace (Is 9, 5-6). Segue così con forte sollecitudine ogni passo che le grandi Potenze fanno in vista di un'assenza totale di guerra universale.

Una speranza di base che si concretizza poi in diversi obiettivi: l'economia crescente fa pensare ad un benessere di vita, le incessanti scoperte in campo medico creano fiducia in un prolungamento della vita, il progresso nell'ambito tecnologico – particolarmente nei mezzi di comunicazione – fa sentire ognuno «cittadino del mondo», le notizie si diffondono in contemporanea nei due emisferi aumentando il senso di solidarietà mondiale.

Ma ad una crescita di speranza, corrisponde anche un forte senso di sfiducia e malessere. Anzitutto nei confronti delle istituzioni e degli organi della politica. Mai come oggi il senso di disinteresse e di non credibilità ha accompagnato le dichiarazioni di uomini politici o i piani programmatici degli uomini di partito. Questi,

allontanatisi sempre più dal senso e dalla ricerca del bene comune, si sono ugualmente allontanati dall'uomo concreto e dalle sue più profonde esigenze per una vita più umana. Sopraffatti dalle leggi di un'economia elitaria, i dislivelli sono aumentati rendendo i pochissimi ricchi sempre più ricchi e i moltissimi poveri sempre più poveri.

Ingannati da manovre economiche e da ideologie nihiliste, i valori essenziali di un rispetto per l'altro, per la vita nella sua globalità e per la natura nel suo insieme, sono venuti meno e si è accresciuto il senso di impotenza e di solitudine. Mai come oggi, forse, si è raggiunto il senso della personale contraddizione determinata e resa più drammatica dal fatto che ognuno ne ha consapevolezza piena, ma contemporaneamente si sente incapace e troppo solo per potervi reagire.

Se lo sguardo poi si posa nell'orizzonte religioso, anche qui si può assistere alla grande contraddizione del nostro contemporaneo. Un rinnovato «senso del sacro» sembra subentrare ormai alla profezia nietzschiana della morte di Dio dal nostro mondo. Ma per molti aspetti, questa fantomatica ripresa del sacro non fa che confermare la morte di Dio ed evidenziare le nostre città, con le loro chiese, come i cimiteri del Dio dei cristiani.

Da parte cristiana si parla sempre più di una «crisi di partecipazione»; le grandi metropoli dell'Occidente mostrano la domenica le loro chiese deserte; la catechesi come il momento sistematico dello studio della fede, è seguita solo da una percentuale minima; quando poi si fa riferimento alla norma morale sembra quasi di assistere ad uno scisma sotterraneo per cui, appellandosi alla sola propria coscienza, il credente sembra non accogliere più l'insegnamento del magistero. Se si può vedere un forte richiamo delle giovani generazioni, questo tuttavia non è esente da una crisi di intelligenza perché spesso il movimento religioso è mosso da personalità carismatiche in cui l'emotività prende il sopravvento sull'intelligenza.

Da parte non cristiana, sembra di assistere ad un neo-paganesimo. Si moltiplicano riti perversi, → sette religiose si allargano a macchia d'olio, si può verificare di persona una rincorsa verso la lettura e la conoscenza del proprio futuro per sentirsi sicuri e appagati; nuovi maghi e maghe ammaliano, ingannando, circa la conoscenza di sé tramite carte o indistruttibili sfere di cristallo e i quotidiani sono spesso letti solo in vista dell'oroscopo.

Tutto questo è indice di un vuoto, di una profondità che non è stata colmata da valori che possono veramente soddisfare perché impegnano alla responsabilità personale. In una parola, l'*indifferenza* sembra essere sovrana nel contesto religioso.

Un'altra caratteristica che disegna il nostro contemporaneo è quella di un uomo che ha sempre più fretta e che non ha più tempo per ascoltare o per riflettere; che è amante di slogans per arrivare all'immediatezza senza perdersi nella fatica delle dimostrazioni; che non è più capace di leggere perché ormai incline solo all'immagine televisiva; che non è più atto alla contemplazione del bello perché obbligato al caos della metropoli che distrugge, con le sue forme di inquinamento, ciò che il genio e la fede del passato hanno lasciato in eredità; che è sempre tentato dal gusto nascosto della trasgressione e della violenza; che, infine, posto drammaticamente davanti al problema della → morte lo rifiuta non pensandoci o ingannandosi con nuovi sofismi; ma questo contemporaneo sarà ancora capace di ascoltare la voce profetica di chi annuncia Dio?

Certamente sì, perché nonostante tutto quanto appare di negativo nella descrizione precedente, questo con-

temporaneo è ancora capace di porsi con sincerità davanti al → senso della vita e disponibile a comprendere il significato dell'→ amore.

Da ogni parte del mondo si trovano persone capaci di un gesto di amore. Le esemplificazioni porterebbero troppo lontano e non darebbero la profondità della realtà esperita. In ognuno di questi segni, tuttavia, è possibile riconoscere e comprendere un linguaggio di amore. Non tuttavia un puro sentimento, piuttosto la dimensione più qualificante della persona, quella che permette di compiere gesti antropologicamente significativi perché liberi e finalizzati.

La teologia fondamentale ha davanti a sé un soggetto, credente e no, che ha un forte bisogno di *senso* (→ Credibilità). Esso è tanto più urgente oggi perché ne ha maggiore coscienza e perché intorno a lui tutto sembra quasi portarlo all'assurdo.

A questo destinatario è necessario portare, in un linguaggio nuovo, l'amore trinitario di Dio che nel mistero pasquale di Gesù di Nazareth raggiunge il culmine.

Davanti a questo amore rivelato, autentico amore perché pienamente libero e capace di giungere fino al dono totale di sé, il nostro contemporaneo non può restare insensibile. Egli comprende che è un messaggio per lui, *sa* che deve correre il rischio della fede e della sequela perché è l'ultima possibilità che gli viene concessa per comprendere a fondo il mistero del proprio essere e contemporaneamente per sentirsi pienamente libero.

Bibl. - G. Ruggieri, *La compagnia della fede*, Torino 1980; Id., (ed.), *Enciclopedia di Teologia Fondamentale*, I, Torino 1987; R. Latourelle, *L'uomo e i suoi problemi alla luce di Cristo*, Assisi 1982; F.J. Niemann, *Jesus als Glaubensgrund in der Fundamentaltheologie der Neuzeit*, Innsbruck 1983; G. Heinz, *Divinam christianae religionis originem probare*, Mainz 1984; G. Ferrarotti, *Una teologia per laici*, Bari 1984; M. Seckler, «Fundamentaltheologie: Aufgaben und Aufbau, Begriff und Namen», in HFTh IV, 451-513.

RINO FISICHELLA

TEOLOGIE

I. Naturale

La teologia detta «naturale» è stata a lungo studiata dai filosofi occidentali e ha dovuto esser distinta dalla teologia pura e semplice, vale a dire da quella teologia che si pratica nelle facoltà teologiche e che, per contrapposizione, è stata chiamata «soprannaturale» o «sacra». La prima è in effetti uno studio metodico e critico di Dio, della sua esistenza, dei suoi attributi, dei suoi rapporti con le creature e si fa per mezzo delle sole facoltà umane (o «naturali»). La seconda teologia è stata sempre uno studio, il più serio possibile di Dio, degli uomini, dell'universo intero, che parte o si appoggia principalmente su rivelazioni «speciali» di Dio stesso. Queste rivelazioni sono dette «soprannaturali» per sottolineare con forza il fatto che non se ne sarebbe potuto conoscere né dedurre né desumere il contenuto con il semplice esercizio delle capacità umane, ma soltanto con un aiuto di Dio capace di supplire all'inevitabile insufficienza o limite delle capacità *create*. (Esempio di rivelazione «soprannaturale»: il destino particolare che l'essere creato non potrebbe raggiungere da se stesso, ma che Dio avrebbe liberamente scelto di offrire agli uomini insieme al suo indispensabile concorso).

Anche se molti teologi ritengono ancora utile fare della teologia «naturale», numerosi pensatori e filosofi contemporanei hanno abbandonato questa disciplina che − sostengono − tratta di cose «religiose» che per conseguenza appartengono ai soli teologi (o ai credenti). Dopo tutto, c'è qualcosa di più «religioso» dello stesso Dio o dei suoi piani o delle sue attese concernenti le sue creature? Ma forse si equivoca spesso rispetto a ciò che sarebbe propriamente «religioso» e forse sarebbe il caso di riconoscere, contrariamente a un'opinione molto diffusa, che non basta studiare Dio o fare delle ricerche o un discorso razionale su di lui perché questo sia di per sé un atto *religioso*.

Ci sono persone che fanno degli studi metodici, per esempio su certi insetti, per saperne di più sulla loro anatomia, nutrimento, modo di riprodursi, habitat e abitudini. Di queste persone si dice che fanno «entomologia». Di quanti studiano in modo sistematico i fenomeni atmosferici, o il cuore umano, o i comportamenti sociali per saperne sempre di più, si dice che fanno meteorologia, cardiologia o sociologia. Se ora c'è qualcuno che fa delle ricerche critiche su Dio per aumentare o migliorare la conoscenza di questo «oggetto» particolare (che considera esistente o semplicemente possibile o anche solo come una nozione il cui contenuto più o meno variabile lo incuriosisce) è chiaro che fa della *teologia*. E se il suo scopo non è altro che cercare di *saperne di più* su questa realtà o su questa semplice nozione, occorrerà senza dubbio riconoscere che questa persona, in questo momento, non fa nulla di *religioso*. (Né di «naturalmente» né di «soprannaturalmente» religioso). Niente di più religioso in ogni caso di chi fa dell'entomologia o qualsiasi altra «logia».

Che sarebbe d'altra parte un processo propriamente «religioso»? Una riflessione attenta potrebbe portare alla seguente descrizione: una persona sta facendo qualcosa di religioso se la sua azione mira a captare, direttamente o indirettamente, quelle che crede essere le aspettative o gli atteggiamenti di Dio nei suoi confronti in questo momento; oppure tende a manifestare a questo Dio l'atteggiamento che essa vorrebbe avere verso di lui. Oppure ancora se questa persona cercasse con ogni mezzo (conoscitivo o altro) di ritrovare, mantenere o approfondire un rapporto «positivo» tra lei e Dio per migliorare la comunicazione con lui o per meglio «incontrarlo».

Se questo è il processo propriamente religioso, è chiaro che a partire dai soli *testi* di Aristotele, per esempio, si dovrebbe pensare che questo ricercatore non compie nessun atto religioso quando in quella parte della filosofia che Aristotele considerava più importante e che chiamava «teologia», si sforza di conoscere meglio o di meglio capire l'«atto puro», il modo particolare (finalistico) che questo Dio avrebbe di muovere gli altri esseri, ossia l'attività principale e caratteristica di questo Dio. Infatti, in mancanza di documenti più espliciti sull'argomento, sembra chiaro che Aristotele non cercasse altro che *saperne sempre di più* su questo essere particolare, solo questo.

Diverso sarebbe il caso di chi vuol saperne di più su un Dio in cui crede già, unicamente perché pensa (a torto o a ragione) che un'aumentata conoscenza o comprensione gli consentirebbe di entrare in comunicazione più personale o più intima con lui. Si tratta in questo caso di un atto propriamente religioso. E se questa ricerca di conoscenza e di comprensione si facesse in maniera metodica e critica — nel caso con l'ausilio di teorie unificanti o esplicative — allora senza alcun dubbio si dovrebbe parlare di *teologia* religiosa, vale a dire di un atto che al tempo stesso è religioso e teologico. Infine tale ri-

cerca sarebbe «soprannaturale» o «naturale» secondo che lo sforzo di comprensione faccia ricorso o meno a dati che ogni essere creato è in grado di procurarsi senza una «rivelazione» — la ricerca si dice allora «soprannaturale» — dello stesso Dio. (Sembra che sia spesso difficile, o addirittura impossibile, trovare le componenti puramente naturali d'una ricerca *concreta* di teologia religiosa e «soprannaturale»).

Bibl. - J.F. Donceel, *Natural Theology*, New York 1962; B. Welte, *Auf der Spur des Ewigen*, Freiburg 1965; Id., *Heilsverständnis*, Freiburg 1967; Id., *Dal Nulla al Mistero assoluto*, Casale Monferrato 1985 (or. 1978); K. Rahner, *Uditori della parola*, Torino 1967; D. Braine, *The reality of Time and the existence of God*, Oxford 1988.

GILLES LANE

II. Manualistica

Tra i due concili vaticani la teologia cattolica si è espressa soprattutto attraverso i manuali in latino di teologia fondamentale e dogmatica, usati nella maggioranza dei seminari e delle università ecclesiastiche. L'organizzazione, il metodo e il contenuto di queste opere costituì la «normale scienza» teologica (T. Kuhn) impartita nella chiesa cattolica, prima della drammatica apparizione dei nuovi paradigmi di pensiero e di esposizione in seguito al concilio Vaticano II. Un breve resoconto delle principali caratteristiche della teologia manualistica fondamentale e dogmatica può servire a una migliore comprensione del dramma e della profondità del recente cambiamento.

1. TEOLOGIA FONDAMENTALE - Come esempi di manuali specializzati sulla rivelazione e la teologia fondamentale anteriori al Vaticano II citiamo le opere, frequentemente ristampate, di R. Garrigou-Lagrange (1ª ed. 1918), di H.J. Dieckman (1925), di S. Tromp (1930) e di M. Nicolau (1950). La stes-

sa concezione di massima della materia e dei suoi procedimenti si ritrova anche nel primo volume di numerose serie di libri di testo, concepite come corsi quadriennali di teologia sistematica: ad es. Ch. Pesch (vol. I, 1ª ed. 1894), A. A. Tanquerey (1894) e L. Lercher (1927). La notevole stabilità del metodo e dei contenuti evidente nella teologia fondamentale di queste opere risale alla fine del XVIII secolo. Tuttavia, nella vasta diffusione di questo modo di trattare i fondamenti della fede e della teologia, i trattati «De vera religione» e «De locis theologicis» nelle *Praelectiones theologicae* in nove volumi di G. Perrone (✝ 1876) del Collegio Romano, furono i più importanti. Le *Praelectiones* di Perrone, pubblicate per la prima volta nel 1835-1842, giunsero fino a trentaquattro edizioni, mentre un loro compendio più breve vide quarantadue edizioni fino al 1888.

Le componenti principali della teologia fondamentale in questa tradizione manualistica erano i trattati su: *a.* la natura della religione; *b.* la natura della divina rivelazione, insieme a una esposizione della sua possibilità e necessità per gli uomini, come pure i criteri per mezzo dei quali essa può essere riconosciuta per quello che è; *c.* la *demonstratio christiana*, che mostra in Gesù di Nazareth il portatore pienamente accreditato della rivelazione soprannaturale di Dio all'umanità; *d.* la *demonstratio catholica*, che dimostra come la chiesa cattolica fu fondata da Gesù e incaricata della missione di trasmettere, esporre e difendere la divina rivelazione; *e.* le principali fonti dei contenuti della fede e degli argomenti teologici (→ Luoghi teologici), specialmente la Scrittura e la Tradizione, dalle quali la teologia dogmatica desume gli elementi e gli argomenti nella sua esposizione della fede e per contribuire a una più profonda intelligenza di essa.

La tematica centrale della teologia fondamentale manualistica è la dimostrazione, desunta da testimonianze storicamente degne di fede contenute nei vangeli, 1. che Gesù *dichiarò* effettivamente di essere l'inviato di Dio, il suo legato e portavoce a servizio della sua volontà di rivelarsi, e 2. che Gesù *confermò* la propria pretesa mediante la ricca evidenza del compimento in lui delle profezie, dei suoi miracoli e in modo supremo con la sua risurrezione dai morti. Da questa dimostrazione scaturisce la conclusione razionale e storica che Gesù di Nazareth, con la sua consapevolezza di essere il messia e con i suoi miracoli, è degno di fede come maestro e mediatore della rivelazione. In Gesù si riscontra l'adempimento dei tests criteriologici per accertare la presenza della rivelazione. Secondo i manuali, l'evidenza di questo «giudizio di credibilità» è pubblicamente accessibile a quanti consultano i documenti, e la conclusione segue in modo logico e convincente dai fatti riportati nelle fonti.

Tra le caratteristiche specifiche dei manuali classici, si può prima di tutto notare la loro comune interpretazione della rivelazione di Dio come istruzione circa verità altrimenti irraggiungibili. In quanto tale, la rivelazione può essere facilmente espressa in formule, compresa la formulazione di dottrine circa misteri che oltrepassano le possibilità della ragione naturale. Mediante la rivelazione Dio ci comunica, soprattutto, una conoscenza soprannaturale.

I manuali erano caratterizzati anche da una diffusa ostilità verso l'approccio alla rivelazione sulla scia del metodo di → immanenza. La trattazione della corrispondenza tra il bisogno interiore e la pretesa e il contenuto delle dottrine rivelate sposterebbe l'attenzione sulla sfera dell'interiorità soggettiva e potrebbe limitare il contenuto della rivelazione. Il carattere positivo e soprannaturale della comunicazione divina potrebbe ve-

nir compromesso da un simile metodo. I manuali crearono l'atmosfera
che portò alla condanna del → «modernismo» da parte del papa Pio X
con il decreto *Lamentabili* e l'enciclica *Pascendi* (1907), mentre la teologia manualistica, che trovò conferma in queste condanne, divenne un
veicolo primario della diffusione degli argomenti contrari al modernismo;
in altre parole, si insisterà sui criteri
storici oggettivi, fino al 1960.

Scopo delle dimostrazioni dei manuali non era quello di suscitare la
fede, quanto piuttosto di mostrare la
credibilità della testimonianza data alla rivelazione da Gesù e dalla sua
chiesa. La → credibilità, in questo sistema, s'impone con la forza dell'e-
videnza e degli argomenti convoglia-
ti, indipendentemente da una qualunque interiore illuminazione degli «occhi della fede» (Rousselot). Questo
tipo di teologia fondamentale conduce lo spirito alla soglia della fede. Il
movimento dell'intelligenza e della
volontà fino alla fede stessa costituisce un ulteriore passo al di là del giudizio di credibilità, un passo in cui
la grazia di Dio attrae lo spirito del-
l'uomo ad abbracciare e far propria
la sua parola precisamente perché è
la rivelazione divina. La fede poggia
sull'autorità di Dio stesso, che da sola
si impone come garante delle verità
che devono essere accettate e conferisce certezza di un ordine del tutto
differente dalla conclusione concernente la credibilità. Però le dimostrazioni della teologia fondamentale sono pur sempre utili, dal momento che
esse espongono i segni esterni con i
quali Dio raccomanda i suoi legati alla ragione umana. In tal modo l'assenso di fede, pur rimanendo soprannaturale, viene presentato non come
contrario alla ragione, ma come «obsequium rationi consentaneum» (Vaticano I, DS 3009).

2. TEOLOGIA DOGMATICA - Siccome
il metodo teologico viene trattato a

lungo altrove in quest'opera (→ Metodo), qui diamo soltanto, in breve,
le caratteristiche dei trattati su Dio,
su Cristo, sulla grazia, sui sacramenti, ecc., come venivano presentati nei
manuali di dogmatica della teologia
cattolica tra i due concili vaticani.

Nelle loro argomentazioni ed esposizioni i manuali seguono il metodo
«regressivo». Ciò richiede che si parta dall'insegnamento attuale del magistero ecclesiastico, per poi far vedere in che modo questa dottrina fosse
originariamente espressa nella Scrittura e quindi sviluppata nelle espressioni della fede cattolica patristica e
medievale. Le fonti vengono lette alla luce di ciò che è insegnato e creduto nella chiesa contemporanea dal
teologo. Il risultato inteso è di render conto dell'armonico graduale sviluppo fino a quello che si trova esplicito nell'attuale insegnamento. Questo metodo, che ha dominato a lungo nella tradizione manualistica, fu
sancito in modo ufficiale dal papa
Pio XII nell'enciclica *Humani generis* (1950); essa affermava che il magistero deve essere la «prossima e universale norma di verità» del teologo
e che il compito della teologia è quello di mostrare in che modo gli insegnamenti del magistero si trovano in
modo esplicito o implicito nella Scrittura e nella tradizione apostolica
(DS 3884, 3886).

Spesso i manuali sono detti «neoscolastici» e a volte si dice che si sono sviluppati sotto l'influsso dell'enciclica *Aeterni Patris* di papa Leone
XIII (1879), nella quale Tommaso
d'Aquino veniva presentato come
modello e norma del pensiero cattolico. Tuttavia, a un esame più accurato risulta che i manuali si discosta-
no notevolmente dallo scopo generale e dalla ricerca di saggezza che si
riscontra nelle *summae* dell'alto medioevo. Il metodo manualistico fu
contrassegnato più profondamente
dai principi di Melchior Cano (→
Luoghi teologici) che non da Tom-

maso d'Aquino. I manuali sono figli del loro tempo, l'epoca del positivismo, e danno il primo posto all'accumulo di dati a sostegno delle loro conclusioni. Nei manuali i dieci luoghi di Cano sono notevolmente semplificati in quanto, molto tipicamente, fanno seguire alla precisa enunciazione dell'insegnamento della chiesa, un procedimento standard in tre momenti del processo dimostrativo: dalla Scrittura, dalla tradizione e dagli argomenti razionali, intesi a mostrare la ragionevolezza della dottrina e la sua coerenza con altre verità accertate di ordine naturale e soprannaturale.

I manuali danno pure l'impressione di essere stati strumenti di indottrinamento ai fini della fedeltà agli insegnamenti del magistero. È vero che, tendenzialmente, essi assegnavano al magistero conciliare e papale il ruolo di soggetto principale dell'attività teologica. Ma nello stesso tempo i migliori teologi manualisti erano abili nel fare una lettura accurata e critica dei documenti del magistero. Mentre il manualista costatava la dottrina attuale, prima di ricorrere alle fonti egli calibrava attentamente l'esatto peso di autorità inerente alla tesi dottrinale e a ciascuna delle sue parti. Essenziale per questo metodo era la scala differenziata delle «note teologiche», che venivano adoperate per dare alle dottrine presentate un posto preciso nella gradazione di autorità: dal dogma solennemente definito fino alla semplice probabilità di opinione teologica. Di conseguenza gli studenti venivano resi coscienti dei differenti gradi di certezza esistenti nella propria globale adesione all'insegnamento cattolico.

3. Problemi e pregi - La teologia manualistica incontrò difficoltà molto prima del suo ampio ripudio conseguente al Vaticano II. Per esempio, la tradizione tomista che faceva capo alla scuola di Le Saulchoir insisteva sul ruolo strumentale dell'enunciazione dottrinale fatta dalla chiesa. Le formule non sono l'oggetto finale della fede, ma servono piuttosto a mediare il movimento della fede verso l'unione personale con la verità salvifica di Dio stesso. Il metodo dogmatico manualistico subordinava persino la Scrittura all'intento predominante di fornire prove a favore delle dottrine correnti; mentre queste ultime dovevano servire come aiuti e strumenti per la comprensione della parola di Dio, del *datum* rivelato, così come era stato espresso dai suoi profeti e apostoli ispirati e in particolar modo dal Figlio suo.

Gli studi biblici, in crescente importanza dopo la seconda guerra mondiale, mostravano che la teologia fondamentale manualistica fraintendeva i vangeli considerandoli come delle cronache storiche. Il personalismo cristiano giudicava del tutto estraneo l'estrinsecismo con cui i manuali trattavano la rivelazione soprannaturale e insisteva nel richiamare l'attenzione sulla corrispondenza tra ciò che emerge dal cuore umano e il dono di Dio in Cristo.

Si riteneva che una teologia della fede centrata nella sottomissione all'insegnamento autoritativo deformasse la fondamentale percezione, da parte del Nuovo Testamento, della rivelazione come invito di Dio alla comunione di vita con lui. Il Vaticano II, nella → *Dei Verbum*, fece propria la seconda concezione in maniera enfaticamente cristocentrica e ciò segnò la fine della teologia fondamentale manualistica.

Tuttavia, bisogna pure tener presente, nella nostra epoca post-manualistica, che i manuali avevano mantenuto la teologia in stretto contatto con la vita della chiesa dei loro tempi. Il loro campo visuale era senz'altro ristretto alla sola considerazione del magistero, trascurava il culto liturgico della chiesa, il *sensus fidelium*, e altri segni dello Spirito; ma la loro teologia era salvaguardata dal cadere in una trattazione antiquata delle fonti a motivo del suo impegno a enunciare con la dovuta precisione la fede attuale della chiesa.

Forse la teologia manualistica non ha dato il dovuto peso alle ricchezze della divina rivelazione salvifica, specialmente in quanto essa raggiunge la sua pienezza nella persona e nella vita di Gesù stesso. Comunque questa stessa teologia ha mostrato un interesse esemplare a porre la rivelazione in rapporto con la storia umana e la fede con la ragione umana. I manuali lottarono strenuamente per preservare la trascendenza della rivelazione soprannaturale, ma nel fare ciò non fuggirono dall'ambito della riflessione umana e del discorso metodico. La dimostrazione di credibilità era un tenace sforzo per mantenere il rapporto tra la fede e la ragione. Oggi la credibilità viene specificata in modo radicalmente diverso. Ma la tradizione manualistica ci richiama quella che è una fondamentale posta in gioco, vale a dire che la fede si inserisce al centro del pensiero, della ricerca e dell'amore umano ed ivi elabora un resoconto comunicabile e intelligibile della sua speranza.

Bibl. - A. Gaboardi, «Teologia fondamentale. Il metodo apologetico», in Autori vari, *Problemi e orientamenti di Teologia dommatica*, Milano 1957, I, 57-103; G. Thils, *Orientations de la théologie*, Louvain 1958; M.-D. Chenu, «Théologie au Saulchoir», in *La Parole de Dieu*, I, La Foi dans l'intelligence, Paris 1964, 243-267; R. Latourelle, *Teologia scienza della salvezza*, Assisi 1968; T.S. Kuhn, *La struttura delle rivoluzioni scientifiche*, Torino 1969; J. Schmitz, «La théologie fondamentale», in R. Vander Gucht - H. Vorgrimler (edd.), *Bilancio della teologia del XX secolo*, Roma 1972, II, 233-282; B. Welte, «Il mutamento strutturale della teologia cattolica nel XIX secolo», in *Sulla traccia dell'eterno*, Milano 1976, 117-151; G. Colombo, «La teologia manualistica», in Autori vari, *La teologia italiana oggi*, Milano 1979, 25-56; G. Daly, *Transcendence and Immanence. A Study in Catholic Modernism and Integralism*, Oxford 1980; F.-J. Niemann, *Jesus als Glaubensgrund in der Fundamentaltheologie der Neuzeit*, Innsbruck-Wien 1983; G. Heinz, *Divinam christianae religionis originem probare. Untersuchunchen zur Entstehung des fundamentaltheologischen Offenbarungstraktat der katholischen Schultheologie*, Mainz 1984.

Jared Wicks

III. Trascendentale

Il concetto di «teologia trascendentale» si ricollega in modo speciale al nome di K. Rahner, ma il suo uso non è univoco. Con esso si intende generalmente il fatto che nella teologia si utilizza o la filosofia trascendentale di Kant o alcuni suoi elementi essenziali. Ciò presuppone che al sistema del filosofo di Königsberg si conceda una compatibilità almeno parziale con la riflessione teologica e che il suo pensiero non sia giudicato totalmente opposto al cristianesimo. Per questo non ci si può occupare in modo particolareggiato in questo luogo dell'alterna disputa specialmente tra pensatori e teologi cattolici, ma anche tra magistero ecclesiastico e la filosofia kantiana, poiché finora essa non è compresa in modo sufficiente e motivato. Tuttavia un tale approfondimento non è necessario in modo assoluto in quanto la teologia trascendentale non è subordinata alla filosofia trascendentale, perché in definitiva essa ha propri fondamenti teologici e si serve della filosofia trascendentale come la teologia patristica si serviva di un certo platonismo e la scolastica di un certo aristotelismo. Anche se la problematica di un tale "servirsi" è chiaramente consapevole proprio a partire da Kant, è pur vero che ovunque c'è attività del pensiero entrano in gioco dati e metodi filosofici.

In collegamento con la questione della «disciplina teologica fondamentale» (cfr. STh VI 149-167), K. Rahner nel 1964 ha costatato che la «nuova teologia fondamentale» doveva essere in larga misura «trascendentale»; doveva cioè riflettere sulle condizioni di possibilità nel soggetto credente di realizzare i contenuti della fede per poter esporre più chiaramente la corrispondenza fra l'essenza formale della rivelazione in genere e il suo «contenuto» cristiano. A questo riguardo, per la teologia trascendentale non si tratterebbe soltanto della questione generica delle condizioni di possibilità della verità cristiana e della sua accettazione nella fede. Questa prospettiva sarebbe piuttosto orientata a priori sull'uomo. Essa sarebbe così collegata con il cambiamento od orientamento antropocentrico, naturalmente in nessun modo in opposizione al fatto che Dio stesso è e resta il punto di partenza e il centro della rivelazione e della teologia. Preso seriamente si tratta soltanto del «pro nobis» dell'agire divino, in base al quale e nel cui orizzonte Dio diviene accessibile e noto all'uomo. Questo aspetto della trasmissione della rivelazione ha indubbiamente avuto poca attenzione e perciò è stato per lungo tempo misconosciuto e sottovalutato nella sua natura e importanza. Per questo si capisce il forte accento che è stato posto su di esso nella teologia più recente, quando ci si trovò di nuovo di fronte a esso e alla sua problematica. Non si può negare che l'interesse per la filosofia trascendentale di Kant abbia favorito questa riscoperta. Però ha anche contribuito a che ben presto si avessero diverse formulazioni e accentuazioni di teologia trascendentale, che talvolta avevano poco in comune, e perfino si opponevano tra loro.

Entrando nel merito della questione, ogni autentica teologia è di fatto trascendentale, poiché essa deve parlare di Dio e precisamente con il linguaggio dell'uomo, cosicché in ogni caso, direttamente o indirettamente, rimanda al di là dello spazio immediato del vivere, dell'agire, del pensare. Con ciò allarga spontaneamente l'orizzonte naturale del problema dell'uomo e afferma la possibilità del → soprannaturale. Questa asserzione traduce la situazione dell'uomo che non è chiuso in sé né può bastare a se stesso. Un'analisi accurata di tale situazione fa capire che l'uomo è necessariamente ordinato a certe relazionalità, senza che si possa determinare in qualche modo a priori la loro forma precisa. Ciò dipende non da ultimo dal fatto che il loro fattore determinante non si trova né si può trovare nell'uomo. Questi perciò in linea di principio deve regolarsi in modo tale che abbia da rapportarsi con qualcosa più grande di sé e non viceversa. Tuttavia si tratta di autentica corrispondenza relazionale, anche se la sua realtà e la sua precisazione vengono da altri.

Questa impostazione fondamentale per la comprensione della teologia trascendentale richiede una nuova determinazione, presa sul serio almeno come possibilità, del rapporto tra soggetto e oggetto, come era indubbiamente conosciuto dalla filosofia antica. Nella conoscenza umana ci può essere una realtà oggettiva (*Objekt*) che viene trattata come oggetto (*Gegenstand*) e in tal modo sta a disposizione della conoscenza, ma che in realtà è del tutto sottratto a tale dipendenza, poiché è l'origine di ogni determinazione e disposizione. Appare contemporaneamente alla comprensione umana come un oggetto intramondano, anche se già per il modo di apparire annuncia all'uomo un diritto che secondo la sua natura gli spetta realmente e lo invita a una «conversio». In altre parole: la teologia trascendentale richiede, come uno dei primi passi, un nuovo orientamento del teologo, nel senso che si deve rendere conto e accettare, da una parte la differenza fra la sua conoscenza e la sua presa di posizione e dall'altra il suo posto e il suo ruolo nella realtà.

La teologia trascendentale si presenta quindi come un metodo che coinvolge colui che l'utilizza; si tratta di un modo determinato di portare avanti la problematica e la riflessione teologica, derivante dal fatto che il messaggio del cristianesimo si rivolge all'uomo e lo provoca, cioè vuole ottenere qualcosa da lui. La proposta si riferisce all'uomo in modo tale che senza questo orientamento non sarebbe un messaggio cristiano. Tuttavia tale atteggiamento di fondo penetra nell'uomo solo in quanto egli stesso acconsente alle esigenze e alle provocazioni del vangelo, si lascia interpellare da esso e mette così in azione potenzialità che sono presenti anche in lui: ascoltare, comprendere, acconsentire ecc. È difficile dire fin dove queste possibilità sono date in anticipo indipendentemente da tutto, o fin dove vengono date insieme alla chiamata (→ potentia oboedientialis), poiché l'uomo può diventarne cosciente solo nell'attuazione pratica, nella quale già cooperano sempre Dio e l'uomo. Proprio questa collaborazione sottolinea lo stato dell'uomo necessariamente orientato alla trascendenza, in quanto tale struttura è attiva, come si può dimostrare, anche dove viene negata espressamente e tematicamente.

La teologia trascendentale non può né vuole essere *la* teologia, ma un suo momento, poiché la fede determina sempre, storicamente e concretamente, tutta l'esistenza. Ogni «analysis fidei» si compie anche in modo teologico-trascendentale e riguarda perciò la verità cristiana e tutte le singole verità della fede, cosicché si può porre la questione del suo significato per gli articoli tradizionali della fede, la loro comprensione, il loro approfondimento e la loro esposizione. Una tale applicazione contenutistica ha un'importanza che varia da verità a verità, ma in ogni caso manifesta il collegamento dei misteri e ricorda che la piena comprensione del vangelo richiede irrinunciabilmente una visione contestuale delle sue affermazioni. In questo modo si impedisce la tendenza all'isolamento che riguardo

alle verità rivelate ha un influsso deformante e alternante. Similmente il carattere teologico-trascendentale della riflessione si orienta contro una concezione statica e troppo legalistica della rivelazione, mostrando che si tratta di un processo vitale che si sottrae continuamente all'intervento di fissazione, senza perdere per questo precisione e forza.

Appunto per questo la riflessione teologico-trascendentale rivela di nuovo il carattere missionario del cristianesimo e offre una visione della natura del processo di convincimento e di persuasione, cioè della testimonianza, che raggiunge il suo significato stimolando a un'ulteriore testimonianza. In ciò il messaggio supera se stesso e conserva la sua struttura fondamentale anche di tipo contenutistico e tematico. In un mondo che si unifica sempre più e che non conosce più alcun paese nel quale non sia noto in qualche modo il messaggio cristiano o nel quale esso non possa essere conosciuto facilmente, non è più sufficiente un'attività missionaria presentata in modo solo spaziale-geografico, per cui risulterebbe: trascendenza = espansione. L'esempio mostra come essenzialmente si sviluppino e mutino le categorie dei concetti, cosa che può accadere consapevolmente e responsabilmente solo con l'aiuto di un pensiero che è e deve essere teologico-trascendentale, se non si vuole farlo dipendere da riflessioni che per loro natura non hanno niente a che fare con la fede e la teologia.

La teologia trascendentale riguarda dunque i presupposti e l'inizio della riflessione stessa sulla fede. Essa permette di riscoprire e di sottolineare nel fenomeno globale del cristianesimo quegli aspetti che finora non hanno trovato un'attenzione particolare e che a causa delle circostanze non dovevano nemmeno trovare, ma che nel contesto attuale sono da considerare con tanta più urgenza, se la rivelazione di Gesù Cristo, secondo il vangelo, deve raggiungere anche gli uomini di questo tempo. Essa si rivela come uno strumento oggi necessario per una responsabile giustificazione della fede e per il cui uso valgono indubbiamente regole particolari.

Innanzitutto si deve richiamare l'attenzione sulla peculiare forma indiretta della riflessione teologico-trascendentale circa la fede. L'opera di K. Rahner è a questo riguardo un esempio chiaro. In questa forma indiretta si dimostra ancora una volta la situazione dell'uomo che non può disporre né di Dio né del suo rapporto con Lui, ma che nondimeno prende posizione circa la fede e così in un modo che gli è proprio riconosce Dio come suo Redentore e Signore. Questo Dio si mostra a lui con un volto umano nella figura di Gesù Cristo, cosicché non a caso le questioni della cristologia erano e sono il centro della chiarificazione e della discussione intorno alla teologia trascendentale. Sotto ogni riguardo qui si pone il problema della condizione di possibilità, cosicché la cristologia richiede con forza la riflessione teologico-trascendentale, anche se ciò non deve necessariamente avvenire in modo concreto, come ha spiegato K. Rahner.

Inevitabilmente però in questa riflessione si impone anche il problema dell'accesso teologico-fondamentale nel suo riferimento alla sintesi dogmatica della verità cristologica, cioè secondo l'autonomia necessaria e legittima delle discipline appunto nel loro collegamento insopprimibile. Qui però esso diviene cosciente poiché la teologia trascendentale tiene già pronti gli elementi di una soluzione motivata.

Bibl. - K. Rahner, «Teologia trascendentale», in SM VIII, 347-353; Id., «Dio, automediazione (comunicazione) di», in SM III,96-101; Id., *Corso fondamentale sulla Fede*, Alba 1977; P. Rousselot, *Gli occhi della fede*, Milano 1977; L.B. Puntel, «Zu den Begriffen "tran-

szendental" und "kategorial" bei Karl Rahner», in *Wagnis Theologie*, H. Vorgrimler (ed.), Freiburg/Br. 1979, 189-198; F.-J. Niemann, *Jesus als Glaubensgrund in der Fundamentaltheologie der Neuzeit*, Innsbruck 1983, 375-421; E.G. Farrugia, *Aussage und Zusage*, Roma 1985, spec. 198-215.

KARL H. NEUFELD

IV. Narrativa

L'espressione «teologia narrativa» costituisce un lemma programmatico che, pur avendo qualche precedente nell'opera di → K. Barth e di altri, si è imposto nel linguaggio teologico solo dagli anni '70 ad opera di studiosi come il linguista H. Weinrich e teologi come J.B. Metz, L. Wachinger, B. Wacker, C. Molari, J. Navone, senza parlare di coloro che come L. Boff o E. Schillebeeckx più che trattare di teologia narrativa hanno impostato i loro studi, in campo sacramentale e cristologico, in una prospettiva fondamentalmente narrativa.

1. LA «NARRAZIONE» IN TEOLOGIA - Dire «teologia narrativa» non significa semplicemente far riferimento a una teologia composta di racconti, ma ricuperare un modo di far teologia che si ponga in costante ascolto della narrazione originaria dell'evento di Gesù di Nazareth e lo ritrasmetta in modo narrativo (*parádosis*); una teologia esperta quindi nell'analisi delle narrazioni salvifiche e della loro riproposizione odierna, e impegnata a tener desta la memoria narrativa della comunità ecclesiale.

A riguardo occorre riconoscere che il cammino che la riflessione teologica è impegnata a compiere è ancora lungo; al momento, la teologia appare piuttosto sprovveduta di fronte al problema della narrazione. Il teologo che si inoltra in questo campo ha la netta sensazione di muoversi in un ambiente per lui in gran parte nuovo ed estraneo alla sua «forma mentis».

a. *Natura del «narrare»* - La narrazione appartiene al genere letterario della → «testimonianza»; in essa, il narratore tende a passare in secondo piano per far parlare i fatti e/o i protagonisti. Nel racconto non sono tanto le argomentazioni logiche ad avere un ruolo di primo piano quanto la sequenza delle vicende, con le esperienze rievocate, le descrizioni e le conclusioni che ne scaturiscono. Il tempo passato (o aoristo) diventa un presente, ed è questa continua attualità che rende la narrazione come un evento significativo in atto. Il vero narratore è colui che fa rivivere nell'oggi i fatti che racconta, quasi rifacendo la storia e «ricreandola» per i suoi interlocutori. Ciò suppone un reale coinvolgimento del narratore in quanto narra, pena il ridursi solo a un freddo o meccanico ripetitore di qualcosa che non gli appartiene, incapace di ridare forza vitale al racconto.

b. *Efficacia della narrazione* - Una volta che la narrazione sia effettivamente tale, essa è in grado di far partecipare gli ascoltatori ai fatti raccontati e/o all'esperienza evocata. L'effetto del racconto potrà essere di tipo emotivo, di semplice curiosità, di compatimento oppure di natura propositiva, provocatoria o interpellante, ma esso non mancherà, fosse pure soltanto quello di un rifiuto di ciò che viene narrato. Di fronte alla narrazione è come se i soggetti si trovassero in presenza di un simbolo che chiama ad attualizzare la forza vitale che si è espressa nella storia. Il ricordo del passato diventa scintilla di altri ricordi, forza attivante la felicità (o il dolore) di un amore vissuto (o perduto), esperienza che permette di riordinare eventi che sembravano dimenticati e di dar loro un nuovo senso. Quando il ricordo del passato riguarda fatti storici che hanno operato dei cambiamenti decisivi, la loro narrazione diventa come una rinascita, un rinnovarsi nell'impegno assun-

to una volta, fino a presentarsi talvolta come un «ricordo rischioso» implicante la consapevolezza di una storia da realizzare, anche pagando di persona.

c. *Verità della narrazione* - Il problema della verità della narrazione dev'essere affrontato e risolto nel rispetto del genere letterario che le è proprio. Altro è un racconto che poggia la sua verità su fatti realmente accaduti, altro una narrazione chiaramente fittizia come un'allegoria o una metafora la cui verità risiede essenzialmente in ciò che si vuole comunicare con essa. La percezione della verità di una narrazione implica in ogni caso almeno due condizioni previe: il discernimento del tipo di racconto (storico, simbolico, mitologico) e l'individuazione della sua specifica finalità (che cosa intende dire il narratore?). Senza l'accertamento di queste due condizioni, non è possibile la determinazione della verità (o messaggio) del racconto. Ogni narrazione porta con sé un carattere *euristico*, ma esige di essere correttamente compresa.

2. RAGIONI DI UNA «TEOLOGIA NARRATIVA» - Il bisogno di una «teologia narrativa», oltre che dalla riscoperta del valore semantico del «mito» e dai più recenti sviluppi della filosofia del linguaggio, deriva da una rinnovata presa di coscienza della figura narrativa della rivelazione giudaico-cristiana. Se è vero che il linguaggio biblico comporta tre forme essenziali di espressione (la *narratio*, l'*appellatio* e l'*argumentatio*), è altrettanto vero che quella narrativa rimane la forma basilare, oltre che più comune, che determina fondamentalmente anche le altre due.

a. *Da Gesù al kêrygma e alla catechesi* - I vangeli presentano Gesù come un «narratore di storie». La comunità delle origini, confessante la fede nel Risorto, si caratterizza come una comunità che *narra* i fatti accaduti. La fede è l'invito a mettersi alla sequela di Gesù di Nazareth, il Narratore narrato dalla comunità che si riunisce per far memoria della sua pasqua e annunciarla a tutti. Il kêrygma è annuncio di eventi e di esperienze vissute, fatto da chi ha «visto e udito», e può dunque raccontare a ragion veduta l'evento del Cristo e i fatti della sua vicenda terrena, dalla nascita fino alla morte di croce e alle apparizioni pasquali. La proclamazione: «Egli è risorto. Noi ne siamo i testimoni!», cuore della fede della chiesa apostolica, è una narrazione. La catechesi, che si sviluppa su questo fulcro, assume, a sua volta, una forma prevalentemente narrativa, come appare dai vangeli che la riecheggiano nella loro struttura globale e nelle singole unità letterarie. Le riflessioni teologiche successive (come quelle paoline e giovannee) si radicano anch'esse su fatti di Gesù di Nazareth e sul racconto trasmesso dalla comunità, pur sviluppandone le implicazioni dottrinali e morali.

b. *La fede come «homologhía» narrata* - La fede, quale si è espressa specialmente nei simboli, conserva una struttura essenzialmente narrativa: si proclama, narrandola, la storia trinitaria della salvezza, la storia che ha origine dal Padre, creatore del cielo e della terra, si attua nella missione del Figlio e nei misteri della sua vita, e si dispiega nello Spirito diffuso sulla chiesa e sul mondo, in attesa della parusia finale. Il simbolo della fede è l'*homologhía* narrativa della chiesa, una proclamazione che si fa racconto nella triplice figura di parola annunciata-celebrata-vissuta; una proclamazione che è in se stessa una testimonianza da raccontare e un appello alla fede con cui la comunità ecclesiale si riconosce e si «dice» al mondo. Tutto il percorso della fede è caratterizzato, del resto, dall'ascolto di un annuncio che si fa «memoria» e si trasmette nella chiesa, di ge-

nerazione in generazione, in modo intatto e sempre nuovo.

c. *Una «nuova innocenza» narrativa* - L'impegno dei teologi che si richiamano alla teologia narrativa è indirizzato a riscoprire in quale modo la teologia possa ritrovare oggi la sua innocenza narrativa, senza annullare i risultati dell'indagine storico-critica e le esigenze di una sana ermeneutica. I nuovi sviluppi dell'esegesi non hanno posto fuori gioco, come in un primo momento si era creduto, la ricchezza originaria del narrare biblico-evangelico; al contrario, l'hanno reso utilizzabile in un modo più vero e corretto. Naturalmente ciò esige che si passi da un'innocenza narrativa più o meno «ingenua» ad una «seconda innocenza» in grado di tener conto delle istanze di un'attenta esegesi, ma senza mai dimenticare che la parola rivelata è una parola vivente, una domanda interpellante l'uomo di ogni tempo e luogo, una «memoria» che non è mai un evento neutro, ma sempre «una memoria sovversiva» capace di spezzare il cerchio di ogni falsa coscienza e d'impegnare ogni «uditore della parola» nell'opzione decisiva della fede.

3. TEOLOGIA NARRATIVA E TEOLOGIA SISTEMATICA - In che rapporto si pone la teologia narrativa con la teologia sistematica?

a. *Il modello «neoscolastico» di teologia* - Il primo aspetto da rilevare è la critica che la teologia narrativa rivolge al modello neoscolastico di teologia, accusato di aver assunto un carattere esclusivamente argomentativo, al punto che il compito della teologia ha finito per essere quasi solo quello di dedurre dalle tesi dogmatiche precedentemente stabilite delle conclusioni dottrinali implicite o virtuali. La «memoria» della rivelazione biblica ha riguardato, di conseguenza, solo le verità da affermare. Si spiega così, ad esempio, come la manualistica moderna abbia finito per lasciar cadere il capitolo relativo ai misteri della vita di Cristo che invece in S. Tommaso conservava un posto di ampio rilievo. Analoghe considerazioni si potrebbero fare per la teologia trinitaria, per la teologia della chiesa e dei sacramenti e per buona parte degli ambiti del «sapere teologico». L'impoverimento della teologia moderna è dipeso in buona misura dalla perdita della sua capacità di narrare la fede in termini di storia di salvezza (*oikonomía*) e di «eventi e parole indissolubilmente connessi» (DV 2), trascurando la carica euristica nascosta in tale forma di annuncio. Prima di argomentare, occorrerà tornare a motivare la fede con la narrazione della storia di Gesù di Nazareth e la singolarità degli eventi della sua esistenza terrena. Il teologo è anzitutto un narratore di Gesù il Signore e un testimone della sua pasqua.

b. *Teologia narrativa e teologia argomentativa* - Questo non vuol dire che la «teologia narrativa» debba essere opposta alla «teologia argomentativa»; significa soltanto che il narrare dev'essere accolto come una dimensione costitutiva del lavoro teologico. Se la teologia narra è per condurre a riflettere teologicamente sui contenuti della sua narrazione, sviluppandone le implicazioni e organizzandole in una visione unitaria e il più possibile articolata. Il difetto della teologia argomentativa non era di argomentare, ma di partire o di ridursi solo ad argomentare, finendo per trascurare il fatto che la fede si struttura anzitutto come una rivelazione che si è fatta storia, in cui evento e parola sono costitutivi di una narrazione da testimoniare in quanto tale, evitando di ridurla solo ad un sistema di verità astratte o di asserzioni da dimostrare.

c. *Scienza storica e teologia narrativa* - La teologia narrativa argomenta dunque, ma in modo diverso dalla teologia strettamente sistematica. Se quest'ultima conduce a delle convinzioni nel quadro della concatenazione logica di principi dogmatici e conclusioni, la teologia narrativa vuole indurre a delle affermazioni di fede attraverso l'ostensione della verità che traspare dai fatti raccontati o dal racconto di questi fatti nella fede della chiesa. È evidente che un tale modo di far teologia suppone un legame stretto tra scienza storica, teologia fondamentale e storia del dogma. Non basta dire: «Gesù è risorto», occorre poter narrare che «Gesù è *veramente* risorto!»; solo così l'annuncio dei cristiani è sottratto al pericolo del soggettivismo o dell'arbitrio ed è in grado di «render conto della speranza che è in noi» (1 Pt 3,15). La critica storico-testuale non solo non si oppone alla teologia narrativa, ma è indispensabile per la determinazione del rapporto che sussiste tra «storia narrante» e «storia narrata» e per il concomitante accertamento teologico della verità racchiusa nel racconto della fede trasmesso dalla chiesa.

d. *Teologia narrativa e «teologia pratica»* - Un ultimo aspetto da sottolineare è il legame che si pone tra teologia narrativa e «teologia pratica», intesa quest'ultima nella sua accezione più ampia, dalla teologia morale alle teologie della prassi, dalla teologia pastorale alla catechesi. Contrariamente a quanto si potrebbe pensare, la teologia narrativa ha un connotato profondamente «pratico». Il racconto mette in gioco infatti l'esperienza dell'interlocutore, coinvolgendolo in prima persona, seppur a diverso titolo o livello. Il racconto tende alla comunicazione, e la comunicazione suppone una risposta, un incontro o un dialogo in cui gli interlocutori sono «presi» come attori di ciò che si dicono o rivivono nella «memoria» attualizzante di quanto viene narrato. La narrazione, sotto questo aspetto, ha una valenza *performativa* che non è esagerato qualificare come «sacramentale». Si comprende in questo orizzonte il rapporto inseparabile che si pone nella fede della chiesa tra «parola» e «sacramento» come macro-segni di narrazioni salvifiche, autoimplicantesi l'una nell'altro. Quando, ad esempio, nell'anamnesi eucaristica diciamo: «Nella notte in cui fu tradito...», noi ci inseriamo in una narrazione e operiamo sul registro di una narrazione che si fa al tempo stesso parola proclamata ed evento sacramentale che attualizza quanto si ricorda, lo fa rivivere nell'oggi dell'assemblea celebrante e apre al futuro, impegnando ad attuare nella storia il «mistero» posto in essere dalla chiesa.

4. FIGURE APPLICATIVE DELLA TEOLOGIA NARRATIVA - Nel contesto di quanto si è detto, si comprende la varietà e la molteplicità delle forme con cui la teologia narrativa è applicata ai vari ambiti del sapere teologico. Di fatto, essa appare riferita, pur con accentuazioni diverse, alla storia delle religioni e alla teologia fondamentale, alla teologia biblica, alla cristologia, alla sacramentaria e alla teologia liturgica, alla teologia morale e alla teologia spirituale, all'antropologia teologica, alla teologia politica, alla teologia pastorale e alla catechesi. Si può discutere su talune di queste applicazioni o sul modo con cui vengono sviluppate; è indubbio tuttavia il loro significato per la riscoperta di un modo di «dire Dio» e l'evento della salvezza in termini di annuncio vivente per gli uomini del nostro tempo e di ogni tempo.

Bibl. - B. Wacker, «Teologia narrativa», in Conc 5 (1973) 66-79; Id., Narrative Theologie?, München 1977; J.B. Metz, «Breve apologia del narrare», in Conc 5 (1973) 80-98; C. Molari, «Natura e ragioni di una teologia narrativa», editoriale a B. Wacker, Teologia narrativa, Brescia 1981, 5-29; J. Navone, «Teologia narrativa: una rassegna delle sue applicazioni», in RdT 5 (1985) 401-423, Id. (ed.), Teologia narrativa, Roma 1988.

CARLO ROCCHETTA

V. Politica

La teologia politica è una delle principali correnti teologiche che si sono sviluppate negli anni sessanta; costituisce fondamentalmente un fenomeno europeo, però è strettamente collegata con altri movimenti simili come la teologia nera negli Stati Uniti e la teologia della liberazione in America Latina. Tra le personalità di rilievo collegate con questo movimento ci sono il teologo cattolico J.B. Metz e quello protestante J. Moltmann.

Nel suo libro An Alternative Vision. An Interpretation of Liberation Theology (New York 1985), R. Haight nota che normalmente una prima distinzione tra teologia politica e teologia della liberazione si fa da un punto di vista geografico, dal momento che la teologia politica è ristretta all'emisfero settentrionale, mentre la teologia della liberazione è fiorita in quello meridionale. Ma a parte questo, si sostiene comunemente che la teologia politica affonda le sue radici nella tradizione dell'agnosticismo filosofico kantiano. La problematica religiosa del primo mondo è collegata alla questione della secolarizzazione: quale posto ha la fede in un mondo in cui la parola «Dio» è sempre più destituita di significato? D'altra parte, l'America Latina è visibilmente religiosa. Là Marx è il principale interlocutore del dialogo e il problema predominante è quello dell'ingiustizia sociale.

Ma Haight procede sostenendo che in realtà una problematica simile unisce la teologia politica e quella della liberazione, cioè il modo in cui la crisi post-illuministica considera il significato della storia. L'illuminismo, con il suo rifiuto di una rivelazione soprannaturale e della visione cristiana della storia, ridusse la ragione a strumento di risoluzione di problemi. Sempre più l'uomo cercò di risolvere tutte le questioni umane sulla base della ragione tecnologica. Ma rimase non chiarito il fine ultimo verso cui avrebbe dovuto essere orientata la liberazione dell'uomo. Inoltre l'illuminismo fece una severa distinzione tra la ragione, che era una realtà pubblica, e la religione, che era un fatto privato, cosicché il singolo individuo doveva cercare di creare il proprio significato. Nel nostro secolo una serie di guerre mondiali, di campi di concentramento, di esperienze di genocidio, la sproporzione nella distribuzione dei beni tra i paesi del primo e quelli del terzo mondo, la minaccia dell'olocausto nucleare hanno reso sempre più radicale la crisi a proposito del significato della storia. Come la fede cristiana può rispondere a questa crisi? La posta in gioco è se il cristianesimo può costituire un valido discorso pubblico, se ha qualcosa di concreto da offrire all'uomo imprigionato nell'apparente mancanza di significato dell'esistenza storico-sociale, o se invece la fede cristiana è solo un'altra versione del trascendentalismo e persino oppio per il popolo. In questo modo il problema della credibilità della fede, per il fatto che è legato alla crisi del significato della storia, costituisce il legame tra la teologia politica e quella della liberazione.

Come è già stato indicato, la teologia politica può essere compresa solo nel contesto dell'illuminismo. In un certo senso l'illuminismo mette fine alla teologia politica, o almeno al suo modello predominante. L'illuminismo, mostrando l'orrore delle guerre di religione, domandava una netta separazione tra religione e politica. La religione fu ridotta alla sfera privata. Al posto della religione, l'illuminismo offrì la salvezza attraverso l'uso della ragione umana. Tuttavia, l'attuale critica all'illuminismo ha mostrato che non esiste la pura ragione. I filosofi illuministi, proponendo il culto della dea ragione, stavano in realtà offrendo la liberazione solo ai borghesi. Il ritorno al soggetto proclamato dall'illuminismo fu in realtà l'e-

spressione di un rigido individualismo e condusse al sistema capitalistico dei nostri moderni stati industrializzati occidentali.

L'attuale critica all'illuminismo cerca di mostrare come tutta la ragione sia già ragione storica. Viene criticato l'illuminismo perché ha escluso gli aspetti negativi della storia, perché non ha letto la storia dal punto di vista delle vittime e degli oppressi. La lettura illuministica della storia non fu affatto neutrale. Pensatori come Marcuse, Horkheimer e Adorno hanno auspicato un uso storico critico della ragione, che mostri fino in fondo la dimensione negativa della storia e che dal negativo ricavi stimoli verso nuove possibilità di liberazione. Come nota Marcuse: «La memoria del passato può permettere che si arrivi a pericolose comprensioni e la società stabilita sembra temere il contenuto sovversivo della memoria» (citato da Moltmann, *The Experiment Hope*, Philadelphia 1975, 103).

Un altro fattore importante nello sviluppo della teologia politica è costituito dall'appropriazione della comprensione che Marx ha avuto circa la relazione tra teoria e prassi. Marx aveva già criticato l'idea illuministica che riteneva esistesse la pura ragione. La filosofia contemporanea, sviluppando questa linea di pensiero, comprese in senso dialettico la relazione tra teoria e prassi. La teoria proviene dalla prassi ed è modificata dalla prassi in modo circolare. Per prassi non si intende l'attività irriflessa, ma un'azione ispirata e resa conscia di sé dalla teoria. Prassi potrebbe essere definita qualsiasi attività umana che ha il potere di trasformare la realtà e di renderla più umana; in questo contesto, la fede cristiana non è vista prima di tutto come una teoria, ma come una prassi. Il cristianesimo è uno stile di vita, un modo di essere nel mondo. Non è un'idea, ma un processo di umanizzazione e di liberazione. Credere in

Cristo è un modo di essere e di agire nel mondo, è una partecipazione al movimento stesso della storia. Attraverso tale partecipazione, l'esito del movimento è già trasformato.

Queste riflessioni generali che costituiscono il retroterra della comprensione del significato della teologia politica, diverranno più concrete quando esamineremo le posizioni rappresentative di Moltmann e di Metz.

La prima teologia di Moltmann fu descritta in modo popolare come teologia della speranza. Nel suo primo periodo egli fu fortemente influenzato dalla teologia neo-ortodossa di → K. Barth. L'accento era posto sull'escatologia e il vangelo era letto come una speranza escatologica in una nuova creazione al di là delle vicissitudini della nostra presente sofferenza. Sebbene la teologia di Moltmann fosse dall'inizio orientata al futuro e contenesse un elemento marxista, dal momento che il suo interlocutore fu il filosofo marxista E. Bloch, l'accento era posto sul futuro totalmente altro e aveva poca rilevanza il legame tra presente e futuro.

Tutto questo, tuttavia, cambiò all'inizio degli anni settanta quando Moltmann cominciò a dialogare con Horkheimer e con Adorno e si orientò verso una teologia della croce e in realtà verso una teologia politica del crocifisso.

Moltmann notò che anche nell'antichità la teologia possedeva una indubbia dimensione politica. Uno dei segni distintivi della civiltà romana fu il legame tra il benessere dello stato e il culto degli dèi. I sacrifici agli dèi garantivano il benessere dello stato. Quando più tardi Costantino creò l'impero cristiano, adottando la religione cristiana, fondamentalmente battezzò la religione politica dei romani. Questa idea fu predominante durante il medioevo cattolico e persino nel protestantesimo classico, dal momento che senza il supporto dei prìncipi, il protestantesimo non avreb-

be mai potuto sopravvivere. Sebbene l'illuminismo avesse radicalmente rotto con questo modello, Moltmann sostiene che i suoi effetti siano ancora percepiti nelle moderne religioni civili, come lo dimostrano i nazionalismi del XIX secolo. Sebbene non sia auspicabile ritornare al modello pre-illuministico di religione politica, Moltmann ritiene che non possiamo accontentarci di una visione individualistica della religione secondo la quale la fede consisterebbe puramente nella proclamazione della signoria di un Dio santo nei singoli cuori (Harnack). Pertanto Moltmann chiede un nuovo modello di teologia politica, che egli chiama il modello della corrispondenza. In questo modello si cerca di creare un legame tra l'*éschaton*, il futuro ultimo del mondo, e le realtà penultime, qui e ora. Moltmann ammette che non è possibile creare un ponte dalle realtà penultime alle ultime. Solo Dio può realizzare il suo regno; tocca a noi creare anticipazioni del futuro ultimo, cercare di rendere il nostro mondo attuale un segno sacramentale della sua presenza. Sebbene si possa fare questo solo in modo frammentario, è possibile, tuttavia, creare parabole del regno.

Il centro del progetto di Moltmann è il Cristo crocifisso. Per prima cosa Moltmann osserva che non possiamo de-politicizzare la croce di Cristo. Gesù fu condannato come un rivoluzionario politico e come una minaccia per lo stato. Sebbene Gesù non fosse uno zelota, il suo messaggio di fedeltà assoluta al solo regno di Dio costituì in realtà una minaccia nei confronti della sovranità di tutti i sistemi politici. Inoltre, il fatto che nella risurrezione Dio chiaramente manifestò se stesso in unione con il Cristo crocifisso, indica che Dio è dalla parte dei poveri, degli abbandonati e degli emarginati con i quali Cristo si è identificato. La risurrezione del Cristo crocifisso pone ogni uomo e ogni donna davanti a una scelta: Cristo o Cesare. In altre parole, l'identificazione di Dio con il Cristo crocifisso ha rivelato che la via di Dio non è quella del potere, della relazione padrone-schiavo. Dio si è rivelato come amore sofferente, come un Dio che ha preso la parte dei poveri e dei miseri della terra. Così Moltmann esprime questo suo pensiero: «Il Dio crocifisso è, di fatto, un Dio senza stato e senza classi. Non per questo è un Dio apolitico: è il Dio dei poveri, degli oppressi e degli umiliati. Il potere di un Cristo politicamente crocifisso può affermarsi soltanto con la liberazione dalle forme di potere basate sul disimpegno e sull'apatia e dalle religioni politiche che la stabilizzano» (*Il Dio Crocifisso*, Brescia 1973). O ancora: «Per coloro che riconoscono il Cristo di Dio nel crocifisso, la gloria di Dio non rifulge più a lungo sulle corone dei potenti, ma solo sul volto del Figlio dell'uomo torturato» (*The Experiment Hope*, Philadelphia, 1975, 111).

Così, unendo la dialettica negativa di Horkheimer e di Adorno con la teologia della croce, Moltmann è capace di creare una nuova ermeneutica per la teologia politica. Il credente contemporaneo non teme di guardare le esperienze negative di sofferenza, morte, mancanza di significato e abbandono da parte di Dio. Egli riconosce che la storia del mondo è stata storia di violenza e che il mondo è insozzato dai corpi delle vittime di tale violenza. Ma nello stesso tempo questo elemento negativo suscita nell'uomo il desiderio religioso del totalmente Altro, del regno di giustizia in cui l'assassino non trionfa più sulla sua vittima e in cui i morti sono risuscitati. Sulla base della sola dialettica negativa, tale desiderio sarebbe pura nostalgia di una impossibile utopia, ma sulla base dell'identificazione di Dio con la sofferenza del mondo nel Cristo crocifisso, tale sofferenza stimola il cristiano a creare

quelle corrispondenze alle sue speranze di un futuro ultimo che incominciano a trasformare il nostro mondo a renderlo sacramentale, rendendo nello stesso tempo credibile il vangelo cristiano della speranza.

Riferendoci ora alla teologia di J.B. Metz, possiamo immediatamente notare che la sua teologia subisce uno sviluppo notevole negli anni successivi al concilio Vaticano II. La sua prima opera fu scritta sotto l'influenza determinante di → K. Rahner. Metz cercò di approfondire l'approccio trascendentale di Rahner e seguì il suo maestro sviluppando il ritorno kantiano verso il soggetto nella direzione di una antropocentricità cristiana (cfr. *Antropocentrismo cristiano*, Roma 1968). Verso la metà degli anni sessanta, tuttavia, Metz cominciò a criticare l'approccio di Rahner, che ritenne troppo individualistico. Cercò quindi di comprendere l'uomo come un essere sociale e storico. Si poté notare, tuttavia, un significativo mutamento nel significato del termine «orizzonte». Per Rahner, Dio è l'orizzonte infinito implicito in ogni atto di conoscenza e di volontà. Metz mantiene la nozione di orizzonte, ma parla dell'orizzonte ultimo come dell'assoluto futuro. Così in dialogo con il marxismo, il pensiero di Metz è cospicuamente più escatologico di quello di Rahner. Il vangelo della risurrezione proclama l'assoluto futuro del mondo. Questo futuro, tuttavia, non è puramente estraneo, ma ci dà un criterio per mezzo del quale giudicare e criticare la presente realtà sociale.

La teologia di Metz è perciò più orientata di quella di Rahner verso la croce. Si è visto prima che la fede cristiana è una forma di prassi. Questa prassi ha la sua origine nella storia che il vangelo proclama. Di nuovo vediamo qui che Metz rifiuta l'idea illuministica di una pura ragione separata. La fede cristiana non si basa su un'idea, ma sulla storia di Gesù e la sua croce. E la storia di Gesù è la storia dell'identificazione di Dio con i poveri. È la storia della promessa di libertà. Come avviene per molte altre storie, anche questa si conclude con l'assassinio del liberatore. Ma la risurrezione proclama che questa storia non è una tragedia, perché Dio ha risuscitato Gesù dalla morte. Egli è vivo e porta il suo messaggio di liberazione alle vittime che soffrono per le ingiustizie di oggi. Il cristiano ricorda allora il passato in vista del presente e del futuro. La memoria del passato diventa essa stessa un principio di critica del presente alla luce del futuro promesso. In questo senso Metz parla di una «memoria pericolosa» o di una «memoria escatologicamente orientata».

Oltre alla memoria e alla narrazione, Metz introduce un terzo principio ermeneutico. Le moderne culture post-illuministiche, dominate da un pensiero razional-strumentale, sono basate sul principio dello scambio. In realtà questo significa: «Io mi occuperò dei tuoi interessi se tu baderai ai miei». È chiaro che una tale base per la società è in realtà una forma di reciproco egoismo. Il comandamento cristiano dell'amore è escluso. Un fondamento cristiano della società dovrebbe piuttosto essere basato sulla solidarietà, cioè sui bisogni dell'altro. Questa solidarietà si estende a tutte le vittime dell'ingiustizia e rifiuta la visione evoluzionistica del progresso, secondo la quale i singoli individui possono essere sacrificati al progresso in marcia attraverso la tecnologia. La solidarietà si estende raggiungendo persino i morti. Metz sarebbe d'accordo con Horkheimer sul fatto che se il desiderio del totalmente Altro non deve essere una fuga dalla realtà negativa delle vittime uccise dalla passata oppressione, tale desiderio deve includere la speranza della loro risurrezione e perfino quella della riconciliazione con i loro assassini.

Considerando le implicazioni eccle-siologiche della teologia politica, Metz sostiene che la missione della chiesa consiste nel mantenere desta la pericolosa memoria di Gesù e nel criticare le istituzioni esistenti alla luce del suo futuro. Metz riconosce che i rapporti della chiesa con la politica dovrebbero essere indiretti. La chiesa come tale non deve avere un programma politico, né deve identificarsi con un partito politico. Fare questo vorrebbe dire rischiare di cadere nell'ideologia. La chiesa ha piuttosto una funzione profetica nella società: quella di criticare le ingiustizie che esistono alla luce del regno che Gesù predicò. Naturalmente secondo questa prospettiva escatologica, la chiesa dovrebbe allinearsi più facilmente con i movimenti rivoluzionari di liberazione, piuttosto che con quelli di restaurazione conservatrice. La chiesa è dalla parte del potere del futuro, non dalla parte dello *status quo*. Nello stesso tempo, come comunità profetica, la credibilità propria della chiesa dipende dalla propria volontà di criticare se stessa come istituzione e di lasciare che la pericolosa memoria di Gesù sia la luce che determina la sua prassi e il suo stile di vita.

Bibl. - J.B. Metz, *Sulla teologia del mondo*, Brescia 1969; Id., *La fede nella storia e nella società*, Brescia 1978; J. Moltmann, *Religione, rivoluzione e futuro*, Brescia 1971; Id., *Il Dio Crocifisso*, Brescia 1973; Id., *L'Esperimento speranza*, Brescia 1976.

JOHN O'DONNELL

VI. Della liberazione

1. UN NUOVO MODO DI FARE TEOLOGIA - La teologia della liberazione (TL) ha ricevuto impulso dalla Seconda Conferenza Generale dell'Episcopato Latino-americano, tenutasi a Medellín in Colombia nel 1968 con il titolo «La chiesa nella trasformazione attuale dell'America Latina alla luce del concilio». Si trattava di applicare all'immenso continente la-

tinoamericano, che costituisce quasi la metà del mondo cattolico, la nuova coscienza che la chiesa aveva preso di se stessa nel secondo concilio Vaticano e la sua volontà di apertura al mondo e ai problemi dell'umanità. Medellín lo fece con un coraggio esemplare, offrendo alla pratica pastorale della chiesa nuove prospettive. La Conferenza lo fece anche con realismo, parlando della situazione concreta di un continente che, malgrado le note differenze tra paese e paese, ha alcuni tratti comuni che lo definiscono: antica colonizzazione e influenza secolare di un cristianesimo importato dall'Occidente; sottosviluppo e profonde ineguaglianze sociali; povertà disumanizzante delle masse; regimi politici opprimenti e dipendenza economica da un potente vicino del Nord. Medellín prese parte a favore del cambiamento sociale e della riforma politica, condannò il neocolonialismo esterno, si impegnò in favore dei poveri con un'opzione preferenziale, definì i criteri di un orientamento pastorale popolare. La Conferenza influenzò così profondamente il processo che doveva sfociare nello sviluppo di un nuovo progetto teologico dalle dimensioni continentali.

La prima discussione sistematica di questo nuovo progetto teologico è costituita dal libro di G. Gutiérrez *Teología de la liberación* (1971), abbozzato dall'autore in un articolo pubblicato due anni prima. A partire di qui la nuova teologia si diffonderà rapidamente e la sua produzione letteraria diventerà presto molto vasta. Sviluppandosi acquisirà indubbiamente forme diverse. Si è infatti potuto distinguere «due teologie della liberazione» (J.L. Segundo) in America Latina: una prima, ancora elitaria, diffusa soprattutto tra gli ambienti universitari e un'altra, sviluppatasi tra il popolo e a partire da questo, più impegnata in una rivalutazione della cultura tradizionale e soprattutto del-

la religione popolare (→ Religione, V). Dobbiamo anche tenere conto del fatto che la teologia della liberazione uscirà rapidamente dal continente latinoamericano per diffondersi negli altri continenti del Terzo Mondo, in cui si svilupperà progressivamente con modelli propri, africani e asiatici. Si estenderà anche in Occidente in diverse minoranze oppresse come i neri degli Stati Uniti e le promotrici del movimento femminista.

Nonostante questi diversi modelli e caratteristiche proprie della riflessione teologica di ognuno dei grandi protagonisti, la TL non appare per questo una teologia meno nuova e originale. Malgrado le innegabili influenze subite da parte della teologia occidentale – giacché la maggior parte dei teologi della liberazione hanno fatto una parte importante dei loro studi in Europa – la TL si distingue vigorosamente e a pieno titolo. Essa si dice non solo diversa, ma in contraddizione con la teologia occidentale, anche «progressista», che si sviluppa dal lato opposto della società e a partire da una situazione storica differente. La TL latinoamericana si fa «dal basso della storia», cioè a fianco del popolo oppresso e nel cuore del suo processo storico. Non è un esercizio accademico che avrebbe come interlocutore il «non credente» da condurre alla fede; essa si fa a partire dalle masse oppresse, dalle «non persone» (G. Gutiérrez), che costituiscono un popolo credente impegnato in un processo di liberazione umana. La stessa «teologia politica» europea non sfugge alle sue critiche, in quanto viene elaborata in un'ottica e in un contesto diversi e non raggiunge la realtà sociale del Terzo Mondo.

La TL rappresenta quindi una via teologica originale. Non si tratta di una forma nuova della teologia che dovrebbe estendersi a un *oggetto* o a un *tema* nuovo (teologie «del genitivo»). Non si inscrive nella linea delle diverse teologie come quelle *delle* realtà terrene, della speranza, della politica, della rivoluzione, della secolarizzazione... «La TL non propone tanto un nuovo tema di riflessione quanto un *nuovo modo di fare teologia*» (G. Gutiérrez). Essa è un «orizzonte» (L. Boff) diverso; un «atteggiamento di spirito o uno stile particolare di pensare la fede» (Cl. Boff) in funzione di una situazione storica. Si tratta prioritariamente di «liberare la teologia» stessa (J.L. Segundo) dal suo luogo sociale elitario e dal suo carattere accademico, per un coinvolgimento in un processo ermeneutico e critico in una congiuntura storica a partire da una pratica liberatrice. Essa può definirsi come «una riflessione critica che parte da una pratica liberatrice alla luce della fede» (G. Gutiérrez).

2. Le coordinate della teologia della liberazione - a. *Luogo e soggetto della teologia della liberazione.* Il luogo teologico della TL è il popolo delle masse opresse, i «poveri»: si tratta delle classi popolari economicamente deboli, oggetto di discriminazione sociale e le cui condizioni inframane di vita sono dovute a ingiuste strutture della società. Non basta aiutare economicamente questi poveri con un'azione «caritativa» che li mantenga in stato di dipendenza e persino rinforzi le strutture che li opprimono. Nemmeno può bastare farli accedere a un ipotetico «sviluppo» con un'azione riformista aleatoria, mantenendo di fatto le strutture di un globale sistema ingiusto. Infatti la «rottura epistemologica» sopravvenuta negli anni '60 ha dimostrato l'inadeguatezza della teoria dello sviluppo: il sottosviluppo degli uni è in funzione dello sviluppo degli altri; la problematica dello sviluppo finisce di fatto con l'aumentare lo scarto tra i benestanti e i diseredati. Si tratta dunque di farli accedere a un'autentica liberazione umana; più esattamente, di renderli capaci di liberare se stessi come la loro dignità umana richiede. Solo una strategia di liberazione, capace di cambiare le condizioni sociali e di condurre a cambiamenti strutturali, può aiutare i poveri a uscire dalla loro situazione di oppressione. Una tale strategia è messa in opera dalla TL.

Destinati a essere gli artefici della loro liberazione, i poveri sono anche il soggetto della teologia che sostiene e promuove tale liberazione. La TL è teologia del popolo, prima di essere con e per il popolo. Ciò non vuol dire che il teologo di professione non abbia alcun ruolo da svolgervi, ma tale ruolo è di accompagnamento. Consiste nell'aiutare i poveri ad articolare per se stessi la loro riflessione su una pratica liberatrice alla luce della rivelazione. Ciò significa anche l'identificazione con i poveri che si esige da qualunque teologo di professione che pretenda di essere teologo della liberazione. Non basta che egli appoggi la causa dei poveri; deve aver parte stretta con loro, condividendo il loro progetto e la loro azione. Deve farsi povero con i poveri fino a sentirsi uno di loro; solo allora sarà portato ad articolare una riflessione teologica che parta dal luogo teologico dei poveri.

b. *Prassi e atto teologico.* La TL non è una teologia deduttiva che parta da principi dottrinali astratti per applicarli poi, in un secondo tempo, alla realtà concreta. Al contrario vuole essere induttiva, passando dalla realtà vissuta alla riflessione, da una pratica liberatrice all'atto teologico. Ciò significa che la prassi liberatrice vissuta nella fede ne è il primo atto, mentre l'elaborazione segue in secondo luogo. Si potrebbe applicarle la definizione anselmiana della teologia come *fides quaerens intellectum*, ma sottolineando che la fede primaria non è una fede astratta, ma essenzialmente impegnata in una prassi liberatrice e dunque, contestuale e militante. Questa fede pratica, o piuttosto questa prassi di fede, ha per scopo quello di cambiare la realtà, di trasformare le relazioni umane di dipendenza e di dominio in vista di una liberazione umana integrale. L'atto teologico che ne segue porterà l'impegno della prassi liberatrice alla coscienza riflessiva; misurerà questa prassi alla luce della parola rivelata e del messaggio evangelico, cercandovi l'ispirazione per un nuovo impegno. «La TL vuole quindi essere una riflessione critica su una prassi umana ... alla luce della prassi di Gesù e delle esigenze della fede» (L. Boff).

Induttiva e contestuale, in quanto parte dal reale vissuto e si lascia interpellare dalla realtà storica che cerca poi di illuminare alla luce della rivelazione, la TL è anche una teologia ermeneutica. Parte da un contesto concreto nel quale la chiesa dei poveri vive la sua fede per interpretarla a partire dal messaggio evangelico. La teologia ermeneutica è stata definita come «un nuovo atto interpretativo dell'evento Gesù Cristo sulla base di una correlazione critica tra l'esperienza cristiana fondamentale, testimoniata dalla tradizione, e l'esperienza umana di oggi» (C. Geffré). La nuova interpretazione del messaggio cristiano nasce «da questa circolarità tra la lettura credente dei testi fondatori che testimoniano l'esperienza cristiana originaria e l'esistenza cristiana di oggi» (C. Geffré). L'esistenza cristiana di oggi è dovunque condizionata dal contesto storico in cui vive con le sue componenti culturali, sociali, politiche e religiose. La teologia ermeneutica consisterà, dunque, in un andare e venire progressivo e continuo, tra l'esperienza contestuale attuale e la testimonianza dell'esperienza fondatrice di cui la tradizione fa memoria. Questo continuo andare e venire tra contesto e testo, tra presente e passato è ciò che si intende per «circolo ermeneutico». In realtà non si tratta di circolarità tra due membri, ma di una triangolarità e della mutua interazione dei tre angoli: il testo o il dato della fede, il contesto storico e l'interprete di oggi; o ancora, la memoria cristiana, la storia in genesi e la comunità ecclesiale o la chiesa locale.

Questa descrizione della teologia ermeneutica e del suo metodo si applica perfettamente alla TL, purché si identifichino correttamente le tre componenti del triangolo: il contesto storico è la situazione massiva di oppressione e di povertà disumanizzante delle masse lavoratrici; l'interprete è questo stesso popolo impegnato in una prassi liberatrice in vista della propria liberazione integrale; il dato della fede sarà prioritariamente l'azione liberatrice del Dio di Israele e la prassi liberatrice del Gesù storico.

c. *Tre mediazioni*. La TL tenta di articolare una lettura della realtà che parta dai poveri e sia in vista della loro liberazione. Per far ciò «essa usa le scienze umane e sociali, attua una mediazione teologica e richiama a un'azione pastorale in favore degli oppressi» (L. Boff). La sua elaborazione può dunque essere divisa in tre tappe che corrispondono ai tre stadi successivi che abitualmente si distinguono nel lavoro pastorale: vedere, giudicare, agire. È così che bisogna comprendere le tre «mediazioni» o le tre tappe che servono da strumenti al processo teologico: la mediazione socio-analitica o storico-analitica, che consiste nel cercare le cause della situazione oppressiva dei poveri; la mediazione ermeneutica che discerne il piano di Dio nei confronti dei poveri e degli oppressi; la mediazione pratica che cerca di scoprire le linee di azione da seguire per vincere l'oppressione in accordo con il piano divino. Dobbiamo percorrerle rapidamente.

La TL deve cominciare con l'informarsi sulle condizioni reali dei poveri, sulle forme di oppressione e sui loro motivi. Questa analisi sociale e storica fa parte del processo teologico stesso di cui essa costituisce una tappa indispensabile. Simile analisi porta a una spiegazione «dialettica» della povertà e dell'oppressione: la povertà è il prodotto storico di un sistema economico e sociale che sfrutta una classe a vantaggio di un'altra. È un fenomeno collettivo e conflittuale che può essere vinto solo sostituendo un sistema sociale ingiusto con un altro, cioè con una trasformazione profonda delle basi stesse del sistema economico e sociale.

L'analisi sociale operata dalla TL è simile all'analisi marxista o si distingue chiaramente da essa? Senza identificarsi esclusivamente con l'analisi marxista, la TL non teme di farne uso come di uno strumento, in quanto questo sia capace di chiarire le situazioni di povertà e le loro cause strutturali. Ma mentre dichiarano di usare liberamente e criticamente l'analisi marxista, i teologi della liberazione rifiutano invece l'imputazione loro fatta di cadere nell'ideologia marxista, cioè di accedere al materialismo dialettico. Essi intendono certo prendere in prestito dal → marxismo alcune «indicazioni metodologiche» utili all'analisi, come l'importanza del fattore economico, l'attenzione alla lotta di classe, al potere mistificatore delle ideologie, ivi compresa quella religiosa, ma intendono conservare un atteggiamento decisamente critico nei confronti del marxismo come ideologia materialista e atea. Resta il problema dell'instabile equilibrio tra l'adozione dell'analisi marxista da una parte e il rifiuto della sua ideologia dall'altra.

La seconda tappa dell'impresa teologica – la seconda mediazione – è la mediazione ermeneutica. Una volta riconosciuta la situazione di oppressione e i suoi meccanismi, il problema è posto: che cosa ha da dire la parola di Dio? Il discorso diventa allora formalmente teologico: si tratta

di vedere il processo di oppressione/liberazione alla luce della fede. Per far ciò la TL mette in opera un'«ermeneutica della liberazione», cioè un modo nuovo di leggere la bibbia a partire da una situazione vissuta di oppressione. Questa lettura poggia sui grandi temi dell'Antico e del Nuovo Testamento che vi si rapportano e vi si prestano: Dio liberatore del popolo oppresso, i diritti dei poveri e le esigenze della giustizia nei profeti; l'annuncio di un mondo nuovo; il regno di Dio per i poveri; l'azione liberatrice di Gesù e il suo aspetto politico; la missione della chiesa che continua tale azione.

Questa lettura è fedele al messaggio fondatore della rivelazione; la sua interpretazione contestuale tuttavia vi scopre comunque un senso nuovo. Per comprenderlo bisogna intendere la rivelazione divina nel senso della totalità dei rapporti personali stabiliti da Dio con l'umanità attraverso la storia e quindi come ancora sviluppantesi oggi all'interno della stessa storia di liberazione e di salvezza vissuta da ogni popolo. Ciò permette all'ermeneutica della liberazione di interpretare i testi fondatori a partire da una situazione vissuta e da una prassi di liberazione, svelandovi la «riserva di senso» (J.S. Croatto) che la presente congiuntura fa risaltare. In questo modo la parola di Dio conserva nella dialettica tra testo e contesto il suo carattere sovrano proprio mentre si attualizza nel contesto stesso. Il senso fondatore del testo è in funzione del senso pratico: «l'importante non è tanto interpretare il testo della Scrittura quanto interpretare la vita "secondo la Scrittura"» (Cl. e L. Boff). L'ermeneutica della liberazione cerca dunque di sprigionare l'energia trasformatrice del testo biblico nell'attuale contesto di oppressione; a questo scopo mette in rilievo il contesto sociale cui storicamente la parola fondatrice si riferisce, soprattutto il contesto di oppressione in cui visse Gesù e il contesto politico della sua morte in croce.

La terza mediazione a cui fa ricorso la TL è la mediazione pratica. Così come trovava il suo punto di partenza nell'azione (prassi liberatrice), la TL ritorna e riconduce ancora all'azione. Essa mira a risultati pratici e tangibili in termini non solo di conversione personale ma anche di cambiamenti strutturali. Infatti nel contesto dell'ingiustizia e dell'oppressione cui sono ridotti i «diseredati della terra», non basta che la fede «sia anche politica; essa deve essere prima di tutto politica» (Cl. e L. Boff). La TL conduce dunque all'azione pastorale per la giustizia, alla conversione e alla trasformazione della società. La sua strategia evangelica privilegia i metodi non violenti come il dialogo, la persuasione, la pressione morale, la resistenza passiva, ecc., facendo ricorso alla forza fisica solo in ultima istanza.

Riassumendo, possiamo dire che la TL si costruisce sull'opzione fondamentale per i poveri e sulla prassi liberatrice da una parte, e dall'altra sulla reciproca articolazione delle tre mediazioni: socio-analitica, biblico-ermeneutica e pratico-pastorale.

3. TEMI CHIAVE DELLA TEOLOGIA DELLA LIBERAZIONE - Possiamo solo indicarne brevemente alcuni riguardanti Dio, Gesù Cristo e la chiesa.

a. *Il Dio della bibbia è Padre degli oppressi* - Il Dio della TL è il Dio dell'esodo e dei profeti. Come testimonia il libro dell'*Esodo*, Dio ascolta il grido degli oppressi e decide di liberarli. Prende partito per i poveri ed è parziale nei loro confronti; tale parzialità è basata sulla giustizia a cui tutti hanno diritto e che deve essere assicurata prima di tutto a coloro cui viene rifiutata. Dio rende giustizia ai poveri ed è adorato con atti di giustizia. È un Dio liberatore: la liberazione degli israeliti dalla schiavitù in Egitto è un evento politico che conduce all'esperienza religiosa di una liberazione integrale, anche dal peccato e dalla morte. Dio è così il Dio della storia e non di una speculazione metafisica. Si rivela attraverso la storia e l'instaurazione nel mondo del suo regno escatologico. È nella storia che lo si incontra quando si partecipa alla sua azione liberatrice. La vera alternativa riguardo a Dio non è quella tra fede e ateismo, ma tra fede e idolatria: è la scelta tra il Dio liberatore dei poveri nella storia e le idee che gli uomini si fanno di Dio e che riflettono un universo sociale dominato da forze asservitrici. Tali forze sono gli idoli creati da mano d'uomo per opprimere i poveri, idoli che sono da distruggere.

Per quanto riguarda la → Trinità del Dio cristiano, la TL vi vede il simbolo e il paradigma di una società umana e di una comunità ecclesiale di comunione, di partecipazione e di uguaglianza. Essa dunque sottolinea che l'unità non precede affatto in Dio la pluralità delle persone. Bisogna rifiutare ogni concetto di monarchia del Padre nel senso di una subordinazione delle altre persone; questa teoria di «dipendenza», così come quella di un antecedente monoteismo, può servire da giustificazione a regimi politici unitari o a una chiesa rigorosamente gerarchizzata. Bisogna sostenere un Dio che è egli stesso solo comunione di persone, come garante di una società egalitaria e di una chiesa fraterna.

b. *Gesù liberatore* - All'inizio la TL è stata curiosamente accusata di non aver fondamento cristologico. In seguito questa lacuna è stata abbondantemente colmata, giacché la cristologia è stata, come doveva essere, al centro della riflessione e della produzione letteraria. Quali sono le principali caratteristiche della cristologia della liberazione?

Prima di tutto si tratta di un ritorno massivo al Gesù della storia a cui si fa sempre riferimento. Non è questo lo specifico della TL e nemmeno sta essa all'origine di tale ritorno a Gesù di Nazareth. L'esegesi storico-critica post bultmanniana ha ritrovato la sicurezza di potere almeno riscoprire il personaggio storico nella sua fisionomia originale essenziale, se non la sicurezza di poter scrivere una biografia di Gesù attraverso i testimoni del Nuovo Testamento. Ciò spiega come le cristologie occidentali recenti sono anch'esse segnate da un massivo ritorno al Gesù della storia. Ciò non toglie che la TL abbia le sue ragioni per reclamarlo prioritariamente per sé, seguendo del resto l'esegesi storico-critica: infatti è il Gesù della storia e non anzitutto il Cristo della fede apostolica, che fa da riferimento a una prassi liberatrice, in funzione anche delle sue azioni e del suo messaggio, delle sue opzioni e delle sue scelte e infine della dimensione politica della sua missione e della sua morte.

Non basta dunque affermare l'umanità autentica o completa di Gesù «consustanziale» alla nostra; nemmeno basta insistere sulla sua identificazione con la condizione storica concreta dell'umanità. Si tratta piuttosto di rintracciare la sua storia di uomo, poiché è attraverso questa che Dio porta all'umanità la liberazione e la salvezza. «La storia della salvezza è salvezza nella storia» (J. Sobrino). Si tratta anche di seguire Gesù nella sua prassi liberatrice. La via alla sequela di Gesù, l'«essere discepoli» – che non è semplice imitazione – sono indispensabili a una conoscenza di Cristo che non sia solo nozionistica ma reale.

Il regno di Dio è al centro dell'azione e della predicazione di Gesù. È Dio che instaura questo regno nella storia attraverso la vita e l'azione liberatrice di Gesù, così come fa poi con la sua morte risuscitandolo. La TL si dedica dunque a rivelare il legame tra il regno di Dio che si instaura e le azioni e gli atteggiamenti di Gesù. Il regno è rivolto priorita-

riamente ai poveri; è in atto nel ministero di guarigione di Gesù e negli esorcismi, nelle sue scelte e nelle sue opzioni, nei suoi atteggiamenti nei confronti del potere costituito, sia religioso che politico, del suo tempo. La TL fa risaltare in particolare l'aspetto politico dell'azione di Gesù e soprattutto della morte in croce. Le pretese messianiche di Gesù lo fanno condannare a morte come sovversivo dell'ordine costituito e rivoluzionario politico.

Non bisogna cadere in errore pensando che l'identità personale di Gesù come figlio di Dio sia passata sotto silenzio o trascurata. La cristologia della liberazione è risolutamente una cristologia «dal basso»; ciò non toglie che professi – alla fine di un cammino organico – la fede della chiesa nella condizione divina del Figlio di Dio, anche se enuncia alcune critiche nei confronti delle formulazioni dogmatiche tradizionali del mistero cristologico. Ma essa cerca di scoprire nella storia umana del Figlio di Dio il progetto che Dio realizza in lui di una liberazione integrale dell'umanità. Non vi è rottura tra il → Gesù della storia e il Cristo della fede, anche se → l'ortoprassi precede → l'ortodossia.

È nella morte in croce e nella risurrezione, culmine della storia umana di Gesù, che si rivela perfettamente chi è Gesù e il suo modo di esserlo; e anche chi è Dio e come egli sia Dio. La fede verte sulla risurrezione ma è il crocifisso che è risorto. Bisogna dunque dare tutta la sua importanza al mistero della croce nella sua realtà storica, interpretandolo alla luce della vita di Gesù. Gesù appare in una situazione di conflitto rispetto alla figura di Dio. L'immagine che trasmette di lui è quella di un Dio che libera opponendosi ai poteri oppressori. Per questo fu condannato come blasfemo e agitatore politico. Politico e religioso sono qui uniti: Gesù era in contraddizione con la concezione dominante di entrambi. Per quanto riguarda la risurrezione, essa manifesta la potenza dell'amore di Dio che c'era in Gesù e mette il sigillo alla sua azione liberatrice.

c. *La chiesa, segno e strumento di liberazione umana integrale* - Il modello ecclesiologico di base della TL è quello del «popolo di Dio» sviluppato dal concilio Vaticano II nel capitolo 2 della *Lumen Gentium*: è all'interno della realtà ecclesiale fondamentale della comunione di tutti i membri che devono essere pensati e organizzati le diverse funzioni e ministeri. D'altronde, la missione della chiesa deve essere vista nella sua totalità: l'evangelizzazione comprende come parte integrante la promozione della giustizia e la liberazione integrale dell'uomo; essa è «evangelizzazione liberatrice». Ciò significa che i poveri stessi sono la chiesa; la chiesa intera deve del resto diventare povera, chiesa dei poveri.

Così si è sviluppata una vasta rete di «comunità ecclesiali di base», di composizione quasi sempre popolare, che coprono virtualmente tutte le regioni dell'America Latina. Queste comunità privilegiano relazioni personali di comunione e di servizio; al loro interno si sviluppano una varietà di ministeri laici. La chiesa diventa così il popolo di Dio in cammino, una comunità di comunità, organizzate in vista dell'azione per un'evangelizzazione integrale. È di primordiale importanza che queste comunità intrattengano con la chiesa istituzionale e con i suoi pastori i legami necessari.

A partire dalle comunità di base si è formata l'idea della «chiesa popolare» o della «chiesa che nasce dal popolo». Questa idea è da prendere con riserva nella misura in cui sembrerebbe indicare che la chiesa tragga la propria origine dalle sole risorse del popolo, mentre essa è radunata da Dio e dalla sua Parola attraverso il ministero apostolico. Tuttavia

ciò che vuole dire è che la chiesa è prima di tutto la «chiesa dei poveri», che costituiscono il popolo di Dio alla base e al centro. Inoltre, per essere fedele al Dio di Gesù Cristo, la chiesa deve prendere coscienza di se stessa partendo dai poveri e dagli oppressi e diventare povera con loro per partecipare alla loro liberazione. Il popolo di cui parliamo non rimanda alle categorie marxiste del proletariato e della lotta di classe. Qui si tratta di «un nuovo modo di essere chiesa», perché sia oggi veramente «sacramento storico di liberazione» (J. Sobrino), decentrata da se stessa per essere centrata sul maestro e sul regno di Dio che si instaura tra i poveri.

4. LA TEOLOGIA DELLA LIBERAZIONE E IL RECENTE MAGISTERO CENTRALE - La Congregazione per la Dottrina della Fede ha dedicato due «Istruzioni» recenti alla TL. La prima è intitolata «Istruzione su alcuni aspetti della "Teologia della Liberazione"» (1984); la seconda ha per titolo: «Istruzione sulla libertà cristiana e la liberazione» (1986). Queste due istruzioni vanno considerate come un insieme; infatti si completano a vicenda. Non si possono analizzare qui le questioni poste, di ordine metodico, dogmatico ed etico; ancora meno si può fare il punto sul dibattito attuale per dimostrare quali sono i temi su cui sembra che l'accordo sia raggiunto o, al contrario, quelli su cui è ancora lontano. In genere, mentre la prima istruzione attira l'attenzione, in maniera negativa ma senza riferimenti ad alcun teologo in particolare, su possibili pericoli e posizioni insostenibili, la seconda sviluppa, in maniera positiva ma senza un legame apparente con la TL, il concetto cristiano della libertà e una teologia della salvezza e della liberazione. Tra le preoccupazioni del magistero romano nel dibattito attuale sulla chiesa dei poveri e la TL, figurano in maniera prevalente: il bisogno di

un metodo adeguato di analisi sociale, non esclusivamente debitore a un'analisi marxista deformata da una ideologia; il concetto di ortoprassi nel suo rapporto con l'ortodossia. La preoccupazione dominante è, tuttavia, quella di difendere la dimensione trascendente del mistero cristiano, contro ogni pericolo di ridurre la salvezza alla dimensione orizzontale di una liberazione umana o la comunione ecclesiale a un progetto storico immanente.

Bibl. - G. Gutiérrez, *Teologia della liberazione*, Brescia 1972; Id., *La forza storica dei poveri*, Brescia 1981; J. Van Nieuwenhove, *Les théologies de la libération latino-américaines*, Paris 1974; Id., *Jésus et la libération en Amérique Latine*, Paris 1986; E. Dussel - G. Gutiérrez - J.L. Segundo, *Les luttes de libération bousculent la théologie*, Paris 1975; H. Assmann, *Practical Theology of Liberation*, London 1975; J.M. Bonino, *Fare teologia in una situazione rivoluzionaria*, Brescia 1976; J.L. Segundo, *Liberazione della Teologia*, Brescia 1976; Id., *Teología de la liberación. Respuesta al Cardinal Ratzinger*, Madrid 1987; S. Galilea, *Teología de la liberación*, Santiago 1977; E. Dussel, *Histoire et théologie de libération en Amérique Latine*, Paris 1977; Id., *Histoire et théologie de la libération: Perspectives*, Bruxelles 1981; L. Boff, *Teologia della cattività e della liberazione*, Brescia 1977; P. Richard, *Mort des chrétiens et naissance de l'Église*, Paris 1978; Cl. e L. Boff, *Salvation and Liberation*, New York 1984; Id., *Come fare teologia della liberazione*, Assisi 1986; Congregazione per la dottrina della fede, «Istruzione su alcuni aspetti della Teologia della Liberazione» (1984); Id., «Istruzione sulla libertà cristiana e la liberazione» (1986); J.B. Libânio, *Fe e politica*, São Paulo 1985; Autori vari, *Théologie de la libération. Documents et débats*, Paris 1985; D.W. Fern, *Third World Liberation Theologies: An Introductory Survey*, New York 1986; Id., *Third World Liberation Theologies. A Reader*, New York 1986; R. Gibellini, *Il dibattito sulla teologia della liberazione*, Brescia 1986.

JACQUES DUPUIS

VII. In contesto

La riflessione sulla statuto epistemologico della teologia è uno dei compiti della teologia fondamentale; nel quadro di tale riflessione si pone anche il problema della contestualità della teologia stessa. Nessun testo teologico – neppure un discorso molto astratto-speculativo su una verità eterna – è isolato dalla realtà della situazione del teologo e del contesto concreto nel quale si svolge tale discorso; sotto questo aspetto il linguaggio teologico – pur avendo uno stato epistemologico proprio a causa del suo oggetto – non ha una posizione privilegiata o eccezionale.

DATI STORICI: L'ESIGENZA DI UNA «CONTESTUALIZZAZIONE» PORTA A UNA NUOVA PRESA DI COSCIENZA DEL PROBLEMA DELLA CONTESTUALITÀ - Tra i cattolici, l'esigenza *esplicita* di una contestualizzazione della *teologia come scienza* fu espressa, per la prima volta nel 1955, da un gruppo di sacerdoti provenienti dall'Africa e da Haiti. In precedenza si potevano già verificare in Africa alcune concretizzazioni di questa prospettiva nel campo della liturgia e della prassi pastorale, e – a servizio della teologia – nell'ambito della filosofia (il famoso Pl. Tempels con il suo «Filosofia Bantu» del 1944). Tra i protestanti, i tentativi di una teologia contestualizzata possono essere verificati già prima della seconda guerra mondiale, specialmente in India. Per l'uso del *termine* «contestualizzazione» si deve invece aspettare gli inizi degli anni 1970 (un primo titolo: D.J. Elwood - P.L. Magdamo, *Christ in Philippine Context,* Quezon City 1971); specialmente dopo il congresso teologico di Dar es Salaam del 1976, che sfocia nella fondazione della *Ecumenical Association of Third World Theologians*, il suo uso diventa molto comune. Al momento dell'introduzione del termine «contestualizzazione» lo stesso fenomeno conosce già uno sviluppo tale da dover essere diversificato in diversi livelli.

Per tutti, il termine «contestualizzazione» conserva lo stesso significato fondamentale: si tratta di uno sforzo intenzionale e riflesso di fare teologia in e per un determinato contesto; sforzo che, inoltre, è intrapreso da coloro che appartengono a tale contesto, usandone le risorse intellettuali, religiose e spirituali. L'aspetto dell'intenzionalità e della riflessione costituisce la nota caratteristica di fronte agli sforzi precedenti di arrivare a un inserimento nel contesto in tutte le sue dimensioni sociali, culturali, politiche, economiche e religiose. Tali sforzi sono presenti fin dall'inizio dell'esistenza della chiesa stessa.

Tralasciando la discussione – tuttora in corso – sulle possibili divisioni, suddivisioni, classificazioni e modelli, indichiamo come primo tipo, perché cronologicamente ha il primato, quello rappresentato dall'iniziale esigenza di una «Teologia Africana» e indicato spesso con il termine «Indigenizzazione» (che provoca ancora alcune contestazioni). Si cerca, in questo modo, di fare del cristianesimo una religione indigena di una determinata società, e per questo capace di creare un dialogo tra il sistema di pensiero del contesto in cui si pone e il messaggio cristiano. Due modelli potrebbero essere distinti all'interno di questo tipo: la *traslazione* e l'*inculturazione*.

La traslazione consiste nell'integrare alcuni elementi tradizionali della cultura nella prassi ecclesiale, particolarmente nella liturgia e nella catechesi. In questo modo si vorrebbe giustificare la presenza, nel contesto particolare, di una prassi ecclesiale che fa risalire le proprie caratteristiche e i suoi contenuti peculiari a un altro contesto che li ha generati, ma che nel corso dei secoli li ha poi trasmessi come codificati. Per la teologia, più direttamente, la sovraculturalità della rivelazione potrebbe favorire questo procedimento. → L'inculturazione usa un'ermeneutica su una base ben differente: la cultura stessa e – sotto l'ispirazione di *Ad*

Gentes del Vaticano II – anche la stessa religione indigena, sono considerate già come valori rilevanti, che possono arricchire l'interpretazione della rivelazione e far scoprire in essa nuove dimensioni. Si prende inoltre in maggiore considerazione la domanda circa la qualità rivelativa delle religioni non cristiane. Il dogma dell'unicità di Cristo, come rivelatore e salvatore, non esclude un approfondimento di questa tematica. Il concetto di rivelazione include – in alcune di queste teologie – il fatto di essere nascosta nei diversi contesti culturali.

Teologie contestualizzate di questo tipo sorgono oltre che in Africa, anche in parecchie nazioni asiatiche, quali l'India, le Filippine ecc., in cui si nota maggiormente l'apertura verso le grandi religioni dell'Oriente.

A livello di contestualizzazione, che si fonda su apriori che tendono al dialogo con le diverse culture, è possibile verificare la presenza di questa teologia contestualizzata anche in Europa. Il → pluralismo teologico che si è venuto a formare a partire dal Vaticano II è la conseguenza di un pluralismo circa le diverse referenze filosofiche con cui la teologia suole entrare in dialogo. L'esempio più noto, in questo periodo, è quello che fa capo a → K. Rahner che *intenzionalmente* si propone di fare una rilettura del tomismo in chiave trascendentale.

Un altro tipo di teologia contestualizzata – individuabile verso la metà degli anni sessanta – è quello socio-economico. Secondo questo modello, non si vuole soltanto rendere il messaggio cristiano accettabile in uno specifico contesto, ma si vuole cambiare lo stesso contesto perché determinato da una situazione di oppressione politica, di sfruttamento economico e di discriminazione razziale. Tale cambiamento – politico, economico e sociale – lo si vuole in obbedienza al messaggio cristiano, sotto la sua ispirazione e con il suo aiuto. Qui una teologia contestualizzata porta a una ermeneutica in funzione di un programma di liberazione. Il metodo diventa induttivo: punto di partenza è l'esperienza concreta che, come realtà storica, suscita costanti interrogativi; la rivelazione – letta come l'ininterrotta azione di Dio nella storia – viene interrogata sotto una angolatura specifica, nella speranza di trovarvi luce per interpretare la situazione concreta e poterla cambiare in meglio.

La forma più nota e di maggiore impatto è la teologia della liberazione. Essa nasce nell'ambiente ecclesiale dell'America Latina, verso la fine degli anni '60. Preparata immediatamente dal Vaticano II, riceve la spinta decisiva nell'Assemblea della Conferenza episcopale dell'America Latina a Medellín nel 1968. Nello stesso anno, G. Gutiérrez dedica una conferenza al tema della teologia della liberazione; il tema si ritrova in una sua pubblicazione del 1971 e in seguito nel suo famoso *Teología de la Liberación* del 1972. Il programma mira alla liberazione della gente oppressa e sfruttata, nella consapevolezza che il messaggio cristiano di salvezza implica e richiede anche una liberazione «sociale», e che lo stesso messaggio può contribuire con la sua ispirazione e la sua luce a tale liberazione.

Essa è preceduta nel tempo e come ispirazione dalla *teologia politica* nata nell'ambiente accademico tedesco, negli anni '60. I primi rappresentanti sono J.B. Metz (i suoi primi saggi sono scritti nel 1961), J. Moltmann (con il suo importante *Theologie der Hoffnung* del 1964) e D. Sölle. Nel contesto di una società determinata da una cultura borghese, questa teologia assume la dimensione escatologica della rivelazione. Punto centrale è la comprensione che il Regno di Dio non può essere ridotto né alla sfera individuale né esclusivamente alla sua

attesa nella parusia. La teologia politica tenendo ferma la *memoria* dell'evento pasquale ha come suo programma quello di orientare i credenti verso una prassi di speranza e di amore, ossia verso espressioni di libertà e di giustizia particolarmente nella loro dimensione sociale. La forza escatologica, per usare una espressione di J.B. Metz, «deprivatizza» l'agire credente inserendolo nell'orizzonte più ampio che è appunto l'impegno per la costruzione della *pólis*. Tuttavia la «riserva escatologica», cioè il fatto che si è sempre in attesa del ritorno glorioso del Signore, esclude ogni identificazione del regno con qualsiasi struttura sociale concreta; lo sguardo deve andare sempre oltre ogni assoluto che l'uomo potrebbe creare, quindi oltre ogni possibile ideologia. La teologia politica non offre un suo specifico programma politico; si concepisce piuttosto come una funzione con lo scopo di suscitare nel cristiano un atteggiamento critico di fronte alla società che lo circonda. Nel pensiero di questi autori la teologia politica non dovrebbe essere una teologia a se stante, piuttosto una funzione che ingloba e determina ogni riflessione teologica.

In un contesto differente, quello dell'ambiente ecclesiale dei neri protestanti degli Stati Uniti negli anni '60, ha origine la *teologia nera*. La militanza radicale contro la discriminazione (*Potere nero*) a metà del decennio spinge a una riflessione teologica, che si impone con la pubblicazione di J. Cone, *Black Theology and Black Power*, nel 1969. Il programma è quello di combattere la discriminazione razziale, contestando anche la giustificazione biblica di essa; si vuole inoltre portare la popolazione nera alla consapevolezza che la salvezza e la liberazione portate da Cristo devono anche includere la fine della discriminazione e portare la promozione integrale dei Neri. In una parola, si tenta di sradicare la tipica mentalità di rassegnazione. Alcune forme di questa teologia proclamano che la salvezza cristiana viene specialmente per i Neri.

È di nuovo il contesto particolare degli Stati Uniti, con la sua tradizione democratica dinamica – ma evidentemente non compiuta – che vede sorgere la *teologia femminista*, negli anni '60. Preparata da alcune pubblicazioni, il suo vero inizio è forse nel libro di Mary Daly, *The Church and the Second Sex*, del 1968. Il programma di questa teologia è l'emancipazione della donna dalle ideologie e dalle sottili forme di discriminazione e di oppressione che esistono malgrado il sistema democratico. Si combatte specialmente la giustificazione di tale discriminazione in quanto basata su argomentazioni prese dalla bibbia e dalla tradizione; suo scopo principale è lo sforzo per la revisione di un'immagine di Dio troppo maschilista. Si cerca, inoltre, di trarre tutte le conseguenze per la vita della chiesa; in modo particolare il dito è puntato contro la discriminazione della donna nelle diverse espressioni ecclesiali, tra le quali quella dell'impedimento alla ordinazione sacerdotale.

Una nuova fase per la contestualizzazione della teologia inizia quando il «programma» di una particolare teologia contestualizzata viene adottato in un contesto diverso. Si avrà così una teologia nera applicata (e con grande urgenza) nell'Africa del Sud; una teologia femminista che, dopo aver trovato una facile eco in Europa (per una cultura simile, ma non uguale a quella statunitense), è presente ormai, con scopi differenziati, nel Terzo mondo; una teologia della liberazione (oggetto di attenzione in due istruzioni della Congregazione per la Fede – del 1984 e 1986 – che pur respingendo alcuni suoi aspetti ne coglie certi altri) è la più suscettibile di diffusione: non soltanto in America Latina, ma anche altrove le masse si trovano in povertà e mi-

seria degradanti, e da ogni parte urge una liberazione completa (dell'intero uomo e di tutti gli uomini) da strutture economiche, politico-sociali e religiose che opprimono. Ci sono, inoltre, le diverse forme di discriminazione, specie di minoranze. Per tante regioni e per gruppi diversi si nota il sorgere di altrettante «Teologie della Liberazione».

OSSERVAZIONI SISTEMATICHE: LA CONTESTUALITÀ COME PREMESSA E PROBLEMA, COME RISCHIO E RICCHEZZA - L'esigenza della contestualizzazione della teologia nasce sotto la provocazione di una situazione missionaria. La «teologia dei missionari», infatti, per ragioni pratiche può essere chiamata «europea» o, se si vuole, «atlantica» in modo da includere gli Stati Uniti e il Canada e, in modo remoto, l'Australia e la Nuova Zelanda –, pur avendo la pretesa di universalità, era fortemente condizionata da un diverso contesto in cui sorgeva e si formava il contenuto da trasmettere. E infatti: pur non essendo – normalmente – una teologia contestualizzata, la teologia europea è contestuale. Pur seguendo un metodo deduttivo (sia esso dogmatico, prendendo il suo punto di partenza dalle definizioni conciliari e decisioni magisteriali, sia esso genetico, prendendo come punto di partenza il dato biblico e la successiva riflessione patristica, scolastica e moderna) e non quello induttivo, come le nuove teologie contestualizzate, la scelta per tale metodo è ugualmente condizionata da un contesto specifico; una induzione precede sempre – anche se inconsciamente – la strada della deduzione.

L'esigenza della contestualizzazione svela un ulteriore aspetto: la teologia europea è stata, talvolta, una forma ideologica nel quadro della colonizzazione dello sfruttamento del «Terzo mondo». Urge un esame del rapporto tra la riflessione teologica e i problemi politico-sociali anche nel «Primo mondo».

L'essere programmatico delle teologie contestualizzate (ri-)chiama più facilmente l'attenzione sul fatto che la teologia europea «tradizionale» non era, e tuttora non è, meno programmatica: essa svolge una funzione per la continuazione, purificazione e propagazione della vita ecclesiale nelle sue molteplici dimensioni; la divisione tra i cristiani dava spesso all'ecclesialità della teologia tradizionale un accento confessionale.

Per la teologia «europea» si pone, nel frattempo, il problema che il suo programma tradizionale potrebbe non bastare più: il contesto è cambiato a causa della secolarizzazione e del crescente indifferentismo religioso, che sconfina perfino nell'→ agnosticismo. Contestualizzazione quindi non significherebbe incontro soltanto con altre religioni, ma anche con la «non-religione».

Se l'esigenza della contestualizzazione fuori dell'Europa svela la contestualità, come premessa inevitabile, della teologia «europea», tale scoperta rende consapevoli, a sua volta, della contestualità di ogni contestualizzazione e dei possibili problemi connessi.

Le teologie contestualizzate – che devono rendersi conto della loro contestualità precisamente sotto quest'aspetto – e la teologia «europea» – che essendo contestuale dovrebbe in un processo di contestualizzazione rendere riflessa e più efficace tale situazione – si trovano, in ultima analisi, di fronte agli stessi problemi.

Tali problemi devono essere confrontati anche con l'aiuto delle istanze della sociologia della conoscenza a un livello macrosociologico (il contesto della teologia), e quelle della sociologia della scienza a un livello microsociologico (la situazione del teologo). Questo secondo livello riguarda, ad esempio, il grado di valenza accademica nella produzione teologica dei singoli teologi.

A livello macrosociologico il problema fondamentale è: come individuare e definire un contesto; quali criteri adoperare? La rivelazione non offre dei criteri: la salvezza è universale e l'intera umanità è destinata ad essere il popolo eletto nell'*éschaton*.

Alcune teologie contestualizzate suggeriscono il criterio di divisione in poche grandi unità: accanto alle teologie (plurale!) del Terzo Mondo, vi sarebbe quella o quelle del Primo e del Secondo Mondo. Tale impostazione è però alquanto problematica: se per il Terzo Mondo si deve già parlare di teologie (al plurale), il suo stesso concetto è difficilmente definibile. Essendo formulato prevalentemente sulla base di qualifiche economiche – già qui si pongono problemi per un discorso teologico –, il concetto spinge ad ulteriori specificazioni; si sente dunque parlare di Terzi Mondi (al plurale) oppure di un Quarto e di un Quinto Mondo. Altra domanda: chi ha il diritto di fare una classificazione che non sia discriminatoria? In margine, si può ancora menzionare il fatto che non ogni teologia fatta *nel* Terzo Mondo è una teologia *del* Terzo Mondo.

Problemi non minori sorgono intorno all'identità del cosiddetto Secondo Mondo. Tralasciando l'impatto per la teologia, si deve costatare che dopo gli eventi del 1989 la realtà del Secondo Mondo sfugge ad una definizione operativa. Il Primo Mondo, infine, non è meno problematico come concetto unitario: ormai l'Australia e la Nuova Zelanda cercano una propria definizione della loro identità; gli Stati Uniti, e, in un contrasto dialogale con essi il Canada, non sono da identificare con le nazioni europee, malgrado tutti i legami storici che in effetti esistono.

Altre teologie contestualizzate sembrano suggerire un criterio etnografico; i problemi connessi con tale criterio sarebbero di un romanticismo culturale, che non tiene conto né degli elementi negativi del passato, né dei contrasti esistenti oggi, né dello sviluppo inevitabile domani (le teologie contestualizzate si trovano soprattutto tra i popoli con maggioranza di giovani generazioni).

La storiografia tradizionale e la prassi politica suggeriscono un differente criterio di identificazione dei singoli contesti: le unità facilmente identificabili che formano gli stati. Ma questi sono una realtà *teologicamente* irrilevante; né per la dimensione economico-sociale infatti, né per quella culturale (che si esprime specialmente nella lingua e nella filosofia predominante, nutrita anche da una storia e dalle tradizioni comuni), le frontiere attuali possono essere considerate separative (più stati appartengono ad un unica cultura), o unitive (alcuni stati sono pluriculturali). Forse, potrebbe essere auspicabile assumere come contesto regioni interstatali, come ad esempio il Mediterraneo o, in un continente diverso, i Caraibi.

Un secondo problema, connesso con le riflessioni precedenti, è dato dal fatto che ogni criterio assunto per identificare o definire un contesto particolare – su cui individuare poi la contestualità della teologia e per costruire la sua contestualizzazione – non potrebbe togliere il pericolo sempre in agguato di una frammentarietà della teologia con il suo conseguente isolamento. Il rischio più grande e più facile, di una contestualizzazione ad oltranza, è senza dubbio quello di passare da un «parrocchialismo» acritico e a-scientifico, a una ideologizzazione cieca.

Le riflessioni seguenti ci sembrano doverose. I rischi di «parrocchialismo» possono essere superati tramite sforzi che possono diventare fonti di ricchezza: si pensi ad una ricerca e riflessione comune, che suppongono contatti continui tra teologi, allo scambio di pubblicazioni (a condizione che si conosca più di una lingua),

alla funzione che competerebbe a congressi, organizzazioni e – in modo peculiare – agli istituti accademici internazionali.

La contestualizzazione della teologia dovrebbe quindi spingere a una rinnovata ricerca per una teologia «planetaria», che integrerebbe le tante espressioni particolari, senza negarle; universalità non significa uniformità. Oltre ai molti contesti vi è anche il contesto comune dell'intera umanità, della quale deve essere sottolineata la fondamentale unità. Grazie ai mezzi di comunicazione, il mondo è diventato un villaggio globale – in una fase di rapida urbanizzazione – con una «cultura» comune, che nel suo aspetto tecnologico e nel suo idealismo democratico prende origine dal Primo Mondo. I problemi mondiali: il divario tra Nord e Sud, con lo speciale aspetto dell'esplosione demografica, e la minaccia di una catastrofe nucleare o ecologica, sono responsabilità di tutti. Urge il rinnovamento di un discorso teologico che sia rilevante per questo contesto comune.

Tale teologia «planetaria» non potrebbe pretendere di poter cominciare da zero; come d'altronde le teologie regionali, dovrà tener conto del fatto che la stessa rivelazione è legata *irreversibilmente* a un contesto specifico e che la sua iniziale tradizione si è svolta in una cultura specifica, quella giudaica-ellenistica-romana, inseritasi in seguito in quella «europea». Sul piano teorico i problemi della contestualità della teologia, che è pur sempre una riflessione sulla verità universale, dovrebbero essere affrontati in analogia al problema della contestualità ed universalità della stessa rivelazione.

Bibl. - STRUMENTI BIBLIOGRAFICI: *Echange. Bulletin de Littérature des Églises du Tiers Monde. Bulletin of Third World Christian Literature,* Leiden 1972 ss.; *Theologie im Kontext. Informationen über theologische Beiträge aus Afrika, Asien und Ozeanien,* Aachen 1980 ss; A. Amato, «Inculturazione - Contestualizzazione - Teologia in Contesto. Elementi di Bibliografia Scelta», in *Sal* 45 (1983) 79-111. STUDI DI CARATTERE GENERALE DAL 1980 (soltanto libri): T. Rendtorff, *Europäische Theologie*. Versuche einer Ortsbestimmung, Gütersloh 1980; D. Ritschl, *Theologie in den Neuen Welten*. Analysen und Berichte aus Amerika und Australasien, München 1981; H. Waldenfels, *Theologen der Dritten Welt*. Elf biographische Skizzen aus Afrika, Asien und Lateinamerika, München 1982; V. Fabella - S. Torres (edd.), *Irruption of the Third World: Challenge to Theology*, Maryknoll 1983; K.H. Neufeld (ed.), *Problemi e prospettive di Teologia Dogmatica*, Brescia 1983 (parte III); R. Winling, *La théologie contemporaine (1945-1980)*, Paris 1983; K. Dickson, *Theology in Africa*, Maryknoll 1984; R. Frieling, *Befreiungstheologien*. Studien zur Theologie in Lateinamerika, Göttingen 1984; J. Em - M. Spangenberger (edd.), *Theologien der Befreiung*. *Herausforderung an Kirche, Gesellschaft und Wirtschaft*, Köln 1985; R. Schreiter, *Constructing Local Theologies*, Maryknoll 1985; C. Militello (ed.), *Teologia al femminile*, Palermo 1985; N. Strotmann, *La Situación de la Teología: Aspectos - Perspectivas - Criterios*, Lima 1985; Autori vari, *Théologies de la Libération. Documents et débats*. Prefazione di B. Chenu - B. Lauret, Paris 1985; Th. Witvliet, *A Place in the Sun*. An Introduction to Liberation Theology in the Third World, Marykma 1985; Autori vari, *Théologie de la Libé-Theologies. An Introductory Survey. A Reader*, voll. I-II, Maryknoll 1986; R. Gibellini, *Il dibattito sulla teologia della liberazione*, Brescia 1986; L. Schottroff - W. Schottroff (edd.), *Wer ist unser Gott? Beiträge zu einer Befreiungstheologie im Kontext der «ersten» Welt*, München 1986; P. Puthanagady (ed.), *Towards an Indian Theology of Liberation*, Bangalore 1986; S. Arokiasamy - G. Gispert Sauch (edd.), *Liberation in Asia. Theological Perspectives*, Anand 1987; G.W. Trompf, *The Gospel is not Western*. Black Theologies from the Southwest Pacific, Maryknoll 1987; F. Dumont, *L'institution de la théologie*. Essai sur la situation du théologien, Montréal 1987; V. Fabella - M.A. Oduyoye (edd.), *With passion and compassion*. Third World Women doing Theology, Maryknoll 1988; D. Gelpi, *Inculturating North American Theology*, Atlanta 1988; B. Chenu, *Teologie cristiane dei terzi mondi: teologia latino-americana, teologia nera americana, teologia nera sudafricana, teologia asiatica*, Brescia 1988; M. Sievernich, *Impulse der Befreiungstheologie für Europa. Ein Lesebuch*, München-Mainz 1988.

MARCEL CHAPPIN

TEOLOGO DELLA FONDAMENTALE

1. DALLA POLEMICA AL DIALOGO - La fondamentale contemporanea è nata in buona parte da una reazione alla → apologetica degli ultimi secoli: sempre sul piede di guerra, occupata a sferragliare, sempre alla ricerca di avversari da combattere. Facevano parte dei nemici non solo i razionalisti ma anche i protestanti, battezzati e cristiani. A furia di polemizzare con toni intransigenti e taglienti come un bisturi, l'apologetica si era squalificata. Per tre buoni decenni ha conosciuto il vuoto delle catacombe. Periodo fecondo che le ha permesso di «convertirsi», di riflettere sui cambiamenti della nostra epoca e sui compiti che a essa si richiedono.

Il segno più evidente di questa «conversione» è il cambiamento di nome: l'apologetica di una volta è stata pudicamente ribattezzata per chiamarsi ormai → «teologia fondamentale». Ma questo cambiare nome costituisce qualcosa di più della semplice apposizione di una nuova etichetta a un vecchio prodotto. Si tratta di un mutamento che ne colpisce lo statuto e l'atteggiamento. La fondamentale ha compreso che il tempo delle crociate era passato e che il cristiano del secolo XX, aperto al mondo e alla scienza e con una mentalità ecumenica, voleva prima di tutto essere ascoltato. Infatti egli ha problemi di gravità inaudita che lo tormentano: vuole essere preso sul serio e sentirsi esporre serenamente ciò che il cristianesimo può dire circa i suoi problemi. Invece di parlare in termini di opposizione e di rifiuto, la fondamentale si esprime come posizione, spiegazione e proposta. Essa è passata dalla perorazione all'esposizione spassionata, dalla polemica al dialogo, in linea dunque con il concilio, che si è posto anch'esso all'ascolto e in dialogo.

La fondamentale, come disciplina contemporanea, è uscita da una crisi «adolescenziale». Divenuta ormai più modesta, più serena, più cosciente della complessità dei problemi affrontati e anche meglio equipaggiata, essa è più preoccupata di ricercare senso e intelligibilità che di argomentare in modo stroncante. Questo atteggiamento dialogico si allarga alle scienze, alle religioni, alle chiese e alle culture. Cristo resta sempre il suo punto di partenza e di riferimento ma non come testa di ponte per un nuovo attacco.

2. IL PARTNER DEL DIALOGO - Il professore di fondamentale si rivolge a persone molto più «informate» di un tempo grazie ai media; a uomini anche più critici, immersi in un mondo in cui tutte le ideologie si rasentano e in cui pullulano le → sette più strane in seno a una cultura sempre più estranea alla visione cristiana dell'uomo e del mondo. Egli urta contro vaste zone di → indifferenza, generate dal mondo secolarizzato del progresso e della tecnica e, di conseguenza, contro una totale mancanza di interesse per le questioni religiose e contro un'abissale ignoranza del messaggio cristiano.

Non è più sufficiente rispondere a queste persone che vanno da lui o che egli incontra occasionalmente: «La chiesa dice ...» o «il vangelo ha detto» o più ingenuamente «io vi dico». Credenti e non credenti esigono risposte precise e motivate. Per rispondere ai problemi di oggi il professore di fondamentale deve acquisire una formazione di pari qualità, se non addirittura superiore, a quella del biologo, del fisico, dell'avvocato. Se rifiutasse questa sfida di una preparazione severa, esigente e prolungata, sarebbe incapace di avviare alla fede coloro che lo interrogano; incapace anche di confermare i propri fratelli nella fede, i credenti (1 Pt 3,15). Infatti ogni credente oggi porta in sé

i dubbi del non credente. «Ciò che alimenta il pensiero e l'atteggiamento dei non credenti è anche ciò che comporta l'incertezza e il dubbio in molti cristiani» (H. Bouillard). Dialogando con i non credenti, dialoghiamo con noi stessi; in un simile contesto, una riflessione sulle basi razionali della decisione di fede non è uno sport da intellettuali ma una necessità di vita. Altrimenti l'attuale crisi della fede potrà solo aggravarsi fino a prendere le proporzioni di un vasto scisma sotterraneo o di un oceano di indifferenza.

3. STATUTO TEOLOGICO DELLA FONDAMENTALE - Il principio anselmiano della *fides quaerens intellectum* che nove secoli fa definiva la teologia in tre parole non è stato affatto superato. Ma ogni termine della definizione ha acquisito una tale ampiezza e si è caricato di una tale pienezza di senso che l'equilibrio dell'insieme ne risulta modificato.

a. Il teologo di fondamentale si basa, come ogni teologo, sulla fede stessa. Il credente che cerca di comprendersi come credente, non può comportarsi come se non credesse: tale atteggiamento sarebbe una pura contraddizione. La fondamentale non può dunque considerare casuale il fatto che il teologo sia credente e cristiano: ciò deriva dalla natura stessa del suo essere. Questo punto di partenza è tanto più importante poiché la riflessione su di esso porta all'affermazione centrale della fede cristiana, cioè l'autodonazione e l'automanifestazione di Dio in Gesù Cristo. Se il teologo di fondamentale ha come missione di studiare nella sua totalità quella realtà primaria del cristianesimo che è la rivelazione, a lui più che a chiunque altro è richiesto di essere «testimone» di quella fede che ha illuminato e ispirato prima di tutto la sua vita. Bisogna che in lui l'intelligenza del mistero coincida con l'adesione vissuta al mistero. Se cerca di comprendere è perché la sua stessa fede lo «incita» a «cercare» per comprendere meglio ciò che dà un senso alla sua vita.

È vero che lo studio della rivelazione porta la fondamentale su un terreno che non dipende direttamente dalla dogmatica ma dall'apologetica, tuttavia è la natura stessa della realtà studiata, che è contemporaneamente mistero ed evento della storia, a obbligarlo a procedere così. La fondamentale infatti non si interroga solo sulla rivelazione come oggetto di fede, ma anche sulla rivelazione come irruzione di Dio nella storia, nella carne e nel linguaggio di Gesù. Essa si interroga sulla presenza di Dio-tra-noi-in-Gesù Cristo e sui segni storici di questa presenza. Non si interroga solo su ciò che crediamo ma anche sul perché crediamo. Si chiede se l'affermazione di Dio-tra-noi-in-Gesù Cristo è «credibile» e se l'opzione di fede è ragionevole e sensata.

Anche se la fondamentale si richiama, a motivo del proprio oggetto, alle scienze umane (critica letteraria e storica, filosofia), resta comunque un discorso da credenti. Essa non rinuncia mai alla fede. È tenuta a dichiarare i suoi presupposti, ma non deve mai abbandonarli, a rischio di non essere più se stessa.

b. Il secondo termine del principio anselmiano (*quaerens* = che ricerca) è forse quello che si è più ampliato. Da un giorno all'altro infatti il ricercatore si è trovato in possesso di tecniche che hanno rinnovato, se non rivoluzionato, la → teologia e proprio in settori che riguardano la fondamentale: scienze bibliche e patristiche, scienza del linguaggio, antropologia (filosofia, storia, sociologia, psicologia). La novità tuttavia è che le scienze umane si sono liberate del legame con la filosofia per rivendicare la loro piena autonomia. Ne deriva che il dialogo della fondamentale con le scienze umane avviene direttamente con esse senza la media-

zione della filosofia. «Il ricercatore» o il teologo della fondamentale vede così allargarsi prodigiosamente il campo della sua ricerca.

Fra tutte le discipline che concernono maggiormente il compito della fondamentale, vi sono in primo piano la storia, le scienze del linguaggio e in generale le scienze dell'uomo. Prima di tutto la → *storia.* La coscienza della dimensione storica ha radicalmente modificato la teologia. Essa è talmente costitutiva del pensiero contemporaneo che situarsi fuori di questo orizzonte equivale a non farsi capire dall'uomo di oggi. Questo impatto della storia è tanto più importante per il fatto che la stessa rivelazione si comprende solo su un orizzonte storico. Vengono poi le *scienze del linguaggio:* filosofie del linguaggio, forme di linguaggio (concettuale, simbolico, gestuale), problemi di interpretazione o di ermeneutica; problemi di → inculturazione o di transculturazione. Menzioniamo infine l'ascesa trionfante delle *scienze dell'uomo* (sociologia, psicologia, psicanalisi). La fondamentale è necessariamente in dialogo, in quanto disciplina di frontiera, con tutte queste scienze che hanno modellato la mentalità dell'uomo contemporaneo. Questa accoglienza dialogica rappresenta un progresso rispetto alla vecchia apologetica. Ma comporta anche un rischio: in particolare quello di perdere di vista lo «specifico» cristiano e di diluire il messaggio per farne un prodotto alla portata di tutti. Insomma, c'è il pericolo di arrivare a un cristianesimo sbiadito e senza contrasti, appiattito e senza una fisionomia propria. La fondamentale non può tuttavia far marcia indietro. Deve mantenere l'atteggiamento dialogico, ma nella più viva coscienza della propria identità e della propria missione.

4. PREPARAZIONE RICHIESTA - È ancora possibile, in queste condizio-

ni, concepire un tipo di formazione adeguata all'insegnamento della fondamentale? Bisogna forse esigere che ogni professore sia a un tempo perfetto conoscitore delle filosofie antiche e moderne, dell'esegesi, dei problemi di linguaggio, delle tradizioni religiose mondiali, dei metodi della critica letteraria e storica e delle scienze umane in pieno sviluppo? Non sono proprio le sfide utopistiche a scoraggiare la migliore buona volontà?

Distinguiamo da una parte la teologia fondamentale come funzione ecclesiale, come ragione del sapere teologico e, dall'altra, l'insegnamento della fondamentale ad opera di un determinato professore e in un determinato centro accademico. Proprio come un medico non potrebbe possedere da solo la scienza medica nella sua totalità, così nessun teologo, né alcun centro, potrebbero assumersi interamente il compito di trattare i temi che derivano dalla fondamentale. Si tratta, in questo caso, di un possesso della chiesa in quanto corpo sociale. Ciò detto, crediamo di poter distinguere diversi livelli e tappe di preparazione per l'insegnamento della fondamentale:

a. Una formazione letteraria e filosofica di base (come viene normalmente proposta al liceo), che prepari all'università. A questo livello si ricollega la conoscenza delle grandi opere letterarie e delle grandi correnti filosofiche.

b. Una formazione teologica di base, che metta l'accento particolarmente sull'antropologia, sulla cristologia e sull'ecclesiologia.

c. Una formazione specializzata in teologia fondamentale, coronata da un dottorato e da una tesi pubblicata. A questo livello si ricollega la conoscenza approfondita di ciò che costituisce il nocciolo irriducibile della fondamentale che non deve mai essere sacrificato: il problema della rivelazione e la sua → credibilità. Tutto questo include: lo studio delle ori-

gini del cristianesimo nel contesto storico, la comparsa della persona di Gesù, la conoscenza che possiamo averne per accedere al suo insegnamento, alle sue opere, ai suoi comportamenti, alla sua coscienza di Figlio, alle sue dichiarazioni concernenti la sua identità e il suo progetto ecclesiale, la realtà dei miracoli (→ Miracolo) e della sua risurrezione (→ Mistero pasquale, II); la fedeltà della chiesa all'interpretazione che Gesù ha dato di se stesso.

d. Questa specializzazione in fondamentale dovrebbe unirsi a una specializzazione in una disciplina che permetta al futuro professore di acquisire familiarità con i metodi dell'analisi letteraria e storica. Concretamente ciò significa un dottorato o almeno una licenza in esegesi o in storia.

e. Molti altri problemi concernono maggiormente il dialogo della fondamentale con i partners esterni: chiese, religioni, culture e scienze. È qui che l'interdisciplinarietà deve venire in aiuto alla specializzazione principale. Normalmente in un centro universitario di una certa importanza, il dialogo tra colleghi e tra facoltà dovrebbe permettere al professore di fondamentale di trovare rapidamente ciò che non è di sua immediata competenza.

Pur distinguendo così i livelli di preparazione e il contributo che ci si aspetta da ognuno, la preparazione del professore di teologia fondamentale resterà sempre una delle più severe ed esigenti nell'ambito delle discipline teologiche. Essa si rivolge soprattutto a candidati il cui desiderio di sapere innato e multiforme permetterà di accedere più facilmente a una disciplina situata all'incrocio di tutti gli interrogativi sull'uomo, su Cristo e sulla chiesa.

Bibl. - R. Latourelle, *Teologia scienza della salvezza*, Assisi 1968; Id., *A Gesù attraverso `i Vangeli*, Assisi 1979; Id., «Nuova immagine della fondamentale», in R. Latourelle - G.

O'Collins, *Problemi e prospettive di teologia fondamentale*, Brescia 1980, 59-84; Id., «Assenza e presenza della fondamentale nel concilio Vaticano II», in R. Latourelle (ed.), *Vaticano II, bilancio e prospettive: venticinque anni dopo*, Assisi 1987, vol. II, 1381-1411; Sacra Congregazione per l'Educazione Cattolica, *La formazione teologica dei futuri sacerdoti*, Roma 1976, 42-44; M. Chappin, «Dalla difesa al dialogo. L'insegnamento della teologia fondamentale alla PUG, 1930-1988», in R. Fisichella (ed.), *Gesù Rivelatore*, Casale Monferrato 1988, 33-45.

RENÉ LATOURELLE

TESTAMENTO ANTICO E NUOVO

I. Promessa e compimento

La promessa e il compimento costituiscono, ai nostri giorni, sia per gli esegeti come per i teologi e gli ermeneuti, una questione decisiva per la comprensione dei testi neotestamentari e di tutta l'economia cristiana. I progressi registrati in questo campo, grazie all'esegesi e all'ermeneutica, sono importanti. Permettono di capire che le nozioni di promessa e di compimento superano di molto l'argomento della realizzazione delle profezie (→ Profezia), che costituiva uno dei capitoli chiave dei trattati di teologia fondamentale o di apologetica.

Il rinnovamento degli studi biblici, all'inizio di questo secolo, ha fatto progredire la riflessione sulla promessa e il compimento. Si possono citare, in Francia, i notevoli lavori di J. Touzard, pubblicati negli anni 1907-1909. Seguendo questo autore, è possibile riassumere i cambiamenti di prospettiva che sono stati registrati. Non si devono dissociare le predizioni profetiche dall'insegnamento profetico. Le predizioni dei profeti sono al servizio dell'insegnamento che danno e che riguarda la futura sovranità di Dio sul mondo e l'instaurazione

di una vita religiosa autentica. La religione profetica è ricca di verità morali e religiose; le profezie servono questa religione.

Concentrando l'attenzione esclusivamente sulla verifica neotestamentaria delle predizioni profetiche, l'apologetica tendeva a vedere le profezie come enigmi incomprensibili per i contemporanei dei profeti. In effetti, le predizioni dei profeti avevano già un effetto sugli uditori alimentandone la fede e la speranza e volgendo il loro sguardo verso il futuro. La profezia aveva quindi un senso letterale veterotestamentario, poiché il senso neotestamentario è un senso «profondo e ultimo», un senso «totale». Infine, le predizioni profetiche non trovano necessariamente la loro verifica definitiva al tempo di Gesù o della chiesa primitiva. Molte di esse continuano a orientare lo sguardo verso la fine dei tempi, perché è allora che Dio stabilirà definitivamente il suo regno, e le promesse già realizzate in Gesù Cristo troveranno il loro compimento ultimo e definitivo. Si riconcilia quindi la *predizione* con l'insegnamento morale e religioso del profeta, e anche con la *promessa*, e la *verifica* della predizione con una nozione che la supera integrandola, ossia il *compimento*. Simili prospettive rendono naturalmente il credente più sensibile all'insieme della storia della salvezza, e non più soltanto alla verifica materiale delle predizioni. Esse fanno appello anche all'intelligenza e al cuore del credente per una comprensione reale delle profezie, e sottolineano che il non-credente sarà toccato dall'argomento profetico se Dio, misteriosamente, gli apre il cuore.

Verso la metà di questo secolo, il rinnovamento biblico ha consentito di arrivare a vere sintesi. Molti nomi meriterebbero di essere citati: ricordiamo quelli di J. Coppens (*Les harmonies des deux Testaments*, Tournai-Paris 1949), di P. Grelot (*Sens chrétien de l'Ancien Testament*, Tournai

1962; *La Bible parole de Dieu*, Tournai-Paris 1965), autori di importanti pubblicazioni su questo argomento. Si noterà che con questi due nomi il problema del compimento è assunto da due esperti dell'esegesi che intendono fare opera di sintesi pur continuando ad onorare il loro compito di esegeti. Ne consegue che l'argomento tradizionale delle profezie si estende considerevolmente e diventa alla fine una maniera di percorrere numerose tematiche sia dell'Antico che del Nuovo Testamento. J. Coppens ha dedicato parecchie opere ai diversi messianismi presenti nelle Scritture e al loro compimento. P. Grelot ha fatto la stessa cosa, senza dubbio con preoccupazioni più teoriche. Il suo *Sens chrétien de l'Ancien Testament*, pubblicato in una collana di teologia dogmatica, espone tutti i legami possibili tra l'AT e il NT, dal punto di vista sia del senso letterale sia del senso delle «cose». Mentre gli studi di Coppens danno una priorità assoluta al senso letterale, escludendo qualsiasi tentativo di accesso ai testi per altre vie, P. Grelot s'interroga sull'insieme dei legami che la nozione di senso cristiano permette di stabilire tra l'AT e il NT, sia nella prospettiva del *senso letterale* (le profezie e il loro compimento), sia nella prospettiva del *senso delle cose*, che consente di sfociare nei sensi tipologici, spirituali o mistici, e di porre pienamente Cristo al centro della storia.

Abbiamo sottolineato che queste sintesi sono state possibili grazie al rinnovamento biblico della prima metà del ventesimo secolo, che ha portato con sé un interesse per i metodi di critica storica e letteraria che hanno concentrato lo sguardo degli esegeti sul valore del senso letterale. È quindi soprattutto questo il senso che è all'opera quando si cerca di stabilire i rapporti tra la promessa e il compimento. In relazione all'argomento profetico degli apologeti del

XIX secolo o dell'inizio del XX, il fatto di prendere sul serio il senso letterale ha portato grandi cambiamenti di prospettiva. Molte profezie che erano considerate miranti direttamente ed esclusivamente a realtà neotestamentarie si sono viste ricollegare a realtà veterotestamentarie. Un esempio: si pensava che le profezie del servo di Isaia mirassero immediatamente a Gesù Cristo. Nelle sintesi di teologia biblica si scopre che il servo di Isaia ha innanzitutto un senso veterotestamentario. Adombra, per esempio, il piccolo resto di Israele. Allo stesso modo, la vergine di Isaia 7,14 rappresenta la moglie di Acaz, e suo figlio Ezechia. Partendo da queste nuove basi, che diventa il compimento neotestamentario? Per accogliere queste nuove acquisizioni dell'esegesi critica, si deve elaborare una teoria dei sensi che permetta di stabilire rapporti reali tra la profezia veterotestamentaria e il suo compimento neotestamentario. Si deve rimandare quest'ultimo alla categoria dei sensi teologici, spirituali o mistici? Sicuramente no, perché essendosi il rinnovamento esegetico costruito sul riconoscimento della solidità del senso letterale, si avrebbe l'impressione che assegnando il senso, che dà compimento, alle categorie dei sensi teologici o spirituali, esso perderebbe parte del suo valore.

Per risolvere questo problema teorico è nata la nozione di *sensus plenior*. Essa costituisce una nozione chiave per tutti i tentativi di sintesi sulla promessa e il compimento verso gli anni '50. Abbiamo visto che Touzard parlava di senso «totale» o di senso «profondo». Già nel XVII secolo, il critico R. Simon stabiliva una categoria simile parlando di «senso teologico, o mistico, o spirituale» che considerava in parte «letterale» («letterale a suo modo») e faceva molta attenzione a distinguerla dalle «misticherie» senza interesse che ai suoi tempi fiorivano qua e là. Sembra che l'espressione *sensus plenior* sia stata usata per la prima volta da A. Fernandez nelle sue *Institutiones biblicae*, pubblicate a Roma intorno agli anni '20. Fu ripresa e sviluppata in parecchie sintesi tra le quali citeremo almeno: R.E. Brown, *The «Sensus Plenior» of the Sacred Scripture*, Baltimore 1955, e anche in CBQ 25 (1963) 262-285; P. Grelot nella maggior parte delle sue opere maggiori; J. Coppens, *Vom christlichen Verständnis des Alten Testaments*, Louvain 1952; G. Courtade, «Les Écritures ont-elles un sens plénier?» in RSR (1950) 481-499; P. Benoit, in RB 67 (1960) 161-196; B. Vawter, in CBQ 26 (1964) 85-96; R.E. Brown, in EThL 43 (1967) 460-469.

Benché i sostenitori del *sensus plenior* divergano a volte nell'esplicitare questo senso, si noterà che per tutti si tratta di un senso realmente presente nel testo veterotestamentario a un livello profondo della lettera. La questione allora è di sapere se l'autore profetico ne era cosciente. Su questo punto i pareri divergono. Comunque sia, la nozione di *sensus plenior* permise di radicare i rapporti tra le promesse veterotestamentarie e il loro compimento nel NT sulla base solida del senso letterale.

Oggi abbastanza misconosciuta, la nozione di *sensus plenior* non raccolse unanime approvazione. Nata ed utilizzata esclusivamente in esegesi e in teologia cattolica, ebbe i suoi avversari tra i quali si deve citare H. de Lubac (*L'Écriture dans la Tradition*, Paris 1966). Questo specialista di patristica aveva troppo frequentato la tradizione per non rendersi conto che la sintesi articolata intorno al *sensus plenior* accordava in effetti alla lettera un'importanza che essa non aveva nella sintesi patristica dei quattro sensi. I sensi tratti da una lettura viva della Scrittura da parte della tradizione rischiano infatti, con il *sensus plenior,* di essere oggettivati come fossero già nella lettera veterote-

stamentaria, mentre bisognerebbe mostrare come essi sbocciano nella pratica stessa della lettura della Scrittura da parte delle comunità cristiane.

I rapporti tra la promessa e il compimento furono pensati secondo altri approcci nelle grandi teologie dell'AT, particolarmente, ma non esclusivamente, nell'esegesi protestante. (Come esemplificazione, citiamo qui quelle di W. Eichrodt, *Theologie des Alten Testaments*, voll. I-III, Leipzig 1933-1939; G. von Rad, *Theologie des Alten Testaments*, vol. I-II, München 1960. Ma si dovrebbe parlare anche di E. Jacob, *Théologie de l'Ancient Testament*, Neuchâtel 1965; B.S. Childs, *Biblical Theology in crisis*, Philadelphia 1970; S. Amsler, *L'Ancien Testament dans l'Église*, Neuchâtel 1960, ecc.). Praticando un metodo di taglio trasversale (*cross-section*), Eichrodt pensa i rapporti tra l'AT e il NT in termini di elementi costanti che trovano posto in una struttura d'insieme che non è altro che l'alleanza. La predizione (*Weissagung*) deve riconciliarsi con il concetto, più vasto, della profezia (*Prophetie*). Nel NT tutti gli elementi rilevati all'interno della struttura d'alleanza si ritrovano marcati dal sigillo del compimento. Ma questo compimento deve essere ben compreso, perché orienta lo sguardo verso la parusia come compimento definitivo.

Per von Rad, la prospettiva non è più quella di una struttura d'alleanza che integra una serie di elementi determinati, ma quella, diacronica, di una storia delle tradizioni. Questa costante ripresa di tradizioni antiche e la loro attualizzazione è una delle caratteristiche dell'AT. Essa porterebbe alla pura dispersione se von Rad non vi sottolineasse una costante, ossia *l'intenzione kerygmatica* che ogni volta consente a Israele di riprendere la tradizione antica per proclamare il messaggio del Dio unico nel presente. Von Rad riflette su «la prova scritturale» degli autori del NT. Questa parola è troppo impegnativa, nel suo significato, per esprimere tutte le sfumature proprie dell'idea che esistono continuità tra l'AT e l'evento Gesù Cristo. Egli nota molto giustamente che la prova per mezzo delle Scritture non deve essere separata da tutti quegli accostamenti tipologici che costituiscono una delle originalità della Scrittura neotestamentaria. La tipologia mira a stabilire tra un evento dell'AT e un evento del NT una corrispondenza che esprime al tempo stesso la continuità e la gradazione. Essa è dunque essenziale quando si cerca di articolare AT e NT come promessa e compimento.

Quella di von Rad appare ai nostri giorni come una specie di teologia madre tanto la sua influenza si è rivelata capitale per l'insieme delle teologie della storia che in seguito sono fiorite. Tra queste segnaliamo i saggi di W. Pannenberg, «Heilsgeschehen und Geschichte», (in KuD 5, (1959), 218-237 e 259-288), in cui l'autore si interessa della promessa e del compimento, e di J. Moltmann, particolarmente nella sua *Teologia della speranza,* Brescia 1970. Sulla promessa e il compimento i due pensieri non devono essere equiparati. I lavori di Pannenberg lo portano in effetti ad abbandonare definitivamente la categoria promessa-compimento a favore della storia delle tradizioni (cfr. le sue posizioni in I. Berten, *Histoire, révélation et foi,* postfazione, Bruxelles 1969, 145). Per contro, Moltmann conserva l'idea di promessa come un elemento chiave del suo pensiero, mostrando come promessa e compimento non cessano di appoggiarsi e rilanciarsi reciprocamente.

Riguardo alle teologie più propriamente neotestamentarie, numerosi studi su argomenti particolari della Scrittura, come la promessa e la profezia, hanno consentito di arrivare a studi più sistematici. R. Bultmann a suo tempo si è interessato a «Il significato dell'AT per la fede cristiana» e a «Profezia e compimento» in

Credere e comprendere, Brescia 1977. È ovvio che i rapporti tra AT e NT non sono pensati da Bultmann in termini di storia della salvezza, ma in termini di esistenzialità. Se si può dire che l'AT è la preparazione del Nuovo, non lo è in senso storico (*historisch*), cioè «come se il fenomeno storico della religione cristiana fosse divenuto possibile solo in virtù dell'evoluzione religiosa testimoniata dall'AT», ma in un senso reale (*sachlich*): il vangelo può essere predicato solo quando l'uomo si trova sotto la legge. In questo senso l'AT può essere considerato come tendente a mettere l'uomo in situazione di «precomprensione» (*Vorverständnis*) del vangelo. Quanto alle prove tratte dalla Scrittura, esse non potrebbero portare all'idea che Cristo arriva al termine di predicazioni o promesse che lo inscriverebbero come il vertice della storia. Cristo è la fine della storia nel senso che ne è il «termine escatologico» che abroga per questo fatto ogni preparazione che si inscriverebbe nella storia sotto forma di predizione, di annuncio o di promessa. L'AT prepara il Nuovo in ciò che vi rappresenta un insuccesso. Le nozioni di alleanza, regno di Dio, popolo di Dio si trovano escatologizzate nel NT, e di conseguenza in rottura totale con l'uso «intramondano» che si è fatto di esse nell'AT. Come grandezza escatologica, Cristo denuncia l'insuccesso dell'AT, il quale solo perché è insuccesso può essere detto «promessa». «Per l'uomo niente può essere promessa tranne il fallimento delle sue vie, tranne la conoscenza dell'impossibilità in cui si trova di raggiungere direttamente Dio nella sua storia intramondana, d'identificare senz'altro questa storia con l'azione di Dio» («Profezia e compimento»).

Tipico rappresentante di una teologia che privilegia la proclamazione sulla storia, Bultmann si trova così agli antipodi delle teologie della storia di von Rad o di Moltmann. Tra i suoi più rigidi oppositori si deve segnalare O. Cullmann, in particolare nel suo studio *Le salut dans l'histoire* (Neuchâtel 1966). Cullmann riprende uno ad uno i temi esegetici per mostrare che la categoria di storia della salvezza, maltrattata da Bultmann, è ben presente negli scritti del NT, e perfino nel pensiero di Gesù, e che non è il caso di opporre il «precattolico» Luca, presunto inventore della storia della salvezza, a Paolo rappresentante della decisione di fede non macchiata da considerazioni sulla storia della salvezza. Restituendo coesione agli scritti del NT, Cullmann mostra come l'unità del pensiero neotestamentario dipenda dalla predicazione di Gesù e come questa intenda portare al suo compimento le promesse dell'AT, continuando ad orientare lo sguardo verso il compimento della fine dei tempi.

Molti altri nomi andrebbero citati. Segnaliamo almeno quello di W.G. Kümmel che seppe trattare a suo tempo, con grande maestria, il tema riguardante la storia e l'escatologia nei testi neotestamentari (*Verheissung und Erfüllung*, Zürich 1953²). Discepolo di R. Bultmann, E. Käsemann ha saputo superare il suo maestro reinstaurando un confronto dialettico tra la storia e l'escatologia che si rivela di grande interesse per quanto riguarda la nozione di compimento, e conduce più lontano, a nostro avviso, della visione della storia sviluppata da Cullmann.

Attualmente, le nozioni di promessa e di compimento hanno ancora molti giorni davanti a loro. Appaiono come un passaggio obbligato per l'ermeneutica cristiana che deve assolutamente rendersi conto dell'inserimento del mistero di Gesù nella storia d'Israele e nella storia in generale. Il cantiere sia esegetico sia ermeneutico è immenso. Segnaliamo in conclusione due piste promettenti: 1. Lo sviluppo degli studi sulla lettera-

tura intertestamentaria che permette di studiare le nozioni di promessa e di compimento nei diversi ambienti del tardo ebraismo; 2. Lo sviluppo dell'interesse per il fenomeno della scrittura, sotto tutti i suoi aspetti (linguistico, semiotico, sociologico, ecc.), che porta nuove possibilità di teorizzazione (cfr., ad es., gli studi di P. Beauchamp).

Bibl. - C.H. Dodd, *According to the Scriptures*, London 1953; P. Grelot, *Sens chrétien de l'Ancien Testament*, Paris-Tournai 1962; G. von Rad, *Teologia dell'Antico Testamento*, voll. I-II, Brescia 1972; P. Beauchamp, *L'un et l'autre Testament*, voll. I-II, Paris 1976-1990; P.M. Beaude, *L'Accomplissement des Écritures*, Paris 1980.

Pierre-Marie Beaude

II. Rapporto AT/NT nella lettera ai Romani

Lo studio dei rapporti del Nuovo Testamento con l'Antico è sempre istruttivo. Parecchi autori del NT invitano essi stessi a farlo. Secondo Giovanni, per esempio, Mosè ha scritto riguardo a *Cristo* (Gv 5,46). La prima lettera di Pietro insegna che i profeti dell'antico Patto profetizzarono sulla grazia che ci era destinata (1 Pt 1,10). Era «lo Spirito di Cristo che era in loro» (i profeti) e che, per mezzo di loro, «prediceva le sofferenze destinate a *Cristo* e le glorie che dovevano seguirle» (1 Pt 1,11). Così i profeti dell'antico Patto annunziavano a modo loro il mistero pasquale di Cristo. Paolo stesso, quando sostiene che «tutte le promesse di Dio in lui [Gesù Cristo] sono divenute *sì*» (2 Cor 1,20) .rivela che quando egli parla di Gesù Cristo spesso guarda all'AT.

I rapporti fra l'AT e NT possono essere considerati in modo generale. Noi in questo studio, abbiamo preferito affrontare l'argomento in uno scritto specifico del NT, la lettera ai Romani. Più precisamente, studieremo le *citazioni* dell'AT con cui Paolo infiora questa lettera.

Ogni lettore attento della lettera ai Romani osserva quanto spesso Paolo rinvii all'AT. Questo fatto può sollevare· parecchi interrogativi: qual è il numero, la provenienza precisa e la funzione di queste citazioni? Paolo le riporta con fedeltà letterale ai testi e al loro contesto originale?

1. ONNIPRESENZA DELLE CITAZIONI DELL'AT - La sola lettera ai Romani non cita meno di 62 passi dell'AT (cfr. D.-A. Koch, *Die Schrift als Zeuge des Evangeliums. Untersuchungen zur Verwendung und zum Verständnis der Schrift bei Paulus*, Tübingen 1986, 21-24). Più che nelle altre lettere, Paolo manifesta in Romani un interesse speciale per l'AT. Non cita mai l'AT in 1 e 2 Tessalonicesi, in Colossesi e Filippesi. Efesini rimanda all'AT in modo sbrigativo, senza insistenza. Romani contiene di fatto una gran parte delle 93 citazioni dell'AT rilevate nel complesso delle lettere attribuite di solito all'apostolo Paolo (Rm, 1 e 2 Cor, Gal, Ef, Fil, Col, 1 e 2 Ts).

Le citazioni dell'AT che si trovano in Romani appartengono specialmente al libro dei Salmi (14), alla Genesi (8), al Deuteronomio (8), al Proto-Isaia (7), al Deutero-Isaia (7) e infine al Trito-Isaia (5). Le rimanenti 13 citazioni si dividono fra nove altri libri dell'AT (Abacuc, Malachia, Esodo, Osea, Levitico, 1 Re, Giobbe, Proverbi, Gioele). È dunque evidente che i principali libri ai quali si riferisce Paolo quando scrive la lettera ai Romani, sono i libri dei Salmi, della Genesi, del Deuteronomio e soprattutto di Isaia. Peraltro, nell'insieme delle sue lettere, Paolo rivela una netta preferenza per questi quattro libri. Lascia da parte i profeti Geremia, Ezechiele e Daniele e anche gli scritti storici come i libri di Samuele, le Cronache e il secondo libro dei Re. Riflette così le scelte dei suoi contem-

poranei giudei (D.-A. Koch, *op. cit.* 47, n. 14). Come loro, citerà solamente i libri che furono riconosciuti come canonici dopo l'anno 70 dell'era cristiana dal giudaismo farisaico e rabbinico. Non cita mai, per esempio, il Siracide o il libro della Sapienza (cfr. E. Earle Ellis, *Paul's Use of the Old Testament*, London 1957, «Paul's Use of Non-Canonical Literature», 76-82). Questo fatto non esclude che questi scritti possano averlo *ispirato* (a questo proposito si possono confrontare Rm 1,18-23 e Sapienza 13,1-9), ma significa che non era il caso di *citarne* il testo.

Osserviamo infine che capiterà a Paolo, nelle lettere ai Corinzi, di presentare come citazioni dell'AT certi testi che si cercano invano nelle Scritture (1 Cor 1,31; 2,9; 10b; 2 Cor 13,10).

2. IL TESTO ORIGINALE E LE CITAZIONI PAOLINE - a. *Il testo dei Settanta* - Paolo cita l'AT partendo dal testo greco della versione dei Settanta, o più esattamente partendo da un testo dei Settanta che era stato ebraicizzato prima di lui (D.-A. Koch, *op.cit.*, 78-79). Per questo faremo riferimento sempre al testo dei Settanta. Per lo stesso motivo manterremo la numerazione dei Salmi usata da quella versione.

Parecchie citazioni di Romani lasciano vedere che Paolo legge il testo dei Settanta. Per esempio, in Rm 15,10 scriverà come i Settanta: «*Rallegratevi*, o nazioni, insieme al suo popolo» (Dt 32,43), mentre nell'originale ebraico si leggeva così: «*Acclamate* il suo popolo, o nazioni!». O ancora Rm 15,12 cita Is 11,10 secondo il testo dei Settanta: «... in lui [il rampollo di Iesse] *le nazioni spereranno*», mentre il testo ebraico diceva «È questa [la radice di Iesse] che *le nazioni cercheranno*».

b. *Modifica del testo originale* - Ma Paolo cita con una certa libertà il testo greco dell'AT. Rm 9,33 cita liberamente Is 8,14; una decina di passi della stessa lettera impone cambiamenti di stile e citazioni dell'AT (Rm 2,6; 9,9; 10,19; 11,4.34.35; 12,19; 14,11; 15,8.11).

L'apostolo ama modificare l'ordine delle parole per mettere in rilievo un elemento al quale attribuisce un particolare interesse. Così Rm 11,3 mette in evidenza l'*assassinio dei profeti* situando all'inizio della citazione la proposizione «hanno ucciso i tuoi profeti», proposizione che nel passo preso da 1 Re 19,10 stava più lontano. Allo stesso modo, per mettere l'accento sulla colpevolezza del popolo ebraico «disobbediente e ribelle», Paolo mette in rilievo, all'inizio della frase, l'espressione «tutto il giorno»: «*Tutto il giorno* ho steso le mani verso un popolo disobbediente e ribelle» (Rm 10,21), mentre in Isaia (65,2) l'espressione «tutto il giorno» veniva nel mezzo della frase.

C'è un'altra modifica stilistica del testo dei Settanta in Rm 11,9b: Paolo mette in evidenza la parola *inciampo (skándalon)* perché a un *contesto di caduta e rigetto* si addice che questa parola sia messa in rilievo in questo modo (cfr. Rm 11,8-8.10).

Spesso Paolo riporta il testo dell'AT per dare maggior valore al suo punto di vista (cfr. Rm 3,10-12/Sal 13,1-3; Rm 3,15-17/Is 59,7-8). In questi casi si conserva preferibilmente gli elementi del testo originale che appoggiano il suo pensiero.

L'ampiezza dei testi citati da Paolo varia molto nel corso della lettera. A volte Paolo cita solo qualche parola dell'AT: «non desiderare» (*oúk epithymêseis*, Rm 7,7/Dt 5,21) o una breve proposizione significativa: Dio «renderà a ciascuno secondo le sue opere» (*apodôsei hekástō katá tá érga autoú*, Rm 2,6/Sal 61,13). Spesso Paolo cita uno o più versetti completi (cfr. Rm 11,9-10/Sal 68,23-24; Rm 11,26-27/Is 59,20-21).

Talvolta il lettore si trova davanti una serie di citazioni, prese da libri diversi dell'AT, che può servire a rendere *in modi diversi* una stessa affermazione di Paolo. Da una citazione all'altra non c'è un vero progresso del pensiero. Una stessa idea si trova semplicemente rivestita in modi diversi. È il caso di Rm 15,9-12, in cui quattro testi dell'AT (Sal 17,50; Dt 32,43; Sal 116,1; Is 11,10) forniscono, per lo meno secondo Paolo, quattro formulazioni di un pensiero espresso subito prima del gruppo delle citazioni: «Le *nazioni pagane glorificano* Dio per la sua misericordia». Ognuno dei quattro testi citati (Rm 15,9b-12) contiene gli stessi due termini «nazioni» (pagane) e «glorificano» già usati nel versetto 9a, oppure dei sinonimi.

Paolo cerca così di dare al suo pensiero l'autorità posseduta dalla parola di Dio; radica nella tradizione religiosa d'Israele i suoi punti di vista apparentemente nuovi, che potrebbero urtare i lettori giudei o giudeocristiani. Da questo stesso punto di vista si potrebbe studiare Rm 3,10-18.

A Paolo capita di riunire un gruppo di citazioni con finalità diverse: in questo caso appoggia sull'AT *ogni parte* del suo ragionamento. Così avviene in Rm 9,6-18, dove egli cerca di spiegare perché Israele non ha accolto bene il Cristo Gesù.

Si tratta di un mistero o uno scandalo storico che Paolo vorrebbe capire. 1. Allo spirito di Paolo si presenta una prima spiegazione del fatto: la parola di Dio, che secondo il piano divino doveva essere accolta dalla «discendenza di Abramo», *sarebbe fallita per impotenza* non avendo potuto realizzare il piano di Dio (Rm 9,6). Paolo reagisce vivacemente: la vera «discendenza d'Abramo» per cui il piano divino valeva è quella data da *Isacco* a suo padre, come diceva Gn 21,12 (citato in Rm 9,7). 2. Qui si tratta di una discendenza nata da una promessa, come attesta Gn 18,10.14 (Rm 9,9). 3. E se Jhwh è accettato da un figlio d'Isacco (Giacobbe) piuttosto che dall'altro (Esaù) è per una *libera scelta* di Dio, che chiama in tutta libertà chi vuole, come si vede in Gn 25,23 e Ml 1,2-3 (Rm 9,12-13).

A ogni tappa del ragionamento di Paolo, come si vede, una citazione della Scrittura (parola di Dio) viene a confermare, sanzionare o accreditare il pensiero di Paolo. Il ricorso all'AT è quindi sistematico.

3. FUNZIONE DELLE CITAZIONI DELL'AT - Le osservazioni che abbiamo fatto sollevano un problema fondamentale: che funzione hanno in Paolo le citazioni dell'AT? Sembra evidente che la prima funzione esercitata da quelle citazioni sia di stabilire che l'insegnamento dell'AT e quello di Paolo vanno perfettamente d'accordo. Che le citazioni formino una semplice *amplificazione verbale* di un tema di Paolo, come si vede in Rm 15,9-12, o che vengano a *confermare* ogni passo della riflessione di Paolo (Rm 9,16-18), la funzione principale di queste citazioni dell'AT rimane identica: *vogliono dare al pensiero di Paolo l'autorità della parola di Dio.*

Un lettore frettoloso cadrà nel tranello; riterrà che Paolo non faccia altro che spiegare la parola di Dio consegnata nelle sacre Scritture. Gli sembra che un accordo perfetto regni fra Paolo e gli autori sacri delle Scritture. Di fatto, le citazioni non costituiscono il *punto di partenza* del pensiero di Paolo; di solito non lo fanno neppure progredire. Si contentano di esprimerlo in modi diversi. Soprattutto non è affatto scontato, come tra poco vedremo, che Paolo *rispetti il senso* che i testi citati avevano nell'AT.

a. *Dov'è il punto di partenza?* - Prima di arrivare a quel punto fondamentale, ci occuperemo di un altro problema che abbiamo appena sollevato: dov'è il *punto di partenza* in questo andare avanti e indietro fra l'AT e il suo pensiero personale? La

riflessione di Paolo parte dall'AT o dalla tradizione cristiana? L'apostolo riflette in primo luogo, crediamo, sull'unico vangelo di Cristo (Gal 1,7) e poi va all'AT.

– Romani 15,12-13. Capita senza dubbio che l'uno o l'altro dei versetti di Paolo sia come generato dall'AT appena citato. Per esempio, se Paolo parla in Rm 15,13 del *Dio della speranza* (espressione che non troviamo in alcun'altra parte delle sue lettere) e se si augura nello stesso passo che i cristiani «abbondino nella speranza per la virtù dello Spirito Santo», è sicuramente perché la citazione di Is 11,10 fatta da Paolo nel versetto precedente (Rm 15,12) terminava con queste parole: «In lui [il rampollo di Iesse] le nazioni *spereranno*». La parola *speranza* usata da Isaia suscita l'augurio di Paolo che parlerà due volte della speranza (*elpís*, Rm 15,13).

– Romani 15,9-12. Di solito tuttavia si presenta il movimento inverso: un *pensiero di Paolo* già formulato determina la scelta delle *citazioni* fatte in seguito. Abbiamo visto poco fa come due parole usate da Paolo stesso in Rm 15,9 – *nazioni* e *glorificare* (*éthnē* e *doxázein*) – richiamassero tre citazioni dell'AT in cui comparivano queste stesse due parole o, nel caso della parola «glorificare», dei sinonimi (*doxázein: exomologhéin, psállein, euphráinein, ainéin, epainéin*).

Tutto lascia credere che al momento di dettare le sue lettere Paolo si volga verso l'AT con un suo pensiero personale già ben chiaro in mente, un pensiero ispiratogli dalla tradizione nata dal vangelo di Cristo. Chiede allora all'AT sia *espressioni* nette e vive del proprio pensiero, sia scene o avvenimenti che *illustreranno* il suo pensiero.

– Romani 3,21-4,25. A questo riguardo il richiamo alla figura di Abramo è fra i più significativi. La lettera ai Romani menziona Abramo per la prima volta all'inizio del quarto capitolo (Rm 4,1), cioè dopo che Paolo aveva spiegato con notevole rigore (Rm 3,21-31) che «l'uomo è giustificato per fede, indipendentemente dalle opere della legge» (Rm 3,29). L'apostolo ha *prima* meditato sulla «redenzione realizzata da Cristo Gesù» (Rm 3,24) e sull'espiazione fatta nel suo sangue (Rm 3,25). La storia spirituale di Abramo (Rm 4) viene *successivamente* a illustrare il pensiero sviluppato in precedenza (Rm 3,21-31).

I punti di vista che Paolo espone prima in Rm 3,21-31 orientano la lettura che egli fa della storia di Abramo. Per esempio, perché Paolo parla della *giustizia* di Abramo solo a partire da Gn 15,6: «Egli credette al Signore che glielo accreditò come giustizia»? Abramo non aveva forse già un comportamento da uomo *giusto* quando Jhwh in Gn 12,1 gli disse: «Vattene dal tuo paese, dalla tua patria e dalla casa di tuo padre, verso il paese che io ti indicherò», e quando «partì, come gli aveva ordinato il Signore» (Gn 12,4a)? Paolo lascia da parte questo episodio di Gn 12,1-5, perché vuole, alla luce della tradizione evangelica che ispira Rm 3,21-31, ricollegare la *giustizia* e la *fede*. Ora, i termini *giustizia* e *fede* non compaiono in Gn 12,1-5, mentre si trovano strettamente uniti in Gn 15,6. Citerà dunque solo quest'ultimo testo della Genesi, poiché esso esprime nettamente il pensiero personale di Paolo.

– Romani 4,19. Un'altra prova che i dati del NT guidano Paolo nella sua lettura della storia di Abramo è il modo in cui presenta il Dio d'Abramo come il Dio che *dà vita ai morti* (Rm 4,17), poi presenta i corpi di Abramo e di Sara come entrambi *toccati dalla morte* (Rm 4,19). È vero che il libro della Genesi dice che «Abramo e Sara erano vecchi, avanti negli anni» (Gn 18,11), ma non li presenta mai come «toccati dalla morte». Ma il mistero pasquale – il centro della fede cristiana – ispira a Paolo

una nuova lettura della storia di Abramo. La fede cristiana, che parla di «colui che ha risuscitato dai *morti* Gesù nostro Signore» (Rm 4,24), suggerisce a Paolo di descrivere il Dio di Abramo come «il Dio che dà vita ai morti» (Rm 4,17) e di vedere i corpi di Abramo e Sara come *morti* (Rm 4,19). Così un vocabolario attinto al mistero pasquale che parla della *morte* e di un Dio che *fa risuscitare* viene usato in Rm 4 per raccontare la storia di Abramo. La nuova lettura paolina dell'esperienza di Abramo non falsa i dati dell'AT, ma racconta i fatti collegandoli con l'esperienza pasquale di Cristo. Di conseguenza, Abramo prefigura il discepolo di Cristo non solo per il suo *atteggiamento* di credente (Rm 4,12), ma anche per l'*oggetto* stesso della sua fede: «il Dio che dà la vita ai morti» (Rm 4,17). La nascita d'Isacco e la risurrezione di Gesù ne saranno ugualmente riavvicinate.

Paolo appare dunque, almeno nella lettera ai Romani, come un discepolo di Cristo che si nutre prima di tutto della tradizione religiosa nata dal vangelo. Ben radicato nella fede cristiana, ne cerca poi gli annunzi, le figure, i simboli o alcune espressioni felici negli scritti dell'AT.

4. L'INSEGNAMENTO CHE VIENE DALL'AT - Se a questo punto della nostra riflessione interroghiamo le citazioni dell'AT che si trovano nella lettera ai Romani, due problemi fondamentali si presentano alla nostra mente: 1. Quali sono *gli elementi della fede cristiana* che la lettera ai Romani ritrova nell'AT? 2. La lettera ai Romani rispetta il *senso originario* dei testi che cita dell'AT? Tratteremo i due problemi contemporaneamente per non doverci ripetere.

a. *Dio* - Un Dio sapiente e onnisciente. Parecchie citazioni dell'AT che troviamo in Romani parlano di Dio. Per esempio, Paolo trova in Is 40,13 e in Gb 41,3 delle esclamazioni di ammirazione per la sapienza e la *scienza* di Dio: «Chi ha mai potuto conoscere il pensiero del Signore?» (Rm 11,34-35).

– Un Dio fedele. La fedeltà di Dio al suo popolo è ricordata da 1 Sam 12,22: «Dio non ha ripudiato il suo popolo» (Rm 11,2), citazione alla quale Paolo fa questa aggiunta: «... che egli ha scelto fin da principio». Queste parole spiegano l'atteggiamento di Dio: è grazie all'*amore gratuito e preveniente* di Dio per il suo popolo che Israele non è ripudiato da quel Dio che è fedele «per riguardo al suo nome che è grande» (1 Sam 12,22).

– Un Dio giudice e vendicatore. In un altro passo di Romani (Rm 2,6), Paolo appoggia su un salmo (Sal 61,13) un insegnamento del tutto sconosciuto al salmista. Mentre questo parlava del Dio giusto che, fin da questa terra, ricompensa ciascuno secondo i suoi meriti, Paolo scopre un Dio che, nel *giudizio finale* che si aprirà nell'aldilà, ristabilirà ogni giustizia. Paolo reinterpreta così in funzione dell'insegnamento di Cristo un testo dell'AT (Mt 25,31-46).

Is 45,23 annunzia il giorno in cui le *nazioni pagane* acclameranno Jhwh come solo «Dio giusto e salvatore» (Is 45,21). Paolo appoggia su questo testo l'affermazione che ogni uomo sarà giudicato da Dio, per cui si deve lasciare a Dio il giudizio su ogni uomo (Rm 14,11). E ancora qui Paolo modifica notevolmente il senso del testo originale: grazie a un contesto nuovo, quello della fede cristiana, lo stesso testo passa dalle nazioni agli individui e poi fa di Dio *salvatore* (Is 45,21) il *giudice* universale.

Nel Deuteronomio (32,35) Jhwh annunzia che interverrà per castigare le *nazioni pagane* idolatre e nemiche d'Israele: «Mia sarà la vendetta e il castigo, quando vacillerà il loro piede!». Paolo cambia notevolmente la portata del testo, quando cita questo passo per chiedere a ogni cristiano di non «rendere a nessuno male per be-

ne» e di «lasciar fare all'ira divina» invece di *farsi giustizia da soli* (Rm 12,17.19).

– Un Dio misericordioso. Giudice severo, Dio tuttavia rimane misericordioso. In due profeti, Osea e Isaia, Paolo trova annunziato che la salvezza è frutto della misericordia di Dio e non dei nostri meriti personali. Dio chiama Israele *suo popolo, suo diletto* (Rm 9,25-26; Os 2,1.25) e *figli del Dio vivente* (Rm 9,26; Os 1,10), sebbene il popolo sia immerso nel peccato (Os 2,4-15).

Sempre a proposito della misericordia di Dio, possiamo ricordare il passo Rm 15,9a, in cui Paolo vede i *pagani* «glorificare Dio per la sua misericordia». Attribuisce loro il progetto di Davide di cantare la sua riconoscenza a Jhwh che lo aveva liberato dai suoi nemici: «Per questo ti celebrerò tra le nazioni pagane e canterò inni al tuo nome» (Rm 15,9/ Sal 17,50). Servendosi della formula «come sta scritto», Paolo applica tranquillamente ai *pagani* un testo in cui la Scrittura parlava di Davide!

In Dt 32,43, le nazioni pagane sono invitate a lodare Jhwh per la potenza e la fedeltà che egli ha manifestato *respingendo i nemici di Israele suo popolo.* Paolo si serve di questo stesso passo per chiamare le «nazioni» a «rallegrarsi» – come dice la versione dei Settanta – nel vedere la misericordia divina esercitarsi *a loro favore* (Rm 15,9-10). Il testo dell'AT (Dt 32,43) riconosceva a Israele una sorte fortunata: Jhwh lo aveva liberato dai suoi nemici, di cui indubbiamente facevano parte le «nazioni» pagane. Questa sorte fortunata diventa in Paolo anche la sorte delle *nazioni pagane* stesse. L'intervento di Jhwh che andava *contro* le «nazioni» ora gioca a loro favore!

Nel versetto successivo di Romani (15,11), Paolo reinterpreta in modo altrettanto sorprendente il v. 1 del Sal 116: invece della fedeltà di Jhwh a *Israele*, suo popolo, in Paolo è la misericordia divina manifestata ai *pagani* che invita a lodare Dio: «Lodate il Signore, popoli tutti...» (Sal 116,1; Rm 15,11). Vedere i pagani prendere in questo modo il posto d'Israele è abbastanza interessante. Occorre dire che, durante il suo apostolato, Paolo aveva visto verificarsi un cambiamento di questo genere (At 28,28).

– Un Dio libero. Abbiamo appreso, studiando per esempio Rm 3,21-31 e Rm 4, che Paolo procede spesso in questo modo: comincia esprimendo le sue convinzioni con le sue parole e poi cita dei testi dell'AT che possono dare un sostegno al suo pensiero. Così in Rm 9,11-12 l'apostolo afferma che il disegno divino procede per *libera scelta* e non dipende dalle opere, ma dalla volontà di colui che chiama. In altri termini, la salvezza non è il frutto delle *opere* compiute da ogni uomo, ma di una *libera scelta* fatta da Dio e accolta dal credente. Questa è proprio la tesi personale di Paolo espressa con le sue stesse parole (Ef 2,7-10).

Per appoggiare il suo punto di vista, Paolo fa appello alla storia di Esaù e di Giacobbe: già prima della loro nascita Dio decide che il maggiore dei due figli servirà il minore. Così Jhwh rompeva con la ben nota situazione abituale d'Israele (Dt 21,15-17; Gn 43,33); manifestava la libertà delle sue scelte o meglio ancora l'*amore gratuito* che le ispira (Rm 9,13/Ml 1,2-3; cfr. Gn 4,4-5; 25,23; 1 Sam 16,22; 1 Re 2,15).

Inoltre Dio fa misericordia a chi vuole; indurisce chi vuole, come ben illustra la storia di Mosè e del faraone. Se Jhwh «fa passare davanti a Mosè tutto il suo splendore» e se «proclama il suo nome davanti a lui», è perché lo vuole (Es 33,19/Rm 9,15). Allo stesso modo, se Jhwh permette che il faraone sopravviva alle piaghe che devastano l'Egitto (Es 9,16) è per un piano che Jhwh ha concepito liberamente. Tutti episodi e figure trat-

ti dall'AT che vengono ad appoggiare le opinioni di Paolo su una salvezza che è una grazia di Dio piuttosto che un salario legato alle opere compiute dall'uomo (Rm 9,11-12).

Ci è parso utile mettere in rilievo, nelle citazioni fatte in Romani, quali erano i caratteri di Jhwh che Paolo aveva scoperto nell'AT e che lo avevano impressionato.

b. *Il Cristo* - Sempre in base alle citazioni dell'AT di cui è punteggiata la lettera ai Romani, Paolo si serviva dell'AT per ottenere e dare una migliore conoscenza del Cristo.

– Così Romani 10,18 cita il Sal 18,5, dove il salmista contempla la *gloria di Dio* resa manifesta dall'universo celeste, per proclamare che la *parola del Cristo* è risuonata *per tutta la terra*. Infatti la parola del Cristo compie ciò che il salmista confessava della *gloria di Dio*: questa risplendette nella parola del Cristo. Il testo sacro che parla dell'una può anche parlare dell'altra in momenti diversi della rivelazione.

– Allo stesso modo, quando Rm 10,13 proclama: «Chiunque invocherà il nome del Signore sarà salvato», Paolo si serve per il Signore Gesù di un testo di Gioele che parlava del Signore Jhwh (Gl 2,32 ebraico; 3,5 LXX). Se Gesù è venuto verso di noi come il «sì» di Dio che realizza le promesse fatte nell'antico Patto (2 Cor 1,20), può compiere a favore di tutti gli uomini le meraviglie che Jhwh aveva realizzato a favore del solo Israele.

– Cristo compirà le profezie dell'AT. Is 11,10 (LXX), per esempio, annunzia che «la radice di Iesse» si leverà un giorno per comandare alle nazioni, che allora metteranno in essa tutta la loro *speranza*. Paolo cita questo testo di Isaia per proclamare che il *Cristo*, divenuto con la sua risurrezione (*anistámenos*) Signore di tutte le nazioni (Rm 10,9), compie la speranza che le nazioni avevano riposto nel «rampollo di Iesse» (Rm

15,22). Allora il *Cristo compie una grande profezia*: esercita a favore delle nazioni pagane, al di là di ogni speranza, la *misericordia divina* (Rm 15,8-9). La citazione di Is 11,10 viene a confermare il fatto in Rm 15, 12.

– Quando Paolo avvicina le *offese* ricevute dal Cristo (Rm 15,3) e quelle subite dal giusto perseguitato (Sal 68,10), egli rivela di nuovo che il Cristo adempie in sé molte figure e avvenimenti dell'AT.

– Per tutto il suo ministero, Paolo certamente costatava che il destino di Cristo era quello di condurre alla vita o alla morte gli ascoltatori del vangelo, secondo che lo accettassero o lo rifiutassero: egli emanava un odore di vita o di morte (2 Cor 2,16). Paolo illustra questo fatto combinando i testi di Is 8,14 e 28,16 che parlano di una *pietra* che fa inciampare o che impedisce al credente di vacillare (Rm 9,33). Agli occhi di Paolo il Cristo realizzava questa figura.

c. *Il destino d'Israele* - Parecchi testi dell'AT citati in Romani annunziavano la situazione dell'Israele che, al tempo di Paolo, rifiutò il Cristo. Una profezia del Trito-Isaia vedeva le nazioni pagane affluire verso Jhwh, mentre un Israele ribelle si allontanava da lui (Is 65,1-2). Agli occhi di Paolo l'Israele dell'era cristiana adempiva questa profezia (Rm 10,20-21). Invece, lo stesso profeta Isaia intravedeva il giorno in cui Jhwh sarebbe venuto come redentore a Sion, i cui figli «convertiti dall'apostasia» avrebbero stabilito con Jhwh un patto grazie allo spirito che era allora sul profeta (Is 59,20-21). Paolo legge in questo testo l'annunzio profetico di una conversione in cui «tutto Israele sarà salvato» quando nella chiesa «saranno entrate tutte le genti» (Rm 11,25-26). Paolo scopriva così nell'AT gli orientamenti che un giorno la storia avrebbe preso.

d. *La vita morale* - Le citazioni dell'AT che leggiamo nella lettera ai Romani lasciano ancora vedere in che misura Paolo ritrovasse le linee maestre per il suo insegnamento morale nell'AT.

Quando vuole appoggiare la legge fondamentale della morale cristiana («Chi ama il suo simile ha adempiuto la legge» - Rm 13,8), Paolo cita un testo dell'AT secondo cui il decalogo e tutti gli altri comandamenti della legge mosaica si riassumono in questo precetto: «Amerai il prossimo tuo come te stesso» (Rm 13,9; Dt 5,17-21; Lv 19,18b).

Quando esorta i cristiani a perdonare ai loro nemici (Rm 12,20), Paolo si appoggia ancora su un passo dei Proverbi: «Se il tuo nemico ha fame, dagli pane da mangiare; se ha sete, dagli acqua da bere» (Pr 25,21).

e. *La salvezza mediante la fede* - 1. Romani 1,17. Fin da Rm 1,16-17 – testo in cui si trovano indicati i due temi principali della lettera – Paolo sostiene che è nel vangelo che «la giustizia di Dio è rivelata», *di fede in fede* (Rm 1,17a). In appoggio a questa visione centrale, Paolo immediatamente dopo cita il profeta Abacuc: «Il giusto vivrà per la [sua] fede» (Ab 2,4; Rm 1,17b).

Come il testo di Rm 1,17, così anche quello di Ab 2,4 è difficile da capire. E. Dhorme ci vede perfino «uno dei versetti più difficili» (*La Bible*, Bibliothèque de la Pléiade, Paris 1959, II, 807). Il profeta Abacuc parla dell'uomo *sincero* e *fedele*, opponendolo a «colui che non ha l'animo retto». Anzi, sarebbe meglio, visto come si cita abitualmente il testo nella tradizione, collegare al verbo «vivere» il complemento «sincerità» o «fedeltà»: «Il giusto vivrà mediante la [sua] fedeltà». Abacuc non è preoccupato, come Paolo, di definire la fede o di opporre il regime della legge a quello della fede come fonte di giustificazione o di salvezza. Abacuc parla semplicemente del comportamento dell'uomo «giusto»: egli vivrà servendo Jhwh con sincerità o fedeltà.

C'è senza dubbio un elemento comune nelle interpretazioni diverse che il profeta Abacuc e l'apostolo Paolo danno allo stesso testo (Ab 2,4): entrambi proclamano che *il servizio di Dio o l'obbedienza a Dio sono il modo giusto di vivere o la vera sorgente di vita*. Ma una distanza considerevole separa il pensiero di Abacuc da quello di Paolo: il profeta vede nell'osservanza della legge il servizio da rendere a Dio, mentre Paolo (Rm 1,17) lo vede nella *fede* piuttosto che nelle *opere*, compresa l'opera per eccellenza che per il giudaismo era l'osservanza della legge. La lettera ai Romani si serve dunque di Ab 2,4 come di un testo dell'AT *le cui parole traducono bene un'idea di Paolo*. Ma una volta rimesso nel contesto originale di Abacuc, il testo ha un significato abbastanza diverso da quello che ci vede Paolo. Secondo Abacuc, l'osservanza della legge – ispirata senza dubbio dalla fedeltà a Dio – porta al giusto la vita; nel pensiero di Paolo è la vita di fede – cioè, secondo lui, il contrario dell'osservanza della legge – che sarà fonte di vita per il giusto. Ancora una volta Paolo adatta una citazione dell'AT al suo pensiero personale.

2. Romani 10,5-10. Il tema fondamentale del pensiero paolino che abbiamo studiato in Rm 1,17 appare ancora al centro della lettera ai Romani: la giustizia e poi la salvezza sono date a ogni credente (Rm 10,4b.9).

In un primo tempo, Paolo desidera stabilire che l'osservanza della legge mosaica non poteva condurre alla salvezza. A questo fine Paolo cita il Levitico: «L'uomo che la (legge) pratica vivrà per essa» (Rm 10,5/Lv 18,5). Ma nella mente di Paolo, Mosè stesso condannava così la legge come cammino di vita o di salvezza, poiché «per mezzo della legge si ha solo la conoscenza del peccato» (Rm 3,20); essa non dà la forza di vincerlo.

L'uomo non poteva *adempiere* integralmente la legge.

Riferendosi al contesto di Lv 18,5, è facile vedere che Paolo dunque reinterpretava quel testo dandogli un orientamento contrario a quello che gli era stato dato da Mosè. Infatti, quando Mosè insegnava che «chi metterà in pratica le leggi vivrà» (Lv 18,5), egli metteva l'accento sul *dono della vita*: la legge era, nel pensiero di Mosè, *fonte di vita o di salvezza* per colui che l'osservava. Paolo, da parte sua, mette l'accento piuttosto sull'*osservanza* (il *poiéin*) della legge mosaica. Ora, nessuno può osservare *tutta* la legge (Gal 3,10), visto che «la legge dà solo la conoscenza del peccato» (Rm 3,20). Nessuno sarà dunque salvato dalla legge; essa piuttosto maledice colui che non adempie *tutta* la legge (Gal 3,10/Dt 27,26). In Rm 10,5 Paolo dunque cambia completamente il pensiero che Mosè voleva esprimere in Lv 18,5.

Nel secondo momento della dimostrazione iniziata in Rm 10,5, Paolo cerca di stabilire che si è salvati dalla *fede* (Rm 10,4) e che è persino *facile* raggiungere la salvezza mediante la fede. Di nuovo l'apostolo appoggia il suo pensiero su una citazione del Pentateuco: «Vicino a te è la parola, sulla tua bocca e nel tuo cuore»: basta confessarla per essere salvati (Rm 10,8/Dt 30,14).

Ma la citazione del Deuteronomio (Dt 30,14) usata da Paolo serve, nell'AT, a far vedere quanto la *legge* di Mosè renda *facile* la salvezza. Di fatto, nel contesto religioso in cui viveva l'Israele del tempo di Mosè, la legge mosaica rivelava finalmente le volontà di Dio; dava al popolo di Jhwh una sapienza e un'intelligenza eccezionali che rendevano accessibile la salvezza (Dt 4,6). Da quel momento Israele saprà chiaramente cosa voglia il Dio da lui servito. Ma la proclamazione del vangelo e soprattutto il dono dello Spirito avrebbero cambiato la situazione: Cristo sarà «il termine della legge» (Rm 10,4). La legge allora diventerà un ostacolo per la salvezza (Rm 9,32-33); diventerà una «pietra d'inciampo».

Osserviamo che in Rm 10,5.8-9 Paolo rivolge *contro la legge* due testi (Lv 18,5; Dt 30,14) che nel pensiero di Mosè avevano lo scopo di *glorificare il regime della legge* come via di salvezza *facile da percorrere*.

5. COME PROCEDE PAOLO - È possibile, alla luce dei passi della lettera ai Romani che citano l'AT, scoprire qual è il procedimento seguito da Paolo nell'uso dell'AT? Ci sembra utile segnalare subito il passo di Rm 2,24 che a questo proposito è particolarmente illuminante.

In Rm 2,24, Paolo cerca di portare i giudei a prendere coscienza della loro condizione di peccatori. Mostra loro una conseguenza importante di questo fatto: «Il nome di Dio è bestemmiato per causa vostra tra i pagani» (Rm 2,24/Is 52,5 LXX). Nel contesto che nella versione dei Settanta circonda questo versetto di Isaia, da una parte si vede un Israele ridotto in cattività e dall'altra dei pagani che disprezzano il dio di questi prigionieri, un dio impotente (Ez 36,20). In Isaia (52,5 LXX) Jhwh è dunque bestemmiato dai pagani perché non ha potuto risparmiare la cattività al suo popolo. Responsabile del fatto che il nome di Dio sia bestemmiato fra i pagani a causa d'Israele è la situazione del popolo vinto e non la sua condotta morale reprensibile. Ma nel contesto di Rm 2,24, quello che scandalizza le nazioni pagane e le porta a «bestemmiare il nome di Jhwh» è la condotta immorale dei giudei (Rm 2,21-23).

Così in Isaia e in Paolo lo stesso testo è situato in contesti diversi che gli danno significati molto differenti. Questo fatto non sembra preoccupare Paolo. Gli basta, sembra, che le parole della citazione, *prese in se stesse, senza riguardo per il contesto*

originale esprimano bene il suo pensiero.

CONCLUSIONE - Lo studio che abbiamo fatto sulle citazioni dell'AT presenti nella lettera ai Romani non permette di scoprire tutta l'influenza che l'AT può esercitare su Paolo al momento di redigere questa lettera. Le 62 citazioni che la lettera prende dall'AT rivelano tuttavia punti precisi e numerosi per i quali Paolo fece ricorso alle Scritture dell'antico Patto. Già per questo motivo esse meriterebbero uno studio accurato. Infatti ci hanno insegnato parecchie cose sui rapporti di Paolo con l'AT.

1. Abbiamo appreso prima di tutto che le citazioni in questione erano prese in gran parte da quattro libri dell'AT: Isaia, Salmi, Genesi e Deuteronomio.

2. È apparso chiaro soprattutto che le citazioni prese dall'AT non avevano come funzione principale quella di *innescare* la riflessione di Paolo, quanto piuttosto entravano in una sintesi personale di Paolo già stabilita, per fornire a un dato punto nuove formulazioni del pensiero dell'apostolo.

3. Quelle citazioni avrebbero dato il prestigio della parola di Dio alla riflessione di Paolo, che aveva tutto l'interesse a far vedere che il suo insegnamento, per quanto potesse sembrare innovatore, rimaneva conforme alle Scritture tradizionali d'Israele.

4. Abbiamo rilevato i temi principali che le citazioni dell'AT appoggiavano in Romani: la persona e le funzioni di Dio e di Cristo, il destino d'Israele, la vita morale e infine il tema centrale della lettera, la salvezza ottenuta mediante la fede.

5. Paolo ci è apparso come un autore che cita abbastanza fedelmente la lettera dell'AT letto nella versione dei Settanta. Abbastanza spesso, questo è vero, fa subire al testo sacro dei cambiamenti stilistici di minore

importanza. O anche alleggerisce il passo citato al fine di attirare l'attenzione del lettore su elementi precisi della sua riflessione.

6. Abbiamo soprattutto attirato l'attenzione del lettore su questo punto fondamentale: Paolo reinterpreta con sorprendente libertà i testi da lui citati dell'AT. Li interpreta senza tener conto, sembra, del contesto vetero-testamentario dal quale prende un testo per trapiantarlo nella sua lettera. Quel modo di procedere non manca di stupire.

Ricordiamo che C.H. Dodd sosteneva nella sua opera notevole intitolata *Secondo le Scritture. Struttura fondamentale della teologia del N.T.*, (Brescia 1972), che gli evangelisti e gli altri maestri spirituali della chiesa primitiva rimandavano a un *insieme* quando citavano un'espressione o un versetto preso dall'AT: «Le citazioni di singoli versetti o frasi appartenenti a questi brani non devono essere considerati isolatamente, ma in riferimento a tutto il contesto relativo» (p. 133). Questa tesi di Dodd non sembra applicabile alla lettera ai Romani. Paolo infatti non fa riferimento né a *insiemi* né al contesto immediato dei testi citati. Cita semplicemente dei versetti o delle parti di versetti dell'AT che rendono bene le sue visioni personali. Le citazioni sono reinterpretate in funzione delle opinioni che l'apostolo ha espresso con le sue parole; non rinviano a un *contesto* vetero-testamentario rispettato da Paolo e che potrebbe spiegare il suo pensiero. La citazione fatta da Paolo vale in sé e di per sé; le parole della citazione, prese così come sono, hanno prima di tutto il merito di esprimere bene le idee di Paolo. Il contesto dell'AT è come dimenticato; un nuovo contesto − quello della tradizione cristiana che si sta formando − dà spesso un significato nuovo al passo tratto dall'AT. Questo modo di Paolo di servirsi dell'AT è senza dubbio illuminante sul modo in cui gli ambienti giudaici del suo tempo − specialmente l'ambiente dei farisei − si servivano delle Scritture.

Bibl. - E. Ellis, *Paul's Use of the Old Testament*, Edinburgh 1957; B. Lindars, *New Testament Apologetic*. The Doctrinal Significance of Old Testament Quotations, London 1961; D.-A. Koch, *Die Schrift als Zeuge des Evangeliums*. Untersuchungen zur Verwendung und zum Verständnis der Schrift bei Paulus, Tübingen 1986.

PAUL-ÉMILE LANGEVIN

TESTIMONIANZA

I. FORMA DI RIVELAZIONE - *Testimonianza; come via d'accesso al mistero delle persone - Testimonianza apostolica - Dalla testimonianza-rivelazione alla testimonianza-motivo di credibilità* - II. MOTIVO DI CREDIBILITÀ - *Testimonianza nel Vaticano II, nell'esortazione «Christifideles laici» - Fecondità della testimonianza. Necessità, dinamismo e specificità della testimonianza - Eucaristia, momento forte della testimonianza* (R. Latourelle).

I. Forma di rivelazione

Da circa un secolo la categoria della testimonianza è progressivamente entrata nel vocabolario ecclesiale. Il termine appare in modo discreto nel → Vaticano I per designare la chiesa in quanto costituente in se stessa e con la sua presenza nel mondo «un grande e perpetuo motivo di credibilità e una *testimonianza* irrecusabile della sua missione divina» (→ Chiesa). Con il → Vaticano II si verifica una massiva irruzione della terminologia della testimonianza. Il tema è onnipresente. Vocaboli come testimonianza, testimoniare, testimone, ritornano più di 100 volte e si applicano sia alla chiesa intera che a ciascun gruppo di cristiani. Nel sinodo del 1974 il tema torna con una nuova insistenza, questa volta nel contesto dell'→ evangelizzazione. Infine la categoria della testimonianza è al centro dell'attuale teologia fondamentale.

1. TESTIMONIANZA IN CONTESTO PROFANO - È una delle analogie privilegiate dalla Scrittura per introdurre l'uomo nelle ricchezze del mistero divino, come ad esempio, le categorie dell'alleanza, della parola, della paternità e della filiazione. Se la stessa rivelazione si basa sull'esperienza umana della testimonianza, per esprimere uno dei rapporti fondamentali che uniscono l'uomo a Dio, la riflessione teologica è dunque autorizzata a esplorare i dati di questa esperienza. Indubbiamente in questo lavoro di analisi è la rivelazione che deve essere normativa e indicare alla teologia il tipo di purificazione e sublimazione che la realtà umana deve subire per adattarsi al mistero divino. D'altra parte, se l'esperienza umana fosse priva di rapporto con il mistero dell'essere divino, l'incontro tra Dio e l'uomo sarebbe impossibile: vi sarebbe posto solo per monologhi paralleli.

Ad un livello più tenue *testimoniare* significa riportare ciò che si è visto e sentito. Il testimone è colui che può informare su avvenimenti a cui ha partecipato, su persone o fatti da lui conosciuti; è quindi capace di dare ragione verbalmente di ciò che sa perché l'ha visto e sentito. La testimonianza riposa allora su un'esperienza oculare o auricolare. Il contesto più frequente di questo tipo di testimonianza è quello di un processo. Già a questo primo livello, la fede nella testimonianza richiede un certo abbandono della ragione e una certa fiducia; infatti la parola del testimone diventa per colui che non ha

visto o sentito un sostitutivo della esperienza stessa.

Per via di questo contesto giudiziario, la testimonianza non ha semplice valore di informazione: è un racconto in vista di un giudizio da dare su avvenimenti, sulle ragioni di un'azione, sul carattere di una persona. La testimonianza è destinata a influire sui giurati e sui giudici che si basano su di essa come su un argomento per pensare, valutare e decidere. Per questo il racconto del testimone, più che un fatto mentale (costatazione e descrizione, informazione e racconto) è un fatto morale: una deposizione cui il giuramento conferisce una gravità particolare. Testimoniare in un processo significa dichiarare e dichiararsi a favore o contro qualcuno. Non si tratta più solo di raccontare o di descrivere come farebbe un giornalista, ma di impegnare se stessi in piena libertà e di dare un giudizio di valore.

Giungiamo così a un secondo livello della testimonianza, quello in cui il testimone si impegna totalmente con la propria parola, si compromette per questa. Quindi il testimone, in una testimonianza che mette in causa la vita di qualcuno, non solo esprime un'intima convinzione sull'innocenza o la colpevolezza dell'accusato, ma si compromette interamente con la propria deposizione. La sua parola è autoimplicante. In altri termini egli dice: «Dichiaro questa persona innocente: negare quest'innocenza sarebbe rinnegare me stesso». L'essere e il dire qui coincidono.

Capita talvolta, ed è il terzo livello della testimonianza, che il testimone suggelli la propria dedizione alla causa che difende con una professione pubblica della sua convinzione interiore che può arrivare al sacrificio della vita. Questa confessione avviene per la maggior parte delle volte in un contesto di ostilità, di odio da parte di coloro che non condividono la stessa causa. Quando il testimone muore così, per appoggiare la propria testimonianza, diventa *martire* (→ Martirio), cioè pienamente testimone. Questo impegno a rischio della vita scaturisce dalla testimonianza-parola che allora non è più semplice narrazione di cose viste o sentite, ma azione e morte tragica. Si arriva così, quasi senza accorgersene, a definire testimonianza l'azione stessa di rischiare la vita, in quanto tale dono è la prova vivente della convinzione interiore e della dedizione del testimone alla causa che difende. A questo punto, a livello semantico, si verifica il passaggio dalla testimonianza-parola alla testimonianza-azione. Ed è la testimonianza-azione che dà senso alla testimonianza parola. Il punto fermo attorno al quale ruota il cambiamento di senso è il *coinvolgimento* del testimone nella testimonianza. Raggiungiamo qui il contesto biblico in cui la testimonianza di Cristo, il Testimone per eccellenza, è quella in cui il dire e l'agire coincidono nella trasparenza del suo essere.

2. TESTIMONIANZA COME VIA D'ACCESSO AL MISTERO DELLE PERSONE - Quando il testimone s'impegna interamente con la parola o con l'azione egli esprime se stesso nella pienezza della sua libera esistenza. Da quel momento la testimonianza acquisisce una profondità e una dignità particolari, avendo per oggetto l'intimo mistero dell'essere personale. A questo livello, più che in un processo, il testimone fa tutt'uno con ciò che dice. La persona vuole essere presente e trasparente all'uditore nella verità del proprio mistero interiore. Può sbagliarsi, illudersi su se stessa; tuttavia la sua testimonianza è irrecusabile in ragione dell'intenzione che la anima. Niente prevale su questa.

Infatti quando lasciamo l'universo delle cose materiali per accedere al livello delle persone, lasciamo il mondo dell'evidenza per entrare in quello della testimonianza. A questo livello l'ideale scientifico, che regna al massimo su uno degli ambiti della riflessione umana, non vale più.

A livello dell'intersoggettività, quello delle persone, ci scontriamo con il mistero. Infatti le persone non sono problemi che si lasciano rinchiudere in formule e risolvere con un'equazione. Abbiamo accesso all'intimità personale solo mediante la libera testimonianza della persona su se stessa, con una confidenza che è propriamente una rivelazione, uno svelamento del proprio mistero interiore. Dire che la testimonianza è un tipo di conoscenza inferiore, perché dà solo probabilità e non certezze e perché sfugge alle norme di un certo ideale scientifico, vorrebbe dunque dire manifestare una deplorevole ignoranza del problema. La conoscenza per testimonianza è inferiore solo là dove, in seguito alla natura dell'oggetto, siamo in grado di arrivare a una conoscenza diretta e immediata del reale; ma non è inferiore quando si tratta di quelle particolari realtà che sono le persone, dove la testimonianza è il solo modo di entrare in contatto e di partecipare al loro mistero.

La testimonianza appartiene al mistero della libertà. Poiché è umana, indubbiamente questa libertà è fragile e sempre minacciata. Solo Dio può dare alla sua parola una garanzia assoluta a causa della sua identità eterna e assoluta con se stesso. L'esperienza umana, di fatto, dimostra la molteplicità degli errori involontari anche negli esseri più autentici. E tuttavia, nonostante questi rischi, la testimonianza appartiene alla grandezza e alla dignità dell'uomo. Essa lo rende partecipe dell'autonomia e della libertà stessa di Dio.

Sussiste dunque nella testimonianza una solitudine da cui nemmeno il testimone stesso saprebbe liberarsi e che lo rende vulnerabile ed esposto al rifiuto. Anche in Gesù, alla cui parola l'esperienza dell'identità di figlio del Padre conferisce certezza e valore assoluti, la testimonianza non è sicura di ricevere l'accòglienza che merita, nonostante sia sigillata con il suo sangue.

È che la testimonianza, radicata nel cuore della libertà umana, fa appello alla libertà di colui che la riceve. Mentre la dimostrazione si richiama prima di tutto all'intelligenza, la testimonianza coinvolge anche in gradi diversi la volontà e l'amore. Essa fa appello alla fiducia: una fiducia più o meno profonda che si misura in base all'importanza dell'oggetto attestato e dei valori in causa nella parola. Quando una persona ricorre alla testimonianza per esprimersi, si richiama già alla fiducia e si impegna a dire la verità. Si impegna a non tradire questa fiducia e promette, almeno implicitamente, di essere sincera e vera. E d'altra parte, accogliere la testimonianza di qualcuno come verità significa dargli fiducia, poiché significa passare dall'autonomia all'eteronomia, rinunciare a sé per rimettersi a un altro. La possibilità di uno scambio tra gli uomini si fonda in definitiva su questa fiducia richiesta dal testimone e sulla promessa, tacitamente fatta da lui, di non tradirla. Da una parte, dunque, impegno morale del testimone e dall'altra, fiducia che è già un avvio d'amore da parte di colui che aderisce alla testimonianza. Vista sia dalla parte dell'uditore che da quella del testimone, la testimonianza resta un fatto morale molto più che mentale.

Nel caso estremo in cui l'uomo comprometta tutta la propria vita sulla parola del testimone, egli manifesta una fiducia, una fede totale che è amore profondo per il testimone. Da questo punto di vista la fede in Cristo è dono totale della persona a Cristo, decisione che coinvolge tutta l'esistenza personale e il tutto dell'esistenza umana. L'uomo si consegna interamente alla testimonianza assoluta.

Ora non dobbiamo quindi più stupirci che il cristianesimo sia la religione della testimonianza e della fede. La rivelazione infatti è essenzialmente manifestazione del mistero personale di Dio, che è l'interiorità per eccellenza. Il cristianesimo è la religione della testimonianza precisamente perché è manifestazione del mistero delle persone divine. Ciò che in definitiva Cristo rivela è il mistero personale che egli costituisce come figlio del Padre nella carne e nelle parole dell'uomo Gesù. Gli apostoli a loro volta testimoniano la loro intimità con Cristo, Verbo di vita, figlio del Padre, in relazione intima con il Padre e lo Spirito, ma in una comunicazione così riservata da non consentire condivisione. Tutto il vangelo si presenta come una fiducia di amore, una testimonianza di Cristo su se stesso, sulla vita delle persone divine e sul mistero della nostra condizione di figli.

3. TESTIMONIANZA IN CONTESTO BIBLICO - In generale possiamo dire che la testimonianza biblica assume, ma nello stesso tempo esalta fino a sublimarli, i tratti della testimonianza umana. Sotto la pressione della nuova realtà che la ricopre vi è irruzione di → senso: verso l'alto, in profondità e in ampiezza.

Nell'Antico Testamento il testimone è prima di tutto il *profeta*. Ciò che ne costituisce l'originalità di testimone è il fatto di essere stato scelto e inviato da Dio dentro un'esperienza privilegiata. Egli conosce Jhwh perché Jhwh per primo gli ha parlato e gli ha affidato la sua parola. È stato ammesso a un'intimità particolare con Dio, chiamato a condividere la sua conoscenza, i suoi disegni, la sua volontà, per esserne l'araldo tra gli uomini. Il profeta ha ricevuto la parola di Dio non per conservarla ma per trasmetterla, per renderla pubblica. Egli è la bocca di Jhwh, il servo della parola, l'interpete autorizzato di tutto ciò che accade nell'universo tra gli uomini e nella storia, è il testimone di Jhwh in un clima spesso ostile e di persecuzione.

Testimone è anche il *popolo di Israele* scelto e chiamato da Jhwh. Il Deutero-Isaia raggruppa in un unico testo tutti i tratti che caratterizzano Israele come testimone: «Fa' uscire il popolo cieco che pure ha occhi, i sordi, che pure hanno orecchi. Si radunino insieme tutti i popoli e si raccolgano le nazioni. Chi può annunciare questo tra di loro e farci udire le cose passate? Presentino i loro testimoni e avranno ragione, ce li facciano udire e avranno detto la verità. Voi siete i miei testimoni – oracolo del Signore – miei servi, che io mi sono scelto perché mi conosciate e crediate in me e comprendiate che sono io. Prima di me non fu formato alcun dio né dopo ce ne sarà. Io, io sono il Signore, fuori di me non v'è salvatore. Io ho predetto e ho salvato, mi son fatto sentire e non c'era tra voi alcun dio straniero. Voi siete miei testimoni – oracolo del Signore – e io sono Dio, sempre il medesimo dall'eternità. Nessuno può sottrarre nulla al mio potere; chi può cambiare quanto io faccio?» (Is 43,8-13).

Quattro aspetti distinguono il popolo-testimone: *a.* Il testimone non è chiunque si presenti per deporre, ma colui che è stato scelto e inviato per testimoniare. *b.* La testimonianza verte sul senso radicale dell'esperienza umana: Jhwh attesta se stesso e si propone come colui che dà senso e consistenza a tutta la realtà umana. Non vi è altro salvatore. *c.* La testimonianza è orientata alla proclamazione, alla divulgazione: ha una portata sociale. *d.* Questa proclamazione implica un impegno non solo nelle parole ma anche negli atti e nella vita.

Quindi, viene ritenuto nei suoi principali aspetti il senso profano della testimonianza. Una novità viene tuttavia introdotta dall'AT: l'autorità del testimone non viene dalla sua persona, ma dalla sua vocazione privilegiata e dal suo mandato. Si distinguono, nella missione del testimone-profeta, come due poli di attività che talvolta si succedono ma che più spesso si sovrappongono: l'attività della proclamazione e l'impegno di vita.

4. TESTIMONIANZA APOSTOLICA - Il ricorso alla categoria della testimonianza non è occasionale nel Nuovo Testamento, ma ripetuto e intenzionale. Una semplice statistica sulla frequenza di *mártys* (testimone) e dei suoi derivati (sostantivi e verbi) è altamente significativa: il termine ritorna 198 volte.

Testimoniare e testimone sono vocaboli che appartengono prima di tutto alla terminologia di Atti e alla teologia di Luca. «Testimoniare» caratterizza l'attività apostolica dopo la risurrezione. Il titolo di «testimoni» designa in prima istanza gli apostoli. Quattro elementi li definiscono come tali: *a.* Come i profeti sono stati scelti da Dio (At 1,26; 10,41). *b.* Hanno visto e sentito Cristo (At 4,20), hanno vissuto con lui nell'intimità (At 1,21-22) e di conseguenza possiedono un'esperienza viva, diretta, della sua persona, del suo insegnamento e delle sue opere. Hanno mangiato e bevuto con lui prima e dopo la risurrezione (At 10,41). In una parola, sono stati gli amici intimi e i commensali di Cristo. Gli altri possono predicare; propriamente parlando solo gli apostoli possono testimoniare. *c.* Hanno ricevuto da Cristo la missione di testimoniare (At 10,41) e sono stati investiti della potenza dello Spirito per compiere il mandato (At 1,8). *d.* Un ultimo aspetto degli apostoli come testimoni è il loro coinvolgimento: un atteggiamento che si traduce in una fedeltà assoluta a Cristo e al suo insegnamento, riconosciuto come verità e salvezza dell'uomo. Gli Atti non cessano di ripetere che gli apostoli annunciano la parola di Dio con sicurezza (*parrēsía*), cioè con un coraggio soprannaturale, frutto dello Spirito, che agisce in loro e che vince le reazioni troppo umane di fronte alle difficoltà dell'apostolato: timidezza, rispetto umano, paura delle persecuzioni e della morte. Sotto l'effetto di questo coraggio interiore gli apostoli dichiarano: «Noi non possiamo tacere quello che abbiamo visto e ascoltato». A ciò fa eco Giovanni: «Ciò che noi abbiamo udito, ciò che noi abbiamo veduto con i nostri occhi, ciò che noi abbiamo contemplato e ciò che le nostre mani hanno toccato, ossia il Verbo della vita ... di ciò rendiamo testimonianza» (1 Gv 1,1-2).

Mattia ha potuto prendere il posto di Giuda e diventare «testimone della risurrezione» perché si trovava nelle stesse condizioni. Egli era stato compagno degli apostoli «tutto il tempo che il Signore Gesù è vissuto tra noi», cioè dal battesimo, che segna l'inizio del ministero, fino alla glorificazione come Cristo e Signore (At 1,22; 2,36). Non vi è dunque soluzione di continuità tra il Gesù terreno e il Cristo glorificato. Gli apostoli sono come la cerniera tra il tempo di Gesù e il tempo della chiesa. È del resto significativo che Luca all'inizio degli Atti (1,13) ripeta l'elenco degli apostoli come per dimostrare che sono loro che assicurano la continuità della comunità prima e dopo Pasqua. Il nome di Giuda manca da questa lista: viene ormai sostituito da quello di Mattia *designato* da Dio (At 1,26). L'autorità del testimone infatti non viene da lui ma da Dio che lo designa e lo invia. Quindi Mattia, chiamato da Dio perché ha visto e udito Gesù, aperto all'intelligenza delle Scritture e fortificato dallo Spirito, è qualificato per trasmettere con fedeltà ciò che concerne Gesù e per divenire testimone della risurrezione (At 1,21-26).

La testimonianza infatti verte contemporaneamente sulle cose viste e udite e sul *senso* degli avvenimenti. È a un tempo narrazione e confessione.

Da una parte gli apostoli, in quanto hanno vissuto nell'intimità con Cristo, sono i testimoni oculari e auricolari di tutta la sua attività, dal battesimo alla risurrezione (At 4,20). «E noi siamo testimoni di tutte le cose da lui compiute nella regione dei Giudei [Galilea] e in Gerusalemme» (At 10,39). Ma essi sono prima di tutto testimoni della risurrezione, poiché questa è il fatto essenziale che dà autorità a tutto ciò che precede e a ciò che segue. Questo Gesù che è stato crocifisso è risorto (At 5,31) ed è apparso (At 10,40). «E noi ne siamo testimoni» (At 5,32): questa è l'espressione che ritorna nella prima parte degli Atti come un *leitmotiv*.

D'altra parte la testimonianza non verte solo sulla realtà empirica e fenomenica dei fatti e delle azioni di Gesù. Gli apostoli testimoniano prima di tutto il valore salvifico di questi fatti: sono testimoni del senso profondo della sua esistenza terrena, cioè della salvezza inaugurata con la morte e risurrezione (At 5,31; 10,42).

At 10,37-43 riunisce in un solo testo queste due componenti essenziali della testimonianza apostolica. Pietro ricorda dapprima gli avvenimenti della vita terrena di Gesù: il ministero, i miracoli, la crocifissione, la morte, la risurrezione, le apparizioni: «Voi conoscete ciò che è accaduto in tutta la Giudea, incominciando dalla Galilea, dopo il battesimo predicato da Giovanni; cioè come Dio consacrò in Spirito Santo e potenza Gesù di Nazaret, il quale passò beneficando e risanando tutti coloro che stavano sotto il potere del diavolo, perché Dio era con lui. E noi siamo testimoni di tutte le cose da lui compiute nella regione dei giudei e in Gerusalemme. Essi lo uccisero appendendolo a una croce, ma Dio lo ha risuscitato al terzo giorno e volle che apparisse non a tutto il popolo ma ai testimoni prescelti da Dio, a noi, che abbiamo mangiato e bevuto con lui dopo la sua risurrezione dai morti» (At 10,37-41).

Dopo questa testimonianza sull'attività terrena di Gesù, il testo chiude con una testimonianza che questa volta verte sulla dimensione interiore e soprannaturale di quella realtà storica: (Gesù di Nazareth) «ci ha ordinato di annunciare al popolo e di attestare che egli è il giudice dei vivi e dei morti costituito da Dio. Tutti i profeti gli rendono questa testimonianza: chiunque crede in lui ottiene la remissione dei peccati per mezzo del suo nome» (At 10,42-43). Il vocabolario di questa seconda parte è sempre quello della testimonianza, ma la realtà attestata sfugge all'osservazione empirica: appartiene tuttavia allo stesso oggetto, poiché esprime il senso profondo, l'essere intimo, di ciò che gli occhi e le orecchie hanno recepito. Questo Gesù di Nazareth che gli apostoli e il popolo ebraico hanno visto e udito è ormai identificato con il giudice dei vivi e dei morti. La sua morte non è una morte come tutte le altre: essa ci salva dal peccato, opera la nostra salvezza.

Nella testimonianza apostolica descritta dagli Atti vi è dunque unione indissolubile dell'evento storico (dimensione orizzontale) e del suo valore religioso e salvifico (dimensione verticale). Accade lo stesso nel kêrygma di Paolo. Per lui, Gesù perseguitato, crocifisso, morto, risorto, glorificato, è Cristo. Quindi, lungi dal negare o dal ridurre la realtà storica, la testimonianza apostolica la riafferma e la conferma per scoprirne la dimensione interiore che sfugge allo sguardo. Non conferisce storicità a un evento non accaduto, ma ne scopre il valore trascendente. Senza Gesù (opere e parole) la testimonianza non ha più supporto e crolla.

Per essere completi, bisogna riconoscere nella testimonianza apostolica un altro aspetto. Infatti quando

essa dichiara il *senso* dell'evento storico, non ne dà un'interpretazione arbitraria, ma si basa sulla storia vissuta, quella di Gesù e del popolo ebraico. Dunque il giorno di Pentecoste Pietro, che dichiara l'identità di Gesù, fonda la sua interpretazione su fatti della vita di Gesù che le conferiscono autorità, cioè i miracoli, la risurrezione e le apparizioni. Pietro precisa infatti: questo Gesù «che voi avete inchiodato sulla croce per mano di empi e avete ucciso... Dio l'ha risuscitato e noi tutti ne siamo testimoni» (At 2,23.32). Dice anche: «Gesù di Nazareth, uomo accreditato da Dio presso di voi per mezzo di miracoli, prodigi e segni, che Dio stesso operò fra voi per opera sua, come voi ben sapete... Dio lo ha risuscitato» (At 2,22-24). La risurrezione stessa è fondata sulle apparizioni (At 10,40-41) e queste ultime, a loro volta, sono fondate sulle esperienze di un intenso realismo come mangiare, bere (At 10,41; Lc 24,42) e toccare (Gv 20,27). La testimonianza di Pietro sull'*identità* di Gesù di Nazareth come messia (→ Messianismo) e Signore, si basa dunque sulla realtà storica della sua vita e delle sue opere. La stessa preoccupazione si ritrova nel vangelo di Giovanni (Gv 20,30-31). La testimonianza apostolica si riferisce dunque alla storia per un duplice motivo: perché dichiara il senso di un evento che essa suppone e riafferma interpretandolo; e perché l'interpretazione che ne dà si fonda anch'essa sull'autenticità dei detti e dei gesti di Gesù. La categoria della testimonianza non è solo riferimento a Gesù, ma volontà di riferirsi a Gesù. Se Gesù non avesse compiuto le opere che ha fatto, la testimonianza apostolica non avrebbe valore e il vangelo non esisterebbe.

5. IL TEMA DELLA TESTIMONIANZA IN GIOVANNI - In Giovanni la testimonianza culmina nella narrazione, nella confessione, nel coinvolgimento e nel-

l'interiorizzazione. Il *Testimone* è Cristo (Ap 5; 3,14); e testimoniare equivale per Cristo a manifestare il Padre, a rivelare il Padre. La testimonianza designa la funzione rivelatrice di Cristo e questa testimonianza ha per oggetto Cristo stesso nel mistero personale di figlio. Anche Cristo rende testimonianza con tutta la sua presenza e durante tutta la sua esistenza. Per lui testimoniare significa rivelarsi, farsi conoscere: chi è e da dove viene, cioè dal Padre. Se questa rivelazione culmina nella croce è perché qui si opera la suprema rivelazione di Cristo, cioè il supremo amore del Padre per gli uomini, manifestato nell'amore supremo di Cristo per i suoi.

Nella prospettiva di Giovanni la testimonianza di Cristo ha, ancor più di quella dei profeti, un carattere pubblico e giuridico. La sua testimonianza si presenta come una deposizione pubblica nel vasto processo che oppone regno di Dio e regno di Satana, Cristo e mondo. A favore di Cristo vi è la testimonianza di Giovanni Battista, della Scrittura, dell'Apostolo, dello Spirito Santo. Ma la parola di Dio si scontra con la contestazione e con l'odio. Contro Cristo, i giudei che rappresentano l'insieme del mondo ostile alla verità, rifiutano la sua testimonianza e si giudicano da soli. La testimonianza di Cristo opera così il discernimento degli uomini. Cristo tuttavia ha spinto la sua testimonianza al limite: è stato il Testimone fedele e veritiero (Ap 3,8).

Cristo è dunque il testimone assoluto, colui che porta in sé la garanzia della propria testimonianza. L'uomo tuttavia non potrebbe accogliere con la fede questa testimonianza dell'assoluto, manifestata nella carne e nella parola di Gesù, senza un'attrazione interiore (Gv 6,44) che è dono del Padre e senza una testimonianza dello Spirito (1 Gv 5,9-10). A questo punto la testimonianza si interiorizza quasi completamente; infatti viene detto che colui che crede in Cristo *ha in lui* la testimonianza di Dio. La testimonianza che il credente ha in lui è quella che lo Spirito rende al Figlio. Se la testimonianza si interiorizza, è sempre in riferimento alla parola di Cristo che esteriorizza l'intimità del suo dialogo con il Padre. E Giovanni annuncia parallelamente che egli ha visto e udito il Verbo della vita, affinché con la fede nella sua testimonianza gli uomini entrino nella comunione di vita con il Padre e il Figlio. La testimonianza-confessione non si stacca mai dalla testimonianza-narrazione.

Quindi la testimonianza biblica è essenzialmente religiosa. Si tratta di una testimonianza su Qualcuno: Dio salvatore (AT) o Dio-salvezza-in-Gesù Cristo (NT). È contemporaneamente proclamazione esteriore della buona notizia della salvezza e coinvolgimento della persona (parole e opere) che può spingersi fino al martirio. È anche questo aspetto di coinvolgimento che conserva la continuità tra la testimonianza profana e quella religiosa. La testimonianza esteriore si duplica in una testimonianza interiore dello Spirito che rende l'uomo capace di aprirsi al vangelo e di aderirvi con la fede. Senza questa testimonianza interiore dello Spirito quella esteriore rimane vana e sterile. Il concetto neotestamentario di testimonianza non comprende ancora esplicitamente la testimonianza del sangue, eccetto nell'Apocalisse dove si dice che i discepoli di Cristo hanno trionfato «per mezzo del sangue dell'Agnello e grazie alla testimonianza del loro martirio, poiché hanno disprezzato la vita fino a morire» (Ap 12,11). Il passaggio tuttavia è legittimo poiché la verità attestata nella testimonianza cristiana è quella della morte come redenzione. Il testimone-martire attesta la vittoria di Cristo sulla morte e la sua vita indistruttibile. Attesta l'assoluto di Cristo, Testimone assoluto.

6. Dalla testimonianza-rivelazione
alla testimonianza-motivo di credibilità - Dopo quanto abbiamo detto circa la testimonianza profana e
la testimonianza religiosa comprendiamo meglio come la rivelazione sia
concepita come «testimonianza». Nella relazione delle tre persone divine
con gli uomini vi è uno scambio di
testimonianze che ha per scopo quello di proporre la rivelazione e di alimentare la fede. Tre sono coloro che
rivelano e rendono testimonianza e
questi tre sono uno solo. Cristo testimonia il Padre mentre il Padre e
lo Spirito rendono testimonianza al
Figlio. Gli apostoli a loro volta testimoniano ciò che hanno visto e udito
del Verbo della vita. Però la loro testimonianza non è comunicazione di
un'ideologia, di una scoperta scientifica, di una tecnica inedita, ma è la
proclamazione della salvezza promessa e finalmente realizzata.

In questa prospettiva, la testimonianza designa prima di tutto l'impegno di una vita autenticamente cristiana. Questo accordo tra vangelo e
vita conferisce credibilità ed efficacia al vangelo. La salvezza annunciata
è veramente compiuta poiché l'uomo
nuovo, annunciato dal vangelo e vivificato dallo Spirito, è veramente tra
noi. Grazie alla testimonianza, l'uomo trova il vangelo di fronte a sé come una realtà incarnata in esseri di
carne e sangue. La verità e la vita
si fanno reciprocamente eco e coincidono. Il vangelo diventa trasparenza. Il messaggio fa corpo con la testimonianza; la salvezza annunciata
diventa la salvezza presente. Questa
armonia tra l'annuncio e la contemplazione della salvezza è essa stessa
segno della presenza di Dio e della
verità del vangelo. Quando la testimonianza diventa così stile di vita filiale, vivificata dallo Spirito, passiamo dalla testimonianza-rivelazione alla testimonianza-*motivo di credibilità*.

Bibl. - H. Strathmann, «mártys, martyréō,
martyría», in GLNT IV, 1269-1392; B. Tré-

panier, «L'idée de témoin dans les écrits johanniques», in RUnOtt, 15 (1945) 27-63, sec-
tion étoilée; C. Le Chevalier, *La confidence
de la personne*, Paris 1960; N. Brox, *Zeuge
und Märtyrer*, München 1961; E. Barbotin, *Le
témoignage spirituel*, Paris 1964; Ph-H. Me-
noud, «Jésus et ses témoins», in *Église et théologie* (giugno 1969) 1-14; R. Latourelle, *Teologia della Rivelazione*, Assisi 1967, 49-59,
74-84; Id., *La testimonianza cristiana*, Assisi
1971; Id., «Évangélisation et témoignage», in
Evangélisation, Roma 1975, 77-110; Id., *A Gesù attraverso i vangeli*, Assisi 1979, 208-213;
P. Ricoeur, «L'herméneutique du témoignage», in E. Castelli (ed.), *La Testimonianza*,
Roma 1972, 38-84; S. Breton, «Philosophie du
témoignage», in *Ibid.*, 190-199; G. Geffré, «Le
témoignage comme expérience de langage», in
Ibid., 291-294; M. Nédoncelle, «Communication et interprétation du témoignage», in *Ibid.*,
280-290; X. Tilliette, «Valeur et limite d'une
philosophie du témoignage», in *Ibid.*, 89-92.

René Latourelle

II. Motivo di credibilità

Il concetto di *impegno*, inerente a
quello di testimonianza, stabilisce la
continuità tra i due versanti della testimonianza: *attivo*, quando designa
la rivelazione o il confidarsi di Dio
all'uomo; *passivo*, quando esprime
l'attrazione esercitata da un'esistenza pienamente coerente con il vangelo. Quando il vangelo vissuto e quello predicato corrispondono perfettamente, l'esistenza vissuta diventa allora un motivo di → credibilità, un
segno (→ Semeiologia, I) della verità
del vangelo.
Questo tipo di azione silenziosa ed
efficace, con il termine che lo qualifica, cioè «testimonianza», si è imposto a poco a poco nel periodo preconciliare grazie ai movimenti di Azione Cattolica, che insegnavano come
l'influenza dei laici nella società deve
essere esercitata non per mezzo del dominio ma della presenza e dell'animazione. In un mondo secolarizzato, la
chiesa deve essere una comunità di
membri vivi, attivi, responsabili, che
portano il vangelo e il suo spirito al-
l'interno delle loro occupazioni familiari, professionali e sociali. La testi-

monianza agisce per infusione di senso e di irradiamento di vita. La categoria della testimonianza ha conosciuto una tale popolarità da giungere a sostituire la corrente espressione di «santità». Effettivamente dopo il concilio si parla volentieri di *testimonianza di vita* per definire la *santità di vita* in quanto forza di attrazione per coloro che vivono al di fuori della chiesa. Questa preferenza data alla categoria della testimonianza, si manifesta nettamente nei documenti conciliari come anche nella esortazione post-sinodale di Giovanni Paolo II *Christifideles Laici* del 30 dicembre 1988.

1. TESTIMONIANZA NEL VATICANO II - Questo trasferimento semantico esprime il profondo mutamento verificatosi nella chiesa, a livello delle prospettive, tra il Vaticano I e il Vaticano II. Laddove il Vaticano I proponeva la → chiesa (unità, santità, espansione, stabilità, fecondità) come un segno rivolto alle nazioni, il Vaticano II personalizza e interiorizza il segno della chiesa e parla piuttosto della *testimonianza dei cristiani*. Sono i cristiani stessi, con la loro vita santa, e le comunità cristiane, con la loro vita di *unità e carità*, a porre il segno della chiesa. È vivendo in modo perfetto la loro condizione di figli del Padre, riscattati da Cristo e santificati dallo Spirito, che i cristiani fanno capire agli altri uomini come la salvezza sia veramente tra noi. Ciò che il Vaticano I intendeva per segno della chiesa si concentra ormai nella categoria della testimonianza. Una volta recepita questa trasposizione, si costata che il tema della testimonianza è uno dei principali e privilegiati del Vaticano II. Come un *leitmotiv* esso ritorna in tutte le costituzioni e in tutti i decreti. Agli occhi del concilio testimoniare significa accreditare il vangelo, con verità e salvezza dell'uomo, con una vita ad esso conforme.

Questa testimonianza deve avere una forma individuale e comunitaria contemporaneamente. Il *popolo di Dio* tutto intero deve diffondere la sua testimonianza viva con una fervente vita teologale. Ma «poiché il popolo di Dio vive nelle *comunità*, specialmente in quelle diocesane e parrocchiali, ... tocca anche a queste comunità rendere testimonianza a Cristo di fronte alle Genti» (AG 37). Queste affermazioni generali sono riprese in seguito e applicate ad ogni gruppo di cristiani. *Vescovi e pastori* devono presentare un'immagine della chiesa che permetta agli uomini di giudicare la forza e la verità del messaggio cristiano... «con la vita e con la parola... dimostrino che la chiesa, già con la sola sua presenza, con tutti i doni che contiene, è sorgente inesauribile di quelle forze di cui ha assoluto bisogno il mondo moderno» (GS 43). I *sacerdoti* «diano a tutti la viva testimonianza di Dio» (LG 41). Essi «devono, con la loro quotidiana condotta e con la loro sollecitudine, presentare ai fedeli e agli infedeli, ai cattolici e ai non cattolici, l'immagine di un ministero veramente sacerdotale e pastorale, e rendere a tutti la testimonianza della verità e della vita» (LG 28). A proposito dei *religiosi*, il concilio dichiara: «Tutti i religiosi, perciò, animati da fede integra, da carità verso Dio e il prossimo, dall'amore alla croce e dalla speranza nella futura gloria, diffondano in tutto il mondo la buona notizia di Cristo, in modo che la loro testimonianza sia visibile a tutti e sia glorificato il Padre nostro che è nei cieli» (PC 25). I *laici* sono invitati alla stessa testimonianza di una vita santa. Ognuno di loro «deve essere davanti al mondo un testimone della risurrezione e della vita del Signore Gesù e un segno del Dio vivo» (LG 38). Nelle scuole pubbliche gli *insegnanti* «devono dare testimonianza sia con la vita sia con la dottrina all'unico Maestro che è Cristo» (GE, 8). Soprattutto in terra di missione la vita di unità e di carità dei cristiani diventa un segno particolarmente urgente, perché in loro si concentra, allora, tutta la chiesa come presenza e manifestazione di Cristo. Il primo di tutti, il *missionario*, «vivendo autenticamente il vangelo, con la pazienza, con la longanimità, con la benignità, con la carità sincera (cfr. 2 Cor 6,4ss), deve rendere testimonianza al suo Signore fino a spargere, se necessario, il suo sangue per lui» (AG 24). In questo ruolo di testimoni i laici sono solidali con il missionario, «tutti i cristiani infatti, dovunque vivano, sono tenuti a manifestare con l'esempio della loro vita e con la testimonianza della loro parola l'uomo nuovo, di cui sono stati rivestiti nel battesimo e la forza dello Spirito Santo» (AG 11). Questo tema generale della testimonianza acquista spesso alcune determinazioni che ne precisano l'oggetto e l'orientamento. Le più frequenti sono: la carità, l'umiltà, il servizio, l'unità, la povertà.

Indubbiamente il grande segno dell'avvento della salvezza nel mondo è, nel pensiero del Vaticano II, la vita di unità e di carità dei cristiani; è la testimonianza della loro vita veramente *impegnata*, cioè che mostra uomini che vivono una vita di figli, di creature nuove, trasformata e vivificata dallo Spirito. In queste dichiarazioni la novità non sta nella dottrina stessa che è tradizionale, ma nel modo di esprimerla: nei vocaboli e nell'accento. Per designare questa santità di vita, attraverso la quale Dio ci dà un segno dello stabilirsi del regno in Gesù Cristo, il concilio privilegia le espressioni: testimonianza di vita, testimoni vivi di Cristo. Questo ricorso alla categoria della *testimonianza-impegno* da parte dell'uomo come risposta alla *testimonianza-confidenza* di Dio, qual è la rivelazione, manifesta la preoccupazione del concilio di parlare un linguaggio

rispondente alla sensibilità e alla mentalità dell'uomo del secolo XX. A quest'ultimo, formato in un contesto di pensiero personalista ed esistenziale, ripugna un tipo di santità platonica o astratta. Se viene «toccato» e se «si arrende», lo fa davanti a un'esperienza di consacrazione totale a Dio e agli uomini. Ma parlare di santità in termini di testimonianza significa precisamente evocare un coinvolgimento di tutta la persona «corpo e anima», al servizio di Cristo e di coloro che lui ha assunto in sé fino al rischio del → martirio. Questo viene definito nei testi del concilio come «grazia eminente e prova suprema della carità» (LG 42; PO 13; AG 24; UR 4).

Tale segno dell'avvento della salvezza attraverso la testimonianza sembra proprio essere quello che esercita più fascino sull'uomo contemporaneo. A un uomo geloso dei propri diritti, della propria autonomia, la testimonianza si presenta con i tratti della discrezione: agisce attirando a sé senza violenza. A un uomo che misura in base al parametro dell'efficacia, la testimonianza propone azioni e fatti: la condizione umana può essere cambiata poiché di fatto essa è cambiata. A un uomo tecnicamente sviluppato, ma sottosviluppato sul piano morale e di una fragilità psicologica sconcertante, il testimone appare come un essere in buona salute, «che sta bene nella propria pelle», che irradia gioia e pace, nonostante la sofferenza e la morte. Un simile incontro può suscitare il desiderio di partecipare a una tale pienezza di vita. Aggiungiamo che la testimonianza-impegno è più urgente di un tempo nella nostra società pluralista e secolarizzata. Più col suo *stile* di vita che con i discorsi, il cristiano attesta la presenza della salvezza nel mondo. Con il suo diverso modo di vivere le situazioni comuni può condurre coloro che gli passano accanto a interrogarsi sullo spirito che lo anima.

2. Testimonianza nell'esortazione «Christifideles laici» (1988) - La promozione del laicato nella chiesa rappresenta un movimento irreversibile. L'attività dei laici si esercita in tutte le sfere della vita: non solo a livello delle opere sociali, caritative e pastorali, ma anche a tutti i livelli dell'insegnamento propriamente religioso: dalla catechesi fino alle funzioni della ricerca e dell'insegnamento universitario. Di fatto centinaia di uomini e donne insegnano teologia nelle facoltà del mondo intero. In molti paesi sono la netta maggioranza. A questa accresciuta presenza e influenza di laici nella chiesa corrisponde evidentemente una maggiore responsabilità sul piano della testimonianza. È questo l'aspetto sottolineato dal sinodo del 1987 e dall'esortazione *Christifideles Laici* che ne seguì, nel 1988.

«Uniti a Cristo, il grande Profeta (Lc 7,16), e costituiti nello Spirito testimoni di Cristo risorto, i fedeli laici... sono chiamati a far risplendere la novità e la forza del vangelo nella loro vita quotidiana, familiare e sociale» (CL 14). Immersi nel mondo, che è il loro abituale contesto di lavoro, vi manifestano Cristo «con la testimonianza della loro vita di fede, di speranza e di carità» (CL 15; LG 31). Essi sono invitati a portare questa testimonianza fino ai vertici della santità, poiché «il santo è la testimonianza più eclatante della dignità conferita al discepolo di Cristo» (CL 16). Possiamo anche affermare che il rinnovamento atteso dal concilio dipenderà in gran parte dall'accresciuta influenza dei laici nella chiesa e dalla qualità della loro testimonianza. Il ruolo dei laici nella chiesa è particolarmente importante nei paesi del Primo mondo che hanno urgente bisogno di una seconda evangelizzazione. «Ad essi, in particolare, bisogna testimoniare che la fede costituisce l'unica risposta che tutti... intravedono e invocano per i problemi e le speranze che la vita suscita in ogni uomo e in ogni società» (CL 34). L'esortazione apostolica sottolinea che «la *sintesi* vitale, che i fedeli laici sapranno operare tra il vangelo e i doveri quotidiani della vita, sarà la testimonianza più bella e più convincente per dimostrare che non la paura, ma la ricerca di Cristo e la dedizione alla sua persona, sono il fattore determinante perché l'uomo viva e cresca» (CL 34).

3. Fecondità della testimonianza personale - Il linguaggio dei fatti viene a corroborare le dichiarazioni del concilio e del sinodo sui laici. Per l'uomo contemporaneo la testimonianza di una vita impegnata è il più decisivo di tutti i segni dell'avvento della salvezza in Gesù Cristo. Si contesta a Dio, e spesso con asprezza, il diritto di fare miracoli, il diritto di intervenire in un universo che si considera «riserva di caccia» della specie umana, ma si accetta più volentieri che Dio possa agire direttamente nel cuore dell'uomo per convertirlo e trasformarlo. Se la voce di Giovanni XXIII ha trovato un'eco così profonda nel cuore degli uomini di ogni razza e di tutte le confessioni, un'eco che ancora si ripercuote, non è proprio perché questa voce aveva l'accento dell'amore autentico, della carità del buon pastore che chiama le sue pecorelle? «Sei incaricato di gridare il vangelo sui tetti – diceva Charles de Foucauld – non con le parole, ma con la vita». Sì, gli uomini d'oggi chiedono più testimoni silenziosi dell'amore di Cristo che predicatori, più uomini e donne in cui il vangelo appaia all'opera come valore di attrazione. Se si verifica un simile incontro, questo può risvegliare il desiderio della salvezza e rendere possibile la fede.

Sarà sufficiente qualche esempio per illustrare questa forza di attrazione della testimonianza. Prima di tutto nei convertiti. Quasi sempre la →

conversione è suscitata o provocata, iniziata o accelerata da uno choc iniziale. Questo primo choc, a detta degli stessi convertiti, è stato prodotto la maggior parte delle volte dall'incontro con una vita profondamente impegnata nello spirito della radicalità evangelica. Questo fu il caso di Ch. de Foucauld, G. Marcel, G.K. Chesterton, Raïssa e Jacques Maritain, E. Psichari, H. Ghéon, Th. Merton, E. Stein, K. Stern. Dichiara G. Marcel: «Gli incontri hanno avuto un ruolo capitale nella mia vita. Ho incontrato persone in cui sentivo la realtà di Cristo così viva da non essermi più permesso di dubitarne». E Daniel-Rops: «Non c'è niente di più determinante che vedere nei suoi occhi un cristianesimo vissuto e incarnato». Talvolta l'incontro con Cristo avviene «direttamente» in un'esperienza mistica come nel caso di A. Frossard. Ma più spesso è decisivo l'incontro e il confronto con una vita radicata in Cristo. In questo tipo di incontro la salvezza diviene trasparente. Non si deve dedurne la salvezza: la si vede all'opera.

Non sono infatti discorsi che dobbiamo presentare a uomini che gridano di sgomento, ma il prezzo di una vita personalmente data, consacrata ai nostri simili. Non si spiega altrimenti il potere di attrazione di donne e uomini come Massimiliano Kolbe, morto ad Auschwitz nel 1941 per aver sacrificato la sua vita sostituendosi volontariamente a un padre di famiglia condannato a morire di fame; o come l'arcivescovo di San Salvador Oscar Romero, morto assassinato nel 1980 durante la celebrazione della messa, martire della difesa dei poveri, dei senza voce e della sua protesta contro le espulsioni, le persecuzioni, le torture. Come spiegare l'irradiamento dell'umile frère André che attrae verso l'oratorio dedicato a S. Giuseppe (Montréal) carovane umane venute dalle due Americhe e persino dall'Europa? E il fenomeno ancora più sconcertante di S. Teresa del Bambino Gesù, la giovane carmelitana prigioniera del chiostro, proclamata patrona delle missioni?

Ma non è necessario andare così lontano: pensiamo a Madre Teresa. Musulmani, buddhisti, credenti, indifferenti, atei, si inchinano di fronte a questo focolare di amore che ella accende al suo passaggio. Tutti si sentono interrogati, messi in causa da lei, chiamati a una revisione dei loro valori, se non addirittura a una conversione totale. In lei, Cristo vive e passa facendo il bene. Rivolgendosi ai paesi del Primo mondo ella dichiara: «La più grande malattia attuale non è la lebbra né la tubercolosi, ma il sentimento di essere indesiderabili e abbandonati da tutti; il più grande peccato è l'assenza di amore e di carità, la terribile indifferenza per il prossimo che, ai margini della strada, è preda dello sfruttamento, della corruzione, dell'indigenza e della malattia... C'è tra voi − paesi ricchi − povertà di amore, di *solitudine*, di *immortalità*; è la peggiore malattia del mondo». Madre Teresa vuole portare il mondo occidentale a uscire dai ghiacci dell'egoismo e del calcolo. Non è né sociologa, né economista o donna politica. Non fa propaganda. Per lei l'amore prevale sull'«efficacia»: poco importano i risultati immediati. Ella è amore che irradia, illumina, riscalda, dà senza attendere niente in cambio. Sentiamo in lei una densità di amore che si apre in una luce capace di lacerare le tenebre più fitte. Come al tempo di Cristo, è amore presente tra noi. Vuole che l'ultimo sguardo del più sventurato dei moribondi sia l'incontro con uno sguardo che lo copre di amore. Ne è convinta: il mondo di oggi ha molto più bisogno di cuori carichi d'amore che di navi cariche di grano. Madre Teresa ci parla d'amore con gesti d'amore. La sua vita non è una dimostrazione, ma un *mostrarsi* dell'amore che la abita e la fa vivere.

Per questo «dimostra» che il mondo è vivibile se l'amore giunge a pervaderlo.

4. Testimonianza comunitaria - La testimonianza di una vita personale e in accordo con il vangelo costituisce già un segno della presenza della salvezza nel mondo. Ma quanto è più convincente questo segno se la testimonianza non è resa solo da qualche individuo, ma da un gruppo, o addirittura da tutta una comunità o da tutta la chiesa! In questo caso la qualità dei membri della comunità determina la qualità della comunità stessa e l'*immagine* che questa dà al mondo. Se questa comunità vive del vangelo, afferma in tal modo l'azione del vangelo riconosciuto come valore supremo su se stessa. Quando tutti i membri o la maggior parte di loro vivono del vangelo, ne deriva un'immagine fedele di Cristo e del suo spirito. La testimonianza di ciascuno dei membri si alimenta a sua volta di ogni testimonianza ricevuta. Essa si produce come un flusso e riflusso incessante dal singolo alla comunità e dalla comunità alla singola persona. Si stabilisce tra i membri della comunità come una rete di relazioni interpersonali, intessute di giustizia, di carità, di pace, di purezza, di dolcezza, di serenità, di misericordia. La testimonianza comunitaria è una risultante e non una semplice addizione o giustapposizione di testimonianze individuali. Costituisce una realtà nuova e originale.

La testimonianza resa dai membri santi di una comunità costituisce una comunità santa che irradia lo Spirito di Cristo in tutti coloro che l'avvicinano. Colui che entra in contatto con questo ambiente ha l'impressione di respirare un'aria più viva, più tonificante. Al contrario, il peccato stabilisce tra i membri di una comunità divisa rapporti interpersonali peccaminosi. Il linguaggio popolare del resto non sbaglia e tale comunità presenta un corpo e un volto di peccato. Non si potrebbe tacere o ridurre l'importanza di questo aspetto della testimonianza soprattutto a livello *ecclesiale*. Infatti, in definitiva, è l'*immagine* che la chiesa presenta al mondo che fa di essa un segno espressivo e contagioso o un segno negativo della salvezza che predica. Il Vaticano II ha sottolineato, di fronte alla coscienza cristiana, la responsabilità dei membri della chiesa nella formazione dell'*immagine* che essa dà al mondo. Il segno del vangelo può essere offuscato o anche annullato dalla *controtestimonianza* di un cristianesimo scandaloso. Nel decreto sull'attività missionaria il concilio dichiara: «La divisione dei cristiani è infatti di grave pregiudizio alla santa causa della predicazione del vangelo a tutti gli uomini e impedisce a molti di abbracciare la fede» (AG 6). E nel decreto sull'ecumenismo il concilio dichiara che la divisione dei cristiani è «di scandalo al mondo e danneggia la più santa delle cause: la predicazione del vangelo a ogni creatura» (UR 1). Dovunque la chiesa non offra più la testimonianza dell'unità e della carità ma quella della divisione e dell'odio, delle fazioni, dei clan, degli esclusivismi, non solo essa non attira più gli uomini, ma li allontana da sé e di conseguenza da Cristo; infatti è mediante la chiesa che conosciamo Cristo e ancora attraverso di essa misuriamo la reale efficacia del vangelo.

Al contrario, i fatti dimostrano quanto attrae la testimonianza degli uomini radunati nell'unità e nella carità. Pensiamo, per esempio, alla comunità dei giovani di S. Egidio a Roma diventata, grazie al fervore della preghiera e dei multiformi servizi caritativi, luogo di raduno tanto di credenti che di non credenti; o anche alla comunità monastica di Taizé, fondata nel 1940 e divenuta luogo di elevata preghiera per visitatori di tutte le confessioni religiose. Pensiamo inoltre al diffondersi nel mondo del movimento dell'*Arca*, fondato da Jean Vanier nel 1964 a Trosly-Breuil in Francia, che accoglie i più sprovveduti, cioè i minorati mentali condannati a vivere e a morire senza speranza di «uscirne». Ciò che caratterizza l'*Arca* è un impegno assoluto, se non addirittura eroico, al servizio di questi handicappati, unito a uno spirito di preghiera tale da far invidia ai monaci più ferventi. Giovani in media dell'età di trent'anni consacrano gli anni più belli della loro vita a soccorrere «disgraziati» che turberebbero anche le sensibilità più equilibrate. All'*Arca* si cerca di creare ambienti di amore per far «toccare» qualcosa dell'amore del Verbo di vita. Per uomini che ne hanno abbastanza di teorie, si tratta di «cose mai viste», in grado di fare breccia nei cuori e di farvi entrare l'amore. Ricordiamo infine la fulminante testimonianza data dalle famiglie contadine di una zona del nord-est del Brasile. Questi poveri sono portatori di un potere inedito, lo stesso potere di Dio, che obbliga i ricchi a interrogarsi e a convertirsi. Queste popolazioni oppresse del Brasile non hanno altra arma nelle loro mani che la sofferenza: una sofferenza che potrebbe condurre all'odio, al massacro, ma che ha scelto piuttosto la via del perdono. Essi vedono nel perdono un'azione creatrice, capace di vincere l'ingiustizia alla radice, trasformando l'ingiusto in giusto, l'oppressore in amico e fratello. Il perdono fa crollare i muri della separazione e ristabilisce l'amore fraterno. Il perdono è seme di giustizia. Gli oppressori, convertiti dalla testimonianza degli oppressi che perdonano, riconoscono i loro errori e sono salvati, liberati, guariti, dalla testimonianza tenace e fedele degli oppressi che non cessano di perdonare. Queste comunità locali che testimoniano Cristo dal fondo della loro miseria si trovano dappertutto nel mondo: in India, in Nigeria, in America Centrale, in America Latina. La testimonianza del loro perdono è germe di un amore che deve nascere: quello dell'oppressore per l'oppresso. Cristo non ha dato altra testimonianza verso i suoi nemici.

Questi esempi, per quanto siano solo semplici accenni, sono tuttavia significativi. Dimostrano che la *testimonianza-impegno* di una vita consacrata a Cristo è il grande motivo di credibilità della rivelazione. Non si deduce da questo la salvezza, ma la si vede dinanzi a sé.

5. NECESSITÀ DELLA TESTIMONIANZA - La testimonianza di una vita in perfetto accordo con il vangelo non è solo augurabile e altamente raccomandabile per il cristianesimo, ma è un'esigenza assoluta, una necessità naturale. E ciò per svariati motivi:

a. Prima di tutto perché il cristianesimo non è un puro sistema di pensiero, filosofico o scientifico, comunicabile con un insegnamento che non impegna la vita né del professore né dell'uditore, ma è un messaggio di salvezza collegato a un evento che ha cambiato il senso della condizione umana e che mette in questione l'esistenza di chiunque lo accoglie. Il vangelo ci dice che l'uomo è salvato in Gesù Cristo, che siamo figli di Dio e che partecipiamo già alla vita delle persone divine. Quindi, se il cristianesimo fosse incapace di mostrare questo cambiamento della condizione umana annunciato dal vangelo, dovrebbe ammettere la propria sconfitta. Non si può pretendere di affermare che l'evento della salvezza è giunto ma che non è percepibile, che la santità è data, ma che paradossalmente niente la lascia supporre esternamente, nel comportamento di coloro che hanno ricevuto lo Spirito. No, la santità deve esistere e di fatto esiste; la si può incontrare, se la si cerca con cuore umile e disponibile. Essa viene attestata dai frutti di «amore, gioia, pace, pazienza, benevolenza, bontà, fedeltà, mitezza, dominio di sé» (Gal 5,22). Ugualmente la chiesa non si può accontentare di affermare di essere santa, di aver ricevuto da Cristo i mezzi per santificare gli uomini, senza tuttavia poterli rendere effettivamente santi. Più la chiesa parla di santità e più deve produrre testimoni della salvezza. Più essa racconta la storia della salvezza in Gesù Cristo e più deve poter raccontare le vittorie della grazia della salvezza sul peccato degli uomini. Questo è il senso profondo delle beatificazioni e delle canonizzazioni. La chiesa non sarebbe quella che è, se non producesse dei santi, cioè i frutti della salvezza.

b. In secondo luogo, l'accordo tra il vangelo e la vita è necessario perché l'essenziale del messaggio cristiano è la rivelazione dell'amore infinito di Dio per gli uomini attraverso l'amore di Gesù Cristo. Ora, come possono gli uomini che non conoscono Gesù Cristo credere al suo amore, se non hanno davanti agli occhi la visione di altri uomini che sono già stati conquistati da questo amore e che per esso hanno rischiato tutta la loro vita? Come introdurre all'amore di una persona se non con un contagio di amore? Quando i cristiani conducono una vita perfettamente evangelica, coloro che li vedono contemplano Dio che è amato e Dio che li ama. In questo amore ricevono la rivelazione dell'amore di Dio. L'amore degli uomini tra loro diventa il *sacramento* o il segno dell'amore di Dio, l'espressione visibile dell'amore di Dio per gli uomini.

c. Infine, l'accordo tra il vangelo e la vita è necessario perché il vangelo è la rivelazione di una nuova forma di esistenza, di un nuovo stile di vita. Dio come avrebbe potuto insegnare agli uomini questo stile di vita al quale voleva formarli − stile sublime e inedito al tempo stesso − se non con una presentazione concreta

ed esemplare? Per questo Cristo, figlio di Dio, il Testimone per eccellenza, non solo è colui che rivela agli uomini la loro condizione filiale, ma è anche colui che li inizia a questa vita filiale, conducendo egli stesso davanti ai loro occhi una vita di Figlio. Ed è per questo che ci vogliono testimoni di Cristo, santi che perpetuino nella chiesa questa vita filiale rivelata e vissuta da Cristo e che mostrino ad ogni generazione questo nuovo stile di vita che è l'esistenza cristiana pienamente vissuta.

Nel → miracolo viene coinvolta solo la natura. Qui è l'uomo stesso che viene cambiato. Nella testimonianza-impegno traspare ai nostri occhi la trasformazione dell'umanità, operata dall'invasione della grazia in Gesù Cristo.

6. DINAMISMO DELLA TESTIMONIANZA - Vediamo ora di mostrare come la testimonianza di vita agisca sullo spirito e sul cuore dell'uomo per fargli capire come la salvezza annunciata dal vangelo e attestata da Cristo, dagli apostoli, dai cristiani autentici, sia veramente tra noi.

Ciò che caratterizza la testimonianza di vita è la *discrezione*. Il santo non esige niente, non chiede nulla: si accontenta di esprimere con tutta la sua vita la realtà soprannaturale in cui è immerso. Il santo, osserva Bergson, «ha sentito scorrere in sé la verità come una forza operante. Egli non potrebbe fare a meno di diffoderla così come il sole fa con la sua luce. Solo che non sarà con semplici discorsi che la propagherà» (*Les deux sources de la morale et de la religion*, Paris 1932[2], 249). La santità agisce senza violenza. La sua forza di attrazione viene dalla sua stessa discrezione. Apparentemente segno più fragile, essa può essere anche il più efficace, in quanto agisce a livello delle persone e fa appello all'esperienza morale di ognuno.

La santità agisce prima di tutto come un *valore*: per forza di attrazione e di seduzione di un *bene*. Essa rivela a colui che la incontra una qualità di vita che l'uomo non avrebbe potuto sospettare, ma a cui desidera segretamente partecipare. Mostra all'uomo, in una vita simile alla sua, un ideale la cui attrazione non è mai totalmente assente nel suo cuore. Non spiega il valore del cristianesimo con una dimostrazione o con un panegirico, ma lo mostra presente e attivo in un'esistenza che esso ha trasformato. «Perché i santi – dice ancora Bergson – hanno imitatori? ... Non chiedono niente, eppure ottengono. Non hanno bisogno di esortare; devono solo esistere, la loro esistenza è un richiamo» (Bergson, in *Ibid.*, 29-30).

Se è vero che i valori più alti sono quelli che lasciano più spazio alla libertà (essendo il valore esigente in misura inversamente proporzionale alla sua levatura), la loro forza di attrazione è direttamente proporzionale alla loro altezza. A questo riguardo, lo spettacolo di una vita cristiana autentica suscita, in coloro che non si chiudono di fronte ad essa, un vivo desiderio di partecipare a quella luce. La santità è un richiamo e non una pressione: si offre all'uomo come promessa di compimento e di superamento a cui si aspira. Pochi uomini risponderanno effettivamente a questo appello discreto; è infatti una chiamata a un nuovo stile di vita, da acquisire a costo di duri sacrifici. Poco importa: senza far rumore, e quasi impercettibilmente, la testimonianza di vita desta l'attenzione, suscita la simpatia e avvia, senza forzare, il movimento con cui forse poche o molte persone si sottrarranno all'inerzia per mettersi in cammino verso Dio. Un problema è ormai posto. Chi ha incontrato la santità «preferirà la vita secondo l'amore di cui ha ricevuto la rivelazione personale per mezzo di altri e di cui ha provato l'attrazione, quasi la tentazione, o sceglierà la vita secondo l'egoismo? Questa

opzione resta interamente libera... Ma l'uomo è strappato alla sua indifferenza per essere posto di fronte a una decisione che non può più eludere» (Y. de Montcheuil).

A uno sguardo più attento la santità svela un'*armonia* tra il vangelo e la vita. La santità dà corpo al vangelo e la fa passare nell'ordine dell'esistenza. Il vangelo dice che Cristo è figlio di Dio venuto nel mondo per fare di noi i figli del padre chiamati a condurre una vita di figli e a condividere la gloria di Cristo. Ecco che nel santo appare quest'uomo nuovo annunciato dal vangelo, tutto pervaso dalla carità, che vive e agisce sotto l'azione dello Spirito. Il santo lascia trasparire la salvezza annunciata e operata da Cristo. In lui vangelo e vita si fanno reciprocamente eco e coincidono. Il santo mostra e quindi dimostra l'attitudine del vangelo a trasformare l'esistenza umana. Questo accordo tra vangelo annunciato e vangelo vissuto è un segno della sua verità. Il santo attesta, con la sua presenza nel mondo, che la salvezza è veramente compiuta, poiché l'uomo nuovo, vivificato dallo spirito di amore, è veramente tra noi.

Questo accordo tra vangelo e vita costituisce un segno tanto più sconvolgente quanto più non si tratta di un accordo qualunque, su un piano comune, ma di un accordo nel *superamento*. Vi è superamento nell'ideale, cioè nel vangelo, e superamento nella realtà. In un mondo in cui regnano il peccato, la divisione, l'egoismo, l'invidia, il santo emerge. Uomo come noi, egli tuttavia domina il nostro livello di meschinità e di mediocrità. Respira un'aria più pura che viene da un altro universo. Rappresenta, nell'attuale universo e rispetto all'agire concreto e abituale dell'uomo, un superamento. Sappiamo che l'uomo può essere generoso; ma la generosità di Pierre Claver verso i neri, quella di Vincenzo de' Paoli per i poveri, di Jean de Brébeuf per gli

Huroni, di Charles de Foucauld per i Tuareg, di Madre Teresa per i «rifiuti» dell'umanità, supera ogni comune misura e dà le vertigini.

Aggiungiamo anche che questo superamento non è verticale e semplice come può esserlo l'eroismo del martirio, ma è *multiforme e paradossale*. La vita del santo riproduce come in miniatura i paradossi della vita di Cristo. Presente nel mondo e in tutte le sue miserie, il santo dà tuttavia l'impressione di venire da isole straniere e di portarne i prodotti esotici. Datosi interamente a Dio, egli è anche tutto tenerezza per gli uomini. Abisso di umiltà e di semplicità, è spesso intrepido e ardente se deve parlare di Dio e rivendicare i suoi diritti. Fonte di purezza e di penitenza, ha tuttavia la convinzione di essere il più grande peccatore. All'iniziativa traboccante e creatrice unisce la più filiale obbedienza.

Si capisce come l'uomo che contempla questa armonia, nel superamento, tra vangelo e vita, questa intensità, questa pienezza, questa costanza e fecondità della carità, provi il desiderio di partecipare a questo universo di valori che gli è rivelato dalla testimonianza di una vita autenticamente cristiana. La visione della santità dispone all'ascolto del vangelo, giacché essa è già vangelo che si dispiega sotto i suoi occhi. In definitiva, ciò che fa la forza della testimonianza di vita è il mostrare la salvezza all'opera nel nostro mondo. Il segno è in questo caso lo splendore della trasformazione operata. L'uomo stesso è cambiato e vivificato dallo Spirito di amore. Il mondo attende di vedere dei santi. Se la santità e i santi restano invisibili o assenti, gli uomini vivono nella nebbia e muoiono di freddo.

7. SPECIFICITÀ DELLA TESTIMONIANZA CONTEMPORANEA - Precisiamo a quali condizioni la testimonianza personale e comunitaria può divenire per gli uomini del nostro tempo segno della venuta della salvezza in Gesù Cristo. Per essere efficace tale testimonianza deve rivestire modalità nuove e molto specifiche.

a. L'uomo contemporaneo è più sensibile di un tempo al rispetto dovuto dal cristianesimo ai valori umani riconosciuti nel mondo secolare. Per esempio: la competenza professionale, l'efficacia nel lavoro, la cura e il rispetto della verità, l'onestà e l'umiltà nella ricerca scientifica, la franchezza e la sincerità nei rapporti umani, la coerenza tra le parole e le azioni, il rispetto della parola data, il rispetto della libertà di coscienza, il rispetto del bene altrui, il senso del servizio pubblico. L'uomo contemporaneo prova rispetto per colui che si impegna nell'assolvere il suo compito e che adempie ad esso con fedeltà di coscienza. Si inchina di fronte a colui che sa partecipare alle gioie ma anche alle sofferenze e alle angosce degli uomini del suo ambiente; che si sforza di migliorare le istituzioni sociali del proprio paese. Al contrario, se il cristiano non dimostra rispetto o non ne manifesta abbastanza per questi valori riconosciuti dal mondo secolare, rischia di restare senza eco.

b. Un tempo, in una cristianità omogenea o in nazioni interamente cattoliche, la carità non si esercitava che tra cattolici; solo i missionari assumevano la responsabilità di portare il vangelo fuori delle frontiere visibili della chiesa. Avviene diversamente oggi. In un mondo ora sempre più unificato, i muri di separazione non esistono più: tutte le famiglie spirituali (protestanti, ebrei, musulmani, buddhisti, induisti, ecc.), tutte le forme di credenza e di non credenza si toccano, si frequentano, si fondono. Al cuore di questa nuova umanità (in cui non esistono più zone chiuse di cristianità) i membri della chiesa devono testimoniare la carità di Cristo. Secondo l'espressione bellissima di

Charles de Foucauld, ognuno deve diventare «il fratello universale». Nello stesso senso R. Schutz scriveva: «Dateci la prova esistenziale che credete in Dio, che le vostre certezze sono davvero in lui. Provateci che vivete il vangelo nella sua originaria freschezza, in spirito di povertà, nella solidarietà con tutti e non solo con la vostra famiglia confessionale».

c. D'altra parte, se la testimonianza della carità deve divenire più universale, più ecumenica e più missionaria di un tempo, deve anche intensificarsi tra i cattolici stessi. La chiesa, nelle sue comunità locali e come comunità mondiale, deve apparire in seno alle altre comunità come una comunione particolarmente fervente nello Spirito. Deve divenire sempre più quella che è (cioè messianica e divina), dando al mondo, con l'ardente irradiamento della sua carità, il segno efficace dell'amore di Dio tra gli uomini. «Per un cattolico – osserva ancora R. Schutz – essere solidale con tutti i battezzati significa prima di tutto essere solidale, *all'interno della propria chiesa*, con tutte le famiglie spirituali che animano il cattolicesimo. In questo periodo storico ci aspettiamo dai cattolici che essi non si rifiutino gli uni gli altri. Se le diverse correnti che si manifestano dovessero impedire il dialogo, sarebbe una prova senza eguali per l'ecumenismo». A questo proposito lo scisma di mons. Lefebvre, proprio come gli atteggiamenti intolleranti di coloro che non riconoscono altro paradigma dottrinale che i loro schemi mentali, visti come assoluti, costituisce indubbiamente la più grave controtestimonianza della chiesa contemporanea. È vero che la testimonianza del cattolico deve essere una testimonianza di appartenenza alla chiesa, ma è anche vero che la chiesa, nei gruppi che ne fanno parte, deve promuovere questo *dialogo* che ha proclamato con tanta forza nel Vaticano II.

8. EUCARISTIA, MOMENTO FORTE DELLA TESTIMONIANZA - Il luogo per eccellenza dell'unità e della carità, costituito dalla testimonianza personale e comunitaria, è l'eucaristia come assemblea e come sacrificio. La celebrazione eucaristica infatti raccoglie tutti i momenti della vita di Cristo e tutti i momenti della vita della chiesa.

L'eucaristia raccoglie in primo luogo tutti i momenti della presenza di Cristo: presuppone infatti la presenza di Cristo tra gli uomini nel tempo della sua vita mortale e la richiama con la lettura del vangelo. Inoltre riproduce, con la reale presenza di Cristo, nel sacramento in cui egli si dona come cibo, la sintesi della presenza personale e spirituale da Cristo glorioso con il Cristo Verbo incarnato nella storia.

L'eucaristia raccoglie anche tutti i momenti della vita della chiesa. È la cena del ricordo, il memoriale della passione e della morte salvifica di Cristo che ha fatto nascere la chiesa. Nel presente, è comunione di tutti i fedeli in Cristo vivo e glorificato ed è comunione dei fedeli tra loro nella carità. Infine, è cena di speranza che raffigura e anticipa la cena escatologica in cui tutti gli eletti saranno riuniti alla tavola del Signore. Ciò che si compie nell'eucaristia è dunque già rendere visibile l'unità d'amore, ma nello stesso tempo un richiamo a un'estensione di questa unità a tutti gli uomini; la celebrazione eucaristica infatti non rappresenta solo l'unità reale e attuale dei membri dello stesso corpo; è anche animata da un dinamismo unificatore che tende a radunare gli uomini per costituire il corpo mistico di Cristo. Attraverso coloro che sono da lui vivificati e nutriti, Cristo agisce e opera la crescita del suo Corpo. Se è vero che la chiesa è il segno della comunione d'amore che la Trinità cerca di stabilire tra gli uomini, bisogna dire che questo segno si concentra e trova la sua più elevata espressività nell'assemblea eucaristica.

Gli uomini del nostro tempo vogliono trovare nella chiesa, nelle comunità cristiane, in ogni cristiano, un riflesso dell'amore di Cristo e di questo amore puro e senza ombre, ardente, fedele, dato, offerto fino al sacrificio della vita per la salvezza di tutti. Se gli uomini di oggi incontreranno, grazie all'impegno della testimonianza cristiana, la realtà di questo amore che ama l'uomo in se stesso, senza ombra di ripugnanza, allora faranno la scoperta di un mondo nuovo; avranno il desiderio di partecipare a questa pienezza, poiché avranno scoperto che Dio è Amore.

Bibl. - Y. de Montcheuil, *Problèmes de vie spirituelle*, Paris 1947[3]; M. Nédoncelle - R. Girault, *J'ai rencontré le Dieu vivant*, Paris 1952; F. Lelotte, *Convertis du XXe siècle*, voll. I-IV, Paris-Bruxelles 1953-1958; K. Rahner, «Die Kirche des Heiligen», in *Schriften zur Theologie*, III, Einsiedeln 1957[2], 111-126; E. Barbotin, *Le témoignage spirituel*, Paris 1964; R. Schutz, *Dynamique du provisoire*, Taizé 1965; R. Latourelle, «La sainteté, signe de la Révélation», in *Greg* 46 (1965) 36-65; Id., «La testimonianza della vita, segno di salvezza», in *Laici sulle vie del Concilio*, Assisi 1966, 377-394; Id., *La testimonianza cristiana*, Assisi 1971; Id., «La testimonianza della vita», in *Cristo e la Chiesa segni di salvezza*, Assisi 1971, 237-265; Id., «Évangélisation et témoignage», in *Évangélisation*, Roma 1975, 77-110; Id., «Assenza e presenza della fondamentale al concilio Vaticano II», in R. Latourelle (ed.), *Vaticano II, bilancio e prospettive*: venticinque anni dopo, Assisi 1987, 1381-1411; G. Martelet, *Sainteté de l'Église et vie religieuse*, Toulouse 1968; E. Schillebeeckx, *Le Christ sacrement de la rencontre de Dieu*, Paris 1969 (tr. it. Torino 1981[8]); A. Frossard, *Dio esiste. Io l'ho incontrato*, Milano 1970; C. Mesters, *Missione del popolo che soffre*, Assisi 1982; N. Cotugno, «La testimonianza della vita del Popolo di Dio, segno di Rivelazione alla luce del Concilio Vaticano II», in R. Fisichella (ed.), *Gesù Rivelatore*, Casale Monferrato 1988, 227-240.

RENÉ LATOURELLE

TILLICH PAUL

1. UNA FILOSOFIA TEONOMA - Nella meditazione religiosa, nella riflessione filosofica e nel sistema teologico di Paul Tillich (1886-1965), occupa una posizione dominante il problema ultimo dell'uomo (*The Ultimate Concern*).

a. *La questione dell'Incondizionato* - Già dai suoi primi saggi dedicati allo studio del pensiero di Schelling, Tillich ha affrontato il problema della comprensione filosofica della religione (*Mystik und Schuldbewusstsein in Schellings philosophischer Entwicklung*, 1912). Questa «preoccupazione ultima» è testimoniata in tutti i suoi scritti, particolarmente in quelli destinati o allo studio filosofico del concetto di religione (*Religionsphilosophie*, 1925), o alla collocazione della teologia nel sistema delle scienze (*Das System der Wissenschaften nach Gegenständen und Methoden*, 1923), o anche all'analisi della semiotica del sacro e all'esistenza credente (*Religiöse Verwircklichung*, 1930), o allo studio della relazione fra rivelazione biblica ed esistenza umana (*Biblical Religion and the Search for Ultimate Reality*, 1955). Instancabilmente Tillich cercò una «filosofia teonoma» della realtà culturale e storica. I suoi scritti filosofici cercano di collocare, nella prospettiva della teonomia, la problematica etica o politica, estetica o culturale: sia quando discutono la relazione fra i valori religiosi e la realtà sociale, sia quando analizzano il fondamento religioso dell'azione etica. La sua filosofia politica del «socialismo religioso» e la sua filosofia morale dell'*êthos* postmoderno costituiscono espressioni di una etica teonoma (*Protestantisches Prinzip und proletarische Situation*, 1931; *Love Power and Justice*, 1954). Lo stesso succede con i suoi scritti di filosofia teoretica sulla cultura o la storia: sia quando analizzano le tensioni fra libertà e destino, *kairós* e *lógos*, idealismo ed esistenzialismo, sia quando propongono la sua visione del «realismo credente», o la sua idea di una «Teologia della cultura», o la sua teoria della presenza del «demoniaco» nella storia (*Über die Idee einer Theologie der Kultur*, 1919; *Kairos und Logos*, 1926; *Philosophie und Schicksal*, 1929; *Das Dämonische*, 1926). In Tillich, tutte le questioni teoriche o pratiche sono contemplate nella prospettiva dell'«Incondizionato», cercando la rivelazione della sua presenza nascosta nella realtà sociale o culturale, per poter comprendere il senso religioso della situazione spirituale (*Die religiöse Lage der Gegenwart*, 1926). Nasce così e si sviluppa un pensiero religioso nel quale tenacemente si confrontano cultura e religione, realtà politica e principio profetico, rivelando instancabilmente la presenza paradossale dell'incondizionato, tanto nell'oscillante realtà esteriore della cultura o della storia, quanto nel mondo interiore del dubbio e della fede (*Rechtfertigung und Zweifel*, 1924). Progressivamente viene elaborata un'antropologia, pensata come ontologia dell'esistenza alla ricerca del fondamento dell'essere e del significato (*The Courage to Be*, 1952; *Morality and Beyond*, 1963). Anche i suoi scritti autobiografici testimoniano quanto la dimensione del profondo fu sentita come presente nella sua parabola personale (*On the Boundary*, 1936; *Autobiographical Reflections*, 1952). Le sue meditazioni religiose propongono instancabilmente l'irruzione de «l'Incondizionato» nel profondo dell'essere e la presenza dell'eterno nell'istante fuggevole e propizio, nel quale si rivela la verità definitiva (*The Shaking of the Foundations*, 1948; *The New Being*, 1955; *The Eternal Now*, 1963). Fino ai suoi ultimi saggi, il tema ricorrente della riflessione tillichiana è costituito dalla ricerca costante dell'assoluto, dell'infinito e del definitivo, presente nella realtà contingente relativa e contradittoria, confrontando dialetticamente dubbio filosofico e sapienza religiosa. Questa stessa correlazione diventa dominante fino a co-

stituire proposta metodica e risposta sistematica nel suo *opus magnum* di teologia filosofica, dove ininterrottamente si affrontano autonomia e teonomia, dubbio e fede, ragione e rivelazione, ontologia e teologia, antropologia e cristologia, esistenza e salvezza, etica e pneumatologia, chiesa e società, storia ed escatologia (*Systematic Theology* I-III 1951-63).

b. *Il progetto filosofico* - Come filosofo della religione, Tillich restò fedele a tre convinzioni fondamentali: innanzitutto al rigore del dubbio metodico della ragione interrogante; in secondo luogo, alla originalità dell'esperienza del sacro come rivelazione e irruzione dell'incondizionato; e infine, al carattere paradossale del cristianesimo come religione della grazia. La sua logica della ragione credente sottolinea principalmente l'incondizionalità del contenuto religioso e, pertanto, l'impossibilità di fondarlo in qualsiasi realtà condizionata, come il mondo e l'io, la cultura o la storia. Dato che per Tillich, anche la metafisica si definisce per il suo sforzo d'esprimere l'incondizionato in categorie razionali, la teologia soltanto può essere pensata come una specie di «metafisica teonoma», in quanto intende elaborare razionalmente il contenuto religioso. Tillich elabora anche una teoria della relazione fra cultura e religione, cioè una *filosofia della cultura* in prospettiva teonoma. In essa, la religione offre alla cultura il fondamento incondizionato del senso di ogni realtà; a sua volta, la cultura offre alla religione, tanto i simboli dell'incondizionato, quanto le forme condizionate dell'autonomia secolare, in tutti i grandi settori dei valori umani: la verità nella scienza, la bellezza nell'arte, la giustizia nella società, l'amore nella comunità. Da qui seguirà anche la possibilità di realizzare un'analisi religiosa dei fatti culturali, superando la diastasi fra sacro e profano, e pertanto, la possibilità di elaborare un'autentica «Teologia della cultura».

Nella sua *filosofia teoretica*, Tillich si collocò alla frontiera fra idealismo ed esistenzialismo. Da una parte, si afferma il «principio d'identità» fra soggetto e oggetto, negando che le condizioni di possibilità dell'esperienza possano ridursi a cruda oggettività. L'identità fra pensare ed essere, come principio di verità, permette di superare qualunque atteggiamento naturalista o empirista. Nella sua *filosofia pratica* però, Tillich corregge l'etica idealista della libertà, affermando il «principio della libertà», tanto interiore quanto esteriore. La corrispondenza fra lo spirito umano e la realtà oggettiva ritorna evidente nelle «scienze dello spirito», in quanto «costruzioni sistematiche» del soggetto pensante, nella ricerca del senso della realtà, nella natura o nell'arte, nella società o nella storia. Tillich limita però la pretesa dell'idealismo come «sapere assoluto» sottolineando il «principio della differenza», nella frequente contraddizione verificata fra l'ideale e il reale, la certezza e il dubbio, la felicità e l'angoscia, in una parola, tra «l'essenza» e «l'esistenza». Perciò in Tillich tanto sul piano teorico, quanto nella pratica, l'idealismo è affermato, negato e superato. Il superamento dell'«essenzialismo idealista» si realizzò inserendo una «correzione esistenziale» nel sistema. Tanto sul piano individuale, quanto su quello sociale, la conoscenza della verità è vincolata alla situazione del soggetto conoscente.

Perciò, la conoscenza dell'«essenza» diventa impossibile senza il riconoscimento delle condizioni e contraddizioni dell'«esistenza», sia come «angoscia esistenziale», su un piano individuale, sia come «lotta di classi», sul piano sociale e storico. Per una migliore conoscenza della realtà esistenziale, individuale e sociale, Tillich ha utilizzato due approssimazioni tipiche della postmodernità: la psi-coanalisi esistenziale d'origine freudiana e l'analisi della dialettica sociale d'origine marxista. Questa doppia metodologia portò Tillich, sul piano individuale, verso un certo «stoicismo» esistenziale, e sul piano sociale, verso una forma di «socialismo religioso».

Come concetto di mediazione fra luteranesimo e socialismo, Tillich elaborò l'idea di «kairós». Il regno di Dio è lontano e rimane distante, però si fa presente nella storia come giudizio critico su una certa forma di società e come norma configurante di una futura forma di realtà storica, più vicina all'ideale della giustizia. In questo modo, una *filosofia politica* centrata nel progetto del «socialismo religioso» trova il suo fondamento in una determinata *filosofia della storia* (Storia, II), pensata come lunga marcia verso il «novum», il cui centro coincide con l'avvenimento religioso della rivelazione cristiana, che appare così come «principio» dell'intelligibilità storica e come autentica meta della stessa storia. Le forze contrastanti, che operano nella storia, possono essere classificate in base a tre caratteristiche: o come la forza demoniaca, di un potere opprimente e totale (*eteronomia*); o come l'emancipazione dell'umano, sotto la forma della profanità secolare (*autonomia*); o come l'irruzione incondizionata del sacro, sotto i simboli dell'esigenza della religione profetica (*teonomia*). L'impegno in favore del socialismo religioso è pensato esclusivamente in una prospettiva teonoma, come superamento della forma demoniaca ed eteronomica dei totalitarismi, così come della forma profanizzata ed esasperata dell'autonomia secolare, tipica del secolarismo e del decadentismo borghese.

2. UNA TEOLOGIA FILOSOFICA - Anche nella *Teologia sistematica* di Tillich viene elaborata la problematica del «realismo credente» secondo la

dialettica e la correlazione fondamentale del finito e dell'infinito, del condizionato e dell'incondizionato, contemplando l'irruzione dell'assoluto nella rivelazione e nella natura, nella storia della salvezza e nella grazia.

a. *Il metodo di correlazione* - Il sistema teologico di Tillich è pensato secondo lo schema di «una ellisse bifocale». I due fuochi sono *la ragione* critica ed estatica, che interroga e contempla, e *la rivelazione* della teonomia e del mistero che risponde alle questioni ultime dell'uomo, attraverso i grandi «simboli religiosi» del cristianesimo. L'uomo e Dio: è qui la correlazione teologica fondamentale. Tutto il sistema si articola in cinque parti, precedute da una introduzione, su «natura e metodo» della *Teologia sistematica*. Successivamente, la tematica si distribuisce in tre volumi, nella seguente forma: il primo, oltre all'introduzione comprende le prime due parti, dedicate allo studio della correlazione fra «ragione e rivelazione» e fra «essere e Dio». Il secondo volume propone la terza parte, dedicata a «l'esistenza umana e il Cristo». Il terzo propone le ultime due parti, dedicate a «la vita e lo Spirito» e a «la storia e il regno di Dio». La dialettica fondamentale è però sempre la stessa: l'uomo che domanda e Dio che risponde. La ragione critica, che domanda, e la rivelazione estatica che risponde. L'essere finito, che si interroga sulla finitudine; Dio che risponde, nella sfera dell'incondizionato e del sacro, come l'infinito e l'assoluto, rivelandosi come Signore e Padre. L'esistenza alienata, che si interroga; il Cristo che risponde, come salvezza divina e come espressione del «nuovo essere» nella grazia. La vita, nella sua ambivalenza di finitudine essenziale e alienazione esistenziale, che domanda; lo Spirito che risponde, nella dimensione della profondità religiosa e dell'autenticità di un'«autonomia teonoma», attraverso un processo di discerni-

mento profetico, realizzato nel vivere concreto, individuale o sociale, religioso o ecclesiale. La storia che ci interroga, e il regno di Dio, con il suo «kairós» inatteso e propizio, che ci offre la risposta escatologica definitiva.

In questo modo si dibattono successivamente le grandi questioni dell'uomo e del cristianesimo, rimanendo sempre la tensione insuperabile tra la ragione filosofica con il suo dubbio metodico che ci pone quesiti, e la fede con la sua certezza incondizionata che ci offre la risposta. Nella «teologia filosofica» di Tillich, si elabora un'ontologia della finitudine essenziale e dell'alienazione esistenziale, dell'ambiguità vitale e dell'ambivalenza storica, dove risuonano numerosi motivi della cultura filosofica della modernità, da Kant a Schleiermacher, da Schelling a Heidegger. La rilettura del grande tema paolino-luterano della giustificazione per la fede nella *sola gratia* sintetizza motivi biblici e motivi postmoderni, da Marx a Freud, per esempio, in relazione alla questione dell'alienazione esistenziale, individuale e sociale. Ma tutta la tradizione teologica evangelico-luterana passa attraverso il filtro platonico-agostiniano di una intelligenza che cerca la fede, nel processo di una via interiore e di una certezza immediata dell'incondizionato religioso, nel momento estatico dell'adesione all'infinito. Il *deus interior* di Agostino o il *deus supra deum* di Dionigi è anche il Dio di Tillich. Modificando profondamente la prospettiva del fideismo evangelico, contrariamente a Lutero, Tillich dirà che è impossibile arrivare al *deus revelatus* prescindendo dall'esperienza religiosa del *deus absconditus*.

b. *Finito e Infinito* - Tillich sottolinea l'identità profonda fra il Dio della trascendenza, nella dimensione dell'incondizionato, e il Dio dell'irruzione del sacro, nell'esperienza religiosa della rivelazione cristiana. Non esi-

stono due assoluti e così, contrariamente a → Pascal, Tillich dirà che
il Dio dei filosofi e il Dio di Abramo
sono lo stesso e unico Dio. La rivelazione escatologica divina avviene in
Cristo, però la sua rilevanza religiosa si verifica nella risonanza esistenziale dei grandi simboli cristiani. Ciò
significa che la rivelazione e i suoi
simboli risultano rilevanti solo in un
incontro con l'esperienza personale,
incontro mediato dalla situazione culturale e sociale. Orbene per Tillich,
la condizione umana si caratterizza per
una finitudine essenzialmente aperta
all'Infinito e per un'alienazione esistenzialmente marcata dalla contraddizione vitale e sociale. La realtà umana si sente profondamente minacciata, innanzitutto dalla morte come aggressione alla sua finitudine essenziale; in secondo luogo, dal male morale, come concrezione di una contraddizione esistenziale, in quanto negazione della sua qualità etica, e infine
dall'assurdo, come minaccia alla condizione umana, in quanto tensione
spirituale di ricerca di un senso nella
propria vita e nella storia. Dio solo
si rivelerà in modo significativo nel
confronto metodico fra tale condizione umana, essenzialmente ed esistenzialmente minacciata, e i simboli della
rivelazione cristiana, che esprimono
l'irruzione del senso incondizionato
e ultimo di tutta la realtà. Dio non
può essere trovato come un'oggetto
in più nel mondo, bensì solamente come il fondamento ultimo e assoluto
dell'essere e del senso. Perciò, Dio
solo può essere trovato nella dimensione dell'incondizionato.

Fra l'uomo e Dio, fra il finito e l'infinito, esiste una tensione massima e
una correlazione profonda. Per l'uomo, Dio è fondamento e abisso. La
teologia non può limitarsi a rendere
esplicito il *kêrygma* del passato o a
tentare di tradurlo nel presente. Il
metodo teologico sarà fecondo, quando arriverà a esplicare la dialettica del
senso, fra la ragione religiosa che indaga e la rivelazione che annuncia al
credente il suo messaggio divino. Per
l'uomo però, la questione fondamentale soggiacente al problema della
drammaticità della vita o della tragicità della morte, latente sotto la provocazione dell'assurdo o del male, è
precisamente la questione stessa del-
l'essere e del senso ultimo della realtà. L'uomo si scopre a se stesso come
una finitudine estranea, separata dal
suo stesso fondamento e nostalgica
dell'infinito. Minacciato dalla contraddizione o dal male, dal senso di colpa
o dall'angoscia davanti alla morte,
dall'opacità del senso o dalla trasparenza dell'assurdo, proponendo la
questione della realtà dell'essere, l'uomo propone l'interrogativo sulla potenza capace di resistere al non-essere,
cioè, all'aggressione della distruttività
fisica e morale, personale o storica.
Questa potenza indistruttibile, più profonda e reale di tutta la realtà, identificata con la pienezza stessa dell'essere, viene denominata legittimamente con la parola «Dio».

Come avviene per la questione del-
l'uomo, anche il problema di Dio viene affrontato in una doppia prospettiva, teorica e pratica, essenziale e vitale. In questo modo, Dio viene considerato non solo come l'*ipsum esse*
sussistente e la pienezza infinita della potenza dell'essere, che risponde,
sul piano essenziale, alla questione
della finitudine umana, ma pure su
un piano vitale, come l'eterno vivente, il quale come ogni vivente trascende se stesso e ritorna su se stesso. Dio
non è identità morta, ma assoluta pienezza di vita. In quanto vivente, la
realtà divina è spirituale o personale;
in quanto spirito, Dio unisce in sé
volontà e intelligenza, potenza e autocoscienza. In questo modo, il Dio
misterioso si rivela come l'Essere infinito e incondizionatamente santo,
come l'eterno Vivente onnipresente e
come Spirito assoluto onnipotente e
onnisciente, che esce da se stesso nella creazione, che partecipa della sof-

ferenza del mondo nella redenzione di ogni male, e che torna su se stesso, riconciliando tutto in sé nell'escatologia consumata. Per Tillich, la dinamica della vita divina offre il senso della dottrina trinitaria, nelle grandi religioni e nel cristianesimo.

Nel panenteismo mistico di Tillich, la relazione trascendentale profonda fra realtà finita ed essere infinito è pensata non tanto in chiave dell'aristotelismo cristiano, quanto in un'ottica platonico-agostiniana, come autodonazione del creatore comunicantesi alla creatura e facendola così partecipe dell'essere. Così si fonda un'*analogia entis* ontologico-teologica. Ma fra l'esistenza alienata del peccatore e la santità divina rivelata paradossalmente nella croce è possibile solo un'*analogia fidei*, basata sulla giustificazione del peccatore per la fede e la grazia immeritata. E infine, fra la realtà umana e l'assoluto, si dà fondamentalmente un'*analogia imaginis*, quando il contenuto incondizionato della realtà divina comunica all'uomo interiore il suo senso inesauribile, attraverso forme condizionate o simboli dell'infinito. Per tutto ciò il linguaggio umano su Dio sarà sempre ontologico, paradossale e simbolico.

La teologia filosofica di Tillich si risolve in una «Filosofia della rivelazione» che intende pensare l'esperienza vitale dell'*homo religiosus* e la sua adesione al cristianesimo, come religione della sintesi, conciliando dialetticamente autonomia secolare e prospettiva teonoma, identità mistica e differenza etica. Infine nella realizzazione del suo progetto di una «metafisica teonoma», Tillich ci ha lasciato, in chiave evangelico-luterana, la versione postmoderna del platonismo cristiano.

Nella potente architettura del suo sistema teologico risuonano gli echi del pensiero cristiano che risponde all'anelito umano per l'infinito e l'assoluto, l'incondizionato e il sacro, e tro-

va nel Cristo il paradigma emblematico del «nuovo essere» e → l'*universale concretum* dell'umanità. Senza dubbio però la sua cristologia costituisce il *punctum dolens* del sistema per i suoi toni adozionisti e neonestoriani e, di conseguenza, perché dà alla sua dottrina trinitaria, inseparabilmente associata all'irrazionalismo vitalista presente nella dottrina delle tre potenze di Schelling, un'impostazione vicina a quella del monarchianismo dinamico pre-niceno. Ciò nonostante, numerose tesi della sua antropologia e della sua etica, della sua ecclesiologia e della sua teologia della storia hanno contribuito a rinnovare l'attuale dibattito teologico. In polemica sempre contro qualsiasi eteronomia, Tillich costantemente proclama il primato della teonomia sulla pura autonomia. La sua lettura teonoma dell'ontologia e dell'etica, della cultura e della storia, conosce sempre un'esperienza del *numinosum*, caratterizzata dal primato del contenuto incondizionato sulle forme condizionate della stessa religione. Il fondamento teologico di tale primato si incontra nell'assioma dell'apofatismo cristiano, assunto generosamente come programma dal giovane Tillich: *impossibile est, sine deo discere deum.*

Bibl. - OPERE DI PAUL TILLICH: *Systematic Theology*, Chicago 1951-63, 3 voll.; *Gesammelte Werke*, Stuttgart 1959-75, 14 voll.; *Ergänzungs- und Nachlassbände*, Stuttgart 1971-83, 6 voll.; *Dogmatik*, Düsseldorf 1986; *Main Works/ Hauptwerke*, Berlin 1987ss, 6 voll.

W.-M. Pauck, *Paul Tillich: His Life and Thought. I. Life*, New York 1976; J.L. Adams - W. Pauck - R.L. Shinn (edd.), *The Thought of Paul Tillich*, S. Francisco 1985; F.A. Pastor, «La interpretación de Paul Tillich», in *Greg* 66 (1985) 709-739; Id., «Itinerario espiritual de Paul Tillich», in *Greg* 67 (1986), 47-86; C. Schwöbel, «Tendenzen der Tillich-Forschung», in ThR 51 (1986) 166-223; R. Albrecht - W. Schüssler, *Paul Tillich: Sein Werk*, Düsseldorf 1986; N. Ernst, *Die Tiefe des Seins*, St. Ottilien 1988.

FÉLIX ALEJANDRO PASTOR

TOMMASO D'AQUINO

Nell'epoca medievale Tommaso rappresenta il punto di maturità della grande scolastica nella sua riflessione circa il tema della rivelazione. Dopo di lui non troviamo in altri teologi prospettive più ampie di quelle che egli ha sviluppato, anche se non si può pretendere di trovare in lui una teologia della rivelazione nell'attuale senso del termine. Nei secoli successivi, fino ai nostri giorni, la terminologia si farà più precisa, più tecnica, ma la riflessione non guadagnerà granché in profondità. Ciò che colpisce in S. Tommaso, morto nel 1274, è la molteplicità e la ricchezza degli aspetti che egli scopre nella *realtà* della rivelazione: operazione salvifica che procede dal libero amore di Dio; evento storico che si dispiega nel tempo e raggiunge gli uomini di tutti i secoli; azione divina che si inserisce nella vita psicologica del profeta; dottrina sacra comunicata da Cristo ai suoi apostoli e, attraverso loro, trasmessa alla chiesa; grado di conoscenza che si situa tra la conoscenza naturale, la conoscenza di fede e la conoscenza di visione.

1. LA RIVELAZIONE COME OPERAZIONE SALVIFICA - Tutta la teologia, tutta la vita di fede, tutto il *dato rivelato procede* dalla rivelazione, ma il dato rivelato non si può chiamare direttamente rivelazione. Questa è un'azione che procede dal libero amore di Dio, per la salvezza dell'uomo. Ora, poiché questa salvezza è Dio stesso nella sua vita intima, cioè un oggetto che supera assolutamente le forze e le esigenze dell'uomo, era necessario che Dio stesso si facesse conoscere all'uomo per indicargli questo suo fine e la via per arrivarci (STh I,1,1c). D'altra parte, poiché anche la conoscenza delle verità dell'ordine naturale circa Dio e i nostri rapporti con lui, di fatto, rappresenta un'impresa difficile, possibile a po-

chi e con gravi rischi di errore, Dio ha rivelato anche queste «affinché tutti, facilmente, possano divenire partecipi della conoscenza divina, fuori da ogni dubbio o errore» (CG I,4; STh I,1,1c. Testo ripreso dal Vaticano I: DS 3005). Tommaso quindi considera la rivelazione, nel suo *versante attivo*, come l'azione di Dio che, liberamente e gratuitamente, offre all'uomo le verità necessarie e utili al conseguimento della salvezza soprannaturale. Quanto è rivelato (*revelatum*) sono essenzialmente quelle conoscenze su Dio inaccessibili alla ragione e che di conseguenza possono essere conosciute solo tramite rivelazione. Per *revelabile* si intende invece quelle conoscenze che di per sé non sorpassano la capacità della ragione, ma che Dio ha rivelato in quanto utili all'opera della salvezza, e perché la maggior parte degli uomini, lasciati a loro stessi, non arriverebbe mai a conoscerle: di fatto queste verità fanno ormai parte del corpo della rivelazione. Insomma, il *revelatum* doveva essere rivelato, mentre il *revelabile* poteva esserlo (STh I,1,3 ad 2).

2. LA RIVELAZIONE COME EVENTO DELLA STORIA - A questo titolo, la rivelazione appare a Tommaso come un'operazione gerarchica, segnata dalla successione, dal progresso e dalla molteplicità delle forme e dei mezzi di comunicazione.

a. Operazione *gerarchica* prima di tutto. La verità della salvezza ci arriva come l'acqua di una grande sorgente il cui contenuto non potrebbe giungere in pianura se non dopo aver formato successivi bacini: dapprima gli angeli, secondo l'ordine delle gerarchie celesti, poi gli uomini e tra questi i più grandi, cioè i profeti e gli apostoli. Essa si diffonde nella moltitudine di coloro che l'accolgono con la fede secondo un'analoga operazione poiché coloro che possiedono una conoscenza estesa devono trasmetterla e spiegarla ai semplici fedeli, tenuti ad aderire esplicitamente solo agli articoli di fede (STh I-I,2,6c). Dopo il momento della rivelazione che si costituisce viene quello della rivelazione che si applica.

b. In secondo luogo la rivelazione è caratterizzata dalla *successione*: non viene donata in un unico momento, ma secondo tappe che costituiscono parziali realizzazioni del disegno divino totale. La ricchezza della rivelazione era tale che l'uomo ha dovuto prepararsi per secoli per prenderne a poco a poco possesso e assimilarla (*Ad Heb.* 1,1). Possiamo quindi distinguere nella storia della rivelazione tre età e, in testa a ciascuna, figura una rivelazione superiore da cui derivano tutte le altre: la rivelazione ad Abramo dell'esistenza di un Dio unico, che fonda la rivelazione patriarcale e si rivolge solo ad alcune famiglie; la rivelazione mosaica o quella del nome di Dio, che fonda l'era profetica e si rivolge a tutto un popolo; infine la rivelazione di Cristo, insieme alla rivelazione del mistero della vita intima di Dio nella Trinità delle persone, che fonda l'era cristiana e si rivolge a tutta l'umanità. Dio «accondiscende» alla debolezza dell'umanità, lasciando filtrare solo quel po' di luce che essa può ricevere (STh I-I,1,7 ad 3).

c. Un duplice movimento attraversa l'economia della rivelazione e costituisce il *dinamismo del suo progresso*. Da una parte un movimento che costituisce a poco a poco il deposito della rivelazione: dai patriarchi ai profeti e agli apostoli. Dall'altra, un movimento che a poco a poco avvicina l'umanità all'incarnazione. Più ci si avvicina a Cristo e più ci si accosta alla pienezza della rivelazione. Con Cristo si ha la primavera della grazia, il tempo del compimento. «L'ultima consumazione della grazia si è compiuta con Cristo»; perciò il tempo di Cristo è detto il tempo della pienezza (STh I-II,1,7 ad 4).

d. Infine la rivelazione è *polimorfa*. Dio non ha disprezzato nessuna forma di comunicazione per farsi conoscere. Nel suo commento alla lettera agli Ebrei (*Ep. ad Heb.* c.1, lect.1), Tommaso sottolinea la straordinaria ricchezza e diversità delle vie di Dio: molteplicità e varietà dei personaggi ai quali si rivolge; diversità dei processi psicologici (visioni corporee, immaginative, intellettuali); rivelazioni vertenti sul passato, sul presente, sul futuro, che si rivolgono all'uomo sia per istruirlo sia per punire le sue infedeltà; diversità infine dei gradi di chiarezza o di oscurità. Con Cristo e gli apostoli l'evento della rivelazione raggiunge il suo culmine e la sua pienezza. Lo spirito di profezia non è comunque scomparso. Alcuni uomini ne beneficiano, non per supplire a una rivelazione insufficiente, ma per illuminare il comportamento umano a partire dalla rivelazione già data (STh II-II,174,6).

3. LA RIVELAZIONE PROFETICA COME CARISMA DI CONOSCENZA - S. Tommaso si interessa prima di tutto alla rivelazione profetica (*De Ver.* q.12; STh II-II,171-174; CG III, III, 154). Al tempo del modernismo ha potuto svilupparsi la leggenda che la rivelazione cattolica comportasse solo verità cadute dal cielo: sarebbe stato vantaggioso allora leggere S. Tommaso che, molti secoli prima, si interessava alla rivelazione nella sua fase psicologica, in quanto azione divina che si inserisce nello psichismo umano. Il *De prophetia* si caratterizza infatti per uno straordinario rispetto dei dati complessi dell'esperienza profetica.

Tommaso distingue nella profezia la *conoscenza* profetica dal suo uso, cioè la *denuntiatio* o proclamazione della profezia (Sth II-II,171,1c). In un primo tempo, il profeta sperimenta l'azione della luce divina su di lui (*De Ver.*). Poi, in un secondo tempo, egli *proclama*; il profeta sceglie allora le immagini secondo il suo temperamento e la sua esperienza personale. Concretamente, come si verifica questo *svelamento* che rende il profeta recettore della verità divina? (STh II,II, 171, 6c.). Come ogni conoscenza umana, la profezia comporta rappresentazioni (*acceptio rerum*) e un giudizio, ma entrambi elevati dal carisma profetico: il giudizio si effettua sotto l'influsso di una speciale luce accordata al profeta. «L'elemento formale nella conoscenza profetica è la luce divina; è dall'unità di questa luce che la profezia trae la sua unità specifica, nonostante la diversità degli oggetti che questa luce manifesta ai profeti» (STh II-II,171,3). Questa luce infatti illumina un dato di prodigiosa ricchezza: avvenimenti della storia, comportamento delle persone, visioni interiori, sogni, ecc. Tuttavia l'essenza della profezia non sta in questo elemento rappresentativo, ma nella luce divina accordata al veggente perché egli possa discernere, giudicare ed esprimere gli intenti di Dio. Grazie all'illuminazione ricevuta, il profeta giudica con certezza e senza errore elementi presenti nella sua coscienza e quindi prende possesso della verità che Dio intende comunicargli. Con questa illuminazione e questo giudizio si opera davvero nel profeta lo svelamento del pensiero divino. Una volta che ne è gratificato, il profeta reagisce in modo vitale. Passivo nell'*ispirazione* che lo eleva, egli percepisce attivamente nella *rivelazione* (STh II-II,171,1, ad 4). Attraverso il piano delle immagini egli raggiunge la verità più profonda che esse designano (STh II-II,173,2, ad 2). La luce accordata da Dio è dunque l'elemento essenziale che caratterizza il profeta. Ma il profeta è, in senso pieno, colui che riceve da Dio contemporaneamente le rappresentazioni e la luce per giudicarle (STh II-II,173,2c). Nella rivelazione nel suo pieno significato «il profeta possiede la massima certezza delle realtà che conosce con il dono di pro-

fezia e sa per certo che queste verità gli sono divinamente rivelate» (STh II-II,171,5c). Per questo Geremia può dire: «Il Signore mi ha veramente inviato a voi per esporre ai vostri orecchi tutte queste cose» (Ger 26, 15). Nello splendore della luce ricevuta il profeta percepisce, senza ragionamenti espliciti, proprio come si raggiunge la causa nell'effetto, che Dio è l'autore di questa luce e l'autore della verità che gli fa scoprire questa luce. Il profeta non ha bisogno di altri segni: la luce che riceve è così intensa che egli ha piena certezza della sua origine. È il caso di Abramo che si prepara a immolare l'unico figlio sulla base dell'illuminazione ricevuta (STh II-II,171,5c). Teresa d'Avila si esprime nello stesso modo (*Il castello interiore*, sesta dimora).

L'azione con cui Dio comunica con l'uomo per mezzo dei segni creati è definita da S. Tommaso *parola di Dio*, in ragione dell'analogia che presenta con la parola umana che è anch'essa comunicazione di pensiero attraverso segni. La parola interiore nei profeti non è altro che l'illuminazione dello Spirito (*De Ver.*, 12,1, ad 3). La parola intesa come comunicazione tra esseri intelligenti è una categoria che abbraccia a un tempo la comunicazione umana, angelica e divina (STh I,107,1c; I,107,2; *De Ver.* 18, 3). In quanto suono o gesto, la parola è attribuibile a Dio solo metaforicamente; ma in quanto fatto spirituale e comunicazione di pensiero non comporta alcuna imperfezione e può essergli attribuita. Così come con la parola esteriore ricorriamo a un termine portatore di senso, nello stesso modo Dio, quando illumina il profeta, gli dà una rappresentazione significativa, un segno della sua essenza spirituale. È così che Dio ha parlato ad Adamo, ai patriarchi, ai profeti. Questi segni evidentemente sono rappresentazioni incomplete del mistero divino, ma attraverso di esse, e grazie alla luce che le illumina, Dio ci inizia alla sua vita: egli ci parla.

4. La rivelazione attraverso Cristo e gli apostoli - La riflessione di S. Tommaso sulla funzione rivelatrice di Cristo è meno elaborata della sua analisi dell'esperienza profetica. Troviamo tuttavia nella *Summa* delle indicazioni molto suggestive circa il ruolo di Cristo e degli apostoli. Il *prologo* della terza parte, che tratta di Cristo salvatore, inizia con queste parole: Cristo «ci ha mostrato la via della verità» affinché per mezzo di lui andassimo al Padre. Per manifestare il suo pensiero, l'uomo lo incarna in suoni o lettere; così anche «Dio, volendosi manifestare agli uomini, ha rivestito di carne, nel tempo, il Verbo concepito da tutta l'eternità» (*In Jo.* 14, 2). Mediante la carne cha ha assunto, il Verbo ci parla e noi lo capiamo (*In Jo.* 8, 3). Nessuno meglio di lui può manifestare la verità, poiché egli è in persona luce e verità (*In Jo.* 18, 6). Cristo predica, insegna sia con le azioni sia con le parole (*In Jo.* 11, 6), ma a differenza dei maestri umani, insegna dal di fuori e dal di dentro (*In Jo.* 14, 3; 3, 1). Cristo ha istruito gli apostoli con la predicazione e con il suo Spirito (*In Jo.* 17, 6) che ha loro manifestato il senso della dottrina. Indubbiamente Tommaso privilegia nella rivelazione il risultato dell'azione rivelatrice, cioè la verità della fede. La terminologia non inganna: l'insieme delle conoscenze che Dio ha rivelato ai profeti e agli apostoli è detta da lui «la dottrina sacra», «l'insegnamento secondo la rivelazione», contenuto nella Scrittura (STh I,1,1c).

5. Dalla rivelazione alla chiesa e alla fede - Agli apostoli e ai profeti Dio ha proposto direttamente la sua verità; a noi la propone attraverso la chiesa. Quest'ultima dunque è la regola infallibile per quanto riguarda la proposta della verità rivelata (STh II-II,5,3). I simboli di fede che segnano la storia della chiesa esprimono un'unica fede: essi esplicitano il dato rivelato tenendo conto degli errori o delle deviazioni nascenti. La maggior parte degli uomini ha accesso alla rivelazione solo in modo mediato, attraverso la predicazione della chiesa. Dio ci aiuta a credere con un *triplice* aiuto: con la predicazione esteriore, con i miracoli che danno credito a tale predicazione e anche «con un'attrazione interiore che non è altro se non un'ispirazione dello Spirito mediante la quale l'uomo è spinto a dare il suo consenso a ciò che è oggetto di fede... Questa attrazione è necessaria, poiché il nostro cuore non si volgerebbe a Dio se Dio stesso non ci attirasse a sé» (*In Rom.* 8, 6; STh II-II,2,9). L'appello interiore della grazia è la «testimonianza» della «verità prima che illumina e istruisce l'uomo interiormente» (*Quodl.* 2, 4, 6, ad 3). Viene quindi fatto un duplice dono all'uomo: il dono della dottrina della salvezza e il dono della grazia per accoglierlo nella fede. Questa azione della grazia non è definita rivelazione da Tommaso, per lo meno non abitualmente; piuttosto è vista come chiamata, attrazione, aiuto, mozione, testimonianza e soprattutto istinto interiore venuto da Dio, come chiamata personale rivolta a ciascuno.

6. Rivelazione come grado di conoscenza di Dio - Rivelazione e fede non sono fine a se stesse ma ordinate alla visione; infatti il fine dell'uomo è quello di entrare un giorno nella contemplazione di Dio. In questo senso la rivelazione storica è una conoscenza imperfetta, un momento della nostra iniziazione alla visione. Vi è nell'uomo una triplice conoscenza di Dio: nel primo grado l'uomo *si eleva* a Dio con la mediazione delle cose create; nel secondo Dio *discende* verso di noi, si china sull'uomo, gli si rivela; nel terzo l'uomo «*sarà elevato* a vedere perfettamente ciò che gli è stato rivelato» (CG IV, 1).

La perfezione della rivelazione si realizzerà solo nella parusia (STh II-II,5, 1, ad 1). Solo allora «la Verità prima sarà conosciuta non nella fede ma nella visione. Allora la verità non sarà più proposta all'uomo avvolta in veli, ma del tutto scoperta» (CG IV, 1). Con la sua parola Dio ci fa entrare a poco a poco nel mistero della sua vita intima.

Fino al concilio di Trento, la controversia protestante, con il principio del *sola Scriptura* quale fonte della rivelazione, così come le intemperanze dell'illuminismo protestante, che gratifica tutti i fedeli di un'immediata rivelazione dello Spirito, hanno avuto l'effetto di distogliere l'atten-zione dei teologi dal carattere storico e incarnazionale della rivelazione, per preoccuparsi prima di tutto della rivelazione oggettiva del messaggio della fede e delle garanzie della sua origine divina.

Bibl. - B. Decker, *Die Entwicklung der Lehre von der prophetischen Offenbarung von Wilhelm von Auxerre bis zu Thomas von Aquin*, Breslau 1940; A.M. Fairweather, *The Word as Truth*. A Critical Examination of the Christian Doctrine of Revelation in the Writings of Thomas Aquinas and Karl Barth, London 1944; V. White, «Le concept de révélation chez saint Thomas», in ATh 11 (1950) 1-17, 109-132; L. Elders (ed.), *La doctrine de la révélation divine de saint Thomas d'Aquin,* Città del Vaticano 1990.

RENÉ LATOURELLE

TRADIZIONE

1. *Tradizione intesa come fenomeno della cultura umana* - 2. *Il principio cristiano della tradizione* - 3. *Il concetto teologico di tradizione* - 4. *Norme e criteri della tradizione (norma suprema, norma primaria, norma subordinata; Criteri di appartenenza; Criteri ermeneutici)* - 5. *Prammatica della tradizione* (H.J. Pottmeyer).

La tradizione cristiana, come ogni altra tradizione, può essere sottoposta a esame da molteplici punti di vista: generalmente come fenomeno della cultura umana in un'ottica antropologica e storico-scientifica o come momento della propria identità in un'ottica di autocomprensione del gruppo che la trasmette e in questo caso dei cristiani. Il teologo cristiano ripensa la tradizione cristiana come fenomeno culturale nell'ottica della fede cristiana. La fede cristiana assume la tradizione cristiana come un avvenimento i cui attori sono tanto gli uomini quanto Dio.

Come in ogni tradizione anche nella tradizione cristiana distinguiamo il contenuto trasmesso (il *traditum* o *traditio obiectiva*), il processo di trasmettere e di ricevere (l'*actus tradendi et recipiendi* o *traditio activa*) e i soggetti della tradizione (i *tradentes* o *traditio subiectiva*). Mentre le altre discipline teologiche s'interessano prevalentemente dei documenti e dei contenuti della tradizione cristiana (esegesi, dogmatica) o dei loro soggetti (storia della chiesa), la teologia fondamentale riflette sul nesso fondamentale tra contenuti, processo e soggetti della tradizione e sulle norme e criteri della vera tradizione cristiana.

1. TRADIZIONE INTESA COME FENOMENO DELLA CULTURA UMANA - Attualmente l'atteggiamento nei confronti della tradizione è contraddittorio. Da un lato vengono radicalmente contestate l'autorità e il valore della tradizione, dall'altro cresce la convinzione che la tradizione è indispensabile per i singoli individui e per la società.

La fondamentale perdita di autorità di tutte le tradizioni è legata in primo luogo all'esperienza che molte conoscenze e comportamenti tramandati sono stati superati dal progresso tecnico-scientifico e sociale e sono antiquati. Questa esperienza sostiene nell'età moderna la crescente pretesa dell'uomo a cercare autonomamente delle motivazioni, che hanno il loro fondamento nell'uomo stesso, ricorrendo alla ragione. Nei confronti di questa pretesa onnicomprensiva, la tradizione costituirebbe un pregiudizio e assurgerebbe a → ideologia da cui l'uomo, sulla strada di una libertà sconfinata, dovrebbe emanciparsi. Ma nel contempo la crisi dell'età moderna postula un cambiamento di mentalità. Riconosce che la perdita totale di tradizione compromette la libertà e l'umanità.

Il ritorno a un rapporto immediatamente vissuto con la tradizione, come quello perseguito da alcuni movimenti della → New Age, o la mera restaurazione e conservazione di tradizioni singole, come le vuole il tradizionalismo fondamentalistico, non sono tuttavia né possibili né auspicabili. La conquista di una responsabilità personale adulta non dovrebbe avvenire a ritroso. Oggi, nei confronti della tradizione, è possibile e si favorisce l'atteggiamento critico in grado di distinguere tra valore e non-valore delle tradizioni; è possibile far proprie le tradizioni valide con libera autodeterminazione. L'atteggiamento critico nei confronti della tradizione ha anch'esso una sua lunga tradizione. Nel nostro ambiente culturale inizia con il trapasso dal *mýthos* al *lógos* nella filosofia greca, lo si ritrova nell'Antico e nel Nuovo Testamento, non ultimo in Gesù.

L'uomo è un essere della tradizione. Accoglie tradizioni e le trasmette, crea tradizioni e le distrugge. Tramandare è un evento culturale, sociale e personale. La tradizione è un elemento costitutivo della *cultura* umana. Essa poggia su due fatti antropologici fondamentali: da un lato

sulla finitezza, mortalità e storicità dell'uomo; dall'altro, sulla necessità di costruire sulle esperienze, conoscenze e abilità acquisite da altri perché possa nascere ed evolversi una cultura. Si tramandano abilità, costumi, riti, norme, racconti e dottrine. La tradizione è legata anzitutto alla lingua. La lingua è il *medium* con cui si tramanda ed è essa stessa tradizione. Dalla lingua e dalla scrittura emerge che anche la disposizione a tramandare va sviluppata e trasmessa. Ne deriva quindi la necessità di creare precisi ruoli funzionali quali quelli del sacerdote, dell'insegnante, del giudice e del maestro e istituzioni quali il culto, il diritto, la scuola, il teatro.

Sul piano *sociale* la tradizione può essere qualificata come un processo comunicativo diacronico e sincronico. La tradizione esercita due funzioni sociali: da un lato opera creando gruppi e continuità: la comunità fondata sulla tradizione è simultaneamente *medium* e prodotto della tradizione. Dall'altro, la tradizione opera con funzione liberante e orientativa perché di fronte alla moltitudine delle possibilità di percepire, pensare e agire che può paralizzare l'uomo gli mette a disposizione determinati modelli o «guiding patterns» di percepire, pensare, agire. Ogni comunità fondata sulla tradizione crea delle istanze di controllo a salvaguardia delle tradizioni normative. Sul processo comunicativo della tradizione influiscono in senso costitutivo i portatori e i destinatari di ciò che viene trasmesso.

La tradizione può promuovere e compromettere la *personalità* dell'uomo. Il fatto che un individuo nasca in una determinata comunità fondata sulla tradizione e che dalla stessa riceva un'impronta significa due cose: da un lato la tradizione rende possibile lo sviluppo della personalità, dall'altro può condizionare l'individuo al punto da ostacolarne o impe dirne il libero sviluppo nel comprendere e nell'operare. Per questo motivo la tradizione è simultaneamente destino e sfida. L'assimilazione personale, cioè libera e intelligente, della tradizione comporta l'atteggiamento critico nei confronti della stessa. Una assimilazione personale della tradizione esige l'interpretazione. Chi trasmette e chi è destinatario devono rapportare la tradizione alla loro rispettiva situazione ed esperienza, devono reciprocamente narrarsi l'esperienza ricordata e presente se il vivo ricordo non vuole trasformarsi in un morto tradizionalismo. La viva tradizione è interpretazione ed esige l'interpretazione; sintetizza in se stessa continuità e innovazione. Per questo motivo il processo di trasmissione non è mai esente da conflitti.

Da ciò che è stato detto risulta il concorso dei soggetti e del contenuto trasmesso nel vivo evento della tradizione. Chi trasmette e chi è destinatario tramandano e ricevono il contenuto trasmesso nell'atto di interpretarlo. A sua volta il contenuto trasmesso determina, improntata e modifica tanto chi trasmette e chi è destinatario quanto il processo di trasmissione con le sue forme e istituzioni.

La tradizione cristiana, come evento di comunicazione e di interazione trasmesso dall'uomo, sottostà alle medesime condizioni e normative antropologiche. Può quindi essere oggetto di analisi e valutazione dell'antropologia e della scienza storica nella misura in cui esse riguardano l'autocomprensione cristiana. I loro risultati sono importanti anche per il teologo perché gli consentono di comprendere il carattere umano e storico dell'evento cristiano della tradizione e ne richiamano l'attenzione sulle condizioni che ostacolano e promuovono la mediazione cristiana della tradizione. Nell'ottica teologica tuttavia la tradizione cristiana non è semplicemente la variante cristiano-religiosa di un fenomeno culturale generale

umano. Il principio cristiano della tradizione si fonda invece sul fatto che Dio si è rivelato in Israele e in Gesù Cristo una volta per tutte come salvezza degli uomini. Ne deriva la necessità di trasmettere e mediare a tutte le generazioni successive la notizia di questo evento e la sua forza redentrice.

2. Il principio cristiano della tradizione - Il processo cristiano della tradizione inizia con *Gesù*. Proclama decisivi la legge e i profeti e li interpreta criticamente richiamandosi alla volontà di Dio (Mt 5,17-48; 15,1-20; Mc 7,5-13). In epoca neotestamentaria, oltre alla tradizione d'*Israele* interpretata in rapporto a Gesù, a ulteriore fondamento della tradizione cristiana assurge la testimonianza resa dagli apostoli a Gesù Cristo. Trasmessa in primo tempo oralmente, questa testimonianza viene fissata nella bibbia del NT.

Già in *Paolo* emerge la figura dell'apostolo come primo e decisivo testimone e trasmettitore della tradizione cristiana. È apostolo: 1. colui che è testimone dell'autorivelazione di Dio in Gesù Cristo; 2. colui che è mandato dal Signore a proclamare la parola di Dio (Gal 1,15-17). Paolo stesso non è soltanto testimone diretto del Risorto ma è anche trasmettitore della testimonianza dei primi apostoli dell'ultima cena e della risurrezione di Gesù (1 Cor 11,23-25; 15,1-7), della professione di fede (Rm 1,1-4; 4,24-25; 10,9) e degli inni della comunità (Fil 2,5-11). Al pari di Gesù, Paolo assume un atteggiamento critico nei confronti della tradizione. Protesta contro il tradizionalismo giudeo-cristiano e insiste sulla vera conoscenza di Gesù Cristo come principio della interpretazione del messaggio di Gesù (Gal 2,5-6; Fil 3,8-11).

In Paolo e in altri scritti dell'AT e del NT emerge che la tradizione avviene come ininterrotta interpretazione che si rapporta a nuovi avvenimenti e situazioni (nei profeti dall'interpretazione dell'esodo alla cattività babilonese, dall'interpretazione del messaggio di Gesù sull'amore assoluto di Dio alla chiamata dei pagani in Paolo, nei vangeli l'interpretazione della tradizione relativa a Gesù nella luce della Pasqua). L'interpretazione, come la compiono Paolo e gli altri agiografi, non è solo espressione della generale necessità della esposizione affinché la tradizione rimanga viva. Nella bibbia la costante reinterpretazione è espressione della verità che il Signore vive ed è immediatamente presente in ogni tempo e in esso vuole essere nuovamente testimoniato. In tal modo la bibbia trasmette non soltanto i contenuti della tradizione ma anche i modelli della sua interpretazione.

Con il crescente allontanamento temporale dalle origini acquistano evidenza l'autorità dei primi testimoni apostolici e il richiamo alla ininterrotta catena dei trasmettitori come salvaguardia della fedele conservazione del kêrygma. Ciò prende il via in *Luca* (Lc 1,1-4) e sfocia nell'idea della trasmissione della dottrina nelle *Lettere pastorali* (1 Tm 1,18; 4,11; 2 Tm 1,13-14; 2,2; 2 Pt 3,2) e nella esplicitazione del principio cristiano della tradizione in *Ireneo* e *Tertulliano*. A garanzia della tradizione apostolica viene istituzionalizzata la catena dei testimoni nella forma della successione apostolica dei vescovi. Come testimoni della tradizione apostolica e mandati da Cristo con l'imposizione delle mani i vescovi diventano successori degli apostoli e quindi autentici trasmettitori. Per lungo tempo la loro autorità viene affermata prevalentemente in merito al contenuto, non alla forma; la loro dottrina deve concordare contenutisticamente con la dottrina degli apostoli e delle chiese madri d'istituzione apostolica e con la sacra Scrittura. A dimostrazione della concordanza contenutistica serve inoltre il consenso.

Molto presto si pone il problema riguardante i criteri della vera tradizione. A dimostrazione della concordanza contenutistica con la tradizione apostolica, *Ireneo* e *Agostino* chiamano il consenso dei padri «regula fidei» o «regula veritatis». La «regula fidei» non è superiore alla sacra Scrittura e non indica nemmeno il magistero ecclesiastico. È costituita invece dai passi (loci) più chiari della sacra Scrittura, «de scripturarum planioribus locis et ecclesiae auctoritate» (Agostino, *Doctr. chr.* III, 2,2; CCL 32,77s) e forma il primo canone della chiesa. *Vincenzo di Lerino*, nel suo «Commonitorium» (434), descrive la prassi corrente nella scoperta della verità nella chiesa dell'epoca dei Padri. Nel descriverla può rifarsi ai concili di Nicea e di Efeso. Indica come criteri della dottrina vera e universale: *universitas, antiquitas* e *consensio* (del concilio e dei Padri) (*Commonit.* 2,3; 29,41: «quod ubique, quod semper, quod ab omnibus»). Accanto all'apostolicità è comparsa, come proprietà essenziale della vera tradizione, la cattolicità. Per Vincenzo il concilio rappresenta l'unione del consenso sincronico e diacronico. Le decisioni del concilio sono espressione del consenso universale soltanto se accolte dalla chiesa universale.

In epoca successiva il concetto di rivelazione è assunto tanto ampiamente che, oltre alla tradizione apostolica originaria, vengono considerati come ispirati e altrettanto vincolati anche definizioni e usi ecclesiastici successivi. Si aggiunge ancora il fatto che, in luogo della legittimazione materiale della tradizione attraverso la concordanza con il kêrygma apostolico, s'impone sempre più la sua legittimazione formale attraverso l'antichità (relativa) e l'autorità ecclesiastica. Una simile concezione della tradizione minaccia di immunizzare la chiesa contro ogni tentativo di riforma che si richiami all'origine apostolica. Non si ricorda più il motivo di Tertulliano: Cristo non ha definito se stesso «l'abitudine» ma «la verità» (*De Virg. vel.* I,1; CCL 1, 1209). Gli *umanisti* e i *riformatori* sfidano la chiesa a una comprensione più critica della tradizione. A tale scopo possono appellarsi a Paolo e a qualche Padre della chiesa.

Lutero vuole ripudiare innanzitutto soltanto quelle tradizioni che non sono autorizzate dalla Scrittura per rimettere nuovamente in luce il puro vangelo. In seguito però sostituisce al principio della tradizione il principio della «sola Scriptura». Ciò facendo rimane prigioniero della controversia tardomedievale: poiché la chiesa del suo tempo minaccia di dimenticare il primato della sacra Scrittura e di subordinare la normatività materiale del kêrygma apostolico alla normatività formale della tradizione ecclesiastica; la Scrittura, in Lutero, assurge con una esatta contrapposizione a unica norma materiale e formale («Sacra Scriptura sui ipsius interpres»).

La riforma induce il concilio di Trento a formulare un concetto di tradizione più critico. Nel «Decretum de libris sacris et de traditionibus recipiendis» del 1546 (DS 1501-1505) il concilio recepisce la richiesta di Lutero di mantenere nella chiesa la «puritas ipsa Evangelii». Il Vangelo è la fonte di ogni verità salutare e della condotta di vita cristiana che sono contenute «(et) in libris scriptis et sine scripto traditionibus». Queste tradizioni vengono definite più precisamente come «ab ipsius Christi ore ab apostolis acceptae, aut ab ipsis apostolis Spiritu Sancto dictante quasi per manus traditae ad nos usque pervenerunt». Tutti i libri dell'AT e del NT e le tradizioni ispirate risalenti agli apostoli, «tum ad fidem, tum ad mores pertinentes», sono accolte e venerate dalla chiesa «pari pietatis affectu ac reverentia».

Ciò riduce criticamente le tradizioni vincolanti: esse devono riguardare la fede e i costumi e risalire agli apostoli. Positivo è pure il fatto che il Vangelo è chiamato l'*unica* fonte della vita salvifica: visione dinamica cui si riallaccerà il concilio Vaticano II. Resta aperto quali siano i contenuti vincolanti della tradizione; aperto rimane pure il problema della sufficienza materiale della Scrittura. Però, poiché il concilio parla al plurale di «tradizioni», ne suggerisce la distinzione materiale dalla Scrittura invece di distinguerle soltanto modalmente da essa. Il concilio non va oltre l'accostamento esterno delle due forme di mediare il Vangelo. Si interessa principalmente della insufficienza modale o ermeneutica della sacra Scrittura: nessuno può interpretare la Scrittura – quando si riferisce alla fede e ai costumi – in contrasto con l'unanime consenso dei Padri o in quel senso cui la chiesa si attiene, in quanto essa è l'unica che può giudicare del vero senso e della interpretazione della Scrittura (DS 1507).

Dopo il concilio di Trento, a causa del controverso interesse teologico, s'impone la distinzione materiale tra Scrittura e Tradizione. Invocando il concilio si insegna che il Vangelo sarebbe contenuto «partim» nella Scrittura e «partim» nella tradizione orale – formulazione che il concilio aveva sostituito con l'evidente «et-et». Si giunge così a parlare delle due fonti della rivelazione («Teoria delle due fonti» della rivelazione). Questa concezione afferma l'insufficienza *materiale* della Scrittura. Vi è inoltre la concezione della insufficienza meramente *modale o ermeneutica*, secondo la quale la Scrittura necessita dell'integrazione della tradizione soltanto per la sua corretta comprensione. Dalla dottrina del concilio, secondo cui soltanto la chiesa può giudicare del vero senso della Scrittura, trae origine poi il monopolio interpretativo del magistero ecclesiastico che fa sì che questi appaia sempre più come l'unico trasmettitore della tradizione.

Soltanto il concilio Vaticano II, nella sua costituzione dogmatica → *Dei Verbum* (1965), ci fa uscire dal vicolo cieco teologicamente controverso dei confini tra Scrittura e Tradizione (DV 7-10). Riallacciandosi al discorso del concilio di Trento sul Vangelo come unica fonte di ogni verità salutare (DV 7) dichiara che la sacra tradizione e la sacra Scrittura scaturiscono dalla stessa divina sorgente e formano una unità organica (DV 9). Viene evidenziata l'eccellenza della Scrittura all'interno dell'evento della tradizione: la Scrittura «è parola di Dio perché iscritta per ispirazione dello Spirito di Dio», la tradizione *trasmette* la parola di Dio, la conserva e la espone (DV 9).

Ciò definisce il rapporto tra Scrittura e Tradizione in un senso piuttosto *modale*: nella tradizione intesa come trasmissione della parola di Dio nell'atto di esporre la Scrittura, «le stesse Sacre Lettere vengono più profondamente comprese e rese ininterrottamente operanti» (DV 8). Il concilio non ha voluto risolvere il problema della materiale sufficienza della Scrittura. L'accenno al fatto che «la tradizione fa conoscere alla chiesa l'intero canone dei Libri Sacri» (DV 8) non va inteso come se la tradizione avesse un contenuto particolare; la scelta dei libri canonici trova invece una spiegazione nell'esame della loro canonicità contenutistica acquisita dalla chiesa nella familiarità con questi libri. Può essere assunta in senso modale anche la formula di compromesso: «accade così che la chiesa attinge la *certezza* su tutte le cose rivelate non dalla sola Scrittura» (DV 9).

La ridefinizione del rapporto tra Scrittura e Tradizione e soprattutto della stessa concezione di tradizione è resa possibile dall'approfondimento del concetto di rivelazione (DV 2-6) e di chiesa (*Lumen Gentium*):

– Come la rivelazione non è più intesa nel senso di mera comunicazione di singole verità ma come vivi-ficante auto-comunicazione della Trinità attraverso la quale essa parla agli uomini come ad amici (DV 2), così anche la tradizione non è più assunta come mera collezione di verità singole ma come «presenza vivificante» della parola di Dio, così che Dio «non cessa di parlare con la Sposa del suo Figlio diletto» (DV 8).

– Come la rivelazione non viene più presentata come mera istruzione ma avviene «con eventi e parole» (DV 2), così la tradizione avviene «nella dottrina, nella vita e nel culto» della chiesa (DV 8).

– Come *tutta* la chiesa è il popolo di Dio in cammino verso la perfezione del regno di Dio, così anche «tutto il popolo santo, unito ai suoi pastori» (DV 10), trasmette la tradizione. La comprensione della parola di Dio trasmessa cresce non solo con la predicazione dei pastori ma anche «con la riflessione e lo studio dei credenti» e «con l'esperienza data da una più profonda intelligenza (delle cose spirituali)» (DV 8).

In tal modo il concilio Vaticano II ricupera una comprensione globale della tradizione e del suo ruolo nella vita della chiesa e ne evidenzia la dimensione teologica e storica. Non viene comunque posta come tema di discussione la funzione critica della Scrittura rispetto alla tradizione non-biblica. Nonostante questo auspicio ecumenico sia rimasto aperto, il contrasto teologicamente controverso sul rapporto tra Scrittura e Tradizione, è sostanzialmente superato. Il fatto è confermato da più documenti ecumenici (Montréal 1963, Malta 1972 e altri).

3. IL CONCETTO TEOLOGICO DI TRADIZIONE - Teologicamente la tradizione cristiana è concepibile come l'ininterrotta auto-trasmissione della parola di Dio nello Spirito Santo per mezzo del servizio della chiesa e destinata alla salvezza di tutti gli uomini. *Soggetto primordiale* della sua storia di

testimonianza, comprensione ed interpretazione nella chiesa è la stessa *parola di Dio*, fattasi uomo in Gesù Cristo e presente e viva nello Spirito Santo. La *chiesa è soggetto ministeriale* della trasmissione del Vangelo. Soltanto nello Spirito la chiesa è abilitata alla trasmissione autentica della parola di Dio. Per questo la chiesa invoca lo Spirito come forza per una rievocazione sempre nuova della parola di Dio quando nella parola e nel sacramento rinnova la *memoria Jesu Christi*.

L'autocomunicazione rivelatrice di Dio è il *contenuto costitutivo* della tradizione. Il suo apice è la consegna da parte di Dio dell'unico Figlio nelle mani degli uomini per tutti noi (Rm 8,32; 4,25), e in pari tempo l'auto-offerta di Gesù Cristo (Ef 5,2). L'azione salvifica di Dio è mediata nella parola dell'annuncio e nella eucaristica frazione del pane (1 Cor 11,23) non soltanto a livello verbale ma reale (tradizione verbale e reale).

Forma costitutiva della tradizione è la testimonianza di fede degli apostoli e delle loro comunità «nella dottrina, nella vita e nel culto» (DV 8); nella loro fede infatti la rivelazione trovò la prima risposta della chiesa operata dallo Spirito stesso. La sacra Scrittura del NT, ispirata dallo Spirito Santo, testimonia la fede apostolica (*traditio constitutiva*) e quindi è norma della continua tradizione ecclesiastica (*traditio interpretativa et explicativa*).

Contenuto e *forma* devono reciprocamente corrispondersi. Come la *communicatio* di Dio stesso e del suo Figlio fattosi uomo e la *communio* con Dio fanno parte del contenuto costitutivo della tradizione, così fanno parte della forma costitutiva della tradizione nelle comunità apostoliche la *communio* con Dio e la communio vicendevole mediante la *communicatio* nella parola della predicazione, nella celebrazione della eucarestia, nella caritas e nella diaconia. La

corrispondenza di contenuto o di forma è norma per la chiesa successiva.

4. NORME E CRITERI DELLA TRADIZIONE - *Norma suprema* (norma suprema, norma non normata) della fede cristiana e della sua tradizione è soltanto la *parola di Dio*, che si è fatta carne in Gesù Cristo e rimane presente nello Spirito Santo, e non una sola delle sue forme di testimonianza. Infatti la parola di Dio si attesta sì nella sacra Scrittura, nella dottrina, liturgia e vita della chiesa e nei cuori dei credenti (2 Cor 3,3; 1 Ts 4,9; 1 Gv 2,28); ma, grazie al suo carattere escatologico, non si esaurisce in nessuna delle sue forme di testimonianza. Anzi produce la molteplicità e la fecondità di sempre nuovi testimoni.

Norma primaria (norma normata primaria) tra le manifestazioni della parola di Dio è la *sacra Scrittura*, in cui è fissata la testimonianza dei profeti e degli apostoli e dalla chiesa è considerata opera speciale dello Spirito Santo. Come testimonianza della *traditio constitutiva* essa stabilisce e ispira la tradizione successiva e quindi può essere indicata come «suprema fidei regula» (DV 21) rispetto alle istanze testimoniali subordinate.

Norma subordinata (norma normata secondaria) tra le testimonianze della parola di Dio è la vincolante *tradizione di fede della chiesa*, la *traditio interpretativa et explicativa*. In virtù della promessa della continua presenza di Cristo nella chiesa (Mt 28,20) e della ininterrotta assistenza dello Spirito Santo (Gv 14,16; 16,13) che promette alla chiesa l'indefettibilità (Mt 16,18), la chiesa confida che lo Spirito la conserverà come «colonna e sostegno della verità» (1 Tm 3,15). Per questo il senso della fede di tutto il popolo di Dio (LG 12) e, a determinate condizioni, il magistero del collegio episcopale e del papa (LG 25) sono considerati infallibili. Le diverse istanze testimoniali sono indicate nella chiesa come → *luoghi teologici*. In armonia con la comprensione globale della tradizione (*traditio obiectiva et activa*) noi, oggi, intendiamo i loci teologici non soltanto come *luoghi di ritrovamento* delle oggettivazioni della tradizione della fede ecclesiastica, ma anche come testimoni attivi della tradizione della fede.

Dalle *norme*, intese come principi contenutistici della fede e della sua tradizione, distinguiamo i *criteri*. Per criteri intendiamo le caratteristiche esteriori o contenutistiche di una singola tradizione, che consentono di valutarne criticamente l'appartenenza alla vincolante tradizione di fede della chiesa o il suo vero senso.

Criteri di appartenenza alla vincolante tradizione della fede della chiesa, la cui dimostrazione si raggiunge mediante verifica storica o attuale, sono: 1. il *consenso diacronico* (antiquitas); 2. *il consenso sincronico* (universalitas); 3. la *chiarezza formale* con cui una verità è definita dal magistero dei pastori e dai teologi come rivelata o viene dichiarata necessariamente valida a salvaguardia e interpretazione della rivelazione (formalitas).

I *criteri ermeneutici* per determinare il senso vero, il peso contenutistico e l'importanza presente di una tradizione della fede sono: 1. l'ulteriore *indagine storica* che spiega le condizioni storiche dell'origine e la formulazione di una tradizione; 2. l'*importanza salvifica* in vista della quale va interpretata la tradizione in armonia con l'intenzione salvifica di Dio (DV 8: «Ciò che fu trasmesso dagli apostoli, poi, comprende tutto quanto contribuisce alla condotta santa del popolo di Dio e all'incremento della fede»; DV 11: «per la nostra salvezza (volle fosse) consegnata nelle Sacre Lettere»); 3. la → *gerarchia delle verità* (UR 11), secondo cui deve essere stabilito il peso normativo di una tradizione nel contesto della tradizione universale (globale); 4. i → *segni*

dei tempi (GS 4.11), che consentono di esporre in armonia con i tempi una tradizione nella dottrina e nella prassi.

5. PRAMMATICA DELLA TRADIZIONE - Oltre alla topica dei loci theologici della tradizione, alla sua criteriologia ed ermeneutica, la teologia fondamentale dovrebbe sviluppare una *prammatica* della tradizione. Fino a oggi l'interesse prammatico della dottrina teologico-fondamentale della tradizione si è quasi esclusivamente limitato alle forme di azione del magistero gerarchico. Però se si assume la tradizione come un evento vivo al quale partecipano molti soggetti – pastori, teologi, gli altri credenti e le loro chiese locali – con ruoli diversi, allora la riflessione pragmatica va ampliata. Il concilio Vaticano II ha riconosciuto (DV 23; OE 6; UR 15-17) l'esistenza legittima di una molteplicità di tradizioni ecclesiastico-locali come espressione della ricchezza dell'unico «e indiviso patrimonio rivelato della chiesa universale» (OE 1). In una visione pragmatica nasce da ciò l'esigenza di organizzare l'*ordine ecclesiastico* in modo che il concorso attivo di tutti i credenti, la loro reciproca comunicazione e interazione si possano evolvere. Ciò che all'interno delle chiese orientali (→ Chiesa, VIII) vale per la *communio fidelium* deve ripercuotersi pure nella organizzazione della chiesa universale come *communio ecclesiarum* in forma di processi consultivi e conciliari.

Il diritto di essere portatori e formatori attivi della tradizione della chiesa comporta nei credenti l'obbligo di acquisire la necessaria *competenza* per essere testimoni veri e fedeli del Vangelo. Una tradizione attiva presuppone l'ascolto della parola di Dio e l'accoglienza della tradizione di fede della chiesa che finora è giunta a noi e postula la *metánoia* nel modo di pensare e di agire.

Bibl. - P.C. Rodger - L. Vischer (edd.), *Scripture. Tradition and Traditions*. The IV

World Conference on Faith and Order: The Report of Montréal 1963, London 1964; Y. Congar, *La tradizione e la vita della chiesa*, Catania 1964; Id., *La tradizione e le tradizioni*, voll. I-II, Roma 1961-1965; J. Beumer, «La tradition orale», in *Histoire des dogmes* VI, Paris 1967; P. Lengsfeld, «La Tradizione durante il tempo costitutivo della Rivelazione», e «Tradizione e Bibbia: loro rapporto», in *MystSal* I, 341-401; 625-664; J. Pieper, *Überlieferung*, München 1970; K. Rahner - J. Ratzinger, *Rivelazione e tradizione*, Brescia 1970; L. Reinisch (ed.), *Vom Sinn der Tradition*, München 1970; J.R. Geiselmann, *La sacra Scrittura e la Tradizione*, Brescia 1974; W. Kasper, «Tradition als Erkenntnisprinzip», in *ThQ* 155 (1975) 198-215; G. O'Collins, «Criteri per l'interpretazione delle tradizioni», in Latourelle-O'Collins (edd.), *Problemi e prospettive di teologia fondamentale*, Brescia 1980, 397-411; M. Seckler, «Tradition und Fortschritt», in *Christlicher Glaube in moderner Gesellschaft* 23, Freiburg 1982, 5-53; L. Rordorf - A. Schneider, *Die Entwicklung des Traditionsbegriffs in der Alten Kirche*, Bern 1983; A. Dulles, «Das II. Vatikanum und die Wiedergewinnung der Tradition», in *Glaube im Prozeß*, Freiburg 1984, 546-562; R. Fisichella, *La rivelazione: evento e credibilità*, Bologna 1985, 105-131; R. Kampling, «Tradition», in NHThG IV, 221-235; H. Waldenfels, *Teologia fondamentale*, Milano 1988, 574-610; H.J. Pottmeyer, «Normen, Kriterien und Strukturen der Tradition», in HFTh IV, 124-152; D. Wiederkehr, «Das Prinzip Überlieferung», in HFTh IV, 100-123; J. Bunnenberg, *Lebendige Treue zum Ursprung. Das Traditionsverständnis* Y. Congars, Mainz 1989; H.-G. Gadamer e altri, «Tradition», in RGG VI, 966-984.

HERMANN J. POTTMEYER

TRENTO, concilio di

In tre diversi periodi di lavoro: 1545-47, 1551-52, 1562-63, il concilio di Trento ha creato un corpo di dottrine e di prescrizioni disciplinari che esercitò grande influenza sulla formazione del cattolicesimo moderno.

1. VISIONE STORICA - La convocazione del concilio ad opera del papa Paolo III (1534-49) fu ritardata da rivalità politiche tra potenze cattoliche e dalla riluttanza di Roma ad abbracciare una riforma della chiesa. Le due interruzioni furono dovute alla guerra e a un'epidemia scoppiata a Trento. La seconda fu prolungata dall'antipatia di Paolo IV (1555-59) nei confronti del concilio. Fin dall'inizio quello di Trento fu un concilio di vescovi, mentre i teologi vi svolsero un ruolo unicamente consultivo. La direzione del concilio fu nelle mani di tre cardinali legati i quali ricevevano regolari e dettagliate istruzioni da parte del papa e dei suoi consiglieri.

Il concilio promulgò quattordici decreti dottrinali e tredici decreti di riforma di cura pastorale e di disciplina ecclesiastica. Nello stilare i decreti, il concilio fece proprio un numero di punti dottrinali particolari, già elaborati dai teologi controversisti che avevano controbattuto le rivendicazioni della riforma luterana per un quarto di secolo prima che iniziasse il concilio stesso. Il concilio fece anche uso di numerosi pro-memoria di riforma con i loro elenchi di carenze pastorali e di abusi nell'amministrazione ecclesiastica, apparsi prima del concilio, per esempio i programmi di riforma presentati al papa Adriano VI nel 1522 e il *Consilium de emendanda ecclesia*, sottoposto a Paolo III da una commissione di nuovi cardinali nel 1537. Il concilio di Trento produsse un salutare chiarimento della dottrina cattolica sul peccato originale, sulla grazia e la giustificazione, sulla messa e i sacramenti. Tuttavia l'insegnamento tridentino in larga misura non toccò la natura della → chiesa, con la conseguenza che la dottrina elaborata in seguito, nella difesa apologetica della chiesa istituzionale, per esempio da Roberto Bellarmino, divenne predominante nell'ecclesiologia cattolica fino al secolo ventesimo. Il programma di riforma soffrì per la mancanza di un'unica visione globale e per una conseguente frammentarietà nei confronti di molti abusi che dovevano essere rettificati. Nondimeno le norme aumentarono considerevolmente la capacità dei vescovi di governare le loro diocesi senza che sul posto si frapponessero ostacoli. Le direttive sulla formazione dei sacerdoti e la disposizione sull'apertura di seminari diocesani lasciarono una traccia profonda nel cattolicesimo moderno.

2. SCRITTURA E TRADIZIONI ᐯ Per la teologia fondamentale i decisivi insegnamenti tridentini riguardano le fonti normative della dottrina cristiana. Prima del concilio numerosi controversisti avevano già sollevato obiezioni contro l'uso che la Riforma faceva della Scrittura considerata la sola e la suprema norma della dottrina e della vita e avevano contestato la pretesa della Riforma che la Scrittura avesse in sé la capacità di interpretare se stessa (*sacra Scriptura sui ipsius interpres*, secondo Lutero). J. Eck e J. Cochlaeus avevano ribattuto che l'uso protestante della bibbia come norma critica contro la chiesa era distruttivo della bibbia stessa, dal momento che è la chiesa che, fissando il canone biblico, identifica e autentica i libri che sono normativi. S. Giovanni Fisher raccolse i punti principali della tesi cattolica nella sua *Confutatio* di Lutero del 1526. *a*. Molte cose nella bibbia sono infatti difficili da capire, come è indicato in 2 Pt 3,16. La bibbia da sola, anziché risolvere le controversie, porta a divisioni ed errori com'è confermato dalla storia delle eresie. *b*. Si è sviluppata nella chiesa, sotto la guida dello Spirito Santo, una tradizione normativa di interpretazione biblica, vale a dire la dottrina dei padri ortodossi e dei concili ecumenici. *c*. Inoltre nella sede di Pietro la chiesa possiede un *judex controversiarum* cui bisogna ricorrere quando insorgono delle dispute sulla dottrina, le forme del culto e le norme della vita cristiana. *d*. Gli scritti apostolici, per esempio 2 Ts 2,15 e Gv 20,30; 21,25 fanno riferimento ad una comunicazione orale della dottrina e delle nor-

me al di là di ciò che è contenuto negli scritti raccolti nella bibbia, e alcune usanze della chiesa universale provengono da questa fonte non scritta. Argomenti analoghi furono usati da altri apologisti cattolici come J.Dietenberger, N.Herbonn e J. Dreido.

L'insegnamento tridentino sulla trasmissione della dottrina rivelata venne inquadrato in due decreti approvati l'8 aprile 1546. Il primo documento (DS 1501-05) esprime la ricezione formale da parte del concilio sia dei libri biblici che delle tradizioni apostoliche in quanto sono rilevanti per la fede e la vita personale e comunitaria. La Scrittura e le tradizioni sono la testimonianza normativa su cui poggia la riaffermazione dell'insegnamento trasmesso e delle misure di riforma del concilio stesso. Un secondo documento si apre con una sfumata difesa della Volgata latina in quanto «autentica» per l'uso della chiesa e poi fissa le norme della corretta interpretazione della bibbia.

La ricezione dei libri biblici da parte del concilio di Trento coincise con il suo chiarimento formale dei contenuti e dei limiti della Scrittura (→ Canone). Alcuni membri del concilio, come l'agostiniano Girolamo Seripando, erano favorevoli a differenziare tra i libri dell'Antico Testamento quelli normativi per la fede e altri, i «deuterocanonici», aventi il solo scopo di insegnare a condurre una vita devota. Ma la maggioranza ritenne che questa idea fosse oltremodo sottile e capace di indebolire quel rimedio che il concilio intendeva apportare a una situazione turbata da incertezza e confusione. Anche Seripando era d'accordo che tutti i libri del canone tradizionale erano ispirati e senza errore, cosicché fu formalmente riconosciuto il → canone più ampio (DS 1502-03), sulla traccia dell'elenco usato dal concilio di Firenze nel 1442, nei suoi negoziati con le chiese copte. Il decreto rappresenta un'espressione sobria ma puntuale della coscienza che aveva il concilio di Trento di parlare per una chiesa che possedeva la sua bibbia e fu perciò capace di dichiarare definitivamente quali librí dovevano considerarsi «sacri e canonici» (DS 1504).

Il secondo importante passo del concilio di Trento fu di accogliere con la Scrittura anche certe tradizioni normative di origine apostolica. La Riforma giudicava come abusi molte pratiche ecclesiastiche e come ostacoli frapposti dalla chiesa alla libertà cristiana molte leggi ecclesiastiche, come ad esempio il digiuno, l'osservanza delle feste, il celibato dei chierici. La risposta del concilio è una formulazione densa e grammaticalmente intricata (DS 1501), la quale presuppone che prima della composizione dei libri del NT la chiesa apostolica veramente esistette, animata da una fede vivente radicata in cuori credenti. 1. Il punto di partenza è il vangelo di Cristo che deve essere conservato nella sua purezza perché è l'unica fonte di tutta la verità salvifica e della pratica cristiana. 2. Il corpo della dottrina e delle norme disciplinari che viene dal vangelo non è stato formulato per iscritto in modo esauriente, per cui certe tradizioni non scritte devono essere tenute in somma considerazione; si tratta, per la precisione, di quelle che vengono da Gesù stesso o dalla «dettatura» dello Spirito Santo agli apostoli. 3. Tuttavia non tutte le tradizioni sono definitive e normative per la chiesa. Il concilio di Trento circoscrive considerevolmente il loro ambito esplicitando la ricezione di ciò che è: *a.* di origine apostolica; *b.* trasmesso per via di ininterrotta successione alla chiesa che vive, insegna e prega oggi. Esempi di tali tradizioni sono l'osservanza del primo giorno della settimana e il collegare la cena del Signore con una liturgia della parola. Usanze puramente ecclesiastiche non vengono qui prese in considerazione

perché il concilio intese stabilire direttive di riforma che in determinati casi avrebbero potuto non riguardare quelle usanze.

Un terzo passo di duratura importanza fu l'affermazione conciliare dell'esistenza di un'interpretazione normativa della bibbia nella chiesa (DS 1507; → Chiesa: interprete della Scrittura). Qui il concilio rende esplicito che la chiesa comprende il messaggio biblico, precisando che questa comprensione è parte continua e ininterrotta della natura stessa della chiesa. Il testo fa menzione dei Padri della chiesa richiamando così la tesi dei controversisti che esiste una «tradizione ermeneutica» normativa dei Padri e dei concili. Poiché la chiesa ha una connaturalità interiore con il senso del testo biblico, il decreto tridentino specifica che «spetta alla chiesa giudicare del vero senso e interpretazione delle Scritture sante». Al tempo del concilio di Trento il termine → «magistero» non era ancora in uso, ma sembra che la realtà fosse presente laddove il concilio faceva propria l'idea che i controversisti avevano mantenuto a proposito dell'esistenza e della possibilità d'accesso a un *judex controversiarum* nella chiesa.

La conclusione principale dei due decreti è che la sola bibbia non è sufficiente per decidere come debba essere formulata la dottrina cristiana e quale forma debbano avere la vita e la testimonianza cristiana. Si devono consultare altri *luoghi* teologici. Il senso della bibbia è presente nella chiesa, per cui se ne deve ascoltare l'interpretazione assieme ai modi di esprimere la fede apostolica nella vita e nel culto che la chiesa riceve e trasmette.

3. RICEZIONE DEL CONCILIO DI TRENTO - Sulla questione specifica della trasmissione del vangelo, sappiamo che la teologia e la catechetica cattolica postridentina andarono spesso al di là del prudente minimalismo del de-

creto conciliare sulla sua ricezione delle tradizioni. L'enfasi apologetica sull'insufficienza della Scrittura portò alla concezione di una tradizione dottrinale esclusivamente orale derivata da Cristo e dai suoi apostoli che appartiene alla sostanza della fede. Si è così pensato che una parte del vangelo e alcuni elementi della rivelazione salvifica fossero espressi nel testo della Scrittura e un'altra parte e altri elementi fossero invece tramandati in modo non scritto. È qui che la teologia precisò ulteriormente quella che era stata la ricezione dei libri e (*et*) delle tradizioni da parte del concilio, precisazione che a Trento non venne fatta, poiché il concilio sostituì la frase *partim/partim* con il semplice *et* immediatamente prima dell'approvazione del testo. Ma la teologia gravitava intorno alla convinzione che la Scrittura e la Tradizione sono «due fonti», parallele e diverse nel contenuto e non due *loci* in cui la chiesa e la teologia trovano le espressioni concrete dell'unico vangelo. Il lavoro di ricostruzione storica ad opera di J.R. Geiselmann, G. Tavard, Y. Congar, J. Ratzinger e altri, ha chiarito la feconda apertura del testo tridentino ufficiale che lasciò ampio spazio al Vaticano II per ridefinire questa dottrina sulla base di una concezione notevolmente diversa del processo globale della trasmissione della vita e della fede nella chiesa (→ Tradizione).

Un'altra questione riguarda il posto del concilio di Trento e dei suoi documenti nel più ampio orizzonte della storia della chiesa nella prima epoca moderna. Assieme alla centralizzazione romana del governo e della disciplina, caratteristiche della chiesa della Controriforma, anche la forza e la militanza furono frutti del Concilio? Fu responsabile della formazione di quegli aspetti dell'istituzione ecclesiastica che il cattolicesimo, con un importante spostamento nell'autocomprensione, ha cominciato a tra-

sformare nel concilio Vaticano II? Due considerazioni appaiono rilevanti se si vuole ben inquadrare l'attuale discussione su questa questione.

a. Con sempre maggior frequenza gli storici contemporanei sottolineano meno le differenze di fede e culto tra i protestanti e i cattolici posttridentini. Maggior enfasi viene oggigiorno posta sulle affinità che si sono riscontrate (diciamo verso il 1600) nei processi con cui protestanti e cattolici trattano la catechesi giovanile, la formazione del clero e la collaborazione tra chiesa e autorità statali. In tutte le chiese si è verificato un processo generale di «confessionalizzazione» dal momento che sono state formulate con cura le dottrine normative, sono state chiarite e rafforzate le strutture dell'autorità e sono state impartite chiare direttive per il ministero pastorale. Questa tesi di E.W. Zeeden è stata sviluppata da W. Reinhard il quale sostiene che l'applicazione della riforma tridentina fu sostanzialmente un processo di «modernizzazione» con cui si fissò uno standard molto alto per il clero della chiesa cattolica, si svilupparono forme di supervisione e di responsabilità davanti ai superiori e con un ampio programma educativo si cercò di produrre un'interiorizzazione delle norme cristiane. Questa è in larga misura la trasformazione del cattolicesimo che i documenti tridentini avevano previsto. Il concilio però non produsse lo zelo e la dedizione religiosa di quanti furono artefici di questa importante trasformazione ecclesiale. Questa si deve in larga misura alla nuova spiritualità, in particolare a quella di S.Ignazio di Loyola, che avrebbe motivato il personale della chiesa confessionalizzata e modernizzata nel secolo e mezzo dopo Trento.

b. Un modo per realizzare la riforma del concilio fu l'applicazione differenziata delle nuove norme in importanti diocesi guidate da energici vescovi come Daniele Bollani (Brescia), Gabriele Paleotti (Bologna) e san Carlo Borromeo (Milano). Ma con il pontificato di Sisto V (1585-90) le attuazioni effettuate in loco furono senza indugio riportate sotto il controllo del papa e la supervisione della sua curia da poco istituzionalizzata. Lo scopo fu quello di promuovere un'autentica riforma nei molti posti in cui era riuscita a fare solo scarsi progressi. Il risultato a lungo termine fu però che l'iniziativa pastorale locale, che trovava un fondamento sicuro nei decreti di riforma del concilio, venne in larga misura soffocata dai lenti processi di un'amministrazione centralizzata. Anche il ritratto di Borromeo, canonizzato nel 1610, venne regolato in modo che ne sparisse l'immagine del vescovo riformatore e ne risultassero invece enfatizzati l'ascetismo personale e la dignità del cardinale della chiesa di Roma. Tali sviluppi differiscono considerevolmente dalla dottrina e dalle misure di riforma formulate dal concilio di Trento tra il 1545 e il 1563.

Bibl. - G. Tavard, «Tradition in Early Post-Tridentine Theology», in ThS 23 (1962) 377-405; G. Alberigo, «L'ecclesiologia del Concilio di Trento», in *Rivista di storia della Chiesa in Italia* 18 (1964) 227-242; Id., «La réception du Concile de Trente par l'Église romaine», in *Ir* 58 (1985) 311-337; Id., «The Council of Trent», in J. O'Malley (ed.), *Catholicism in Early Modern Europe: A Guide to Research*, St. Louis 1988, 211-226; Y. Congar, *La Tradizione e le tradizioni*, vol. I: Saggio storico, Roma 1964², 101-127, 251-316; E.W. Zeeden, *Die Entstehung der Konfessionen*, München 1965; H.O. Evennett, *The Spirit of the Counter-Reformation*, Cambridge 1968; J. Ratzinger, «Un tentativo circa il problema del concetto di tradizione», in K. Rahner-J. Ratzinger, *Rivelazione e Tradizione*, Brescia 1970, 27-73; M. Midali, «Rivelazione, chiesa, scrittura e tradizione alla IV sessione del Concilio di Trento», in *Sal* 34 (1972) 607-651; 35 (1973) 3-51 e 179-246; H. Jedin, *Storia del Concilio di Trento*, vol. II, Brescia 1974², 67-118; J.R. Geiselmann, *La Sacra Scrittura e la Tradizione*, Brescia 1974; W. Reinhard, «Gegenreformation als Modernisierung?» ARG 68 (1977) 226-252; J.M. Rovira Belloso, *Trento. Una interpretación teológica*, Barcelona 1979, 73-100; G. Bedouelle, «Le canon de l'Ancien Testa-

ment dans la perspective du Concile de Trente», in J. Kaestli (ed.), *Le canon de l'Ancien Testament. Sa formation et son histoire*, Genève 1984, 253-282; H. Jedin-G. Alberigo, *Il tipo ideale del vescovo secondo la Riforma cattolica*, Brescia 1985².

JARED WICKS

TRINITÀ E RIVELAZIONE

Uno dei punti di convergenza tra la teologia contemporanea cattolica e quella protestante è una rinnovata e più profonda comprensione dell'atto della → rivelazione come auto-manifestazione e auto-comunicazione di Dio. Secondo questa concezione della rivelazione, che caratterizza la teologia fondamentale di questo secolo, la rivelazione non consiste, in primo luogo, in proposizioni relative alla vita divina, piuttosto nella comunicazione dello stesso essere di Dio.

Nella tradizione protestante fu K. Barth che fece di questa idea il centro della sua teologia e ne dedusse le implicazioni trinitarie nel primo volume della sua *Dogmatica ecclesiale*. Barth si servì del concetto di rivelazione come dell'intelaiatura su cui costruire la sua dogmatica. Utilizzando la dimensione trinitaria della rivelazione, fu in grado di fondare la sua dogmatica nel Dio Triuno. Per Barth, a differenza di Schleiermacher, la Trinità si colloca al principio della teologia e struttura ogni dottrina della fede cristiana.

Il metodo di Barth parte tranquillamente dall'alto. La natura vera e propria di Dio è nascosta. La misteriosità di Dio corrisponde alla sua trascendenza. Dio può essere conosciuto soltanto se lui stesso si fa conoscere. Per di più, dato lo stato attuale della condizione umana, l'uomo dopo la caduta non è in grado di riconoscere Dio presente nella creazione. Perciò, ogni conoscenza di Dio deve venire attraverso Gesù Cristo. Il nucleo dell'interpretazione barthiana della rivelazione è cristologico. In Gesù Cristo si ha un evento nel quale Dio fa conoscere se stesso. Dio è il soggetto della rivelazione, mentre Gesù Cristo ne è il contenuto. Dal momento che Dio non rivela altro che se stesso, vi è perfetta identità tra Dio rivelatore e Dio rivelato. In senso stretto, la rivelazione implica la dottrina dell'incarnazione.

Per diverse vie Barth esprime l'identità tra rivelante e rivelato per far emergere tutto il valore della rivelazione. Le seguenti frasi sono alcune fra le tante degne di nota: Dio si rivela in questo evento; Dio ripresenta se stesso al mondo in questo evento; Dio interpreta se stesso in questo evento; Dio si rivela Signore in questo evento. Un aspetto importante che bisogna sottolineare è la storicità della rivelazione (→ Storia, IV). La rivelazione è l'evento in cui si incontrano eternità e tempo. L'automanifestazione di Dio al mondo è l'evento in cui Dio diviene temporale. Come dice Barth, la rivelazione esige delle affermazioni storiche.

Gesù Cristo, in quanto evento storico, è un evento della nostra storia umana del passato. Ma bisogna andare oltre e chiedersi se tale evento è concluso, oppure la rivelazione ha anche un carattere di contemporaneità. Barth risponde che è attraverso lo Spirito Santo che l'atto della rivelazione si fa evento presente. Attraverso lo Spirito Santo, Gesù Cristo diviene attuale oggi. Così noi siamo coinvolti nell'evento della rivelazione e possiamo condividere la stessa vita divina. Mediante lo Spirito Santo, Dio si relaziona con la persona non come fosse un oggetto, ma dimorando in lei come soggetto. Lo Spirito Santo viene definito da Barth la «rivelatorietà» dell'evento della rivelazione.

Stabilito che Dio realmente rivela se stesso e non comunica semplicemente delle informazioni su se stesso, ne segue che, essendo Dio triuno nell'atto della rivelazione, egli è triuno anche nella sua intima vita eterna. Il fatto dell'unità del rivelante, della rivelazione e della «rivelatorietà», porta Barth a concludere che Dio deve essere, da tutta l'eternità, in se stesso Padre, Figlio e Spirito Santo. Barth evita, in tal modo, ogni traccia di modalismo. La triplicità di Dio nell'atto della rivelazione corrisponde alla triplicità della vita divina.

Nel periodo post-conciliare, da parte cattolica, è stato → Rahner ad appropriarsi e ad approfondire l'interpretazione barthiana della rivelazione e ad enunciare, sulla base di questa interpretazione trinitaria della rivelazione, la tesi secondo la quale la Trinità che si manifesta nell'economia della salvezza è la Trinità immanente e viceversa.

Per quanto Rahner e Barth abbiano idee simili circa la rivelazione, diversi sono il punto di partenza e la metodologia. Rahner parte dalla convinzione che tutte le affermazioni teologiche sono affermazioni antropologiche. Per cui, il punto di partenza della riflessione teologica è l'uomo con la sua trascendenza.

Per Rahner, l'uomo è quell'essere per il quale l'Essere stesso costituisce problema. L'uomo mette in questione ogni aspetto della realtà e anche se stesso. Questo interrogarsi fa intendere che Dio è implicitamente presente come orizzonte dei suoi interrogativi. Il → metodo trascendentale di Rahner, analizza l'uomo sotto i due aspetti della conoscenza e della libertà. Nella conoscenza di un qualunque oggetto finito il soggetto è condotto al di là del finito verso l'infinito. La conoscenza umana, pertanto, ha due dimensioni: quella oggettiva, o categoriale, secondo cui il soggetto conosce qualcosa nel mondo; quella trascendentale, per cui implicitamente, nell'atto di conoscenza dell'oggetto, il soggetto conosce se stesso e Dio. La chiave per capire il ragionamento di Rahner su questo punto è che si può conoscere il finito come finito soltanto se si conosce implicitamente l'infinito come sua condizione di possibilità.

Analoga analisi fa Rahner della libertà umana. Nella scelta di un qualunque oggetto mondano, il soggetto sceglie contemporaneamente se stesso. Dato che la libertà umana costituisce un dinamismo trascendentale proiettato verso l'infinito, nessun oggetto finito sarà mai capace di colmare il dinamismo che è l'uomo. Nel riconoscimento della limitatezza di ogni bene finito, il soggetto, nell'inquietudine del suo cuore, perviene a Dio, valore assoluto.

Secondo questa analisi l'uomo, nel profondo del suo essere, è una proiezione verso il mistero. La dimensione religiosa fa parte della intrinseca costituzione dell'essere (Dasein) umano. Se non fosse il mistero l'orizzonte della vita dell'uomo, egli non potrebbe comprendere la sua vita come una totalità. Si troverebbe limitato agli aspetti singoli del suo mondo e sarebbe incapace di interrogarsi sulla totalità del proprio essere. Il soggetto umano, infatti, è sempre una consapevolezza di mistero; di mistero, però, in quanto orizzonte sconfinato e ineffabile. L'uomo sa di essere riferito a questo mistero, ma ignora se il mistero voglia o no avvicinarsi a lui.

Il primo passo dell'analisi di Rahner ha dunque mostrato che l'uomo, per il fatto stesso di essere creatura, possiede una rivelazione naturale di Dio. Dio si dona insieme al *Dasein* umano. Il nucleo della fede cristiana consiste, comunque, nell'affermazione che Dio vuole avvicinarsi all'uomo. Il primo modo in cui questo avviene è attraverso il mistero della grazia. Attraverso la grazia Dio entra nel profondo della soggettività umana.

Per Rahner il termine grazia è un'ulteriore espressione per indicare lo Spirito Santo. In questo modo è possibile vedere che il primo analogato della grazia è la grazia increata. Se-

condo lui questa grazia è donata a ogni uomo, o almeno gli viene offerta. Nonostante l'offerta di grazia sia universale, essa rimane gratuita. Dio poteva creare una natura umana senza orientarla alla grazia, ma non ha fatto così. L'originalità della proposta di Rahner consiste nella sua interpretazione trascendentale della grazia. La grazia è una parte così intima dell'uomo, che Dio diviene un elemento co-costitutivo dell'«Io» umano. A questo punto Rahner fa intravedere che il mistero della grazia può essere illuminato dal modello della causalità formale. Nel soggetto umano la presenza della grazia è analoga al rapporto che vige tra forma e materia. Essi si trovano intrinsecamente in reciproco rapporto. Si tratta, tuttavia, di un rapporto quasi-formale, in quanto Dio rimane trascendente anche nell'atto di comunicare se stesso. Mediante la presenza della grazia increata nel soggetto umano, la persona è resa capace di partecipare alla vita divina. Rahner afferma quindi che nel conferimento della grazia, Dio è il donatore, il dono e la condizione che rende possibile la sua accettazione. Dal momento che la partecipazione alla vita del Dio triuno trascende la capacità umana, la persona umana non è in grado neppure di accogliere questo dono, se questo stesso dono non ne rende possibile la sua accoglienza.

Basandosi sulla universale volontà salvifica di Dio, Rahner sostiene che la grazia è stata offerta a tutti gli uomini. Se questo è vero, ne deriva che la storia dell'umanità ha la stessa estensione della storia della grazia. Ma sostenendo questa tesi, Rahner non afferma, forse, un po' troppo? Se la grazia è ovunque presente, che senso ha la storia di salvezza (→ Storia, V) – nel senso di interventi salvifici di Dio – nell'Antico e nel Nuovo Testamento? In particolare, in che senso l'evento-Cristo è determinante per la salvezza?

Se la grazia è l'offerta che Dio fa di se stesso a livello trascendentale, è anche vero che ogni esperienza trascendentale va mediata sul piano oggettivo, categoriale e storico. Soltanto se l'uomo viene salvato, sia sul piano storico, che sul piano trascendentale, si può parlare di salvezza nel senso pieno della parola.

Per questo, Rahner dice che l'evento-Cristo è l'offerta che Dio fa di se stesso, al mondo, nella storia. Prima di tutto, egli cerca di situare l'evento-Cristo nel contesto della storia del mondo e della stessa evoluzione. Se tutta la storia è storia di grazia, questa storia ha una direzione e una mèta, vale a dire Gesù Cristo. Rahner sostiene che possiamo considerare l'evoluzione come un movimento dal basso. L'evoluzione è un processo di crescita, nel quale il punto più basso dà origine a quello più alto. Nell'uomo l'evoluzione diviene cosciente di se stessa. Ma l'uomo, a sua volta, è un'entità dinamica orientata verso Dio. Come si è visto sopra, egli è una proiezione verso l'unione con il Mistero Assoluto. Visto dal basso, al momento in cui emerge l'essere umano, questo movimento dell'evoluzione giunge a un'aporia. Vista dal basso, l'unione dell'uomo con il mistero rimane un problema aperto, dal momento che il mistero è remoto, silenzioso, senza nome. Ma, dal punto di vista della fede, sappiamo che il movimento dal basso è integrato da un movimento dall'alto. Dall'alto, Dio esprime e comunica se stesso in Gesù Cristo. Però questa auto-comunicazione non va intesa semplicemente come un intervento di Dio dall'alto. Tutto il processo evolutivo fu esattamente una preparazione a questa auto-manifestazione. In questo contesto si può capire l'affermazione di Rahner: «Sotto questo punto di vista l'incarnazione di Dio è il caso *supremo* dell'attuazione essenziale della realtà umana, attuazione consistente nel fatto che l'uomo è colui che

si abbandona al Mistero Assoluto che chiamiamo Dio» (K. Rahner, *Corso fondamentale sulla fede*, Roma 1978, 285).

Un modo con cui Rahner esprime la verità dell'incarnazione è il concetto di simbolo (→ Semeiologia, II). Egli distingue fra segno e simbolo. La relazione tra segno e cosa significata è accidentale, mentre quella tra simbolo e cosa rappresentata è intrinseca. Rahner definisce un simbolo come l'autorealizzazione facente parte della sua costituzione sostanziale di un ente nell'altro («Sulla teologia del simbolo», in *Saggi sui sacramenti e sull'escatologia*, Roma 1965, 74). Ciò significa, applicato all'incarnazione, che il Logos crea l'umanità di Gesù come propria auto-manifestazione nel mondo. Qui Rahner si richiama alla formula patristica *assumptione creatur* per spiegare il rapporto tra la divinità e l'umanità di Gesù. La natura umana di Gesù non è mai preesistita da sola. Nell'atto stesso in cui fu creata, essa fu assunta dal Logos. È così che l'umanità del Logos è realmente l'umanità di Dio, per cui mediante la contemplazione dell'umanità si vede il Logos e quindi il Padre, dal momento che il Logos è l'auto-manifestazione del Padre. D'altro canto, in quanto entità creata, la natura umana ha la sua autonomia. Non vi è conflitto tra divinità e umanità; il loro rapporto è piuttosto direttamente proporzionale: più il Logos è divino, più l'umanità è umana.

Volendo ricapitolare la concezione di Rahner in ordine alla rivelazione e alla Trinità, possiamo dire che l'auto-rivelazione e l'auto-comunicazione di Dio − mistero assoluto − al mondo, costituisce il centro della sua teologia. Questa auto-comunicazione si realizza a livello trascendentale mediante il dono della grazia increata, ossia dello Spirito Santo, al soggetto umano. Mentre, sul piano storico, la stessa auto-rivelazione si realizza mediante la storia della salvezza che culmina nell'incarnazione. In questa interpretazione della rivelazione si scorge uno stretto parallelismo tra teologia e antropologia. Inoltre, il modo in cui Rahner tratta la rivelazione mostra che, soltanto se si intende l'evento della rivelazione in chiave trinitaria, si può rettamente comprendere l'auto-comunicazione di Dio al mondo. Dio in quanto mistero (Padre) è presente all'uomo non soltanto nel profondo della sua soggettività (Spirito Santo), ma anche nella sua storia concreta (Gesù Cristo). In altre parole, la Trinità immanente è la Trinità dell'economia della salvezza.

Ciò che queste concezioni hanno di comune è la profonda comprensione della rivelazione come auto-comunicazione di Dio. In quanto tale, la rivelazione implica una stretta identità tra rivelante e rivelato (incarnazione). Tuttavia, l'atto della rivelazione non va inteso semplicemente come un evento passato. L'evento irripetibile dell'incarnazione diventa contemporaneo attraverso lo → Spirito Santo che mette l'uomo in grado di partecipare alla vita divina. Che l'evento della rivelazione ha una struttura trinitaria si vede dal fatto che Dio Padre si rivela nella storia attraverso il Figlio e con la grazia attraverso lo Spirito Santo. E dal momento che Dio rispecchia se stesso nell'atto della rivelazione, ne consegue che anche in se stesso Dio è, da tutta l'eternità, trinitario. È dunque chiaro che un'analisi teologica dell'auto-rivelazione di Dio ci porta nel cuore del mistero della Trinità.

Bibl. - K. Rahner, «Il Dio Trino come fondamento originario e trascendente della storia della salvezza», in *MystSal* III, 401-507; K. Barth, *Church Dogmatics*, I, 1 Edinburgh 1975; J. O'Donnell, *Il Mistero della Trinità*, Casale Monferrato, 1989.

JOHN O'DONNELL

U

UMANESIMO

I. Storico

Periodizzazione e definizione, due aspetti fondamentali per inquadrare nel tempo e nello spazio qualsiasi fenomeno storico e culturale, sono tanto più problematici, nel nostro caso, per la difficoltà di dare termini fissi e significati univoci a un fenomeno complesso, per diversi aspetti indefinibile e, in varia misura, ricorrente nella storia della cultura e dell'uomo. La cultura fa riferimento, si capisce, all'uomo e cultura umanistica vuole sottolineare un tipo di riferimento peculiare, con l'esaltazione dei valori terreni e umani dell'autonomia, della libertà, della «dignitas hominis», della «virtus», che sono sempre, in un modo o nell'altro, presenti nella vita, nella ricerca, nella riflessione dell'uomo. Potremmo indicare, orientativamente, una presenza a tutto campo, di queste realtà, una ripresa dei valori antichi, classici al di là del movimento storico-filologico in una accezione antropologico-filosofica e una sensibilità e un linguaggio poetico oltre la terminologia metafisico-filosofica.

1. I VALORI «UMANI» E L'UOMO «NATURALE» - La «dignitas» (*Oratio de hominis dignitate* di Pico della Mirandola, 1463-94) si coniuga con il piacere (L. Valla, *De voluptate*, 1431: «Voluptas est bonum undecumque quaesitum, in animi et corporis oblectatione positum») e la gloria, la libertà (dal *De libero arbitrio* dello stesso Valla all'opera, dallo stesso titolo, di Erasmo, del 1524, in polemica con il *De servo arbitrio* di Lutero) con il fato e la fortuna (C. Salutati, *De fato et fortuna*, 1396) − prima di esplodere nel libero esame e nella Riforma religiosa − la «virtus» non viene fatta necessariamente dipendere da una finalità morale e da un premio ultraterreno. Come si vede, una eredità classica che, attraverso l'ineludibile mediazione del cristianesimo, è stata filtrata dalle dispute della scolastica e verrà ripresa successivamente. Gli «studia humanitatis» non hanno respinto la teologia, ma rifiutato il suo carattere totalizzante e la filosofia ha acquisito una maggiore consapevolezza filologica prima che scienza e tecnica (Francesco Bacone, Leonardo da Vinci, Galilei, ...) «pretendessero» dare il loro contributo specifico e insostituibile all'instaurazione del *regnum hominis*.

«Antropocentrismo» è la caratteristica di tutto ciò che l'uomo pensa e fa: connota pure Rinascimento e Umanesimo, anche nella conservazione, nella ripresa, nella trasformazione delle *artes liberales*, dell'etica razionale, dei testi classici (letti e amati anche nell'Evo Medio); Machiavelli, uscendo fuori dallo spirito umanistico, rompe anche con la tradizione classica. Si trasforma il rapporto teologia-filosofia (→ Teologia, V); quest'ultima non è più relegata al ruolo di «ancilla theologiae», ma rivendica pari dignità e libertà. La teorica impossibilità di conflitto di due approcci, metodologicamente diversi, all'unica Verità, quando si verifica, mostra i limiti di una ricerca umana in cui autentica religione e vera filosofia non riescono, nella ricerca e nell'esperienza umana, a stare insieme. Con il *De immortalitate animae*, 1516, del Pomponazzi la ragione esce dalla fede («Conviene che sia eretico in filosofia colui che desidera trovare la verità») e si prospetta una tragica «doppia verità» (la «doppia verità» di Pomponazzi). Se Salutati riesce a leggere il fato e la fortuna con occhi cristiani, l'antica, perenne questione del libero arbitrio, nuovamente tematizzata da Lorenzo Valla, difesa strenuamente da Erasmo, in Lutero e nei Riformatori giunge all'esito del libero esame. In una densa atmosfera la *indignitas hominis* (risalente al *De contemptu mundi* di Innocenzo III, sottesa alla mistica fiamminga e renana, illustrata dai «pittori teologi») deve fare i conti (non che gli altri lo ignorassero, ma qui il conto è più salato) con la follia, l'anonimato, lo stravolgimento della natura (preludio metafisico-religioso dell'odierna questione ecologica), la tentazione, la precarietà della salvezza.

Non si mette da parte la conquista medievale dell'«uomo interiore», ma riceve il suo posto «l'uomo naturale» e il conflitto carne-spirito, corpo-anima (se non viene esasperato nell'umanesimo «nordico», di cui abbiamo appena detto, e nella Riforma) viene risolto nella valorizzazione di tutti i valori. Non si rifiuta la crea-

turalità, ma il mondo visibile diventa il luogo dove comincia la beatitudine: la «coscienza infelice» della *Fenomenologia dello Spirito* esemplifica tanto poco la concezione dialettica medievale quanto «la trasvalutazione dei valori cristiani» de *L'Anticristo* spiega l'affermazione dei valori aristocratici. La «rinascita» dei valori antichi si accompagna alla «rinascita» dell'uomo, ma la coscienza che «siamo nani portati sulle spalle di giganti» non ha mai abbandonato se non chi ha trasformato la ragione in strumento ideologico. La continuità con il mondo classico è mediata dalla rinascita cristiana: non solo Gioacchino da Fiore e San Francesco d'Assisi, ma anche Dante e Petrarca. Il *De vulgari eloquentia* e il *Convivio* fanno dell'esperienza della parola poetica il disvelamento della realtà, quasi un *itinerarium in Deum*. Il poeta, insiste Albertino Mussato (1261-1329), ha la sacra funzione di rivelare gli esseri; la poesia è *divina ars, altera philosophia, theologia mundi*; i poeti ci hanno, per primi, parlato di Dio. Anche per Boccaccio (1313-75) i significati profondi della mitologia non attentano al cristianesimo (*Genealogia deorum*); anzi, i poeti sono «pii homines» (*Vita di Dante*). Tra il sospetto di Girolamo («Ciceronianus es non christianus») e il legittimo orgoglio di Erasmo («Io ho fatto sì che l'umanesimo, il quale presso gli italiani e in specie presso i romani non aveva altro sapore che di puro paganesimo, imprendesse nobilmente a celebrare Cristo, *Lettera a Maldonato*), Petrarca, nonostante il sentimento acuto della insufficienza della cultura, *De sui ipsius et multorum ignorantia liber*, 1367 (ma, più chiaramente, in Cusano l'ignoranza, [*De docta ignorantia*, 1440], si capisce in riferimento allo stato definitivo dell'uomo [*De visione Dei*]), si acquieta con: «Christus est Deus noster, Cicero autem princeps nostri eloquii».

C'è continuità tra lo *zōón loghikón* stoico (con ascendenza aristotelica), l'«animal rationale» scolastico e, attraverso il meditabondo «roseau pensant» di Pascal, la *Vernunft* kantiana. A una visione medioevale unitaria del mondo, che nell'epoca moderna ha portato al *cogito ergo sum* di Cartesio, all'*esse est percipi* di Berkeley, all'idea e allo spirito assoluto di Hegel, l'umanesimo ha raggiunto la grazia e l'armonia, prima che la magia (Bruno) e, ancora, la scienza e la tecnica sconvolgessero gli equilibri. *Prinzip Hoffnung* (3 voll., 1954-59) di Bloch con uno sfondo escatologico (cripto)-religioso alla dialettica del progresso, *L'existentialisme est un humanisme* (1946) di Sartre e *Brief über den Humanismus* (1949) di Heidegger sono soltanto esempi di un umanesimo perenne. Anche se la perennità non può essere che problematica, col mutare non solo delle stagioni, ma anche del linguaggio. Sartre, infatti, aveva scritto: «Io sono condannato a essere libero: ciò significa che non si possono trovare alla mia libertà altri limiti che la libertà stessa o, se si preferisce, che non siamo liberi di cessare di essere liberi» (*L'être et le néant*, 1943, 515). Il punto di partenza di Heidegger, molto diverso, ci sembra più coerente e traduce bene la fondamentale perennità dell'umanesimo: «Nessuna domanda metafisica può farsi, se non è posto in questione colui che fa la domanda, se non diventa dunque domanda egli stesso» (*Che cos'è la metafisica*, tr. it. Milano 1947, 55).

2. VERSO UN MONDO NUOVO - Sulla fondamentale, anche se, inevitabilmente discutibile, periodizzazione di F. Biondi (*Evo Antico - Evo Medio - Evo Moderno*), il nostro periodo può iniziare con l'incoronazione poetica del Petrarca (1346). Sul termine si può molto discutere: a una periodizzazione più stretta (ultimo trentennio del '400) se ne contrappone una mol-

to più estesa (morte di F. Bacone, 1626). Con le considerazioni fatte, non dovrebbe importare più tanto. È più utile, magari, ricordare l'affacciarsi, nelle città-stato italiane, dell'aristocrazia mercantile e la diminuita importanza dei chierici scolastici e della cavalleria; il concilio di Ferrara-Firenze (1438-39) e la caduta di Costantinopoli (1453) con la diffusione dei testi e della cultura greca (Accademia Platonica di Firenze con i *Theologiae Platonicae de immortalitate animarum libri XVIII* 1469-74, di Ficino) e della mistica plotiniana; l'interesse per la cabala e, più in generale, per la cultura e la religione sia ebraica che musulmana, accompagnato da atteggiamento irenico (Cusano, *De pace fidei*, 1453; anticipato dal *De Gentili et tribus sapientibus* di Lullo, 1233c.-1315c. e seguito dal *Colloquium Heptaplomeres de abditis rerum sublimium arcanis* di J. Bodin, 1530-1596).

La Riforma, non solo ha accentuato ed esasperato gli aspetti problematici dell'umanesimo (l'individualismo, la critica alla filosofia e alla teologia scolastica), ma ha impostato diversamente questioni come la teologia naturale, la libertà dell'uomo, il rapporto singolo-comunità tanto che è troppo poco parlare di *crisi* dell'umanesimo. Che Roma abbia rappresentato meglio la continuità con il passato preservando l'Italia dalla Riforma, può avere altri segni e altri significati. Ci importa di più sottolineare qui il tema della follia ripreso in chiave satirica antiluterana (Th. Murner, *Von dem grossen lutherischen Narren wie in doctor M. beschworen hat*, 1523). Gli «studia humanitatis» devono, per L. Bruni (1370-1444), anche attraverso la filologia (*De studiis et litteris*) e quella che chiameremo poi ermeneutica (*De recta interpretatione*) «formare l'uomo buono, del quale nulla può pensarsi di più utile». È inevitabile che si prosegua su questa via, sia con le *Adnotationes* del Valla che con l'edizione critica del *Nuovo Testamento* greco e latino (1516) con la quale Erasmo completava, con la filologia, l'impegno per un → umanesimo cristiano intrapreso con l'*Enchiridion militis christiani* del 1503 e l'*Institutio principis christiani* del 1516. La pace della fede («una religio in rituum varietate», *De pace fidei*) auspicata nell'anno in cui Costantinopoli cadeva nelle mani dei turchi (1453), era un invito alla tolleranza; non quella indifferentista dei deisti o scettica degli illuministi, ma la convergenza nel cristianesimo dell'unica religione naturale (religione razionale: esistenza di Dio, immortalità dell'anima spirituale... aperta alla rivelazione dell'incarnazione e della Trinità). Nell'unico *ordo catholicus universalis* Cusano riconosce la validità e legittimità delle *conjecturae* che la mente umana ha elaborato, nei secoli, per rappresentare la realtà divina (in questa direzione si muove la *Cribratio Alchorani* del 1461, apprezzata per la sua obiettività). Diversità e verità devono comporsi armonicamente: solo il cristianesimo è capace di «comprendere» tutte le fedi. Ora il volto di Dio è visibile come attraverso un velo, *in aenigmate*; ognuno lo concepisce a propria immagine e somiglianza, finché lui stesso non si riveli definitivamente (*De visione Dei*). Per la «concordantia catholica», unità di tutte le genti sotto la dottrina cristiana, è necessaria anche una riforma interiore della chiesa, un suo rinnovamento. Sono voci sempre più forti, prima dello scoppio della Riforma. Savonarola rigetta la cultura pagana («Ecce Magi relinquunt gentilitatem et ad Christum veniunt et tu, relicto Christo, curris ad gentilitatem», *Discorso sull'Epifania*) e non accetta alcuna «docta religio» o «pia quaedam philosophia» (riferimento polemico al *De christiana religione liber*, 1474, del Ficino).

3. UMANESIMO E ANTIUMANESIMO - Il discorso si complicava con elementi cabalistici e misteriosofici. Nelle *Conclusiones philosophicae, cabalisticae et theologicae*, 1486, Pico faceva confluire nella verità cristiana la tradizione (oltre che filosofica e religiosa) teosofica universale e, introducendo la sua traduzione del *Corpus hermeticum*, Ficino considerava il mitico Mercurio Trismegisto «il primo fondatore della filosofia» vero teologo. La occulta *philosophia* di Agrippa di Nettesheim diventa, in Giordano Bruno (1548-1600), apologia di una nuova religione fatta di arte e filosofia, matematica e magia che ritiene l'antica religione magica oscurata e corrotta dal giudaismo e dal cristianesimo. Uno stato morbido («Forsitan non sunt vera quae nunc nobis apparent; forsitan in praesentia somniamus», Ficino, *Theologia platonica*, XIV, 7) mirabilmente illustrato dall'incisione di Dürer (*La Malinconia*).

Intanto, nell'Europa settentrionale, si era sviluppata una linea di pensiero, antitetica al nostro umanesimo, ispirata all'esperienza mistica, trinitaria e cristocentrica di Jan van Ruysbroeck (1293-1381) e dei Fratelli della vita comune. A quella, e prima ancora alla *Vita Antonii* di Atanasio, si ispira la pittura dei «pittori teologi» (per es. Bosch e Bruegel), l'iconografia dell'*Ars moriendi*, l'ossessione della demonicità (J. Sprenger, *Malleus maleficarum*, 1484c.). La *indignitas hominis* si inscrive nella *insecuritas* della salvezza, diffida anche della ragione («Aristotele cavalcato dalla prostituta»), si rifugia nell'anonimato («Nemo»). Il sadismo della ragione e la follia di chi pretende sanare la follia («Estrazione della pietra della follia») diventano ironia eversiva, appello etico-religioso nel *Moriae Encomium*, 1509, di Erasmo o evasione, non certo ingenua, nell'*Utopia*, 1516, di Thomas More. Ci voleva un titano come Michelan-

gelo capace di vivere profondamente
l'ansia della Riforma, senza soggia-
cere alle pretese della Controriforma,
per interpretare con sensibilità moderna e perfezione formale la condizione umana.

Bibl. - J. Burckhardt, *La civiltà del Rinascimento in Italia*, Firenze 1940; E. Cassirer, *Individuo e cosmo nella filosofia del Rinascimento*, Firenze 1963; H. Haydn, *Il Controri-
nascimento*, Bologna 1967 (orig. 1950); E. Castelli (ed.), *L'Umanesimo e «la Follia»*, Roma
1972; E. Garin (ed.), *Medioevo e Rinascimento*, Roma-Bari 1987; Id., *L'uomo del Rinascimento*, Roma-Bari 1988.

SALVATORE SPERA

II. Cristiano

Nell'uso contemporaneo il termine
umanesimo contiene sfumature fortemente secolari se non atee, e designa pressoché tutto ciò che si riferisce a valori umani. Più comunemente esso è collegato con le moderne
elaborazioni tedesche dell'umanesimo
filosofico (Feuerbach, Marx o Heidegger), con l'umanesimo esistenziale di J.P. Sartre o con i contemporanei umanesimi secolari. La questione
fondamentale riguardo al significato
del termine *umanesimo* dipende dal
fatto che la parola latina *humanus*
contiene tre differenti significati: *a.*
umano nel senso di ciò che attiene
alla natura umana, *b.* umano nel significato di benevolo o compassionevole, *c.* e indicante un dotto, secondo il modo di chiamare uno studioso
con l'appellativo di *humanissime vir*.
Gli umanesimi moderni tendono ad
usare i primi due significati del termine ignorando il terzo, tuttavia da
quest'ultimo ebbe inizio una tradizione antica. Essa riteneva che attraverso gli studi umanistici lo studioso sarebbe giunto a capire il senso della
humanitas, ossia cosa significa essere veramente umano.

1. UMANESIMO CRISTIANO DEL RINA-
SCIMENTO - Il termine *umanesimo*,

coniato per la prima volta nel 1808
dallo studioso tedesco F.J. Nietham-
mar, derivò chiaramente da un termine simile, *humanista*, usato al tempo del Rinascimento per indicare un
professore universitario, un insegnante o uno studente di *studia humanitatis*. Le *humanae litterae* ponevano
l'accento particolarmente su cinque
argomenti tutti in rapporto con il linguaggio o la morale: grammatica, retorica, poesia, storia ed etica. All'interno di ognuna di queste aree si dovevano leggere e interpretare gli autori classici greci e latini. La maggior
parte degli *umanisti* apparteneva ad
uno dei seguenti tre gruppi professionali: professori presso università o
scuole superiori; segretari al servizio
di prìncipi, di città o della chiesa; oppure singoli cittadini che possedevano ricchezze e tempo libero per poter mettere insieme lo studio con gli
altri loro impegni. Essi rappresenta-
rono un settore rilevante e autorevole del Rinascimento italiano e più tardi di quello più vasto europeo. Sebbene molti di essi vivessero alquanto
nell'ombra, un buon numero però furono eminenti eruditi e personaggi
noti tra i quali si possono annoverare Francesco Petrarca e Coluccio Salutati nel quattordicesimo secolo, Lorenzo Valla, Marsilio Ficino, Giovanni Pico della Mirandola nel quindicesimo, e al di là delle Alpi nel
sedicesimo secolo, Desiderio Erasmo,
Tommaso Moro, Johannes Reuchlin,
Juan Luis Vives, Lefevre D'Etaples,
Guillaume Budé e molti altri.
Durante tutta la tradizione cristiana ad altri studiosi, da → Agostino
a → Rahner, è stato riconosciuto il
titolo di umanista, tuttavia esso si riferisce in modo strettamente preciso
e specifico agli *umanisti* cristiani del
Rinascimento, i quali colsero *lo spirito del loro tempo* e cercarono di
formulare chiaramente le loro idee
circa la vita umana e cristiana nel loro intreccio con le problematiche del
tempo. Nella sua essenza l'umanesi-

mo rinascimentale non era né religioso né irreligioso, ma la maggior parte degli umanisti, se non tutti, furono cristiani praticanti e molti anche
dediti alla riforma del cristianesimo.
Questo articolo si propone di studiare il loro contributo specifico alla religione e alla teologia del loro tempo. Tale contributo deve ricercarsi nel
loro stile retorico di scrivere, nella loro cura erudita e critica dei testi religiosi, nella loro nuova visione della
storia, nella capacità di saper collegare i loro interessi antropologici ed
esistenziali con le questioni religiose
contemporanee. Inoltre gli storici dimostrano che il metodo usato dagli
umanisti nell'influenzare con la loro
formazione classica i fondamenti cristiani e i temi teologici fu un fattore
rilevante nei grandi mutamenti del
cristianesimo agli inizi dell'epoca moderna. Gli sforzi di quei pensatori,
che spesso erano laici impegnati in
una professione secolare, nel leggere
i segni dei loro tempi rivestono un
particolare interesse per i cristiani della chiesa del post-concilio Vaticano II.

2. LA TRADIZIONE RETORICA DELL'E-
LOQUENZA - La natura specifica del-
l'umanesimo rinascimentale è tuttora un argomento molto dibattuto poiché esso abbraccia interessi filosofici, politici, etici, educativi ed estetici.
Comunque è stata ormai largamente
accolta la tesi di P.O. Kristeller secondo la quale l'umanesimo rinascimentale fu primariamente un movimento culturale ed educativo, che si
occupava dell'eloquenza orale e scritta. Intendendo l'umanesimo del Rinascimento come un caratteristico
stadio della tradizione retorica della
cultura occidentale, si ha una visione
unificatrice di un movimento così vario e multiforme. L'interesse centrale degli umanisti non si appuntava
tanto sulla natura o sul contenuto
delle idee, sebbene ciò fosse importante, ma molto di più sul modo in
cui tali idee venivano a formarsi, a

esprimersi e a comunicarsi. A costoro stava a cuore il significato della
lingua e del linguaggio, inteso come
la dote umana più caratteristica. La
loro era una «filosofia del linguaggio», avendo essi un senso acuto e
profondo della importanza che la formazione culturale avvenisse nell'ambito della comunicazione umana.
Tutto ciò poi avrebbe avuto un influsso diretto sulla comprensione che
essi avevano dell'auto-rivelazione di
Dio all'umanità, per mezzo del *Verbo* incarnato.

In quanto alla professione esercitata gli umanisti si trovavano in diretta continuità con i medievali *dictato-
res* che praticarono e insegnarono
l'arte del comporre documenti, lettere e discorsi pubblici. Tuttavia gli
umanisti ritenevano necessario, per
parlare e scrivere bene, lo studio e
l'imitazione degli antichi autori classici. A tale scopo essi misero in atto
un programma per ridar vita alla letteratura e alle lingue classiche latina
e greca, che prevedeva il ricupero, la
stampa e un attento studio di un'ampia serie di materiali. Nel contempo
essi svilupparono l'arte della critica
testuale e storica. Inoltre fruttuosi
contatti con studiosi bizantini resero
possibile la riscoperta di molti autori
greci classici, per lo più sconosciuti
nel medioevo occidentale. Introdussero lo studio del greco nelle università e nelle scuole, e ricuperarono anche l'intero corpo esistente della letteratura greca, compresa la teologia
patristica greca. Inoltre tradussero o
fecero una nuova traduzione di queste opere in lingua latina, arricchendo in tal modo un vasto numero di
lettori. Perciò gli umanisti ebbero il
merito di contribuire alla formazione di un movimento caratteristico e
influente che non solo portò alla ripresa degli studi umanistici, ma con
il passare del tempo significò che quasi tutti gli studiosi ricevettero una formazione umanistica di base a scuola
che sarà il fondamento di futuri stu-

di in tutte le varie discipline. La «nuova cultura» fu una componente basilare dell'educazione sia per la Riforma protestante che per i movimenti di Riforma cattolica; infatti sia la *ratio studiorum* delle scuole dei gesuiti, sia il curriculum di studi delle scuole pubbliche inglesi hanno nei suoi confronti un debito di riconoscenza.

3. LA FILOSOFIA RINASCIMENTALE DELL'UOMO - L'umanesimo non fu soltanto un movimento che generò entusiasmo accademico per il ricupero della letteratura classica; esso era collegato anche alla ricerca dello sviluppo intellettuale e morale tramite il contatto con alcune delle menti e delle figure più grandi del passato. In particolare gli umanisti avevano un debito con la filosofia classica; alcuni erano filosofi di professione, come Ficino, Pico ed Egidio da Viterbo (platonisti), e Pietro Pomponazzi che rappresentò la tradizione aristotelica di Padova e Bologna. Tuttavia è esatta l'impressione che il movimento umanistico non fu fondamentalmente un movimento filosofico. Gli umanisti del Rinascimento mostrarono interesse anzitutto per la filosofia pratica e morale, che comprendeva la filosofia politica. Infatti essi cercavano l'*ars bene beateque vivendi* o quella sapienza o quella filosofia che non rimaneva soltanto su un piano teorico, ma poteva essere tradotta nell'ambiente urbano della vita ordinaria di ogni giorno.

Ciò che in modo impreciso è stata chiamata la filosofia rinascimentale dell'uomo corrisponde invece in modo più esatto ad una forma primordiale di antropologia religiosa. In quanto umanisti cristiani essi elaborarono delle concezioni proprie sulla natura umana e sulle sue caratteristiche specifiche, sotto l'influsso di varie correnti di pensiero di cui due erano centrali: il concetto classico di *humanitas* (*paidéia*, in greco) e di *vir-*

tus da una parte; e dall'altra la tradizione medievale di discutere sulla *conditio hominis*. L'*humanitas* indicava la civiltà e l'êthos della cultura acquisita da chi cresceva in una data società. I greci e i romani la intesero come una partecipazione all'universale *vera humanitas*, più che come qualcosa specificamente loro propria; comunque i loro *mores* superiori li abilitarono all'acquisto dell'*humanitas,* mentre invece quelli dei barbari o del *vulgus*, non sortirono tale effetto. *Humanitas* significò anche legame ed empatia derivanti dal riconoscere gli aspetti di somiglianza e di universalità di tutta l'umana esperienza: «Homo sum, nihil humani alienum mihi puto» (Terenzio). Essa veniva incarnata nel *vir humanus* che si sforzava di comunicare con gli altri, di consolare, di incoraggiare, di rianimare gli altri e di fare con loro amicizia. La parola oltretutto è un possesso generale, comune a tutti gli uomini; il tempo, lo spazio e le varie circostanze ne determinano l'appropriatezza di espressione. Ch. Trinkaus ha dimostrato che l'ideale umanistico del *vir humanus*, dell'uomo saggio, è intrecciato con quello del santo cristiano, dando origine a un nuovo ideale di pietà laica e di santità civile. Secondo Erasmo († 1536) esso doveva fornire il modello cristologico del «Verbo fatto parola per noi»; la divina sapienza aveva preso la forma dell'umano linguaggio, assumendo e "adattandosi" all'umana condizione.

Un altro concetto chiave di cui la concezione umanistica rinascimentale si serviva per lo studio della natura umana, era il concetto classico di *virtus*, ricuperato nel suo originale significato di «massima energia». Gli antichi ritenevano che la lotta tra la volontà dell'uomo e l'arbitrio della dea Fortuna fosse una caratteristica specifica umana; i romani ad esempio adoravano la dea Fortuna la quale girava la ruota del destino dell'uomo secondo la sua volontà capricciosa. E mentre i greci si sottomettevano al fato (*móira*), i romani invece ammiravano chi insorgeva a lottare contro il destino, infatti la *Fortuna* può essere sottomessa e soggiogata dalla *virtus*, così che gli uomini possono finalmente costruire il loro destino. La fonte maggiore di tale filosofia intorno all'attività umana fiduciosa nelle proprie forze, furono le *Vitae parallelae* di Plutarco, che narravano le 48 vite di grandi figure dell'età classica. Furono tradotte dal greco in latino da vari umanisti e stampate nel 1470 riscuotendo grande popolarità. Le *Vitae* di Plutarco e il *De viris illustribus* del Petrarca (1337) corrispondevano esattamente al grande interesse di lettura della nuova classe sociale, la borghesia, la cui conoscenza di opere biografiche e storiche fu in tal modo notevolmente estesa. La storia era considerata come preziosa fonte da cui poter attingere molti *exempla*, infatti gli umanisti condividevano la visione di Seneca che affermava che «lunga è la via se si seguono le esortazioni, invece è breve ed efficace se si seguono gli esempi».

Una tale positiva e ottimistica visione del potere umano di saper da sé regolare il proprio destino, fu incorporata solo gradualmente nella concezione della provvidenza, onnipotenza e grazia di Dio presente nel cristianesimo del tardo medio evo. L'emblema dell'*homo triumphans* tipico del tardo Rinascimento fu anzitutto proclamato come «rimedio e strategia spirituale alternativa contro la decadenza morale di una coscienza colpevole, tormentata e oppressa» (Trinkaus, 1982, 455). Il Rinascimento eredità anche la lunga tradizione di discussione orale e scritta sulla *conditio hominis* considerata negli aspetti complementari della dignità e miseria dell'uomo. Gli esseri umani sono soggetti sia ad un esagerato ottimismo sia ad un esagerato pessimismo, a seconda delle

esperienze favorevoli o sfavorevoli della loro vita; essi sono perciò bisognosi di consiglio sia contro la disperazione che contro l'arroganza. È molto evidente il fatto che l'immagine della miseria e dell'impotenza abbia prevalso nella metà del trecento, periodo in cui infuriò la peste nera. Petrarca (1304-74) costatò che la disperazione per la propria disgrazia provocava spesso un senso di religiosa colpevolezza. Nel suo *De remediis utriusque fortunae* egli consigliò di coltivare un tipo di duplice consapevolezza: in tempo di successo essere consapevoli della sofferenza umana, in tempo di disperazione avere invece coscienza della dignità della persona umana. E ancora più significativamente egli dimostrò come l'uomo, sotto l'influsso della grazia, possa sentirsi responsabile della sua vita personale, mostrando un senso di dignità personale compatibile con la pietà − e con una teodicea sul piano della fede religiosa − in mezzo agli orrori della sua epoca.

L'uomo del Rinascimento volle «mettere a prova le sue capacità» in modo pieno, e lo fece in quanto cristiano ridando vita all'antica esegesi patristica sul testo della Genesi, «Facciamo l'uomo a nostra immagine e somiglianza» (Gn 1,26). Anche Agostino aveva visto una corrispondenza tra la Trinità e le tre funzioni dell'anima umana. Padre, Figlio e Spirito Santo erano riflessi rispettivamente dalla memoria, dall'intelletto e dalla volontà dell'uomo. Una più profonda familiarità con la teologia patristica condusse gli umanisti a capire che la creatività divina può essere un modello per quella dell'uomo; egli può regolare il suo destino e creare la sua cultura e civiltà. Essi ebbero l'abilità di far fronte e di risolvere molti loro problemi servendosi della ragione umana e dell'ingegnosità. Così scriveva l'Alberti nel *De iciarchia*: «L'uomo non era certo nato per languire nell'indolenza, ma piuttosto per alzarsi in piedi e agire»; ciò non era affatto presunzione od orgoglio bensì partecipazione al piano creativo di Dio per l'umanità.

La dignità dell'uomo divenne uno dei temi favoriti dell'oratoria umanistica e ricevette un importante sviluppo da Ficino (1433-99), da Pico della Mirandola (1463-94), da Pomponazzi (1464-1525) e dall'umanista spagnolo Vives (1492-1540). Poggio Bracciolini (1380-1459) invece, continuò a porre l'accento sul tema della miseria dell'uomo, rifiutando l'oratoria consolatoria e ogni mezzo puramente umano per sfuggire alle miserie umane e divenendo così il rappresentante meno luminoso e ottimista della concezione rinascimentale circa la dignità e la condizione dell'uomo, il più vicino di tutti alla Riforma. Tuttavia Giannozzo Manetti (1396-1459) e Pico diedero piena espressione all'ideale dell'uomo simile a Dio, attivo, creativo e sempre in azione. Nella seconda parte della famosa *Orazione* di Pico, erroneamente denominata *Sulla dignità dell'uomo* (1484) Dio si rivolge così ad Adamo: «Non ti facemmo né celeste né terreno, né mortale né immortale, affinché tu, di te stesso quasi arbitrario e, per così dire, onorario plasmatore ed effigiatore, ti componga in quella forma che avrai preferita» (tr. it. di B. Cicognani, Firenze 1942, 9).

Il tema dell'uomo creato a immagine e somiglianza di Dio era destinato a cambiare radicalmente il modo di concepire la divinità e l'umanità nel pensiero religioso del Rinascimento; l'uomo non era soltanto il custode dell'originaria creazione di Dio, ma attraverso la sua facoltà inventiva e l'ingegnosità era il creatore della «seconda natura» dell'esistenza civile.

4. LA STORIA SOGGETTA ALLA PROVVIDENZA: STOICISMO O AGOSTINISMO - Sarebbe errato però supporre che le idee degli umanisti sulla dignità e libertà umana abbiano precorso lo spirito dell'illuminismo: "sciogliere l'uomo dalla tutela in cui è incappato da solo" (Kant).

La tesi di Burckhardt sull'individualismo del Rinascimento ha ceduto il passo ad una concezione più sfumata dell'umanista che cresce nella consapevolezza delle sue capacità con l'aiuto della grazia divina e in seno alla comunità cristiana. Gli umanisti fecero ogni sforzo per riuscire a capire e a formulare l'esatta relazione esistente tra la libertà umana *e* la dipendenza dell'uomo dalla grazia di Dio, tra la storia in quanto modellata dagli uomini *e* la provvidenza divina, tra la conoscenza conseguita tramite l'esperienza umana *e* quella rivelata da Dio. Nella ricerca di adeguate risposte a tali questioni gli umanisti rinascimentali formularono due tipi di idee opposte e antitetiche fra loro, rappresentate dalle tradizioni retoriche dello stoicismo e dell'agostinismo. Secondo gli scrittori stoici quali Seneca e Cicerone, Dio era l'immanente forza che tutto pervade e dalla quale tutto il mondo naturale è stato fatto; e l'uomo partecipava di questa «anima del mondo» con la sua ragione, vista come un germe o una scintilla del divino dentro di lui. Inoltre il bene sommo dell'uomo consisteva nel vivere in conformità con la legge della sua natura e ragione, ignorando sia le sfortune sia i piaceri della vita terrena. L'ideale dell'uomo saggio e virtuoso il quale viveva secondo ragione evitando il turbamento della mente derivante dal contatto col mondo esterno, esercitò in certi periodi una grande attrattiva sugli umanisti. Lo stoicismo era una dottrina classicista e resistente al cambiamento, nel senso di deviazione dai principi eterni perennemente validi. Esso poteva così diventare un ponte tra l'antichità classica e la cristianità.

Tuttavia esso non aveva nessuna cura da offrire per la miseria della maggior parte dell'umanità. Agostino invece seppe parlare ad ogni uomo, essendo impegnato nella vita politica e in un ambiente urbano (*La Città di Dio*), oppure coinvolto nelle intime lotte della sua complessa personalità (*Le Confessioni*). Egli operò all'interno della dinamica reale dell'esperienza umana. Per lui *conoscere il bene* non era sufficiente; il vero problema era come *fare* il bene, poiché l'essenza, il centro della vita umana era nel cuore, non nell'intelletto. E solo il cuore poteva essere toccato dalla grazia. Agostino pose l'accento sulla separazione tra natura e grazia, sull'unicità della rivelazione di Dio in Gesù Cristo. Ed ancora più significativamente egli ritenne che i provvidenziali piani di Dio si compivano nei miseri, imprevedibili e disordinati piani della storia e della salvezza dell'uomo. In opposizione all'autosufficienza dello stoicismo, Agostino *sentì la necessità e la sete* della grazia di Dio. Il suo porre l'accento sulla soggettività umana di fronte a Dio e sul primato della volontà rispetto all'intelletto, esercitò un profondo influsso sul pensiero umanistico. Pertanto una certa complessità, ambiguità e inconsistenza di quest'ultimo fu spesso dovuta allo sforzo di armonizzare tra loro elementi derivanti dalle tradizioni stoica e agostiniana. Erasmo (1466-1536) pendeva per lo stoicismo, mentre Valla (ca. 1406-57) fu più decisamente agostiniano. Questa dialettica nel cuore stesso dell'umanesimo cristiano potrebbe almeno in parte spiegare le differenze radicali di scelta che faranno gli umanisti al tempo della Riforma.

La visione della storia soggetta alla provvidenza nel caso degli umanisti arrivò a essere molto diversa da quella delle precedenti generazioni. Il ruolo assegnato alla scelta e alla responsabilità umane nel dar forma e nel determinare gli avvenimenti, condusse infatti gli umanisti a riconoscere che ogni stato presente di cose non doveva essere necessariamente così, anzi poteva essere anche diverso. Era possibile rintracciare uno stile del passato e farlo rivivere nel presente. Era anche possibile tracciare un ideale per il futuro ed usarlo come stimolo per dar vita a qualcosa di migliore per lo stato presente, come veniva proposto nell'*Utopia* di Tommaso Moro. Si trattava di un modo totalmente nuovo di guardare al passato, al presente e al futuro, erano le prime avvisaglie di quello che potremmo chiamare cambiamento ed evoluzione storica. Da Petrarca in poi gli umanisti forgiarono il concetto di medioevo, o secoli bui che si frapponeva tra la loro epoca e la civiltà classica. La visione cristiana e provvidenziale del passato aveva fatto coincidere la nascita di Cristo con la fine dell'oscurità dell'umana condizione; esistevano così due epoche, quella della preparazione e quella del vangelo. La nuova visione umanistica della storia fece coincidere i secoli bui con il sacco di Roma (410 d.C.) e con il conseguente declino della cultura e della civiltà. La storia fu comunemente divisa in tre periodi: antichità, medio evo e presente che potenzialmente conteneva in sé sia il progresso che il declino. In quanto cristiani gli umanisti cercarono di mettere tra loro in relazione più che distinguere la storia sacra e quella secolare, poiché ambedue esistevano nell'ambito della provvidenza divina ed erano ad essa soggette. Però essi sentirono anche fortemente che la verità rivelata e la grazia di Dio venivano offerte all'uomo entro un concreto contesto storico.

Nonostante la nostalgia per la cultura classica valida per ogni tempo, tuttavia gli studi classici degli umanisti rinascimentali realmente infusero in questi studiosi un senso di condizionamento culturale e linguistico. Il loro senso della storia li rese profondamente coscienti non solo della continuità ma anche della radicale discontinuità tra passato e presente; il passato doveva essere studiato nei termini suoi propri. Ciò rappresentava l'inizio della scienza ermeneutica, l'applicazione della critica storica e linguistica ai testi del mondo antico. Studiosi come Lorenzo Valla, Angelo Poliziano (1459-94) o Guillaume Bude (1467-1540) studiarono i testi della legge romana espressi nel Codice di Giustiniano. Essi a poco a poco arrivarono a capire che lontano dall'essere un insieme omogeneo di leggi, il codice era una «serie frammentaria e mal tradotta di decreti proposti per un impero da lungo tempo defunto, i quali avevano poco o nessun rapporto con le diversissime condizioni politiche e legislative dell'Europa, nei primi anni dell'età moderna» (Skinner, 207). Una delle scoperte più sconvolgenti fu la dimostrazione di Lorenzo Valla che la cosiddetta *Donazione di Costantino* era un falso dell'VIII o del IX secolo. Le rivendicazioni papali dell'autorità temporale nell'occidente e del primato spirituale sui quattro patriarcati dell'impero, avevano sempre avuto come fondamento proprio il documento allora screditato.

Anche gli studiosi umanisti applicarono le loro nuove tecniche allo studio dei testi biblici. Il metodo scolastico aveva favorito o l'approccio analitico diretto di un testo o la raccolta di testi, intorno a un tema specifico o a un determinato punto dottrinale. Invece gli umanisti leggevano il Nuovo Testamento non come fonte di idee teologiche, bensì come documento delle *più antiche esperienze cristiane tramandate in forma letteraria e storica*. Mettevano poi ogni testo in rapporto diretto col suo contesto storico. Ad esempio John Colet dopo il suo ritorno a Oxford dall'Italia nel 1497, tenne un corso di lezioni sulla Lettera ai Romani, mettendola in relazione al contesto storico della Roma imperiale sotto il regno dell'imperatore Claudio, e al *motivo per cui* Paolo esortava i cristiani *romani* ad agire con circospezione.

Paolo si rivolgeva a un uditorio preciso, usando particolari parole che avevano un significato specifico a quel tempo. Poiché le trascrizioni e le traduzioni successive potevano aver oscurato o frainteso il senso originario, gli umanisti cercarono di fornire nuove e più esatte traduzioni dell'antico testo greco ed ebraico. Lorenzo Valla intraprese un confronto critico tra la Vulgata e il NT greco. Erasmo basandosi su *In Novum Testamentum ex diversorum utriusque linguae codicum collatione adnotationes* (1449) del Valla e della sua personale raccolta di testi, nel 1516 diede alle stampe la sua versione parallela greco-latina del NT. Egli avallò con forza la validità delle scritture in lingua vernacola. Manetti iniziò lo studio dell'ebraico sotto la guida di un giovane studioso ebreo, consultò commenti biblici ebraici del medioevo e riunì una piccola biblioteca di manoscritti ebraici. Johannes Reuchlin (1455-522) insegnò personalmente greco ed ebraico e nel 1506 pubblicò i suoi *Rudimenta linguae hebraicae* insieme con un vocabolario ebraico-latino. In molte università del nord vennero istituiti collegi trilingui e nel 1520 venne stampata presso la nuova università di Alcalá la prima bibbia poliglotta commissionata dal cardinal Ximenez de Cisneros.

5. TEOLOGIA RETORICA - Gli umanisti rinascimentali di solito non erano teologi di professione, tuttavia in diversi modi gli *studia humanitatis* interferirono con il campo degli *studia divinitatis* e diedero a questi un contributo essenziale. È ben noto il rinnovamento degli studi biblici degli umanisti come anche la prevedibile avversione al loro metodo e alle loro scoperte da parte degli scolastici. Ma fino a non molto tempo fa il loro contributo al pensiero teologico e religioso del tempo ha ricevuto minore attenzione perché era «celato» nella massa informale, asistematica e alta-

mente retorica degli scritti umanistici. Consapevoli che la persona umana è soggetto vivo e sensibile, essi evitarono il «pugno chiuso» del metodo dialettico scolastico per sostituirlo con il «palmo aperto» della dissertazione retorica (Tommaso Moro, *Letter to Dorp*, 1515). Adoperarono il saggio, il dialogo, il sermone laico e la dissertazione per comunicare in modo convincente i loro temi religiosi preferiti. Altri generi letterari comprendevano orazioni funebri, lettere, ammonizioni, storiografia e biografia. Tale materiale fornisce molte informazioni circa le preferenze intellettuali e religiose di laici colti impegnati in una vita di servizio creativo e di pietà cristiana. Trinkaus e altri hanno dato a questa teologia nascosta degli umanisti l'appellativo di *teologia retorica*, in parte a causa dello stile usato nello scrivere, ma anche perché gli umanisti deliberatamente cercarono di unire la funzione intellettuale del teologo con quella pastorale e affettiva del predicatore. Essi erano persuasi che né la teologia scolastica del tempo, né i modi d'uso corrente nella predicazione e nella guida spirituale di allora rispondevano ai loro reali bisogni e aspirazioni.

La correlazione esistente tra la retorica o oratoria classica e la predicazione cristiana era molto più chiara agli umanisti che a noi. L'oratore efficace o il predicatore efficace deve, per definizione, essere in comunicazione con i sentimenti del suo uditorio e saper rispondere a essi. Gli umanisti furono ben consapevoli che un rinnovamento degli studi biblici sarebbe rimasto un esercizio sterile se non fosse stato tradotto in un efficace ministero della parola che avrebbe mosso il popolo a condurre una vita cristiana più profonda. Perciò essi cercarono di determinare quale genere di linguaggio, di argomentazione, di *exempla* o di stili di dizione avrebbe meglio prodotto una persuasione cosciente e una azione corri-

spondente. Essi erano consapevoli che il ministero della parola al di fuori del pulpito si allargava in forma di catechesi, di guida, di dialogo tra confessore e penitente. Molti si chiesero se la pratica o la teoria sacramentale corrente riuscisse ad arrivare *emotivamente* al centro della soggettività di una persona di fronte a Dio, alle sfere della coscienza, dell'intimità personale, della facoltà di scelta, della paura e dell'ansia. Essi non cercarono di soppiantare quanto piuttosto di approfondire l'intelligenza dei sacramenti; ma attribuirono una maggiore importanza alla formazione delle coscienze piuttosto che alle formalità esterne. Molti umanisti assunsero il ruolo di consiglieri laici, nella convinzione che ciò era necessario per avere una sintesi teologica e pastorale all'altezza dell'esperienza viva di cristiani che conducono una vita secolare nel mondo. Perciò si occuparono, in maniera non sistematica, della credibilità del vangelo in rapporto con la vita del loro tempo. L'interesse retorico per il modo di influenzare e stimolare gli uomini, come singoli e come gruppi, era direttamente collegato alla concezione che gli umanisti avevano del modo in cui veniva trasmessa la fede. Essi non sottovalutarono la fede come dono di Dio né il ruolo dello Spirito Santo, ma diedero piuttosto rilievo alle umane facoltà emotive di colui che riceve tale dono. In quanto educatori essi erano convinti che la trasmissione della verità aveva luogo all'interno di una comunità e attraverso un incontro di anime, piuttosto che in una solitudine accademica. L'atto di fede coinvolgeva tutta la persona, l'intelletto, la volontà e i sentimenti, come pure il contesto esterno in cui si conduceva la vita cristiana. Gli umanisti furono consapevoli, molto più dei loro predecessori, che il sapere conquistato con l'esperienza personale e condivisa veniva a invadere il campo della loro fede.

Come avevano compreso fino a qual punto l'esperienza umana è condizionata sul piano storico e linguistico, così si resero conto che ciò era vero anche nei riguardi della trasmissione della fede dal tempo degli apostoli fino a quel momento. Perciò era necessario tornare *ad fontes*, alla vera teologia, alle sorgenti della rivelazione contenute nella bibbia. La *Theologia Rhetorica* fu dunque biblica, storica, antropocentrica ed esperienziale nel suo ambito e nel suo contenuto. Erasmo nella sua *Ratio verae theologiae* (1513) formulò gli ideali di questa teologia in modo programmatico, con un abbozzo di una formazione biblicamente fondata a sostegno del progetto di trasformazione della società del tempo attraverso una nuova comunicazione con il vangelo di Cristo.

6. I CRISTIANI IN RAPPORTO CON I PAGANI E GLI EBREI - Era difficile, se non impossibile, impegnarsi in così grande dibattito intorno alla condizione umana senza la consapevolezza che essa veniva condivisa da tutti i popoli di culture, fedi e storie che differiscono tra loro. Non solo l'esperienza umana ma anche l'esperienza religiosa parve essere un fenomeno di portata universale, avendo tutte le tradizioni religiose qualcosa di divino in sé. Occupandosi delle religioni pagane pre-cristiane gli umanisti cercarono di scartare quegli elementi chiaramente incompatibili con i valori cristiani, ad esempio l'oscenità, la sensualità e la crudeltà di molti riti pagani. Tuttavia in esse rimaneva un nucleo autentico di credenze e di pratiche religiose che anticipavano o persino replicavano quelle dell'era cristiana. Il punto cruciale della questione consisteva nel fatto che la misericordiosa *arrendevolezza* di Dio all'umana condizione, come si era resa visibile in Gesù Cristo, significava che l'esperienza cristiana era anche una esperienza profondamente umana benché fosse *unica* e *distinta* nel suo genere.

Gli argomenti dell'adattamento e della separatezza, della continuità e discontinuità sono trattati frequentemente negli scritti degli umanisti. Molti arrivarono a vedere il cristianesimo quale rivelazione completa di ciò che parzialmente e in modo imperfetto era stato rivelato nelle altre tradizioni religiose. Le religioni pre-cristiane, nei loro elementi migliori, servirono come preparazione al vangelo. Nel piano provvidenziale di Dio questo fu preminentemente il ruolo affidato alla religione ebraica. Ma l'idea più comune era che il → giudaismo era stato surclassato dal cristianesimo e solo coloro che volevano essere ciechi potevano negare l'evidenza. Riuscì molto più facile contraffare un accordo retrospettivo con la religione pagana e con quella giudaica del passato che accordarsi con gli appartenenti a religioni rivali del tempo. Non si può sottovalutare facilmente la paura e l'avversione dei cristiani dell'epoca verso gli invasori musulmani «infedeli» equiparati nella fantasia popolare al «flagello di Dio».

Una teodicea così concepita non era assente del tutto negli scrittori umanisti, i quali non erano neanche esenti da antisemitismo. Erasmo generalmente pacifista osservò che «se è inerente a un buon cristiano odiare i giudei, allora noi siamo tutti buoni cristiani». Tuttavia gli umanisti andarono molto più lontano della maggioranza dei loro predecessori o contemporanei nel raggiungere un *accordo* intellettuale e religioso tra le religioni non cristiane e quella della cristianità.

La maggior parte degli scrittori umanisti ebbe la visione della natura unitaria della verità nella diversità dell'esperienza religiosa. Lo studio dell'ebraico fatto da Manetti con un maestro ebreo lo rese molto sensibile al mondo del pensiero da cui era emerso il cristianesimo. Egli fu anche uno dei primi a vedere che la tradizione cristiana occidentale era alimentata sia dall'ellenismo che dall'ebraismo. Tuttavia il *Contra Iudeos et Gentes* (1454) di Manetti fu una difesa del cristianesimo e una critica del paganesimo come del giudaismo in quanto religioni allora storicamente superate. Comunque egli tentò di persuadere e di convincere gli ebrei delle loro vie errate piuttosto che d'incolparli direttamente di cecità. Marsilio Ficino scrisse nel 1447 *De religione Christiana*, opera che doveva influenzare gli scritti apologetici successivi di Vives, Duplessis-Mornay, Charon e Grotius e che poteva considerarsi come una prima opera di teologia fondamentale. Ficino si interessò alla religione quale universale caratteristica del genere umano e al modo in cui poter distinguere la buona dalla cattiva religione, quella vera da quella falsa. Egli ritenne che la provvidenza di Dio aveva concesso «una universale ma parziale rivelazione rivolta a tutti gli uomini, una rivelazione vera e perfetta destinata a pochi eletti, e tutte facevano parte del disegno di svelare la rivelazione definitiva e la possibilità della salvezza per tutti» (Trinkaus, 1970, 737). Pico nella seconda parte della sua *Orazione* propone un piano di pace filosofica e teologica. Egli cercò una sintesi tra i differenti approcci religiosi verso la verità. Fece una lista di quegli autori cristiani che avevano avuto maggior influsso su di lui, ma aggiungendovi autori arabi (Avicenna, Averroè, ecc.), greci e la tradizione giudaica tramite la cabala. La sua ricerca di una rivelazione universale mistica, esoterica, fu più elitaria di quella dei suoi contemporanei.

Nel 1492 Colombo «scoprì» gli indigeni del «Nuovo Mondo» e riempì i suoi diari con racconti sugli abitanti miti e belli della Hispagnola che sembravano molto pronti a ricevere la fede cristiana. L'*Utopia* (1516) di Tommaso Moro s'impadronì di un certo interesse del tempo per l'idea del «nobile selvaggio». Si tratta di un'opera narrativa immaginaria che presenta una comunità di esseri umani non raggiunti né dalla civiltà classica pagana né dalla religione cristiana. Tuttavia essi usando la loro intelligenza e ingegnosità erano arrivati non solo a un alto grado di civiltà, ma anche a una fede altamente sviluppata in Dio, nella provvidenza, nella moralità, nell'immortalità dell'anima. Tommaso Moro era certo che l'evangelizzazione non s'identificava con la civiltà o la cultura, ma che tuttavia esse potevano svilupparsi reciprocamente. Gli abitanti di Utopia erano pronti a ricevere il vangelo, e sotto certi aspetti erano più ammirevoli di molti cosiddetti cristiani d'Europa. Senza dubbio Moro riteneva che la religione razionale e la filosofia fossero in grado di formare una società giusta ed equa tale da poter essere sicuro fondamento per la successiva evangelizzazione.

7. ERASMO CONTRO IL FIDEISMO - Sebbene la recente ricerca sia cauta nell'attribuire l'appellativo di «erasmiana» alla ricca varietà dell'umanesimo del XVI secolo, le caratteristiche degli scrittori umanisti cristiani sono riassunte in maniera straordinaria nell'opera di Erasmo, il «principe degli umanisti». Un'opera giovanile di Erasmo, *Antibarbari* (1489, riveduta negli anni 1494-1521), illustra molto chiaramente l'attacco umanistico alle forme di fideismo dell'epoca, e può servire come ricapitolazione e conclusione di questo articolo. L'opera è stata comunemente intesa come un velato attacco di Erasmo ai suoi critici scolastici di Lovanio, ma una recente e convincente analisi suggerisce l'idea che essa sia stata intesa quale prima parte di una opera progettata in quattro volumi che confutasse gli argomenti dei principali avversari dell'umanesimo (Brad-

shaw, 412). Al principio dell'opera
Erasmo identifica tre gruppi di tali
oppositori: quelli che rifiutano del
tutto il retaggio classico, quelli che
lo rifiutano solo in parte, infine quelli
che lo accettano con troppo entusiasmo. Bradshaw in modo convincente
identifica questi gruppi nel seguente
modo: *a.* quelli che rifiutano una cultura laica e rivendicano in modo indebito la rivelazione e la grazia sono
i *barbari*, o i fideisti del tempo; *b.*
quelli che accettano la filosofia classica ma rifiutano la retorica e le lettere: sono gli scolastici; *c.* quelli che
rivendicano in modo esagerato i diritti della natura e della ragione umana e sottovalutano la rivelazione cristiana e la grazia: sono gli studiosi
umanisti entusiastici che erano in verità i riduzionisti contemporanei.

Erasmo si occupa del terzo gruppo, l'avversario dentro il suo stesso
campo, in *Ciceronianus*. Attacca i
suoi avversari scolastici in *L'elogio
della follia* (1511) e in qualche altra
opera. Però gli scolastici sono i suoi
naturali anche se difficili alleati nella
sua lotta contro gli elementi antirazionali nella chiesa. L'*Antibarbari*
non è una polemica contro gli scolastici bensì un attacco diretto verso coloro che più di tutti hanno scalzato
l'iniziativa umanistica ossia gli antirazionalisti, che in seguito i teologi
chiameranno fideisti.

Due forti movimenti, in relazione
tra loro, della tarda cristianità medievale possono essere collegati alla
posizione fideistica. Anzitutto la *posizione teologica* di Ockham e della
sua scuola che condivideva una tradizione risalente a Tertulliano che sottolineava l'unicità e l'esclusività della conoscenza rivelata, accessibile tramite la grazia, ma screditava invece
il sapere acquistato per mezzo della
ragione e dell'esperienza umana. In
secondo luogo c'era una *tradizione
spirituale* di evangelica semplicità e
di rinuncia al mondo che propugnava una «santa ignoranza» poiché sol

tanto lo Spirito Santo illuminava i
cuori dei fedeli. Erasmo considerò
molti degli ordini religiosi come bastioni di fideismo antirazionalista, in
modo particolare quelli che avevano
subìto un tipo di rinnovamento fondamentalista. Questo punto di vista
era anche caratteristico della spiritualità laica della *devotio moderna* così
come veniva espresso nell'autorevole
Imitatio Christi: «Frena l'eccessiva
smania d'istruirti: perché in ciò troverai dissipazioni e delusioni» (I, 2).
Quindi l'*Antibarbari* dà una risposta
umanistica cristiana all'antica domanda di Tertulliano, «Che cosa ha a che
fare Atene con Gerusalemme?».

L'abitudine retorica della polemica
rinascimentale ci rende difficile poter capire bene il contenuto teologico degli argomenti addotti da Erasmo. Ciò che più di tutto dovette colpire i suoi contemporanei è invece per
noi il meno utile. In modo essenziale
abbozzò una prima versione della sua
philosophia Christi che avrebbe poi
sviluppato in modo più completo nella *Paráclēsis* (1516). Il modello cristologico di Erasmo non era il profeta ma il Divino Maestro della sapienza, il quale venne come apice della
lunga ricerca umana del vero e del
bene. Il filosofo ideale di Platone trovò la sua espressione perfetta in Cristo. Ragione e natura, così come erano significate nella tradizione classica, erano i veicoli della rivelazione
e della grazia stabiliti da Dio. Per
esprimere l'esatta connessione tra il
paganesimo pre-cristiano e il cristianesimo, Erasmo scartò la metafora
agostiniana dello «spogliare gli egiziani» o dell'appropriarsi di quanto
era prezioso nel retaggio pagano a
vantaggio del cristianesimo. Egli preferì l'immagine di Girolamo dell'uomo libero che sposa la schiava prigioniera per ottenerle la libertà. Il cristianesimo si impossessò con amore
dell'eredità classica, in modo tale che
questa poté avere il suo posto entro
il nuovo contesto.

Erasmo sviluppò un concetto platonico di esistenza concepita quale unità nella diversità, quale relazione ordinata di tutte le parti con il tutto. *Natura e grazia* non sono tra loro in conflitto ma in armonia, perciò l'umana ricerca della perfezione è parte integrante della cristiana ricerca della santità. In modo analogo *ragione e rivelazione* non si escludono a vicenda poiché ambedue sono rivolte alla verità. Cristo in quanto incarnazione della verità e bontà di Dio, porta alla perfezione i processi della natura. Inoltre se la virtù è l'oggetto proprio della ragione (Platone), l'idea della «santa ignoranza» è semplicemente senza senso. Cristo «Parola di Dio», comunicò con i suoi discepoli per mezzo di un linguaggio umano e si *adattò* all'umana condizione, così che questa è diventata una condizione dotata di grazia. Cristo è permanentemente presente alla sua chiesa nella forma della parola delle Scritture, e quindi la preparazione linguistica e retorica sono essenziali per la trasmissione del messaggio cristiano. Infine Erasmo spiegò la parabola dei talenti (Lc 19,11-27) per difendere l'uso, piuttosto che la negazione dei talenti umani. Infatti Dio ci ha realmente comandato di «mettere a prova le nostre facoltà».

La più importante difesa della libertà della volontà umana fu sostenuta da Erasmo contro Lutero, negli anni 1524-26. Di tutte le questioni a cui avrebbe potuto dedicarsi egli scelse proprio quella perché gli parve che la teologia di Lutero fosse una nuova versione di fideismo, anche se una versione riformulata in modo radicale e brillante. Lutero da parte sua aveva già rifiutato la *philosophia Christi* di Erasmo poiché per quest'ultimo contava molto di più il potere dell'uomo che quello di Dio. Tuttavia Lutero lodò Erasmo per aver compreso veramente che cosa era in gioco. Egli credette che il modo di intendere dei cattolici suoi contemporanei il ruolo della ragione e della volontà dell'uomo nel processo di salvezza fosse pelagiano e sottovalutasse il potere unico della grazia di Dio. Secondo Lutero la dottrina del *facienti quod in se est, Deus non denegat gratiam* (Dio non nega la sua grazia a colui che fa tutto quanto è in suo potere) equivaleva ad affermare che la grazia di Dio non è una libera iniziativa, ma è invece il premio per lo sforzo compiuto dall'uomo. Il dibattito tra Erasmo e Lutero sulla libertà o sulla schiavitù della volontà umana doveva risultare carico di conseguenze per il futuro della cristianità. Ma ciò non può essere compreso appieno senza riferimento alle riflessioni degli umanisti intorno alla divinità e alla umanità nel corso dei secoli precedenti.

8. CONCLUSIONE - La *teologia retorica* degli umanisti del Rinascimento, quale venne manifestandosi e sviluppandosi nelle sue molteplici e differenti forme a partire dalla metà del quattordicesimo secolo fino al tardo secolo sedicesimo, fu una delle articolazioni più positive e creative di teologia prodotte da laici in tutta la tradizione cristiana. Essa ebbe i suoi limiti evidenti. La si può criticare a ragione di essere troppo elitaria, deliberatamente distaccata dagli interessi e dalle preferenze del *vulgus*, proprio come aveva fatto la sua controparte classica. Oggi potremmo riconoscere che essa era anche sessista. P. Burke ha osservato che nell'elenco di seicento scrittori, artisti e umanisti del Rinascimento italiano c'erano soltanto tre donne: Vittoria Colonna, Veronica Gambara e Tullia d'Aragona. Tutte e tre furono poetesse e vissero verso la fine di quel periodo. Movimenti ecologici contemporanei rifiutano l'orientamento antropocentrico sia dell'umanesimo rinascimentale sia di quello moderno, perché questi sembrano porre l'uomo a dominio della natura di cui noi tutti siamo

parte. Ma nonostante alcuni limiti, l'umanesimo cristiano del Rinascimento rimane una ricca fonte di riflessione sulla condizione e sull'esperienza umana nella sua ricerca di perfezione morale e religiosa e di comprensione della rivelazione di Dio in Gesù Cristo quale culmine di questa ricerca.

Bibl. - G. Di Napoli, «Contemptus mundi e dignitas hominis nel Rinascimento», in RFNS 48 (1956) 9-41; K. Rahner, «Umanesimo cristiano», in *Nuovi saggi*, III, 279-304, Roma 1969; C. Trinkaus, *In Our Image and Likeness: Humanity and Divinity in Italian Renaissance Thought*, voll. I-II, Chicago-London 1970; Id., «The Religious Thought of the Italian Humanists and the Reformers», in C. Trinkaus - H.A. Oberman (edd.), *The Pursuit of Holiness in Late Medieval and Renaissance Religion*, Leiden 1974, 339-366; Id., «Il pensiero antropologico-religioso nel Rinascimento», in Autori vari, *Il Rinascimento, interpretazioni e problemi*, Roma-Bari 1979, 105-147; W. Bouwsma, «Two Faces of Humanism: Stoicism and Augustinianism in Renaissance Thought», in H.A. Oberman - T.A. Brady (edd.), *Itinerarium Italicum*, Leiden 1975, 3-60; Q. Skinner, *The Foundations of Modern Political Thought*, vol. I, Cambridge 1978; P.O. Kristeller, *Renaissance Thought and Its Sources*, New York 1979, trad. parziale, *La tradizione classica nel pensiero del Rinascimento*, Firenze 1965; J. O'Malley, *Praise and Blame in Renaissance Rome: Rhetoric, Doctrine, and Reform in the Sacred Orators of the Papal Court, c. 1450-1521*, Durham N.C. 1979; Id., «Introduction», in *Collected Works of Erasmus*, vol. LXVI, Toronto 1988; B. Bradshaw, «The Christian Humanism of Erasmus», in JThS, 33 (1982) 411-447; P. Burke, *Cultura e società nell'Italia del Rinascimento*, Torino 1984; V.R. Giustiniani, «Homo, Humanus, and the Meanings of Humanism», in *Journal of the History of Ideas* 46 (1985) 167-195.

ANNE MURPHY

III. Umanesimo ateo

1. SIGNIFICATO DEL TERMINE - Umanesimo è una delle parole di moda più abusate del nostro tempo e per questo è anche un concetto assai impreciso e ambiguo. Senz'altro non va confuso con «filantropia» (amore del-

l'umanità), la quale si esaurisce praticamente nella beneficenza caritativa, e non considera l'uomo come valore assoluto per se stesso né ha per scopo l'«umanizzazione» dell'uomo, entrambi caratteristiche essenziali dell'umanesimo.

In senso stretto, per umanesimo s'intende l'*ideale di cultura* del rinascimento (italiano) del XIV e XV secolo, orientato allo studio dell'antichità classica. È appunto lo studio dell'antica letteratura classica e dei suoi valori ideali che fa nascere una nuova immagine dell'uomo. L'uomo acquista consapevolezza di sé quale artefice del mondo e della propria esistenza. Al centro sta l'ideale dell'*uomo universale*, dello sviluppo integrale della personalità in senso spirituale e materiale (cfr. P.O.Kristeller, *Humanismus und Renaissance*, München 1973).

In senso più ampio, il concetto di umanesimo esprime movimenti e comportamenti interiori caratterizzati da una forte componente *antropocentrica*. Il termine perciò venne collegato alle idee razionalistiche e umanitarie che derivarono dall'illuminismo. L'uomo è elevato a «misura di tutte le cose» e a valore supremo per l'uomo stesso; è visto come un essere determinato essenzialmente ed esistenzialmente dalla libertà. Non c'è quindi da stupirsi se la corrente radicalmente antropocentrica dell'umanesimo assuma non di rado atteggiamenti *antireligiosi* e sfoci in aperto → ateismo. La negazione di Dio nasce come conseguenza della posizione centrale che viene attribuita all'uomo e alla sua libertà. La libertà di Dio e la libertà dell'uomo si escludono a vicenda. Dio appare un ostacolo all'aspirazione dell'uomo verso la sua autorealizzazione.

Nietzsche, nella *Fröhliche Wissenschaft* (La gaia scienza) ha espresso questa idea con un'eloquente immagine (cfr. frammento n. 285): il credente è paragonato ad un lago le cui acque vanno a sfociare in Dio; in tal modo egli perde la possibilità di realizzare se stesso. Solo a patto che si sbarrino le acque del lago con una diga e se ne impedisca il deflusso (in Dio), anzi se ne elevi il livello, l'uomo sarà in grado di realizzare se stesso (senza Dio). Quanto una certa immagine di Dio abbia potuto «avvelenare» una vita viene descritto assai plasticamente nell'opera autobiografica dello psicanalista T.Moser *Gottesvergiftung* (Frankfurt a.M. 1977). L'autore vi racconta come si è liberato dall'idea di Dio della sua infanzia, fonte a suo avviso dei sensi di colpa, dell'odio verso se stesso, dell'autodistruzione e frustrazione della sua vita. Il Dio dell'infanzia, da cui si è liberato mediante la psicoanalisi, gli avrebbe impedito di sentirsi uomo e di incontrare gli altri da uomo.

2. SISTEMI, STUDIOSI, DISCUSSIONI - Anche se l'ateismo moderno ha presentato fin dall'inizio una componente antropocentrica molto forte, questa appare chiaramente solo con la filosofia di Feuerbach. L'interpretazione che Feuerbach diede della religione diventa il cardine della critica moderna della religione. Quando Marx nel 1844 scriverà che «per la Germania, la *critica della religione* nell'essenziale è compiuta» (K. Marx-F. Engels, *Opere complete*, vol. III, Roma 1976, 190), lo dirà riferendosi a Feuerbach, la cui opera su *L'essenza della religione* era appena uscita tre anni prima suscitando un'enorme risonanza tra gli intellettuali europei del tempo. La storia degli effetti di Feuerbach passando dal marxismo all'esistenzialismo, giunge fino a Bloch e a Sartre e non ha mancato di esercitare un certo influsso anche sull'autocritica teologica contemporanea (M. Buber, K. Barth, ecc.). Si è soliti indicare come rappresentanti classici dell'umanesimo ateo Feuerbach, Marx, Bloch, Sartre e Fromm. Anche la discussione sull'*u-*

manesimo marxista, sorta nell'Europa occidentale e orientale nei primi anni '60, entra in questo contesto.

a. *Ludwig Feuerbach (1804-1872)* - L'idea fondamentale nell'ambito della critica della religione di Feuerbach può essere riassunta nella frase seguente: non è stato Dio a creare l'uomo ma è stato l'uomo che si è creato Dio a sua immagine. Nella sua opera principale di critica della religione, *L'essenza della religione*, Feuerbach è alla ricerca della vera natura della religione (cristiana), che si trova nell'antropologia (cfr. *Sämtliche Werke*, W.Bolin-F.Jodl (edd.), vol. VI, Stuttgart 1960). Alla base della critica feuerbachiana della religione e della teologia sta una *interpretazione genetico-secolare* del fenomeno religioso. La religione poggia sulla differenza tra uomo e animale. La natura dell'uomo è determinata dalla illimitatezza della sua coscienza. Mentre l'animale è fornito di istinto, l'uomo possiede la coscienza, che si caratterizza per il fatto che può oggettivare non solo e soprattutto se stesso, ma anche altro da sé.

La natura infinita dell'uomo si esprime attraverso le funzioni umane fondamentali della mente, della volontà e dell'amore.

La religione è quindi il modo di rapportarsi dell'uomo verso se stesso; è «coscienza dell'infinito». In questo consiste la verità della religione. La sua non-verità deriva dal fatto che la teologia separa la natura dell'uomo dall'uomo stesso, la pone al di fuori di lui, anzi tramite il concetto di Dio la trasforma in una natura contrapposta. Dio è tutto ciò che l'uomo non è, e viceversa. Dio è la natura dell'uomo collocata al di fuori dell'uomo; in Dio l'uomo contempla la propria natura come una natura estranea. La vera trascendenza non è Dio ma la specie, che supera l'individuo. Ad essa vengono trasferiti i classici predicati teistici divini.

Per Feuerbach il concetto di Dio e

i contenuti della religione sono una proiezione ed egli ritiene suo compito riportare la natura ultraterrena, soprannaturale e sovrumana di Dio agli elementi essenziali della natura umana. Il centro della religione è l'uomo, non Dio. L'ateismo che in tal modo viene affermato, è solo apparentemente all'insegna della negatività: nega Dio per affermare l'uomo e per affrancarlo; si tratta quindi di un vero umanesimo.

b. *Karl Marx (1818-1883)* - Anche se Marx si distacca ben presto da Feuerbach (cfr. le undici *Thesen über Feuerbach* della primavera del 1845), da lui assume però il principio fondamentale della *critica della religione* nonché *l'umanesimo*. Infatti, già agli esordi, nel suo scritto *Per la critica della filosofia hegeliana del diritto pubblico. Introduzione* (pubblicato nel 1844 nei *Deutsch-Französische Jahrbücher*) dichiara che per la Germania la critica alla religione in sostanza era conclusa. Con questa critica egli intende alludere in primo luogo alla critica della religione della cosiddetta «sinistra hegeliana» (D. Strauss e B. Bauer) e soprattutto di Feuerbach.

Marx attribuisce alla religione una doppia funzione: da un lato è espressione della miseria (del «mondo capovolto»), dall'altro è consolazione illusoria («oppio del popolo») per far dimenticare la miseria. La critica della religione porta in fondo a rivendicare la *vera* felicità. «La critica della religione dunque è, *in germe*, la *critica della valle di lacrime*, di cui la religione è l'aureola» (K. Marx − F. Engels, *Opere complete*, vol. III, Roma 1976, 191).

I manoscritti di Parigi del 1844, con il loro stile e con il loro frasario, richiamano il pathos umanitario di Feuerbach. In essi Marx discute per la prima volta teorie e questioni economiche e tenta una sintesi tra economia nazionale e filosofia. La tematica di fondo è l'*umanazione* del-

l'uomo. Il concetto centrale è l'*alienazione* (desunto dalla filosofia del diritto di Hegel). Marx vede nella proprietà privata, basata sul lavoro alienato, la contraddizione di fondo. A suo avviso il lavoratore è alienato da se stesso perché è costretto a svendersi al capitalista: diventa merce che produce merce. Si aliena talmente da se stesso da non riconoscersi nemmeno nel suo prodotto, che gli si pone innanzi come qualcosa di estraneo, come una potenza estranea. Il lavoro diventa coercizione, oppressione. Marx non lotta solo per l'eliminazione della miseria e dell'oppressione e per il conseguimento di un benessere sociale, ma per l'uomo in quanto tale.

Lo scopo da raggiungere è il *comunismo*, in cui nessuno dovrà più dipendere da altri, nessuno potrà più diventare merce di un altro, e lo sviluppo del singolo sarà condizione e possibilità di sviluppo per tutti. Per Marx, tuttavia, il comunismo non è tanto un appello verso l'ideale umanistico quanto una tappa interna di una evoluzione finalizzata, di cui egli traccia le linee teoriche. «Il comunismo come positivo superamento della proprietà privata quale autoalienazione dell'uomo, e però in quanto reale appropriazione dell'umana essenza da parte dell'uomo e per l'uomo; e come ritorno completo, consapevole, compiuto all'interno di tutta la ricchezza dello sviluppo storico, dell'uomo per sé quale uomo sociale, cioè uomo umano. Questo comunismo è, in quanto compiuto naturalismo, umanesimo, e in quanto compiuto umanesimo, naturalismo. Esso è la verace soluzione del contrasto dell'uomo con la natura e con l'uomo, la verace soluzione del conflitto fra esistenza ed essenza, fra oggettivazione e affermazione soggettiva, fra libertà e necessità, fra individuo e genere. È il risolto enigma della storia e si sa come tale soluzione» (K. Marx - F. Engels, *Opere com-*

plete, vol. III, Roma 1976, 323-324).

I manoscritti di Parigi, rimasti irreperibili per molto tempo, vennero pubblicati la prima volta in edizione integrale a Mosca nel 1933. La situazione di allora nell'Europa occidentale e nell'Unione Sovietica ne fece rinviare la discussione al secondo dopoguerra e alla fine degli anni '50. Il pathos umanistico del *giovane* Marx suscitò vasta eco. Si tentò di contrapporre Marx giovane, orientato in senso umanistico, al Marx adulto, interessato esclusivamente a problemi scientifico-economici (cfr. E. Fischer, E. Fromm e altri). L Althusser invece tende a escludere dal vero nucleo della teoria marxiana l'elemento umanistico in quanto «ideologico» e opta a favore di una teoria esclusivamente scientifica, nel senso di un teoretico anti-umanesimo. Non è certo facile indicare il luogo e lo status dell'aspetto umanistico dell'intera opera di Marx. Tuttavia è chiaro che gli elementi nozionali-analitici sono inscindibilmente congiunti con gli elementi pratico-emancipativi.

c. *Ernst Bloch (1885-1977)* - La filosofia di Bloch è fortemente ispirata e determinata da Marx ed Hegel, ma non è facilmente catalogabile. Dopo un enciclopedico lavoro di anni egli compone la sua opera monumentale, *Das Prinzip Hoffnung* (Il principio speranza) una filosofia in funzione della prassi (cfr. *Das Prinzip Hoffnung*, vol. V dell'edizione completa, Frankfurt a.M. 1968). Nessuno più di lui si è occupato della speranza. L'uomo è per natura l'essere della speranza, rivolto al futuro: in questo si distingue dall'animale. Per questo è proiettato in avanti e non indietro. Egli non ripone la sua speranza in un religioso quanto illusorio aldilà, ma in un felice al-di-qua, dove ogni estraniamento sia eliminato e ogni povertà e oppressione siano superate. Tutte le aspirazioni e tensioni dell'uomo, perciò, non sono rivolte verso l'alto ma verso ciò che

sta davanti. La funzione della speranza è il sogno giornaliero.

La visione che Bloch ha del cristianesimo e della bibbia è radicalmente nuova e inusitata. In questo egli si differenzia totalmente da Marx. Ateismo e cristianesimo non si escludono a vicenda, ma si abbracciano. La critica della religione di Bloch mira a scoprire gli elementi rivoluzionari insiti nella religione e a sceverarli dagli aspetti deformanti. Non gli sta a cuore la *negazione*, ma l'*illuminazione*. La religione è una cosa strettamente legata alla speranza: «Dove c'è speranza c'è anche religione» (*Atheismus im Christentum*, edizione completa, vol. XIV, Frankfurt a.M. 1968, 23; ed. it. *Ateismo nel cristianesimo*, Milano 1983⁶). Bloch considera la religione sotto l'aspetto negativo, come un legame repressivo e regressivo (da re-ligio). L'orientamento verso l'alto in realtà è un vincolarsi al passato (Dio creatore). Ma l'uomo deve affrancarsi dal passato e sperare nel futuro. «L'uomo non è un compartimento stagno», cioè non è chiuso, ma aperto verso il futuro. L'uomo è trascendenza senza trascendenza.

In *Ateismo nel cristianesimo* egli afferma: «Solo un ateo può essere un buon cristiano, come è anche certo che solo un cristiano può essere un buon ateo». Il cristianesimo, benché sia religione, nel suo profondo è orientato verso il futuro. Vuol far uscire dallo stato attuale (cfr. il sottotitolo di *Ateismo nel cristianesimo*: Per la religione dell'esodo e del regno). Nel cristianesimo al posto del Dio creatore in cielo subentra Gesù, il Figlio dell'uomo. Gesù soppianta il Dio dello status quo: «Ecco, io faccio nuove tutte le cose» (Ap 21,5). Quindi Gesù è ateo. Al *timor di Dio* egli contrappone la «buona notizia della venuta del Nuovo». Per Bloch non ci sono dubbi: Gesù ha predicato la sollevazione e la lotta per il Nuovo.

Con la sua filosofia della speranza

Bloch ha ispirato intensamente la teologia contemporanea (sia evangelica che cattolica). La *Teologia della speranza* di J. Moltmann e la *Teologia politica* di. J.B. Metz sono impensabili senza Bloch.

d. *Jean-Paul Sartre (1905-1980)* - Sartre è l'esponente principale dell'esistenzialismo (ateo) francese. Per esistenzialismo si intende una filosofia che pone al centro della sua attenzione l'*esistenza* dell'uomo. L'esistenzialismo di Sartre si presenta con un páthos emancipatorio. L'uomo va liberato dalla morsa dell'essenza, vale a dire dalla realtà che esiste così com'è. L'uomo afferma la sua esistenza solo nella lotta contro l'essenza; in questo modo realizza se stesso. Diversamente dal marxismo, l'esistenzialismo sartriano non vede l'uomo principalmente come membro di una società quanto come individuo. L'uomo (*individuum*) deve affrontare da solo il suo «essere gettato nel nulla». Sartre definisce la sua filosofia espressamente come «esistenzialismo ateo» (cfr. *L'existentialisme est un humanisme*, Paris 1946, 21). La tesi centrale di questo esistenzialismo è che, se Dio non esiste, l'*esistenza* precede l'*essenza*. Ciò significa che l'uomo è affidato a se stesso. L'uomo è innanzitutto un progetto che vive se stesso soggettivamente. Il punto di partenza di questo esistenzialismo è secondo Sartre la costatazione di Dostoèwskij, secondo cui, se Dio non esiste, tutto è permesso (*Ibid.*, 36). In effetti, osserva Sartre, l'uomo deve contare solo su se stesso. Ogni sorta di determinismo peraltro è escluso: «l'uomo è libertà» (*Ibid.*, 37), anzi «è condannato alla libertà». Sartre distingue due specie di umanesimo: un umanesimo teoretico, che considera l'uomo come fine e valore supremo (cfr. *L'existentialisme est un humanisme*, 90ss), e un umanesimo esistenziale, che invece afferma çhe l'uomo è costantemente al di fuori di se stesso. Ciò che fa esistere l'uomo è precisamente il fatto che egli progetti se stesso e si perda in qualcosa che è al di fuori di sé. L'uomo può esistere nella misura in cui persegue «finalità trascendenti». Non c'è altro universo al di fuori di quello dell'uomo, dell'universo della soggettività umana. Perciò la trascendenza è un elemento costitutivo dell'uomo, ma non in senso religioso, bensì nel senso del trascendere e della soggettività. Ciò significa inoltre che l'uomo non è prigioniero di se stesso, ma è presente in un universo umano. Non c'è altro «legislatore» che l'uomo stesso.

In questo contesto Sartre sostiene che l'esistenzialismo non è altro che il tentativo di trarre tutte le conseguenze di una posizione coerentemente atea (*Ibid.*, 94ss). Quindi ciò che gli preme non è tanto un ateismo come negazione di Dio, quanto il riconoscimento che anche se Dio esistesse, non cambierebbe nulla. Non è determinante l'esistenza di Dio, bensì il fatto che l'uomo trovi se stesso e si convinca che — all'infuori di se stesso — nulla può salvarlo. In questo senso esistenzialismo è anche sinonimo di ottimismo e dottrina d'azione.

e. *Erich Fromm (1900-1980)* - Il tema centrale dell'opera di Fromm è l'*umanità* dell'uomo (cfr. l'Introduzione dell'editore al primo volume, *Analytische Sozialpsychologie*, dell'edizione completa, München 1968; vol. IX: *Sozialistischer Humanismus und humanistische Ethik*, München 1989). Egli intende compiere una sintesi della psicoanalisi freudiana e della sociologia critica marxiana, integrando la psicoanalisi con la psicologia sociale e la critica della società. Tuttavia l'umanesimo di Fromm non si fonda solo su Freud e Marx, ma anche sul tentativo di integrare nel suo sistema svariate tradizioni e correnti, come il chassidismo ebraico e la mistica di Meister Ekhart e del buddhismo.

Nell'opera di Fromm perciò la *critica della religione* (cfr. l'edizione completa, vol. VI: *Religion*, München 1989) svolge un ruolo non indifferente, perché egli considera la questione dell'umanesimo una questione *religiosa*, che la religione tradizionale non solo non tratta in modo corretto, ma distorce. Ciò che gli preme, in ultima analisi, è il progetto di una *nuova vera* religione in cui tutto sia concentrato esclusivamente sull'umanità dell'uomo. In tal modo egli va ben oltre Marx e Freud e in realtà si avvicina più a Feuerbach. In opposizione alla religione autoritaria tradizionale, egli lavora attorno al progetto di una religione radicalmente umanistica, in cui il concetto di Dio (divinizzazione dell'uomo) è integrato nel concetto di uomo vero. Il contenuto della nuova religione e della nuova fede è dato dall'umanità dell'uomo. In tal modo però ogni concetto teologico di Dio è dissolto.

L'opera di Fromm è piena di brillanti analisi sugli aspetti che contrastano l'autenticità dell'essere uomo. Nel suo ultimo grande lavoro, *Haben oder Sein* (cfr. edizione completa, vol. II: *Analytische Charaktertheorie*, München 1968; ed. it. *Avere o essere?*, Milano 1986), alla luce di questi due atteggiamenti di fondo dell'uomo, mostra che la radice dell'alienazione dell'esistenza umana sta nell'orientamento verso l'*avere*. Viceversa l'esistenza umana trova pienamente se stessa solo nella modalità dell'*essere*. La religione umanistica che Fromm vagheggia è totalmente in funzione dello sviluppo della personalità e dell'umanità dell'uomo. Anche per Fromm, come per Sartre l'uomo può contare unicamente su se stesso. Il processo di autorealizzazione dell'uomo è visto come una specie di movimento circolare: solo l'uomo che esce da se stesso può ritrovare se stesso.

f. *La discussione sul marxismo umanistico nei paesi del socialismo reale* - Verso la metà degli anni '60 in tutti i paesi socialisti dell'Europa orientale comincia a svilupparsi una discussione sui valori umanistici del marxismo. In queste discussioni si affrontano molteplici questioni sul senso della vita, sulla felicità dell'individuo, sullo sviluppo integrale della personalità umana, ecc. Ovviamente gli scritti emancipatori e umanistici del giovane Marx vi svolgono un ruolo decisivo, ma lo spunto e l'ispirazione vengono dati più che altro dai problemi reali e concreti della difficile vita quotidiana nei paesi socialisti. A queste discussioni diedero un notevole contributo anche i tentativi promossi da cristiani e marxisti per instaurare un dialogo reciproco. In tal senso sono degni di menzione gli incontri della «Paulusgesellschaft» avvenuti a Salisburgo (Austria) nel 1965, a Herrenchiemsee (Germania Occ.) nel 1966 e a Marienbad (Cecoslovacchia) nel 1967. La violenta conclusione della «Primavera di Praga» con l'invasione delle truppe degli stati del patto di Varsavia, pose fine anche a questo dialogo.

Uno dei primi esponenti dell'Europa orientale che si confrontò con la tematica umanistica e cercò di darvi una risposta in chiave marxista fu il filosofo polacco A. Schaff. Il suo libro *Marksizm a jednostka ludzka* (Il marxismo e la persona umana, Varsavia 1965), ebbe notorietà e traduzioni anche nell'Europa Occidentale. Schaff tenta una nuova interpretazione del marxismo sulla base degli scritti giovanili di Marx e giunge alla conclusione che solo un «marxismo umanistico» (e non il marxismo prettamente economico-sociologico) può avere un futuro. La sua tesi dice: «Il marxismo è un umanesimo radicale» (*Ibid.*, 235; *Il marxismo e la persona umana*, Milano 1966, 171). Per il marxismo il punto di partenza è costituito dall'uomo come valore supremo e dalla lotta per il cambiamento dei rapporti sociali che lo avviliscono. La prassi rivoluzionaria dell'umanesimo marxista, a suo avviso, ha come scopo la felicità dell'uomo singolo e concreto.

Anche il filosofo ceko M. Machovec si pone gli stessi interrogativi e problemi di Schaff. Nel suo libro *Smysl lidského Života* (Il senso della vita umana, Praga 1964), egli interpreta il marxismo come un umanesimo. Il più importante compito attuale è di interpretare il marxismo come una filosofia viva per l'uomo d'oggi.

Anche nella filosofia *sovietica* agli inizi degli anni '60 si riscontrano tentativi dello stesso genere. Questioni come l'umanizzazione dell'uomo e lo sviluppo integrale della personalità occupano un posto centrale nei libri di E. Struktov (cfr. «L'uomo della società comunista», Mosca 1961; «Lo sviluppo armonico e integrale della personalità», Mosca 1963). Dei problemi e delle difficoltà che si oppongono nella società socialista moderna a tale impresa si occupa soprattutto S. Kovalev nel suo libro *Sull'uomo, sul suo asservimento e sulla sua liberazione* (Mosca 1970), in cui analizza la società sovietica moderna alla luce degli scritti giovanili di Marx. P. Egides fu uno dei primi ad affrontare quelle domande sul senso della vita individuale che erano state bandite per lungo tempo (cfr. *Il senso della vita*. La concezione marxista del senso della vita, Mosca 1963). Anche se le risposte sono ancora molto scarse, si tratta di un primo passo verso un'ulteriore riflessione. Infine I. Frolov in numerose pubblicazioni denuncia i rischi per una vita veramente umana che provengono dal mondo tecnico-scientifico (cfr. *Progresso della scienza e futuro dell'uomo*, Mosca 1975; *Le prospettive dell'uomo*, Mosca 1979).

È evidente che tutti questi tentativi, almeno fino all'avvento di Gorbaciov, ricevono risposte e soluzioni in chiave marxista.

3. IL DIBATTITO TEOLOGICO - L'umanesimo ateo trae la sua legittimazione dalla contrapposizione antitetica tra Dio e uomo (a prescindere dalla questione dell'esistenza di Dio). La teologia moderna quindi, sia cattolica che evangelica, deve in primo luogo far fronte al problema del superamento di questa antitesi.

Il confronto teologico con l'umanesimo ateo deve partire dalla *esperienza fondamentale* di questo movimento culturale, che sente l'essere umano, minacciato, oppresso e impedito. Questa esperienza è comune a tutti i rappresentanti dell'umanesimo ateo. Le opinioni divergono quando si passa a determinarne le cause e a individuare il modo di riappropriarsi dell'umano. Ma anche qui si nota una sorprendente consonanza di vedute, nel senso che le cause vanno ricercate nelle situazioni sociali, che a loro volta risalgono alla prassi umana. Si tratta di due elementi inscindibili. Ciò che però segna in modo ineluttabile l'uomo e la sua prassi sociale, è l'ansia per la propria vita minacciata da ogni parte: lo affermano filosofi (come ad es. Kierkegaard, Heidegger, Sartre, Russel) e psicologi (cfr. ad es. H.J. Schultz [ed.], *Angst*, Stuttgart 1987). Quest'ansia per la propria vita svolge senza dubbio una parte notevole sia nel processo di umanizzazione dell'uomo che nella istituzione di strutture sociali umane. Tutte le religioni, non escluso il cristianesimo, tendono a liberare l'uomo dalla paura per la propria vita (cfr. O. Pfister, *Das Christentum und die Angst*, Olten 1975).

La paura per la propria esistenza è un'esperienza centrale dell'uomo, che si sente limitato e minacciato dalla morte. Questo concetto dell'esistenzialismo moderno e della psicologia è in sintonia con la bibbia che attribuisce grande importanza a questo tema. Lo sottolinea B. Costacurta, la quale ha svolto un'approfondita indagine sul tema dell'ansia nella bibbia ebraica (*La vita minacciata*. Il tema della paura nella bibbia ebraica, Roma 1988). Secondo l'opinione dell'autrice «La paura si presenta nella bibbia ebraica come una emozione che accompagna l'uomo nel suo esistere e che perciò si verifica continuamente, in una grandissima varietà di soggetti e di situazioni... La paura si rivela infatti come una costante dell'esistenza creaturale che, in quanto tale, è peribile e dunque strutturalmente minacciata» (pp. 284-285). L'autrice rileva anche l'importanza notevole che l'esperienza della paura ha di fronte a Dio, la cui trascendenza rivela la fragilità della condizione creaturale dell'uomo e davanti a cui l'individuo si sente indifeso come davanti a un pericolo terribile.

Riferendosi a Eb 2,14-15, un testo biblico che tematizza gli effetti della paura dell'uomo di fronte alla morte, Costacurta scrive: «La persona diventa veramente libera quando esce dalla paura della morte ed entra in una vita che ha le dimensioni dell'eterno. Ma si tratta di un passaggio che chiede di abbandonare il timore per la propria esistenza e di imparare invece ad accettare di morire. Così... gli uomini non dovranno più assurdamente asservirsi a ciò che uccide, spinti dalla paura della morte» (p. 279). Il passo della lettera agli Ebrei si richiama all'effetto disarmante che la fede in Cristo esercita nei confronti della paura.

L'ansia per la propria vita spinge l'uomo a cercare sicurezze ad ogni costo. Ciò avviene ricorrendo all'uso della violenza diretta o strutturale: «La violenza strutturale di solito è mantenuta attraverso il sistema che i potenti usano per rendere gli altri strumenti della loro disumanità, strumentalizzando cioè la loro paura. Le dittature non sono altro che reazioni a catena del ricatto» (P. Knauer, *Der Glaube kommt vom Hören*, Bamberg

1986, 20ss). L'annuncio cristiano invece mira a comunicare una certezza più forte dell'ansia, che porta l'uomo alla liberazione e alla vera umanità perché fondata sul convincimento di essere in comunione col Dio vivente e trionfatore della morte. In questo consiste il rilevante contributo pratico della fede cristiana per l'umanizzazione dell'uomo.

Bibl. - W. Schuffenhauer (con introduzione e selezione), *Der Mensch schuf Gott nach seinem Bild*, Berlin 1958; J. Lacroix, *Le sens de l'athéisme moderne*, Tournai 1961; H. Pfeil, *Der Atheistische Humanismus der Gegenwart*, Aschaffenburg 1961; Ch. Wackenheim, *La faillite de la religion d'après Karl Marx*, Paris 1963; W. Post, *Kritik der Religion bei Karl Marx*, München 1969; J. Kadenbach, *Das Religionsverständnis von Karl Marx*, München-Paderborn-Wien 1970; M. Xhauflaire, *Feuerbach et la théologie de la sécularisation*, Paris 1970; U. Duchrow, «Die Frage nach dem neuen Menschen in theologischer und marxistischer Anthropologie», in *Marxismusstudien*, VI serie, Tübingen 1972; H. Fleisher, Zum marxistischen Begriff der Humanität, in *Marxismusstudien*, VI serie, Tübingen 1972; G. Hasenhüttl, *Gott ohne Gott. Ein Dialog mit Jean-Paul Sartre*, Graz-Wien-Köln 1972; F. v.d. Oudenrijn, *Kritische Theologie als Kritik der Theologie*, Mainz-München 1972; E. Schneider, *Die Theologie und Feuerbachs Religionskritik*, Göttingen 1972; L. Casini, *Storia e umanesimo in Feuerbach*, Bologna 1974; K.H. Weger (ed.), *Religionskritik von der Aufklärung bis zur Gegenwart*, Freiburg-Basel-Wien 1979; Autori vari, *Diagnosi dell'ateismo contemporaneo*, Roma-Brescia 1980; H. de Lubac, *Le drame de l'humanisme athée*, Paris 1983.

BERND GROTH

UNICITÀ E UNIVERSALITÀ

1. IL DIBATTITO TEOLOGICO ATTUALE - L'unicità e l'universalità di Gesù Cristo nell'ordine della salvezza rappresentano la questione nodale di tutta la teologia cristiana delle religioni. Antica quanto la stessa cristologia, recentemente rinnovata, essa si pone in modo più pressante e radicale nell'attuale contesto del pluralismo religioso e della mescolanza delle diverse tradizioni; l'attuale letteratura te-

stimonia questo rinnovato interrogarsi.

È importante anzitutto chiarire i termini. L'unicità qui in causa non è l'unicità relativa, come quella che nella scienza comparativa delle religioni si è in grado di affermare a proposito di ogni tradizione religiosa, in virtù della loro specificità, della loro singolarità e delle loro reciproche differenze. Questa unicità «relativa» – ed essa sola – è accessibile al procedimento dell'osservazione scientifica. La fede al contrario – e la teologia che su essa si fonda – va al di là. L'unicità di Gesù Cristo nell'ordine della salvezza, così come è stata tradizionalmente compresa dalla fede cristiana, è una unicità «assoluta»: Gesù Cristo è necessariamente «costitutivo» della salvezza di tutti gli uomini; è Salvatore universale. Tuttavia dobbiamo precisare che si tratta di un'unicità «ontologica» e non «epistemologica», perché non riguarda il campo della coscienza. D'altronde l'unicità cosiddetta «relazionale» – simile all'unicità «relativa» – non rende conto della fede cristiana tradizionale. Non basta riconoscere che il mistero di Cristo è in grado anche oggi, forse più di qualunque altro simbolo, di ispirare e di nutrire una vita religiosa autentica; bisogna professare che, secondo il piano di Dio, questo mistero è universalmente costitutivo della salvezza. Aggiungiamo ancora che alcuni autori preferiscono sostituire al termine «unicità» quello di «finalità» o di «centralità». Tali termini avrebbero il vantaggio di indicare che la rivelazione divina in Gesù Cristo, pur essendo decisiva e in questo senso «finale» e «centrale», non rappresenta tuttavia l'«unica» manifestazione divina all'umanità.

Unità e universalità: è importante combinarle entrambe e tenerle insieme. Senza l'universalità, l'unità porterebbe a una posizione esclusivista; separata dall'unità, l'universalità condurrebbe alla via «pluralista». L'unità e l'universalità insieme si accordano, invece, con una cristologia «inclusiva». Per comprenderlo bisogna evocare i termini dell'attuale dibattito sulla teologia delle religioni.

Possiamo opportunamente distinguere quattro principali categorie tra le opinioni teologiche correnti che riguardano il rapporto delle altre tradizioni religiose con Cristo e con la chiesa: 1. Universo ecclesiocentrico, cristologia esclusiva; 2. Universo cristocentrico, cristologia inclusiva; 3. Universo teocentrico, cristologia normativa; 4. Universo teocentrico, cristologia non normativa (J.P. Schineller). Tre concezioni dell'universo si affrontano in questa classificazione: universo ecclesiocentrico, cristocentrico e teocentrico; dall'altra parte vi si distinguono quattro posizioni cristologiche: cristologia esclusiva, inclusiva, normativa e non normativa. Dobbiamo attirare l'attenzione sull'introduzione di un terzo modello nella concezione del mondo, cioè il modello teocentrico che ordina due distinte categorie di opinioni: la ragione sta nel fatto che a molti autori le prospettive ecclesiocentriche e cristocentriche appaiono ormai impraticabili; bisogna sostituirle con una nuova prospettiva. Questa novità è importante; tuttavia implica un «cambiamento di paradigma». Infatti, secondo il pensiero degli autori che la propongono, è ormai impossibile riportare la salvezza universale sia a Gesù Cristo, confessato esplicitamente nella chiesa istituita da lui (1), sia al mistero di Gesù Cristo stesso considerato in quanto operante la salvezza al di là dei limiti delle comunità cristiane (2). Viene rifiutata non solo l'idea di una mediazione necessaria della chiesa nell'ordine della salvezza, ma anche la mediazione universale di Gesù Cristo, affermata dalla teologia paolina, qualunque sia del resto il senso teologico più o meno importante – normativo o non –

che si continua ad attribuire alla persona di Gesù Cristo nell'ordine dei rapporti tra Dio e l'uomo. Nel secondo caso si professa che Dio si è manifestato in vari modi nelle diverse tradizioni religiose, senza che si debba più privilegiare in qualche modo come «normativa» la sua manifestazione in Gesù Cristo (4). Nel primo caso, pur riconoscendo che è ormai insostenibile far dipendere la salvezza universale dalla persona e dall'opera di Gesù Cristo − come fa la prospettiva cristocentrica − si continua comunque a privilegiare Gesù Cristo in un modo o nell'altro come il simbolo più perfetto o il modello ideale e, in questo senso, come «normativo» nell'ordine dei rapporti divino-umani che la salvezza rappresenta (3).

Nonostante alcuni meriti del raggruppamento in quattro parti, molti autori contemporanei preferiscono una divisione tripartita delle opinioni. Distinguono quindi tre prospettive: *ecclesiocentrica, cristocentrica* e *teocentrica* e, in modo parallelo equivalente, tre posizioni fondamentali, rispettivamente designate come esclusiva, inclusiva e «pluralista» (A. Race,...). Queste posizioni si identificano facilmente, anche se ogni modello può richiamare diverse distinzioni. L'esclusivismo che presiede alla prospettiva ecclesiocentrica nello spirito degli autori in questione rinvia all'esclusività della salvezza in Gesù Cristo, confessato nella chiesa. È la tesi di H. Kraemer, che applica al problema delle diverse religioni la teologia dialettica di K. Barth, secondo la quale la sola conoscenza valida di Dio è quella cristiana che l'uomo riceve in Gesù Cristo: il Dio degli altri è un idolo.

Tuttavia una prospettiva ecclesiocentrica non implica necessariamente l'esclusivismo, così come viene inteso da H. Kraemer e così legato a una stretta interpretazione dell'assioma: «Fuori della chiesa non vi è sal-

vezza». Tutti i teologi cattolici ammettono di fatto la possibilità della salvezza al di fuori della chiesa, qualunque sia il modo in cui la concepiscono. Resta comunque che la prospettiva ecclesiocentrica, anche nel senso attenuato, deve essere superata. È importante in teologia delle religioni guardarsi da un'inflazione ecclesiologica che falserebbe le prospettive; la chiesa, in quanto mistero derivato e interamente relativo al mistero di Cristo, non può essere il metro con cui misurare la salvezza degli altri. Gesù Cristo stesso è questo metro costitutivo della salvezza per tutti gli uomini, ma il cui mistero è presente e operativo anche al di fuori della chiesa. È questa la tesi cristocentrica o inclusiva di cui K. Rahner è uno dei principali rappresentanti.

Ma la divisione tripartita menzionata sopra pone a questa prospettiva cristocentrica tradizionale una seria sfida. Infatti al cristocentrismo inclusivo viene opposta una visione teocentrica che si traduce in un modello denominato − del resto in modo abbastanza ambiguo − «pluralismo». Un considerevole numero di autori contemporanei appoggiano il «cambiamento di paradigma» che consiste nel passare dal cristocentrismo al teocentrismo, dall'inclusivismo al «pluralismo». Grosso modo ciò significa che, se il cristianesimo cerca sinceramente il dialogo con le altre tradizioni religiose − che può essere vero solo su un piano di uguaglianza − deve prima di tutto rinunciare a ogni pretesa di «unicità» per la persona e per l'opera di Gesù Cristo, concepite come elemento «costitutivo» universale della salvezza. Senza dubbio questa posizione è suscettibile, in ciò che ha di radicale, di comprensioni diverse. Abbiamo richiamato sopra, seguendo J.P. Schineller, due divergenti interpretazioni secondo le quali la persona di Gesù Cristo, compresa come non costitutiva della salvezza, resta comunque «normativa» per gli uni, mentre per gli altri non è né costitutiva né normativa. Possiamo citare come esempi, a proposito del Gesù «normativo», E. Troeltsch e più recentemente → P. Tillich; e, a proposito del Gesù non normativo, J. Hick.

Quest'ultimo si fa difensore di una «rivoluzione copernicana» in cristologia; tale rivoluzione consisterebbe appunto nel cambiare paradigma passando dalla prospettiva cristocentrica tradizionale a una nuova prospettiva teocentrica. Come succede, quindi, che dopo aver creduto per secoli che il sole girasse intorno alla terra, si è infine scoperto con Galileo e Copernico che di fatto è la terra che gira intorno al sole; così anche dopo aver creduto per secoli che le altre tradizioni religiose ruotassero intorno al cristianesimo come al loro centro, oggi si tratta di riconoscere che il centro intorno al quale ruotano tutte le tradizioni religiose, cristianesimo incluso, è solo Dio stesso. Simile cambiamento di paradigma implica necessariamente l'abbandono di ogni pretesa di un significato privilegiato sia per il cristianesimo che per Gesù Cristo stesso. Il dilemma fondamentale, così com'è concepito da J. Hick, si gioca tra un esclusivismo ecclesiocentrico e un pluralismo teocentrico; cioè tra un'interpretazione fondamentalista dell'assioma «fuori della chiesa non vi è salvezza» e un liberalismo radicale che considera le diverse manifestazioni divine in culture diverse, compresa quella che ha luogo in Gesù Cristo, come tutte fruenti della stessa uguaglianza fondamentale nelle loro diversità. Poiché l'esclusivismo ecclesiocentrico è insostenibile, resta come unica valida teologia delle religioni il pluralismo teocentrico che supera ogni pretesa cristiana a un ruolo privilegiato e universale di Gesù Cristo e stabilisce il dialogo interreligioso su un piano di uguaglianza autentica.

2. CREDERE IN GESÙ CRISTO UNO E UNIVERSALE - L'unicità e l'universalità di Gesù Cristo, così come sono tradizionalmente professate dalla fede cristiana, vanno intese in senso assoluto, secondo cui Gesù Cristo è costitutivo della salvezza di tutti gli uomini. Tuttavia ciò solleva difficili questioni, nell'attuale contesto del pluralismo religioso in particolare. In che cosa consiste questa unicità e come deve essere compresa? Qual è d'altra parte il suo fondamento teologico? È sufficiente, per stabilirla teologicamente, fare appello a certi valori umani proposti da Gesù, per esempio i valori del regno di Dio che egli annuncia? Oppure basta riferirsi a un progetto umano di società che la sua azione comporta? O ancora al senso particolarmente profondo della persona umana e del suo destino così come emanano dalla sua dottrina? O anche alla relazione di intima filiazione con Dio che egli raccomanda ai suoi discepoli? Oppure − senza escludere tutto ciò ma andando più in profondità − l'unicità di Gesù Cristo e la sua universalità devono necessariamente alla fine riposare sul mistero della sua persona e della sua identità personale di Figlio di Dio? Se è così, si intuisce immediatamente che solo un'«alta» cristologia riuscirà a stabilirlo in modo certo. Ogni cristologia che, al contrario, restando sul piano «funzionale», rinuncia a entrare in una prospettiva «ontologica», sarà costretta − malgrado forse le sue intenzioni − a far riposare l'unicità di Cristo su un fragile fondamento. Comunque sia, le diverse opinioni teologiche sull'unicità e sull'universalità di Gesù Cristo Salvatore rifletteranno − dobbiamo aspettarcelo − le opzioni fondamentali e le posizioni di base degli autori interessati alla cristologia stessa. Infatti bisogna dirlo in tutta chiarezza: solo l'identità personale di Gesù Cristo come Figlio unigenito di Dio costituisce un fondamento teo-

logico sufficiente a stabilire la sua unicità «costitutiva» come Salvatore universale. A partire da qui le opposte posizioni teologiche ricadono nella logica delle cose. Infatti le due affermazioni si tengono insieme: o Gesù Cristo è Figlio unigenito di Dio e allora la sua mediazione universale ne consegue direttamente; o non lo è, e la pretesa cristiana circa la sua unicità «costitutiva» è senza fondamento teologico. Affermare la filiazione divina di Gesù Cristo è comunque questione di fede; non vi si arriva al termine di un ragionamento, né di uno studio comparato delle religioni dell'umanità. Ciò non toglie che questa affermazione, che è al centro della fede cristiana, incontri serie obiezioni nell'attuale contesto del pluralismo religioso e del dialogo tra le religioni. Tali obiezioni riguardano sia il Nuovo Testamento stesso che la tradizione cristiana e la teologia. Non possiamo evitare di rispondervi brevemente.

Il *Nuovo Testamento* afferma chiaramente la mediazione universale di Gesù Cristo nell'ordine della salvezza. Per dimostrarlo del resto non disponiamo solo di qualche testo formale (come 1 Tm 2,5-6 e At 4,12) o di altri che la affermano in modo equivalente e altrettanto chiaramente (come Gv 3,17 e At 5,31; 10,44-48; 17,24-31), o ancora degli inni cristologici in cui Cristo appare al centro del piano divino (come Ef 1,3-13 e Col 1,15-20). Possiamo dire che questo è il messaggio di tutto il NT, è la fede profonda, dovunque soggiacente, che dà la sua ragione d'essere al NT stesso e senza la quale non sarebbe stato scritto.

Ciò vale anche per quanto concerne la filiazione divina di Gesù Cristo nel NT. Indubbiamente vi è svelata secondo diversi gradi di profondità tra il kérygma apostolico iniziale (At 13,32-33) e le riflessioni paoline (Rm 1,1-4; Eb 1,1-5) e giovannee (Gv 5,18; 8,18-19; 10,30; 21,30...), pas-

sando per i vangeli sinottici (Mc 1,1; 15,39; Lc 1,32). Ma ancora una volta possiamo dire che tutto il NT porta in filigrana l'affermazione di Gesù Cristo figlio di Dio quale motivo decisivo.

Niente di questo viene generalmente contestato. Si riconosce dunque la massiva affermazione del NT circa l'unicità di Gesù Cristo come salvatore. Tuttavia ci si chiede se questa affermazione deve e può ancora essere mantenuta oggi nell'attuale contesto del pluralismo religioso. Si suggerisce in modi diversi e per diverse ragioni che essa deve essere relativizzata. Infatti i recenti studi ermeneutici dimostrano che le pretese circa l'unicità assoluta di Gesù Cristo, che sembra essere la chiave stessa di interpretazione di tutto il NT, derivano di fatto da una concezione del mondo (*world-view*) storicamente condizionata e da forme di linguaggio dipendenti da un particolare contesto culturale. Non possiamo più quindi considerarla come il «referente» stesso del messaggio evangelico, il nucleo intoccabile del messaggio cristiano.

Viene fatto notare allora che nel contesto della mentalità apocalittica ebraica, impregnata di attesa escatologica, era naturale per la chiesa primitiva interpretare l'esperienza di Dio in Gesù Cristo come finale e insuperabile. Ora questa mentalità apocalittica è culturalmente limitata. La definitività che comporta per l'evento Gesù Cristo non può dunque essere considerata come derivante dall'essenza del cristianesimo; essa appartiene al contesto culturale contingente in cui fu inizialmente vissuta e presentata. Se Gesù fosse stato incontrato e interpretato in un altro contesto culturale, che avesse implicato una diversa filosofia della storia, non sarebbe stato considerato né definitivo né unico.

Poiché S. Paolo è spesso ritenuto responsabile dell'affermazione chiara dell'unicità di Gesù Cristo, viene suggerito che, se fosse entrato in contatto con le ricche tradizioni mistiche delle religioni orientali, avrebbe senza dubbio addolcito la sua affermazione assoluta e senza sfumature. O ancora, prendendo di mira questa volta S. Giovanni, si fa notare come l'unicità di Gesù Cristo sia da lui articolata in termini di «incarnazione». Ora questo è un modo «mitico» di pensare quanto lo è il concetto di «preesistenza» ad esso legato. Tuttavia il linguaggio mitico deve essere preso per quello che è, e quindi compreso non letteralmente ma metaforicamente. Bisogna «demitizzare» il mito dell'incarnazione. Ne risulterà la demitizzazione di Gesù Cristo Salvatore assoluto.

Infine viene fatto notare che nel contesto storico in cui il cristianesimo nacque e di fronte all'opposizione che incontrò, era naturale per i discepoli presentare la «via» di Gesù come unica. Questo linguaggio assoluto è condizionato storicamente: è un «linguaggio di sopravvivenza».

Che cosa bisogna rispondere? È vero che il mistero di Gesù Cristo, quale lo concepisce il NT, si inscrive in un concetto della storia ereditato dalla cultura ebraica e dalla storia religiosa di Israele; ma è altrettanto vero che esso stesso fornisce alla storia una densità nuova e inattesa. Per quanto riguarda l'escatologia ebraica e la mentalità apocalittica, bisogna notare che l'evento Gesù Cristo fa esplodere il senso israelita della storia in cui si inscrive. Sebbene esso colmi l'attesa messianica degli ultimi tempi, lo fa in modo trascendente, trasformandola e superandola.

Per quanto riguarda Paolo, se è vero che non ha vissuto l'esperienza del pluralismo religioso del nostro tempo, ha comunque dovuto misurare la sua fede in Gesù Cristo, non solo con la religione ebraica da cui proveniva, ma anche con la cultura ellenica che incontrava sulla sua strada. Gli inni

cristologici, sebbene adottino la cosmologia ebraica corrente del suo tempo, affermano comunque il primato assoluto di Gesù Cristo e la dimensione cosmica del suo evento: egli è al di là dei «Troni, Dominazioni, Principati e Potestà» (Col 1,16). Accusare di pretese avventate le riflessioni paoline sul primato assoluto di Gesù Cristo vuol dire fare un'affermazione gratuita. Riguardo a Giovanni, è vero che egli è il primo ad attuare il concetto di «incarnazione» per dare ragione del mistero di Gesù Cristo (Gv 1,14); il concetto di «preesistenza», al contrario, era stato supposto già prima di lui (cfr. per es. Fil 2,6-11). È anche vero che entrambi i concetti possono prestarsi a comprensioni erronee; la «preesistenza» non è esistenza in un tempo fittizio che precederebbe il tempo reale; l'«incarnazione» non dice che l'essere divino diventa esistenza umana. Ciò non toglie che l'incarnazione del figlio di Dio implica realmente il divenire-uomo nella storia del Verbo che, indipendentemente da questo divenire, esiste eternamente nel mistero di Dio. Questo è il senso letterale di un termine che niente consente di ridurre a linguaggio «mitico». Il prologo di Giovanni, che formula il mistero dell'identità personale di Gesù Cristo in termini di incarnazione del Verbo di Dio, è certamente il punto culminante di una lunga riflessione della fede apostolica; ciò non toglie che ne sia comunque il compimento legittimo, provocato dal dinamismo stesso di questa fede. La cristologia funzionale del primo kêrygma apostolico richiedeva la cristologia ontologica del Figlio-di-Dio-fatto-uomo.

Sull'affermazione secondo la quale l'opposizione incontrata dal messaggio cristiano avrebbe spinto la chiesa apostolica ad affermare l'unicità della «via» stabilita da Gesù, non è necessario soffermarvisi a lungo. Le circostanze non avrebbero piuttosto dovuto portare naturalmente i depositari del messaggio ad addolcire le loro pretese circa il maestro? Ben lungi infatti dall'essere un «linguaggio di sopravvivenza», la proclamazione di Gesù Cristo salvatore è presentata nel NT come «buona notizia» per tutti gli uomini, una buona notizia a cui valeva la pena di rendere testimonianza con forza e coraggio, eventualmente fino all'ultima testimonianza del martirio.

Se l'universalità della salvezza in Gesù Cristo è chiaramente affermata nella professione di fede (vedi i simboli di Nicea e di Costantinopoli I), la *tradizione patristica* fornisce d'altra parte solo rari dati espliciti sulla sua «unicità». Il fatto è che per i Padri si tratta del centro stesso della fede, al di là di ogni sospetto teologico. Dottrina non discussa in quanto non soggetta a discussione. Ciò che può essere soggetto a discussione non è il fatto dell'unicità di Cristo ma il come, cioè la sua identità personale di figlio di Dio.

Oggi ciò che viene messo in causa nel contesto del pluralismo religioso non è dunque la pretesa della tradizione cristiana circa l'unicità di Gesù Cristo salvatore; piuttosto il suo «perché». Una spiegazione suggerisce che l'affermazione di fede in Gesù Salvatore è di carattere dossologico; bisogna dunque attenuarne la portata, poiché ogni linguaggio dossologico proviene da un impulso di fede amante e... cieca. È importante tuttavia distinguere le cose. Distinguiamo prima di tutto tra testi dossologici e professioni di fede o decisioni dogmatiche. Osserviamo poi che una nota dossologica non si oppone a un contenuto dottrinale: i testi dossologici non sono più sprovvisti di valore dogmatico di quanto le professioni di fede, e persino le decisioni conciliari non siano prive di una valenza dossologica. Riconoscere il carattere dossologico di certi documenti non obbliga affatto a negarne il valore dottrinale. Notiamo ancora che, sebbe-

ne la fede sia impulso amante, non è per questo cieca. Al contrario la fede dà «occhi» nuovi per vedere la verità. In questo senso essa è verifica di se stessa: il cristiano sa che ciò che crede è vero.

Più seria e persistente è l'obiezione secondo la quale la dottrina cristiana dell'unicità e della divinità di Gesù Cristo proviene da un processo di «ellenizzazione» indebita del messaggio cristiano, già abbozzata nel NT e ulteriormente sviluppatasi nella tradizione postbiblica. Bisogna rispondere così: se per «ellenizzazione» si intende che il contenuto della fede è stato «veicolato» dalla tradizione nei termini della cultura ellenica ed ellenistica, questo è vero; così facendo la tradizione rispondeva all'imperativo di «inculturazione» del messaggio di cui oggi siamo diventati più consapevoli. Se al contrario si intende che la tradizione pre-biblica, biblica e post-biblica abbia falsificato il contenuto del messaggio, confondendolo con qualche speculazione filosofica ellenistica, niente è più lontano dalla verità. Infatti è proprio per preservare il messaggio cristiano, e specificamente il messaggio di Gesù Cristo da ogni adulterazione con le filosofie diffuse, che la tradizione ha voluto delinearne i contorni in termini precisi. Doveva dunque fare uso di concetti conosciuti, servendosene però come espressioni del mistero; essa imprimeva loro un nuovo significato e un senso inedito, aggiunto. L'*homooúsios* del concilio di Nicea (325) ne è un esempio eminente; e non è il solo. In questo senso bisogna parlare non di «ellenizzazione» ma di «de-ellenizzazione» del dogma cristiano (B. Lonergan).

Nel presente contesto di pluralismo religioso la pretesa cristiana circa l'unicità assoluta di Gesù Cristo è diventata, per un crescente numero di *teologi*, insostenibile. Bisogna addolcirla o anche abbandonarla perché il dialogo sia possibile. Addolcirla si-

gnifica ridurla a una unicità relativa.
Gesù Cristo non sarà più allora «costitutivo» della salvezza universale;
tuttavia si continuerà a vedere in lui
il simbolo ideale e maggiormente ispiratore, colui che meglio risponde alle aspirazioni umane, il modello perfetto o il «paradigma» delle relazioni dell'uomo con Dio. Ritroviamo allora la cristologia «normativa» nell'«universo teocentrico» di cui abbiamo parlato. È in questo senso che
E.Troeltsch vede in Gesù Cristo la rivelazione più pura del mondo religioso.

Oppure, andando oltre, si abbandona come ormai superata ogni pretesa cristiana circa l'unicità di Gesù
Cristo, sia costitutiva che normativa.
Questo è il prezzo da pagare perché
il dialogo sia possibile. È la tesi
dell'«universo teocentrico» unita a
una «cristologia non normativa».
Tutte le tradizioni religiose godono
di un'uguaglianza fondamentale, poiché rappresentano manifestazioni divine − diverse e tutte relative − nelle
varie culture dell'umanità. Abbiamo
detto che la «rivoluzione copernicana» proposta da J. Hick è oggi il simbolo di questa teoria. La prospettiva
«teocentrica» che egli preconizza per
una teologia delle religioni è strettamente legata e logicamente basata su
una cristologia del «Mito del Dio incarnato». La credenza cristiana nell'incarnazione del figlio di Dio proverrebbe dalla trasposizione del messaggio di Gesù nel linguaggio «mitico», trasposizione operata dalla tradizione giovannea e post-biblica sotto l'influenza dell'ellenismo. Basti per
rispondere rinviare a ciò che abbiamo detto sopra circa la Tradizione
e il problema dell'«ellenizzazione» o
«de-ellenizzazione» del dogma cristologico e il richiamo al fatto che la
fede cristiana non permette in alcun
modo di ridurre la filiazione divina
di Gesù Cristo a una filiazione «metaforica». È proprio una filiazione
«ontologica»; va presa in senso «letterale», anche se, evidentemente, il
concetto di «generazione» è analogico e si realizza in Dio in modo
eminente.

Tra le difficoltà teologiche viene fatto appello d'altra parte alla coscienza storica e all'inevitabile «relatività» di ogni verità, anche e soprattutto se rivelata, pur ammettendo, tuttavia, che tale verità basta a giustificare un coinvolgimento assoluto delle persone nei confronti della verità
parziale della loro tradizione. Bisogna opporre a ciò il carattere unico
della rivelazione che ha luogo in Gesù Cristo. Infatti la trasposizione della coscienza personale di Gesù come
figlio di Dio in concetti umani comunicabili dà alla rivelazione che egli
elargisce di se stesso e di Dio un valore oggettivo trascendente, ineguagliabile e insuperabile.

Un altro problema: i cristiani non
dovrebbero praticare nei confronti
delle tradizioni religiose, in particolare della loro, ciò che la psicologia
contemporanea definisce un'«ermeneutica del sospetto»? L'albero si conosce dai frutti. Allo stesso modo,
una religione è vera nella misura in
cui rende gli uomini veramente umani, in se stessi e nei loro rapporti con
gli altri. Ora possiamo dire che il cristianesimo produce frutti di umanità
in proporzione alle sue esorbitanti
pretese? La «verifica» del fatto che
Cristo è veramente unico non dovrebbe trovarsi nella vita di fede delle comunità cristiane? È davvero così? Qui
è il caso di denunciare ciò che vi è
di fallace nel principio evocato. Il cristianesimo non avanza alcuna pretesa nei confronti dei cristiani, ma circa Gesù Cristo. È lui ad essere «unico» e non loro. La comunità cristiana ha indubbiamente ricevuto la
missione di rendere testimonianza degna di fede al suo mistero. Spesso
essa tradisce questa missione, anche
senza rendersene abbastanza conto.
Resta comunque che il mistero di Gesù Cristo e della sua unicità non di-

pende dalla qualità della testimonianza dei suoi discepoli. È dono di Dio irripetibile all'umanità; la fedeltà di Dio infatti non viene meno a causa delle nostre infedeltà cristiane. Non è dunque esatto affermare che la verità su Gesù dipenda dalla prassi dei cristiani.

Il principio della «verifica» della verità riappare sotto un'altra forma. Questa volta viene suggerito che la prassi del dialogo interreligioso deve servire da criterio per giudicare la verità di ogni tradizione religiosa, compresa la tradizione cristiana. Il cristianesimo deve dunque lasciare da parte, almeno provvisoriamente, ogni pretesa circa l'unicità di Cristo, per entrare in vero dialogo con gli altri, da pari a pari. Spetterà al dialogo dimostrare se Gesù Cristo è di fatto unico; nient'altro può stabilirlo. Si dice dunque che dalla pratica del dialogo «forse Gesù di Nazareth uscirà (senza essere imposto) come il simbolo unificante, l'espressione universalmente soddisfacente e normativa di ciò che Dio prospetta per tutta la storia» (P.F. Knitter). Bisogna tuttavia chiedersi come il dialogo porterà alla riscoperta della fede nell'unicità di Gesù Cristo, una volta operata la messa tra parentesi di questa fede, anche se in modo provvisorio. La fede non è al termine del dialogo e non può essere concepita come un suo risultato. La sincerità del dialogo non esige né permette la «messa tra parentesi», sebbene provvisoria, della fede personale (→ Dialogo interreligioso). Notiamo ancora che la riscoperta dell'unicità di Gesù Cristo, prospettata come eventuale esito del dialogo, non è l'«unicità» professata dalla fede cristiana: una cristologia «normativa» resta troppo inadeguata a rendere conto del carattere «costitutivo» del mistero di Gesù Cristo nell'ordine della salvezza.

Viene ancora suggerito che bisognerebbe sostituire la tradizionale prospettiva cristocentrica con una prospettiva escatologica. Questo nuovo «cambiamento di paradigma» consisterebbe nel centrare la teologia delle religioni non più sull'evento Gesù Cristo, ma sul regno di Dio che si costruisce attraverso la storia per giungere infine alla sua pienezza escatologica; non più quindi sul passato ma sull'avvenire. È un modo, insomma, di mettere in ombra il cristocentrismo a vantaggio di una prospettiva «teocentrica»: Dio e il suo regno sono il fine della storia verso cui si avviano tutte le religioni, compreso il cristianesimo. Bisogna qui distinguere. Che il regno di Dio debba crescere attraverso la storia per raggiungere la sua pienezza escatologica, è conforme alla «prospettiva teocentrica» del NT; ma solo in parte. Centrare tutto sul regno di Dio permette indubbiamente di superare una «prospettiva ecclesiocentrica» indebita; il regno di Dio è nella storia una realtà più ampia del cristianesimo e della chiesa; le altre comunità e le altre tradizioni religiose dell'umanità ne fanno parte. È anche vero che nel compimento del regno di Dio al di là della storia, il cristianesimo e le altre tradizioni religiose sono chiamati a incontrarsi in Dio. Bisogna per questo dire che la prospettiva del regno di Dio opera un «cambiamento di paradigma» in rapporto alla prospettiva «cristocentrica»? Significherebbe dimenticare che il regno di Dio di cui si parla ha fatto irruzione nella storia in Gesù Cristo e attraverso il suo evento; e che è mediante l'azione congiunta di Gesù Cristo risorto e del suo Spirito che i membri delle altre tradizioni religiose partecipano al regno di Dio già storicamente presente; infine che il regno escatologico, a cui i membri di tutte le tradizioni religiose sono invitati insieme, è nello stesso tempo il regno di Dio e del Signore Gesù Cristo. Nella teologia cristiana teocentrismo e cristocentrismo sono inseparabili. Ciò vale anche all'interno della prospettiva del regno di Dio, che si tratti del regno già inaugurato nella storia o destinato a raggiungere la sua pienezza al di là di essa.

Potremo allora parlare – seguendo Teilhard de Chardin – di una «meravigliosa convergenza» di tutte le cose e di tutte le tradizioni religiose nel regno di Dio e nel Cristo-ômega, di una «mistica di unificazione» verso cui tendono insieme le spiritualità occidentali e orientali. Ma una simile convergenza non adombra affatto l'evento Gesù Cristo: Cristo è la fine (ômega) poiché è l'inizio (álfa), il centro e l'asse unico. Finalità, centralità, unicità dell'evento Gesù Cristo: sono un'unica cosa.

Una teologia cristiana delle religioni deve porre in evidenza il significato universale e la dimensione cosmica del mistero di Gesù Cristo e del suo evento. In ultima analisi, il solo fondamento teologico valido dell'unicità di Gesù Cristo è la sua identità personale di figlio di Dio. Ma definirlo tale vuol dire, e non può essere altrimenti, fare atto di fede. Infatti come dice Paolo: «Nessuno può dire "Gesù è Signore" se non sotto l'azione dello Spirito Santo» (1 Cor 12,3).

Bibl. - H. Kraemer, *La foi chrétienne et les religions non chrétiennes*, Neuchâtel 1956; L. Newbigin, *L'universalisme de la foi chrétienne*, Genève 1961; Id., *The Finality of Christ*, London 1969; R.H. Schlette, *Le religioni come tema della teologia*, Brescia 1968; E. Troeltsch, *L'assolutezza del cristianesimo e la storia delle religioni*, Napoli 1968; P. Tillich, *Il cristianesimo e le religioni*, Milano 1971; J. Hick, *God and the Universe of Faiths: Essays in the Philosophy of Religion*, London 1973; R. Panikkar, *Il Cristo sconosciuto dell'induismo*, Milano 1976; J.P. Schineller, «Christ and Church. A Spectrum of Views», in ThS 37 (1976) 545-566; K. Rahner, *Corso fondamentale sulla fede*, Roma 1977; H. Küng, *Essere cristiani*, Milano 1980[2]; Id., *Cristianesimo e religioni universali*, Milano 1986[2]; A. Race, *Christians and Religious Pluralism: Patterns in the Christian Theology of Religions*, London 1983; M. Dhavamony (ed.), *Founders of Religions* (Studia Missionalia 33), Roma 1984; St. Neill, *The Supremacy of Jesus*, London 1984; P.F. Knitter, *No Other Name? A Critical Survey of Christian Attitudes toward the World Religions*, New York 1985; K. Cragg, *The Christ and the faiths*, London 1986; G. D'Costa, *Theology and Religious Pluralism: The Challenge of Other Religions*, Oxford 1986; J. Hick - P.F. Knitter (edd.), *The Myth of Christian Uniqueness: Toward a Pluralistic Theology of Religions*, New York 1987 (tr. it., Assisi, in preparazione); J. Ries, *Les chrétiens parmi les religions* (Le christianisme et la foi chrétienne 5), Paris 1987; J. Dupuis, *Gesù Cristo incontro alle religioni*, Assisi 1989.

JACQUES DUPUIS

UNIVERSALE CONCRETUM

Nei trattati specifici di teologia fondamentale «De religione» e «De revelatione» si affrontano questioni alla cui soluzione viene in aiuto il concetto di «universale concretum».

La chiesa si trova di fronte a uno svariato mondo di religioni e deve giustificare nei loro confronti la pretesa di essere la comunità salvifica voluta da Dio, la «vera religio». Essa può essere la «vera religio» solo se riunisce in sé e perfeziona tutte le verità delle religioni. È in grado di farlo perché è il «corpo» di colui che come uomo nasconde in sé e vive, pur nella sua limitatezza, la ricchezza di tutte le verità: Gesù di Nazareth. Egli e, attraverso di lui, la chiesa possono caratterizzarsi attraverso l'attributo «universale concretum».

La rivelazione divina non è la manifestazione di una pre-esistente dimensione del mondo e della sua storia, ma lo svelamento del progetto salvifico di Dio. Dato che la rivelazione è la scelta di un Dio libero, tutto ciò può avvenire solo in uno storico e, per questo, limitato evento. Ma, trattandosi della rivelazione di Dio, proprio per tale motivo essa ha una caratterizzazione che riguarda tutto il mondo. La persona e la vita di Gesù di Nazareth costituiscono l'evento cui spetta essere «universale concretum».

I filosofi hanno sempre tentato di pensare l'universale e il concreto strettamente legati tra loro; tutti i tentativi però sono falliti prima che giungessero a buon fine: o l'universale non veniva pensato realmente in modo concreto, oppure il concreto in modo universale.

Solo nell'ambito della teologia cristiana questo tentativo poté avere successo, nella evocante memoria della figura e dell'importanza di Gesù Cristo, fondata sulla fede pasquale. È il caso, per es., del Cusano che spesso, ma soprattutto nel *De docta ignorantia*, libro III, cap. 3, elabora la «coincidentia» dell'universalità e della concretezza dell'evento della rivelazione culminato in Gesù Cristo. Comunque egli non parla di «concretio», ma di «contractio», per cui vi si trova più volte l'abbinamento «universalis contractio» oppure «universalis contracta (entitas)» (*De docta ignorantia*, E. Hofmann - R. Klibansky (edd.), Leipzig 1932, 127-129). Tutti i grandi progetti teologici in un modo o nell'altro tengono conto della circostanza che Gesù di Nazareth è l'evento della rivelazione di Dio per il mondo, cioè l'«universale concretum».

La teologia veterotestamentaria e giudaica ha cercato di comprendere l'«universale concretum» sotto le voci «Adamo» e «sostituzione vicaria». Questo sforzo però è stato coronato da successo solo nella riflessione di fede su Gesù di Nazareth. Qui è determinante il «per molti» o «per tutti», che caratterizza e dà significato salvifico alla sua morte in croce. L'«universale» del «concretum», che è rappresentato da Gesù di Nazareth nella sua vita e morte, si realizza nella sua «pro-esistenza» (H. Schürmann, W. Breuning): nel suo essere per gli altri, per tutti. La condizione per rendere possibile questa pro-esistenza è il fatto che Gesù è la parola di Dio fatta carne. Ad essa si accede nella fede pasquale.

Già nel Nuovo Testamento la coincidenza dell'«universale» e del «con-cretum», diventata realtà in Gesù, viene continuamente ripensata in forma nuova. Soprattutto gli scritti paolini e giovannei ripropongono in diversi modi l'universale portata dell'evento-Cristo: Gesù è il Logos di Dio diventato carne (Gv 1,14). Gesù è il nuovo Adamo (Rm 5,12-21; 1 Cor 15,20-22,44b-49). Gesù è il mediatore della creazione e della redenzione (Rm 3,21-26; Ef 1,3-14). Gesù è il capo del suo corpo, la chiesa, di cui si parla più volte per es. nelle lettere agli Efesini e ai Colossesi in termini di dimensioni cosmiche.

Più tardi queste comprensioni bibliche sono state continuamente riprese e sviluppate sotto nuove forme. Ireneo pensa il «concretum universale», che è Gesù Cristo, mediante la categoria della «ricapitolazione». Il Cristo abbraccia in sé l'insieme del mondo e della sua storia. In questo modo Adamo viene nuovamente fondato in Cristo. Secondo *Adv. haer.* 5,17,4 il corpo crocifisso di Cristo appeso al legno, manifesta le dimensioni del kósmos e abbraccia l'umanità – giudei e pagani – con tutte e due le mani. Giustino, in connessione con il prologo del vangelo di Giovanni e nel dialogo con la filosofia ellenistica, caratterizza Cristo come il vero «Logos», realizzando così un'altra possibilità di pensare Gesù Cristo come «concretum universale» (cfr. *Apol.* 2,10,1). Altri eminenti teologi della chiesa antica hanno ulteriormente sviluppato e approfondito la cristologia del Logos. In questo lavoro ha avuto particolare importanza Origene (cfr. per es. *Hom. in Gen.* 1,1), cui poi seguirono molti altri.

Nella teologia dei Padri greci venne sviluppata anche la dottrina della «redenzione fisica». Secondo questa dottrina, Gesù Cristo ha assunto nel diventare uomo una natura umana individuale ma per mezzo di essa è entrato in contatto «fisico» con tutto il genere umano. Attraverso questo contatto egli ha reso l'umanità partecipe della grazia, della redenzione e della divinizzazione. L'incarnazione, per poter essere universalmente efficace, presuppone l'unità ontologica dell'umanità. L'uomo individuale è una partecipazione, ristretta nel tempo e nello spazio, dell'unica e universale «natura» dell'uomo, cioè di una umanità da concepirsi come un essere concretamente esistente. L'ingresso del Logos fatto carne in una umanità intesa in questo modo, è una circostanza «sociale». La presenza di Gesù Cristo, l'Unigenito, nell'umanità, che attraverso il peccato aveva perso l'unità del suo essere-immagine-di-Dio, le porta la salvezza, cioè la ricostituzione della sua somiglianza d'immagine con Dio. È stato soprattutto Gregorio di Nissa a sviluppare in modo felice la dottrina della «redenzione fisica» nel suo «Grande discorso catechetico» (cfr. R. Hübner, *Die Einheit des Leibes Christi bei Gregor von Nyssa*, Leiden 1974).

Con sempre nuove variazioni → Agostino ha descritto il tema del «Christus totus et caput et corpus» (cfr. *Sermo* 341,9,11; *Enarr. in Ps.* 37,6 ecc.) cercando di comprendere così quell'«universale concretum» che è Gesù di Nazareth. La famosa dottrina, esposta da Anselmo di Canterbury nel «Cur deus homo», è diventata un modo particolarmente efficace, dal punto di vista della storia teologica, per illustrare la vasta ricchezza dell'operato di Gesù Cristo. Resta qui senza una risposta il quesito se la discussione medievale, soprattutto tra i teologi francescani, che cercava di comprendere il rapporto tra «singulare» e «universale», abbia contribuito alla comprensione dell'«universale concretum» che è Gesù Cristo. In tutti i modi non sarebbe stata possibile l'opera di Nicola Cusano, che parla espressamente della «coincidentia» tra «universale» e «contractum» senza i precedenti sforzi dei teologi francescani. Martin Lutero nella sua discussione con Zwingli e sulla sua

concezione della Cena, ha dato grande importanza al fatto che la «communicatio idiomatum» (lo scambio di attributi divini e umani) deve essere intesa come «praedicatio realis» e quindi non solo come «praedicatio verbalis». Soltanto così, secondo Lutero, la ubiquità dell'umanità di Gesù può essere affermata e senza di essa non sarebbe possibile la reale presenza di Gesù Cristo nella Cena sotto il pane e il vino. Così pure la dottrina di Lutero, secondo cui la «communicatio idiomatum» deve essere intesa in senso reale, sarebbe un modo di presentare come «concretum» e «universale» il mistero di Gesù Cristo.

«Dio è l'Amore» (1 Gv 4,17). Dio, che è in sé essenzialmente l'amore, dimostra questo amore nel mondo e al mondo nella storia, soprattutto nella storia di Gesù di Nazareth. In Gesù Cristo la rivelazione biblica trova il suo significato centrale e il suo maggiore spessore. Il mistero di Cristo racchiude in sé, nella sua concreta unicità, tutta la storia, anzi il tutto; infatti esso giunge alla sua pienezza nella pro-esistenza universale di Gesù Cristo crocifisso e risorto. Lo spessore dell'universale nella concreta unicità della persona e della sorte di Gesù si esprime cristologicamente nel dogma dell'unione ipostatica. Dal punto di vista della teologia della rivelazione questa unione significa l'essenziale unità di Gesù Cristo con la parola di Dio e con l'azione salvifica di Dio, quindi con la rivelazione di Dio come sostiene Paolo in Col 2,9: «Tutto il plērōma della divinità abita corporeamente in Cristo».

Bibl. - N. Cusano, *De docta ignorantia*, E. Hofmann-R. Klibansky (edd.), Leipzig 1932, 125-179; R. Haubst, *Die Christologie des Nikolaus von Kues*, Freiburg 1956, 166-221; W. Löser, «Universale concretum als Grundgesetz der oeconomia Revelationis», in HFTh II, 108-121; R. Hübner, *Die Einheit des Leibes Christi bei Gregor von Nyssa*, Leiden 1974; T. van Bavel - B. Bruning, «Die Einheit des "totus Christus" bei Augustinus», in *Scientia Augustiniana*, di P. Mayer-W. Eckermann (edd.), Würzburg 1975, 43-75; H. Mackey, «Singular and universal. A franciscan perspective», in *FrSA* 17 (1979) 130-164; G. Greshake, «Erlösung und Freiheit. Eine Neuinterpretation der Erlösungslehre Anselms von Canterbury», in Id., *Gottes Heil - Glück des Menschen*, Freiburg 1983, 80-104.

WERNER LÖSER

V

VANGELO

I. Genere letterario

Il genere letterario «vangelo» è una creazione specifica del cristianesimo. I vangeli sono unici proprio come l'evento cui si riferiscono.

1. DAL VANGELO ORALE AL VANGELO DI MARCO - L'uso del termine «vangelo» è molto antico nella chiesa. Paolo lo impiega senza nemmeno provare il bisogno di spiegarlo (1 Ts 1,5; 2,4; Gal 2,5.14; 1 Cor 4,15; Rm 10,16). Questo uso trae origine, sembra, dall'Antico Testamento in cui si ricollega alla figura del messaggero, dell'araldo, che proclama la regalità di Jhwh e che, attraverso la sua parola efficace, inaugura l'era messianica. Nel testo chiave di Is 52,7 «il messaggero di lieti annunci», il messaggero di gioia, annuncia che, con la liberazione dei prigionieri di Babilonia per opera di Ciro, l'era della salvezza è inaugurata. Il Salmo 96 fa eco a questa buona notizia: «Annunciate di giorno in giorno la sua salvezza ... Dite tra i popoli: "Il Signore regna"» (Sal 96,2.10). L'ingresso di tutte le nazioni nella storia della salvezza ci introduce già nel contesto del Nuovo Testamento.

Nel NT è Gesù che appare come il messaggero della buona notizia messianica (Mt 11,5; cfr. Is 35,5-6; 61,1). In lui il tempo della salvezza diviene realtà così come i segni che lo accompagnano. Il contenuto essenziale di questa buona notizia è la venuta imminente del regno di cui Gesù proclama le necessità: «Convertitevi, perché il regno dei cieli è vicino» (Mt 4,17). Anzi, il regno annunciato comincia con lui: là dov'è Gesù le forze avversarie indietreggiano, la potenza di vita e di salvezza annunciata dai profeti è all'opera. Guarigioni ed esorcismi dimostrano che il regno di satana è ridotto in pezzi e che il regno di Dio è all'opera (Lc 7,22; Mt 12,28).

Si spiega da questo momento il trasferimento di senso che osserviamo nel linguaggio del NT. Gesù non appare soltanto come il messaggero della buona notizia ma anche come colui di cui il messaggio parla. Gesù annuncia il regno ma, in definitiva, questo annuncio concerne Gesù stesso, costituito re messianico dalla sua risurrezione e dalla sua esaltazione alla destra del Padre: è lui che salva. Nel linguaggio dei cristiani, che considerano la morte e la risurrezione di Cristo come il cuore del vangelo, questa prospettiva è ancora più chiara.

Vangelo è uno dei vocaboli più utilizzati da Paolo: sessanta volte nelle lettere. Proclamare il vangelo equivale per Paolo a proclamare Cristo, soprattutto nella morte e risurrezione che costituiscono l'evento della salvezza escatologica. Possiamo dunque attribuire a Paolo, se non l'introduzione del termine «vangelo» nel NT, almeno la sua diffusione per designare la predicazione attiva ad opera della chiesa del messaggio della salvezza.

Marco, introducendo il termine della tradizione sinottica, non contraddice l'uso paolino, ma lo commenta e lo amplia. Oggi non si potrebbe parlare del genere letterario «vangelo» senza fare immediato riferimento a Marco, poiché è lui che l'ha creato come realtà, anche se presso di lui il termine non designa ancora il vangelo scritto. Egli ha concepito tuttavia la sua opera scritta in una relazione così intima con l'evento e la proclamazione della salvezza, da far sì che quest'ultima giustifichi interamente il titolo di *vangelo*.

Per Marco il vangelo è più un'evento che un messaggio. E questo evento abbraccia tutta l'esistenza di Cristo, ma in rapporto al punto culminante di questa esistenza, cioè la passione e la risurrezione, il resto rappresenta solo un inizio. Di qui le parole che fanno da titolo alla sua opera: «Inizio del vangelo di Gesù Cristo» (Mc 1,1). È attraverso il ministero di Giovanni Battista e il battesimo e la predicazione di Gesù che la salvezza, annunciata dai profeti, ha comincia-

to a realizzarsi. Marco vuole risalire, partendo dal presente della chiesa, agli inizi (*archê*) di una storia, cioè alle prime manifestazioni in questo mondo dell'azione decisiva di Dio. Nella sua concezione del vangelo, Marco si distingue dunque da Paolo che pensa soprattutto alla passione e risurrezione di Cristo. Per Marco tutta l'esistenza di Gesù, dal battesimo alla risurrezione, è un vangelo.

Legando così intimamente la sua opera all'evento *totale* dell'esistenza di Cristo e alla buona notizia della salvezza, Marco ha favorito il rapporto tra vangelo orale e vangelo scritto. Egli è stato il catalizzatore che ha facilitato il trasferimento. L'opera di Marco è divenuta il prototipo del vangelo. Di conseguenza Matteo, Luca e Giovanni hanno adottato lo schema letterario di Marco, anche se essi non definiscono mai la loro opera «vangelo». È nel corso del II secolo soltanto che la parola «vangelo» serve a designare gli attuali scritti canonici. Giustino parla di «Memorie degli apostoli» che «sono chiamate vangeli» (I *Apologia* 66,3: RJ 129). Il Canone di Muratori definisce il vangelo di Luca come *tertius evangelii liber* e il vangelo di Giovanni come *quartum evangelium* (RJ 268). I titoli attuali risalgono al secolo III. Anche quando il vangelo scritto finisce per prevalere, la chiesa ha sempre coscienza che il termine designa prima di tutto il contenuto dell'opera, cioè la proclamazione della salvezza in Gesù Cristo e che in fondo non potrebbe esserci che un solo e unico vangelo: per questo Ireneo parla di «vangelo tetramorfo» (*Adv. Haereses*, II, II, 7-8: RJ 215).

2. Tratti caratteristici del genere letterario «vangelo» - Non possiamo assimilare i vangeli ad alcun genere letterario antico: né al modello della grande storia al modo di Polibio, di Tucidide, di Tito Livio, né al modello dei biografi greci, al ge-

nere delle «memorie» che Senofonte scriveva di Socrate, alla ritrattistica letteraria. Nel NT i vangeli rappresentano un caso unico. Gli altri scritti mostrano di non essere privi di informazioni circa la vita di Cristo; fondamentalmente, tuttavia, è l'evento della croce e della risurrezione che attira la loro attenzione. Il resto dell'attività di Cristo è menzionato appena. Solo i vangeli si interessano così visibilmente all'attività terrena di Cristo. D'altra parte i redattori dei vangeli non sono scrittori che lavorano a tavolino, sulla base di documenti d'archivio e preoccupati di scrivere la vita di Gesù dalla nascita alla morte. Non si trovano, infatti, svolti nei vangeli i temi dell'origine di Gesù, della formazione, del carattere, della personalità. Non troviamo una cronologia precisa né una topografia: coordinate che sono invece fondamentali in storia. Indicazioni di luogo e di tempo restano vaghe, generiche: «quindi», «in quel tempo», «dopo», «a casa», «sul lago», «per strada», «sulla montagna». L'insieme stesso della tradizione è strutturato su una trama elementare con saldature stereotipe. In queste condizioni, come caratterizzare un genere che si evolve chiaramente all'interno della storia e che, tuttavia, prende le distanze nei confronti della storia in misura a volte disorientante? Possiamo solo descrivere ciascun elemento per lasciare poi che si componga la fisionomia emergente da questa descrizione.

a. I vangeli sono la proclamazione della Notizia assolutamente unica e originale (la *Ur-Kunde*), poiché essa ha per oggetto l'evento primo della storia umana e cioè l'intervento decisivo di Dio in Gesù Cristo. La manifestazione di Cristo fra gli uomini è l'«inizio» storicamente unico, l'*archê*, poiché in questo e per mezzo di questo la salvezza promessa e attesa durante i secoli si compie. La pienezza dei tempi è «ora», «oggi». Di con-

seguenza il vangelo non può essere una proclamazione neutra: esso si presenta come un appello alla decisione ultima. Tutti gli uomini sono chiamati alla conversione. Chiunque voglia leggere correttamente i vangeli, deve lasciar risuonare in sé questa chiamata prodigiosa che in Gesù rende nota la salvezza. Gli uditori di Pietro, nel giorno della Pentecoste, hanno provato questo rapimento e «hanno accolto la parola» (At 2,36-41).

b. I vangeli *si ricollegano a una tradizione* già formata che ha compiuto essa stessa una *rilettura* nello Spirito dell'evento Gesù alla luce della Pasqua, dell'AT e dell'esperienza della chiesa nascente. Questa dipendenza si manifesta nel fatto che essi inseriscono nel quadro del racconto unità o sequenze già costituite. I vangeli, prima di essere opere definitivamente composte, sono dunque i testimoni di una letteratura che raccolgono, organizzano e confermano. Osserviamo anche che questa tradizione vivente è stata colta e fissata in diverse tappe della sua evoluzione, prima di essere alla fine inserita nell'opera dell'ultimo redattore. Gli evangelisti riportano una tradizione che ha subìto l'influenza di molte teologie: teologie che non sono state completamente invalidate dalla redazione finale. D'altra parte, gli evangelisti *riscrivono* a loro volta, seguendo ciascuno una prospettiva propria, ciò che hanno ricevuto dalle tradizioni e dalle teologie precedenti, poiché tutti hanno consapevolezza di annunciare la buona notizia della salvezza agli uomini di un certo contesto e di rispondere ai loro problemi.

c. Lo scenario dei vangeli, comune a tutti, deve la sua *struttura* e i suoi *temi essenziali* al kêrygma primitivo, quale è possibile ricostruire a partire dalle lettere di Paolo (1 Cor 15,3-5; 11,23-27; Rm 1,1-4) e dai discorsi degli Atti (2,22-36; 3,12-26; 4,8-12; 5,29-32; 10,34-43; 13,16-41). I vangeli sviluppano e ampliano questo

schema tradizionale di cui questi sono i caratteri generali: il tempo del
compimento delle promesse è giunto: Gesù è della stirpe di Davide; dopo la predicazione del Battista egli ha
cominciato il ministero in Galilea,
ġuarendo i malati e liberando tutti coloro che erano caduti nelle mani di
satana; quindi è salito a Gerusalemme dove ha sofferto ed è stato crocifisso; è risorto dai morti ed è apparso a numerosi testimoni; ora è esaltato; tutti gli uomini sono invitati alla penitenza e alla conversione. Marco si attiene a questo scenario, che
gli si impone, prendendo come base
la passione e la risurrezione.

d. L'annuncio della salvezza prende la forma di una *narrazione storica*. Poiché si tratta dapprima di una
«proclamazione» della salvezza, non
possiamo concepire i vangeli come
una vita di Gesù. D'altra parte questa proclamazione prende la forma di
un esposto storico, dal momento che
la salvezza è un evento che si ricollega a un'esistenza terrena e storica.
Descrivere lo svolgimento di questa
esistenza significa già proclamare l'e-
vento della salvezza. Marco è stato
il primo a esporre così la buona notizia nel quadro schematizzato dell'e-
sistenza di Gesù. Lo ha fatto non per
semplice amore del passato, ma per
rispetto della realtà. Infatti non è a
un qualunque Cristo glorioso che noi
aderiamo con la fede, ma a quello
che è stato glorificato perché ha accettato la kenosi della vita terrena
umile e sofferente. In Marco questo
movimento dell'esistenza di Gesù,
centrato sulla passione-risurrezione, è
un *profilo* della vita di Gesù, con un
solo viaggio a Gerusalemme prima
della passione e in un quadro qua-
dripartito che conserva solo le grandi articolazioni della vita di Gesù.
Marco tuttavia non solo adotta la
forma narrativa descrivendo gli eventi
al passato o al presente storico, ma
distingue anche nettamente i piani
temporali. Egli descrive per la chiesa

presente la storia della salvezza nel
suo inizio (predicazione del Battista,
battesimo e predicazione di Gesù), il
suo svolgimento in Galilea e nelle vicine regioni e la tragica fine (racconto della passione con una più rigorosa sequenza cronologica degli avvenimenti). Inoltre l'attività di Cristo
come figlio dell'uomo abbraccia il
passato, il presente e il futuro. Il figlio dell'uomo che è stato condannato davanti al sinedrio è colui che, da
quel momento in poi, ha il potere di
perdonare i peccati (Mc 2,10) ed è anche colui che verrà un giorno sulle
nubi dal cielo. Passato, presente e futuro scorrono insieme ma restano distinti.

In Luca questa prospettiva storica
è ancora più marcata; infatti la storia di Gesù acquista un prolungamento *all'indietro* con i racconti dell'infanzia e *in avanti* con la storia degli
apostoli. La storia della salvezza è caratterizzata da una continuità storicamente costatabile e da un processo
di sviluppo di cui Cristo è il centro.
Gesù, come anche la chiesa, percor-
re delle tappe. Luca diventa così il
primo storico del cristianesimo, sfor-
zandosi di ritracciare e di fissare i
principali periodi della storia della
salvezza.

e. I vangeli sono contemporaneamente *narrazione* e *confessione*: narrazione su Gesù e testimonianza della comunità che crede in lui. Ancor
più, narrazione e testimonianza sono
così intimamente fuse che il racconto è confessione e la testimonianza
di fede è narrazione o recitativo su
Gesù, proprio come i «credo» del-
l'AT che sono i racconti sintetici degli atti salvifici di Dio (Dt 26,5-9;
6,20-24; Gs 24,2-13). Non troviamo
niente di simile nella letteratura profana. La ragione fondamentale è che,
per il narratore-testimone qual è l'e-
vangelista, il Signore risorto, sempre
vivo e presente, è sempre Gesù di Nazareth, salvatore per mezzo della sua
vita e della sua morte. Raccontando-

lo si confessa: «Gesù è Signore». Per questo i vangeli che hanno dunque per oggetto la persona storica di Gesù, Cristo e Signore, sono a un tempo storia e kêrygma.

f. Se i vangeli sono la proclamazione della salvezza in Gesù Cristo a gruppi umani geograficamente e culturalmente diversi, presentano allora un carattere di *attualizzazione* e di *dialogo*. Ogni vangelo si riferisce a una comunità determinata e a una situazione concreta: comunità di Gerusalemme, di Antiochia, comunità greche, dell'Asia e di Roma. I vangeli registrano il dialogo della chiesa con gli uomini e i problemi di queste comunità. Così il vangelo di Matteo, redatto in Siria negli anni 80, risponde alle richieste di una comunità ebraico-cristiana in discussione con la sinagoga che si trova essa stessa in piena riorganizzazione dopo il disastro del 70. L'evangelista risponde a tali richieste appoggiandosi a una tradizione che trae la sua autorità da Gesù stesso e soprattutto dal suo messaggio. Dunque il dialogo di Gesù con gli ebrei del suo tempo prosegue, grazie alla chiesa, con altri partners di altri ambienti, poiché i vari vangeli sono come gli spartiti di questo dialogo polifonico. Non si possono leggere i vangeli prescindendo da questo carattere di attualizzazione.

Se i vangeli adottano deliberatamente la forma narrativa propria della storia per descrivere l'attività terrena di Gesù di Nazareth, ne deriva che il genere letterario «vangelo» non sfugge al condizionamento e all'interrogarsi della storia. Riconoscendo la storicità come dimensione della salvezza in Gesù Cristo, i vangeli si sottomettono ai criteri della ricerca storica.

Bibl. - G. Friedrich, «Euagghelízomai, euagghélion», in GLNT III, 1023-1106; L. Vaganay, «Évangile», in *Cath* 4, 767-769; L.F. Hartman, «Gospel», in NCE 6, 635-636; D. Deels, «The Holy Gospels», in NCE 6, 636-640; J.A. Evan Dodewaard, «Jésus s'est-il servi

lui-même du mot Évangile?», in *Bib* 35 (1954) 160-173; B. Blaeser, «Évangile», in H. Fries (ed.), *Encyclopédie de la foi* II, Paris 1965, 87-95; J. Lambrecht, «Qu'est-ce qu'un Évangile?», in *Revue du Clergé africain*, 22 (1967) 6-14; A. Vögtle, «Formazione e Struttura dei Vangeli», in Autori vari, *Discussione sulla Bibbia*, Brescia 1967³, 82-123; F. Mussner, «Évangile et Centre de l'Évangile» in Autori vari, *Le message de Jésus et l'interprétation moderne*, Paris 1969, 151-176; A. Gaboury, *La structure des Évangiles Synoptiques. La* structure-type à l'origine des Évangiles, Leiden 1970; N. Perrin, «The Literary Gattung Gospel», in *The Expository Times* 82 (1970), 4-7; R. Schnackenburg, «Das Evangelium im Verständnis des ältesten Evangelisten», in K. Hoffmann (ed.), *Orientierung an Jesus*, Freiburg-Basel-Wien 1973, 309-323; R. Latourelle, *A Gesù attraverso i Vangeli*, Assisi 1979, 117-132.

RENÉ LATOURELLE

II. Metodi di analisi

Nessuna spiegazione è ancora riuscita a soppiantare in modo decisivo la teoria delle due Fonti, a proposito delle fonti scritte utilizzate dagli evangelisti. Tale teoria fa dipendere Matteo e Luca da Marco per la parte narrativa e dalla *Quelle* per le parole: fonte, quest'ultima, ricostruita a partire dai *lóghia* comuni a Matteo e Luca. Questa teoria evidentemente non spiega tutto il contenuto dei sinottici; tuttavia nessuna delle teorie proposte per risolvere il problema è riuscita a imporsi. P. Vielhauer ha potuto scrivere, a torto o a ragione, che con la teoria delle due Fonti la *Quellenkritik* aveva terminato il suo lavoro. Essa doveva cedere il passo alla *Formgeschichte* a meno di non trovarsi in un vicolo cieco.

1. FORMGESCHICHTE - La *Formgeschichte*, cioè scuola delle forme (FG), con i suoi maggiori esponenti (K.L. Schmidt, M. Dibelius, R. Bultmann, G. Bertram, A. Albertz) rappresenta il maggiore sforzo della critica moderna per rompere questo «circolo chiuso» che la rendeva prigioniera delle fonti scritte e per risalire lungo

la tradizione fino alle sue origini, cioè fino al vangelo predicato.

Infatti, prima di essere stato scritto il vangelo fu predicato, attualizzato, spiegato e applicato alle diverse situazioni della chiesa. Esso ha conosciuto tutta una vita e una tradizione di interpretazione. Il merito della scuola delle forme è stato precisamente quello di studiare questa prima tappa della storia della tradizione evangelica. Nata tra il 1919 e il 1922, la scuola ha dominato la critica fino ai recenti studi della *Redaktiongeschichte* con Conzelmann (nel 1954) e Marxsen (nel 1956).

A un primo sguardo la FG si presenta come un'impresa *letteraria*. Infatti essa identifica, descrive e classifica le forme letterarie con cui sono stati scritti i racconti evangelici. Ma getta anche il ponte tra la forma letteraria e il contesto di vita che l'ha generata: si chiede quali siano nella comunità ecclesiale le situazioni precise in cui tale racconto poté nascere, svilupparsi e trasmettersi lungo la tradizione. Si interessa alla genesi, alla formazione e all'evoluzione delle tradizioni orali precedenti ai nostri testi scritti. Si chiede quali leggi abbiano presieduto a questa evoluzione. In termini più generali diremmo che la FG, dopo aver considerato la dimensione orizzontale dei vangeli – scomposizione di unità letterarie – li prospetta poi nella loro dimensione verticale: essa giunge fino agli strati più profondi e antichi della tradizione per fare a ritroso l'itinerario che va dall'evangelista alla chiesa e da questa a Gesù. In definitiva il suo progetto è di natura *storica*. La sua ambizione è quella di ritracciare tutta la storia della tradizione evangelica: dal vangelo orale al vangelo scritto. In un primo momento il metodo è letterario, ma l'intento ultimo è storico. Il principio base della scuola è che la comunità primitiva sia stata responsabile di tutto questo processo di formazione della tradizione evangelica.

In breve, la FG vuole scrivere la preistoria dei vangeli. Ambizione espressa nel titolo dell'opera di R. Bultmann *Die Geschichte der synoptischen Tradition* (Göttingen 1957³) o di V. Taylor: *The Formation of the Gospel Tradition* (London 1935). Giustamente l'impresa della FG è stata paragonata a quella della geologia che studia le forme susseguentisi della crosta terrestre o a quella della linguistica morfologica che ritraccia le forme di una parola nel corso dei secoli; o ancora ai moderni procedimenti di analisi che permettono di scoprire, in un quadro, le successive forme che l'artista ha dato alla sua opera, a partire dai primissimi schizzi. In modo analogo la FG ambisce a ritrovare le forme più antiche della tradizione e gli stadi successivi che questa ha conosciuto, nel corso degli anni precedenti alla messa per iscritto dei nostri vangeli.

Se l'impresa ha condotto a un certo scetticismo storico, anzi in → Bultmann a un giudizio negativo e radicale, circa la possibilità di accedere a Gesù mediante i vangeli, ciò è da addebitare più che al metodo in se stesso ai principi che hanno ispirato i suoi rappresentanti: principio sociologico della comunità creatrice; principio del razionalismo chiuso di fronte all'ipotesi di un intervento di Dio nella storia nella forma dell'incarnazione, del miracolo, della risurrezione; principio teologico di una fede che, per assicurare la propria relazione verticale con Dio, spezza i suoi legami con la storia. Una retrospettiva di 65 anni (dal 1925 al 1990) ci ha tuttavia permesso di operare un giusto discernimento all'interno del contributo della FG per conservarne gli elementi assimilabili che si situano prima di tutto a livello letterario. Tra questi elementi positivi ricordiamo i seguenti:

a. Paradossalmente la FG ha rivalutato tutta l'importanza della tradizione orale. Il vangelo è stato predicazione prima di essere Scrittura. Infatti per un periodo che si valuta dai 25 ai 30 anni il contenuto dei vangeli nella chiesa primitiva è stato predicato: esso serviva alla missione, alla catechesi, al culto, alla polemica. Ne consegue che questo contenuto è stato colorito da tutta la vita della chiesa e porta il segno dell'attualizzazione e dell'interpretazione teologica della comunità. Il rifluire della Tradizione nel cuore dei vangeli, così come lo intende la FG contro la *Quellenkritik*, costituisce un elemento di novità nell'orizzonte del pensiero protestante.

b. In tutti i tempi e in tutte le letterature si è avuta la percezione più o meno confusa della diversità dei generi letterari. Un'arringa, un dramma, un poema lirico, un testo di legge, un capitolo di Tito Livio, richiedono commenti diversi. L'originalità della FG è stata quella di applicare il principio del genere letterario non solo ai vangeli nella loro totalità ma anche alle «unità minori» che li compongono. L'ambizione della FG è stata di tracciare un inventario completo dei generi e dei sottogeneri letterari dei nostri vangeli. Così la scuola distingue nel materiale narrativo alcuni paradigmi (Dibelius) o apoftegmi (Bultmann), sommari, racconti di miracoli, leggende, miti, il racconto della passione; e nel materiale dottrinale, allegorie, parabole, sentenze di tipo sapienziale (polemica, controversie), profetico, apocalittico, norme disciplinari, precetti di vita, parole con cui Gesù parla di se stesso (le *Ich-Worte*). Queste unità comportano a loro volta suddivisioni. Quindi il genere sapienziale può prendere avvio da una esortazione, da una spiegazione, da un proverbio o da un apologo.

In questa cascata di generi letterari, di specie e di sottospecie, ciò che attira l'attenzione della FG sono più gli elementi «rivelatori» di un *contesto di vita*, che gli elementi stilistici

derivanti dal virtuosismo letterario. In altri termini, la Scuola considera di più l'impronta imposta all'autore dal contesto sociale e religioso, che quella letteraria dell'autore stesso (aspetto redazionale dell'opera). Ciò che più importa non è il contributo personale dell'autore, ma l'influsso socio-religioso della comunità che costringe l'autore a ricorrere a una forma letteraria invece che a un'altra. Siamo dunque in presenza di un nuovo tipo di analisi letteraria. La FG ha osservato che i nostri vangeli hanno una struttura manifestamente molecolare: assomigliano a un mosaico di pericopi che a loro volta sono colate in forme letterarie caratteristiche. Ciò che interessa la FG in un vangelo è, più che l'esistenza o l'assenza di fonti, la struttura letteraria osservata, come anche il contesto socio-religioso in cui tale struttura è potuta nascere.

c. Infatti, ed è questo un altro suo elemento positivo, la FG si dedica a conoscere, mediante l'analisi delle forme, la vita della chiesa primitiva presentata come un organismo vivente. Si tratta della convinzione, da parte della FG, che a ogni stile o a ogni forma letteraria *tipica* corrisponda un ambiente di vita, un contesto socio-religioso, un *Sitz im Leben* particolare. Infatti se è vero che nella realtà il contesto impone l'adeguata forma letteraria, ne deriva che la conoscenza delle forme conduce inevitabilmente alla conoscenza del corrispondente contesto. Vi è interazione e continuo gioco tra testo e contesto.

I tipi letterari rivelati dalla FG ci rinviano ai contesti che possiamo così brevemente elencare: 1. Per gli esterni, cioè i pagani e gli ebrei della diaspora, la chiesa adotta lo stile della *predicazione missionaria* o kêrygmatica: annuncio globale della salvezza, centrato sull'evento della morte e risurrezione di Gesù. 2. Ai convertiti bisogna rivolgere, oltre all'essenziale della predicazione kêrygmatica formulata nei primi simboli della fede, esortazioni alla perfezione della vita morale: è la *parenesi*. Al contesto *liturgico*, caratterizzato dalla frazione del pane, si uniscono il racconto della morte e risurrezione di Cristo e gli inni a Cristo salvatore. In questo contesto di convertiti la *catechesi* evoca gli insegnamenti e i principali misteri della vita di Gesù, mentre i racconti di controversie, in contesto *polemico*, evocano le risposte di Gesù ai suoi avversari.

Dunque, a livello di metodo, la FG sfocia, con l'analisi delle forme letterarie, nella conoscenza dei contesti di vita, delle funzioni e delle attività della chiesa primitiva. Impresa perfettamente giustificabile, anche se non senza rischio; infatti facendo dell'analisi delle forme uno strumento di conoscenza storica, la Scuola effettua un passaggio delicato dalla critica letteraria alla critica storica.

Ciò non toglie che a livello letterario la FG rappresenti il contributo più importante dell'esegesi moderna. Essa ha messo a punto uno strumento di analisi estremamente preciso e acuto. Mediante le vie della critica interna è giunta a chiarire l'attività multiforme della chiesa come comunità vivente, con la sua vita interna e le sue difficoltà di fronte al mondo.

2. REDAKTIONSGESCHICHTE - Assorbiti nell'analisi minuziosa delle unità primarie dei vangeli, Dibelius e Bultmann parlano relativamente poco della tappa dell'ultima redazione, che con un termine tecnico si definisce *Redaktionsgeschichte* (RG). La FG riduce al minimo la parte dei redattori. Li considera compilatori (Samler), del resto abbastanza ingenui, che hanno radunato, con maggior o minor destrezza, i diversi elementi della tradizione. Fortunatamente il movimento pendolare che caratterizza la storia della critica degli ultimi due secoli ha portato quest'ultima a considerare con più attenzione gli evange-

listi in qualità di autori. Da più di 40 anni la ricerca prosegue sul contributo degli evangelisti. Si è anche giunti, continuando a sottolineare le preoccupazioni teologiche e l'attività redazionale degli evangelisti, a far nascere il sospetto circa la loro fedeltà a Gesù. Dopo lo schermo della chiesa primitiva avremmo quello degli evangelisti. La FG non riconosceva agli evangelisti nessuna iniziativa; la RG, al contrario, è attenta solo alla loro iniziativa e alla loro libertà. Indubbiamente la RG si ricongiunge alla FG nella sua ricerca sulla storia della tradizione evangelica: essa costituisce il secondo tempo di un processo di cui la FG è stata storicamente la prima tappa.

Dopo la seconda guerra mondiale tre importanti opere hanno accreditato la RG come metodo e tappa nella storia dell'esegesi: *Die Mitte der Zeit* di H. Conzelmann (Tübingen 1954); *Der Evangelist Markus* di W. Marxsen (Göttingen 1956); *Das Wahre Israel* di W. Trilling (München 1964).

La RG si propone di studiare la fisionomia propria di ciascun vangelo: l'approccio teologico degli autori, la strutturazione del materiale scelto, l'impronta stilistica. L'istruzione della Commissione biblica nel 1964, e in seguito la costituzione *Dei Verbum* del Vaticano II nel 1965 (n. 19) hanno descritto questo lavoro degli evangelisti nelle linee essenziali: essi hanno compiuto una *scelta* nel materiale della tradizione; hanno fatto opera di *sintesi*; hanno *adattato* il loro vangelo ai bisogni della chiesa.

a. Il materiale non è stato creato ma trovato in forma scritta od orale. Tra questo materiale gli evangelisti hanno *scelto*, lasciando da parte alcuni racconti o parole. L'esistenza di questa selezione è chiaramente attestata nel vangelo di Giovanni, nella prima come nella seconda conclusione (Gv 20,30; 21,25). È ugualmente

chiara nel vangelo di Marco, principalmente narrativo, che riporta solo
due discorsi: le parabole (cap. 4) e
il discorso escatologico (cap. 13). Luca omette alcuni racconti di Marco:
per esempio la seconda moltiplicazione dei pani. Il materiale lasciato così
da parte non è meno rivelatore di
quello conservato.

b. Il materiale conservato dagli
evangelisti è stato strutturato in modo da esprimere il loro punto di vista. Tipico è, a questo proposito, l'u-
so fatto da Matteo e da Luca delle
loro fonti principali: Marco e la *Quelle*. Matteo ha strutturato il suo vangelo in cinque gruppi di fatti e parole, in modo da simboleggiare il nuovo Pentateuco del nuovo Mosè per
il nuovo Israele. Il discorso della
montagna è una sintesi in parte redazionale di *lóghia* pronunciati da
Gesù in diverse circostanze. Il ciclo
dei miracoli (capp. 8-9) costituisce insieme a questo discorso (capp. 5-6-7)
una sintesi che intende proporre Gesù come il legislatore e il taumaturgo
dei tempi messianici. Questo grande
insieme è «incluso» tra due sommari
(Mt 4,23; 9,35) che riassumono la duplice attività di Gesù in opere e parole. Luca, da parte sua, rispetta la
tradizionale struttura quadripartita
del ministero di Gesù (predicazione
del Battista, Galilea, viaggio a Gerusalemme, Gerusalemme), ma vi sono
due incisi il più grande dei quali
(Lc 9,51-18,14), inserito nel viaggio
a Gerusalemme, significa che Gerusalemme è il centro del sacrificio e
della vittoria di Cristo e, indubbiamente, anche che la vita cristiana
consiste nel seguire Gesù nella sofferenza per entrare con lui nella gloria.

c. Gli evangelisti infine hanno tenuto conto, nella loro redazione, delle
diverse condizioni e situazioni dei loro lettori. Matteo scrive per ebreo-
cristiani mentre Luca si rivolge ai
gentili. Di qui il rispettivo orientamento del loro vangelo. Per valutare

la reale estensione dell'attività redazionale degli evangelisti, è necessario
rilevare dettagliatamente i diversi tipi di questa attività. Ecco i principali:
1. *Correzioni stilistiche*: per esempio, uso dell'aoristo al posto del presente storico (nel racconto della tempesta sedata), subordinazione delle
proposizioni invece che giustapposizione. 2. *Precisazioni*: l'evangelista
aggiunge talvolta, per aiutare i lettori, un termine al testo-fonte che ha
valore di chiarimento. 3. *Omissioni*:
così nel racconto della guarigione del
lebbroso Matteo e Luca omettono la
frase di Mc 1,43: «e ammonendolo
severamente, subito lo cacciò», espressione giudicata senza dubbio troppo
dura all'orecchio dei lettori. 4. *Adattamento di una metafora*: nella parabola della casa costruita sulla roccia o sulla sabbia Matteo 7,24-27 ha
in mente una casa di tipo palestinese
mentre Luca pensa chiaramente a una
casa di tipo greco (Lc 6,47-49).
5. *Trasposizione di pericopi*: Luca raggruppa in un solo racconto (Lc 3,1-20)
due fatti della vita del Battista che nel
vangelo di Marco si trovano separati:
la predicazione (Mc 1,1-8) e la carce-
razione (Mc 6,17-29). 6. *Trasposizione all'interno di una stessa pericope*:
nel racconto della triplice tentazione
di Gesù nel deserto, la seconda tentazione in Matteo diventa, nel vangelo di Luca, la terza. 7. *Riduzione
di due momenti della narrazione a
uno solo*: nel racconto della risurrezione della figlia di Giairo, Matteo
non menziona la delegazione dei servi ma si limita all'annuncio della
morte della fanciulla (Mt 9,18;
Mc 5,35). 8. *Aggiunta di un lóghion
«erratico»*: così il versetto: «Gli ultimi saranno primi, e i primi ultimi»
(Mt 20,16) si ritrova in Mt 19,30 a
proposito del giovane ricco, in
Mc 10,31 a proposito della ricompensa promessa per il distacco, in
Lc 13,30 a proposito della porta stretta da cui si entra nel regno dei cieli.
Questo lóghion «errante» funge da

chiave interpretativa in casi diversi, poiché illustra mirabilmente il cambiamento di prospettiva e di mentalità introdotto dal vangelo. 9. *Aggiunta di un racconto proveniente da un'altra tradizione*: per esempio Matteo, nel racconto del processo di Gesù davanti a Pilato (Mt 27,15-26), aggiunge un versetto (27,19) sul sogno della moglie di Pilato che, del tutto verosimilmente, proviene da un'altra fonte. 10. *Abbreviazione del documento-fonte*: Luca e Matteo accorciano spesso Marco nelle parti narrative. Matteo in particolare mantiene solo l'essenziale dei racconti di miracoli, al punto che il suo testo ha spesso un carattere lineare e ieratico. Le preoccupazioni di Matteo rimangono di tipo catechetico anche quando racconta. 11. *Uso di parole-lancio*: questo utilizzo frequente nella letteratura rabbinica si trova anche nella tradizione evangelica. Così in Mt 6,5-13 l'espressione: «Quando pregate» serve a inserire il Padre Nostro nella trama del discorso della montagna. 12. Mentre Marco si accontenta spesso di giustapporre le pericopi, Luca e Matteo hanno cura di *legarle* tra loro. Tali legami hanno la maggior parte delle volte solo valore letterario, come le espressioni: «allora», «in quel tempo», «dopo». 13. *I sommari*: sono mezzi di transizione, ma costituiscono anche sintesi che definiscono un aspetto della vita di Gesù. Questi sommari sono di capitale importanza, essendo composizioni personali dell'evangelista, per conoscere la sua teologia. Così Mt 4,23 e 9,35 propongono Gesù come il profeta e il taumaturgo dei tempi messianici. 14. *Indicazioni geografiche*: queste indicazioni hanno talvolta carattere biografico: Nazareth, Cesarea di Filippo, Nain, Emmaus, Gerico. Spesso inoltre hanno valore teologico. Così, per Luca, Gerusalemme è il centro a un tempo geografico e mistico della storia della salvezza. 15. *Riferimenti all'Antico Testamento*: gli evange-

listi vedono in Cristo il compimento dell'AT. Questa coscienza del «compimento», molto viva in Matteo che si rivolge a ebreo-cristiani, si evidenzia esplicitamente nella formula che ritorna come *leitmotiv*: «così diceva compiersi l'oracolo dei profeti» (Mt 1,22; 2,5.15.17; 3,3; 4,14-16; 8,17; 12,7.17; 13,35; 21,4; 27,9). 16. *Interpretazione teologica della tradizione*: così Marco conferisce al miracolo della moltiplicazione dei pani un senso cristologico: egli indica in Gesù il messia, il pastore del suo popolo che istruisce e nutre i suoi (Mc 6,34). Quando Luca precisa che dobbiamo portare la nostra croce *ogni giorno* (Lc 9,23; Mc 8,34), vuole senz'altro far comprendere che l'abnegazione è una realtà che invade tutta l'esistenza cristiana.

La FG aveva ridotto gli evangelisti al ruolo di semplici compilatori; la RG li ha «riabilitati» riconoscendo che, al contrario, essi sono guidati da criteri personali di ordine letterario e teologico. Uno studio minuzioso dei fenomeni redazionali ha messo in luce la fisionomia di ciascun evangelista come scrittore e come teologo. D'altra parte, se è vero che la RG ha contribuito a «personalizzare» l'autore, dobbiamo anche aggiungere che questo «profilo di autore» non deve essere inteso come uno stato civile da passaporto, piuttosto come la somma degli elementi redazionali e intenzionali che caratterizzano un vangelo.

La RG, come la FG, corre dei rischi, cui non è sempre riuscita a sfuggire. Il principale è quello di interessarsi solo al valore teologico dei vangeli e di ignorarne praticamente il loro rapporto con Gesù. Questa mancanza è attribuibile a Conzelmann e a Marxsen. La realtà è più complessa. L'esame dei procedimenti redazionali, messi in opera dall'evangelista, dimostra che questi è sottoposto a una vera e propria tensione tra la fedeltà alla tradizione e la libertà di creazione. La sua libertà è relativa.

È legata prima di tutto alla certezza delle fonti anteriori: fonti principali identificate dalla *Quellenkritik* e materiali di minor dimensione identificati dalla FG. Essa dipende anche dal peso della tradizione sul disegno dell'evangelista e dalla ridotta possibilità che questo ha di affrancarsi da tale tradizione e dalle comunità di cui è il portavoce. La RG ci permette di misurare, di «tastare», per così dire, il grado di libertà e di fedeltà degli evangelisti in rapporto alle loro fonti. La loro libertà di interpretazione è reale ma «controllabile», «verificabile». Appare discreta, motivata, e sempre nel segno della fedeltà.

Ci è ormai possibile, partendo dai criteri letterari, risalire il corso della tradizione fino allo stadio più primitivo, distinguere gli strati più recenti dai più antichi; distinguere da una parte ciò che appartiene all'attività redazionale e all'interpretazione teologica dell'evangelista e, dall'altra, ciò che evidenzia l'interpretazione attualizzante della chiesa. Il ricorso ai criteri letterari non è tuttavia sufficiente. Rimane da stabilire che il messaggio veicolato da queste forme letterarie primitive sia veramente di Gesù. In realtà lo studio della FG e della RG avvia necessariamente allo studio del *contenuto storico* delle forme letterarie identificate. Il letterario lascia il posto allo storico. Si tratta di stabilire *criteri di storicità propriamente detti*, validi e criticamente provati, che permettano di scoprire e di isolare il materiale evangelico risalente a Gesù stesso. Lo studio della FG e della RG esige quindi di essere completato da una criteriologia di storicità.

Bibl. - K. Schmidt, *Der Rahmen der Geschichte Jesus*, Berlin 1919; M. Dibelius, *Die Formgeschichte des Evangeliums*, Tübingen 1919; R. Bultmann, *Die Geschichte der synoptischen Tradition*, Göttingen 1921; V. Taylor, *The Formation of the Gospel Tradition*, London 1933; P. Benoit, «Réflexions sur la Formgeschichtliche Methode», in RB 53 (1946) 481-512; Id., in *Exégèse et théologie*, vol. I, Paris 1961, 25-61; X. Léon-Dufour, «Formgeschichte et Redaktionsgeschichte des Évangiles Synoptiques», in RSR 46 (1958) 237-269; K. Kock, *Was ist Formgeschichte*, Neukirchen 1964; H. Zimmermann, *Neutestamentliche Methodenlehre*, Stuttgart 1967; A. Descamps, «Progrès et continuité dans la critique des Évangiles et des Actes», in RThL 1 (1970) 5-44; N. Perrin, *What is Redaction Criticism*, London 1970; B. de Solages, *Critique des Évangiles et méthode historique*, Toulouse 1973; R. Latourelle, *A Gesù attraverso i Vangeli*, Assisi 1979; V. Fusco, «Vangeli», in NDTB, 1612-1619.

RENÉ LATOURELLE

III. Storicità

Il primo problema della → credibilità cristiana riguarda la → storia e l'→ ermeneutica. La storia innanzitutto: dal momento che Gesù fu un uomo vero, di cui non si potrebbe mettere in dubbio l'esistenza, ne segue che le sue parole e i suoi gesti, dopo essere stati, durante la sua vita, l'oggetto di una conoscenza sperimentale, sono divenuti, dopo la sua morte, oggetto di scienza storica. In teoria, la ricerca a suo riguardo si pone quindi negli stessi termini di ogni personaggio del passato. In realtà, tuttavia, si è presto capito che l'approccio storico, nel caso presente, è anche al tempo stesso un problema ermeneutico. Ora, se noi concepiamo il problema ermeneutico come quello dei livelli di realtà ai quali possiamo accedere nella lettura di un documento, possiamo dire che il problema dell'accesso alla realtà di Gesù, per mezzo dei *vangeli*, è il primo e il più profondo problema di ermeneutica posto dalla rivelazione cristiana.

1. UN VERO PROBLEMA - Noi non conosciamo Gesù direttamente, dai suoi scritti, ma attraverso il movimento che lui ha suscitato nel primo secolo della nostra era. La prima comunità cristiana, e gli evangelisti che ne sono membri, perseguono una fi-

nalità religiosa: testimoniano l'evento della salvezza in Gesù Cristo. Non c'è dubbio: i vangeli non sono né cronache, né biografie, ma documenti di fede. Il solo Gesù che noi raggiungiamo attraverso di essi è un Gesù professato, confessato come Cristo e Signore. Un esame storico-critico, all'interno dell'intenzione di fede dei vangeli, rimane quindi l'unico punto di partenza per conoscere il Gesù terreno.

Se noi visualizziamo l'immagine del Cristo secondo i vangeli, abbiamo l'impressione – in Giovanni soprattutto, ma anche in Matteo e in Marco – di una ieratizzazione considerevole in rapporto a quello che è stato il Gesù terreno. Il Cristo è così divino che la sua carriera terrena somiglia a una specie di interludio tra la sua discesa tra gli uomini e la sua risalita verso il mondo celeste. Se è così, si deve concludere che l'immagine originale di Gesù ci è in un certo senso «nascosta», o che Gesù è stato a tal punto «trasfigurato» dal Cristo della confessione di fede, che i contorni storici della sua vita e della sua persona sono divenuti evanescenti sotto la luce abbagliante della Pasqua? È ancora possibile accedere alla realtà del suo messaggio tra gli uomini?

Sappiamo inoltre che i vangeli, così come si presentano attualmente, sono il risultato di un lungo processo di riflessione iniziato dalla chiesa all'indomani della Pentecoste. Per parecchi decenni, la materia dei vangeli è servita alla catechesi, al culto, alla polemica, alla missione, e, di conseguenza, porta l'impronta dell'attualizzazione e dell'interpretazione della chiesa primitiva. Sappiamo infine che gli evangelisti, se hanno accettato consapevolmente la tradizione anteriore, non l'hanno semplicemente riprodotta, ma ripensata e riscritta secondo le prospettive teologiche proprie a ciascuno di loro (→ Testamento Antico e Nuovo).

Si pone quindi la domanda: è ancora possibile scoprire, sotto le stratificazioni molteplici dell'attualizzazione primitiva, gesti autentici, fatti «veramente avvenuti», e sentire il messaggio di Gesù nella sua freschezza originale? La differenza, per esempio, tra il linguaggio di Gesù nei sinottici e quello dello stesso Gesù nel vangelo di Giovanni è molto grande. La libertà degli evangelisti somiglia a una specie di disinvoltura nei confronti del reale. In queste condizioni, c'è ancora speranza di arrivare, se non agli «ipsissima verba Jesu» (sogno da lungo tempo abbandonato), almeno al contenuto essenziale del suo insegnamento, a quel nucleo che ha nutrito la riflessione ulteriore, e al blocco granitico delle sue azioni più importanti? Possiamo stabilire criteri che ci diano la certezza di conoscere il rabbi itinerante che ha turbato la Palestina e sconvolto la storia dell'umanità? In breve, qual è il rapporto tra storia e kêrygma, tra il testo e l'evento?

La teologia fondamentale (TF) non può esimersi dal riflettere su questo rapporto tra la fede e la storia, perché se Gesù non è esistito, o se è stato tale da non poter costituire la base dell'interpretazione che la fede ne ha dato, ma un'altra molto differente, addirittura del tutto differente, il cristianesimo crolla nella sua pretesa originaria. La fede cristiana comporta un legame di continuità tra il fenomeno Gesù e l'interpretazione che la chiesa primitiva ne ha dato, perché Dio si è manifestato nella vita terrena di Gesù, ed è questa che autorizza l'interpretazione cristiana di quella vita come la sola autentica e vera. Se gli apostoli hanno potuto confessare Gesù come Cristo e Signore, bisogna che lui abbia compiuto delle azioni, adottato un comportamento, degli atteggiamenti, un linguaggio che autorizzano una simile interpretazione. La TF deve quindi poter accertare, con i vangeli e nei vangeli, quello che giustifica l'interpretazione cristiana del fenomeno Gesù nella sua condizione terrena.

2. LE RISPOSTE DELLA CRITICA - Le risposte della critica al problema della possibilità di un accesso a Gesù attraverso i vangeli sono molteplici.

a. Risposta acritica, e di piena fiducia, che ha dominato l'esegesi fino al XVIII secolo. Per lungo tempo, infatti, il problema dell'autenticità storica dei vangeli ha coinciso con quello dell'autenticità dei loro autori. Basandosi sulla testimonianza della tradizione, l'esegeta attribuisce i vangeli a degli apostoli (Matteo e Giovanni) o a dei discepoli di apostoli (Marco e Luca). Poiché i vangeli provengono, in maniera immediata o mediata, da testimoni oculari, ne consegue che tutto ciò che essi riportano mette in presenza di Gesù stesso. I testi sono trasparenti e l'autenticità storica non rappresenta un problema.

b. Risposta dello scetticismo storico, avviata da Reimarus, elaborata da Strauss, Kähler, Wrede, e radicalizzata da → Bultmann. Quest'ultimo riconosce una successione materiale o cronologica tra Gesù e la predicazione apostolica, ma dichiara che c'è rottura esistenziale tra Gesù di Nazareth, di cui non si sa praticamente niente, e il kêrygma dei vangeli. Questo scetticismo storico si accompagna a un principio dogmatico: la fede non sa che farsene dei risultati della storia. L'incontro della parola di Dio nella fede è quello di due soggettività, al di là dei dati oggettivi. Una simile situazione può addolorare lo storico, ma non il credente, né il teologo.

c. Risposta più moderata dei discepoli di Bultmann, in particolare di Käsemann, Bornkamm, e della «Nuova Ermeneutica», con Fuchs, Ebeling e Robinson. Tutti giudicano esagerato lo scetticismo del maestro, e si sforzano di ritrovare una continuità

essenziale tra il Gesù della storia e il Cristo dei vangeli. La generazione attuale dei teologi protestanti, rappresentata da Pannenberg e Moltmann, afferma a sua volta, in maniera incisiva, il primato della storia. «La fede ha innanzitutto a che fare con ciò che fu Gesù. Solo partendo da qui noi riconosciamo ciò che egli è per noi oggi e come è possibile oggi annunciarlo» (*Esquisse d'une christologie*, Paris 1972, 22).

d. Infine risposta dell'esegesi cattolica contemporanea, convinta che è possibile, attraverso il kêrygma dei vangeli, raggiungere Gesù di Nazareth, ma al tempo stesso molto più critica di un tempo, perché più consapevole delle difficoltà dell'impresa. Questa nuova posizione può essere formulata nei termini seguenti. Si sa che, nella teologia cattolica, il Cristo pasquale è lo stesso personaggio concreto di Gesù di Nazareth. Non potrebbe esservi disgiunzione né opposizione tra il Gesù terreno e il Cristo dei vangeli, ma unità e continuità. Si tratta sempre dello stesso Gesù, ma ormai identificato come messia e Signore, in seguito alla risurrezione. Il glorificato attuale è il crocifisso di ieri; le condizioni sono cambiate ma la persona è la stessa. La risurrezione ha agito come da catalizzatore o, se si vuole, da scintilla che ha permesso di capire e identificare pienamente Gesù di Nazareth. Separare Gesù dal kêrygma significherebbe cadere nello gnosticismo; parlare solo del Gesù della storia significherebbe rinunciare a comprenderlo, anche nella sua condizione terrena.

Il Signore che la chiesa adora, il figlio di Dio, è anche, in persona, il figlio del falegname. Il destino di questa persona è il destino storico di un uomo del suo tempo. Non si tratta dell'evento eterno di un mito, ma di una storia che non si ripete; non di una idea, di una cifra, ma di un racconto; non di un gioco culturale, ma della serietà della storia; non di una metafisica, ma di un evento. D'altra parte, rifiutare il mito di Gesù non significa per questo chiudere gli occhi su un processo di riflessione e di presa di coscienza progressive da parte della chiesa. Sappiamo infatti che la *rilettura* dell'evento-Gesù e della sua esistenza terrena, a partire dalla risurrezione, ha messo in moto tutto un processo di interpretazione inscritto nel tessuto stesso dei nostri vangeli. Tra Gesù e il testo attuale ci sono quindi diversi strati e parecchie mediazioni che, senza dubbio, arricchiscono la nostra conoscenza e la nostra comprensione di Gesù, ma al tempo stesso aumentano la distanza ermeneutica che ci separa da lui. L'esegesi si applica a scoprire e ad apprezzare proprio questa distanza e questo processo organico. Attraverso la percezione del Cristo glorioso, è ancora possibile ritracciare la percezione di Gesù di Nazareth?

3. ABBOZZO DI UNA DIMOSTRAZIONE - Per tener conto delle ricerche sui vangeli effettuate da più di un secolo, la critica storica deve effettuare un certo numero di inevitabili verifiche:

a. L'apporto della critica esterna, anche se questo apporto è stato ridotto e «ridimensionato».

b. Tra il gruppo di Gesù e dei suoi discepoli, prima di Pasqua, e la chiesa nascente del dopo Pasqua, una trasmissione fedele e attiva delle parole e dei gesti di Gesù, è cosa possibile, se non addirittura altamente probabile?

c. Possiamo stabilire che c'è stata, da parte della chiesa primitiva, preoccupazione di trasmissione fedele delle parole e dei gesti di Gesù? Si può individuare, nella chiesa nascente, una volontà di fedeltà *continuata* a Gesù?

d. Infine, è possibile stabilire la realtà, il fatto stesso di questa fedeltà a Gesù? È il problema capitale dei criteri di autenticità storica.

Si tratta quindi di accertare che c'è

stata possibilità di trasmissione fedele, preoccupazione e volontà di trasmissione fedele, realtà di trasmissione fedele. Se questi accertamenti vengono effettuati, la nostra fiducia nei vangeli è storicamente fondata.

4. APPORTO DELLA CRITICA ESTERNA - La critica esterna prende in considerazione i vangeli «dal di fuori», per rispondere a domande che riguardano l'autore, la data e il luogo di composizione, le fonti e l'integrità del testo. Nel caso dei vangeli, la critica esterna si richiama agli scritti extra-evangelici (Lettere di Paolo, Atti degli apostoli) e soprattutto alla testimonianza delle chiese post-apostoliche (II e III secolo) che parlano esplicitamente dei vangeli.

Per lungo tempo la critica esterna ha goduto di una autorità quasi esclusiva e incontestata, mentre la critica interna era oggetto di sospetti e accusata di soggettivismo. Oggi le prospettive sono capovolte: i criteri interni sono alla ribalta della criteriologia, mentre la critica esterna è caduta in un discredito quasi totale. La verità sta probabilmente nel mezzo. Se la ricerca contemporanea ha dimostrato che la critica esterna, in ragione anche del carattere dei vangeli e della storia della loro formazione, non ha più assolutamente l'importanza che le si accordava, non è tuttavia dispensata dall'interrogarla. Anche se il suo contributo è minimo, essa ha ancora qualcosa da insegnarci: sugli autori dei vangeli, sull'autorità di questi nella chiesa dei primi secoli, sull'atteggiamento della chiesa di fronte alle tendenze deformatrici degli apocrifi e degli scritti gnostici.

a. La nozione di autore - Fino al XIX secolo il problema si pone in termini molto semplici. Si attribuisce il vangelo all'autore designato da una tradizione che generalmente non risale oltre il II secolo. Questo autore, apostolo o discepolo di apostolo, è un testimone di prima mano, gratificato inoltre dal carisma dell'ispirazione. L'esegesi antica pone così i vangeli in una condizione privilegiata: l'accesso alla realtà è diretto. Il lettore, quindi, può fare a meno della critica interna.

In generale, si può dire che la tradizione ha tendenza a «individualizzare» gli autori e a metterli in stretto rapporto con una autorità apostolica. I più antichi testi che possediamo (Papia, il Canone di Muratori, i prologhi antimarcioniti, Ireneo di Lione) considerano Marco e Luca *autori* in senso proprio. La critica contemporanea, nel suo insieme, accetta questa testimonianza e ragiona così: se la tradizione del II secolo avesse indicato falsamente Marco e Luca come evangelisti, avrebbe dovuto proporre piuttosto (gratuità per gratuità, falsità per falsità) il nome di due testimoni oculari, ossia due apostoli. Se le chiese del II secolo hanno mantenuto il nome di Marco e Luca come autori, l'hanno fatto senza dubbio sotto la pressione dei fatti.

Si nota tuttavia che la tradizione ha tendenza ad accostare il più possibile Marco e Luca agli apostoli per dare ai loro vangeli tutto il prestigio dell'autorità apostolica. È il caso di Papia, che presenta Marco non solo come compagno di Paolo − cosa che d'altra parte sappiamo − ma anche come l'interprete, il portavoce di Pietro. Di più ancora, Clemente d'Alessandria afferma che Marco scrisse il suo vangelo al tempo di Pietro. Ora, le testimonianze precedenti di Ireneo di Lione, di Papia e dei prologhi antimarcioniti sostengono il contrario. Abbiamo qui senza dubbio un inizio di leggenda e un esempio di quella tendenza a rafforzare i rapporti tra apostoli ed evangelisti. Certamente, proponendo Marco come compagno di Paolo e portavoce di Pietro, se ne fa un testimone privilegiato della vita di Gesù. Quanto a Luca, la tradizione si limita a riconoscere in lui un compagno di Paolo. La tradizione ha

avuto ragione di proporre Marco e Luca come autori, tanto più che la critica interna conferma la sua testimonianza. Essa ha tuttavia sopravvalutato la loro qualità di «testimoni». Marco è molto più un fedele «relatore» della predicazione primitiva che un portavoce di Pietro.

La tradizione attribuisce il primo vangelo a Matteo e il quarto a Giovanni. Ma noi sappiamo che il primo vangelo è un rimaneggiamento sostanziale dell'opera aramaica attribuita a Matteo, con l'aggiunta di elementi provenienti da altre fonti, in particolare da Marco (in maniera mediata o immediata). D'altra parte, sappiamo che il quarto vangelo, se ha la sua fonte nella testimonianza di Giovanni, rappresenta anche l'influenza di una comunità dai tratti specifici, in cui la tradizione giovannea è stata a lungo predicata e ha raggiunto la sua maturazione.

Una cosa è certa, la chiesa antica ha tendenza a personalizzare gli autori dei vangeli e a mettere questi sotto l'egida di un apostolo. Li fa così beneficiare della massima autorità. Questa nozione di autore, che ha prevalso fino al XIX secolo, comporta una grande conseguenza. Se i nostri vangeli, infatti, hanno per autori dei testimoni oculari o dei discepoli di testimoni oculari, ci mettono in presenza degli eventi e di Gesù stesso. Tra Gesù e i vangeli la distanza è abolita, e la critica interna è superflua.

b. *La nozione di autore sottoposta alla critica* - Questa nozione di autore purtroppo non resiste ai dati della critica contemporanea. Se il primo e il quarto vangelo fossero attribuibili direttamente a Matteo e a Giovanni, il carattere di «testimonianza oculare» non mancherebbe di trasparire nella redazione in maniera evidente e irrecusabile. Lo stesso vale per Marco e Luca. L'esegesi dubita anche che siano testimoni di seconda mano, nel senso che avrebbero raccolto le deposizioni di testimoni oculari (di Pietro per esempio) per consegnarle in seguito scritte. I loro testi non portano il marchio di «ripresa diretta».

Non ne concludiamo tuttavia che la critica moderna sfoci soltanto in risultati negativi. Un certo numero di dati antichi si trovano confermati, mentre altri, attraverso una nuova spiegazione, sono compresi più chiaramente.

A proposito del primo vangelo, la critica riconosce che il suo autore, uno sconosciuto, è un ebreo-cristiano, di lingua greca, molto profondamente iniziato nell'ambiente ebraico e rabbinico, che ha conservato e utilizzato in sostanza l'opera aramaica attribuita a Matteo. La critica riconosce anche che Luca è medico, compagno di Paolo (At 13-28), e che è un cristiano venuto dal paganesimo. Si riconosce che Marco fu un compagno di Paolo e che il suo vangelo ha influenzato l'opera di Luca e di Matteo canonico. Marco dipende molto di più dalla tradizione primitiva, della quale è il fedele «relatore» e «trasmettitore», che da Pietro. Al contrario, l'influenza di Paolo su Marco è sempre più riconosciuta. La cristologia di Marco, in particolar modo, potrebbe essere stata ispirata da Paolo e rappresenterebbe così una chiave per l'interpretazione della cristologia dei sinottici. La personalità di Giovanni ha perduto la sua precisione come autore immediato del quarto vangelo. In compenso, conosciamo meglio la storia della redazione del quarto vangelo, come anche le qualità di scrittore e di teologo del suo autore.

c. *Nuovo profilo d'autore* - In breve, la critica interna ci ha rivelato che la nozione moderna di autore non potrebbe essere applicata in maniera univoca agli autori dei nostri vangeli. I redattori si ricollegano agli avvenimenti del ministero di Gesù attraverso una tradizione orale e scritta scaglionata in parecchi decenni. Va

quindi scartata l'idea di una redazione dei vangeli sulla base di testimonianze immediate, provenienti da uomini che hanno partecipato agli avvenimenti, e subito consegnate dai nostri autori. Tra Gesù e i testi attuali esistono parecchie mediazioni delle quali va apprezzato il rispettivo contributo. Da questo fatto, Matteo e Giovanni hanno acquisito un profilo d'autore definito dall'insieme delle tendenze e dei tratti caratteristici che soltanto la critica interna ha permesso di scoprire. Con le dovute proporzioni, dobbiamo dire la stessa cosa di Marco e Luca. Lo studio delle fonti orali e scritte utilizzate dai ricercatori ha aperto la strada alla *Quellenkritik* e alla *Formgeschichte*. Gli stessi redattori non sono semplici relatori della tradizione: sono anche interpreti e teologi. Ognuno di loro ha la sua prospettiva e il suo procedimento letterario. Lo studio di questa attività redazionale ha dato vita alla *Redaktionsgeschichte*.

Così, quello che gli evangelisti hanno perduto come individui, come autori personali, lo hanno ricuperato come servitori della tradizione e come teologi. Questa scoperta del nuovo profilo d'autore è stata imposta da un esame più attento delle testimonianze antiche e soprattutto dall'esame del tessuto stesso dei vangeli. La critica interna ha osservato, nei nostri testi attuali, divergenze e anche incoerenze che non potrebbero essere attribuite a un testimone oculare, fosse anche di seconda mano. Per spiegarle, l'esegesi è stata costretta a procedere in maniera diversa; è dovuta passare dalla critica esterna alla critica interna, dalla critica d'autore al problema delle fonti e al problema della loro formazione.

d. *L'autorità dei vangeli* - La critica esterna fornisce un altro dato importante. Attraverso tutti i testi affiora una convinzione che si esprime con forza, ossia l'autorità incontesta-

ta di cui godono i vangeli nella chiesa antica. Questa autorità si manifesta in maniere diverse:
1. Nella conservazione fedele del testo stesso dei vangeli. Così la scoperta dei papiri Bodmer (editi negli anni 1956-1958) dimostra che il vangelo di Giovanni, nella sua forma attuale, era già in circolazione alla fine del II secolo.
2. Nel fatto che, fin dal II secolo, si legga durante alcune cerimonie liturgiche il testo dei vangeli, e che questa lettura abbia la stessa importanza di quella dei profeti. Giustino scrive a questo proposito: «Il giorno del sole (la domenica), si riuniscono tutti gli abitanti della città e delle campagne, e si leggono le Memorie degli apostoli o gli scritti dei profeti» (*Apologia* I, 67). In un altro brano, Giustino, che si rivolge a dei pagani, precisa per loro che quelle «Memorie» si chiamano «Vangeli» (*Apologia* I, 66).
3. Nel fatto che la chiesa, quando impegna la discussione con gli eretici, ricorre ai vangeli come a un argomento decisivo. È il caso di Ireneo di Lione quando si rivolge agli ebioniti, ai marcioniti, ai doceti e ai valentiniani. Per giunta, osserva Ireneo, ognuna di queste sette, quando rompe con la chiesa, conserva sempre un legame con uno dei quattro vangeli, almeno per giustificare la sua posizione dottrinale. Così gli ebioniti, ebrei fanatici, si appoggiano a Matteo; Marcione e i marcioniti, ostili agli ebrei, rifiutano l'AT, ma si ricollegano a Luca. Cerinto e i suoi discepoli invocano la chiesa di Marco, mentre Valentino e i suoi fondano le loro speculazioni sul vangelo di Giovanni. A modo loro, gli eretici confermano quindi l'autorità dei vangeli.
4. Infine, tutte le testimonianze sono unanimi nel riconoscere che l'autorità dei vangeli proviene dal fatto che, attraverso di essi, noi abbiamo accesso alla persona di Cristo. Per questo motivo le chiese locali, ben-

ché diverse per la lingua, la mentalità, la cultura, riconoscono i nostri quattro vangeli come norme di fede e di vita. E anche per questo gli → apocrifi sono respinti.

Queste testimonianze non si esprimono naturalmente in termini di scienza e non conoscono le nostre esigenze critiche. Hanno perfino tendenza a esagerare il legame che collega i vangeli agli apostoli. Un fatto resta, tuttavia: la convinzione molto ferma, unanime, spontanea, che attraverso i vangeli noi conosciamo veramente Gesù e il suo messaggio, poiché i vangeli contengono la predicazione degli apostoli su Gesù. Difficilmente si può ricusare la portata di una tale testimonianza, anche se è acritica e ingenua nella sua espressione, poiché proviene da generazioni molto vicine all'evento. È compito della critica interna determinare il rapporto preciso esistente tra il messaggio di Gesù e il testo attuale dei nostri vangeli. Ma la critica letteraria non potrà mai annullare la convinzione massiva e incoercibile delle prime generazioni cristiane: attraverso i vangeli noi raggiungiamo veramente Gesù di Nazareth: vita e messaggio.

5. LA COMUNITÀ PRIMITIVA: PREPASQUALE E POSTPASQUALE - Una volta completato il contributo della critica esterna, la critica *interna* le dà il cambio.

La chiesa primitiva costituisce il punto di congiunzione tra Gesù e gli evangelisti; questi, a loro volta, assicurano la continuità tra la chiesa primitiva e noi. Ma se c'è rottura, fin dall'origine, tra Gesù predicatore e il Cristo predicato, chi può assicurarci che il kêrygma è ancora il vangelo di Gesù? La *prima verifica della critica interna* consiste quindi nello stabilire il rapporto reale esistente tra la comunità prepasquale, da una parte, e la comunità postpasquale dall'altra. È possibile che, tra questi due

gruppi, ci sia vera continuità, non solo di tempo ma anche di «tradizione»?

In una dimostrazione che nessuno
è riuscito a distruggere, H. Schürmann (*La Tradizione dei detti di Gesù*, Brescia 1966) distingue, nella comunità prepasquale, un doppio *Sitz
im Leben*; uno esterno, formato dalle situazioni e dalle attività visibili di
questa comunità; l'altro, interno, formato dai rapporti interpersonali che
uniscono tra loro i membri di questa
comunità, nella professione di una
stessa fede e degli stessi valori.

a. *La comunità prepasquale* - In un
primo tempo, Schürmann studia
l'ambiente costituito dalla vita intima di Gesù e dei suoi discepoli in
una ricerca che usa le stesse tecniche
della Scuola delle forme.

Anche in una prospettiva riduttiva,
nessuno potrebbe negare che Gesù
abbia predicato e che abbia avuto dei
discepoli. La tradizione, su questo
punto, è inflessibile: a più riprese,
Gesù rivolge un appello a uomini che
ha individuato e reclutato perché siano suoi compagni. A questi uomini
chiede di abbandonare tutto per unirsi a lui e condividere il suo faticoso
lavoro.

Questo gruppo di Gesù e dei suoi
forma una comunità «a parte», distinta dall'ambiente generale, proprio
perché i discepoli si sono messi al seguito del maestro e hanno fede in lui.
Questa comunità non è di tipo occasionale, alimentata da incontri effimeri, ma presenta un carattere di *stabilità*. Tutta la tradizione presenta un
Gesù mai separato dai suoi discepoli. I discepoli condividono la vita precaria di Gesù; sono sempre con lui
e, di conseguenza, divengono i testimoni della sua vita e del suo insegnamento.

Questa presenza stabile di «discepoli» intorno a Gesù non è un fatto
spontaneo o il frutto del caso: essa
postula una causa. Questa causa, oltre all'appello di Gesù, è la fede nel-

la sua parola, proposta da lui come
l'ultima parola di Dio prima della fine dei tempi. Sul piano dell'insegnamento, la sua autorità colpisce i suoi
uditori: nessuno ha parlato come quest'uomo. Sul piano dell'azione, il suo
prestigio è senza precedenti: mai abbiamo visto niente di simile. Le atte-
stazioni sull'impatto prodotto dall'apparizione di Gesù sono di una storicità incontestata.

Questo è l'ambiente nel quale riecheggia l'insegnamento di Gesù. Degli uomini, chiamati da lui, gli si sono stretti intorno e vivono in intimità con lui. Sono sedotti da lui, affascinati dalla sua parola. Come concepire, allora, che abbiano lasciato che
questa si volatilizzasse o cadesse nel-
l'oblio? La confidenza con un simile
maestro ci autorizza piuttosto a pensare che essi hanno conservato il tesoro della sua parola con un sovrano
rispetto e che hanno fatto di tutto
per conservalo inalterato.

Se ammettiamo la fede (nel senso
di un attaccamento profondo) dei discepoli nella parola di Gesù, siamo
in possesso di un principio metodologico importante: cioè che la parola
di Gesù, in quanto tale, era ritenuta
degna di essere conservata e trasmessa e, di fatto, *poteva* esserlo, in ragione dell'intimità di vita di Gesù e
dei suoi. Per giunta, il fatto stesso
che alcuni *lòghia* di Gesù ci siano stati trasmessi, è già un segno di questa
stima e di questo interesse. L'attaccamento a Gesù spiega in particolare
la conservazione di *lòghia* che potevano difficilmente essere compresi
mentre Gesù era in vita, perché deliberatamente oscuri e profetici, completamente orientati verso l'avvenire.
Pensiamo in particolare ai *lòghia* che
riguardano il destino tragico di Gesù. Creati dopo la Pasqua, discorsi
simili non avrebbero potuto conservare il loro carattere enigmatico.

La fede dei discepoli nella parola
di Gesù spiega non solo la «possibilità» di una tradizione, ma anche la

fisionomia propria di questa tradizione. Che dei discepoli, infatti, si radunino intorno a un maestro, o a un saggio, o a un capo, o a un profeta, o a una figura messianica, non è assolutamente un fenomeno identico. La figura che diviene il centro di attrazione di questa comunità determina subito il tipo di adesione alla persona e la consistenza della tradizione che essa genera. Ora è chiaro che Gesù, per i suoi discepoli, è stato più di un rabbi o di un saggio, e che la cerchia dei suoi discepoli non potrebbe essere assimilata, senza niente di più, a quello dei maestri d'Israele. La comunità prepasquale è molto più affine, piuttosto, a quella dei profeti e dei loro discepoli. L'analogia va cercata in questa direzione. La parola di Gesù, in effetti, riecheggia come la parola decisiva, che annuncia l'ora suprema della venuta imminente del regno di Dio. E, d'altra parte, la personalità di Gesù s'impone come quella di un profeta, anzi come quella del più grande tra i profeti. Gesù si comporta come un radunatore di uomini, come il pastore che guida il suo gregge.

Si capisce allora l'importanza, per i suoi discepoli, di conservare, ancor più della forma letteraria, il messaggio stesso di Gesù nel suo contenuto originale. Il carattere di urgenza e di unicità di questo messaggio rappresenta una garanzia di fedeltà ben superiore a quella di tutte le tecniche rabbiniche, senza negare tuttavia che Gesù abbia fatto ricorso ai mezzi mnemotecnici in uso in un'epoca di tradizione orale.

L'influenza del *Sitz im Leben* interno non rende superfluo lo studio del *Sitz im Leben* esterno. La comprensione della vita intima della comunità ci apre al senso della sua attività esterna; e questa, a sua volta, ci rivela i fattori che assicurano al processo di tradizione una consistenza nuova. Due di questi fattori sono l'attività missionaria dei discepoli e le esigenze della vita comunitaria prepasquale.

Schürmann sottolinea che Gesù ha predicato e proposto il suo messaggio con l'intenzione di fornire ai suoi discepoli uno strumento adatto, in vista dell'attività missionaria che avrebbero dovuto esercitare, non soltanto dopo Pasqua, ma anche mentre egli era in vita, in qualità di ambasciatori e di predicatori del regno. Se, infatti, Gesù ha rivolto un appello particolare a uomini che egli ha scelto come suoi compagni di vita, questo appello significa, senza alcun dubbio, che essi parteciperanno alla sua missione religiosa. Una buona parte dei *lóghia* che ci sono stati trasmessi deriva, sembra, da questa intenzione di fornire ai discepoli uno strumento di evangelizzazione. A questo riguardo, la *missione* degli apostoli prima di Pasqua rappresenta un *Sitz im Leben* particolarmente importante per comprendere l'origine e il processo di trasmissione della tradizione evangelica.

Sembra infatti probabile che Gesù abbia dato alle sue parole una «forza d'urto» particolare, proprio allo scopo di imprimerle nella memoria dei suoi discepoli. Il fatto stesso di una o verosimilmente di parecchie «missioni» dei discepoli prima di Pasqua, ci autorizza a pensare che Gesù abbia veramente avuto questa preoccupazione. Se quindi Gesù si propone di affidare ai suoi discepoli una «missione», fin da prima di Pasqua, egli deve prepararli, tanto più che si tratta di uomini privi di cultura e di istruzione, o piuttosto di uomini che appartengono a un ambiente di cultura orale, in cui si memorizza: i salmi, la legge, i profeti. In questo contesto, l'unico mezzo, per Gesù, di evitare che il suo messaggio di salvezza e le sue esigenze morali non si degradino e non si «banalizzino», era di proporle in una forma più o meno stereotipata.

Matteo, Marco e Luca riferiscono che Gesù, dopo un tempo notevole di ministero esercitato in mezzo ai suoi discepoli, manda questi in missione (Mc 6,7). Su questo punto, autori come Dibelius e Bornkamm sono d'accordo con gli esegeti cattolici nel riconoscere che i discepoli hanno partecipato all'attività di Gesù, già prima di Pasqua. L'intenzione di Gesù di mandare i suoi in missione è attestata in Marco 3,14-15; 6,7, come anche nel discorso di missione, la cui parte centrale (Mt 10,5b-6; Lc 10,8-12) rappresenta un punto nodale molto antico. Il contesto, il vocabolario, lo stile di pensiero di questo discorso, riflettono infatti una situazione prepasquale. La collaborazione dei discepoli all'attività di Gesù si esprime con il potere che viene loro conferito, da una parte di predicare, e dall'altra di cacciare i demoni e di operare guarigioni: due poteri e due attività ugualmente congiunte nel ministero di Gesù. Al ritorno dalla loro missione, gli apostoli, riuniti intorno a Gesù, gli riferiscono tutto quello che hanno fatto e tutto quello che hanno insegnato (Mc 6,30). Questa prima predicazione dei discepoli ha come temi essenziali l'annuncio del regno (Mc 1,15; Mt 10,7) e l'invito alla penitenza (Mc 6,12).

Un secondo fattore adatto a spiegare la formazione e la trasmissione di una tradizione è il fatto innegabile di una *vita in comune*. Senza dubbio, il gruppo dei primi discepoli non ha una regola ben definita, come la setta di Qumrân, ma ha norme di vita destinate a rafforzare i legami tra i membri. I discepoli devono abbandonare beni, famiglia e professione per unirsi a un predicatore itinerante e seguirlo ovunque. Questo radicalismo di Gesù si spiega con il fatto che il suo appello è rivolto a uomini che debbono dedicarsi completamente al regno. A questa esigenza di vita comunitaria e a questo radicalismo si ricollegano i *lóghia* sulla vocazione e sulla *sequela Jesu*.

La ricerca di Schürmann ha così dimostrato che l'origine e la tradizione dei *lóghia* di Gesù sono cominciate prima di Pasqua, nella cerchia stessa dei discepoli di Gesù. L'iniziatore della tradizione è Gesù stesso, come attestano 1 Gv 1,1ss; Lc 1,2; 1,21-22. Una vera continuità, non solo temporale e sociologica, ma anche di *tradizione*, cioè di adesione, di attività e di messaggio, è possibile e altamente probabile tra la comunità prepasquale e la comunità postpasquale.

b. *La comunità postpasquale* - Dopo Pasqua, Gesù è identificato meglio, compreso meglio. La sua autorità, lungi dal diminuire, aumenta ancora. L'adesione alla sua parola guadagna in profondità. La predicazione del regno continua, ma diviene più precisa. Tra la comunità prepasquale e la comunità postpasquale non esiste rottura, ma continuità e approfondimento. La discontinuità dei momenti non polverizza i ricordi e non infrange la continuità del processo di tradizione e di fedeltà a Gesù. Pasqua non è una bomba atomica che ha annientato tutto, ma una fiamma che ha illuminato tutto. Gli apostoli, testimoni di Gesù, sono sempre presenti. La comunità prepasquale non vive in un *vacuum*, isolata dai suoi fondatori e immersa nell'ignoranza.

Gli Atti degli apostoli, al contrario, descrivono una comunità unita intorno a *testimoni di Gesù*, che sono anche i capi di questa comunità, cioè gli apostoli, Pietro in testa. Questi ha l'iniziativa dell'elezione di Mattia (At 1,15-26). Il giorno della Pentecoste, è il primo a prendere la parola (At 2,14). Quando Pietro e Giovanni vengono arrestati, è Pietro a rivolgersi al sinedrio (At 4,8). I Dodici convocano i discepoli e scelgono sette diaconi (At 6,5-6). Gli apostoli mandano Pietro e Giacomo in Samaria a «confermare» i battezzati (At 8,14-17). Gli apostoli protestano contro quelli che gettano lo scompiglio senza aver ricevuto il mandato da parte loro (At 15,24). Gli apostoli promulgano e diffondono il decreto di Gerusalemme (At 15,27-28). Di Pietro si diceva «che andava a far visita a tutti» (At 9,32). Predica a Lidda, Giaffa e Cesarea. Dei cristiani, al contrario, viene detto che «erano assidui nell'ascoltare l'insegnamento degli apostoli» (At 2,42). E quando questi devono scegliere tra due ministeri, si riservano quello della parola (At 6,4).

Aggiungiamo che la comunità postpasquale non ha niente di una società anonima. Al contrario, essa è *perfettamente identificata* in un buon numero dei suoi personaggi di primo piano. Oltre agli apostoli, conosciuti da tutti, annovera parenti di Gesù (Giacomo), discepoli come Mattia, Barnaba, Barsabba, Sila, Marco, Cleofa, Nicodemo, Giuseppe d'Arimatea, alcuni diaconi (tra cui Stefano), Paolo, la madre di Gesù e il suo ambiente circostante.

La comunità postpasquale non è quindi una società amorfa, senza una struttura. Non è nella linea dei molluschi, ma dei vertebrati. In questa comunità, quelli che hanno autorità per dirigerla sono proprio gli intimi e i commensali di Gesù: i testimoni della sua vita e del suo ministero. Questo è l'ambiente che dà nutrimento alla tradizione evangelica: un ambiente di fedeltà a Gesù.

6. MANTENIMENTO DI UNA VOLONTÀ DI FEDELTÀ A GESÙ: LINGUAGGIO E ATTEGGIAMENTI - Diversificandosi e allontanandosi dall'evento, la tradizione si è evoluta e si è mantenuta sotto il segno della fedeltà a Gesù? È la *seconda verifica* che la critica storica deve effettuare.

Per effettuare questa verifica che verte sugli anni precedenti la redazione dei vangeli, cercheremo di penetrare la mentalità che ispira la chiesa primitiva.

Si tratta, con una specie di psicoanalisi, di cogliere quali sono i riflessi spontanei, e per così dire viscerali, della comunità primitiva nei confronti di Gesù e della sua parola e, di conseguenza, la struttura psicologica e mentale di questa comunità. Pensiamo che sia possibile intraprendere una simile ricerca attraverso le vie della semantica, partendo dai *vocaboli* la cui frequenza è tale, nella chiesa nascente, da riempire in un certo senso tutto l'orizzonte della coscienza cristiana esprimendone l'orientamento profondo. Facciamo appello ai testi che descrivono direttamente l'ambiente ecclesiale primitivo, in particolare le lettere di Paolo e gli Atti degli apostoli. Il riferimento a Gesù, in questa letteratura, essendo meno diretto che nei vangeli, è più significativo. Sappiamo infatti che una comunità, proprio come un individuo, si tradisce con il suo linguaggio, nell'impiego di certi termini privilegiati. Precisiamo che, per essere veramente rivelatori, questi vocaboli non solo devono raggiungere un tasso elevato di ricorrenze, ma apparire in contesti importanti. Nel caso presente, si tratta di sapere se la mentalità rivelata dal vocabolario di base delle lettere di Paolo e degli Atti degli apostoli va nel senso della fedeltà a Gesù o della fabulazione creatrice.

Se con lo studio di questi vocaboli privilegiati riusciamo a scoprire la mentalità profonda della chiesa primitiva, siamo in possesso di un criterio importante per apprezzare la qualità dell'ambiente ecclesiale nel quale si è formata e sviluppata la tradizione evangelica. Avremo dimostrato che esiste continuità non solo da Gesù alla chiesa, ma anche dalla chiesa a Gesù, perché l'atteggiamento della giovane chiesa, negli anni in cui si forma la tradizione, resta radicalmente quello della fedeltà.

Tra i vocaboli che manifestano l'atteggiamento della chiesa primitiva nei confronti di Gesù, possiamo distinguere tre gruppi che disegnano intorno a Gesù tre zone concentriche. Il primo, generico, ma molto antico, si ricollega all'idea di tradizione: *ricevere* (paralambánein) e *trasmettere* (paradidônai). Il secondo riguarda i collaboratori immediati di Gesù: *testimone* (mártys), *apostolo* (apóstolos) e *servizio* (diakonía) della parola. Il terzo riguarda l'attività più vasta che ingloba tutti i predicatori del vangelo: *insegnare* (didáskein), *proclamare* (kerýssein), *evangelizzare* (euagghelízesthai), *Vangelo*. Nell'esame di questi vocaboli, più che di perseguire un'inchiesta semantica esaustiva, si tratta di comprendere come queste parole-chiave e questo vocabolario di base della chiesa primitiva ci danno accesso alla coscienza e alla subcoscienza cristiana nei confronti di Gesù.

a. *La parádosis: ricevere e trasmettere nelle lettere di Paolo* - Le lettere di Paolo, che risalgono agli anni 50-60, cioè prima della redazione dei vangeli, attestano tutta l'importanza di questa categoria nella coscienza cristiana. Il sostantivo *tradizione* ritorna nel NT e indica il contenuto della trasmissione. Il verbo *trasmettere* (paradidômai) ricorre 120 volte, con significati diversi. In relazione con la → tradizione, indica l'atto di trasmettere: istituzioni (Mc 7,3.4.5.9) ricevute verbalmente, o un insegnamento (1 Cor 15,3) comunicato anch'esso da altre persone.

Paolo è stato innanzitutto un fariseo e, come tale, un accanito osservatore della tradizione consegnata nella Tôrāh scritta o orale (Gal 1,13-14). Egli ha poi abbandonato queste tradizioni per adottare quella di Gesù. Tuttavia, quando indica questa nuova tradizione, conserva la terminologia che ha ricevuto dal giudaismo: *ricevere* (paralambánein) e *trasmettere* (paradidômai). Tutto quello che ha ricevuto deve trasmetterlo. Nella lettera ai Galati, lui, il più indipendente degli apostoli, dichiara di aver sottomesso il suo vangelo alla chiesa di Gerusalemme per confermarne l'autenticità: «per non trovarmi nel ri-

schio di correre o di aver corso invano» (Gal 2,1-6).

Paolo stabilisce una stretta concordanza tra *ricevere* e *trasmettere*, in particolare in due passi importanti che riguardano la risurrezione (1 Cor 15,3) e l'ultima cena (1 Cor 11,23). L'identità tra il ricevuto e il trasmesso sottolinea la fedeltà di Paolo nel compiere la sua missione. Il contenuto della tradizione nei testi menzionati è costituito dai misteri essenziali della salvezza e dal loro senso profondo: cena, passione, morte, risurrezione. L'autorità della parádosis viene dal fatto che Paolo trasmette fedelmente quello che ha ricevuto come missione di trasmettere: «Noi fungiamo quindi da ambasciatori per Cristo, come se Dio esortasse per mezzo nostro» (2 Cor 5,20).

In molti passi si ritrova lo stesso atteggiamento, se non gli stessi termini. Così, invita i Tessalonicesi alla fedeltà: «Perciò, fratelli, state saldi e mantenete le tradizioni che avete appreso così dalla nostra parola come dalla nostra lettera» (2 Ts 2,15; 3,6). Ai Filippesi scrive: «Ciò che avete imparato, ricevuto, ascoltato e veduto in me, è quello che dovete fare» (Fil 4,9). Loda la fedeltà dei Colossesi: «Camminate dunque nel Signore Gesù Cristo, come l'avete ricevuto, ben radicati e fondati in lui, saldi nella fede come vi è stato insegnato» (Col 2,6-7). Al contrario, biasima quelli che hanno abbandonato il vangelo che lui ha predicato: «Se qualcuno vi predica un vangelo diverso da quello che avete ricevuto, sia anatema» (Gal 1,9). Abbandonare la tradizione del vangelo di Paolo è come abbandonare il vangelo di Gesù.

Non è affatto per caso che Paolo riprende la terminologia della parádosis ebraica: significa che l'azione di *ricevere* e di *trasmettere*, in ambiente cristiano, somiglia al modo di trasmissione in uso nel giudaismo. La seconda lettera a Timoteo contiene un altro esempio dell'influenza ebraica e rabbinica sul concetto paolino della parádosis. Ogni tradizione, che pretende di essere autentica, deve citare la lista ininterrotta di quelli che l'hanno trasmessa. La lettera a Timoteo enumera cinque anelli della tradizione: Cristo (2 Tm 1,10), Paolo, apostolo e dottore (2 Tm 1,11), Timoteo, discepolo di Paolo (2 Tm 1,6), poi i fedeli e gli altri uomini (2 Tm 2,2). Enumerando così i testimoni della tradizione, senza discontinuità, Paolo ne manifesta la fedeltà e, di conseguenza, l'autorità.

Se raggruppiamo i dati raccolti sulla parádosis nelle lettere di Paolo, costatiamo che il termine indica a volte quei compendi di fede cristiana che sono i primi «credo» (1 Cor 15,3ss). Paolo ha ricevuto queste formule come il nocciolo del suo vangelo: lui le trasmette come le ha ricevute, dimostrando così di essere il servitore della parola. Nel concetto ebraico e rabbinico, la categoria del *paralambánein-paradidômai* implica un atteggiamento di fedeltà nei confronti di ciò che è ricevuto e trasmesso. Non si tratta di creare, di innovare, di trasformare, ma di trasmettere. Il termine rivela una mentalità e un ambiente dominati dalla preoccupazione di conservare la parola ricevuta, quasi fosse un deposito, un'eredità. L'autenticità della tradizione è assicurata dalla catena qualificata dei «trasmettitori», che va da Cristo agli apostoli, dagli apostoli ai loro discepoli, e da questi ai fedeli. Va sottolineato che la tradizione di Paolo, come quella di Gesù (At 1,1), è costituita da gesti, da esempi come anche da istruzioni (Fil 4,9). Una comunità che vive così sotto il segno della parádosis, vive sotto il segno della fedeltà, e non dell'innovazione avventurosa.

La scuola di Uppsala, con H. Riesenfeld e B. Gerhardsson, ha studiato i modi di trasmissione degli ambienti ebraici e rabbinici. Due principi ispirano la pedagogia rabbinica: memorizzare e conservare inalterato il testo memorizzato, con l'aiuto di tecniche che troviamo tutte nei nostri vangeli: uso di riassunti o sommari, sequenze ritmate, parallelismi, antitesi, parole-chiave, inclusioni. Dopo la morte di Gesù, gli apostoli sono rimasti a Gerusalemme quindici o venti anni, cioè durante il periodo di formazione della tradizione evangelica. In questo ambiente di cultura orale, dominato dalla presenza e dall'influenza dei Dodici, si è fissata la tradizione su Gesù. I *lóghia* di Gesù sono stati riuniti seguendo tipi diversi di raggruppamenti. Il più delle volte ci si è uniti intorno a un argomento (parabole del regno, consigli ai missionari, racconti di miracoli) o semplicemente con l'impiego dei mezzi mnemotecnici in uso in un ambiente di cultura orale. I *lóghia* di Gesù hanno circolato di bocca in bocca, secondo una pedagogia della quale Gesù stesso è stato l'iniziatore. La tradizione cristiana, comunque, ha un tratto specifico: possiede un dinamismo di fedeltà a Gesù, ma al tempo stesso un dinamismo di attualizzazione e di approfondimento legato al fatto che i *lóghia* di Gesù devono chiarire problemi di vita sempre nuovi. La chiesa, infatti, ha ricevuto la parola di Gesù, non come un tesoro inerte, ma come una parola viva, capace di chiarire situazioni inedite. L'azione di questo dinamismo è visibile e controllabile, in particolare nelle parabole, dove il messaggio è conservato, ma al tempo stesso attualizzato secondo le nuove condizioni della chiesa. Questo doppio dinamismo di fedeltà e di attualizzazione è già inscritto nell'atteggiamento e nella mentalità della chiesa primitiva.

b. *Testimone, apostolo, servizio della Parola* - 1. *Testimoniare* e *testimone* appartengono prima di tutto alla terminologia degli Atti e alla teologia di Luca. Il titolo di «testimone» indica essenzialmente gli apostoli. Come i profeti, essi sono stati scelti da Dio (At 1,26; 10,41). Hanno visto e udito Cristo (At 4,20; 1 Gv 1,1-3), hanno vissuto in intimità con lui e, di conseguenza, hanno un'esperienza diretta della sua persona, del suo insegnamento, delle sue opere. Hanno mangiato e bevuto con lui, prima e dopo la sua risurrezione (At 10,41). Gli altri possono predicare; in senso stretto, soltanto gli apostoli possono testimoniare. Hanno ricevuto da Cristo la missione di testimoniare (At 10,41). Nella testimonianza apostolica descritta dagli Atti, esiste una unione indissolubile tra l'evento storico e la sua portata religiosa. Lo stesso vale nel kêrygma di Paolo. Per lui, *Gesù*, perseguitato, crocifisso, morto, risorto, è *Cristo*. Così, lungi dal negare o dal ridurre la realtà storica, la testimonianza apostolica la riafferma e la conferma, per scoprirne la dimensione interiore. Non conferisce la storicità a un evento non accaduto, ma scopre la portata salvifica di ciò che è avvenuto. La categoria della → testimonianza esprime non soltanto riferimento a Gesù, ma volontà di riferimento a Gesù. Se Gesù non ha compiuto le opere che ha fatto, la testimonianza apostolica non vale più e il vangelo non esiste più.

2. Benché il termine *apostolo* non abbia un significato assolutamente univoco, ricorre in tutti gli scritti del NT, ad eccezione della seconda lettera ai Tessalonicesi, della lettera di Giacomo e delle lettere di Giovanni. Nelle lettere di Paolo, *apostolo* è un termine privilegiato. Paolo è un ambasciatore di Cristo, incaricato da lui, per rappresentarlo come suo delegato. In Luca, la nozione di apostolo è strettamente legata a quella di testimone. Gli apostoli sono non solo gli ambasciatori di Cristo, ma soprattutto uomini che assumono funzioni riservate ai Dodici, in particolare quelle di testimoni qualificati della vita e della risurrezione di Cristo. L'essenziale è che, nel linguaggio e nella mentalità della chiesa primitiva, l'apostolo, che sia rappresentato come ambasciatore e rappresentante di Cristo (concetto di Paolo), o come testimone della vita di Gesù (concetto di Luca), mantenga un rapporto di fedeltà nei confronti di colui che lo delega per rappresentarlo, e di cui è testimone.

3. In Paolo, *diákonos* non è un termine tecnico. È stato dapprima applicato a tutti i missionari itineranti, compresi gli apostoli (Rm 16,1; 1 Cor 3,5; 2 Cor 3,6; Ef 3,7; Col 1,23.25), poi ha designato i collaboratori degli apostoli, di Paolo in particolare, come Crescenzio, Tito, Luca e Marco, che si spostano con lui a seconda delle esigenze dell'evangelizzazione (2 Tm). Nella lettera ai Colossesi, Paolo si presenta come *diákonos* del vangelo, *diákonos* della chiesa per realizzare la parola di Dio (Col 1,25). In quanto servitore del vangelo, l'apostolo è *diákonos* di Cristo (2 Col 11,23); ancora di più *doúlos,* schiavo di Cristo (Tt 1,1; Rm 1,1), termine che esprime con forma ancora maggiore la sua appartenenza a Cristo.

Negli Atti degli apostoli, il più elevato dei servizi cristiani, cioè la proclamazione della buona notizia della salvezza in Gesù Cristo, è indicato dal «servizio della parola» (At 6,4). Questa *diakonía toú lógou* si identifica con quella che Luca chiama la *didachê* degli apostoli (At 2,42).

Negli apostoli, questo servizio della parola, concretamente s'identifica con la testimonianza che essi devono rendere a Gesù (At 1,1). Nel prologo del suo vangelo, Luca dichiara che i «testimoni oculari» sono divenuti i «servitori della parola» (Lc 1,2). Questa parola è riconosciuta non solo come parola su Dio, ma come parola di Dio allo stesso titolo della parola dell'AT. Lo stesso atteggiamento di rispetto e di servizio dovuto alla Tôrāh, diventa, nel NT, rispetto della parola di Gesù, che riguarda Gesù. La tradizione di Gesù è tradizione su Gesù. Ecco perché Paolo si definisce sia *diákonos* del vangelo, sia *diákonos*

di Cristo (2 Col 11,23). Un simile atteggiamento, naturalmente, è l'espressione di una fedeltà.

c. *Insegnare, predicare, evangeliz-*
zare - Questi termini, che appartengono al vocabolario dell'evangelizzazione, non sono riservati soltanto agli
apostoli; qualificano anche i loro collaboratori nella diffusione della buona notizia. Questi, secondo gli Atti,
diffondono la testimonianza degli
apostoli con la loro predicazione o
kêrygma.

Se questi termini si sovrappongono
nell'attività concreta degli apostoli,
resta che testimoniare è un'attività
propriamente apostolica, mentre *an-*
nunciare, proclamare, predicare mettono l'accento sul carattere dinamico, pubblico di questa testimonianza
e si applicano sia agli altri predicatori sia agli apostoli (At 15,35; 18,25):
Paolo, Barnaba, Sila, Filippo, Timoteo. Nel senso di proclamare, si trova anche *evangelizzare*. Così Pietro
e Giovanni «evangelizzano» molti villaggi samaritani (At 8,25). Paolo e
Barnaba «evangelizzano» la città di
Derbe (At 14,21). *Evangelizzare* e *in-*
segnare sono spesso uniti. Paolo e
Barnaba, ad Antiochia, «insegnano
e annunciano la Buona Notizia»
(At 15,35; 5,42; 18,25; 28,31).

Quello che gli apostoli annunciano,
predicano, proclamano, insegnano, è
ciò che gli uditori sono invitati ad
ascoltare e a ricevere, è «il lieto annuncio che Gesù è il Cristo» (At 5
42), «la buona notizia di Gesù» (At
8,35), «la buona notizia del Signore
Gesù» (At 11,20), «ciò che si riferiva a Gesù» (At 18,25), «le cose riguardanti il Signore Gesù Cristo»
(At 28,31). Il termine comune a tutti
questi testi, e l'elemento unificante,
è *Gesù*, identificato come Cristo e
Signore.

In alcuni testi, Paolo riassume in
una parola l'essenziale della sua missione. «Noi infatti non predichiamo
noi stessi, ma Cristo Signore» (2 Cor

4,5). Allo stesso modo, la vita nuova
è in Cristo: «se proprio gli avete dato ascolto e in lui siete stati istruiti,
secondo la verità che è in Gesù»
(Ef 4,21). Correlativamente, la fede
che risponde a questa predicazione,
è «la fede in Gesù» (Rm 3,26), quella che confessa che «Gesù è il Signore» (Rm 10,9; 1 Co 12,3).

L'oggetto della predicazione di Paolo, come della testimonianza degli
apostoli e di tutti quelli che evangelizzano, insegnano, è sempre *Gesù* di
Nazareth, pienamente identificato dalla sua risurrezione, come Cristo, Signore e figlio di Dio.

Benché le esigenze del Dizionario
impediscano di spingere oltre questa
indagine, essa autorizza tuttavia una
conclusione. Una comunità, i cui atteggiamenti fondamentali sono quelli della missione, della testimonianza, della tradizione, del servizio, è
completamente diversa da una comunità che si volge ad ogni vento, senza asse e senza punti di riferimento,
inconsapevole del proprio passato e
noncurante del proprio avvenire. Un
gruppo umano, il cui volere esplicito
è di trasmettere integralmente ciò che
ha ricevuto, di attestare quello che
ha visto ed udito, di agire come rappresentante e delegato di colui che lo
ha incaricato, e di privilegiare questo servizio rispetto a tutti gli altri,
questo gruppo vive decisamente sotto il segno della *fedeltà*. L'anima della chiesa primitiva è stata come forgiata e plasmata da questi vocaboli
di base. Eliminarli o ridurli sarebbe
come privare una lingua del suo vocabolario fondamentale. Enumerarli,
significa descrivere le reazioni primarie, gli atteggiamenti essenziali della
chiesa primitiva: significa definire il
suo linguaggio e la sua mentalità.
Quello che qui interessa è che questo
vocabolario di base, nel suo uso originale, miri soltanto ad una cosa, manifesti soltanto un'intenzione: *Gesù*
e la *fedeltà a Gesù*. Se è così, abbiamo il diritto di affermare che esiste,

nell'ambiente ecclesiale primitivo, non solo continuità di tradizione tra Gesù e la chiesa (come ha stabilito H. Schürmann), ma anche preoccupazione e volontà di fedeltà *continuata e mantenuta* della chiesa a Gesù. Per completare la dimostrazione, rimane da verificare il *fatto*, la *realtà* di questa fedeltà ricorrendo ai criteri di autenticità storica.

7. CRITERI DI AUTENTICITÀ STORICA DEI VANGELI - Per stabilire infatti l'autenticità storica del contenuto dei vangeli, non basta dimostrare che, fin dalle origini, è esistita la possibilità di trasmissione attiva e fedele delle parole e delle azioni di Gesù: ancora di più, che c'è stata durante la formazione della tradizione fino alla trasposizione per iscritto di questa tradizione, preoccupazione e volontà mantenuta di fedeltà a Gesù; va anche stabilito che questa fedeltà appartiene all'*ordine dei fatti* e che è verificabile; in altre parole, che gli scritti e la realtà corrispondono. Quest'ultima verifica si effettua facendo appello ai criteri di autenticità storica, poiché la critica letteraria a questo punto cede il passo alla critica storica. La critica letteraria, infatti, anche se raggiunge le forme più antiche della tradizione, grazie alle tecniche messe a punto dalla FG e dalla RG, non è autorizzata, in quanto tale, a pronunciarsi sulla storicità di un racconto o di un *lóghion*.

Lo studio dei criteri di storicità, applicato ai vangeli, è un'impresa recente che risale a Käsemann, nel 1954. Da allora, l'interesse per i problemi di criteriologia non ha smesso di aumentare. A partire dal 1964, cominciano i primi saggi di sistematizzazione: ci si sforza di definire, di raggruppare, addirittura di gerarchizzare i criteri. A questa fase della ricerca appartengono i lavori di H.K. McArthur, N. Perrin, I. de la Potterie, L. Cerfaux, M. Lehmann, J. Jeremias, R.S. Barbour, D.G.A. Calvert, J. Ca-

ba, N. J. McEleney, D. Lührmann, E. Schillebeeckx, R. Latourelle, F. Lambiasi, F. Lentzen-Deis.

a. *Indizi, criteri e prova* - Prima di passare allo studio dei criteri propriamente detti, è necessario fare un certo numero di distinzioni:

1. Distinguiamo innanzitutto *indizi* e *criteri*. Un indizio può portare ad una verosimiglianza, ad una probabilità, ma non ad un giudizio certo di autenticità storica. Così, il fatto che gli evangelisti abbiano conservato un certo numero di dettagli assolutamente «neutri», cioè non tradendo alcuna intenzione teologica visibile (per esempio: Gesù che dorme su un *cuscino* durante la tempesta; Mc 4,38), costituisce un indizio favorevole, ma non un criterio in senso proprio. Allo stesso modo, il colorito e la vivacità di certi racconti in Marco, non potrebbero meritare il nome di criterio. Simili fatti possono certo manifestare la fedeltà della tradizione all'evento reale, ma possono anche dipendere dall'attività redazionale. La stessa cosa va detta per «l'impressione di verità» che i vangeli producono. È ben conosciuta la riserva, e anche la diffidenza degli storici nei confronti di questo tipo di argomenti.

2. È necessario anche non confondere l'*arcaicità delle forme* con l'autenticità storica del loro *contenuto*. La FG può arrivare a scoprire le forme più primitive della tradizione, ma si situa ancora nei limiti della critica letteraria. Più esatto e più valido è l'approccio della RG che si applica a scoprire gli elementi attribuibili all'evangelista. Quando l'esegesi, infatti, è arrivata a scoprire, in un lóghion o in un racconto, gli elementi propri dell'evangelista o della chiesa primitiva, e quando si trova di fronte alla forma più antica, noi possiamo presumere di avere un serio indizio di storicità, perché abbiamo ridotto al massimo le mediazioni che ci separa-

no da Gesù. Procedere in questo modo, significa praticamente risalire fino al *Sitz im Leben Jesu*. Tuttavia, a rigor di termini, non si tratta ancora di critica storica, ma di critica letteraria. Rimane da dimostrare la realtà storica che sottende il lóghion o il racconto. È allora che intervengono i criteri propriamente detti di autenticità storica. Tuttavia, i risultati della critica letteraria, in certi casi, sono così potenti, così impegnativi che si avvicinano al criterio di storicità. È la prova che la frontiera tra indizio e criterio, tra critica letteraria e critica storica, è a volte difficile da stabilire e il passaggio dall'uno all'altro è impercettibile.

3. Infine, si deve evitare di confondere *criterio* e *prova*. I criteri sono *norme* che, applicate al materiale evangelico, permettono di provare la consistenza storica dei racconti e di dare un giudizio sull'autenticità o l'inautenticità del loro contenuto. La loro applicazione convergente permette di stabilire la *prova* o la dimostrazione di autenticità storica.

b. *Criteri primari o fondamentali* - Per criteri *fondamentali*, intendiamo criteri che hanno un valore proprio, intrinseco, e di conseguenza autorizzano un giudizio certo di autenticità storica. Non diciamo che questi criteri devono essere impiegati in maniera esclusiva, ma che possiedono un valore intrinseco sufficiente per condurre a risultati certi e fruttuosi. Questi criteri, conosciuti dalla storia universale, e riconosciuti dalla maggior parte degli esegeti, sono i seguenti: criterio di attestazione molteplice, criterio di discontinuità, criterio di continuità, criterio di spiegazione necessaria o di ragione sufficiente.

1. *Criterio di attestazione molteplice*. Viene enunciato così: «Si può considerare autentico un dato evangelico solidamente attestato in tutte le fonti (o nella maggior parte) dei vangeli»: Marco, fonte di Matteo e di Luca; la *Quelle*, fonte di Luca e

di Matteo; le fonti speciali di Matteo e di Luca ed, eventualmente, di Marco; gli altri scritti del NT, in particolare gli Atti, il vangelo di Giovanni, le lettere di Paolo, di Pietro, di Giovanni, la lettera agli Ebrei. Il criterio ha maggior peso se il fatto è reperibile in forme letterarie diverse, attestate anch'esse in fonti molteplici. Così, il tema della simpatia e della misericordia di Gesù nei confronti dei peccatori, appare in tutte le fonti dei vangeli e nelle forme letterarie più diverse: parabole (Lc 15,11-32), controversie (Mt 21,28-32), racconti di miracoli (Mc 2,1-2), racconto di vocazioni (Mc 2,13-17).

Questo criterio è di uso corrente nella storia universale. Una testimonianza concordante, proveniente da fonti diverse e non sospette di essere intenzionalmente collegate tra loro, merita di essere riconosciuta da tutti. Al limite, la critica storica dirà: *testis unus, testis nullus*. La certezza poggia sulla convergenza e sull'indipendenza delle fonti.

La difficoltà maggiore che lo storico incontra nell'applicazione di questo criterio ai vangeli, riguarda naturalmente l'indipendenza delle fonti. In quale misura questa indipendenza può essere garantita, dal momento che dietro le fonti scritte c'è la tradizione *orale*, nel corso della quale il materiale studiato ha potuto essere introdotto nelle diverse fonti, in ragione del ruolo che aveva nella chiesa primitiva? Questa difficoltà non andrebbe né sottovalutata né minimizzata. Per questo le condizioni di validità di questo criterio hanno bisogno di essere definite.

È vero che la tradizione orale e la chiesa primitiva sono la fonte comune da cui ha preso vita la tradizione evangelica nelle sue diverse formulazioni scritte. Quest'affermazione, tuttavia, deve essere sfumata e spiegata. Osserviamo innanzitutto che *fonte unica* non deve essere confusa con *attestazione unica*. Una fonte può rappresentare un numero virtualmente elevato di testimoni: è il caso di 1 Cor 15,3-9 che attesta la risurrezione e le apparizioni di Gesù. Ma quello che interessa maggiormente, nel caso dei vangeli, è la *qualità dell'ambiente ecclesiale*. Per questo la seconda verifica critica della nostra dimostrazione aveva per oggetto proprio lo studio di questo ambiente. Da questa verifica risulta che l'atteggiamento fondamentale della chiesa primitiva nei confronti di Gesù è quello della *fedeltà*. Sappiamo anche che le chiese del II secolo sono convinte di ricevere veramente dai vangeli l'accesso a Gesù, al punto che i vangeli costituiscono una norma di fede e di vita fino all'impegno del → martirio. Conosciamo anche le leggi della trasmissione orale nel → giudaismo dell'epoca. Sappiamo inoltre che la diversità ed il regionalismo delle comunità ecclesiali (diversità di lingua, di mentalità, di cultura) rappresentano un fattore di indipendenza che fa da contrappeso al pericolo di uniformità. Attraverso la storia della redazione possiamo infine verificare il grado di fedeltà della tradizione scritta in rapporto alla tradizione orale. La fedeltà della prima ci permette di pronunciarci ragionevolmente sulla fedeltà della seconda.

Su questo sfondo di fedeltà nella libertà, e di unità nella diversità, possiamo dare fiducia al criterio di attestazione molteplice e ritenerlo un criterio fondamentale, soprattutto quando si tratta di riconoscere i tratti essenziali della figura, della predicazione e dell'attività di Gesù: per esempio la sua presa di posizione nei confronti della legge, dei poveri, dei peccatori; la sua resistenza al messianismo regale e politico; la sua attività di taumaturgo e la sua predicazione con parabole.

Quando si tratta di *lóghia* o di fatti particolari, il criterio dovrà generalmente essere chiarito da altri criteri. Può accadere, infatti, che del mate-

riale evangelico sia stato introdotto prima della formazione delle fonti. Così, Mc 8,34, sulla necessità, per il discepolo di Gesù, di portare la sua croce, si spiega meglio nel contesto della predicazione postpasquale che in quello della predicazione di Gesù. Tuttavia, la conformità di questo lóghion con l'insieme del messaggio di Gesù sulla necessità di morire a se stessi per entrare nel regno, come anche con l'esempio della sua vita e della sua morte, permette di stabilire che esso rappresenta un'interpretazione fedele di Gesù. In altri casi, il criterio basta da solo a fondare un giudizio di autenticità. Così, il fatto della morte di Gesù per la salvezza degli uomini è attestato in tutte le fonti e si diffonde su tutte le pericopi.

In breve, possiamo concludere che il criterio di attestazione molteplice è valido, e riconosciuto come tale, quando si tratta di stabilire i tratti essenziali della figura, della predicazione e dell'attività di Gesù. Quando si tratta di pericopi particolari, il criterio è valido quando è sostenuto da altri criteri o quando non esiste alcun motivo serio di mettere in dubbio l'autenticità del materiale attestato.

2. *Il criterio di discontinuità*. Il consenso su questo criterio è praticamente unanime. Viene formulato così: «Si può considerare autentico un dato evangelico (soprattutto quando si tratta delle parole e degli atteggiamenti di Gesù) irriducibile sia ai concetti del giudaismo sia ai concetti della chiesa primitiva».

Prima di prendere in considerazione il caso dei racconti particolari, si può dire che i vangeli, nel loro insieme, si presentano come un caso di *discontinuità*, nel senso che costituiscono qualcosa di unico e di originale in rapporto ad ogni altra letteratura. Il genere letterario «vangelo» è in discontinuità con la letteratura giudaica antica come anche con la letteratura cristiana successiva. I vangeli non sono né biografie, né apologie, né speculazioni dottrinali, ma *testimonianze* sull'evento unico della venuta di Dio nella storia. Il loro contenuto è la persona di Cristo, che non è classificata né secondo le categorie della storia profana, né secondo quelle della storia delle religioni. Gesù si scopre allo storico come un essere assolutamente unico. Gli esempi di questa discontinuità, al livello delle pericopi, sono innumerevoli e riguardano sia la forma sia il contenuto. Jeremias ha studiato con particolare attenzione i casi di discontinuità che riguardano la *forma*. Così, nell'uso molto frequente che egli fa del parallelismo antitetico, Gesù, a differenza dell'AT, mette l'accento sulla seconda parte del parallelismo, più che sul primo (Mt 7,3-5). Allo stesso modo, a differenza dell'AT che si serve dell'espressione *Amen* per esprimere un assenso ad una parola già detta, Gesù ricorre all'espressione *Amen* (in verità, nei sinottici) o *Amen, Amen* (in S. Giovanni, seguita da: «Io vi dico», «Io ve lo dico») per introdurre le sue stesse parole. Analogo a quello dei profeti, questo modo di parlare manifesta l'autorità unica di colui che dice anche: «Io sono».

La discontinuità è ancora più significativa a livello degli atteggiamenti e del contenuto. Così, l'espressione → *Abba*, usata da Gesù per rivolgersi a Dio, dimostra un'intimità di rapporto che è qualcosa di inaudito rispetto al giudaismo antico. Solo Gesù ha il potere di rivolgersi a Dio come ad un padre, e soltanto lui può autorizzare i suoi a ripetere con lui: «Padre nostro». Di fronte alla legge, Gesù non ha l'atteggiamento dei farisei ostinati sui dettagli dell'osservanza esteriore; la sua attenzione verte immediatamente sullo spirito della legge. Il suo atteggiamento, per esempio, nei confronti del sabato e delle purificazioni legali, rappresenta un caso di rottura con il mondo rabbinico. Allo stesso modo, la sua visione del Regno differisce radicalmente da quella dell'ebreo medio. Quest'immagine unisce la grandezza del regno davidico all'umiltà della predicazione ai poveri, e la glorificazione finale del figlio dell'uomo alla sofferenza redentrice del Servo di Jhwh.

Vediamo adesso alcuni casi di discontinuità con i concetti della chiesa primitiva:

– Il battesimo di Gesù lo annovera tra i peccatori: la chiesa primitiva, che proclama Gesù «Signore», come ha potuto inventare una scena in contrasto così violento con la sua fede? Lo stesso va detto della triplice tentazione, dell'agonia, della morte in croce.

– L'ordine dato agli apostoli di non predicare ai Samaritani ed ai Gentili non corrisponde più alla situazione di una chiesa che si apre a tutte le nazioni.

– Tutti i passi del vangelo in cui, malgrado la venerazione della chiesa primitiva per gli apostoli, si sottolinea la loro incomprensione, i loro difetti e perfino la loro defezione (tradimento di Giuda, rinnegamento di Pietro), contrastano con la situazione postpasquale.

– I vangeli hanno conservato gli enigmi del linguaggio di Gesù, mentre la chiesa, ormai in grado di comprenderli, poteva essere tentata di eliminarli (Mt 11,11-12; Mc 9,31; 14,58; Lc 13,32; Mc 4,11).

– Il mantenimento, da parte dei vangeli, di espressioni come «regno», «figlio dell'uomo», rappresenta una situazione già anacronistica rispetto alla teologia più elaborata di Paolo.

Per la maggior parte degli autori, questo criterio fondamentale è valido, ma deve essere usato in collegamento con altri, in particolare con il criterio di conformità. Un uso troppo esclusivo di questo criterio tenderebbe a scartare come inautentico tutto ciò che si situasse nella linea del giudaismo o della chiesa primitiva. Ragionare così significherebbe fare di

Cristo un essere atemporale, tagliato fuori dal suo ambiente e dalla sua epoca. Significherebbe porlo in un *vacuum*, senza influenza ricevuta dal giudaismo, e senza influenza esercitata sulla chiesa; oppure, significherebbe accettare il presupposto che la chiesa non fa che deformare o inventare tutto quanto riguarda Gesù. La verità è che Cristo è del suo tempo e che ha dovuto assumere l'ambiente e la storia del suo popolo, con le sue tradizioni linguistiche, sociali e religiose. D'altra parte, gli *Atti* ci mostrano come la chiesa sia rimasta legata al giudaismo e con quale fatica essa sia riuscita a liberarsene per non sprofondare con esso.

Il criterio di discontinuità è particolarmente valido per conoscere ed identificare certe parole di Gesù, certi avvenimenti della sua esistenza, certi temi essenziali della sua predicazione. Ma sarebbe illegittimo, sulla base di questo unico criterio, eliminare tutto quello che è conforme alla tradizione giudaica o alla tradizione ecclesiale.

3. *Il criterio di conformità.* Questo criterio non è inteso da tutti allo stesso modo. Così, B. Rigaux (RB 68, 1958, 518-520) sottolinea spesso la conformità dei racconti evangelici con l'ambiente palestinese ed ebraico del tempo di Gesù, come noi lo conosciamo attraverso la storia, l'archeologia, la letteratura. Di fatto, la descrizione evangelica dell'ambiente umano (lavoro, abitazione, mestieri), dell'ambiente linguistico e culturale (schemi di pensiero, substrato aramaico), dell'ambiente sociale, economico, politico e giuridico, dell'ambiente religioso soprattutto (con le sue rivalità tra farisei e sadducei, le sue preoccupazioni religiose riguardanti il puro e l'impuro, la legge ed il sabato, i demoni e gli angeli, i poveri e i ricchi, il regno di Dio e la fine dei tempi) è notevolmente *fedele* all'immagine complessa della Palestina ai tempi di Gesù. Questa conformità

con il momento *unico* rappresentato dall'apparizione di Gesù in Israele, costituisce, agli occhi di Rigaux, un segno indubitabile di autenticità. Non si potrebbe infatti inventare di sana pianta un insieme di dati così importanti e così complessi, che i vangeli presentano fin nelle loro minime particolarità, come un tessuto dalla trama stretta: la ragione sufficiente di questa fedeltà è nella realtà stessa.

Bultmann e Perrin considerano autentico soltanto il materiale riconosciuto *conforme* al materiale ottenuto con il criterio della discontinuità. In altri termini, una volta ottenuto, tramite il criterio di discontinuità, il nucleo autentico delle parole e dei gesti di Gesù (in particolare la sua morte in croce e la sua predicazione sul regno), tutto ciò che è conforme a questi elementi e all'immagine che ne deriva, appartiene al Gesù della storia. Così, l'applicazione di questo criterio consente di riconoscere come autentiche le parabole del regno.

Ampliando e approfondendo questo criterio, de la Potterie riconosce come autentico tutto ciò che è conforme all'insegnamento centrale di Gesù sulla venuta imminente del regno. Il tema del regno di Dio appartiene infatti agli strati più antichi della tradizione evangelica. È inoltre attestato dal criterio di discontinuità: onnipresente nei sinottici, esso ha una risonanza di urgenza escatologica che lo distingue sia dal giudaismo antico sia dalla predicazione primitiva della chiesa.

La conformità con l'ambiente, come l'intende Rigaux, ci sembra un argomento valido per stabilire la storicità globale dei vangeli. Infatti, quando racconti così notevoli riflettono un ambiente in maniera così fedele, si può dire che c'è una solida presunzione di autenticità. Tanto più che la descrizione evangelica deriva da fonti e non tradisce il minimo sforzo di ricostituzione *post factum*. Notiamo tuttavia che una simile conformità non porta direttamente al Gesù storico, ma all'*ambiente* in cui egli ha vissuto. Da sola, essa non potrebbe bastare.

Per questo proponiamo, del criterio di conformità, la definizione seguente, che ingloba le posizioni di Rigaux, Perrin e de la Potterie: «Si può considerare come autentico un detto o un gesto di Gesù che è non solo in stretta conformità con l'epoca e l'ambiente di Gesù (ambiente linguistico, geografico, sociale, politico, religioso), ma anche e soprattutto intimamente coerente con l'insegnamento essenziale, il centro del messaggio di Gesù, cioè la venuta e l'instaurazione del regno messianico». A questo riguardo, sono esempi tipici: le parabole, tutte centrate sul regno e sulle condizioni del suo sviluppo; le beatitudini, originariamente proclamazione della buona notizia della venuta del regno messianico; il Padre Nostro, primitivamente ed essenzialmente preghiera per l'instaurazione del regno; i miracoli, intimamente legati al tema del regno di Dio e al tema della conversione; la triplice tentazione, conforme al contesto della vita di Gesù e al suo concetto del regno: richiesta insistente di un prodigio, da parte degli ebrei, e rifiuto costante di Gesù; attesa di un messia politico e temporale, da parte degli ebrei, e predicazione di un regno interiore, da parte di Gesù; contrapposizione del regno di Dio e del regno di Satana.

I due criteri di discontinuità e di conformità si distinguono e si completano al tempo stesso. È la conformità con l'ambiente che consente di situare Gesù nella storia e di concludere che egli è veramente del suo tempo, mentre il criterio di discontinuità rivela Gesù come un fenomeno unico ed originale. Egli si distacca dal suo tempo e al tempo stesso vi si ricollega. È ancora il criterio di discontinuità che consente di stabilire i tratti essenziali della sua personalità e del

suo insegnamento. Su questa base ancora limitata, ma salda, il criterio di conformità allarga, amplifica, come cerchi concentrici, le zone di autenticità. Il tema del regno, per esempio, si riflette sulle parabole, sulle beatitudini, sui miracoli, sulla triplice tentazione, sul Padre Nostro. Infine, è con l'uso dei due criteri che noi riusciamo a stabilire ciò che più avanti chiameremo lo *stile di Gesù*. Bisogna guardarsi, nella pratica, dall'isolare i due criteri come degli assoluti. Validi in sé, essi sono destinati a chiarirsi reciprocamente, a prestarsi un mutuo appoggio.

4. *Il criterio di spiegazione necessaria*. Ne proponiamo la formula seguente: «Se, di fronte ad un insieme notevole di fatti o di dati, che esigono una spiegazione coerente e sufficiente, si offre una spiegazione che chiarisce e raggruppa armoniosamente tutti questi elementi (che, altrimenti, resterebbero degli enigmi), possiamo concludere di essere in presenza di un dato autentico (fatto, gesto, atteggiamento, parola di Gesù)». Questo criterio mette in moto un insieme di osservazioni che agiscono per via di convergenza e la cui totalità esige una soluzione intelligibile, cioè la realtà di un fatto iniziale. Questo criterio viene usato abitualmente in storia, in materia di diritto e nella maggior parte delle scienze umane.

Nel caso dei vangeli, ha ragione la critica di ritenere come autentica una spiegazione che risolve un grande numero di problemi senza farne nascere di più grandi, o senza farne nascere nessuno.

Così, molti fatti della vita di Gesù (per esempio, il suo atteggiamento nei confronti delle prescrizioni legali, delle autorità ebraiche, delle Scritture; le prerogative che egli si attribuisce; il linguaggio che usa; il prestigio che possiede e il fascino che esercita sui discepoli e sul popolo) hanno un senso solo se noi ammettiamo all'origine l'esistenza di una personalità unica e trascendente. Una tale spiegazione è più consistente di quella del ricorso ad una chiesa creatrice del mito Gesù.

Nel caso dei miracoli, ci troviamo di fronte a una decina di fatti importanti che la critica più severa non può ricusare, e che richiedono una spiegazione sufficiente: l'esaltazione di fronte all'apparizione di Gesù, la fede degli apostoli nella sua messianicità, il posto dei miracoli nella tradizione sinottica e giovannea, l'odio dei sommi sacerdoti e dei farisei a causa dei prodigi operati da Gesù, il legame costante tra i miracoli e il messaggio di Gesù sulla venuta decisiva del regno, il posto dei miracoli nel kêrygma primitivo, il rapporto intimo tra le pretese di Gesù come figlio del Padre e i miracoli come segno della sua potenza. Tutti questi fatti esigono una spiegazione, una ragione sufficiente.

Anche se il campo d'azione privilegiato del criterio di spiegazione necessaria è quello dei temi maggiori del vangelo, sottolineiamo che esso si applica altrettanto bene alle pericopi particolari. Così, a proposito della moltiplicazione dei pani, si deve spiegare perché, in seguito all'avvenimento, Gesù è stato considerato un grande profeta, addirittura il profeta atteso dalla nazione, e si è voluto farlo re; si deve spiegare la pericolosa esplosione di messianismo politico che l'atto di Gesù provocò; si deve spiegare perché Gesù costrinse i discepoli a rimbarcarsi subito, come se essi rifiutassero di abbandonare una cosa alla quale tenevano esageratamente; bisogna spiegare che l'episodio, dapprima non compreso, fu tuttavia per i discepoli un fatto decisivo nel loro cammino verso la fede nella messianicità di Gesù; si deve spiegare perché Marco ha messo così fortemente in luce la portata cristologica dell'avvenimento e il suo valore di rivelazione messianica; si deve spiegare il fatto, unico nel suo genere, dell'importanza che il racconto assunse nelle tappe successive della tradizione, prima nella catechesi liturgica, poi nella composizione dei sinottici e del vangelo di Giovanni, e infine nella tradizione patristica e nell'iconografia dei primi secoli. Tutti questi fatti messi insieme esigono una spiegazione che sia vera e valida. Se si ammette che Gesù ha veramente compiuto quel gesto messianico della moltiplicazione dei pani, si trova in questo fatto iniziale il fondamento e la ragione sufficiente di tutti i fatti che abbiamo menzionato.

c. *Un criterio secondo o derivato: lo stile di Gesù* - Per *stile* non intendiamo qui tanto lo stile letterario ma lo stile *vitale, personale* di Gesù. Lo stile è il modo di pensare che modella il linguaggio; è lo slancio, il movimento dell'essere che si inscrive non solo nel linguaggio, ma negli atteggiamenti e nel comportamento globale. È quell'impronta inimitabile della persona su tutto ciò che essa fa e dice. Le componenti di questo stile, tuttavia, potrebbero essere stabilite solo a partire dai criteri fondamentali di attestazione molteplice, di discontinuità, di conformità e di spiegazione necessaria. Per questo parliamo di stile secondo o derivato. Una volta riconosciuto e definito, lo stile diventa a sua volta criterio di autenticità.

A proposito del linguaggio di Gesù, Schürmann fa notare che esso è caratterizzato da una coscienza di sé di una maestà singolare, senza confronto; da una nota di solennità, di elevazione, di sacralità; da un accento al tempo stesso di autorità, di semplicità, di bontà, di urgenza escatologica. Gesù inaugura nella sua persona un'era nuova.

Nel suo comportamento, osserva Trilling, si può notare «un amore sempre uguale per i peccatori, pietà per tutti quelli che soffrono o sono oppressi, una durezza impietosa verso ogni forma di sufficienza, una san-

ta collera contro la menzogna e l'i-
pocrisia. E soprattutto, un riferimento radicale a Dio, Signore e Padre»
(*Jésus devant l'histoire*, Paris 1968,
59).
Questi tratti si ritrovano sia nell'a-
gire sia nell'insegnamento di Gesù.
C'è, nelle sue parole, un accento di
semplicità, di dolcezza e al tempo
stesso di autorità sovrana. Così, lo
stesso Gesù che si proclama il servitore di tutti, il buon pastore, l'amico
dei poveri e dei piccoli, è anche quello
che dichiara: «Io sono venuto... Io,
io vi dico... In verità, vi dico... Chi
costruisce sulla mia parola... Va'...
vieni... seguimi... alzati, cammina».
La sua parola ha un accento di urgenza escatologica: «Finora vi è stato detto... Ormai... Il cielo e la terra
passeranno, le mie parole non passeranno».
La sua azione manifesta gli stessi
tratti di semplicità e di autorità, e soprattutto di bontà, di compassione,
verso i peccatori e tutti quelli che soffrono. Così, la parabola di Luca sul
figliol prodigo descrive l'incomparabile bontà di Dio verso i peccatori,
ma giustifica al tempo stesso l'atteggiamento personale di Gesù che frequenta pubblicani e peccatori, e mangia alla loro mensa. Lo stesso atteggiamento si ritrova nella parabola della pecorella smarrita. Essa appartiene
allo *stile* di Gesù. Lo stile dei miracoli è identico a quello dell'insegnamento: è fatto di semplicità, di sobrietà e di autorità.
   d. *Criteri misti* - A volte un indizio
letterario entra in composizione con
uno o parecchi criteri storici. Si tratta allora di un criterio misto. Proponiamo due forme particolarmente importanti di questo criterio.
   1. *Intelligibilità interna del racconto*. Quando un dato evangelico è perfettamente inserito nel suo contesto
immediato o mediato, e, per di più,
perfettamente coerente nella sua
struttura interna, si può ritenere che
si tratti di un dato autentico. Da so-

la, tuttavia, questa costatazione del-
l'intelligibilità interna di un racconto
o di un insieme di pericopi, non potrebbe costituire un criterio di autenticità storica: siamo ancora nei limiti
dell'indizio letterario. Per essere valido sul piano storico, il fatto dell'intelligibilità interna deve essere sostenuto da uno o da parecchi criteri: attestazione molteplice, discontinuità,
conformità. L'insieme costituisce un
criterio misto.
   Così, il fatto della sepoltura di Gesù è attestato nei sinottici, in Giovanni, nella prima lettera ai Corinzi
(1 Cor 15,3), negli Atti. Inoltre, nel
racconto di Marco troviamo un insieme di precisazioni tutte coerenti tra
loro. Pilato si meraviglia che Gesù
sia già morto; per questo fa andare
il centurione responsabile e lo interroga. La richiesta di seppellire Gesù
è fatta da un membro del sinedrio
il cui nome è Giuseppe di Arimatea:
un fatto verificabile da tutti. Ci si affretta a seppellire Gesù, perché è la
vigilia del sabato. Le donne, spaven-
tate, si limitano a guardare. Si depo-
ne il corpo di Gesù in una tomba situata vicino al Calvario. E una tomba è una cosa che rimane e la cui
esistenza può essere controllata. Tutti
questi tratti, molteplici e coerenti, costituiscono un indizio letterario che,
con il criterio di attestazione molteplice, ha valore di criterio misto.
   2. *Interpretazione diversa, accordo
di fondo*. Di per sé, l'interpretazione
diversa di un insegnamento o di un
miracolo è un fenomeno di competenza dell'attività redazionale. Testimonia al tempo stesso la libertà dello scrittore e il rispetto delle sue fonti. Ci riporta ad una tradizione più
antica e, di conseguenza, riduce le
mediazioni che ci separano da Gesù,
come anche le possibilità di deformazione, ma non costituisce tuttavia un
criterio di storicità. Così, il fatto che
Luca abbia sottolineato la portata sociale delle beatitudini, mentre Matteo ne ha mostrato la portata mora-

le, permette a J. Dupont di ricostituire la probabile forma letteraria primitiva delle beatitudini nella tradizione orale. Ma è con l'applicazione dei criteri di discontinuità e di conformità che si passa dalla critica letteraria alla critica storica: eccoci di nuovo in presenza di un criterio misto. L'accordo di fondo, malgrado la diversità delle interpretazioni, costituisce tuttavia una forte presunzione di autenticità storica.

A proposito della moltiplicazione dei pani, Giovanni sottolinea più di Marco il simbolismo sacramentale del miracolo. Marco, a sua volta, sottolinea più di Luca la portata cristologica del miracolo e presenta Cristo come il buon pastore che ha pietà delle pecorelle (Mc 6,34) senza pastore. Il vangelo di Giovanni contiene molti dettagli che gli sono propri: il luogo e l'epoca del miracolo, il dialogo con i discepoli, l'identificazione di Gesù come profeta messianico da parte del popolo, il tentativo di rapirlo e farlo re, il discorso sul pane di vita, la divisione tra i discepoli di fronte alle esigenze di Gesù (Gv 6). Si tratta sempre dello stesso fatto, ma interpretato e approfondito. Questo indizio letterario è sostenuto dal criterio dell'attestazione molteplice, perché il fatto è attestato dalla tradizione sinottica e dalla tradizione giovannea; dal criterio di conformità, perché si presenta come un segno del regno messianico ed escatologico; infine, dal criterio di spiegazione necessaria, perché senza la realtà dell'avvenimento, molti fatti rimangono senza ragione sufficiente.

La guarigione del bambino epilettico è attestata dai tre sinottici, ma interpretata in tre maniere diverse. *Luca* vede nel miracolo un gesto di bontà verso il padre desolato (Lc 9,42); *Marco*, conformemente alla prospettiva generale del suo vangelo, ci vede innanzitutto una vittoria clamorosa di Gesù su Satana (Mc 9,14-17); *Matteo* infine sottolinea la necessità del-

la fede nella missione di Gesù (Mt 17,19); proprio perché questa necessità è mancata, i discepoli non hanno potuto liberare l'indemoniato. C'è accordo sul fatto, ma diversità d'interpretazione. Queste interpretazioni derivano dalla ricchezza dell'avvenimento, di un'intelligibilità indefinita.

S'impone una conclusione: la prova o dimostrazione di autenticità storica dei vangeli si basa sull'*uso convergente* dei criteri. Anche se, in un caso particolare, un criterio non trova applicazione (per esempio, l'attestazione molteplice), nella maggior parte degli episodi esiste convergenza di parecchi criteri; al minimo, un criterio, manifestamente valido, si trova confermato da uno o da parecchi altri. Ancora di più, quando si tratta dei temi principali del vangelo, c'è applicazione di tutti i criteri.

8. CONOSCENZA DI GESÙ ATTRAVERSO I VANGELI - Lo studio dei dati della critica esterna; lo studio dell'ambiente prepasquale, della sua composizione e coesione, della sua fedeltà a Gesù, in un'intimità quotidiana e in un ambiente di cultura orale; la fedeltà a Gesù voluta, mantenuta nella chiesa primitiva che si esprime con un vocabolario di base nato sotto il segno della fedeltà; l'uso dei criteri di storicità: tutte queste vie d'approccio e tutti questi argomenti convergenti, ci consentono di arrivare a conclusioni sulla conoscenza di Gesù. Pur adottando la posizione della critica moderata, a mezza strada tra una fiducia di principio e il sospetto di principio, noi arriviamo a risultati straordinari. La critica storica permette di ripercorrere la quasi totalità del materiale evangelico e di giungere ad una conoscenza di Gesù che fonda una cristologia e una ecclesiologia ben solide. La nostra conoscenza riguarda: *a*. L'ambiente linguistico, umano, sociale, politico, economico, culturale, giuridico e religioso; *b*. le grandi linee del ministero di Ge-

sù: gli inizi in Galilea, l'esaltazione del popolo e degli apostoli di fronte ai prodigi compiuti, l'incomprensione progressiva a mano a mano che si rivela il messianismo di Gesù, il ministero a Gerusalemme; il processo politico e religioso, la condanna; la passione e la morte; *c.* i grandi avvenimenti della vita di Gesù: il battesimo, la trasfigurazione, l'insegnamento sulla venuta decisiva del regno, l'invito alla penitenza ed alla conversione, le parabole del regno, le beatitudini, il Padre Nostro, i miracoli e gli esorcismi come segni del regno, il tradimento di Giuda, l'agonia, il processo, la crocifissione, la sepoltura, la risurrezione; *d.* le controversie con gli scribi e i farisei sulle prescrizioni riguardanti il sabato, la purezza legale, il divorzio, le imposte; *e.* l'atteggiamento contrastato di semplicità e di autorità, di purezza assoluta e di compassione per i peccatori, i poveri, i malati, gli oppressi, l'atteggiamento di servizio, fino al dono della vita; *f.* le formule di una cristologia oscura, a volte enigmatica: segno di Giona, segno del tempio, figlio dell'uomo; *g.* i lóghia che abbassano Gesù e lo costituiscono inferiore a Dio; *h.* il rifiuto di un messianismo politico e temporale, la predicazione di un regno al quale si accede attraverso la penitenza, la conversione e la fede; *i.* le pretese straordinarie manifestate nelle antitesi del discorso della montagna, negli atteggiamenti nei confronti delle prescrizioni della legge, nell'uso del termine *Abba* per definire il suo rapporto con Dio, nella sua assimilazione al «figlio dell'uomo» danielico e nelle dichiarazioni che lo avrebbero portato alla morte; *l.* la vocazione e la missione degli apostoli in vista di un progetto comunitario; la loro esaltazione, poi la loro incomprensione, il loro tradimento ed il loro abbandono.

Su ognuno dei temi enumerati possiamo invocare la testimonianza dei più grandi tra una folla di esegeti.

A mano a mano che le ricerche continuano, il materiale riconosciuto come autentico aumenta incessantemente fino a ricoprire l'intero vangelo.

Dopo le tappe della dimostrazione che abbiamo seguito, non possiamo più dire, come Bultmann: «Di Gesù di Nazareth non si sa niente, o quasi niente». Un'affermazione simile non regge più. Rappresenta un mito superato.

C'è di più: tutto l'atteggiamento nei confronti dei vangeli deve essere modificato. Per quasi un secolo, si è mantenuto, nei confronti dei vangeli, un pregiudizio sistematico di sospetto, poiché il peso della prova ricadeva sempre sui vangeli. Dopo gli studi degli ultimi decenni, non si può più sostenere questo atteggiamento dei maestri del sospetto, perché gli argomenti stessi della storia sono contro di esso. Bisogna invertire le posizioni e dire: il peso della prova ricade, non su quelli che riconoscono Gesù all'origine delle parole e delle azioni conservate nei vangeli, ma su quelli che le considerano creazioni della chiesa primitiva. Il presupposto che i vangeli meritino fiducia è fondato, mentre il pregiudizio che i vangeli non siano degni di fiducia non lo è. Questo capovolgimento delle posizioni non significa che la critica sia tornata ad un atteggiamento di fiducia ingenua e acritica. Noi costatiamo soltanto che i vangeli hanno ritrovato credito agli occhi della critica storica.

9. FEDE E STORIA - Deve essere chiaro che il nostro sforzo per raggiungere Gesù attraverso la ricerca storica non è un ritorno sottile alle prospettive della *Leben-Jesu-Forschung.* Pensare così significherebbe non aver capito niente del nostro progetto. Non si tratta di assoggettare la fede alla ricerca storica. Non si tratta di ridurre Cristo all'uomo Gesù per proporlo in seguito come ideale religioso dell'umanità. Non si tratta nem-

meno di abbandonare le interpretazioni cristologiche del kêrygma e dei
concili per conservare soltanto un Gesù immunizzato contro ogni interpretazione successiva. Si tratta piuttosto
di accedere a Gesù di Nazareth, che
è stato identificato come Cristo e Signore, proprio sulla base di ciò che
egli ha detto e fatto veramente durante il suo passaggio terreno tra noi.

Una indagine storica e critica non
determina naturalmente la fede, ma
rende a questa immensi servizi. Essa
può fornire alla fede un contenuto
concreto. Può mostrare che un accesso all'autentico Gesù e al suo autentico messaggio è un'impresa possibile e realizzabile. Può mostrare che
l'interpretazione ecclesiale di Gesù è
coerente con la vita e con il messaggio storico di Gesù. Contributo importante perché in Gesù c'è conformità tra dire e agire. In definitiva,
la fede si riferisce a Gesù di Nazareth, nel quale Dio si è manifestato.
La ricerca storica può dunque stabilire che l'appello alla decisione di fede appartiene al messaggio originale
di Gesù. Può anche, illuminandoci su
questo messaggio, disporci nei suoi
confronti e manifestarcene la credibilità. Non può tuttavia imporre la
decisione di fede, né costringerci a riconoscere, in colui che parla, il figlio del Dio vivente. La ricerca storica non impone la fede, ma la rende
possibile: dà accesso all'autentico
vangelo dell'autentico Gesù. Ci rimane ancora da lasciarci interpellare da
Cristo e abbandonarci allo Spirito che
parla all'interno e ci fa cogliere come parola viva, a noi personalmente
indirizzata, il vivo messaggio di Gesù.

Al credente, la ricerca storica rende anche un prezioso servizio. Stabilisce innanzitutto che la fiducia plurisecolare della chiesa verso i vangeli, come fonte di conoscenza di Gesù, si basa su argomenti solidi, che
resistono allo choc della critica. Gli
insegna anche a leggere correttamente i vangeli. Non si tratta, infatti, di

fronte ai vangeli di chiedere loro semplicemente che cosa ci dicono *oggi*,
quanto piuttosto di chiedere loro quale senso ha per noi *oggi*, quello che
Gesù, letto e compreso dalla chiesa
e dall'evangelista, *ha detto e fatto ieri*. Altrimenti il vangelo rischia di essere una semplice dottrina, addirittura un'ideologia, distaccata dal suo
autore, un messaggio senza messaggero. Rischio supremo, nel caso presente, perché il messaggio qui ha per
oggetto lo stesso messaggero.

Bibl. - V. Taylor, *The formation of the Gospel Tradition*, London 1935; L. Cerfaux, *La
voix vivante de l'Évangile au début de l'Église*, Tournai 1946; Id., *Jésus aux origines de
la Tradition*, Bruges-Bruxelles-Paris 1968; F.
Mussner, «Der historische Jesus und der Christus des Glaubens», in BZ 1 (1957) 224-252;
R. Bultmann, *Die Geschichte der synoptischen
Tradition*, Göttingen 1957[3]; M. Robinson, *Le
kérygme de l'Église et le Jésus de l'histoire*,
Genève 1960; B. Gerhardsson, *Memory and
Manuscript*, Lund 1961; W. Ristow - K. Matthiae (edd.), *Der historische Jesus und der kerygmatische Christus*, Berlin 1961; J. Jeremias,
Il problema del Gesù storico, Brescia 1964;
Id., *Il messaggio centrale del Nuovo Testamento*, Brescia 1968; J. Leal, *Nuestra confian-
za en los Evangelios*, Madrid 1965; I. de la
Potterie (ed.), *De Jésus aux Évangiles*, Paris
1967; J.R. Scheifler, *Así nacieron los Evangelios*, Bilbao 1967[2]; W. Trilling, *Jésus devant
l'histoire*, Paris 1968; X. Léon-Dufour, *I vangeli e la storia di Gesù*, Milano 1968; J.-J.
Weber, «Les Évangiles méritent-ils notre con-
fiance?», in J.-J. Weber - J. Schmitt (edd.),
Où en sont les études bibliques?, Paris 1968,
185-212; P. Grech, «Jesus Christ in History
and Dogma», in *A New Catholic Commentary on Holy Scripture*, London 1969, 822-837;
M. Bouttier, *Du Christ de l'histoire au Jésus
des Évangiles*, Paris 1969; I. Berten, «Christologie et recherche historique sur Jésus», in
RSPhTh 53 (1969) 233-244; Id., «Le retour
de la question historique de Jésus», in *Ibid.*
54 (1970) 128-165; H. Riesenfeld, *The Gospel
Tradition*, Oxford 1970; J. Caba, *De los Evangelios al Jesús histórico*, Madrid 1970; S. Zed-
da, *I Vangeli e la critica oggi*, Treviso 1970;
Id., *Il Gesù della storia*, Treviso 1970; A. Descamps, «L'approche des Synoptiques comme
documents historiques», in EThL 46 (1970)
5-16; Id., «Portée de la recherche historique
sur Jésus», in J. Dupont (ed.), *Jésus aux origines de la christologie*, Gembloux 1975, 23-45;
J. Delorme, *Des Évangiles à Jésus*, Paris 1972;
E. Schillebeeckx, *L'approccio a Gesù di Nazareth*, Brescia 1972; H. Zahrnt, *Cominciò con
Gesù di Nazareth*, Brescia 1972 (or. 1960); F.

Lambiasi, *L'autenticità storica dei Vangeli*, Bologna 1976; R. Latourelle, *A Gesù attraverso i Vangeli*, Assisi 1979; L. Vaganay, «Apocriphes du N.T.», in *Catholicisme*, I, 699-704; R. Brown, «Apocripha», in *The Jerome Biblical Commentary*, 543-546.

RENÉ LATOURELLE

VATICANO I

LA SFIDA DEL PERIODO: LA PRETESA DI AUTONOMIA - Era una chiesa in cerca di certezze quella che celebrò il concilio Vaticano I. Una chiesa che, verso il 1870, già da un secolo si trovava confrontata con attacchi non soltanto contro il suo potere ed influsso, ma anche contro il fondamento della sua stessa esistenza: la possibilità cioè della rivelazione di un Dio personale, creatore e redentore. Attacchi lanciati non da qualche pensatore isolato in volumi illeggibili, ma propagati, talvolta non senza sottigliezza, in scritti di facile lettura per un pubblico colto sempre più largo. (Voltaire e Rousseau avranno più influsso nel secolo XIX che nel proprio). Attacchi, infine, che si coniugavano con nuovi modelli di pensiero politico e sociale.

Dal punto di vista teorico, si può dire che fin dall'inizio quegli attacchi difficilmente potevano essere bloccati in modo adeguato. Molta dell'energia teologica, nel sec. XVIII si era consumata in discussioni e dispute fatte con passioni degne di cause maggiori: si pensi al giansenismo, e in modo minore ai problemi ecclesiologici, incentrandosi sull'episcopalismo nelle sue diverse forme, spesso coniugate in un *mariage de raison* con le differenti forme di giurisdizionalismo.

Era una chiesa in cui l'incertezza poteva soltanto essere accresciuta a causa della traumatica esperienza della Rivoluzione francese che non soltanto capovolse, in favore di Libertà, Uguaglianza e Fraternità, un or-

dine politico patriarcale e gerarchico, ma portò a uno scisma e, accompagnata dal Terrore, alla scristianizzazione di una nazione chiamata la *Fille Aimée* della chiesa. Ogni desiderio, anche se moderato, di democrazia, come ogni lotta per la libertà (irlandesi e polacchi avevano qualcosa per cui lottare), suscitava nella chiesa lo spettro dell'anarchia e dell'ateismo che «inevitabilmente» ne sono la conseguenza.

Era una chiesa che doveva costatare come la Restaurazione non portasse pace e armonia, e che lo spettro diventava sempre più minaccioso: 1848! Uno spettro che ormai aveva un nuovo nome: comunismo. Le difficoltà della Santa Sede con l'Italia facevano intanto vivere alla chiesa, una volta di più, un'esperienza negativa di «libertà». Trovava facilmente posto e diveniva credibile la teoria del grande complotto massonico-giacobino-liberale-comunista.

L'analisi che vedeva già nel tempo dell'illuminismo la radice di tutti i capovolgimenti, anche quelli politici e sociali, non era del tutto sbagliata. La → «modernità», con il suo concetto di autonomia dell'uomo che poteva e che, in un certo senso, doveva anche tradursi nel campo politico-sociale, era il frutto a un tempo dell'antropocentrismo e del soggettivismo filosofico (da Descartes a Kant), del crollo delle autorità «antiche» invocate per spiegare i fenomeni fisici dall'anatomia (Vesalio, Malpighi, van Leeuwenhoek), all'astronomia (Copernico, Galileo, Keppler); frutto della scoperta di poter formulare e calcolare – o gloria della ragione umana! – le leggi che reggono l'universo che così sembrava dominabile (Newton); come pure di scoperte utili concrete (solo come esemplificazione, si pensi al parafulmine inventato dal B. Franklin). La nuova concezione sulle leggi che reggono la società – anche qui non ci si dovrebbe più fidare delle antiche autorità – e le nuove analisi sull'origine dell'autorità e la formulazione di diritti inalienabili dell'uomo (Locke, Montesquieu, Rousseau) sono da collegarsi a quanto detto precedentemente. In una parola, si è davanti ad un'analisi che vede nell'agnosticismo razionalista la fonte dell'anarchia.

La problematica, essendo semplificata in questi termini, poteva far nascere la tesi che sarebbe bastata la riaffermazione di una sana dottrina che combatteva l'agnosticismo per far rinascere anche una società ordinata, che non potesse più fare a meno della religione; si sarebbe così raggiunta anche la riaffermazione della rilevanza della chiesa.

Rilevanza che, per la chiesa, non si sarebbe dovuta limitare al solo fatto religioso, ma avrebbe dovuto essere riaffermata anche di fronte alle pretese dei governi moderni che, al di là della questione della rivelazione e della fonte divina di autorità (gli stati moderni avrebbero ugualmente voluto mantenere un principio di autorità), escludevano una dottrina politico-sociale basata su principi morali trascendentali, conoscibili dalla legge naturale (data da Dio) e dal messaggio rivelato.

LA RISPOSTA DEL VATICANO I: IL PRINCIPIO DI AUTORITÀ - La necessità di combattere → l'agnosticismo (frutto del razionalismo) per combattere anche l'anarchia, o se si vuole i «principi immortali» della Rivoluzione francese (che sarebbe soltanto un anello nella genealogia degli errori, profetizzata da Bossuet come frutto della riforma protestante e che si ritrova perfino nei documenti magisteriali di Leone XIII), si trova espressa nelle risposte date all'inchiesta che la Santa Sede aveva avviato tra i cardinali di curia e un gruppo di vescovi residenziali circa l'opportunità di un concilio ecumenico. Un primo punto del programma del concilio è così formulato: una condanna degli errori

che distruggono il mondo, condanna che si trova già nel Sillabo, ma che dovrebbe essere riaffermata in modo più solenne. Lo stesso Pio IX desidera tale riaffermazione.

La commissione che deve preparare lo schema riguardante la fede cristiana prenderà quindi il Sillabo come punto di partenza. Ai Padri sarà presentato in prima istanza uno schema elaborato da J.B. Franzelin (1816-1886) e modificato poi dalla commissione teologica. La preoccupazione per l'intero ordine sociale, il cui fondamento − la religione (cattolica) − deve essere riaffermato, condiziona le prime critiche allo schema presentato ai Padri: pur cominciando con i problemi del materialismo, panteismo e razionalismo (seguendo i primi punti del Sillabo), e facendo seguito con una serie di temi di teologia fondamentale (le fonti della rivelazione, la necessità di una rivelazione soprannaturale, la distinzione fra fede divina e conoscenza umana, la necessità dei motivi di credibilità, la virtù soprannaturale della fede e la sua necessità, unitamente alla libertà dell'assenso, ai misteri della fede rivelata, alla relazione tra scienza umana e fede divina, all'immutabilità dei dogmi), lo schema contiene anche tutta una serie di temi dogmatici (trinità, creazione, incarnazione e redenzione, la natura dell'uomo, l'ordine soprannaturale, il peccato, la grazia), indirizzati particolarmente contro le tesi del teologo viennese A. Günther. I Padri insistono, a causa della situazione preoccupante della società, che ci si limiti agli errori fondamentali e primari: materialismo e ateismo (intervento del card. Rauscher di Vienna; anche diversi vescovi italiani indicano la crisi di fede delle masse). La costituzione *Dei Filius* di fatto si limiterà poi ai primi problemi.

La preoccupazione per gli effetti politico-sociali della negazione dell'autorità divina si esprime ancora nella decisione di non limitarsi a condannare gli errori, ma nel formulare soprattutto positivamente la retta dottrina. Tale preoccupazione sembra meno presente nelle discussioni dei singoli capitoli e paragrafi: discussioni (analizzate splendidamente da H.J. Pottmeyer) molto «tecniche», in quanto si cerca di rispondere alle diverse posizioni derivanti dalle esigenze dell'autonomia del soggetto pensante, per il quale un intervento divino per mezzo di una rivelazione in modo trascendente è diventato molto problematico. Si assiste alla negazione – da parte del deismo – di una rivelazione e di una possibile azione trascendente di Dio nella storia umana, e alla negazione del carattere trascendente della rivelazione, che viene ridotta a una realtà puramente immanente e allo svuotamento del suo significato nel quadro di un evoluzionismo assoluto (hegeliani), che considera Dio e l'universo un'unica realtà e pertanto la ragione umana non sostanzialmente distinta dalla ragione divina. Al concilio, inoltre si cerca di reagire in modo diretto alle soluzioni proposte da alcuni autori cattolici (già condannati dal magistero nei decenni precedenti) per superare gli stessi problemi. Questa preoccupazione dei Padri offre una chiave ermeneutica per l'interpretazione dei testi. In questo orizzonte, il razionalismo e semi-razionalismo sono visti come gli errori più nefasti (A. Günther, 1783-1863; G. Hermes, 1775-1831; J. Frohschammer, 1821-1893); in modo minore la soluzione dei tradizionalisti (F. de Lamennais, 1782-1854; A. Bonnetty, 1798-1879; L. de Bonald, 1754-1840; G. Ventura di Raulico, 1792-1861), e dei fideisti (L. Bautain, 1796-1867) che devono però essere respinti poiché, in ultima analisi, danno ragione alle pretese del razionalismo riguardo all'autonomia.

Nella sua formulazione positiva, e ancora più chiaramente negli anatemi, la costituzione, votata all'unanimità e promulgata il 24 aprile 1870,

oltre alla rettifica di alcuni errori specifici, pone soprattutto – teologicamente – il principio di un'autorità contro le pretese di autonomia. Non può esserci un'autonomia, se (cap. I) il mondo è stato *creato* liberamente [contro Hermes e Günther] da un Dio personale, libero e trascendente [contro il materialismo e il panteismo]. Non può esserci un'autonomia se (cap. II) questo Dio può essere conosciuto in modo certo, alla luce della ragione, come principio e fine di ogni cosa [contro gli atei e i tradizionalisti estremi], e se inoltre Egli si è rivelato in modo soprannaturale [contro i deisti]; questa forma costituisce l'unico modo tramite il quale l'uomo raggiunge la conoscenza delle realtà soprannaturali [contro i semi-razionalisti]. Invece di un'autonomia si invoca (cap. III) la risposta obbligatoria della fede, che accetta le verità rivelate non perché la ragione le potrebbe comprendere [contro Hermes], ma a causa dell'autorevolezza del rivelatore, che adopera anche segni soprannaturali, quali i miracoli e la profezia come motivi esterni di credibilità [contro il razionalismo]. L'atto di fede rimane tuttavia libero [contro Hermes]. L'*obbedienza* della fede si estende a tutte le verità proposte come tali dalla chiesa: essa stessa è anche un motivo di credibilità.

Nel quadro dell'antitesi tra autonomia e autorità «doveva» ancora essere trattata (cap. IV) la relazione tra fede soprannaturale e scienza umana; la scienza infatti costituiva l'orizzonte dove, in modo più radicale, si poneva la pretesa di autonomia. La risposta è quella che nega un'autonomia assoluta della ragione, senza d'altronde negarne il valore. Da una parte, i misteri divini superano la ragione, ma dall'altra, la ragione può penetrarli parzialmente. Non ci sono infatti due verità e non può esserci contraddizione tra fede e ragione, anche se la prima supera la seconda. La scienza ha un suo ruolo, ma entro limiti stabiliti. I dogmi, infine, sono essenzialmente immutabili.

Il IV capitolo potrebbe essere considerato come una chiave ermeneutica per l'intero documento: esiste, in fondo, un'armonia tra la rivelazione divina e la conoscenza umana, così come non c'è contraddizione tra la rivelazione «naturale» e quella soprannaturale, senza d'altronde ridurre la seconda alla prima. Si potrebbe allargare il discorso alla relazione tra chiesa e società: può e deve esserci un'armonia, senza ridurre la chiesa allo stato, anzi mantenendo la superiorità della prima nei confronti del secondo.

Il documento non deve esser letto soltanto sullo sfondo della antinomia più volte menzionata; il suo valore e la sua rilevanza infatti superano un simile orizzonte. Notiamo, per la teologia fondamentale, che la costituzione – che condizionerà in seguito i trattati in materia – ha il grande merito di comporre in un documento dottrinale il concetto di rivelazione e la sua tematica. Si dovrà notare inoltre che il concetto di rivelazione che viene esposto si limita sostanzialmente a un insieme di proposizioni; ugualmente i miracoli sono considerati soltanto sotto l'aspetto «esteriore» della loro singolarità, ma non per il loro contenuto di salvezza. Si noti, infine, che si arriva a formulazioni «equilibrate» riguardo al ruolo della ragione umana, il cui valore non viene negato, ma inserito in una visione che crea armonia tra natura e soprannatura e apre la strada per l'ulteriore sviluppo della fontamentale: in fondo, si cerca di rispondere alla problematica del periodo, mentre si approfondisce la comprensione della fede e i suoi fondamenti. *In nuce* è presente la tematica, già indicata da V.A. Deschamps (1810-1883), riguardante il desiderio del cuore umano – ossia l'argomento dell'immanenza –, di cui si stabilisce solo che non può essere l'unico, ma, in ogni caso,

non è escluso; i Padri erano, probabilmente, più interessati ai motivi esterni della credibilità, e da qui il conseguente rimprovero dell'estrinsecismo. «Suscettibili come sempre di nuovi ulteriori progressi, la *Dei Filius* resta un testo fondamentale insostituibile, paragonabile al decreto sulla giustificazione del Tridentino» (G. Martina).

Un secondo punto del programma del concilio era suggerito, parzialmente, anche dal *Sillabo*; specialmente le questioni del ruolo della chiesa e la sua rilevanza di fronte alla società civile, unitamente ai diritti della chiesa nei confronti degli stati che gli eventi politici avevano da decenni messo in discussione. L'intervento tuttavia va visto anche come una presa di posizione a livello conciliare sulla ormai plurisecolare discussione circa la natura della chiesa e la sua struttura visibile e gerarchica; discussione mantenuta viva specialmente dai protestanti.

Ai Padri si presenta il primo schema di una costituzione sulla chiesa, che contiene i capitoli seguenti: (I) la descrizione della chiesa come corpo mistico di Cristo; (II) la religione di Cristo può essere praticata soltanto nella *societas* fondata da Lui; (III) come una *societas* reale, perfetta, spirituale, sovrannaturale, (IV) visibile, (V) una, (VI) necessaria per la salvezza, (VII) che non si trova al di fuori di essa, (VIII) indefettibile, (IX) infallibile, (X) gerarchica, (XI) con il primato di Pietro. (I capp. XII, XIII e XIV parlano del potere temporale, dei diritti dello stato, dei diritti della chiesa di fronte allo stato). Lo schema non piace: la presentazione della chiesa come corpo mistico, pur essendo molto biblica, è ritenuta troppo «vaga»; si nota la preoccupazione per la questione dell'autorità. Anche i capitoli seguenti non trovano molto apprezzamento; curiosamente, perché manca la prospettiva biblica!

Uno schema emendato soprattutto nella prima parte da J. Kleutgen (1811-1883) non sarà più distribuito, poiché il capitolo sul primato sarà presentato come uno schema separato, nel quale si elabora la giurisdizione ordinaria, immediata, episcopale e universale del papa e la sua infallibilità in questioni di fede e di morale. Certo, da una parte si vuole in questo modo terminare la discussione non soltanto con i protestanti e gli ortodossi, ma anche con gli episcopalisti («il gallicanesimo») all'interno della stessa chiesa cattolica, come si vede nella definitiva formulazione; dall'altra, si riafferma in generale il principio di autorità, anche per i vescovi, come alcuni degli oppositori iniziali della definizione dell'infallibilità avevano intravisto. La discussione stessa (buona analisi di A. Houtepen) – oggetto anche di una controversa produzione storiografica (B. Hasler) – non sempre rende evidente il quadro generale della risposta alla sfida dell'autonomia; il risultato – la costituzione *Pastor Aeternus* – è colto però come tale nelle diverse cancellerie europee (Berlino, Vienna, Parigi).

La *Pastor Aeternus* non ha soltanto una rilevanza per l'ecclesiologia (→ Chiesa), per la quale rappresenta la vittoria dell'ultramontanismo, inteso come corrente «anti-episcopalista». La proclamazione dell'infallibilità e della giurisdizione universale del papa corrisponde pure alle istanze dell'ultramontanismo politico-culturale, del quale il non-teologo J. de Maistre (1753-1821) può essere considerato il padre: «non c'è ordine senza religione, non c'è religione senza il cristianesimo, non c'è cristianesimo senza la chiesa, non c'è chiesa senza il papa, non c'è papa senza infallibilità». L'infallibilità è un'altra espressione di sovranità.

Il concetto di infallibilità riguarda certamente molto da vicino vari problemi di teologia fondamentale. E si

ha infatti incidenza nei criteri circa la vera fede, la certezza della fede, il problema della rivelazione «compiuta con la morte dell'ultimo apostolo», lo sviluppo del → dogma, la continuità della dottrina di fede; e ancora con la problematica circa il rapporto tra dogma ecclesiale e coscienza personale, tra dogma e ricerca scientifica, tra esperienza di fede e formule dogmatiche. Riguardo alla rivelazione, con un intervento di autorità, si stabilisce che è stata affidata alla chiesa, che la comunica e interpreta in modo autorevole; nella chiesa, a sua volta, è il papa che esercita un'autorità che si oppone a interpretazioni autonome della rivelazione. La certezza è assicurata nel miglior modo possibile.

Si può aggiungere: un'autorità tanto grande è efficiente e può e deve anche contribuire alla rifondazione dell'ordine sociale; in prospettiva storica l'attività intensa del magistero per la costruzione di una dottrina sociale e politica, con una finalità dell'instaurazione di una nuova cristianità, modellata su un medioevo più immaginario che reale, è un frutto anche delle asserzioni del Vaticano I. La chiesa, fondata sulla rivelazione divina ed essendo la sua custode, ha qualcosa di rilevante da dire al mondo.

Gli schemi proposti nel quadro della terza finalità del concilio, vale a dire risoluzione di alcune questioni disciplinari (obblighi e autorità dei vescovi, prelati, vicari generali; la vita del clero; il catechismo; gli ordini religiosi; i riti orientali; le missioni; questioni dell'esenzione!), e trattati soltanto parzialmente, sotto un certo aspetto sono da considerare, in prima istanza, come un tentativo per migliorare l'attività pastorale; tuttavia nella misura in cui intendono un migliore funzionamento della chiesa, il quadro interpretativo diventa più largo: nel mondo sconvolto, la chiesa deve portare un messaggio di origine divina che proclama l'esistenza di una base per un ordine sociale e indica inoltre come questo ordine dovrebbe essere.

OSSERVAZIONI CONCLUSIVE - Superfluo dire che i documenti non possono soltanto essere letti in chiave di ricerca di certezza e che il loro significato non vi deve essere ridotto. Superfluo pure dire che il ragionamento per cui l'agnosticismo portava all'anarchia, non poteva essere capovolto nella tesi che la vittoria sull'agnosticismo avrebbe riportato la cristianità di una volta; nuovi modelli sociali – anche nella democrazia avanzata (Stati Uniti) – non escludevano di fatto la presenza della religione e offrivano spazi per la chiesa sconosciuti sotto i re assoluti, anche se con attributi quali «il cristianissimo», «il cattolico», «il fedelissimo», «l'apostolico»...

Le conseguenze politiche della modernità, il voler basare la società e lo stato sui diritti dell'uomo e, come conseguenza, costruire la democrazia liberale e quindi anche sociale, potevano essere corrotte (leninismo, stalinismo) o interrotte (fascismo), ma non certo sradicate dalla coscienza collettiva dell'umanità, e dai suoi più nobili rappresentanti (vedasi il magistero pontificio in materia). Teologicamente, fu necessario il concetto dialettico di una «autonomia teonoma».

Bibl. - Y. Congar, «L'ecclésiologie de la Révolution française au Concile du Vatican sous le signe de l'affirmation de l'autorité», in Autori vari, *L'ecclésiologie au XIXe siècle*, Paris 1960, 76-114; U. Betti, *La costituzione dogmatica «Pastor Aeternus» del Concilio Vaticano I*, Roma 1961; H. Rondet, *Vatican I, le Concile de Pie IX*. La préparation, les méthodes de travail, les schémas restés en suspens, Paris 1962; F. van der Horst, *Das Schema über die Kirche auf dem I. Vatikanischen Konzil*, Paderborn 1963; H. Ott, *Die Lehre des I. Vatikanischen Konzils*. Ein evangelischer Kommentar, Basel 1963; R. Aubert, *Vatican I*, Paris 1964; H. Meyer, *Das Wort Pius IX: «Die Tradition bin ich»*. Päpstliche Unfehlbarkeit und apostolische Tradition in den Debatten und Dekreten des Vatikanum I, München 1965; H.J. Pottmeyer, *Der Glaube vor dem An-*

spruch der Wissenschaft. Die Konstitution über den katholischen Glauben «Dei Filius» des Ersten Vatikanischen Konzils und die unveröffentlichten theologischen Voten der vorbereitenden Kommission, Freiburg 1968; Id., *Unfehlbarkeit und Souveränität*. Die päpstliche Unfehlbarkeit im System der ultramontanen Ekklesiologie des 19. Jahrhunderts, Mainz 1975; Autori vari, *De doctrina Concilii Vaticani primi*, Città del Vaticano 1969; G. Schwaiger (ed.), *Hundert Jahre nach dem Ersten Vatikanum*, Stuttgart 1970; J. Gomez - Heras, *Temas dogmáticos del Concilio Vaticano I. Aportación de la Comisión Teológica preparatoria a su obra doctrinal. Votos y esquemas inéditos*, voll. I-II, Vitoria 1971; A.W.J. Houtepen, *Onfeilbaarheid en hermeneutiek. De betekenis van het infallibilitas-concept op Vaticanum I*, Brugge 1973; K. Schatz, *Kirchenbild und päpstliche Unfelhbarkeit bei den deutschsprachigen Minoritätsbischöfen auf dem I. Vatikanum*, Roma 1975; A.B. Hasler, *Pius IX (1846-1878)*. Päpstliche Unfehlbarkeit und I. Vatikanisches Konzil. Dogmatisierung und Durchsetzung einer Ideologie, Stuttgart 1977; P. Walter, *Die Frage der Glaubensbegründung aus innerer Erfahrung auf dem I. Vatikanum*. Die Stellungnahme des Konzils vor dem Hintergrund der zeitgenössischen römischen Theologie, Mainz 1980; P. Petruzzi, *Chiesa e società civile al Concilio Vaticano I*, Roma 1984; G. Martina, *Pio IX. 1866-1878,* Roma 1990.

MARCEL CHAPPIN

VATICANO II

Una volta placatisi, verso il 1930, i sommovimenti della crisi modernista, l'albero della chiesa, secco, rattrappito, apparentemente senza linfa, torna a rinverdire, a produrre germogli e poi a fiorire, a lanciare rami nello spazio alla ricerca di un po' di luce: presagio della primavera del Vaticano II. Infatti il concilio non è stato frutto di una germinazione spontanea. È sorto da un contesto: è germinato per quattro o cinque decenni. Prima di parlare dell'evento stesso, della sua dimensione, dei suoi frutti e dei futuri esiti, bisogna dire una parola circa il contesto che l'ha preceduto e preparato.

1. CONTESTO STORICO ANTERIORE - La verità è che il concilio è venuto incontro a profonde richieste del cri-

stianesimo e dell'umanità intera. La chiesa non poteva mantenere il suo atteggiamento di diffidenza e di ghetto di fronte a una società in pieno mutamento verso una struttura planetaria, rinnovata nella mentalità, nei costumi, nei modi di essere e di agire. La chiesa doveva uscire dal mutismo di 150 anni ed entrare in dialogo con un partner anch'esso molto diverso da quel che era stato precedentemente.

a. *Una società in mutamento* - Indichiamo tre fattori di questo mutamento sociale:

– *L'ascesa del Terzo mondo e la fine del colonialismo* in Africa e in Asia, proprio come era avvenuto prima in America, nel secolo XIX. I dati e le cifre parlano da soli: indipendenza dell'Indonesia (1945), delle Filippine (1946) e poi dell'India. Nel 1948 nasce lo stato di Israele; nel 1951 la Libia si libera dalla tutela inglese. Gli anni dal 1954 al 1962 segnano le lotte per l'indipendenza dell'Africa. Nel 1956 indipendenza del Sudan; nel 1958 del Ghana e verso il 1960 del Congo (l'attuale Zaire), del Kenya, dell'Uganda, del Madagascar. Nel 1970 cessa la dominazione portoghese dell'Angola e del Mozambico. L'Indocina, divenuta Vietnam, si libera dall'influenza francese e americana dopo anni di sanguinosi combattimenti. Un'epoca è superata. Il Terzo Mondo raggiungerà nel 2000 una popolazione di cinque miliardi contro il miliardo e mezzo dei paesi cosiddetti sviluppati. Questa liberazione del mondo afro-asiatico ha già ripercussioni incommensurabili sull'immagine della chiesa (gerarchia e fedeli), sulla sua mentalità, i suoi atteggiamenti, i suoi costumi, la sua liturgia...

– *L'industrializzazione del mondo.* Parallelamente, nei paesi occidentali, grazie alle applicazioni della tecnica, l'industria trasforma una società fino allora prevalentemente agricola: centuplica l'efficacia dei mezzi di produzione, mentre riduce in modo drastico la mano d'opera. Di conseguenza comincia l'esodo dalle campagne verso le megalopoli (Città del Messico, São Paulo, Shangai, Tokyo, Calcutta, Pechino, Rio de Janeiro, New York superano tutte i dieci milioni di abitanti) con una catena di problemi: droga, disoccupazione, violenza, terrorismo, scioperi, denatalità, multiforme immoralità...

– Infine la *televisione* entra nel cuore degli ambienti domestici e trasforma la terra in un «grande villaggio». Viviamo nell'ora del presente universale. Le poltrone parallele delle sale della televisione diventano il simbolo dei monologhi paralleli e silenziosi degli uomini schiacciati davanti al piccolo schermo.

Di fronte a mutamenti così giganteschi possiamo ancora parlare di cristianità, di religione di stato, di nazione cristiana? Che influenza può esercitare la chiesa in questo mondo pluralista e secolarizzato dove vengono a contatto e si mescolano religioni, razze, culture? Al momento il mondo somiglia a un immenso bollitore in cui si trova di tutto, dal meglio al peggio.

b. *Una chiesa in ricerca* - Dappertutto esiste un diffuso malessere, nel mondo laico come in quello clericale. All'interno delle stesse regioni coesistono correnti progressiste e altre conservatrici a oltranza. Tuttavia nuove tendenze sempre più salde cominciano a delinearsi soprattutto in tre ambiti:

– *I laici occupano un posto sempre più importante nella chiesa*: un'importanza che si concretizza nell'apparire di movimenti di azione cattolica (ACI, JEC, JOC) che invadono rapidamente l'Europa e l'America sotto l'influenza dell'abbé Cardijn; nella nascita degli istituti secolari che seguono i consigli evangelici pur mantenendo le loro occupazioni professionali; nello sviluppo della teologia del laicato sostenuta da alcune riviste. I movimenti di azione cattolica non hanno sempre il successo sperato sia a causa della passività delle masse, sia per i timori ispirati da una gioventù che alcuni ritengono troppo contestatrice. In fondo si sperava di ricostituire una nuova cristianità in un mondo scristianizzato.

Contemporaneamente si poneva il problema dell'autonomia del laicato rispetto al clero. L'azione dei cattolici si distingue sempre più dai movimenti di azione cattolica e si esercita direttamente nell'ambito sociale. La spinta del comunismo e del socialismo costringe la chiesa a prendere posizione nella *Rerum Novarum* e nella *Quadragesimo anno* e a mettere in guardia contro gli eccessi del capitalismo con la *Mater et Magistra*. Ma la maggiore difficoltà del cattolicesimo preconciliare è sempre stato lo scarto mai colmato tra la teoria e la pratica in materia sociale. Fino alla vigilia del Vaticano II, la grande maggioranza dei fedeli sono rimasti ostili all'idea di un cambiamento profondo. A partire dal 1950 lo scandaloso sottosviluppo del Terzo mondo ha cominciato a scuotere gli ambienti cattolici, dapprima a livello dei testi (*Populorum progressio, Medellín, Puebla, Laborem exercens*) e poi nei fatti. Certamente già prima del Vaticano II l'ascesa del laicato era un fenomeno irreversibile. Le basi di una teologia del laicato erano anch'esse poste (Y. Congar, *Vraie et fausse réforme dans l'Église*, 1950).

– Un secondo aspetto caratteristico del rinnovamento avviato è il *ritorno alle fonti*, soprattutto alla Scrittura. Quest'ultima, praticamente messa all'indice dopo la Riforma, riprende vita e forza nei movimenti di azione cattolica, nella diffusione della bibbia, nel moltiplicarsi dei convegni biblici, nei commenti che accompagnano la liturgia domenicale. Il magistero stesso con la *Divino afflante Spiritu* (1943) ha dato un nuovo soffio a un'esegesi spenta dalla cri-

si modernista. L'impiego sempre più generalizzato della *Formgeschichte* (→ Vangelo, II) come metodo di analisi letteraria, ha permesso di scrutare la storia e la preistoria dei vangeli. In patristica collezioni come *Sources chrétiennes* e *The christian Fathers* hanno aperto la fontana sigillata dei Padri. Questo ritorno alle fonti conduce a una migliore comprensione della chiesa come mistero (De Lubac, *Catholicisme*, 1938; enciclica *Mystici Corporis* 1943; inizio della collana *Unam sanctam* 1937). A poco a poco si costruiscono gli approcci della *Lumen Gentium*.

– Una richiesta sempre più viva dell'epoca preconciliare è la volontà di *ricostituire l'unità spezzata* tra i cristiani: irreprimibile ondata che diventerà il movimento ecumenico di cui si trovano segni precursori nella fondazione della rivista *Irénikon* (1926), nell'opera di Y. Congar (*Chrétiens désunis*, 1937), nella fondazione della *Pro Civitate Christiana* ad opera di don G. Rossi nel 1939 e del centro *Unitas* a Roma nel 1950. Questi avvenimenti preparavano la fondazione del Segretariato per l'unità dei cristiani avvenuta nel 1960 ad opera di Giovanni XXIII.

Altre tendenze si fanno strada, sulle quali torneremo in seguito: apertura al mondo, dialogo con la scienza, rinnovamento liturgico richiesto ossessivamente, rinnovamento dell'antropologia, migliore presentazione del messaggio cristiano nelle omelie, catechesi, in teologia la specificità del cristianesimo di fronte alle altre religioni mondiali, abolizione della centralizzazione e del monolitismo romano, rapporto chiesa-vangelo-cultura. In questo momento sia nella società che nella chiesa tutto ribolle in attesa di un catalizzatore sufficientemente potente da favorire un'unità gravemente minacciata.

2. TENSIONI DOTTRINALI IN SENO ALLA CHIESA - Alla vigilia del Vaticano

Il non tutto andava bene nel cuore della cristianità, il Vaticano. Primo fatto da sottolineare: dal 1944 al 1958 la carica di Segretario di Stato resta vacante, poiché Pio XII concentra tutto il potere nelle sue mani, divenendo un pontefice isolato, senza sufficienti contatti personali, circondato da consiglieri della stessa tendenza. La curia conobbe un periodo di stagnazione.

Lo stesso pensiero cattolico è lontano dal costituire un blocco unito. Da una parte c'è il gruppo dei teologi che vive alla periferia in ascolto delle richieste del mondo nuovo; e dall'altra il gruppo dei conservatori, soprattutto in Vaticano, timidi, timorosi, presi da paura e da panico, che diventano aggressivi e pericolosi. Di conseguenza numerosi rinomati teologi sono oggetto di sospetti, di misure disciplinari. Ma per un giusto riassestamento delle cose questi perseguitati sono stati riabilitati e sono divenuti in seguito artefici del concilio, se non addirittura cardinali (de Lubac, Daniélou). Gli accusatori invece sono sprofondati nell'oblio.

È l'epoca in cui iniziative pastorali come quella dei preti operai in Francia sono state condannate o interrotte. Uomini come J. Maritain furono sospettati perché rivendicavano l'autonomia dei cattolici laici nella loro azione temporale e politica. Una analoga diffidenza da parte degli ambienti romani accompagnò J. Courtney Murray che considerava la libertà religiosa come un diritto essenziale della persona umana e non come un dono dello stato protettore nei confronti del cattolicesimo. Murray fu ridotto al silenzio fino alla *Dignitatis humanae* del Vaticano II, che vide trionfare le sue idee.

Più vasta fu l'eco della «querelle» che circondò la *Nouvelle Théologie*, i cui bersagli designati furono il *Saulchoir* dei domenicani e *Lyon-Fourvière* dei gesuiti, con il focoso Garrigou-Lagrange come capo d'attacco.

Nell'enciclica *Humani Generis* del 1950, Pio XII si mostra visibilmente preoccupato: teme gravi deviazioni concernenti le basi del cristianesimo, soprattutto l'immutabilità del dogma, l'importanza del magistero pontificio, il peccato originale, il rapporto natura-grazia, il valore dei motivi di credibilità, ecc. Il Generale dei gesuiti Janssens, in seguito a una visita a Lyon-Fourvière affidata al suo delegato E. Dhanis, fece ritirare dalle biblioteche della Compagnia di Gesù libri e articoli di Bouillard, Daniélou, de Lubac, de Montcheuil; cinque professori ricevettero la proibizione di insegnare. Tra i domenicani il generale Suarez depose i provinciali di Parigi, Lione, Tolosa e ordinò il trasferimento dei padri Boisselot, Féret, Chenu, Congar. Tra i gesuiti anche → Teilhard de Chardin fu oggetto di sospetto e di continue proibizioni. Nel 1948 il generale Janssens gli proibì di insegnare al Collège de France. Finché visse Teilhard non poté né insegnare né pubblicare. Morì in esilio a New York. Anche a Roma sotto Giovanni XXIII attacchi diretti contro l'Istituto biblico ebbero l'esito di proibire l'insegnamento a tre professori già celebri.

Questa giustapposizione di correnti opposte, che va fino alla condanna dei migliori teologi della chiesa, illustra bene il clima romano alla vigilia del concilio. In molti paesi d'Europa e di America si dichiarava apertamente che se qualcosa non fosse cambiato bisognava aspettarsi il peggio.

3. IL VATICANO II COME EVENTO ECCLESIALE - Ma puntualmente l'evento si verificò insperato e soprattutto inatteso nella sua forma: un concilio e il più grande della storia, annunciato da Giovanni XXIII il 25 gennaio 1959. Pio XI aveva già prospettato la ripresa del Vaticano I interrotto nel 1870 a causa della guerra. Aveva anche consultato alcuni cardinali e vescovi della curia e ricevuto

l'abbozzo di un programma, ma alla fine non se ne fece nulla. Il progetto fu ripreso nel 1948 da Pio XII, ma fu ben presto bloccato a causa di numerose divergenze. Giovanni XXIII, di fronte al ritmo accelerato dei mutamenti sociali e alla necessità di ricostituire l'unità tra i cristiani, prese la decisione irreversibile di un grande concilio ecumenico. Bisognava evitare un ritardo fatale, come avvenne al tempo della Riforma protestante. A dire di Harnack stesso, se il concilio di Trento fosse stato anticipato di quindici anni, forse il dramma della Riforma avrebbe potuto essere evitato. Bisognava agire presto. Era tempo per la chiesa di uscire dal suo mutismo di vecchia dama ammantata del suo passato... sorpassato, per poter infine «parlare» agli uomini del nostro tempo allo scopo di servirli e condurli a Cristo. Aggiungiamo che il *kairós* storico era favorevole; infatti al momento del concilio la chiesa era finalmente liberata dalle pastoie politiche e poteva beneficiare di un'équipe eccezionale di grandi teologi. Oggi, dopo la scomparsa di questi «grandi» della teologia, un Vaticano II sarebbe impossibile. Il concilio giunse «in tempo».

Una commissione preparatoria, presieduta da Tardini e da Felici come segretario, fu subito creata per organizzare il lavoro. Già dal 5 giugno 1960 erano istituite 10 commissioni che si distribuivano il compito di preparare gli schemi che i Padri dovevano discutere. Queste commissioni, tutte tranne una, avevano come presidenti i cardinali delle congregazioni romane coadiuvati da consiglieri teologici di tendenze conservatrici. Questo primo lavoro terminò con la redazione di più di 70 schemi, la maggior parte dei quali mediocri o cattivi. Così, al momento dell'arrivo dei Padri conciliari, furono destinati al rifiuto o al rinvio per essere sostanzialmente riformati.

Il Vaticano II comportò quattro sessioni della durata di due o tre mesi. Inaugurato l'11 ottobre 1962 da Giovanni XXIII si concluse l'8 dicembre 1965 sotto Paolo VI. Nel discorso inaugurale Giovanni XXIII mise in guardia dalla tentazione integrista e dalle condanne, invitando piuttosto all'unione e a un'ottica pastorale.

Il Vaticano II è indubbiamente la più vasta opera di riforma mai compiuta nella chiesa, non solo per il numero dei Padri conciliari (2540 fin dall'inizio, rispetto ai 750 del Vaticano I e ai 258 del concilio di Trento), dell'unanimità delle votazioni che spesso ha battuto ogni record (così la costituzione sulla rivelazione ha registrato solo 6 voti negativi su un totale di 2350 votanti; la costituzione sulla chiesa, solo 5 voti negativi), ma soprattutto a causa dell'ampiezza dei temi affrontati: la rivelazione, la chiesa (natura, costituzione, membri, attività missionaria e pastorale), la liturgia e i sacramenti, le altre comunità cristiane e le altre religioni, il laicato, la vita consacrata, la riforma degli studi ecclesiastici, la libertà religiosa, l'educazione, i rapporti fede-cultura, chiesa-mondo, i mezzi di comunicazione sociale.

Il Vaticano II rappresenta un evento di *originalità unica*. I precedenti concili erano per lo più provocati da eresie o devianze particolari, a volte regionali. Anche il concilio di Trento si evolve all'interno di frontiere dottrinali molto limitate: rapporto Scrittura-Tradizioni, peccato originale, giustificazione, sacramenti. Il Vaticano I resta un concilio occidentale se non addirittura europeo. Con il Vaticano II per la prima volta un concilio ha dimensione *planetaria*. All'universalità dei temi fa eco l'universalità della rappresentanza episcopale. Concretamente, in percentuale l'Europa ha il 33% della rappresentanza; gli Stati Uniti e il Canada il 13%; l'America Latina il 22%; l'Asia il 10%; l'Africa il 10%; il mondo arabo e l'Oceania il 6%. Per la prima volta degli esperti il cui numero è passato da 201 a 480 grazie all'influenza di Paolo VI, hanno collaborato alla redazione dei testi conciliari, facendo così sentire la voce di lunghe e ricche tradizioni culturali. Per la prima volta, un concilio ha osato affrontare problemi assolutamente inediti: per esempio l'incredibile pauperismo di una larga porzione dell'umanità, la multiforme oppressione della libertà e degli essenziali diritti dell'uomo, la corsa agli armamenti, le minacce di annientamento dell'umanità, la ricerca efficace dell'unità dei cristiani, il contributo della letteratura e delle arti alla vita della chiesa. I sedici documenti conciliari, riuniti in un solo volume, rischiano di farci dimenticare l'immensità del lavoro impiegato durante questo periodo effervescente della storia della chiesa. Coloro che aspettano un concilio ancor più ecumenico dovranno attendere senz'altro fino alla parusia. E coloro che rifiutano di riconoscere l'autorità di un concilio che ha mobilitato tante energie, che ha raggiunto una tale unanimità sotto la presidenza di due pontefici, non danno forse prova di accecamento?

Tuttavia il concilio non è stato una crociera turistica. Fin dall'inizio non sono mancate le scosse sismiche, di un'intensità talvolta inquietante. Quanti schemi sono saltati fin dall'inizio! Quanti altri hanno conosciuto una navigazione tormentata, spesso vicina al naufragio! Nonostante tutto l'evento è riuscito. A livello dei fatti, che richiamiamo brevemente, le sessioni si svolsero così. Il concilio affrontò l'ordine del giorno il 22 ottobre 1962 con la discussione dello schema sulla liturgia. Nonostante l'accoglienza favorevole che ricevette, esso fu sottoposto a un ulteriore studio e fu promulgato solo nella seconda sessione, il 4 dicembre 1963. Lo schema sulle «fonti della Rivelazione», ispirato da un concetto ristretto e troppo nozionistico dei dati

della Scrittura e della Tradizione, sollevò tante critiche che Giovanni XXIII lo rinviò a una commissione mista, rappresentata dalla Commissione teologica e dal Segretariato per l'unità dei cristiani. Questo schema vedrà cinque redazioni prima di essere infine promulgato dal concilio il 18 novembre 1965. Dopo un rapido esame di due schemi mediocri sui mass media e sull'unione con gli Orientali, si affronta in dicembre lo schema sulla chiesa. Dopo alcuni interventi dei cardinali Léger, Suenens e Montini, e dopo una concertazione con il papa stesso, che doveva invitare a ripensare tutto il piano del concilio nelle «prospettive di un concilio per il mondo», lo schema fu sottoposto a un «rifacimento». Questi cambiamenti sono attribuibili all'azione degli «esperti» (*periti*) e dei consiglieri personali dei vescovi, molto piú sensibili al pulsare della vita ecclesiale universale di quanto non lo fossero i teologi della curia. Sono questi *periti* e questi consiglieri che contribuirono all'elaborazione e alla messa a punto dei testi: sono stati i perni portanti del concilio. Alla fine della prima sessione, gli schemi furono riportati da 70 a 20.

Paolo VI diresse le tre ultime sessioni. Già dal 22 giugno 1963 il nuovo papa decise di proseguire il concilio. Il collegio dei moderatori passò da dieci a quattro, che dovevano dirigere i dibattiti. Di quattro moderatori solo il cardinale Agagianian rappresentava la curia. Gli altri tre, Lercaro (Bologna), Doepfner (Monaco) e Suenens (Malines-Bruxelles) manifestavano apertamente la volontà di Paolo VI di allargare le prospettive del concilio. La seconda sessione approvò, oltre alla costituzione sulla liturgia *Sacrosanctum Concilium*, il decreto *Inter mirifica* sui mezzi di comunicazione sociale. Durante la terza sessione furono votati il decreto sull'ecumenismo *Unitatis Redintegratio*, la costituzione sulla chiesa *Lu-*

men Gentium e il decreto sulle chiese orientali *Orientalium Ecclesiarum*. Si affrontarono anche troppo precipitosamente temi scottanti come quello della libertà religiosa e lo schema 13 sulla chiesa nel mondo contemporaneo. La quarta sessione votò, un po' febbrilmente e con qualche scontro, gli ultimi schemi. Fu una vera corsa contro il tempo. Il 28 ottobre 1965 furono promulgati: 1. il decreto sul compito pastorale dei vescovi *Christus Dominus*; 2. il decreto sull'adattamento e sul rinnovamento della vita religiosa *Perfectae Caritatis*; 3. il decreto sulla formazione dei sacerdoti *Optatam Totius*; 4. la dichiarazione sull'educazione cristiana *Gravissimum Educationis*; 5. la dichiarazione sulle relazioni della chiesa con le religioni non cristiane *Nostra Aetate*. Il 18 novembre 1965 faceva seguito la promulgazione della *Dei Verbum* sulla rivelazione e del decreto sull'apostolato dei laici *Apostolicam Actuositatem*. Infine il 7 dicembre furono pubblicati gli ultimi quattro documenti: i decreti sull'attività missionaria della chiesa (*Ad Gentes*) e sulla vita dei sacerdoti (*Presbyterorum Ordinis*), la dichiarazione sulla libertà religiosa (*Dignitatis Humanae*) e la costituzione più lunga e più controversa sulla chiesa e il mondo (*Gaudium et Spes*). Il 7 dicembre fu proclamata la «revoca della scomunica» tra Roma e Costantinopoli. L'8 dicembre segnò la seduta di chiusura del concilio in presenza di 81 rappresentanze governative e di nove organismi internazionali. Il concilio segnò la fine dell'era post-tridentina, ma i cambiamenti operati coincidono con la crisi della civiltà occidentale e con l'avvento della città secolare: due fattori che offuscheranno il periodo postconciliare.

4. GIOVANNI XXIII E PAOLO VI - Non si può parlare del Vaticano II senza ricordare immediatamente le due figure dominanti del concilio: Giovanni XXIII e Paolo VI. Schematizzando, potremmo dire che Giovanni XXIII ha avuto l'ispirazione del concilio, ne ha deciso la convocazione e l'ha accompagnato durante la preparazione e il tempo della prima sessione. Paolo VI, responsabile delle altre sessioni fino alla chiusura del concilio, ne è stato il principale artefice, come anche il promotore efficace della sua applicazione nel rinnovamento dello spirito e delle strutture della chiesa.

a. *Giovanni XXIII* - Giovanni XXIII è stato considerato illuminato, esaltato, impulsivo. La verità è molto diversa. Certamente Giovanni XXIII faceva a Dio credito illimitato, ma la sua decisione non aveva niente di non riflettuto. Voleva fare entrare la chiesa nella storia e nella società del secolo XX; era infatti convinto che la chiesa non è né una cittadella né un museo ma piuttosto un giardino che non cessa di fiorire. Convocando il concilio voleva rendere la chiesa in grado di rispondere meglio alle richieste del mondo contemporaneo, il tutto in un profondo rispetto della Tradizione. La sua preoccupazione pastorale è troppo nota per aver bisogno di essere commentata. Giovanni XXIII sperava che il concilio fosse breve, ma ne considerava serenamente l'eventuale prolungamento, cosciente che il concilio doveva maturare e non morire. È anche vero che il concilio ha visto inizi difficili se non caotici: ma come evitare un periodo di rodaggio quando si tratta di imprese così gigantesche, molto più difficili da programmare anche dei calcolatori più sofisticati? Giovanni XXIII voleva fare del concilio una nuova Pentecoste, ma questa volta non si trattava del piccolo gregge della chiesa primitiva, ma di una moltitudine. Di fatto ci si rese conto ben presto che bisognava pianificare maggiormente (fu questa l'opera di Paolo VI), ma anche che bisognava lasciar passare le settimane e i mesi affinché si potesse formare nei Padri una «coscienza collegiale» (questa fu l'opera del tempo e dello Spirito). Indubbiamente è il card. Montini, il futuro Paolo VI, il più qualificato per dire che cosa dobbiamo pensare dell'iniziativa di Giovanni XXIII. Come la maggior parte dei cardinali, egli ebbe all'inizio una reazione di sorpresa ma fin dal 26 gennaio 1960, presentava il concilio alla sua diocesi di Milano come un evento «storico di prima grandezza, il più grande che sia mai stato celebrato nella chiesa». Egli riconosceva nella decisione del papa la sicurezza che lo Spirito Santo accompagnava il cammino di Pietro guidando la sua chiesa.

Il card. Montini pensava che il pontificato di Giovanni XXIII rappresentasse un'epoca di rigenerazione cattolica, una prodigiosa capacità di dialogo con tutti gli uomini in vista della loro salvezza. Costatava che Giovanni XXIII aveva saputo vedere gli aspetti positivi e non solo quelli negativi del mondo contemporaneo. E aggiungeva che non bisognava cambiare né l'impulso né l'orientamento del concilio. Giovanni XXIII in particolare aveva percepito la necessità di una maggiore collaborazione con il corpo episcopale, di una ricerca di unità con le chiese separate e di una pace più stabile tra i popoli e le classi sociali. Il cardinale Montini è stato anche uno dei primi a sostenere l'impresa ardita di Giovanni XXIII. In una lettera del 18 ottobre 1962, indirizzata al Segretario di Stato, osserva tuttavia che il concilio manca di efficacia poiché è carente di una «struttura organica». Egli stesso presentava un «progetto». Il concilio, diceva, doveva essere «polarizzato» su un unico tema: la chiesa. Indicava poi la materia delle tre sessioni che egli immaginava: una prima sul mistero della chiesa; una seconda sulla missione della chiesa; la terza infine sul rapporto della chiesa con il mondo. Effettivamente il concilio seguirà quest'ordine. Paolo VI ha dunque riconosciuto l'opportunità e la grandezza dell'iniziativa di Giovanni XXIII.

b. *Paolo VI* - Eletto papa dopo la morte di Giovanni XXIII, Paolo VI rilanciò subito il concilio. Conosceva bene le tensioni che esistevano tra conservatori, progressisti e indecisi. L'avvenire del concilio dipendeva da lui. Una cosa era certa: non si trattava di fare marcia indietro né di frenare il cammino in avanti della speranza e dell'amore. Paolo VI si mise all'opera con una rapidità e una efficacia prodigiose. Il 13 settembre 1963 annunciava che la seconda sessione, prevista per il 29 settembre, avrebbe riguardato la chiesa.

Dall'inizio alla fine Paolo VI apparì contemporaneamente umile, lucido e coraggioso. Ciò che caratterizza la sua azione è a un tempo una tensione verso l'ideale e un concreto realismo che sa tenere conto delle situazioni di fatto e delle circostanze che condizionano le decisioni da prendere. Ai suoi occhi l'essenziale era il rinnovamento della chiesa e il riavvicinamento alle chiese separate. All'inizio il suo lavoro fu quello di «pianificare». I 72 schemi inizialmente proposti furono ridotti a 17; alla fine ne saranno votati e promulgati 16. I 13 osservatori laici iniziali divennero alla fine 42. Egli fece più che raddoppiare il numero degli esperti.

Il pensiero di Paolo VI sul concilio gravita intorno a un grande asse: egli vuole con tutte le sue forze che la chiesa *ridivenga* ciò che *è veramente* (LG) per presentarsi meglio al mondo (GS). Potremmo dire che la costituzione *Dei Verbum* è il documento-fonte del concilio, mentre la *Lumen Gentium* apre una riflessione che si conclude con la *Gaudium et Spes*. L'opera principale è la costituzione sulla chiesa che le altre esplicitano e chiariscono. E nella *Lumen Gentium* è il tema della chiesa come *mistero di comunione* che dà senso a tutto il resto.

Secondo mons. Carbone, presidente degli archivi del concilio, i principali interventi di Paolo VI al concilio sono stati i seguenti: *a.* la *Nota praevia* (concernente il capitolo III della LG), che mira a preservare il legame tra la sacramentalità e la collegialità della funzione episcopale. La *Nota* dichiara che si è membri del collegio dei vescovi mediante la consacrazione episcopale e la comunione gerarchica; *b.* le correzioni apportate al decreto sull'ecumenismo; *c.* il suo intervento in favore dello schema sull'attività missionaria; *d.* nella dichiarazione sulle religioni non cristiane il papa ha voluto che fossero incluse non solo le religioni musulmana ed ebraica, ma anche tutte le religioni che sono a modo loro una ricerca di salvezza; *e.* ha chiesto un voto d'orientamento sulla libertà religiosa prima di presentarsi all'ONU nel settembre 1965; *f.* si è riservato i problemi concernenti la famiglia e il celibato ecclesiastico.

In breve, se vogliamo paragonare Giovanni XXIII e Paolo VI bisogna evitare le posizioni estreme. Vi è continuità tra i due, poiché entrambi hanno voluto il concilio nel suo scopo, nel suo spirito, nel suo risultato. Lo stile di governo è tuttavia diverso. La continuità verte sull'essenziale: *la chiesa rinnovata nelle sue fonti e in giusto dialogo con il mondo contemporaneo.* Paolo VI ha portato a compimento il gesto profetico di Giovanni XXIII: ha fatto entrare la chiesa nella società contemporanea.

5. LE ACQUISIZIONI DEL CONCILIO - a. *A livello degli atteggiamenti* - Alcuni cambiamenti che esprimono la conversione voluta e operata dal concilio riguardano direttamente la teologia fondamentale. Segnaliamo i principali:

– Prima di tutto un atteggiamento di *dialogo*. Il termine designa qui qualcosa di più di uno scambio di parole. Significa un atteggiamento generale di apertura all'altro, di accoglienza e di dono reciproco sull'esempio di Dio stesso che per primo è uscito dal suo mistero per entrare in dialogo con il mondo. Il concilio stesso è stato un *dialogo vissuto* con le altre comunità cristiane, protestanti e orientali (OE 24-29; UR 14-18), ma anche con le religioni non cristiane, soprattutto con l'induismo, con l'islamismo e con l'ebraismo (NA 2.3.4), con le diverse forme della non credenza contemporanea (GS 21), con le vaste zone di indifferenza generate dal mondo secolarizzato. Questo atteggiamento di dialogo si è espresso anche a livello delle nuove strutture create da Paolo VI e da Giovanni Paolo II: Consiglio per la promozione dell'unità dei cristiani, Consiglio per il dialogo interreligioso, Commissione per i rapporti religiosi con i musulmani, Consiglio della giustizia e della pace, Consiglio della cultura. Questo atteggiamento di dialogo è indubbiamente quello che ha suscitato la più profonda rivoluzione dello stile di vita della chiesa con un impatto così potente sulla teologia fondamentale che lo stesso termine «apologetica», con la sua risonanza aggressiva, è caduto in pieno discredito.

– Atteggiamento di *servizio*. All'atteggiamento di dialogo si collega quello di servizio. Il concilio ha proposto una nuova immagine del papa e dei vescovi, il cui tratto dominante è quello del *pastore*. Il magistero stesso si definisce come servitore della parola di Dio: non è al di sopra della Parola ma a servizio della Parola (DV 10). «[i vescovi] nell'esercizio della loro funzione di insegnare, annunzino agli uomini il vangelo di Cristo, che è uno dei principali doveri dei vescovi» (CD 12).

– Infine *ricerca di senso* (→ Senso: ricerca di). I testi del concilio si presentano come ampi esposti destinati a illuminare il popolo di Dio, preoccupati prima di tutto del senso e dell'intelligibilità interna. Il messaggio cristiano fa abbastanza luce sulle zone profonde dell'uomo per far sorgere da sé l'interrogativo: la verità sull'uomo e su Dio non è proprio in questa direzione? (GS 22).

b. *A livello dei testi* - Vi sono stati spettacolari conquiste:

– La costituzione *Dei Verbum*, anche se ancora non abbastanza conosciuta, sottolinea la centralità della parola di Dio, ma si tratta della parola nel senso pieno di Cristo, Verbo di Dio, mediatore e pienezza della rivelazione. La costituzione sottolinea anche il carattere sacramentale della rivelazione in *gesti* e *parole*, in contrasto con la precedente concezione di una rivelazione praticamente ridotta alle parole orali, poiché i gesti, gli esempi e i comportamenti di Gesù venivano lasciati alla pietà e alla devozione popolare.

– La *Scrittura* ha ritrovato il suo ruolo primordiale nella messa, nella liturgia della parola, in rapporto inseparabile con la liturgia del sacrificio; anche nella vita cristiana, dove l'attualizzazione della parola di Dio risuona dovunque come richiesta indirizzata all'esegesi contemporanea.

– Anche se, a livello dei principi e del metodo, la *Dei Verbum* resta il documento-fonte, il Vaticano II rimane, comunque, il concilio dell'*ecclesiologia*. Sottolineiamo fra le varie acquisizioni: l'accento posto sull'origine trinitaria della chiesa, il suo simultaneo carattere di istituzione e di mistero di comunione, l'immagine della chiesa come popolo di Dio, immagine che ha rovesciato la piramide affermando l'uguaglianza di tutti i cristiani a partire dal battesimo; il riconoscimento del principio di collegialità e di ecclesialità delle chiese cristiane non cattoliche.

– In materia di *liturgia*, menzioniamo la riforma concernente la celebrazione della messa che mette in evidenza molto più che in preceden-

za il popolo di Dio come comunità di offerta e sacrificio. Aggiungiamo le riforme che sono seguite: quelle del rituale dei sacramenti, del breviario, del nuovo codice di diritto canonico, in cui il canone 1095 sul matrimonio riconosce che l'assenza di maturità psicologica può giungere a invalidare il consenso degli sposi e quindi il matrimonio stesso.

– Il decreto sull'*ecumenismo* ha trasformato gli avversari di ieri in fratelli separati che si riavvicinano, che ricevono il nome di chiese e comunità ecclesiali. Dopo essersi insultati per secoli, i cristiani si parlano, cercano di capirsi, si ritrovano alla stessa tavola di lavoro e di preghiera.

– Il decreto *Perfectae Caritatis* sulla vita consacrata ha avuto notevole successo a motivo della revisione a livello mondiale degli statuti e delle costituzioni delle comunità religiose e degli istituti di vita consacrata.

– Dopo l'ecclesiologia, l'*antropologia*, oggetto della *Gaudium et Spes*, è il secondo tema principale del concilio. Questa antropologia fondata sul tema biblico dell'uomo creato a immagine e somiglianza di Dio, raggiunge il culmine al numero 22: «In realtà solamente nel mistero del Verbo incarnato trova vera luce il mistero dell'uomo» (GS 22), poiché il Verbo incarnato è l'unica chiave del criptogramma umano.

– Il dialogo con le altre religioni viene affrontato nella dichiarazione sui rapporti della chiesa con le religioni non cristiane. Il concilio, riconoscendo i secoli di ostilità tra cattolici da una parte, musulmani ed ebrei dall'altra, esorta alla comprensione reciproca e al dialogo fraterno. Questi uomini che credono nel nostro stesso Dio non sono né reprobi, né maledetti, ma figli dello stesso Padre. Vengono così condannati razzismo e discriminazione.

– Infine il decreto *Inter Mirifica*, anche se oggi ci sembra ben timido, ha avuto tuttavia il merito di porre il problema delle comunicazioni sociali tra le preoccupazioni della chiesa.

In breve, se è vero che la chiesa non è cambiata nella sua natura profonda, l'immagine che dà di se stessa è stata profondamente modificata dal concilio. Alla luce della rivelazione, il Vaticano II ha riequilibrato e approfondito i temi centrali del cristianesimo: rivelazione, Scrittura, Tradizione, liturgia, chiesa, collegialità, rapporto con il mondo contemporaneo, apertura alle grandi religioni della storia, dialogo con tutti gli uomini. Le quattro grandi costituzioni (DV, LG, SC, GS), considerate a pieno titolo come i quattro pilastri del concilio, hanno ispirato anche il rinnovamento post-conciliare. Indubbiamente resta molto da fare, ma quanti cambiamenti sono stati operati a livello degli atteggiamenti e dei testi! Bisognerebbe essere ciechi o cinici per non riconoscere i risultati ottenuti.

6. SUCCESSI PARZIALI - Evochiamo brevemente un certo numero di problemi:

a. Lo stesso sinodo del 1985 ha dichiarato: il concilio resta ancora poco conosciuto se non ignorato; è oggetto di una lettura «incompleta e selettiva» e di conseguenza di una rappresentazione unilaterale, di una «interpretazione superficiale» (Relazione finale n.4). Si isolano dei «brani scelti» per trovarvi ciò che vi si vuole trovare.

b. Il concilio è stato *recepito* diversamente a seconda della sensibilità degli ambienti culturali e anche dell'esistenza o dell'assenza di mezzi di comunicazione. Molti pensano che il concilio è ancora troppo occidentale, per non dire troppo romano.

c. Il concilio ha riconosciuto la pluriformità della chiesa nell'unità; ha apertamente riconosciuto il principio di collegialità. Ma non ha precisato lo statuto teologico e giuridico delle conferenze episcopali. Le posizioni dei teologi a riguardo sono molto

contrastanti: alcuni riconoscono alle conferenze episcopali solo un ruolo pastorale e disciplinare; altri al contrario riconoscono loro un ruolo di intermediarità tra la chiesa diocesana e la chiesa universale con un potere proprio e non di semplice sostituzione, con funzione contemporaneamente pastorale e dottrinale. Le conferenze episcopali sarebbero quindi paragonabili alle «antiche chiese patriarcali» (LG 23).

d. Sebbene il dialogo ecumenico abbia riavvicinato le chiese, ha anche portato ognuna di esse a riflettere sulle proprie ricchezze che non è disposta a sacrificare per entrare nell'area della chiesa cattolica. Il tempo degli incontri sociali è passato: bisogna giungere alle grandi scelte che non sono possibili senza duri sacrifici. D'altra parte le divisioni esistenti in seno alla chiesa cattolica, così come il sempre più avvertito autoritarismo del Vaticano, non favoriscono per nulla la riconciliazione delle chiese abituate a una grande libertà di azione.

e. Alcuni importanti testi non hanno avuto l'impatto che meritavano: per esempio la *Dei Verbum* e il decreto sui sacerdoti.

f. L'immagine della chiesa *popolo di Dio*, dopo essersi imposta durante il concilio, si è progressivamente sbiadita per infine scomparire. È stata preferita l'immagine di chiesa mistero di comunione, più al riparo, sembrerebbe, da una concezione democratica della chiesa.

7. RISPOSTE ABBOZZATE PRIMA DEL CONCILIO E RIPRESE DOPO - *a.* La sensibilità nei confronti dell'incredibile pauperismo di un terzo dell'umanità è stata espressa dal concilio nella *Gaudium et Spes* (GS 4.63-67), ma ci sono voluti Medellín, Puebla e la *Populorum Progressio* per fare dell'opzione preferenziale in favore dei poveri una realtà dell'epoca post-conciliare.

b. I problemi della pace e della

guerra, della minaccia nucleare, sono ugualmente menzionati dal concilio, ma ora tali problemi hanno acquistato, sotto la pressione degli avvenimenti di una storia molto recente e non ancora compiuta, proporzioni terrificanti. Il mondo attuale deve difendersi dalla tentazione del suicidio alimentata dal commercio della droga, dalla ferocia dei tiranni del potere, da un'immoralità sfrenata, dal libero commercio delle armi a livello mondiale.

c. La visione dell'uomo proposta dalla *Gaudium et Spes* offre elementi preziosi ma ancora allo stato embrionale per fondare una teologia dei diritti dell'uomo: problema che si è sviluppato soprattutto nell'epoca postconciliare. Tra gli elementi utili a questa riflessione notiamo i seguenti: il principio dell'uomo creato a immagine e somiglianza di Dio, la giustizia e l'amore che caratterizzano l'alleanza di Dio con gli uomini, il regno di Dio fondato sulla solidarietà tra gli uomini e sull'assenza di discriminazione. Ma sono i problemi del terrorismo, dell'aborto, delle manipolazioni genetiche, del razzismo, dell'oppressione multiforme, della tortura satanica, delle immigrazioni massive, che hanno rivelato l'urgenza di una riflessione teologica sulla dignità della persona e sui diritti dell'uomo.

d. La *Gaudium et Spes* dedica un capitolo intero (GS 53-63) ai problemi della cultura, ai reciproci rapporti del vangelo con la cultura; ma non poteva prevedere le conseguenze dello spostamento culturale dall'Oriente all'Occidente e delle infiltrazioni dell'Occidente in Oriente che hanno veicolato ciò che l'Occidente ha di più degradante. Il problema della coesistenza delle culture, del dialogo interculturale o interreligioso, diventa sempre più complesso, soprattutto là dove dialogo religioso e politico vengono identificati: per esempio nel mondo musulmano.

e. Il concilio era cosciente che il progresso delle «scienze biologiche, psicologiche e sociali» avrebbe permesso all'uomo di riconoscere meglio e meglio esercitare un'influenza diretta sulla vita individuale e sociale per mezzo di tecniche inedite (GS 5). Era anche cosciente del fatto che la chiesa non aveva una competenza che la mettesse in grado di fornire una soluzione concreta e immediata a questi problemi inediti – per esempio in biogenetica – con le loro ripercussioni morali studiate dalla bioetica. Quest'ultima è in piena fase di ricerca.

f. Il decreto sui laici prevedeva l'ascesa del laicato, ma senza poter misurare la dimensione del fenomeno. Il sinodo del 1987 e l'esortazione pontificia del 1988 cercano di definire la missione specifica dei laici nella chiesa, ma la teoria è lontana dalla pratica. In molti paesi d'Europa e d'America la maggioranza dei teologi e delle teologhe sono laici: un fattore nuovo di cui bisognerà tenere conto. Soprattutto la donna sperimenta dolorosamente come la sua dignità e competenza non siano riconosciute a livello della «pratica».

8. AMBIGUITÀ RESIDUE - a. Centinaia di persone hanno lavorato all'elaborazione e alla redazione dei testi del concilio. Di conseguenza l'unità dell'insieme ne risente. I generi letterari sono molteplici e vari: dogma, storia, pastorale, analisi sociale. È anche persino difficile talvolta mettersi d'accordo sull'interpretazione esatta di un testo.

b. Il concilio, così come il nuovo codice di diritto canonico, resta lacerato tra la concezione di una chiesa come società giuridica, prevalsa per secoli, e la concezione di una chiesa mistero di comunione. Il concilio non è riuscito a operare una perfetta sintesi di queste due visioni come possiamo costatare leggendo i capitoli I e II della *Lumen Gentium*, centrati sul mistero della chiesa e i capitoli III e IV centrati sulla struttura gerarchica della chiesa. Vi è giustapposizione di due ecclesiologie.

c. Molte volte si crea l'intesa sugli enunciati, ma senza prestare sufficiente attenzione ai contenuti. Così è stato universalmente riconosciuto il principio della collegialità, ma una collegialità intesa da alcuni come semplice realtà sociale e pastorale, da altri come un'istanza intermediaria tra le chiese diocesane e la chiesa universale con potere pastorale e dottrinale. Si è spesso parlato di ingiustizia nelle discussioni, ma il senso del termine è rimasto ambiguo. Nei paesi vassalli del comunismo si trattava delle ingiustizie del partito, delle molteplici forme di attentato alla libertà. Per altri paesi si trattava di peccati di ingiustizia generati da un capitalismo divoratore e ripugnante. In molti paesi dell'America Latina si trattava delle forme di oppressione e di violenza praticate dalle dittature militari. Ma ci si trova sempre di fronte alla massa dei senza voce, senza denaro e senza potere.

9. DESIDERI NON REALIZZATI - Basteranno due esempi che sono d'altronde legati tra loro. Nel concilio la chiesa ha molto parlato di sé, ma non abbastanza di Cristo. Il sinodo del 1985 ne ha preso coscienza nel momento in cui dichiara nella sua relazione finale: «La chiesa si rende più credibile se parla meno di se stessa e più di Cristo crocifisso e testimonia con la propria vita». In altri termini il concilio ha riabilitato la chiesa (LG) e l'uomo (GS), ma bisognava anche in qualche modo «riabilitare» Cristo con un'importante costituzione. Infatti i problemi più acuti che la teologia attuale deve affrontare sorgono dalla cristologia. Non è significativo a questo riguardo che l'enciclica programmatica di Giovanni Paolo II → *Redemptor Hominis* proponga Cristo come «redentore del-

l'uomo», come «centro del cosmo e della storia»; e anche che la commissione teologica internazionale abbia dedicato tre sessioni (1981, 1983, 1985) ai problemi di cristologia? Gli interrogativi che in effetti si pongono gli uomini di oggi vertono sui fondamenti stessi del cristianesimo in Gesù Cristo: sulla persona di Gesù, sulla sua identità di Dio-tra-noi, sulla conoscenza che possiamo avere di Gesù, sui mezzi per accedere al suo insegnamento, alle sue opere, soprattutto ai suoi miracoli, alla sua risurrezione, ai suoi atteggiamenti, alla sua coscienza di essere figlio del Padre, al suo progetto ecclesiale. In breve, gli uomini di oggi si pongono la questione delle questioni: Cristo è veramente Dio tra noi nella carne e nel linguaggio di Gesù? È davvero colui che solo può dare un senso alla nostra vita, di cui conosce il destino ultimo; che può chiarire le profondità che ci abitano, decifrare questo enigma che siamo per noi stessi? Ora questi problemi riguardano una disciplina teologica che si definisce teologia «fondamentale», ma che il concilio ha circondato di un opaco silenzio.

10. RICEZIONE DEL CONCILIO OGGI - Ciò che definiamo «ricezione» del concilio è un'operazione ben lontana dall'essere terminata. La grande maggioranza dei fedeli ha compreso che il concilio rispondeva a un'urgenza estrema e gli ha dato appoggio sincero e incondizionato. Ma il «recente affare Lefebvre» evidenzia in un certo numero di persone un atteggiamento di resistenza, per non dire di rifiuto. Ci sono anche quelli che conservano la nostalgia di un passato irrevocabilmente superato; vi è ancora il gruppo di coloro che sognano un Vaticano III senza aver letto il Vaticano II e soprattutto senza averne assimilato le ricchezze. Vi è infine il gioco di quelli che si dedicano a ridurre l'importanza del concilio fino all'insignificanza, con discorsi più

sottili ma non meno perfidi. In breve, questo gruppo diffonde le seguenti proposte: «Non esageriamo l'importanza del Vaticano II! Tra i 16 documenti del concilio tre sono, dopo tutto, solo "dichiarazioni". I nove decreti non fanno che riprendere e dettagliare i capitoli della *Lumen Gentium*. La *Gaudium et Spes* è solo una costituzione *pastorale*. La costituzione sulla liturgia mira soprattutto a riforme disciplinari e pratiche. La *Dei Verbum* è lo zuccherino per calmare gli esegeti. Il nocciolo duro del concilio è la *Lumen Gentium* (soprattutto la *Nota praevia*) che riprende d'altronde l'insegnamento tradizionale della chiesa».

Ci vorranno indubbiamente ancora numerosi decenni per misurare il reale impatto del Vaticano II. Possiamo tuttavia presumere che le resistenze umane non giungeranno ad annullare un concilio così visibilmente sostenuto dalla potenza dello Spirito.

Bibl. - A. Wenger, *Vatican II,* voll. I-IV, Paris 1963-1966; *Das Zweite Vatikanische Konzil,* voll. XII-XIV di LThK; G. Caprile, Il Concilio Vaticano II, voll. I-V, Roma 1963-1966; Collana «Unam sanctam», voll. 51, 60, 61, 62, 65, 66, 67, 68, 70, 74, 75, 76, Paris 1966-1970; G. Martelet, *Les idées maîtresses de Vatican II,* Paris 1967; *Acta Synodalia S. Concilii Oecumenici Vaticani II,* Romae (26 voll.) 1970-1980; R. Aubert - M.D. Knowles - L.J. Rogier (edd.), *Nouvelle Histoire de l'Église,* V: «l'Église dans le monde moderne», Paris 1975, 583-689; E. Klinger - K. Wittstadt, *Glaube im Prozess* (in on. di K. Rahner), Freiburg i. Br. 1984; G. Alberigo - J.P. Joussa (edd.), *La réception de Vatican II,* Paris 1985; C. Floristan - J.J. Tamayo, *El Vaticano II, veinte años después,* Madrid 1985; J. Ratzinger, *Rapporto sulla fede,* Roma 1985; L. Richard - D. Harrington - H.W. O'Malley (edd.), *Vatican II, The Unfinished agenda,* New York 1987; R. Latourelle (ed.), *Vaticano II: bilancio e prospettive. Venticinque anni dopo (1962-1987),* Assisi 1987, voll. I-II, particolarmente l'Introduzione di R. Latourelle e nella ses. I gli articoli di G. Martina - H. Neufeld; Autori vari, *The Church in Anguish. Has the Vatican betrayed Vatican II?,* San Francisco 1987.

RENÉ LATOURELLE

VERITÀ

Nella cultura contemporanea, dopo Marx e Nietzsche, ci si trova di fronte, dicono i filosofi, ad «un'immensa crisi dell'idea di verità» (A. del Noce), si assiste ad una vera e propria «eliminazione della verità» (F. M. Sciacca). Anche parecchi teologi ne subiscono l'influsso, specialmente nel contesto della sfida delle religioni. Per poter prendere parte al → dialogo interreligioso, alcuni sono tentati di considerare solo il valore salvifico delle diverse religioni e di mettere ormai tra parentesi il problema della loro verità (o eventualmente dei loro errori). La domanda sulla verità tuttavia è ineliminabile, se si vuole evitare il pericolo di cadere nel sincretismo o di ridurre il dialogo ad una semplice fenomenologia delle religioni (→ Religione: fenomenologia). Ora, se qualcuno si interroga sulla verità delle religioni, deve onestamente farlo anche per il cristianesimo. Ma quale sarà il suo punto di riferimento? Per un cristiano può essere solo la verità cristiana. Ma che cosa significa questa espressione? Anche qui, la riflessione critica è necessaria, perché esiste il pericolo sia di ridurre la verità al dogma (per il cattolico) sia di identificarla con le proprie tradizioni teologiche (per tutti i cristiani), quindi con certi sistemi di nozioni che non appartengono necessariamente all'essenza del cristianesimo.

Per fare una tale valutazione, è necessario dunque un criterio: si deve partire da una certa idea di verità. Nella storia della filosofia esistono molte concezioni diverse sulla verità (ricordiamo per es.: Aristotele, S. Tommaso, Hegel, Marx, Nietzsche, Kierkegaard, Heidegger). Ma nel campo della teologia, purtroppo, molti teologi non sembrano nemmeno sapere che esiste una concezione propriamente cristiana della verità, e che questa deve essere la norma fondamentale per tutto il lavoro teologico. Che cosa è dunque la *verità cristiana*? Sarebbe eccessivo, dicevamo, volerla identificare con il dogma: la verità è più ampia del dogma, anche se lo comprende. La concezione cristiana della verità può essere solo quella della → rivelazione stessa, quella della sacra Scrittura, che viene poi ripresa e attualizzata nella Tradizione, talvolta con alcune accentuazioni nuove, che devono sempre essere valutate alla luce della concezione biblica, perché la sacra Scrittura, essendo la parola di Dio, deve essere sempre «come l'anima della teologia» (cfr. DV 24).

In breve, si può dire che secondo la Scrittura la verità è proprio la rivelazione, cioè la rivelazione storica e progressiva del disegno salvifico di Dio, che culmina in Gesù Cristo. Questa concezione, già preparata nell'AT, viene elaborata nel NT, dove si dice che Gesù Cristo stesso è «la verità» (Gv 14,6) e che la sua opera viene prolungata dall'azione dello Spirito nella verità della chiesa.

1. - LA CONCEZIONE BIBLICA DELLA VERITÀ - a. *Antico Testamento* - Nei libri dell'AT la parola ebraica *'emet* (verità) ha conosciuto una netta evoluzione semantica. Nei libri più antichi significava fondamentalmente solidità, stabilità, quindi anche fedeltà (la fedeltà all'alleanza). Ma dopo l'esilio, specialmente nella tradizione apocalittica e sapienziale, «verità» prende progressivamente un senso nuovo che prepara il NT: designa la rivelazione del disegno di Dio, poi anche la sapienza, la dottrina di salvezza secondo cui devono vivere gli uomini. È significativo che il sostantivo «verità» viene più volte giustapposto a «mistero» e adoperato con i verbi: non nascondere, svelare, rivelare. Così per es. in Tb 12,11: «Vi *scoprirò* ora tutta la *verità*, non vi nasconderò nulla...; è bene tenere nascosto il segreto del re; ma le opere di Dio, è bello *rivelarle* apertamente». In uno

degli inni di Qumrân, l'autore parla del «segreto della *verità*; nel suo rivolgersi a Dio, designa così «i tuoi meravigliosi *misteri*» (1 QH 11,9-10). Si comprende perciò che questa concezione della verità, come rivelazione del mistero, si trovi specialmente nella tradizione apocalittica e sapienziale. Nelle visioni di Daniele sul mondo celeste, «il libro della Verità» (10,21) è il libro divino in cui sta scritto il disegno di Dio per il tempo della salvezza (ma rimane ancora nascosto). Il libro della Sapienza annuncia che, al tempo del giudizio escatologico, i giusti «comprenderanno la verità» (Sap 3,9): allora sarà pienamente svelata ai loro occhi la sapienza del disegno provvidenziale di Dio, che durante la loro vita rimaneva per loro «il paradosso della salvezza» (5,2).

b. *Nuovo Testamento* - 1. Da quello sfondo sapienziale, apocalittico ed escatologico, si è progressivamente formata la nozione cristiana di verità. Il passaggio dalla concezione giudaica a quella cristiana appare chiaramente in un testo di Paolo: egli denuncia l'illusione dei giudei che si vantano di «(possedere) nella legge l'espressione stessa della conoscenza e della verità» (Rm 2,20), ossia di trovare nella legge mosaica tutta la rivelazione della volontà di Dio. Per Paolo, «la verità della legge» è ormai sostituita dalla «verità del vangelo» (Gal 2,5.14): «la parola della verità» (Ef 1,13); cfr. Col 1,5; 2 Tm 2,15) è «il vangelo della vostra salvezza». I cristiani «che hanno imparato a conoscere Cristo» (Ef 4,20), sanno ormai che «la verità è in Gesù» (4,21). Ma dopo la sua dipartita, cioè dal momento in cui Cristo è stato «assunto nella gloria», i cristiani sanno anche che egli rimane con loro fino alla fine del mondo (cfr. Mt 28,20). In tutto questo tempo escatologico, il «mistero della pietà», ossia il mistero (passato) della manifestazione di Dio nella carne (1 Tm

3,16), viene proclamato nella «chiesa del Dio vivente», che perciò rimane per i credenti «la colonna e il fondamento della verità» (1 Tm 3,15). Ma questa verità cristiana è destinata a tutti: Dio vuole «che tutti gli uomini si salvino e arrivino alla conoscenza della verità. Unico infatti è Dio, unico anche il mediatore fra Dio e gli uomini, l'uomo Cristo Gesù, che ha dato se stesso in riscatto per tutti» (1 Tm 2,4-6).

In alcuni di questi testi del NT, si percepisce ancora la loro origine apocalittica; per Paolo era la sua esperienza sulla via di Damasco, quando gli era stato rivelato il figlio di Dio (Gal 1,16). Aveva visto «lo splendore del vangelo della gloria di Cristo, immagine di Dio»; lo aveva visto rifulgere «sul volto di Cristo» (2 Cor 4,4.6): perciò poteva dire che predicava soltanto «Gesù Messia Signore» (4,5); non aveva «falsificato la parola di Dio»; il suo ministero era stato sempre «la manifestazione della verità» (2 Cor 4,1-2); quella verità era la verità di Cristo.

2. Questo introduce direttamente a Giovanni. Contrariamente al mondo classico o al mito gnostico, egli non colloca mai la verità nell'assoluto dell'essere della trascendenza di Dio. Per lui, la verità-rivelazione è sempre legata alla missione temporale di Gesù, alla sua parola e al dono dello Spirito, poi anche all'accoglienza di quella verità da parte dei credenti. «Il Verbo si è fatto carne... pieno della grazia e della verità» (Gv 1,14); «la grazia della verità è stata manifestata da Gesù Cristo» (1,17). Egli stesso ha dichiarato all'ultima cena: «Io sono la verità» (14,6).

La novità e l'audacia di una tale affermazione sono state sottolineate da S. Girolamo: «In nessuno dei patriarchi, in nessuno dei profeti, in nessuno degli apostoli ci fu la verità: solo in Gesù. Gli altri infatti conoscevano in parte... vedevano come in uno specchio, confuso. La verità di Dio

è apparsa solo in Gesù, il quale ha detto senza esitare: Io sono la verità» (*In Eph.*, 4,21: PL 26,507 A). L'uomo Gesù è veramente per noi «la verità», perché in lui si è manifestato il mistero della sua divina figliolanza, a cui siamo chiamati ad essere partecipi; la verità di cui parlava Gesù era «la manifestazione di se stesso agli uomini e per mezzo della conoscenza di se stesso il dono fatto a loro della salvezza» (Apollinare di Laodicea).

La verità portata dal Gesù storico rimane presente, anche per Giovanni, dopo il momento in cui egli ha lasciato il mondo per andare al Padre (cfr. Gv 16,28): viene attualizzata nella chiesa per l'opera dello Spirito. Perciò Giovanni può scrivere: «Lo Spirito è la verità» (1 Gv 5,6); e regolarmente adopera nei suoi scritti (ed egli solo nel NT) l'espressione «lo Spirito della verità» (Gv 14,17; 15,26; 16,13; 1 Gv 4,6). Lo Spirito, aveva detto Gesù, «vi guiderà in tutta la verità» (Gv 16,13). Non che egli porti una nuova verità, diversa da quella di Gesù (Gioacchino da Fiore); ma abbiamo bisogno dello Spirito della verità che è lo Spirito di Gesù (cfr. 1,33; 7,38-39; 19,34; 20,23) per ricordarci e farci comprendere tutto ciò che egli ha detto (Gv 14,26) e consentirci di penetrare così nella verità tutta intera (16,13). Perciò la verità avrà necessariamente un ruolo decisivo nella vita nuova del credente. Vivere cristianamente, per Giovanni, significa vivere «nella verità e nell'amore» (2 Gv 3). Quella verità è sempre la verità di Cristo, ma attualizzata dallo Spirito. Il cammino della vita cristiana viene descritto da Giovanni con molte formule diverse: quando per la prima volta un uomo viene confrontato con la verità di Cristo, egli deve anzitutto «*fare* la verità», ossia farla entrare in sé; sotto l'influsso della verità che «rimane in lui», potrà poi progressivamente «conoscere la verità», essere guidato nel suo comportamento da quella verità interiore, ossia «essere dalla verità»; la vita del vero cristiano consisterà, allora, nel vivere «nella verità»; la verità ispirerà tutto il suo cammino: il suo amore fraterno, la sua adorazione del Padre, la sua santificazione. Quanto più diventerà discepolo di Gesù e cooperatore della verità, tanto più sarà un uomo «liberato dalla verità», vale a dire liberato da Cristo stesso, dal figlio di Dio.

3. L'essenziale di quell'insegnamento biblico sulla verità è stato felicemente condensato da alcuni autori antichi: «Chi persevera nel ricordo di *Gesù* è nella *verità*» (apoftegma); «il nostro titolo di *figli* (di Dio) esprime la primavera di tutta la nostra vita: la verità che è in noi non invecchia; e tutto il nostro modo di essere viene irrigato da quella verità» (Clemente Alessandrino).

2 - LA VERITÀ NELLA TRADIZIONE CRISTIANA - Si apre qui davanti a noi un campo immenso di ricerca, che non è stato ancora esplorato. Perciò possiamo solo indicare brevemente le principali correnti della tradizione cristiana in cui veniva usato il termine verità.

a. *L'incontro con l'ellenismo* - Quando il cristianesimo si è diffuso nel mondo ellenistico, ha incontrato la nozione greca, specialmente platonica, di verità. Nella filosofia greca, la verità è una nozione metafisica: la verità designa la sostanza dell'essere, la natura ultima delle cose; secondo il platonismo, si trova nel mondo delle idee, nel mondo trascendente del divino, che veniva chiamato «la pianura della Verità» (*Fedro* 248 b). La tradizione platonica identifica così Dio e la Verità. Si comprende perciò che diversi Padri diranno che «la Verità è Dio» (Gregorio di Nissa: *Vita Moysis* II, 19). Anche Agostino parla diverse volte della *aeterna veritas* o di *Deus veritas*. S. Tommaso riprende la stessa concezione, anche quando

commenta il versetto di Gv 14,6 dove parla Gesù («Ego sum...veritas»): «Egli (Cristo) è allo stesso tempo la via e il termine: la via secondo la sua umanità, il termine secondo la sua divinità. E perciò, come uomo, dice: "Io sono la via"; come Dio, aggiunge: "la verità e la vita"» (*In Ioan.*, 1868). Ma Giovanni non dice mai in senso ontologico che Dio è Verità; per lui, la verità-rivelazione viene a noi nell'uomo Gesù, nel suo automanifestarsi come figlio di Dio. Perciò, osservava acutamente un teologo ortodosso: «L'unico punto di partenza per una concezione cristiana della verità è la cristologia» (J. D. Zizioulas). Un altro influsso del mondo greco si manifesta, specialmente nel medioevo, quando si adopera nella teologia la definizione aristotelica e tomista della verità: «adaequatio rei et intellectus». Si arriva così nella teologia post-tridentina, a parlare della verità delle proposizioni della fede, ossia (al plurale) delle «verità cristiane». Ma non si può identificare razionalmente il cristianesimo con un elenco di verità (anche dogmatiche). Questo modo di parlare era sconosciuto a tutta la tradizione antica, ed è stato abbandonato dal Vaticano II, che è tornato alla concezione biblica: «omnem veritatem in mysterio Christi conditam» (DV 26).

b. *L'idea biblica della verità presente nella tradizione* - Accanto all'uso della nozione di verità che proveniva dalla filosofia greca, si trovano anche nella tradizione, presso alcuni Padri e nella liturgia, una ripresa e uno sviluppo della concezione biblica della verità, ma talvolta con una più forte accentuazione del suo aspetto dottrinale. In genere, la verità designa allora la fede cristiana, cioè la divina rivelazione come è stata trasmessa nella chiesa. È da comprendere in questo senso la formula *regula veritatis* (sinonimo di →*regula fidei*), specialmente in uso nel terzo secolo. Ireneo diceva che la verità è «l'insegnamento del Figlio di Dio» (*Adv. haer.*, III, praef.), ma la identificava anche con Cristo stesso: «Il nostro Signore Gesù Cristo è la verità» (III, 5,1); altrove identificava la verità con «la predicazione della chiesa» (I,27,4), o con «la tradizione» (III,2,1). Gli gnostici, invece, erano per lui «*transfiguratores veritatis*» (III,4,2), perché «si erano allontanati dalla verità» (I,28,2); anche Cerinto veniva chiamato «il nemico della verità» (III, 3,4). Un uso analogo si trova nel mondo latino presso Tertulliano, ma con una nota più apologetica e polemica: equivalenti di *veritas* sono per lui *doctrina Christi, doctrina catholica, traditio, praedicatio*; nel dibattito con i non-cristiani, egli adopera con fierezza l'espressione *veritas nostra* (*Apol.* 4,3; 46,2), perché i cristiani sono *veritatis cultores* (15,8). Alcuni autori riscoprono la dimensione apocalittica della verità; Lattanzio la designa con le espressioni «il segreto del Dio supremo» (*De div. Instit.*, I,1,5), «il mistero della verità» (V,18,11), «la verità rivelata» (VI,18, 2). Arnobio mette in luce l'importanza della verità per l'incontro tra cristiani e non-cristiani: «La religione cristiana si è introdotta nel mondo ed ha manifestato i segreti (*sacramenta*) della verità nascosta» (*Adv. nat.*, I,3). Citiamo ancora Gregorio Magno; per introdurre una parola di Cristo nei vangeli, di solito egli non usa la formula *Iesus* (o *Christus*) *dixit*, piuttosto *Veritas dixit* (è un uso che si manterrà a lungo in tutto il medioevo). L'orientamento generale del pensiero di Gregorio è pastorale, spesso spirituale e talvolta mistico. Egli vuol mostrare l'importanza della verità per la vita cristiana: la designa con le espressioni *veritatis eloquium, doctrina veritatis, lumen veritatis, pabulum veritatis*. Il legame tra verità e fede è fortemente sottolineato: «Noi tutti, quando nella pienezza della fede vogliamo far risuo-

nare qualcosa su Dio, siamo degli strumenti della verità (*organa veritatis sumus*)» (*Mor.*, 30,81). I cristiani che sono arrivati alla perfezione della contemplazione, spiega Gregorio, fanno l'esperienza di un'autentica *revelatio veritatis* (*In I Reg.*, 3,20). Le anime sante nella chiesa, dice ancora magnificamente Gregorio, sono *veritatis luce splendentes animas* (*Mor.*, 19,17).

Facciamo anche qualche riferimento all'antica liturgia, che è «l'arca santa della Tradizione» (Y. Congar). Quando si rivolgono a Dio, le orazioni della chiesa usano spesso l'espressione *veritas tua*, per designare la rivelazione che viene da Dio per la salvezza degli uomini: «Dio, che mostri agli erranti la luce della tua verità perché possano tornare sulla retta via...» (Lunedì, terza settimana del tempo pasquale). L'identificazione della luce della verità con Cristo si trova in un'orazione del venerdì santo (*agnita veritatis tuae luce quae Christus est*). Ma è specialmente nel contesto della vita cristiana che torna in diverse formule la parola verità: *verbum veritatis, evangelica veritas, divinae veritatis praecomium, confessio veritatis, veritatis assertor*. È anche presente l'aspetto d'interiorizzazione della verità che deve dal di dentro illuminare spiritualmente la vita cristiana: «O Dio, che ci hai reso figli della luce con la grazia dell'adozione, fa' che non veniamo trascinati nelle tenebre dell'errore, ma restiamo sempre trasparenti allo splendore della verità» (13ª domenica tempo ordinario); questa orazione molto antica sembra ispirata dall'ultimo testo di Gregorio citato sopra.

Una parola ancora sul Vaticano II. Nei testi del concilio il termine verità viene di nuovo adoperato nel suo senso biblico e secondo l'uso dell'antica tradizione; troviamo spesso le formule seguenti: *veritas Dei, veritas revelata, evangelica veritas, christiana ve-*

ritas, veritas salutaris. Viene designata con il termine verità la divina rivelazione che «risplende per noi in Cristo» (DV 2). La concentrazione cristologica della verità appare diverse volte: «Il Cristo è la verità e la via, che la predicazione evangelica a tutti svela» (AG 8; cfr. DH 14; DV 24). Ma il concilio parla specialmente della verità a proposito della sacra Scrittura. L'antica problematica dell'«immunità assoluta dall'errore in tutta la S. Scrittura» (DV 12, schema preconciliare), che era ispirata dalla concezione scolastica della verità, è ormai superata. Nel testo definitivo la costituzione sulla divina rivelazione dichiara: «I libri della Scrittura insegnano con certezza, fedelmente e senza errore la verità che Dio, per la nostra salvezza, volle fosse consegnata nelle Sacre Lettere» (DV 11). La verità della bibbia sta nel fatto che la sacra Scrittura essendo lo strumento della parola di Dio, propone la divina rivelazione. La *veritas salutaris* della bibbia non consiste nell'inerranza assoluta delle singole proposizioni, ma nel fatto che l'intera Scrittura è ordinata alla rivelazione dell'unico disegno salvifico di Dio. La verità della Scrittura sta nel suo valore di rivelazione, attraverso lo svolgersi progressivo della storia della salvezza. Quella concezione dinamica della verità appare ancora più netta in un testo d'ispirazione chiaramente biblica (cfr. Gv 16,13): «la Chiesa, nel corso dei secoli, tende incessantemente alla pienezza della verità divina, finché in essa vengano a compimento le parole di Dio» (DV 8).

3. PROBLEMI DI OGGI - Ciò che la chiesa cerca è dunque «la verità divina», la verità rivelata, che è anche «la verità nostra» (Tertulliano). Questo è il pressante invito della chiesa alla teologia contemporanea, che si trova immersa in un mondo secolarizzato. Osservano i filosofi che la verità scientifica e il senso della storia

sono «i due grandi miti del XX secolo» (J. Brun); un altro si interroga se, dal punto di vista della scienza, «la verità è possibile» (E. Agazzi). Non si deve dire piuttosto che la conoscenza scientifica è oggi «l'unica fonte di un'autentica verità»? (J. Monod). D'altra parte, la teologia si è sempre considerata come «la scienza della fede» (*fides quaerens intellectum*); la verità che il teologo cerca di comprendere non è soltanto la verità storica o la verità umana, ma la verità rivelata, la verità della fede, che si può comprendere solo all'interno della fede. Diceva Giovanni Paolo II in un discorso a Colonia (15 nov. 1980): «In una cultura dominata dalla tecnica... il concetto di verità diventa quasi superfluo, anzi talvolta viene esplicitamente rifiutato». Il teologo di oggi, certo, deve tenersi informato sui grandi progressi delle scienze umane e della conoscenza storica, ma deve sapere che il suo oggetto formale è un altro: deve cercare di comprendere sempre meglio la divina *rivelazione*, la parola di Dio (*Dei Verbum*); deve costantemente cercare di «arrivare alla conoscenza della verità» (2 Tm 3,7). Perciò, la vera teologia deve considerare sempre la sacra Scrittura come «l'anima della teologia»; la morale cristiana deve essere sempre «una morale della fede» (Paolo VI); l'esegesi biblica, anch'essa, deve andare oltre la ricerca soltanto filologica e storica, per comprendere sempre meglio, nella fede, ciò che Paolo chiamava «il mistero del Vangelo» (Ef 6,18). Il mondo dell'immanentismo moderno, chiuso su se stesso, aspetta forse oscuramente dai credenti che sappiano, almeno loro, come Giovanni Battista, «rendere testimonianza alla verità» (Gv 5, 33), e che aiutino gli uomini del nostro tempo a ritrovare quel «gaudium de veritate» (*Conf.*, 10,33), di cui così ardentemente, durante tutta la sua vita, sognava S. Agostino.

Bibl. - Autori vari, «Alêtheia», in GLNT I, 625-674; P. Guilloux, «Les conditions de la conquête de la vérité d'après saint Augustin», in RSR 5 (1914) 489-506; R. Bultmann, «Untersuchungen zum Johannesevangelium. A.: Alêtheia» in ZNW 27 (1928) 113-163; G. W. Bromiley, «History and Truth: a Study of the Axiom of Lessing» in EvQ 18 (1946) 191-198; M. Heidegger, *Platons Lehre von der Wahrheit*, Bern 1947; F. Piemontese, *La «veritas» agostiniana e l'agostinismo perenne*, Milano 1963; I. de la Potterie, «La verità in San Giovanni», in *San Giovanni*, Atti della XVII settimana ABI, Brescia 1964, 123-144; Id., *La vérité dans Saint Jean*, voll. I-II, Roma 1977; Id., «Storia e verità», in R. Latourelle-G. O'Collins (edd.), *Problemi e prospettive di teologia fondamentale,* Brescia 1980, 115-139; W. Kasper, «Die Wahrheit des Evangeliums» in *Dogma unter dem Wort Gottes*, Mainz 1965, 58-109; G. Kretschmar, «Wahrheit als Dogma - Die alte Kirche», in H. R. Müller-Schwefe (edd.), *Was ist Wahrheit?* Göttingen 1965, 94-120; J. Granier, *Le problème de la vérité dans la philosophie de Nietzsche*, Paris 1966; H. Mühlen, «Die Lehre des Vaticanum II über die "Hierarchia veritatum" und ihre Bedeutung für den ökumenischen Dialog», in ThG 56 (1966) 303-335; V. Grossi, «La ricerca cristiana della verità», in *Aug* 10 (1970) 388-397; Id., «"Regula veritatis"» e narratio battesimale in sant'Ireneo», in *Aug* 12 (1972) 437-463; M. Detienne, *Les maîtres de vérité dans la Grèce archaïque,* Paris 1972; C. Ph. Widmer, «La conception théologique de la vérité et le retournement épistémologique», in *Istina* 18 (1973) 24-43; F. M. Genuyt, *Vérité de l'être et affirmation de Dieu.* Essai sur la philosophie de saint Thomas, Paris 1974; J. D. Zizioulas, «Vérité et Communion dans la perspective de la pensée patristique grecque», in *Ir* 50 (1977) 451-510. T. D. Quinn, «"Charisma veritatis certum": Irenaeus, *Adversus haereses*, 4, 26, 2», in ThS 39 (1978) 520-525; Kl. Haacker, «Il concetto biblico di verità», in *Studi di teologia* 2 (1979) 4-36; W. Beierwaltes, «Deus est veritas. Zur Rezeption des griechischen Wahrheitsbegriffes in der frühgriechischen Theologie», in E. Dassmann-K. Suso (edd.), *Pietas,* Münster 1980, 15-29; E. Lanne, «"La Règle de la vérité". Aux sources d'une expression de saint Irénée», in *Lex orandi. lex credendi.* Miscellanea P. Vagaggini, Roma 1980, 57-70; A. Tassi, «Modernity as the Transformation of Truth into Meaning», in IPhQ 22 (1982) 185-193; G. Penzo, *Friedrich Nietzsche o la verità come problema,* Bologna 1984; J. Murphy - O'Connor, «La "vérité" chez saint Paul et à Qumran», in RB 72 (1985) 29-76; E. Agazzi - F. Minazzi - L. Geymonat, *Filosofia, scienza e verità*, Milano 1989; H.-P. Müller (ed.), *Was ist Wahrheit?,* Stuttgart-Berlin-Köln 1989.

IGNACE DE LA POTTERIE

Z

ZUBIRI Xavier

1. Vita - Xavier Zubiri Apalategui, San Sebastián 1898-Madrid 1983. Si laureò in filosofia all'università di Lovanio nel 1921, con una tesi diretta da L. Noël su *Le problème de l'objectivité d'après Ed. Husserl: la logique pure*. Conseguì il dottorato in teologia a Roma nel 1920 e la laurea in filosofia a Madrid nel 1921, con una tesi intitolata *Ensayo de una teoría fenomenológica del juicio*. Nel dicembre del 1926 vinse la cattedra di storia della filosofia nell'università di Madrid. Trascorse gli anni 1928-30 a Friburgo di Brisgovia, assistendo alle lezioni di Husserl e Heidegger. L'anno accademico 1930-31 lo trascorse a Berlino, seguendo alcuni seminari di Einstein, Schrödinger, Köhler, Goldstein e Mangold. Tornò in Spagna e continuò a insegnare all'università, fino a quando nel 1936 si trasferì a Roma dove lo sorprese l'inizio della guerra civile spagnola (1936-39). Ciò gli impedì di tornare in Spagna. Prima rimase a Roma studiando all'Istituto Biblico e all'Istituto Orientale con Deimel, poi andò a Parigi dove assistette a seminari di Fisica (di Broglie) e di lingue orientali (Labat, Benveniste, Dhorme, Delaporte). Finita la guerra civile, fece ritorno in Spagna e insegnò all'uni-versità di Barcellona negli anni accademici 1940-42. Nel 1942 abbandonò l'università e si trasferì nuovamente a Madrid, dove a partire dal 1945 diede corsi privati di filosofia. A tali corsi assistettero le personalità di spicco della vita intellettuale spagnola di quegli anni. Per continuare tale lavoro fu costituita nel 1947 la «Sociedad de Estudios y Publicaciones», dove svolse tutta la sua successiva attività docente fino al termine della sua vita.

Dopo la sua morte, si è costituita a Madrid la «Fundación Xavier Zubiri» (1989), dedita allo studio del suo pensiero.

2. Opere - *Ensayo de una teoría fenomenológica del juicio*, Madrid 1923; *Naturaleza, Historia, Dios*, Madrid 1945; (tr.it. *Natura, Storia, Dio*, Palermo 1990); *Sobre la esencia*, Madrid 1962; *Cinco lecciones de filosofía*, Madrid 1963; *Scritti Religiosi*, Padova 1976; *Inteligencia sentiente*, Madrid 1980; *Inteligencia y logos*, Madrid 1982; *Ensayos de Antropología Filosófica*, Bogotá 1982 (tr. it. *Il problema dell'uomo: Antropologia filosofica*, Palermo 1985); *Inteligencia y razón*, Madrid 1983; *El hombre y Dios*, Madrid 1984; *Sobre el hombre*, Madrid 1986; *Estructura dinámica de la realidad*, Madrid 1989.

3. PENSIERO - Zubiri inizia la sua formazione nella neoscolastica di Lovanio. Attraverso il «realismo immediato» di L. Noël giunge alla fenomenologia di Husserl, ciò che gli permette di avere contatti con la nuova filosofia di ispirazione fenomenologica rappresentata in Spagna da Ortega y Gasset. Dopo il suo soggiorno a Friburgo, tra il 1928 e il 1930, nell'opera di Zubiri è evidente l'influsso di Heidegger.

Tutta la filosofia matura di Zubiri ha come scopo quello di trovare uno sbocco al metodo fenomenologico che permetta di fondare una filosofia che vada oltre il realismo classico e l'idealismo moderno. Perciò, Zubiri trasferisce la ricerca fenomenologica dalla «coscienza» (Husserl), dalla «vita» (Ortega) e dalla «comprensione» (Heidegger) all'«apprensione» (aprehensión), di modo che l'oggetto basilare della filosofia sia l'analisi dell'«apprensione umana». Ciò non significa che il filosofo non possa né debba studiare ciò che sono le cose oltre l'apprensione e indipendentemente da essa, ma che tale studio mancherebbe di radicalità se non fosse basato sul dato previo e incontrovertibile di ciò che è dato nell'apprensione in quanto dato in essa. Come la coscienza per Husserl, l'apprensione per Zubiri ha priorità assoluta e rappresenta l'ambito della «filosofia prima».

Nell'atto dell'apprensione ci sono due momenti: l'intellezione della cosa e la cosa in quanto intelletta. Per Zubiri costituiscono due momenti congeneri, cosicché nessuno dei due vanta priorità sull'altro. Il realismo antico concesse priorità alla realtà sul sapere, e l'idealismo moderno al sapere sulla realtà. Il primo dette luogo alla «metafisica» in senso classico, e in qualche modo peggiorativo, del termine; il secondo alla «teoria della conoscenza». Rappresentano due errori, ambedue ugualmente devianti.

Quando si pone il problema filosofico a un livello adeguato di radicalità, presto si percepisce che sapere e realtà sono congeneri, e quindi inseparabili l'uno dall'altro. Ciò vuol dire che non c'è sapere senza realtà. Ma significa pure che non c'è realtà senza sapere, o come preferisce dire Zubiri, che la realtà è il carattere formale di come le cose si rendono attuali all'uomo nell'apprensione. «Realtà è il carattere formale – la formalità – secondo il quale ciò che è oggetto di apprensione è qualcosa "in proprio", qualcosa "di suo". E il sapere è avere apprensione di qualcosa secondo questa formalità». Il sapere elementare, primario e radicale, non è dunque «conoscenza», come sostenne la Erkenntnistheorie, ma l'apprensione di qualcosa secondo la formalità di realtà. Ebbene, questo è ciò che Zubiri chiama «intellezione». Cosicché «nell'apprensione» (non al di fuori di essa), «intellezione» (l'attualizzazione della cosa nella sua formalità di «in proprio» e «di suo») e «realtà» (la cosa formalmente resa attuale come qualcosa «in proprio» o «di suo») sono termini inseparabili.

A partire dalla fenomenologia classica, si potrebbe dire che intellezione e realtà sono correlati intenzionali. Zubiri, però, pensa che non si tratti di rapporto, ma di qualcosa di più radicale che chiama «rispettività» (respectividad), né di intenzionalità, ma di qualcosa di più profondo che chiama «attualità». In sintesi, dunque, «l'intellezione umana è formalmente la mera attualizzazione del reale nell'intelligenza senziente». La scienza che studia questo non è, a rigor di termini, fenomenologia, ma qualcosa di diverso, che Zubiri ha chiamato «noologia». L'intellezione umana è mera attualizzazione del reale. Qui ci sono tre termini: «Intellezione», «realtà» e «attualizzazione». Sono tre momenti di un solo atto, l'atto di «apprensione umana», che è contemporaneamente senziente e intellettiva.

Se chiamiamo l'apprensione senziente e intellettiva, secondo una lunga tradizione che risale alla Grecia, *noús*, allora dovremo distinguere in essa tre momenti: l'intellettivo o «noetico», quello della realtà o «noematico» e il momento dell'attualizzazione o «noergico».

4. LA «RELIGACIÓN» - Dal 1935 Zubiri ha insistito sul fatto che le cose «di per sé» non solo si «attualizzano» per l'uomo nell'apprensione, ma gli si «impongono» pure con una certa forza. Tale forza, propria delle cose, si impone all'uomo nell'apprensione come «ultima», come «possibilitante» e come «impellente». L'uomo si realizza «in» (ultimità), «da» (possibilità) e «mediante» (impellenza) la realtà attualizzata nell'apprensione. Questo carattere di fondamentalità della realtà, è ciò che Zubiri chiama «il potere del reale». Questo potere ci lega alla realtà, ci «rilega». Questo è ciò che Zubiri intende per *religación*. È un aspetto primario, sorto dalla mera descrizione di ciò che è dato in impressione di realtà, in quanto dato in essa. Di fronte alla *Geworfenheit* heideggeriana, Zubiri considera possibile sostenere la costitutiva *religación* dell'uomo alla realtà.

5. DIO - L'apprensione umana è l'atto elementare dell'intelligenza, però non l'unico. Senza apprensione non ci sarebbero atti successivi, però senza atti successivi non potremmo sapere ciò che sono le cose oltre l'apprensione, cioè, nella realtà del mondo. È importante tener presente che la parola «realtà» ha in Zubiri due sensi: la «realtà come formalità» (o la realtà in quanto data nell'apprensione) e la «realtà come fondamentalità» (o realtà oltre l'apprensione). Un esempio può essere chiarificatore: nella mia apprensione del verde, questo mi è imposto come un qualcosa «di suo», in quanto differente da me; questo è ciò che Zubiri chiama «reità» (o realtà nell'apprensione). La luce è di per sé verde (o realmente verde) nell'apprensione. Se non potessimo essere sicuri di ciò, non sarebbe possibile la fisica dei colori. Orbene, ciò che tale fisica cerca non è solo il verde come realtà formale, ma il «fondamento» del verde al di là dell'apprensione, nella realtà del mondo. La ragione scientifica ha trovato questo fondamento nella teoria elettromagnetica, cosicché il verde viene definito come un'onda di una determinata lunghezza e determinata frequenza. L'oggetto della ragione (nel caso della luce, della ragione scientifica) è questo: partire dall'apprensione per andare più in là di essa, alla ricerca di ciò che sono le cose nella realtà del mondo. Sarebbe un errore il pensare che tutto è ragione o scienza, e che quindi i colori non sono realtà, ma ce l'hanno solo le onde; questo è un errore abbastanza frequente nella scienza. È pure sbagliato, come per secoli ha fatto la filosofia, confondere ciò che è formalmente reale con ciò che è fondamentalmente reale, e pensare che la realtà del verde è identica sia nell'apprensione che oltre ad essa. Il primo è l'errore dell'idealismo ingenuo; il secondo è tipico del realismo ingenuo. Zubiri pensa che tra i due si sia suddivisa la pratica totalità della storia della filosofia.

Tutto ciò è applicabile al tema di Dio. La *religación* è un fatto reale dato in apprensione. Ma non esaurisce il problema di Dio, lo pone soltanto, come l'apprensione della luce pone il problema della fisica dei colori. La *religación* ci porta oltre l'apprensione, alla ricerca di ciò che è il «fondamento» del potere del reale. Tale ricerca deve essere razionale, opera di un tipo di ragione, che in questo caso non chiameremo ragione scientifica, ma ragione teologica. In qualsiasi caso, il metodo della ragione è sempre lo stesso ed è costituito, secondo Zubiri, di quattro momenti, che chiama «sistema di riferimento», «abbozzo» (*esbozo*), «esperienza» e «verifica». Nel tema di Dio questi quattro passi consistono, concretamente, nella «volontà di verità», nell'«abbozzo di una realtà assolutamente assoluta», nell'«esperienza di Dio» e nella «fede in Dio». Li analizzeremo successivamente.

Il sistema di riferimento del cammino razionale dell'uomo verso Dio è, ovviamente, tutto ciò che è dato nell'apprensione, cioè il potere del reale, la *religación*. Ma oltre a ciò, il cammino alla ricerca del fondamento esige come condizione previa ciò che Zubiri chiama, con espressione presa a prestito da Nietzsche, «volontà di verità». Anche se l'analisi di questa espressione è molto ricca di sfumature, significa come minimo che l'accesso dell'uomo a Dio non può compiersi con la semplice «volontà di idee», come ha fatto classicamente la teologia speculativa. Dio, se esiste, non è un'idea, ma la realtà-fondamento. La volontà di idee ha portato la filosofia a «entificare» la realtà divina (trasformandola in un «oggetto») e a «logificare» la sua conoscenza (facendo del suo accesso intellettuale una «prova» logica). Invece, la volontà di verità non cerca un «oggetto» ma il fondamento della *religación*, cioè, del potere del reale. Ciò viene chiamato da Zubiri «deità». Dio, se esiste, non è un'idea, ma la realtà-fondamento, e quindi un qualcosa che non solo viene «abbozzata» con la mente, ma che si «sperimenta». Il momento dell'abbozzo ha a che fare con l'intelligenza, con la verità; quello dell'esperienza, con la volontà. Solamente l'autentica volontà di verità è vera volontà di fondamentalità, senza la quale è impossibile il cammino razionale verso Dio. Perciò diciamo che la volontà di verità costituisce il suo sistema di riferimento.

Con e da questo sistema di riferimento, la ragione deve «abbozzare»

la realtà divina. L'«abbozzo» deve essere sempre una costruzione razionale e logica. Così si è sempre cercato di costruire le cosiddette «prove dell'esistenza di Dio». Zubiri le sottopone a dura critica. Secondo lui, l'«abbozzo» razionale su Dio deve partire dalla necessità di dare un fondamento alla realtà mondana e, soprattutto, alla realtà umana. Quest'ultima ha un carattere «trascendentale» o «assoluto», dovuto alla sua intelligenza; l'uomo è «as-solto» o slegato da ogni altra realtà. Orbene, allo stesso tempo è rilegato (*religado*) ad essa. Ciò fa dire a Zubiri che l'uomo è un «assoluto relativo». Ebbene, l'«abbozzo» razionale su Dio deve partire dalla necessità di dare un fondamento alla realtà relativamente assoluta dell'uomo, in una realtà assolutamente assoluta, cioè in un assoluto di realtà. Questa realtà dovrà essere persona assoluta e fondamento di tutte le cose reali. Questo è l'«abbozzo» razionale su Dio.

Ma l'«abbozzo» da solo non è sufficiente. Nel tema di Dio, come in tutti gli altri in cui interviene la ragione, l'«abbozzo» deve essere seguito dall'esperienza. Pensiamo, ad esempio, come agisce la ragione scientifica. Le ipotesi scientifiche sono abbozzi che è necessario provare attraverso l'esperienza. Zubiri definisce l'esperienza come «prova fisica di realtà», cosicché è la realtà quella che nell'esperienza «approva» o «rifiuta» l'abbozzo. L'esperienza è, dunque, una «prova» che ha un carattere diverso a seconda del tipo di realtà abbozzata. Perciò Zubiri distingue quattro tipi di esperienza, che chiama, rispettivamente, «esperimento» (la prova tipica delle realtà fisiche), «verifica» (la prova specifica delle realtà matematiche), «compenetrazione» (o esperienza interpersonale) e «conformazione» (o esperienza della propria vita). È ovvio che l'esperienza di Dio non può consistere né nell'esperimento né nella «verifica», ma nella compenetrazione o nella conformazione. In realtà, l'esperienza di conformazione è più specifica delle realtà morali, e quella di compenetrazione di quelle religiose. Da ciò si deduce che l'esperienza di Dio, se Dio esiste, dev'essere esperienza di compenetrazione.

Affinché ci possa essere compenetrazione è necessario che siano presenti due persone. E il problema è se Dio «si fa presente» nel mondo. Zubiri pensa di sì, e che tale «presenza» è quella che prima ha chiamato *religación*, «potere del reale» e «deità». Perciò il momento di esperienza rende di nuovo attuale la presenza apprensiva del potere del reale. Adesso, dopo l'«abbozzo», quel potere del reale appare come esperienza di un Dio personale nel mondo. Di fatto, ora il mondo appare come un «dono personale» di Dio, che produce in noi un vero «trascinamento». Il fondamento ci trascina; se non ci trascinasse, non potremmo accedere a lui. D'altra parte, tale «trascinamento», che in fondo è la presenza di Dio nelle cose, esige da noi un donarsi. Il donarsi è la risposta volontaria all'essere trascinati. Da ciò si deduce che la «compenetrazione» propria dell'esperienza di Dio è la compenetrazione tra la presenza di Dio che ci trascina e la donazione dell'uomo come dono di sé. La compenetrazione si produce in questo essere trascinati e donarsi.

Questa esperienza di compenetrazione con Dio ci permette di riproporre ora quelle caratteristiche di ultimità, dono di possibilità (*posibilitancia*) e impellenza del potere del reale, a un nuovo livello di profondità. Zubiri dice che ora l'ultimità si trasforma in «sottomissione» (*acatamiento*), che costituisce la base di ogni adorazione e sacrificio, e il fondamento della «fede teologale»; da parte sua, il dono di possibilità è sperimentato ora come «supplica», sotto forma di orazione, fondamento di ogni «speranza teologale»; e, infine, l'impellenza

ci si manifesta in forma di «rifugio», radice dell'«amore teologale». Dio non è un'idea, né un motore immobile, ma è l'essere a cui ci si sottomette, a cui si rivolge la supplica e nel quale si rifugia l'uomo; cioè, un essere con il quale ci si compenetra e che si può pregare. Se l'«abbozzo» ha sempre corrisposto a ciò che Pascal chiamava «il Dio dei filosofi», il momento di esperienza si rapporta con «il Dio delle religioni». Non sono due dèi, ma due momenti inseparabili dell'accesso razionale dell'uomo a Dio.

Riassumendo, l'esperienza mediante «compenetrazione» scopre una *donazione personale di Dio* nelle cose e negli uomini, sotto forma di trascinamento, che esige una *donazione personale dell'uomo* a Dio, sotto forma di *dono di sé* (*entrega*).

Rimane l'ultimo momento del metodo della ragione, quello che Zubiri chiama «verifica». Tale momento è importante a causa della stessa limitatezza della razionalità umana. L'esperienza, in realtà, non approva o disapprova mai completamente l'abbozzo. Perciò questo non è mai del tutto «verificato». La verità della ragione è così debole che il processo di verifica non può mai essere considerato concluso. Il verificare è un processo sempre aperto, su un piano logico e storico, si tratta, come dice Zubiri, di «continuare a verificare».

Ebbene, la stessa cosa accade con il tema di Dio. Il momento di verifica dell'abbozzo, nel cammino dell'uomo verso Dio, si chiama *fede*. La fede non è per Zubiri il consenso a un giudizio fondato sulla testimonianza di altri, ma «l'abbandonarsi (*entrega*) a una realtà personale in quanto vera». La fede può essere forte, ma ciò non toglie che debba alimentarsi continuamente; come verificare è continuare a verificare, credere è continuare a credere. La fede non si può considerare come qualcosa di acquisito una volta per tutte, ma un processo continuo. La volontà di verità, l'«abbozzo» e l'esperienza di Dio devono confrontarsi continuamente, e con essi la fede. Ciò permette di capire perché la fede è un processo dinamico, nel quale si possono verificare livelli o stadi distinti. Zubiri ne distingue tre: quello della «fede teologale», già descritto; quello della «fede teologica», proprio delle religioni positive o storiche; e quello della «fede cristiana», proprio della religione di deificazione.

Bibl. - Sulla vita di Zubiri: C. Castro de Zubiri, *Xavier Zubiri: Breve recorrido de una vida*, Santander 1986. Come introduzione allo studio del suo pensiero: D. Gracia, *Voluntad de verdad: para leer a Zubiri*. Barcelona 1986; A. Ferraz, *Zubiri: Realismo radical*, Madrid 1987. Il Seminario di Filosofia Xavier Zubiri ha pubblicato quattro volumi di studio sulla sua opera: *Realitas*, I, Madrid 1974; II, Madrid-Barcelona 1976; III-IV, Madrid-Barcelona 1979. In fondo al II volume c'è un'ampia bibliografia zubiriana, redatta dal filosofo svizzero H. Widmer. Alla «Fundación Xavier Zubiri» (Barquillo 10, 28004 Madrid), funzionano una biblioteca e un centro di documentazione sul pensiero di Zubiri.

DIEGO GRACIA

INDICE ANALITICO

Il presente indice, pur cercando di essere completo, non è esaustivo. Le voci in MAIU-SCOLETTO *corrispondono ai lemmi del Dizionario. La sottodivisione delle voci più lunghe e complesse è indicata in* MAIUSCOLETTO *corsivo. Le voci in corsivo indicano parti o aspetti importanti di una tematica senza trattazione propria. I numeri si riferiscono alle pagine del Dizionario in cui è trattato l'argomento. La freccia (→) rimanda il lettore alle voci di questo stesso indice, dove troverà le indicazioni delle pagine del Dizionario. Questo vale soprattutto per le voci in corsivo.*

per un rinnovamento
della teologia fondamentale

opera in 6 volumi di René Latourelle

1. **TEOLOGIA, SCIENZA DELLA SALVEZZA**
6ª ed. - pagg. 254 - L. 15.000

Dopo uno studio sulla natura e il metodo della teologia, vengono descritte le 14 discipline che formano l'ossatura della teologia dal volto nuovo. La teologia fondamentale si trova così «situata» nell'insieme dell'universo teologico.

2. **TEOLOGIA DELLA RIVELAZIONE**
8ª ed. - pagg. 544 - L. 26.000

Tutta l'economia della salvezza si basa su questo mistero dell'automanifestazione di Dio in una confidenza d'amore. In 24 capitoli e 5 sezioni, l'A. studia i principali aspetti, problemi e paradossi della Rivelazione come realtà fondamentale del cristianesimo.

3. **A GESÙ ATTRAVERSO I VANGELI**
2ª ed. - pagg. 300 - L. 18.000

Con questo volume inizia la riflessione propriamente critica sulla Rivelazione. Se il cristianesimo si presenta come intervento di Dio nella storia, culminante nella persona e vita di Gesù, è di somma importanza sapere se, e in quale misura, si può conoscere Gesù attraverso i Vangeli, la «principale testimonianza relativa alla vita e alla dottrina del Verbo incarnato, nostro Salvatore» (Dei Verbum, 18).

4. **L'UOMO E I SUOI PROBLEMI ALLA LUCE DI CRISTO**
pagg. 464 - L. 16.000

Cristo è una irruzione di Dio nella storia dell'uomo, una irruzione che rivela l'uomo a se stesso, lo decifra, lo interpreta, lo trasfigura (Gaudium et Spes, 22). La luce che il messaggio di Gesù getta sui problemi dell'uomo raggiunge un tale grado di penetrazione da far nascere il problema dell'identità del personaggio che invita alla opzione di fede.

5. **CRISTO E LA CHIESA SEGNI DI SALVEZZA**
2ª ed. - pagg. 272 - L. 13.000

La riflessione antropologica su Gesù come verità decisiva dell'uomo conduce al problema dell'identificazione di Gesù come «Dio-tra-noi». Bisogna considerare i due segni fondamentali della Rivelazione, che contengono tutti gli altri, cioè il Cristo e la sua Chiesa.

6. **MIRACOLI DI GESÙ E TEOLOGIA DEL MIRACOLO**
pagg. 464 - L. 26.000

Nella sua predicazione, Cristo annunzia la salvezza che egli opera con la sua venuta nella carne e con la sua morte sulla croce. Ma insieme con la sua Parola, «verbum efficax», sorgono la nuova creazione, il tempo nuovo, l'uomo nuovo. La trasfigurazione della natura col miracolo, la trasformazione dell'uomo in nuova creatura, vivificata dallo Spirito, la trasformazione dell'umanità ricreata nell'unità e nella carità, sono i segni del regno nella sua visibilità.

CITTADELLA EDITRICE

PROPRIETÀ RISERVATA

STAMPA:
A.C. GRAFICHE
CITTÀ DI CASTELLO - 1990

L. 150.000